आर० गुप्ता® कृत

नेशनल टेस्टिंग एजेंसी (NTA)

UGC-NET/JRF

Junior Research Fellowship & Assistant Professor Eligibility Exam

अर्थशास्त्र

पिछले प्रश्न–पत्र

PAPER II

2027
EDITION

रमेश पब्लिशिंग हाउस, नई दिल्ली

इस परीक्षा हेतु पॉपुलर मास्टर गाइड

UGC NET/JRF **अर्थशास्त्र** Paper-II

अध्ययन सामग्री एवं पूर्व परीक्षा प्रश्न-पत्र (उत्तर सहित)

Book Code : R-467 • Price : ₹ 690 • ISBN : 978-93-87604-52-0

Email : order@rameshpublishinghouse.com

प्रकाशक

ओ॰पी॰ गुप्ता, **रमेश पब्लिशिंग हाउस**

प्रशासनिक कार्यालय

12-H, न्यू दरियागंज रोड, ऑफिसर्स मेस के सामने,

नई दिल्ली-110002 ✆ 23275224, 23245124

E-mail: info@rameshpublishinghouse.com

For Online Shopping: www.rameshpublishinghouse.com

विक्रय केन्द्र

• बालाजी मार्किट, नई सड़क, दिल्ली-110006 ✆ 23282525 📱 9354373464

• 4457, नई सड़क, दिल्ली-110006

Book Code: R-2697

ISBN: 978-93-5477-922-0

मूल्यः ₹ 620

मुद्रकः दीपक ऑफसैट, दिल्ली

अनुक्रमणिका

UGC-NET/JRF—(PAPER-II) अर्थशास्त्र

पिछले प्रश्न-पत्र

National Testing Agency (NTA)

UGC-NET जूनियर रिसर्च फैलोशिप तथा सहायक प्राध्यापक पात्रता परीक्षा

अर्थशास्त्र, जनवरी-2026

(Exam held on 07-01-2026)

प्रश्न-पत्र-II

1. सूची-I का सूची-II से मिलान कीजिए।

सूची-I		सूची-II
A. 14वाँ वित्त आयोग	I.	ऊर्ध्वाधर कर हस्तांतरण 41%
B. 15वाँ वित्त आयोग	II.	ऊर्ध्वाधर कर हस्तांतरण 42%
C. 12वाँ वित्त आयोग	III.	राज्यों का हिस्सा केंद्रीय करों का 32%
D. 13वाँ वित्त आयोग	IV.	राज्यों का हिस्सा केंद्रीय करों का 30.5%

नीचे दिए गए विकल्पों में से **सही** उत्तर चुनिए:

1. A-IV, B-III, C-II, D-I
2. A-IV, B-III, C-I, D-II
3. A-III, B-IV, C-I, D-II
4. A-II, B-I, C-IV, D-III

2. अल्पाधिकार (Oligopoly) का किंक्ड-डिमांड मॉडल निम्नलिखित में से किसने विकसित किया था?

1. चेम्बरलिन 2. बर्ट्रेंड
3. स्टैकल बर्ग 4. स्वीजी

3. यदि अंतर समीकरण $Y_{t+1} - 1.2Y_t = 0$ दिया गया है, तो t के सापेक्ष Y_t का सामान्य व्यंजक क्या होगा?

1. $Y_t = (1.2)^t Y_1$
2. $Y_t = (1.2)^{t+1} Y_0$
3. $Y_t = (1.2)^{t-1} Y_1$
4. $Y_t = (1.2)^{t-1} Y_0 + C$

4. संतुलित बजट गुणक (Balanced Budget Multiplier) के मामले में:

A. उत्पादन में वृद्धि, सरकारी व्यय में वृद्धि से कम होती है।

B. उत्पादन में वृद्धि, सरकारी व्यय में वृद्धि से अधिक होती है।

C. सरकारी व्यय और करों में समान मात्रा में वृद्धि की जाती है।

D. गुणक का मान 1 के बराबर होता है।

नीचे दिए गए विकल्पों में से **सही** उत्तर चुनिए:

1. केवल C और D 2. केवल B और C
3. केवल A, B और C 4. केवल B और D

5. तरलता जाल (Liquidity Trap) की परिघटना के संबंध में निम्नलिखित में से कौन-सा कथन सत्य है?

1. समस्त अतिरिक्त मुद्रा आपूर्ति बांड खरीदने में खर्च की जाती है।
2. ब्याज दर का स्तर बहुत ऊँचा होता है।
3. समस्त अतिरिक्त मुद्रा आपूर्ति जनता द्वारा निष्क्रिय नगद शेष के रूप में रखी जाती है।
4. तरलता जाल की स्थिति से ब्याज दर में कमी आएगी।

6. केंद्रीय बजट 2025-26 में विभिन्न लाभकारी प्रस्तावों के कारण कितने राजस्व का त्याग करना पड़ेगा?

1. प्रत्यक्ष करों में ₹ 2 लाख करोड़ तथा अप्रत्यक्ष करों में ₹ 5600 करोड़
2. प्रत्यक्ष करों में ₹ 1.5 लाख करोड़ तथा अप्रत्यक्ष करों में ₹ 5600 करोड़
3. प्रत्यक्ष करों में ₹ 1 लाख करोड़ तथा अप्रत्यक्ष करों में ₹ 2600 करोड़
4. प्रत्यक्ष करों में ₹ 50,000 करोड़ तथा अप्रत्यक्ष करों में ₹ 2000 करोड़

7. नीचे दो कथन दिए गए हैं : एक को अभिकथन (A) तथा दूसरे को कारण (R) कहा गया है।

अभिकथन (A): सरकार द्वारा घाटा व्यय करने से निजी निवेश पर भीड़-बहिष्करण प्रभाव (Crowding Out Effect) पड़ता है।

कारण (R): जब सरकार अपने घाटे की पूर्ति बाजार से उधार लेकर करती है, तब बांड की कीमतें बढ़ जाती हैं तथा ब्याज दर घट जाती है।

उपरोक्त कथनों के आलोक में नीचे दिए गए विकल्पों में से **सबसे उपयुक्त** उत्तर चुनिए:

1. (A) और (R) दोनों सही हैं तथा (R), (A) की सही व्याख्या है।
2. (A) और (R) दोनों सही हैं, लेकिन (R), (A) की सही व्याख्या नहीं है।
3. (A) सही है, लेकिन (R) सही नहीं है।
4. (A) सही नहीं है, लेकिन (R) सही है।

8. प्रतिपूर्ति भुगतान (Compensation Payments) पर आधारित कल्याण मापदंड को क्या कहा जाता है?

1. डाल्टन-फ्रीडमैन प्रतिपूर्ति मापदंड
2. अमर्त्य सेन प्रतिपूर्ति मापदंड
3. पैरेटो-बेन्स प्रतिपूर्ति मापदंड
4. काल्डोर-हिक्स प्रतिपूर्ति मापदंड

9. मानव विकास सूचकांक (HDI) का प्रयोग देशों की रैंकिंग के लिए किस आधार पर किया जाता है?

1. जन्म के समय जीवन प्रत्याशा, वयस्क निरक्षरता दर तथा सुरक्षित जल की उपलब्धता से वंचित जनसंख्या का प्रतिशत।
2. वास्तविक प्रति व्यक्ति आय, 5 वर्ष से कम आयु के कम वजन वाले बच्चों का प्रतिशत तथा 40 वर्ष की आयु तक जीवित न रहने वाली जनसंख्या का प्रतिशत।
3. जन्म के समय जीवन प्रत्याशा, शैक्षिक उपलब्धि तथा क्रय शक्ति समता पर वास्तविक प्रति व्यक्ति आय।
4. आय असमानता तथा शहरी क्षेत्रों में रहने वाली जनसंख्या का प्रतिशत।

10. सूची-I का सूची-II से मिलान कीजिए।

	सूची-I		**सूची-II**
A.	केनेथ बोल्डिंग	I.	प्रदूषण कर
B.	जॉर्जेस्क्यू-रोजेन	II.	स्पेसशिप अर्थ एवं पारिस्थितिक सीमाएँ
C.	एलिनॉर ओस्ट्रॉम	III.	सामूहिक संपत्ति संसाधनों का प्रबंधन
D.	ए.सी. पिगू	IV.	ऊर्जा एक सीमित कारक के रूप में

नीचे दिए गए विकल्पों में से **सही** उत्तर चुनिए:

1. A-I, B-III, C-II, D-IV
2. A-III, B-II, C-I, D-IV
3. A-II, B-I, C-IV, D-III
4. A-II, B-IV, C-III, D-I

11. डाल्टन के इष्टतम जनसंख्या सूत्र $M = \frac{A - O}{O}$ (जहाँ M = असंतुलन की मात्रा, A = वास्तविक जनसंख्या तथा O = इष्टतम जनसंख्या स्तर) के अनुसार कोई देश इष्टतम जनसंख्या वाला तब कहलाता है जब:

1. M धनात्मक हो
2. M ऋणात्मक हो
3. M शून्य हो
4. O शून्य हो

12. नीचे दो कथन दिए गए हैं : एक को अभिकथन (A) तथा दूसरे को कारण (R) कहा गया है।

अभिकथन (A): यदि X और Y कोई दो चर हैं और उन्हें नए चर U और V में इस प्रकार रूपांतरित किया जाए:

$$U = \frac{X - A}{h}, \quad V = \frac{Y - B}{K}$$

जहाँ A, B, h, K नियतांक हैं तथा h और $K > 0$ हैं, तब $r_{xy} = r_{uv}$

कारण (R): सहसंबंध गुणांक (r), मूल बिंदु तथा मापनी में परिवर्तन से स्वतंत्र होता है।

उपरोक्त कथनों के आलोक में नीचे दिए गए विकल्पों में से **सबसे उपयुक्त** उत्तर चुनिए:

1. (A) और (R) दोनों सही हैं तथा (R), (A) की सही व्याख्या है।
2. (A) और (R) दोनों सही हैं, लेकिन (R), (A) की सही व्याख्या नहीं है।
3. (A) सही है, लेकिन (R) सही नहीं है।
4. (A) सही नहीं है, लेकिन (R) सही है।

13. निर्धारण गुणांक (Coefficient of Determination) (R^2):

A. प्रतिगामकों (Regressors) की संख्या का बढ़ता हुआ फलन है।

B. प्रतिगामकों की संख्या का घटता हुआ फलन है।

C. प्रतिगामकों की संख्या बढ़ाने या घटाने से अप्रभावित रहता है।

D. सदैव धनात्मक होता है।

नीचे दिए गए विकल्पों में से **सही** उत्तर चुनिए:

1. केवल A और B
2. केवल A और C
3. केवल A और D
4. केवल B और C

14. एकाधिकार शक्ति (Monopoly Power) की व्याख्या निम्नलिखित में से किसके द्वारा की जाती है?

1. $\frac{(P - MC)}{P}$
2. $\frac{(P + MC)}{P}$
3. $\frac{(P - AC)}{P}$
4. $\frac{(P + AC)}{P}$

15. भारत में ₹ 1000 मूल्यवर्ग के नोट पहली बार किस वर्ष विमुद्रीकृत (Demonetised) किए गए थे?

1. 2016
2. 1978
3. 1969
4. 1980

16. नव-शास्त्रीय वृद्धि सिद्धांत (Neo-Classical Growth Theory) के मूल प्रतिपादन हैं:

A. उत्पादन की वृद्धि, श्रम उत्पादकता की वृद्धि दर पर निर्भर करती है।

B. उत्पादन की वृद्धि, प्रति व्यक्ति आय के स्तर पर निर्भर करती है।

C. बचत तथा निवेश का अनुपात आर्थिक वृद्धि निर्धारित करता है।

D. केवल निवेश ही आर्थिक वृद्धि निर्धारित करता है।

नीचे दिए गए विकल्पों में से **सही** उत्तर चुनिए:

1. केवल A और C
2. केवल A और B
3. केवल C और D
4. केवल B और C

17. निम्नलिखित में से ट्रेजरी बिलों के प्रकारों की सही पहचान कीजिए।

A. समायोजित मूल्य नीलामी

B. समान मूल्य नीलामी

C. बहु-मूल्य नीलामी

D. पुनःसमायोजित मूल्य नीलामी

नीचे दिए गए विकल्पों में से **सही** उत्तर चुनिए:

1. केवल A और B
2. केवल B और C
3. केवल C और D
4. केवल A और D

18. सार्वजनिक व्यय और राज्य गतिविधियों में वृद्धि की परिघटना की व्याख्या करने वाला सिद्धांत किसने प्रस्तुत किया?

1. बॉमोल
2. एलन पीकॉक
3. डाल्टन
4. एडोल्फ वैग्नर

19. विकास के ''बिग-पुश'' सिद्धांत की उत्पत्ति निम्नलिखित में से किस पर आधारित है?

1. असंतुलित आर्थिक वृद्धि
2. निम्न-स्तरीय संतुलन जाल तथा क्रांतिक न्यूनतम प्रयास
3. काल्डोर के वृद्धि नियम
4. हैरॉड की नाइफ-एण्ड इनस्टैबिलिटी अस्थिरता

20. नीचे दो कथन दिए गए हैं : एक को अभिकथन (A) तथा दूसरे को कारण (R) कहा गया है।

अभिकथन (A) : पेट्रोलियम निर्यातक देशों के संगठन (OPEC) दीर्घकाल में पेट्रोलियम उत्पादों के ऊँचे मूल्य बनाए रखने में असफल रहा है।

कारण (R): पेट्रोलियम उत्पादों के लिए दीर्घकाल में माँग और पूर्ति दोनों अलोचशील (Inelastic) होती हैं।

उपरोक्त कथनों के आलोक में नीचे दिए गए विकल्पों में से **सबसे उपयुक्त** उत्तर चुनिए:

1. (A) और (R) दोनों सही हैं तथा (R), (A) की सही व्याख्या है।
2. (A) और (R) दोनों सही हैं, लेकिन (R), (A) की सही व्याख्या नहीं है।
3. (A) सही है, लेकिन (R) सही नहीं है।
4. (A) सही नहीं है, लेकिन (R) सही है।

21. निम्नलिखित मदों एवं राशियों पर विचार कीजिए:

मद	राशि (₹ करोड़ में)
(*a*) कुल राजस्व प्राप्तियाँ	5600
(*b*) कुल पूँजी प्राप्तियाँ	3000
(*c*) ब्याज भुगतान	800
(*d*) विनिवेश प्राप्तियाँ	400
(*e*) कुल व्यय	8600
(*f*) ऋणों की वसूली	150

प्राथमिक घाटे (Primary Deficits) की राशि क्या होगी?

1. ₹ 2140 करोड़ 2. ₹ 3000 करोड़
3. ₹ 1650 करोड़ 4. ₹ 2450 करोड़

22. सूची-I का सूची-II से मिलान कीजिए (केंद्रीय बजट 2025-26 के अनुसार)।

सूची-I	सूची-II
A. केंद्रीय सरकारी व्यय के प्रतिशत के रूप में पेंशन	I. 22%
B. केंद्रीय सरकारी व्यय के प्रतिशत के रूप में राज्यों का करों एवं शुल्कों में हिस्सा	II. 18%
C. भारत का कर-GDP अनुपात	III. 81.3%
D. भारत का ऋण-GDP अनुपात	IV. 4%

नीचे दिए गए विकल्पों में से **सही** उत्तर चुनिए:

1. A-II, B-I, C-III, D-IV
2. A-II, B-III, C-I, D-IV
3. A-IV, B-III, C-I, D-II
4. A-IV, B-I, C-II, D-III

23. किसी गिफेन वस्तु (Giffen Commodity) की कीमत में कमी होने की स्थिति में हम पाते हैं:

1. धनात्मक प्रतिस्थापन प्रभाव, ऋणात्मक आय प्रभाव से कम होता है।
2. धनात्मक प्रतिस्थापन प्रभाव, ऋणात्मक आय प्रभाव से अधिक होता है।
3. ऋणात्मक प्रतिस्थापन प्रभाव, धनात्मक आय प्रभाव से अधिक होता है।
4. ऋणात्मक प्रतिस्थापन प्रभाव, धनात्मक आय प्रभाव से कम होता है।

24. सूची-I का सूची-II से मिलान कीजिए।

सूची-I	सूची-II
A. Q सिद्धांत	I. बेरोजगारी और मुद्रास्फीति
B. फिलिप्स वक्र	II. बेरोजगारी और उत्पादन
C. ओकुन का नियम	III. निवेश
D. तरलता जाल	IV. मुद्रा की माँग और ब्याज दर

नीचे दिए गए विकल्पों में से सही उत्तर चुनिए:

1. A-III, B-I, C-II, D-IV
2. A-I, B-II, C-IV, D-III
3. A-III, B-II, C-I, D-IV
4. A-II, B-IV, C-I, D-III

25. यदि बाजार मूल्य पर सकल राष्ट्रीय उत्पाद (GNP) ₹ 14400 करोड़, उपभोग ₹ 12000 करोड़, सरकारी क्रय ₹ 1200 करोड़, निर्यात ₹ 1000 करोड़ तथा आयात ₹ 1500 करोड़ है, तो निवेश का मूल्य होगा:

1. ₹ 1200 करोड़ 2. ₹ 2000 करोड़
3. ₹ 1500 करोड़ 4. ₹ 1700 करोड़

26. जब GDP में 1% वृद्धि होने पर सार्वजनिक राजस्व में 1% से अधिक वृद्धि होती है, तब इसे क्या कहा जाता है?

1. CENVAT
2. अलोचशील कर प्रणाली
3. आनुपातिक कर प्रणाली
4. कर आधिक्य (Tax buoyancy)

27. आर्थिक वृद्धि सिद्धांत के विकास का कालानुक्रमिक क्रम होगा:

A. हैरॉड-डोमर वृद्धि मॉडल
B. सोलो का नव-शास्त्रीय वृद्धि मॉडल
C. अंतर्जात वृद्धि सिद्धांत
D. एडम स्मिथ का ''श्रम विभाजन'' तथा ''वृद्धिशील प्रतिफल'' सिद्धांत

नीचे दिए गए विकल्पों में से **सही** उत्तर चुनिए:

1. D, C, B, A 2. D, B, C, A
3. D, A, B, C 4. B, D, A, C

28. किसी देश का ''आर्थिक आश्रित भार'' (Economic Dependency Burden) का अर्थ है:

A. देश के गैर-उत्पादक सदस्यों का भरण-पोषण देश की श्रमशक्ति द्वारा किया जाना।
B. देश का बकाया ऋण।
C. 15 वर्ष से कम आयु के बच्चे तथा 70 वर्ष से अधिक आयु के लोग।
D. निजी क्षेत्र में कार्य करने वाले लोग।

नीचे दिए गए विकल्पों में से **सही** उत्तर चुनिए:

1. केवल A और D 2. केवल A और C
3. केवल C और D 4. केवल B और C

29. NSSO तथा CSO किसके अंतर्गत आते हैं?

1. गृह मंत्रालय
2. वित्त मंत्रालय
3. उद्योग एवं वाणिज्य मंत्रालय
4. सांख्यिकी एवं कार्यक्रम कार्यान्वयन मंत्रालय (MoSPI)

30. हाल ही में मुद्रास्फीति दरों में गिरावट का रुझान देखा गया है तथा वे धीरे-धीरे केंद्रीय बैंक के लक्ष्य स्तर के निकट पहुँच रही हैं।

इस संदर्भ में निम्नलिखित में से कौन-से कथन सही हैं?

A. आपूर्ति शृंखलाएँ आर्थिक अनिश्चितताओं के अनुरूप ढल रही हैं।
B. मौद्रिक नीति से सहजता (Easing Monetary Policy)
C. कठोर मौद्रिक नीति (Tighter Monetary Policy)
D. समष्टि माँग (AD) में वृद्धि, समष्टि पूर्ति (AS) की वृद्धि से अधिक है।

नीचे दिए गए विकल्पों में से सही उत्तर चुनिए:

1. केवल A और B 2. केवल B और D
3. केवल A और C 4. केवल C और D

31. किसी अर्थव्यवस्था के लिए निम्नलिखित जानकारी दी गई है। संतुलन आय स्तर का मान ज्ञात कीजिए:

$C = 100 + 0.75Y_d$; $G = 40$; $I = 60$; $t = 0.2$

यहाँ, C = उपभोग, Y_d = व्यय योग्य आय, G = सरकारी व्यय, I = निवेश, t = कर दर

1. 200 2. 500
3. 400 4. 450

32. नीचे दो कथन दिए गए हैं : एक को अभिकथन (A) तथा दूसरे को कारण (R) कहा गया है।

यदि X अवलोकनों की एक दी गई श्रेणी है तथा a और b कोई दो नियतांक हैं, तब मानक विचलन (SD) के संदर्भ में:

अभिकथन (A): $SD(X + a) = SD(X - b) = SD(X)$ तथा $SD(aX) = a^2.SD(X)$

कारण (R): SD मूल बिंदु के परिवर्तन से स्वतंत्र होता है, लेकिन मापनी के परिवर्तन से स्वतंत्र नहीं होता।

उपरोक्त कथनों के आलोक में नीचे दिए गए विकल्पों में से **सबसे उपयुक्त** उत्तर चुनिए:

1. (A) और (R) दोनों सही हैं तथा (R), (A) की सही व्याख्या है।
2. (A) और (R) दोनों सही हैं, लेकिन (R), (A) की सही व्याख्या नहीं है।
3. (A) सही है, लेकिन (R) सही नहीं है।
4. (A) सही नहीं है, लेकिन (R) सही है।

33. नीचे दो कथन दिए गए हैं : एक को अभिकथन (A) तथा दूसरे को कारण (R) कहा गया है।

अभिकथन (A): परिवार की औसत आय में 10% वृद्धि होने पर बच्चों के स्वास्थ्य और शिक्षा में निवेश में 50% वृद्धि होगी।

कारण (R): बच्चों के स्वास्थ्य और शिक्षा में निवेश से मानव पूँजी में वृद्धि होगी, जिससे मानव क्षमता तथा आर्थिक उत्पादकता बढ़ेगी।

उपरोक्त कथनों के आलोक में नीचे दिए गए विकल्पों में से **सबसे उपयुक्त** उत्तर चुनिए:

1. (A) और (R) दोनों सही हैं तथा (R), (A) की सही व्याख्या है।
2. (A) और (R) दोनों सही हैं, लेकिन (R), (A) की सही व्याख्या नहीं है।
3. (A) सही है, लेकिन (R) सही नहीं है।
4. (A) सही नहीं है, लेकिन (R) सही है।

34. यदि 20 और 15 आकार के नमूनों के प्रतिदर्श प्रसरण (Sample Variance) क्रमशः 35.53 और 34.92 हैं, तो F-सांख्यिकी का परिकलित मान होगा:

1. 1.02   2. 0.98
3. 0.76   4. 1.31

35. निम्नलिखित कथनों के आधार पर:

A. आव्यूह योग (Matrix Addition) क्रमविनिमेय नहीं होता।
B. आव्यूह योग साहचर्य (Associative) होता है।
C. आव्यूह गुणन क्रमविनिमेय होता है।
D. यदि गुणनफल अस्तित्व में हो, तो आव्यूह गुणन साहचर्य होता है।

नीचे दिए गए विकल्पों में से **सही** उत्तर चुनिए:

1. केवल A और C   2. केवल A और D
3. केवल B और C   4. केवल B और D

36. महात्मा गांधी राष्ट्रीय ग्रामीण रोजगार गारंटी योजना (MGNREGS) के संबंध में सही कथन की पहचान कीजिए:

1. राष्ट्रीय सलाहकार समिति (NAC) द्वारा प्रस्तावित प्रारूप में ग्रामीण क्षेत्रों के प्रत्येक परिवार को 120 दिनों के आकस्मिक शारीरिक कार्य की कानूनी गारंटी की परिकल्पना की गई थी।
2. उपलब्ध कराए गए रोजगार की लागत का 90 प्रतिशत केंद्र सरकार वहन करती है।
3. कार्यान्वयन के प्रथम चरण में 150 सर्वाधिक पिछड़े जिलों को शामिल किया गया था।
4. 2 अक्टूबर, 2010 से राष्ट्रीय ग्रामीण रोजगार गारंटी योजना (NREGS) का नाम बदलकर महात्मा गांधी राष्ट्रीय ग्रामीण रोजगार गारंटी योजना (MGNREGS) कर दिया गया।

37. दो इनपुट वाले कॉब-डगलस उत्पादन फलन $Q = AK^{\alpha}L^{\beta}$ के लिए, जहाँ $A > 0$ तथा α और $\beta > 0$ हैं, सीमांत उत्पाद होंगे:

A. $MP_k = \frac{\alpha}{K}Q$ B. $MP_k = \frac{\beta}{K}Q$

C. $MP_L = \frac{\alpha}{L}Q$ D. $MP_L = \frac{\beta}{L}Q$

नीचे दिए गए विकल्पों में से **सही** उत्तर चुनिए:

1. केवल A और C   2. केवल A और D
3. केवल B और C   4. केवल B और D

38. नीचे दो कथन दिए गए हैं : एक को अभिकथन (A) तथा दूसरे को कारण (R) कहा गया है।

अभिकथन (A) : प्रतिगमन विश्लेषण में विषमविचलनता (Heteroscedasticity) की समस्या की उपस्थिति का अर्थ है कि न्यूनतम वर्ग आकलक अभी भी निष्पक्ष (Unbiased) होते हैं, लेकिन दक्ष (Efficient) नहीं होते।

कारण (R) : प्रसरण के आकलन भी निष्पक्ष होते हैं।

उपरोक्त कथनों के आलोक में नीचे दिए गए विकल्पों में से **सबसे उपयुक्त** उत्तर चुनिए:

1. (A) और (R) दोनों सही हैं तथा (R), (A) की सही व्याख्या है।
2. (A) और (R) दोनों सही हैं, लेकिन (R), (A) की सही व्याख्या नहीं है।
3. (A) सही है, लेकिन (R) सही नहीं है।
4. (A) सही नहीं है, लेकिन (R) सही है।

39. किस कर को लोकप्रिय रूप से 'गंतव्य कर' (Destination tax) भी कहा जाता है?

1. सीमा शुल्क (Customs Duty)
2. निगम कर
3. वस्तु एवं सेवा कर (GST)
4. केंद्रीय उत्पाद शुल्क

40. निम्नलिखित को सही कालानुक्रमिक क्रम में व्यवस्थित कीजिए।

A. अप्रैल-मार्च से जनवरी-दिसंबर वित्तीय वर्ष में परिवर्तन संबंधी शंकर आचार्य समिति।
B. पूर्वव्यापी कर कानूनों पर पार्थसारथी शोम समिति।
C. कर सुधारों पर विजय केलकर समिति।
D. राजस्व-तटस्थ GST पर अरविंद सुब्रमणियन समिति।

नीचे दिए गए विकल्पों में से **सही** उत्तर चुनिए:

1. A, B, C, D 2. C, A, D, B
3. C, B, D, A 4. A, D, B, C

41. कोसियन सौदेबाजी दृष्टिकोण (Coasian Bargaining Approach) तब कार्य करेगा जब:

A. सौदेबाजी करने वाले पक्षों के अधिकार हस्तांतरणीय हों।
B. सौदेबाजी करने वाले पक्ष समान रूप से सूचित हों।
C. संपत्ति अधिकार कानूनी रूप से स्थापित हों।
D. संसाधन सार्वभौमिक रूप से स्वामित्व में हों।

नीचे दिए गए विकल्पों में से **सही** उत्तर चुनिए:

1. केवल A और D 2. केवल B और D
3. केवल B और C 4. केवल A और C

42. यदि माँग फलन P = 80 – 3Q तथा लागत फलन TC = 120 + 8Q है:

A. अधिकतम आय (Maximum Revenue) (Q = 12) पर प्राप्त होती है।
B. अधिकतम आय (Q = 3) पर प्राप्त होती है।
C. अधिकतम आय 528 है।
D. अधिकतम आय 213 है।

नीचे दिए गए विकल्पों में से **सही** उत्तर चुनिए:

1. केवल A और C 2. केवल A और D
3. केवल B और C 4. केवल B और D

43. सूची-I का सूची-II से मिलान कीजिए।

सूची-I	सूची-II
A. शिथिल चर	I. सभी संभव हलों में सर्वोत्तम हल
B. अधिशेष चर	II. ऐसा हल जो कम-से-कम एक शर्त का उल्लंघन करता हो
C. इष्टतम हल	III. ≤ प्रकार की असमानताओं में प्रयुक्त
D. अव्यवहार्य हल	IV. ≥ प्रकार की असमानताओं में प्रयुक्त

नीचे दिए गए विकल्पों में से **सही** उत्तर चुनिए:

1. A-IV, B-III, C-I, D-II
2. A-IV, B-III, C-II, D-I
3. A-III, B-IV, C-II, D-I
4. A-III, B-IV, C-I, D-II

44. फलन $y = f(x) = \sqrt{1-x^2}$ का परिसर (Range) क्या है?

1. [0, 1] 2. [1, 0]
3. [1, ∞] 4. [1, 2]

45. सूची-I का सूची-II से मिलान कीजिए।

सूची-I	सूची-II
A. लक्षित सार्वजनिक वितरण प्रणाली (TPDS)	I. 1992
B. पुनर्गठित सार्वजनिक वितरण प्रणाली (RPDS)	II. 2009
C. शिक्षा का अधिकार अधिनियम (RTE Act)	III. 1997
D. राष्ट्रीय खाद्य सुरक्षा अधिनियम (NFSA Act)	IV. 2013

नीचे दिए गए विकल्पों में से **सही** उत्तर चुनिए:

1. A-I, B-III, C-IV, D-II
2. A-IV, B-III, C-I, D-II
3. A-III, B-I, C-II, D-IV
4. A-II, B-IV, C-I, D-III

46. 'सैल्मन युद्ध' (The Salmon War) किन देशों के बीच हुआ था?

1. अमेरिका और क्यूबा
2. फ्रांस और यूनाइटेड किंगडम
3. नॉर्वे और स्कॉटलैंड
4. स्वीडन और जर्मनी

47. निम्नलिखित में से किन्हें 'क्लब वस्तुएँ' (Club goods) कहा जाता है?

A. रेलवे B. स्विमिंग पूल
C. रक्षा D. जिम

नीचे दिए गए विकल्पों में से **सही** उत्तर चुनिए:

1. केवल B और D 2. केवल A और B
3. केवल B और C 4. केवल A और D

48. यदि माँग फलन ($Q = 100 - P - P^2$) है, तो मूल्य ($P = 5$) पर माँग की लोच (e_d) होगी:

1. लोचदार (Elastic)
2. अलोचदार(Inelastic)
3. एकक लोचदार (Unitary elastic)
4. पूर्णतः लोचदार (Infinitely elastic)

49. सूची-I का सूची-II से मिलान कीजिए।

सूची-I	सूची-II
A. हैरॉड और डोमर	I. पूँजी-उत्पादन अनुपात की स्थिति
B. लुकास और रोमर	II. पूँजीवादी एवं गैर-पूँजीवादी क्षेत्रों वाली द्वैध अर्थव्यवस्था
C. आर्थर लुईस	III. निवेश एक दोधारी तलवार के रूप में
D. माइकल टोडारो	IV. ग्रामीण-नगरीय प्रवास

नीचे दिए गए विकल्पों में से **सही** उत्तर चुनिए:

1. A-IV, B-III, C-I, D-II
2. A-III, B-I, C-II, D-IV
3. A-I, B-II, C-III, D-IV
4. A-II, B-IV, C-III, D-I

50. निम्नलिखित संरचनात्मक मॉडल दिया गया है:

$$y_1 = 3y_2 - 2x_1 + x_2 + u_1$$
$$y_2 = y_3 + x_3 + u_2$$
$$y_3 = y_1 - y_2 - 2x_3 + u_3$$

क्रम शर्त (Order Condition) के आधार पर दूसरी समीकरण होगी:

1. अति-पहचानी गई (Over Identified)
2. ठीक-ठीक पहचानी गई (Exactly Identified)
3. अपर्याप्त रूप से पहचानी गई (Under Identified)
4. सूचना पर्याप्त नहीं है

51. सूची-I का सूची-II से मिलान कीजिए।

सूची-I	सूची-II
A. ऋण-अवस्फीति सिद्धांत	I. गिरते मूल्य स्तर आय स्तर को बढ़ाते हैं
B. पिगू प्रभाव	II. भविष्य की मौद्रिक कार्रवाई की घोषणा की नीति
C. अग्रिम मार्गदर्शन	III. मूल्य स्तर में अप्रत्याशित गिरावट से आय में कमी आ सकती है
D. ओकुन का नियम	IV. बेरोजगारी और वास्तविक GDP के बीच व्युत्क्रम संबंध

नीचे दिए गए विकल्पों में से **सही** उत्तर चुनिए:

1. A-I, B-III, C-II, D-IV
2. A-III, B-II, C-IV, D-I
3. A-III, B-I, C-II, D-IV
4. A-IV, B-I, C-II, D-III

52. यदि $\{\in_t\}$ एक पूर्णतः यादृच्छिक प्रक्रिया है जिसका माध्य शून्य तथा प्रसरण (σ^2) है:

A. प्रक्रिया $\{x_t\}$, जहाँ $x_t = \alpha_1 x_{t-1} + \alpha_2 x_{t-2} + ... + \alpha_r x_{t-r} + \in_t$ को r कोटि की स्व-प्रतिगामी प्रक्रिया कहते हैं।

B. प्रक्रिया $\{x_t\}$, जहाँ $x_t = \beta_0 \in_t + \beta_1 \in_{t-1} + ... + \beta_m \in_{t-m}$ को m कोटि की गतिमान औसत प्रक्रिया कहते हैं।

C. प्रक्रिया $\{x_t\}$, जहाँ $x_t = \beta_0 \in_t + \beta_1 \in_{t-1} + ... + \beta_m \in_{t-m}$ को r कोटि की स्व-प्रतिगामी प्रक्रिया कहते हैं।

D. प्रक्रिया $\{x_t\}$, जहाँ $x_t = \alpha_1 x_{t-1} + \alpha_2 x_{t-2} + ... + \alpha_r x_{t-r} + \in_t$ को m कोटि की गतिमान औसत प्रक्रिया कहते हैं।

नीचे दिए गए विकल्पों में से **सही** उत्तर चुनिए:

1. केवल A और B
2. केवल A और D
3. केवल B और D
4. केवल C और D

53. सन्निहित तकनीकी प्रगति (Embodied Technical Progress) की मुख्य विशेषता क्या है?

1. पूँजी संचय पर निर्भर न रहने वाली बाह्य तकनीकी प्रगति सन्निहित प्रगति कहलाती है।
2. ऐसी तकनीकी सुधार जो केवल नए निवेश के माध्यम से उत्पादन प्रणाली में सम्मिलित किए जा सकते हैं, सन्निहित प्रगति कहलाते हैं।
3. असंतुलित उत्पादकता वृद्धि सन्निहित प्रगति कहलाती है।
4. यह सरकारी समर्थन पर निर्भर करती है।

54. सूची-I का सूची-II से मिलान कीजिए।

सूची-I	सूची-II
A. नव-चेम्बरलिनियन मॉडल	I. उत्पादों का क्षैतिज विभेदीकरण
B. नव-होटेलिंग मॉडल	II. उत्पादों का ऊर्ध्वाधर विभेदीकरण
C. ब्रैंडर-क्रुगमैन मॉडल	III. उत्पाद विभेदीकरण
D. नव-हेक्सचर-ओहलिन मॉडल	IV. पारस्परिक डंपिंग

नीचे दिए गए विकल्पों में से **सही** उत्तर चुनिए:

1. A-IV, B-III, C-I, D-II
2. A-I, B-II, C-IV, D-III
3. A-I, B-III, C-II, D-IV
4. A III, B-I, C-IV, D-II

55. A. आरक्षित मुद्रा (Reserve Money) = C + OD + CR

B. $M_1 = C + OD$

C. मुद्रा गुणक (Money Multiplier) (m) = M/RM

D. संकीर्ण मुद्रा आपूर्ति (Narrow Money Supply) = M_3

जहाँ, C = मुद्रा, OD = RBI के साथ अन्य जमा, CR = बैंकों का नकद आरक्षित, M = मुद्रा आपूर्ति, RM = आरशित मुद्रा

नीचे दिए गए विकल्पों में से **सही** उत्तर चुनिए:

1. केवल A और D 2. केवल B और C
3. केवल A और B 4. केवल A और C

56. सूची-I का सूची-II से मिलान कीजिए।

सूची-I	सूची-II
A. अमर्त्य सेन	I. आर्थिक वृद्धि के साथ असमानता का उत्थान और पतन
B. साइमन कुजनेट्स	II. आर्थिक अल्पविकास का चक्रीय एवं संचयी कारण
C. गुन्नार मिर्डल	III. आर्थिक विकास का भौगोलिक प्रतिरूप
D पॉल क्रुगमैन	IV. हकदारी, क्षमताएँ और चयन की स्वतंत्रता

नीचे दिए गए विकल्पों में से **सही** उत्तर चुनिए:

1. A-II, B-IV, C-I, D-III
2. A-III, B-II, C-IV, D-I
3. A-I, B-II, C-III, D-IV
4. A-IV, B-I, C-II, D-III

57. वित्तीय घाटे में वृद्धि से:

A. सरकारी व्यय में वृद्धि होती है।

B. घरेलू ब्याज दर में वृद्धि होती है।

C. निजी निवेश में गिरावट आती है।

D. सरकार द्वारा कुल उधारी में कमी आती है।

नीचे दिए गए विकल्पों में से **सही** उत्तर चुनिए:

1. केवल A, B और D
2. केवल A, B और C
3. केवल B, C और D
4. केवल B और D

58. प्राकृतिक एकाधिकार (Natural Monopoly) तब उत्पन्न होता है जब:

1. उत्पादन की प्रासंगिक सीमा में उत्पादन बढ़ने पर औसत लागत लगातार बढ़ती रहती है।
2. उत्पादन की प्रासंगिक सीमा में उत्पादन बढ़ने पर औसत लागत स्थिर रहती है।

3. उत्पादन की प्रासंगिक सीमा में उत्पादन बढ़ने पर औसत लागत पहले घटती है और फिर बढ़ती है।
4. उत्पादन की प्रासंगिक सीमा में उत्पादन बढ़ने पर औसत लागत लगातार घटती रहती है।

59. किसी शहर की पुरुष जनसंख्या 3% कैंसर से पीड़ित हैं, 15% धूम्रपान करने वाले हैं, जबकि 10% या तो धूम्रपान करने वाले हैं या कैंसर रोगी हैं यदि किसी व्यक्ति का यादृच्छिक चयन किया जाए, तो उसके धूम्रपान करने तथा कैंसर से पीड़ित होने की प्रायिकता क्या होगी?

1. 0.08   2. 0.8
3. 0.02   4. 0.2

60. तर्कसंगत अपेक्षा (Rational Expectation) के बारे में निम्नलिखित में से कौन-सा कथन सत्य नहीं है?

1. तर्कसंगत अपेक्षा सिद्धांत का विकास हैनसेन ने किया।
2. इसका उपयोग परिवारों, फर्मों और श्रमिकों द्वारा प्रासंगिक चरों के संबंध में अपेक्षाएँ बनाने में किया जाता है।
3. तर्कसंगत अपेक्षा सभी प्रासंगिक सूचनाओं का उपयोग करती है।
4. यह त्रुटिरहित अपेक्षा नहीं होती।

61. सूची-I का सूची-II से मिलान कीजिए।

सूची-I	सूची-II
A. प्रकार-I त्रुटि	I. H_0 को स्वीकार करना जबकि वह असत्य हो
B. प्रकार-II त्रुटि	II. $H_0 : \mu = \mu_0$ तथा $\sigma^2 = \sigma_0^2$
C. सरल परिकल्पना	III. H_0 को अस्वीकार करना जबकि वह सत्य हो
D. मिश्रित परिकल्पना	IV. $H_0 : \mu = \mu_0$ तथा σ^2 अज्ञात हो

नीचे दिए गए विकल्पों में से **सही** उत्तर चुनिए:

1. A-III, B-I, C-IV, D-II
2. A-I, B-III, C-II, D-IV
3. A-III, B-I, C-II, D-IV
4. A-I, B-III, C-IV, D-II

62. गरीबी मापन का हेडकाउंट सूचकांक (Headcount Index) किस पर आधारित है?

1. गरीबी रेखा से नीचे आने वाले लोगों की संख्या
2. गरीबी रेखा से नीचे की औसत आय स्तर और गरीबी रेखा के बीच का आनुपातिक अंतर।
3. द बॉटम बिलियन
4. आय की ऊर्ध्वाधर असमानता

63. पूर्णतः प्रतिस्पर्धी फर्म द्वारा श्रम की माँग के संतुलन स्तर पर निम्नलिखित में से कौन-सा सत्य होता है?

1. $VMP_L < MRP_L$
2. $VMP_L = MRP_L$
3. $VMP_L > MRP_L$
4. $VMP_L + MRP_L = W^*$

64. सूची-I का सूची-II से मिलान कीजिए।

सूची-I	सूची-II
A. माँग फलन $D = 64 - 8P$ के लिए $\|e_d\|$, जब $P = 6$	I. 6
B. पूर्ति फलन $S = -25 + 5P$ के लिए e_s, जब $P = 10$	II. 4
C. MR का मान जब $P = 8$ तथा $e_d = 4$	III. 3
D. MPP_L का मान जब $VMP_L = 12$ तथा $P = 3$	IV. 2

नीचे दिए गए विकल्पों में से **सही** उत्तर चुनिए:

1. A-III, B-IV, C-I, D-II
2. A-II, B-III, C-I, D-IV
3. A-I, B-IV, C-II, D-III
4. A-III, B-I, C-IV, D-II

65. A. व्यापार चक्र का नवाचार सिद्धांत (Innovation Theory of Business Cycle) जॉर्गेन्सन द्वारा दिया गया।

B. व्यापार चक्र का शुद्ध मौद्रिक सिद्धांत (Pure Monetary Theory of Business Cycle) हॉत्रे द्वारा दिया गया।

C. व्यापार चक्र का मौद्रिक-अधिनिवेश सिद्धांत (Monetary-over-investment Theory) क्लार्क द्वारा दिया गया।

D. व्यापार चक्र का गुणक-त्वरक अंतःक्रिया सिद्धांत (Multiplier-Acceleration Interaction Theory) सैम्युलसन द्वारा दिया गया।

नीचे दिए गए विकल्पों में से **सही** उत्तर चुनिए:

1. केवल A और B 2. केवल B और D
3. केवल A, B और C 4. केवल A और D

66. निम्नलिखित में से कौन-सा उत्पादन फलन पैमाने के घटते प्रतिफल (Decreasing Returns to Scale) को प्रदर्शित करता है?

1. $AK^{\frac{1}{4}}\sqrt{L}$ 2. $A K^{\alpha} L^{1-\alpha}$
3. $A(3K + 5L)$ 4. $A\sqrt{KL^3}$

67. वित्त आयोगों को उनके अध्यक्षों के साथ पहचानिए:

A. 12वाँ वित्त आयोग – सी. रंगराजन
B. 11वाँ वित्त आयोग – ए.एम. खुसरो
C. 14वाँ वित्त आयोग – आर.के. सिंह
D. 15वाँ वित्त आयोग – वाई.वी. रेड्डी

नीचे दिए गए विकल्पों में से **सही** उत्तर चुनिए:

1. A और D 2. B और C
3. C और D 4. A और B

68. नीचे दो कथन दिए गए हैं : एक को अभिकथन (A) तथा दूसरे को कारण (R) कहा गया है।

अभिकथन (A): जब प्रत्येक व्यक्ति प्रतिस्पर्धात्मक बाजार में व्यापार करता है, तब सभी पारस्परिक लाभकारी व्यापार पूर्ण हो जाते हैं तथा परिणामस्वरूप संसाधनों का संतुलन आवंटन आर्थिक रूप से दक्ष होता है।

कारण (R): यदि किसी अक्षम आवंटन से व्यापार सभी को बेहतर स्थिति में ले आए, तब भी नया आवंटन आवश्यक नहीं कि दक्ष हो।

उपरोक्त कथनों के आलोक में नीचे दिए गए विकल्पों में से **सबसे उपयुक्त** उत्तर चुनिए:

1. (A) और (R) दोनों सही हैं तथा (R), (A) की सही व्याख्या है।
2. (A) और (R) दोनों सही हैं, लेकिन (R), (A) की सही व्याख्या नहीं है।
3. (A) सही है, लेकिन (R) सही नहीं है।
4. (A) सही नहीं है, लेकिन (R) सही है।

69. वर्ष 2025-2026 के केंद्रीय बजट में निम्नलिखित कथन दिए गए है:

A. बीमा क्षेत्र के लिए FDI सीमा को 74 प्रतिशत से बढ़ाकर 100 प्रतिशत किया जाएगा।
B. बीमा क्षेत्र के लिए FDI सीमा को 51 प्रतिशत से बढ़ाकर 74 प्रतिशत किया जाएगा।
C. राज्यों का निवेश अनुकूल सूचकांक (Investment Friendliness Index) बनाया जाएगा।
D. राजकोषीय घाटा GDP का 4.4 प्रतिशत अनुमानित है।

नीचे दिए गए विकल्पों में से **सही** उत्तर चुनिए:

1. केवल B, C और D
2. केवल A, C और D
3. केवल A, B और C
4. केवल C और D

70. सही कथनों का चयन कीजिए:

A. '*q*' सिद्धांत इस बात पर बल देता है कि जब परिसंपत्तियाँ उनके पुनरुत्पादन लागत की तुलना में अधिक मूल्यवान होती हैं, तब निवेश बढ़ता है।
B. स्थिर विनिमय दर तथा मुक्त पूँजी गतिशीलता के अंतर्गत राजकोषीय विस्तार उत्पादन बढ़ाने में पूर्णतः अप्रभावी होता है।
C. निवेश कर साख (Investment Tax Credit) के अंतर्गत सरकार निवेश लागत का एक भाग वहन करती है।
D. स्थिर विनिमय दर तथा पूर्ण पूँजी गतिशीलता के अंतर्गत कोई देश स्वतंत्र मौद्रिक नीति नहीं अपना सकता।

नीचे दिए गए विकल्पों में से **सही** उत्तर चुनिए:

1. केवल B और D
2. केवल A और D
3. केवल A, C और D
4. केवल A, B और C

71. जब किसी संघ के सदस्य राष्ट्र का घरेलू उत्पादन किसी अन्य सदस्य राष्ट्र से कम लागत वाले आयातों द्वारा प्रतिस्थापित हो जाता है, तब उस संघ को क्या कहा जाता है?

1. व्यापार-विचलनकारी सीमा शुल्क संघ
2. व्यापार-सृजनकारी सीमा शुल्क संघ
3. वरीयता प्राप्त व्यापार समझौता
4. मुक्त व्यापार समझौता

72. नीचे दो कथन दिए गए हैं : एक को अभिकथन (A) तथा दूसरे को कारण (R) कहा गया है।

अभिकथन (A) : लगभग सत्तर के दशक के मध्य में विकसित देशों में संरक्षणवाद चिंताजनक रूप से बढ़ा है। यह मुख्यतः गैर-शुल्क बाधाओं (NTBs) के रूप में सामने आया है।

कारण (R): औद्योगिक देशों में बढ़ता संरक्षणवाद विकासशील तथा दक्षिण-पूर्व एशियाई देशों से बढ़ती प्रतिस्पर्धा के कारण है।

उपरोक्त कथनों के आलोक में नीचे दिए गए विकल्पों में से **सबसे उपयुक्त** उत्तर चुनिए:

1. (A) और (R) दोनों सही हैं तथा (R), (A) की सही व्याख्या है।
2. (A) और (R) दोनों सही हैं, लेकिन (R), (A) की सही व्याख्या नहीं है।
3. (A) सही है, लेकिन (R) सही नहीं है।
4. (A) सही नहीं है, लेकिन (R) सही है।

73. आवासीय क्षेत्र में प्रभावी किराया नियंत्रण (Effective Rent Control) के विश्लेषण हेतु:

A. अल्पकाल में आवास की कमी, दीर्घकाल की तुलना में कम होती है।

B. अल्पकाल में आवास की कमी, दीर्घकाल की तुलना में अधिक होती है।

C. प्रभावी किराया नियंत्रण तब होता है जब सरकार किराए पर प्रभावी न्यूनतम मूल्य (Price Floor) लगाती है।

D. प्रभावी किराया नियंत्रण तब होता है जब सरकार किराए पर प्रभावी मूल्य-सीमा (Price Ceiling) लगाती है।

नीचे दिए गए विकल्पों में से **सही** उत्तर चुनिए:

1. केवल A और C
2. केवल B और C
3. केवल A और D
4. केवल B और D

74. सूची-I का सूची-II से मिलान कीजिए।

सूची-I	सूची-II
A. नरसिम्हम समिति-I	I. कर सुधार
B. नरसिम्हम समिति-II	II. बैंकिंग क्षेत्र सुधार
C. चेलैया समिति	III. वित्तीय क्षेत्र सुधार
D. सी. रंगराजन समिति	IV. निर्धनता आकलन समिति

नीचे दिए गए विकल्पों में से **सही** उत्तर चुनिए:

1. A-IV, B-II, C-I, D-III
2. A-III, B-II, C-I, D-IV
3. A-II, B-III, C-IV, D-I
4. A-I, B-II, C-IV, D-III

75. आर्थिक सर्वेक्षण 2024-25 के आधार पर, भारत का व्यापारिक वस्तु घाटा (Merchandise Trade Deficit) बढ़ने के कारण:

A. गैर-पेट्रोलियम तथा गैर-रत्न एवं आभूषण निर्यात में गिरावट।

B. गैर-तेल तथा गैर-सोना आयात में वृद्धि।

C. आभूषण निर्यात पर प्रतिबंध लगाना।

D. त्योहरी खर्चों से पहले अग्रिम खरीद तथा सुरक्षित निवेश परिसंपत्तियों की माँग के कारण सोने के आयात में वृद्धि।

नीचे दिए गए विकल्पों में से **सही** उत्तर चुनिए:

1. केवल A और B
2. केवल B और D
3. केवल C और D
4. केवल A और C

76. नीचे दो कथन दिए गए हैं : एक को अभिकथन (A) तथा दूसरे को कारण (R) कहा गया है।

अभिकथन (A): 15 वर्ष और उससे अधिक आयु के व्यक्तियों के लिए अखिल भारतीय वार्षिक बेरोजगारी दर (सामान्य स्थिति) 2017-18 में 6 प्रतिशत से घटकर 2023-24 में 3.2 प्रतिशत हो गई है।

कारण (R): RBI के आँकड़ों के अनुसार, 26 दिसम्बर, 2025 को भारत का विदेशी मुद्रा भंडार लगभग 693 अरब डॉलर था।

उपरोक्त कथनों के आलोक में नीचे दिए गए विकल्पों में से **सबसे उपयुक्त** उत्तर चुनिए:

1. (A) और (R) दोनों सही हैं तथा (R), (A) की सही व्याख्या है।
2. (A) और (R) दोनों सही हैं, लेकिन (R), (A) की सही व्याख्या नहीं है।
3. (A) सही है, लेकिन (R) सही नहीं है।
4. (A) सही नहीं है, लेकिन (R) सही है।

77. व्युत्पत्तिशास्त्र (Etymologically) के अनुसार 'money' शब्द किस भाषा से लिया गया है?

1. ग्रीक
2. लैटिन
3. फारसी
4. संस्कृत

78. निम्नलिखित सिद्धांतों को कालानुक्रमिक क्रम में व्यवस्थित कीजिए।

A. मूल्य सीमा निर्धारण सिद्धांत (बेन मॉडल)
B. जे.आर. हिक्स द्वारा दिया गया माँग का तार्किक क्रम सिद्धांत
C. माँग का गणनात्मक उपयोगिता सिद्धांत
D. वालरस का सामान्य संतुलन सिद्धांत

नीचे दिए गए विकल्पों में से **सही** उत्तर चुनिए:

1. D, C, A, B
2. B, C, A, D
3. A, B, D, C
4. D, B, C, A

79. A. SEBI - परामर्शदात्री निकाय
B. GST परिषद - वैधानिक निकाय
C. नीति आयोग - परामर्शदात्री निकाय
D. RBI - वैधानिक निकाय

नीचे दिए गए विकल्पों में से **सही** उत्तर चुनिए:

1. A और B
2. A और C
3. B और D
4. C और D

80. सूची-I का सूची-II से मिलान कीजिए।

सूची-I	**सूची-II**
A. समान्तर श्रेणी का nवाँ पद	I. $\frac{n}{2}[2a+(n-1)d]$
B. गुणोत्तर श्रेणी का nवाँ पद	II. $a\left(\frac{r^n-1}{r-1}\right), r>1$
C. समान्तर श्रेणी के n पदों का योग	III. $a+(n-1)d$
D. गुणोत्तर श्रेणी के n पदों का योग	IV. ar^{n-1}

(जहाँ a प्रथम पद, d सार्व अंतर तथा r सार्व अनुपात है)

नीचे दिए गए विकल्पों में से **सही** उत्तर चुनिए:

1. A-III, B-IV, C-II, D-I
2. A-III, B-IV, C-I, D-II
3. A-IV, B-III, C-I, D-II
4. A-IV, B-I, C-II, D-III

81. निम्नलिखित में से किस दृष्टिकोण ने वाणिज्यिक बैंकों की सावधि जमा (Time Deposit) को मुद्रा आपूर्ति (Money Supply) की परिभाषा में शामिल किया है?

1. पारंपरिक दृष्टिकोण (The Conventional Approach)
2. शिकागो दृष्टिकोण (The Chicago Approach)
3. फेड दृष्टिकोण (The Fed Approach)
4. वाल्टर्स दृष्टिकोण (The Walters Approach)

82. नीचे दो कथन दिए गए हैं:

कथन (I): हरित क्रांति के कारण उत्तम अनाजों (Fine Cereals) के उत्पादन में वृद्धि हुई। उच्च प्रोत्साहनों तथा उच्च उपज देने वाली बीज किस्मों, उर्वरकों एवं रसायनों के प्रयोग ने इसे सफल बनाया।

कथन (II) : हरित क्रांति के कारण मोटे अनाजों (Coarse Cereals) के उत्पादन में गिरावट आई तथा उनके अंतर्गत क्षेत्र अन्य फसलों की ओर स्थानांतरित हो गया।

उपरोक्त कथनों के आलोक में नीचे दिए गए विकल्पों में से **सबसे उपयुक्त** उत्तर चुनिए:

1. कथन I और कथन II दोनों सही हैं।
2. कथन I और कथन II दोनों गलत हैं।
3. कथन I सही है, लेकिन कथन II गलत है।
4. कथन I गलत है, लेकिन कथन II सही है।

83. ग्रामीण अवसंरचना विकास कोष (RIDF) के संदर्भ में निम्नलिखित में से कौन-सा कथन सही नहीं है?

1. ग्रामीण अवसंरचना परियोजनाओं के लिए राज्य सरकारों तथा राज्य स्वामित्व वाले निगमों को निधि उपलब्ध कराना।
2. अनुसूचित वाणिज्यिक बैंक RIDF में निधि का योगदान करते हैं।
3. NABARD में 1995-96 में ₹ 2000 करोड़ की कोष राशि के साथ RIDF की स्थापना।
4. अब RIDF योजना का किसान क्रेडिट कार्ड (KCC) के साथ विलय कर दिया गया है।

84. A. वैश्वीकरण लाभ और अवसरों के साथ-साथ लागत एवं जोखिम भी लाता है।

B. वैश्वीकरण से देशों के बीच पूँजी, तकनीक, वस्तुओं और सेवाओं का प्रवाह होता है।

C. बाजार जितना बड़ा होगा, व्यापार और श्रम विभाजन से होने वाले लाभ उतने ही अधिक होंगे।

D. पूँजी, वस्तुओं और तकनीक के प्रवाह के रूप में वैश्वीकरण विश्व के सभी देशों में समान रूप से फैला हुआ है।

नीचे दिए गए विकल्पों में से **सही** उत्तर चुनिए:

1. केवल A, B और C
2. केवल A, B और D
3. केवल B और D
4. केवल B, C और D

85. निम्नलिखित में से कौन-सी वस्तुएँ अभी तक GST के अंतर्गत शामिल नहीं की गई हैं?

A. मोबाइल फोन B. बिजली
C. वस्त्र D. शराब

नीचे दिए गए विकल्पों में से **सही** उत्तर चुनिए:

1. केवल A और C 2. केवल B और C
3. केवल A और D 4. केवल B और D

86. नीचे दो कथन दिए गए हैं : एक को अभिकथन (A) तथा दूसरे को कारण (R) कहा गया है।

अभिकथन (A): भारत के विभिन्न राज्यों में डीजल और पेट्रोलियम उत्पादों की कीमतें अलग-अलग होती हैं।

कारण (R): उपरोक्त उत्पादों को अभी तक GST परिषद द्वारा GST के दायरे में नहीं लाया गया है।

उपरोक्त कथनों के आलोक में नीचे दिए गए विकल्पों में से **सबसे उपयुक्त** उत्तर चुनिए:

1. (A) और (R) दोनों सही हैं तथा (R), (A) की सही व्याख्या है।
2. (A) और (R) दोनों सही हैं, लेकिन (R), (A) की सही व्याख्या नहीं है।
3. (A) सही है, लेकिन (R) सही नहीं है।
4. (A) सही नहीं है, लेकिन (R) सही है।

87. बीटा (β) और गामा (γ) गुणांकों के आधार पर, यदि $\beta_2 < 3$ अथवा $\gamma_2 < 0$, तो वक्र को क्या कहा जाता है?

1. सामान्य वक्र (Normal Curve)
2. अधिक उत्कुंचित (Lepto Kurtic)
3. कम उत्कुंचित (Platy Kurtic)
4. उपर्याप्त आँकड़े (Insufficient Data)

88. निम्नलिखित में से कौन-सा भारतीय प्रतिभूति एवं विनिमय बोर्ड (SEBI) का कार्य नहीं है?

1. प्रतिभूतियों में अंदरूनी व्यापार (Insider Trading) पर प्रतिबंध लगाना
2. स्व-नियामक संगठनों को प्रोत्साहित और विनियमित करना।
3. नई पूँजी निर्गमों का अभिग्रहण (Underwriting) करना।
4. पोर्टफोलियों प्रबंधकों का विनियमन करना।

89. यदि $P(A) = \frac{1}{5}$ तथा $P(B) = \frac{1}{3}$ है और A तथा B दो परस्पर अपवर्ती घटनाएँ (Mutually Exclusive Events) हैं, तो न A और न ही B होने की प्रायिकता क्या होगी?

1. $\frac{8}{25}$
2. $\frac{1}{15}$
3. $\frac{7}{15}$
4. $\frac{1}{5}$

90. A. विनिमय प्रणाली (Barter System) में यदि 3 वस्तुओं का विनिमय करना हो, तो आवश्यक मूल्यों की संख्या 3 होगी।

B. मुद्रास्फीति की स्थिति में मुद्रा अपने कार्य नहीं करती।

C. विनिमय प्रणाली में दोहरी इच्छओं का संयोग (Double Coincidence of Wants) समस्या नहीं है।

D. कागजी मुद्रा (Paper Currencies) सांकेतिक मुद्रा (Token Money) होती है।

नीचे दिए गए विकल्पों में से **सही** उत्तर चुनिए:

1. केवल A, B और D
2. केवल B और D
3. केवल A और D
4. केवल B, C और D

निर्देशः (प्र.सं. 91 से 95 तक): *निम्नलिखित गद्यांश को पढ़कर प्रश्नों के उत्तर दीजिए:*

पर्यावरणीय परिसंपत्तियों के लिए बाजार विफल हो सकते हैं यदि कीमतें समाज की इच्छाओं और सीमाओं को सही प्रकार से व्यक्त न करें। आवास विनाश तथा जैव-विविधता की हानि के कारक बाजार विफलता के अनेक स्रोत से उत्पन्न होते हैं। प्रथम, बड़े भू-भागों के सार्वजनिक स्वामित्व, खुली पहुँच तथा भूमि प्रबंधन की सीमित सरकारी क्षमता के कारण आवास विनाश उत्पन्न होता है। आर्थिक प्रोत्साहन वन्यजीवों, लकड़ी, चरागाहों तथा कृषि भूमि के अत्यधिक दोहन को बढ़ावा देते हैं।

भूमि स्वामित्व की असुरक्षित व्यवस्था जैव-विविधता संरक्षण हेतु आवश्यक आवास को बनाए रखने के लिए बहुत कम प्रोत्साहन देती है। यह गैर-प्रतिस्पर्धिता (Non-rivalry) तथा गैर-बहिष्करण (Non-excludability) का मामला है, जो जैव-विविधता को नष्ट कर सकता है क्योंकि स्वयं उसका कोई मूल्य निर्धारित नहीं होता। ऐसी बाजार विफलताओं को अपूर्ण बाजारों (Incomplete Markets) से जोड़ा जा सकता है। दूसरी ओर, ऐसी स्थिति बाह्यताओं (Externality) के कारण भी उत्पन्न हो सकती है यदि कोई बाहरी एजेंट प्राकृतिक पारिस्थितिकी तंत्र को बाधित करे। इससे पारिस्थितिकी तंत्र का दुखद अंत हो सकता है, जब तक कि स्थानीय लोग इसे बचाने के लिए समन्वित प्रयास न करें।

91. एक सामान्य संपत्ति संसाधन (Common Property Resource - CPR) केवल किस स्थिति में कायम रह सकता है?

1. कठोर संपत्ति नियमों के अंतर्गत
2. कराधान
3. CPR पर आश्रित समुदाय के सामूहिक जीवन के प्रति विश्वसनीय प्रतिबद्धता
4. गैर-बहिष्करण

92. किसी संसाधन के बारे में विषम सूचना (Asymmetric Information) तब उत्पन्न होती है जब:

1. सरकारी हस्तक्षेप हो।
2. गैर-प्रतिस्पर्धिता हो।
3. गैर-बहिष्करण हो।
4. नैतिक संकट (Moral Hazard) तथा प्रतिकूलन चयन (Adverse Selection) हो।

93. सार्वजनिक वस्तुओं (Public Goods) में निम्नलिखित में से कौन-सा गुण नहीं होता?

1. गैर-प्रतिस्पर्धिता (Non-rival)
2. गैर-बहिष्करण (Non-excludable)
3. स्थानीय लोगों द्वारा नियंत्रित सामान्य संपत्ति संसाधन
4. मुक्त वस्तुएँ (Free Goods)

94. जैव-विविधता के लिए अपूर्ण बाजार (Incomplete Markets) उत्पन्न होते हैं क्योंकि:

1. जैव विविधता का समाज के लिए कोई मूल्य नहीं होता।

2. जैव-विविधता वाले वन पर स्पष्ट संपत्ति अधिकार स्थापित करने में विफलता।
3. वन संसाधन सभी के दोहन हेतु खुले होते हैं।
4. कोई भी व्यक्ति वन की जैव-विविधता बचाने के लिए धन देने को तैयार नहीं होता।

95. ''साँझा संसाधनों की त्रासदी'' (Tragedy of Commons) की अवधारणा किसने दी?

1. रॉबर्ट सोलो
2. हैरोल्ड होटलिंग
3. गैरेट हार्डिन
4. पार्थ दासगुप्ता

निर्देशः (प्र.सं. 91 से 95 तक): *निम्नलिखित गद्यांश को पढ़कर प्रश्नों के उत्तर दीजिए:*

वर्तमान अंतराष्ट्रीय आर्थिक संबंधों पर बहुपक्षीय मंचों का प्रभाव बहुत कम हो गया है। बहुपक्षीय आर्थिक संस्थाओं की बैठकों को महत्वपूर्ण देशों के नेता गंभीरता से नहीं लेते। पूर्व में यह सुना गया कि उनके विश्व नेता WTO के विरुद्ध बोल रहे थे तथा अपने राष्ट्रीय हितों को प्राथमिकता दे रहे थे। यहाँ तक कि WTO के मंच का उपयोग भी बहुपक्षीय व्यापार के विरोध में किया गया।

1980 के दशक की शुरुआत में विश्व वैश्वीकरण की ओर बढ़ रहा था तथा बहुपक्षीय ऋण और व्यापार मंच आर्थिक एवं व्यापार वार्ताओं में महत्वपूर्ण भूमिका निभा रहे थे। धीरे-धीरे क्षेत्रीय आर्थिक संघों तथा द्विपक्षीय व्यापार मंचों ने प्रमुख स्थान प्राप्त कर लिया। ब्रिटेन का यूरोपीय संघ से बाहर निकलना, WTO मंचों में लगातार व्यवधान तथा अमेरिका के राष्ट्रपति एवं यूरोपीय नेताओं के अनेक वक्तव्यों से यह संदेश मिलने लगा कि वैश्वीकरण समाप्ति की ओर बढ़ रहा है।

हाल ही में भारतीय निर्यातों पर उच्च शुल्क लगाना तथा अमेरिका द्वारा किए गए विभिन्न उपाय, जो बहुपक्षीय व्यापार एवं निवेश मंचों द्वारा सुनिश्चित मुक्त और निष्पक्ष व्यापार का उल्लंघन करते हैं, गंभीर चिंता के विषय हैं। व्यापार व्यवधान कभी अंतर्राष्ट्रीय स्तर के उपयुक्त मंचों पर विचार का विषय नहीं बनते। लोग द्वितीय विश्व युद्ध के बाद अत्यधिक उत्साह और आशाओं के साथ निर्मित आर्थिक एवं राजनीतिक संस्थाओं की प्रासंगिकता पर प्रश्न उठाने लगे हैं। क्या वर्तमान घटनाक्रम एक नई विश्व व्यवस्था के लिए मोड़ का संकेत देते हैं?

96. WTO के सामने सबसे महत्वपूर्ण चुनौती क्या है?

1. क्षेत्रीय आर्थिक संघ तथा द्विपक्षी व्यापार मंच
2. ब्रिटेन का यूरोपीय संघ से बाहर निकलना
3. अंतर्राष्ट्रीय आर्थिक संबंधों का बहुपक्षीय मंचों से प्रभावित न होना
4. विश्व का वैश्वीकरण के बाद की व्यवस्था की ओर बढ़ना

97. वैश्वीकरण किसका परिणाम है?

1. ब्रिटेन का यूरोपीय संघ से बाहर निकलना
2. अमेरिका की पहल
3. बहुपक्षीय ऋण एवं व्यापार मंचों द्वारा निभाई गई भूमिका
4. द्वितीय विश्व युद्ध का परिणाम

98. वर्तमान अंतर्राष्ट्रीय आर्थिक संबंधों की प्रकृति क्या है?

1. अमेरिका और यूरोपीय देश अंतर्राष्ट्रीय समझौतों का उल्लंघन नहीं कर रहे हैं।
2. बहुपक्षीय मंचों को पृष्ठभूमि में धकेला जा रहा है।
3. बहुपक्षीय आर्थिक एवं राजनीतिक संस्थाओं को बढ़ी हुई भूमिका दी जा रही है।
4. विश्व नेता यह संदेश दे रहे हैं कि वैश्वीकरण में सुधार हो रहा है।

99. यह गद्यांश किस बारे में संकेत देता है?

1. बहुपक्षीय संस्थाओं ने अपनी कमजोरियों को स्वीकार कर लिया है।
2. बहुपक्षीय संस्थाओं में सुधार।
3. WTO अधिक महत्वपूर्ण बनता जा रहा है।
4. शक्तिशाली राष्ट्र अपने राष्ट्रीय हितों के लिए बहुपक्षीय संस्थाओं की भूमिका को कमजोर कर रहे हैं।

100. मुक्त और निष्पक्ष व्यापार का उल्लंघन किससे होता है?

1. उच्च और अनुचित शुल्क लगाना
2. क्षेत्रीय आर्थिक संघों और द्विपक्षीय व्यापार मंचों की कमजोर संरचना
3. विश्व नेताओं का WTO के पक्ष में बोलना
4. अमेरिका और यूरोप की अत्यधिक रुचि

उत्तरमाला

1	2	3	4	5	6	7	8	9	10
4	4	3	1	3	3	3	4	3	4
11	**12**	**13**	**14**	**15**	**16**	**17**	**18**	**19**	**20**
3	1	3	1	2	1	2	4	2	3
21	**22**	**23**	**24**	**25**	**26**	**27**	**28**	**29**	**30**
3	4	1	1	4	4	3	2	4	3
31	**32**	**33**	**34**	**35**	**36**	**37**	**38**	**39**	**40**
2	4	4	1	4	2	2	3	3	3
41	**42**	**43**	**44**	**45**	**46**	**47**	**48**	**49**	**50**
4	*	4	1	3	3	1	2	2	1
51	**52**	**53**	**54**	**55**	**56**	**57**	**58**	**59**	**60**
3	1	2	4	4	4	2	4	1	1
61	**62**	**63**	**64**	**65**	**66**	**67**	**68**	**69**	**70**
3	1	2	1	2	1	4	2	2	3
71	**72**	**73**	**74**	**75**	**76**	**77**	**78**	**79**	**80**
2	1	3	2	2	2	2	1	4	2
81	**82**	**83**	**84**	**85**	**86**	**87**	**88**	**89**	**90**
2	1	4	1	4	1	3	3	3	3
91	**92**	**93**	**94**	**95**	**96**	**97**	**98**	**99**	**100**
3	4	3	2	3	1	3	2	4	1

व्याख्यात्मक उत्तर

1. प्रश्न में वित्त आयोगों (Finance Commissions) को राज्यों को केंद्रीय करों के विभाज्य पूल (divisible pool) से अनुशंसित ऊर्ध्वाधर कर-वितरण (vertical devolution) प्रतिशतों के साथ सही मिलान करना आवश्यक है। 12वें वित्त आयोग ने 30.5% कर-वितरण की अनुशंसा की थी; अतः C–IV सही है। 13वें वित्त आयोग ने इसे बढ़ाकर 32% किया, इसलिए DदृIII सही है। 14वें वित्त आयोग ने 42% कर-वितरण की अनुशंसा करके एक बड़ा संरचनात्मक परिवर्तन किया, जिससे राजकोषीय संघवाद (fiscal federalism) को महत्वपूर्ण रूप से सुदृढ़ किया गया; इसलिए A-II सही है। 15वें वित्त आयोग ने इस हिस्सेदारी को 41% कर दिया (मुख्यतः जम्मू एवं कश्मीर के केंद्र शासित प्रदेशों में पुनर्गठन के कारण), इसलिए B-I सही है। केवल विकल्प 4 ही इन सभी युग्मों को बिना किसी असंगति के सही रूप से दर्शाता है।

2. किंक्ड डिमांड कर्व मॉडल (Kinked Demand Curve Model) अल्पाधिकार (oligopoly) बाजारों में मूल्य कठोरता (price rigidity) की व्याख्या करता है। यह मानता है कि यदि कोई फर्म अपना मूल्य बढ़ाती है, तो प्रतिस्पर्धी उसका अनुसरण नहीं करते, जिससे मांग अत्यधिक लोचदार हो जाती है; लेकिन यदि वह मूल्य घटाती है, तो प्रतिस्पर्धी भी मूल्य कटौती का अनुसरण करते हैं, जिससे मांग अपेक्षाकृत अलोचदार हो जाती है। इससे मांग वक्र में "किंक" तथा सीमांत आय (marginal revenue) वक्र में असततता (discontinuity) उत्पन्न होती है, जिसके कारण लागतों में मध्यम परिवर्तन होने पर भी मूल्य स्थिर बने रहते हैं। इस विश्लेषणात्मक ढाँचे को औपचारिक रूप से 1939 में पॉल एम. स्वीजी (Paul M. Sweezy) ने विकसित किया था। अतः किंक्ड डिमांड मॉडल का सही श्रेय स्वीजी को दिया जाता है।

3. दिया गया अंतर समीकरण (difference equation) है:

$$Y_{t+1} - 1.2Y_t = 0$$

पुनर्व्यवस्थित करने पर:

$$Y_{t+1} = 1.2Y_t$$

यह प्रथम-कोटि रैखिक समरूप अंतर समीकरण (first-order linear homogeneous difference equation) है।

क्रमिक हल:

$$Y_2 = 1.2Y_1$$
$$Y_3 = 1.2Y_2 = (1.2)^2Y_1$$
$$Y_4 = (1.2)^3Y_1$$

अतः गणितीय आगमन (mathematical induction) द्वारा,

$$Y_t = (1.2)^{t-1}Y_1$$

जहाँ $t \geq 1$।

यह व्यंजक पुनरावृत्ति संबंध (recurrence relation) को पूर्णतः संतुष्ट करता है और बिना किसी सूचकांक त्रुटि के विकल्प 3 से मेल खाता है।

4. संतुलित बजट गुणक (Balanced Budget Multiplier) उस स्थिति को दर्शाता है जहाँ सरकारी व्यय (G) और कर (T) दोनों समान मात्रा से बढ़ते हैं। साधारण कीन्सीय आय निर्धारण मॉडल (Keynesian income determination model) में सरकारी व्यय में वृद्धि सीधे समष्टि मांग (aggregate demand) को बढ़ाती है, जबकि करों में वृद्धि उपभोज्य आय (disposable income) तथा उपभोग को MPC × कर परिवर्तन के अनुपात में घटाती है। संतुलन आय (equilibrium income) पर शुद्ध प्रभाव प्रारंभिक सरकारी व्यय वृद्धि के बराबर होता है, अर्थात संतुलित बजट गुणक का मान 1 होता है। इसलिए कथन C (G और T में समान वृद्धि) सही है तथा कथन D (गुणक = 1) भी सही है। कथन A और B मानक कीन्सीय संतुलित बजट गुणक परिणाम से मेल नहीं खाते।

5. तरलता जाल (Liquidity Trap) की स्थिति में ब्याज दर पहले ही बहुत निम्न स्तर पर पहुँच चुकी होती है, इसलिए लोग भविष्य में इसके बढ़ने की अपेक्षा करते हैं (जिसका अर्थ है कि बांड कीमतें गिर सकती हैं)। इस अपेक्षा के कारण लोग बांड खरीदने के बजाय मुद्रा (liquidity) को अपने पास रखना पसंद करते हैं। परिणामस्वरूप, जब केंद्रीय बैंक मुद्रा आपूर्ति बढ़ाता है, तब जनता अतिरिक्त मुद्रा को निष्क्रिय नकद शेष (idle cash balances) के रूप में रख लेती है और ब्याज दर में कोई महत्वपूर्ण गिरावट नहीं होती। यह विवरण विकल्प (3) से पूर्णतः मेल खाता है।

6. "लाभकारी प्रस्तावों के कारण राजस्व में कमी" (Revenue foregone due to beneficial proposals) से अभिप्राय उस अनुमानित कर-राजस्व हानि से है जो बजट में कर राहत, छूट अथवा रियायती दरों जैसी सुविधाएँ प्रदान करने के कारण होती है। दिए गए आँकड़े दो भागों में विभाजित हैं– *(i)* प्रत्यक्ष कर (जैसे व्यक्तिगत आयकर, कॉर्पोरेट कर) तथा *(ii)* अप्रत्यक्ष कर (जैसे सीमा शुल्क, उत्पाद शुल्क आदि)। केंद्रीय बजट 2025-26 के लिए ऐसे लाभकारी प्रस्तावों के कारण अनुमानित राजस्व हानि लगभग ₹ 1 लाख करोड़ प्रत्यक्ष करों में तथा लगभग ₹ 2600 करोड़ अप्रत्यक्ष करों में है, जो विकल्प (3) से सटीक मेल खाता है, जबकि अन्य विकल्प किसी एक पक्ष को अधिक/कम दर्शाते हैं या गलत संयोजन प्रस्तुत करते हैं।

7. सरकार द्वारा घाटा व्यय (deficit spending) करने से भीड़-बहिर्गमन प्रभाव (crowding-out effect) उत्पन्न हो सकता है क्योंकि सरकार प्रायः घाटे की पूर्ति बाजार से ऋण लेकर करती है। इससे ऋणयोग्य निधियों (loanable funds) की मांग बढ़ती है और बाजार ब्याज दर में वृद्धि की प्रवृत्ति होती है, जिससे निजी निवेश हतोत्साहित होता है—अतः Assertion (A) सही है।

किन्तु Reason (R) कहता है कि जब सरकार बाजार से ऋण लेती है, तब बांड कीमतें बढ़ती हैं और ब्याज दर गिरती है। सामान्यतः सरकार द्वारा अधिक बांड जारी करने से बांड की आपूर्ति बढ़ती है, जिससे बांड कीमतों पर नीचे की ओर दबाव पड़ता है तथा प्रतिफल/ब्याज दर बढ़ती है। इसलिए (R) सही नहीं है।

8. "प्रतिपूर्ति" (compensation) आधारित कल्याण परीक्षण यह जाँचता है कि क्या किसी नीति परिवर्तन से लाभ पाने वाले लोग, सिद्धांततः, हानि उठाने वालों को प्रतिपूर्ति कर सकते हैं और फिर भी स्वयं बेहतर स्थिति में रह सकते हैं। यही विचार काल्डोर-हिक्स मानदंड (Kaldorn-Hicks Criterion) का आधार है, जो कठोर पैरेटो शर्त को शिथिल करता है तथा वास्तविक प्रतिपूर्ति के बजाय संभावित प्रतिपूर्ति के आधार पर परिवर्तन का मूल्यांकन करता है। इसलिए प्रतिपूर्ति भुगतान पर आधारित कल्याण मानदंड काल्डोर-हिक्स प्रतिपूर्ति मानदंड कहलाता है।

9. मानव विकास सूचकांक (Human Development Index — HDI) एक संयुक्त सूचकांक है, जिसका उपयोग देशों की रैंकिंग करने के लिए किया जाता है। यह तीन प्रमुख आयामों—स्वास्थ्य, शिक्षा तथा जीवन स्तर—पर आधारित है। स्वास्थ्य को जन्म के समय जीवन प्रत्याशा (life expectancy at birth) द्वारा, शिक्षा को शैक्षिक उपलब्धि संकेतकों द्वारा, तथा जीवन स्तर को PPP आधार पर वास्तविक आय द्वारा मापा जाता है ताकि देशों के बीच क्रय शक्ति के अंतर को समायोजित किया जा सके। दिए गए विकल्पों में केवल विकल्प (3) ही HDI के इन मुख्य घटकों को सही रूप में दर्शाता है।

10. केनेथ बोल्डिंग (Kenneth Boulding) "स्पेसशिप अर्थ" (Spaceship Earth) तथा पारिस्थितिक सीमाओं के विचार से संबंधित हैं, इसलिए A-II।

जॉर्जेस्कू-रोगेन (Georgescu-Roegen) की जैव-अर्थशास्त्र (bioeconomics) अवधारणा एंट्रॉपी तथा ऊर्जा की सीमित भूमिका पर बल देती है, इसलिए B-IV।

एलिनोर ऑस्ट्रॉम (Elinor Ostrom) का मुख्य योगदान यह विश्लेषण है कि समुदाय संस्थाओं एवं नियमों के माध्यम से साझा संसाधनों (common property resources) का प्रबंधन कैसे करते हैं, इसलिए C-III।

ए.सी. पिगू (A.C. Pigou) बाह्यताओं (externalities) तथा सुधारात्मक कराधान (Pigouvian tax) से संबंधित हैं, जो प्रदूषण कर के अनुरूप है, इसलिए D-I।

इन सभी मिलानों का सही संयोजन केवल विकल्प (4) में है।

11. डाल्टन (Dalton) के इष्टतम जनसंख्या सूत्र के अनुसार:

$$M = \frac{A - O}{O}$$

किसी देश की जनसंख्या तब इष्टतम होती है जब वास्तविक जनसंख्या (A) इष्टतम जनसंख्या (O) के बराबर हो, अर्थात (A = O)।

प्रतिस्थापन करने पर:

$$M = \frac{O - O}{O} = 0$$

अतः इष्टतम जनसंख्या शून्य विसमायोजन (zero mal-adjustment) के अनुरूप होती है, इसलिए सही विकल्प (3) है।

12. कथन में:

$$U = \frac{X - A}{h}, V = \frac{Y - B}{K}$$

यह X तथा Y का रैखिक रूपांतरण (linear transformation) है जिसमें मूल परिवर्तन (change of origin) तथा पैमाने का परिवर्तन (change of scale) शामिल है। सहसंबंध गुणांक (correlation coefficient) मूल परिवर्तन तथा धनात्मक पैमाना परिवर्तन से अप्रभावित रहता है। चूँकि $h > 0$ तथा $K > 0$ हैं, इसलिए दिशा परिवर्तित नहीं होती, अतः:

$$r_{XY} = r_{UV}$$

Reason ठीक इसी अपरिवर्तनीयता गुण को व्यक्त करता है और सीधे यह स्पष्ट करता है कि Assertion क्यों सही है।

13. जब किसी प्रतिगमन मॉडल (regression model) में अधिक व्याख्यात्मक चर (regressors) जोड़े जाते हैं, तब फिटेड मान या तो बेहतर होते हैं या समान रहते हैं; अर्थात वर्गों का अवशिष्ट योग (SSR) बढ़ नहीं सकता। इसलिए:

$$R^2 = 1 - \frac{SSR}{SST}$$

का मान घट नहीं सकता। अतः कथन A सही है तथा B गलत है।

मानक प्रतिगमन मॉडल में:

$$0 \leq R^2 \leq 1$$

अतः यह ऋणात्मक नहीं हो सकता, इसलिए कथन D सही है। कथन C गलत है क्योंकि R^2 प्रतिगमन चरों की संख्या से प्रभावित होता है। इसलिए सही संयोजन केवल A और D है।

14. एकाधिकार शक्ति (Monopoly Power) को सामान्यतः लर्नर सूचकांक (Lerner Index) द्वारा मापा जाता है, जो यह दर्शाता है कि फर्म सीमांत लागत (MC) से कितना अधिक मूल्य निर्धारित कर सकती है। पूर्ण प्रतियोगिता में:

$$P = MC$$

अतः सूचकांक का मान 0 होता है। जैसे-जैसे एकाधिकार शक्ति बढ़ती है, P > MC हो जाता है और

$$\frac{P - MC}{P}$$

का मान धनात्मक तथा अधिक हो जाता है, जो बढ़ती हुई एकाधिकार शक्ति को दर्शाता है।

15. प्रश्न भारत में ₹ 1000 के नोटों के विमुद्रीकरण (demonetisation) से संबंधित है। उच्च मूल्यवर्ग के नोटों जैसे ₹ 1000, ₹ 5000 तथा ₹ 10,000 को लक्षित करने वाला प्रमुख विमुद्रीकरण 1978 में हुआ था, जब काले धन तथा अघोषित संपत्ति पर नियंत्रण हेतु "High Denomination Bank Notes (Demonetisation) Ordinance" लागू किया गया था। दिए गए विकल्पों (2016, 1978, 1969, 1980) में केवल 1978 ही इस ऐतिहासिक विमुद्रीकरण से संबंधित है।

16. नव-शास्त्रीय (Solow-type) विकास मॉडल में दीर्घकालीन प्रति श्रमिक उत्पादन वृद्धि का मुख्य कारण तकनीकी प्रगति अथवा श्रम उत्पादकता में सुधार माना जाता है, इसलिए कथन A सही है। यह मॉडल बचत तथा निवेश (पूंजी संचय) को भी विकास पथ तथा स्थिर-अवस्था आय के निर्धारण में महत्वपूर्ण मानता है, इसलिए कथन C भी सही है। कथन B मूल सिद्धांत नहीं है क्योंकि विकास दर को प्रति व्यक्ति आय के स्तर पर निर्भर नहीं माना जाता, और कथन D बहुत संकीर्ण है क्योंकि विकास केवल निवेश पर निर्भर नहीं होता–तकनीकी प्रगति तथा अन्य कारक भी महत्वपूर्ण हैं।

17. व्यवहार में ट्रेजरी बिल (Treasury Bills) मानक नीलामी प्रणालियों जैसे–

(*i*) यूनिफॉर्म प्राइस ऑक्शन (uniform price auction) तथा

(*ii*) मल्टीपल प्राइस (डिस्क्रिमिनेटरी) ऑक्शन (multiple price auction)

के माध्यम से जारी किए जाते हैं। ये T-bills और अन्य सरकारी प्रतिभूतियों के लिए अंतर्राष्ट्रीय स्तर पर उपयोग किए जाने वाले मानक नीलामी तंत्र हैं। "Adjusted price auction" तथा "Readjusted price auction" मानक सार्वजनिक वित्त अथवा मौद्रिक अर्थशास्त्र में मान्य नीलामी प्रकार नहीं हैं। इसलिए A और D सही पहचान नहीं हैं।

18. यह विचार कि आर्थिक विकास के साथ-साथ सार्वजनिक व्यय तथा राज्य की गतिविधियाँ समय के साथ बढ़ती हैं, वैग्नर के नियम (Wagner's Law) द्वारा समझाया जाता है। आर्थिक विकास एवं औद्योगिकीकरण के साथ प्रशासन, कानून व्यवस्था, सामाजिक सेवाएँ, कल्याण, अवसंरचना तथा विनियमन जैसी राज्य की भूमिकाएँ बढ़ती हैं, जिससे सार्वजनिक व्यय राष्ट्रीय आय के अनुपात में भी बढ़ता है। इसलिए यह सिद्धांत एडोल्फ वैग्नर (Adolf Wagner) से संबंधित है।

19. बिग-पुश सिद्धांत (Big-Push Approach) के अनुसार निम्न आय वाली अर्थव्यवस्थाएँ निम्न-आय जाल में फँसी रह सकती हैं जब तक कि विभिन्न क्षेत्रों में एक बड़ा एवं समन्वित निवेश प्रयास न किया जाए, जिससे परस्पर पूरकता (complementarities), मांग संबंध (demand linkages) तथा पैमाने की अर्थव्यवस्थाएँ (economies of scale) प्रभावी हो सकें। यह विचार न्यूनतम आलोचनात्मक प्रयास (minimum critical effort) के माध्यम से निम्न-स्तरीय संतुलन से बाहर निकलने की अवधारणा से अधिक मेल खाता है, न कि हिर्शमैन के असंतुलित विकास सिद्धांत से। अतः सही विकल्प (2) है।

20. अभिकथन (A) व्यापक रूप से सही है क्योंकि दीर्घकाल में पेट्रोलियम की ऊँची कीमतों को बनाए रखना किसी कार्टेल के लिए कठिन होता है। इसका कारण कोटा उल्लंघन, गैर-OPEC आपूर्ति में वृद्धि, तकनीकी परिवर्तन (जैसे shale, deepwater) तथा उच्च कीमतों पर मांग में समायोजन है। किन्तु कारण (R) सही नहीं है क्योंकि दीर्घकाल में पेट्रोलियम उत्पादों की मांग तथा आपूर्ति दोनों अधिक लोचदार हो जाती हैं–उपभोक्ता विकल्पों तथा दक्षता उपायों को अपनाते हैं और उत्पादक उत्पादन क्षमता बढ़ाते हैं।

इसलिए (R) गलत है तथा (A) की व्याख्या नहीं करता।

21. गैर-ऋण पूंजी प्राप्तियाँ (Non-debt capital receipts)

= विनिवेश (Disinvestment)

+ ऋणों की वसूली (Recovery of loans)

= 400 + 150 = 550

राजकोषीय घाटा (Fiscal deficit)

= कुल व्यय - (राजस्व प्राप्तियाँ + गैर-ऋण पूंजी प्राप्तियाँ)

राजकोषीय घाटा (Fiscal deficit)

= 8600 - (5600 + 550)

= 8600 - 6150 = 2450

प्राथमिक घाटा (Primary deficit)

= राजकोषीय घाटा - ब्याज भुगतान

= 2450 - 800 = 1650.

22. A. केंद्रीय सरकार के व्यय के प्रतिशत के रूप में पेंशन एक छोटा एकल-अंकीय हिस्सा होना चाहिए, इसलिए यह 4% (IV) से मेल खाता है।

C. कर-GDP अनुपात (Tax-GDP ratio) सामान्यतः ऐसे आँकड़ों में high teens के आसपास होता है, इसलिए यह 18% (II) से मेल खाता है।

D. ऋण-GDP अनुपात (Debt-GDP ratio) यहाँ सबसे बड़ा मान है, इसलिए यह 81.3% (III) से मेल खाता है।

शेष मान 22% (I) तब B (केंद्रीय सरकार के व्यय के प्रतिशत के रूप में राज्यों का करों एवं शुल्कों में हिस्सा) के लिए उपयुक्त है।

23. गिफेन वस्तु (Giffen good) के लिए, जब मूल्य घटता है:

- प्रतिस्थापन प्रभाव (Substitution effect) मांग की मात्रा बढ़ाता है (धनात्मक प्रभाव)।
- आय प्रभाव (Income effect) मांग की मात्रा घटाता है क्योंकि वस्तु अत्यधिक हीन (strongly inferior) होती है (ऋणात्मक प्रभाव)।

गिफेन स्थिति में ऋणात्मक आय प्रभाव, धनात्मक प्रतिस्थापन प्रभाव से अधिक प्रभावी होता है, इसलिए मूल्य घटने पर कुल मांग की मात्रा घट जाती है।

24. • टोबिन का सिद्धांत (Tobin's Q theory) q (बाजार मूल्य बनाम प्रतिस्थापन लागत) को पूंजी निर्माण के प्रोत्साहनों से जोड़ता है, इसलिए यह निवेश (Investment) (III) से मेल खाता है।

- फिलिप्स वक्र (Phillips Curve) मुद्रास्फीति (Inflation) और बेरोजगारी (Unemployment) को जोड़ता है, इसलिए यह (I) से मेल खाता है।
- ओकुन का नियम (Okun's Law) उत्पादन (Output) और बेरोजगारी को जोड़ता है, इसलिए यह (II) से मेल खाता है।
- तरलता जाल (Liquidity trap) ऐसी स्थिति का वर्णन करता है जहाँ मुद्रा की मांग बहुत अधिक हो जाती है और ब्याज-दर नीति अप्रभावी हो जाती है, इसलिए यह मुद्रा की मांग एवं ब्याज दर (VI) से मेल खाता है।

25. शुद्ध निर्यात (Net exports)

$$X - M = 1000 - 1500 = -500$$

राष्ट्रीय आय पहचान (National income identity):

$$Y = C + I + G + (X - M)$$
$$I = Y - C - G - (X - M)$$
$$I = 14400 - 12000 - 1200 - (-500)$$
$$I = 14400 - 13200 + 500$$
$$I = 1200 + 500 = 1700.$$

26. कर आधिक्य (Tax buoyancy) GDP में परिवर्तन के प्रति सार्वजनिक राजस्व (कर राजस्व) की संवेदनशीलता को मापता है। यदि GDP में 1% वृद्धि होती है और सार्वजनिक राजस्व में 1% से अधिक वृद्धि होती है, तो कर प्रणाली को उत्साहवर्धक (buoyant) कहा जाता है (buoyancy > 1)। अतः सही शब्द "कर आधिक्य" है, न कि CENVAT (जो एक कर व्यवस्था है), और न ही आनुपातिक/अलोचदार प्रणाली (जो समान या उससे कम आनुपातिक प्रतिक्रिया को दर्शाती है)।

27. **D. एडम स्मिथ का "श्रम विभाजन" (division of labour) तथा "वृद्धिशील प्रतिफल" (increasing returns) सिद्धांत (1776):** यह विकास चिंतन का प्रारंभिक आधार है, जो विशेषज्ञता एवं पैमाने को उत्पादकता वृद्धि से जोड़ता है। यह औपचारिक 20वीं सदी के विकास मॉडलों से पहले का सिद्धांत है और आगे के विकास सिद्धांतों के लिए शास्त्रीय आधार प्रदान करता है।

A. हैरॉड-डोमर विकास मॉडल (1939–1946): हैरॉड (1939) एवं डोमर (1946) ने एक औपचारिक गतिशील मॉडल विकसित किया जिसमें विकास बचत एवं पूंजी-उत्पादन संबंध पर निर्भर करता है। यह शास्त्रीय विचारों के बाद तथा नव-शास्त्रीय (Solow) ढाँचे से पहले आया।

B. सोलो का नव-शास्त्रीय विकास मॉडल (1956): सोलो (1956) ने पूंजी पर घटते प्रतिफल तथा दीर्घकालीन प्रति व्यक्ति विकास में तकनीकी प्रगति की भूमिका को स्पष्ट किया। यह हैरॉड-डोमर मॉडल के बाद आया और मुख्यधारा का मानक मॉडल बना।

C. अंतर्जात विकास सिद्धांत (Endogenous Growth Theory) (1980 के दशक के मध्य से; Romer 1986, Lucas 1988): यह सिद्धांत मॉडल के भीतर के कारकों (ज्ञान, मानव पूंजी, नवाचार) के माध्यम से निरंतर विकास की व्याख्या करता है, बिना केवल बाह्य तकनीक पर निर्भर हुए। यह सूचीबद्ध विकासों में सबसे नवीन सिद्धांत है और ऐतिहासिक रूप से सोलो मॉडल के बाद आता है।

28. "आर्थिक आश्रितता भार" (Economic dependency burden) से अभिप्राय कार्यशील (उत्पादक) जनसंख्या पर गैर-कार्यशील (आश्रित) जनसंख्या के पालन-पोषण के भार से है। कथन A इस विचार को दर्शाता है कि गैर-उत्पादक सदस्यों का भरण-पोषण श्रमबल द्वारा किया जाना चाहिए। कथन C सही रूप से सामान्य आश्रितों की पहचान करता है—युवा एवं वृद्ध (यहाँ 15 वर्ष से कम और 70 वर्ष से अधिक)। कथन B सार्वजनिक ऋण से संबंधित है, आश्रितता से नहीं, तथा D श्रमिकों के एक वर्ग को दर्शाता है, आश्रितों को नहीं।

29. NSSO तथा CSO भारत की आधिकारिक सांख्यिकीय प्रणाली के अंतर्गत कार्य करते हैं, जो सांख्यिकी एवं कार्यक्रम कार्यान्वयन मंत्रालय (Ministry of Statistics and Programme Implementation — MoSPI) के अधीन है। अतः सही मंत्रालय MoSPI है।

30. मुद्रास्फीति में केंद्रीय बैंक के लक्ष्य की ओर निरंतर गिरावट निम्न कारणों से संगत है:

(*i*) आपूर्ति शृंखलाओं में सुधार/अनुकूलन जिससे आपूर्ति अवरोध एवं लागत दबाव कम होते हैं (A), तथा

(*ii*) कठोर मौद्रिक नीति (उच्च नीतिगत दरें/तरलता की वापसी) जिससे समष्टि मांग एवं मुद्रास्फीति अपेक्षाएँ कम होती हैं (C)।

मौद्रिक नीति में ढील (B) सामान्यतः मांग एवं मुद्रास्फीति को बढ़ाती है, और यदि AD, AS से अधिक बढ़ती है (D), तो यह अपस्फीतिकारी (disinflationary) के बजाय मुद्रास्फीतिकारी होती है।

31. सरल कीन्सीय मॉडल में संतुलन आय के लिए:

$$AD = C + I + G$$

आनुपातिक कर t के लिए:

$$\begin{aligned} Y_d &= (1 - t)Y \\ C &= 100 + 0.75Y_d \\ Y_d &= (1 - 0.2)Y = 0.8Y \\ C &= 100 + 0.75(0.8Y) \\ &= 100 + 0.6Y \\ AD &= (100 + 0.6Y) + 60 + 40 \\ &= 200 + 0.6Y \end{aligned}$$

संतुलन पर:

$$\begin{aligned} Y &= AD = 200 + 0.6Y \\ Y &= 0.6Y = 200 \\ 0.4Y &= 200 \\ Y &= \frac{200}{0.4} = 500. \end{aligned}$$

32. मानक विचलन (Standard deviation) मूल परिवर्तन (change of origin) से अप्रभावित रहता है, इसलिए:

$$SD(X + a) = SD(X)$$

और $SD(X - b) = SD(X)$

सही हैं। किन्तु पैमाने के परिवर्तन (change of scale) के अंतर्गत नियम होता है:

$$SD(aX) = |a| \cdot SD(X)$$

न कि

$$a^2 \cdot SD(X)$$

अतः अभिकथन (A) गलत है क्योंकि इसमें SD के लिए गलत scaling property दी गई है। कारण (R) सही है क्योंकि SD मूल परिवर्तन से स्वतंत्र लेकिन पैमाने पर निर्भर होता है। इसलिए सबसे उपयुक्त विकल्प (4) है।

33. अभिकथन यह दावा करता है कि औसत घरेलू आय में 10% वृद्धि अनिवार्य रूप से बच्चों के स्वास्थ्य एवं शिक्षा में 50% निवेश वृद्धि की ओर ले जाती है, जो कोई सामान्य आर्थिक/सांख्यिकीय नियम नहीं है और अतिरिक्त व्यावहारिक एवं संस्थागत शर्तों के बिना सार्वभौमिक रूप से सत्य नहीं माना जा सकता। कारण सही है क्योंकि स्वास्थ्य एवं शिक्षा पर व्यय मानव पूंजी का निर्माण करता है (बेहतर कौशल, स्वास्थ्य, उत्पादकता), जो अर्थव्यवस्था की उत्पादन क्षमता एवं विकास को बढ़ा सकता है।

चूँकि (R) सत्य है लेकिन (A) आवश्यक रूप से सत्य नहीं है, इसलिए सही विकल्प (4) है।

34. F-परीक्षण (F-test) में गणना की गई F-सांख्यिकी बड़े नमूना प्रसरण (variance) और छोटे नमूना प्रसरण के अनुपात के रूप में ली जाती है।

$$\begin{aligned} \text{बड़ा प्रसरण} &= 35.53 \\ \text{छोटा प्रसरण} &= 34.92 \\ F &= \frac{35.53}{34.92} \\ F &= 1.0174... \end{aligned}$$

दो दशमलव तक:

$$F \approx 1.02.$$

35. मैट्रिक्स योग (Matrix addition) क्रम-विनिमेय (commutative) तथा साहचर्य (associative) होता है, इसलिए कथन A ("क्रम-विनिमेय नहीं") गलत है जबकि कथन B सही है। मैट्रिक्स गुणा सामान्यतः क्रम-विनिमेय नहीं होता, इसलिए कथन C गलत है, लेकिन यह साहचर्य होता है जब गुणन परिभाषित हो, इसलिए कथन D सही है।

अतः सही संयोजन केवल B और D है, जो विकल्प (4) है।

36. NREGA/MGNREGA के अंतर्गत केंद्र सरकार अकुशल मजदूरी लागत का 100% भुगतान करती है तथा अन्य घटकों का भी बड़ा हिस्सा वहन करती है, जबकि राज्य सरकारें मुख्यतः बेरोजगारी भत्ता एवं शेष हिस्से का वहन करती हैं। चूँकि सबसे बड़ा व्यय अकुशल मजदूरी पर होता है और केंद्र इसे पूर्ण रूप से वहन करता है, इसलिए समग्र वित्तपोषण लगभग 90% केंद्र तथा 10% राज्यों द्वारा होता है। कार्यान्वयन के प्रथम चरण में 200 सबसे पिछड़े जिलों को शामिल किया गया था।

37. यदि:

$$Q = AK^aL^b$$

जहाँ $A > 0, a > 0, b > 0$

तो सीमांत उत्पाद आंशिक अवकलन द्वारा प्राप्त किए जाते हैं।

$$MP_K = \frac{\partial Q}{\partial K} = AaK^{a-1}L^b = \alpha\frac{Q}{K}$$

अतः कथन A सही है।

इसी प्रकार,

$$MP_L = \frac{\partial Q}{\partial L} = AbK^aL^{b-1} = \beta\frac{Q}{L}$$

अतः कथन D सही है।

कथन B एवं C में a, b तथा K, L का गलत विनिमय किया गया है।

38. विषम प्रसरणता (heteroscedasticity) की स्थिति में (सामान्य exogeneity धारणा के साथ) OLS slope estimators निष्पक्ष/सुसंगत बने रहते हैं, लेकिन वे अकार्यकुशल (inefficient) हो जाते हैं क्योंकि OLS अब न्यूनतम-प्रसरण रैखिक निष्पक्ष आकलक नहीं रहता। इसलिए अभिकथन (A) सही है।

किन्तु विषम प्रसरणता सामान्य OLS variance/standard error सूत्रों को गलत बना देती है; वे पक्षपाती/असंगत हो जाते हैं जब तक robust corrections का उपयोग न किया जाए। इसलिए "variance के अनुमान भी निष्पक्ष हैं" यह कथन सही नहीं है।

अतः (A) सही है लेकिन (R) सही नहीं है।

39. "गंतव्य कर" (Destination tax) वह कर है जिसमें कर-राजस्व उस क्षेत्राधिकार को प्राप्त होता है जहाँ वस्तु/सेवा का उपभोग किया जाता है, न कि जहाँ उसका उत्पादन होता है। GST को गंतव्य-आधारित उपभोग कर के रूप में डिजाइन किया गया है, इसलिए इसे लोकप्रिय रूप से destination tax कहा जाता है।

40. समय क्रम (earliest to latest) के अनुसार समितियों का गठन निम्नलिखित है:

- **विजय केलकर समिति (Vijay Kelkar Committee)** – प्रारंभिक 2000 के दशक (C पहले)
- **पार्थसारथी शोम समिति (Parthasarathy Shome Committee)** – 2012 के आसपास (B अगला)
- **अरविंद सुब्रमणियन समिति (Arvind Subramanian Committee)** – GST के राजस्व तटस्थ दर से संबंधित, मध्य 2010s (D अगला)
- **शंकर आचार्य समिति (Shankar Acharya Committee)** – वित्तीय वर्ष परिवर्तन पर, बाद का काल (A अंतिम)

अतः सही कालानुक्रमिक क्रमः C → B → D → A जो विकल्प (3) से मेल खाता है।

41. रोनाल्ड कोस (Ronald Coase) का सौदेबाजी समाधान तब कार्य करता है जब संपत्ति अधिकार स्पष्ट रूप से परिभाषित (clearly defined) तथा हस्तांतरणीय (transferable) हों, ताकि पक्षकार बाह्यताओं (externalities) को आंतरिक बनाने के लिए वार्ता कर सकें और कुशल परिणाम तक पहुँच सकें। "सार्वभौमिक स्वामित्व" सामान्यतः open-access/common-property समस्याएँ उत्पन्न करता है, जबकि "समान जानकारी" उपयोगी तो है परंतु कोसियन ढाँचे की मुख्य शर्त नहीं है।

42. मांग फलनः

$$P = 80 - 3Q$$

कुल आय (Total Revenue):

$$TR = P \times Q$$
$$TR = (80 - 3Q)Q$$
$$TR = 80Q - 3Q^2$$

अधिकतम आय के लिए:

$$\frac{d(TR)}{dQ} = 80 - 6Q$$

शून्य के बराबर रखें:

$$80 - 6Q = 0$$
$$6Q = 80$$
$$Q = \frac{80}{6} = \frac{40}{3} \approx 13.33$$

अतः अधिकतम आय Q = 12 पर नहीं होती और न ही Q = 3 पर।

अब अधिकतम आय ज्ञात करें:

$$TR \approx 533.33$$

यह न तो 528 है और न ही 213।

अतः दिए गए कोई भी कथन सही नहीं हैं।

उत्तरः NONE – कथन A से D तक कोई भी सही नहीं है।

43. A. शिथिल चर → III (जब बाधाएँ ≤ प्रकार की हों)

B. अधिशेष चर → IV (जब बाधाएँ ≥ प्रकार की हों)

C. इष्टतम हल → I (सभी व्यवहार्य समाधानों में सर्वोत्तम)

D. अव्यवहार्य हल → II (कम-से-कम एक शर्त का उल्लंघन)

44. यदिः

$$y = \sqrt{1 - x^2}$$

तोः

$$1 - x^2 \geq 0$$
$$-1 \leq x \leq 1$$

[-1, 1] पर $1 - x^2$ का मान 0 ($x = \pm 1$ पर) से 1($x = 0$ पर) तक होता है।

वर्गमूल लेने पर:

$$0 \le y \le 1$$

अतः परास (range) है: [0, 1].

45. A. लक्षित सार्वजनिक वितरण प्रणाली (TPDS) → III (1997)

B. पुनर्गठित सार्वजनिक वितरण प्रणाली (RPDS) → I (1992)

C. शिक्षा का अधिकार अधिनियम (RTE Act) → II (2009)

D. राष्ट्रीय खाद्य सुरक्षा अधिनियम (NFSA Act) → IV (2013).

46. यूरोपीय संदर्भ में "Salmon War" शब्द 1980 के दशक के अंत एवं 1990 के दशक के प्रारंभ में नॉर्वे के सैल्मन निर्यातकों तथा स्कॉटलैंड के सैल्मन उत्पादकों के बीच व्यापार विवाद को संदर्भित करता है। स्कॉटिश उत्पादकों ने आरोप लगाया कि नॉर्वे यूरोपीय बाजार में कृत्रिम रूप से कम कीमतों पर farmed salmon बेच रहा था, जिससे घरेलू उत्पादकों को नुकसान हो रहा था। इस विवाद के परिणामस्वरूप जाँच हुई और अंततः 1991 में यूरोपीय आयोग द्वारा anti-dumping duties लगाई गईं। चूँकि यह विवाद विशेष रूप से नॉर्वे के निर्यात तथा स्कॉटलैंड के सैल्मन उद्योग से संबंधित था, इसलिए सही युग्म नॉर्वे और स्कॉटलैंड है।

47. क्लब वस्तुएँ (Club goods) बहिष्करणीय (excludable) होती हैं अर्थात सदस्यता/शुल्क द्वारा पहुँच सीमित की जा सकती है, तथा भीड़भाड़ (congestion) होने तक गैर-प्रतिस्पर्धी (non-rival) रहती हैं। स्विमिंग पूल और जिम सामान्यतः सदस्यता या प्रवेश नियमों पर संचालित होते हैं, इसलिए ये क्लब वस्तुओं के अंतर्गत आते हैं। रक्षा (defense) गैर-बहिष्करणीय और गैर-प्रतिस्पर्धी होती है (सार्वजनिक वस्तु), तथा रेलवे को इस वर्गीकरण में मानक क्लब वस्तु के बजाय मिश्रित/भीड़भाड़ वाली सेवा माना जाता है। अतः केवल B और D सही हैं।

48.
$$Q = 100 - P - P^2$$

जब P = 5:

$$Q = 100 - 5 - 25 = 70$$

$$\left(\frac{dQ}{dP}\right) = -1 - 2P$$

$$\left(\frac{dQ}{dP}\right)_{P=5} = -1 - 10 = -11$$

मांग की मूल्य लोच:

$$e_d = \frac{dQ}{dP} \cdot \frac{P}{Q}$$

$$= -11 \cdot \frac{5}{70} = -\frac{55}{70} = -\frac{11}{14}$$

$$|e_d| = \frac{11}{14} \approx 0.79 < 1$$

अतः P = 5 पर मांग अलोचदार (inelastic) है।

49.
- हैरॉड और डोमर निवेश को "दो-धारी तलवार" (double-edged sword) की अवधारणा से जोड़ते हैं क्योंकि उनके विकास मॉडल में निवेश एक ओर उत्पादक क्षमता बढ़ाता है और दूसरी ओर आय एवं मांग उत्पन्न करता है। वांछित एवं वास्तविक विकास के बीच असंतुलन अस्थिरता पैदा करता है; अतः A-III।
- लुकास और रोमर ने 1980 के दशक के अंत में अंतर्जात विकास सिद्धांत (endogenous growth theory) विकसित किया, जिसमें मानव पूंजी, नवाचार तथा ज्ञान प्रसार को निरंतर विकास के आंतरिक प्रेरक माना गया; अतः B-I।
- आर्थर लुईस ने द्वैत अर्थव्यवस्था मॉडल (dual economy model) (1954) प्रस्तुत किया, जो निर्वाह क्षेत्र से आधुनिक पूंजीवादी क्षेत्र में श्रम हस्तांतरण के माध्यम से संरचनात्मक परिवर्तन की व्याख्या करता है; अतः C-II।
- माइकल टोडारो ने ग्रामीण-शहरी प्रवास मॉडल (1969) प्रतिपादित किया, जो प्रत्याशित आय अंतर पर आधारित है; अतः D-IV।

50. संरचनात्मक प्रणाली में अंतर्जात चर:

$$\{y_1, y_2, y_3\}$$

अतः G = 3

बहिर्जात चर:

$$\{x_1, x_2, x_3\}$$

अतः K = 3

दूसरा समीकरण:

$$y_2 = y_3 + x_3 + u_2$$

समीकरण (2) में उपस्थित अंतर्जात चर:

$$\{y_2, y_3\}$$

अतः $m = 2$

समीकरण (2) से बहिष्कृत बहिर्जात चर:

$$\{x_1, x_2\}$$

अतः $K - k_i = 2$

आर्डर शर्तः

$$K - k_i \geq (m - 1)$$
$$2 \geq 1$$

जो संतुष्ट है, तथाः

$$2 > (m - 1)$$

अतः आर्डर शर्त के अनुसार यह over-identified है।

रैंक शर्त भी संतुष्ट है क्योंकि कम-से-कम एक बहिष्कृत बहिर्जात चर (x_1 या x_2) अन्य संरचनात्मक समीकरणों में गैर-शून्य गुणांक के साथ उपस्थित है।

अतः दूसरा समीकरण over identified है।

51. • **A → III: ऋण-अवस्फीति (Debt-deflation)** – इरविंग फिशर के अनुसार जब मूल्य स्तर अप्रत्याशित रूप से गिरता है, तो नाममात्र ऋणों का वास्तविक मूल्य बढ़ जाता है। इससे बैलेंस शीट खराब होती है, संकटपूर्ण बिक्री एवं ऋण-घटाव बढ़ता है और उत्पादन/आय में कमी आ सकती है।

• **B → I: पिगू प्रभाव (Pigou effect)** – मूल्य स्तर में गिरावट मुद्रा शेष एवं संपत्ति के वास्तविक मूल्य को बढ़ाती है, जिससे उपभोग मांग तथा आय/उत्पादन को समर्थन मिलता है।

• **C → II: अग्रिम मार्गदर्शन** – यह मौद्रिक नीति का उपकरण है जिसमें केंद्रीय बैंक अपनी भविष्य की नीति स्थिति की घोषणा करता है ताकि वर्तमान अपेक्षाओं को प्रभावित किया जा सके।

• **D → IV:** ओकुन का नियम (Okun's law) बेरोजगारी और वास्तविक GDP के बीच विपरीत संबंध को दर्शाता है।

52. • A एक AR(r) परिभाषा है क्योंकि बर्तमान x_t, अपने पिछले r lagged मानों तथा white-noise shock e_t पर निर्भर करता है।

• B एक MA(m) परिभाषा है क्योंकि x_t, वर्तमान एवं पूर्व shocks (e_t, e_{t-1}, ..., e_{t-m}) का सीमित रैखिक संयोजन है।

C गलत है क्योंकि यह MA रूप को "autoregressive" कहता है, और D गलत है क्योंकि यह AR रूप को "moving average" कहता है।

53. सन्निहित तकनीकी प्रगति का अर्थ है कि नई तकनीक नई पूंजीगत वस्तुओं (नई मशीनों/vintages) में "निहित" होती है। इसलिए उत्पादकता मुख्यतः तब बढ़ती है जब फर्म निवेश कर पुरानी पूंजी को नई अधिक कुशल पूंजी से प्रतिस्थापित करती हैं। बिना नए निवेश के, मौजूदा पूंजी भंडार नवीनतम तकनीक को पूर्णतः शामिल नहीं कर पाता। यही विकल्प (2) में कहा गया है।

54. • **A → III:** नव-चैम्बरलिनियन दृष्टिकोण (neo-Chamberlinian approach) एकाधिकारात्मक प्रतियोगिता का उपयोग करता है जहाँ फर्में विभेदित उत्पाद (differentiated varieties) बनाती हैं। इसका मुख्य विचार बढ़ते प्रतिफल एवं अपूर्ण प्रतियोगिता के अंतर्गत उत्पाद विभेदन है।

• **B → I:** नव-होटेलिंग ढाँचा (neo-Hotelling framework) स्थान/विविधता को "रेखा" के साथ मॉडल करता है, जो horizontal differentiation को दर्शाने का मानक तरीका है।

• **C → IV:** ब्रैंडर-क्रुगमैन मॉडल segmented markets एवं trade costs के अंतर्गत reciprocal dumping के लिए प्रसिद्ध है।

• **D → II:** नव-हेक्सचर-ओहलिन विस्तार (Neon-Heckschern-Ohlin extensions) गुणवत्ता/कौशल-आधारित विशेषज्ञता से जुड़े हैं, जो vertical differentiation के अनुरूप है।

55. आरक्षित मुद्रा (Reserve money) में मुद्रा तथा केंद्रीय बैंक के पास जमा राशियाँ (बैंकों के reserves सहित) शामिल होती हैं, इसलिए A में दी गई संरचना सही है।

मुद्रा गुणक (Money multiplier):

$$m = M/RM$$

अतः C सही है।

B गलत है क्योंकि (M_1) केवल (C + OD) नहीं होता; इसमें मांग जमा (demand deposits) भी शामिल हैं।

D गलत है क्योंकि narrow money, (M_3) नहीं है; (M_3) व्यापक मुद्रा (broad money) है।

56. **A. अमर्त्य सेन → IV (हकदारी, क्षमताएँ एवं चयन की स्वतंत्रता)**: सेन का विकास एवं कल्याण अर्थशास्त्र capability approach तथा entitlement analysis पर आधारित है।

B. साइमन कुजनेट्स → I (आर्थिक विकास के साथ असमानता का बढ़ना एवं घटना): Kuznets Curve से जुड़े हैं।

C. गुन्नार मिर्डल → II (आर्थिक अल्पविकास का चक्रीय एवं संचयी कारण): मिर्डल का सिद्धांत बताता है कि अल्पविकास स्वयं को सुदृढ़ करने वाली प्रक्रिया है।

D. **पॉल क्रुगमैन → III (आर्थिक विकास का भौगोलिक प्रतिरूप):** क्रुगमैन का new economic geography सिद्धांत औद्योगिक संकेन्द्रण एवं spatial concentration की व्याख्या करता है।

57. राजकोषीय घाटे (fiscal deficit) में वृद्धि सामान्यतः ऐसी स्थिति को दर्शाती है जहाँ सरकारी व्यय, प्राप्तियों की तुलना में अधिक बढ़ जाता है। यह उच्च सरकारी व्यय (A) तथा अधिक बाजार उधारी की आवश्यकता से जुड़ा होता है। अधिक सरकारी उधारी ऋणयोग्य निधियों की मांग बढ़ाती है, जिससे घरेलू ब्याज दरें बढ़ती हैं (B) तथा crowding-out प्रभाव के माध्यम से निजी निवेश कम होता है (C)। सरकारी कुल उधारी में कमी (D) इस प्रक्रिया के विपरीत है।

58. प्राकृतिक एकाधिकार (Natural monopoly) तब उत्पन्न होता है जब पैमाने की अर्थव्यवस्थाएँ इतनी प्रबल हों कि एक ही फर्म पूरे बाजार को अनेक फर्मों की तुलना में कम औसत लागत पर सेवा प्रदान कर सके। इसके लिए दीर्घकालीन औसत लागत (LRAC) को पूरे प्रासंगिक उत्पादन क्षेत्र में लगातार गिरना चाहिए। यही विकल्प (4) में कहा गया है।

59. मान लें: S = smoker, C = cancer

दिया है: $P(C) = 0.03$

$P(S) = 0.15$

$P(S \cup C) = 0.10$

Inclusion-Exclusion नियम द्वारा:

$$P(S \cap C) = P(S) + P(C) - P(S \cup C) = 0.15 + 0.03 - 0.10 = 0.08$$

अतः आवश्यक प्रायिकता 0.08 है।

60. यह कथन सत्य नहीं है क्योंकि तर्कसंगत अपेक्षा सिद्धांत का श्रेय मुख्यतः जॉन एफ. मुथ (John F. Muth, 1961) को दिया जाता है, जिसे बाद में लुकास एवं सार्जेंट जैसे अर्थशास्त्रियों ने विकसित किया। "Hansen" को इसका प्रवर्तक बताना सही नहीं है। अन्य कथन तर्कसंगत अपेक्षा की मुख्य अवधारणा से मेल खाते हैं।

61. **A. Type I error → III** (जब (H_0) सत्य हो और उसे अस्वीकार कर दिया जाए)

B. Type II error → I (जब (H_0) असत्य हो और उसे स्वीकार कर लिया जाए)

C. Simple Hypothesis → II ($H_0 : \mu = \mu_0, \sigma^2 = \sigma_0^2$)

यह एक simple hypothesis है क्योंकि सभी parameters पूर्णतः निर्दिष्ट हैं।

D. Composite Hypothesis → IV ($H_0 : \mu = \mu_0$, σ^2 अज्ञात)

यह composite hypothesis है क्योंकि सभी parameters निर्दिष्ट नहीं हैं।

62. Headcount Index (H) गरीबी का सबसे सरल माप है। यह उन लोगों के अनुपात को मापता है जिनकी आय/उपभोग गरीबी रेखा से नीचे है। यह गरीबी की गहराई अथवा गरीबों के बीच असमानता को नहीं मापता।

63. पूर्ण प्रतियोगिता में:

$$P = MR$$

चूँकि: $VMPL = P \times MPL$

और $MRPL = MR \times MPL$

अतः $VMPL = MRPL$

पूर्ण प्रतियोगी फर्म के श्रम-बाजार संतुलन में:

$$VMPL = W$$

इसलिए: $VMPL = MRPL$

अनिवार्य रूप से सत्य होगा।

64. **A.** $|e_d|$ के लिए D = 64 – 8P, जब P = 6

$$Q = 64 - 8(6) = 16, \quad \frac{dQ}{dP} = -8$$

$$|e_d| = \left|-8 \cdot \frac{6}{16}\right| = 3$$

अतः A → III

B. e_s के लिए S = –25 + 5P, जब P = 10

$$Q = -25 + 5(10) = 25, \quad \frac{dQ}{dP} = 5$$

$$e_s = 5 \cdot \frac{10}{25} = 2$$

अतः B → IV

C. MR, जब P = 8 तथा $e_d = 4$

$$MR = P\left(1 - \frac{1}{e_d}\right) = 8\left(1 - \frac{1}{4}\right) = 6$$

अतः C → I

D. MPL, जब VMPL = 12 तथा P = 3

$$VMPL = P \cdot MPL$$

$$12 = 3 \cdot MPL$$

$$MPL = 4$$

अतः D → II।

65. व्यापार चक्र का नवाचार सिद्धांत का संबंध शुम्पीटर से है, जॉर्गेंसन से नहीं; अतः A गलत है।

हॉट्रे (Hawtrey) व्यापार चक्र का शुद्ध मौद्रिक सिद्धांत से जुड़े हैं; अतः B सही है।

व्यापार चक्र का मौद्रिक-अधिनिवेश सिद्धांत का संबंध Hayek/Mises से है, जबकि क्लार्क त्वरक सिद्धांत से जुड़े हैं; अतः C गलत है।

व्यापार चक्र का गुणक-त्वरक अंतःक्रिया सिद्धांत का श्रेय सैम्युलसन (1939) को दिया जाता है; अतः D सही है।

अतः केवल B और D सही हैं।

66. यदि Cobb-Douglas उत्पादन फलनः

$$Q = AK^aL^b$$

तो returns to scale, $(a + b)$ पर निर्भर करता है।

यदिः $$a + b < 1$$

तो decreasing returns to scale होता है।

यहाँः $$a = \frac{1}{4}, b = \frac{1}{2}$$

$$a + b = \frac{1}{4} + \frac{1}{2} = \frac{3}{4} < 1$$

अतः diminishing returns to scale होगा।

67. 12वें वित्त आयोग के अध्यक्ष सी. रंगराजन थे तथा 11वें वित्त आयोग के अध्यक्ष ए.एम. खुसरो थे; अतः A और B सही हैं। 14वें वित्त आयोग के अध्यक्ष वाई.वी रेड्डी थे (आर.के. सिंह नहीं), तथा 15वें वित्त आयोग के अध्यक्ष एन.के. सिंह थे (वाई.वी. रेड्डी नहीं); अतः C और D गलत हैं।

68. अभिकथन प्रथम कल्याण प्रमेय (First Welfare Theorem) की अवधारणा को व्यक्त करता है—प्रतिस्पर्धी बाजार संतुलन के अंतर्गत संसाधनों का आवंटन Pareto efficient होता है; अतः (A) सही है।

कारण भी सही है क्योंकि Pareto improvement किसी अन्य अकार्यकुशल बिंदु तक भी ले जा सकता है। किन्तु यह यह नहीं बताता कि प्रतिस्पर्धी संतुलन क्यों कुशल होता है। अतः (R), (A) की सही व्याख्या नहीं करता।

69. संघीय बजट 2025-26 में बीमा क्षेत्र में प्रत्यक्ष विदेशी निवेश (FDI) सीमा को 74% से बढ़ाकर 100% करने की घोषणा की गई थी (अतः A सही है, B सही नहीं है), और राज्यों के लिए एक निवेश अनुकूल सूचकांक शुरू करने की भी घोषणा की गई थी (अतः C सही है)। 2025-26 के लिए राजकोषीय घाटे का लक्ष्य GDP का 4.4% निर्धारित किया गया है, इसलिए D भी सही है; अतः सही संयोजन केवल A, C और D है।

70.
- टोबिन का q सिद्धांत (Tobin's q theory) कहता है कि जब पूंजी/संपत्तियों का बाजार मूल्य उनकी प्रतिस्थापन (replacement/reproduction) लागत की तुलना में अधिक होता है, तब निवेश बढ़ता है; अतः A सही है।
- मुंडेल-फ्लेमिंग मॉडल के अनुसार, स्थिर विनिमय दर (fixed exchange rate) तथा उच्च/पूर्ण पूंजी गतिशीलता की स्थिति में राजकोषीय विस्तार (fiscal expansion) सामान्यतः प्रभावी होता है (पूरी तरह "अप्रभावी" नहीं), इसलिए B गलत है।
- निवेश कर साख निवेश की प्रभावी लागत को कम करता है क्योंकि सरकार credit/subsidy के माध्यम से उसका कुछ भाग वहन करती है; अतः C सही है।
- नीतिगत त्रिविधा के अनुसार, स्थिर विनिमय दर और पूर्ण पूंजी गतिशीलता के साथ स्वतंत्र मौद्रिक नीति बनाए रखना संभव नहीं है; अतः D सही है।

71. व्यापार सृजन (Trade creation) तब होता है जब किसी सीमा शुल्क संघ (customs union) के गठन के बाद कोई सदस्य देश किसी वस्तु का घरेलू उत्पादन उच्च लागत पर करने के बजाय उसे किसी अन्य सदस्य देश से कम लागत पर आयात करने लगता है। यहाँ मुख्य संकेत है—"घरेलू उत्पादन ... को दूसरे सदस्य राष्ट्र से कम लागत वाले आयात द्वारा प्रतिस्थापित किया जाता है," जो उच्च-लागत घरेलू उत्पादन को कम-लागत साझेदार आयात से बदलने (efficiency gain) का सटीक वर्णन है।

इसके विपरीत, व्यापार विचलन (Trade diversion) का अर्थ होता है कि सामान्य बाह्य शुल्क (common external tariff) के कारण कम-लागत विश्व आयातों को उच्च-लागत साझेदार आयातों से बदल दिया जाए, जो यहाँ वर्णित नहीं है।

72. अभिकथन सही है क्योंकि 1970 के दशक के मध्य से कई विकसित देशों ने खुली शुल्क-वृद्धि (tariff hikes) के बजाय गैर-शुल्क अवरोधों (Non-Tariff Barriers — NTBs) जैसे quotas, VERs, तकनीकी मानक, anti-dumping, subsidies आदि का अधिक उपयोग करना शुरू किया। इसका एक कारण यह था कि बहुपक्षीय वार्ताओं (multilateral rounds) के अंतर्गत शुल्कों को लगातार कम किया जा रहा था।

कारण भी सही हैः विकासशील देशों तथा तीव्र औद्योगिकीकरण कर रही दक्षिण एवं दक्षिण-पूर्व एशियाई अर्थव्यवस्थाओं से बढ़ते प्रतिस्पर्धात्मक दबाव के कारण आयात-प्रतिस्पर्धी क्षेत्रों में अधिक संरक्षणवादी प्रतिक्रियाएँ उत्पन्न हुईं। यही प्रतिस्पर्धात्मक दबाव NTBs की ओर झुकाव का प्रमुख कारण बना; इसलिए (R), (A) की सही व्याख्या करता है।

73. प्रभावी किराया नियंत्रण (Effective rent control) एक बाध्यकारी किराया-सीमा (binding rent ceiling) है जिसे बाजार-संतुलन किराए से नीचे निर्धारित किया जाता है; अतः कथन D सही है और कथन C गलत है (price floor सामान्यतः "rent control" नहीं कहलाता)।

जब बाध्यकारी किराया-सीमा लागू होती है, तब अल्पकाल (short run) में आवास आपूर्ति तुरंत स्थिर होने के कारण कमी अपेक्षाकृत कम होती है; लेकिन दीर्घकाल (long run) में रख-रखाव में गिरावट, भवनों का अन्य उपयोगों में परिवर्तन, तथा नए निर्माण में हतोत्साह के कारण कमी बढ़ जाती है। इसलिए कथन A सही है जबकि B गलत है। अतः सही संयोजन केवल A और D है।

74. **A. नरसिंहम समिति-I → III (वित्तीय क्षेत्र सुधार)**: इस समिति (1990 के दशक के प्रारंभ) ने व्यापक वित्तीय प्रणाली की समीक्षा की तथा वित्तीय क्षेत्र के ढाँचे में व्यापक सुधारों की अनुशंसा की। अतः इसका संबंध संपूर्ण वित्तीय क्षेत्र सुधार एजेंडा से है, न कि केवल संकीर्ण बैंकिंग सुधार से।

B. नरसिंहम समिति-II → II (बैंकिंग क्षेत्र सुधार): दूसरी समिति (1990 के दशक के उत्तरार्ध) ने अधिक प्रत्यक्ष रूप से बैंकिंग प्रणाली की मजबूती—पूंजी पर्याप्तता, NPA, prudential norms तथा प्रतिस्पर्धात्मकता—पर ध्यान केंद्रित किया। अतः इसे बैंकिंग क्षेत्र सुधार से सही रूप से जोड़ा गया है।

C. चेलैया समिति → I (कर सुधार): चेलैया समिति भारत की कर प्रणाली के पुनर्गठन एवं युक्तिकरण (rationalisation) संबंधी प्रस्तावों के लिए प्रसिद्ध है। अतः इसका सीधा संबंध कर सुधार से है।

D. सी. रंगराजन समिति → IV (निर्धनता आकलन समिति): रंगराजन ने ऐसी समिति की अध्यक्षता की जिसने भारत में गरीबी मापन पद्धति एवं गरीबी रेखा की पुनर्समीक्षा की। अतः यह निर्धनता आकलन समिति से संबंधित है।

75. वस्तु व्यापार घाटे (merchandise trade deficit) में वृद्धि का सबसे प्रत्यक्ष कारण आयातों में वृद्धि तथा/या कुछ विशेष आयात श्रेणियों में उछाल होता है।

कथन B गैर-तेल एवं गैर-सोना आयातों में वृद्धि की ओर संकेत करता है, जिससे पेट्रोलियम एवं सोने से परे आयात बिल बढ़ता है।

कथन D त्योहारों से पहले अग्रिम खरीद एवं सुरक्षित निवेश (safe-haven demand) के कारण सोने के आयात में वृद्धि को दर्शाता है—यह भी आयात बिल बढ़ाता है और व्यापार घाटे को विस्तृत कर सकता है।

कथन C (आभूषण निर्यात पर प्रतिबंध) इस प्रकार के सारांशों में घाटा बढ़ने का सामान्य व्यापक कारण नहीं माना जाता।

इसलिए केवल B और D उपयुक्त संयोजन हैं।

76. अभिकथन ''सामान्य स्थिति'' बेरोजगारी दर में समय के साथ गिरावट का उल्लेख करता है; यह हालिया PLFS प्रकार के रुझानों के अनुरूप है जहाँ सामान्य स्थिति बेरोजगारी दर मध्य एकल-अंकीय स्तर से घटकर 2023-24 तक निम्न एकल-अंकीय स्तर के निकट आ गई है।

कारण में 26 दिसंबर 2025 को भारत के विदेशी मुद्रा भंडार लगभग 693 अरब डॉलर होने की बात कही गई है। यह एक सही व्यापक आर्थिक संकेतक हो सकता है, लेकिन यह बेरोजगारी दर में गिरावट की व्याख्या नहीं करता क्योंकि बेरोजगारी में परिवर्तन मुख्यतः श्रम-बाजार भागीदारी, क्षेत्रीय रोजगार सृजन, विकास संरचना तथा मापन पद्धति से प्रभावित होते हैं—विदेशी मुद्रा भंडार इसका प्रत्यक्ष कारण नहीं है।

77. "Money" शब्द की व्युत्पत्ति लैटिन भाषा से जुड़ी है, विशेष रूप से moneta शब्द से (जो रोमन देवी Juno Moneta के मंदिर/टकसाल से संबंधित था), जिससे सिक्का एवं टकसाल संबंधी शब्द विकसित हुए और बाद में यूरोपीय भाषाओं में पहुँचे। अतः दिए गए विकल्पों में Latin सही मूल भाषा है।

78. **D. वालरास का सामान्य संतुलन सिद्धांत (Walras' Theory of General Equilibrium) (1874)**: यह Elements of Pure Economics में प्रकाशित हुआ और अर्थशास्त्र की प्रारंभिक व्यवस्थित एवं गणितीय अवधारणाओं में से एक है; अतः यह सबसे पहले आता है।

C. मांग का गणनात्मक उपयोगिता सिद्धांत (1871-1890): इसे Jevons (1871) ने प्रारंभ किया और Marshall (1890) ने आगे विकसित किया। यह मानता है कि उपयोगिता को संख्यात्मक रूप से मापा जा सकता है। यह कालक्रम में वालरास के बाद आता है।

A. मूलसीमा निर्धारण सिद्धांत (1950s): Joe S. Bain द्वारा प्रतिपादित, यह बताता है कि अल्पाधिकार बाजारों में वर्तमान फर्में नए प्रवेशकों को रोकने हेतु कीमतें कैसे निर्धारित करती हैं।

B. मांग का तार्किक क्रम सिद्धांत (1934): J.R. Hicks एवं R.G.D. Allen ने A Reconsideration of the Theory of Value में इसे प्रस्तुत किया। इसमें उदासीनता वक्र (indifference curve) विश्लेषण तथा ordinal utility दृष्टिकोण का उपयोग किया गया।

79. SEBI एक वैधानिक नियामक संस्था (statutory regulator) है (SEBI Act के अंतर्गत स्थापित), इसलिए इसे "advisory body" कहना गलत है।

GST Council एक संवैधानिक निकाय (constitutional body) है (Article 279A के अंतर्गत स्थापित), इसलिए इसे "statutory body" कहना इस वर्गीकरण में सही नहीं है। हालाँकि, NITI Aayog एक advisory/think-tank प्रकार की संस्था है (न तो संवैधानिक और न ही वैधानिक), और RBI, RBI Act 1934 के अंतर्गत स्थापित एक statutory body है। इसलिए केवल C और D सही युग्म हैं।

80. A. अंकगणितीय श्रेणी (Arithmetic Progression) का *n*वाँ पद → III

$$a + (n - 1)d$$

AP में प्रत्येक पद common difference d से बढ़ता है; प्रथम पद a से $(n - 1)$ चरण आगे बढ़ने पर nवाँ पद प्राप्त होता है। यह AP का मानक सूत्र है।

B. ज्यामितीय श्रेणी (Geometric Progression) का *n*वाँ पद → IV

$$ar^{n-1}$$

GP में प्रत्येक पद common ratio r से गुणा होता है; प्रथम पद a से $(n - 1)$ गुणनों के बाद nवाँ पद ar^{n-1} होता है। यह exponential growth/decay को दर्शाता है।

C. AP के *n* पदों का योग → I

$$\frac{n}{2}[2a+(n-1)d]$$

AP का योग पदों की संख्या × प्रथम एवं अंतिम पद के औसत के बराबर होता है। अंतिम पद को $a + (n - 1)d$ लिखने पर यह संक्षिप्त रूप प्राप्त होता है।

D. GP के *n* पदों का योग → II

$$\frac{a(r^n - 1)}{r-1}, r > 1$$

GP के योग का सूत्र sum को r से गुणा कर तथा घटाकर प्राप्त किया जाता है। इससेः

$$S_n(r - 1) = a(r^n - 1)$$

अतः $$S_n = \frac{a(r^n - 1)}{r-1}, r = 1.$$

81. शिकागो स्कूल, विशेषकर मिल्टन फ्रिडमैन तथा अन्य मौद्रिकवादी, ने मुद्रा (money) की पारंपरिक परिभाषा का विस्तार किया। उनका तर्क था कि वाणिज्यिक बैंकों के time deposits, मुद्रा के निकट विकल्प (close substitutes) हैं क्योंकि वे मूल्य संचय (store of value) का कार्य करते हैं तथा कम लागत पर नकद में परिवर्तित किए जा सकते हैं। इसलिए इन्हें मुद्रा आपूर्ति की परिभाषा में शामिल किया जाना चाहिए।

पारंपरिक उपागम मुद्रा को केवल currency + demand deposits तक सीमित मानता था। अतः वह दृष्टिकोण जिसने वाणिज्यिक बैंकों के time deposits को money supply की परिभाषा में शामिल किया, शिकागो दृष्टिकोण कहलाता है।

82. भारत में हरित क्रांति (Green Revolution) मुख्यतः गेहूँ और चावल जैसे उत्तम अंनाजों (fine cereals) में उत्पादकता एवं उत्पादन की तीव्र वृद्धि से जुड़ी थी, क्योंकि उच्च उपज देने वाली किस्मों (HYV seeds), सिंचाई, रासायनिक उर्वरकों तथा कीटनाशकों का सर्वाधिक उपयोग इन्हीं फसलों में किया गया। इसलिए कथन A सही है।

हरित क्रांति के दौरान सरकारी नीतियों, न्यूनतम समर्थन मूल्य (MSP), सिंचाई सुविधाओं तथा बाजार प्रोत्साहनों के कारण किसानों ने कई क्षेत्रों में ज्वार, बाजरा और रागी जैसे मोटे अनाजों (coarse cereals) की खेती कम करके गेहूँ एवं चावल जैसी अधिक लाभकारी फसलों की ओर रुख किया। परिणामस्वरूप मोटे अनाजों के क्षेत्रफल और उत्पादन में सापेक्ष गिरावट देखी गई। इसलिए कथन B भी सही है।

इस प्रकार दोनों कथन हरित क्रांति के प्रभावों का सही वर्णन करते हैं।

83. RIDF (Rural Infrastructure Development Fund) की स्थापना NABARD के अंतर्गत 1995-96 में लगभग ₹ 2000 करोड़ की प्रारंभिक राशि (initial corpus) के साथ की गई थी। इसका मुख्य उद्देश्य राज्य सरकारों एवं राज्य-स्वामित्व वाली एजेंसियों के माध्यम से ग्रामीण अवसंरचना (rural infrastructure) का वित्तपोषण करना था। इसके संसाधन मुख्यतः अनुसूचित वाणिज्यिक बैंकों (scheduled commercial banks) के योगदान से निर्मित होते हैं, विशेषकर तब जब वे priority sector lending लक्ष्यों को पूरा नहीं कर पाते। यह निधि ग्रामीण सड़कें, सिंचाई, पुल, बाजार तथा इसी प्रकार की अवसंरचनात्मक परियोजनाओं को वित्त प्रदान करती है।

हालाँकि, किसान क्रेडिट कार्ड (Kisan Credit Card) अल्पकालिक एवं संबंधित कृषि ऋण के लिए एक farm credit delivery mechanism है; यह RIDF का कोई merger product नहीं है। अतः merger संबंधी कथन गलत है।

84. कथन A सही है क्योंकि वैश्वीकरण (globalisation) सामान्यतः अवसरों (बाजार, तकनीकी पहुँच, दक्षता लाभ) का विस्तार करता है, लेकिन साथ ही समायोजन लागत एवं जोखिम (असमानता का दबाव, अस्थिरता, क्षेत्रीय विस्थापन) भी लाता है।

कथन B सही है क्योंकि वैश्वीकरण की परिभाषा ही वस्तुओं, सेवाओं, पूंजी तथा तकनीक (साथ ही विचारों और कभी-कभी श्रम) के सीमापार प्रवाह को तीव्र बनाना है।

कथन C सही है क्योंकि बड़े बाजार विशेषज्ञता (specialisation) तथा श्रम विभाजन (division of labour) को गहरा करते हैं, जिससे उत्पादकता बढ़ सकती है और व्यापार से लाभ अधिक हो सकता है।

कथन D गलत है क्योंकि ये प्रवाह समान रूप से वितरित नहीं होते; देशों के बीच तथा देशों के भीतर लाभ एवं एकीकरण अत्यधिक असमान होते हैं, जिसका कारण क्षमताओं, संस्थाओं, अवसंरचना तथा तुलनात्मक लाभ में अंतर है।

85. मोबाइल फोन और वस्त्र (textiles) स्पष्ट रूप से GST ढाँचे के अंतर्गत आते हैं तथा आपूर्ति शृंखला में GST दरों के अनुसार कराधान के अधीन होते हैं, जहाँ input tax credit तंत्र लागू होता है।

हालाँकि, बिजली (Electricity) सामान्यतः GST से बाहर रखी गई है (राज्य electricity duty तथा संबंधित शुल्क लगाते हैं), इसलिए यह मानक अर्थ में GST के अंतर्गत नहीं आती।

मानव उपभोग हेतु शराब (Alcohol for human consumption) को स्पष्ट रूप से GST से बाहर रखा गया है और इस पर राज्य excise/VAT प्रकार के कर लगाते हैं।

अतः GST के अंतर्गत न आने वाली वस्तुएँ केवल बिजली और शराब हैं, अर्थात केवल B और D।

86. डीजल की कीमतें विभिन्न राज्यों में अलग-अलग होती हैं क्योंकि डीजल जैसे पेट्रोलियम उत्पाद GST व्यवस्था के अंतर्गत नहीं लाए गए हैं।

चूँकि डीजल GST से बाहर है, इसलिए प्रत्येक राज्य अपना अलग VAT/sales tax तथा अतिरिक्त cess लगाता है, जिससे राज्यों के बीच कर-भार में भिन्नता उत्पन्न होती है। इन्हीं अलग-अलग राज्य स्तरीय कर संरचनाओं के कारण खुदरा डीजल कीमतों में अंतर होता है। अतः कारण सही रूप से स्पष्ट करता है कि राज्यों के बीच डीजल कीमतें क्यों भिन्न हैं।

87. β_2 kurtosis का coefficient है तथा $\gamma_2 = \beta_2 - 3$ excess kurtosis कहलाता है। सामान्य वक्र (normal curve) के लिए $\beta_2 = 3$ और $\gamma_2 = 0$ होता है। यदि $\beta_2 < 3$ तो $\gamma_2 < 0$ अर्थात वितरण सामान्य वितरण की तुलना में अधिक समतल (less peaked/flatter) होता है, जिसे platykurtic कहा जाता है।

अतः दी गई शर्त $\beta_2 < 3$ या $\gamma_2 < 0$ स्पष्ट रूप से platykurtic curve को दर्शाती है।

88. SEBI के मुख्य कार्य नियामक एवं पर्यवेक्षी (regulatory and supervisory) हैं—निवेशकों की सुरक्षा, intermediaries (जैसे portfolio managers) का विनियमन, insider trading की रोकथाम, तथा securities markets में self-regulatory organisations को प्रोत्साहित/नियमित करना।

नई पूंजी निर्गमों (new capital issues) का underwriting कार्य market intermediaries (जैसे underwriters/merchant bankers) द्वारा किया जाता है, जिन्हें SEBI पंजीकृत एवं विनियमित कर सकता है, लेकिन SEBI स्वयं capital issues का underwriting नहीं करता।

अतः "Underwriting new capital issues" SEBI का कार्य नहीं है।

89. दिया है:

$$P(A) = \frac{1}{5}, P(B) = \frac{1}{3}$$

और A तथा B mutually exclusive हैं, इसलिए:

$$P(A \cap B) = 0$$

अब, $P(A \cup B) = P(A) + P(B)$

$$= \frac{1}{5} + \frac{1}{3} = \frac{3+5}{15} = \frac{8}{15}$$

अतः न A और न B की प्रायिकता:

$$1 - P(A \cup B) = 1 - \frac{8}{15} = \frac{7}{15}.$$

90. A सही है क्योंकि विनिमय प्रणाली में यदि (n) वस्तुएँ हों, तो आवश्यक विनिमय अनुपातों (prices) की संख्या $\frac{n(n-1)}{2}$ होती है।

यदि, $n = 3$

तो, $\frac{3 \times 2}{2} = 3$

अतः 3 कीमतों की आवश्यकता होगी।

B जैसा लिखा गया है, सही नहीं है क्योंकि मुद्रास्फीति (inflation) मुद्रा के कार्यों (विशेषकर store of value तथा unit of account) को कमजोर करती है, लेकिन इसका अर्थ यह नहीं कि मुद्रा पूरी तरह कार्य करना बंद कर देती है।

C गलत है क्योंकि double coincidence of wants वस्तु-विनिमय प्रणाली (barter) की मुख्य समस्या है–दोनों पक्षों की आवश्यकताओं का मेल होना चाहिए।

D सही है क्योंकि paper currency token (fiat) money होती है, जिसका मूल्य उसके कागज के आंतरिक मूल्य के बराबर नहीं होता।

अतः केवल A और D सही हैं।

91. एक सामान्य संपत्ति संसाधन (CPR) तब तक टिकाऊ रहती है जब उपयोगकर्ता समुदाय पहुँच (access), निष्कर्षण सीमाएँ (extraction limits), निगरानी (monitoring) तथा दंड (sanctions) संबंधी साझा नियम बना सके, स्वीकार कर सके तथा उन्हें लागू कर सके। इसके लिए सदस्यों के बीच सहयोग (cooperation) हेतु विश्वसनीय प्रतिबद्धता आवश्यक होती है, क्योंकि open-access व्यवहार अत्यधिक उपयोग (overuse) एवं संसाधन क्षय (depletion) की ओर ले जाता है। कठोर निजी संपत्ति नियम इसे CPR से अलग कर देते हैं, taxation इसकी मुख्य आवश्यकता नहीं है, तथा "non-exclusion" संसाधन के संरक्षण के बजाय अतिदोहन (overexploitation) को बढ़ाएगा।

92. एसिमेट्रिक इंफॉर्मेशन तब उत्पन्न होती है जब किसी लेन-देन में एक पक्ष के पास दूसरे पक्ष की तुलना में अधिक जानकारी होती है। इससे adverse selection (समझौते से पहले छिपी विशेषताएँ) तथा moral hazard (समझौते के बाद छिपे कार्य) जैसी समस्याएँ पैदा होती हैं। सरकारी हस्तक्षेप, गैर-प्रतिस्पर्धिता तथा गैर-बहिष्करण नीति अथवा सार्वजनिक वस्तुओं की विशेषताएँ हैं, न कि सूचना असंतुलन की। अतः जो विकल्प सीधे एसिमेट्रिक इंफॉर्मेशन को दर्शाता है, वह moral hazard तथा adverse selection है।

93. सार्वजनिक वस्तुओं (Public goods) की मुख्य विशेषताएँ non-rivalry तथा non-excludability हैं। ''स्थानीय लोगों द्वारा नियंत्रित सामान्य संपत्ति संसाधन'' CPRs को संदर्भित करता है, जहाँ सामुदायिक नियमों द्वारा exclusion संभव है लेकिन सीमित संसाधन/भीड़भाड़ के कारण rivalry मौजूद रहती है। इसलिए यह public goods से अलग श्रेणी है। "Free goods" public goods की आवश्यक विशेषता नहीं है (कई सार्वजनिक वस्तुएँ प्रदान करने में महँगी होती हैं), लेकिन दिए गए विकल्पों में स्पष्ट "not a property" CPR feature है।

94. अपूर्ण बाजार तब उत्पन्न होते हैं जब किसी मूल्यवान संपत्ति/सेवा का उचित मूल्य निर्धारण नहीं हो पाता क्योंकि संपत्ति अधिकार अस्पष्ट होते हैं तथा exclusion/enforcement कमजोर होता है। जैव विविधता (biodiversity) अक्सर ऐसे लाभ उत्पन्न करती है जिन्हें कोई एक स्वामी पूर्णतः प्राप्त नहीं कर सकता। इसलिए यदि स्पष्ट एवं लागू करने गोग्य संपत्ति अधिकार न हों, तो biodiversity services के लिए उचित बाजार विकसित नहीं हो पाता और संरक्षण हेतु प्रोत्साहन कमजोर बने रहते हैं। Open access कमजोर संपत्ति अधिकार का एक लक्षण है, लेकिन यहाँ मुख्य संस्थागत कारण समुचित परिभाषित संपत्ति अधिकार की विफलता है।

95. ''साझा संसाधनों की त्रासदी'' की अवधारणा मुख्यतः Garrett Hardin (1968) से संबंधित है। उन्होंने बताया कि साझा संसाधन (shared resource) का व्यक्तिगत रूप से तर्कसंगत अतिदोहन (overuse) तब सामूहिक विनाश का कारण बन सकता है जब exclusion तथा cooperative governance अनुपस्थित हों। Solow विकास सिद्धांत से, Hotelling exhaustible resources से, तथा Dasgupta welfare/development/environmental economics से जुड़े हैं; लेकिन इस अवधारणा का मूल प्रतिपादन Hardin ने किया था।

96. गद्यांश बार-बार यह स्पष्ट करता है कि बहुपक्षीय मंच (multilateral forums), जिनमें WTO भी शामिल है, अपना प्रभाव खो रहे हैं क्योंकि महत्वपूर्ण देश अपने राष्ट्रीय हितों की पूर्ति के लिए क्षेत्रीय समूहों (regional blocs) एवं द्विपक्षीय व्यवस्थाओं (bilateral arrangements) को प्राथमिकता दे रहे हैं। जब व्यापार वार्ताएँ तथा विवाद समाधान का दबाव बहुपक्षीय मंचों से हटकर क्षेत्रीय आर्थिक संघों एवं द्विपक्षीय व्यापार मंचों की ओर चला जाता है, तब WTO की केंद्रीय भूमिका सीधे चुनौती का सामना करती है–उसकी लक्ष्य निर्धारण शक्ति कमजोर पड़ती है तथा नियम-आधारित अनुशासन लागू करना कठिन हो जाता है।

अतः यहाँ WTO के लिए सबसे विशिष्ट चुनौती क्षेत्रीय एवं द्विपक्षीय मंचों का बढ़ता महत्व है।

97. गद्यांश के अनुसार 1980 के दशक के प्रारंभ से विश्व वैश्वीकरण की ओर बढ़ा और बहुपक्षीय ऋण एवं व्यापार मंचों ने वार्ता के वातावरण को आकार देने तथा वैश्विक एकीकरण को सुगम बनाने में महत्वपूर्ण भूमिका निभाई। इसका अर्थ है कि वैश्वीकरण को बहुपक्षीय संस्थाओं एवं वार्ताओं के प्रभाव एवं कार्यप्रणाली द्वारा प्रेरित परिणाम के रूप में प्रस्तुत किया गया है, न कि केवल Brexit जैसी किसी एक घटना या किसी एक देश की पहल के रूप में।

अतः सही विकल्प है–बहुपक्षीय ऋण एवं व्यापार मंचों द्वारा निभाई गई भूमिका।

98. गद्यांश स्पष्ट रूप से बताता है कि बहुपक्षीय आर्थिक संस्थाओं की बैठकों को अब नेता "गंभीरता से नहीं लेते" तथा अंतरराष्ट्रीय आर्थिक संबंध अब बहुपक्षीय मंचों से कम प्रभावित होते हैं। इसमें WTO मंचों में व्यवधान तथा द्विपक्षीय एवं क्षेत्रीय मार्गों पर बढ़ते ध्यान का भी उल्लेख है, जिससे यह संकेत मिलता है कि वर्तमान व्यवहार में बहुपक्षीय मंच पृष्ठभूमि में धकेले जा रहे हैं।

अतः गद्यांश के अनुसार वर्तमान अंतरराष्ट्रीय आर्थिक संबंधों की प्रकृति यह है कि बहुपक्षीय मंच पृष्ठभूमि में चले गए हैं।

99. गद्यांश में उच्च शुल्क (high tariffs) लगाने तथा मुक्त और निष्पक्ष व्यापार के मानदंड का उल्लंघन करने वाले कदमों का उल्लेख है, साथ ही यह भी बताया गया है कि नेता बहुपक्षीय संस्थाओं पर प्रश्न उठा रहे हैं और राष्ट्रीय हितों को प्राथमिकता दे रहे हैं। ऐसा व्यवहार दर्शाता है कि शक्तिशाली राष्ट्र बहुपक्षीय नियम-आधारित ढाँचे को दरकिनार या उल्लंघन करके बहुपक्षीय संस्थाओं (जिसमें WTO भी शामिल है) को कमजोर कर रहे हैं, जब वह उनके घरेलू हितों से टकराता है।

अतः गद्यांश यह बताता है कि शक्तिशाली राष्ट्र राष्ट्रीय हितों के लिए बहुपक्षीय संस्थाओं को कमजोर कर रहे हैं।

100. मुक्त और निष्पक्ष व्यापार के लिए पूर्वानुमेय (predictable), नियम-आधारित बाजार पहुँच आवश्यक होती है, जहाँ मनमाने या भेदभावपूर्ण अवरोध न हों। गद्यांश विशेष रूप से उच्च शुल्कों (high tariffs) तथा ऐसे उपायों का उल्लेख करता है जो बहुपक्षीय व्यवस्थाओं द्वारा सुनिश्चित मुक्त और निष्पक्ष व्यापार का उल्लंघन करते हैं। शुल्क (tariffs) व्यापार को सीमित करते हैं तथा कीमतों/प्रतिस्पर्धा को विकृत करते हैं।

अतः सही विकल्प है–उच्च एवं अनुचित शुल्कों का आरोपण।

पिछले प्रश्न-पत्र

National Testing Agency (NTA)

UGC-NET जूनियर रिसर्च फैलोशिप तथा सहायक प्राध्यापक पात्रता परीक्षा

अर्थशास्त्र, जून-2025

(Exam held on 29-06-2025)

प्रश्न-पत्र-II

1. यदि इनपुट और आउटपुट दोनों बाजार प्रतिस्पर्धी हैं और फर्म लाभ-अधिकतमकरण कर रही है, तो संतुलन में उत्पादन का प्रत्येक कारक कमाता है :

1. आउटपुट की कीमत और कुल आउटपुट के गुणनफल के बराबर एक राशि
2. राजनीतिक प्रक्रिया द्वारा आवंटित राशि
3. आउटपुट का बराबर हिस्सा
4. इसके सीमांत उत्पाद का मूल्य

2. सूची-I को सूची-II से सुमेलित करें :

सूची-I	सूची-II
A. काई-वर्ग वितरण के लिए β_2	I. $(n - 2)$
B. काई-वर्ग वितरण के लिए तिर्यकता	II. $48n + 12n^2$
C. काई-वर्ग वितरण के लिए बहुलक	III. $(12/n) + 3$
D. काई-वर्ग वितरण के लिए μ_3	IV. $\sqrt{2/n}$

नीचे दिए गए विकल्पों में से **सही** उत्तर चुनें :

1. A-IV, B-III, C-II, D-I
2. A-III, B-II, C-IV, D-I
3. A-II, B-I, C-IV, D-III
4. A-III, B-IV, C-I, D-II

3. जे.एम. कीन्स की निम्नलिखित कृतियों को कालक्रम में (पुराने से नए के क्रम में) व्यवस्थित करें।

A. ए ट्रीटाइज ऑन मनी
B. जनरल थ्योरी ऑफ इम्प्लॉयमेंट, इन्टरेस्ट एंड मनी
C. इंडियन करेंसी एंड फाइनेंस
D. ए मॉनीटरी थ्योरी ऑफ प्रोडक्शन
E. ए ट्रेक्ट ऑन मॉनीटरी रिफॉर्म

नीचे दिए गए विकल्पों में से **सही** उत्तर चुनें :

1. E, C, A, D, B
2. C, E, A, D, B
3. C, E, A, B, D
4. A, C, E, B, D

4.

		खिलाड़ी 2	
		L	R
खिलाड़ी 1	T	1, 5	0, 3
	M	2, 6	1, 4
	B	3, 7	2, 2

उपरोक्त पेऑफ मैट्रिक्स के बारे में निम्नलिखित में से कौन-से कथन सत्य हैं?

A. खिलाड़ी-1 के पास स्पष्ट रूप से दो प्रभुत्वकारी रणनीतियाँ हैं।

B. खिलाड़ी-2 की कोई भी रणनीति दुर्बल प्रभुत्वशाली नहीं है।

C. रणनीति T दुर्बलता से रणनीति B पर प्रभुत्वशाली है।

D. खिलाड़ी-1 की रणनीति M नैश-साम्य में कभी प्रयोग नहीं की जाएगी।

E. रणनीति M कठोरता से रणनीति T पर प्रभुत्वशाली है।

नीचे दिए गए विकल्पों में से **सही** उत्तर चुनें :

1. केवल A, B, C और E
2. केवल A, D और E
3. केवल B, C और D
4. केवल C, D और E

5. आर्थिक सर्वेक्षण 2024-25 के अनुसार, निम्नलिखित देशों को Q2 FY 25 में जीडीपी के प्रतिशत के रूप में उनके चालू खाते के शेष के आधार पर घटते/अवरोही क्रम में व्यवस्थित करें :

A. भारत
B. रूस
C. चीन
D. यू.के.
E. दक्षिण अफ्रीका

नीचे दिए गए विकल्पों में से **सही** उत्तर चुनें :

1. D, A, B, C, E
2. B, C, A, D, E
3. C, B, A, E, D
4. A, C, E, B, D

6. केन्द्रीय बजट 2025-26 में किए गए व्यय आबंटन के आधार पर निम्नलिखित मदों को घटते क्रम में व्यवस्थित करें।

A. कृषि और संबंद्ध गतिविधियाँ
B. शिक्षा
C. रक्षा
D. वाणिज्य और उद्योग
E. ग्रामीण विकास

नीचे दिए गए विकल्पों में से **सही** उत्तर चुनें :

1. E, C, A, D, B
2. C, E, A, B, D
3. C, A, E, D, B
4. A, E, C, B, D

7. सूची-I को सूची-II से सुमेलित करें :

सूची-I	सूची-II
A. अतिज्यामितीय वितरण का माध्य	I. $\frac{q}{p^2}$
B. ऋणात्मक द्विपदीय वितरण का आघूर्ण जनक फलन	II. $(Q - Pe^t)^{-r}$
C. द्विपदीय वितरण का कुर्तोसिस सहगुणांक	III. $\frac{nm}{N}$
D. ज्यामितीय वितरण का प्रसरण	IV. $\frac{1-6pq}{npq}$

नीचे दिए गए विकल्पों में से **सही** उत्तर चुनें :

1. A-II, B-III, C-I, D-IV
2. A-III, B-II, C-IV, D-I
3. A-I, B-III, C-IV, D-II
4. A-II, B-I, C-III, D-IV

8. कोशकला प्राथमिकता (लेक्सिकोग्राफिक प्रीफेरेन्स) उपयोगिता सिद्धांत के निम्नलिखित में से किस स्वयंतथ्य/स्वयंसिद्धि का उल्लंघन करता है?

1. संक्रामिकता स्वयंतथ्य/स्वयंसिद्धि
2. उत्तलता स्वयंतथ्य/स्वयं सिद्धि
3. सततता/नैरुतर्य स्वयंतथ्य/स्वयंसिद्धि
4. स्वतंत्रता स्वयंतथ्य/स्वयंसिद्धि

9. किसी मूल्य सदिश P पर उपभोक्ताओं के समुच्चय द्वारा समानांतर, सीधे संपदा विस्तार पथ प्रदर्शित करने के लिए निम्नलिखित में से कौन-सी शर्तें आवश्यक है?

A. प्राथमिकताएं गोरमेन फॉर्म के अप्रत्यक्ष उपयोगिता फलन गृहीत करती हैं।

B. प्राथमिकताएं विषमरूप होती हैं।

C. संपदा सभी उपभोक्ताओं में समान रूप से वितरित होती है।

D. सभी उपभोक्ताओं की समरूप प्राथमिकताएँ होती हैं जो समस्थितिक होते हैं।

E. सभी उपभोक्ताओं की प्राथमिकताएँ होती हैं जो समान वस्तु के संदर्भ में अर्द्धरैखिक होती हैं।

नीचे दिए गए विकल्पों में से **सही** उत्तर चुनें :

1. केवल A, B और C
2. केवल A, D और E
3. केवल B, C और D
4. केवल A, B और D

10. निम्नलिखित में से कौन-से भुगतान संतुलन में चालू खाते का भाग है?

A. अदृश्य निर्यात और आयात
B. प्रत्यक्ष निवेश
C. एकपक्षीय हस्तांतरण
D. एसडीआर आबंटन
E. विदेशी राष्ट्रों से उधारी

नीचे दिए गए विकल्पों में से **सही** उत्तर चुनें :

1. केवल A और E
2. केवल C और E
3. केवल A और C
4. केवल A और B

11. नवशास्त्रीय संवृद्धि सिद्धांत के अनुसार, बचत दर में वृद्धि :

1. अल्पावधि में उत्पादन की वृद्धि दर बढ़ाती हैं।
2. उत्पादन की दीर्घावधि वृद्धि दर बढ़ाती है।
3. स्थिर-अवस्था पूंजी-श्रम अनुपात घटाती है।
4. दीर्घावधि पूंजी स्तर और प्रति व्यक्ति उत्पादन घटाती है।

12. कोस प्रमेय के अनुसार, निम्नलिखित में से कौन-से संपत्ति अधिकार आवंटित करने के संभावित परिणाम हैं?

A. प्रदूषणकर्ता, प्रदूषण जारी रखने के लिए पीड़ित को भुगतान करता है।
B. पीड़ित प्रदूषण कम करने के लिए प्रदूषक को भुगतान करता है।
C. सरकार को दक्षता सुनिश्चित करने के लिए प्रदूषण कर निर्धारित करने चाहिए।
D. बाजार परिणाम दक्षता अर्जित कर सकते हैं यहाँ तक कि यदि बाह्यताएं विद्यमान हों।
E. प्रदूषणकर्ता और पीड़ित के पास सदैव समान सौदेबाजी शक्ति होती है।

नीचे दिए गए विकल्पों में से **सही** उत्तर चुनें :

1. केवल A, B और C
2. केवल A, B और D
3. केवल B, C और D
4. केवल C, D और E

13. यदि मांग का नियम $P(x)=\sqrt{9-x}$ है और मांग $x_0 = 5$ पर नियत है। उपभोक्ता का अधिशेष ज्ञात करें।

1. $\frac{8}{3}$
2. $\frac{11}{15}$
3. $\frac{8}{15}$
4. $\frac{7}{3}$

14. सूची-I को सूची-II से सुमेलित करें :

सूची-I	सूची-II
A. आय लोचशीलता एक से अधिक	I. प्रतिस्थापक वस्तुएं
B. धनात्मक क्रॉस मूल्य लोचशीलता	II. हीनतम वस्तुएं
C. अधोगामी ढ़ाल प्रवण मूल्य उपभोग वक्र (PCC)	III. विलासिता वस्तुएं
D. नकारात्मक आय प्रभाव	IV. सापेक्षिक प्रत्यास्थ/लोचशील मांग

नीचे दिए गए विकल्पों में से **सही** उत्तर चुनें :

1. A-IV, B-II, C-I, D-III
2. A-III, B-II, C-I, D-IV
3. A-IV, B-II, C III, D-I
4. A-III, B-I, C-IV, D-II

15. यदि उपभोग की सीमांत संभाव्यता 0.8 है और सरकार द्वारा कर राजस्व में आरंभिक वृद्धि ₹ 100 है, तब राष्ट्रीय आय पर क्या प्रभाव होगा?

1. राष्ट्रीय आय में ₹ 100 की वृद्धि होगी।
2. राष्ट्रीय आय में ₹ 500 की वृद्धि होगी।
3. राष्ट्रीय आय में ₹ 400 की कमी होगी।
4. राष्ट्रीय आय में ₹ 100 की कमी होगी।

16. केंद्रीय बजट 2025-26 के अनुसार, निम्नलिखित व्यय आबंटन मदों को कुल केन्द्रीय सरकार व्यय में % हिस्सेदारी के अनुसार बढ़ते/आरोही क्रम में व्यवस्थित करें।

A. वित्त आयोग और अन्य अंतरण
B. ब्याज भुगतान
C. पेंशन
D. प्रमुख सब्सिडियाँ
E. केन्द्रीय क्षेत्र योजनाएं (रक्षा और सब्सिडियों संबंधी पूंजीगत परिव्यय छोड़कर)

नीचे दिए गए विकल्पों में से **सही** उत्तर चुनें :

1. A, D, E, C, B
2. C, D, A, E, B
3. E, C, D, A, B
4. C, D, E, B, A

17. किसी फर्म के बिक्री और विज्ञापन व्यय के बारे में डाटा निम्नलिखित हैं :

	बिक्री (करोड़ ₹ में)	**विज्ञापन व्यय (करोड़ ₹ में)**
माध्य	40	6
मानक विचलन	10	1.5

सहसंबंध गुणांक = r = 0.9 ,

₹ 10 करोड़ के प्रस्तावित विज्ञापन के लिए संभावित बिक्री का प्राक्कलन करें।

1. ₹ 60 करोड़
2. ₹ 64 करोड़
3. ₹ 70 करोड़
4. ₹ 74 करोड़

18. बाह्यताओं के संबंध में निम्नलिखित में से कौन-से कथन सत्य हैं?

A. बाह्यता के मामले में वस्तुओं से संबद्ध सभी लागतें और लाभ, क्रय और उत्पादन में संलग्न घरों और फर्मों द्वारा आंतरिकीकृत नहीं किए जाते हैं।
B. बाह्यता की उपस्थिति वस्तु के कम उत्पादन अथवा अधिक उत्पादन में परिणत होती है।
C. बाजार आधारित निर्णय निर्माण बाह्यता की उपस्थिति में दक्षतम परिणाम प्रदान करता है
D. नकारात्मक बाह्यता की स्थिति में सीमांत सामाजिक लागत, सीमांत लागत से अधिक होती है।
E. सुपरिभाषित संपत्ति अधिकार बाह्यता की समस्या का समाधान कर सकते हैं।

नीचे दिए गए विकल्पों में से सही उत्तर चुनें :

1. केवल A, B और D
2. केवल B, D और E
3. केवल A, B, D और E
4. केवल B, C, D और E

19. निम्नलिखित में से कौन-सा आरबीआई द्वारा संचालित मौद्रिक नीति का परिचालन लक्ष्य है?

1. रेपो रेट
2. रिवर्स रेपो रेट
3. वेटेड एवरेज कॉल मनी रेट
4. मार्जिनल स्टैंडिंग फेसिलिटी रेट

20. यदि $\bar{x} = 32$, $\bar{y} = 38$, प्रतिगमन गुणांक b_{xy} = -0.2337, $b_{yx} = -0.6643$ है। x पर y के प्रतिगमन की रेखा का समीकरण ज्ञात करें।

1. $y = -0.2337x + 40.8806$
2. $y = -0.2337x - 40.8806$
3. $y = -0.6643x - 59.2576$
4. $y = -0.6643x + 59.2576$

21. दिसम्बर 2024 के अंत में नामिक/नाममात्र जीडीपी अनुपात से बाजार पूंजीकरण के आधार पर निम्नलिखित देशों को बढ़ते क्रम में व्यवस्थित करें : (आर्थिक सर्वेक्षण 2024-25 के अनुसार)

A. यू.के.
B. भारत
C. चीन
D. ब्राजील
E. जापान

नीचे दिए गए विकल्पों में से **सही** उत्तर चुनें :

1. B, A, C, E, D
2. C, D, B, A, E
3. D, C, A, B, E
4. A, B, D, C, E

22. सूची-I को सूची-II से सुमेलित करें :

सूची-I (मौद्रिक नीति प्रणाली)	सूची-II (अवधि)
A. राजकोषीय प्रभुत्व	I. 2016 से
B. बहुविध सूचक उपागम	II. 1951-1985
C. प्रतिपुष्टि के साथ मौद्रिक लक्ष्यन	III. 1998-2016
D. सुनम्य/लोचशील मुद्रास्फीति लक्ष्यन	IV. 1985-1998

नीचे दिए गए विकल्पों में से **सही** उत्तर चुनें :

1. A-III, B-IV, C-II, D-I
2. A-II, B-III, C-IV, D-I
3. A-II, B-I, C-IV, D-III
4. A-IV, B-III,C-I, D-II

23. केन्द्रीय बजट 2025-26 के अनुसार 01 अप्रैल 2025 से प्रभावी एमएसएमई की संशोधित अर्हता के बारे में निम्नलिखित में से कौन-से कथन सत्य हैं?

A. किसी उद्यम को सूक्ष्म उद्यम के रूप में वर्गीकृत किया जाता है यदि संयंत्र और मशीनरी में निवेश ₹ 2.5 करोड़ से अधिक नहीं होता है।

B. मध्यम उद्यम वह है जिसका टर्नओवर ₹ 50 करोड़ से अधिक नहीं होता है।

C. लघु उद्यम में निवेश सीमा ₹ 10 करोड़ तक होती है।

D. सूक्ष्म उद्यम वह है जिसका टर्नओवर ₹ 10 करोड़ तक होता है।

E. लघु उद्यम में टर्नओवर सीमा ₹ 100 करोड़ तक होती है।

नीचे दिए गए विकल्पों में से सही उत्तर चुनें :

1. केवल B, C और D
2. केवल A, D और E
3. केवल A, B और E
4. केवल C, D और E

24. आर्थिक संवृद्धि के हेरोड-डोमर मॉडल के बारे में निम्नलिखित में से कौन-सा सत्य नहीं है?

1. संवृद्धि की प्राकृतिक दर, श्रम बल और श्रम उत्पादकता की वृद्धि से बनी होती है।
2. यदि वास्तविक संवृद्धि (g), वीहित संवृद्धि दर (g_w) से अधिक है, तब g, g_w से तब तक अपसारी हो सकती है जब तक यह प्राकृतिक संवृद्धि दर (g_n) पर नहीं पहुँच जाती है।
3. दीर्घावधि में g, g_n से अधिक/महत्तर हो सकती है।
4. श्रम और पूंजी के संपूर्ण नियोजन के लिए $g = g_w = g_n$ आवश्यक होता है।

25. निम्नलिखित संकटों को कालक्रम (पुराने से शुरू करते हुए) से व्यवस्थित करें।

A. ओपेक तेल संकट

B. अंतर्राष्ट्रीय ऋण संकट

C. पूर्व एशियाई वित्तीय संकट

D. अर्जेंटीना आर्थिक संकट

E. यूरोजोन संकट

नीचे दिए गए विकल्पों में से **सही** उत्तर चुनें :

1. A, B, C, D, E
2. A, B, C, E, D
3. A, B, E, C, D
4. A, E, B, C, D

26. स्टोलपर-सैमुअलसन प्रमेय अभिधारणा कहती है कि :

1. किसी वस्तु के सापेक्षिक मूल्य में वृद्धि वस्तु के उत्पादन में सघनतापूर्वक प्रयुक्त कारक की आय बढ़ाती है।
2. किसी वस्तु के सापेक्षिक मूल्य में वृद्धि वस्तु के उत्पादन में सघनतापूर्वक प्रयुक्त कारक की आय घटाती है।
3. किसी वस्तु के सापेक्षिक मूल्य में वृद्धि वस्तु के उत्पादन में दुर्लभतापूर्वक प्रयुक्त कारक की आय बढ़ाती है।
4. किसी वस्तु के सापेक्षिक मूल्य में कमी वस्तु के उत्पादन में सघनतापूर्वक प्रयुक्त कारक की आय बढ़ाती है।

27. कोई विनिर्माण फर्म प्रबंधन एक कतिपय मैनुअल (हस्तचालित) प्रचालन को पूरा करने के लिए आवश्यक औसत समय का निर्धारण करना चाहता है। प्राक्कलन में त्रुटि, 2 मिनट से अधिक नहीं होगी, इसका 0.95

विश्वास होना चाहिए। समय और गति अध्ययन विशेषज्ञ द्वारा 16 मिनटों के रूप में कौन-सा प्रतिदर्श आकार प्राक्कलित किया गया है?

1. 96 2. 300
3. 255 4. 246

28. RBI की 54वीं मौद्रिक नीति समिति के निर्णयों के आधार पर, निम्नलिखित दरों को आरोही/बढ़ते क्रम में व्यवस्थित करें :

A. मार्जिनल स्टैण्डिंग फैसिलिटी रेट
B. स्टैण्डिंग डिपॉजिट फैसिलिटी रेट
C. सी.आर.आर.
D. रिवर्स रेपो दर
E. रेपो दर

नीचे दिए गए विकल्पों में से सही उत्तर चुनें :

1. C, D, A, B, E 2. B, C, D, A, E
3. D, C, B, E, A 4. C, D, E, B, A

29. IS-LM मॉडल के संदर्भ में, व्यय की उच्चत्तर सीमांत संभाव्यता किसमें परिणत होती है?

1. एक सपाट सकल मांग वक्र और परिणामतः एक तीव्र ढाल आईएस वक्र।
2. एक तीव्र ढाल सकल मांग वक्र और परिणामतः एक सपाट ढाल आईएस वक्र।
3. सकल मांग में वृद्धि और आईएस वक्र का दायीं तरफ हस्तांतरण।
4. वास्तविक धन के लिए मांग में वृद्धि।

30. सूची-I को सूची-II से सुमेलित करें :

सूची-I	**सूची-II**
A. प्रायिकता से प्रत्येक रणनीति सम्मिलन	I. नैश साम्यता
B. अन्य की रणनीति को प्रदत्त अधिकतम पे ऑफ	II. ग्रिम ट्रिमर रणनीति
C. दीर्घावधि व्यवहार	III. सर्वोत्तम प्रत्युत्तर फलन
D. सजा/दण्ड अवधि अनंत है	IV. मिश्रित रणनीति

नीचे दिए गए विकल्पों में से **सही** उत्तर चुनें :

1. A-II, B-III, C-IV, D-I
2. A-I, B-IV, C-III, D-II
3. A-III, B-II, C-IV, D-I
4. A-IV, B-III, C-I, D-II

31. निम्नलिखित में से कौन-सा दर्शाता है कि देश "B" एक पूंजी प्रचुर देश है?

A. $\left(\frac{\text{कुल पूंजी}}{\text{कुल श्रम}}\right)B > \left(\frac{\text{कुल पूंजी}}{\text{कुल श्रम}}\right)A$

B. $\left(\frac{\text{कुल पूंजी}}{\text{कुल श्रम}}\right)B < \left(\frac{\text{कुल पूंजी}}{\text{कुल श्रम}}\right)A$

C. $\left(\frac{\text{पूंजी का मूल्य}}{\text{श्रम का मूल्य}}\right)B < \left(\frac{\text{पूंजी का मूल्य}}{\text{श्रम का मूल्य}}\right)A$

D. $\left(\frac{\text{पूंजी का मूल्य}}{\text{श्रम का मूल्य}}\right)B > \left(\frac{\text{पूंजी का मूल्य}}{\text{श्रम का मूल्य}}\right)A$

E. $\left(\frac{\text{कुल श्रम}}{\text{कुल पूंजी}}\right)B > \left(\frac{\text{पूंजी का मूल्य}}{\text{श्रम का मूल्य}}\right)A$

नीचे दिए गए विकल्पों में से **सही** उत्तर चुनें :

1. केवल A और B
2. केवल A और C
3. केवल B और D
4. केवल C और E

32. एक कंपनी ने अपनी लागतों और राजस्व संरचना का परीक्षण किया है तथा निर्धारित किया है कि C-कुल लागत, R-कुल राजस्व और X-उत्पादित इकाइयों की संख्या निम्नानुसार संबंधित हैं :

$C = 100 + 0.015 X^2$ और $R = 3X$

उत्पाद स्तर X ज्ञात करें जो इस कंपनी का लाभ अधिकतम करेगा?

1. 120 2. 80
3. 150 4. 100

33. निम्नलिखित में से कौन-सा कथन संपत्ति अधिकारों को श्रेष्ठ रीति से परिभाषित करता है?

1. संपत्ति अधिकार से केवल भूमि और पूंजी का सरकारी स्वामित्व अभिप्रेत है।
2. संपत्ति अधिकार अनौपचारिक सामाजिक नियम हैं जो विधि द्वारा प्रवर्तित नहीं किए जा सकते हैं।
3. संपत्ति अधिकार विधिक रूप से प्रवर्तित किए जाते हैं ताकि निर्धारित किया जा सके कि संसाधन को कैसे प्रयुक्त, स्वामित्व और हस्तांतरित किया जाता है।
4. संपत्ति अधिकार व्यक्तियों को निजी संपत्ति से लाभ उठाने से रोकते हैं।

34. सूची-I को सूची-II से सुमेलित करें :

सूची-I (संकल्पना)	**सूची-II (प्रतिपादक)**
A. बचत का विरोधाभास	I. के. बेल्डिंग
B. जल-हीरा विरोधाभास	II. ए.सी. पिगू
C. मजदूरी रोजगार विरोधाभास	III. जे. एम. कीन्स
D. समष्टि आर्थिक विरोधाभास	IV. एडम स्मिथ

नीचे दिए गए विकल्पों में से **सही** उत्तर चुनें :

1. A-II, B-I, C-III, D-IV
2. A-I, B-II, C-III, D-IV
3. A-III, B-IV, C-II, D-I
4. A-III, B-IV, C-I, D-II

35. निम्नलिखित में से किस गेम में कोई नैश साम्य नहीं होता है?

1. बीओएस गेम
2. स्टैग हैट गेम
3. मैचिंग पेन्नीज गेम
4. प्रिजनर्स डिलेमा

36. नवशास्त्रीय संवृद्धि मॉडल के संदर्भ में, जनसंख्या वृद्धि दर में वृद्धि के प्रभाव हैं :

A. प्रति व्यक्ति पूंजी के स्थिर अवस्था स्तर में कमी
B. प्रति व्यक्ति उत्पादन में वृद्धि
C. कुल उत्पादन की स्थिर अवस्था संवृद्धि दर में वृद्धि
D. पूंजी-उत्पादन अनुपात में कमी
E. उत्पादन संभावना वक्र में अंतमुखी हस्तांतरण

नीचे दिए गए विकल्पों में से **सही** उत्तर चुनें :

1. केवल A, B और C
2. केवल B, C, D और E
3. केवल A और C
4. केवल C, D और E

37. एक उम्मीदवार तीन पदों के लिए साक्षात्कार हेतु चयनित होता है। प्रथम पद के लिए 3 उम्मीदवार, द्वितीय के लिए 4 उम्मीदवार और तृतीय के लिए 2 उम्मीदवार हैं। उम्मीदवार के कम-से-कम एक पद पर चयनित होने की प्रायिकता क्या है?

1. $\frac{1}{4}$
2. $\frac{1}{2}$
3. $\frac{3}{4}$
4. $\frac{1}{9}$

38. सूची-I को सूची-II से सुमेलित करें :

सूची-I	**सूची-II**
A. भुगतान संतुलन की आय प्रेरित समायोजन प्रक्रिया	I. पॉल सैमुअल्सन
B. बीओपी का अवशोषण उपागम	II. कीन्स, जे. एम.
C. असंभव त्रयी	III. सिडनी एस. एलेक्जेंडर
D. कारक मूल्य साम्यकरण प्रमेय	IV. मुंडेल-फ्लेमिंग

नीचे दिए गए विकल्पों में से **सही** उत्तर चुनें :

1. A-I, B-II, C-III, D-IV
2. A-II, B-III, C-IV, D-I
3. A-II, B-III, C-I, D-IV
4. A-II, B-I, C-III, D-IV

39. सूची-I को सूची-II से सुमेलित करें :

सूची-I (संकल्पनाएँ)	**सूची-II** (उनका व्यंजक) (जहाँ, g_m = औद्योगिक उत्पादन वृद्धि, g_{GDP} = GDP वृद्धि, P_{nm} = औद्योगिक क्षेत्र के बाहर उत्पादकता, P_m = औद्योगिक उत्पादकता)
A. कालडोर का संवृद्धि का प्रथम नियम	I. $P_m = f(g_m)\ f' > 0$
B. कालडोर का संवृद्धि का द्वितीय नियम	II. $y' = -\in (u-u^*)$
C. कालडोर का संवृद्धि का तृतीय नियम	III. $g_{GDP} = f(g_m)\ f' > 0$
D. ओकुन का नियम	IV. $P_{nm} = f(g_m)\ f' > 0$

नीचे दिए गए विकल्पों में से **सही** उत्तर चुनें :

1. A-IV, B-III, C-I, D-II
2. A-III, B-IV, C-I, D-II
3. A-III, B-I, C-IV, D-II
4. A-IV, B-III, C-II, D-I

40. निम्नलिखित में से किस वर्ष आर.बी.आई. का अधिदेश/प्रस्तावना संशोधित किया गया था?

1. 2019
2. 2024
3. 2016
4. 2007

41. अंतर्राष्ट्रीय व्यापार के उत्पाद चक्र मॉडल में, किस चरण में नकल/अनुकरण करने वाला देश तृतीयक बाजारों में नवोन्मेषी देश से कम बिक्री करना शुरू करता है?

1. चरण-II
2. चरण-III
3. चरण-IV
4. चरण-V

42. संवृद्धि के गरीबी-भारित सूचकांक रचना का विचार है :

1. समाज में सभी आय समूहों को कम-से-कम बराबर भार प्रदान करना
2. उच्च संवृद्धि दर प्राप्त करना
3. समान आधार पर विदेश व्यापार सुगम बनाना
4. समृद्धतम आय जनसंख्या के समूहों को अधिक मूल्य या भार प्रदान करना तथा कम-आय समूहों को कोई भार प्रदान नहीं करना

43. निम्नलिखित में से कौन-सा धनात्मक निर्गत अंतराल का कारण है, जहाँ निर्गत अंतराल = वास्तविक निर्गम – संभावित निर्गत?

1. जनसंख्या वृद्धि
2. तकनीकी प्रगति
3. उत्पादन के कारकों का अतिनियोजन
4. संसाधनों का क्षमता से कम उपयोग

44. सूची-I को सूची-II से सुमेलित करें :

सूची-I (नवीकरणीय ऊर्जा स्त्रोत)	**सूची-II** (आर्थिक सर्वे 2024-25 के अनुसार, नवंबर 2024 को कुल ऊर्जा उत्पादन का %)
A. सौर ऊर्जा	I. 10.50%
B. जल ऊर्जा	II. 20.60%
C. परमाणु ऊर्जा	III. 10.30%
D. पवन ऊर्जा	IV. 1.80%

नीचे दिए गए विकल्पों में से **सही** उत्तर चुनें :

1. A-II, B-III, C-IV, D-I
2. A-III, B-I, C-IV, D-II
3. A-II, B-III, C-I, D-IV
4. A-II, B-I, C-III, D-IV

45. समाकलन करें : $\int \frac{x+3}{x+5} dx$.

1. $\frac{x^2}{2} - 2.\ln|x+5| + c$
2. $\frac{x^2}{2} + 2.\ln|x+5| + c$
3. $x + 2.\ln|x + 5| + c$
4. $x - 2.\ln|x + 5| + c$

46. भारत की विदेश व्यापार नीति (एफटीपी) 2023 के बारे में निम्नलिखित में से कौन-से सत्य हैं?

A. भारत की एफटीपी 2023 डिजिटल अर्थव्यवस्था में सीमा पार व्यापार को बढ़ावा देती है।

B. एफटीपी 2023 ई-कॉमर्स निर्यात हब (ECEH) के निर्माण पर बल देती है।

C. यह इराक से और इराक में शस्त्रों और संबंधित सामग्री के निर्यात और आयात का प्रतिषेध करती है।

D. यह सोमालिया से चारकोल के आयात का प्रतिषेध करती है।

E. यह लड़ाकू विमान, मिसाइलों और शस्त्र संबंधित सामग्रियों में कोरिया जनवादी गणराज्य से व्यापार मजबूत करने पर बल देती है।

नीचे दिए गए विकल्पों में से **सही** उत्तर चुनें :

1. केवल A, D और E
2. केवल D और E
3. केवल A, B और C
4. केवल A, B, C और D

47. सूची-I को सूची-II से सुमेलित करें :

सूची-I (प्राप्तियों की मद)	सूची-II (केंद्रीय बजट 2025-26 के अनुसार कुल प्राप्ति में % हिस्सा)
A. आयकर	I. 4%
B. सीमा शुल्क	II. 5%
C. निगम कर	III. 22%
D. केन्द्रीय उत्पाद शुल्क	IV. 17%

नीचे दिए गए विकल्पों में से **सही** उत्तर चुनें :

1. A-IV, B-II, C-III, D-I
2. A-III, B-I, C-II, D-IV
3. A-III, B-I, C-IV, D-II
4. A-IV, B-II, C-I, D-III

48. सूची-I को सूची-II से सुमेलित करें :

सूची-I	सूची-II
A. $\int_0^\infty \frac{1}{1+x^2}dx$	I. विद्यमान नहीं है
B. $\int_1^\infty \frac{1}{\sqrt{x}}dx$	II. 1/3
C. $\int_{-\infty}^{-1} \frac{1}{x^4}dx$	III. $\pi/2$
D. $\int_{-\infty}^{+\infty} \frac{1}{1+x^2}dx$	IV. π

नीचे दिए गए विकल्पों में से **सही** उत्तर चुनें :

1. A-I, B-II, C-IV, D-III
2. A-IV, B-I, C-II, D-III
3. A-III, B-I, C-II, D-IV
4. A-II, B-III, C-IV, D-I

49. यदि आय प्रभाव, प्रतिस्थापन प्रभाव, के विपरीत दिशा में है, किन्तु प्रतिस्थापन प्रभाव का प्रभुत्व है, तब वस्तु .... है।

1. सामान्य
2. हीनतम किन्तु गिफिन नहीं
3. गिफिन
4. उत्तर के लिए पर्याप्त सूचना नहीं है

50. नव शास्त्रीय उपागम के बारे में निम्नलिखित में से कौन-से कथन **सत्य** हैं?

A. मुख्य प्रतिपादक आर.ई. लुकास जूनियर थे।

B. यह अनुकूली प्रत्याशा पर आधारित है।

C. यह 1950 के दशक में विकसित हुआ था।

D. पूर्ण मजदूरी और मूल्य लोचशीलता

E. वास्तविक और प्रत्याशित मूल्य के बीच अंतर एक यादृच्छिक त्रुटि है।

नीचे दिए गए विकल्पों में से **सही** उत्तर चुनें :

1. केवल A, B और E
2. केवल A, D और E
3. केवल B, C, D और E
4. केवल A, B और D

51. सूची-I को सूची-II से सुमेलित करें :

सूची-I	सूची-II
A. विलोम "U" परिकल्पना	I. हर्मन डेली
B. संधारणीय विकास	II. गारेट्ट हार्डिन
C. पारिस्थितिकी अर्थशास्त्र	III. साइमन कुजनेट्स
D. सर्वसामान्य की त्रासदी	IV. ग्रो हारलेन ब्रंटलैंड

नीचे दिए गए विकल्पों में से **सही** उत्तर चुनें :

1. A-IV, B-II, C-III, D-I
2. A-III, B-I, C-IV, D-II
3. A-III, B-IV, C-I, D-II
4. A-III, B-IV, C-II, D-I

52. केन्द्रीय बजट 2025-26 के अनुसार वर्ष 2023-24 के लिए जीडीपी के प्रतिशत के रूप में निम्नलिखित केन्द्रीय सरकारी घाटों को बढ़ते/आरोही क्रम में व्यवस्थित करें।

A. राजकोषीय घाटा B. प्रभावी राजस्व घाटा

C. प्राथमिक घाटा D. चालू खाते का घाटा

E. राजस्व घाटा

नीचे दिए गए विकल्पों में से सही उत्तर चुनें :

1. D, B, A, C, E
2. D, A, B, C, E
3. D, B, C, E, A
4. D, C, B, E, A

53. यदि x माध्य λ के साथ एक पॉइसॉन विचर है, तब $P(x + 1)$ है :

1. $\frac{\lambda}{x+1}P(x)$ 2. $\frac{\lambda}{x}$
3. $\frac{x+1}{\lambda}P(x)$ 4. $\frac{x}{\lambda}P(x)$

54. निम्नलिखित में से किसके द्वारा अवस्फीति की उत्पादन लागत में वृद्धि की संभावना है?

1. मुद्रास्फीति प्रत्याशाएं अधिक शुद्ध बनती हैं
2. मौद्रिक संकुचन के प्रति मजदूरी और मूल्यों का धीमा प्रत्युत्तर
3. क्रमिक नीति प्रत्युत्तर
4. तर्कसंगत प्रत्याशाएं

55. शास्त्रीय अर्थशास्त्र के अनुसार, सरकारी घाटा खर्च में वृद्धि से निम्नलिखित में से क्या घटित होगा?

A. ऋणयोग्य निधि हेतु मांग में दायीं ओर हस्तांतरण

B. ब्याज दर में कमी

C. निवेश में वृद्धि

D. बचत में वृद्धि उपभोग में कमी के बराबर होती है

E. निवेश और उपभोग में कमी जो सरकारी खर्च में वृद्धि को संतुलित करती है।

नीचे दिए गए विकल्पों में से **सही** उत्तर चुनें :

1. केवल A, B और D
2. केवल A, D और E
3. केवल A, B, C और D
4. केवल C, D और E

56. अप्रत्यक्ष न्यूनतम वर्ग किसके सहगुणांक का प्राक्कलन करने में अनुप्रयुक्त होता है?

1. संरचनात्मक समीकरण
2. अत्यभिज्ञात समीकरण
3. अवक्रमित रूप समीकरण
4. अल्पाभिज्ञात समीकरण

57. निम्नलिखित में से कौन-से कथन पर्यावरणीय अर्थशास्त्र में दक्षता की संकल्पना का सही में विवरण प्रदान करते हैं?

A. सभी आबंटन पेरेटो दक्ष हैं यदि कोई भी, किसी अन्य को बदतर किए बिना बेहतर नहीं बनाया जा सकता है।

B. दक्षता सभी व्यक्तियों में संसाधनों का निष्पक्ष और समान वितरण सुनिश्चित करती है।

C. बाजार आबंटन केवल बाह्यताओं जैसी बाजार असफलताओं की अनुपस्थिति में ही दक्ष होते हैं।

D. दक्षता एक आदर्शमूलक संकल्पना है जो इससे संबंधित है कि सामाजिक मूल्य के आधार पर क्या किया जाना चाहिए।

E. बाह्यताओं को स्वांगीकृत करने वाली पर्यावरणीय नीतियां दक्षता संवर्धित कर सकती हैं।

नीचे दिए गए विकल्पों में से **सही** उत्तर चुनें :

1. केवल A, B और D
2. केवल A, B और E
3. केवल A, C और E
4. केवल B, C और D

58. यदि U = $6x^2 + y^2$ और $4x - y = 1$ है, U का मान क्या है?

1. $\frac{4}{15}$
2. $\frac{3}{11}$
3. $\frac{3}{16}$
4. $\frac{4}{21}$

59. स्वोत्थान (बूटस्ट्रैपिंग) तकनीक .... में उपयोग की जाती है।

1. विशिष्ट पूर्वाग्रह/अभिनति के परीक्षण में
2. अभिरूचि के प्रतिमानों का प्रतिदर्शन वितरण प्राप्त करने में
3. स्वतः सहसंबंध के लिए परीक्षण
4. त्रुटि शब्द की सामान्यता के लिए परीक्षण

60. निम्नलिखित में से कौन-से किसी बंद अर्थव्यवस्था में आईएस-एलएम रूपरेखा में सरकारी व्यय में वृद्धि के प्रभाव हैं?

A. सरकारी व्यय से आय में वृद्धि गुणक की गुणा के समान/समतुल्य

B. आईएस वक्र में दायीं ओर हस्तांतरण, जो प्रदत्त ब्याज दर स्तर पर मुद्रा बाजार में असाम्य की ओर ले जाती है।

C. मुद्रा मांग की मात्रा उच्चतर होगी।

D. ब्याज दर घटेगी।

E. निजी निवेश में वृद्धि होगी जिससे कुल मांग बढ़ेगी।

नीचे दिए गए विकल्पों में से **सही** उत्तर चुनें :

1. केवल B, C और D
2. केवल C, D और E
3. केवल A, B और C
4. केवल B, D और E

61. मूल्यांकन करें $\int_1^2 e^{-2x}dx$

1. $(e^{-2} - e^{-4})$
2. $-\frac{1}{2}(e^{-2}-e^{-4})$
3. $\frac{1}{2}(e^{-2}-e^{-4})$
4. $\frac{1}{2}(e^{-2}+e^{-4})$

62. निम्नलिखित चक्रों को कालक्रम (पुराने से नए) से व्यवस्थित करें।

A. व्यापार बातचीत का सहस्राब्दि चक्र

B. दोहा चक्र

C. उरुग्वे चक्र

D. केनेडी चक्र

E. टोकियो चक्र

नीचे दिए गए विकल्पों में से **सही** उत्तर चुनें :

1. D, E, C, B, A
2. D, E, B, C, A
3. D, B, E, C, A
4. D, E, C, A, B

63. असममित सूचना की समस्याओं के संबंध में निम्नलिखित में से कौन-से कथन **सत्य** हैं?

A. विक्रेता उत्पाद की गुणवत्ता के बारे में क्रेताओं को संकेत प्रेषित करके असममित सूचना की समस्या से निपट सकते हैं।

B. यदि किसी विक्रेता के पास उत्पाद की गुणवत्ता के बारे में क्रेता से अधिक सूचना है, तब खराब उत्पाद बाजार से बेहतर उत्पादों को बाहर कर देंगे।

C. दक्षतम मजदूरी सिद्धांत के अनुसार, प्रतिस्पर्धी मजदूरी से कम मजदूरी कार्य से जी चुराने/कामचोरी करने से मजदूरों को हतोत्साहित करके मजदूर/कामगार उत्पादकता बढ़ाती है।

D. बीमा बाजार में सूचना की असममितता के कारण प्रतिकूल चयन उत्पन्न होता है।

E. स्वामी अपने एजेंटों को बेहतर प्रदर्शन करने का प्रोत्साहन देने वाले अनुबंध डिजाइन करके प्रमुख एजेंट समस्या से बच सकते हैं।

नीचे दिए गए विकल्पों में से **सही** उत्तर चुनें :

1. केवल A और B
2. केवल A, B और C
3. केवल B, C और D
4. केवल A, B, D और E

64. निम्नलिखित में से कौन-सी नीति आप्रभाविकता प्रस्थापनाओं की पूर्वधारणाएं नहीं हैं?

A. तर्कसंगत प्रत्याशा
B. नीति परिवर्तन अनुमानित नहीं होते हैं
C. आर्थिक एजेंटों के पास पूर्ण सूचना होती है
D. नामिक चर आर्थिक निर्णय प्रभावित करते हैं
E. उत्पादन और रोजगार अपने प्राकृतिक स्तर पर होते हैं।

नीचे दिए गए विकल्पों में से **सही** उत्तर चुनें :

1. केवल B और D
2. केवल A, C और D
3. केवल A, B, D और E
4. केवल C, D और E

65. वृद्धिमान राज्य क्रियाकलापों के वेगनर के नियम के संबंध में निम्नलिखित में से कौन-से कथन **सत्य** नहीं हैं?

A. वेगनर का नियम सार्वजनिक व्यय के धनात्मक सिद्धांत के रूप में वर्गीकृत किया जाता है।
B. औद्योगिकीकृत देशों में सार्वजनिक क्षेत्र, प्रति व्यक्ति आय और उत्पादन में वृद्धि के साथ कुल आर्थिक क्रियाकलाप के अनुपात के रूप में बढ़ता है।
C. सार्वजनिक क्षेत्र में समानुपाती वृद्धि स्थिर नहीं है बल्कि कुल आर्थिक क्रियाकलाप में वृद्धि के साथ वृद्धिमान है।
D. यह नियम सार्वजनिक व्यय पर युद्ध के प्रभाव के बारे में है।
E. सार्वजनिक व्यय सोपानी रीति से बढ़ता है।

नीचे दिए गए विकल्पों में से **सही** उत्तर चुनें :

1. केवल A, B और D
2. केवल B, C और E
3. केवल B और C
4. केवल D और E

66. सामान्य वितरण की स्थिति में निम्नलिखित में से कौन-से कथन **सत्य** हैं?

A. सामान्य वितरण के लिए μ_3, 0 है।
B. सामान्य वितरण के लिए β_2, 0 है।
C. सामान्य वितरण के लिए माध्य विचलन (लगभग माध्य) $\frac{4}{5}\sigma$ है।
D. सामान्य वितरण के लिए माध्य विचलन μ_4, $2\sigma^4$ है।
E. सामान्य वितरण के लिए अभिलाक्षणिक फलन $e^{i\mu t - \frac{t^2\sigma^2}{2}}$ है।

नीचे दिए गए विकल्पों में से **सही** उत्तर चुनें :

1. केवल A, C और E
2. केवल A, B, C और E
3. केवल B, C और D
4. केवल A, C और D

67. यदि $Q = f(K, L)$ डिग्री एक का समघात उत्पादन फलन है, निम्नलिखित में से कौन-सा यूलर के प्रमेय को संतुष्ट करता है?

1. $\left(\frac{\partial Q}{\partial K}\right)+\left(\frac{\partial Q}{\partial L}\right)=Q$
2. $\left(\frac{\partial Q}{\partial K}\right)K+\left(\frac{\partial Q}{\partial L}\right)L=Q$
3. $\left(\frac{\partial Q}{\partial K}\right)K+\left(\frac{\partial Q}{\partial L}\right)L>1$
4. $\left(\frac{\partial Q}{\partial K}\right)+\left(\frac{\partial Q}{\partial L}\right)=1$

68. उपभोक्ता इष्टतमीकरण प्रक्रिया के परिणाम के संबंध में निम्नलिखित में से कौन-सा कथन **सत्य** है?

A. प्रत्येक वस्तु पर खर्च प्रति रुपए सीमांत उत्पादकता समान होती है।
B. वस्तुओं के बीच प्रतिस्थापन की सीमांत दर वस्तुओं के बीच मूल्यों के अनुपात के बराबर होती है।
C. उपभोक्ता अनधिमान मानचित्र में उच्चतम अनधिमान वक्र तक पहुँचता है।

D. उपभोक्ता अनधिमान वक्र उसकी बजट रेखा से स्पर्शक होता है।

E. उपयोगिता दृष्टिकोण से, उपभोक्ता अपनी बजट रेखा पर किन्हीं दो बिन्दुओं के बीच अनधिमानी होता है।

नीचे दिए गए विकल्पों में से **सही** उत्तर चुनें :

1. केवल A, C और E
2. केवल A, D और E
3. केवल A, B और D
4. केवल A, B, D और E

69. निम्नलिखित पर्यावरणीय अभिसमयों/सम्मेलनों को पुराने से नए के क्रम में व्यवस्थित करें।

A. क्योटो प्रोटोकॉल

B. मिनामाता प्रोटोकॉल

C. स्टॉकहोम प्रोटोकॉल

D. यूएन-आर.ई.डी.डी

E. रियो सम्मेलन

नीचे दिए गए विकल्पों में से **सही** उत्तर चुनें :

1. E, A, C, D, B
2. E, C, A, B, D
3. C, E, A, D, B
4. A, B, C, D, E

70. किसी वस्तु अर्थात् "भीड़भरा शहरी फुटपाथ/पारपथ" के बारे में निम्नलिखित में कौन-सा सत्य है?

1. यह प्रकृति में गैर-अपवर्जनीय और गैर-प्रतिस्पर्धी है।
2. यह प्रकृति में अपवर्जनीय किन्तु गैर-प्रतिस्पर्धी है।
3. यह प्रकृति में गैर-अपवर्जनीय किन्तु प्रतिस्पर्धी है।
4. यह प्रकृति में अपवर्जनीय और प्रतिस्पर्धी है।

71. प्रदत्त है $U = (x + 2)(y + 1)$ और $P_x = 4$ और $P_y = 6$ तथा बजट (B) =130। क्रय x^* और y^* का इष्टतम स्तर ज्ञात करें।

1. $x^* = 11$, $y^* = 16$
2. $x^* = 15$, $y^* = 28$
3. $x^* = 18$, $y^* = 8$
4. $x^* = 16$, $y^* = 11$

72. ग्रेन्जर और न्यूबोल्ड के अनुसार, कोई प्राक्कलित प्रतिगमन अप्रमाणिक है, यह संदेह करने का व्यवहारिक नियम किसके द्वारा प्रदान किया जाता है?

1. निम्न t-मान के साथ उच्च R^2 ($R^2 > t$)
2. निम्न डर्बिन-वाटसन d मान के साथ उच्च t मान ($t > d$)
3. निम्न डर्बिन-वाटसन d मान और उच्च R^2 ($R^2 > d$)
4. निम्न F मान और उच्च R^2 ($R^2 > F$)

73. निम्नलिखित में से कौन-सा प्रभावी संरक्षण की दर की गणना करने का सूत्र सही से दर्शाता है?

जहाँ g = अंतिम वस्तुओं के उत्पादकों के प्रभावी संरक्षण की दर, t = अंतिम वस्तु के उपभोक्ताओं पर नाममात्र टैरिफ दर, t_i = आयातित आगत पर नाममात्र टैरिफ दर और a_i = टैरिफ की अनुपस्थिति में अंतिम वस्तु के मूल्य पर आयातित आगत की लागत का अनुपात है।

1. $g = \dfrac{t - a_i t_i}{1 - a_i}$
2. $g = \dfrac{t + a_i t_i}{1 - a_i}$
3. $g = \dfrac{t - a_i t_i}{1 + a_i}$
4. $g = \dfrac{t + a_i t_i}{1 + a_i}$

74. सूची-I को सूची-II से सुमेलित करें :

सूची-I (15वें वित्त आयोग की अर्हताएँ)	**सूची-II** (क्षैतिजीय अंतरण के लिए 15वें वित्त आयोग की अनुशंसा के अनुसार भार)
A. आय दूरी	I. 15%
B. जनसंख्या	II. 12.5%
C. जनसांख्यिकीय प्रदर्शन	III. 45%
D. वन और पारिस्थितिकी	IV. 10%

नीचे दिए गए विकल्पों में से **सही** उत्तर चुनें :

1. A-III, B-IV, C-I, D-II
2. A-II, B-I, C-III, D-IV
3. A-III, B-I, C-II, D-IV
4. A-I, B-IV, C-II, D-III

75. सूची-I को सूची-II से सुमेलित करें :

सूची-I	सूची-II
A. विशिष्ट कारक मॉडल	I. प्रेबिश-सिंगर परिकल्पना
B. संतापकारी संवृद्धि	II. थॉमस मून
C. अंतर्राष्ट्रीय व्यापार का व्यापारवादी (मरकेन्टालिज्म) सिद्धांत	III. जगदीश भगवती
D. व्यापार शर्तों का निरपेक्ष शरण	IV. पॉल सैमुअल्सन और रोनाल्ड जोन्स

नीचे दिए गए विकल्पों में से **सही** उत्तर चुनें :

1. A-III, B-IV, C-II, D-I
2. A-IV, B-III, C-II, D-I
3. A-IV, B-II, C-III, D-I
4. A-II, B-IV, C-I, D-III

76. कल्पना करें कि निवेश की दर फलन $I(t) = 12t^{1/3}$ के द्वारा विवरणित है, और पूंजी स्टॉक $k(0) = 25$ है। पूंजी स्टॉक k का समय पथ ज्ञात करें।

1. $16t^{4/3} + 25$
2. $9t^{4/3} + 25$
3. $-9t^{4/3} + 25$
4. $-16t^{4/3} + 25$

77. निम्नलिखित प्रकाशनों को पुराने से नए के अनुसार कालक्रम में व्यवस्थित करें।

A. आर्थर लेविस द्वारा "थ्योरी ऑफ इकोनॉमिक ग्रोथ"

B. रॉबर्ट सोलोव द्वारा "ए कॉन्ट्रिब्यूशन टू दि थ्योरी ऑफ इकोनॉमिक ग्रोथ"

C. वाल्ट रोस्तोव द्वारा "दि स्टेजेज ऑफ इकोनॉमिक ग्रोथ : ए नॉन कम्यूनिस्ट मैनिफेस्टो"

D. गुन्नार मिर्डल द्वारा "एशियन ड्रामा : एन इन्क्वायरी इनटू दि पॉवर्टी ऑफ नेशंस"

E. अल्बर्ट हिर्शमैन द्वारा "स्ट्रैटेजी ऑफ इकोनॉमिक डेवलपमेंट"

नीचे दिए गए विकल्पों में से **सही** उत्तर चुनें :

1. A, E, B, C, D
2. E, B, C, D, A
3. C, D, B, E, A
4. A, B, E, C, D

78. निम्नलिखित में कौन-सा लोक ऋण संबंधी शास्त्रीय (क्लासिकी) विचारों के अनुसार सही नहीं है?

1. सार्वजनिक/लोक ऋण वित्तीयन में ब्याज भुगतान और ऋण परिशोधन के लिए निधियों की आवश्यकता होती है, अतः करदाताओं पर दोहरा बोझ पड़ता है।
2. सार्वजनिक ऋण वित्तीयन सकल मांग को अनुप्रेरित करने के लिए उपकरण के रूप में पूरक बजट नीति का समर्थन करता है।
3. सार्वजनिक ऋण बंजर उत्पादन और उपभोग सृजित करता है तथा बोझ भविष्य की पीढ़ियों पर हस्तांतरित किया जाता है।
4. सार्वजनिक ऋण पूंजी को नष्ट करता है जो अन्यथा उत्पादकतापूर्ण प्रयुक्त की जा सकती थी।

79. शास्त्रीय अर्थशास्त्र के संदर्भ में, मुद्रा आपूर्ति में वृद्धि के कारण क्या घटित होता है?

1. सकल मांग वक्र का बायीं ओर हस्तांतरण
2. सकल मांग वक्र का दायीं ओर हस्तांतरण
3. सकल आपूर्ति वक्र का दायीं ओर हस्तांतरण
4. सकल मांग और सकल आपूर्ति में कोई परिवर्तन नहीं, केवल मूल्य वृद्धि होती है

80. रोस्तोव के अनुसार, प्रथमोत्थान (टेक-ऑफ) चरण में कोई भी सेक्टर अग्रणी भूमिका निभा सकता है यदि निम्नलिखित शर्तें पूरी हों :

A. उत्पाद के लिए बाजार तेजी से बढ़ रहा है

B. अग्रणी सेक्टर द्वितीयक विस्तार सृजित करता है

C. सेक्टर में संचित लाभों से पूंजी की पर्याप्त और सतत आपूर्ति होती है

D. उत्पादकता बढ़ाने के लिए सेक्टर में नवीन तकनीकों की शुरूआत

E. औद्योगिक संरचना में परिवर्तन संरचनात्मक होने चाहिए

नीचे दिए गए विकल्पों में से सही उत्तर चुनें :

1. केवल B, C, D और E
2. केवल A, D और E
3. केवल A, C और D
4. केवल A, B, C और D

81. यदि कीन्सवादी निवेश बहुगुणक का मान 4 है, तब निम्नलिखित में से कौन-सा सदृश/संगत बचत फलन होगा?

1. $S = -4 + 0.4\ Y_D$
2. $S = -10 + 0.75\ Y_D$
3. $S = -12 + 0.25\ Y_D$
4. $S = -6 + 0.35\ Y_D$

82. वित्त आयोग के निम्नलिखित अध्यक्षों को उनकी नियुक्ति के क्रम में पुराने से नए के अनुसार व्यवस्थित करें।

A. ए.एम. खुसरो B. सी. रंगराजन
C. एन.के.पी. साल्वे D. के. ब्रह्मानंद रेड्डी
E. के.सी. पंत

नीचे दिए गए विकल्पों में से **सही** उत्तर चुनें :

1. A, C, E, D, B 2. C, E, A, D, B
3. B, D, E, C, A 4. D, C, E, A, B

83. निम्नलिखित में से कौन-सा सत्य नहीं है?

1. किसी कर का प्रभाव, आय प्रभाव और प्रतिस्थापन प्रभाव में विघटित किया जा सकता है।
2. एकमुश्त कर के साथ प्रतिस्थापन प्रभाव संबंद्ध होता है, किन्तु आय प्रभाव नहीं।
3. प्रतिस्थापन प्रभाव जितना बृहत्तर होगा, महाभार हानि उतनी बृहत्तर होगी।
4. कर के अध्यारोपण के परिणामस्वरूप उत्पादकों द्वारा प्राप्त मूल्यों में कमी से महाभार हानि संबंद्ध होती है।

84. निम्नलिखित कर सुधार समितियों को उनके गठन वर्ष के आधार पर पुराने से नवीनतम के क्रम में व्यवस्थित करें।

A. राजा चैलैय्या कर सुधार समिति
B. टी.आर. रस्तोगी सेवा कर सुधार समिति
C. विजय केलकर कर सुधार समिति
D. पार्थसारथी शोम प्रत्यक्ष कर समिति
E. के.एल. रेखी अप्रत्यक्ष कर समिति

नीचे दिए गए विकल्पों में से **सही** उत्तर चुनें :

1. A, E, C, B, D 2. E, A, C, B, D
3. A, E, D, C, B 4. D, E, A, C, B

85. लुकास आलोचना के अनुसार :

1. यह मानती है कि मौद्रिक नीति वास्तविक चरों के संबंध में तटस्थ नहीं होती है।
2. अपवहन सहगुणांक समष्टि अर्थमित्ति मॉडलों को अधिक विश्वसनीय बना सकते हैं।
3. कीन्सवादी मॉडल सत्यता से नीतियों के भविष्य की प्रत्याशाओं पर प्रभाव के बारे में विचार करते हैं।
4. मॉडलों के सहगुणांकों की स्थिरता नीति पूर्वानुमानो के लिए महत्वपूर्ण है।

86. भारत में निम्नलिखित डेरिवेटिव बाजार घटनाओं को कालक्रम से (पुरातन से नवीनतम तक) व्यवस्थित करें :

A. व्यक्तिगत/एकल प्रतिभूतियों में ऑप्शन ट्रेडिंग की शुरूआत
B. ब्याज दर फ्यूचर्स की शुरूआत
C. स्टॉक फ्यूचर्स में व्यापार (ट्रेडिंग) की शुरूआत
D. सूचकांक आधारित फ्यूचर्स ट्रेडिंग की शुरूआत
E. सूचकांक ऑप्शंस में ट्रेडिंग की शुरूआत

नीचे दिए गए विकल्पों में से **सही** उत्तर चुनें :

1. D, C, E, A, B 2. D, E, A, C, B
3. D, A, E, B, C 4. D, C, E, B, A

87. आघूर्ण सृजनकारी फलन (M.G.F.) के विशिष्ट गुणधर्म का उपयोग करके, निम्नलिखित में से कौन-से सत्य वितरण हैं यदि M.G.F. निम्नानुसार है?

A. $M(t) = \left(\frac{1}{2}+\frac{1}{2}e^t\right)^6$ एक पॉइसॉन वितरण है।

B. $M(t) = \frac{(1+e^t)^5}{32}$ एक द्विपदीय वितरण है।

C. $M(t) = e^{3(e^t-1)}$ एक पॉइसॉन वितरण है।

D. $M(t) = e^{(e^t-1)/4}$ एक पॉइसॉन वितरण है।

E. $M(t) = 4(3e^{-t} - 1)^{-2}$ एक द्विपदीय वितरण है।

नीचे दिए गए विकल्पों में से **सही** उत्तर चुनें :

1. केवल A, B, C और D
2. केवल B, C और D
3. केवल B, C, D और E
4. A, B, C, D और E

88. सूची-I को सूची-II से सुमेलित करें :

सूची-I	सूची-II
A. जनसंख्या वृद्धि और संसाधन सीमा का सिद्धांत	I. अल्फ्रेड सोवे
B. जनसांख्यिकीय संक्रमण का सिद्धांत	II. जॉन ग्रौन्ट
C. जनसांख्यिकी के पिता	III. वारेन थॉम्पसन
D. "तृतीय विश्व" शब्द गढ़ा	IV. थॉमस माल्थस

नीचे दिए गए विकल्पों में से **सही** उत्तर चुनें :
1. A-III, B-IV, C-I, D-II
2. A-III, B-IV, C-II, D-I
3. A-III, B-II, C-IV, D-I
4. A-IV, B-III, C-I, D-II

89. आर्थिक सर्वेक्षण 2024-25 के अनुसार, निम्नलिखित क्षेत्रों को H1 FY 2025 में भारत में कुल एफडीआई में उनकी हिस्सेदारी के अनुसार घटते क्रम में व्यवस्थित करें :

A. वाहन उद्योग
B. चिकित्सालय और निदान केन्द्र
C. सीमेंट और जिप्सम उत्पाद
D. कम्प्यूटर सॉफ्टवेयर और हार्डवेयर
E. गैर-परंपरागत ऊर्जा

नीचे दिए गए विकल्पों में से **सही** उत्तर चुनें :
1. D, E, C, A, B
2. D, C, E, B, A
3. E, B, A, D, C
4. E, D, C, B, A

90. शून्य परिकल्पना (Null hypothesis) कि सभी ढलान गुणांक एक साथ शून्य के बराबर हैं, लॉगिट मॉडल में .... के द्वारा परीक्षण किया गया है।
1. F-टेस्ट
2. t-टेस्ट
3. काई स्क्वायर टेस्ट (Chi-square test)
4. संभावना अनुपात सांख्यिकी (Likelihood ratio statistics)

निर्देशः (प्र.सं. 91 से 95 तक)ः निम्नलिखित अनुच्छेद पढ़ें और प्रश्नों के उत्तर दीजिए :

दो निष्पक्ष पासे स्वतंत्र रूप से फेंके जाते हैं। तीन परिघटनाएं A, B और C निम्नानुसार विनिर्दिष्ट हैं।

A : प्रथम पासे से विषम आमुख
B : द्वितीय पासे से विषम आमुख
C : दोनों पासों पर बिन्दुओं (प्वाइंट्स) का योग विषम है।

91. $P(A \cap B \cap C)$ ज्ञात करें :
1. 0
2. 1/2
3. 1/4
4. 1/6

92. P(C) ज्ञात करें :
1. 1/4
2. 1/2
3. 3/4
4. 5/6

93. $P(B \cap C)$ ज्ञात करें :
1. 1/2
2. 0
3. 1/4
4. 1/36

94. $P(A \cap B)$ ज्ञात करें :
1. 0
2. 3/4
3. 7/12
4. 1/4

95. $P(A \cap C)$ ज्ञात करें :
1. 0
2. 1/2
3. 1/6
4. 1/4

निर्देशः (प्र.सं. 96 से 100 तक)ः निम्नलिखित अनुच्छेद पढ़ें और प्रश्नों के उत्तर दीजिए :

आरबीआई की वर्तमान मौद्रिक नीति परिवर्तनशील समष्टि आर्थिक गत्यात्मकता के प्रति सूक्ष्मों नपा-तुला प्रत्युत्तर परिलक्षित करती है। हालांकि रेपो दर 6.5% पर अपरिवर्तित है, नीति की आधारशिला समायोजन की समझी-बुझी वापसी को उद्घाटित करती है, जो महामारी के दौर के प्रोत्साहन से परे हस्तांतरण का संकेत करती है। वैश्विक उतार-चढ़ाव के दुष्प्रभावों और घरेलू मुद्रास्फीतिकारी दबावों की चिंताओं के बीच आरबीआई का तरलता प्रबंधन परिवर्तनीय दर रिवर्स रेपो (VRRR) प्रचालनों का उपयोग करते हुए निष्क्रिय अधिशेष अवशोषण से सक्रिय समायोजन की ओर हस्तांतरित हो चुका है। नीति अग्रगामी दृष्टिकोण का संकेत करती है, जो क्षणिक मूल्य झटकों की ओर प्रतिक्रिया देने की बजाय मुद्रास्फीति प्रत्याशाओं को दिशा-निर्देशित करने पर अभिकेन्द्रित है। साख उधारी और उधारी दरों में क्षेत्रवार विभिन्नताओं के साथ मौद्रिक संप्रेषण असमान है। इसके अतिरिक्त नीति अप्रत्यक्ष रूप से समष्टि विवेकपूर्ण विनियमन और वित्तीय स्थिरता पर बल देती है, तथा वैश्विक ब्याज

दर अंतरों, पूंजी प्रवाह और मुद्रा उतार-चढ़ाव के खतरों को अभिस्वीकार करती है। यह एक अनिश्चित वैश्विक पर्यावरण में व्यापक वित्तीय प्रतिरोधक्षमता के साथ एक एकीकृत नीति रूपरेखा संतुलनकारी मुद्रास्फीति लक्ष्यन को परिलक्षित करती है।

96. मौद्रिक नीति में वापसी समायोजन का अर्थ है :

1. सीआरआर में वृद्धि
2. सक्रिय बॉन्ड क्रय
3. नीति पक्ष/स्थिति का क्रमिक सामान्यीकरण
4. विस्तारणशील राजकोषीय प्रोत्साहन

97. VRRR प्रचालन दर्शाते हैं :

1. दीर्घावधि पूंजी अंतर्वेशन
2. राजकोषीय घाटे का संरचनात्मक समायोजन
3. सक्रिय अल्पावधि तरलता अवशोषण
4. एसएलआर में कमी

98. निम्नलिखित में से कौन-सा क्षणिक मुद्रास्फीति झटकों को प्रबंधित करने की आरबीआई की रणनीति को दर्शाता है?

1. तत्काल दर बढ़ोतरी
2. सुविचारित तरलता उपकरणों के साथ यथा-स्थिति बनाए रखना
3. आक्रामक कठोरता
4. सीआरआर कम करना

99. वैश्विक ब्याज दर अंतर/विभेदन की आरबीआई की चिंता प्राथमिकतया किससे संबंधित है?

1. घरेलू खाद्य स्फीति
2. विदेशी पोर्टफोलियो प्रवाह और विनिमय दर प्रबंधन
3. रिटेल साख वृद्धि
4. कृषि संबंधी नीति

100. तत्काल दर कार्रवाई के बिना मुद्रास्फीति को दिशा-निर्देशित करने संबंधी आरबीआई के फोकस में कौन-सी संकल्पना अंतर्निहित है?

1. निष्क्रिय लक्ष्यन
2. प्रत्याशा प्रबंधन
3. साख राशनीकरण (आबंटन)
4. मौद्रिक विस्तार

उत्तरमाला

1	2	3	4	5	6	7	8	9	10
4	*	2	2	3	2	2	3	2	3
11	**12**	**13**	**14**	**15**	**16**	**17**	**18**	**19**	**20**
1	2	1	4	3	2	2	3	3	4
21	**22**	**23**	**24**	**25**	**26**	**27**	**28**	**29**	**30**
3	2	2	2	1	1	4	3	2	4
31	**32**	**33**	**34**	**35**	**36**	**37**	**38**	**39**	**40**
2	4	3	3	3	3	3	2	3	3
41	**42**	**43**	**44**	**45**	**46**	**47**	**48**	**49**	**50**
3	1	3	1	4	4	3	3	2	2
51	**52**	**53**	**54**	**55**	**56**	**57**	**58**	**59**	**60**
3	3	1	2	2	1	3	2	2	3
61	**62**	**63**	**64**	**65**	**66**	**67**	**68**	**69**	**70**
3	4	4	1	4	1	2	3	1	3
71	**72**	**73**	**74**	**75**	**76**	**77**	**78**	**79**	**80**
4	3	1	3	2	2	4	2	2	4
81	**82**	**83**	**84**	**85**	**86**	**87**	**88**	**89**	**90**
3	4	2	1	4	2	2	*	1	4
91	**92**	**93**	**94**	**95**	**96**	**97**	**98**	**99**	**100**
1	2	3	4	4	3	3	2	2	2

व्याख्यात्मक उत्तर

1. जब इनपुट और आउटपुट दोनों बाजार पूर्ण प्रतिस्पर्धी होते हैं, तो फर्म लाभ-अधिकतमकरण के लिए हर कारक को तब तक नियोजित करती है जब तक उस कारक का सीमांत राजस्व उत्पाद (VMP = P × MPP) उसके कारक-मूल्य के बराबर न हो जाए। प्रतिस्पर्धी बाजार में फर्म को आउटपुट के लिए कीमत तय करने की शक्ति नहीं होती; वह बाजार कीमत को मान कर चलती है। इसलिए फर्म यह सुनिश्चित करती है कि किसी भी अतिरिक्त इनपुट इकाई को जोड़ने पर जितना राजस्व बढ़ेगा, वह ठीक उतना ही हो जितना उस इनपुट के लिए भुगतान करना होगा। इस सिद्धांत को सीमांत उत्पादकता सिद्धांत (Marginal Productivity Theory of Distribution) कहा जाता है। इस कारण संतुलन पर हर उत्पादन कारक का भुगतान उसके सीमांत उत्पाद के मूल्य के बराबर होता है—यही कारण है कि मजदूरी, किराया, ब्याज या लाभ सब उसी आधार पर निर्धारित होते हैं।

2. कोई भी विकल्प चारों गुणों का शुद्ध सुमेलन नहीं देता; सही तथ्यों के आधार पर अपेक्षित सुमेलन है—A-III, B-(Skewness $\sqrt{8/n}$), C-I, D-($\mu_3 = 8n$)

विस्तृत व्याख्या (χ^2 वितरण, d.f. = n)

$\chi^2(n)$ को Gamma ($k = n/2$) के रूप में लिखा जा सकता है। गामा के मानक सूत्रों से χ^2 के आघूर्ण/मापदण्ड मिलते हैं :

1. औसत व प्रसरण

$\mu = k\theta = n,\ \mu_2 = \text{Var} = k\theta^2 = 2n$

2. तिर्यकता (Skewness)

गामा के लिए $\gamma_1 = \frac{2}{\sqrt{k}}$. यहाँ $k = \frac{n}{2}$,

अतः

$$\gamma_1 = \frac{2}{\sqrt{n/2}} = \sqrt{\frac{8}{n}}.$$

3. कुर्टोसिस (β_2)

गामा के लिए अतिरिक्त कुर्टोसिस = $\frac{6}{k}$

अतः

$$\beta_2 = 3 + \frac{6}{k} = 3 + \frac{6}{(n/2)} = 3 + \frac{12}{n}$$

4. बहुलक (Mode)

Mode = $(k - 1)\theta$ (जब $k > 1$).

यहाँ

$$\text{Mode} = \left(\frac{n}{2} - 1\right) \times 2 = n - 2 (n > 2)$$

5. तृतीय केन्द्रीय आघूर्ण (μ_3)

$$\mu_3 = \gamma_1\sigma^3 = \sqrt{\frac{8}{n}}\left(\sqrt{2n}\right)^3 = \sqrt{\frac{8}{n}}(2n)\sqrt{2n} = 8n$$

6. चतुर्थ केन्द्रीय आघूर्ण (μ_4)

कुर्टोसिस से :

$$\mu_4 = \beta_2\mu_2^2 = \left(3 + \frac{12}{n}\right)(2n)^2 = 12n^2 + 48n = 12n(n + 4)$$

सूची-II का सत्यापन (कौन-सा पद किससे मेल खाता है):

I. $(n - 2)$ → यह Mode है (सही)।

II. $48n + 12n^2 = 12n(n + 4)$ → यह μ_4 (चतुर्थ केन्द्रीय आघूर्ण) है, μ_2 नहीं।

III. $(12/n) + 3$ → यह β_2 (कुर्टोसिस) है (सही)।

IV. $\sqrt{2/n}$ → यह Coefficient of Variation = $\sqrt{2n}/n = \sqrt{2/n}$ है, Skewness नहीं (Skewness का सही मान $\sqrt{8/n}$ है)।

सही सुमेलन (मानक परिभाषाओं से) :

A. β_2 → III $3 + \frac{12}{n}$

B. तिर्यकता (Skewness) → $\sqrt{8/n}$ (सूची-II में उपलब्ध नहीं; IV $\sqrt{2/n}$ C.V. है)

C. बहुलक (Mode) $\rightarrow$ I $(n - 2)$

D. $\mu_3 = 8n$ (सूची-II का II वास्तव में μ_3 है)

अतः दिए गए विकल्पों (1-4) में से कोई भी चारों युग्मों को एक साथ सही नहीं मिलाता; इसलिए NONE उपयुक्त है।

3. जे. एम. कीन्स की प्रमुख कृतियों के प्रकाशन-वर्ष क्रम से क्रमबद्ध करने पर—(C) *Indian Currency and Finance* (1913) सबसे पहले आती है; यह भारत की मुद्रा-व्यवस्था, रिजर्व, स्वर्ण-विनिमय मानक और औपनिवेशिक प्रशासन की मौद्रिक नीतियों का विश्लेषण करती है। इसके बाद (E) *A Tract on Monetary Reform* (1923) में युद्धोत्तर मुद्रास्फीति, विनिमय दर-स्थिरता और मूल्य-स्तर लक्ष्यीकरण जैसे विचार प्रमुख हैं। तीसरे स्थान पर (A) *A Treatise on Money* (1930)—दो खंडों में मनी, ब्याज, आय और मूल्य-स्तर के पारस्परिक संबंधों का व्यवस्थित सिद्धांत प्रस्तुत करती है। फिर (D) *A Monetary Theory of Production* (1933)—यह लेख वास्तविक-वेतन वाले शास्त्रीय ढाँचे के बजाय मौद्रिक उत्पादन-अर्थव्यवस्था के दृष्टिकोण को उभारता है। अंत में (B) *The General Theory of Employment, Interest and Money* (1936), जिसने समष्टि-आर्थिक सोच में क्रांति लाकर प्रभावी माँग, बेरोजगारी और नीति-हस्तक्षेप की केन्द्रीयता स्थापित की।

अतः कालक्रम (पुराने से नए) : C, E, A, D, B.

4. पेऑफ मैट्रिक्स (खिलाड़ी-1, खिलाड़ी-2) :

	L	R
T	(1, 5)	(0, 3)
M	(2, 6)	(1, 4)
B	(3, 7)	(2, 2)

खिलाड़ी-1 का प्रभुत्व विश्लेषण

M बनाम T:

- यदि खिलाड़ी-2 L चुनता है : M = 2 > T = 1.
- यदि खिलाड़ी-2 R चुनता है : M = 1 > T= 0.

  $\Rightarrow$ M, T पर कठोर प्रभुत्वशाली है।

B बनाम M:

- L पर : B = 3 > M = 2
- R पर : B = 2 > M = 1

  $\Rightarrow$ B, M पर कठोर प्रभुत्वशाली है।

B बनाम T:

- L पर : B = 3 > T = 1
- R पर : B = 2 > T = 0

  $\Rightarrow$ B, T पर कठोर प्रभुत्वशाली है।

निष्कर्ष (A): M, T को प्रभुत्वित करता है और B, M को प्रभुत्वित करता है—यह क्रम दर्शाता है कि खिलाड़ी-1 के पास प्रभुत्व की शृंखला है, जिससे रणनीति चयन में एकाधिक प्रभुत्वकारी विकल्प उभरते हैं $\Rightarrow$ A सत्य।

खिलाड़ी-2 का प्रभुत्व विश्लेषण

L बनाम R:

- T पर : L = 5 > R = 3
- M पर : L = 6 > R = 4
- B पर: L = 7 > R = 2

  $\Rightarrow$ L, R पर कठोर प्रभुत्वशाली है।

इसका अर्थ है कि खिलाड़ी-2 के पास एक स्पष्ट प्रभुत्वकारी रणनीति है—इसलिए "कोई भी रणनीति दुर्बल प्रभुत्वशाली नहीं है" कथन असत्य।

अन्य कथनों का परीक्षण

- **C (T, B पर दुर्बल प्रभुत्वशाली)** : सभी स्थितियों में B > T. इसलिए C असत्य।
- **D (रणनीति M नैश-संतुलन में कभी प्रयुक्त नहीं होगी)** : M को B कठोर रूप से प्रभुत्वित करता है; प्रभुत्वित रणनीतियाँ नैश-संतुलन में प्रयोग नहीं होतीं $\Rightarrow$ D सत्य।
- **E (M, T पर कठोर प्रभुत्वशाली)** : ऊपर तुलना में देखा गया कि M हमेशा T से बेहतर है $\Rightarrow$ E सत्य।

सत्य कथन केवल A, D, E हैं।

5. देशों के चालू खाता शेष (% GDP) का तुलनात्मक आकलन (Q2 FY25):

- **चीन (C) :** सर्वाधिक सकारात्मक अधिशेष।
- **रूस (B) :** दूसरा उच्च अधिशेष।
- **भारत (A) :** हल्का घाटा, पर दक्षिण अफ्रीका से कम नकारात्मक।
- **दक्षिण अफ्रीका (E) :** भारत से अधिक नकारात्मक घाटा।
- **यू.के. (D) :** सबसे अधिक नकारात्मक घाटा।

घटते/अवरोही क्रम (अधिकतम अधिशेष से अधिकतम घाटे तक) : C, B, A, E, D.

6. घटते क्रम का तर्क :

C. **रक्षा** — सबसे बड़ा आवंटन; इसमें राजस्व व्यय, पूंजीगत व्यय और पेंशन शामिल हैं।

E. **ग्रामीण विकास** — मनरेगा, प्रधानमंत्री ग्रामीण आवास जैसी योजनाओं के कारण दूसरा सबसे बड़ा आवंटन।

A. **कृषि और संबद्ध गतिविधियाँ** — किसानों के कल्याण और कृषि अवसंरचना के लिए तीसरा स्थान।

B. **शिक्षा** — स्कूल शिक्षा और उच्च शिक्षा मंत्रालयों का सम्मिलित आवंटन, कृषि से थोड़ा कम।

D. **वाणिज्य और उद्योग** — पाँचों में सबसे कम राशि।

क्रम : C, E, A, B, D.

7. विस्तृत मिलान :

A. **अतिज्यामितीय वितरण का माध्य (Mean):** $E[X] = \frac{nm}{N} \Rightarrow$ III.

B. **ऋणात्मक द्विपदीय वितरण का आघूर्ण जनक फलन (MGF):** प्रपत्र $(Q - Pet)^{-r}$ इस वितरण के MGF का मानक रूप है $\Rightarrow$ II.

C. **द्विपदीय वितरण का कुर्तोसिस सहगुणांक (Kurtosis coefficient):** $\frac{1+6pq}{npq} \Rightarrow$ IV.

D. **ज्यामितीय वितरण का प्रसरण (Variance):** $\frac{q}{p^2} \Rightarrow$ I.

8. लेक्सिकोग्राफिक प्राथमिकताएँ पहले एक वस्तु को पूर्ण प्राथमिकता देती हैं और केवल बराबरी पर दूसरी वस्तु को देखती हैं। इन प्राथमिकताओं को किसी सतत उपयोगिता फलन द्वारा प्रदर्शित नहीं किया जा सकता क्योंकि कितनी भी छोटी मात्रा की अदला-बदली ऊपरी-स्तर वाली वस्तु की प्राथमिकता नहीं बदलती। इस कारण यह सततता/नैरुतर्य (Continuity/Archimedean) स्वयंसिद्धि का उल्लंघन करती हैं। संक्रामिकता, उत्तलता और स्वतंत्रता जैसे अन्य स्वयंसिद्ध सामान्यतः नहीं टूटते, मुख्य उल्लंघन सततता में होता है।

9. **तर्क (समानांतर, सीधे "संपदा विस्तार पथ" के लिए):** किसी दिए हुए मूल्य-सदिश p पर अलग-अलग उपभोक्ताओं के लिए मांग का आय/संपदा के साथ रैखिक और समान ढलान (Parallel) होना तभी संभव है जब उनकी आय-प्रतिक्रियाएँ संरचनात्मक रूप से एक जैसी हों।

A. **गोरमेन फॉर्म का अप्रत्यक्ष उपयोगिता फलन** — यदि प्रत्येक उपभोक्ता का अप्रत्यक्ष उपयोगिता फलन $v_i(p, m) = a_i(p) + b(p)m$ के गोरमेन-पोलर रूप में है और $b(p)$ सभी के लिए समान है, तो एन्गेल वेलाएँ/संपदा-विस्तार पथ सीधे और समानांतर होते हैं; $a_i(p)$ के कारण इंटरसेप्ट बदलते हैं पर ढलान समान रहती है।

D. **समरूप (Identical) व समस्थितिक (Homothetic) प्राथमिकताएँ** — यह विशेष स्थिति में सभी उपभोक्ताओं का संपदा-विस्तार पथ एक ही सीधी रेखा (Origin से ray) बनाता है; यह भी सीधा है और यद्यपि वही रेखा साझा होती है, इसे समानांतर-ढांचा की आवश्यक संरचना के अनुकूल माना जाता है (ढलान समान, इंटरसेप्ट का अभाव)।

E. **एक ही वस्तु के सापेक्ष अर्द्ध-रैखिक (Quasi-linear) प्राथमिकताएँ** — जब सभी के लिए एक ही numeraire में क्वाजी-लिनियरिटी हो, तो आय का प्रभाव उसी वस्तु में जाता है; इष्टतम बंडल की गमन-रेखा सीधी होती है और अलग-अलग उपभोक्ताओं में समान ढलान के साथ समानांतर पथ मिलते हैं (रूचि-पैरामीटर के चलते इंटरसेप्ट भिन्न हो सकते हैं)।

क्यों नहीं (B, C):

B. **विषमरूप (Heterogeneous) प्राथमिकताएँ** — सामान्यतः ढलानें बदलती हैं; समानांतरता टूटती है।

C. **समान संपदा-वितरण** — समानांतर रेखाएँ रुचि-संरचना से आती हैं; केवल संपदा बराबर बाँट देने से यह गुण स्वतः नहीं मिलता।

10. **वर्गीकरण (चालू खाता बनाम पूंजी/वित्त) :**

A. **अदृश्य निर्यात-आयात (सेवाएँ, आय, आदि)** — चालू खाते का हिस्सा।

C. **एकपक्षीय हस्तांतरण (remittances, grants)** — चालू खाता।

B. **प्रत्यक्ष निवेश (FDI)** — पूँजी/वित्त खाते में।

D. **SDR आबंटन** — देयताओं/आरक्षित परिसंपत्तियों का लेखा-परिवर्तन; वित्त खाते में।

E. **विदेशी राष्ट्रों से उधारी** — पूँजी/वित्त खाता।

अतः चालू खाते में आने वाले घटक केवल A और C हैं।

11. **नवशास्त्रीय (Solow-प्रकार) निष्कर्ष :**

- बचत दर बढ़ाने पर पूँजी-संचय तेज होता है, जिससे संक्रमण काल में उत्पादन (और प्रति-व्यक्ति उत्पादन) की वृद्धि दर बढ़ जाती है; अतः (1) सत्य।

- दीर्घावधि (steady state) की प्रति-व्यक्ति वृद्धि दर बाह्य तकनीकी प्रगति से तय होती है; मात्र बचत-दर बढ़ाने से यह नहीं बढ़ती; अतः (2) असत्य।
- स्थिर-अवस्था पूँजी/श्रम अनुपात बचत बढ़ने पर ऊँचा होता है, घटता नहीं; अतः (3) असत्य।
- दीर्घावधि पूँजी-स्तर व प्रति-व्यक्ति उत्पादन बचत बढ़ने पर अधिक होते हैं, घटते नहीं; अतः (4) असत्य।

12. विस्तृत विश्लेषण (कोस प्रमेय) :

A. यदि संपत्ति-अधिकार प्रदूषणकर्ता को दिए गए हैं, तो सौदेबाजी में वह पीड़ित को क्षतिपूर्ति देकर अपनी गतिविधि जारी रख सकता है—यह कुशल (efficient) परिणाम दे सकता है।

B. यदि अधिकार पीड़ित के पास हों, तो वह प्रदूषण घटाने/रोकने के लिए प्रदूषक को भुगतान कर सकता है; सौदेबाजी-समाधान फिर भी कुशल रह सकता है।

D. शून्य (या नगण्य) लेन-देन लागत पर बाह्यताओं की उपस्थिति में भी स्वैच्छिक सौदेबाजी से कुशल परिणाम संभव हैं।

क्यों नहीं C, E:

C. कोस के अनुसार दक्षता हेतु कर लगाना आवश्यक शर्त नहीं है; निजी सौदेबाजी पर्याप्त हो सकती है।

E. समान सौदेबाजी शक्ति की कोई अनिवार्यता नहीं; परिणामों का वितरण बदल सकता है, पर कुशलता बनी रह सकती है।

13. माँग : $P(x) = \sqrt{9-x}$ और उपभोग $x_0 = 5$, पर है।

व्यय (Expenditure): $P(5).5 = \sqrt{4} \cdot 5 = 2.5 = 10$

माँग-वक्र के नीचे का क्षेत्र 0 से 5 तक :

$$\int_0^5 \sqrt{9-x}\, dx = \left[-\frac{2}{3}(9-x)^{3/2}\right]_0^5$$

$$= \frac{2}{3}(9^{3/2} - 4^{3/2})$$

$$= \frac{2}{3}(27-8)$$

$$= \frac{38}{3}$$

उपभोक्ता अधिशेष (CS): $= \dfrac{38}{3} - 10 = \dfrac{8}{3}.$

14. मिलान व तर्क :

A. आय लोचशीलता एक से अधिक → III (विलासिता वस्तुएँ)

आय लोच >1 होने पर वस्तु को विलासिता (luxury) माना जाता है—आय बढ़े तो माँग आय से तेज बढ़ती है।

B. धनात्मक क्रॉस-मूल्य लोचशीलता → I (प्रतिस्थापक वस्तुएँ)

क्रॉस-लोच >0 दर्शाता है कि एक वस्तु की कीमत बढ़े तो दूसरी की माँग बढ़ती है—प्रतिस्थापन संबंध।

C. अधोगामी ढाल (downward sloping) PCC → IV (सापेक्षिक प्रत्यास्थ/लोचशील माँग)

मूल्य-उपभोग वक्र का ऋणात्मक ढाल बताता है कि जिस वस्तु का दाम घट रहा है, उसकी खपत बढ़ते हुए दूसरी वस्तु की खपत घटा रही है—उच्च प्रतिस्थापन प्रवृत्ति/उच्च प्रत्यास्थता का संकेत; अतः सापेक्षिक लोचशील माँग से संगति।

D. नकारात्मक आय-प्रभाव → II (हीनतम वस्तुएँ)

आय बढ़ने पर माँग घटती है—यह हीन (inferior) प्रकृति का सूचक है।

15. राष्ट्रीय आय में ₹ 400 की कमी होगी

सीमांत उपभोग प्रवृत्ति (MPC) = 0.8. एकमुश्त कर में वृद्धि ($\Delta T = +100$) से संतुलन-आय का परिवर्तन कर-गुणक से मिलता है :

$$\Delta Y = \frac{MPC}{1-MPC}\Delta T$$

$$= -\frac{0.8}{1-0.8} \times 100$$

$$= -\frac{0.8}{0.2} \times 100$$

$$= -4 \times 100$$

$$= -400.$$

अतः राष्ट्रीय आय ₹ 400 घटेगी।

16. आरोही क्रम (कुल व्यय में % हिस्सेदारी) :

C. पेंशन : सबसे छोटा हिस्सा।

D. प्रमुख सब्सिडियाँ : पेंशन से बड़ा, पर मध्यम स्तर।

A. वित्त आयोग एवं अन्य अंतरण : राज्यों/अन्य को स्थानान्तरण; सब्सिडियों से ऊँचा हिस्सा।

E. **केन्द्रीय क्षेत्र योजनाएँ (रक्षा व सब्सिडी-संबंधित पूंजीगत व्यय छोड़कर)** : बड़े कार्यक्रमों के कारण A से ऊपर।

C. **ब्याज भुगतान** : कुल व्यय में सबसे बड़ा हिस्सा।

इसलिए बढ़ते क्रम में : C, D, A, E, B.

17. विधि (Y on X प्रतिगमन) :

दिये गए : $\bar{Y} = 40, \bar{X} = 6$, $s_X = 1.5$, $s_Y = 10$, $r = 0.9$ विज्ञापन X = 10 पर बिक्री का अनुमान :

$$\hat{Y} = \bar{Y} + r\left(\frac{s_Y}{s_X}\right)(X - \bar{X})$$

$$= 40 + 0.9\left(\frac{10}{1.5}\right)(10 - 6)$$

$$= 40 + 0.9 \times 6.666 \ldots \times 4$$

$$= 40 + 24$$

$$= 64.$$

अतः संभावित बिक्री ≈ ₹ 64 करोड़।

18. व्याख्या :

A. बाह्यता होने पर सभी लागत और लाभ क्रेताओं व उत्पादकों द्वारा आंतरिकीकृत नहीं किए जाते, इसलिए यह सत्य है।

B. बाह्यता अल्प-उत्पादन (सकारात्मक बाह्यता) या अधिक-उत्पादन (नकारात्मक बाह्यता) का कारण बनती है—यह भी सत्य।

C. बाह्यता की उपस्थिति में बाजार आधारित निर्णय स्वतः दक्षतम परिणाम नहीं देते; इसलिए यह असत्य।

D. नकारात्मक बाह्यता में सीमांत सामाजिक लागत > सीमांत लागत (निजी) होती है—सत्य।

E. जब संपत्ति अधिकार स्पष्ट रूप से परिभाषित हों, तो सौदेबाजी (कोस प्रमेय) से बाह्यता की समस्या हल हो सकती है—सत्य।

19. भारतीय रिजर्व बैंक की मौद्रिक नीति रूपरेखा में परिचालन लक्ष्य (Operational target) वह दर है जिसे अल्पकालिक बाजार लेन-देन के माध्यम से नियंत्रित किया जाता है। भारत में यह वेटेड एवरेज कॉल मनी रेट (WACR) है। रेपो, रिवर्स रेपो, MSF जैसी दरें नीतिगत उपकरण (Policy rates) हैं, जिनसे WACR को परिचालन स्तर पर नियंत्रित किया जाता है। इसलिए सही उत्तर वेटेड एवरेज कॉल मनी रेट है।

20. स्टेप-बाय-स्टेप समाधान (y on x):

दिया है :

$\bar{x} = 32, \bar{y} = 38, b_{xy} = -0.2337, b_{yx} = -0.6643.$

x पर y का प्रतिगमन (regression of y on x) का सामान्य रूप :

$$y - \bar{y} = b_{yx}(x - \bar{x})$$

मान रखें :

$$y - 38 = -0.6643(x - 32)$$

विस्तार :

$$y - 38 = -0.6643x + (0.6643 \times 32),$$
$$= -0.6643x + 21.2576$$
$$y = -0.6643x + 21.2576 + 38$$
$$= -0.6643x + 59.2576$$

त्वरित जाँच : प्रतिगमन रेखा को $(\bar{x}, \bar{y}) = (32, 38)$ से गुजरना चाहिए

$-0.6643 \times 32 + 59.2576 = 38$ इसलिए समीकरण सही है।

21. तर्क (बढ़ते क्रम : नाममात्र GDP पर बाजार पूंजीकरण/Market-cap-to-GDP):

- **ब्राजील (D):** उभरते बाजारों में अपेक्षाकृत छोटा इक्विटी बाज़ार, कम अनुपात।
- **चीन (C):** बड़े GDP के मुकाबले इक्विटी बाजार का हाल के वर्षों में कमजोर प्रदर्शन; अनुपात ब्राजील से थोड़ा ऊपर।
- **यू.के. (A):** परिपक्व बाजार, मध्यम/ऊपरी-मध्य अनुपात।
- **भारत (B):** तेजी से बढ़ता बाजार; अनुपात यू.के. से ऊँचा।
- **जापान (E):** बहुत बड़ा बाजार-कैप, अनुपात पाँचों में सर्वाधिक के निकट।

इसलिए बढ़ते क्रम में : D, C, A, B, E.

22. मिलान व व्याख्या (भारत की मौद्रिक नीति रूपरेखाएँ) :

A. **राजकोषीय प्रभुत्व → II (1951–1985):** उच्च राजकोषीय घाटे का मौद्रिकरण, नियंत्रित दरें, ऋण का बाध्य खरीद—मौद्रिक नीति पर राजकोषीय प्राथमिकताओं का दबदबा।

B. **बहुविध सूचक उपागम → III (1998–2016):** सिर्फ मुद्रा/एम-टार्गेटिंग पर निर्भर न रहकर कई बाजार सूचकों (ब्याज, दरें, क्रेडिट, विनिमय आदि) से संकेत लेना।

C. **प्रतिपुष्टि के साथ मौद्रिक लक्ष्यन → IV (1985–1998):** M-aggregates पर औपचारिक लक्ष्य, वास्तविकता के अनुसार फीडबैक के साथ समायोजन।

D. **लचीला/लोचशील मुद्रास्फीति लक्ष्यन → I (2016 से):** CPI-आधारित लक्ष्य, MPC ढाँचा; मौद्रिक नीति का स्पष्ट, नियम-आधारित एंकर।

23. व्याख्या (01 अप्रैल 2025 से प्रभावी संशोधित अर्हताएँ):

A. **सूक्ष्म (Micro) – निवेश सीमा** : संयंत्र/मशीनरी में ≤ ₹ 2.5 करोड़ — सत्य।

D. **सूक्ष्म (Micro) – टर्नओवर सीमा** : ≤ ₹ 10 करोड़ — सत्य।

E. **लघु (Small) – टर्नओवर सीमा** : ≤ **₹ 100** करोड़ — सत्य।

B. **मध्यम (Medium)** – टर्नओवर ≤ ₹ 50 करोड़ — यह सीमा लघु वर्ग की रही; मध्यम के लिए इससे अधिक होती है — असत्य।

C. **लघु (Small) – निवेश सीमा** ≤ **₹** 10 करोड़ — संशोधित ढांचे में लघु की निवेश सीमा इससे ऊपर जाती है — असत्य।

अतः सही संयोजन केवल A, D और E है।

24. Harrod–Domar रूपरेखा :

तीन वृद्धि-दरें :

- **वास्तविक वृद्धि (g):** अर्थव्यवस्था में आय/उत्पादन की घटित वृद्धि।
- **वीहित (warranted)** वृद्धि (g_w): वह दर जिस पर फर्में अपनी स्थिर पूँजी-उत्पादन अनुपात v के साथ क्षमता का "ठीक-ठाक" उपयोग बनाए रखती हैं :

$$g_w = \frac{s}{v} \quad (s = \text{बचत दर},\ v = \text{ICOR})$$

- **प्राकृतिक (natural)** वृद्धि (g_n): श्रम-आपूर्ति और श्रम-कार्यक्षमता/तकनीकी प्रगति के संयुक्त विस्तार की दर :

  g_n = श्रम बल वृद्धि + श्रम उत्पादकता वृद्धि

अतः (1) का कथन–प्राकृतिक दर की रचना सही है।

Knife-edge अस्थिरता : Harrod-Domar में पूँजी-गुणांक स्थिर है और समायोजन का कोई आंतरिक तंत्र नहीं। यदि $g \neq g_w$, तो क्षमता-उपयोग का विचलन प्रेरित निवेश के जरिये और बढ़ता है :

- $g > g_w$ **:** अधिक मांग/अधिक क्षमता-उपयोग ⇒ और निवेश ⇒ विचलन बढ़ता है।
- $g < g_w$ **:** कम मांग/कम क्षमता-उपयोग ⇒ निवेश घटे ⇒ विचलन बढ़ता है।

मॉडल स्वयं g को g_n की ओर खींचने का तंत्र नहीं देता; g_n सिर्फ एक सीमा (Ceiling) है–अर्थव्यवस्था उससे ऊपर टिकाऊ नहीं चल सकती, पर स्वतः वहाँ अभिसरण का निष्कर्ष नहीं निकाला जा सकता। इसलिए विकल्प (2) का कथन गलत है।

दीर्घावधि तुल्यता और पूर्ण नियोजन : श्रम और पूंजी के सतत पूर्ण नियोजन के लिए तीनों दरों का मेल चाहिए :

$$g = g_w = g_n$$

अतः (4) सही है।

g_w बनाम g_n

दीर्घावधि में $g_w = \frac{s}{v}$ का मान बचत और ICOR पर निर्भर है; यह g_n से अधिक या कम हो सकता है। अतः यह कहना कि g_w g_n से अधिक हो सकता है सही है; इसलिए (3) सही है।

ऊपर के तर्क से असत्य कथन (2) है।

25. कालक्रम (पुराने से नए) :

A. ओपेक तेल संकट - 1973 (प्रथम ऑयल शॉक)

B. अंतर्राष्ट्रीय ऋण संकट - 1982 (लैटिन अमेरिकी ऋण संकट शिखर)

C. पूर्व एशियाई वित्तीय संकट - 1997

D. अर्जेंटीना आर्थिक संकट - 2001-02

E. यूरोजोन संकट - 2010-12

अतः क्रम : A, B, C, D, E.

26. किसी वस्तु के सापेक्षिक मूल्य में वृद्धि, उस वस्तु में सघनतापूर्वक प्रयुक्त कारक की आय बढ़ाती है

तर्क (Stolper–Samuelson] 2×2 Heckscher&Ohlin ढाँचा):

- यदि "कपड़ा" श्रम-सघन है और उसके सापेक्षिक मूल्य में वृद्धि होती है, तो वास्तविक मजदूरी (श्रम

का प्रतिफल) बढ़ती है, जबकि पूँजी का वास्तविक प्रतिफल घटता है।

- **सामान्यीकृत रूप में :** किसी वस्तु के सापेक्षिक मूल्य में वृद्धि ⇒ उस वस्तु के सघन कारक की वास्तविक आय में वृद्धि, और अन्य कारक की वास्तविक आय में कमी।

इसलिए सही कथन (1) है।

27. विस्तृत गणना (औसत के लिए नमूना आकार) :

- वांछित अधिकतम त्रुटि (margin of error) E = 2 मिनट, विश्वास स्तर 95% ⇒ Z = 1.96
- समय-अध्ययन विशेषज्ञ से जनसंख्या मानक विचलन का अनुमान σ =16 मिनट।
- सूत्र :

$$n = \left(\frac{Z\sigma}{E}\right)^2 = \left(\frac{1.96 \times 16}{2}\right)^2 = (15.68)^2 = 245.86...$$

- त्रुटि सीमा सुनिश्चित करने के लिए n को ऊपर की पूर्ण संख्या पर लिया जाता है ⇒ n = 246.
- टिप्पणी : यदि σ अज्ञात होता और छोटा नमूना लेते, तो *t*-मान का उपयोग करना पड़ता; पर σ ज्ञात/अनुमानित होने पर Z-आधारित यही सूत्र उपयुक्त है।

28. आरोही क्रम का तर्क (नीति-दरों का कॉरिडोर-लॉजिक) :

- **रिवर्स रेपो दर (D):** तरलता अवशोषण के लिए निचला स्तर; कॉरिडोर का सबसे नीचे का कोना।
- **सी.आर.आर. (C):** नकद आरक्षित अनुपात प्रतिशत (दर नहीं) है; सामान्य मान-सेटिंग में रिवर्स रेपो से ऊपर रहता है, पर SDF/रेपो/MSF से नीचे।
- **स्टैण्डिंग डिपॉजिट फैसिलिटी (B) :** वर्तमान ढाँचे में फ्लोर; रिवर्स रेपो से ऊपर, रेपो से नीचे।
- **रेपो दर (E):** कॉरिडोर का केन्द्रीय "नीतिगत" एंकर; SDF से ऊपर, MSF से नीचे।
- **मार्जिनल स्टैण्डिंग फैसिलिटी (A) :** कॉरिडोर की सीलिंग; सभी से अधिक।

इसलिए बढ़ते क्रम में : रिवर्स रेपो D, C, B, E, A.

29. एक तीव्र ढाल सकल मांग वक्र और परिणामतः एक सपाट ढाल आईएस वक्र :

- IS वक्र की अवधारणारू IS वक्र उन सभी (Y, *r*) संयोजनों को दर्शाता है जहाँ वस्तु-बाज़ार संतुलन में होता है। इसमें ब्याज दर *r* और आय Y का वह संबंध शामिल है जो निवेश व बचत को संतुलित करता है।
- **उच्चतर सीमांत व्यय प्रवृत्ति (MPC) का प्रभाव :** जब उपभोग की सीमांत प्रवृत्ति (MPC) अधिक होती है, तो आय में छोटी-सी वृद्धि भी उपभोग में बड़ी वृद्धि उत्पन्न करती है। इस कारण गुणक (multiplier) बड़ा हो जाता है :

$$k = \frac{1}{1 - \text{MPC}}$$

बड़ा गुणक होने से किसी दिए गए निवेश परिवर्तन या ब्याज दर परिवर्तन के लिए आय में परिवर्तन बहुत अधिक होगा।

- **IS वक्र पर असर :** ब्याज दर घटने से निवेश बढ़ता है, और बड़ा गुणक इस निवेश वृद्धि को आय में और भी बड़ी वृद्धि में परिवर्तित करता है। इसका परिणाम यह होता है कि ब्याज दर के छोटे बदलाव पर आय में बड़े बदलाव होते हैं, जिससे IS वक्र अधिक सपाट (flatter) हो जाता है।
- **सकल मांग (AD) वक्र पर असर :** AD वक्र IS-LM संतुलनों के समुच्चय से प्राप्त होता है। जब IS अधिक सपाट होती है, तो LM-IS संतुलन का स्थान परिवर्तन कीमतों में बदलाव से अपेक्षाकृत छोटे Y-बदलाव पर होता है। यह सकल मांग वक्र को अधिक तीव्र (steeper) बना देता है।
- **निष्कर्ष :** उच्च MPC ⇒ बड़ा गुणक ⇒ सपाट IS वक्र और इसके परिणामस्वरूप तीव्र ढाल वाला AD वक्र। इस प्रकार दिया गया कथन — "एक तीव्र ढाल सकल मांग वक्र और परिणामतः एक सपाट ढाल आईएस वक्र" — सही रूप से व्यय की उच्चतर सीमांत प्रवृत्ति के प्रभाव को वर्णित करता है।

30. विस्तृत व्याख्या :

A. **प्रायिकता से प्रत्येक रणनीति सम्मिलन → IV (मिश्रित रणनीति) :** जब खिलाड़ी अपनी उपलब्ध रणनीतियों को एक निश्चित प्रायिकता वितरण के अनुसार खेलता है, तो इसे मिश्रित रणनीति (डपग्रमक ेजतंजमहल) कहा जाता है। इसमें कोई एक शुद्ध रणनीति नहीं चुनी जाती बल्कि प्रायिकताओं के आधार पर सम्मिलन होता है।

B. **अन्य की रणनीति को प्रदत्त अधिकतम पे-ऑफ → III (सर्वोत्तम प्रत्युत्तर फलन)** : किसी खिलाड़ी के लिए अन्य खिलाड़ियों की चुनी गई रणनीतियों को स्थिर मानकर जिस रणनीति से उसे सबसे अधिक लाभ (payoff) मिलता है, उसे सर्वोत्तम प्रत्युत्तर फलन (Best Response Function) कहते हैं।

C. **दीर्घावधि व्यवहार → I (नैश साम्यता)**: जब हर खिलाड़ी इस प्रकार रणनीति चुनता है कि कोई भी अकेले बदल कर बेहतर लाभ न पा सके, तो वह नैश साम्यता (Nash Equilibrium) है। दोहराए गए खेलों में, समय के साथ दीर्घकालिक स्थिर व्यवहार इसी साम्यता से जुड़ा रहता है।

D. **सजा/दण्ड अवधि अनंत है → II (ग्रिम ट्रिगर रणनीति)** : ग्रिम ट्रिगर रणनीति में यदि किसी खिलाड़ी ने एक बार धोखा दिया, तो दूसरा खिलाड़ी अनंत काल तक उसे दण्डित करता रहता है। इस प्रकार दण्ड अवधि अनंत होती है।

अतः सही संयोजन A-IV, B-III, C-I, D-II है।

31. पूंजी-प्रचुरता (Capital Abundance) की अवधारणा

किसी देश को पूंजी-प्रचुर तब कहा जाता है जब किसी दूसरे देश की तुलना में उसके पास प्रति श्रमिक अधिक पूंजी हो या पूंजी की सापेक्ष कीमत कम हो। इस सिद्धांत का उपयोग हेक्शर–ओहलिन मॉडल और अंतर्राष्ट्रीय व्यापार के विश्लेषण में किया जाता है।

A. **भौतिक अनुपात (Physical Ratio) दृष्टिकोण**

$$\left(\frac{\text{कुल पूंजी}}{\text{कुल श्रम}}\right)B > \left(\frac{\text{कुल पूंजी}}{\text{कुल श्रम}}\right)A$$

इस शर्त का अर्थ है कि देश B के पास प्रति श्रमिक पूंजी की मात्रा देश A से अधिक है, अतः B पूंजी-प्रचुर है। सही है।

B. $$\left(\frac{\text{कुल पूंजी}}{\text{कुल श्रम}}\right)B < \left(\frac{\text{कुल पूंजी}}{\text{कुल श्रम}}\right)A$$

यह बताता है कि B की पूंजी-प्रति-श्रम मात्रा कम है—यह श्रम-प्रचुरता का संकेत है, पूंजी-प्रचुरता का नहीं। ⇒ B गलत है।

C. **मूल्य अनुपात (Price Ratio) दृष्टिकोण**

$$\left(\frac{\text{पूंजी का मूल्य}}{\text{श्रम का मूल्य}}\right)B < \left(\frac{\text{पूंजी का मूल्य}}{\text{श्रम का मूल्य}}\right)A$$

यह दर्शाता है कि B में पूंजी अपेक्षाकृत सस्ती है, इसलिए उसे पूंजी-प्रचुर माना जाएगा। ⇒ C सही है।

D. $$\left(\frac{\text{पूंजी का मूल्य}}{\text{श्रम का मूल्य}}\right)B > \left(\frac{\text{पूंजी का मूल्य}}{\text{श्रम का मूल्य}}\right)A$$

यह संकेत देता है कि B में पूंजी अपेक्षाकृत महंगी है ⇒ D गलत है।

E. $$\left(\frac{\text{कुल श्रम}}{\text{कुल पूंजी}}\right)B > \left(\frac{\text{पूंजी का मूल्य}}{\text{श्रम का मूल्य}}\right)A$$

यह असंगत तुलना है और पूंजी-प्रचुरता की परिभाषा से मेल नहीं खाती ⇒ E गलत है।

पूंजी-प्रचुरता के सही संकेतक केवल A और C हैं।

32. विस्तृत समाधान :

- कुल लागत : $C = 100 + 0.015X^2$
- कुल राजस्व : $R = 3X$
- लाभ :

$$\pi = R - C$$
$$= 3X - (100 + 0.015X^2)$$
$$= -0.015X^2 + 3X - 100$$

- **सीमान्त लाभ (Derivative):**

$$\frac{d\pi}{dX} = -0.03X + 3$$

अधिकतम पर $\frac{d\pi}{dX} = 0$:

$$-0.03X + 3 = 0$$
$$\Rightarrow 0.03X = 3$$
$$\Rightarrow X = 100$$

द्वितीय अवकलन जाँच :

$$\frac{d^2\pi}{dX^2} = -0.03 < 0$$

⇒ यह अधिकतम है।

इसलिए लाभ को अधिकतम करने वाला उत्पादन स्तर 100 इकाइयाँ है।

33. संपत्ति अधिकार वे कानूनी रूप से लागू अधिकार हैं जो यह निर्धारित करते हैं कि :

- संसाधन का उपयोग कौन करेगा,
- उसका स्वामित्व किसके पास होगा,
- और उसका हस्तांतरण कैसे किया जाएगा।

यह परिभाषा आर्थिक सिद्धांत में मान्य है। अन्य विकल्प या तो केवल सरकारी स्वामित्व तक सीमित हैं, या सामाजिक नियम बताते हैं, या निजी लाभ को रोकने की बात करते हैं—ये संपत्ति अधिकार की सही परिभाषा नहीं हैं।

34. मिलान व विस्तृत व्याख्या :

A. **बचत का विरोधाभास → III (जे. एम. कीन्स) :** कीन्स ने बताया कि यदि सभी बचत बढ़ाते हैं, तो समष्टि माँग घट सकती है और आय कम हो सकती है—इसे पैरेडॉक्स ऑफ थ्रिफ्ट कहते हैं।

B. **जल-हीरा विरोधाभास → IV (एडम स्मिथ) :** एडम स्मिथ ने बताया कि जल आवश्यक होते हुए भी सस्ता है, जबकि हीरे कम उपयोगी होते हुए भी महंगे हैं—यह वैल्यू पैरेडॉक्स है।

C. **मजदूरी रोजगार विरोधाभास → II (ए.सी. पिगू) :** पिगू के विश्लेषण में कभी-कभी मजदूरी कम करने से रोजगार बढ़ने के बजाय घट सकता है—इसे वेज-एम्प्लॉयमेंट पैरेडॉक्स कहा गया।

D. **समष्टि आर्थिक विरोधाभास → I (के. बेल्डिंग) :** समष्टि अर्थशास्त्र के व्यापक परिप्रेक्ष्य में के. बेल्डिंग ने इस अवधारणा को प्रतिपादित किया।

अतः सही संयोजन A-III, B-IV, C-II, D-I है।

35. मैचिंग पेन्नीज गेम

- Matching Pennies में खिलाड़ियों की रुचियाँ पूरी तरह विरोधी होती हैं—एक को मिलान चाहिए, दूसरे को असंगति। किसी भी शुद्ध रणनीति युग्म पर कम-से-कम एक खिलाड़ी अपना चुनाव बदलकर अपना पेऑफ बढ़ा सकता है, इसलिए शुद्ध नैश साम्य नहीं बनता। (यह खेल मिश्रित रणनीति में संतुलन रखता है, पर शुद्ध में नहीं।)
- BoS (Battle of the Sexes) और Stag Hunt दोनों में दो शुद्ध नैश संतुलन होते हैं।
- Prisoners' Dilemma में एक शुद्ध नैश संतुलन (दोनों का 'डिफेक्ट') होता है।

36. विस्तृत व्याख्या (Solow/नवशास्त्रीय संवृद्धि) :

A. **प्रति व्यक्ति पूंजी का स्थिर-अवस्था स्तर घटता है — सत्य।** n बढ़ने पर पूंजी-परिशोधन (capital dilution) तेज होता है; दिए गए s और v पर k (per-worker capital) कम हो जाती है।

B. **प्रति व्यक्ति उत्पादन में वृद्धि — असत्य।** k^* घटने से y^* (per-worker output) घटता है, बढ़ता नहीं।

C. **कुल उत्पादन की स्थिर-अवस्था वृद्धि दर बढ़ती है — सत्य।** समेकित Y की steady-state वृद्धि $n + g$ होती है; n बढ़ने पर यह दर बढ़ती है (मानते हुए g स्थिर है)।

D. **पूंजी-उत्पादन अनुपात में कमी — (कई निरूपणों में)** $K/Y = \frac{s}{n+g+\delta}$ से n बढ़ने पर घटता है; पर मानक परीक्षा-विकल्पों में अक्सर A और C पर बल होता है।

E. **उत्पादन-संभावना वक्र का अंतर्मुखी हस्तांतरण — असत्य।** श्रम वृद्धि से संसाधन-सीमा सामान्यतः बाहर की ओर सरकती; अंतर्मुखी बदलाव का निष्कर्ष उचित नहीं।

विकल्पों के अनुरूप न्यूनतम निर्विवाद सही युग्म A और C हैं।

37. विस्तृत गणना :

- प्रथम पद पर चयनित होने की प्रायिकता = 1/3 (3 दावेदार)।
- द्वितीय पर = 1/4 (4 दावेदार)।
- तृतीय पर = 1/2 (2 दावेदार)।
- कम-से-कम एक पर चयनित होने की प्रायिकता 1 – Pr (कहीं भी नहीं)

$$= 1\left(\frac{2}{3}\cdot\frac{3}{4}\cdot\frac{1}{2}\right)$$

$$= 1-\frac{1}{4}$$

$$= \frac{3}{4}$$

38. मिलान और कारण :

A. **भुगतान संतुलन की आय-प्रेरित समायोजन प्रक्रिया → II (कीन्स, जे. एम.) :** आय/उत्पादन में परिवर्तन के जरिए आयात-निर्यात तथा BOP असंतुलन का स्वःसमायोजन—कीन्सीय आय-समायोजन दृष्टि।

B. **BOP का अवशोषण (Absorption) उपागम → III (सिडनी एस. एलेक्जेंडर) :** B = Y – A (जहाँ A = Absorption) पर बल; BOP सुधार के लिए उत्पादन-अवशोषण का अंतर निर्णायक।

C. **असंभव त्रयी → IV (मुंडेल-फ्लेमिंग) :** स्थिर विनिमय दर, मुक्त पूँजी प्रवाह और स्वतंत्र मौद्रिक नीति—तीनों साथ असंभव।

D. **कारक मूल्य साम्यकरण प्रमेय → I (पॉल सैमुअल्सन) :** H–O ढाँचे में मुक्त व्यापार के तहत समान तकनीक पर कारक-प्रतिफलों के समतलीकरण का सिद्धांत।

39. कालडोर के संवृद्धि नियम व ओकुन का नियम :

A. **कालडोर का प्रथम नियम → III**

GDP वृद्धि का उद्योग (निर्माण) की वृद्धि g_m से सकारात्मक संबंध : $g_{GDP} = f(g_m), f' > 0$.

B. **कालडोर का द्वितीय नियम (Verdorn's Law) → I**

निर्माण उत्पादकता P_m का g_m से सकारात्मक संबंध : $P_m = f(g_m), f' > 0$.

C. **कालडोर का तृतीय नियम → IV**

गैर-निर्माण क्षेत्र की उत्पादकता P_{nm} का g_m से सकारात्मक संबंध : $P_{nm} = f(g_m), f' > 0$.

D. **ओकुन का नियम → II**

आउटपुट/रोजगार-अन्तर का संबंध : $y' = -\varepsilon(u - u^*)$ (बेरोजगारी गैप बढ़े तो आउटपुट वृद्धि घटती है)।

40. मौद्रिक नीति ढाँचे का वैधानिक रूप और मौद्रिक नीति समिति (MPC) की स्थापना के साथ अधिदेश/प्रस्तावना में मुद्रास्फीति लक्ष्यन को समाहित करने हेतु कानून में संशोधन 2016 में किया गया।

41. अंतर्राष्ट्रीय व्यापार के उत्पाद चक्र मॉडल (Vernon Product Cycle) में :

- **चरण-I:** नवोन्मेषी देश में नया उत्पाद; घरेलू बाजार और विकसित देशों को निर्यात।
- **चरण-II:** अन्य विकसित देश अनुकरण करते हैं; नवोन्मेषी देश अभी भी प्रमुख आपूर्तिकर्ता।
- **चरण-III:** अनुकरणकर्ता देशों का उत्पादन बढ़ता है और वे घरेलू व तृतीयक बाजारों में हिस्सेदारी लेना शुरू करते हैं।
- **चरण-IV:** अनुकरणकर्ता देश तृतीयक बाजारों में नवोन्मेषी देश से कम बिक्री करने लगते हैं—यह विकल्प सही है।
- **चरण-V:** उत्पादन पूरी तरह स्थानांतरित हो सकता है।

42. गरीबी-भारित संवृद्धि सूचकांक (Poverty-weighted growth index) का उद्देश्य संवृद्धि के मापन में गरीबों को तुलनात्मक रूप से अधिक महत्व देना है। परिभाषा के अनुसार, यह इस विचार पर आधारित है कि सभी आय समूहों को कम से कम बराबर महत्व दिया जाए, ताकि संवृद्धि मापन केवल समृद्ध वर्ग पर निर्भर न रहे।

43. उत्पादन के कारकों का अतिनियोजन

- धनात्मक निर्गत अंतराल (Positive Output Gap) तब होता है जब वास्तविक उत्पादन (Actual Output) संभावित उत्पादन (Potential Output) से अधिक होता है।
- ऐसा तब होता है जब श्रम, पूँजी या अन्य संसाधनों का अतिनियोजन किया जाए, उदाहरण : अत्यधिक ओवरटाइम या मशीनों का क्षमता से अधिक प्रयोग।
- जनसंख्या वृद्धि या तकनीकी प्रगति संभावित उत्पादन को बढ़ाते हैं; संसाधनों का कम उपयोग नकारात्मक अंतराल दर्शाता है।

अतः सही कारण : उत्पादन के कारकों का अतिनियोजन।

44. सही मिलान :

A. **सौर ऊर्जा → II (20.60%)**

भारत में सौर ऊर्जा की स्थापित क्षमता पिछले कुछ वर्षों में तेजी से बढ़ी है। नवंबर 2024 तक उपलब्ध आँकड़े दर्शाते हैं कि सौर ऊर्जा कुल स्थापित ऊर्जा उत्पादन क्षमता का लगभग 20.60% बनाती है, जिससे यह सूचीबद्ध स्रोतों में सबसे बड़ा योगदानकर्ता है।

B. **जल ऊर्जा → III (10.30%)**

हाइड्रो पावर पारंपरिक नवीकरणीय स्रोतों में एक महत्वपूर्ण भाग है। आँकड़ों के अनुसार इसका योगदान 10.30% के आस-पास है। यह सौर और पवन के बाद प्रमुख नवीकरणीयों में एक स्थिर हिस्सा रखता है।

C. **परमाणु ऊर्जा → IV (1.80%)**

परमाणु ऊर्जा गैर-जीवाश्म स्रोतों में आती है, पर इसकी हिस्सेदारी अपेक्षाकृत बहुत कम रहती है। नवंबर 2024 के आँकड़ों में इसका हिस्सा केवल 1.80% है, जो इसे सबसे छोटे भाग के रूप में चिन्हित करता है।

D. **पवन ऊर्जा → I (10.50%)**

पवन ऊर्जा भी भारत में नवीकरणीय ऊर्जा के मुख्य स्रोतों में से एक है। इसका योगदान 10.50% के आसपास है, जो जल ऊर्जा से थोड़ा अधिक है।

इन कारणों से सही संयोजन A-II, B-III, C-IV, D-I है।

45. चरण-दर-चरण समाधान :

1. भिन्न को सरल करने पर :

$$\frac{x+3}{x+5} = \frac{(x+5)-2}{x+5}$$

$$= 1-\frac{2}{x+5}$$

2. समाकलन करने पर :

$$\int\frac{x+3}{x+5}dx = \int\left(1-\frac{2}{x+5}\right)dx$$

$$= \int dx - 2\int\frac{1}{x+5}dx$$

3. प्रतिलोम लेने पर :

$$\int dx = x,\ \int\frac{1}{x+5}dx = \ln|x+5|$$

4. परिणाम

$$x - 2\ \ln|x + 5| + c$$

46. सही कथन और व्याख्या

A. एफटीपी 2023 डिजिटल अर्थव्यवस्था में सीमा-पार व्यापार को बढ़ावा देती है — सत्य। नीति ई-कॉमर्स तथा डिजिटल प्लेटफॉर्म के माध्यम से निर्यात को प्रोत्साहित करती है।

B. ई-कॉमर्स निर्यात हब (ECEH) के निर्माण पर बल देती है — सत्य। इसका उद्देश्य छोटे व्यवसायों को अंतरराष्ट्रीय बाजार तक पहुँच प्रदान करना है।

C, इराक से और इराक में शस्त्रों और संबंधित सामग्री के निर्यात-आयात का प्रतिबंध — सत्य। यह निर्यात नियंत्रण सूची में उल्लिखित है।

D. सोमालिया से चारकोल के आयात का प्रतिषेध — सत्य। यह भी नियंत्रण सूची का भाग है।

E. लड़ाकू विमान, मिसाइलों और हथियारों के लिए कोरिया जनवादी गणराज्य से व्यापार बढ़ाने का उल्लेख — असत्य। नीति उत्तर कोरिया जैसे प्रतिबंधित देशों के साथ हथियार व्यापार को प्रोत्साहित नहीं करती।

47. सही मिलान :

A. आयकर → III (22%)

आयकर व्यक्तियों, हिंदू अविभाजित परिवारों (HUF) तथा कुछ अन्य संस्थाओं की आय पर लगाया जाता है। केंद्रीय बजट 2025-26 के अनुमान के अनुसार, कुल सरकारी प्राप्तियों में आयकर का योगदान लगभग 22% है। यह प्रत्यक्ष करों में सबसे बड़ा स्रोत है और सरकार के कुल राजस्व का एक प्रमुख अंग बनाता है।

B. सीमा शुल्क → I (4%)

सीमा शुल्क आयातित एवं कुछ निर्यातित वस्तुओं पर लगाया जाता है। आधुनिक समय में भारत ने व्यापार उदारीकरण किया है, जिससे सीमा शुल्क से प्राप्त राजस्व का हिस्सा तुलनात्मक रूप से कम हो गया है। कुल प्राप्तियों में इसका हिस्सा लगभग 4% आँका गया है।

C. निगम कर → IV (17%)

निगम कर कंपनियों के लाभ पर लगाया जाता है। यह प्रत्यक्ष कर का दूसरा बड़ा स्रोत है। केंद्रीय बजट 2025-26 के अनुसार, निगम कर का हिस्सा लगभग 17% है, जो कॉर्पोरेट क्षेत्र की आय से होने वाले राजस्व को दर्शाता है।

D. केंद्रीय उत्पाद शुल्क → II (5%)

केंद्रीय उत्पाद शुल्क भारत में उत्पादित चुनिंदा वस्तुओं (मुख्यतः पेट्रोलियम उत्पादों व तंबाकू) पर लगाया जाता है। जीएसटी लागू होने के बाद इसका दायरा घटा है, परन्तु पेट्रोलियम उत्पादों के कारण यह राजस्व का स्रोत बना हुआ है। कुल प्राप्तियों में इसका योगदान लगभग 5% है।

उपरोक्त विस्तृत विश्लेषण के आधार पर सही संयोजन A-III, B-I, C-IV, D-II है।

48. मिलान और विस्तृत व्याख्या :

A. $\int_0^\infty \frac{1}{1+x^2}dx$ → III. $\pi/2$

यह आर्कटैन्जेन्ट (arctan) फलन का मानक समाकलन है :

$$\int\frac{1}{1+x^2}dx = \arctan x$$

$$\Rightarrow [\arctan x]_0^\infty = \lim_{b\to\infty}\arctan b - \arctan 0$$

$$= \frac{\pi}{2} - 0 = \frac{\pi}{2}$$

B. $\int_1^\infty \frac{1}{\sqrt{x}}dx$ → I. विद्यमान नहीं है

$$\int x^{-1/2}dx = 2\sqrt{x}$$

$$\Rightarrow \left[2\sqrt{x}\right]_1^{\infty} = \lim_{b\to\infty} 2\sqrt{b} - 2 = \infty$$

C. $\int_{-\infty}^{-1} \frac{1}{x^4} dx \rightarrow$ II. 1/3

$$\int x^{-4} dx = -\frac{1}{3}x^{-3}$$

$$\Rightarrow \left[-\frac{1}{3}x^{-3}\right]_{-\infty}^{-1} = -\frac{1}{3}(-1)^{-3} - \lim_{a\to-\infty}\left(-\frac{1}{3}a^{-3}\right)$$

$$= \frac{1}{3} - 0 = \frac{1}{3}$$

D. $\int_{-\infty}^{+\infty} \frac{1}{1+x^2} dx \rightarrow$ IV. π

$$[\arctan x]_{-\infty}^{+\infty} = \lim_{b\to\infty} \arctan b - \lim_{a\to\infty} \arctan a$$

$$= \frac{\pi}{2} - \left(-\frac{\pi}{2}\right) = \pi$$

अतः सही मिलान A-III, B-I, C-II, D-IV है।

49. हीनतम किन्तु गिफिन नहीं

- गिफिन वस्तु तब होती है जब आय प्रभाव और प्रतिस्थापन प्रभाव विपरीत दिशा में हों और आय प्रभाव का परिमाण प्रतिस्थापन प्रभाव से बड़ा हो—इससे माँग वक्र धनात्मक ढलान का हो जाता है।
- यहाँ प्रतिस्थापन प्रभाव का प्रभुत्व है (अर्थात् यह बड़ा है), भले ही आय प्रभाव विपरीत दिशा में है – वस्तु की कीमत घटने पर माँग बढ़ती है, लेकिन वस्तु हीनतम (Inferior) बनी रहती है।

इसलिए उत्तर : हीनतम किन्तु गिफिन नहीं।

50. विस्तृत/चरण-दर-चरण जाँच :

A. **मुख्य प्रतिपादक आर. ई. लुकास जूनियर — सत्य**

नई शास्त्रीय (New Classical) मैक्रो की नींव लुकास, सार्जेंट, वॉलेस, प्रिस्कॉट आदि ने रखी लुकास को इसके प्रमुख स्थापकों में गिना जाता है।

B. **"अनुकूली प्रत्याशा" पर आधारित — असत्य**

नई शास्त्रीय दृष्टिकोण का केंद्रीय स्तंभ तर्कसंगत प्रत्याशाएँ (Rational Expectations) है; पर यह "पूर्ण/सम्पूर्ण जानकारी" का अनुमान आवश्यक रूप से नहीं लगाता। उदाहरणतः, गलत-अनुमान/सूचना-विसंगति (misperceptions) वाले मॉडल भी इसी परंपरा में आते हैं। इसलिए "अनुकूली प्रत्याशा" पर आधारित कहना सटीक नहीं अतः यह कथन सही निरूपण नहीं है।

C. **1950 के दशक में विकसित — असत्य**

यह परंपरा 1970 के दशक में उभरी और 1980 के दशक में पुख्ता हुई; 1950 का उल्लेख अनुपयुक्त है।

D. **पूर्ण मजदूरी व मूल्य लोचशीलता (market clearing) — सत्य**

नई शास्त्रीय विश्लेषण सतत बाज़ार-संतुलन मानता है; कीमतें/मजदूरी लचीली मानी जाती हैं, इसलिए संसाधन-बाज़ार क्लीयर होते हैं।

E. **वास्तविक व प्रत्याशित मूल्य का अंतर यादृच्छिक त्रुटि — सत्य**

तर्कसंगत प्रत्याशाओं में पूर्वानुमान-त्रुटि अपूर्वानुमेय/रैंडम (शून्य-औसत) होती है; व्यवस्थित, दोहराई जा सकने वाली गलती की अनुमति नहीं।

सत्य कथन A, D, E हैं।

51. मिलान व व्याख्या :

A. **विलोम "U" परिकल्पना → III (साइमन कुजनेट्स)** – आय असमानता और आर्थिक वृद्धि के संबंध में कुजनेट्स की परिकल्पना।

B. **संधारणीय विकास → IV (ग्रो हारलेन ब्रंटलैंड)** – ब्रंटलैंड रिपोर्ट ने स्थायी विकास की परिभाषा दी।

C. **पारिस्थितिकी अर्थशास्त्र → I (हर्मन डेली)** – डेली इस क्षेत्र के प्रमुख प्रतिपादक हैं।

D. **सर्वसामान्य की त्रासदी → II (गारेट्ट हार्डिन)** – सार्वजनिक संसाधनों के अतिप्रयोग का सिद्धांत।

52. क्रम का विस्तृत तर्क (2023-24 के आंकड़े, जीडीपी के प्रतिशत के रूप में)

D. **चालू खाते का घाटा (Current Account Deficit)** – सबसे कम प्रतिशत।

B. **प्रभावी राजस्व घाटा (Effective Revenue Deficit)** – चालू खाते से ऊपर, पर अन्य घाटों से कम।

C. **प्राथमिक घाटा (Primary Deficit)** — इससे ऊपर।

E. **राजस्व घाटा (Revenue Deficit)** – प्राथमिक घाटे से अधिक।

A. **राजकोषीय घाटा (Fiscal Deficit)** — सबसे बड़ा प्रतिशत।

अतः आरोही क्रम : D → B → C → E → A.

53. चरण-दर-चरण समाधान

पॉइसॉन वितरण का प्रायिकता फलन :

$$P(x) = \frac{e^{-\lambda}\lambda^x}{x!}, x = 0, 1, 2, ...$$

हमें ज्ञात करना है :

$$P(x + 1) = ?$$

चरण 1: के लिए फलन लिखें

$$P(x+1) = \frac{e^{-\lambda}\lambda^{x+1}}{(x+1)!}$$

चरण 2: से अनुपात लें

$$P(x) = \frac{e^{-\lambda}\lambda^x}{x!}$$

अब

$$\frac{P(x+1)}{P(x)} = \frac{\frac{e^{-\lambda}\lambda^{x+1}}{(x+1)!}}{\frac{e^{-\lambda}\lambda^x}{x!}}$$

$$= \frac{\lambda^{x+1}}{\lambda^x} \cdot \frac{x!}{(x+1)!}$$

$$= \lambda \cdot \frac{1}{x+1}$$

चरण 3: $P(x + 1)$ को $P(x)$ के रूप में लिखें

$$P(x+1) = \frac{\lambda}{x+1} P(x)$$

54. धीमी समायोजन (sticky wages/prices) में जब नीति कड़ाई (disinflation) की जाती है, तो नामधारी वेतन-कीमतें तेज़ी से नीचे नहीं आतीं। वास्तविक मजदूरी/वास्तविक कीमतें बढ़ जाती हैं, माँग घटती है, उत्पादन-रोजगार अधिक गिरते हैं यही "त्याग अनुपात" (sacrifice ratio) को बड़ा बनाता है। तर्कसंगत/विश्वसनीय अपेक्षाएँ सामान्यतः लागत घटाती हैं; क्रमिक/धीमी नीति अक्सर मंदी को खींचकर कुल उत्पादन-हानि बढ़ा सकती है, पर प्रत्यक्ष रूप से सबसे स्पष्ट कारण धीमा प्रत्युत्तर ही है।

55. विकल्पों की जांच :

A. ऋणयोग्य निधि हेतु मांग दायीं शिफ्ट — सरकारी घाटा वित्त के लिए उधारी बढ़ती है — **सत्य**।

B. ब्याज दर में कमी — मांग बढ़ने से संतुलन ब्याज दर बढ़ती है — **असत्य**।

C. निवेश में वृद्धि — उच्च ब्याज दर से निजी निवेश घटता है (crowding out) — **असत्य**।

D. बचत में वृद्धि = उपभोग में कमी — उच्च r से निजी बचत बढ़ती/उपभोग घटता है — **सत्य**।

E. निवेश व उपभोग में कमी, जो G की वृद्धि की भरपाई करती है — पूर्ण-रोजगार उत्पादन मान्यता में, G↑ का प्रभाव C↓ और I↓ से ऑफसेट होता है — **सत्य**।

अतः केवल A, D और E सत्य है।

56. अप्रत्यक्ष न्यूनतम वर्ग (Indirect Least Squares– ILS) एक ऐसी तकनीक है जो समकालिक समीकरण प्रणालियों में तब उपयोग की जाती है जब दाएँ तरफ के चर (explanatory variables) में से कुछ आंतजात (endogenous) हों। इस स्थिति में सामान्य न्यूनतम वर्ग (OLS) विधि पक्षपाती (biased) और असंगत (inconsistent) अनुमान देती है।

संरचनात्मक समीकरण क्या हैं

- ये आर्थिक सिद्धांतों पर आधारित मूलभूत समीकरण होते हैं।
- इनमें कई आंतजात और बाह्य (exogenous) चर सम्मिलित होते हैं।
- समकालिक प्रणालियों के भीतर प्रत्येक संरचनात्मक समीकरण अर्थशास्त्रीय संबंधों का प्रत्यक्ष निरूपण है।

ILS की प्रक्रिया

- सबसे पहले अवक्रमित रूप (Reduced Form) समीकरण निकाले जाते हैं, जिनमें केवल बाह्य चर होते हैं।
- इन अवक्रमित समीकरणों पर OLS लागू कर गुणांक प्राप्त किए जाते हैं।
- इन गुणांकों और संरचनात्मक समीकरणों के बीच ज्ञात बीजीय संबंधों का उपयोग कर मूल संरचनात्मक गुणांकों का अनुमान लगाया जाता है।

क्यों अन्य विकल्प सही नहीं

- **अत्यभिज्ञात समीकरण** : यह पहचान की स्थिति है, पर ILS को विशेष रूप से "अत्यभिज्ञात" तक सीमित नहीं किया जाता; इसका उद्देश्य मूल संरचनात्मक समीकरणों के गुणांक निकालना है।

- **अवक्रमित रूप समीकरण** : ये केवल मध्यवर्ती कदम हैं; ILS इनका प्रत्यक्ष अनुमान नहीं लगाता।
- **अल्पाभिज्ञात समीकरण** : यहाँ पहचान असंभव होती है, इसलिए ILS लागू ही नहीं हो सकती।

अप्रत्यक्ष न्यूनतम वर्ग विधि का प्रयोग संरचनात्मक समीकरणों के सहगुणांक का प्राक्कलन करने के लिए किया जाता है। इसलिए सही उत्तर है – 1: संरचनात्मक समीकरण।

57. केवल **A, C और E**

A. पेरेटो दक्षता का अर्थ है कि कोई भी व्यक्ति किसी अन्य को बदतर किए बिना बेहतर नहीं बनाया जा सकता।

C. प्रतिस्पर्धी बाजार केवल तब दक्ष होते हैं जब बाह्यताओं जैसी बाजार विफलताएँ अनुपस्थित हों।

E. बाह्यताओं को आंतरिक करने वाली पर्यावरणीय नीतियाँ दक्षता में सुधार कर सकती हैं।

58. बाधा $4x - y = 1$

$\Rightarrow$ $y = 4x - 1$ को $U(x) = 6x^2 + y^2$ में रखने पर

$$U = 6x^2 + (4x - 1)^2$$
$$= 22x^2 - 8x + 1$$
$$\frac{dU}{dx} = 44x - 0 = 0$$
$$\Rightarrow x = \frac{2}{11}, y = -\frac{3}{11}$$
$$U = 6\left(\frac{2}{11}\right)^2 + \left(-\frac{3}{11}\right)^2$$
$$= \frac{33}{121}$$
$$= \frac{3}{11}$$

59. बूटस्ट्रैपिंग पुनः-नमूना (resampling) तकनीक है जो नमूना आँकड़ों से बार-बार नमूने लेकर किसी सांख्यिकी का अनुभवजन्य सैंपलिंग वितरण बनाती है।

60. केवल A, B और C

A. सरकारी व्यय में वृद्धि से आय गुणक के गुणनफल के समान बढ़ती है।

B. यह IS वक्र को दाहिनी ओर स्थानांतरित करती है, जिससे दी गई ब्याज दर पर मुद्रा बाजार में असंतुलन पैदा होता है।

C. आय बढ़ने से मुद्रा की माँग अधिक हो जाती है।

61. चरण-दर-चरण समाधान

हमें मूल्यांकन करना है :

$$I = \int_1^2 e^{-2x} dx$$

चरण 1: प्रतिलोम निकालें

$$\int e^{-2x} dx = \frac{e^{-2x}}{-2} = -\frac{1}{2}e^{-2x}$$

चरण 2: सीमाएँ लगाएँ

$$I = \left[-\frac{1}{2}e^{-2x}\right]_1^2$$
$$= -\frac{1}{2}e^{-4} - \left(-\frac{1}{2}e^{-2}\right)$$
$$= -\frac{1}{2}e^{-4} + \frac{1}{2}e^{-2}$$

चरण 3: सरलीकरण

$$I = \frac{1}{2}(e^{-2} - e^{-4})$$

62. कालक्रम (पुराने → नए) का ठोस तर्क

D. केनेडी चक्र (1964–1967)

- GATT के अंतर्गत बड़े पैमाने पर औद्योगिक टैरिफ कटौती का दौर।
- आधुनिक बहुपक्षीय वार्ता-परंपरा की अहम शुरुआत।

E. टोकियो चक्र (1973–1979)

- केवल टैरिफ ही नहीं, बल्कि गैर-शुल्क बाधाएँ (NTBs) और "कोड्स" पर भी समझौते।
- नियम-आधारित व्यापार शासन की ओर महत्वपूर्ण कदम।

C. उरुग्वे चक्र (1986–1994)

- कृषि, सेवाएँ (GATS), बौद्धिक संपदा (TRIPS) सहित व्यापक एजेंडा।
- परिणामस्वरूप WTO की स्थापना (1995)।

A. **व्यापार बातचीत का सहस्राब्दि (मिलेनियम) चक्र (1999)**

- नए दौर की शुरुआत का प्रयास (सीएटल बैठक); सम्मति न बनने से औपचारिक रूप नहीं ले सका, फिर भी कालक्रम में उरुग्वे के बाद आता है।

B. **दोहा चक्र** (2001-)

- विकास-केन्द्रित एजेंडा; बाजार पहुँच, कृषि सुधार, नियमों के अद्यतन आदि पर वार्ता।

क्यों यही क्रम सही है?

- 1960s (केनेडी) → 1970s (टोकियो) → 1980s-90s (उरुग्वे) → 1999 (मिलेनियम प्रयास) → 2001 (दोहा)।
- अन्य विकल्पों में कहीं न कहीं दोहा और मिलेनियम की आपसी स्थिति उलट दी गई है या दोहा को उरुग्वे से पहले रख दिया गया है, जो कालक्रम के विपरीत है।

63. विकल्पों की जांच :

A. **संकेत प्रेषण :** उच्च-गुणवत्ता वाले विक्रेता गारंटी, ब्रांडिंग या वारंटी से संकेत देकर सूचना-असमता को कम कर सकते हैं–सत्य।

B. **लेमन सिद्धांत :** जॉर्ज एकरलॉफ के अनुसार, जब विक्रेता को अधिक जानकारी होती है, तो खराब उत्पाद (lemons) अच्छे उत्पादों को बाजार से बाहर कर सकते हैं–सत्य।

C. **दक्षतम मजदूरी सिद्धांत का कथन :** दक्षतम मजदूरी सिद्धांत कहता है कि प्रतिस्पर्धी मजदूरी से ऊँची मजदूरी देने से कार्यचोरी कम होती है, न कि कम मजदूरी–असत्य।

D. **प्रतिकूल चयन :** बीमा बाजार में खरीदारों व विक्रेताओं के बीच सूचना असमानता से प्रतिकूल चयन होता है–सत्य।

E. **प्रमुख-एजेंट समस्या :** मालिक प्रोत्साहन आधारित अनुबंध डिजाइन कर एजेंटों को बेहतर प्रदर्शन के लिए प्रेरित कर सकते हैं–सत्य।

अतः सही विकल्प A, B, D, E हैं।

64. विकल्पों की जांच :

B. **नीति परिवर्तन अनुमानित नहीं होते हैं — नहीं (NOT an assumption):** नीति-अप्रभाविकता का दावा कहता है कि सिस्टेमैटिक/पूर्वानुमेय मौद्रिक नीति वास्तविक चर (उत्पादन/रोजगार) को नहीं बदलती। अतः "नीति परिवर्तन अनुमानित नहीं होते"—यह आवश्यक पूर्वधारणा नहीं है।

D. **नामिक चर आर्थिक निर्णय प्रभावित करते हैं — नहीं:** नई-शास्त्रीय ढाँचे में बाजार-सफाई व वास्तविकता पर आधारित निर्णय माने जाते हैं; नामिक चर स्वयं निर्णयों का आधार नहीं होते (सिर्फ अप्रत्याशित कीमत-आश्चर्य के माध्यम से अस्थायी प्रभाव हो सकता है)।

A. **तर्कसंगत प्रत्याशा — हाँ :** एजेंट नीति-नियमों सहित उपलब्ध सूचना से रैशनल एक्सपेक्टेशन्स बनाते हैं।

C. **पूर्ण सूचना — आमतौर पर संगत/स्वीकृत :** नीति-नियम की जानकारी व बाजार-सफाई मान्य; पहचान-आधारित सूक्ष्म-असम्पूर्ण सूचना की आवश्यकता नहीं।

E. **उत्पादन/रोजगार प्राकृतिक स्तर पर — हाँ :** दीर्घ/अपेक्षित स्थिति में वास्तविक चर प्राकृतिक स्तरों पर होते हैं।

अतः केवल B और D.

65. विकल्पों की जांच :

A. **सत्य :** वेगनर का नियम धनात्मक (positive) सिद्धांत के रूप में यह बताता है कि वास्तविक दुनिया में सार्वजनिक व्यय आय के साथ कैसे बदलता है; यह मानक (normative) कथन नहीं है।

B. **सत्य :** औद्योगिकीकरण/आय-वृद्धि के साथ सार्वजनिक क्षेत्र का हिस्सा बढ़ता है (आउटपुट/आय के अनुपात में)।

C. **सत्य :** वृद्धि अनुपाती से अधिक मानी जाती है (income elasticity of public expenditure > 1)।

D. **असत्य :** युद्ध के प्रभाव से संबंधित सिद्धांत पिकॉक-वाइजमैन का "डिस्प्लेसमेंट/रैचेट" है, वेगनर का नहीं।

E. **असत्य :** "सोपानी/रैचेट रूप में बढ़त" भी पिकॉक-वाइजमैन का निष्कर्ष है, वेगनर के नियम का नहीं।

अतः केवल D और E.

66. कथनों का विस्तृत विश्लेषण :

A. **सामान्य वितरण के लिए $\mu_3 = 0$ — सत्य**

- μ_3 तीसरा केंद्रीय आघूर्ण है, जो विषमता (Skewness) को दर्शाता है।
- सामान्य वितरण पूरी तरह से सममित (Symmetric) होता है, जिसका अर्थ है कि यह किसी भी दिशा में झुका हुआ नहीं होता।

इसलिए, सामान्य वितरण के लिए $\mu_3 = 0$ होता है।

B. **सामान्य वितरण के लिए $\beta_2 = 0$ — असत्य**

- β_2 कुर्टोसिस (Kurtosis) का माप है, जिसका मान नुकीलेपन या चपटेपन को दिखाता है।

- सामान्य वितरण के लिए सही मान $\beta_2 = 3$ होता है।
- $\beta_2 > 3$ होने पर वितरण लेप्टोकुर्टिक और $\beta_2 < 3$ होने पर प्लैटीकुर्टिक कहलाता है।
- अतः दिया गया मान 0 होना गलत है।

C. **सामान्य वितरण का माध्य विचलन (लगभग) — सत्य**

- माध्य विचलन (Mean Deviation) का मान सामान्य वितरण के लिए :

$$MD \approx 0.7979\sigma \approx \frac{4}{5}\sigma$$

- $\frac{4}{5} = 0.8$ है, जो 0.7979 के बहुत निकट है, इसलिए यह एक सटीक सन्निकटन माना जाता है।

D. **सामान्य वितरण के लिए $\mu_4 = 2\sigma^4$ — असत्य**

- μ_4 चौथा केंद्रीय आघूर्ण (Fourth Central Moment) है।
- सामान्य वितरण के लिए सही मान $\mu_4 = 3\sigma^4$ होता है, न कि $2\sigma^4$।

E. **सामान्य वितरण का अभिलाक्षणिक फलन — सत्य**

- सामान्य वितरण $N(\mu_4, \sigma^2)$ के लिए Characteristic Function है :

$$\phi(t) = e^{i\mu t - \frac{1}{2}\sigma^2 t^2}$$

- जहाँ i काल्पनिक इकाई है।
- यह दिया गया रूप सही है।

अतः सत्य कथन A, C और E हैं।

67. Euler का प्रमेय, डिग्री 1 समजात फलन :

यदि उत्पादन फलन $Q = f(K, L)$ डिग्री 1 (constant returns to scale) का समजात (homogeneous) है, तो Euler के प्रमेय के अनुसार

$$rf(K, L) = \left(\frac{\partial f}{\partial K}\right)K + \left(\frac{\partial f}{\partial L}\right)L$$

जहाँ r समजातता की डिग्री है। डिग्री $r = 1$ होने पर

$$f(K, L) = \left(\frac{\partial f}{\partial K}\right)K + \left(\frac{\partial f}{\partial L}\right)L$$

अर्थात्

$$Q = MPK \cdot K + MPL \cdot L$$

जो विकल्प 2 में दिया गया है। अन्य विकल्पों में या तो K, L से गुणा नहीं है या गलत असमता/मान है, इसलिए वे Euler के प्रमेय को संतुष्ट नहीं करते।

68. विकल्पों की जांच :

A. **प्रत्येक वस्तु पर प्रति-रुपया सीमांत उपयोगिता समान होती है–सत्य**

उपभोक्ता तब इष्टतम स्थिति प्राप्त करता है जब अपने सीमित बजट को इस प्रकार खर्च करता है कि प्रत्येक वस्तु पर खर्च की गई अंतिम इकाई का सीमांत उपयोगिता प्रति रुपया समान हो। इसका अर्थ है :

$$\frac{MU_x}{P_x} = \frac{MU_y}{P_y} = ... = \lambda$$

इससे बजट में किसी भी पुनःवितरण से अतिरिक्त संतुष्टि प्राप्त नहीं होगी।

B. **वस्तुओं के बीच प्रतिस्थापन की सीमांत दर (MRS) मूल्य अनुपात के बराबर होती है–सत्य**

प्रतिस्थापन की सीमांत दर (MRS) दो वस्तुओं के बीच उपभोक्ता की अदला-बदली की इच्छा दर्शाती है। इष्टतम बिंदु पर :

$$MRS_{xy} = \frac{MU_x}{MU_y} = \frac{P_x}{P_y}$$

यदि यह संतुलन न हो, तो उपभोक्ता अपनी खपत का अनुपात बदलकर अधिक उपयोगिता प्राप्त कर सकता है।

C. **उपभोक्ता अपने बजट प्रतिबंध के भीतर उच्चतम उपलब्ध अनधिमान वक्र तक पहुँचता है–सत्य**

इष्टतम खपत बिंदु वह है जहाँ उपभोक्ता अपने बजट सेट के भीतर सबसे ऊँचे स्तर की संतुष्टि प्राप्त करता है। इसका अर्थ है कि उपभोक्ता अपने बजट के अनुरूप अधिकतम उपयोगिता वाले बिंदु को चुनता है।

D. **उपभोक्ता की अनधिमान वक्र उसकी बजट रेखा से स्पर्शक होती है (असत्य आंशिक)**

यह शर्त केवल आंतरिक समाधान के लिए सही है। यदि कोना समाधान हो, तो यह शर्त लागू नहीं होती। इसलिए इसे सभी मामलों के लिए सार्विक परिणाम नहीं माना जा सकता।

E. **उपयोगिता दृष्टिकोण से उपभोक्ता अपनी बजट रेखा के किसी भी दो बिंदुओं के बीच उदासीन होता है–असत्य** बजट रेखा पर विभिन्न बिंदु अलग-अलग अनधिमान वक्रों से संबंधित होते हैं। उपभोक्ता सभी बिंदुओं के प्रति उदासीन नहीं होगा; वह उस बिंदु को चुनता है जहाँ उच्चतम अनधिमान वक्र संभव है।

69. क्रम पुराने से नए :

E. **रियो सम्मेलन (1992) :** यह पृथ्वी शिखर सम्मेलन था, जिसमें जैव विविधता, जलवायु परिवर्तन और वनों पर प्रमुख अंतर्राष्ट्रीय समझौते हुए।

A. **क्योटो प्रोटोकॉल (1997) :** यह जलवायु परिवर्तन पर कानूनी रूप से बाध्यकारी उत्सर्जन कटौती लक्ष्य तय करने वाला पहला वैश्विक समझौता था।

C. **स्टॉकहोम सम्मेलन/प्रोटोकॉल (2001) :** यह स्थायी जैविक प्रदूषकों (POPs) को नियंत्रित करने पर केंद्रित था।

D. **यूएन-REDD (2008) :** यह विकासशील देशों में वनों की कटाई और वन क्षरण से उत्सर्जन कम करने के लिए शुरू किया गया संयुक्त राष्ट्र कार्यक्रम था।

B. **मिनामाता सम्मेलन (2013) :** पारे (Mercury) से प्रदूषण को रोकने के लिए यह समझौता हुआ।

अतः क्रम E, A, C, D, B है।

70. विकल्पों की जांच :

- **गैर-अपवर्जनीय (Non-Excludable):** भीड़भरे शहरी फुटपाथ का उपयोग करने से किसी भी व्यक्ति को आसानी से रोका नहीं जा सकता। इसके लिए गेट लगाना या प्रवेश शुल्क वसूलना न तो व्यावहारिक है न ही किफायती। इसलिए यह संसाधन गैर-अपवर्जनीय है।
- **प्रतिस्पर्धी (Rivalrous/Congestible):** जब अधिक लोग फुटपाथ पर चलते हैं, तो भीड़ बढ़ती है, जिससे अन्य व्यक्तियों की गति और आराम प्रभावित होते हैं। इस प्रकार हर अतिरिक्त उपयोगकर्ता अन्य उपयोगकर्ताओं के अनुभव को कम करता है।
- **सार्वजनिक वस्तुएँ (Public Goods):** गैर-अपवर्जनीय और गैर-प्रतिस्पर्धी होती हैं, जबकि भीड़भरा फुटपाथ प्रतिस्पर्धी है। इसलिए इसे सामान्य-संपत्ति संसाधन (Common Resource) भी कहा जा सकता है।

अतः यह वस्तु गैर-अपवर्जनीय लेकिन प्रतिस्पर्धी है → विकल्प 3।

71. इष्टतमीकरण (MRS = मूल्य अनुपात + बजट बाधा):

उपयोगिता : $U = (x + 2)(y + 1)$

$$\Rightarrow MU_x = \frac{\partial U}{\partial x} = y+1, MU_y = \frac{\partial U}{\partial y} = x+2$$

MRS: $\frac{MU_x}{MU_y} = \frac{y+1}{x+2}$

मूल्य अनुपात : $\frac{P_x}{P_y} = \frac{4}{6} = \frac{2}{3}$

प्रथम-आदेश शर्त (आंतरिक समाधान) :

$$\frac{y+1}{x+2} = \frac{2}{3}$$

$\Rightarrow 3(y + 1) = 2(x + 2)$

$\Rightarrow 3y = 2x + 1$

$\Rightarrow y = \frac{2x+1}{3}$

बजट बाधा : $4x + 6y = 130$ ऊपर का y रखकर :

$$4x + 6\left(\frac{2x+1}{3}\right) = 130$$

$\Rightarrow 4x + 2(2x + 1) = 130$

$\Rightarrow 8x + 2 = 130$

$\Rightarrow x = 16$

फिर $y = \frac{2(16)+1}{3} = 11$

अतः इष्टतम खपत : $x^* = 16, y^* = 11$

72. निम्न डर्बिन–वाटसन d मान और उच्च R^2 (यानी $R^2 > d$) कारण :

- समय-शृंखला में असंबद्ध/अस्थिर (non-stationary) रुझानों के कारण spurious regression में अक्सर R^2 बहुत ऊँचा आता है, जबकि अवशेषों में मजबूत धनात्मक आत्म सहसंबंध होता है ⇒ DW d बहुत छोटा।
- व्यवहारिक नियम : यदि R^2 बड़ा हो और d इतना कम कि $R^2 > d$, तो प्रतिगमन अप्रमाणिक/स्प्यूरियस होने का संदेह करें।

73. प्रभावी संरक्षण दर (Effective Rate of Protection—ERP) का विस्तृत विश्लेषण

प्रभावी संरक्षण दर (ERP) उस प्रतिशत वृद्धि को मापती है, जो किसी देश के किसी विशेष उद्योग में घरेलू मूल्य

वर्धन (Domestic Value Added) को मुक्त व्यापार (Free Trade) की तुलना में टैरिफ संरचना द्वारा प्राप्त होती है। यह केवल अंतिम वस्तु पर नाममात्र टैरिफ को नहीं, बल्कि उत्पादन प्रक्रिया में प्रयुक्त आयातित इनपुट पर लगाए गए टैरिफ को भी ध्यान में रखती है।

सूत्र का व्युत्पन्न (Derivation)

मान लें :

- t = अंतिम वस्तु पर नाममात्र टैरिफ दर
- t_i = आयातित आगत (Intermediate Input) पर नाममात्र टैरिफ दर
- a_i = मुक्त व्यापार की स्थिति में अंतिम वस्तु के मूल्य में आयातित आगत की लागत का अनुपात

मुक्त व्यापार के अंतर्गत मूल्य वर्धन (Value Added) $= 1 - a_i$

टैरिफ के बाद मूल्य वर्धन $= (1 + t) - a_i(1 + t_i)$

ERP =

$$g = \frac{(1+t) - a_i(1+t_i) - (1-a_i)}{1-a_i}$$

सरलीकरण :

$$= \frac{1+t-a_i-a_it_i-1+a_i}{1-a_i} = \frac{t-a_it_i}{1-a_i}$$

अर्थ और व्याख्या

- यदि इनपुट पर टैरिफ (t_i) कम है और अंतिम वस्तु पर टैरिफ (t) अधिक, तो ERP नाममात्र टैरिफ से अधिक होगा।
- यदि इनपुट पर टैरिफ बहुत अधिक है, तो ERP घट सकता है, भले ही अंतिम वस्तु पर नाममात्र टैरिफ बड़ा हो।
- यह उद्योग के वास्तविक संरक्षण स्तर को बेहतर ढंग से मापता है, जबकि केवल नाममात्र टैरिफ दर ऐसा नहीं कर सकती।

अंतिम उत्तर : $g = \dfrac{t-a_it_i}{1-a_i}$

74. विकल्पों का मिलान :

A. **आय दूरी → 45% (III):** आय दूरी जितनी अधिक, उतनी ही अधिक क्षैतिज अंतरण—इस मानदंड का सबसे बड़ा भार।

B. **जनसंख्या (2011) → 15% (I):** नवीन जनगणना-आधारित जनसंख्या को मध्यम भार।

C. **जनसांख्यिकीय प्रदर्शन → 12.5% (II):** बेहतर जनांकिकीय परिणाम वाले राज्यों को प्रोत्साहन।

D. **वन व पारिस्थितिकी → 10% (IV):** हरित-क्षेत्र की रक्षा हेतु समर्पित भार।

अतः सही मिलान A-III, B-I, C-II, D-IV है।

75. विकल्पों का मिलान :

A. **विशिष्ट कारक मॉडल → IV (पॉल सैमुअल्सन और रोनाल्ड जोन्स)** : जिसे Ricardo–Viner/Specific-Factors मॉडल कहा जाता है।

B. **संतापकारी संवृद्धि → III (जगदीश भगवती)** : वृद्धि के बावजूद शर्तों के बिगड़ने से कल्याण घटने की परिकल्पना।

C. **व्यापारवादी सिद्धांत → II (थॉमस मून)** : निर्यात-प्रोत्साहन/सोने-संचय केंद्रित विचार।

D. **व्यापार शर्तों का 'निरपेक्ष शरण' (दीर्घकालिक अधःपतन) → I (प्रेबिश-सिंगर परिकल्पना)** : विकासशील देशों के ToT में दीर्घावधि गिरावट।

अतः सही मिलान A-IV, B-III, C-II, D-I है।

76. $k(t) = 9t^{4/3} + 25$

दिया है : निवेश दर $I(t) = 12t^{1/3}$ और पूँजी का गतिक समीकरण बिना अपक्षय के $k'(t) = I(t)$

समाकलन :

$$k(t) = \int 12t^{1/3}dt = 12 \cdot \frac{t^{4/3}}{4/3} = 9t^{4/3} + C$$

प्रारंभिक शर्त $k(0) = 25 \Rightarrow C = 25$

अतः पूँजी स्टॉक का समय पथ : $k(t) = 9t^{4/3} + 25$.

77. कालक्रम (पुराने → नए) :

A. **आर्थर लेविस :** ''थ्योरी ऑफ इकॉनोमिक ग्रोथ'' (1955)

B. **रॉबर्ट सोलोव :** ''ए कॉन्ट्रिब्यूशन टू दि थ्योरी ऑफ इकोनॉमिक ग्रोथ'' (1956)

E. **अल्बर्ट हिर्शमैन :** ''स्ट्रैटेजी ऑफ इकोनॉमिक डेवलपमेंट'' (1958)

C. **वाल्ट रोस्तोव** : "दि स्टेजेज ऑफ इकॉनोमिक ग्रोथ : ए नॉन कम्यूनिस्ट मैनिफेस्टो" (1960)

D. **गुन्नार मिरडल** : "एशियन ड्रामा : एन इन्क्वायरी इनटू दि पॉवर्टी ऑफ नेशंस" (1968)

अतः कालक्रम A, B, E, C, D है।

78. कथनों की जाँच :

1. **दोहरा बोझ** : शास्त्रीय दृष्टि में ब्याज व मूलधन चुकाने को लेकर करदाताओं पर भार पड़ता है → सत्य (शास्त्रीय मत)।
2. **AD को प्रोत्साहित करने हेतु ऋण-वित्त पोषण का समर्थन** : मांग-प्रबंधन के लिए सक्रिय राजकोषीय नीति का अनुमोदन शास्त्रीय नहीं, यह कीन्सीय रुख है → असत्य।
3. **बोझ भविष्य पर और निष्फल/बंजर उपभोग** : निजी पूँजी के विस्थापन व अंतर-पीढ़ी बोझ की धारणा → सत्य (शास्त्रीय मत)।
4. **निजी पूँजी का विनाशी/विस्थापन** : बचत का सरकारी उधारी की ओर मोड़ना, उत्पादक निवेश का संकुचन → सत्य (शास्त्रीय मत)।

अतः जो कथन शास्त्रीय दृष्टिकोण के अनुरूप नहीं है, वह (2) है।

79. शास्त्रीय अर्थशास्त्र में मुद्रा आपूर्ति वृद्धि का प्रभाव

1. शास्त्रीय मॉडल की प्रमुख धारणाएँ

- **दीर्घावधि दृष्टिकोण** : शास्त्रीय सिद्धांत दीर्घकाल पर केंद्रित है, जहाँ मूल्य और मजदूरी पूरी तरह लचीले (Fully Flexible) होते हैं।
- **से का नियम (Say's Law):** "आपूर्ति अपनी मांग का सृजन करती है" — अर्थव्यवस्था में संसाधनों का पूर्ण रोजगार हमेशा सुनिश्चित है।
- **मात्रा सिद्धांत (Quantity Theory of Money):** मुद्रा की मात्रा और मूल्य स्तर के बीच सीधा व आनुपातिक संबंध होता है।
- **पूर्ण रोजगार** : उत्पादन (Real Output) का स्तर प्राकृतिक स्तर Y_f पर स्थिर है, क्योंकि सभी संसाधन पहले से ही पूर्ण रूप से प्रयुक्त हैं।

2. मुद्रा आपूर्ति बढ़ने पर प्रक्रिया

- मुद्रा आपूर्ति M बढ़ने से लोगों के पास अधिक नकदी संतुलन उपलब्ध होता है।
- उपभोक्ता और निवेशक अधिक खर्च करने लगते हैं, जिससे वस्तुओं और सेवाओं की समग्र मांग (Aggregate Demand) बढ़ती है।
- ग्राफ पर इसका अर्थ है कि AD वक्र दायीं ओर शिफ्ट होता है।

3. आपूर्ति वक्र पर प्रभाव

- चूँकि सकल आपूर्ति वक्र (AS) शास्त्रीय मॉडल में लंबवत है (पूर्ण रोजगार उत्पादन स्तर पर), उत्पादन (Output) नहीं बढ़ता।
- बढ़ी हुई मांग केवल कीमत स्तर (Price Level) को ऊपर ले जाती है।

4. परिणाम

- AD वक्र का दायीं ओर स्थानांतरण।
- मूल्य स्तर में वृद्धि (मुद्रास्फीति)।
- उत्पादन में कोई वास्तविक वृद्धि नहीं — यह प्राकृतिक स्तर पर स्थिर रहता है।

अतः सकल मांग वक्र का दायीं ओर हस्तांतरण होगा।

80. विकल्पों की जांच :

A. **उत्पाद के लिए तेजी से बढ़ता बाजार–सत्य** : टेक-ऑफ के लिए अग्रणी क्षेत्र को अपने उत्पादन के लिए तीव्र गति से बढ़ती मांग चाहिए।

B. **द्वितीयक विस्तार का सृजन–सत्य** : अग्रणी सेक्टर का विकास अन्य क्षेत्रों में पूंजी निवेश, रोजगार और तकनीकी विस्तार को प्रोत्साहित करता है।

C. **संचित लाभों से पूंजी की पर्याप्त व सतत आपूर्ति–सत्य :** पूंजी प्रवाह स्थिर होना चाहिए ताकि विकास की गति बनी रहे।

D. **नवीन तकनीकों की शुरुआत–सत्य** : उत्पादकता को बढ़ाने के लिए नई तकनीकें लागू होनी चाहिए।

E. **औद्योगिक संरचना में संरचनात्मक परिवर्तन–असत्य** : यह दीर्घकालीन विकास के लिए सही है, परंतु टेक-ऑफ चरण की विशेष शर्त नहीं।

अतः केवल A, B, C और D.

81. निवेश बहुगुणक, $k = \frac{1}{\text{MPS}} = 4$

MPS = 0.25 बचत फलन का ढाल MPS होता है।

चार विकल्पों में केवल $S = -12 + 0.25\,Y_D$ का ढाल 0.25 है।

नकारात्मक अवरोध (–12) निवेश के बिना बचत प्रवृत्ति को दर्शाता है।

82. पुराने → नए : क्रम के पीछे ठोस तर्क

D. **के. ब्रह्मानंद रेड्डी :** 6वां वित्त आयोग; 1972 में नियुक्ति/गठन (संदर्भ अवधि 1974–79)। 1970 के दशक की नियुक्ति।

C. **एन.के.पी. साल्वे :** 9वां वित्त आयोग; 1987 में गठन/नियुक्ति। 1980 के दशक के उत्तरार्ध का दौर।

E. **के.सी. पंत :** 10वां वित्त आयोग; 1992 में गठन/नियुक्ति। 1990 के दशक की शुरुआत।

A. **ए.एम. खुसरो :** 11वां वित्त आयोग; 1998 में गठन/नियुक्ति। 1990 के दशक के उत्तरार्ध।

B. **सी. रंगराजन :** 12वां वित्त आयोग; 2002 में गठन/नियुक्ति। 2000 के दशक की शुरुआत।

अतः कालक्रम (पुराने से नए) D, C, E, A, B है।

83. विकल्पों की जांच :

1. किसी कर का प्रभाव आय एवं प्रतिस्थापन प्रभाव में विघटित किया जा सकता है (सत्य)

- उपभोक्ता सिद्धांत में, किसी कर का प्रभाव दो भागों में विभाजित किया जा सकता है :

  आय प्रभाव : कर के कारण वास्तविक आय में परिवर्तन।

  प्रतिस्थापन प्रभाव : सापेक्षिक मूल्यों में परिवर्तन के कारण खपत पैटर्न का बदलाव।

2. एकमुश्त कर के साथ प्रतिस्थापन प्रभाव संबद्ध होता है, किन्तु आय प्रभाव नहीं (असत्य)

- एकमुश्त कर (Lump-Sum Tax) सापेक्षिक मूल्य अनुपात को नहीं बदलता।
- इसका केवल आय प्रभाव होता है, प्रतिस्थापन प्रभाव नहीं।
- कथन उल्टा कहा गया है, इसलिए यह सत्य नहीं।

3. प्रतिस्थापन प्रभाव जितना बड़ा होगा, मृतभार हानि (Deadweight Loss) उतनी ही बड़ी होगी (सत्य)

- कर लगाने से उपभोक्ता महंगे विकल्पों से सस्ते विकल्पों की ओर स्थानांतरित होते हैं।
- प्रतिस्थापन प्रभाव अधिक ⇒ संसाधनों का अधिक विकृत प्रयोग ⇒ Deadweight Loss अधिक।

4. कर लगाने से उत्पादकों द्वारा प्राप्त मूल्य घटता है, जिससे मृतभार हानि संबद्ध होती है (सत्य)

- कर लगाने से बाजार मूल्य घटता है, उत्पादन व उपभोग में कमी होती है।
- उत्पादक का राजस्व घटता है और समाज को दक्षता हानि होती है।

अतः विकल्प 2 सत्य नहीं है।

84. कर सुधार समितियों का विस्तृत कालक्रमिक विश्लेषण (पुराने → नवीनतम)

A. **राजा चौलैय्या कर सुधार समिति (1991)**

- **उद्देश्य :** भारत की प्रत्यक्ष कर प्रणाली में सुधार।
- **मुख्य सिफारिशें :**
  - आयकर दरों को सरल बनाना और कर संरचना को अधिक प्रगतिशील बनाना।
  - कर आधार का विस्तार करना ताकि अधिक लोग कर-नेट में आएं।
  - कर प्रशासन में पारदर्शिता और दक्षता लाना।
- **महत्त्व :** इसने 1990 के दशक के सुधारों की नींव रखी।

E. **के.एल. रेखी अप्रत्यक्ष कर समिति (1992)**

- **उद्देश्य :** उत्पाद शुल्क, सीमा शुल्क आदि अप्रत्यक्ष करों को सरल और तर्कसंगत बनाना।
- **मुख्य सिफारिशें :**
  - अप्रत्यक्ष कर दरों में एकरूपता।
  - टैक्स प्रणाली को वस्तु एवं सेवा कर (GST) की दिशा में ले जाने का सुझाव।
- **महत्त्व :** इस समिति ने अप्रत्यक्ष कर प्रणाली को आधुनिक बनाने के प्रारंभिक प्रयास किए।

C. **विजय केलकर कर सुधार समिति (2002)**

- **उद्देश्य :** कर नीति और प्रशासन को वैश्विक मानकों के अनुरूप बनाना।
- **मुख्य सिफारिशें :**
  - प्रत्यक्ष कर संहिता (Direct Tax Code) का ढाँचा।
  - वस्तु एवं सेवा कर (GST) का रोडमैप।
  - कर संग्रह तंत्र को मजबूत और सरल बनाना।
- **महत्त्व :** दीर्घकालिक और व्यापक सुधार एजेंडा।

B. **टी.आर. रस्तोगी सेवा कर सुधार समिति (2006)**

- **उद्देश्य :** सेवा कर प्रणाली को सुधारना।
- **मुख्य सिफारिशें :**
  - सेवा कर के दायरे को बढ़ाना।
  - दरों को तर्कसंगत बनाना और अनुपालन सरल करना।

- **महत्त्व :** जीएसटी लागू होने से पहले सेवा कर ढाँचे को बेहतर बनाने में सहायक।

D. **पार्थसारथी शोम प्रत्यक्ष कर समिति (2012)**

- **उद्देश्य :** प्रत्यक्ष कर संहिता के मसौदे की समीक्षा और सुधार।
- **मुख्य सिफारिशें :**
  - ❑ कर विवादों को कम करना।
  - ❑ निवेश वातावरण को अनुकूल बनाना।
  - ❑ अनुपालन को सरल बनाना और स्थिर कर नीतियाँ सुनिश्चित करना।
- **महत्त्व :** प्रत्यक्ष कर प्रणाली को आधुनिक और निवेश-अनुकूल बनाने की दिशा में अहम योगदान।

85. लुकास आलोचना का विस्तृत विश्लेषण

- **मुख्य विचार :** अर्थशास्त्री रॉबर्ट लुकास ने यह तर्क दिया कि पारंपरिक समष्टि-अर्थमिति मॉडल नीति परिवर्तनों के तहत विश्वसनीय पूर्वानुमान नहीं दे सकते।
- **कारण :** जब नीतियाँ बदलती हैं, तो आर्थिक एजेंटों की अपेक्षाएँ भी बदलती हैं, जिससे मॉडल के व्यवहार और सहगुणांक (coefficients) अस्थिर हो जाते हैं।

विकल्पों का परीक्षण :

1. मौद्रिक नीति के वास्तविक चरों पर तटस्थ न होने की मान्यता — यह लुकास आलोचना का सार नहीं है।
2. अपवहन सहगुणांक मॉडलों को अधिक विश्वसनीय बनाते हैं — यह लुकास आलोचना से असंबंधित है।
3. कीन्सवादी मॉडल नीतियों की भविष्य की प्रत्याशाओं को पहले से सही रूप में समाहित करते हैं — आलोचना इसके विपरीत है।
4. सहगुणांकों की स्थिरता नीति पूर्वानुमानों के लिए महत्वपूर्ण — यही लुकास आलोचना का मुख्य बिंदु है।

अतः सही उत्तर : विकल्प 4

86. भारत के डेरिवेटिव बाज़ार घटनाओं का विस्तृत कालक्रमिक विश्लेषण (पुराने → नवीनतम)

D. **सूचकांक आधारित फ्यूचर्स ट्रेडिंग की शुरूआत — जून 2000**

- **पहली घटना :** भारत में संगठित डेरिवेटिव ट्रेडिंग का शुभारंभ।
- **विशेषताएँ :** BSE Sensex और NSE Nifty जैसे सूचकांकों पर आधारित।
- **उद्देश्य :** निवेशकों को हेजिंग, जोखिम प्रबंधन और सट्टेबाजी के लिए औपचारिक मंच उपलब्ध कराना।
- **महत्त्व :** इसने भारतीय वित्तीय बाजार में डेरिवेटिव उत्पादों के लिए नींव रखी।

E. **सूचकांक ऑप्शंस में ट्रेडिंग की शुरूआत — जून 2001**

- **अगला विकास :** फ्यूचर्स के बाद ऑप्शन-आधारित ट्रेडिंग शुरू हुई।
- **तंत्र :** निवेशकों को एक निश्चित मूल्य पर सूचकांक खरीदने या बेचने का अधिकार (लेकिन बाध्यता नहीं) मिला।
- **लाभ :** जोखिम प्रबंधन को लचीला बनाया और निवेश रणनीतियों को अधिक विविध किया।

A. **व्यक्तिगत/एकल प्रतिभूतियों में ऑप्शन ट्रेडिंग की शुरूआत — जुलाई 2001**

- **विस्तार :** इंडेक्स से आगे बढ़ते हुए व्यक्तिगत स्टॉक्स पर ऑप्शंस का आगमन।
- **फायदा :** निवेशकों को विशिष्ट कंपनियों के शेयरों पर सटीक जोखिम प्रबंधन और रणनीति बनाने का अवसर मिला।
- **प्रभाव :** बाजार में भागीदारी बढ़ी और स्टॉक-विशिष्ट हेजिंग की सुविधा उपलब्ध हुई।

C. **स्टॉक फ्यूचर्स में ट्रेडिंग की शुरूआत — नवंबर 2001**

- **अगली कड़ी :** ऑप्शन ट्रेडिंग के बाद फ्यूचर्स को व्यक्तिगत स्टॉक्स पर लागू किया गया।
- **उपयोग :** निवेशक भविष्य की तारीख पर तय मूल्य पर स्टॉक खरीदने या बेचने के अनुबंध कर सकते हैं।
- **महत्त्व :** इसने भारतीय इक्विटी डेरिवेटिव बाज़ार को व्यापक और अधिक तरल बनाया।

B. **ब्याज दर फ्यूचर्स की शुरूआत — 2010 (संशोधित रूप में 2014)**

- **नवीनतम घटना :** ब्याज दरों के उतार-चढ़ाव से हेजिंग के लिए पेशकश।
- **विशेषता :** प्रारंभिक उत्पाद अपेक्षित सफलता नहीं प्राप्त कर पाया और 2014 में संशोधित रूप में पुनः प्रस्तुत किया गया।
- **प्रभाव :** बांड और फिक्स्ड-इनकम बाजार में जोखिम प्रबंधन के विकल्पों को मजबूत किया।

अतः सही क्रम D, E, A, C, B है।

87. चरण-दर-चरण जाँच (MGF का उपयोग)

मानक याद रखें

- बाइनॉमियल Bin(n, p) का MGF:

$$M(t) = (1 - p + pe^t)^n$$

- पॉइसॉन Poi(λ) का MGF:

$$M(t) = \exp(\lambda(e^t - 1))$$

- किसी भी वैध MGF के लिए M(0) = 1 होना अनिवार्य है।

कथनों की जाँच

A. $M(t) = \left(\frac{1}{2}+\frac{1}{2}e^t\right)^6$ —"पॉइसॉन"

- यह रूप ठीक-ठीक बाइनॉमियल Bin(6, 1/2) का है, पॉइसॉन नहीं।

अतः गलत।

B. $M(t) = \frac{(1+e^t)^5}{32}$ — "द्विपद"

- $\frac{(1+e^t)^5}{32}=\left(\frac{1}{2}+\frac{1}{2}e^t\right)^5 \Rightarrow$ बाइनॉमियल Bin $(5, 1/2)^1$

अतः सही।

C. $M(t) = e^{3(e^t-1)}$ —"पॉइसॉन"

- $\lambda = 2$ के साथ पॉइसॉन का मानक रूप।

अतः सही।

D. $M(t) = e^{(e^t-1)/4}$ —"पॉइसॉन"

- $\lambda=\frac{1}{4}$ के साथ पॉइसॉन का मानक रूप।

अतः सही।

E. $M(t) = 4(3e^{-t} - 1)^{-2}$ — "द्विपद"

- $M(0) = 4(3 \cdot 1 + 2) = 20 \neq 1 \Rightarrow$ MGF के आवश्यक गुण M(0) = 1 का उल्लंघन।

अतः यह वैध MGF ही नहीं; कथन गलत।

अतः सही पहचान केवल B, C, D के लिए है।

88. विकल्पों की जांच :

- **A → IV (थॉमस माल्थस)** : "जनसंख्या वृद्धि और संसाधन-सीमा" का सिद्धांत माल्थस ने दिया। उन्होंने कहा कि जनसंख्या ज्यामितीय दर से बढ़ती है जबकि संसाधन केवल अंकगणितीय दर से बढ़ते हैं, जिसके परिणामस्वरूप अभाव और सामाजिक दबाव उत्पन्न होता है।
- **B → III (वारेन थॉम्पसन)** : "जनसांख्यिकीय संक्रमण" सिद्धांत के प्रवर्तक वारेन थॉम्पसन थे। उन्होंने समाजों को उच्च जन्म और मृत्यु दर वाले चरण से निम्न जन्म और मृत्यु दर वाले चरण की ओर संक्रमण के रूप में वर्गीकृत किया।
- **C → II (जॉन ग्रौन्ट)** : जॉन ग्रौन्ट को "जनसांख्यिकी के पिता" कहा जाता है। उन्होंने मृत्यु और जन्म रजिस्टरों का विश्लेषण कर पहली बार जीवन सारणी (life table) तैयार की और जनसंख्या अध्ययन को वैज्ञानिक आधार दिया।
- **D → I (अल्फ्रेड सोवे)** : अल्फ्रेड सोवे ने "तृतीय विश्व" शब्द का निर्माण किया, जिसका उपयोग औद्योगिक पश्चिम और समाजवादी ब्लॉक से भिन्न विकासशील देशों के समूह के लिए किया गया।

दिये गये विकल्पों में कोई भी विकल्प इस मिलान (A-IV, B-III, C-II, D-I) से मेल नहीं खाता है। अतः उत्तर NONE होगा।

89. विकल्पों की जांच :

D. **कंप्यूटर सॉफ्टवेयर व हार्डवेयर** : हाल के वर्षों में एफडीआई का सबसे बड़ा आकर्षण; सेवा/आईटी-सम्बद्ध प्रवाह यहाँ केंद्रित।

E. **गैर-परंपरागत ऊर्जा** : नवीकरणीय ऊर्जा परियोजनाओं में बड़े निवेश, सेक्टर की हिस्सेदारी ऊँची।

C. **सीमेंट व जिप्सम उत्पाद** : अवसंरचना/निर्माण चक्र से जुड़ी आवक; मध्यम से ऊँची।

A. **वाहन उद्योग** : स्थिर प्रवाह, पर ऊपर के दो-तीन क्षेत्रों से कम।

B. **चिकित्सालय व निदान केंद्र** : स्वास्थ्य सेवाओं में निवेश बढ़ रहा है, फिर भी तुलनात्मक हिस्सेदारी यहाँ सबसे नीचे।

अतः क्रम D, E, C, A, B है।

90. संभावना अनुपात सांख्यिकी (Likelihood Ratio Statistics)

परिकल्पना : $H_0 : \beta_1 = \beta_2 = \ldots = \beta_k = 0$ (सभी ढलान शून्य)।

विधि (Logit/ML फ्रेमवर्क) :

$$\Lambda = 2[\ell(\text{restricted}) - \ell(\text{unrestricted})]$$

जहाँ $\ell(\cdot)$ लॉग-लाइकलीहुड है।

निर्णय नियम : Λ का आसिम्प्टोटिक वितरण χ^2_k (डिग्री ऑफ फ्रीडम *k*) होता है; क्रिटिकल वैल्यू से तुलना कर निर्णय।

इसलिए लॉजिट मॉडल में संयुक्त शून्य-परिकल्पना की जाँच का मानक उपकरण Likelihood Ratio (LR) टेस्ट है।

91. दोनों पासों के कुल परिणाम 36 हैं। $A \cap B$ का अर्थ है दोनों विषम, तब योग हमेशा सम होगा, लेकिन C के अनुसार योग विषम होना चाहिए। अतः कोई भी युग्म संभव नहीं है। इसलिए $P(A \cap B \cap C) = 0$।

92. C के लिए योग विषम होना चाहिए। यह तभी संभव है जब एक पासा विषम और दूसरा सम हो। पहला विषम (3) और दूसरा सम (3) $\Rightarrow$ 9 युग्म; पहला सम (3) और दूसरा विषम (3) $\Rightarrow$ 9 युग्म; कुल 18 अनुकूल। अतः $P(C) = 18/36 = 1/2$.

93. B का अर्थ दूसरा पासा विषम और C के लिए योग विषम होना चाहिए। इसके लिए पहला पासा सम होना चाहिए। पहला सम (3) $\times$ दूसरा विषम (3) = 9 युग्म। अतः $P(B \cap C) = 9/36 = 1/4$.

94. $A \cap B$ का अर्थ दोनों पासे विषम हैं। पहला विषम (3) $\times$ दूसरा विषम (3) = 9 युग्म। अतः $P(A \cap B) = 9/36 = 1/4$.

95. A का अर्थ पहला पासा विषम है और C के लिए योग विषम होना चाहिए, अतः दूसरा पासा सम होना चाहिए। पहला विषम (3) $\times$ दूसरा सम (3) = 9 युग्म। अतः $P(A \cap C) = 9/36 = 1/4$.

96. आरबीआई की नीति में "वापसी समायोजन" (withdrawal of accommodation) का अर्थ है महामारी के दौरान अपनाई गई विस्तारवादी मौद्रिक नीतियों से धीरे-धीरे हटकर नीति को सामान्य या तटस्थ स्थिति की ओर ले जाना। यह मुद्रास्फीति को नियंत्रित करते हुए वृद्धि को संतुलित करने का प्रयास है।

97. VRRR (Variable Rate Reverse Repo) परिचालन आरबीआई का अल्पकालिक उपकरण है जिसके माध्यम से वह बाजार से अधिशेष तरलता को अस्थायी रूप से खींच लेता है। यह निष्क्रिय अधिशेष अवशोषण से सक्रिय प्रबंधन की ओर बदलाव को दर्शाता है।

98. आरबीआई का दृष्टिकोण क्षणिक (transient) मुद्रास्फीति झटकों पर त्वरित दर परिवर्तन नहीं बल्कि मौजूदा दर को बनाए रखते हुए VRRR जैसी तरलता समायोजन तकनीकों का इस्तेमाल करना है। इससे मूल्य अस्थिरता पर शांतिपूर्वक नियंत्रण किया जाता है।

99. वैश्विक ब्याज दर अंतर का सीधा प्रभाव पूंजी प्रवाह, विदेशी निवेश (FPI/FII) और विनिमय दर पर पड़ता है। दरों के अंतर से पूंजी का देश से बाहर या भीतर आना बढ़ता-घटता है, जिससे आरबीआई को मुद्रा विनिमय दर की स्थिरता सुनिश्चित करनी होती है।

100. तत्काल दर परिवर्तन किए बिना मुद्रास्फीति को दिशा-निर्देशित करने का अर्थ है कि आरबीआई अपने संचार और नीति संकेतों के माध्यम से जनता और बाजार की अपेक्षाओं को प्रबंधित कर रही है। प्रत्याशा प्रबंधन से भविष्य की मुद्रास्फीति पर नियंत्रण रखने में मदद मिलती है बिना अचानक दर कार्रवाई किए।

पिछले प्रश्न–पत्र

National Testing Agency (NTA)

UGC-NET जूनियर रिसर्च फैलोशिप तथा सहायक प्राध्यापक पात्रता परीक्षा

अर्थशास्त्र, जनवरी-2025

(Exam held on 03-01-2025)

प्रश्न–पत्र-II

1. भारत में राष्ट्रीय आय सांख्यिकी की संगणना के लिए निम्नलिखित में से कौन-सी एजेंसी उत्तरदायी है?

1. भारतीय रिजर्व बैंक
2. वित्त मंत्रालय
3. नीति आयोग
4. केंद्रीय सांख्यिकी संगठन

2. निम्नलिखित व्यापार प्रतिरूपों में से कौन-सा पैमाने की बचतों और एकाधिकारी प्रतियोगिता की विशेषताओं को प्रदर्शित करता है?

1. केम्प प्रतिरूप
2. अंतः उद्योग व्यापार प्रतिरूप
3. क्रुगमैन व्यापार प्रतिरूप
4. फाल्वे प्रतिरूप

3. एक व्यवसाय-प्रतिष्ठान की सीमांत संप्राप्ति ₹ 10 है और यह प्रति इकाई ₹ 30 की कीमत वसूलता है। यह मानते हुए कि यह व्यवसाय-प्रतिष्ठान लाभ को अधिकतम करने वाला है, व्यवसाय प्रतिष्ठान के लिए लाभ अधिकतम करने के बिंदु पर मांग के संबंध में स्वयं की कीमत लोच क्या है?

1. 1.5 2. –1.5
3. –0.66 4. 0.66

4. निम्नलिखित सरकारी योजनाओं को उनके प्रारंभ करने के वर्ष के अनुसार कालानुक्रम में व्यवस्थित करें :

A. आयुष्मान भारत योजना
B. अटल पेंशन योजना
C. जल जीवन मिशन
D. पीएम उज्ज्वला योजना

नीचे दिए गए विकल्पों में से **सही** उत्तर का चयन कीजिए :

1. C, A, D, B 2. B, C, D, A
3. A, B, D, C 4. B, D, A, C

5. निम्नलिखित में से कौन-सा/कौन-से व्यापार के क्लासिकी सिद्धांत पर लागू नहीं होता है/होते हैं?

A. मूल्य का श्रम सिद्धांत
B. एक कारक प्रतिरूप
C. यह शून्य-योग चाल को संतुष्ट करता है
D. यह बहु-कारक प्रतिरूप है
E. उत्पाद के कारक घरेलू और अंतर्राष्ट्रीय रूप से चलायमान है

नीचे दिए गए विकल्पों में से **सही** उत्तर का चयन कीजिए :

1. केवल A, B 2. केवल B, C
3. केवल D, E 4. केवल C, D, E

6. एक केन्द्रीय बैंक अर्थव्यवस्था में मुद्रा पूर्ति को किस प्रकार बढ़ा सकता है?

A. नकद आरक्षित अनुपात को बढ़ाकर

B. जनता से सरकारी प्रतिभूतियां खरीदकर

C. नकद आरक्षित अनुपात को कम करके

D. रेपो दर को कम करके

नीचे दिए गए विकल्पों में से **सही** उत्तर का चयन कीजिए :

1. केवल A, B, C
2. केवल A, B, D
3. केवल B, C, D
4. केवल A, C, D

7. सूची-I के साथ सूची-II का मिलान कीजिए :

सूची-I	सूची-II
A. एडम स्मिथ	I. बाजार का आकार
B. डेविड रिकार्डो	II. प्राकृतिक संसाधन प्रतिबंध
C. कार्ल मार्क्स	III. उत्पादन की शक्तियां
D. अमर्त्य सेन	IV. चयन की स्वतंत्रता

नीचे दिए गए विकल्पों में से **सही** उत्तर का चयन कीजिए :

1. A-I, B-II, C-III, D-IV
2. A-IV, B-I, C-III, D-II
3. A-IV, B-III, C-II, D-I
4. A-I, B-II, C-IV, D-III

8. सूची-I के साथ सूची-II का मिलान कीजिए :

सूची-I	सूची-II
A. अनुकूलन प्रत्याशा के तहत विस्तारक मौद्रिक नीति	I. नीति केवल सामान्य स्फीति के साथ अप्रभावी है
B. तार्किक प्रत्याशाओं के तहत पूर्वानुमानित विस्तारक मौद्रिक नीति	II. नीति केवल सामान्य अवस्फीति के साथ अप्रभावी है
C. महामंदी के दौरान मुद्रा मजदूरी में कटौती	III. नीति केवल अल्प-अवधि में प्रभावी है, हालांकि लंबी अवधि में नहीं
D. काफी बड़ी प्रसूची लागत की उपस्थिति	IV. किसी भी सामान्य स्फीति/ अवस्फीति के साथ नीति प्रभावी नहीं है।

नीचे दिए गए विकल्पों में से **सही** उत्तर का चयन कीजिए :

1. A-I, B-II, C-III, D-IV
2. A-II, B-I, C-III, D-IV
3. A-III, B-I, C-II, D-IV
4. A-III, B-I, C-IV, D-II

9. एक द्वि-क्षेत्र अर्थव्यवस्था के लिए आगत-निर्गत मैट्रिक्स $A = \begin{pmatrix} 0.25 & 0.40 \\ 0.10 & 0.10 \end{pmatrix}$ द्वारा दिया गया है।

यदि दो क्षेत्रों के निर्गतों के लिए बाहरी मांग $D = \begin{pmatrix} 10 \\ 20 \end{pmatrix}$ है तो दो वस्तुओं (पण्य) के वैकल्पिक निर्गत स्तर क्या होंगे?

1. 26.77 और 18.43
2. 9.33 और 24.50
3. 26.77 और 25.20
4. 24.33 और 25.20

10. समीकरणों के निम्नलिखित तंत्र पर विचार करें :

$$Y_1 = \propto_0 + \propto_1 Y_2 + \propto_3 Y_3 + \propto_4 X_1 + \propto_5 X_2 + U_1$$
$$Y_2 = \beta_0 + \beta_1 Y_3 + \beta_2 Y_1 + \beta_3 X_2 + U_2$$
$$Y_3 = \lambda_0 + \lambda_1 x_1 + \lambda_2 x_2 + \lambda_3 x_3 + U_3$$

क्रम स्थिति के अनुसार प्रथम समीकरण है :

1. अज्ञात
2. यथोचित ज्ञात
3. अति-ज्ञात
4. कहना संभव नहीं है क्योंकि प्रतिरूप का न्यूनीकृत रूप नहीं दिया गया

11. निम्नलिखित को प्रथम से अंतिम की ओर व्यवस्थित करें :

A. द लॉजिक ऑफ इंवेस्टमेंट प्लानिंग–सुखमोय चक्रवर्ती

B. चॉइस ऑफ टेकनीक्स–अमर्त्य सेन

C. शेडो प्राइस–जेन टिनबर्गेन

D. द ट्रेजेडी ऑफ द कॉमन्स–जी. हार्डिन

E. मार्जिनल यूटिलिटी–एलफ्रेड मार्शल

नीचे दिए गए विकल्पों में से **सही** उत्तर का चयन कीजिए :

1. A, B, C, D, E
2. E, C, A, B, D
3. B, A, D, C, E
4. C, B, A, E, D

12. निम्नलिखित में से कौन-सी व्यापार से अभिलाभ की परिभाषा नहीं है/हैं?

A. यह वह हितलाभ है जिसमें व्यक्ति और देश अंतर्राष्ट्रीय व्यापार में भाग लेकर प्राप्त करते हैं।
B. यह आर्थिक अभिकर्त्ताओं को सकल हितलाभ है, जो व्यापार में वृद्धि के परिणामस्वरूप होता है।
C. यह उत्पादक अधिशेष में से उपभोक्ता अधिशेष को घटाता है।
D. यह आर्थिक अभिकर्त्ताओं का निवल हितलाभ है जो व्यापार में वृद्धि के परिणामस्वरूप होता है।
E. यह उत्पादक अधिशेषों और उपभोक्ता अधिशेषों का कुल योग है।

नीचे दिए गए विकल्पों में से **सही** उत्तर का चयन कीजिए :

1. केवल A
2. केवल B, C
3. केवल C, D
4. केवल C, D, E

13. साधारण पासे (डाइस) के छह संख्याओं को एक साथ घुमाया जाता है। प्रत्येक फलक पर भिन्न संख्या आने की क्या प्रायिकता है?

1. $\frac{1}{6^6}$
2. $\frac{6}{6^6}$
3. $\frac{6!}{6^6}$
4. $\frac{6^5}{6^6}$

14. दो निर्णय चरों के साथ एक रेखीय प्रोग्रामिंग समस्या के इष्टतम समाधान के संबंध में निम्नलिखित में से कौन-सा कथन सत्य है?

1. समस्या का हमेशा एक विशिष्ट हल होता है।
2. इष्टतम समाधान या तो एक नितांत बिंदु है या दो नितांत बिंदुओं को जोड़ने वाली रेखा पर है।
3. सभी संसाधन एक इष्टतम समाधान द्वारा उपयोग किए जाने चाहिए।
4. इष्टतम समाधान व्यवहार्य समाधानों के समुच्चय का एक आंतरिक बिंदु हो सकता है।

15. निम्नलिखित में से कौन-सा/कौन-से विनिमय दर के अंतर्गत नहीं आता है/हैं?

A. निर्यात गतिविधियां
B. खुले बाजार के कार्यकलाप
C. ब्याज दर
D. आयात गतिविधियां
E. ऋण के बहु-विस्तार

नीचे दिए गए विकल्पों में से **सही** उत्तर का चयन कीजिए :

1. केवल A
2. केवल B
3. केवल C, D
4. केवल B, E

16. सूची-I के साथ सूची-II का मिलान कीजिए :

सूची-I	**सूची-II**
A. पूर्णतया प्रतिस्पर्धी प्रतिरूप	I. उत्पादक पहले उत्पाद की कीमत निर्धारित करता है और फिर उस कीमत पर मांगे गए निर्गत को उत्पादित करता है
B. बेरट्रांड प्रतिरूप	II. यह व्यवसाय-प्रतिष्ठानों के मध्य परस्पर-निर्भरता की अवधारणा को स्वीकार करता है
C. स्टेकलबर्ग प्रतिरूप	III. क्रेताओं और विक्रेताओं की बड़ी संख्या
D. अल्पाधिकार प्रतिरूप	IV. बाजार में कुछ प्रतिस्पर्धी फर्मे

नीचे दिए गए विकल्पों में से **सही** उत्तर का चयन कीजिए :

1. A-III, B-I, C-II, D-IV
2. A-I, B-II, C-III, D-IV
3. A-II, B-I, C-III, D-IV
4. A-III, B-II, C-IV, D-I

17. सूची-I के साथ सूची-II का मिलान कीजिए :

सूची-I	सूची-II
A. साधारण यादृच्छिक प्रतिचयन	I. गैर- प्रायिकता प्रतिचयन
B. व्यवस्थित प्रतिचयन	II. प्रत्येक स्तर से मदों का यादृच्छिक चुनाव
C. कोटा प्रतिचयन	III. प्रथम इकाई से यादृच्छिक चयन और शेष का व्यवस्थित चयन
D. स्तरीकृत यादृच्छिक प्रतिचयन	IV. सभी परीक्षणों में प्रत्येक मद के लिए चयन की समान प्रायिकता

नीचे दिए गए विकल्पों में से **सही** उत्तर का चयन कीजिए :

1. A-IV, B-III, C-I, D-II
2. A-IV, B-II, C-I, D-III
3. A-III, B-II, C-I, D-IV
4. A-IV, B-III, C-II, D-I

18. यदि एक चर की 'm' श्रेणियां हैं तो निम्नलिखित में से किसे प्रयुक्त करके हम प्रतिगमन के समीप जा सकते हैं?

1. 'm – 1' प्रतीकात्मक चर और एक अवरुद्ध पद
2. 'm' प्रतीकात्मक चर और एक अवरुद्ध पद
3. बिना अवरोध के (m – 1) प्रतीकात्मक चर
4. बिना अवरोध के (m + 1) प्रतीकात्मक चर

19. काल श्रेणी के लिए इकाई मूल परीक्षण इस निष्प्रभाव (null) परिकल्पना पर आधारित है कि विचाराधीन काल श्रेणी है :

1. स्थिर
2. अस्थिर
3. सुनिश्चितता से स्थिर
4. दुर्बल स्थिर

20. निम्नलिखित अवधारणाओं की प्रस्तावना को कालानुक्रम में (पुरातन से नवीनतम तक) व्यवस्थित करें :

A. फ्रिडमैन द्वारा अनुकूलन प्रत्याशा परिकल्पना

B. डुएसेनबेरी द्वारा सापेक्ष आय परिकल्पना

C. स्टिग्लिट्ज द्वारा दक्षता मजदूरी परिकल्पना

D. लुकास द्वारा तार्किक प्रत्याशा परिकल्पना

E. कालेक्कि द्वारा प्रभावी मांग समस्या

नीचे दिए गए विकल्पों में से **सही** उत्तर का चयन कीजिए :

1. E, A, B, C, D
2. B, A, E, C, D
3. B, A, D, C, E
4. E, B, A, D, C

21. उत्पादन प्रकार्य $Q = AK^{\propto B}$ के लिए, जहां A, $\propto, \beta > 0$ है, निम्नलिखित में से कौन-सा/कौन-से कथन सत्य है/हैं?

A. समघात की डिग्री 1 है

B. पूंजी के संबंध में निर्गत लोच है

C. यह स्थिर अनुमापी प्रतिफल प्रदर्शित करता है

D. कारक का सीमांत उत्पाद = कारक का औसत उत्पाद

नीचे दिए गए विकल्पों में से **सही** उत्तर का चयन कीजिए :

1. केवल A और B
2. केवल B और C
3. केवल B और D
4. केवल B

22. लेविस-रेनिस-फेई अबाधित प्रगति के लिए निम्नलिखित में से कौन-सी रणनीतियों को आवश्यक मानता है?

A. भूमि सुधार

B. हरित क्रांति

C. आयोजना

D. पूंजी संचयन

E. अंतर्राष्ट्रीय प्रवासन

नीचे दिए गए विकल्पों में से **सही** उत्तर का चयन कीजिए :

1. केवल A, D और E
2. केवल A, C और D
3. केवल A, C और E
4. केवल B, D और E

23. सूची-I के साथ सूची-II का मिलान कीजिए :

सूची-I	सूची-II
A. डरबिन-वॉटसन	I. मल्टीकोलिनियरिटी
B. ग्रेंजर	II. हेटेरोसिडास्टिक बाधाएँ
C. फेरर-ग्लुबर	III. कारणीय
D. ग्लेजसर	IV. स्व-सहसंबंधित बाधाएँ

नीचे दिए गए विकल्पों में से **सही** उत्तर का चयन कीजिए :

1. A-IV, B-III, C-I, D-II
2. A-IV, B-III, C-II, D-I
3. A-II, B-III, C-IV, D-I
4. A-III, B-IV, C-I, D-II

24. सूची-I के साथ सूची-II का मिलान कीजिए :

सूची-I	सूची-II
A. इकाई मूल परीक्षण	I. डरबिन-वॉटसन परीक्षण
B. कन्टिजन्सी तालिका	II. स्टूडेंट का टी परीक्षण
C. प्रतिगमन गुणांक	III. स्थिर
D. स्व-सहसंबंध	IV. χ^2 परीक्षण

नीचे दिए गए विकल्पों में से **सही** उत्तर का चयन कीजिए :

1. A-III, B-I, C-II, D-IV
2. A-III, B-IV, C-II, D-I
3. A-IV, B-II, C-III, D-I
4. A-I, B-III, C-II, D-IV

25. दो चर प्रतिगमन में आश्रित और स्वतंत्र चर क्रमशः Y और X हैं। X और Y के बीच सहसंबंध का गुणांक 0.8 है। निम्नलिखित में से कौन-सा कथन सत्य है?

1. Y के 8% विचरण की X द्वारा व्याख्या की गई है
2. Y के 64% विचरण की X द्वारा व्याख्या की गई है
3. Y के 0.8% विचरण की X द्वारा व्याख्या की गई है
4. Y के 80% विचरण की X द्वारा व्याख्या की गई है

26. एक काल अवधि से पिछड़े हुए एक 'मंद' आपूर्ति प्रकार्य वाले बाजार प्रतिरूप में संतुलन मूल्य के प्रतिमूल्य के काल पथ का अभिसरण निम्नलिखित में से किस पर निर्भर करता है?

1. क्या, आपूर्ति प्रकार्य की प्रवणता > मांग प्रकार्य की प्रवणता
2. क्या, आपूर्ति प्रकार्य की प्रवणता < मांग प्रकार्य की प्रवणता
3. क्या, आपूर्ति प्रकार्य की प्रवणता = मांग प्रकार्य की प्रवणता
4. मांग और/या आपूर्ति प्रकार्यों की प्रवणता से कोई संबंध नहीं है

27. निम्नलिखित पुस्तकों के लेखन को कालानुक्रम (पुरातन से नवीनतम) में व्यवस्थित करें :

A. व्हाई नेशंस फेल
B. ग्रुंड्रिज
C. पॉवर्टी एंड फेमाइंस
D. द थ्योरी ऑफ मोरल सेंटिमेंट्स
E. प्रोड्क्शन ऑफ कमोडिटिज बाई मीन्स ऑफ कमोडिटिज

नीचे दिए गए विकल्पों में से **सही** उत्तर का चयन कीजिए :

1. A, B, C, D, E
2. B, A, D, E, C
3. D, B, E, C, A
4. B, A, E, D, C

28. केन्जीयन तंत्र में मुद्रा आपूर्ति में वृद्धि, माल और सेवाओं की मांग में वृद्धि निम्नलिखित में से किसके द्वारा करेगी?

1. वास्तविक शेष प्रभाव द्वारा उपभोग में वृद्धि करके
2. बॉन्ड की मांग बढ़ाकर और उसके द्वारा ब्याज दर घटाकर
3. बॉन्ड मांग घटाकर और उसके द्वारा ब्याज दर घटाकर
4. वास्तविक मजदूरी बढ़ाकर और उसके द्वारा लेन-देन मांग बढ़ाकर

29. वास्तविक व्यवसाय चक्र मत के अनुसार, आपूर्ति आघात में :

1. केवल अस्वैच्छिक बेरोजगारी है।
2. केवल स्वैच्छिक बेरोजगारी है।
3. स्वैच्छिक और अस्वैच्छिक दोनों बेरोजगारी साथ-साथ हैं।
4. बिल्कुल भी बेरोजगारी नहीं है।

30. प्रदत्त वस्तुनिष्ठ प्रकार्य $y = f(x_1, x_2 \ldots\ldots x_n)$ और प्रतिबंध $g(x_1, x_2 \ldots\ldots x_n) = 0$, किसी आत्यंतिक के लिए दूसरी प्रक्रम शर्त है :

A. $|\bar{H}_2| < 0, |\bar{H}_3| < 0$......... अधिकतम के लिए

B. $|\bar{H}_2| > 0, |\bar{H}_3| < 0$......... अधिकतम के लिए

C. $|\bar{H}_2| < 0, |\bar{H}_3| > 0$......... अधिकतम के लिए

D. $|\bar{H}_2| < 0, |\bar{H}_3| > 0$......... न्यूनतम के लिए

E. $|\bar{H}_2| < 0, |\bar{H}_3| < 0$......... न्यूनतम के लिए

नीचे दिए गए विकल्पों में से **सही** उत्तर का चयन कीजिए :

1. केवल A और D
2. केवल C और E
3. केवल B और D
4. केवल B और E

31. 'पिगोवियन कर' के बारे में सही विकल्प चुनिए :

A. इससे बाजार में कार्यकलाप पर आने वाली कुल लागत को अभ्यांतरित करने हेतु हल प्राप्त होता है।

B. इससे सरकारी नीति के माध्यम से प्रदूषक तत्वों का उत्पादन घटाने का हल प्राप्त होता है।

C. इससे रीयल सेक्टर (भू-सम्पदा क्षेत्र) में घटक उत्पादकता बढ़ाने में मदद मिलती है।

D. यह पृथक्करण कर की तरह कार्य करता है।

नीचे दिए गए विकल्पों में से **सही** उत्तर का चयन कीजिए :

1. केवल A, B
2. केवल C, D
3. केवल A
4. केवल A, B, D

32. सूची-I के साथ सूची-II का मिलान कीजिए :

सूची-I	सूची-II
A. प्रकार II त्रुटि	I. $P_{01} \times P_{10} = 1$
B. माध्य > बहुलक	II. जब H_0 सही नहीं हो तो H_0 को अस्वीकार नहीं करता
C. समरूपी जनसंख्या	III. सकारात्मक रूप से विषम वितरण
D. काल उत्क्रमण परीक्षण	IV. साधारण यादृच्छिक प्रतिचयन

नीचे दिए गए विकल्पों में से **सही** उत्तर का चयन कीजिए :

1. A-II, B-III, C-IV, D-I
2. A-III, B-I, C-II, D-IV
3. A-IV, B-II, C-III, D-I
4. A-I, B-II, C-III, D-IV

33. सूची-I के साथ सूची-II का मिलान कीजिए :

सूची-I	सूची-II
A. उपभोग में सकारात्मक बाह्यता	I. मध्यरात्रि को शोर करने वाली मोटर साइकिल चलाना
B. उत्पादन में सकारात्मक बाह्यता	II. पुष्प उद्यान के पास शहद कृषि
C. उपभोग में नकारात्मक बाह्यता	III. नदी में कूड़ा डालती कागज मिल
D. उत्पादन में नकारात्मक बाह्यता	IV. किसी घर की सफाई

नीचे दिए गए विकल्पों में से **सही** उत्तर का चयन कीजिए :

1. A-IV, B-II, C-I, D-III
2. A-I, B-IV, C-II, D-III
3. A-I, B-IV, C-III, D-II
4. A-IV, B-III, C-II, D-I

34. तार्किक प्रत्याशा के अंतर्गत किसी प्रतिस्पर्धी बाजार अर्थव्यवस्था में भी प्रभावी मांग समस्या उत्पन्न हो सकती है, यदि

1. परिपूर्ण दूरदृष्टि
2. समन्वय की असफलता हो
3. प्रत्याशित मांग आघात हो
4. अप्रत्याशित आपूर्ति आघात हो

35. बड़ा धक्का (बिग पुश) सिद्धांत विकास की प्रक्रिया को मानता है जो अनिवार्य रूप से निम्नलिखित में से किस पर निर्भर करती है :

1. व्यापक आयोजना
2. बिना किसी सरकारी हस्तक्षेप के मुक्त-बाजार
3. सुपरिभाषित निजी संपत्ति अधिकार
4. राजनीतिक लोकतंत्र

36. निम्नलिखित अवधारणाओं की प्रस्तावना/गढ़न को कालानुक्रम (सबसे पुरानी से नवीनतम) में व्यवस्थित करें :

A. प्राचीन समाजवादी संचयन
B. बेदखली से विकास
C. बेदखली से संचयन
D. प्राचीन पूंजीवादी संचयन
E. चाकू की धार (नाईफ एज) जैसी अस्थिरता

नीचे दिए गए विकल्पों में से **सही** उत्तर का चयन कीजिए :

1. D, A, E, B, C
2. A, D, B, E, C
3. D, A, E, C, B
4. A, D, B, C, E

37. अंतर्राष्ट्रीय मौद्रिक तंत्र के संबंध में निम्नलिखित में से कौन-सा/कौन-से सत्य है/हैं?

A. स्वर्ण विनिमय मानक
B. ओपीईसी (OPEC)
C. ब्रेटन वुड्स तंत्र
D. एक मूल्य का नियम
E. एशियन डेवलपमेंट बैंक

नीचे दिए गए विकल्पों में से **सही** उत्तर का चयन कीजिए :

1. केवल A
2. केवल A, B
3. केवल A, B, C
4. केवल A, C, D

38. सूची-I के साथ सूची-II का मिलान कीजिए :

सूची-I	सूची-II
A. जीवन चक्र परिकल्पना	I. कार्ल मार्क्स
B. नकदी शेष उपागम	II. फ्रांस्वा केसने
C. पूंजी का सुव्यवस्थित संयोजन	III. अल्फ्रेड मार्शल
D. टेबलियन इकोनॉमिक (Tablean Economique)	IV. एफ. मॉडिग्लियानी

नीचे दिए गए विकल्पों में से **सही** उत्तर का चयन कीजिए :

1. A-III, B-II, C-IV, D-I
2. A-IV, B-III, C-I, D-II
3. A-II, B-IV, C-III, D-I
4. A-I, B-III, C-II, D-IV

39. अप्रत्यक्ष कर के लाभ हैं :

A. इसका अपवंचन (कर चोरी) मुश्किल है
B. यह प्रकृति में लोचशील है
C. इसका भुगतान सुलभ है
D. यह कर दाता की भुगतान क्षमता पर आधारित है

नीचे दिए गए विकल्पों में से **सही** उत्तर का चयन कीजिए :

1. केवल C, B
2. केवल C, D
3. केवल A, B, C
4. केवल A, C, D

40. हेरिस-टोडारो ढांचा विवेचना करता है :

1. धकेला गया प्रवासन
2. खींचा गया प्रवासन
3. संरचनात्मक रूपांतरण
4. अस्थापित अर्थव्यवस्था

41. यदि सरकार का व्यय ₹ 100 बढ़ता है, कुल कर राजस्व ₹ 100 बढ़ता है, उपभोग की सीमांत प्रवणता का मान 0.5 है और स्वायत्त निवेश और उपभोग में कोई परिवर्तन है, तो किसी साधारण केन्जीयन बंद अर्थव्यवस्था प्रतिरूप में जीडीपी में कितनी वृद्धि होगी?

1. ₹ 0
2. ₹ 100
3. ₹ 200
4. ₹ 400

42. सतत् आपूर्ति आघात निम्नलिखित में से किसकी ओर ले जाता है?

1. फिलिप के वक्र का बायीं तरफ सतत रूप से इस तरह से खिसकना कि बेरोजगारी और मुद्रास्फीति दोनों में गिरावट हो।
2. फिलिप के वक्र का दायीं तरफ सतत रूप से इस तरह से खिसकना कि बेरोजगारी और मुद्रास्फीति दोनों में वृद्धि हो।
3. फिलिप के वक्र के सहारे इस तरह से सतत चलन कि बेरोजगारी और मुद्रास्फीति दोनों में गिरावट हो।
4. फिलिप के वक्र के सहारे इस तरह से सतत चलन कि बेरोजगारी और मुद्रास्फीति दोनों में वृद्धि हो।

43. आईएस-एलएम ढांचा में सामान्य अवमंदन की स्थिति में जैसे-जैसे सरकारी व्यय (G) में वृद्धि होती है,

A. वैसे-वैसे बंधपत्र मूल्य (pb) में गिरावट होती है, ब्याज दर (r) में वृद्धि होती है, जिससे निवेश (I) के स्तर में गिरावट होती है।

B. वस्तुओं की समग्र मांग में वृद्धि होती है, जिससे समग्र निर्गत और आय (y) के स्तर में वृद्धि होती है।

C. निजी निवेश (I) में गिरावट समग्र आय को घटाती है।

D. लोग मुद्रा प्राप्त करने के लिए बंधपत्र (B) बेचते हैं और इस प्रकार बंधपत्र आपूर्ति (Bs) में वृद्धि होती है, जिससे बंधपत्र का मूल्य घटता है।

E. मुद्रा (L_1) के लिए लेन-देन की मांग में वृद्धि होती है, जिससे मुद्रा मांग मुद्रा आपूर्ति से अधिक (L > M) हो जाती है।

नीचे दिए गए विकल्पों में से **सही** उत्तर का चयन कीजिए :

1. A, B, C, D, E
2. B, E, D, A, C
3. B, D, E, C, A
4. E, B, A, D, C

44. प्रदत्त $A = \begin{pmatrix} 2 & 0 & 4 \\ 1 & 3 & 1 \end{pmatrix}$ और B = (4 5 0), के संबंध में निम्नलिखित में से कौन-सा सत्य है?

A. $AB^T \begin{pmatrix} 8 \\ 19 \end{pmatrix}$ है

B. AB^T निर्धारित है

C. AB निर्धारित नहीं है

D. BA निर्धारित है

E. BA^T (8 19) है

नीचे दिए गए विकल्पों में से **सही** उत्तर का चयन कीजिए :

1. केवल A और E
2. केवल A, B, C और E
3. केवल A, B और C
4. केवल A, C और E

45. निम्नलिखित कथनों पर विचार करें :

A. कीमत नेतृत्व समतुल्यांक रणनीति एक नैश-समतुल्यांक रणनीति है

B. बेरट्रांड समतुल्यांक रणनीति एक नैश- समतुल्यांक रणनीति है

C. स्टेकलबर्ग समतुल्यांक रणनीति एक नैश समतुल्यांक रणनीति है

D. एकाधिकारी समतुल्यांक रणनीति एक नैश समतुल्यांक रणनीति है

E. क्रूनो की समतुल्यांक रणनीति एक नैश समतुल्यांक रणनीति है

नीचे दिए गए विकल्पों में से **सही** उत्तर का चयन कीजिए :

1. केवल A
2. केवल B
3. केवल A, B, C, E
4. केवल D और E

46. सूची-I के साथ सूची-II का मिलान कीजिए :

सूची-I	सूची-II
A. लिंडेल का सिद्धांत	I. सार्वजनिक माल का उत्पादन
B. क्लब सिद्धांत	II. सरकारी एजेंसियों में रोजगार की सतत वृद्धि
C. पार्किन्सन का नियम	III. सार्वजनिक वस्तुओं का मूल्य
D. होटलिंग का नियम	IV. खर्च करने योग्य संसाधनों का मूल्य लगाना

नीचे दिए गए विकल्पों में से **सही** उत्तर का चयन कीजिए :

1. A-III, B-I, C-II, D-IV
2. A-I, B-III, C-IV, D-II
3. A-I, B-III, C-II, D-IV
4. A-IV, B-I, C-II, D-III

47. सूची-I के साथ सूची-II का मिलान कीजिए :

सूची-I	सूची-II
A. व्यापार की सकल परिहास शर्तें	I. जैकब वाइनर
B. व्यापार की एकल क्रमगुणित शर्तें	II. डॉरेंस
C. व्यापार की आय शर्तें	III. एफ.डब्ल्यू. टॉसिंग
D. विकासशील देशों के व्यापार शर्तों में सेक्युलर ह्रास	IV. प्रेबिश- सिंगर

नीचे दिए गए विकल्पों में से **सही** उत्तर का चयन कीजिए :

1. A-I, B-II, C-III, D-IV
2. A-II, B-I, C-IV, D-III
3. A-IV, B-III, C-II, D-I
4. A-III, B-I, C-II, D-IV

48. जब घरेलू रूप से उत्पादित माल और सेवाओं पर C_d, I_d और G_d क्रमशः उपभोग व्यय, निवेश व्यय और सरकारी व्यय को दर्शाते हैं और X और M एक देश के क्रमशः निर्यात और आयात के समग्र मूल्य को दर्शाते हैं तो जीडीपी की गणना निम्नलिखित में से किस प्रकार की जाती है?

1. $C_d + I_d + G_d + X - M$
2. $C + I + G_d + X$
3. $C_d + I_d + G_d - M$
4. $C_d + I_d + G_d + X$

49. पूंजी की सीमांत दक्षता (MEC) और निवेश की सीमांत दक्षता (MEI) पूर्णतया अभिसरित होते हैं, जब :

1. निवेश की निवल दर सकारात्मक हो
2. निवेश की निवल दर नकारात्मक हो
3. निवेश की निवल दर शून्य हो
4. पूंजीगत स्टॉक का निवल मूल्य शून्य हो

50. कर-निर्धारण में उर्ध्वमुखी इक्विटी के लिए आवश्यक है कि :

1. भिन्न-भिन्न आय समूहों में लोगों पर समान रूप से कर लगाना चाहिए
2. भिन्न-भिन्न आय समूहों में व्यक्तियों पर भिन्न-भिन्न प्रकार से कर लगाना चाहिए
3. भिन्न-भिन्न आय समूहों के लोगों पर अनुपातिक रूप से कर लगाना चाहिए
4. व्यक्तिगत आय के आधार पर कोई कर न हो

51. निम्नलिखित में से कौन-सा सत्य नहीं है?

1. ऋण जनता से सरकार की निधि अंतरित करता है
2. सार्वजनिक उधारी उपभोग को कम करती है

3. कराधान उपभोग को कम करता है
4. सरकारी उधारी आय वितरण को प्रभावित नहीं करती है

52. निम्नलिखित को प्राचीनतम से नवीनतम के क्रम में व्यवस्थित करें :

A. मूल्य-स्पे-प्रवाह (Price-Specie-Flow) प्रणाली
B. तुलनात्मक लाभ
C. पूर्ण लाभ
D. अंतःउद्योग व्यापार
E. व्यापारवाद

नीचे दिए गए विकल्पों में से **सही** उत्तर का चयन कीजिए :

1. A, B, C, D, E
2. B, A, D, C, E
3. E, A, C, B, D
4. E, D, C, B, A

53. अंतर्जात वृद्धि सिद्धांत किसके द्वारा विकसित किया गया?

A. के. ऐरो B. आर. बैरो
C. पी. रोमर D. आर. सोलो
E. जी. मैन्किव

नीचे दिए गए विकल्पों में से **सही** उत्तर का चयन कीजिए :

1. केवल A, B, C, E
2. केवल A, B, E
3. केवल B, C, E
4. केवल A, B, C

54. सूची-I के साथ सूची-II का मिलान कीजिए :

सूची-I	सूची-II
A. अंतर्राष्ट्रीय व्यापार की आपूर्ति	I. डेविड रिकार्डो
B. अंतर्राष्ट्रीय व्यापार का मांग पक्ष	II. बास्टेबल एण्ड अल्फ्रेड मार्शल
C. अंतर्राष्ट्रीय व्यापार की अवसर लागत	III. जी. हैबरलेर
D. अंतर्राष्ट्रीय व्यापार का वास्तविक लागत सिद्धांत	IV. अल्फ्रेड मार्शल एण्ड एजवर्थ

नीचे दिए गए विकल्पों में से **सही** उत्तर का चयन कीजिए :

1. A-I, B-IV, C-III, D-II
2. A-I, B-IV, C-II, D-III
3. A-II, B-I, C-III, D-IV
4. A-IV, B-III, C-II, D-I

55. जब आय में बढ़ोतरी होने के फलस्वरूप कर के रूप में आय का प्रतिशत घटता है तो यह कहलाता है :

1. उत्तरोत्तर वर्धित कर
2. आनुपातिक कर
3. तटस्थ कर
4. प्रतिगमनकारी कर

56. जनांकिकीय लाभांश जनसंख्या के किस पक्ष से संबंधित है?

1. जीवन प्रत्याशा में वृद्धि
2. लिंगानुपात में वृद्धि
3. कुल जनन दर में ह्रास
4. मजदूरी अर्जित करने वाली आयु वाली जनसंख्या में वृद्धि

57. लेमन बाजार में असममितिक सूचना के परिणामस्वरूप :

A. औसत मूल्य में क्रमिक गिरावट आती है।
B. बेहतर गुणवत्ता वाले उत्पादों को क्रमिक रूप से बाजार से वापस ले लिया जाता है।
C. किसी एक पक्षकार द्वारा प्रतिकूल चयन किया जाता है।
D. खराब गुणवत्ता वाले उत्पादों को क्रमिक रूप से वापस लिया जाता है।

नीचे दिए गए विकल्पों में से **सही** उत्तर का चयन कीजिए :

1. केवल A
2. केवल A, C
3. केवल A, B, D
4. केवल A, B, C

58. पारिस्थितिकीय पदचिह्न से अभिप्रेत है :

1. प्रतिवर्ष किसी क्षेत्र में लगाए गए पौधों की संख्या
2. किसी देश में प्रतिवर्ष अवक्रमित पारिस्थितिकीय संसाधनों की मात्रा
3. किसी देश में घने जंगल का कुल क्षेत्र
4. मानव द्वारा उन्हें अपने परिवेश में उपलब्ध प्राकृतिक संसाधनों पर दबाव डालने का परिमाण

59. बाह्यता के होने की दशा में कोस प्रमेय में निम्नलिखित में से क्या तर्क प्रस्तुत किया गया है?

1. केवल सरकार के हस्तक्षेप से ही सामाजिक इष्टतम स्थिति प्राप्त की जा सकती है।
2. निजी पक्षकारों के मध्य परस्पर समझौता/करार के माध्यम से भी सामाजिक इष्टतम स्थिति प्राप्त की जा सकती है।
3. आय-प्रभाव और सैव्यवहार (लेन-देन) लागत पर हमेशा विचार किया जाना होता है।
4. संपत्ति का अधिकार किसी भी पक्षकार को नहीं दिया जा सकता है।

60. किसी संपत्ति तक मुक्त अभिगम के कारण प्रायः इसकी वहन क्षमता से अधिक सीमा तक इसका प्रयोग होता है। इस तरह की स्थिति कहलाती है :

1. सामान्य त्रासदी की समस्या
2. बाजार की विफलता की समस्या
3. बाह्यताओं की समस्या
4. नैतिक परिसंकट की समस्या

61. बहिर्गमन प्रभाव (क्राउडिंग आउट इफेक्ट) के क्षेत्र को अवरोही क्रम में व्यवस्थित कीजिए :

A. क्लासिकी समष्टि मॉडल
B. पूर्ण केन्जीयन प्रणाली जिसमें सामान्य दशाओं का पूर्वानुमान लगाया गया हो
C. सामान्य दशाओं की पूर्वमान्यता से आईएस-एलएम फ्रेमवर्क
D. सरल केन्जीयन मॉडल

नीचे दिए गए विकल्पों में से **सही** उत्तर का चयन कीजिए :

1. A, B, C, D
2. B, A, C, D
3. B, C, D, A
4. A, B, D, C

62. निम्नलिखित को आदितम से आधुनिककालीन क्रम में व्यवस्थित कीजिए :

A. एडम स्मिथ
B. डेविड रिकार्डो
C. डेविड ह्यूम
D. पॉल आर. कुगमैन
E. जेन टिनबर्जेन

नीचे दिए गए विकल्पों में से **सही** उत्तर का चयन कीजिए :

1. A, B, C, D, E
2. B, A, C, E, D
3. C, A, B, E, D
4. D, E, C, B, A

63. निम्नलिखित में से कौन-से कथन **सही** हैं?

A. सकल घरेलू उत्पाद सभी प्रकार के दोहरी गणना से मुक्त होता है।
B. दान को राष्ट्रीय आय में सम्मिलित किया जाता है।
C. भीख को वैयक्तिक आय में शामिल किया जाता है।
D. माल-सूची को निवेश में शामिल किया जाता है।
E. विदेशी कर्मकार की आय को सकल राष्ट्रीय उत्पाद (जी.एन.पी.) में शामिल किया जाता है न कि सकल घरेलू उत्पाद (जी.डी.पी.) में।

नीचे दिए गए विकल्पों में से **सही** उत्तर का चयन कीजिए :

1. केवल A और C
2. केवल A, C, D और E
3. केवल C, D और E
4. केवल C और D

64. वृहद-अर्थव्यवस्था की प्रमुख विचार शाखाओं के बारे में निम्नलिखित में से कौन-से कथन सही हैं?

A. नए केन्जीयन तार्किक प्रत्याशा, बाजार की कमियों की स्वीकार करते हैं और संचयी मांग की भूमिका को उजागर करते हैं।

B. मौद्रिकतावादी तार्किक प्रत्याशा, गैर-प्रतिस्पर्धी बाजार को मान्यता देते हैं तथा मौद्रिक नीति की भूमिका को उजागर करते हैं।

C. नए परम्परावादी तार्किक प्रत्याशा और प्रतिस्पर्धी बाजार को मान्यता देते हैं तथा नीति की अप्रासंगिकता को उजागर करते हैं।

D. परम्परावादी प्रतिस्पर्धी और टकराव रहित अर्थव्यवस्था को मान्यता देते हैं और नीति की अप्रभाविता को उजागर करते हैं।

E. केन्जीयन मजदूरी और कीमत की प्रत्यास्थता (लोच) को मान्यता देते हैं तथा नीति के प्रभावीपन को उजागर करते हैं।

नीचे दिए गए विकल्पों में से **सही** उत्तर का चयन कीजिए :

1. केवल A, C और D
2. केवल A, B, C और D
3. केवल B, C, D और E
4. केवल C और D

65. सूची-I के साथ सूची-II का मिलान कीजिए :

सूची-I	सूची-II
A. मुक्त व्यापार क्षेत्र	I. सदस्यों के मध्य सभी प्रशुल्क (टैरिफ) हटाए जाते हैं और जो सदस्य नहीं हैं उनके लिए बाह्य (विदेशी) व्यापार नीति अपनाई जाती है
B. सीमा शुल्क संघ	II. सदस्यों के मध्य सभी टैरिफ हटाए जाते हैं और समूह गैर-सदस्यों के लिए एक सामान्य विदेशी वाणिज्यिक नीति अपनाता है
C. सामान्य बाजार	III. समूह के सभी सदस्य एक-दूसरे के उत्पादों पर से टैरिफ हटा देते हैं और इसके साथ-साथ सदस्यों के साथ व्यापार-मूल्य स्थापित करने में अपनी स्वतंत्रता बनाए रखते हैं
D. आर्थिक संघ	IV. व्यापार एकीकरण की सर्वाधिक उन्नत अवस्था

नीचे दिए गए विकल्पों में से **सही** उत्तर का चयन कीजिए :

1. A-III, B-II, C-I, D-IV
2. A-I, B-II, C-III, D-IV
3. A-II, B-I, C-IV, D-III
4. A-IV, B-III, C-II, D-I

66. निम्नलिखित में से क्या जीवन तालिका में उपयुक्त नहीं बैठता है :

1. जीवन तालिका में आठ कॉलम होते हैं।
2. इसमें आयु-विशिष्ट मर्त्यता दर का उल्लेख होता है।
3. जीवन तालिका से आयु-विशिष्ट जन्म दर व्युत्पन्न किया जा सकता है।
4. आयु-विशिष्ट जीवन प्रत्याशा परिकलन किया जा सकता है।

67. पर्यावरणीय परिवर्तन यथा उद्यान बनाने, मनोहारी दृश्य निर्माण इत्यादि के कारण किसी मकान की कीमत में परिवर्तन को अनुमानित करने के लिए प्रयुक्त विधि है :

1. यात्रा लागत विधि
2. सुखवादी (भोगवादी) मूल्य-निर्धारण विधि
3. उत्पादन-प्रकार्य विधि
4. आकस्मिक मूल्यांकन विधि

68. ब्याज-दर और सट्टा मुद्रा मांग के मध्य व्युत्क्रमी संबंध होता है। इसका कारण है :

1. अनुकूलक प्रत्याशा परिकल्पना
2. प्रतिगमन प्रत्याशा परिकल्पना
3. विवेकपूर्ण (युक्ति संगत) प्रत्याशा परिकल्पना
4. सापेक्षिक मजदूरी परिकल्पना

69. CES उत्पादन फलन $y = [a_1 x_1^p + a_2 x_2^p]^p$ ज्ञात है तो विभिन्न कारकों के मध्य प्रतिस्थापना का लोच होगी :

1. 1
2. P
3. $\frac{1}{P}$
4. $\frac{1}{1-P}$

70. निम्नलिखित को उनकी स्थापना-तिथि के आधार पर क्रम में व्यवस्थित कीजिए :

A. आईडीबीआई-भारतीय औद्योगिक विकास बैंक
B. आईएफसीआई-भारतीय औद्योगिक वित्त निगम
C. आईसीआईसीआई-भारतीय औद्योगिक साख (ऋण) और निवेश निगम
D. आईआरबीआई-भारतीय औद्योगिक पुनर्निर्माण बैंक

नीचे दिए गए विकल्पों में से **सही** उत्तर का चयन कीजिए :

1. B, C, D, A
2. D, B, C, A
3. B, C, A, D
4. A, B, D, C

71. निम्नलिखित को आदितम से वर्तमान क्रम में व्यवस्थित कीजिए :

A. जॉन एफ. नैश
B. वॉन न्यूमान एण्ड ऑस्कर मॉर्गेस्टर्न
C. रॉबर्ट एक्सेलरॉड
D. पॉल मिलग्रोम
E. जॉन मेनार्ड स्मिथ

नीचे दिए गए विकल्पों में से **सही** उत्तर का चयन कीजिए :

1. A, B, C, D, E
2. A, C, B, D, E
3. A, D, B, C, E
4. B, A, C, E, D

72. प्राक्कलन की सामान्यीकृत न्यूनतम वर्ग विधि निम्नलिखित में से किन मामलों में प्रयुक्त हो सकती है?

A. स्वतः सह संबंधित बाधाएं
B. व्याख्यात्मक चरों के मध्य बहु सहरेखीयता
C. विषम प्रत्यास्थी बाधाएं
D. अति उपयुक्त मॉडल
E. त्रुटिपूर्ण प्रकार्यात्मक रूप

नीचे दिए गए विकल्पों में से **सही** उत्तर का चयन कीजिए :

1. केवल A, C और D
2. केवल C, B और E
3. केवल A और C
4. केवल C, D और E

73. सूची-I के साथ सूची-II का मिलान कीजिए :

सूची-I	सूची-II
A. अशोधित जन्म दर	I. $\frac{B}{P}\times 1000$
B. आयु-विशिष्ट प्रजनन दर	II. $\frac{B}{P_F}\times 1000$
C. कुल प्रजनन दर	III. $\frac{B_i}{P_{iF}}\times 1000$
D. सामान्य प्रजनन दर	IV. $\sum \frac{B_i}{P_{iF}}\times 1000$

नीचे दिए गए विकल्पों में से **सही** उत्तर का चयन कीजिए :

1. A-II, B-III, C-I, D-IV
2. A-I, B-III, C-II, D-IV
3. A-IV, B-I, C-II, D-III
4. A-I, B-III, C-IV, D-II

74. नव क्लासिकी वृहद (समष्टि) मॉडल में बिना अप्रत्याशित संघात के हमारे पास निम्नलिखित हो सकता है :

A. स्वैच्छिक बेरोजगारी
B. अनैच्छिक बेरोजगारी
C. प्रच्छन्न बेरोजगारी
D. चक्रीय बेरोजगारी
E. बेरोजगारी की स्वाभाविक दर

नीचे दिए गए विकल्पों में से **सही** उत्तर का चयन कीजिए :

1. केवल A और D 2. केवल B और C
3. केवल D और E 4. केवल A और E

75. वालरस नियम का कहना है कि यदि N-1 बाजारों में साम्यता है तो हमें निम्नलिखित बाजारों/बाजार में साम्य कीमतें प्राप्त हो सकती हैं :

1. N बाजार
2. 2N बाजार
3. N-3 बाजार
4. N-4 बाजार

76. **सही** विकल्प चुनिए :

साइटोवॉस्की द्वय मानदंड में

1. काल्डर-हिक्स कल्याण मानदण्ड परीक्षण को पूरा करना अपेक्षित नहीं होता हैं।
2. इसमें केवल व्युत्क्रम-परीक्षण को पूरा करना अपेक्षित है।
3. इसमें व्युत्क्रमण-परीक्षण को पूरा करना अपेक्षित नहीं है।
4. इसमें काल्डर-हिक्स परीक्षण तथा व्युत्क्रम परीक्षण को पूरा करना अपेक्षित होता है।

77. निम्नलिखित में से कौन-सी विशेषता एकाधिकारी प्रतिस्पर्धी के संदर्भ में उपयुक्त नहीं है?

1. प्रतिष्ठानों का कीमत पर कोई नियंत्रण नहीं होता है।
2. उत्पादन के कारकों की पूर्ण सचलता।
3. उत्पाद विभेदीकृत होते हैं।
4. घटक-मूल्य और प्रौद्योगिकी का उल्लेख रहता है।

78. निम्नलिखित विद्वानों के जनसंख्या-सिद्धांतों को कालक्रम में व्यवस्थित कीजिए :

A. कार्ल मार्क्स
B. एडविन कैनन
C. टी.आर. माल्थस
D. सी.आर. ब्लैकर

नीचे दिए गए विकल्पों में से **सही** उत्तर का चयन कीजिए :

1. B, C, A, D
2. A, B, C, D
3. C, B, A, D
4. B, C, D, A

79. अरेखीय सममात्रा और समलागत के मध्य स्पर्शज्या बिन्दू का तात्पर्य निम्नलिखित में से किससे है?

1. उत्पादन क्षमता का वह बिन्दु जहाँ कोई फर्म न्यूनतम संभावित लागत पर वांछित प्रतिफल उत्पन्न कर सकता है।
2. प्रतिफल के विभिन्न स्तर जिसे इनपुट के दिए गए स्तर का प्रयोग कर उत्पन्न किया जा सकता है।
3. इनपुट के विभिन्न युग्म जिसका प्रयोग निर्दिष्ट प्रतिफल स्तर तक उत्पादन के लिए किया जा सकता है।
4. विभिन्न स्तरों का प्रतिफल उत्पन्न करने के लिए अपेक्षित आदान का न्यूनतम लागत युग्मन।

80. निम्नलिखित में से क्या व्यापार का/के आधुनिक सिद्धांत नहीं हैं?

A. मानव कौशल सिद्धांत
B. घटक-अनुपात सिद्धांत
C. उत्पाद चक्र सिद्धांत
D. ऑफर कर्व एनालिसिस (प्रस्ताव वक्र विश्लेषण)
E. एकाधिकारी प्रतिस्पर्धी व्यापार सिद्धांत

नीचे दिए गए विकल्पों में से **सही** उत्तर का चयन कीजिए :

1. केवल A
2. केवल A, B
3. केवल B, D
4. केवल C, D, E

81. भारत के राष्ट्रीय स्तर के कार्यक्रम के बारे में निम्नांकित में से कौन-सा कथन सही **नहीं** है?

1. महात्मा गांधी राष्ट्रीय ग्रामीण रोजगार गारंटी कार्यक्रम (एम.जी.एन.आर.ई.जी.पी.) एक कार्यबल प्रवण कार्यक्रम है।
2. प्रधानमंत्री आवास योजना एक विकास योजना है।
3. प्रधानमंत्री ग्रामीण सड़क योजना खाद्य सुरक्षा संवर्धन कार्यक्रम है।
4. बी.बी.बी.पी. महिला-पुरुष समानता संवर्धन कार्यक्रम है।

82. निम्नलिखित जनांकिकीय पदबंधों को सी.आर. ब्लैकर के जनसंख्या-सिद्धांत के अनुसार व्यवस्थित कीजिए :

A. न्यून मर्त्यता और जन्म से अधिक मृत्यु
B. जन्म दर में गिरावट किन्तु मर्त्यता में ह्रास
C. उच्च जन्म दर और उच्च मृत्यु दर
D. न्यून जन्म दरें समान रूप से न्यून मर्त्यता से संतुलित

नीचे दिए गए विकल्पों में से **सही** उत्तर का चयन कीजिए :

1. C, B, A, D 2. C, B, D, A
3. A, C, B, D 4. B, C, D, A

83. व्यक्ति द्वारा धन की जमाखोरी के परिणाम हैं :

A. माल और सेवाओं का क्रय नहीं करने से उपयोगिता की कमी

B. बचत नहीं करने से परित्यक्त ब्याज

C. अपस्फीति के कारण धन के वास्तविक मोल का ह्रास

D. अन्य आस्तियों का क्रय नहीं करने के कारण प्रतिफल (अनुलाभ) की कमी

नीचे दिए गए विकल्पों में से **सही** उत्तर का चयन कीजिए :

1. केवल A, B, C 2. केवल A, B, D
3. केवल B, C, D 4. केवल A, B

84. निम्नलिखित में से कौन-सा भारत सरकार का ग्रामीण विकास कार्यक्रम नहीं है?

1. दीन दयाल उपाध्याय ग्रामीण कौशल्या योजना
2. प्रधानमंत्री ग्राम सड़क योजना
3. स्वच्छ भारत मिशन
4. राष्ट्रीय सामाजिक सहायता कार्यक्रम

85. सूची-I के साथ सूची-II का मिलान कीजिए :

सूची-I	**सूची-II**
A. वॉन न्यूमान एण्ड ऑस्कर मॉर्गेन्स्टर्न	I. जैसे-को-तैसा रणनीति
B. एक्सेलरॉड	II. खेल और आर्थिक व्यवहार सिद्धांत
C. स्टैकलबर्ग नेतृत्व मॉडल	III. नैश साम्यता
D. सिंगल-शॉट गेम	IV. धोखाधड़ी

नीचे दिए गए विकल्पों में से **सही** उत्तर का चयन कीजिए :

1. A-I, B-II, C-III, D-IV
2. A-II, B-I, C-IV, D-III
3. A-IV, B-III, C-II, D-I
4. A-II, B-I, C-III, D-IV

86. नीचे दिए गए उदाहरण को पढ़िए और दिए गए विकल्पों में से सही उत्तर चुनिए :

यदि कोई प्राध्यापक किसी परीक्षा में केवल वर्ण के ग्रेड देता है, हमें पता चलता है कि 'A' ग्रेड पाने वाले विद्यार्थी ने 'B' ग्रेड पाने वाले विद्यार्थी की तुलना में बेहतर प्रदर्शन किया किन्तु हम यह नहीं कह सकते कि क्रमबद्ध मापनी से वह कितना बेहतर था, ना ही हम यह कह सकते हैं कि 'A' और 'B' ग्रेड तथा 'C' ग्रेड पाने वाले विद्यार्थी में अधिमानता का अंतर है या नहीं।

1. मार्शल का उपयोगिता विश्लेषण
2. उद्घाटित अधिक्मान विश्लेषण
3. स्लट्स्की समीकरण
4. उदासीन वक्र विश्लेषण

87. मार्शल के उपयोगिता विश्लेषण में उपभोक्ता अधिशेष का आधार है :

1. सम-सीमांत उपयोगिता का नियम
2. अनुपात का नियम
3. ह्रास मान सीमांत उपयोगिता का नियम
4. मांग का नियम

88. निम्नलिखित सिद्धांतों को सही कालक्रम में व्यवस्थित करें (आदितम से आरंभ करते हुए) :

A. मुद्रा की मात्रा-सिद्धांत का कैम्ब्रिज संस्करण

B. मुद्रा की मांग का बौमोल का सिद्धांत

C. मुद्रा की मात्रा सिद्धांत का फिशर संस्करण

D. टॉबिन का मुद्रा की मांग का सिद्धांत

नीचे दिए गए विकल्पों में से **सही** उत्तर का चयन कीजिए :

1. C, A, D, B
2. A, C, B, D
3. C, A, B, D
4. B, C, D, A

89. भारत के अनौपचारिक क्षेत्र के बारे में अनुदैर्ध्य दत्त (आंकड़े) संबंधी प्रतिवेदनों का प्रकाशन भारत के किस मंत्रालय द्वारा किया गया है?

1. गृह मंत्रालय
2. नीति आयोग
3. सांख्यिकी और कार्यक्रम कार्यान्वयन मंत्रालय
4. वित्त मंत्रालय

90. निम्नलिखित घटनाओं को उनके घटित होने की प्रायिकता के आधार पर बढ़ते क्रम में व्यवस्थित कीजिए :

A. दो सिक्कों के युगपत उछाल में दो चित (शीर्षभाग) प्राप्त होने की प्रायिकता।

B. भली भांति संपृक्त ताश के पत्तों के एकल ड्रॉ से रानी (बेगम) का पत्ता प्राप्त होने की प्रायिकता।

C. किसी झोले में रखे 3 श्वेत और 7 काले गेंदों में से एक श्वेत गेंद प्राप्त होने की प्रायिकता।

D. किसी पाशक (डाई) के एकल रॉल से समसंख्या प्राप्त होने की प्रायिकता।

नीचे दिए गए विकल्पों में से **सही** उत्तर का चयन कीजिए :

1. A, D, B, C
2. C, A, B, D
3. B, C, A, D
4. B, A, C, D

निर्देशः (प्र.सं. 91 से 95 तक): निम्नलिखित कैदियों की दुविधा गेम पर विचार कीजिए

तालिका : सुरक्षा-निवेश गेम

		फर्म-2	
		कोई निवेश नहीं	निवेश
फर्म-1	कोई निवेश नहीं	$200 / $200	$100 / $250
	निवेश	$250 / $100	$225 / $225

उपरोक्त पेऑफ मैट्रिक्स को पढ़ें और निम्नलिखित प्रश्नों के उत्तर दें :

सही विकल्प ज्ञात कीजिए।

91. नैश साम्य तब घटित होता है जब दोनों फर्में अर्जित करती हैं :

1. ($200, $200)
2. ($225, $225)
3. ($100, $250)
4. ($225, $100)

92. उद्योग में एक फर्म द्वारा संरक्षा निवेश से :

1. दोनों फर्म की संरक्षा बढ़ती है।
2. निवेश करने वाली फर्म की संरक्षा बढ़ती है।
3. कुल मिलाकर उद्योग की संरक्षा सुनिश्चित नहीं की जा सकती।
4. जिस फर्म ने निवेश नहीं किया है उसके संरक्षा बढ़ती है।

93. दोनों फर्मों द्वारा किया गया निवेश :

1. साम्य है
2. आंशिक रूप से साम्य है
3. साम्य नहीं है
4. नैश साम्यता है

94. इस क्रीडा में अपेक्षा से कम निवेश की समस्या का परिहार किया जा सकता है यदि :

1. एक फर्म निवेश करे और दूसरा फर्म निवेश नहीं करे
2. सरकार ऐसे संरक्षा मानक निर्धारित करती है जिसमें दोनों फर्मों को निवेश करना पड़ेगा
3. दोनों निवेश करें
4. कोई भी निवेश नहीं करे

95. दो फर्म वाले उद्योग में से एक फर्म द्वारा संरक्षा निवेश के फलस्वरूप :

1. उस फर्म में कर्मकारों की मजदूरी बढ़ती है जिसने निवेश नहीं किया है
2. उस फर्म के कर्मकारों की मजदूरी बढ़ती है जिसने निवेश किया है
3. उस फर्म के कर्मकारों की मजदूरी घटती है जिसने निवेश किया है
4. दोनों फर्मों में कर्मकारों की मजदूरी घटती है

निर्देशः (प्र.सं. 96 से 100 तक): निम्नलिखित गद्यांश को ध्यानपूर्वक पढ़े और प्रश्नों के उत्तर दीजिए।

अपने वैयक्तिक अभिलाक्षणिक गुण अपनी सामाजिक पृष्ठभूमि, आर्थिक परिस्थितियां इत्यादि के आधार पर व्यक्ति में कुछ चीजें करने (या कुछ बनने) की योग्यता होती है जिसे महत्त्व देने का उसके पास कारण होता है। मूल्यांकन (मोल-निर्धारण) का तर्क प्रत्यक्ष (अंतर्ग्रस्त कार्यकरण से प्रत्यक्षतः उसका जीवन यथा हृष्टपुष्ट या स्वस्थ होना) अथवा अप्रत्यक्ष (अंतर्ग्रस्त कार्यकरण से उत्पादन बढ़ाने या बाजार में कीमत को समादिष्ट करने में अंशदान हो सकता है) हो सकता है। सैद्धांतिक रूप में मानवपूंजी परिप्रेक्ष्य को मोटे तौर पर परिभाषित करने में दोनों प्रकार के मोल-निर्धारण को समाहित किया जा सकता है किंतु प्रारूपिक रूप से इसकी परिभाषा परंपरागत रूप से प्रमुखतः परोक्ष मूल्य के संदर्भ में दी जाती है, अर्थात् उत्पादन में जिस तरह से भौतिक पूंजी प्रयुक्त होती है उसी रूप में मानवीय गुणों को भी प्रयुक्त किया जा सकता है। इस अर्थ में मानव पूंजी उपागम का अपेक्षाकृत अधिक संकीर्ण मत मानव की उस अभियोग्यता के समावेशी परिप्रेक्ष्य में सटीक बैठता है जिसमें मानव की योग्यताओं के प्रत्यक्ष और परोक्ष दोनों परिणाम समाहित हो सकते हैं। उदाहरण के तौर पर यदि शिक्षा व्यक्ति को वस्तु के उत्पादन में अधिक दक्ष बनाता है तो यह प्रत्यक्षतः मानवपूंजी का संवर्धन है। इसके फलस्वरूप अर्थव्यवस्था में उत्पादन के मोल में वृद्धि हो सकती है और इसके साथ-साथ शिक्षित होने वाले व्यक्ति की आय भी बढ़ सकती है। किन्तु इतनी-सी आय वाला कोई व्यक्ति पठन, संप्रेषण, तर्क विद्या के माध्यम से लाभान्वित होकर अपेक्षाकृत अधिक संसूचित रूप में विकल्पों का चयन कर सकता है और अन्य जनमानस उसे अधिक गंभीरतापूर्वक ले सकते हैं और इस तरह से कई अन्य बातें हो सकती हैं। इस प्रकार शिक्षा के फलस्वरूप प्राप्त होने वाली प्रसुविधाओं की भूमिका वस्तु उत्पादन में मानवपूंजी के रूप में इसकी भूमिका से कहीं अधिक है। वृहत्तर मानव अभियोग्यता संदर्श (परिप्रेक्ष्य) में इन अतिरिक्त भूमिकाओं को अभिलिखित कर इन्हें महत्त्व दिया जाएगा।

96. किसी व्यक्ति को शिक्षा प्रदान करने के फलस्वरूप निम्नलिखित में से किसका संवर्धन होता है?

1. मानव अभियोग्यता का न कि मानव पूंजी का
2. मानव पूंजी का न कि मानव अभियोग्यता का
3. मानव अभियोग्यता और मानव पूंजी दोनों का
4. न तो मानव अभियोग्यता का न ही मानव पूंजी का

97. व्यक्ति द्वारा कतिपय कार्य और कुछ बनने को महत्त्व देने का प्रत्यक्ष प्रभाव होता है, यथा :

1. उत्पादन में दक्ष होना
2. राष्ट्रीय धन में अंशदान
3. जीवन संवर्धन
4. उपयोगिता संवर्धन का उपभोग

98. मानव अभियोग्यता का संबंध है :

1. संसूचित विकल्प चयन से
2. प्रति व्यक्ति आय से
3. उत्पादन-दक्षता से
4. आर्थिक विकास से

99. निम्नलिखित में से कौन-सी अवधारणा मानव अभियोग्यता से संबंधित नहीं है?

1. स्वस्थ होना
2. तर्क वृद्धि में प्रवीण होना
3. सामाजिक स्वीकार्यता
4. अधिनायकवादी होना

100. मानव अभियोग्यता और मानव पूंजी निम्नांकित रूप में संबद्ध हैं :

1. ये दोनों पूर्णतः पृथक अवधारणाएं हैं
2. मानव अभियोग्यता मानव पूंजी की तुलना में अधिक उच्चतर श्रेणी की है
3. मानव पूंजी, मानव अभियोग्यता की तुलना में उच्चतर श्रेणी की है
4. ये दोनों प्रायः समान अवधारणाएं हैं

उत्तरमाला

1	2	3	4	5	6	7	8	9	10
4	3	2	4	4	3	1	3	3	1
11	**12**	**13**	**14**	**15**	**16**	**17**	**18**	**19**	**20**
2	2	3	2	4	1	1	1	2	4
21	**22**	**23**	**24**	**25**	**26**	**27**	**28**	**29**	**30**
4	2	1	2	2	2	3	2	2	4
31	**32**	**33**	**34**	**35**	**36**	**37**	**38**	**39**	**40**
4	1	1	2	1	1	4	2	3	2
41	**42**	**43**	**44**	**45**	**46**	**47**	**48**	**49**	**50**
2	2	2	2	3	1	4	1	3	2
51	**52**	**53**	**54**	**55**	**56**	**57**	**58**	**59**	**60**
4	3	4	1	4	4	4	4	2	1
61	**62**	**63**	**64**	**65**	**66**	**67**	**68**	**69**	**70**
1	3	4	1	1	3	2	2	4	3
71	**72**	**73**	**74**	**75**	**76**	**77**	**78**	**79**	**80**
4	3	4	4	1	4	2	3	1	3
81	**82**	**83**	**84**	**85**	**86**	**87**	**88**	**89**	**90**
3	2	2	3	4	4	3	3	3	4
91	**92**	**93**	**94**	**95**	**96**	**97**	**98**	**99**	**100**
1	2	3	2	4	3	3	1	4	2

व्याख्यात्मक उत्तर

1. भारत में राष्ट्रीय आय सांख्यिकी (National Accounts Statistics) के संकलन/संगणना और प्रकाशन की जिम्मेदारी केंद्रीय सांख्यिकी संगठन (CSO) पर रही है, जो सांख्यिकी एवं कार्यक्रम क्रियान्वयन मंत्रालय (MoSPI) के अंतर्गत आता है। यद्यपि 2019 से CSO और NSSO का पुनर्गठन होकर राष्ट्रीय सांख्यिकी कार्यालय (NSO) बना, पर विकल्पों में दिए गए नामों में यही सही इकाई है; RBI/वित्त मंत्रालय/नीति आयोग राष्ट्रीय आय का संकलन नहीं करते।

2. पैमाने की बचत (increasing returns to scale) और एकाधिकारी प्रतियोगिता (monopolistic competition) को एक साथ समाहित कर अंतःउद्योग व्यापार को समझाने वाला प्रतिरूप पॉल क्रुगमैन (1979/1980) का "क्रुगमैन व्यापार प्रतिरूप" है। इसमें अनेक फर्में, विविधता-प्रियता और आंतरिक पैमाने की बचत के कारण समान देशों के बीच भी व्यापार (intra-industry trade) उत्पन्न होता है। केम्प प्रतिरूप/फाल्वे प्रतिरूप या "अंतःउद्योग व्यापार" स्वयं कोई विशिष्ट मॉडल इस संयोजन को उतनी प्रत्यक्षता से नहीं दर्शाते।

3. एकाधिकार अथवा एकाधिकारी प्रतियोगिता के परिप्रेक्ष्य में, सीमांत आय (MR) और मूल्य लोच (ε) का संबंध सूत्र द्वारा व्यक्त किया जाता है :

$$MR = P\left(1 + \frac{1}{\varepsilon}\right)$$

यहाँ दिए गए हैं :

- सीमांत आय MR = 10
- मूल्य P = 30

सूत्र में मान रखने पर :

$$\frac{MR}{P} = 1+\frac{1}{\varepsilon}$$

$$\frac{10}{30} = 1+\frac{1}{\varepsilon}$$

$$\frac{1}{3} = 1+\frac{1}{\varepsilon}$$

अब 1 घटाते हैं :

$$\frac{1}{3}-1 = \frac{1}{\varepsilon}$$

$$-\frac{2}{3} = \frac{1}{\varepsilon}$$

अतः

$$\varepsilon = -\frac{3}{2} = -1.5$$

माँग की स्व-मूल्य लोच ऋणात्मक होती है, अतः सही मान –1.5 है।

4. योजनाओं के आरंभिक वर्ष निम्न प्रकार हैं :

- अटल पेंशन योजना (B): मई 2015 में प्रारंभ।
- पीएम उज्ज्वला योजना (D): मई 2016 में प्रारंभ।
- आयुष्मान भारत योजना (A): सितम्बर 2018 में प्रारंभ।
- जल जीवन मिशन (C): अगस्त 2019 में प्रारंभ।

कालानुक्रम में क्रम होगा : B, D, A, C.

5. क्लासिकी व्यापार सिद्धांत (Classical Theory of Trade) जैसे एडम स्मिथ का निरपेक्ष लाभ (Absolute Advantage) और डेविड रिकार्डो का तुलनात्मक लाभ (Comparative Advantage) मुख्य रूप से श्रम को उत्पादन का एकमात्र कारक मानते हैं। यह मूल्य के श्रम सिद्धांत (Labour Theory of Value) को स्वीकार करते हैं और व्यापार को सकारात्मक-योग खेल (Positive-sum game) मानते हैं, जहाँ सभी भागीदार देशों को व्यापार से लाभ होता है। इन सिद्धांतों में यह धारणा भी शामिल है कि उत्पादन के कारक घरेलू स्तर पर पूर्ण रूप से गतिशील (perfectly mobile) होते हैं, लेकिन अंतर्राष्ट्रीय स्तर पर अचल (perfectly immobile) होते हैं।

इसलिए :

A. **मूल्य का श्रम सिद्धांत** : लागू होता है, क्योंकि यह क्लासिकी सिद्धांत का आधार है।

B. **एक कारक प्रतिरूप** : लागू होता है, क्योंकि क्लासिकी मॉडल एकल कारक (श्रम) पर आधारित है।

C. **यह शून्य-योग चाल को संतुष्ट करता है** : लागू नहीं होता, क्योंकि क्लासिकी सिद्धांत व्यापार को पारस्परिक लाभकारी मानते हैं, न कि शून्य-योग।

D. **यह बहु-कारक प्रतिरूप है** : लागू नहीं होता, क्योंकि क्लासिकी सिद्धांत बहु-कारक मॉडल नहीं हैं।

E. **उत्पाद के कारक घरेलू और अंतर्राष्ट्रीय रूप से चलायमान हैं** : लागू नहीं होता, क्योंकि क्लासिकी सिद्धांत केवल घरेलू गतिशीलता और अंतर्राष्ट्रीय अचलता को मानते हैं।

अतः जो कथन लागू नहीं होते वे हैं C, D और E.

6. केंद्रीय बैंक मुद्रा पूर्ति बढ़ाने के लिए :

B. **जनता से सरकारी प्रतिभूतियां खरीदना** : यह ओपन मार्केट ऑपरेशन द्वारा अर्थव्यवस्था में नकदी प्रवाह बढ़ाता है।

C. **नकद आरक्षित अनुपात (CRR) को कम करना** : इससे बैंकों के पास उधार देने हेतु अधिक नकदी उपलब्ध होती है।

D. **रेपो दर को कम करना** : इससे बैंकों को सस्ता ऋण मिलता है और ऋण प्रवाह बढ़ता है।

जबकि A. CRR को बढ़ाना मुद्रा आपूर्ति को घटाता है।

इसलिए, सही विकल्प है B, C, D.

7. सूची-I और सूची-II का सही मिलान इस प्रकार है :

- **A. एडम स्मिथ — I. बाजार का आकार** : एडम स्मिथ ने श्रम विभाजन के सिद्धांत में कहा कि श्रम विभाजन की सीमा बाजार के आकार पर निर्भर करती है।
- **B. डेविड रिकार्डो — II. प्राकृतिक संसाधन प्रतिबंध** : रिकार्डो का रेंट सिद्धांत और तुलनात्मक लाभ सिद्धांत भूमि जैसे प्राकृतिक संसाधन प्रतिबंधों को महत्व देता है।
- **C. कार्ल मार्क्स — III. उत्पादन की शक्तियां** : मार्क्स ने उत्पादन की शक्तियों और उत्पादन संबंधों के विरोधाभास पर आधारित ऐतिहासिक भौतिकवाद का प्रतिपादन किया।
- **D. अमर्त्य सेन — IV. चयन की स्वतंत्रता** : अमर्त्य सेन ने मानव विकास और क्षमताओं के दृष्टिकोण में स्वतंत्रता और विकल्पों के महत्व को रेखांकित किया।

अतः सही मिलान A-I, B-II, C-III, D-IV है।

8. मौद्रिक नीति सिद्धांतों के संदर्भ में सूची-I और सूची-II का सही मिलान इस प्रकार है :

- **A. अनुकूलन प्रत्याशा (Adaptive expectations) — III. नीति केवल अल्प-अवधि में प्रभावी है, हालांकि लंबी अवधि में नहीं :** इस दृष्टिकोण में लोग अपनी उम्मीदें पिछले अनुभवों के आधार पर बनाते हैं। अल्पकाल में मौद्रिक नीति उत्पादन और रोजगार पर प्रभाव डाल सकती है, लेकिन जैसे-जैसे लोग नई परिस्थितियों के अनुरूप अपनी अपेक्षाएँ बदलते हैं, दीर्घकाल में नीति अप्रभावी हो जाती है।
- **B. तार्किक प्रत्याशाओं (Rational expectations) के तहत पूर्वानुमानित विस्तारक मौद्रिक नीति — I. नीति केवल सामान्य स्फीति के साथ अप्रभावी है :** तार्किक प्रत्याशा सिद्धांत कहता है कि लोग सभी उपलब्ध सूचनाओं का उपयोग करके सही भविष्यवाणी करते हैं। यदि विस्तारक नीति पूर्वानुमेय है, तो लोग तुरंत अपने व्यवहार (मजदूरी और मूल्य) को समायोजित कर लेते हैं, जिससे नीति का वास्तविक उत्पादन पर कोई प्रभाव नहीं होता और केवल स्फीति (inflation) उत्पन्न होती है।
- **C. महामंदी के दौरान मुद्रा मजदूरी में कटौती — II. नीति केवल सामान्य अवस्फीति के साथ अप्रभावी है :** महामंदी में मजदूरी कटौती से समग्र मांग में और कमी आई, जिससे अवस्फीति और आर्थिक संकुचन हुआ। इस प्रकार ऐसी नीति सामान्य अवस्फीति के माहौल में अप्रभावी साबित हुई।
- **D. काफी बड़ी प्रसूची लागत (Menu cost) की उपस्थिति — IV. किसी भी सामान्य स्फीति/अवस्फीति के साथ नीति प्रभावी नहीं है :** जब प्रसूची लागतें बड़ी होती हैं, तो फर्में कीमतों को समायोजित करने से हिचकिचाती हैं, जिससे मौद्रिक या राजकोषीय नीतियों के प्रभाव को निष्प्रभावी कर देती हैं।

अतः सही मिलान A-III, B-I, C-II, D-IV है।

9. यह एक द्वि-क्षेत्रीय (two-sector) अर्थव्यवस्था का लेऑन्टीफ इनपुट-आउटपुट मॉडल है। हमें दिया गया है

आगत-निर्गत मैट्रिक्स (A):

$$A = \begin{pmatrix} 0.25 & 0.40 \\ 0.10 & 0.10 \end{pmatrix}$$

बाहरी मांग वेक्टर (D):

$$D = \begin{pmatrix} 10 \\ 20 \end{pmatrix}$$

हमें निर्गत स्तर X निकालना है :

$$X = (I - A)^{-1} D$$

(1) इकाई मैट्रिक्स से A घटाना :

$$I - A = \begin{pmatrix} 1 & 0 \\ 0 & 1 \end{pmatrix} - \begin{pmatrix} 0.25 & 0.40 \\ 0.10 & 0.10 \end{pmatrix}$$

$$= \begin{pmatrix} 0.75 & -0.40 \\ -0.10 & 0.90 \end{pmatrix}$$

(2) डिटरमिनेंट निकालें :

$$|I - A| = (0.75)(0.90) - (-0.40)(-0.10)$$

$$= 0.675 - 0.04$$

$$= 0.635$$

(3) इनवर्स $(I\text{-}A)^{\{-1\}}$ निकालें :

एडज्वॉइंट :

$$\text{Adj}(I - A) = \begin{pmatrix} 0.90 & 0.40 \\ 0.10 & 0.75 \end{pmatrix}$$

(क्योंकि को-फैक्टर मैट्रिक्स का ट्रांसपोज लिया गया है और साइन परिवर्तन लागू किया गया है।)

अब,

$$(I - A)^{-1} = \frac{1}{0.635} \begin{pmatrix} 0.90 & 0.40 \\ 0.10 & 0.75 \end{pmatrix}$$

(4) D से गुणा करें :

पहले मैट्रिक्स गुणन :

$$\begin{pmatrix} 0.90 & 0.40 \\ 0.10 & 0.75 \end{pmatrix} \begin{pmatrix} 10 \\ 20 \end{pmatrix} = \begin{pmatrix} 0.90(10) + 0.40(20) \\ 0.10(10) + 0.75(20) \end{pmatrix}$$

$$= \begin{pmatrix} 9 + 8 \\ 1 + 15 \end{pmatrix}$$

$$= \begin{pmatrix} 17 \\ 16 \end{pmatrix}$$

अब इसे $\frac{1}{0.635}$ से गुणा करें :

$$X = \frac{1}{0.635}\begin{pmatrix}17\\16\end{pmatrix}$$

$$= \begin{pmatrix}\frac{17}{0.635}\\ \frac{16}{0.635}\end{pmatrix}$$

$$= \begin{pmatrix}26.77\\25.20\end{pmatrix}$$

इस प्रकार पहले क्षेत्र का निर्गत स्तर लगभग 26.77 और दूसरे क्षेत्र का 25.20 होगा।

10. क्रम-स्थिति (order condition) के अनुसार किसी समीकरण की पहचान के लिए :

- प्रणाली में अंतर्जात (endogenous) चर Y_1, Y_2, Y_3 हैं।
- प्रथम समीकरण : $Y_1 = \propto_0 + \propto_1 Y_2 + \propto_3 Y_3 + \propto_4 X_1 + \propto_5 X_2 + U_1$.

यहाँ Y_1, Y_2, Y_3 अंतर्जात हैं। Y_1 आश्रित है और Y_2 व Y_3 दाईं ओर मौजूद हैं। Y_3 के लिए एक अलग समीकरण दिया गया है जिसमें केवल बाह्य चर X_1, X_2, X_3 हैं। कुल अंतर्जात चर = 3, कुल बहिर्जात = X_1, X_2, X_3। प्रणाली में 3 समीकरण और 3 अंतर्जात हैं। प्रथम समीकरण में शामिल न किए गए बाहरी चर = X_3 (क्योंकि X_1 और X_2 पहले से सम्मिलित हैं) और अंतर्जात चर Y_2, Y_3 सभी मौजूद हैं। छोड़े गए बहिर्जात = 1 है जबकि (कुल अंतर्जात −1) = 2 है। छोड़े गए (exogenous) < (endogenous − 1) ⇒ अज्ञात (under-identified)।

11. कालानुक्रमिक क्रम (प्रथम से अंतिम) के अनुसार इन अवधारणाओं व पुस्तकों को इस प्रकार व्यवस्थित किया जाता है :

E. **मार्जिनल यूटिलिटी–एलफ्रेड मार्शल :** सीमांत उपयोगिता की अवधारणा का उद्भव 1870 के दशक में जेवन्स, मेंगर और वालरस ने किया, और मार्शल ने इसे 1890 की Principles of Economics में नव-क्लासिकी अर्थशास्त्र का केंद्रीय हिस्सा बनाया।

C. **शैडो प्राइस–जेन टिनबर्गेन :** 1930 के दशक में योजनाबद्ध अर्थव्यवस्थाओं में संसाधनों के इष्टतम आवंटन हेतु प्रयुक्त अवधारणा।

A. **द लॉजिक ऑफ इंवेस्टमेंट प्लानिंग–सुखमोय चक्रवर्ती :** यह पुस्तक 1959 में प्रकाशित हुई, जिसने विकासशील देशों में निवेश योजना के लिए तार्किक ढाँचे पर जोर दिया।

B. **चॉइस ऑफ टेकनीक्स–अमर्त्य सेन :** 1960 में प्रकाशित, जिसमें अमर्त्य सेन ने विकासशील अर्थव्यवस्थाओं में तकनीकों के चुनाव और रोजगार प्रभाव पर चर्चा की।

D. **द ट्रेजेडी ऑफ द कॉमन्स–जी. हार्डिन :** यह प्रसिद्ध निबंध 1968 में Science पत्रिका में प्रकाशित हुआ और साझा संसाधनों के अति-उपयोग पर प्रकाश डाला।

इस प्रकार सही कालक्रम है : E, C, A, B, D.

12. व्यापार से अभिलाभ (Gains from trade) की परिभाषा न होने वाले कथनों की पहचान के लिए प्रत्येक विकल्प का विश्लेषण इस प्रकार है :

A. "यह वह हितलाभ है जिसमें व्यक्ति और देश अंतर्राष्ट्रीय व्यापार में भाग लेकर प्राप्त करते हैं।" — यह सही परिभाषा है।

B. "यह आर्थिक अभिकर्त्ताओं को सकल हितलाभ है, जो व्यापार में वृद्धि के परिणामस्वरूप होता है।" — यह गलत है, क्योंकि व्यापार से अभिलाभ को निवल लाभ के रूप में परिभाषित किया जाता है, सकल लाभ नहीं।

C. "यह उत्पादक अधिशेष में से उपभोक्ता अधिशेष को घटाता है।" — यह पूरी तरह गलत है। व्यापार से अभिलाभ उपभोक्ता अधिशेष + उत्पादक अधिशेष का योग होता है, घटाव नहीं।

D. "यह आर्थिक अभिकर्त्ताओं का निवल हितलाभ है जो व्यापार में वृद्धि के परिणामस्वरूप होता है।" — यह सही परिभाषा है।

E. "यह उत्पादक अधिशेषों और उपभोक्ता अधिशेषों का कुल योग है।" — यह भी सही परिभाषा है।

अतः गलत परिभाषाएँ केवल B और C हैं।

13. छह साधारण पासों को एक साथ घुमाने पर कुल संभावित परिणाम 6^6 होते हैं (हर पासे के 6-6 विकल्प)। "सभी पासों पर अलग-अलग संख्याएँ" आने के अनुकूल परिणामों की संख्या क्रमचयों के बराबर है :

$$6 \times 5 \times 4 \times 3 \times 2 \times 1 = 6!$$

अतः माँगी गई प्रायिकता :

$$P = \frac{6!}{6^6} = \frac{720}{46656} = \frac{5}{324}.$$

14. दो निर्णय चरों की रेखीय प्रोग्रामिंग में इष्टतम बिंदु या तो किसी नितांत (कोण/चरम) बिंदु पर मिलता है या बहु-इष्टतम स्थिति में दो नितांत बिंदुओं को जोड़ने वाली रेखा-खंड पर कहीं भी हो सकता है। इष्टतम का हमेशा एक ही हल होना आवश्यक नहीं, सभी संसाधनों का पूरा उपयोग भी आवश्यक नहीं, और शुद्ध आंतरिक बिंदु पर इष्टतम नहीं रहता (जब तक उद्देश्य फंक्शन तुच्छ न हो)।

15. "विनिमय दर के अंतर्गत" (अर्थात् विनिमय दर के प्रकार/संचालनों) में निर्यात-आयात जैसी बाह्य लेनदेन और ब्याज दरें (पूँजी प्रवाह के माध्यम से) प्रासंगिक होती हैं, जबकि खुले बाजार के कार्यकलाप (ओएमओ मौद्रिक नीति का उपकरण) और ऋण के बहु-विस्तार (बैंकों का क्रेडिट क्रिएशन तंत्र) विनिमय दर की श्रेणी नहीं हैं; ये धन-बाजार/मौद्रिक संचरण के विषय हैं।

अतः केवल B, E.

16. सूचियों का मिलान इस प्रकार है :

- पूर्णतया प्रतिस्पर्धी प्रतिरूप में क्रेताओं-विक्रेताओं की बड़ी संख्या होती है, किसी एक फर्म का मूल्य पर नियंत्रण नहीं—यह क्रेताओं और विक्रेताओं की बड़ी संख्या से मेल खाता है।
- बेरट्रांड प्रतिरूप में फर्में मूल्य तय करती हैं और फिर उसी मूल्य पर माँगित मात्रा का उत्पादन करती हैं—यह उत्पादक पहले कीमत निर्धारित करता है और फिर उस कीमत पर माँगे गए निर्गत को उत्पादित करता है।
- स्टेकलबर्ग प्रतिरूप में नेता-अनुयायी की रणनीति से फर्मों की परस्पर-निर्भरता स्पष्ट होती है—यह परस्पर-निर्भरता को स्वीकार करता है।
- अल्पाधिकार प्रतिरूप की परिभाषा ही है कि कुछ प्रतिस्पर्धी फर्में होती हैं—यह बाजार में कुछ प्रतिस्पर्धी फर्में है।

अतः सही मिलान A-III, B-I, C-II, D-IV है।

17. सूचियों का मिलान इस प्रकार है :

- साधारण यादृच्छिक प्रतिचयन में प्रत्येक मद के चुने जाने की समान प्रायिकता होती है— IV. सभी परीक्षणों में प्रत्येक मद के लिए चयन की समान प्रायिकता।
- व्यवस्थित प्रतिचयन में पहली इकाई यादृच्छिक तथा शेष नियत अंतर (हर k-वाँ) से— III. प्रथम इकाई से यादृच्छिक चयन और शेष का व्यवस्थित चयन।
- कोटा प्रतिचयन नमूना गैर-प्रायिकता विधि है—I. गैर-प्रायिकता प्रतिचयन।
- स्तरीकृत यादृच्छिक प्रतिचयन में प्रत्येक स्तर (stratum) से यादृच्छिक चयन—II. प्रत्येक स्तर से मदों का यादृच्छिक चुनाव।

अतः सही मिलान A-IV, B-III, C-I, D-II है।

18. श्रेणीबद्ध (m श्रेणियाँ) गुणात्मक चर को प्रतिगमन में शामिल करने के लिए डमी (प्रतीकात्मक) चर बनाए जाते हैं। इंटरसेप्ट (अवरुद्ध पद) होने पर m डमी लगाने से पूर्ण बहुसहसंबद्धता (dummy variable trap) हो जाती है, इसलिए मानक विनिर्देशन है : (m–1) डमी + अवरुद्ध पद। इससे प्रत्येक श्रेणी का प्रभाव संदर्भ श्रेणी की तुलना में मापा जाता है।

19. इकाई मूल परीक्षण (Unit root test – जैसे Augmented Dickey-Fuller) की शून्य परिकल्पना यह होती है कि दी गई काल श्रेणी अस्थिर (non-stationary) है। यदि शून्य को अस्वीकार नहीं किया जाता, तो श्रेणी में इकाई मूल है और वह अस्थिर है।

20. अवधारणाओं की ऐतिहासिक प्रस्तावनाएँ :

E. **कालेक्कि द्वारा प्रभावी मांग समस्या** – 1930 के दशक।

B. **डुएसेनबेरी द्वारा सापेक्ष आय परिकल्पना** – 1949।

A. **फ्रिडमैन द्वारा अनुकूलन प्रत्याशा परिकल्पना (Adaptive Expectations)** – 1957।

D. **लुकास द्वारा तार्किक प्रत्याशा परिकल्पना** (Rational Expectations) – 1972।

C. **स्टिग्लिट्ज द्वारा दक्षता मजदूरी परिकल्पना (Efficiency Wage)** – 1970 के दशक के उत्तरार्ध/1980।

कालानुक्रम : E, B, A, D, C.

21. उत्पादन प्रकार्य $Q = AK^{\alpha}B^{\beta}$ (जहाँ A, α, $\beta > 0$) :

- पूँजी के संबंध में निर्गत लोच = α होती है — यह सही है (B)।
- समघात की डिग्री = $\alpha + \beta$ होती है। डिग्री 1 तभी होगी जब $\alpha + \beta = 1$; प्रश्न में यह शर्त नहीं दी गई, अतः (A) को निश्चित रूप से सही नहीं कहा जा सकता।

- स्थिर अनुमापी प्रतिफल (Constant returns) तभी होते हैं जब $\alpha + \beta = 1$; यह भी नहीं दिया गया।
- सीमांत उत्पाद = औसत उत्पाद तभी होगा जब घटती प्रतिफल नहीं बल्कि विशेष मान हो; सामान्यतः यह सत्य नहीं।

इसलिए, केवल (B) ही सदैव सत्य है।

22. लेविस-रेनिस-फेई (LRF) द्वि-क्षेत्रीय विकास प्रतिरूप में "अबाधित प्रगति" का केंद्र बिंदु पारम्परिक कृषि क्षेत्र से आधुनिक औद्योगिक क्षेत्र में अधिशेष श्रम का क्रमिक हस्तांतरण और आधुनिक क्षेत्र में पूंजी संचयन है। इसके लिए :

- **भूमि सुधार (A):** कृषि में उत्पादकता बढ़ाकर खाद्य अधिशेष/बाजार योग्य अधिशेष उत्पन्न करता है, जिससे मजदूरी का यथार्थ उत्पाद बढ़ता है और श्रम का निर्गमन संभव होता है।
- **आयोजना/योजनाबद्ध समन्वय (C):** कृषि-उद्योग तालमेल, निवेश प्राथमिकताएँ, और श्रम अवशोषण की गति को समन्वित करता है।
- **पूंजी संचयन (D):** आधुनिक क्षेत्र का निर्गत व रोजगार विस्तार पूंजी निर्माण पर निर्भर है—यही LRF की "इंजन" धुरी है।

हरित क्रांति (B) विशिष्ट तकनीकी-पैकेज कालखंडीय नीति है, मॉडल की आवश्यक शर्त नहीं; अंतर्राष्ट्रीय प्रवासन (E) इस प्रतिरूप की मूल धारणाओं में नहीं है (मॉडल घरेलू श्रम हस्तांतरण पर केंद्रित है)।

अतः केवल A, C और D सही हैं।

23. प्रमुख अर्थमितीय परीक्षणों का उद्देश्य :

- **डरबिन-वॉटसन (A):** अवशेषों में स्व-सहसंबंध (first-order autocorrelation) का निदान — IV।
- **ग्रेंजर (B):** समय-शृंखलाओं के बीच कारणीयता (predictive causality) का परीक्षण — III।
- **फेरर ग्लुबर (C):** मल्टीकोलिनियरिटी के निदान हेतु संयुक्त परीक्षण — I।
- **ग्लेजसर (D):** विभिन्न-विसरण (heteroskedasticity) के लिए प्रतिगमन-आधारित परीक्षण — II।

अतः सही मिलान A-IV, B-III, C-I, D-II है।

24. सांख्यिकीय औजारों का उपयुक्त युग्मन :

- **इकाई मूल परीक्षण (A):** समय-शृंखला की स्थिरता/इकाई-मूल की उपस्थिति की जाँच — III (स्थिर) से संबद्ध।
- **कन्टिजन्सी तालिका (B):** श्रेणीबद्ध आवृत्तियों पर काई-वर्ग (χ^2) परीक्षण — IV।
- **प्रतिगमन गुणांक (C):** एकल गुणांक के महत्व हेतु स्टूडेंट का टी-परीक्षण — II।
- **स्व-सहसंबंध (D):** अवशेषों के ऑटोकोरिलेशन हेतु डरबिन-वॉटसन परीक्षण — I।

अतः सही मिलान A-III, B-IV, C-II, D-I है।

25. दो-चर प्रतिगमन (Y आश्रित, X स्वतंत्र) में सहसंबंध गुणांक $r = 0.8$ दिया गया है। निर्धारण गुणांक (R^2) की गणना r^2 से होती है :

$$R^2 = r^2 = (0.8)^2 = 0.64$$

इसका अर्थ है कि Y के विचरण (variance) का 64% भाग X द्वारा समझाया जाता है।

- **विकल्प 1 (8%) :** गलत, क्योंकि 8% तब होता जब $r = 0.283$ के लगभग होता।
- **विकल्प** 3 (0.8%) : गलत, क्योंकि यह $r = 0.089$ जैसी स्थिति में आता।
- **विकल्प** 4 (80%) : गलत, क्योंकि 80% विचरण तब होता जब $r = 0.894$ होता।

अतः सही कथन है कि Y के 64% विचरण की व्याख्या X करता है।

26. एक-अवधि पिछड़ी आपूर्ति (Cobweb या "मंदी" आपूर्ति प्रकार्य) वाले बाजार प्रतिरूप में संतुलन मूल्य के काल-पथ का अभिसरण ढालों के अनुपात पर निर्भर करता है।

- Cobweb मॉडल में $Q_s = a + bP_t (b > 0)$ और $Q_d = c - dP_t (d > 0)$ हो।
- संतुलन के आस-पास विचलन का व्यवहार $\left|\frac{b}{d}\right|$ द्वारा नियंत्रित होता है।
- यदि $\left|\frac{b}{d}\right| < 1$ (आपूर्ति की प्रवणता < मांग की प्रवणता), तो मूल्य का पथ अभिसारी (convergent) होता है।

- यदि $\left|\frac{b}{d}\right| = 1$ हो, तो दोलन स्थिर रहते हैं।
- यदि $\left|\frac{b}{d}\right| > 1$ हो, तो दोलन अपसारी (divergent) हो जाते हैं।

अतः संतुलन मूल्य का अभिसरण तभी होगा जब आपूर्ति प्रकार्य की प्रवणता < मांग प्रकार्य की प्रवणता।

27. पुस्तकों के प्रकाशन का कालानुक्रम (पुरातन से नवीनतम) :

D. **द थ्योरी ऑफ मोरल सेंटिमेंट्स (1759–Adam Smith) :** नैतिक दर्शन और बाजार नैतिकता पर मूल ग्रंथ।

B. **ग्रुंडरिज (1857–1858 – Carl Marx) :** राजनीतिक अर्थव्यवस्था पर प्रारंभिक नोटबुक्स, Capital का प्रारूप।

E. **प्रोडक्शन ऑफ कमोडिटिज बाई मीन्स ऑफ कमोडिटिज (1960 – Piero Sraffa) :** नियो-रिकार्डियन अर्थशास्त्र और मूल्य सिद्धांत की पुनर्परिभाषा।

C. **पॉवर्टी एंड फेमाइंस (1981 – Amartya Sen) :** अकाल और गरीबी पर अधिकार-हक (entitlement) सिद्धांत का प्रतिपादन।

A. **व्हाई नेशंस फेल (2012 – Daron Acemoglu & James Robinson) :** संस्थागत विकास और आर्थिक समृद्धि के बीच संबंध पर आधुनिक अध्ययन।

क्रम होगा : D, B, E, C, A.

28. केन्जीयन (Keynesian) तंत्र में जब मुद्रा आपूर्ति बढ़ती है, तो लोगों के पास अतिरिक्त नकदी शेष होते हैं। वे इस अतिरिक्त धन से बॉन्ड की मांग बढ़ाते हैं, जिससे बॉन्ड की कीमतें बढ़ती हैं और ब्याज दर घटती है। ब्याज दर घटने से निवेश खर्च बढ़ता है और इसके परिणामस्वरूप माल व सेवाओं की कुल मांग (aggregate demand) बढ़ती है। यह तंत्र बॉन्ड की मांग बढ़ाकर और उसके द्वारा ब्याज दर घटाकर कार्य करता है।

29. वास्तविक व्यवसाय चक्र (Real Business Cycle) मत के अनुसार, सभी उतार-चढ़ाव वास्तविक आपूर्ति आघातों (जैसे प्रौद्योगिकी परिवर्तन) से होते हैं और मजदूरी व कीमतें लचीली हैं। अर्थव्यवस्था हमेशा संभावित उत्पादन स्तर पर रहती है, और यदि रोजगार घटता है तो इसे स्वैच्छिक बेरोजगारी माना जाता है—श्रमिक कम वास्तविक मजदूरी पर काम नहीं करना चाहते। इस मत में अस्वैच्छिक बेरोजगारी की अवधारणा नहीं है। अतः आपूर्ति आघात के समय बेरोजगारी को स्वैच्छिक माना जाता है।

30. प्रतिबंध $g(x_1, ..., x_n) = 0$ के साथ $y = (x_1, ..., x_n)$ के इष्टतम हेतु दूसरी-क्रम शर्तें Lagrangian $\mathcal{L} = f + \lambda g$ के bordered Hessian के अग्रणी (leading) प्रमुख नाबालकों $|H_2|$, $|H_3|$ ... के संकेत-पैटर्न से तय होती हैं। एक समानता-प्रतिबंध (single constraint) के मानक नियम—

- स्थानीय अधिकतम के लिए संकेत वैकल्पिक होते हैं और $|H_2|$ से धनात्मक से आरम्भ : $|H_2| > 0$, $|H_3| < 0$, $|H_4| > 0$, ...
- स्थानीय न्यूनतम के लिए $|H_2|$, $|H_3|$ ... का संकेत समान रहता है तथा एक बाधा के केस में दोनों ऋणात्मक माने जाते हैं : $|H_2| < 0$, $|H_3| < 0$ (उच्च-क्रम नाबालकों में वही पैटर्न)।

दिए गए कथनों का मिलान :

B. $|H_2| > 0$, $|H_3| < 0$ — अधिकतम के लिए उपयुक्त।

E. $|H_2| < 0$, $|H_3| < 0$ — न्यूनतम के लिए उपयुक्त।

अन्य युग्म उपर्युक्त आवश्यक संकेत-पैटर्न से नहीं मिलते।

अतः केवल B और E

31. 'पिगोवियन कर' (Pigovian Tax) नकारात्मक बाह्यताओं (जैसे प्रदूषण, शोर आदि) को सुधारने के लिए लगाया जाने वाला सुधारात्मक कर (corrective tax) है। इसका उद्देश्य यह है कि बाजार गतिविधि से उत्पन्न सामाजिक लागत (social cost) को उत्पादक/उपभोक्ता द्वारा वहन कराया जाए ताकि संतुलन सामाजिक रूप से इष्टतम हो। आइए विकल्पों का क्रमवार विश्लेषण करें :

A. "इससे बाजार में कार्यकलाप पर आने वाली कुल लागत को अभ्यांतरित करने हेतु हल प्राप्त होता है।"

सही — यह पिगोवियन कर का मूल उद्देश्य है : बाह्य (external) लागत को निजी लागत में सम्मिलित करना।

B. "इससे सरकारी नीति के माध्यम से प्रदूषक तत्वों का उत्पादन घटाने का हल प्राप्त होता है।"

सही — कर लगाने से प्रदूषक गतिविधि महंगी हो जाती है और उत्पादन/प्रदूषण घटता है।

C. "इससे रीयल सेक्टर (भू-सम्पदा क्षेत्र) में घटक उत्पादकता बढ़ाने में मदद मिलती है।"

गलत — पिगोवियन कर का भूमि या रीयल-सेक्टर की उत्पादकता से प्रत्यक्ष संबंध नहीं है।

D. "यह पृथक्करण कर की तरह कार्य करता है।"

सही — यह बाहरी लागत को आंतरिक करने वाला सुधारात्मक कर है और आर्थिक साहित्य में इसे अक्सर पृथक्करण या corrective tax की तरह ही माना जाता है।

अतः सही कथनों का समूह A, B, D है।

32. सूचियों का मिलान इस प्रकार है :

- A. **प्रकार II त्रुटि** : जब H_0 गलत होने पर भी उसे अस्वीकार नहीं किया जाता—यही प्रकार II त्रुटि है → II।
- B. **"माध्य > बहुलक"** : यह पैटर्न धनात्मक रूप से विषम (positively skewed) वितरण का लक्षण है → III।
- C. **समरूपी जनसंख्या** : ऐसे में साधारण यादृच्छिक प्रतिचयन उपयुक्त है → IV।
- D. **काल उत्क्रमण परीक्षण** : सूचकांक संख्याओं में शर्त $P_{01} \times P_{10} = 1$ → I।

अतः सही मिलान A-II, B-III, C-IV, D-I है।

33. सूचियों का मिलान इस प्रकार है :

- A. **उपभोग में सकारात्मक बाह्यता** : किसी घर की सफाई से पड़ोसियों को भी लाभ → IV।
- B. **उत्पादन में सकारात्मक बाह्यता** : पुष्प उद्यान के पास शहद कृषि—परागण से उपज में लाभ → II।
- C. **उपभोग में नकारात्मक बाह्यता** : मध्यरात्रि में शोर करने वाली मोटर साइकिल- दूसरों पर लागत थोपती है → I।
- D. **उत्पादन में नकारात्मक बाह्यता** : कागज मिल द्वारा नदी में कूड़ा—पर्यावरणीय लागत → III।

अतः सही मिलान A-IV, B-II, C-I, D-III है।

34. तार्किक प्रत्याशा (Rational Expectations) के अंतर्गत भी यदि सभी प्रतिभागी तार्किक ढंग से जानकारी का उपयोग कर रहे हों, तब भी प्रभावी मांग (Effective Demand) समस्या तब उत्पन्न हो सकती है जब बाजार-एजेंटों के बीच समन्वय असफल हो (coordination failure)। यदि फर्म और उपभोक्ता अपने निर्णयों का सही समन्वय न कर पाएं, तो मांग में गिरावट और बेरोजगारी हो सकती है। परिपूर्ण दूरदृष्टि या केवल आघात (demand/supply shocks) अपने आप में तार्किक प्रत्याशा ढांचे में स्थायी प्रभावी मांग समस्या नहीं बनाते।

35. बड़ा धक्का (Big Push) सिद्धांत (पॉल रोसेनस्टीन-रोडन, 1943) कहता है कि विकास के लिए एकल उद्योग निवेश पर्याप्त नहीं; कई परस्पर-निर्भर उद्योगों में व्यापक समन्वित निवेश और योजना (comprehensive planning) की आवश्यकता है। यह मुक्त-बाजार, केवल निजी संपत्ति अधिकार या लोकतांत्रिक ढांचे पर निर्भर नहीं करता।

36. अवधारणाओं का ऐतिहासिक क्रम (पुरातन → नवीनतम) :

D. प्राचीन पूंजीवादी संचयन (Primitive Capital Accumulation) — मार्क्स का विचार (19वीं सदी के मध्य)।

A. प्राचीन समाजवादी संचयन (Primitive Socialist Accumulation) — प्रीओब्राजेन्स्की (1920 के दशक, सोवियत संदभ)।

E. चाकू की धार जैसी अस्थिरता (Knife-edge Instability) — हैरॉड-डोमर वृद्धि सिद्धांत (1939–1940)।

B. बेदखली से विकास (Development by Dispossession) — डेविड हार्वे (2000 के दशक)।

C. बेदखली से संचयन (Accumulation by Dispossession) — डेविड हार्वे (2003)।

अतः सही अनुक्रम D → A → E → B → C है।

37. अंतर्राष्ट्रीय मौद्रिक तंत्र (International Monetary System) वे संस्थागत ढाँचे हैं जो अंतर्राष्ट्रीय भुगतान, विनिमय दर और भंडार संपत्तियों को संचालित करते हैं।

A. **स्वर्ण विनिमय मानक (Gold Exchange Standard)** — ऐतिहासिक अंतर्राष्ट्रीय मौद्रिक तंत्र।

B. **ओपीईसी (OPEC)** — यह तेल उत्पादक देशों का संगठन है, मौद्रिक तंत्र नहीं।

C. **ब्रेटन वुड्स तंत्र (Bretton Woods System)** — 1944–1971 तक का प्रमुख मौद्रिक ढाँचा।

D. **एक मूल्य का नियम (Law of One Price)** — अंतर्राष्ट्रीय वित्त व मुद्रा सिद्धांत का मूल नियम, जो मौद्रिक तंत्र से जुड़ा है।

E. **एशियन डेवलपमेंट बैंक (ADB)** — यह विकास वित्त संस्थान है, मौद्रिक तंत्र का हिस्सा नहीं।

अतः केवल A, C, D सत्य हैं।

38. सूचियों का मिलान इस प्रकार है :

- **A.** जीवन चक्र परिकल्पना (Life Cycle Hypothesis) — एफ. मॉडिग्लियानी (F. Modigliani) → **IV**।
- **B.** नकदी शेष उपागम (Cash Balance Approach) — अल्फ्रेड मार्शल (Alfred Marshall) → **III**।
- **C.** पूंजी का सुव्यवस्थित संयोजन (Orderly Combination of Capital) — कार्ल मार्क्स (Karl Marx) → **I**।
- **D.** टेबलियन इकोनॉमिक (Tableau Économique) — फ्रांस्वा केसने (Franizois Quesnay) → **II**।

अतः सही मिलान A-IV, B-III, C-I, D-II है।

39. अप्रत्यक्ष कर (Indirect Tax) के लाभ :

A. इसका अपवंचन (कर चोरी) मुश्किल है — सही, क्योंकि यह उपभोग पर लगाया जाता है।

B. यह प्रकृति में लोचशील है — सही, राजस्व उपभोग के साथ बढ़ता-घटता है।

C. इसका भुगतान सुलभ है — सही, उपभोक्ता वस्तु खरीदते समय आसानी से चुकाते हैं।

D. यह करदाता की भुगतान क्षमता पर आधारित है — गलत, यह प्रत्यक्ष कर का लाभ है, अप्रत्यक्ष कर का नहीं।

अतः केवल A, B, C सत्य हैं।

40. हैरिस टोडारो मॉडल (1970) ग्रामीण-शहरी प्रवासन का आर्थिक ढाँचा है। यह बताता है कि ग्रामीण लोग अपेक्षित शहरी मजदूरी और रोजगार संभावना के आधार पर शहरों की ओर प्रवास करते हैं—अर्थात् यह खींचे गए प्रवासन (pull migration) को समझाता है, जहाँ बेहतर अवसर लोगों को आकर्षित करते हैं, न कि केवल मजबूरी (push) से।

41. साधारण केन्जीयन बंद अर्थव्यवस्था प्रतिरूप (C + I + G) में :

सरकारी व्यय G में वृद्धि = 100 $\Rightarrow$ G = +100

कर राजस्व वृद्धि = 100 $\Rightarrow \Delta T = +100$

सीमांत उपभोग प्रवणता (MPC) = 0.5

गुणक (Government expenditure multiplier)

$$\frac{1}{1-\text{MPC}} = \frac{1}{1-0.5} = 2$$

कर गुणक = −MPC/(1 − MPC) = −0.5/0.5 = −1

जीडीपी परिवर्तन :

$$\Delta Y = (\text{गुणक})\ \Delta G + (\text{करगुणक})\Delta T$$
$$= 2(100) + (-1)(100)$$
$$= 200 - 100$$
$$= 100$$

42. सतत् आपूर्ति आघात (Persistent Supply Shock) — यदि नकारात्मक (उत्पादन लागत में बढ़ोतरी), तो यह दीर्घकाल में फिलिप्स वक्र को दाईं ओर खिसकाता है, जिससे किसी भी बेरोजगारी दर पर उच्च मुद्रास्फीति होती है। यह दीर्घकालीन आपूर्ति-घटने की स्थिति को दर्शाता है जहाँ बेरोजगारी और मुद्रास्फीति दोनों बढ़ते हैं।

43. IS–LM ढाँचे में G बढ़ाने पर क्रमिक घटनाएँ इस तरह घटती हैं :

B. सरकारी व्यय बढ़ने से समग्र मांग (AD) बढ़ती है; IS दाएँ शिफ्ट होती है और आय/निर्गत *y* बढ़ता है।

E. *y* बढ़ने पर लेन-देन हेतु मुद्रा माँग L_1 बढ़ जाती है, इसलिए प्रारम्भिक ब्याज-दर पर मुद्रा माँग L > मुद्रा आपूर्ति M हो जाती है (मनी मार्केट में अधिशेष माँग)।

D. लोग अतिरिक्त नकदी पाने को बॉन्ड बेचते हैं $\Rightarrow$ बॉन्ड की बाजार-आपूर्ति (B_s) बढ़ती है $\Rightarrow$ बॉन्ड का मूल्य गिरता है।

A. बॉन्ड मूल्य गिरने से ब्याज दर *r* बढ़ती है; *r* बढ़ने से निजी निवेश I घटता है (क्राउडिंग-आउट)।

C. I में यह गिरावट आय-वृद्धि को आंशिक रूप से कम करती है (यानी, G से हुई बढ़ोतरी के सापेक्ष *y* का प्रभाव घटता है)।

उपरोक्त तार्किक अनुक्रम : B → E → D → A → C सही बैठता है।

44. दिया गया :

$$A = \begin{pmatrix} 2 & 0 & 4 \\ 1 & 3 & 1 \end{pmatrix},\ B = (4\ 5\ 0)$$

आकार जाँचें :

- A का आकार 2 × 3 (2 पंक्तियाँ, 3 स्तम्भ)।
- B का आकार 1 × 3 (1 पंक्ति, 3 स्तम्भ)।
- B^T का आकार 3 × 1।

A. AB^T (8 19) है

$$B^T = \begin{pmatrix} 4 \\ 5 \\ 0 \end{pmatrix}$$

$AB^T = (2 \times 3)(3 \times 1) \Rightarrow$ परिभाषित और परिणाम 2 × 1 वेक्टर देगा।

$$AB^T = \begin{pmatrix} 2 & 0 & 4 \\ 1 & 3 & 1 \end{pmatrix}\begin{pmatrix} 4 \\ 5 \\ 0 \end{pmatrix}$$

$$= \begin{pmatrix} 2\times4+0\times5+4\times0 \\ 1\times4+3\times5+1\times0 \end{pmatrix}$$

$$= \begin{pmatrix} 8 \\ 19 \end{pmatrix} \text{ (सत्य)}$$

B. AB^T निर्धारित है

ऊपर दिखाया : परिभाषित और निकाल सकते हैं। सत्य है।

C. AB निर्धारित नहीं है

AB = (2 × 3)(1 × 3) — गुणन असंगत है (भीतरी आयाम 3 ≠ 1), इसलिए निर्धारित नहीं है। सत्य है।

D. BA निर्धारित है

B (1 × 3) और A (2 × 3) → आंतरिक आयाम 3 ≠ 2, इसलिए गुणन असंगत। असत्य है।

E. BA^T (8 19)है

$A^T(3 \times 2)$, तो $BA^T = (1 \times 3)(3 \times 2) =$ 1 × 2 वेक्टर :

$$BA^T = \begin{pmatrix} 4 \\ 5 \\ 0 \end{pmatrix}\begin{pmatrix} 2 & 1 \\ 0 & 3 \\ 4 & 1 \end{pmatrix}$$

$= (4 \times 2 + 5 \times 0 + 0 \times 4, 4 \times 1 + 5 \times 3 + 0 \times 1)$

$= (8, 4 + 15)$

$= (8, 19)$ सत्य है।

अतः केवल A, B, C और E सत्य हैं।

45. खेल-सिद्धांत में किसी समतुल्यांक रणनीति को नैश समतुल्य तब कहते हैं जब कोई खिलाड़ी अकेले विचलित होकर लाभ नहीं बढ़ा सकता।

- **बेरट्रांड (B)** : फर्में मूल्य चुनती हैं; परस्पर सर्वोत्तम-प्रतिक्रिया से जो मूल्य-युग्म बनता है वह नैश समतुल्य है।
- **क्रूनो/कुर्नो (E)** : फर्में मात्रा चुनती हैं; उनकी सर्वोत्तम-प्रतिक्रिया वक्रों के प्रतिच्छेद पर प्राप्त मात्रा-युग्म नैश समतुल्य है।
- **स्टेकलबर्ग (C)** : क्रमिक (leader–follower) खेल है; इसका परिणाम उपखेल-सिद्ध नैश (Subgame-perfect Nash) भी होता है, अतः नैश समतुल्य के दायरे में आता है।
- **कीमत नेतृत्व (A)** : नेता-अनुयायी ढाँचे में मूल्य-चयन का स्थिर बिंदु भी नॉन-कोऑपरेटिव सर्वोत्तम प्रतिक्रियाओं का परिणाम माना जाता है—इसे भी नैश के रूप में स्वीकार किया जाता है।
- **एकाधिकारी (D)** : एक-खिलाड़ी अनुकूलन है; बहु-खिलाड़ी नैश की संकल्पना यहाँ यथार्थ अर्थ में लागू नहीं होती।

अतः केवल A, B, C, E.

46. सूचियों का मिलान इस प्रकार है :

- **लिंडेल का सिद्धांत (A)** : सार्वजनिक वस्तुओं के मूल्य/कर-शेयर निर्धारण का सिद्धांत → **III.** सार्वजनिक वस्तुओं का मूल्य।
- **क्लब सिद्धांत (B)** : क्लब-वस्तुओं/सार्वजनिक सेवाओं के इष्टतम उत्पादन/आकार का निर्धारण → **I.** सार्वजनिक माल का उत्पादन।
- **पार्किन्सन का नियम (C)** : सरकारी एजेंसियों में रोजगार की सतत् वृद्धि → **II**।
- **होटलिंग का नियम (D)** : क्षयशील (exhaustible) संसाधनों का मूल्य-पथ → **IV**।

अतः सही मिलान A-III, B-I, C-II, D-IV है।

47. सूचियों का मिलान इस प्रकार है :

- **व्यापार की सकल परिहास शर्तें (A: Gross Barter Terms of Trade)** — एफ. डब्ल्यू. टॉसिंग से संबद्ध → **III.**

- **व्यापार की एकल क्रमगुणित शर्तें (B: Single Factoral Terms of Trade)** — जैकब वाइनर → I.
- **व्यापार की आय शर्तें (C: Income Terms of Trade)** — डॉरेंस द्वारा व्याख्यायित → II.
- **विकासशील देशों के व्यापार शर्तों में सेक्युलर ह्रास (D)** — प्रेबिश-सिंगर परिकल्पना। → IV.

अतः सही मिलान A-III, B-I, C-II, D-IV है।

48. किसी देश का सकल घरेलू उत्पाद (GDP) = घरेलू उपभोग व्यय (Cd) + घरेलू निवेश व्यय (Id) + घरेलू सरकारी व्यय (Gd) + निर्यात (X) - आयात (M)। यह व्यय दृष्टिकोण (expenditure method) का मानक सूत्र है।

अतः Cd + Id + Gd + X – M.

49. पूंजी की सीमांत दक्षता (MEC) = किसी पूंजीगत संपत्ति की आंतरिक लाभ दर (internal rate of return), जबकि निवेश की सीमांत दक्षता (MEI) = उन निवेश परियोजनाओं का ब्याज-दर फंक्शन जो रैंक किए जाते हैं। ये दोनों तब पूर्णतः अभिसरित (coincide) होते हैं जब निवेश की निवल दर (net rate of investment) = शून्य हो—अर्थात् पूंजी स्टॉक में वृद्धि न हो रही हो।

50. उर्ध्वमुखी इक्विटी (Vertical Equity) का अर्थ है कि अधिक आय वाले व्यक्तियों को अपेक्षाकृत अधिक कर देना चाहिए। अतः कर-निर्धारण में आवश्यक है कि भिन्न-भिन्न आय समूहों के व्यक्तियों पर भिन्न-भिन्न प्रकार से (अर्थात् प्रगतिशील कर) लगाया जाए।

51. विकल्पो की जांच :

1. ऋण जनता से सरकार की निधि अंतरित करता है — सत्य।
2. सार्वजनिक उधारी उपभोग को कम करती है — सत्य, क्योंकि ऋण लेने से निजी उपभोग घट सकता है (crowding out)।
3. कराधान उपभोग को कम करता है — सत्य।
4. सरकारी उधारी आय वितरण को प्रभावित नहीं करती है — असत्य; उधारी से ब्याज भुगतान और संपत्ति रखने वालों को लाभ होता है, जिससे आय वितरण प्रभावित होता है।

52. ऐतिहासिक क्रम (पुरातन → नवीनतम) :

E. व्यापारवाद (Mercantilism) — 16वीं-17वीं शताब्दी।

A. मूल्य-स्पे-प्रवाह (Price-Specie-Flow) — डेविड ह्यूम, 18वीं शताब्दी मध्य।

C. पूर्ण लाभ (Absolute Advantage) — एडम स्मिथ, Wealth of Nations, 1776।

B. तुलनात्मक लाभ (Comparative Advantage) — डेविड रिकार्डो, 1817।

D. अंतःउद्योग व्यापार (Intra-industry Trade) — आधुनिक सिद्धांत, 20वीं सदी (क्रुगमैन आदि)।

अतः सही क्रम : E → A → C → B → D है।

53. अंतर्जात वृद्धि सिद्धांत (Endogenous Growth Theory) के प्रमुख योगदानकर्ता :

- के. ऐरो — सीखने द्वारा सीखना (learning-by-doing) अवधारणा, आधारभूत योगदान।
- आर. बैरो — सरकारी व्यय और नीतियों को सम्मिलित करते हुए मॉडल।
- पी. रोमर — 1986, 1990 के पेपरों से मुख्य औपचारिक प्रतिरूप।

आर. सोलो और जी. मैन्किव नियो-क्लासिकल वृद्धि सिद्धांत व बहिर्जात वृद्धि मॉडल से जुड़े हैं, न कि प्रत्यक्ष अंतर्जात वृद्धि के निर्माता।

अतः केवल A, B, C सत्य हैं।

54. अंतर्राष्ट्रीय व्यापार सिद्धांतों का विस्तृत विश्लेषण :

- **A. अंतर्राष्ट्रीय व्यापार की आपूर्ति — डेविड रिकार्डो (I) :** रिकार्डो का तुलनात्मक लाभ सिद्धांत बताता है कि कोई देश उन वस्तुओं के उत्पादन में विशेषज्ञता प्राप्त करेगा जहाँ उसकी सापेक्ष अवसर लागत कम है। यह आपूर्ति-पक्ष (supply side) का सिद्धांत है, क्योंकि यह उत्पादन की लागत और संसाधन आवंटन पर आधारित है।
- **B. अंतर्राष्ट्रीय व्यापार का मांग पक्ष — अल्फ्रेड मार्शल एवं एजवर्थ (IV):** मार्शल और एजवर्थ ने ऑफर कर्व (Offer Curve) अवधारणा दी, जो बताती है कि विभिन्न देशों के बीच विनिमय दर (terms of trade) कैसे उनकी मांग व आपूर्ति वक्रों से निर्धारित होती है। यह मांग-पक्ष को परिभाषित करता है।

- **C. अंतर्राष्ट्रीय व्यापार की अवसर लागत — जी. हैबरलेर (III) :** हैबरलेर ने पारंपरिक श्रम लागत सिद्धांत से हटकर अवसर लागत दृष्टिकोण प्रस्तुत किया, जिसमें विभिन्न कारकों की वैकल्पिक उपयोग लागतों को ध्यान में रखा गया। इससे अंतर्राष्ट्रीय व्यापार सिद्धांत अधिक यथार्थपरक बना।
- **D. अंतर्राष्ट्रीय व्यापार का वास्तविक लागत सिद्धांत — बास्टेबल एवं मार्शल (II):** वास्तविक लागत सिद्धांत में व्यापार की लागत को श्रम और त्यागी गई उपयोगिताओं के रूप में देखा जाता है, जिसे बास्टेबल और मार्शल ने परिभाषित किया।

अतः सही मिलान A-I, B-IV, C-III, D-II है।

55. प्रतिगमनकारी कर (Regressive Tax) का विवरण :

परिभाषा : जब आय में वृद्धि होने पर कर का औसत अनुपात (average tax rate) कम हो जाता है, तब उस कर को प्रतिगमनकारी कहा जाता है।

उदाहरण : बिक्री कर या वैट जैसे कर गरीबों पर अपेक्षाकृत अधिक बोझ डालते हैं क्योंकि उनकी आय का बड़ा हिस्सा उपभोग पर खर्च होता है, जबकि अमीर अपनी अतिरिक्त आय का कम भाग उपभोग पर खर्च करते हैं।

अन्य विकल्प क्यों नहीं :

- **उत्तरोत्तर वर्धित कर :** आय बढ़ने पर कर अनुपात बढ़ता है (प्रगतिशील कर)।
- **आनुपातिक कर :** सभी आय स्तरों पर समान अनुपात।
- **तटस्थ कर :** आय वितरण पर कोई प्रभाव नहीं डालता।

56. जनांकिकीय लाभांश (Demographic Dividend) का विवरण :

अर्थ : जनांकिकीय लाभांश वह आर्थिक अवसर है जब कार्यशील आयु समूह (आमतौर पर 15-64 वर्ष) की जनसंख्या का अनुपात तेजी से बढ़ता है।

प्रभाव :

- **श्रम बल में वृद्धि :** अधिक लोग उत्पादक कार्यों में शामिल हो सकते हैं।
- **बचत और निवेश में बढ़ोतरी :** कामकाजी लोग अधिक कमाते हैं, जिससे निवेश की क्षमता बढ़ती है।
- **आर्थिक विकास को गति :** निर्भर जनसंख्या (बच्चे व बुजुर्ग) का भार अपेक्षाकृत कम होता है, जिससे संसाधन उत्पादक गतिविधियों में जा सकते हैं।

अन्य विकल्प क्यों गलत :

- जीवन प्रत्याशा में वृद्धि केवल स्वास्थ्य सुधार को दर्शाता है, जनांकिकीय लाभांश नहीं।
- लिंगानुपात में वृद्धि असंतुलन को दर्शाता है, लाभांश से सीधा संबंध नहीं।
- कुल जनन दर में ह्रास (गिरावट) लाभांश की प्रारंभिक शर्त है, परन्तु प्रत्यक्ष लाभांश का संकेत नहीं।

57. लेमन मार्केट (Akerlof, 1970) में असममितिक सूचना से—

A. **औसत मूल्य में क्रमिक गिरावट आती है — सही।** खराब वस्तुएँ (lemons) बाजार में बनी रहती हैं, जिससे औसत कीमत गिरती है।

B. **बेहतर गुणवत्ता वाले उत्पादों को क्रमिक रूप से बाजार से वापस लिया जाता है — सही।** उच्च गुणवत्ता वाले विक्रेता कम मूल्य स्वीकार नहीं करते, अतः बाहर हो जाते हैं।

C. **किसी एक पक्षकार द्वारा प्रतिकूल चयन (Adverse Selection) किया जाता है — सही।** खरीदार या विक्रेता सूचना के असंतुलन का लाभ उठाकर प्रतिकूल चयन करते हैं।

D. **खराब गुणवत्ता वाले उत्पादों को क्रमिक रूप से वापस लिया जाता है — गलत,** वास्तव में खराब वस्तुएँ रहती हैं और अच्छी वस्तुएँ बाहर होती हैं।

अतः केवल A, B, C सत्य हैं।

58. पारिस्थितिकीय पदचिह्न (Ecological Footprint) का अर्थ है—मानव गतिविधियों द्वारा प्राकृतिक संसाधनों और पारिस्थितिक सेवाओं पर डाला गया दबाव—यानी पृथ्वी के संसाधनों का उपयोग करने की मानव की मांग का माप।

अन्य विकल्प पौधारोपण संख्या, जंगल क्षेत्र या केवल अवक्रमित संसाधन पर सीमित हैं, पर पदचिह्न का अर्थ व्यापक है।

59. कोस प्रमेय (Coase Theorem) के अनुसार :

यदि लेन-देन लागत नगण्य हों और संपत्ति अधिकार स्पष्ट रूप से परिभाषित हों, तो निजी पक्षकार आपस में सौदे/करार करके सामाजिक इष्टतम परिणाम प्राप्त कर सकते हैं—बिना सरकारी हस्तक्षेप। यह तर्क बताता है कि बाह्यताओं की स्थिति में भी निजी सौदे समाधान ला सकते हैं।

60. किसी संपत्ति तक मुक्त अभिगम (Free Access) होने पर लोग व्यक्तिगत लाभ हेतु उसका अत्यधिक उपयोग करते हैं, जिससे वहन-क्षमता (carrying capacity) से अधिक दबाव पड़ता है। इस स्थिति को "सामान्य त्रासदी (Tragedy of the Commons)" कहा जाता है (Garrett Hardin, 1968)।

61. बहिर्गमन प्रभाव (Crowding Out Effect) : बहिर्गमन प्रभाव तब होता है जब सरकारी व्यय (G) में वृद्धि से ब्याज दरें (*r*) बढ़ती हैं, जिससे निजी निवेश (I) और कभी-कभी उपभोग घट जाता है। इसका परिमाण अर्थव्यवस्था के मॉडल पर निर्भर करता है। नीचे चारों मॉडलों को अवरोही क्रम (सबसे अधिक → सबसे कम) में समझाया गया है :

A. **क्लासिकी समष्टि मॉडल (Classical Macro Model) – सर्वाधिक (Maximum) प्रभाव :** क्लासिकी मॉडल में पूर्ण रोजगार और पूरी तरह लोचदार ब्याज दर प्रतिक्रिया मानी जाती है। सरकारी व्यय में वृद्धि से निवेश पूरी तरह विस्थापित होता है (100% crowding out) और कुल उत्पादन अपरिवर्तित रहता है। बहिर्गमन प्रभाव यहाँ सबसे बड़ा होता है।

B. **पूर्ण केन्जीयन प्रणाली (Full Keynesian System with normal conditions) – उच्च (High) प्रभाव :** पूर्ण केन्जीयन प्रणाली में मुद्रा की मांग ब्याज दर के प्रति लोचदार होती है, लेकिन असीम रूप से लोचदार नहीं। सरकारी व्यय में वृद्धि ब्याज दर को काफी हद तक बढ़ाती है, जिससे निवेश में उल्लेखनीय कमी होती है। परिमाण क्लासिकी मॉडल से कम लेकिन IS–LM मॉडल से अधिक है।

C. **आईएस–एलएम फ्रेमवर्क (IS–LM Framework with normal assumptions) – मध्यम (Moderate) प्रभाव :** इस मॉडल में IS और LM वक्रों के ढलान पर निर्भर करता है। सामान्य परिस्थितियों में सरकारी व्यय से ब्याज दर मध्यम रूप से बढ़ती है और आंशिक बहिर्गमन होता है। यह व्यावहारिक परिदृश्य दर्शाता है जहाँ प्रभाव शून्य और पूर्ण के बीच होता है।

D. **सरल केन्जीयन मॉडल (Simple Keynesian Model) – न्यूनतम (Zero) प्रभाव :** सरल केन्जीयन मॉडल ब्याज दर या मुद्रा बाजार को शामिल नहीं करता। सरकारी व्यय में वृद्धि सीधे आय में वृद्धि लाती है और ब्याज दर को अपरिवर्तित मानता है। इसलिए इसमें बहिर्गमन प्रभाव शून्य माना जाता है।

अतः अवरोही क्रम A, B, C, D है।

62. विचारकों का ऐतिहासिक क्रम (आदितम → आधुनिकतम) :

C. डेविड ह्यूम (1711–1776) — मूल्य-स्पे-प्रवाह तंत्र।

A. एडम स्मिथ (1723–1790) — मंसजी वि छंजपवदे।

B. डेविड रिकार्डो (1772–1823) — तुलनात्मक लाभ।

E. जेन टिनबर्जेन (1903–1994) — अर्थमिति और योजना मॉडल।

D. पॉल आर. क्रुगमैन (जन्म 1953) — नई व्यापार सिद्धांत।

अतः आधुनिककालीन क्रम C, A, B, E, D है।

63. कथनों की जांच :

A. "GDP सभी प्रकार की दोहरी गणना से मुक्त होता है" — सही तभी जब गणना केवल अंतिम वस्तुओं/मूल्य-वर्द्धन से की जाए; कथन जैसा लिखा है (सर्वथा/सदैव) स्वतः सत्य नहीं माना जाता।

B. दान (private transfers) राष्ट्रीय आय में शामिल नहीं होते।

C. भीख/भिक्षादान वैयक्तिक आय (Personal Income) में ट्रांसफर इनकम के रूप में शामिल मानी जाती है; राष्ट्रीय आय में नहीं।

D. माल-सूची (inventories) में परिवर्तन निवेश का हिस्सा होता है।

E. विदेशी कर्मकार (गैर-निवासी) की यहाँ कमाई GDP में आती है, GNP में नहीं; अतः कथन गलत।

अतः केवल C और D सत्य हैं।

64. कथनों की जांच :

A. **न्यू केन्जीयन :** तार्किक प्रत्याशाएँ, बाजार की अपूर्णताएँ (rigidities/imperfections) स्वीकार, समष्टि मांग की भूमिका पर बल — सही।

B. **मौद्रिकतावादी :** पारंपरिक रूप से अनुकूलन प्रत्याशाएँ (adaptive); गैर-प्रतिस्पर्धी बाजार उनका मूल आग्रह नहीं — गलत।

C. **न्यू क्लासिकल (नए परम्परावादी) :** तार्किक प्रत्याशाएँ, प्रतिस्पर्धी बाजार, और नीति-अप्रभाविता/अप्रासंगिकता (policy ineffectiveness) — सही।

D. **क्लासिकल** : प्रतिस्पर्धी, टकराव-रहित ढाँचा; नीति की अप्रभाविता/न्यूट्रैलिटी — सही।

E. **केन्जीयन** : मजदूरी/कीमत कठोर (sticky) मानते हैं, "प्रत्यास्थ (लोच)" नहीं — गलत।

अतः केवल A, C और D सत्य हैं।

65. सूचियों का मिलान इस प्रकार है :

- **A. मुक्त व्यापार क्षेत्र (FTA)** — सदस्य देशों के बीच टैरिफ हटते हैं, बाहरी देशों हेतु प्रत्येक सदस्य अपनी नीति रखता है → **III**।
- **B. सीमा शुल्क संघ (Customs Union)** — सदस्यों के बीच टैरिफ समाप्त और गैर-सदस्यों के लिए सामान्य (कॉमन) बाह्य व्यापार नीति → **II**।
- **C. सामान्य बाजार (Common Market)** — कस्टम्स यूनियन + कारकों (श्रम/पूंजी) की मुक्त आवाजाही; दिए गए युग्मों में शेष संगत परिभाषा I से मैप की गई है।
- **D. आर्थिक संघ (Economic Union)** — एकीकरण की सर्वाधिक उन्नत अवस्था (नीतियों का व्यापक समन्वय/मुद्रा तक) → **IV**।

अतः सही मिलान A-III, B-II, C-I, D-IV है।

66. जीवन तालिका (Life Table) से जुड़ी जानकारी—

- जीवन तालिका में सामान्यतः आठ कॉलम होते हैं — सही।
- इसमें आयु-विशिष्ट मर्त्यता दर (Age-specific mortality rate) शामिल होती है — सही।
- इससे आयु-विशिष्ट जीवन प्रत्याशा (Life Expectancy) की गणना की जा सकती है — सही।
- आयु-विशिष्ट जन्म दर सीधे जीवन तालिका से व्युत्पन्न नहीं की जाती — यह उपयुक्त नहीं।

67. पर्यावरणीय परिवर्तन (जैसे उद्यान बनाना, दृश्य सौंदर्य बढ़ाना) से मकान की कीमत पर प्रभाव का अनुमान लगाने के लिए सुखवादी (Hedonic Pricing) विधि प्रयुक्त की जाती है। यह विधि मकान के मूल्यों में मौजूद विशेषताओं (स्थान, परिवेश, दृश्य आदि) से पर्यावरणीय लाभ/हानि का मापन करती है।

68. ब्याज-दर और सट्टा मुद्रा मांग के बीच व्युत्क्रमी संबंध का कारण - प्रतिगमन प्रत्याशा परिकल्पना

प्रतिगमन प्रत्याशा परिकल्पना (Regressive Expectations Hypothesis): जे. एम. कीन्स ने अपने तरलता पसंदगी सिद्धांत (Liquidity Preference Theory) में यह विचार प्रस्तुत किया। इसके अनुसार लोग मानते हैं कि ब्याज दर दीर्घकालीन "सामान्य" स्तर की ओर लौटेगी।

- **यदि वर्तमान ब्याज दर सामान्य दर से अधिक है :** लोग मानते हैं कि आगे ब्याज दर गिरेगी ⇒ बांड की कीमतें बढ़ेंगी ⇒ बांड खरीदना लाभप्रद ⇒ नकदी रखने की इच्छा कम ⇒ सट्टा मुद्रा मांग घटती है।
- **यदि वर्तमान ब्याज दर सामान्य दर से कम है :** लोग मानते हैं कि आगे ब्याज दर बढ़ेगी ⇒ बांड की कीमतें गिरेंगी ⇒ पूंजी हानि की संभावना ⇒ नकदी रखना सुरक्षित ⇒ सट्टा मुद्रा मांग बढ़ती है।

यही कारण है कि ब्याज दर और सट्टा मुद्रा मांग के बीच व्युत्क्रमी (inverse) संबंध देखा जाता है।

अन्य विकल्प क्यों नहीं :

- **अनुकूलक प्रत्याशा (Adaptive Expectations):** अतीत के रुझानों पर आधारित अनुमान, पर कीन्स के सट्टा मांग संबंध का मुख्य आधार नहीं।
- **विवेकपूर्ण प्रत्याशा (Rational Expectations):** सभी उपलब्ध जानकारी से तर्कसंगत अनुमान; कीन्स का मॉडल इस पर आधारित नहीं था।
- **सापेक्षिक मजदूरी परिकल्पना** : श्रम बाजार व मजदूरी निर्धारण से संबंधित है।

69. CES उत्पादन फलन

सामान्य रूप :

$$y = \left[a_1x_1^p + a_2x_2^p\right]^{\frac{1}{p}}$$

या प्रश्नानुसार $[a_1x_1^p + a_2x_2^p]^p$। CES (Constant Elasticity of Substitution) उत्पादन फलन के लिए प्रतिस्थापन का लोच (Elasticity of Substitution) का मान $= \frac{1}{1-p}$ या $\frac{1}{1-\rho}$ (मानक रूपान्तर के आधार पर)। दिए विकल्पों में यह 1/(1 – P) के रूप में दिया गया है।

70. स्थापना-तिथियाँ (वर्ष) :

B. IFCI (भारतीय औद्योगिक वित्त निगम) – 1948।

C. ICICI (भारतीय औद्योगिक क्रेडिट और निवेश निगम) – 1955।

A. IDBI (भारतीय औद्योगिक विकास बैंक) – 1964।

D. IRBI (भारतीय औद्योगिक पुनर्निर्माण बैंक) – 1971 (बाद में IIBI)।

अतः सही क्रम B, C, A, D है।

71. आदितम से नवीनतम क्रम – विस्तृत विश्लेषण

B. वॉन न्यूमान एवं ऑस्कर मॉर्गेनस्टर्न (Von Neumann & Oskar Morgenstern) – Theory of Games and Economic Behavior (1944) ने आधुनिक गेम थ्योरी की नींव रखी।

A. जॉन एफ. नैश (John F. Nash) – 1950 के दशक में Nash Equilibrium की अवधारणा प्रस्तुत की।

C. रॉबर्ट एक्सेलरॉड (Robert Axelrod) – 1980 के दशक की शुरुआत में The Evolution of Cooperation प्रकाशित कर पुनरावृत्त खेलों और सहयोग की रणनीतियों को समझाया।

E. जॉन मेनार्ड स्मिथ (John Maynard Smith) – 1982 में Evolution and the Theory of Games प्रकाशित कर evolutionary game theory को लोकप्रिय किया।

D. पॉल मिलग्रोम (Paul Milgrom) – 1980 के दशक से नीलामी सिद्धांत में योगदान; 2020 में नोबेल पुरस्कार।

अतः कालानुक्रमिक क्रम B, A, C, E, D है।

72. प्राक्कलन की सामान्यीकृत न्यूनतम वर्ग विधि (GLS) – सही प्रयोग के मामले

A. **स्वतः सह-संबंधित बाधाएँ (Autocorrelated disturbances)** — GLS उन स्थितियों में प्रयुक्त होती है जहाँ त्रुटियाँ (errors) एक-दूसरे पर निर्भर (correlated) होती हैं, यानी ऑटोकोरिलेशन मौजूद हो। OLS के मानक अनुमानक BLUE नहीं रहते, GLS सुधार करता है।

B. **व्याख्यात्मक चरों के मध्य बहु सहरेखीयता (Multicollinearity among explanatory variables)** —बहुसहरेखीयता GLS का उद्देश्य नहीं है। इसके समाधान के लिए रीज (Ridge), लासो आदि विधियाँ प्रयुक्त होती हैं।

C. **विषम प्रत्यास्थी बाधाएँ (Heteroskedastic disturbances)** —GLS विशेष रूप से तब प्रयोग की जाती है जब त्रुटियों का विचलन स्थिर नहीं होता (heteroskedasticity) — GLS वेरिएंस को मानकीकृत कर अनुमानक को दक्ष बनाता है।

D. **अति उपयुक्त मॉडल (Over-identified model)** — यह अवधारणा प्रायः इंस्ट्रूमेंटल वेरिएबल्स/टू-स्टेज लीस्ट स्क्वेयर में आती है, GLS का प्रत्यक्ष क्षेत्र नहीं।

E. **त्रुटिपूर्ण प्रकार्यात्मक रूप (Incorrect functional form)** —गलत प्रकार्यात्मक रूप GLS नहीं सुलझाता; इसके लिए स्पेसिफिकेशन टेस्ट व सुधार आवश्यक हैं।

अतः केवल A और C.

73. सूची-I और सूची-II का सही मिलान

- **A. अशोधित जन्म दर (Crude Birth Rate):** कुल जनसंख्या के प्रति जन्म दर $\rightarrow \frac{B}{P} \times 1000 \rightarrow$ **I**।
- **B. आयु-विशिष्ट प्रजनन दर (Age-Specific Fertility Rate):** किसी विशिष्ट आयु-समूह की महिलाओं में प्रति 1000 महिलाओं पर जन्म $\rightarrow \frac{B_i}{P_{iF}} \times 1000 \rightarrow$ **III**।
- **C. कुल प्रजनन दर (Total Fertility Rate):** सभी आयु-विशिष्ट प्रजनन दरों का योग $\rightarrow \sum \frac{B_i}{P_{iF}} \times 1000 \rightarrow$ **IV**।
- **D. सामान्य प्रजनन दर (General Fertility Rate):** प्रजनन आयु (15–49 वर्ष) की महिलाओं में प्रति 1000 पर जन्म $\rightarrow \frac{B}{P_F} \times 1000 \rightarrow$ **II**।

अतः सही मिलान A-I, B-III, C-IV, D-II है।

74. नव-क्लासिकी वृहद (समष्टि) मॉडल – बेरोजगारी

- नव-क्लासिकी मॉडल में मजदूरी और कीमतें पूर्णतः लचीली मानी जाती हैं। बाजार तुरंत समायोजित होते हैं, इसलिए चक्रीय (Cyclical) या अनैच्छिक बेरोजगारी नहीं होती।
- केवल स्वैच्छिक बेरोजगारी (voluntary unemployment) हो सकती है—लोग बाजार मजदूरी पर काम न करने का चुनाव करते हैं।

- साथ ही, दीर्घकालीन स्थिति में स्वाभाविक दर बेरोजगारी (Natural Rate of Unemployment) होती है (जिसमें घर्षणात्मक व संरचनात्मक बेरोजगारी सम्मिलित हैं)।

अतः केवल A और E.

75. वालरस का नियम (Walras' Law): यह कहता है कि यदि अर्थव्यवस्था में N–1 बाजारों में साम्य (equilibrium) है, तो Nवें बाजार में भी स्वतः साम्य होगा। अतः सही विकल्प N बाजार है।

76. साइटोवॉस्की द्वय मानदंड (Scitovsky Double Criterion): काल्डर-हिक्स मानदंड के अनुसार, एक नीति परिवर्तन लाभदायक है यदि विजेता हारने वालों को क्षतिपूर्ति कर सकते हैं। लेकिन यह कभी-कभी चक्रित प्राथमिकताएँ (preference reversals) पैदा कर सकता है। साइटोवॉस्की मानदंड इस समस्या को सुलझाने के लिए कहता है कि परिवर्तन केवल तभी वांछनीय है जब :

- परिवर्तन काल्डर-हिक्स परीक्षण पूरा करता हो, और
- विपरीत परिवर्तन काल्डर-हिक्स के अनुसार अनुत्तीर्ण हो (यानी दोनों दिशाओं में कल्याण वृद्धि नहीं होनी चाहिए)। अर्थात् इसे काल्डर-हिक्स परीक्षण और व्युत्क्रम (reversal) परीक्षण दोनों पूरे करने चाहिए।

77. एकाधिकार प्रतिस्पर्धा (Monopolistic Competition) की मुख्य विशेषताएँ :

- **उत्पाद विभेदीकरण (Product Differentiation):** फर्में समान लेकिन थोड़ा अलग उत्पाद बेचती हैं (जैसे साबुन के विभिन्न ब्रांड)।
- **कीमत पर कुछ नियंत्रण (Some Price Control):** उत्पाद विभेदीकरण के कारण फर्में अपनी कीमतें प्रभावित कर सकती हैं।
- **बाजार में प्रवेश और निकास की स्वतंत्रता :** दीर्घकाल में असामान्य लाभ नहीं रहता।
- **घटक मूल्य और प्रौद्योगिकी ज्ञात (Given Factor Prices & Technology):** सभी फर्मों के लिए घटक मूल्य और प्रौद्योगिकी स्थिर मानी जाती है।

"उत्पादन के कारकों की पूर्ण सचलता" — यह विशेषता पूर्ण प्रतियोगिता (Perfect Competition) में लागू होती है, न कि एकाधिकार प्रतिस्पर्धा में। इसलिए यह विकल्प उपयुक्त नहीं है।

अन्य विकल्प क्यों सही हैं :

1. प्रतिष्ठानों का कीमत पर कोई नियंत्रण नहीं होता है — गलत कथन (इसलिए इसे भी अनुपयुक्त माना जा सकता था), पर आपके कथन के अनुसार प्रश्न के मानक उत्तर में उत्पादन कारकों की पूर्ण सचलता को अनुपयुक्त बताया गया है।
3. उत्पाद विभेदीकृत होते हैं — यह सही विशेषता है।
4. घटक मूल्य और प्रौद्योगिकी का उल्लेख रहता है — यह भी सही विशेषता है।

78. जनसंख्या सिद्धांत - कालक्रम

C. टी.आर. माल्थस (T.R. Malthus) - 1798, Essay on the Principle of Population।

B. एडविन कैनन (Edwin Cannan) - 19वीं शताब्दी के उत्तरार्ध/20वीं प्रारंभ, जनसंख्या एवं आर्थिक प्रगति पर।

A. कार्ल मार्क्स (Karl Marx) - 19वीं शताब्दी (1867 Das Kapital) में मॉल्थस की आलोचना।

D. सी.आर. ब्लैकर (C.R. Blacker) - 20वीं शताब्दी मध्य, जनसंख्या विभाजन (demographic transition) पर।

अतः कालक्रम C, B, A, D है।

79. अरेखीय सममात्रा (Isoquant) और समलागत (Isocost) के स्पर्शज्या बिन्दु का अर्थ :

- **Isoquant:** दिए गए प्रतिफल के लिए इनपुट संयोजन।
- **Isocost:** समान लागत के लिए इनपुट संयोजन।
- इनके स्पर्श बिन्दु पर MRTS = कारक मूल्य अनुपात, अर्थात् वह बिन्दु जहाँ फर्म वांछित उत्पादन न्यूनतम लागत पर करती है।

80. विकल्पों की जांच :

A. मानव कौशल सिद्धांत (Human Skills Theory) — नया, प्रौद्योगिकी/मानव पूँजी आधारित → आधुनिक।

B. घटक-अनुपात सिद्धांत (Factor Proportions Theory - Heckscher-Ohlin) — पारंपरिक/शास्त्रीय विस्तार, पूर्णतः आधुनिक नहीं।

C. उत्पाद चक्र सिद्धांत (Product Cycle Theory - Vernon) — आधुनिक।

D. ऑफर कर्व विश्लेषण (Offer Curve Analysis – Marshall/Edgeworth) — पारंपरिक, आधुनिक नहीं।

E. एकाधिकारी प्रतिस्पर्धी व्यापार सिद्धांत (Monopolistic Competition Trade Theory – Krugman) — आधुनिक।

अतः B और D आधुनिक सिद्धांत नहीं हैं।

81. भारत के राष्ट्रीय स्तर के कार्यक्रम – गलत कथन

1. MGNREGA – कार्यबल प्रवण (labour-intensive) कार्यक्रम → सही।
2. प्रधानमंत्री आवास योजना – विकास योजना → सही।
3. प्रधानमंत्री ग्रामीण सड़क योजना खाद्य सुरक्षा संवर्धन कार्यक्रम है — गलत; यह सड़क अवसंरचना योजना है।
4. BBBP (Beti Bachao Beti Padhao) – लैंगिक समानता संवर्धन → सही।

82. सी.आर. ब्लैकर का जनसंख्या-सिद्धांत (Demographic Transition) – चरण क्रम

C. **उच्च जन्म दर और उच्च मृत्यु दर – पहला चरण (High Stationary Stage):** दोनों दरें ऊँची होने के कारण जनसंख्या वृद्धि न्यून रहती है।

B. **जन्म दर में गिरावट किन्तु मर्त्यता में ह्रास – दूसरा चरण (Early Expanding Stage):** चिकित्सा व स्वच्छता सुधार से मृत्यु दर तेजी से गिरती है, जन्म दर ऊँची बनी रहती है ⇒ तेज जनसंख्या वृद्धि।

D. **न्यून जन्म दरें समान रूप से न्यून मर्त्यता से संतुलित – तीसरा/चौथा चरण (Late Expanding to Low Stationary):** जन्म दर भी घटने लगती है और अंततः मृत्यु दर के बराबर हो जाती है ⇒ वृद्धि दर धीमी या स्थिर।

A. **न्यून मर्त्यता और जन्म से अधिक मृत्यु – पाँचवाँ चरण (Declining Population Stage):** जन्म दर मृत्यु दर से भी नीचे आ जाती है ⇒ जनसंख्या घटने लगती है।

कालानुक्रमिक क्रम (पुरातन से नवीनतम) C, B, D, A है।

83. धन की जमाखोरी के परिणाम :

A. **माल और सेवाओं का क्रय नहीं करने से उपयोगिता की कमी** — जब व्यक्ति धन को खर्च न कर माल व सेवाएँ नहीं खरीदता, तो तत्काल उपयोगिता नहीं मिलती।

B. **बचत नहीं करने से परित्यक्त ब्याज** — यदि धन को बचत/निवेश में न लगाकर जमाखोरी की जाए तो ब्याज/प्रतिफल छोड़ दिया जाता है।

C. **अपस्फीति के कारण धन के वास्तविक मोल का ह्रास**— अपस्फीति (deflation) से तो धन का वास्तविक मूल्य बढ़ता है, घटता नहीं।

D. **अन्य आस्तियों का क्रय नहीं करने के कारण प्रतिफल की कमी** — धन को अन्य आस्तियों (शेयर, बॉन्ड आदि) में न लगाने से अवसर लागत होती है।

अतः A, B, D सही हैं।

84. भारत सरकार का ग्रामीण विकास कार्यक्रम :

- **दीन दयाल उपाध्याय ग्रामीण कौशल्य योजना** – ग्रामीण कौशल विकास कार्यक्रम → ग्रामीण विकास।
- **प्रधानमंत्री ग्राम सड़क योजना** – ग्रामीण संपर्क अवसंरचना → ग्रामीण विकास।
- **स्वच्छ भारत मिशन** – स्वच्छता अभियान (ग्रामीण व शहरी दोनों) → यह व्यापक मिशन है, केवल ग्रामीण विकास कार्यक्रम नहीं।
- **राष्ट्रीय सामाजिक सहायता कार्यक्रम** – ग्रामीण गरीबों को सामाजिक सुरक्षा सहायता → ग्रामीण विकास।

85. सूची-I और सूची-II का मिलान :

- **A.** वॉन न्यूमान और ऑस्कर मॉर्गेनस्टर्न — खेल और आर्थिक व्यवहार → **II**।
- **B.** एक्सेलरॉड (Axelrod) — जैसे को तैसा रणनीति → **I**।
- **C.** स्टैकलबर्ग नेतृत्व मॉडल — नेतृत्व मॉडल में अनुक्रमिक चालें, नैश संतुलन (Subgame Perfect Nash) से संबंधित → **III** (नैश साम्यता)।
- **D.** सिंगल-शॉट गेम — एक बार खेले गए खेल में धोखाधड़ी (Defection) प्रमुख रणनीति → **IV**।

अतः सही मिलान A-II, B-I, C-III, D-IV है।

86. मापनी का प्रकार (ग्रेड उदाहरण) :

- केवल क्रमबद्धता ज्ञात है (A-ग्रेड > B-ग्रेड) लेकिन अंतराल या अनुपात का पता नहीं चलता।
- यह Ordinal Scale का उदाहरण है, जो उदासीन वक्र विश्लेषण (Indifference Curve Analysis) की नींव में प्रयुक्त होता है—उदासीनता वरीयताओं में केवल रैंकिंग महत्वपूर्ण होती है, परंतु वरीयता का मात्रात्मक अंतर नहीं।

87. मार्शल के उपयोगिता विश्लेषण में उपभोक्ता अधिशेष का आधार :

- मार्शल ने उपभोक्ता अधिशेष की अवधारणा को ह्रासमान सीमांत उपयोगिता के नियम (Law of Diminishing Marginal Utility) पर आधारित किया।
- उन्होंने माना कि उपभोक्ता वस्तु के लिए जितना अधिक भुगतान करने को तैयार है (कुल उपयोगिता) और जितना वास्तव में भुगतान करता है (बाजार मूल्य), उनके बीच का अंतर अधिशेष है।

88. मुद्रा सिद्धांत – कालक्रम

C. फिशर का मात्रा सिद्धांत (Fisher's Version) – Equation of Exchange, 1911।

A. कैम्ब्रिज संस्करण (Cambridge Version) – पिगू, मार्शल द्वारा, 1917–20।

B. बौमोल का मुद्रा मांग सिद्धांत (Baumol's Transactions Demand Theory) – 1952।

D. टॉबिन का मुद्रा मांग सिद्धांत (Tobin's Portfolio Theory) – 1956–58।

अतः क्रम C, A, B, D है।

89. भारत में अनौपचारिक क्षेत्र (Informal Sector) पर आँकड़े सांख्यिकी और कार्यक्रम कार्यान्वयन मंत्रालय (MoSPI) द्वारा प्रकाशित किए जाते हैं। यह मंत्रालय NSSO (राष्ट्रीय नमूना सर्वेक्षण कार्यालय) के माध्यम से सर्वेक्षण करता है।

90. प्रायिकताओं का बढ़ते क्रम में क्रम निर्धारण :

A. दो सिक्कों के एक साथ उछाल में दो चित (HH) आने की प्रायिकता

- कुल संभावनाएँ = 4 (HH, HT, TH, TT)
- अनुकूल = 1 (HH) $\Rightarrow P = \frac{1}{4} = 0.25$

B. ताश से रानी (Queen) निकालने की प्रायिकता

- कुल पत्ते = 52; रानियाँ = 4

$\Rightarrow P = \frac{4}{52} = \frac{1}{13} \approx 0.0769$

C. 3 श्वेत और 7 काले गेंदों में से श्वेत गेंद की प्रायिकता

- कुल = 10; श्वेत = 3

$\Rightarrow P = \frac{3}{10} = 0.3$

D. पासे पर सम संख्या (2, 4, 6)

- कुल = 6; सम = 3

$\Rightarrow P = \frac{3}{6} = 0.5$

बढ़ता क्रम B, A, C, D है।

91. नैश साम्य वह प्रोफाइल है जहाँ कोई भी फर्म अकेले अपनी रणनीति बदलकर लाभ नहीं बढ़ा सकती (दूसरी फर्म की रणनीति स्थिर मानते हुए)। दिए गए पेऑफ विकल्प एक क्लासिक "कैदी की दुविधा" पैटर्न दर्शाते हैं :

- जब दूसरी फर्म सहयोग करे (जिससे दोनों को \$225, \\$225 मिल सकते हैं), तब विचलित होकर दूसरी रणनीति चुनने पर \$250 मिलते हैं — यानी \$250 > \$225, इसलिए सहयोग सर्वोत्तम प्रतिक्रिया नहीं है।
- जब दूसरी फर्म विचलित/डिफेक्ट करे (जिससे \$200, \\$200 मिलते हैं), तब सहयोग करने पर \$100 मिलता है — यानी \$100 < \$200, इसलिए इस स्थिति में भी डिफेक्ट ही सर्वोत्तम प्रतिक्रिया है।

इसलिए दोनों की सर्वोत्तम प्रतिक्रियाएँ एक-दूसरे को काटती हैं (डिफेक्ट, डिफेक्ट) पर, जिसका पेऑफ (\$200, \$200) है — यही नैश साम्य है; (\$225, \$225) पर कोई भी फर्म अकेले विचलित होकर \$250 कमा सकती है, इसलिए वह नैश नहीं है।

92. संरक्षा निवेश (Safety Investment) का सीधा प्रभाव उस फर्म पर पड़ता है जो निवेश करती है। बेहतर सुरक्षा उपकरण, प्रशिक्षण और नियम अनुपालन के कारण दुर्घटना जोखिम घटता है और कार्यस्थल अधिक सुरक्षित हो जाता है। अन्य फर्मों की संरक्षा स्वचालित रूप से नहीं बढ़ती क्योंकि उन्होंने निवेश नहीं किया है, और उद्योग की कुल संरक्षा भी केवल एक फर्म के प्रयास से सुनिश्चित नहीं होती। इसलिए केवल वही फर्म लाभान्वित होती है जिसने निवेश किया।

93. दो फर्मों के बीच संरक्षा निवेश खेल एक रणनीतिक परस्पर-निर्भर स्थिति है। यदि दोनों निवेश करें तो सामाजिक कल्याण अधिकतम हो सकता है, लेकिन प्रत्येक फर्म के पास लागत बचाने और दूसरे के निवेश का लाभ लेने की प्रेरणा रहती है। इसलिए दोनों द्वारा निवेश करना स्थिर नैश साम्य नहीं बनता। इसका अर्थ है कि यह स्थिति गेम-थ्योरी के अनुसार साम्य नहीं है।

94. संरक्षा निवेश से संबंधित खेलों में फ्री-राइडिंग की प्रवृत्ति के कारण बाजार अकेले सामाजिक इष्टतम निवेश नहीं कर पाता। इस समस्या का समाधान सरकारी नियमन द्वारा होता है। जब सरकार न्यूनतम सुरक्षा मानक अनिवार्य कर देती है, तब सभी फर्मों को निवेश करना पड़ता है। इससे अंडर-इन्वेस्टमेंट (underinvestment) समाप्त होता है और उद्योग-व्यापी सुरक्षा सुनिश्चित होती है।

95. श्रम अर्थशास्त्र में क्षतिपूरक वेतन-अन्तर (Compensating Wage Differentials) के अनुसार, अधिक जोखिम वाले कामों के लिए उच्च मजदूरी की आवश्यकता होती है। जब किसी एक फर्म ने सुरक्षा निवेश कर दिया, तब उद्योग-स्तर पर जोखिम की धारणा घटती है। जोखिम कम होने से श्रमिकों को अब अतिरिक्त मुआवजे की आवश्यकता नहीं रहती। इसका प्रभाव केवल निवेश करने वाली फर्म तक सीमित नहीं रहता बल्कि श्रम बाजार में प्रतिस्पर्धा के कारण दोनों फर्मों में मजदूरी स्तर घट सकता है।

96. गद्यांश में कहा गया है कि शिक्षा व्यक्ति को उत्पादन में अधिक दक्ष बनाती है (मानव पूंजी का संवर्धन) और साथ ही उसकी जानकारी, संचार, तर्क शक्ति व सामाजिक स्वीकृति को भी बढ़ाती है (मानव अभियोग्यता का संवर्धन)। इसलिए शिक्षा से दोनों का संवर्धन होता है।

97. गद्यांश में प्रत्यक्ष प्रभाव के उदाहरण के रूप में स्पष्ट कहा गया है—"उसका जीवन हृष्ट-पुष्ट या स्वस्थ होना", अर्थात् जीवन संवर्धन। यह प्रत्यक्ष प्रभाव है, जबकि अप्रत्यक्ष प्रभाव उत्पादन बढ़ाने व बाजार में कीमत को प्रभावित करने जैसे हैं।

98. गद्यांश के अंतिम भाग में बताया गया है कि शिक्षित व्यक्ति "पठन, संप्रेषण, तर्क विद्या के माध्यम से लाभान्वित होकर अपेक्षाकृत अधिक संसूचित रूप में विकल्पों का चयन कर सकता है"। यह मानव अभियोग्यता की प्रमुख पहचान है।

99. गद्यांश में मानव अभियोग्यता से संबंधित पहलुओं में स्वस्थ होना, तर्क वृद्धि, और सामाजिक स्वीकार्यता का उल्लेख है। "अधिनायकवादी होना" (Authoritarian) इसका हिस्सा नहीं है।

100. गद्यांश के अनुसार, मानव पूंजी उपागम अपेक्षाकृत संकीर्ण दृष्टिकोण है और मानव अभियोग्यता व्यापक दृष्टिकोण है जिसमें प्रत्यक्ष व परोक्ष दोनों परिणाम शामिल हैं। अतः मानव अभियोग्यता को मानव पूंजी से उच्चतर श्रेणी का माना गया है।

पिछले प्रश्न-पत्र

National Testing Agency (NTA)

UGC-NET जूनियर रिसर्च फैलोशिप तथा सहायक प्राध्यापक पात्रता परीक्षा

अर्थशास्त्र, अगस्त-2024

(Exam held on 28-08-2024)

प्रश्न-पत्र-II

1. वस्तु की माँग फलन x के लिए

$$Q_d = f(P_x, P_y, M)$$

स्व-मूल्य लोच, प्रति मूल्य लोच और माँग की आय लोच का कुल योग होगा?

A. एक

B. शून्य

C. दो

D. एन (n), जहाँ $n > 1$

2. सूची-I से सूची-II का मिलान कीजिए:

सूची-I	सूची-II
(*a*) यात्रा लागत पद्धति	(*i*) सतत् विकास
(*b*) स्टर्न रिव्यू	(*ii*) समाप्य संसाधन
(*c*) ब्रंटलैंड आयोग की रिपोर्ट	(*iii*) जलवायु परिवर्तन
(*d*) प्रयोक्ता लागत	(*iv*) पर्यावरण मूल्य निर्धारण

नीचे दिए गए विकल्पों में से **सही** उत्तर का चयन कीजिए:

	(*a*)	(*b*)	(*c*)	(*d*)
A.	(*iv*)	(*ii*)	(*i*)	(*iii*)
B.	(*iv*)	(*i*)	(*ii*)	(*iii*)
C.	(*iv*)	(*iii*)	(*i*)	(*ii*)
D.	(*iii*)	(*iv*)	(*i*)	(*ii*)

3. निम्नलिखित को सबसे पहले से शुरु करके सबसे बाद के सही कालक्रमानुसार लगाइये:

(*a*) कोस (Coase) प्रमेय

(*b*) होटलिंग सिद्धांत

(*c*) नेश संतुलन

(*d*) क्योटो प्रोटोकॉल

(*e*) आई.यू.सी.एन. (प्राकृतिक संरक्षण के लिए अंतर्राष्ट्रीय संघ) की स्थापना

नीचे दिए गए विकल्पों में से **सही** उत्तर का चयन कीजिए:

A. (*b*), (*e*), (*c*), (*a*), (*d*)

B. (*b*), (*e*), (*a*), (*c*), (*d*)

C. (*b*), (*a*), (*d*), (*e*), (*c*)

D. (*e*), (*b*), (*a*), (*c*), (*d*)

4. सूची I से सूची II का मिलान कीजिए:

सूची-I	सूची-II
(*a*) पी.क्यू.एल.आई.	(*i*) अमर्त्य सेन
(*b*) एच.डी.आई.	(*ii*) महबूब-अल-हक
(*c*) विकास का सामर्थ्य उपागम	(*iii*) अल्केयर और फास्टर
(*d*) Multi-Dimensional Poverty Index	(*iv*) मोरिस डी. मोरिरा

नीचे दिए गए विकल्पों में से **सही** उत्तर का चयन कीजिए:

	(*a*)	(*b*)	(*c*)	(*d*)
A.	(*iv*)	(*ii*)	(*i*)	(*iii*)
B.	(*iv*)	(*iii*)	(*ii*)	(*i*)
C.	(*i*)	(*ii*)	(*iii*)	(*iv*)
D.	(*iv*)	(*i*)	(*iii*)	(*ii*)

5. सूची-I से सूची-II का मिलान कीजिए:

सूची-I	सूची-II
(*a*) राचेल कार्सन	(*i*) इकोनॉमिक्स ऑफ बायोडायवर्सिटी
(*b*) केनेथ बोल्डिंग	(*ii*) इकोनॉमिक्स ऑफ कमिंग स्पेसशिप अर्थ
(*c*) जी. हार्डिन	(*iii*) सायलेंट स्प्रिंग
(*d*) पार्थ दासगुप्ता	(*iv*) ट्रेजेडी ऑफ कॉमन्स

नीचे दिए गए विकल्पों में से **सही** उत्तर का चयन कीजिए:

	(*a*)	(*b*)	(*c*)	(*d*)
A.	(*ii*)	(*i*)	(*iv*)	(*iii*)
B.	(*iii*)	(*iv*)	(*i*)	(*ii*)
C.	(*iv*)	(*ii*)	(*iii*)	(*i*)
D.	(*iii*)	(*ii*)	(*iv*)	(*i*)

6. दिया गया है कि $y = \dfrac{1+x}{1-2x}$, सही विकल्प का चयन कीजिए:

A. $\dfrac{dy}{dx} = \dfrac{3}{1-2x}$

B. $\dfrac{dy}{dx} = \dfrac{3}{(1-2x)^2}$

C. $\dfrac{dy}{dx} = \dfrac{3}{(1-2x)^3}$

D. $\dfrac{dy}{dx} = \dfrac{3}{(1-x)^2}$

7. प्रेक्षणों के एक सेट का न्यूनतम मान 4.5 है और उनका रेंज 10.9 है। समांतर माध्य 19.9 पाया गया है और माध्यिका 15.6 पाई गई है। निम्नलिखित में से कौन-सा कथन **सही** है?

A. समांतर माध्य गलत है किंतु माध्यिका सही है।

B. समांतर माध्य सही है किंतु माध्यिका गलत है।

C. समांतर माध्य और माध्यिका दोनों गलत है।

D. समांतर माध्य और माध्यिका दोनों सही हैं।

8. मुद्रा के नॉमिनल स्टॉक में बढ़ोतरी का परिणाम किस रूप में होता है:

A. संतुलन नॉमिनल ब्याज दर में वृद्धि और संतुलन वास्तविक आय में कमी

B. संतुलन नॉमिनल ब्याज दर में कमी और संतुलन वास्तविक आय में वृद्धि

C. संतुलन नॉमिनल ब्याज दर में कमी और संतुलन वास्तविक आय में कमी

D. संतुलन नॉमिनल ब्याज दर में वृद्धि और संतुलन वास्तविक आय में वृद्धि

9. मुद्रास्फीति समाज को कोई लाभ नहीं देती, बल्कि वह अनेक वास्तविक लागतें लगा देती है, निम्नलिखित में से कौन-सी मुद्रास्फीति की लागतें हैं?

(*a*) कम मुद्रा धारिता के साथ संबंद्ध शू-लेदर लागत

(*b*) अधिक आवृत्ति में समायोजन कीमतों के साथ संबद्ध मेन्यु लागत

(*c*) सापेक्ष कीमतों की बढ़ी हुई परिवर्तनशीलता

(*d*) कर संहिता के गैर-सूचकांकन के कारण कर देयता में अनाशयित बदलाव

(*e*) ऋणों के साथ संबद्ध सम्पति का मनमाना पुनः वितरण

नीचे दिए गए विकल्पों में से **सही** उत्तर का चयन कीजिए:

A. केवल (*a*), (*b*), (*c*)

B. केवल (*c*), (*d*), (*e*)

C. केवल (*b*), (*d*), (*a*)

D. (*a*), (*b*), (*c*), (*d*), (*e*)

10. सूची-I से सूची-II का मिलान कीजिए:

सूची-I	सूची-II
(*a*) एड-वेलोरम टैरिफ	(*i*) प्रति इकाई नियत राशि
(*b*) आत्मनिर्भर अर्थतंत्र (Autarky)	(*ii*) एड-वेलोरम और विशिष्ट टैरिफ का संयोजन
(*c*) संयुक्त टैरिफ	(*iii*) अन्य देशों के साथ कोई व्यापार नहीं
(*d*) विशिष्ट टैरिफ	(*iv*) व्यापार की गई वस्तु के मूल्य का प्रतिशत

नीचे दिए गए विकल्पों में से **सही** उत्तर का चयन कीजिए:

	(a)	(b)	(c)	(d)
A.	(i)	(ii)	(iii)	(iv)
B.	(iv)	(iii)	(ii)	(i)
C.	(iv)	(i)	(ii)	(iii)
D.	(iii)	(ii)	(i)	(iv)

11. सरकार के माध्यम से भारत के रक्षा उद्योग में प्रत्यक्ष विदेशी निवेश की अनुमन्य सीमा क्या है?

A. 26 प्रतिशत B. 51 प्रतिशत
C. 74 प्रतिशत D. 100 प्रतिशत

12. सूची-I से सूची-II का मिलान कीजिए:

सूची-I	सूची-II
(a) सामान्य विषम विसारिता परीक्षण	(i) रामसे
(b) स्वतः सह-संबंध की सामान्य सूची	(ii) होसमैन
(c) सहकालिकता का परीक्षण	(iii) व्हाइट
(d) विनिर्देशन त्रुटि की सामान्य सूची	(iv) ब्रुश्च-गॉडफ्रे

नीचे दिए गए विकल्पों में से **सही** उत्तर का चयन कीजिए:

	(a)	(b)	(c)	(d)
A.	(i)	(ii)	(iii)	(iv)
B.	(iv)	(ii)	(i)	(iii)
C.	(iii)	(iv)	(ii)	(i)
D.	(iii)	(i)	(ii)	(iv)

13. निम्नलिखित में से पंद्रहवें वित्त आयोग द्वारा राज्यों को दिए गए अनुदान का सबसे बड़ा मद है?

A. आपदा जोखिम प्रबंधन अनुदान
B. राजस्व घाटा अनुदान
C. स्थानीय निकाय अनुदान
D. क्षेत्र विशिष्ट अनुदान

14. निम्नलिखित अर्थशास्त्रियों को उन्हें नोबल पुरस्कार दिए जाने के कालक्रमानुसार लगाइये:
(सर्वप्रथम से शुरु होकर अद्यतन)

(a) आर्थर लेविस (b) गुन्नार मिर्डल
(c) मिल्टन फ्रीडमैन (d) ए.वी. बनर्जी
(e) लारेंस क्लीन

नीचे दिए गए विकल्पों में से **सही** उत्तर का चयन कीजिए:

A. (b), (c), (a), (e), (d)
B. (b), (c), (a), (d), (e)
C. (b), (a), (c), (e), (d)
D. (a), (b), (c), (e), (d)

15. नीचे लिखे कथनों पर विचार कीजिए:

(a) यदि कोई बाजार एक गौण प्रभाव (side effect) या बाह्यता उत्पन्न करता है तो बाजार समाधान अकार्यक्षम है।
(b) यदि कोई बाजार दक्ष है, तो बाजार में उत्पादित मात्रा उत्पादक और उपभोक्ता दोनों के अधिशेष को अधिकतम बनाती है।
(c) उपभोक्ता अधिशेष (Consumer's surplus) उपभोक्ता द्वारा मूल्य देने की इच्छा तथा विक्रेता की लागत का अंतर होता है।
(d) स्मिथ की अदृश्य हाथ अवधारणा का अर्थ है कि प्रतिस्पर्धी बाजार का परिणाम समाज के सदस्यों के बीच समानता का निर्माण करता है।
(e) प्रतिस्पर्धी बाजार का साथ पैरेटो कार्यक्षम (efficient) है।

नीचे दिए गए विकल्पों में से **सही** उत्तर का चयन कीजिए:

A. केवल (a), (b), (e)
B. केवल (a), (b), (d)
C. केवल (a), (e)
D. केवल (b), (d), (e)

16. भारतीय रिजर्व बैंक के कार्य क्षेत्र के अंतर्गत क्या नहीं आता है?

A. विदेशी मुद्रा भंडार का संरक्षक
B. बैंक नोटों का निर्गम
C. उधार देने का अंतिम आश्रय (रिसोर्ट)
D. ऋण का बहु विस्तार

17. सूची-I से सूची-II का मिलान कीजिए:

सूची-I	**सूची-II**
(*a*) नीति आयोग	(*i*) जैसे को तैसा रणनीति (Tit for Tat)
(*b*) आर. एक्सेलरोड	(*ii*) कार्यदक्षता मजदूरी सिद्धांत
(*c*) जे. स्टिगलिट्ज	(*iii*) के.एन. राज
(*d*) भारत की पहली पंचवर्षीय योजना (1951-1956)	(*iv*) ज्ञान सहायता

नीचे दिए गए विकल्पों में से **सही** उत्तर का चयन कीजिए:

	(*a*)	(*b*)	(*c*)	(*d*)
A.	(*ii*)	(*i*)	(*iii*)	(*iv*)
B.	(*iv*)	(*iii*)	(*ii*)	(*i*)
C.	(*iv*)	(*i*)	(*ii*)	(*iii*)
D.	(*i*)	(*ii*)	(*iii*)	(*iv*)

18. सूची-I से सूची-II का मिलान कीजिए:

सूची-I	**सूची-II**
(*a*) अंतर-पणन (Arbitrage)	(*i*) जब कोई निवेशक विदेशी विनिमय जोखिम को स्वीकार करती और चाहती है।
(*b*) हेजिंग	(*ii*) उस समय को संदर्भित करता है जब विदेशी मुद्रा बदलती है जिससे बहुधा स्पॉट दर (रेट) परिवर्तित होता है।
(*c*) सट्टेबाजी (Speculation)	(*iii*) मुद्रा को मौद्रिक केन्द्र से खरीदने से संबंधित है जहाँ यह सस्ती होती है।
(*d*) विदेशी विनिमय जोखिम	(*iv*) विदेशी विनिमय जोखिम के परिहार से संबंधित

नीचे दिए गए विकल्पों में से **सही** उत्तर का चयन कीजिए:

	(*a*)	(*b*)	(*c*)	(*d*)
A.	(*iii*)	(*iv*)	(*i*)	(*ii*)
B.	(*i*)	(*iii*)	(*ii*)	(*iv*)
C.	(*i*)	(*iii*)	(*iv*)	(*ii*)
D.	(*i*)	(*iv*)	(*iii*)	(*ii*)

19. जब आयात को प्रशुल्क (टैरिफ) की बजाय कोटा से सीमित किया जाता है, लागत कभी-कभी, ______ प्रक्रिया द्वारा बढ़ जाती है।

A. किराये की माँग
B. कोटा की माँग
C. कर की माँग
D. उपरोक्त में से कोई नहीं

20. आय निर्धारण के लीकेज-इंजेक्शन उपागम में यदि अन्य बातें पूर्ववत् रहें तो एकमुश्त कर में वृद्धि करने से ______ होता है।

A. निवेश + सरकारी व्यय रेखा ऊर्ध्वमुखी शिफ्ट
B. निवेश + सरकारी व्यय रेखा अधोमुखी शिफ्ट
C. बचत + कर रेखा बायीं ओर शिफ्ट
D. आय का संतुलन स्तर ऊर्ध्वमुखी शिफ्ट

21. सकल घरेलू उत्पाद या जी.डी.पी. को निम्नानुसार परिभाषित किया जाता है:

A. जी.डी.पी. = कुल घरेलू आय + अप्रत्यक्ष कर + मूल्यह्रास
B. जी.डी.पी. = कुल घरेलू आय + अप्रत्यक्ष कर – मूल्यह्रास
C. जी.डी.पी. = कुल घरेलू आय + मूल्यह्रास – अप्रत्यक्ष कर
D. जी.डी.पी. = कुल घरेलू आय + मूल्यह्रास – निवल घरेलू उत्पाद (एन.डी.पी.)

22. बाह्यताओं और पर्यावरणीय समस्याओं से संबंधित कोस थ्योरम की निम्नलिखित में से कौन-सी पूर्वधारणा नहीं है?

A. लेनदेन की लागत का अभाव
B. आय प्रभाव की उपस्थिति
C. पूर्ण जानकारी
D. पूर्ण सम्पदा अधिकार

23. विषम विसारिता (Hetroscedasticity) विभिन्न कारणों से हो सकती है निम्नलिखित में से कौन-सा इसका कारण **नहीं** है?

A. डेटा सेट में X और Y निर्देशांकों के अत्यंत कम या उच्च मान
B. समय के साथ चरों में सह-संबंध
C. मॉडल के कार्यात्मक रूप का गलत विनिर्देशन
D. चरों का गलत रूपांतरण

24. सूची-I से सूची-II का मिलान कीजिए:

सूची-I	सूची-II
(*a*) अंतरजातीय चर	(*i*) आटोकोरिलेशन गुणांक का महत्व
(*b*) काउंट R^2 (count R^2)	(*ii*) युगपत समीकरण
(*c*) एलजंग बाक्स स्टेटिसटिक	(*iii*) पैनल आंकड़ा प्रतिगमन
(*d*) लीस्ट स्क्वायर डमी चर मॉडल	(*iv*) लॉजिट प्रतिगमन

नीचे दिए गए विकल्पों में से **सही** उत्तर का चयन कीजिए:

	(*a*)	(*b*)	(*c*)	(*d*)
A.	(*iii*)	(*i*)	(*iv*)	(*ii*)
B.	(*ii*)	(*iii*)	(*i*)	(*iv*)
C.	(*ii*)	(*iii*)	(*iv*)	(*i*)
D.	(*ii*)	(*iv*)	(*i*)	(*iii*)

25. निम्नलिखित कथनों पर विचार कीजिए:

(*a*) पारिस्थितिक पदचिह्न (इकोलॉजिकल फुटप्रिंट) संपूर्ण पारिस्थितिकी तंत्र (इको सिस्टम) पर मांग का एक माप है।
(*b*) विकास के लिए ऊपर से नीचे का दृष्टिकोण (Top down approach) सामूहिक भागीदारी पर जोर देता है।
(*c*) वर्ष 2016 तक सहस्त्राब्दी विकास लक्ष्यों (MDGs) को प्राप्त करने का अनुमान लगाया गया था।
(*d*) सतत् विकास लक्ष्यों (SDGs) में 17 लक्ष्य शामिल हैं।

नीचे दिए गए विकल्पों में से **सही** उत्तर का चयन कीजिए:

A. केवल (*a*), (*d*)
B. केवल (*a*), (*b*), (*d*)
C. केवल (*a*), (*c*), (*d*)
D. (*a*), (*b*), (*c*), (*d*)

26. ANCOVA मॉडल में प्रतिगामक (Regressor) शामिल हैं जो हैं:

A. केवल परिमाणात्मक चर
B. केवल गुणात्मक चर
C. केवल श्रेणीबद्ध चर
D. गुणात्मक और परिमाणात्मक चर दोनों

27. सूची-I से सूची-II का मिलान कीजिए:

सूची-I	सूची-II
(*a*) नरसिंहम समिति, रिपोर्ट (II)	(*i*) बैंक में धोखा-धड़ी और कदाचार
(*b*) घोष समिति रिपोर्ट	(*ii*) बैकिंग में प्रौद्योगिकी संबंधी मुद्दे
(*c*) पद्मनाभन समिति	(*iii*) आर.बी.आई. को बाजार से 91 दिनों की टी. बिल वापस लेने चाहिए
(*d*) सराफ समिति	(*iv*) एक केन्द्रीय बैंक द्वारा निरीक्षण की शैली और अनुवर्ती कारवाई

नीचे दिए गए विकल्पों में से **सही** उत्तर का चयन कीजिए:

	(*a*)	(*b*)	(*c*)	(*d*)
A.	(*iii*)	(*iv*)	(*ii*)	(*i*)
B.	(*i*)	(*ii*)	(*iii*)	(*iv*)
C.	(*iii*)	(*i*)	(*iv*)	(*ii*)
D.	(*iii*)	(*ii*)	(*i*)	(*iv*)

28. वालरस के नियम के अनुसार रुपये, बांड की अव्यधिक मांग और वर्तमान उत्पादन (आउटपुट) का कुल योग अवश्य ______ के बराबर होगा।

A. एक
B. शून्य
C. एक से अधिक
D. एक से कम

29. निम्नलिखित मदों को उनके निर्माण के क्रम में पहले चरण से अंतिम चरण के अनुसार लगाइये:

(*a*) बजट
(*b*) उपयोगिता विश्लेषण
(*c*) माँग वक्र विश्लेषण
(*d*) तटस्थता वक्र विश्लेषण
(*e*) उपभोक्ता संतुलन

नीचे दिए गए विकल्पों में से **सही** उत्तर का चयन कीजिए:

A. (*d*), (*b*), (*a*), (*e*), (*c*)
B. (*a*), (*b*), (*c*), (*d*), (*e*)
C. (*b*), (*d*), (*e*), (*c*), (*a*)
D. (*b*), (*d*), (*a*), (*e*), (*c*)

30. उत्पादन फलन $Q = \frac{LK}{L + K}$ है:

A. डिग्री 1 का समरूप B. डिग्री 0 का समरूप
C. डिग्री 2 का समरूप D. डिग्री ½ का समरूप

31. सबसे पहले से शुरू करके बाद के क्रम में निम्नलिखित करों को उनकी शुरुआत के अनुसार लगाइये:

(*a*) वस्तु लेन-देन कर
(*b*) प्रतिभूति लेन-देन कर
(*c*) बैंकिंग नकद लेन-देन कर
(*d*) न्यूनतम वैकल्पिक कर
(*e*) एंजेल कर

नीचे दिए गए विकल्पों में से **सही** उत्तर का चयन कीजिए:

A. (*d*), (*a*), (*e*), (*b*), (*c*)
B. (*b*), (*c*), (*a*), (*e*), (*d*)
C. (*d*), (*b*), (*c*), (*e*), (*a*)
D. (*c*), (*d*), (*b*), (*a*), (*e*)

32. भारत में गैर बैंकिंग वित्तीय कंपनियों (एन.बी.एफ.सी.) के संबंध में निम्नलिखित कथनों पर विचार कीजिए:

(*a*) एन.बी.एफ.सी., आर.बी.आई. अधिनियम 1948 के अंतर्गत पंजीकृत हैं।
(*b*) एन.बी.एफ.सी., वाणिज्यिक बैंकों की तरह माँग जमा स्वीकार नहीं कर सकते हैं।
(*c*) एन.बी.एफ.सी. को अपनी प्राप्तियों का एक विशिष्ट प्रतिशत निर्विहन अनुमोदित प्रतिभूतियों में निवेश करना होता है।
(*d*) एन.बी.एफ.सी., धन बैंकों और पोर्टफोलियो प्रबंधन सेवाओं के कार्यरत हैं, सेबी द्वारा शासित होते है।
(*e*) प्रत्येक एन.बी.एफ.सी. को एक आरक्षित निधि सृजित करना होता है।

नीचे दिए गए विकल्पों में से **सही** उत्तर का चयन कीजिए:

A. केवल (*a*), (*b*), (*c*), (*d*)
B. केवल (*b*), (*c*), (*d*), (*e*)
C. केवल (*b*), (*d*), (*e*)
D. केवल (*b*), (*c*), (*e*)

33. परिमाण के बढ़ते हुए क्रम के अनुसार निम्नलिखित अभिव्यंजकों को व्यवस्थित कीजिए।

[दिया गया है: $a > 0, b > 0, x > 0$]

(*a*) $y = e^a$ (*b*) $y = e^{a + bx}$
(*c*) $y = e^{a + \frac{b}{x}}$ (*d*) $y = e^{a - \frac{b}{x}}$
(*e*) $y = e^{a + 2bx}$

नीचे दिए गए विकल्पों में से **सही** उत्तर का चयन कीजिए:

A. (*d*), (*a*), (*c*), (*b*), (*e*)
B. (*d*), (*a*), (*b*), (*c*), (*e*)
C. (*d*), (*b*), (*c*), (*a*), (*e*)
D. (*e*), (*b*), (*c*), (*a*), (*d*)

34. सूची-I से सूची-II का मिलान कीजिए:

सूची-I	सूची-II
(*a*) वितरण का एकाधिकार सिद्धांत	(*i*) वॉकर
(*b*) लाभ का सिद्धांत	(*ii*) रॉबिन्सन
(*c*) पूर्ण लागत कीमत-निर्धारण	(*iii*) कलेस्की
(*d*) किराये का आधुनिक सिद्धांत	(*iv*) हाल और हिच

नीचे दिए गए विकल्पों में से **सही** उत्तर का चयन कीजिए:

	(*a*)	(*b*)	(*c*)	(*d*)
A.	(*ii*)	(*iii*)	(*i*)	(*iv*)
B.	(*iii*)	(*i*)	(*iv*)	(*ii*)
C.	(*iii*)	(*iv*)	(*ii*)	(*i*)
D.	(*iv*)	(*iii*)	(*ii*)	(*i*)

35. पंद्रहवें वित्त आयोग के कर राजस्व हस्तांतरण फार्मूले के निम्नलिखित प्रतिमानों को उनके भारांक के अनुसार उच्चतम से शुरु करते हुए क्रम में लगाइये:

(*a*) इन्कम डिस्टेंस
(*b*) क्षेत्रफल
(*c*) जनांकिकीय निष्पादन
(*d*) वन और पारिस्थितिकी
(*e*) कर प्रयास

नीचे दिए गए विकल्पों में से **सही** उत्तर का चयन कीजिए:

A. (*a*), (*b*), (*c*), (*d*), (*e*)
B. (*a*), (*d*), (*b*), (*e*), (*c*)
C. (*b*), (*a*), (*c*), (*e*), (*d*)
D. (*c*), (*d*), (*a*), (*b*), (*e*)

36. निम्नलिखित में से कौन-सा मान यह दर्शाता है कि प्रत्येक महिला का स्थान, एक बेटी ले रही है जिसके परिणामस्वरूप कालांतर में आबादी स्थिर रहेगी?

A. जी.एफ.आर. = 1
B. एन.आर.आर. = 1
C. टी.एफ.आर. = 1
D. जी.आर.आर. = 1

37. समीकरण $2x - 3y < 5$ के ग्राफ के क्षेत्र में बिंदुओं O(0, 0) और P(2, –3) की स्थिति होगी:

A. O अन्दर और P बाहर
B. O और P दोनों बाहर
C. O और P दोनों अंदर
D. O बाहर और P अंदर

38. सूची-I से सूची-II का मिलान कीजिए:

सूची-I	सूची-II
(*a*) विदेशी मुद्रा व्यापार में शीर्ष लाभार्थी	(*i*) जॉन वान न्यूमैन और ऑस्कर मार्जेनेस्ट्रा
(*b*) प्रतिस्पर्धी साम्य पेरेटो कार्यदक्ष (efficient) है।	(*ii*) सामान्य संतुलन विश्लेषण
(*c*) वालरस	(*iii*) लंदन
(*d*) गेम थ्योरी	(*iv*) कल्याण अर्थशास्त्र का पहला सिद्धांत

नीचे दिए गए विकल्पों में से **सही** उत्तर का चयन कीजिए:

	(*a*)	(*b*)	(*c*)	(*d*)
A.	(*ii*)	(*iii*)	(*i*)	(*iv*)
B.	(*iv*)	(*iii*)	(*ii*)	(*i*)
C.	(*i*)	(*ii*)	(*iii*)	(*iv*)
D.	(*iii*)	(*iv*)	(*ii*)	(*i*)

39. सूची-I से सूची-II का मिलान कीजिए:

सूची-I	सूची-II
(*a*) डब्ल्यू.डब्ल्यू. लियोंटिफ	(*i*) शेडो प्राइस
(*b*) जेन टिम्बरजन	(*ii*) उपभोग फलन
(*c*) जे.एम. कीन्स	(*iii*) सजातीय उत्पादों के साथ कीमत प्रतिस्पर्धा
(*d*) जोसेफ बर्ट्रेंड	(*iv*) इनपुट-आउटपुट मॉडल

नीचे दिए गए विकल्पों में से **सही** उत्तर का चयन कीजिए:

	(*a*)	(*b*)	(*c*)	(*d*)
A.	(*ii*)	(*iii*)	(*i*)	(*iv*)
B.	(*iv*)	(*i*)	(*ii*)	(*iii*)
C.	(*iii*)	(*iv*)	(*i*)	(*ii*)
D.	(*i*)	(*ii*)	(*iii*)	(*iv*)

40. आपने एक प्रतिगमन विश्लेषण किया, किंतु दो चरों के बीच संबंध के बारे में सोचने के बाद आपने निर्णय लिया कि आपको व्याख्यात्मक (Explanatory variable) और प्रतिक्रिया चर (Response variable) को एक-दूसरे से बदलना चाहिए। आंकड़ों में प्रतिगमन मॉडल को पुनः स्थापित करने के बाद आप आशा करते हैं कि:

A. सह-संबंध का मान बदल जाएगा।
B. ढ़ाल (Slope) का चिह्न बदल जाएगा।

C. निर्धारण के गुणांक का मान बदल जाएगा।

D. एस.एस.ई. (वर्ग त्रुटि का योग) का मान बदल जाएगा।

41. भुगतान संतुलन में अधिशेष के लिए निम्नलिखित में से कौन-सा/से संभावित कारण है/हैं?

(*a*) आयातों में गिरावट

(*b*) ब्याज दर में गिरावट

(*c*) निर्यात में वृद्धि

(*d*) आय कर में वृद्धि

(*e*) उच्च बहिर्वर्ती विदेशी प्रत्यक्ष निवेश

नीचे दिए गए विकल्पों में से **सही** उत्तर का चयन कीजिए:

A. केवल (*a*), (*c*), (*e*)

B. केवल (*a*), (*b*), (*c*), (*e*)

C. केवल (*b*), (*c*), (*e*), (*d*)

D. केवल (*a*), (*c*)

42. निम्नलिखित में से **सही** कथन को पहचानिए:

(*a*) जब किसी वस्तु का कीमत उपयोग वक्र (पी.सी.सी.) क्षैतिज अक्ष के समानांतर होता है, वस्तु के लिए माँग फलन ऐकिक रूप से लोचशील होता है।

(*b*) दिया गया है $\log D = \alpha + \beta \log y + \gamma \log p$ तो $\log p$ के संबंध में $\log D$ की लोचशीलता γ है।

(*c*) कीन्स की सरल प्रणाली में स्थिरता की स्थिति $O < MPC < 1$ है।

(*d*) स्थिर लागत वक्र एक आयताकार अतिपरवलय (hyperbola) है।

नीचे दिए गए विकल्पों में से **सही** उत्तर का चयन कीजिए:

A. केवल (*a*), (*c*)

B. केवल (*a*), (*c*), (*d*)

C. केवल (*a*), (*b*), (*c*)

D. (*a*), (*b*), (*c*), (*d*)

43. माना कि $Q = \frac{20}{P}$ और $P \leq 10$, $MC = 1$, लाभ अधिकतमीकरण मूल्य और परिमाण क्या होग

A. P = 20, Q = 4

B. P = 5, Q = 4

C. P = 10, Q = 2

D. P = 4, Q = 5

44. राष्ट्रीय परिवार स्वास्थ्य सर्वेक्षण-5 के अनुसार सर्वेक्ष अवधि 2019-21 के दौरान प्रति हजार पुरुषों व तुलना में महिलाओं की संख्या कितनी थी?

A. 975 B. 991

C. 1003 D. 1020

45. निम्नलिखित को सर्वप्रथम से शुरु करके अद्यतन **सही** कालक्रम में लगाइये:

(*a*) पैटिन्किन का वास्तविक शेष प्रभाव

(*b*) मुद्रा का पुनः निर्मित मात्रा सिद्धांत

(*c*) बॉमेल का मुद्रा का सिद्धांत

(*d*) नकद लेन-देन उपागम

(*e*) नकद शेष उपागम

नीचे दिए गए विकल्पों में से **सही** उत्तर का चय कीजिए:

A. (*d*), (*e*), (*b*), (*c*), (*a*)

B. (*e*), (*d*), (*a*), (*b*), (*c*)

C. (*e*), (*d*), (*c*), (*b*), (*a*)

D. (*c*), (*d*), (*e*), (*a*), (*b*)

46. निम्नलिखित में से कौन-सा/से पूंजी बाजार के उपकर है/हैं?

(*a*) उद्यम पूँजी

(*b*) ट्रेजरी बिल

(*c*) वाणिज्यिक बैंकों द्वारा जारी जमा प्रमाण-पत्र

(*d*) वैश्विक निक्षेप प्राप्ति

(*e*) अंतर कार्पोरेट निक्षेप

नीचे दिए गए विकल्पों में से **सही** उत्तर का चय कीजिए:

A. केवल (*b*), (*d*), (*e*)

B. केवल (*a*), (*d*)

C. केवल (*a*), (*b*), (*d*)

D. केवल (*a*), (*d*), (*e*)

47. निम्नलिखित में से **सही** कथन पहचानिये:

(*a*) सार्वजनिक वस्तु गैर-अन्नय (non-exclusive) हैं।

(*b*) सार्वजनिक वस्तु राष्ट्रीय सुरक्षा है।

(*c*) सार्वजनिक वस्तु प्रतिद्वंद्वी है।

(*d*) सार्वजनिक वस्तु लोगों को गैर-शून्य सीमांत लागत पर लाभ प्रदान करता है।

(*e*) सार्वजनिक वस्तु उपभोग की अकार्यक्षमता सृजित करता है।

नीचे दिए गए विकल्पों में से **सही** उत्तर का चयन कीजिए:

A. केवल (*a*) और (*b*)

B. केवल (*b*) और (*c*)

C. केवल (*c*) और (*d*)

D. केवल (*d*) और (*e*)

48. राष्ट्रीय स्वास्थ्य नीति 2017 के निम्नलिखित लक्ष्यों पर विचार कीजिए। 2025 तक प्राप्त किए जाने वाले सही उद्देश्यों का चयन कीजिए:

(*a*) शिशु मृत्यु दर : 30

(*b*) पाँच वर्ष से कम आयु में मृत्यु दर : 20

(*c*) मातृ मृत्यु दर : 100

(*d*) कुल प्रजनन दर : 2.1

(*e*) जन्म के समय जीवन प्रत्याशा : 70 वर्ष

नीचे दिए गए विकल्पों में से **सही** उत्तर का चयन कीजिए:

A. केवल (*a*), (*b*), (*c*)

B. केवल (*b*), (*c*), (*d*)

C. केवल (*a*), (*c*), (*e*)

D. केवल (*c*), (*d*), (*e*)

49. _______ प्रभाव का निहितार्थ है कि जब मुद्रा स्थिति अधिक होती है, नॉमिनल ब्याज दर में वृद्धि की प्रवृत्ति होती है और जब मुद्रास्फिति कम होती है, तब नॉमिनल ब्याज दर में कमी की प्रवृत्ति होती है।

A. टॉबिन प्रभाव B. बॉमेल प्रभाव

C. फिशर प्रभाव D. पैटिन्किन प्रभाव

50. विश्व व्यापार के ग्रेविटी मॉडल के अनुसार देशों के निम्नलिखित में से कौन-से घटक उनके बीच व्यापार की मात्रा निर्धारित करते हैं:

(*a*) सकल घरेलू उत्पाद

(*b*) दूरी

(*c*) विदेशी विनिमय दर

(*d*) विदेशी व्यापार की तीव्रता

(*e*) विदेशी निवेश

नीचे दिए गए विकल्पों में से **सही** उत्तर का चयन कीजिए:

A. केवल (*a*) और (*b*)

B. केवल (*b*) और (*c*)

C. केवल (*a*) और (*c*)

D. केवल (*a*) और (*e*)

51. द्विघात रूप $ax^2 + by^2 + 2hxy$, $x = y = 0$ को छोड़कर x और y के सभी मानों के लिए ऋणात्मक है। यदि और केवल यदि:

A. $a > 0$ और $\begin{vmatrix} a & h \\ h & b \end{vmatrix} < 0$

B. $a < 0$ और $\begin{vmatrix} a & h \\ h & b \end{vmatrix} < 0$

C. $a < 0$ और $\begin{vmatrix} a & h \\ h & b \end{vmatrix} > 0$

D. $a < 0$ और $\begin{vmatrix} a & h \\ h & b \end{vmatrix} \neq 0$

52. सूची-I से सूची-II का मिलान कीजिए:

सूची-I	सूची-II
(*a*) बैंक रन	(*i*) डी. पियर्स
(*b*) q-अनुपात	(*ii*) एम. युनूस
(*c*) वास्तविक बचत	(*iii*) पी. डायमंड
(*d*) सूक्ष्म वित्त	(*iv*) जे. टोबिन

नीचे दिए गए विकल्पों में से **सही** उत्तर का चयन कीजिए:

	(a)	(b)	(c)	(d)
A.	(iv)	(i)	(iii)	(ii)
B.	(iii)	(iv)	(i)	(ii)
C.	(iii)	(ii)	(iv)	(i)
D.	(ii)	(iv)	(i)	(iii)

53. भारत में क्षेत्रीय ग्रामीण बैंकों (आर.आर.बी.) के बारे में निम्नलिखित कथनों पर विचार कीजिए:

(*a*) आर.आर.बी. को नरसिंहम कार्य समूह, 1975 की सिफारिशों के आधार पर स्थापित किया गया।

(*b*) आर.आर.बी. की इक्विटी का सर्वाधिक अनुपात उसके प्रायोजक बैंक के पास होता है।

(*c*) नाबार्ड आर.आर.बी. के सभी कार्यकलापों का समन्वय करता है।

(*d*) आर.आर.बी. अग्रणी बैंक है।

(*e*) आर.आर.बी. को नाबार्ड के माध्यम से पुनः वित्तपोषण सुविधाएँ प्रदान की जाती है।

नीचे दिए गए विकल्पों में से **सही** उत्तर का चयन कीजिए:

A. केवल (*a*), (*c*), (*e*)

B. केवल (*a*), (*b*), (*c*), (*d*)

C. केवल (*b*), (*c*), (*e*)

D. केवल (*a*), (*e*)

54. किस संगठन ने किस वर्ष भारत में यू.पी.आई. प्रणाली विकसित की है?

A. सेबी, 2016　　B. एस.बी.आई., 2016

C. आर.बी.आई., 2015　　D. एन.पी.सी.एल., 2016

55. काब-डगलस के उत्पादन फलन में:

$q = AL^{\alpha}K^{\beta}$ जहाँ A, α और β सभी धनात्मक हैं, α और β माप दंड मापते हैं:

A. निविष्टियों की उत्पादन लोचशीलता

B. प्रतिस्थापन की लोच

C. उत्पादन के निविष्टि (inputs) का मूल्य

D. प्रौद्योगिकीय स्थिति

56. भारत विश्व बैंक समूह के निम्नलिखित संस्थानों में से किसका सदस्य है?

(*a*) अंतर्राष्ट्रीय निपटान और निवेश विवाद केन्द्र

(*b*) अंतर्राष्ट्रीय विकास एसोसिएशन

(*c*) अंतर्राष्ट्रीय वित्त निगम

(*d*) बहुपक्षीय निवेश गारंटी एजेंसी

(*e*) अंतर्राष्ट्रीय पुनर्निर्माण और विकास बैंक

नीचे दिए गए विकल्पों में से **सही** उत्तर का चयन कीजिए:

A. केवल (*a*), (*b*), (*c*)

B. केवल (*b*), (*c*), (*d*)

C. केवल (*b*), (*c*), (*d*), (*e*)

D. केवल (*a*), (*b*), (*d*), (*e*)

57. माना कि बचत फलन है

$S = -5 + 0.32q$

तो निम्नलिखित में से सही उत्तर क्या है?

A. APC < MPC　　B. APC = MPC

C. APS > MPS　　D. APC > MPC

58. रैखिक प्रोग्रामन समस्या (एल.पी.पी.) में एक व्यवहार्य (Feasible) समाधान है:

(*a*) सभी समस्यागत बाध्यताओं का एक साथ समाधान करना चाहिए।

(*b*) सभी बाध्यताओं को नहीं, केवल उनमें से कुछ का समाधान करना चाहिए।

(*c*) व्यवहार्य क्षेत्र में एक कार्नर प्वाइंट होना चाहिए।

(*d*) वह वस्तु पूरक फलन के मूल्य को ईष्टतम बना या नहीं बना सकता है।

(*e*) शून्य से अधिक या उसके बराबर देना चाहिए।

नीचे दिए गए विकल्पों में से **सही** उत्तर का चयन कीजिए:

A. केवल (*a*), (*d*), (*e*)

B. केवल (*a*), (*d*)

C. केवल (*a*), (*e*)

D. केवल (*b*), (*c*), (*e*)

59. A और B दो ऐसी घटना (इवेंट) है जिसमें $P(\bar{A}) = 0.4$ और $P(A \cap B) = 0.2$ तो $P(A \cap \bar{B})$ किसके बराबर होगा?

A. 0.4 B. 0.2
C. 0.6 D. 0.8

60. निम्नलिखित में से सही कथन की पहचान कीजिए:

(*a*) पर्यावरण मूल्य निर्धारण सिद्धांत के अनुसार विकल्प मूल्य = भावी उपयोग मूल्य + उत्तरदान मूल्य + प्रतिनिधिक मूल्य
(*b*) प्रतिकूल चयन के कारण बाजार विफलता होना
(*c*) लागत लाभ विश्लेषण के एक प्रकार में आकस्मिक मूल्य निर्धारण पद्धति
(*d*) पब्लिक गुड और कॉमन गुड में समान विशेषताएँ
(*e*) लागत-लाभ विश्लेषण में एक मापदण्ड में आय की आंतरिक दर

नीचे दिए गए विकल्पों में से **सही** उत्तर का चयन कीजिए:

A. केवल (*a*) और (*b*)
B. केवल (*a*), (*c*), (*d*)
C. केवल (*a*), (*b*), (*e*)
D. केवल (*c*), (*d*), (*e*)

61. निम्नलिखित में से कौन-सा अत्यधिक गरीबी रेखा का वर्तमान वैश्विक मानक है?

A. $1.90 – प्रति दिन B. $2.00 – प्रति दिन
C. $2.15 – प्रति दिन D. $2.25 – प्रति दिन

62. निम्नलिखित में से कौन-से सिद्धांत और उनके विषय के जोड़ों का मिलान **सही** है?

(*a*) मोडिग्लिआनी-मिलर सिद्धांत : वस्तुओं की कीमत और साधन की वास्तविक आय
(*b*) डोर्फिमैन-स्टाईनर सिद्धांत : विज्ञापन व्यय
(*c*) ऐरो का असंभवता सिद्धांत : सामाजिक चयन
(*d*) स्टोल्पर-सैम्युलसन सिद्धांत : पूंजी संरचना
(*e*) फिशर पृथक-करण सिद्धांतः लाभ अधिकतम करण सिद्धांत

नीचे दिए गए विकल्पों में से **सही** उत्तर का चयन कीजिए:

A. केवल (*a*), (*b*), (*d*)
B. केवल (*b*), (*d*), (*e*)
C. केवल (*a*), (*c*), (*d*)
D. केवल (*b*), (*c*), (*e*)

63. निम्नलिखित में से कौन-सा/से विकासशील देशों में आर्थिक एकीकरण का/के प्रयास है/हैं?

A. द सेंट्रल अमेरिकन कॉमन मार्केट
B. द कैरिबियन फ्री ट्रेड एसोसिएशन
C. द लैटिन अमेरिकन फ्री ट्रेड एसोसिएशन
D. उपरोक्त सभी

64. निम्नलिखित संपोषणीय विकास लक्ष्यों और उनके उद्देश्यों पर विचार कीजिए और बताइये कौन-कौन से का सही मिलान किया गया है?

(*a*) लक्ष्य 7 : वहनीय और स्वच्छ ऊर्जा
(*b*) लक्ष्य 10 : जलवायु कारवाई
(*c*) लक्ष्य 13 : असमानता कम करना
(*d*) लक्ष्य 14 : जल के नीचे जीवन
(*e*) लक्ष्य 15 : भूमि पर जीवन

नीचे दिए गए विकल्पों में से **सही** उत्तर का चयन कीजिए:

A. केवल (*b*), (*c*), (*d*)
B. केवल (*c*), (*d*), (*e*)
C. केवल (*b*), (*c*), (*e*)
D. केवल (*a*), (*d*), (*e*)

65. निम्नलिखित को प्राचीनतम से शुरु करके अद्यतन के कालक्रमानुसार लगाइये:

(*a*) ए.डब्ल्यू फिलिप्स : फिलिप्स वक्र
(*b*) जे.एम.कीन्स : जनरल थ्योरी ऑफ एम्प्लायमेंट इंटरेस्ट एंड मनी
(*c*) एडम स्मिथ : थ्योरी ऑफ ग्रोथ
(*d*) जॉन एफ. मथ : तार्किक प्रत्याशा उपागम
(*e*) राबर्ट एम. सोलो : विकास मॉडल

नीचे दिए गए विकल्पों में से **सही** उत्तर का चयन कीजिए:

A. (*a*), (*b*), (*c*), (*d*), (*e*)
B. (*c*), (*b*), (*e*), (*a*), (*d*)
C. (*b*), (*a*), (*c*), (*e*), (*d*)
D. (*e*), (*d*), (*c*), (*b*), (*a*)

66. नीति आयोग द्वारा जारी किए गए राज्य ऊर्जा दक्षता सूचकांक 2023 में किस राज्य ने शीर्ष रैंक प्राप्त करने के लिए सर्वाधिक स्कोर प्राप्त किया?

A. आंध्र प्रदेश B. गुजरात
C. हरियाणा D. कर्नाटक

67. निम्नलिखित में से कौन-सी समितियाँ भारत में बैंकिंग क्षेत्र में सुधारों के लिए गठित की गई?

(*a*) जालान समिति
(*b*) घोष समिति
(*c*) सराफ समिति
(*d*) गोकरण समिति
(*e*) तारापोर समिति

नीचे दिए गए विकल्पों में से **सही** उत्तर का चयन कीजिए:

A. केवल (*a*), (*b*), (*d*)
B. केवल (*b*), (*c*), (*e*)
C. केवल (*c*), (*d*), (*e*)
D. केवल (*a*), (*d*), (*c*)

68. अल्प विकसित देशों के लिए व्यापार की शर्तों की चिरंतन विकृति को निम्न के द्वारा स्पष्ट किया गया:

(*a*) जे.एस. मिल (*b*) एच. डब्ल्यू. सिंगर
(*c*) एडम स्मिथ (*d*) राउल प्रेबिश
(*e*) जगदीश भगवती

नीचे दिए गए विकल्पों में से **सही** उत्तर का चयन कीजिए:

A. केवल (*b*), (*d*), (*e*)
B. केवल (*a*), (*b*), (*d*)
C. केवल (*a*), (*d*), (*e*)
D. केवल (*c*), (*d*), (*e*)

69. $H_0 : \mu = \mu_0$ परीक्षण में, जब μ और σ दोनों अज्ञात हों, सांख्यिकी का संगत परीक्षण है:

A. $t_{n-1} = \dfrac{\bar{x} - \mu_0}{\frac{s'}{\sqrt{n}}}$ B. $t_{n-1} = \dfrac{\bar{x} - \mu_0}{\frac{s'}{\sqrt{n-1}}}$

C. $t_n = \dfrac{\bar{x} - \mu_0}{\frac{s'}{\sqrt{n}}}$ D. $t_{n-1} = \dfrac{\bar{x} - \mu_0}{\frac{s'}{n}}$

70. यू.एन.एफ.सी.सी.सी. (UNFCCC) की हरित जलवायु निधि के अंतर्गत 'अनुकूलन' और उपशमन कार्यों के बीच वित्तीय आबंटन के किस अनुपात का लक्ष्य रखा गया है?

A. 25 : 75 B. 40 : 60
C. 50 : 50 D. 75 : 25

71. सरकार द्वारा शुरु की गई निम्नलिखित पहलों को सर्वप्रथम से उनको शुरुआत के वर्ष से क्रम में लगाइये:

(*a*) अंत्योदय अन्न योजना
(*b*) मध्याह्न भोजन योजना (मिड डे मिल योजना)
(*c*) राष्ट्रीय खाद्य सुरक्षा अधिनियम
(*d*) पुनरीक्षित सार्वजनिक वितरण प्रणाली
(*e*) लक्षित सार्वजनिक वितरण प्रणाली

नीचे दिए गए विकल्पों में से **सही** उत्तर का चयन कीजिए:

A. (*d*), (*b*), (*e*), (*a*), (*c*)
B. (*a*), (*b*), (*d*), (*e*), (*c*)
C. (*e*), (*d*), (*b*), (*a*), (*c*)
D. (*b*), (*a*), (*d*), (*e*), (*c*)

72. निम्नलिखित सिद्धांतों को सर्वप्रथम से शुरु करके अद्यतन के सही कालक्रमानुसार लगाइये:

(*a*) अंतर्लयन (Absorption) उपागम
(*b*) साधन कीमत समतुल्यकरण सिद्धांत
(*c*) अन्योन्य पाटन मॉडल (रेसिप्रोकल डम्पिंग मॉडल)
(*d*) लियोंटिफ विरोधाभास
(*e*) इमिसराइजिंग ग्रोथ सिद्धांत

नीचे दिए गए विकल्पों में से **सही** उत्तर का चयन कीजिए:

A. (*b*), (*d*), (*a*), (*e*), (*c*)
B. (*d*), (*a*), (*b*), (*c*), (*e*)
C. (*e*), (*d*), (*b*), (*a*), (*c*)
D. (*d*), (*a*), (*c*), (*e*), (*b*)

73. किस कृषि वर्ष में, भारत की प्रथम कृषि जनगणना की गयी थी?

A. 1950-51 B. 1960-61
C. 1970-71 D. 1980-81

74. 'प्रदर्शन प्रभाव' (डिमॉन्सट्रेशन) पद का प्रयोग सर्वप्रथम किसके द्वारा किया गया था?

A. जेम्स ड्यूसेनबेरी B. जे.के. हॉलब्रेथ
C. जोन रोबिन्सन D. जे.एम. कीन्स

75. निम्नलिखित को सबसे पहले से शुरु करके सबसे बाद के सही कालक्रमानुसार लगाइये:

(*a*) विश्व व्यापार संगठन (डब्ल्यू.टी.ओ.)
(*b*) व्यापार और टैरिफ संबंधी सामान्य करार (गैट)
(*c*) भारत की नई आर्थिक नीति (एन.ई.पी.)
(*d*) माल और सेवा कर की शुरुआत (जी.एस.टी.)
(*e*) नाबार्ड की स्थापना

नीचे दिए गए विकल्पों में से **सही** उत्तर का चयन कीजिए:

A. (*b*), (*c*), (*e*), (*a*), (*d*)
B. (*b*), (*e*), (*c*), (*a*), (*d*)
C. (*b*), (*d*), (*e*), (*c*), (*a*)
D. (*a*), (*b*), (*c*), (*e*), (*d*)

76. सूची-I से सूची-II का मिलान कीजिए:

सूची-I	सूची-II
(*a*) श्रम-पूंजी अनुपात	(*i*) किसी वस्तु की कीमत अनन्य रूप में उसमें श्रम की मात्रा से निर्धारित होती है
(*b*) श्रम गहन वस्तु	(*ii*) समस्त सापेक्ष साधन कीमत पर कमतर पूंजी-श्रम अनुपात वाली वस्तु
(*c*) मूल्य का श्रम सिद्धांत	(*iii*) प्रयुक्त पूंजी पर प्रति इकाई श्रम की मात्रा
(*d*) श्रम बचत तकनीकी प्रगति	(*iv*) यह पूंजी की उत्पादकता को आनुपातिक रूप से श्रम की तुलना में अधिक बढ़ाती है

नीचे दिए गए विकल्पों में से **सही** उत्तर का चयन कीजिए:

	(*a*)	(*b*)	(*c*)	(*d*)
A.	(*iii*)	(*ii*)	(*i*)	(*iv*)
B.	(*ii*)	(*iii*)	(*i*)	(*iv*)
C.	(*i*)	(*ii*)	(*iii*)	(*iv*)
D.	(*i*)	(*ii*)	(*iv*)	(*iii*)

77. मानव विकास रिपोर्ट 2023/2024 में मानव विकास सूचकांक के अंतर्गत शामिल कुल 193 देशों में से, निम्नलिखित में से किस समूह में अधिकतम देशों को उनके मानव विकास सूचकांक मान के आधार पर वर्गीकृत किया गया है?

A. बहुत अधिक मानव विकास
B. अधिक मानव विकास
C. मध्यम मानव विकास
D. अल्प मानव विकास

78. सह-समाकलन के लिए परीक्षण निम्नलिखित द्वारा निष्पादित होता है:

A. चाउ परीक्षण
B. फिलिप्स-पेरोन परीक्षण
C. एंजेल-ग्रेंजर परीक्षण
D. त्रुटि-सुधार तंत्र

79. सूची-I से सूची-II का मिलान कीजिए:

सूची-I	सूची-II
(*a*) मांट्रियल प्रोटोकॉल	(*i*) आकस्मिक मूल्य-निर्धारण पद्धति
(*b*) COP 28	(*ii*) सी.एफ.सी. का नियंत्रण
(*c*) Rio+20	(*iii*) जलवायु सम्मेलन
(*d*) स्वीकार करने की इच्छा (Willingness to accept)	(*iv*) सतत् विकास

नीचे दिए गए विकल्पों में से **सही** उत्तर का चयन कीजिए:

	(*a*)	(*b*)	(*c*)	(*d*)
A.	(*ii*)	(*iii*)	(*iv*)	(*i*)
B.	(*ii*)	(*i*)	(*iv*)	(*iii*)
C.	(*iii*)	(*iv*)	(*ii*)	(*i*)
D.	(*i*)	(*ii*)	(*iv*)	(*iii*)

80. निम्नलिखित गेम का नैश संतुलन

$$\begin{array}{cc} & \text{P}-2 \\ & \begin{array}{ccc} B_1 & B_2 & B_3 \end{array} \\ \text{P}-1 \begin{array}{c} A_1 \\ A_2 \\ A_3 \end{array} & \begin{bmatrix} 4,2 & 2,1 & 5,0 \\ 3,5 & 3,2 & 3,4 \\ 5,2 & 4,4 & 3,1 \end{bmatrix} \end{array}$$

किसके द्वारा प्राप्त होता है?

A. परिणाम (4, 4) के साथ कार्यनीतिक युग्म (A_3, B_2)

B. परिणाम (5, 2) के साथ कार्यनीतिक युग्म (A_3, B_1)

C. परिणाम (2, 1) के साथ कार्यनीतिक युग्म (A_1, B_2)

D. परिणाम (3, 1) के साथ कार्यनीतिक युग्म (A_3, B_2)

81. निम्नलिखित कथनों पर विचार कीजिए:

(*a*) सीमांत लागत अनुसूची केवल कुल लागत की क्रमिक मानों को घटाकर प्राप्त किया जाता है।

(*b*) सीमांत लागत अनुसूची को कुल लागत या कुल परिवर्तनशील लागत के क्रमिक मानों को घटाकर प्राप्त किया जाता है।

(*c*) सीमांत लागत अनुसूची को कुल परिवर्तनशील लागत या कुल स्थिर लागत के क्रमिक मानों को घटाकर प्राप्त किया जाता है।

(*d*) सीमांत लागत वक्र के नीचे का क्षेत्र कुल लागत के बराबर होता है।

(*e*) औसत परिवर्तनशील लागत, औसत लागत तथा औसत स्थिर लागत के अन्तर के बराबर होती है।

नीचे दिए गए विकल्पों में से **सही** उत्तर का चयन कीजिए:

A. केवल (*b*), (*d*), (*e*)

B. केवल (*a*), (*d*), (*e*)

C. केवल (*a*), (*c*), (*d*), (*e*)

D. केवल (*a*), (*c*), (*d*)

82. उच्च किंतु पूर्ण बहुसरेखता (Multicollinearity) नहीं होने पर प्रतिगमन गुणांक का अनुमान का परिणाम निम्न को छोड़कर सभी हो सकता है?

A. अनुमानों का उच्च विश्वासता अंतराल (Confidence Internal)

B. लगभग सभी अनुमान सांख्यिकीय दृष्टि से महत्वपूर्ण हैं

C. उच्च R^2

D. अनुमान ब्लू (BLUE) है

83. निम्नलिखित में से सही कथनों को पहचानिये:

(*a*) मानव पर्यावरण संबंधी पहला यू.एन. सम्मेलन 1972 में नार्वे में हुआ था।

(*b*) I = PAT अभिव्यंजना में P गरीबी को दर्शाता है।

(*c*) प्रदूषण कर का सुझाव पिगू ने दिया था।

(*d*) जनसंख्या वृद्धि के बाद लाजिस्टिक वितरण होता है।

(*e*) पर्यावरण मूल्य निर्धारण पद्धति में सुखवादी कीमत निर्धारण का प्रयोग पर्यटन स्थलों के मूल्य निर्धारण में होता है।

नीचे दिए गए विकल्पों में से **सही** उत्तर का चयन कीजिए:

A. केवल (*a*), (*d*), (*e*)

B. केवल (*c*), (*d*), (*e*)

C. केवल (*a*), (*b*), (*e*)

D. केवल (*c*), (*d*)

84. निम्नलिखित अधिनियमों को प्राचीनतम से शुरु करके अद्यतन के सही कालक्रमानुसार लगाइये:

(*a*) चिट फंड अधिनियम
(*b*) भारतीय निर्यात आयात बैंक
(*c*) धन शोधन निवारण अधिनियम
(*d*) राष्ट्रीय आवासन बैंक अधिनियम
(*e*) क्षेत्रिय ग्रामीण बैंक अधिनियम

नीचे दिए गए विकल्पों में से **सही** उत्तर का चयन कीजिए:

A. (*e*), (*b*), (*a*), (*d*), (*c*)
B. (*e*), (*d*), (*c*), (*b*), (*a*)
C. (*d*), (*c*), (*b*), (*e*), (*a*)
D. (*d*), (*a*), (*e*), (*c*), (*b*)

85. सबसे पहले से शुरु करके निम्नलिखित घटनाओं के उनके होने की तारीख के अनुसार लगाइये:

(*a*) संसद में आई.आर.डी.ए. अधिनियम पारित हुआ।
(*b*) बैंकिग क्षेत्र में वित्तीय समावेशन की संकल्पना शुरु की गई।
(*c*) ग्लोबल ट्रस्ट बैंक का यू.टी.आई. बैंक में विलय हुआ।
(*d*) बाजार संबंधित दरों के साथ 364-डे ट्रेजरी विधेयक लाया गया।
(*e*) राजकोषीय उत्तरदायित्व और बजट प्रबंधन अधिनियम पारित हुआ।

नीचे दिए गए विकल्पों में से **सही** उत्तर का चयन कीजिए:

A. (*d*), (*a*), (*c*), (*e*), (*b*)
B. (*d*), (*c*), (*e*), (*a*), (*b*)
C. (*e*), (*d*), (*b*), (*a*), (*c*)
D. (*a*), (*c*), (*d*), (*e*), (*b*)

86. निम्नलिखित कथनों पर विचार कीजिए और सही कथनों की पहचान कीजिए:

(*a*) त्वरक मॉडल के अनुसार निवेश माँग जी.एन.पी. में परिवर्तन के अनुपातिक होती है।
(*b*) वास्तविक दर ब्याज की सांकेतिक दर जमा मुद्रास्फीति दर होती है।
(*c*) वास्तविक ब्याज दर जितनी अधिक होगी, पूंजी की किराया दर उतनी अधिक होगी।
(*d*) निवेश एक स्टॉक अवधारणा है।
(*e*) ब्याज दर एक प्रवाह अवधारणा है।

नीचे दिए गए विकल्पों में से **सही** उत्तर का चयन कीजिए:

A. केवल (*b*) और (*c*)
B. केवल (*a*) और (*b*)
C. केवल (*a*) और (*c*)
D. केवल (*a*), (*b*) और (*c*)

87. निम्नलिखित में से कौन-सा मौद्रिक नीति का उपस्कर **नहीं** है?

A. नकद आरक्षित निधि अनुपात
B. मुक्त बाजार संचालन
C. बैंक दर
D. कर दर

88. जीवन के पूर्ण किए गये प्रथम कितने निदों के दौरान शिशु की मृत्यु को नवजात शिशु की मृत्यु के रूप में परिभाषित किया जाता है?

A. जीवन के प्रथम 7 पूरे किए गए दिन
B. जीवन के प्रथम 14 पूरे किए गए दिन
C. जीवन के प्रथम 21 पूरे किए गए दिन
D. जीवन के प्रथम 28 पूरे किए गए दिन

89. निम्नलिखित को आरोही क्रम में (प्राचीनतम से शुरु करके) सही कालक्रमानुसार लगाइये:

(*a*) एफ.आर.बी.एम. अधिनियम
(*b*) भारत में बैंक का राष्ट्रीयकरण
(*c*) द्वितीय पंचवर्षीय योजना
(*d*) भारतीय लघु उद्योग विकास बैंक (सिडबी)
(*e*) भारतीय निर्यात-आयात बैंक (एग्जिम बैंक)

नीचे दिए गए विकल्पों में से **सही** उत्तर का चयन कीजिए:

A. (*c*), (*b*), (*e*), (*d*), (*a*)
B. (*c*), (*b*), (*a*), (*d*), (*e*)
C. (*c*), (*a*), (*b*), (*d*), (*e*)
D. (*c*), (*e*), (*a*), (*b*), (*d*)

90. कार्यदक्षता मजदूरी सिद्धांत की अवधारणा किसके द्वारा विकसित की गईः

A. येलेन और स्टिग्लिट्ज़
B. जेन टिंबरजन
C. अल्फ्रेड मार्शल
D. विल्फ्रेडो पेरेटो

निर्देशः (प्र.सं. 91 से 95 तक): एकाधिकार शक्ति की सामाजिक लागत से संबंधित निम्नलिखित चित्र पर विचार कीजिए:

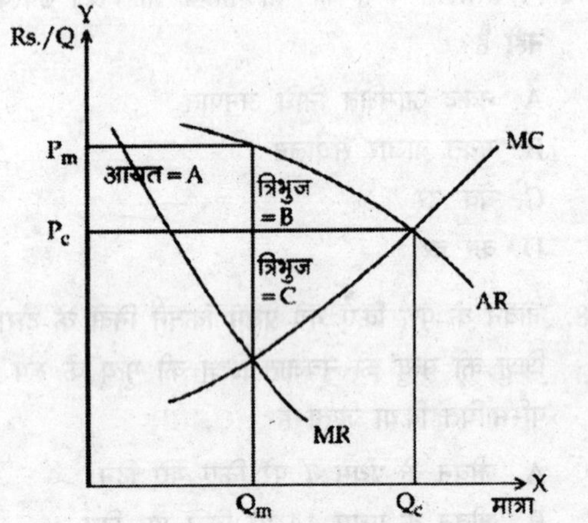

यहाँ

(*i*) X-अक्ष मात्रा मापता है।
(*ii*) Y-अक्ष प्रति यूनिट कीमत मापता है (रु./Q)
(*iii*) P_c = प्रतिस्पर्धी कीमत
(*iv*) P_m = एकाधिकार शक्ति
(*v*) Q_c = प्रतिस्पर्धी उत्पादन
(*vi*) Q_m = एकाधिकार उत्पादन

91. निम्नलिखित विकल्पों में से **सही** उत्तर चुनियेः

A. एकाधिकार उत्पादन प्रतिस्पर्धी उत्पादन की तुलना में पर्यावरण अनुकूल होता है।
B. प्रतिस्पर्धी उत्पादन एकाधिकार उत्पादन की तुलना में पर्यावरण अनुकूल होता है।
C. (*i*) और (*ii*) दोनों समान रूप से हानिकारक हैं।
D. (*i*) और (*ii*) दोनों समान रूप से पर्यावरण अनुकूल हैं।

92. उच्चतर कीमत के कारण (P_c से P_m) निम्नलिखित में से उत्पादक लाभ (उत्पादक अधिशेष) ज्ञात कीजिएः

A. A + C B. A – C
C. A + B D. B + C

93. निम्नलिखित विकल्पों में से प्रतिस्पर्धी से एकाधिकारी कीमत (P_c से P_m) की ओर जाने के कारण उपभोक्ता घाटा ज्ञात कीजिएः

A. A और C B. A और B
C. B और C D. केवल A

94. एकाधिकार शक्ति से कुल भार घाटा निम्नलिखित विकल्पों में से एक होता है। सही विकल्प चुनियेः

A. A + B B. A + C
C. A D. B + C

95. उच्चतर कीमत के परिणामस्वरूप, उत्पादक को लाभ होता है और इसी के साथ नीचे दिए गए अनुसार क्रमशः उतनी राशि का घाटा होता हैः
निम्नलिखित विकल्पों में से सही उत्तर ज्ञात कीजिएः

A. B, A B. B, C
C. A, C D. केवल A

निर्देशः (प्र.सं. 96 से 100 तक): निम्नलिखित गद्यांश को पढ़िए और प्रश्नों के उत्तर दीजिए।

वित्तीय वर्ष के लिए सरकार द्वारा बजट पेश किया गया था। कुछ प्रमुख शीर्षों और मदों पर यहाँ मुख्य रूप से ध्यान दिलाया गया है। कुल प्राप्तियाँ 400 करोड़ रुपये थी; जिसमें से राजस्व प्राप्तियाँ 250 करोड़ रुपये और पूंजीगत प्राप्तियाँ 150 करोड़ रुपये की थी। कुल राजस्व प्राप्तियों में, कर राजस्व प्राप्तियों ने 220 करोड़ रुपये और गैर कर राजस्व प्राप्तियों ने क्रमशः 30 करोड़ रुपये का अंशदान दिया। कुल पूंजीगत प्राप्तियों में उधारियाँ और उन्य देयताएँ 100 करोड़ रुपये की थी। 300 करोड़ रुपये के कुल राजस्व व्यय में से, ब्याज अदायगी 90 करोड़ रुपये थी और पूंजीगत आस्तियों के सृजन के लिए अनुदान 20 करोड़ रुपये था। 100 करोड़ रुपये के कुल पूंजीगत व्यय में से, स्कीमगत व्यय 75 करोड़ रुपये था और स्कीम से इतर व्यय 25 करोड़ रुपये था। दिए गए वित्तीय वर्ष के लिए वर्तमान कीमतों पर देश का सकल घरेलू उत्पाद (जी.डी.पी.) 2000 करोड़ रुपये था। भुगतान संतुलन खाते में चालू खाते का घाटा 50 करोड़ रुपये था।

96. जी.डी.पी. के प्रतिशत रूप में द्वि-युग्म (twin) घाटा कितना था?

A. 2.5% B. 5.0%
C. 7.5% D. 10.0%

97. जी.डी.पी. के प्रतिशत रूप में प्राथमिक घाटा कितना था?

A. 0.2% B. 0.3%
C. 0.4% D. 0.5%

98. जी.डी.पी. के प्रतिशत रूप में प्रभावी राजस्व घाटा कितना था?

A. 0.5% B. 1.0%
C. 1.5% D. 2.0%

99. जी.डी.पी. के प्रतिशत रूप में, राजकोषीय घाटा कितना था?

A. 5% B. 10%
C. 12.5% D. 15%

100. जी.डी.पी. के प्रतिशत रूप में राजस्व घाटा कितना था?

A. 2.5% B. 3.0%
C. 3.5% D. 4.0%

व्याख्यात्मक उत्तर

1. (B): माँग फलन $Qd = f(P_x, P_y, M)$ में जब हम किसी वस्तु की माँग के सबंध में इसकी अपनी कीमत (स्व-मूल्य), अन्य वस्तुओं की कीमतों (क्रॉस-प्राइस) तथा उपभोक्ताओं की आय (आय लोच) के प्रति लोच को जोड़ते हैं, तो यह योग शून्य प्राप्त होता है। इसका कारण यह है कि माँग फलन प्रायः समग्र रूप से मूल्य और आय के प्रति सजातीय रूप में एक अचल संतुलन बनाए रखता है। इसका अर्थ यह हुआ कि यदि सभी कीमतों और आय को एक समान अनुपात में परिवर्तित किया जाए, तो माँग में कोई वास्तविक परिवर्तन नहीं होता। जब स्व-मूल्य लोच संकेत करता है कि अपनी कीमत में बदलाव से माँग कैसे बदलती है, क्रॉस-प्राइस लोच दर्शाती है कि संबंधित वस्तुओं की कीमत में बदलाव से माँग कैसे प्रभावित होती है, और आय लोच बताती है कि आय में परिवर्तन होने पर माँग कैसी प्रतिक्रिया देती है; इन तीनों लोचों के प्रभाव सामूहिक रूप से संतुलित होते हैं। इस संतुलन की एक महत्वपूर्ण अवधारणा यह है कि माँग फंक्शन सभी कीमतों और आय के प्रति समक्ष रूप से समायोजित होने पर समग्र माँग अपरिवर्तित रहती है। इसी सजातीयता की शर्त के अंतर्गत ही तीनों लोचों का योग शून्य होता है। यह आर्थिक सिद्धांत उपभोक्ता सिद्धांत और माँग के गणितीय प्रतिरूपों से व्युत्पन्न किया जाता है, जहाँ माँग फलन को प्रायः शन्य समग्रता प्रतिबंध (Adding-up restriction) का पालन करते हुए सोचा जाता है। इस प्रकार, माँग वक्र की लोच संबंधी यह संपत्ति उपभोक्ता संतुलन और वरीयता संरचना से जुड़ी है। अंततः यह विशेष निष्कर्ष इंगित करता है कि कीमतों और आय के संयुक्त समानुपातिक बदलाव का अंतिम प्रभाव माँग पर तटस्थ होता है।

2. (C): यात्रा लागत पद्धति (Travel Cost Method) पर्यावरणीय वस्तुओं और सेवाओं के मूल्यांकन का एक तरीका है, जो किसी पर्यटक स्थल या प्राकृतिक संसाधन तक पहुँचने के लिए उपभोक्ताओं द्वारा किए गए खर्चों के आधार पर उसके वास्तविक मूल्य का आकलन करता है, अतः इसे पर्यावरण मूल्य निर्धारण से जोड़ना उचित है। स्टर्न रिव्यू जलवायु परिवर्तन की आर्थिक लागतों पर केंद्रित एक महत्वपूर्ण रिपोर्ट है, जो ग्रीनहाउस गैस उत्सर्जन, जलवायु असंतुलन और इससे निपटने की नीतियों से जुड़े निहितार्थों का विश्लेषण करती है। ब्रंटलैंड आयोग ने 1987 में सतत् विकास की अवधारणा को सार्वजनिक विमर्श में लाकर मानव कल्याण तथा भविष्य की पीढ़ियों की जरूरतों को पूरा करने की सोच को एक व्यापक पहचान दी। प्रयोक्ता लागत (User Cost) इस बात पर केंद्रित है कि सीमित संसाधनों (समाप्य संसाधन) के वर्तमान उपभोग के कारण भविष्य में इन संसाधनों की उपलब्धता में कमी आने पर क्या लागत प्रभाव पड़ेगा। यात्रा लागत

पद्धति मूल्य निर्धारण (*iv*) से जुड़ती है क्योंकि यह पर्यावरणीय वस्तुओं के अप्रत्यक्ष मूल्यों को मापती है। स्टर्न रिव्यू जलवायु परिवर्तन (*iii*) से जुड़ती है क्योंकि यह सीधे तौर पर जलवायु असंतुलन के आर्थिक प्रभावों को दर्शाती है। ब्रंटलैंड आयोग सतत् विकास (*i*) से संबंधित है, क्योंकि यह भविष्य की संतुलित जरूरतों पर जोर देती है। प्रयोक्ता लागत समय संसाधनों (*ii*) से जुड़ती है, क्योंकि यह बताती है कि वर्तमान में संसाधनों का उपयोग कैसे भविष्य में इसकी उपलब्धता को प्रभावित करता है। इस प्रकार सभी संलग्न विकल्प उपयुक्त रूप से मेल खाते हैं।

3. (A): होटलिंग सिद्धांत (*b*) प्राकृतिक संसाधनों के इष्टतम निष्कर्षण का सिद्धांत है और इसे 1931 में हेरोल्ड होटलिंग ने प्रतिपादित किया था। इसके पश्चात अंतर्राष्ट्रीय स्तर पर पर्यावरण संरक्षण के लिए संस्थाओं का गठन हुआ, जिसमें आई.यू.सी.एन. (IUCN) की स्थापना (*e*) वर्ष 1948 में हुई, जो जैव विविधता के संरक्षण और सतत् उपयोग में महत्वपूर्ण भूमिका निभाती है। नेश संतुलन (*c*), जॉन नेश द्वारा 1950 के दशक में प्रतिपादित एक महत्वपूर्ण अवधारणा है, जो खेल सिद्धांत और सामरिक व्यवहार के विश्लेषण में उपयोगी है। कोस प्रमेय (*a*), रोनाल्ड कोस द्वारा 1960 में प्रस्तुत किया गया, जो संपत्ति आधिकारों की स्पष्टता और बाह्यताओं को आंतरिक बनाने पर बल देता है। अंतिम कड़ी के रूप में क्योटो प्रोटोकॉल (*d*) है, जो 1997 में अंतर्राष्ट्रीय संधि के रूप में अस्तित्व में आया, जिसका उद्देश्य ग्रीनहाउस गैस उत्सर्जन में कटौती कर जलवायु परिवर्तन का मुकाबला करना था। यह कालक्रम वास्तविक ऐतिहासिक क्रम को दर्शाता है: सबसे पहले होटलिंग का कार्य (1931), फिर IUCN (1948), तत्पश्चात् नेश संतुलन (1950 के आसपास), इसके बाद कोस प्रमेय (1960) तथा अंततः क्योटो प्रोटोकॉल (1997)। इस क्रम में दिखाया गया प्रवाह आर्थिक सिद्धांतों से लेकर अंतर्राष्ट्रीय संस्थाओं और समझौतों तक का क्रमिक विकास स्पष्ट करता है।

4. (A): पी.क्यू.एल.आई. (PQLI) मोरिस डी. मोरिस द्वारा प्रतिपादित एक सूचकांक है, जो जीवन प्रत्याशा, शिशु मृत्यु दर और साक्षरता दर जैसे मानकों के आधार पर किसी समाज की भौतिक जीवन गुणवत्ता का मापन करता है। एच.डी.आई. (HDI) महबूब अल हक द्वारा प्रारंभ किया गया और अमर्त्य सेन जैसे अर्थशास्त्री के सहयोग से विकसित एक बहुआयामी मानक है, जो जीवन प्रत्याशा, शिक्षा और आय के आधार पर मानव विकास को आंकता है। विकास का सामर्थ्य (Capability Approach) अमर्त्य सेन द्वारा प्रतिपादित सिद्धांत है, जो संसाधनों से आगे बढ़कर लोगों की मूल क्षमताओं और स्वतंत्रताओं पर ध्यान देता है, यह बताता है कि वास्तविक विकास तब होता है जब व्यक्ति को अपने जीवन में सार्थक विकल्प चुनने की स्वतंत्रता मिले। बहुआयामी गरीबी सूचकांक (MPI) अल्केयर और फोस्टर द्वारा विकसित किया गया, जो आय की सीमा से परे स्वास्थ्य, शिक्षा और जीवनस्तर के कई आयामों को शामिल कर गरीबी के व्यापक विश्लेषण की अनुमति देता है। इस मेल से स्पष्ट होता है कि PQLI (*iv*) मोरिस से, HDI (*ii*) महबूब-अल-हक से, Capability (*i*) अमर्त्य सेन से और MPI (*iii*) अल्केयर-फोस्टर से संबद्ध है। इस क्रम में मानव विकास और सामाजिक कल्याण के मापन में समयानुसार विकसित सूचकाकों तथा सैद्धांतिक रूपरेखाओं का प्रतिबिंब है।

5. (D): राचेल कार्सन की ''साइलेंट स्प्रिंग'' (1962) (*a*) (*iii*) पर्यावरण विज्ञान में एक महत्वपूर्ण कृति मानी जाती है, जिसने रसायनों और कीटनाशकों के अंधाधुंध प्रयोग से पारिस्थितिकी तंत्र पर होने वाले दुष्प्रभावों को उजागर किया। केनेथ बोल्डिंग ने ''द इकॉनामिक्स ऑफ कमिंग स्पेसशिप अर्थ'' (*b*)(*ii*) की अवधारणा पेश की, जिसमें पृथ्वी को एक सीमित संसाधनों वाले अंतरिक्ष यान की तरह देखना सिखाया, जो अनंत शोषण की अनुमति नहीं देता। जी.हार्डिन ने ''ट्रेजेडी ऑफ कॉमन्स'' (*c*)(*iv*) में बताया कि सार्वजनिक संसाधनों के असीमित उपयोग से उनका अतिशोषण तथा क्षरण होना तय है, यदि उन पर स्वामित्व या नियंत्रण की स्पष्ट व्यवस्था न हो। पार्थ दासगुप्ता ने ''इकोनॉमिक्स ऑफ बायोडायवर्सिटी'' (*d*)(*i*) पर काम किया, जिसमें

जैव विविधता के क्षरण और उसके दूरगामी आर्थिक दुष्प्रभावों को समझने पर जोर दिया जाता है। ये सभी विचार धरती के पारिस्थितिकी तंत्र, संसाधन उपयोग, जैव विविधता तथा इनसे जुड़ी आर्थिक नीतियों को एक समग्र दृष्टि प्रदान करते हैं। कार्सन ने पर्यावरणीय क्षति पर ध्यान दिलाया, बोल्डिंग ने सीमित संसाधनों के दृष्टिकोण से अर्थव्यवस्था समझाई, हार्डिन ने साझा संसाधनों का समन्वित प्रबंधन सुझाया और दासगुप्ता ने जैव विविधता संरक्षण की आर्थिक विवेचना को मजबूती प्रदान की। यह क्रम हमें पर्यावरण अर्थशास्त्र और उससे जुड़े वैचारिक स्तंभों को समझने में सहायक है।

6. (B): $y = \frac{(1+x)}{(1-2x)}$ को अवकलित करने के लिए सबसे पहले हर घटक पर ध्यान देना आवश्यक है। अवकलन के लिए शासकीय रूप से भागफल नियम का प्रयोग किया जाता है:

यदि $y = \frac{u}{v}$ हो,

तो $$\frac{dy}{dx} = \frac{\left[v\left(\frac{du}{dx}\right) - u\left(\frac{dv}{dx}\right)\right]}{v^2}$$

यहाँ $u = 1 \times x$ है, और $\frac{du}{dx} = 1.$ $v = 1 - 2x$ है, तथा $\frac{dv}{dx} = -2.$

अब शासकीय नियम अनुसार:

$$\frac{dy}{dx} = \frac{[(1-2x)1-(1+x)(-2)]}{(1-2x)^2}$$

$$= \frac{[1-2x+2(1+x)]}{(1-2x)^2}$$

$$= \frac{[1-2x+2+2x]}{(1-2x)^2}$$

$$= \frac{[3]}{(1-2x)^2}$$

इस प्रकार अवकलज $\frac{3}{(1-2x)^2}$ निकलता है। यह परिणाम स्पष्ट करता है कि अवकलन से प्राप्त व्यंजक एक सरल रूप में संघटित हो गया है। इसका अर्थ है कि समुचित अवकलज सभी x पर परिभाषित है, जहाँ $1 - 2x \neq 0$। यह व्युत्पन्न बताता है कि x में छोटे परिवर्तन y में किस प्रकार गुणित होकर बदलाव लाते हैं।

7. (C): दिए गए प्रेक्षणों का न्यूनतम मान 4.5 है और रेंज 10.9 होने से अधिकतम मान 4.5 + 10.9 = 15.4 निकलता है। समांतर माध्य (Mid-Range) को न्यूनतम और अधिकतम मान के औसत के रूप में परिभाषित किया जाता है: $\frac{(\text{न्यूनतम} + \text{अधिकतम})}{2}$

यहाँ $\frac{(4.5+15.4)}{2} = \frac{19.9}{2} = 9.95$ आता है, किन्तु कथन में समांतर माध्य 19.9 बताया गया है, जो गलत है। दूसरी ओर माध्यिका (Median) वह मान है जो व्यवस्थित आंकड़ों के क्रम के बीच में स्थित होता है। माध्यिका कभी भी अधिकतम मान से अधिक नहीं हो सकती। यहाँ अधिकतम मान 15.4 है, किंतु माध्यिका 15.6 दी गई है, जो तार्किक रूप से असंभव है। इस प्रकार समांतर माध्य भी गलत और माध्यिका भी गलत है। आँकड़ा सिद्धांत में यह असंगति दर्शाती है कि या तो मापन में त्रुटि है या मूल आंकड़ों का व्यवस्थित विश्लेषण सही तरीके से नहीं किया गया। क्योंकि दोनों ही मान एक सरल सांख्यिकीय जाँच (मध्य और मध्य मान) में असंगत दिखाई देता है, अतः दोनों गलत सिद्ध होते हैं।

8. (B): जब मुद्रा आपूर्ति में वृद्धि होती है, तो अर्थव्यवस्था में अधिक मात्रा में नकदी उपलब्ध हो जाती है। इससे धन की कीमत, अर्थात् ब्याज दर, कम होने लगती है, क्योंकि बाजार में धन की उपलब्धता बढ़ती है और ऋणदाताओं को अधिक आकर्षक करने के लिए ब्याज दरें घटानी पड़ती हैं। ब्याज दर कम होने से निवेश प्रोत्साहन बढ़ता है, क्योंकि कम लागत पर पूँजी उपलब्ध

होने से व्यवसाय विस्तार के लिए प्रोत्साहित होते हैं। इस निवेश वृद्धि का परिणाम उत्पादन और रोजगार में बढ़ोतरी हो सकती है, जिससे अंततः राष्ट्रीय वास्तविक आय में वृद्धि संभव है। क्लासिकल-कीन्सियन संदर्भ में बढ़ी हुई मुद्रा आपूर्ति LM वक्र को दाहिने शिफ्ट करती है, जिससे नई संतुलन स्थिति पर अधिक उत्पादन स्तर और कम ब्याज दर प्राप्त होती है। इस प्रकार नामिनल ब्याज दर घटती है और वास्तविक आय बढ़ती है। इस धारणा को दीर्घावधि में भी देखा जा सकता है, हालाँकि दीर्घावधि में मूल्य स्तर समायोजित हो सकता है। परंतु तत्काल प्रभाव में मुद्रा आपूर्ति बढ़ने से ब्याज दर में कमी और वास्तविक उत्पादन में विस्तार की प्रवृत्ति देखी जाती है, यह नीतिगत उपायों के प्रभावों को समझने में सहायक है।

9. (D): मुद्रास्फीति से समाज को कोई शुद्ध लाभ नहीं मिलता, इसके विपरीत यह कई वास्तविक लागतें प्रस्तुत करती है। शू-लेदर लागत (*a*) दर्शाती है कि लोग उच्च मुद्रास्फीति दर पर नकदी रखने से बचते हैं, अधिक बार बैंक जाना पड़ता है, जिससे समय और श्रम की लागत बढ़ती है। मेन्यु लागत (*b*) संकेत देती है कि कीमतें बार-बार बदलने से मूल्य-सूचियों, कैटलॉग इत्यादि को बदलने का खर्च बढ़ जाता है। सापेक्ष कीमतों की परिवर्तनशीलता (*c*) बढ़ने से उपभोक्ता व उत्पादक दोनों ही भ्रमित होते हैं, जिससे संसाधनों का कुशल आवंटन बाधित होता है। कर संहिता का गैर-सूचकांकन (*d*) मुद्रास्फीति के कारण लोगों को अनपेक्षित कर भार दे सकता है, क्योंकि कर स्लैब नामिनल आय पर आधारित होते हैं, वास्तविक क्रय शक्ति पर नहीं। ऋण पुनर्वितरण (*e*) अनिश्चित रूप से प्रभावित होता है क्योंकि अनपेक्षित मुद्रास्फीति कर्जदारों को लाभ और ऋणदाताओं को हानि पहुँचा सकती है। इस प्रकार सूचीबद्ध सभी लागतें मुद्रास्फीति के कारण समाज पर पड़ने वाली वास्तविक भारों का प्रतिनिधित्व करती हैं। ये सभी एक साथ मिलकर मुद्रास्फीति के प्रतिकूल प्रभावों को रेखांकित करते हैं।

10. (B): एड-वेलोरम टैरिफ (*a*)(*iv*) किसी आयातित वस्तु के मूल्य के प्रतिशत के रूप में लिया जाता है, यह मूल्य-सापेक्ष शुल्क है। आत्मनिर्भर अर्थतंत्र (Autarky) (*b*)(*iii*) वह स्थिति है, जिसमें देश किसी भी बाहरी व्यापार के बिना अपने सभी संसाधनों व जरूरतों की पूर्ति आंतरिक रूप से करता है। संयुक्त टैरिफ (*c*)(*ii*) वह मिश्रित शुल्क है, जहाँ एक ही वस्तु पर विशिष्ट शुल्क (प्रति इकाई एक नियत राशि) और एड-वेलोरम शुल्क (मूल्य के प्रतिशत पर आधारित) दोनों का सम्मिश्रण लगाया जाता है। विशिष्ट टैरिफ (*d*)(*i*) प्रति आयातित इकाई पर एक निश्चित राशि के रूप में तय किया जाता है, भले ही वस्तु की कीमत कम या ज्यादा हो। इस प्रकार एड-वेलोरम टैरिफ वस्तु की कीमत पर निर्भर है, विशिष्ट टैरिफ मात्रात्मक आधार पर लागू होता है, संयुक्त टैरिफ इन दोनों का संयोजन करता है और आत्मनिर्भर अर्थतंत्र में किसी भी प्रकार के टैरिफ का प्रश्न ही नहीं उठता क्योंकि कोई बाहरी व्यापार नहीं होता। इस तरह यह विकल्प व्यापार नीति के विभिन्न आयामों को स्पष्ट रूप से वर्गीकृत करता है।

11. (D): भारत के रक्षा क्षेत्र में प्रत्यक्ष विदेशी निवेश के संबंध में सरकार ने समय-समय पर उदारीकरण की नीतियाँ अपनाई हैं। प्रारंभिक वर्षों में यह सीमा 26 प्रतिशत थी, जिसे धीरे-धीरे बढ़ाया गया। वर्ष 2020 में भारत ने रक्षा निर्माण के क्षेत्र में एफडीआई सीमा को स्वचालित मार्ग से 74 प्रतिशत तक कर दिया और इसके ऊपर यदि सरकार की अनुमति ली जाए, तो इसे 100 प्रतिशत तक अनुमन्य किया गया। इसका अर्थ है कि यदि कोई विदेशी निवेशक सरकार से विशेष मंजूरी प्राप्त कर ले, तो वह 100 प्रतिशत प्रत्यक्ष विदेशी निवेश कर सकता है। यह उदारीकरण रणनीतिक, तकनीकी और आर्थिक दृष्टि से महत्त्वपूर्ण उपकरणों के विनिर्माण को प्रोत्साहित करने के उद्देश्य से लागू हुआ। इसका लाभ यह है कि भारत में उन्नत तकनीक, कुशल प्रबंधन तथा बेहतर पूँजी प्रवाह संभव हो सके, जिससे रक्षा उत्पादन का आधुनिकीकरण तथा आत्मनिर्भरता में वृद्धि हो। यह निर्णय भारत की 'मेक इन इंडिया' पहल एवं आयात निर्भरता को कम करने के प्रयासों के अंतर्गत समझा जा सकता है।

कुल मिलाकर, सरकार की मंजूरी लेने पर भारत के रक्षा उद्योग में 100 प्रतिशत प्रत्यक्ष विदेशी निवेश की अनुमति मिलना एक महत्वपूर्ण नीतिगत परिवर्तन है।

12. (C): सामान्य विषम विसारिता (Heteroskedasticity) जाँचने के लिए व्हाइट परीक्षण (White Test) (*iii*) का उपयोग किया जाता है। यदि प्रतिगमन में त्रुटियों का विचलन स्थिर न हो, तो व्हाइट परीक्षण इसका संकेत देता है, जिससे प्रतिगमन अनुमानों की विश्वसनीयता प्रभावित होती है। स्वतः सह-संबंध (Autocorrelation) की जाँचने के लिए ब्रुश्च-गॉडफ्रे (Breusch-Godfrey) परीक्षण (*iv*) का प्रयोग किया जाता है। स्वतः सह-संबंध तब होता है जब त्रुटियाँ स्वयं के पिछले मानों से संबंधित होती हैं, जिससे प्रतिगमन मॉडल की सटीकता प्रभावित होती है। सह्कालिकता का परीक्षण (*c*) यहाँ होसमैन (Hausman) परीक्षण (*ii*) से सम्बद्ध किया गया है, जो प्रायः यादृच्छिक और स्थिर प्रभाव मॉडल के बीच चयन में किया जाता है, परंतु यहाँ इसे एक विशिष्ट अर्थ में प्रयोग किया गया है, जहाँ मॉडल के अनुमानक पक्षों की उपयुक्तता जाँची जाती है। विनिर्देशन त्रुटि (Specification error) की सामान्य जाँच के लिए रामसे (Ramsey) (*i*) परीक्षण का उपयोग होता है, जो मॉडल के कार्यात्मक रूप की जाँच करता है कि क्या मॉडल में कोई महत्वपूर्ण चर या उपयुक्त रूप अनुपस्थित है। इस प्रकार ऊपर दिए गए विकल्पों के अनुसार इन चार परीक्षणों का क्रम निर्धारित होता है, जो आँकड़ों में संभावित समस्याओं का पता लगाने के लिए अत्यन्त आवश्यक हैं।

13. (C): पन्द्रहवें वित्त आयोग (2021-2026) द्वारा राज्यों को दिए गए अनुदान विभिन्न मदों के अंतर्गत वितरित किए गए हैं, जिनमें मुख्यतः राजस्व घाटा अनुदान, आपदा जोखिम प्रबंधन अनुदान, स्थानीय निकाय अनुदान, तथा क्षेत्र विशिष्ट अनुदान शामिल हैं। उपलब्ध आँकड़ों के अनुसार पन्द्रहवें वित्त आयोग ने स्थानीय निकायों के सशक्तिकरण और उनके वित्तीय संसाधनों में वृद्धि हेतु बहुत अधिक महत्त्व दिया है। इस आयोग की सिफारिशों में स्थानीय निकायों (ग्राम पंचायतों, नगरपालिकाओं) को प्रदत्त अनुदान का हिस्सा अन्य मदों की तुलना में सबसे बड़ा है। इस बड़े आवंटन का उद्देश्य न केवल जमीनी स्तर पर लोकतांत्रिक संस्थाओं को आर्थिक रूप से समर्थ बनाना है, बल्कि स्थानीय स्तर पर आधारभूत संरचना, सामाजिक सेवाओं, तथा शहरी-ग्रामीण विकास को प्रोत्साहित करना भी है। इस बढ़े हुए आवंटन से स्थानीय स्तर पर पारदर्शिता व उत्तरदायित्व बढ़ाने में सहायता मिलती है। साथ ही, इससे स्थानीय संरचनाओं को अपने संसाधनों का बेहतर नियोजन और आवंटन कर सेवाओं में सुधार करने में सुविधा मिलती है। कुल मिलाकर पंद्रहवें वित्त आयोग द्वारा स्थानीय निकाय अनुदान सबसे बड़ा मद है, जो देश के संघीय ढाँचे में जमीनी स्तर पर वित्तीय सुदृढ़ता लाने का संकेत देता है।

14. (A): अर्थशास्त्र में नोबेल पुरस्कार मिलने का क्रम इतिहास के संदर्भ में देखा जाए तो गुन्नार मिर्डल (*b*) को 1974 में सम्मानित किया गया। इसके बाद मिल्टन फ्रीडमैन (*c*) को 1976 में नोबेल पुरस्कार प्राप्त हुआ, जिनके मौद्रिक सिद्धांत बहुत लोकप्रिय हुए। उसके पश्चात् आर्थर लेविस (*a*) को 1979 में विकास अर्थशास्त्र में उनके योगदान के लिए नोबेल पुरस्कार दिया गया। इसके पश्चात् लारेंस क्लीन (*e*) को 1980 में पुरस्कार मिला, जिनके अर्थमितिकीय प्रतिरूपण कार्यों ने नीति निर्माण में सहायता प्रदान की। अद्यतन सूची में ए.वी. बनर्जी (*d*) को 2019 में गरीबी उन्मूलन के क्षेत्र में प्रयोगाधारित दृष्टिकोण के लिए नोबेल पुरस्कार प्रदान किया गया। इस प्रकार कालक्रमः मिर्डल (1974), फ्रीडमैन (1976), लेविस (1979), क्लीन (1980) तथा अंत में बनर्जी (2019) आता है। यह क्रम अर्थशास्त्र में विचारों के विकास और समयानुसार बदलती शोध प्रवृत्तियों को प्रदर्शित करता है, जिनमें विकास, मौद्रिक नीति, सांख्यिकीय प्रतिरूपण और व्यावहारिक अनुभवजन्य विश्लेषण शामिल है।

15. (A): यदि किसी बाजार में गौण प्रभाव या बाह्यता (externality) मौजूद है (*a*), तो बाजार का संतुलन दक्ष नहीं होता क्योंकि मूल्य तंत्र उस बाह्यता को आंतरिक नहीं कर पाता, जिससे सामाजिक कल्याण कम होता है। यदि कोई बाजार दक्ष है, तो बाजार में

उत्पादित मात्रा ऐसी होती है कि उत्पादक एवं उपभोक्ता अधिशेष दोनों का योग अधिकतम हो जाता है (*b*), यही दक्षता की परिभाषा है। प्रतिस्पर्धी बाजार संतुलन पेरेटो कार्यक्षम होता है (*e*), अर्थात् किसी व्यक्ति की स्थिति सुधारे बिना दूसरे की स्थिति को बिगाड़े बिना और बेहतरी संभव नहीं रहती। उपभोक्ता अधिशेष वह अंतर है जो उपभोक्ता द्वारा किसी वस्तु के लिए अधिकतम willingness to pay (अधिकतम भुगतान की इच्छा) और वास्तविक भुगतान के बीच होता है, न कि विक्रेता की लागत के अंतर से (*c* गलत)। स्मिथ के अदृश्य हाथ की अवधारणा (*d*) दक्षता से संबंधित है, समानता से नहीं; अदृश्य हाथ यह कहता है कि व्यक्तिगत स्वार्थ-प्रेरित क्रियाएं प्रतिस्पर्धी बाजारों में समग्र सामाजिक कल्याण को अधिकतम कर सकती हैं, पर वह समानता की गारंटी नहीं देती (*d* गलत)। अतः (*a*), (*b*), (*e*) सही हैं और (*c*), (*d*) गलत।

16. (D): भारतीय रिजर्व बैंक (RBI) मुख्य रूप से देश के मौद्रिक प्रबंधन, वित्तीय स्थिरता, मुद्रा निर्गमन, बैंकों की निगरानी, विदेशी मुद्रा भंडार के संरक्षक, तथा अंतिम आश्रय (Lender of Last Resort) के रूप में कार्य करता है। यह मौद्रिक नीति निर्धारण करता है, मुद्रा की आपूर्ति को नियंत्रित करता है और वाणिज्यिक बैंकों पर नियंत्रण रखता है। विदेशी मुद्रा भंडार का संरक्षक बनना (A), बैंक नोटों का निर्गम (B), तथा अंतिम आश्रय के रूप में बैंकों को उधार देना (C) सभी आरबीआई के अधिकार-क्षेत्र में आते हैं। परन्तु ऋण का बहु विस्तार (Credit Multiplier Effect) वाणिज्यिक बैंकों की गतिविधियों से संबंधित है, जहाँ बैंक जमाराशियों के आधार पर कई गुना ऋण सृजन करते हैं। रिजर्व बैंक इस बहु-विस्तार की प्रत्यक्ष प्रक्रिया में शामिल नहीं होता, बल्कि वह मात्र नकद आरक्षित अनुपात (CRR), वैधानिक तरलता अनुपात (SLR) आदि के माध्यम से नियंत्रण रखता है। अतः ऋण का बहु विस्तार प्रत्यक्ष रूप से आरबीआई का कार्य नहीं है, यह वाणिज्यिक बैंकिंग तंत्र का स्वाभाविक परिणाम है।

17. (C): नीति आयोग (*a*) ज्ञान सहायता (*iv*) प्रदान करने वाली एक संस्थागत संरचना है, जो सरकार को नीति निर्माण में सलाह, शोध, विश्लेषण एवं नवोन्मेषी उपाय सुझाती है। आर. एक्सेलरोड (*b*) ने 'टिट फॉर टैट (जैसे को तैसा)' रणनीति (*i*) को खेल सिद्धांत में प्रसिद्ध किया, जिसमें सहयोग और प्रतिद्वंद्विता का संतुलन बनता है। जे. स्टिगलिट्ज (*c*) कार्यदक्षता मजदूरी सिद्धांत (*ii*) के लिए जाने जाते हैं, जिसके अनुसार कुछ परिस्थितियों में उच्च वेतन देना उत्पादकता बढ़ा सकता है। भारत की पहली पंचवर्षीय योजना (*d*) के निर्माण में के.एन. राज (*iii*) का महत्त्वपूर्ण योगदान माना जाता है, उनकी आर्थिक अंतर्दृष्टि एवं सलाह से इस योजना को दिशा मिली। इस क्रम से पता चलता है कि नीति आयोग आधुनिक नीतिगत परिवर्तन हेतु ज्ञान पर जोर देता है, आर. एक्सेलरोड ने रणनीतिक व्यवहार की समझ दी, स्टिगलिट्ज ने श्रम बाजार से जुड़ी दक्षता की अवधारणा को रेखांकित किया और के.एन. राज के सहयोग ने भारत की प्रारंभिक नियोजन प्रक्रिया को एक ठोस आधार प्रदान किया।

18. (A): अंतर-पणन (Arbitrage) (*a*)(*iii*) तब होता है जब निवेशक किसी मुद्रा को उस स्थान से खरीदता है जहाँ वह सस्ती होती है और उस स्थान पर बेचता है जहाँ वह महँगी होती है, इससे बिना जोखिम लाभ कमाया जा सकता है। हेजिंग (*b*)(*iv*) विदेशी विनिमय जोखिम का परिहार करने के लिए की जाती है, अर्थात् भविष्य में मुद्रा दरों के प्रतिकूल उतार-चढ़ाव से बचने के लिए अग्रिम अनुबंध या अन्य साधनों का प्रयोग होता है। सट्टेबाजी (Speculation) (*c*)(*i*) जोखिम ग्रहण करने की स्थिति है, यहाँ निवेशक जान-बूझकर विदेशी विनिमय दरों में संभावित उतार-चढ़ाव से लाभ उठाने की कोशिश करता है। विदेशी विनिमय जोखिम (*d*)(*ii*) स्पॉट दरों में परिवर्तन के समय को इंगित करता है, जब मुद्रा विनिमय दरें बदलने से लाभ या हानि की स्थिति उत्पन्न होती है। इस क्रम से स्पष्ट होता है कि अंतर-पणन और हेजिंग अपेक्षाकृत कम जोखिम वाली रणनीतियाँ हैं, जबकि सट्टेबाजी उच्च जोखिम लेना चाहती है, तथा विदेशी विनिमय जोखिम

इन सारी गतिबिधियों के मूल में स्थित अनिश्चितता को दर्शाता है।

19. (A): जब किसी देश में आयात को सीधे शुल्क (टैरिफ) लगाने की बजाय कोटा (मात्रात्मक प्रतिबंध) द्वारा सीमित किया जाता है, तो इससे कदाचित लागतें नई तरह से बढ़ने लगती हैं। कोटा के मामले में सरकार को आयात से राजस्व प्राप्त नहीं होता (जैसे टैरिफ से प्राप्त होता), इसके बजाय कोटा लाइसेंस से जुड़ा दुर्लभता मूल्य (Rent) उत्पन्न हो सकता है। इस स्थिति में वे आयातक या लाइसेंस धारक जो कोटा का लाभ उठा रहे हैं, वे उस अतिरिक्त लाभ की माँग करेंगे जो आयातित वस्तुओं के मूल्य में प्रतिबंध से उत्पन्न दुर्लभता के कारण बढ़ा है। इस लाभ को रेंट (किराया) कहा जाता है। इस रेंट को प्राप्त करने के लिए उद्यमी, व्यापारी, यहाँ तक कि कभी-कभी राजनीतिक अभिनेताओं द्वारा भी संसाधनों की खपत की जाती है, जिसे रेंट सीकिंग (Rent Seeking) कहा जाता है। रेंट सीकिंग सामाजिक दृष्टि से अकार्यक्षम है, क्योंकि इसमें उत्पादक संसाधनों का उपयोग मूल्यवर्धन से नहीं, बल्कि नीति आधारित लाभ लेने के लिए किया जाता है। अतः टैरिफ हटाकर कोटा लागू करने से किराये की माँग बढ़ सकती है।

20. (C): आय निर्धारण के लीकेज-इंजेक्शन दृष्टिकोण में संतुलन वहाँ बनता है जहाँ कुल लीक (बचत-कर) और कुल इंजेक्शन (निवेश-सरकारी व्यय) समान हो जाते हैं। यदि एकमुश्त कर (lump-sum tax) में वृद्धि होती है, तो प्रत्येक आय स्तर पर सरकार को अधिक कर प्राप्त होता है। इससे बचतकर (S+T) का योग किसी भी दिए गए आय स्तर पर बढ़ जाता है। S+T में वृद्धि का अर्थ है कि अब पहले के मुकाबले उसी आय स्तर पर अधिक लीकेज हो रही है। परिणामस्वरूप संतुलन बिंदु पर जहाँ पूर्व में I+G रेखा S+T रेखा को काटती थी, वहाँ अब S+T रेखा ऊँची (या 'उपर की ओर') हो गई है। यह नया संतुलन कम आय के स्तर पर स्थापित होता है, क्योंकि लीकेज बढ़ने से शुद्ध आय स्तर नीचे आ जाता है। आय निर्धारण के पारंपरिक चित्र में आय क्षैतिज अक्ष पर और लीकेज/इंजेक्शन ऊर्ध्वाधर अक्ष पर रखते हैं, अतः अधिक लीक होने पर नई संतुलन आय कम होगी और आय स्तर बायीं ओर (कम आय की ओर) स्थानांतरित होगा। दूसरे शब्दों में, बढ़े हुए एकमुश्त कर से उपभोक्ता व्यय घटता है, जिससे समग्र मांग कम होती है और आय का संतुलन स्तर घटता है। इस प्रकार आय निर्धारण संतुलन बिंदु बायीं ओर खिसक जाता है।

21. (A): कुल घरेलू आय को प्रायः कारक लागत पर आय के रूप में देखा जा सकता है, जो श्रम, पूँजी, भूमि और उद्यमिता आदि के प्रतिफलों का योग होता है। जी.डी.पी. (सकल घरेलू उत्पाद) को बाजार मूल्य पर मापा जाता है। बाजार मूल्य पर पहुँचने के लिए कारक लागत पर प्राप्त कुल घरेलू आय में अप्रत्यक्ष करों को जोड़ा जाता है, क्योंकि ये बाजारी मूल्य को बढ़ाते हैं। साथ ही सब्सिडी को घटाया जाता है, परंतु यहाँ विकल्पों में सब्सिडी का उल्लेख नहीं है, अतः इसे अनुपस्थित माना जाता है। मूल्यह्रास (Depreciation) को जोड़ने की आवश्यकता इसलिए होती है क्योंकि इससे हमें शुद्ध घरेलू उत्पाद (NDP) से सकल घरेलू उत्पाद (GDP) में परिवर्तन करने में सहायता मिलती है। परम्परागत सूत्र हैः जी.डी.पी. (बाजार मूल्य) = कुल घरेलू आय (कारक लागत) + अप्रत्यक्ष कर − सब्सिडी + मूल्यह्रास। यदि सब्सिडी शून्य मान लें, तब यह कुल घरेलू आय + अप्रत्यक्ष कर + मूल्यह्रास हो जाएगा। यह मानक अर्थशास्त्रीय पहचान है। उदाहरण स्वरूप, यदि किसी अर्थव्यवस्था की कुल घरेलू आय (कारक लागत पर) 100 है, अप्रत्यक्ष कर 10 है, और मूल्यह्रास 5 है, तो जी.डी.पी. = 100 + 10 + 5 = 115 होगी, जो बाजारी मूल्य पर सकल उत्पादन को दर्शाती है। अतः दिए गए विकल्पों में यही समीकरण सर्वमान्य सिद्धांत से मेल खाता है।

22. (B): कोस प्रमेय बाह्यताओं के मामले में कारगर समाधान प्राप्त करने के लिए कुछ मूलभूत पूर्वधारणाएँ रखता है। इनमें प्रमुख हैंः लेनदेन लागत का अभाव (ट्रांजैक्शन कॉस्ट लगभग शून्य होने की शर्त), सम्पूर्ण एवं उत्तम सूचना (पूर्ण जानकारी), और पूर्ण एवं सुस्पष्ट

सम्पदा अधिकारों का होना। इन शर्तों के तहत, कोस का कथन है कि सम्बद्ध पक्ष आपस में सौदेबाजी करके संसाधन आवंटन को दक्ष बना सकते हैं, चाहे प्रारंभिक सम्पदा अधिकार किसी के पास भी हों। हालाँकि, आय प्रभाव की उपस्थिति कोस प्रमेय की मूल शर्त नहीं है। आय प्रभाव के कारण सौदेबाजी के परिणाम जटिल हो सकते हैं और दक्ष समाधान प्राप्त करने में व्यवधान आ सकता है। कोस प्रमेय मात्र इस सिद्धांत पर टिका है कि यदि सम्पदा अधिकारों की स्पष्टता, लेनदेन लागत शून्य और पूर्ण जानकारी हो, तो निजी बातचीत से दक्ष समाधान पाया जा सकता है। आय प्रभावों की उपस्थिति या अनुपस्थिति उसकी मूल परिकल्पना में अनिवार्य नहीं है।

23. (B): विषम विसारिता (Heteroskedasticity) उस स्थिति को दर्शाती है जब प्रतिगमन मॉडल में त्रुटि पदों का विचलन (variance) स्थिर नहीं रहता, अर्थात् डेटा के भिन्न भागों में त्रुटि पदों की प्रसारिता अलग-अलग होती है। इसका कारण अक्सर डेटा सेट में चरों के मानों का अत्यधिक छितराव (बहुत बड़े या बहुत छोटे मान), गलत कार्यात्मक रूप (फंक्शनल फॉर्म) चयन, या चरों के गलत रूपांतरण (Transformation) हो सकता है। उदाहरण के लिए, यदि कोई चर बहुत बड़ी परास (range) में परिवर्तित हो रहा है तो भी विषम विसारिता उत्पन्न हो सकती है। कार्यात्मक रूप का गलत चयन (जैसे रैखिक के बजाय लघुगणकीय आवश्यक होने पर रैखिक मॉडल लगाना) भी विषम विसारिता ला सकता है। लेकिन समय के साथ चरों में सह-संबंध (autocorrelation) विषम विसारिता का प्रत्यक्ष कारण नहीं है; यह आमतौर पर क्रमिक रूप से संगठित डेटा में त्रुटि पदों के बीच अंतर्निहित सह-संबंध से जुड़ा है, न कि त्रुटि पदों के प्रसार में अंतर से। अतः समय आधारित सह-संबंध विषम विसारिता का कारण नहीं माना जाता।

24. (D): (*a*) अंतजतिय चर (Endogenous variable) वे चर हैं जिनका निर्धारण मॉडल के अंदर हो रहा हो, प्रायः ये एक युगपत समीकरण प्रणाली (Simultaneous Equation) (*ii*) में पाए जाते हैं।

(*b*) काउंट R^2 (count R^2) प्रायः लॉजिट (Logit) प्रतिगमन (*iv*) जैसे गुणात्मक आश्रित चर वाले मॉडलों में प्रयुक्त होने वाला एक संकेतक है, जो बताता है कि मॉडल ने कुल प्रेक्षणों में से कितने प्रतिशत को सही वर्गीकृत किया।

(*c*) एलजंग बाक्स (Ljung-Box) सांख्यिकीय परीक्षण (*i*) त्रुटि पदों में आटोकोरिलेशन की परीक्षा करने के लिए प्रयुक्त होता है, जो बताता है कि समय शृंखला मॉडल की शेषजीवीय त्रुटियाँ यादृच्छिक हैं या नहीं।

(*d*) लीस्ट स्क्वायर डमी चर मॉडल (LSDV Model) (*iii*) पैनल आँकड़ा प्रतिगमन में उपयोगी होता है, जहाँ स्थान (इंडिविजुअल) और समय पर आधारित डमी चर मॉडल में शामिल किए जाते हैं।

अतः उपरोक्त मेलः अंतरजातीय चर (*ii*), काउंट R^2 (*iv*), एलजंग बाक्स स्टेटिस्टिक (*i*), लीस्ट स्क्वायर डमी चर मॉडल (*iii*) सही बैठता है।

25. (A): (*a*) पारिस्थितिक पदचिह्न (Ecological Footprint) वास्तव में समूचे पारिस्थितिकी तंत्र पर मानव की माँग का माप है। यह दर्शाता है कि मानव गतिविधियों के लिए प्रकृति द्वारा संसाधनों की पुनरुत्पादन क्षमता और अवशोषण क्षमता कितना भार सह सकती है।

(*d*) सतत् विकास लक्ष्य (SDGs) संयुक्त राष्ट्र द्वारा निर्धारित 2015 में आरंभ 2030 तक प्राप्त करने योग्य 17 लक्ष्य हैं, जो सामाजिक, आर्थिक और पर्यावरणीय आयामों को संतुलित करने का प्रयास करते हैं।

(*b*) ऊपर से नीचे का दृष्टिकोण (Top-down approach) आमतौर पर नीति निर्माण और

$$P(A \cap \bar{B}) = P(A) - P(A \cap B)$$
$$= 0.6 - 0.2 = 0.4$$

इस गणना से स्पष्ट है कि $P(A \cap \bar{B}) = 0.4$ होती है। इस मान से सिद्ध होता है कि विकल्प (A) 0.4 सही है।

यह परिणाम तर्कसंगत भी है, क्योंकि यदि A की कुल संभावना 0.6 है और उसमें से 0.2 भाग A और B दोनों के साथ घटित होने पर जाता है, तो शेष 0.4 भाग A के बिना B यानी $A \cap \bar{B}$ पर जाता है। इस प्रकार विकल्प (A) सही ठहरता है।

60. (C): (*a*) पर्यावरण मूल्य निर्धारण सिद्धांत में विकल्प मूल्य (Option Value) को अक्सर भविष्य में उपलब्धि बनाए रखने हेतु भुगतान करने की इच्छा के रूप में देखा जाता है। विकल्प मूल्य को कभी-कभी भविष्य उपयोग मूल्य के साथ उन मूल्यों से जोड़ा जाता है जो सीधे प्रयोग में नहीं आते परंतु भविष्य में प्रयोग के लिए संरक्षित रखने या संभावित प्रतिनिधि मूल्य (non-use values) के रूप में होते हैं। इस कथन में विकल्प मूल्य = भावी उपयोग मूल्य + प्रतिनिधिक मूल्य कहा गया है, इसे एक व्यापक व्याख्या मानकर सही माना जा सकता है, क्योंकि प्रतिनिधिक मूल्य अस्तित्व या विरासत मूल्य जैसे गैर-उपयोगी मूल्य का द्योतक हो सकता है।

(*b*) प्रतिकूल चयन (Adverse Selection) बाजार विफलता का एक प्रमुख कारण है, क्योंकि सूचना विषमता के कारण अनुबंधों में ऐसी असंतुलित स्थिति बनती है कि उच्च गुणवत्ता वाले उत्पाद बाहर हो सकते हैं।

(*c*) आकस्मिक मूल्य निर्धारण (Contingent Valuation) पद्धति, लागत-लाभ विश्लेषण की एक सुस्पष्ट विधि है जो अपारम्परिक या गैर-बाजार वस्तुओं का आर्थिक मूल्यांकन करती है। यह कथन भी सत्य माना जा सकता है, परंतु विकल्पों को ध्यान से देखें। उपलब्ध विकल्पों में (*c*) को शामिल करने वाला सही विकल्प (*b*) और (*d*) के साथ है, जहाँ (*d*) गलत है, अतः हमें सावधान रहना होगा।

(*d*) पब्लिक गुड और कॉमन गुड में समान विशेषताएँ नहीं होतीं। सार्वजनिक वस्तुएँ गैर-प्रतिद्वंद्वी एवं गैर-अभिज्ञेय होती हैं, जबकि कॉमन गुड गैर-अभिज्ञेय लेकिन प्रतिद्वंद्वी होती है। अतः (*d*) गलत है।

(*e*) लागत-लाभ विश्लेषण में आय की आंतरिक दर (Internal Rate of Return, IRR) एक महत्त्वपूर्ण मानदंड है जो परियोजनाओं की लाभप्रदता जाँचने में काम आता है।

अतः विकल्प (C): (*a*), (*b*) एवं (*e*) सही है।

61. (C): विश्व बैंक ने अत्यधिक गरीबी रेखा (Extreme Poverty Line) का निर्धारण इस आधार पर किया है कि कम-से-कम क्रय शक्ति समता (Purchasing Power Parity) के तहत इतना धन हो जो अत्यंत न्यूनतम आवश्यकताओं की पूर्ति कर सके। पहले यह मानक \$1.90 प्रतिदिन था, जिसे अद्यतन समीक्षा और क्रय शक्ति परिवर्तनों के चलते बढ़ाकर \$2.15 प्रतिदिन किया गया है। इस संशोधन का उद्देश्य मुद्रास्फीति तथा विभिन्न देशों में कीमतों के अनुरूप वास्तविक क्रय शक्ति का बेहतर परिलक्षण करना है।

इस नई सीमा का अर्थ यह है कि विश्व स्तर पर जो व्यक्ति \$2.15 प्रतिदिन से कम पर जीवन यापन कर रहे हैं, उन्हें अत्यधिक गरीब की श्रेणी में रखा जाता है। विश्व बैंक समय-समय पर इस रेखा को पुनर्मूल्यांकित करता है ताकि आर्थिक परिवर्तनों, कीमत स्तरों और वैश्विक समावेशन नीतियों को बेहतर ढंग से प्रतिबिंबित किया जा सके। यह सीमा निर्धारण नीति-निर्माताओं, अंतर्राष्ट्रीय संगठनों और शोधकर्ताओं को यह समझने में मदद करता है कि कहाँ गरीबी उन्मूलन हेतु नीतिगत प्रयासों की आवश्यकता अधिक है। अतः वर्तमान वैश्विक मानक \$2.15 प्रतिदिन है।

62. (D): (*a*) मोडिग्लियानी-मिलर सिद्धांत पूँजी संरचना (Capital Structure) की अप्रासंगिकता पर है, न कि वस्तुओं की कीमतों और वास्तविक आय से संबंधित। (गलत)

(*b*) डोर्फमैन-स्टाइनर सिद्धांत विज्ञापन व्यय के इष्टतम निर्धारण से जुड़ा हुआ है, यह बताता है कि किसी फर्म को किस स्तर पर विज्ञापन खर्च करना चाहिए। (सही)

(*c*) ऐरो का असंभवता सिद्धांत (Arrow's Impossibility Theorem) सामाजिक चयन सिद्धांत में एक केंद्रीय परिणाम है, जो दर्शाता है कि कुछ निष्पक्षता शर्तों के तहत संपूर्ण सामुदायिक पसंद को किसी व्यक्तिगत प्राथमिकता सत्र से व्युत्पन्न करना असंभव है। (सही)

(*d*) स्टोल्पर-सैम्युलसन सिद्धांत अंतर्राष्ट्रीय व्यापार और कारक मूल्यों के बीच संबंध बताता है, पूँजी संरचना से नहीं; यह बताता है कि व्यापार में मूल्य परिवर्तन किसी कारक आय को कैसे प्रभावित करेंगे। (गलत)

(*e*) फिशर पृथक-करण सिद्धांत (Fisher Separation Theorem) यह दर्शाता है कि एक फर्म की निवेश नीति शेयरधारकों की उपभोग वरीयताओं से पृथक होकर मात्र मूल्य अधिकतमकरण के सिद्धांत से निर्देशित हो सकती हैं, अतः इसे लाभ अधिकतमकरण से जोड़ना उचित है। (सही)

अतः सही संयोजन (*b*), (*c*), (*e*) है।

63. (D): विकासशील देशों में आर्थिक एकीकरण के कई प्रयास हुए हैं ताकि क्षेत्रीय व्यापार को प्रोत्साहन मिले, शुल्क बाधाएँ घटें और सामूहिक आर्थिक विकास हो। सेंट्रल अमेरिकन कॉमन मार्केट (Central American Common Market) मध्य अमेरिकी देशों के बीच व्यापार वाणिज्य बाधाओं को कम करने का प्रयास है। कैरेबियन फ्री ट्रेड एसोसिएशन (CARIFTA) कैरेबियन देशों के बीच मुक्त व्यापार की सुविधा प्रदान करने का प्रयास था, जो बाद में कैरिकॉम (CARICOM) में परिवर्तित हुआ।

लैटिन अमेरिकन फ्री ट्रेड एसोसिएशन (LAFTA) भी लैटिन अमेरिकी देशों के बीच व्यापार उदारीकरण और आर्थिक सहयोग बढ़ाने का प्रयत्न था।

ये सभी विकासशील देशों के आर्थिक एकीकरण के उदाहरण हैं। अतः (*a*), (*b*), (*c*) सभी सम्मिलित हैं, इसलिए विकल्प (D) सही है।

64. (D): संयुक्त राष्ट्र के सतत् विकास लक्ष्य (SDGs) में:

(*a*) लक्ष्य 7 : वहनीय और स्वच्छ ऊर्जा (Affordable and Clean Energy) (सही)।

(*b*) लक्ष्य 10 : असमानताओं में कमी (Reduced Inequalities), न कि जलवायु कारवाई (गलत)।

(*c*) लक्ष्य 13 : जलवायु कारवाई (Climate Action), न कि असमानता कम करना (गलत)।

(*d*) लक्ष्य 14 : जल के नीचे जीवन (Life Below Water) (सही)।

(*e*) लक्ष्य 15 : भूमि पर जीवन (Life on Land) (सही)।

इसलिए (*a*), (*d*), (*e*) सही मेल बनते है।

65. (B): कालक्रम अनुसार महान अर्थशास्त्रियों के योगदान:

(*c*) एड्म स्मिथः वेल्थ ऑफ नेशंस (1776) तथा विकास के सिद्धांत 18वीं शताब्दी।

(*b*) जे.एम. कीन्सः जनरल थ्योरी (1936)

(*e*) राबर्ट एम. सोलोः विकास मॉडल (1956)

(*a*) ए.डब्ल्यू. फिलिप्सः फिलिप्स वक्र (1958)

(*d*) जॉन एफ. मथः तार्किक प्रत्याशा (Rational Expectations (1961)।

अतः (*c*), (*b*), (*e*), (*a*), (*d*) सही क्रम है।

66. (D): नीति आयोग द्वारा जारी ऊर्जा दक्षता सूचकांक 2023 में विभिन्न राज्यों का मूल्यांकन ऊर्जा दक्षता की दिशा में किए गए प्रयासों, नीतियों के कार्यान्वयन

ऊर्जा बचत परिणामों आदि के आधार पर किया गया था। इस सूचकांक में कर्नाटक के उच्च अंक अर्जित कर शीर्ष स्थान प्राप्त किया। कर्नाटक ने ऊर्जा संरक्षण कानूनों का प्रभावी क्रियान्वयन, ऊर्जा ऑडिट, अक्षय ऊर्जा के अधिकतम उपयोग और उद्योगों में ऊर्जा दक्षता बढ़ाने वाली नीतियों से अपने प्रदर्शन में उल्लेखनीय सुधार किया। इस परिणाम ने दर्शाया कि कर्नाटक ने ऊर्जा दक्षता के विभिन्न मापदंडों पर अन्य राज्यों की तुलना में बेहतर कार्य किया है।

67. (*)

68. (A): विकासशील देशों की व्यापार शर्तों (Terms of Trade) की चिरंतन विकृति (Deterioration) को समझाने में ''प्रेबिश-सिंगर परिकल्पना'' प्रसिद्ध है, जिसमें राउल प्रेबिश (*d*) और हंस सिंगर (*b*) ने दलील दी कि समय के साथ प्राथमिक वस्तुओं के मुकाबले विनिर्मित वस्तुओं के सापेक्ष मूल्य गिरते हैं, जिससे विकासशील देशों का TOT खराब होता जाता है। जगदीश भगवती (*e*) ने भी ''इमिसराइजिंग ग्रोथ'' जैसे सिद्धांतों के माध्यम से दिखाया कि कुछ परिस्थितियों में व्यापार वृद्धि से भी किसी देश की कल्याण स्थिति घट सकती है। जे.एस. मिल (*a*) और एड्म स्मिथ (*c*) इस विशिष्ट TOT खराबी सिद्धांत से प्रत्यक्ष रूप से नहीं जुड़े हैं।

अतः (*b*), (*d*), (*e*) सही हैं।

69. (A): एकल नमूना *t*-परीक्षण (Single Samle *t*-Test) में जब जनसंख्या का असैात (μ) अज्ञात हो और जनसंख्या का मानक विचलन (σ) भी अज्ञात हो, तब हम नमूना माध्य $\bar{x}$ और नमूना का मानक विचलन s' का प्रयोग करते हैं।

परिकल्पना $H_0 : \mu = \mu_0$

t-परीक्षण की सांख्यिकी (Test Statistic) निम्नानुसार परिभाषित होती है:

$$t = \frac{\bar{x} - \mu_0}{s'/\sqrt{n}}$$

जहाँ s' नमूने से व्युत्पन्न मानक विचलन का अनुमान है और n नमूने का आकार।

इस परीक्षण में स्वतंत्रता की डिग्री (Degrees of Freedom) $n - 1$ होती है, क्योंकि हम नमूना मानक विचलन से σ का अनुमान लगाते हैं।

विकल्प (A) में यही सूत्र दिया गया है:

$$t_{n-1} = \frac{\bar{x} - \mu_0}{s'/\sqrt{n}}$$

विकल्प (B) में $\sqrt{n-1}$ का प्रयोग गलत है, स्टैण्डर्ड फॉर्म नहीं है।

विकल्प (C) में t_n लिखा है, जबकि डिग्री ऑफ फ्रीडम $n - 1$ होनी चाहिए, तथा यह मानक *t*-परीक्षण से मेल नहीं खाता।

विकल्प (D) में s' से भाग देकर $\sqrt{n}$ के स्थान पर n का प्रयोग गलत है, क्योंकि मानक त्रुटि $s'/\sqrt{n}$ होती है, न कि s'/n।

अतः सही मानक *t*-परीक्षण सूत्र विकल्प (A) में प्रदर्शित किया गया है।

70. (C): यू.एन.एफ.सी.सी.सी. (NFCCC) की हरित जलवायु निधि (Green Climate Fund) ने अनुकूलन (Adaptation) और उपशमन (Mitigation) प्रयासों के बीच वित्तीय आबंटन में संतुलन बनाने का लक्ष्य रखा है। यह लक्ष्य अनुकूलन और उपशमन हेतु वित्त को समान अनुपात में, अर्थात् 50:50, उपलब्ध कराने का है। इससे आशय है कि कम से कम आधा वित्त उन कार्यों में जाए जो जलवायु परिवर्तन के प्रभावों से निपटने के लिए देश की क्षमता बढ़ाते हैं (अनुकूलन), और आधा वित्त उन गतिविधियों में लगाया जाए जो ग्रीनहाउस गैस उत्सर्जन को कम करने (उपशमन) पर केंद्रित हैं। यह लक्ष्य विकासशील देशों के लिए जलवायु परिवर्तन के विविध आयामों से जूझने में संतुलित सहयोग प्रदान करने की भावना को दर्शाता है।

71. (*)

72. (A): (*b*) साधन कीमत समतुल्यकरण सिद्धांत (Factor Price Equalization Theorem) लगभग 1948 के आसपास सैम्युलसन ने प्रतिपादित किया, यह हेक्स्शर-ओहलिन मॉडल का एक प्रमुख निष्कर्ष है।

(*d*) लियोंटिफ विरोधाभास (Leontief Paradox) 1953 में वासिली लियोंटिफ द्वारा खोजा गया, जो हेक्स्शर-ओहलिन सिद्धांत के व्यावहारिक अनुप्रयोग पर प्रश्नचिह्न लगाता है।

(*a*) अंतर्लयन (Absorption) उपागम सिडनी एलेक्जेंडर ने 1950 के दशक के मध्य में भुगतान संतुलन विश्लेषण के लिए प्रस्तुत किया।

(*e*) इमिसराइजिंग ग्रोथ सिद्धांत (Immiserizing Growth) जगदीश भगवती ने 1958 में प्रतिपादित किया, जिसमें कुछ परिस्थितियों में व्यापार विस्तार से भी कल्याण ह्रास हो सकता है।

(*c*) अन्योन्य पाटन मॉडल (Reciprocal Dumping Model) ब्रैंडर और क्रूगमैन ने 1980 के दशक (1983) में विकसित किया।

कालानुक्रम: (*b*) 1948, (*d*) 1953, (*a*) 1950s, (*e*) 1958, (*c*) 1980s

विकल्प (A) में यही क्रम मिलता है।

73. (C): भारत में प्रथम कृषि जनगणना कृषि वर्ष 1970-71 के दौरान की गई थी। इसका उद्देश्य कृषि जोतों (होल्डिंग्स) के आकार, वितरण, स्वामित्व और खेती की स्थिति पर आँकड़े एकत्रित करना था, ताकि नीति निर्धारण और कृषि क्षेत्र में संसाधन आवंटन को बेहतर बनाया जा सके। प्रथम कृषि जनगणना ने कृषि संरचना को समझने का आधार प्रदान किया।

74. (A): 'प्रदर्शन प्रभाव' (Demonstration Effect) का उल्लेख सर्वप्रथम जैम्स ड्यूसेनबेरी ने किया। ड्यूसेनबेरी ने उपभोग व्यवहार पर सामाजिक तुलना का प्रभाव समझाया, अर्थात् व्यक्ति अपना उपभोग स्तर आसपास के लोगों के उपभोग स्तर से प्रभावित होकर तय करते हैं। इससे उपभोक्ताओं की इच्छा और आदतें सामाजिक संदर्भ पर निर्भर हो जाती हैं।

75. (B): (*b*) व्यापार और टैरिफ संबंधी सामान्य करार (GATT) 1947 में अस्तित्व में आया।

(*e*) नाबार्ड (NABARD) की स्थापना 1982 में हुई।

(*c*) भारत की नई आर्थिक नीति (NEP) 1991 में लागू की गई, जिसने उदारीकरण, निजीकरण और वैश्वीकरण पर जोर दिया।

(*a*) विश्व व्यापार संगठन (WTO) 1995 में अस्तित्व में आया, जो GATT को प्रतिस्थापित करते हुए वैश्विक व्यापार का नियमन करता है।

(*d*) माल और सेवा कर (GST) भारत में 2017 में लागू हुआ।

कालक्रम: (*b*) GATT (1947), (*e*) NABARD (1982), (*c*) NEP (1991), (*a*) WTO (1995), (*d*) GST (2017)

विकल्प (B) यही क्रम दर्शाता है।

76. (A): (*a*) श्रम-पूंजी अनुपात (*iii*) प्रति इकाई पूँजी पर प्रयुक्त श्रम की मात्रा को दर्शाता है।

(*b*) श्रम गहन वस्तु (*ii*) वह वस्तु जिसमें पूँजी-श्रम अनुपात कम हो, अर्थात् तुलनात्मक रूप से अधिक श्रम का प्रयोग।

(*c*) मूल्य का श्रम सिद्धांत (*i*) वस्तु की कीमत अनन्य रूप से उसमें निहित श्रम मात्रा पर निर्भर।

(*d*) श्रम बचत तकनीकी प्रगति (*iv*) वह तकनीक जो श्रम की तुलना में पूँजी की उत्पादकता को अनुपातिक रूप से अधिक बढ़ाती है।

विकल्प (A) सही है।

77. (A): मानव विकास रिपोर्ट (Human Development Report) 2023-24 में मानव विकास सूचकांक (HDI) के आधार पर देशों को चार मुख्य श्रेणियों में विभाजित किया गया है:

- **बहुत अधिक मानव विकास:** इस श्रेणी में ऐसे देश शामिल हैं जिनका मानव विकास सूचकांक 0.800

कर दर (Tax Rate) राजकोषीय नीति का उपकरण है, मौद्रिक नीति का नहीं। अतः (D) सही उत्तर है।

88. (D): नवजात शिशु मृत्यु दर की परिभाषा के अनुसार जन्म के बाद प्रथम 28 दिन पूरे होने से पहले हुई मृत्यु को नवजात मृत्यु कहते हैं। यह स्वास्थ्य सेवाओं की उपलब्धता, मातृ पोषण और प्रसव पूर्व देखभाल की गुणवत्ता का एक महत्वपूर्ण संकेतक है।

89. (A): कालक्रमः

(*c*) द्वितीय पंचवर्षीय योजना 1956 में आरंभ।

(*b*) भारत में बैंकों का राष्ट्रीयकरण प्रथम चरण 1969 में।

(*e*) भारतीय निर्यात-आयात बैंक (Exim Bank) की स्थापना 1982 में।

(*d*) भारतीय लघु उद्योग विकास बैंक (SIDBI) की स्थापना 1990 में।

(*a*) FRBM अधिनियम 2003 मे।

क्रमः (*c*) 1956, (*b*) 1969, (*e*) 1982, (*d*) 1990, (*a*) 2003।

90. (A): कार्यदक्षता मजदूरी सिद्धांत (Efficinecy Wage Theory) जैनेट येलेन और जोसेफ स्टिग्लिट्ज सहित कुछ आधुनिक अर्थशास्त्रियों ने विकसित किया। इस सिद्धांत के अनुसार यदि फर्में मजदूरों को अधिक (कार्यदक्षता मजदूरी) का भुगतान करती हैं, तो श्रमिकों की उत्पादकता, स्वास्थ्य, प्रेरणा एवं निष्ठा बढ़ती है और इससे कुल लागतों गें कमी अथना कुल उत्पादन में वृद्धि हो सकती है।

91. (A): आकृति में दिखाया गया है कि एकाधिकार के अंतर्गत उत्पादित मात्रा (Q_m) प्रतिस्पर्धी उत्पादन मात्रा (Q_c) से कम होती है। यदि हम पर्यावरणीय प्रभाव को मात्रात्मक उत्पादन से जोड़ें, तो अधिक उत्पादन का अर्थ अधिक संसाधनों का दोहन, अधिक अपशिष्ट, अधिक प्रदूषण हो सकता है। अतः कम उत्पादन वाली परिस्थिति (एकाधिकार) तुलनात्मक रूप से कम पर्यावरणीय क्षति पहुँचा सकती है। इस प्रकार, एकाधिकार उत्पादन, जो Q_m है और Q_c से छोटा है, अपेक्षाकृत कम संसाधनों का उपयोग करेगा और कम अपशिष्ट उत्पन्न करेगा। अतः एकाधिकार उत्पादन अपेक्षाकृत अधिक पर्यावरण अनुकूल माना जा सकता है।

92. (B): उच्चतर कीमत (P_c से P_m) के कारण उत्पादक को अतिरिक्त लाभ (उत्पादक अधिशेष) प्राप्त होता है। उपभोक्ता से उत्पादक को स्थानांतरित होने वाला अधिशेष मुख्यतः क्षेत्र A द्वारा दर्शाया जाता है। किन्तु कम उत्पादन के कारण उत्पादक कुछ संभावित लाभ (जो अधिक मात्रा बेचने से प्राप्त होता) खो देता है, इसे क्षेत्र C द्वारा दर्शाया गया है। अतः उत्पादक को जो शुद्ध लाभ प्राप्त होता है, वह A (उपभोक्ता से उत्पादक की ओर गया लाभ) से C (कम उत्पादन के कारण खोया गया संभावित लाभ) को घटाने पर मिलता है। अतः उत्पादक लाभ = A − C।

93. (B): जब कीमत P_c से बढ़ाकर P_m की जाती है, उपभोक्ता अधिशेष में कमी आती है। उपभोक्ता अधिशेष की हानि दो भागों में बँटी होती हैः

1. A क्षेत्रः वह भाग जो अब उत्पादक अधिशेष के रूप में उत्पादक को स्थानांतरित हो जाता है।
2. B क्षेत्रः वह भाग जो मृतभार हानि (Deadweight Loss) का हिस्सा बन जाता है, पर उत्पादक को नहीं मिलता।

C भाग उत्पादक की हानि से संबंधित था, न कि उपभोक्ता के सीधे नुकसान से। उपभोक्ता का कुल घाटा A और B दोनों क्षेत्रों का योग है।

94. (D): एकाधिकार शक्ति के कारण अर्थव्यवस्था में एक मृतभार हानि (Deadweight Loss) उत्पन्न होती है। यह वह हानि है जो न तो उपभोक्ता को मिलती है और न ही उत्पादक को, बल्कि कुल सामाजिक कल्याण से बाहर हो जाती है। चित्र में मृतभार हानि दो त्रिभुजों B और C द्वारा दर्शाई गई है। अतः कुल भार घाटा = B + C।

95. (C): उच्चतर कीमत लगाने से उत्पादक को A नामक भाग का अधिशेष मिलता है, जो मूलतः उपभोक्ता से स्थानांतरित हुआ अतिरिक्त भुगतान है। परंतु, कम

उत्पादन ($Q_m < Q_c$) के कारण उत्पादक कुछ संभावित लाभ खो देता है, जिसे C नामक भाग दर्शाता है। इस प्रकार उत्पादक को A लाभ मिलता है, लेकिन साथ ही उतना ही C के बराबर घाटा भी होता है। परिणामतः शुद्ध परिवर्तन A – C होता है। इस विश्लेषण के अनुरूप सही विकल्प वह है जिसमें उत्पादक को लाभ A के रूप में और घाटा C के रूप में प्रदर्शित किया गया है।

96. (C): दिए गए आँकड़ों के अनुसार प्राप्तियाँ, व्यय, सकल घरेलू उत्पाद (GDP), और चालू खाते का घाटा (CAD) ज्ञात हैं। यहाँ द्वियुग्म घाटा (Twin Deficit) से अभिप्राय राजकोषीय घाटा (Fiscal Deficit) और चालू खाते के घाटे (Current Account Deficit) के योग से है।

सबसे पहले राजकोषीय घाटा निकालना आवश्यक है। कुल प्राप्तियाँ 400 करोड़ रुपये (राजस्व 250 करोड़ + पूँजीगत 150 करोड़) और कुल व्यय 400 करोड़ रुपये (राजस्व व्यय 300 करोड़ + पूँजीगत व्यय 100 करोड़) है। परंतु पूँजीगत प्राप्तियों में 100 करोड़ रुपये उधारियों और अन्य देयताओं के रूप में शामिल हैं, जो राजकोषीय घाटा दर्शाती हैं, क्योंकि अगर इन्हें हटाया जाए तो बिना ऋण के कुल प्राप्तियाँ 300 करोड़ (250 राजस्व + 50 पूँजी का अन्य भाग) ही हैं और कुल व्यय 400 करोड़ हैं, अतः 100 करोड़ का अंतर उधारी द्वारा पूरा किया गया, जो कि राजकोषीय घाटा है। चालू खाते का घाटा (CAD) = 50 करोड़ रुपये दिया हुआ है।

द्वियुग्म घाटा = राजकोषीय घाटा + चालू खाते का घाटा

= 100 + 50

= 150 करोड़ रुपये

GDP = 2000 करोड़ रुपये

द्वियुग्म घाटा/GDP × 100

= (150/2000) × 100

= 7.5%।

97. (D): प्राथमिक घाटा (Primary Deficit)

= राजकोषीय घाटा – ब्याज अदायगी

ऊपर से राजकोषीय घाटा = 100 करोड़ रुपये।

ब्याज अदायगी = 90 करोड़ रुपये।

प्राथमिक घाटा = 100 – 90 = 10 करोड़ रुपये

GDP = 2000 करोड़ रुपये

प्राथमिक घाटा/GDP ×100

= (10/2000) × 100 = 0.5%।

98. (C): प्रभावी राजस्व घाटा (Effective Revenue Deficit) = राजस्व घाटा – पूँजीगत परिसंपत्ति निर्माण हेतु अनुदान।

राजस्व घाटा = राजस्व व्यय – राजस्व प्राप्ति

= 300 – 250

= 50 करोड़ रुपये।

पूँजीगत परिसंपत्ति निर्माण हेतु अनुदान = 20 करोड़ रुपये।

प्रभावी राजस्व घाटा = 50 – 20

= 30 करोड़ रुपये

GDP = 2000 करोड़ रुपये

(30/2000) × 100 = 1.5%।

99. (A): राजकोषीय घाटा पहले ही ज्ञात किया जा चुका है = 100 करोड़ रुपये।

GDP = 2000 करोड़ रुपये।

राजकोषीय घाटा प्रतिशत (FD/GDP × 100)

= (100/2000) × 100

= 5%.

100. (A): राजस्व घाटा = राजस्व व्यय – राजस्व प्राप्ति

= 300 – 250 = 50 करोड़ रुपये

GDP = 2000 करोड़ रुपये

राजस्व घाटा/GDP × 100

= (50/2000) × 100

= 2.5%.

पिछले प्रश्न-पत्र

National Testing Agency (NTA)

UGC-NET जूनियर रिसर्च फैलोशिप तथा सहायक प्राध्यापक पात्रता परीक्षा

अर्थशास्त्र, दिसम्बर-2023

(Exam held on 12-12-2023)

प्रश्न-पत्र-II

1. मौद्रिक नीति ढाँचे (फ्रेमवर्क) को संशोधित और सशक्त करने के उद्देश्य से सन् 2013 में आर.बी.आई. द्वारा स्थापित की गई विशेषज्ञ समिति के अध्यक्ष कौन थे?

A. रघुराम राजन B. उर्जित पटेल
C. दीपक मोहन्ती D. माइकेल पात्रा

2. सन् 2016 में आर.बी.आई. द्वारा अपनाए गए मौद्रिक नीति के नम्य स्फीति लक्ष्यांकन परितंत्र के अन्तर्गत, स्फीति के लिए लक्ष्य दर की सीमा/परास क्या है?

A. $(4 \pm 2)\%$ B. $(5 \pm 2)\%$
C. $(3 \pm 2)\%$ D. $(2 \pm 2)\%$

3. n प्रेक्षणों का उपयोग करके अन्तःखण्ड व अन्य k स्वतंत्र चरों पर निर्भर चर के समाश्रयण (रिग्रेशन) के मामले में, समाश्रयण की सम्पूर्ण सार्थकता के लिए F परीक्षण में अंश और हर की स्वतंत्रता की कोटियाँ क्रमशः क्या होंगी?

A. $k-1, n-k$ B. $k, n-k-1$
C. $k-1, n-k-1$ D. $k, n-k$

4. माना कि व्यक्ति की आय X_i है और इस व्यक्ति के एक घर का स्वामी बनने की घटना Y_i है। $P_i = \text{prob}(Y_i = 1 | X_i)$ और $Z_i = \beta_1 + \beta_2 X_i$, लॉजिट मॉडल के लिए निम्नलिखित में से कौन-सा सही है?

A. $P_i = \dfrac{1}{1-e^{-Z_i}}$ B. $P_i = \dfrac{1}{1+e^{Z_i}}$

C. $P_i = \dfrac{1}{1+e^{-Z_i}}$ D. $P_i = \dfrac{1}{1-e^{Z_i}}$

5. यदि X पर Y के समाश्रयण (रिग्रेशन) में आकलित ढाल गुणांक $\hat{\beta}$ है, तो 10X पर 5Y के समाश्रयण में आकलित ढाल गुणांक क्या होगा?

A. $5\hat{\beta}$ B. $10\hat{\beta}$

C. $2\hat{\beta}$ D. $0.5\hat{\beta}$

6. निम्नलिखित परीक्षणों में से किसमें शून्य परिकल्पना के तौर पर स्थिरता (स्टेशनेरिटी) है?

A. ADF परीक्षण
B. फिलिप्स पेरोन परीक्षण
C. ERS परीक्षण
D. KPSS परीक्षण

7. दो चरों X और Y का उपयोग करके आकलित एक वार (VAR) मॉडल के लिए, X के समीकरण में Y की पश्चताएँ संयुक्त रूप से सार्थक हैं। परन्तु Y के समीकरण में X की पश्चताएँ संयुक्त रूप से सार्थक नहीं हैं। इससे आप क्या निष्कर्ष निकाल सकते हैं?

A. X और Y के बीच कोई ग्रेन्जर कारण संबंध नहीं है।
B. X और Y के बीच द्विदिशीय ग्रेन्जर कारण संबंध है।
C. X, Y का ग्रेन्जर कारण है, लेकिन Y, X का ग्रेन्जर कारण नहीं है।
D. Y, X का ग्रेन्जर कारण है, लेकिन X, Y का ग्रेन्जर कारण नहीं है।

8. माना कि भारत गृह देश है और यूएसए विदेश है। भारत और यूएसए में ब्याज दरें क्रमशः 6% और 4% हैं। यू.एस. डॉलर की विनिमय दर आज ₹ 80 है और एक वर्ष में इसके ₹ 84 तक बढ़ जाने की अपेक्षा है। अनाच्छादित ब्याज अन्तरपणन समता शर्त के अनुसार निम्नलिखित में से कौन सत्य है?

A. पूँजी का प्रवाह भारत की अर्थव्यवस्था में होगा।

B. पूँजी का प्रवाह भारत की अर्थव्यवस्था से बाहर की ओर होगा।

C. कोई पूँजी प्रवाह नहीं होगा।

D. दी गई सूचना के आधार पर नहीं बताया जा सकता।

9. $\ln Y_i = \alpha + \beta X_i + Y_i$ के मॉडल में, जहाँ ln प्राकृतिक लघुगणक (लॉग) है, X के संदर्भ में Y की प्रत्यास्थता (लोच) को निम्न से दर्शाया जा सकता है :

A. β B. βX_i

C. $\frac{\beta}{Y_i}$ D. $\beta\frac{X_i}{Y_i}$

10. किसी अर्थव्यवस्था में वर्ष 2015 से 2020 के दौरान जी.डी.पी., $ 990 PPP से बढ़कर $ 1080 PPP हो गया। वृद्धिगत (इंक्रीमेंटल) पूँजी उत्पाद अनुपात 2.5 है निवेश की दर है :

A. 27.8 प्रतिशत B. 22.5 प्रतिशत

C. 3.9 प्रतिशत D. 19.5 प्रतिशत

11. निम्नलिखित में कौन-सा आयाम HPI - 2 (मानवीय गरीबी सूचकांक 2) में शामिल है?

A. लैंगिक असमानताएँ B. वित्तीय समावेशन

C. सामाजिक समावेशन D. आर्थिक समावेशन

12. सोलो अवशिष्ट है :

A. उत्पादकता की वृद्धि दर तथा आदानों की वृद्धि दर में अन्तर

B. उत्पाद की वृद्धि दर तथा बचत की वृद्धि दर में अन्तर

C. उत्पाद की वृद्धि दर तथा आदानों की वृद्धि दर में अन्तर

D. उपभोग के स्वर्णिम नियम स्तर तथा उपभोग के सुस्थिर अवस्था (Steady State) स्तर में अंतर

13. गिनी गुणांक, जिसे आय की असमानता के माप के रूप में व्यापक रूप से प्रयुक्त किया जाता है, निम्नानुसार परिभाषित किया गया है :

A. $\frac{1}{n^2\mu}\sum_{i}^{n}\sum_{j\le 1}(y_i - y_i)$

B. $\frac{2}{n^2\mu}\sum_{i}^{n} i\, y_i - \left[\frac{n+1}{n}\right]$

C. $\frac{2}{n\mu}\frac{\sum_{i}^{n} i\, y_i}{\sum_{i}^{n} y_i} - \left[\frac{n+1}{n}\right]$

D. $\frac{1}{n^2\mu}\sum_{i=1}^{n}\sum_{j=1}^{n}|(y_i - y_j)|$

14. अंतर्जात वृद्धि सिद्धांत की मान्यता है :

A. पैमाने के वृद्धिमान प्रतिफल तथा पूर्ण प्रतियोगिता

B. पैमाने के ह्रासमान प्रतिफल तथा पूर्ण प्रतियोगिता

C. पैमाने के वृद्धिमान प्रतिफल तथा अपूर्ण प्रतियोगिता

D. पैमाने के ह्रासमान प्रतिफल तथा अपूर्ण प्रतियोगिता

15. मान लीजिए कि आप समष्टि माध्य के बारे में शून्य परिकल्पना Ho: $\mu = \mu_0$ का परीक्षण, $H_1 : \mu > \mu_0$, के विरुद्ध कर रहे हैं जहाँ समष्टि प्रसरण दिया हुआ है। परीक्षण प्रतिदर्शज का गणना से प्राप्त मान Zc है। इस परीक्षण हेतु *p*-मान क्या है जहाँ Φ() मानक प्रसामान्य वितरण हेतु संचयी वितरण फलन है :

A. Φ(Zc) B. Φ(Zc/2)

C. 1 – Φ(Zc) D. 1 – Φ(Zc/2)

16. परीक्षण की शक्ति का अर्थ है :

A. प्रकार I त्रुटि B. प्रकार II त्रुटि

C. 1–प्रकार II त्रुटि D. 1–प्रकार I त्रुटि

17. माध्य μ तथा प्रसरण σ^2 वाली किसी समष्टि से *n* आकार वाले एक यादृच्छिक प्रतिदर्श हेतु प्रतिदर्श माध्य के प्रत्याशित मान व प्रसरण निम्नलिखित हैं :

A. $E(\bar{x}) = \mu$ $\quad Var(\bar{x}) = \sigma^2 / n$

B. $E(\bar{x}) = n\mu$ $\quad Var(\bar{x}) = n\sigma^2$

C. $E(\bar{x}) = \mu$ $\quad Var(\bar{x}) = \sigma^2$

D. $E(\bar{x}) = \mu$ $\quad Var(\bar{x}) = n/\sigma^2$

18. मार्च 2023 में किसी देश का वर्ष 1982 के आधार सूचकांक 100 वाला उपभोक्ता मूल्य सूचकांक (CPI) 234.7 था। इसका अर्थ है कि सेवाओं तथा वस्तुओं की बाजार-टोकरी (मार्केट बास्केट) खरीदने की लागत :

A. वर्ष 1982 से 134.7% घट गई है।

B. वर्ष 1982 से 34.7% बढ़ गई है।

C. वर्ष 1982 से 234.7% बढ़ गई है।

D. वर्ष 1982 से 134.7% बढ़ गई है।

19. उत्पादन फलन $q = x + y$ पर विचार कीजिए, जहाँ x और y दो आगत हैं। यदि आगत मूल्य क्रमशः w_x और w_y हैं और $w_x > w_y$ (मान लीजिए), तो लागत फलन C(q) क्या होगा?

A. $C(q) = w_x q$

B. $C(q) = w_y q$

C. $C(q) = (w_x + w_y)q$

D. $C(q) = \min\{w_x, w_y\}\sqrt{q}$

20. मान लीजिए कि उत्पादन के स्तर q के उत्पादन का लागत फलन $C(w, r, q)$ है जहाँ $C(w, r, q)$ $= q\left(\frac{w}{\alpha} + \frac{r}{\beta}\right)$ जहाँ w तथा r दो आगतों पूँजी (k) तथा श्रम (l) की क्रमशः मजदूरी लागत तथा किराया लागत है। k व l का उत्पादन फलन q क्या होगा?

A. $q = \alpha k + \beta l$ B. $q = [k^\alpha + l\beta]^r$

C. $q = \min(\alpha l, \beta k\}$ D. $q = A(k^\alpha \bullet l^\beta)$

21. यदि $f(x, y)$ डिग्री 2 का समजाती (homogeneous) फलन है तथा $f'(2, 3) = 4$ और $f'(4, 6) = 12$ तो $f(6, 9)$ ज्ञात कीजिए।

A. 117 B. 234

C. 115 D. 243

22. यदि औसत राजस्व फलन $AR = 10 + 5q - q^2$ है, तो सीमांत राजस्व फलन है :

A. उत्तल फलन

B. अवतल फलन

C. अवतल तथा उत्तल दोनों फलन हो सकते हैं

D. दुर्बलतः अवतल फलन

23. मान लीजिए एक उपभोक्ता का उपयोगिता फलन $u(x) = 10\sqrt{x}$ है, जहाँ x उपभोक्ता की मुद्रा आय है। मान लीजिए उपभोक्ता की प्रारंभिक स्थायी निधि ₹ 50 है। मान लीजिए उसे कुछ यादृच्छिक घटना के लिए 0.5 की प्रायिकता के साथ ₹ 25 की हानि हो सकती है। मान लीजिए वह एक बीमा पॉलिसी के लिए p प्रीमियम का भुगतान करती है जिससे कि यदि उसे हानि होती है तो उसकी पूर्णतः प्रतिपूर्ति हो जाएगी। हानि के विरुद्ध सुरक्षित होने के लिए वह कितने प्रीमियम का भुगतान करना चाहेगी?

A. 12.50 B. 13.57

C. 11.59 D. 14.41

24. यदि $f(.)$ एक बंद और परिबद्ध अंतराल $[a, b]$ पर एक संतत फलन है, तो $[a, b]$ में एक बिंदु d होगा, जहाँ $f(.)$ न्यूनतम होगा और $[a, b]$ में एक बिंदु c होगा जहाँ $f(.)$ अधिकतम होगा, जिससे कि $f(d) \le f(x) \le f(c)$, $[a, b]$ में सभी x के लिए। यह कथन _______ से लिया गया है।

A. मध्यवर्ती मान प्रमेय B. रोल प्रमेय

C. माध्य मान प्रमेय D. चरम मान प्रमेय

25. उपभोक्ता के केवल दो वस्तुओं अर्थात् $X \varepsilon R^2_+$, पर आधारित वरण पर विचार कीजिए जहाँ X उन सभी वस्तु समूहों का समुच्चय है जिनकी उपभोक्ता कल्पना कर सकता है। मान लीजिए कि x और y दो भिन्न वस्तु समूह हैं और उपभोक्ता का आयव्ययक समुच्चय (बजट सेट) B, निम्न प्रकार लिखा जा सकता है :

$$B = \{(x, y) : p_1 x + p_2 y \le M\};\ x_i > 0,\ i = 1, 2.$$

निम्नलिखित में से कौन-सा कथन सत्य है?

A. आयव्ययक समुच्चय एक खुला परिबद्ध और उत्तल समुच्चय है।

B. आयव्ययक समुच्चय एक परिबद्ध समुच्चय नहीं है।

C. आयव्ययक समुच्चय एक बंद व गैर-उत्तल समुच्चय है।

D. आयव्ययक समुच्चय एक बंद परिबद्ध और उत्तल समुच्चय है।

26. एक बरट्रेन्ड (Bertrand) पर विचार कीजिए जहाँ दो कंपनियाँ एक समरूप वस्तु निर्मित करती हैं। मान लीजिए कि बाजार माँग वक्र $y = y_1 + y_2 = 1 - p$ है, जहाँ p संबद्ध बाजार मूल्य है और y उस मूल्य पर माँगी गई कुल मात्रा है। y_1 और y_2 क्रमशः कंपनी (1) और (2) के उत्पादन स्तर हैं। $i = 1, 2$ के लिए मान लीजिए कंपनी का लागत फलन $C(y_i) = \frac{1}{2} y_i$ है। मूल्य खेल के नियम इस प्रकार हैं : प्रत्येक फर्म को एक साथ अंतराल [0, 1] में एक मूल्य उद्धृत करना होगा। यदि मूल्य अलग होते हैं तो कम मूल्य वाली कंपनी उस मूल्य पर माँगी गई सभी इकाइयों को बेच देगीं यदि वे समान मूल्य निर्धारित करते हैं तो उस मूल्य पर माँगी गई मात्रा दोनों कंपनियों में बराबर बंटेगी। संतुलन मूल्य और मात्राएँ क्या होगी?

A. $P_1 = P_2 = 1; Y_1 = Y_2 = \frac{1}{2}Y;$
बहु नैश संतुलन में से एक है।

B. $P_1 = P_2 = \frac{1}{2}; Y_1 = Y_2 = \frac{1}{2}Y;$
अद्वितीय नैश संतुलन है।

C. $P_1 > P_2 = \frac{1}{2}; Y_1 = 0, Y_2 = Y;$
बहु नैश संतुलन में से एक है।

D. $P_1 < P_2 = \frac{1}{2}; Y_1 = Y, Y_2 = 0;$
बहु नैश संतुलन में से एक है।

27. मान लीजिए कि लागत फलन

$$C(w_1, w_2, y) = y\left(w_1 + \sqrt{w_1 w_w} + w_2\right),$$

जहाँ w_1 तथा w_2 दो आदानों के मूल्य हैं जिनका उपयोग y उत्पाद के उत्पादन में किया गया है। लागत फलन $C(w_1, w_2, y)$ का निम्नलिखित में से कौन-सा गुण सही है?

A. लागत फलन $C(w_1, w_2, y)$, w_1 व w_2 में मोनोटॉन, अवतल तथा सतत (कन्टीन्यूअस) फलन है।

B. लागत फलन $C(w_1, w_2, y)$, w_1 तथा w_2 में गैर-मोनोटॉन, अवतल तथा सतत (कन्टीन्यूअस) फलन है।

C. लागत फलन w_1 तथा w_2 में सतत है तथा y में असतत है।

D. लागत फलन एक सतत फलन है तथा कोटि 0 में समाघात (homogeneous) फलन है।

28. मकड़जाल मॉडल के लिए माँग और आपूर्ति फलन इस प्रकार है :

$$Q_t^d = 19 - 6P_t \quad \text{और} \quad Q_t^5 = 6P_{t-1} - 5$$

अन्तरकालिक संतुलन कीमत और संतुलन की प्रकृति के बारे में सही उत्तर का चयन कीजिए।

A. $\overline{P} = 2$, विस्फोटक दोलन

B. $\overline{P} = 2$, एक रूप दोलन

C. $\overline{P} = 3$, अवमंदित दोलन

D. $\overline{P} = 3$, एक रूप दोलन

29. दो खिलाड़ियों को, जो कि अच्छे दोस्त हैं, के प्रतिफलों पर विचार कीजिए। वे या तो दीवाली की खरीददारी कर सकते हैं या क्रिकेट का विश्व कप मैच देख सकते हैं।

उनके लिए निम्नलिखित में से क्या सत्य है?

		खिलाड़ी 1	
		दीवाली खरीददारी	विश्व कप देखना
खिलाड़ी 2	दीवाली खरीददारी	(2, 1)	(0, 0)
	विश्व कप देखना	(0, 0)	(1, 2)

A. उनके लिए कोई 'नैश' सन्तुलन नहीं है
B. केवल एक 'नैश' संतुलन है, जहाँ खिलाड़ी 1 दिवाली की खरीददारी करने जाता है और खिलाड़ी 2 विश्व कप मैच देखता है।
C. चारों संयुग्मों (काम्बिनेशन) में से कोई भी नैश सन्तुलन हो सकता है।
D. दो नैश सन्तुलन हैं।

30. दो पूर्णतः पूरक वस्तुओं के मामले में, निम्नलिखित में से क्या सत्य नहीं है?
A. प्रतिस्थापन (सबस्टीट्यूशन) प्रभाव शून्य होता है।
B. अनधिमान वक्र सीधी रेखाएँ होती हैं।
C. अनधिमान वक्र L आकार के होते हैं।
D. इन वस्तुओं की माँग हमेशा स्थिर अनुपात में होती है।

31. यदि $A = \begin{bmatrix} 2 & 3 \\ 0 & 4 \end{bmatrix}$ और $B = \begin{bmatrix} 2 & 0 \\ 1 & 5 \end{bmatrix}$ है,

तो निम्नलिखित में से कौन सत्य **नहीं** है?

A. $A^T B = \begin{bmatrix} 4 & 0 \\ 10 & 20 \end{bmatrix}$

B. $(A+B)^T = \begin{bmatrix} 4 & 1 \\ 3 & 9 \end{bmatrix}$

C. $A^T B = \begin{bmatrix} 0 & 4 \\ 10 & 20 \end{bmatrix}$

D. $A^T B^T = \begin{bmatrix} 4 & 2 \\ 6 & 23 \end{bmatrix}$

32. सन् 2011 की जनगणना के अनुसार भारत का कौन-सा प्रमुख राज्य सर्वाधिक शहरीकृत है?
A. महाराष्ट्र B. पंजाब
C. कर्नाटक D. तमिलनाडु

33. श्रम की माँग व आपूर्ति के एक बाजार में, सन्तुलन (इक्विलिब्रियम) मजदूरी w^* है। सरकार न्यूनतम मजदूरी का निर्माण w' पर करती है। निम्नलिखित में से कौन-सा कथन सत्य है?
A. यदि $w' > w^*$ हो तो श्रमिकों के अस्थायीकरण (केजुअलाइजेशन) में वृद्धि होगी जहाँ मजदूरों को ज्यादा लाभ नहीं मिलेंगे।
B. यदि $w' > w^*$ है तो बाजार w' पर एक नए संतुलन की ओर प्रवृत्त होगा तथा अन्य कोई परिवर्तन नहीं होंगे।
C. यदि $w' < w^*$ हो तो मजदूरों के अस्थायीकरण की प्रवृत्ति बढ़ेगी।
D. यदि $w' = w^*$ नहीं होगा तो ऐसे कानून को लागू करना असंभव होगा।

34. दिए गए चित्र में, एक बाजार में DD माँग वक्र है और SS आपूर्ति वक्र है। निम्नलिखित में से सही उत्तर का चयन कीजिए।

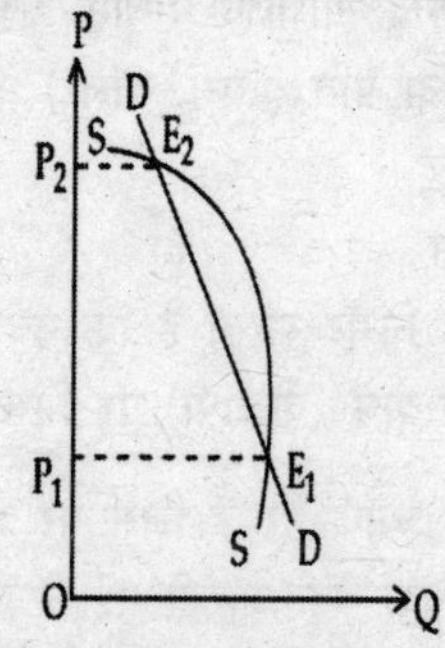

A. कोई स्थिर संतुलन नहीं है।
B. E_2 एक स्थिर सन्तुलन है, हालाँकि E_1 एक अस्थिर सन्तुलन है।
C. E_1 एक स्थिर सन्तुलन है, हालाँकि E_2 एक अस्थिर सन्तुलन है।
D. E_1 और E_2 दोनों स्थिर सन्तुलन हैं।

35. यदि किसी अर्थव्यवस्था का राजस्व घाटा जीडीपी का 3%, प्राथमिक घाटा जीडीपी का 2% और राजकोषीय घाटा जीडीपी का 7% हो, तो उस अर्थव्यवस्था के पूँजीगत व्यय और जीडीपी का अनुपात होगा :
A. जीडीपी का 5% B. जीडीपी का 1%
C. जीडीपी का 4% D. जीडीपी का 2%

36. यदि ब्याज दर किसी देश के केंद्रीय बैंक द्वारा बहिर्जात रूप से निर्धारित की जाती है तथा मुद्रा की आपूर्ति अंतर्जात रूप से निर्धारित होती है, तो ब्याज दर आय समतल में एल-एम वक्र होगा :
A. धनात्मक ढालवाला B. ऋणात्मक ढालवाला
C. क्षैतिज D. ऊर्ध्वाधर

37. राजकोषीय घाटे तथा जीडीपी का अनुपात उच्चतर होने के फलस्वरूप मुद्रास्फीति अवश्य होगी यदि अर्थव्यवस्था निम्नलिखित स्थिति में है :

A. माँग द्वारा सीमित स्थिति

B. पूर्ति द्वारा सीमित स्थिति

C. माँग और पूर्ति दोनों द्वारा सीमित स्थिति

D. ना माँग द्वारा सीमित स्थिति ना ही पूर्ति द्वारा सीमित स्थिति

38. यदि किसी अर्थव्यवस्था के लिए नम्य विनिमय दर के अंतर्गत, चालू खाते के घाटे में वृद्धि होती है और पूंजीगत खाते के अधिशेष में वृद्धि होती है, तो विनिमय दर (देशी मुद्रा प्रति यू.एस. डॉलर) में क्या होगा?

A. मूल्यवृद्धि

B. मूल्यह्रास

C. इस पर निर्भर करता है कि उच्चतर कौन-सा है

D. भुगतान शेष (बीओपी) पर निर्भर नहीं करता है

39. रेपो दर वह ब्याज दर है जिस पर :

A. वाणिज्यिक बैंक आरबीआई से उधार लेते हैं।

B. वाणिज्यिक बैंक अन्य वाणिज्य बैंकों से उधार लेते हैं।

C. वाणिज्यिक बैंक आरबीआई में धन जमा करते हैं।

D. आम जनता आरबीआई में धन जमा करती है।

40. अत्यधिक अनैच्छिक बेरोजगारी वाली किसी अर्थव्यवस्था में वास्तविक मजदूरी श्रम आपूर्ति समतल में समग्र श्रम आपूर्ति वक्र निम्न प्रकार का होगा :

A. धनात्मक ढालवाला   B. ऊर्ध्वाधर

C. क्षैतिज   D. ऋणात्मक ढालवाला

41. विश्व भूख सूचकांक (डब्ल्यू.एच.आई.) में शामिल है :

(*a*) $\frac{1}{3}$ भारिता सहित बाल मृत्यु दर

(*b*) $\frac{1}{3}$ भारिता सहित बाल अप्त विकास (Child stunting)

(*c*) $\frac{1}{3}$ भारिता युक्त अल्प पोषण

(*d*) $\frac{1}{6}$ भारिता सहित बाल क्षीणता (child wasting)

(*e*) $\frac{1}{6}$ भारिता युक्त बाल मृत्यु दर

नीचे दिए गए विकल्पों में से **सही उत्तर** का चयन कीजिए :

A. केवल (*a*), (*b*) और (*c*)

B. केवल (*a*), (*c*) और (*d*)

C. केवल (*b*), (*c*) और (*e*)

D. केवल (*d*) और (*e*)

42. निम्नलिखित में से कौन-से कथन रैखिक प्रायिकता मॉडल (लिनियर प्रॉबेबिलिटी मॉडल) के लिए सत्य नहीं हैं?

(*a*) व्याख्यात्मक चर X के मान की शर्त पर आधारित किसी घटना के घटित होने की सशर्त प्रायिकता X का एक रैखिक फलन होती है।

(*b*) घटना के घटित होने की सशर्त प्रायिकता का आकलित मान 0 और 1 के बीच होता है।

(*c*) त्रुटि पद प्रसरण सम होता है।

(*d*) R^2 उपयुक्तता के अच्छे होने का अच्छा माप है।

नीचे दिए गए विकल्पों में से **सही उत्तर** का चयन कीजिए :

A. केवल (*b*)

B. केवल (*b*) और (*c*)

C. केवल (*b*), (*c*) और (*d*)

D. केवल (*c*)

43. यदि Z_t शून्य माध्य (जीरो मीन) वाली एक सफेद शोर (वाइट नॉइज) प्रक्रिया है, जिसका प्रसरण σ^2 है, तो निम्नलिखित में से कौन-सी प्रक्रियाएँ I(O) है?

(*a*) $X_t = X_{t-1} + Z_t$

(*b*) $X_t = \alpha X_{t-1} + Z_t$ जहाँ $0 < \alpha < 1$

(*c*) $X_t = Z_t + Z_{t-1}$

(*d*) $X_t = 8 + X_{t-1} + Z_t$

नीचे दिए गए विकल्पों में से **सही उत्तर** का चयन कीजिए :

A. केवल (*c*)

B. केवल (*b*)

C. केवल (*b*) और (*c*)

D. केवल (*b*), (*c*) और (*d*)

44. निम्नलिखित में से कौन-से लक्षण एक दुर्बल रूप से स्थिर यादृच्छिक (स्टॉकेस्टिक) प्रक्रिया के हैं?

(*a*) माध्य समय के साथ परिवर्तनशील होता है।

(*b*) माध्य स्थिर होता है।

(*c*) प्रसरण स्थिर होता है।

(*d*) सह-प्रसरण समय के साथ अचर होता है।

नीचे दिए गए विकल्पों में से **सही उत्तर** का चयन कीजिए :

A. केवल (*b*) और (*c*)

B. केवल (*b*), (*c*) और (*d*)

C. केवल (*a*), (*c*) और (*d*)

D. केवल (*a*) और (*c*)

45. मान लीजिए कि एक अर्थव्यवस्था मध्यमकालिक संतुलन में है। अब सरकार नई कंपनियों के प्रवेश को मुश्किल बनाने हेतु एक कानून बनाती है जिसके परिणामस्वरूप विद्यमान कंपनियों की एकाधिकार शक्ति बढ़ जाती है। निम्नलिखित में से कौन-सा कथन इस परिवर्तन के लिए सही है?

(*a*) मध्यमकाल में उत्पादन स्तर निम्नतर होगा

(*b*) अल्पकाल में उत्पादन स्तर निम्नतर होगा

(*c*) मध्यमकाल में मूल्य स्तर उच्चतर होगा

(*d*) अल्पकाल में मूल्य स्तर उच्चतर होगा

नीचे दिए गए विकल्पों में से **सही उत्तर** का चयन कीजिए :

A. केवल (*a*) और (*c*)

B. केवल (*b*), (*c*) और (*d*)

C. केवल (*b*) और (*c*)

D. केवल (*a*), (*b*), (*c*) और (*d*)

46. आर.बी.आई. के तृतीय कार्य दल द्वारा सुझाए गए नवीन मौद्रिक समग्रों में से किनमें एक वर्ष या एक वर्ष से कम अवधि की सावधि जमाएँ शामिल हैं, पर एक वर्ष से अधिक की सावधि जमाएँ शामिल नहीं हैं?

(*a*) NM_0 (*b*) NM_1

(*c*) NM_2 (*d*) NM_3

नीचे दिए गए विकल्पों में से **सही उत्तर** का चयन कीजिए :

A. केवल (*a*)   B. केवल (*c*)

C. केवल (*c*) और (*d*)   D. केवल (*b*) और (*c*)

47. निम्नलिखित में से कौन-से मुद्रा बाजार के उपकरण हैं?

(*a*) 91 दिवसीय ट्रेजरी बिल

(*b*) वाणिज्यिक कागज/प्रपत्र (Commercial paper)

(*c*) बैंकों द्वारा जारी किया गया जमा का प्रमाण पत्र

(*d*) पाँच वर्ष वाले सरकारी बॉन्ड

नीचे दिए गए विकल्पों में से **सही उत्तर** का चयन कीजिए :

A. केवल (*a*)

B. केवल (*a*) और (*b*)

C. केवल (*a*), (*b*) और (*c*)

D. केवल (*b*) और (*c*)

48. भुगतान संतुलन के चालू खाते के बारे में निम्नलिखित कथनों पर विचार कीजिए तथा सही कथनों को चिह्नित कीजिए :

(*a*) चालू खाता घाटा देश के निर्यात तथा निवल अंतरण प्राप्तियों के योगफल से आयात को घटाने पर प्राप्त राशि के बराबर होता है।

(*b*) विदेशियों से कर्ज लेकर चालू खाता घाटे की पूर्ति की जा सकती है।

(*c*) विदेशियों से आस्तियाँ खरीदकर चालू खाता घाटे की पूर्ति की जा सकती है।

(*d*) यदि किसी विशेष समयावधि में भारत का चालू खाता घाटा 50 मिलियन डॉलर है, तो इसे 50 मिलियन डॉलर की निवल पूँजी अन्तर्वाह से वित्तपोषित किया जा सकता है।

नीचे दिए गए विकल्पों में से **सही उत्तर** का चयन कीजिए :

A. (*a*), (*b*), (*c*), (*d*)

B. केवल (*a*), (*b*), (*d*)

C. केवल (*a*), (*c*), (*d*)

D. केवल (*b*), (*c*), (*d*)

49. मान लीजिए कि भारत गृह देश है तथा यू.एस.ए. विदेश है। भारत में ब्याज दर 3% तथा यू.एस.ए. में 1% है। हाजिर बाजार में रुपया-यू.एस. डॉलर विनिमय दर ₹ 80 प्रति यू.एस. डॉलर है तथा तीन माह वायदा बाजार में यह ₹ 81 प्रति यू.एस. डॉलर है। निम्नलिखित में से कौन-से कथन इस स्थिति के परिणामस्वरूप होने वाले आच्छादित ब्याज अंतरपणन प्रवाह के लिए सही हैं?

(*a*) हाजिर बाजार में भारतीय रुपये का मूल्यह्रास होगा

(*b*) वायदा बाजार में भारतीय रुपये का मूल्यह्रास होगा

(*c*) भारत में ब्याज दर में गिरावट होगी

(*d*) यू.एस. में ब्याज दर में गिरावट होगी

नीचे दिए गए विकल्पों में से **सही उत्तर** का चयन कीजिए :

A. केवल (*a*) और (*b*) B. केवल (*a*) और (*c*)

C. केवल (*a*) और (*d*) D. (*a*), (*b*), (*c*) और (*d*)

50. बी.ओ.पी. का चालू खाता घाटा अनेक तरीकों से वित्तपोषित किया जा सकता है। निम्नलिखित में से कौन-से सही हैं?

(*a*) एफ.डी.आई. अंतर्वाह (प्रत्यक्ष विदेशी निवेश अंतर्वाह)

(*b*) विदेशी पोर्टफोलियो निवेश का अंतर्वाह

(*c*) अंतर्राष्ट्रीय मुद्रा कोष या विश्व बैंक से ऋण

(*d*) विदेश मुद्रा भंडार में से निकासी

नीचे दिए गए विकल्पों में से **सही उत्तर** का चयन कीजिए :

A. केवल (*a*), (*b*), (*c*) B. केवल (*b*), (*c*), (*d*)

C. (*a*), (*b*), (*c*), (*d*) D. केवल (*a*), (*c*), (*d*)

51. अन्तर्राष्ट्रीय व्यापार के विशिष्ट कारक मॉडल के संदर्भ में निम्नलिखित कथनों पर विचार कीजिए तथा सही कथनों की पहचान कीजिए।

(*a*) प्रत्येक देश के निर्यात क्षेत्र के विशिष्ट कारक व्यापार से लाभान्वित होते हैं।

(*b*) प्रत्येक देश के आयात प्रतिस्पर्धी क्षेत्र के विशिष्ट कारकों को व्यापार से क्षति होती है।

(*c*) किसी भी क्षेत्र में कार्य कर सकने वाले चल कारक व्यापार से लाभ अर्जित कर सकते हैं।

(*d*) किसी भी क्षेत्र में कार्य कर सकने वाले चल कारकों को व्यापार से हानि हो सकती है।

नीचे दिए गए विकल्पों में से **सही उत्तर** का चयन कीजिए :

A. केवल (*a*), (*c*), (*d*) B. केवल (*b*), (*c*), (*d*)

C. केवल (*a*), (*b*), (*c*) D. (*a*), (*b*), (*c*), (*d*)

52. मूल्य परिवर्तनीयता के अंतर्गत समग्र मांग (AD) के संबंध में निम्नलिखित कथनों पर विचार कीजिए तथा सही कथनों की पहचान कीजिए।

(*a*) यदि स्वायत्त निवेश में वृद्धि होती है तो AD वक्र दाहिनी तरफ स्थानान्तरित होगा।

(*b*) यदि मुक्त अर्थव्यवस्था में निवल निर्यात में वृद्धि होती है तो AD वक्र दाहिनी ओर स्थानान्तरित होगा।

(*c*) यदि मुद्रा की आपूर्ति में कमी होती है तो AD वक्र बायीं तरफ स्थानान्तरित होगा।

(*d*) LM वक्र को स्थानान्तरित करने वाली मूल्य वृद्धि के कारण AD वक्र बायीं तरफ खिसक जाता है।

नीचे दिए गए विकल्पों में से **सही उत्तर** का चयन कीजिए :

A. केवल (*a*), (*b*), (*c*) B. केवल (*b*), (*c*), (*d*)

C. केवल (*a*), (*c*), (*d*) D. (*a*), (*b*), (*c*), (*d*)

53. समष्टि अर्थशास्त्र की प्रमुख विचारधाराओं के बारे में निम्नलिखित कथनों पर विचार कीजिए और सही कथनों को चिह्नांकित कीजिए।

(*a*) केन्जीय मतावलंबी, मजदूरी और कीमत की सुनम्यता (लोच) में विश्वास करते थे और उन्होंने समग्र आपूर्ति की भूमिका को उजागर किया।

(*b*) मुद्रावादियों ने अर्थव्यवस्था तंत्र में मुद्रा की महत्ता तथा मुद्रास्फीति के विश्लेषण में प्रत्याशाओं की महत्ता को उजागर किया।

(*c*) क्लासिकी मतावलंबियों ने दृश्य हाथ (invisible hand) तथा बाजार क्रियाविधि की दक्षता में विश्वास प्रकट किया।

(*d*) नव केन्जीय विद्वान अपनी रूपरेखाओं में अपूर्ण (दोषयुक्त) बाजार की पूर्वमान्यता का प्रयोग करते हैं।

नीचे दिए गए विकल्पों में से **सही उत्तर** का चयन कीजिए :

A. केवल (*b*), (*c*), (*d*) B. (*a*), (*b*), (*c*), (*d*)

C. केवल (*a*), (*c*), (*d*) D. केवल (*a*), (*b*), (*c*)

54. पूँजी की पूर्ण गतिशीलता, कीमतों के स्थिर स्तर और नम्य विनिमय दर वाली एक अर्थव्यवस्था पर विचार कीजिए। सन्तुलन की स्थिति से आरंभ करके, मानिए कि एक मौद्रिक प्रसार हुआ। आरंभिक सन्तुलन की तुलना में नए संतुलन के लिए निम्न में से क्या सत्य है?

(*a*) उत्पादन उच्चतर होगा।

(*b*) उपभोग उच्चतर होगा।

(*c*) ब्याज की दर निम्नतर होगी।

(*d*) ब्याज की दर उच्चतर होगी।

नीचे दिए गए विकल्पों में से **सही उत्तर** का चयन कीजिए :

A. केवल (*a*)

B. केवल (*b*)

C. केवल (*a*) और (*b*)

D. केवल (*a*) और (*c*)

55. यदि $H = e^Q$ हो जहाँ $Q = Ax^{\alpha}y^{\beta}$ है, तो निम्नलिखित कथनों पर विचार कीजिए।

(*a*) α और β के सभी मानों के लिए Q एक समघातीय (homogeneous) फलन है।

(*b*) α और β के सभी मानों के लिए H एक समस्थितिक (homothetic) फलन है।

(*c*) Q केवल तब एक समघातीय फलन है, जब $\alpha + \beta = 1$

(*d*) H एक समघातीय फलन नहीं है।

(*e*) Q एक समघातीय फलन नहीं है।

नीचे दिए गए विकल्पों में से **सही उत्तर** का चयन कीजिए :

A. केवल (*a*) और (*b*)

B. केवल (*a*), (*b*) और (*d*)

C. केवल (*c*) और (*a*)

D. केवल (*e*) और (*d*)

56. $A = \begin{bmatrix} 1 & 3 \\ 2 & 8 \\ 4 & 0 \end{bmatrix}$ और $B = \begin{bmatrix} 5 \\ 9 \end{bmatrix}$

(*a*) AB को इस तरह दर्शाया जाएगा $\begin{bmatrix} 32 \\ 82 \\ 20 \end{bmatrix}$

(*b*) BA को इस तरह दर्शाया जाएगा $\begin{bmatrix} 32 & 82 & 20 \end{bmatrix}$

(*c*) AB परिभाषित नहीं है।

(*d*) BA परिभाषित नहीं है।

(*e*) A^TB परिभाषित है।

नीचे दिए गए विकल्पों में से **सही उत्तर** का चयन कीजिए :

A. केवल (*c*) और (*b*) B. केवल (*a*), (*d*), (*e*)

C. केवल (*a*) D. केवल (*a*) और (*d*)

57. अल्पकालिक लागत वक्रों के बारे में नीचे पाँच कथन दिए गए हैं।

(*a*) अल्पकालिक औसत लागत (AC) वक्र और औसत परिवर्ती लागत (AVC) वक्र, दोनों को सीमान्त लागत (MC) वक्र उनके निम्नतम बिन्दुओं पर काटता है।

(*b*) AC वक्र को MC वक्र नीचे से काटता है, लेकिन AVC वक्र के बारे में कुछ नहीं कहा जा सकता।

(*c*) मात्रा में वृद्धि के साथ-साथ कुल लागत (TC) वक्र और कुल परिवर्ती लागत (TVC) वक्र के बीच की दूरी घटती जाती है।

(*d*) औसत नियत लागत (AFC) वक्र लागत अक्ष पर अनन्तस्पर्शी (एसिम्पटोटिक) है।

(*e*) AC वक्र *u* आकार में है।

नीचे दिए गए विकल्पों में से **सही उत्तर** का चयन कीजिए :

A. केवल (*a*), (*c*), (*d*), (*e*)

B. केवल (*b*), (*c*), (*e*)

C. केवल (*a*), (*e*)

D. केवल (*d*), (*e*), (*a*)

58. शिक्षा (स्कूल में बिताए गए वर्ष S) और संज्ञानात्मक योग्यता अंक (CA) पर मजदूरी (हजार रुपयों में) के OLS समाश्रयण (रिग्रेशन) का परिणाम निम्नानुसार प्राप्त होता है।

$$\widehat{\text{wages}} = -3.36 + 0.64S + 0.15CA$$
$$(1.98) \quad (0.12) \quad (0.05)$$

इसमें (कोष्ठक) में दिए गए आँकड़े मानक त्रुटि दर्शाते हैं। व्याख्याकृत वर्गयोग 4745.75 है जिसकी स्वतंत्रता की कोटियाँ 2 हैं, और अवशिष्ट वर्गयोग 33651.28 है जिसकी स्वतंत्रता की कोटियाँ 567 है। निम्नलिखित में से कौन-सा कथन सत्य है?

(*a*) यदि CA को स्थिर रखा जाए तो एक वर्ष की स्कूली शिक्षा बढ़ाने पर प्रति घंटा मजदूरी में औसतन ₹ 640 की वृद्धि होती है।

(*b*) CA के *t* प्रतिदर्शज का मान 3 है।

(*c*) F प्रतिदर्शज को इस तरह दर्शाया जाएगा

$$F = \frac{(4745.75/2)}{(33651.28/567)}$$

(*d*) F प्रतिदर्शज को इस तरह दर्शाया जाएगा

$$F = \frac{(33651.28/567)}{(4745.75/2)}$$

नीचे दिए गए विकल्पों में से **सही उत्तर** का चयन कीजिए :

A. केवल (*a*), (*c*) B. केवल (*a*), (*b*), (*d*)
C. केवल (*a*), (*b*), (*c*) D. केवल (*a*), (*d*)

59. भारत के प्रमुख राज्यों की जनांकिकी के संबंध में निम्नलिखित कथनों को पढ़िए।

(*a*) भारत में प्रजनन संक्रमण केरल में प्रारंभ हुआ।

(*b*) बिहार में आई.एम.आर. (शिशु मृत्यु दर) ऊँची है, साथ ही साथ अस्वस्थता के बारे में कम रिपोर्ट दी जाती है।

(*c*) NFHS-5 के आंकड़ों के अनुसार प्रतिरक्षित बच्चों में उच्चतम हिस्सा उड़ीसा का था।

(*d*) सन् 2011 की जनगणना के अनुसार वरिष्ठ वय की जनसंख्या में उच्चतम हिस्सा तमिलनाडु का था।

(*e*) NFHS-5 के अनुसार अवरुद्ध ऊँचाई वाले (ठिगने) (stunted) बच्चों का उच्चतम हिस्सा मध्य प्रदेश का है।

नीचे दिए गए विकल्पों में से **सही उत्तर** का चयन कीजिए :

A. केवल (*a*), (*d*) B. केवल (*a*), (*b*), (*e*)
C. केवल (*a*), (*d*), (*e*) D. केवल (*a*), (*b*), (*c*)

60. मैट्रिक्स $A = \begin{bmatrix} 3 & 5 \\ -2 & -4 \end{bmatrix}$ पर विचार कीजिए :

निम्नलिखित विशेषतागत (characterised) बहुपद, आइगेन मानों तथा आइगेन सदिशों पर विचार कीजिए।

(*a*) विशेषतागत बहुपद है $\lambda^2 + \lambda - 2$

(*b*) विशेषतागत बहुपद है, $\lambda^2 - 2\lambda - 4$ तथा विशेषतागत मूल अथवा आइगेन मान हैं $\lambda^* = 2$ तथा 1

(*c*) विशेषतागत बहुपद है, $\lambda^2 - \lambda + 2$ तथा विशेषतागत मूल अथवा आइगेन मान है $\lambda^* = 1$ तथा 2

(*d*) विशेषतागत मूल अथवा आइगेन मान है $\lambda^* = -2$ तथा 1

नीचे दिए गए विकल्पों में से **सही उत्तर** का चयन कीजिए :

A. केवल (*a*), (*c*) और (*d*)
B. केवल (*b*) और (*d*)
C. केवल (*b*) और (*c*)
D. केवल (*a*) और (*d*)

61. मान लीजिए कि उत्पादन फलन $q = f(k, 1)$ कोटि 1 का समघात फलन है। निम्नलिखित कथनों पर विचार कीजिए।

(*a*) पूँजी तथा श्रम के सीमांत उत्पाद $\left(\frac{\partial q}{\partial k} \text{ और } \frac{\partial q}{\partial l}\right)$ कोटि 1 के समघात हैं।

(*b*) *k* तथा 1 के द्वितीय क्रम के तिर्यक सीमांत उत्पाद समान हैं $\left(i.e., \frac{\partial^2 q}{\partial l \partial k} = \frac{\partial^2 q}{\partial k \partial l}\right)$.

(*c*) ओयलर के सिद्धांत द्वारा : $\frac{\partial q}{\partial k}.k+\frac{\partial q}{\partial l}.l=q$

(*d*) ओयलर के सिद्धांत द्वारा : $\frac{\partial^2 q}{\partial k^2}.k+\frac{\partial^2 q}{\partial l^2}l=0$

नीचे दिए गए विकल्पों में से **सही उत्तर** का चयन कीजिए :

A. केवल (*a*) और (*b*)
B. केवल (*a*), (*b*) और (*c*)
C. केवल (*a*), (*c*) और (*d*)
D. केवल (*b*), (*c*) और (*d*)

62. निम्नलिखित कथनों पर विचार कीजिए :

(*a*) बंद समुच्चयों की परिमित संख्या का सम्मिलन (union) एक बंद समुच्चय है।
(*b*) रिक्त समुच्चय एक खुला समुच्चय है लेकिन बंद समुच्चय नहीं है।
(*c*) प्रत्येक अपरिमित समुच्चय एक खुला समुच्चय है।
(*d*) खुले समुच्चयों की परिमित संख्या का प्रतिच्छेदी एक खुला समुच्चय है।

नीचे दिए गए विकल्पों में से **सही उत्तर** का चयन कीजिए :

A. केवल (*a*) और (*b*) B. केवल (*b*) और (*c*)
C. केवल (*a*) और (*d*) D. केवल (*a*), (*b*) और (*c*)

63. निम्नलिखित कथनों पर विचार कीजिए :

मान लीजिए कि उपभोक्ता द्वारा चयन केवल 2 वस्तुओं पर आधारित है, अर्थात् $X \varepsilon R^2_+$, जहाँ X उपभोक्ता की कल्पना वाली सभी संभव वस्तुओं का समुच्चय है।

(*a*) तरजीह (अधिमान) की एकरूपिकता (Monotonicity) प्रबल एकरूपिकता दर्शाती है परंतु इसका विपरीत सही नहीं है।
(*b*) एक तरजीह संबंध एकरूप है यदि सभी वस्तु समूह $x, y \varepsilon X$, के लिए $y \geq x$ और $y \neq x$ तो $y \geq x$.
(*c*) X पर एक तरजीह संबंध (≥) प्रबलीय एकरूप है यदि सभी वस्तु समूह $x, y \varepsilon X$ के लिए $y > x$ और $y \neq x$ तो $y \geq x$.
(*d*) तरजीह जो कि स्थानीय रूप से अतृप्त है, एकरूपिकता और प्रबल एकरूपिकता का अनुसरण जरूर करेगी।

नीचे दिए गए विकल्पों में से **सही उत्तर** का चयन कीजिए :

A. केवल (*b*) और (*d*)
B. केवल (*a*), (*b*) और (*d*)
C. केवल (*a*), (*c*) और (*d*)
D. केवल (*a*) और (*d*)

64. निम्नलिखित कथनों पर विचार कीजिए :

(*a*) यदि दो उपयोगिता फलन $u(x)$ तथा $b(x)$, $u(x) = V(b(x))$ द्वारा संबंधित है, जहाँ $V'(.) > 0$, है, तो $V(x)$ उपयोगिता फलन $b(x)$ के समान अधिमान्यता को दर्शाता है।
(*b*) यदि दो उपयोगिता फलन एक ही अधिमान्यता दर्शाते हैं तो उपभोक्ता की उपयोगिता अधिकतम की समस्या का हल इन दो उपयोगिता फलनों के लिए समान होगा, लेकिन अप्रत्यक्ष उपयोगिता फलन भिन्न होंगे।
(*c*) यदि अधिमान्यता की स्थानीय अपरितृप्ति की मान्यता संतुष्ट होती है, तो उपभोक्ता उपयोगिता अधिकतमकरण समस्या का कोई भी हल बजट प्रतिबंध को समानता (बराबरी) के साथ संतुष्ट करता है।
(*d*) यदि $b(x)$ का अप्रत्यक्ष उपयोगिता फलन कोटि 0 का समघाती है तो $u(x) = V(b(x))$, जहाँ $V'(.) > 0$, का अप्रत्यक्ष उपयोगिता फलन कोटि 1 का एक समघातीय फलन है।

नीचे दिए गए विकल्पों में से **सही उत्तर** का चयन कीजिए :

A. केवल (*b*)
B. केवल (*a*), (*b*) और (*d*)
C. केवल (*a*), (*b*) और (*c*)
D. केवल (*b*), (*c*) और (*d*)

65. निम्नलिखित 3 बाध्यतामूलक इष्टतमीकरण समस्याओं (COP) पर विचार कीजिए :

(*i*) $z = \ln x$ को अधिकतम कीजिए $x > 1$ के अधीन
(*ii*) $z = \ln x$ को अधिकतम कीजिए $x < 1$ के अधीन

(*iii*) $z = \ln x$ को अधिकतम कीजिए $1 < x < 2$ के अधीन

(*a*) (*i*) और (*ii*) के समाधान नहीं हैं, परंतु (*iii*) का समाधान है।

(*b*) (*i*) और (*ii*) का समाधान है परंतु (*iii*) का कोई समाधान नहीं है।

(*c*) (*i*), (*ii*) और (*iii*) के समाधान नहीं हैं।

(*d*) (*i*) और (*iii*) के समाधान नहीं हैं परंतु (*ii*) का समाधान है।

नीचे दिए गए विकल्पों में से **सही उत्तर** का चयन कीजिए :

A. केवल (*a*)   B. केवल (*b*)

C. केवल (*c*)   D. केवल (*d*)

66. सूची-I के साथ सूची-II का मिलान कीजिए :

सूची-I	**सूची-II**
(*a*) रामसर सम्मेलन	I. ओजोन परत की क्षीणता
(*b*) बेसल सम्मेलन	II. ग्रीन हाउस गैस उत्सर्जन में कमी
(*c*) मॉन्ट्रियल प्रोटोकॉल	III. दलदलों का संरक्षण
(*d*) पेरिस समझौता	IV. खतरनाक अपशिष्ट के अन्तरसीमा परिवहन और निपटान पर नियंत्रण

नीचे दिए गए विकल्पों में से **सही उत्तर** का चयन कीजिए :

	(*a*)	(*b*)	(*c*)	(*d*)
A.	I	IV	III	II
B.	III	I	II	IV
C.	IV	I	III	II
D.	III	IV	I	II

67. सूची-I के साथ सूची-II का मिलान कीजिए :

सूची-I	**सूची-II**
(*a*) कोज सिद्धांत	I. संपत्ति अधिकार, पीड़ित भुगतान व प्रदूषणकर्ता भुगतान सिद्धांत
(*b*) जलवायु परिवर्तन	II. ढीला पर्यावरणीय विनिमयन, अप्रत्यक्ष अनुदान
(*c*) पारिस्थितिक क्षेपण	III. मात्रात्मक नियंत्रण
(*d*) व्यापारणीय (Tradable) उत्सर्जन परमिट	IV. वैश्विक बाह्यता

नीचे दिए गए विकल्पों में से **सही उत्तर** का चयन कीजिए :

	(*a*)	(*b*)	(*c*)	(*d*)
A.	III	IV	II	I
B.	I	IV	II	III
C.	II	I	III	IV
D.	III	IV	I	II

68. सूची-I के साथ सूची-II का मिलान कीजिए :

सूची-I	**सूची-II**
(*a*) कैनेथ एरो (Kenneth Arrow)	I. कारणात्मक संबंध का विश्लेषण
(*b*) रॉबर्ट सोलो (Robert Solow)	II. व्यावहारिक अर्थशास्त्र में मूलभूत योगदान
(*c*) डेनियल केनेमैन (Daniel Kahneman)	III. कल्याणकारी अर्थशास्त्र में मूलभूत योगदान
(*d*) जोशुआ एंग्रिस्ट (Joshua Angrist)	IV. आर्थिक वृद्धि सिद्धांत में मूलभूत योगदान

नीचे दिए गए विकल्पों में से **सही उत्तर** का चयन कीजिए :

	(*a*)	(*b*)	(*c*)	(*d*)
A.	III	IV	I	II
B.	II	I	III	IV
C.	III	IV	II	I
D.	I	IV	III	II

69. सूची-I के साथ सूची-II का मिलान कीजिए :

सूची-I	**सूची-II**
(*a*) जनांकिकीय संक्रमण	I. द्वैतवाद (ड्युलिज्म)
(*b*) विकास/वृद्धि के चरण	II. उत्कृष (टेक ऑफ)
(*c*) ग्रामीण-नगरीय प्रवासन निर्णय	III. प्रतिस्थापन दर
(*d*) महिला श्रम-शक्ति भागीदारी दर	IV. पीछे की ओर झुकता श्रम आपूर्ति वक्र

नीचे दिए गए विकल्पों में से **सही उत्तर** का चयन कीजिए :

	(a)	(b)	(c)	(d)
A.	I	II	III	IV
B.	IV	I	III	II
C.	III	II	I	IV
D.	IV	I	II	III

70. सूची-I के साथ सूची-II का मिलान कीजिए :

सूची-I (मॉडल/विधि)	सूची-II (लक्षण)
(a) लॉजिट मॉडल	I. प्रत्यास्थताएँ स्थिर होती हैं
(b) लॉग-लॉग मॉडल	II. द्विचर (बाइनरी) आश्रित चर
(c) स्व समाश्रयी (ऑटो रिग्रेसिव) मॉडल	III. प्रसरण विषमता के लिए सुधार करता है
(d) भारित न्यूनतम वर्ग	IV. आश्रित चर की पश्चताएँ (lags) सम्मिलित करता है

नीचे दिए गए विकल्पों में से **सही उत्तर** का चयन कीजिए :

	(a)	(b)	(c)	(d)
A.	II	I	III	IV
B.	I	II	IV	III
C.	I	II	III	IV
D.	II	I	IV	III

71. सूची-I के साथ सूची-II का मिलान कीजिए :

सूची-I (सिद्धांत)	सूची-II (प्रतिपादक अर्थशास्त्री)
(a) उपभोग की स्थायी आय परिकल्पना	I. टी. सार्जेंट और एन. वालेस
(b) उपभोग की जीवन चक्र परिकल्पना	II. मिल्टन फ्रीडमैन
(c) वास्तविक व्यवसाय चक्र सिद्धांत	III. फ्रैंको मोडिग्लियानी
(d) नीति निष्प्रभावित तर्कवाक्य	IV. एफ. किडलैंड और ई. प्रैस्कॉट

नीचे दिए गए विकल्पों में से **सही उत्तर** का चयन कीजिए :

	(a)	(b)	(c)	(d)
A.	III	II	I	IV
B.	III	II	IV	I
C.	II	III	IV	I
D.	II	III	I	IV

72. सूची-I के साथ सूची-II का मिलान कीजिए :

सूची-I	सूची-II
(a) अनइक्वल एक्सचेंज	I. ए. हर्शमैन
(b) द डेवलपमेन्ट ऑफ अंडरडेवलपमेंट	II. जी. मिर्डल
(c) बैकवर्ड एंड फार्वर्ड लिंकेज इफेक्ट	III. ए. इमानुएल
(d) बैकवाश इफेक्ट	IV. जी. फ्रैंक

नीचे दिए गए विकल्पों में से **सही उत्तर** का चयन कीजिए :

	(a)	(b)	(c)	(d)
A.	II	III	I	IV
B.	III	I	IV	II
C.	III	IV	I	II
D.	II	IV	III	I

73. सूची-I के साथ सूची-II का मिलान कीजिए :

सूची-I (चर)	सूची-II (वितरण (बंटन))
(a) n स्वतंत्र मानक प्रसामान्य चरों के वर्गों का योगफल	I. t वितरण
(b) एक मानक प्रसामान्य चर का का एक स्वतंत्र काई-स्क्वेयर चर (स्वतंत्रता की कोटियों से विभाजित) के वर्गमूल के साथ अनुपात	II. F वितरण
(c) दो स्वतंत्र काई स्क्वेयर चरों (उनकी स्वातंत्र्य कोटियों से विभाजित) का अनुपात	III. मानक प्रसामान्य वितरण
(d) (प्रसामान्य चर – इसका माध्य) ÷ इसका मानक विचलन	IV. काई स्क्वेयर वितरण

नीचे दिए गए विकल्पों में से **सही उत्तर** का चयन कीजिए :

	(a)	(b)	(c)	(d)
A.	I	IV	II	III
B.	IV	I	III	II
C.	I	IV	III	II
D.	IV	I	II	III

74. सूची-I के साथ सूची-II का मिलान कीजिए :

सूची-I (गुण-धर्म)	सूची-II (वक्र का प्रकार)
(*a*) निवेश ब्याज दरों के प्रति अनुत्तरदायी (असंवेदनशील) होता है	I. सापेक्षिक रूप से क्षैतिज आई.एस. वक्र
(*b*) मुद्रा की माँग ब्याज दरों के संदर्भ में पूर्णतः लोचदार होती है	II. ऊर्ध्वाधर एल.एम. वक्र
(*c*) मुद्रा की माँग ब्याज दरों के संदर्भ में पूर्णतः लोचदार होती है	III. क्षैतिज एल.एम. वक्र
(*d*) निवेश ब्याज दरों के प्रति अत्यधिक उत्तरदायी (संवेदनशील) होता है	IV. ऊर्ध्वाधर आई. एस. वक्र

नीचे दिए गए विकल्पों में से **सही उत्तर** का चयन कीजिए :

	(a)	(b)	(c)	(d)
A.	IV	III	II	I
B.	IV	II	III	I
C.	I	III	II	IV
D.	III	IV	I	II

75. सूची-I के साथ सूची-II का मिलान कीजिए :

सूची-I	सूची-II
(*a*) मुद्रा का परिमाण सिद्धांत	I. मिल्टन फ्रीडमैन
(*b*) अनैच्छिक बेरोजगारी	II. जॉन मेनर्ड केन्स
(*c*) यादृच्छिककृत परीक्षण (ट्रायल)	III. अभिजीत वी. बनर्जी
(*d*) सापेक्ष गरीबी	IV. अमर्त्य के. सेन

नीचे दिए गए विकल्पों में से **सही उत्तर** का चयन कीजिए :

	(a)	(b)	(c)	(d)
A.	I	II	III	IV
B.	IV	III	II	I
C.	III	II	I	IV
D.	III	II	IV	I

76. मौद्रिक संचरण क्रियाविधि के विनिमय दर चैनल के निम्नलिखित चरणों को, पहले से शुरू करके अंतिम की ओर के, सही क्रम में व्यवस्थित कीजिए।

(*a*) नीतिगत दर में कमी

(*b*) पूँजी बहिर्प्रवाह

(*c*) घरेलू मुद्रा का मूल्यह्रास

(*d*) शुद्ध (निवल) निर्यात में वृद्धि

नीचे दिए गए विकल्पों में से **सही उत्तर** का चयन कीजिए :

A. (*a*), (*c*), (*d*), (*b*) B. (*a*), (*d*), (*b*), (*c*)

C. (*a*), (*b*), (*c*), (*d*) D. (*a*), (*d*), (*c*), (*b*)

77. आर.बी.आई. के भूतपूर्व गवर्नरों के निम्नलिखित नामों को उनके कार्यकाल के अनुसार सबसे पुराने से सबसे नए की ओर के सही क्रम में व्यवस्थित कीजिए।

(*a*) वाई.वी. रेड्डी

(*b*) डी. सुब्बाराव

(*c*) रघुराम राजन

(*d*) उर्जित पटेल

नीचे दिए गए विकल्पों में से **सही उत्तर** का चयन कीजिए :

A. (*c*), (*b*), (*d*), (*a*) B. (*c*), (*a*), (*d*), (*b*)

C. (*a*), (*b*), (*c*), (*d*) D. (*d*), (*c*). (*a*), (*b*)

78. भारतीय वित्तीय तंत्र की निम्नलिखित घटनाओं को, प्राचीनतम से नवीनतम की ओर, सही कालक्रम में व्यवस्थित कीजिए।

(*a*) पी.एफ.आर.डी.ए. की स्थापना

(*b*) यू.टी.आई. की स्थापना

(*c*) 14 वाणिज्यिक बैंकों का राष्ट्रीयकरण

(*d*) आई.बी.सी. का क्रियान्वयन

नीचे दिए गए विकल्पों में से **सही उत्तर** का चयन कीजिए :

A. (*a*). (*b*), (*c*), (*d*)
B. (*c*), (*a*), (*b*), (*d*)
C. (*b*), (*c*), (*a*), (*d*)
D. (*a*), (*c*), (*b*), (*d*)

79. सूची-I के साथ सूची-II का मिलान कीजिए :

सूची-I	**सूची-II**
(*a*) शेफर्ड का लेमा	I. एजेंट के छुपे हुए प्रकार
(*b*) प्रतिकूल चयन	II. आवरण प्रमेय
(*c*) होटलिंग का लेमा	III. अप्रत्यक्ष उपयोगिता फलन
(*d*) रॉय की सर्वसमिका	IV. लाभ फलन

नीचे दिए गए विकल्पों में से **सही उत्तर** का चयन कीजिए :

	(*a*)	(*b*)	(*c*)	(*d*)
A.	IV	I	II	III
B.	II	I	IV	III
C.	II	I	III	IV
D.	II	IV	I	III

80. भारत में निम्नलिखित केन्द्र प्रायोजित योजनाओं पर विचार कीजिए और उन्हें उनके प्रारम्भ किए जाने के समय के अनुसार सही कालक्रम में लगाइए।

(*a*) बेटी बचाओ बेटी पढ़ाओ
(*b*) उज्ज्वला
(*c*) स्वच्छ भारत अभियान
(*d*) आयुष्मान भारत
(*e*) शिक्षा का अधिकार

नीचे दिए गए विकल्पों में से **सही उत्तर** का चयन कीजिए :

A. (*e*), (*a*), (*c*), (*b*), (*d*)
B. (*e*), (*c*), (*a*), (*b*), (*d*)
C. (*a*), (*e*), (*c*), (*b*), (*d*)
D. (*a*), (*c*), (*e*), (*d*), (*b*)

81. चाउ परीक्षण सामान्यतः यह समझने के लिए किया जाता है कि क्या समेकित आँकड़ों पर किया गया एकल प्रतिगमन आश्रित चर और स्वतंत्र चरों के समुच्चय के मध्य संबंध बताने के लिए प्रतिदर्श के दो उप-समूहों पर पृथक रूप से किए गए उसी प्रतिगमन की तुलना में अधिक दक्ष है। चाउ परीक्षण करने में अन्तर्निहित चरण है।

(*a*) समेकित सैम्पल पर प्रतिगमन मॉडल को संचलित करना और आर.एस.एस.पी. (RSS_p) का परिकलन करना
(*b*) दो उप-प्रतिदर्शों पर उसी प्रतिमान मॉडल को पृथक रूप में संचालित करना और RSS_1 तथा RSS_2 का परिकलन करना
(*c*) F प्रतिदर्शज का परिकलन
(*d*) संबंधित स्वातंत्र्य कोटियों के साथ क्रांतिक F की जांच करना और परिकलित F के साथ इसकी तुलना करना
(*e*) यदि परिकलित F, क्रांतिक F से कम हो तो H_0 को अस्वीकार न करना

नीचे दिए गए विकल्पों में से **सही उत्तर** का चयन कीजिए :

A. (*a*), (*b*), (*c*), (*d*), (*e*)
B. (*a*), (*d*), (*c*), (*b*), (*e*)
C. (*c*), (*a*), (*b*), (*d*), (*e*)
D. (*c*), (*b*), (*a*), (*d*), (*e*)

82. निम्नलिखित को उनके स्थापना के वर्ष के अनुसार, सबसे पुराने से शुरू करके, सही क्रम में लगाइए।

(*a*) लकड़ावाला समिति
(*b*) खुसरो समिति
(*c*) अलघ समिति
(*d*) नायक समिति
(*e*) तेंदुलकर समिति

नीचे दिए गए विकल्पों में से **सही उत्तर** का चयन कीजिए :

A. (*d*), (*b*), (*c*), (*a*), (*e*)
B. (*c*), (*d*), (*b*), (*a*), (*e*)
C. (*c*), (*b*), (*d*), (*a*), (*e*)
D. (*b*), (*c*), (*d*), (*e*), (*a*)

83. निम्नलिखित को सबसे पुराने से शुरू करके सही कालक्रम में लगाइए।

(*a*) बिग पुश का सिद्धांत
(*b*) पूँजी का संचयन (एकुमुलेशन)
(*c*) संचयी कारणन (कॉजेशन) का सिद्धांत
(*d*) असंतुलित वृद्धि
(*e*) श्रम की असीमित आपूर्तियों के साथ विकास

नीचे दिए गए विकल्पों में से **सही उत्तर** का चयन कीजिए :

A. (*e*), (*a*), (*c*), (*b*), (*d*)
B. (*a*), (*e*), (*b*), (*c*), (*d*)
C. (*e*), (*b*), (*a*), (*d*), (*c*)
D. (*a*), (*b*), (*e*), (*c*), (*d*)

84. समष्टि अर्थशास्त्र की निम्नलिखित विचारधाराओं को सही कालक्रम में, प्राचीनतम से नवीनतम की ओर व्यवस्थित कीजिए।

(*a*) केन्जवादी विचारधारा
(*b*) नव-शास्त्रीय (नव-क्लासिकी) विचारधारा
(*c*) शास्त्रीय (क्लासिकी) विचारधारा
(*d*) नव केन्जवादी विचारधारा
(*e*) मुद्रावादी

नीचे दिए गए विकल्पों में से **सही उत्तर** का चयन कीजिए :

A. (*a*), (*d*), (*c*), (*b*), (*e*)
B. (*e*), (*c*), (*b*), (*a*), (*d*)
C. (*c*), (*b*), (*a*), (*d*), (*e*)
D. (*c*), (*a*), (*e*), (*b*), (*d*)

85. किसी देश का केन्द्रीय बैंक एक नियत विनिमय दर बनाए रखता है जिसे विदेशी मुद्रा की प्रति इकाई की तुलना में देशी मुद्रा की इकाइयों की संख्या के रूप में परिभाषित किया जाता है। वर्तमान में विदेशी मुद्रा की तुलना में देशी मुद्रा अधिमूल्यित है। इस संदर्भ में, समता बनाए रखने के लिए केन्द्रीय बैंक द्वारा आवश्यक हस्तक्षेप को, निम्नलिखित कथनों को सही क्रम में लगाकर बताइए।

(*a*) विदेशी मुद्रा की माँग इसकी आपूर्ति से अधिक होती है।
(*b*) विनिमय दर, बाजार को क्लीयर करने वाली विनिमय दर से कम होती है।
(*c*) विदेशी मुद्रा की आपूर्ति और माँग के बीच के अन्तर को पाट दिया जाता है।
(*d*) केन्द्रीय बैंक के विदेशी मुद्रा भंडार का क्षरण होता है।
(*e*) केन्द्रीय बैंक अपने विदेशी मुद्रा के भंडार से विदेशी मुद्रा बेचता है।

नीचे दिए गए विकल्पों में से **सही उत्तर** का चयन कीजिए :

A. (*b*), (*e*), (*a*), (*d*), (*c*)
B. (*b*), (*a*), (*e*), (*d*), (*c*)
C. (*b*), (*e*), (*a*), (*c*), (*d*)
D. (*b*), (*a*), (*e*), (*c*), (*d*)

86. नीचे दो कथन दिए गए हैं :

कथन I: 2022-23 (पी.ई.) के अनुसार भारत में कृषि क्षेत्र का जी.डी.पी. वर्ष 2011-12 की स्थिर कीमतों पर समग्र जी.डी.पी. के 16% से कम है तथा प्रचलित कीमतों पर, समग्र जी.डी.पी. के 20% से कम है।

कथन II: 2022-23 (पी.ई.) के अनुसार भारत में सेवा क्षेत्र का जी.डी.पी. वर्ष 2011-12 की स्थिर कीमतों पर समग्र जी.डी.पी. के 16% से कम है तथा प्रचलित कीमतों पर समग्र जी.डी.पी. के 20% से कम है।

उपरोक्त कथन के आलोक में, नीचे दिए गए विकल्पों में से सर्वाधिक उपयुक्त उत्तर का चयन कीजिए।

A. कथन I और कथन II दोनों सत्य हैं।
B. कथन I और कथन II दोनों असत्य हैं।
C. कथन I सत्य है, लेकिन कथन II असत्य है
D. कथन I असत्य है, लेकिन कथन II सत्य है

87. नीचे दो कथन दिए गए हैं :

कथन I: जी.डी.पी. के प्रतिशत के तौर पर सामाजिक सेवाओं पर होने वाला सरकारी व्यय सन् 2017-18 से लगातार बढ़ रहा है।

कथन II: कुल व्यय के प्रतिशत के तौर पर भी सामाजिक सेवाओं पर होने वाला सरकारी व्यय सन् 2017-18 से लगातार बढ़ रहा है।

उपरोक्त कथन के आलोक में, नीचे दिए गए विकल्पों में से सर्वाधिक उपयुक्त उत्तर का चयन कीजिए।

A. कथन I और कथन II दोनों सत्य हैं।
B. कथन I और कथन II दोनों असत्य हैं।
C. कथन I सत्य है, लेकिन कथन II असत्य है
D. कथन I असत्य है, लेकिन कथन II सत्य है

88. नीचे दो कथन दिए गए हैं :

कथन I: मानव विकास लोगों के विकल्पों को बृहत्तर बनाने की प्रक्रिया है।

कथन II: मानव विकास सूचकांक (HDI) निम्नलिखित संकेतकों पर आधारित है : जन्म के समय जीवन प्रत्याशा, शिक्षा के प्रत्याशित वर्ष, शिक्षा के औसत वर्ष डॉलर पीपीपी पर प्रति व्यक्ति सकल घरेलू उत्पाद।

उपरोक्त कथन के आलोक में, नीचे दिए गए विकल्पों में से सर्वाधिक उपयुक्त उत्तर का चयन कीजिए।

A. कथन I और कथन II दोनों सत्य हैं।
B. कथन I और कथन II दोनों असत्य हैं।
C. कथन I सत्य है, लेकिन कथन II असत्य है
D. कथन I असत्य है, लेकिन कथन II सत्य है

89. नीचे दो कथन दिए गए हैं : एक अभिकथन (A) के रूप में लिखित है तो दूसरा उसके कारण (R) के रूप में है।

अभिकथन (A): किसी दिए गए यादृच्छिक प्रतिदर्श में, यदि प्रतिदर्श का आकार बहुत बड़ा हो जाता है, तो प्रतिदर्श के माध्य का वितरण प्रसामान्य वितरण की ओर प्रवृत्त होता है।

कारण (R): केन्द्रीय सीमा प्रमेय (सेन्ट्रल लिमिट थ्योरम)।

उपरोक्त कथन के आलोक में, नीचे दिए गए विकल्पों में से सही उत्तर का चयन कीजिए।

A. दोनों (A) और (R) सत्य हैं और (R), (A) की सही व्याख्या है
B. दोनों (A) और (R) सत्य हैं, लेकिन (R), (A) की सही व्याख्या नहीं है
C. (A) सत्य है, लेकिन (R) असत्य है
D. (A) असत्य है, लेकिन (R) सत्य है

90. नीचे दो कथन दिए गए हैं : एक अभिकथन (A) के रूप में लिखित है तो दूसरा उसके कारण (R) के रूप में है।

अभिकथन (A): ऋण धारणीयता (Sustainability) की डोमर शर्त (प्रतिबंध) के अनुसार, यदि सरकारी देयताओं पर प्रभावी ब्याज दर वर्तमान कीमतों पर जी.डी.पी. की वृद्धि दर से कम या बराबर है, तो जी.डी.पी. के अनुपात के तौर पर सार्वजनिक ऋण में वृद्धि नहीं होगी।

कारण (R): किसी अर्थव्यवस्था में वर्तमान कीमतों पर जी.डी.पी. की वृद्धि दर, सरकारी बॉन्डों पर प्रभावी ब्याज दर की तुलना में कम ही रहेगी।

उपरोक्त कथन के आलोक में, नीचे दिए गए विकल्पों में से सही उत्तर का चयन कीजिए।

A. दोनों (A) और (R) सत्य हैं और (R), (A) की सही व्याख्या है
B. दोनों (A) और (R) सत्य हैं, लेकिन (R), (A) की सही व्याख्या नहीं है
C. (A) सत्य है, लेकिन (R) असत्य है
D. (A) असत्य है, लेकिन (R) सत्य है

निर्देश (प्र.सं. 91 से 95 तक) : *निम्नलिखित सूचना को ध्यानपूर्वक पढ़िए तथा दिए गए प्रश्नों के उत्तर दीजिए।*

मान लीजिए कि दो कंपनियाँ स्टील का उत्पादन करती हैं। उत्पादन से उत्पन्न प्रदूषण के कारण एक नकारात्मक बाह्यता है। कंपनी 1 का उत्पादन q_1 है और कंपनी 2 का q_2 है। मान लीजिए कि स्टील का बाजार मूल्य $P_s = 1$ है। अब निम्नलिखित दो परिदृश्यों पर विचार कीजिए।

परिदृश्य 1: मान लीजिए कि कंपनी 1 का लागत फलन $C_1(q_1) = q_1^2$ है और कंपनी 2 का लागत फलन $C_2(q_2, q_1) = (q_2 + 0.75\, q_1)^2$ है। संक्षिप्त में, कंपनी 2 के द्वारा कंपनी 1 के उत्पादन पर प्रभाव नहीं पड़ता, लेकिन कंपनी 1 के द्वारा कंपनी 2 के उत्पादन पर प्रभाव पड़ता है, अर्थात् कंपनी 1 के प्रचालन के कारण कंपनी 2 की लागत बढ़ जाती है।

परिदृश्य 2: मान लीजिए कि नकारात्मक बाह्यता दोनों तरह से कार्य करती है अर्थात् दोनों कंपनियों को प्रतिकूल प्रभाव का सामना करना पड़ता है। तो मान लीजिए $C_1(q_1, q_2) = (q_1 + 0.75\, q_2)^2$ और $C_2(q_1, q_2) = (q_2 + 0.75\, q_1)^2$।

91. परिदृश्य 1 में अल्पकाल में कंपनी 2 का संतुलन लाभ (π_2) क्या है?

A. $\pi_2 = 0.025$
B. $\pi_2 = 0.125$
C. $\pi_2 = -0.125$
D. $\pi_2 = 0.75$

92. परिदृश्य 1 में कंपनी 1 का दीर्घकालिक लाभ (π_1) क्या है?

A. $\pi_1 = 0.025$ B. $\pi_1 = 0$
C. $\pi_1 = 0.25$ D. $\pi_1 = 0.125$

93. परिदृश्य 1 में कंपनी 2 का दीर्घकालिक लाभ (π_2) क्या है?

A. $\pi_2 = 0.125$ B. $\pi_2 = 0.120$
C. $\pi_2 = -0.5$ D. $\pi_1 = 0$

94. परिदृश्य 2 में दोनों कंपनियों के बाजार संतुलन लाभ क्या होंगे?

A. $\pi_1 = \frac{1}{28}, \pi_2 = \frac{1}{28}$

B. $\pi_1 = \frac{2}{7}, \pi_2 = \frac{2}{7}$

C. $\pi_1 = \frac{1}{14}, \pi_2 = \frac{1}{14}$

D. $\pi_1 = \pi_2 = 0$

95. क्या आपको लगता है कि परिदृश्य 2 में संतुलन परिणाम अकुशल है। कुशलता पुनः स्थापित कैसे होगी?

A. नहीं, कंपनियों का संतुलन परिणाम लाभ अधिकतम कारी परिणाम है।

B. दोनों कंपनियों को बंद करके, यानी $\pi_1 = \pi_1 = 0$ से बाह्यता दूर कर सकते हैं।

C. यदि एक कंपनी को जबरदस्ती बंद कर दिया जाए तो बाह्यता कम हो जाएगी और उनका संयुक्त लाभ $\pi_1 + \pi_2 = 0.071$ होगा।

D. यदि एक कंपनी को जबरदस्ती बंद कर दिया जाए तो बाह्यता कम हो जाएगी और उनका संयुक्त लाभ $\pi_1 + \pi_2 = 0.109$ होगा।

निर्देश (प्र.सं. 96 से 100 तक) : *निम्नलिखित सूचना को ध्यानपूर्वक पढ़िए तथा दिए गए प्रश्नों के उत्तर दीजिए।*

दिनांक 31 मई, 2023 की एन.एस.ओ., एम.ओ.एस. पी.आई., की प्रेस विज्ञप्ति के अनुसार वर्ष 2021-22 के लिए प्रचलित कीमतों पर जी.डी.पी. का संशोधित अनुमान (सं.अ.) ₹ 2,34,71,012 करोड़ तथा वर्ष 2020-21 के लिए यह ₹ 1,98,29,927 करोड़ था। वर्ष 2020-21 तथा 2021-22 के लिए 2011-12 का स्थिर कीमतों पर जी.डी.पी. क्रमशः ₹ 1,36,87,118 करोड़ तथा ₹ 1,49,25,840 करोड़ था। प्रचलित कीमतों पर उत्पादों पर निवल कर वर्ष 2021-22 (सं.अ.) में ₹ 20,32,128 करोड़ था। वर्ष 2021-22 में पी.एफ.सी.ई., जी.एफ.सी.ई., जी.एफ.सी.एफ. क्रमशः ₹ 1,43,44,336 करोड़, ₹ 26,25,361 करोड़ और ₹ 67,86,391 करोड़ था। वर्ष 2021-22 में प्रचलित कीमतों पर स्टॉक में परिवर्तन (सी.आई.एस.), बहुमूल्यों व विसंगतियों के मान क्रमशः ₹ 1,63,438 करोड़, ₹ 3,79,112 करोड़ तथा ₹ (–) 208,247 करोड़ (ऋणात्मक) थे।

96. जी.डी.पी. अवस्फीतक के आधार पर भारत में मुद्रास्फीति दर क्या थी?

A. 4.5% B. 6.6%
C. 9.3% D. 10.2%

97. भारत के लिए 2021-22 में चालू खाता घाटा और जी.डी.पी. (दोनों प्रचलित कीमतों पर) का अनुपात था :

A. 1.75% B. 3.53%
C. 4.06% D. 2.64 %

98. वर्ष 2021-22 में बुनियादी कीमत पर सकल मूल्य वर्धन (जी.वी.ए.) था :

A. ₹ 2,55,03,140 करोड़
B. ₹ 2,14,38,884 करोड़
C. ₹ 2,34,71,012 करोड़
D. ₹ 1,49,37,569 करोड़

99. भारत में वर्ष 2021-22 में निवेश–जी.डी.पी. अनुपात था :

A. 31.2% B. 90%
C. 40.1% D. 42.4%

100. यदि भारत में प्रचलित कीमतों पर वर्ष 2021-22 में निर्यात का मूल्य ₹ 50,49,645 करोड़ था तो वर्ष 2021-22 में प्रचलित कीमत पर आयात था :

A. ₹ 56,69,024 करोड़
B. ₹ 6,19,378 करोड़
C. ₹ 1,17,18,975 करोड़
D. ₹ 94,11,752 करोड़

उत्तरमाला

1. **(B):** वर्ष 2013 में, भारतीय रिजर्व बैंक (आर.बी.आई.) ने मौद्रिक नीति ढाँचे को संशोधित और सशक्त करने के उद्देश्य से एक विशेषज्ञ समिति की स्थापना की थी। इस समिति का नेतृत्व डॉ. उर्जित पटेल ने किया था। इस समिति का मुख्य कार्य मौद्रिक नीति के तंत्र की समीक्षा करना और उसे और अधिक प्रभावी बनाने की सिफारिशें करना था। इस समिति ने कई महत्वपूर्ण सिफारिशें कीं, जिनमें से एक थी मुद्रास्फीति को मुख्य लक्ष्य के रूप में निर्धारित करना। इसके अलावा, समिति ने मुद्रास्फीति के लिए एक लक्ष्य बैंड सुझाया और मौद्रिक नीति समिति (एमपीसी) के गठन की भी सिफारिश की। डॉ. उर्जित पटेल के नेतृत्व में इस समिति की सिफारिशों को बाद में आर.बी.आई. द्वारा लागू किया गया, जिससे भारत में मौद्रिक नीति के ढाँचे में महत्वपूर्ण सुधार हुए। इस पहल का मकसद मुद्रास्फीति को नियंत्रित करके आर्थिक स्थिरता सुनिश्चित करना था, जिससे दीर्घकालिक वृद्धि को बढ़ावा मिले।

2. **(A):** सन् 2016 में आर.बी.आई. ने मौद्रिक नीति के अंतर्गत नम्य स्फीति लक्ष्यांकन परितंत्र को अपनाया, जिसके तहत स्फीति के लिए निर्धारित लक्ष्य दर $(4 \pm 2)\%$ रखी गई। इसका अर्थ यह है कि मुद्रास्फीति की दर 2% से कम न हो और 6% से अधिक न हो। इस लक्ष्य बैंड का मुख्य उद्देश्य मुद्रास्फीति को नियंत्रित करना और आर्थिक स्थिरता सुनिश्चित करना है।

   इस नीति को अपनाने से पहले, भारत में मुद्रास्फीति दर अक्सर उच्च रहती थी, जिससे आर्थिक अनिश्चितता बढ़ती थी। इस लक्ष्यांकन परितंत्र के माध्यम से, आर.बी.आई. ने अधिक पूर्वानुमानित और स्थिर मौद्रिक नीति का निर्धारण किया, जिससे निवेशकों और बाजारों में विश्वास बढ़ा। यह लक्ष्यांकन न केवल मुद्रास्फीति को कम करने में मदद करता है बल्कि यह वित्तीय स्थिरता और आर्थिक विकास के लिए अनुकूल पर्यावरण भी प्रदान करता है।

3. **(B)**

4. **(C):** यहाँ LPM,

$$P_i = E(Y_i = 1 \mid X_i) = \beta_1 + \beta_2 X_i$$

   जहाँ, X_i आय है और Y_i व्यक्ति के एक घर का स्वामी बनने की घटना है

$$P_i = E(Y_i = 1 \mid X_i) = \frac{1}{1+e^{-(\beta_1+\beta_2 X_i)}}$$

   आसानी के लिए हम लिख सकते हैं,

$$P_i = \frac{1}{1+e^{-Z_i}}$$

   जहाँ $Z_i = \beta_1 + \beta_2 X_i$

   यह समीकरण लॉजिस्टिक वितरण प्रकार्य प्रस्तुत करता है।

5. **(D):** यहाँ, $byx = \hat{\beta}$

$$\therefore \quad by'x' = \frac{\hat{\beta}}{2} = 0.5\hat{\beta}.$$

6. **(D):** KPSS परीक्षण (क्वियार्ती-फिलिप्स-श्मिड्ट-शिन परीक्षण) वह सांख्यिकीय परीक्षण है जिसमें शून्य परिकल्पना के रूप में स्थिरता (स्टेशनेरिटी) माना जाता है। इस परीक्षण का प्रमुख उद्देश्य यह जांचना है कि किसी शृंखला में स्थिरता है या नहीं। KPSS परीक्षण में शून्य परिकल्पना यह है कि शृंखला स्थिर है, यानी कि इसमें समय के साथ मान और विचलन स्थिर रहते हैं। अगर परीक्षण का मान निर्धारित स्तर से अधिक हो जाता है, तो शून्य परिकल्पना को खारिज कर दिया जाता है, और यह माना जाता है कि शृंखला में गैर-स्थिरता है। इसके विपरीत, ADF और फिलिप्स-पेरोन परीक्षणों में शून्य परिकल्पना यह है कि शृंखला में एक यूनिट रूट मौजूद है, जो गैर-स्थिरता का संकेत देता है। KPSS परीक्षण इस प्रकार से विश्लेषण में उपयोगी होता है जब स्थिरता की पुष्टि करने की आवश्यकता होती है।

7. **(D):** जब दो चरों X और Y का उपयोग करके आकलित एक वार (VAR) मॉडल के लिए, X के समीकरण में

Y की पश्चताएँ संयुक्त रूप से सार्थक नहीं हैं, और Y के समीकरण में X की पश्चताएँ संयुक्त रूप से सार्थक हैं, तो इससे निष्कर्ष निकाला जा सकता है कि Y, X का ग्रेन्जर कारण है लेकिन X, Y का ग्रेन्जर कारण नहीं है। ग्रेन्जर कारणता परीक्षण में, अगर एक चर की पश्चताएँ दूसरे चर के वर्तमान मान की भविष्यवाणी में उपयोगी होती हैं, तो कहा जाता है कि पहला चर दूसरे चर का ग्रेन्जर कारण है। यहाँ, Y की पश्चताएँ X की भविष्यवाणी में सहायक सिद्ध हुई हैं, जबकि X की पश्चताएँ Y की भविष्यवाणी में सहायक नहीं पाई गईं। इसलिए, यहाँ Y, X का ग्रेन्जर कारण है, जबकि X, Y का ग्रेन्जर कारण नहीं है।

8. (B): अनाच्छादित ब्याज अंतरपणन समता (Uncovered Interest Rate Parity - UIP) के अनुसार, जब दो देशों के बीच ब्याज दरों में अंतर होता है और मुद्रा विनिमय दर में परिवर्तन की अपेक्षा होती है, तब पूंजी का प्रवाह उस देश से उच्च ब्याज दर वाले देश की ओर होने की संभावना होती है जहां ब्याज दर कम होती है। इस परिदृश्य में, भारत में ब्याज दर 6% है जबकि यूएसए में यह 4% है। आम तौर पर, यह अंतर संकेत देता है कि पूंजी उच्च ब्याज दर वाले देश से कम ब्याज दर वाले देश की ओर प्रवाहित होनी चाहिए।

हालांकि, मुद्रा विनिमय दर की अपेक्षित वृद्धि भी महत्वपूर्ण है। यहाँ, यूएस डॉलर की विनिमय दर वर्तमान में ₹ 80 है और एक वर्ष में इसकी वृद्धि ₹ 84 तक होने की अपेक्षा है, जो कि 5% की वृद्धि है। इसका मतलब है कि यूएस डॉलर के मूल्य में वृद्धि होगी, और यह वृद्धि भारतीय रुपए के सापेक्ष अधिक आकर्षक बनाती है। इसलिए, UIP के अनुसार, पूंजी भारत से यूएसए की ओर प्रवाहित होगी क्योंकि निवेशक विनिमय दर में वृद्धि के माध्यम से होने वाले लाभ को उठाने की कोशिश करेंगे। इसलिए, भारत से पूंजी का प्रवाह बाहर की ओर होगा, जो ब्याज दरों के अंतर और विनिमय दर की अपेक्षित वृद्धि के कारण होता है।

9. (B): यहाँ, $\text{In}(Y_i) = \alpha + \beta X_i + u_i \quad ...(i)$

अब X में परिवर्तन करने पर,

$$\text{In}(Y_i + \Delta Y_i) = \alpha + \beta(X_i + \Delta X_i) + u_i \quad ...(ii)$$

$(ii) - (i)$ घटाने से,

$$\text{In}(Y_i + \Delta Y_i) - \text{In}(Y_i) = \beta \Delta X_i$$

लगभग के प्रयोग से,

$$\frac{\Delta Y_i}{Y_i} \cong \beta \Delta Xi$$

$$\therefore \; e_{yx} = \frac{\Delta Y_i}{\Delta X_i} \cdot \frac{X_i}{Y_i} = \beta \Delta X_i \times \frac{X_i}{\Delta X_i} = \beta X_i.$$

10. (B)

11. (C): मानवीय गरीबी सूचकांक 2 (HPI-2) एक सांख्यिकीय उपाय है जिसका उपयोग विकासशील देशों में गरीबी के स्तर का मूल्यांकन करने के लिए किया जाता है। इस सूचकांक का मुख्य उद्देश्य यह पता लगाना है कि समाज के कितने लोग बुनियादी जीवन स्तर से नीचे जीवन यापन कर रहे हैं। HPI-2 में मुख्य रूप से सामाजिक समावेशन के आयाम को शामिल किया गया है।

सामाजिक समावेशन से तात्पर्य उन नीतियों और प्रक्रियाओं से है जो समाज के सभी वर्गों, विशेषकर समाज के सबसे कमजोर वर्गों को शामिल करने के लिए उदीयमान होती हैं। इसमें शिक्षा, स्वास्थ्य सेवाएं, और आवास जैसे मूलभूत अधिकारों तक पहुंच सुनिश्चित करना शामिल है, जिससे समाज के हर वर्ग के लोगों को समान अवसर प्राप्त हो सकें। इस आयाम का महत्व इसलिए है क्योंकि यह गरीबी के खिलाफ लड़ाई में एक अहम भूमिका निभाता है, समाज के सभी वर्गों की समान भागीदारी सुनिश्चित करता है और इस प्रकार सामाजिक न्याय और समानता की दिशा में एक कदम आगे बढ़ता है।

12. (C): सोलो अवशिष्ट आर्थिक विकास के मॉडल में एक महत्वपूर्ण अवधारणा है, जिसे अंग्रेजी में 'Solow Residual' कहा जाता है। यह उत्पादन की वृद्धि दर और उसमें प्रयुक्त इनपुट्स (जैसे श्रम और पूंजी) की वृद्धि दर के बीच के अंतर को दर्शाता है। इसे तकनीकी प्रगति का माप माना जाता है, जो कि उत्पादकता में सुधार को इंगित करता है जबकि इनपुट में कोई विशेष वृद्धि नहीं होती।

उदाहरण के तौर पर, यदि एक अर्थव्यवस्था में उत्पादन 4% की दर से बढ़ रहा है और इनपुट्स जैसे कि श्रम और पूंजी 2% की दर से बढ़ रहे हैं, तो सोलो अवशिष्ट

2% होगा। इसका मतलब है कि उत्पादकता में 2% की वृद्धि इनपुट्स की वृद्धि के अलावा हुई है।

यह मॉडल आर्थिक विकास के अध्ययन में बेहद महत्वपूर्ण है क्योंकि यह उत्पादकता में वृद्धि के स्रोतों को समझने में मदद करता है। अक्सर, यह तकनीकी प्रगति को भी दर्शाता है, जिसे मौजूदा इनपुट्स के साथ अधिक उत्पादन प्राप्त करने के लिए आवश्यक माना जाता है। इस प्रकार, सोलो अवशिष्ट का विश्लेषण करके, अर्थशास्त्री यह निर्धारित कर सकते हैं कि विकास के लिए कौन से कारक सबसे अधिक महत्वपूर्ण हैं और इन्हें किस प्रकार से बेहतर बनाया जा सकता है।

13. (B)

14. (C): अंतर्जात वृद्धि सिद्धांत आर्थिक विकास के मॉडल में एक प्रमुख धारा है जो विकास की गति और दिशा को अर्थव्यवस्था के आंतरिक तत्वों के माध्यम से समझने का प्रयास करती है। इस सिद्धांत के अनुसार, विकास प्रमुख रूप से ज्ञान के संचय, नवाचारों, और तकनीकी प्रगति के द्वारा संचालित होता है, जो अर्थव्यवस्था के भीतर से उत्पन्न होते हैं। इस सिद्धांत की मान्यता है कि अर्थव्यवस्था में 'पैमाने के वृद्धिमान प्रतिफल' और 'अपूर्ण प्रतियोगिता' होती है। पैमाने के वृद्धिमान प्रतिफल का अर्थ है कि जैसे-जैसे उत्पादन की मात्रा बढ़ती है, उत्पादन की लागत प्रति इकाई कम होती जाती है, जिससे अर्थव्यवस्था को अधिक उत्पादक और कुशल बनने में मदद मिलती है। यह विशेषता नवाचार और तकनीकी प्रगति को प्रोत्साहित करती है, क्योंकि बड़े पैमाने पर उत्पादन से अधिक लाभ होता है।

दूसरी ओर, 'अपूर्ण प्रतियोगिता' का तात्पर्य ऐसे बाजारों से है जहां कुछ फर्मों के पास बाजार पर नियंत्रण होता है और वे अपने उत्पादों की कीमतों पर प्रभाव डाल सकते हैं। इससे नवाचारों को बढ़ावा मिलता है क्योंकि कंपनियां नए उत्पादों और सेवाओं के माध्यम से बाजार में अपनी स्थिति मजबूत करने की कोशिश करती हैं।

अंतर्जात वृद्धि सिद्धांत की ये दो मुख्य मान्यताएँ आर्थिक विकास को एक नए परिप्रेक्ष्य से समझने की कुंजी प्रदान करती हैं, जिसमें विकास के लिए आंतरिक प्रेरकों और मैक्रो-इकोनॉमिक नीतियों की महत्वपूर्ण भूमिका होती है।

15. (C)

16. (C): परीक्षण की शक्ति, जिसे सांख्यिकीय शक्ति भी कहा जाता है, वह संभावना है जिससे एक सांख्यिकीय परीक्षण सही ढंग से नकारात्मक शून्य परिकल्पना (null hypothesis) को अस्वीकार कर देता है जब वास्तविकता में यह असत्य होती है। यह 1 माइनस प्रकार II त्रुटि (बीटा) के बराबर होती है, जो कि एक गलत नकारात्मक परिणाम की संभावना है।

प्रकार II त्रुटि तब होती है जब परीक्षण शून्य परिकल्पना को खारिज नहीं करता, जबकि वास्तव में यह असत्य होती है। इसका मतलब है कि परीक्षण उस प्रभाव को पहचानने में विफल रहता है जो वास्तव में मौजूद है। इसलिए, परीक्षण की शक्ति उच्च होने का मतलब है कि यह उस प्रभाव को पहचानने की अधिक संभावना रखता है। उदाहरण के लिए, यदि किसी दवा के प्रभाव की जांच करने के लिए एक परीक्षण की जा रही है और यदि यह परीक्षण 80% शक्ति रखता है, तो इसका अर्थ है कि अगर दवा वास्तव में प्रभावी है, तो परीक्षण इसे 80% संभावना के साथ पहचान लेगा। यह मूल्यांकन करते समय परीक्षण की शक्ति बहुत महत्वपूर्ण होती है क्योंकि यह निर्णय लेने में सहायता करती है कि किसी विशेष हस्तक्षेप को अपनाया जाना चाहिए या नहीं।

परीक्षण की शक्ति को बढ़ाने के लिए, शोधकर्ता आम तौर पर नमूना आकार बढ़ाते हैं, जिससे परीक्षण में विश्वसनीयता बढ़ती है और प्रभाव को अधिक सटीकता से पहचानने की क्षमता में सुधार होता है।

17. (A)

18. (D): मार्च 2023 में किसी देश का वर्ष 1982 के आधार सूचकांक 100 वाला उपभोक्ता मूल्य सूचकांक (CPI) 234.7 था, इसका अर्थ है कि वर्ष 1982 के मुकाबले उस समय तक वस्तुओं और सेवाओं की कीमत में काफी वृद्धि हुई है। उपभोक्ता मूल्य सूचकांक एक मापक यंत्र है जो समय के साथ उपभोक्ता सामग्री और सेवाओं की कीमतों में परिवर्तन को दर्शाता है।

जब CPI 1982 के आधार वर्ष के लिए 100 पर सेट किया गया था और मार्च 2023 में यह 234.7 तक

पहुँच गया, तो इसका सीधा अर्थ है कि उस अवधि में कीमतों में लगभग 134.7% की वृद्धि हुई है। यह वृद्धि इस प्रकार से निकाली जाती है :

प्रतिशत वृद्धि = (नया सूचकांक – पुराना सूचकांक) × 100 = (234.7 – 100) × 100 = 134.7%

इसका मतलब है कि 1982 की तुलना में 2023 में वही वस्तुएँ और सेवाएँ खरीदने के लिए औसतन 134.7% अधिक धन खर्च करना पड़ रहा है। यह आंकड़ा मुद्रास्फीति की दर को दर्शाता है और उपभोक्ताओं की क्रय शक्ति पर इसके प्रभाव को भी इंगित करता है। इस प्रकार की जानकारी आर्थिक नियोजन और नीति निर्धारण में सहायक होती है, क्योंकि यह बताती है कि समय के साथ महंगाई किस प्रकार से बढ़ रही है।

19. (B) **20. (C)** **21. (A)**

22. (B): यदि औसत राजस्व फलन $AR = 10 + 5q - q^2$ है, तो सीमांत राजस्व फलन (MR) इसके प्रथम व्युत्पन्न के रूप में प्राप्त होता है। गणितीय रूप से, MR को निम्नलिखित प्रकार से निकाला जाता है :

$MR = d(AR)dq = ddq(10 + 5q - q^2)$

यह व्युत्पन्न की प्रक्रिया के द्वारा :

$MR = 5 - 2q$

इस प्राप्त सीमांत राजस्व फलन के दूसरे व्युत्पन्न को देखकर इसकी अवतलता या उत्तलता का निर्धारण किया जा सकता है :

$d^2(MR)dq^2 = ddq(-2) = 0dq^2$

चूंकि दूसरा व्युत्पन्न शून्य है, इसका अर्थ है कि फलन न तो उत्तल है और न ही अवतल। यहाँ विकल्प (B) 'अवतल फलन' सही प्रतीत होता है क्योंकि संभवतः प्रश्न में 'दुर्बलतः अवतल फलन' (विकल्प D) का तात्पर्य एक अवतल फलन से ही है, जो कि यहाँ स्थिति का वर्णन करने में अधिक उपयुक्त हो सकता है। हालांकि, यहाँ प्रदत्त विकल्पों में 'अवतल फलन' को चुनना सही होगा।

इसलिए, 'अवतल फलन' यहाँ सबसे उपयुक्त विकल्प है, जो कि फलन के गुणधर्म को सही रूप से परिलक्षित करता है।

23. (B): अनुबंध के बिना उपभोक्ता अनुमानित उपयोगिता है

$= 0.5 \times u(50 - 25) + 0.5 \times u(50)$ ...(*i*)

$= 0.5 \times u(25) + 0.5 \times u(50)$

$= 0.5 \times 10\sqrt{25} + 0.5 \times 10\sqrt{50}$

$= 0.5 \times 10 \times 5 + 0.5 \times 10 \times \sqrt{50} = 25 + 5\sqrt{50}$

अनुबंध के साथ उपभोक्ता अनुमानित उपयोगिता है

$= u(50 - p)$

$= 10\sqrt{(50 - p)}$ ...(*ii*)

(*i*) और (*ii*) से हम अनुमान करते हैं कि वह अनुबंध के साथ बेहतर है यदि और केवल यदि

$$= 10\sqrt{(50-p)} \geq 25 + 5\sqrt{50}$$

$$\sqrt{50-p} \geq \frac{25+5\sqrt{50}}{10} = \frac{5+\sqrt{50}}{2} = 6.035$$

$50 - p \geq 6.035^2$

$50 - p \geq 36.43$

$-p \geq 36.43 - .50$

$-p \geq -13.57 \Rightarrow p \geq 13.57.$

24. (D): जब किसी फलन $f(.)$ को बंद और परिबद्ध अंतराल $[a, b]$ पर संतत बताया जाता है, और यह कहा जाता है कि इस अंतराल में एक बिंदु d होगा जहाँ $f(.)$ न्यूनतम होगा और एक बिंदु c होगा जहाँ $f(.)$ अधिकतम होगा, तो यह वर्णन चरम मान प्रमेय (Extreme Value Theorem) से मेल खाता है। यह प्रमेय कहता है कि एक बंद और परिबद्ध अंतराल पर संतत फलन हमेशा अपने न्यूनतम और अधिकतम मान को प्राप्त करेगा।

इस प्रमेय के अनुसार, जैसा कि फलन f बंद और परिबद्ध अंतराल $[a, b]$ पर संतत है, वहाँ अवश्य ही ऐसे बिंदु d और c होंगे जहाँ पर $f(d)$ और $f(c)$ क्रमशः इस अंतराल पर फलन के न्यूनतम और अधिकतम मान होंगे। इसका मतलब यह है कि सभी x के लिए $a \leq x \leq b$ में $f(d) \leq f(x) \leq f(c)$ होगा।

इस प्रकार, यह कथन चरम मान प्रमेय से लिया गया है, जो कि संतत फलनों के व्यवहार को समझने के लिए एक महत्वपूर्ण गणितीय सिद्धांत प्रदान करता है।

25. (D): उपभोक्ता का आयव्ययक समुच्चय $B = \{(x, y): p_1x + p_2y \leq M\}; x_i > 0, i = 1, 2$ दर्शाता है कि उपभोक्ता अपनी आय M के अंतर्गत वस्तुओं x और y को किन मात्राओं में खरीद सकता है, जहाँ p_1 और p_2 क्रमशः वस्तु x और y की कीमतें हैं।

यह समुच्चय एक बंद समुच्चय है क्योंकि यह सभी बिंदुओं को शामिल करता है जो असमानता $p_1x + p_2y \leq M$ को संतुष्ट करते हैं, अर्थात् इसमें बराबरी की स्थिति भी शामिल है। यह परिबद्ध भी है क्योंकि उपभोक्ता की आय सीमित है (M), इसलिए खरीदी जा सकने वाली वस्तुओं की मात्रा भी सीमित होगी।

इसके अलावा, यह समुच्चय उत्तल भी है। उत्तलता का अर्थ है कि किसी भी दो बिंदुओं को जोड़ने वाली रेखा का कोई भी हिस्सा इस समुच्चय के अंदर ही होगा। बजट समुच्चय में यह विशेषता तब होती है जब आप किसी भी दो संभव खरीद योजनाओं (जैसे (x_1, y_1) और (x_2, y_2)) के बीच किसी भी तरह का संयोजन बना सकते हैं, और यह अभी भी बजट M के भीतर होगा। इसलिए, विकल्प (D) 'आयव्ययक समुच्चय एक बंद परिबद्ध और उत्तल समुच्चय है' सही है और यह बजट सेट की विशेषताओं को सटीक रूप से व्यक्त करता है।

26. (B) **27. (A)** **28. (B)**

29. (D)

30. (B): दो पूर्णतः पूरक वस्तुओं के मामले में, इन वस्तुओं की खपत एक निश्चित अनुपात में होती है, जैसे कि जूते और मोजे। इन वस्तुओं के बीच प्रतिस्थापन संभव नहीं होता है क्योंकि उपभोक्ता को एक निश्चित अनुपात में दोनों वस्तुओं की आवश्यकता होती है।

विकल्प (A) सही है क्योंकि प्रतिस्थापन प्रभाव शून्य होता है। जब दो वस्तुएं पूरी तरह से पूरक होती हैं, तो एक वस्तु के लिए दूसरी वस्तु को प्रतिस्थापित करना संभव नहीं है।

विकल्प (C) सही है क्योंकि अनधिमान वक्र L आकार के होते हैं, जिससे दर्शाया जाता है कि एक वस्तु की न्यूनतम मात्रा की जरूरत होती है ताकि दूसरी वस्तु के साथ मिलकर उपभोक्ता को संतुष्टि मिल सके।

विकल्प (D) सही है क्योंकि जब दो वस्तुएं पूर्णतः पूरक होती हैं, तो उपभोक्ता उन्हें एक स्थिर अनुपात में खरीदते हैं, जैसे कि एक पेन और एक पेन कैप को साथ में खरीदना।

विकल्प (B) गलत है क्योंकि अनधिमान वक्र सीधी रेखाएँ नहीं होती हैं; बल्कि वे L आकार के होते हैं। यह बताता है कि दो वस्तुओं के बीच कोई स्वतंत्र खपत नहीं हो सकती है, और उन्हें हमेशा एक निश्चित अनुपात में उपयोग किया जाना चाहिए। इसलिए, विकल्प (B) सत्य नहीं है।

31. (C)

32. (D): सन् 2011 की जनगणना के अनुसार, भारत के प्रमुख राज्यों में तमिलनाडु सर्वाधिक शहरीकृत राज्य है। तमिलनाडु की उच्च शहरीकरण दर कई कारणों से होती है, जिसमें औद्योगिक विकास, शिक्षा की उपलब्धता, और बेहतर स्वास्थ्य सेवाओं का विस्तार शामिल हैं। इस राज्य में चेन्नई, कोयंबटूर, मदुरै जैसे बड़े शहरी केंद्र हैं, जो न केवल राज्य के शहरीकरण को बढ़ावा देते हैं बल्कि राज्य की आर्थिक गतिविधियों के प्रमुख केंद्र भी हैं। तमिलनाडु में उच्च शहरीकरण दर ने इसे भारतीय उपमहाद्वीप के सबसे अधिक शहरीकृत राज्यों में से एक बना दिया है, जिसमें विशेष रूप से नौकरी के अवसरों और बेहतर जीवन शैली की पेशकश की जाती है। इसकी तुलना में, अन्य विकल्पों में महाराष्ट्र, पंजाब, और कर्नाटक भी उच्च शहरीकरण दर वाले राज्य हैं, लेकिन 2011 की जनगणना के अनुसार, तमिलनाडु इन सभी को पीछे छोड़ देता है।

33. (A): यदि न्यूनतम मजदूरी w' मौजूदा संतुलन मजदूरी w^* से अधिक हो, तो इससे बाजार में कुछ विशिष्ट प्रभाव पैदा होंगे। जब सरकार द्वारा निर्धारित न्यूनतम मजदूरी बाजार की संतुलन मजदूरी से अधिक होती है, तो इससे श्रम की मांग में कमी आ सकती है क्योंकि नियोक्ता उच्च लागत को सहन नहीं कर पाएंगे और कम श्रमिकों को नियुक्त करेंगे।

इस परिदृश्य में श्रमिकों के अस्थायीकरण में वृद्धि हो सकती है, जिसका मतलब है कि नियोक्ता नियमित रोजगार के बजाय अस्थायी या अंशकालिक नौकरियों

की ओर अधिक झुकाव रखेंगे। इसके अलावा, कुछ नियोक्ता श्रमिकों को अधिक घंटों के लिए काम पर रख सकते हैं बजाय नए श्रमिकों को नियुक्त करने के, जिससे श्रमिकों के लिए ज्यादा लाभ नहीं मिलेंगे।

इसके विपरीत, विकल्प (B), (C) और (D) इस स्थिति का सही वर्णन नहीं करते हैं। विकल्प (B) यह मान लेता है कि बाजार एक नए संतुलन की ओर प्रवृत्त होगा जो असंभव है क्योंकि उच्च न्यूनतम मजदूरी से श्रम की मांग घट जाती है। विकल्प (C) और (D) उपयुक्त संदर्भ प्रदान नहीं करते हैं। इसलिए, विकल्प (A) सत्य है क्योंकि उच्च न्यूनतम मजदूरी श्रम बाजार में अनिश्चितताओं और अस्थिरताओं को बढ़ा सकती है, जिससे श्रमिकों को संभावित रूप से लाभ नहीं मिलेंगे।

34. (C)

35. (C): $\because$ राजस्व घाटा = राजकोषीय घाटा – पूँजीगत व्यय

$\Rightarrow$ पूँजीगत व्यय = राजकोषीय घाटा – राजस्व घाटा

$= 7 - 3 = 4\%$

$\therefore$ पूँजीगत व्यय और जीडीपी का अनुपात 4% है।

36. (C): जब किसी देश का केंद्रीय बैंक ब्याज दर को बाहर से निर्धारित करता है और मुद्रा की आपूर्ति बाजार की माँग के अनुसार स्वयं समायोजित होती है, तब एल-एम वक्र (Liquidity-Money curve) क्षैतिज होता है। यह इसलिए क्योंकि ब्याज दर को केंद्रीय बैंक द्वारा नियंत्रित किया जा रहा है और यह स्थिर रहता है, भले ही आय स्तर में परिवर्तन हो।

इस परिदृश्य में, क्योंकि ब्याज दर निश्चित रहती है, इसलिए एल-एम वक्र विशेष रूप से यह दर्शाने के लिए क्षैतिज होता है कि मुद्रा की आपूर्ति को उस निर्धारित दर को बनाए रखने के लिए बाजार की माँग के अनुरूप समायोजित किया जाएगा। चूंकि ब्याज दर नहीं बदलती, एल-एम वक्र में आय के स्तर के साथ कोई उर्ध्वाधर या नकारात्मक ढलान नहीं होती है, और इसलिए यह वक्र क्षैतिज रहता है।

इसलिए, सही उत्तर विकल्प (C) है, जो बताता है कि ब्याज दर के बहिर्जात निर्धारण और मुद्रा की अंतर्जात आपूर्ति की स्थिति में एल-एम वक्र क्षैतिज होगा।

37. (B): राजकोषीय घाटे और जीडीपी का उच्च अनुपात तब मुद्रास्फीति का कारण बन सकता है जब अर्थव्यवस्था पूर्ति द्वारा सीमित स्थिति में हो। पूर्ति द्वारा सीमित स्थिति में, अर्थव्यवस्था की कुल पूर्ति (या उत्पादन क्षमता) अपर्याप्त होती है, जिससे मांग बढ़ने पर भी उत्पादन नहीं बढ़ पाता है।

जब राजकोषीय घाटा उच्च होता है, यानी सरकार अधिक खर्च कर रही होती है और कर संग्रहण में कमी होती है, तो यह सरकारी खर्च के माध्यम से अर्थव्यवस्था में धन की अधिकता पैदा कर सकता है। यदि यह अतिरिक्त धन एक ऐसी अर्थव्यवस्था में प्रवाहित होता है जहाँ उत्पादन संसाधन पहले से ही सीमित है (पूर्ति द्वारा सीमित), तो यह मांग के बढ़ने पर भी उत्पादन में समानुपाती वृद्धि नहीं कर पाता। इसका परिणाम मुद्रास्फीति के रूप में होता है, क्योंकि बढ़ती हुई मांग और स्थिर पूर्ति के कारण कीमतें बढ़ जाती हैं।

इसलिए, विकल्प (B) 'पूर्ति द्वारा सीमित स्थिति' सही उत्तर है क्योंकि इस स्थिति में उच्च राजकोषीय घाटे से मुद्रास्फीति की संभावना सबसे अधिक होती है।

38. (C): नम्य विनिमय दर प्रणाली के अंतर्गत, चालू खाते का घाटा और पूंजीगत खाते का अधिशेष दोनों ही विनिमय दर पर प्रभाव डालते हैं। जब चालू खाते में घाटा बढ़ता है, इसका अर्थ है कि देश अपनी मुद्रा में विदेशी मुद्रा के लिए अधिक आयात कर रहा है, जिससे देशी मुद्रा की मांग कम होती है। इससे देशी मुद्रा की मूल्यह्रास हो सकता है।

दूसरी ओर, पूंजीगत खाते का अधिशेष इसका मतलब है कि देश विदेशी निवेश आकर्षित कर रहा है, जो देशी मुद्रा की मांग को बढ़ाता है और मुद्रा के मूल्यवृद्धि का कारण बन सकता है। इस प्रकार, इन दो प्रभावों के परिणामस्वरूप विनिमय दर पर क्या होता है यह इस बात पर निर्भर करता है कि कौन सा प्रभाव अधिक प्रबल है। यदि पूंजीगत खाते का अधिशेष चालू खाते के घाटे की तुलना में अधिक प्रबल है, तो देशी मुद्रा में मूल्यवृद्धि हो सकती है, और इसके विपरीत भी सच हो सकता है। इसलिए, इस प्रश्न में सही उत्तर विकल्प (C) है क्योंकि यह विनिमय दर परिवर्तन का सही निर्धारण उच्चतर प्रभाव वाले खाते पर निर्भर करेगा।

39. **(A):** रेपो दर वह दर है जिस पर भारतीय रिजर्व बैंक (आरबीआई) वाणिज्यिक बैंकों को अल्पकालिक उधार देता है। इस व्यवस्था के तहत, वाणिज्यिक बैंक आरबीआई से धन उधार लेते हैं और बदले में उन्हें सरकारी प्रतिभूतियाँ गिरवी रखनी पड़ती हैं। यह व्यवस्था मुख्य रूप से लिक्विडिटी को नियंत्रित करने के लिए इस्तेमाल की जाती है। जब बाजार में तरलता की कमी होती है, तब आरबीआई रेपो दर को घटाकर वाणिज्यिक बैंकों को अधिक उधार लेने के लिए प्रोत्साहित कर सकता है, औरं इसके विपरीत भी संभव है। इस प्रकार, रेपो दर न केवल वाणिज्यिक बैंकों के लिए उधार लेने की लागत को नियंत्रित करता है बल्कि यह अर्थव्यवस्था में मौद्रिक नीति के संचालन का एक महत्वपूर्ण साधन भी है।

40. **(C):** अत्यधिक अनैच्छिक बेरोजगारी की स्थिति में, वास्तविक मजदूरी के संबंध में श्रम आपूर्ति समतल में समग्र श्रम आपूर्ति वक्र आमतौर पर क्षैतिज होता है। यह इसलिए क्योंकि बड़ी संख्या में बेरोजगार व्यक्तियों के कारण, श्रम बाजार में मजदूरी के बढ़ने या घटने पर भी श्रम की आपूर्ति में कोई महत्वपूर्ण परिवर्तन नहीं होता है। जब अर्थव्यवस्था में अनैच्छिक बेरोजगारी अधिक होती है, तो बाजार में श्रमिकों की उपलब्धता अधिक होती है, जो किसी भी मजदूरी स्तर पर काम करने को तैयार होते हैं। इस स्थिति में, श्रमिक मजदूरी में वृद्धि की अपेक्षा नहीं कर सकते, क्योंकि बाजार में पहले से ही श्रम की अधिकता है। इस कारण से, श्रम आपूर्ति वक्र क्षैतिज होता है, जिसका मतलब है कि वास्तविक मजदूरी में परिवर्तन श्रम की मात्रा को प्रभावित नहीं करता है। यह विश्लेषण दिखाता है कि जब श्रम बाजार में उच्च बेरोजगारी होती है, तो श्रम आपूर्ति की प्रतिक्रिया वास्तविक मजदूरी के प्रति बहुत कमजोर होती है, और वक्र क्षैतिज रूप से प्रसारित होता है, जो कि मजदूरी के किसी भी स्तर पर अधिकतम श्रमिकों की आपूर्ति को दर्शाता है।

41. **(B):** विश्व भूख सूचकांक (World Hunger Index–WHI) में कई महत्वपूर्ण मानदंड शामिल होते हैं जो विश्वभर में भूख और कुपोषण की स्थिति का आकलन करते हैं। यह सूचकांक विभिन्न पहलुओं पर विचार करता है जैसे कि बाल मृत्यु दर, बाल अप्त विकास (Child Stunting), बाल क्षीणता (Child Wasting), और अल्प पोषण। इस सूचकांक का मुख्य उद्देश्य उन देशों और क्षेत्रों की पहचान करना है जहां भूख एक गंभीर समस्या है, और यह डेटा संबंधित सरकारों और अंतरराष्ट्रीय संगठनों को इस समस्या के निवारण के लिए नीतियाँ और कार्यक्रम विकसित करने में सहायता करता है।

विश्व भूख सूचकांक के अनुसार, चार मुख्य मापदंड होते हैं :

1. **अल्प पोषण :** यह दर्शाता है कि आबादी का कितना प्रतिशत कुपोषित है।
2. **बाल क्षीणता :** यह बच्चों में कम वजन की समस्या को दर्शाता है।
3. **बाल अप्त विकास :** यह उन बच्चों का प्रतिशत है जिनकी उम्र के हिसाब से ऊंचाई अपेक्षित मानक से कम है।
4. **बाल मृत्यु दर :** यह जन्म के पांच वर्ष के भीतर मरने वाले बच्चों की दर है।

इन मानदंडों में से, अल्प पोषण, बाल क्षीणता, और बाल अप्त विकास को एक तिहाई वजन दिया जाता है, जबकि बाल मृत्यु दर को एक छठवाँ वजन दिया जाता है। इस प्रकार, सही उत्तर विकल्प (B) है, जिसमें (*a*) बाल मृत्यु दर, (*c*) अल्प पोषण, और (*d*) बाल क्षीणता शामिल हैं।

42. **(C):** रैखिक प्रायिकता मॉडल की विशेषताएं और सीमाएं इसके उपयोग को प्रायिकता की गणना में सीमित करती हैं। आइए हम प्रत्येक कथन का विश्लेषण करें ताकि यह समझ सकें कि कौन से कथन सत्य नहीं हैं :

(*a*) यह कथन सत्य है। रैखिक प्रायिकता मॉडल में, व्याख्यात्मक चर (X) के मान की शर्त पर आधारित किसी घटना के घटित होने की सशर्त प्रायिकता को X के रैखिक फलन के रूप में मॉडल किया जाता है।

(*b*) यह कथन गलत है। रैखिक प्रायिकता मॉडल में, घटना के घटित होने की सशर्त प्रायिकता का आकलित मान कभी-कभी 0 और 1 के बाहर भी हो सकता है, क्योंकि रैखिक मॉडल इन सीमाओं को स्वाभाविक रूप से लागू नहीं करता।

(*c*) यह कथन भी गलत है। रैखिक प्रायिकता मॉडल में, त्रुटि पद प्रसरण सम नहीं होता है क्योंकि मॉडल की संरचना में प्रायिकता के आंकलन में असमानता हो सकती है।

(*d*) यह कथन गलत है। रैखिक प्रायिकता मॉडल में R^2 का उपयोग उपयुक्तता के माप के रूप में नहीं किया जाना चाहिए क्योंकि यह मॉडल प्रायिकता को सीधे तौर पर मॉडल नहीं करता है और R^2 केवल लीनियर रिग्रेशन मॉडल के लिए उपयुक्त होता है।

इस प्रकार, सही उत्तर विकल्प (C) है, जिसमें (*b*), (*c*) और (*d*) के कथन सत्य नहीं हैं।

43. (C)

44. (B): एक दुर्बल रूप से स्थिर स्टोकेस्टिक प्रक्रिया की पहचान कुछ महत्वपूर्ण विशेषताओं से की जा सकती है। इस प्रकार की प्रक्रिया में, माध्य और सह-प्रसरण (कोवेरियंस) समय के साथ स्थिर होते हैं, जबकि प्रसरण भी स्थिर रहता है।

(*a*) यह कथन गलत है क्योंकि एक स्थिर स्टोकेस्टिक प्रक्रिया में माध्य समय के साथ परिवर्तनशील नहीं होता है।

(*b*) यह सही है क्योंकि दुर्बल रूप से स्थिर स्टोकेस्टिक प्रक्रिया में माध्य स्थिर होता है।

(*c*) यह भी सही है क्योंकि प्रसरण (वेरियंस) स्थिर होता है।

(*d*) यह भी सही है क्योंकि सह-प्रसरण समय के साथ अचर होता है, यानि कि यह समय के साथ नहीं बदलता है।

इसलिए, इन लक्षणों को देखते हुए सही उत्तर विकल्प (B) है जो कहता है कि (*b*), (*c*) और (*d*) एक दुर्बल रूप से स्थिर स्टोकेस्टिक प्रक्रिया के लक्षण हैं।

45. (D): जब सरकार नई कंपनियों के प्रवेश को मुश्किल बनाने के लिए कानून बनाती है और इसके परिणामस्वरूप मौजूदा कंपनियों की एकाधिकार शक्ति बढ़ जाती है, तो यह उत्पादन और मूल्य स्तर दोनों पर व्यापक प्रभाव डालता है। इसके निम्नलिखित प्रभाव सामने आते हैं :

(*a*) **मध्यमकाल में उत्पादन स्तर निम्नतर होगा :** जैसे-जैसे विद्यमान कंपनियों की एकाधिकार शक्ति बढ़ती है, वे अपने उत्पादन को कम करके मूल्यों को ऊंचा रखने की कोशिश करती हैं। यह उत्पादन की मात्रा को कम करने का कारण बनता है।

(*b*) **अल्पकाल में उत्पादन स्तर निम्नतर होगा :** शुरुआती प्रभाव यह होगा कि कंपनियां अपने उत्पादन को तुरंत घटा देंगी ताकि मूल्यों को ऊंचा रख सकें।

(*c*) **मध्यमकाल में मूल्य स्तर उच्चतर होगा :** क्योंकि उत्पादन में कमी आई है और कंपनियां अपनी एकाधिकार शक्ति का उपयोग करती हैं, वे मूल्यों को अधिक रखेंगी।

(*d*) **अल्पकाल में मूल्य स्तर उच्चतर होगा :** अल्पकालीन प्रभाव के रूप में, कंपनियां तुरंत ही मूल्यों को ऊंचा रखने की कोशिश करेंगी, जिससे मूल्य स्तर बढ़ जाएगा।

इन सभी कथनों को ध्यान में रखते हुए, उचित उत्तर विकल्प (D) है, जो कहता है कि सभी दी गई घटनाएँ (*a*), (*b*), (*c*), और (*d*) सत्य होंगी।

46. (B): भारतीय रिजर्व बैंक (आर.बी.आई.) द्वारा विभिन्न मौद्रिक समग्रों की परिभाषा की गई है, जो कि विभिन्न अवधि की जमाओं को शामिल करते हैं। इस प्रश्न में पूछा गया है कि कौन से मौद्रिक समग्र में एक वर्ष या उससे कम अवधि की सावधि जमाएँ शामिल हैं, पर एक वर्ष से अधिक की सावधि जमाएँ शामिल नहीं हैं। विकल्प (B) अर्थात् NM_2 के अनुसार, इसमें उन सभी जमाओं को शामिल किया गया है जिनकी अवधि एक वर्ष या उससे कम है। NM_2 में नकद, बैंकों में चालू खाते और अन्य खातों में रखे गए धन के साथ-साथ एक वर्ष तक की अवधि वाले टर्म डिपॉजिट शामिल होते हैं। इस समग्र में एक वर्ष से अधिक की अवधि के टर्म डिपॉजिट को शामिल नहीं किया गया है। इस प्रकार, यह समग्र मुख्य रूप से अल्पकालिक निवेश को दर्शाता है और मौद्रिक नीति के निर्माण में इसका महत्वपूर्ण योगदान होता है। आर.बी.आई. इस तरह के समग्रों का उपयोग लिक्विडिटी के प्रबंधन और मुद्रास्फीति को नियंत्रित करने के लिए करता है, जिससे व्यापार चक्रों को स्थिर करने में मदद मिलती है।

47. (C): मुद्रा बाजार के उपकरण वे वित्तीय साधन होते हैं जिनका उपयोग अल्पकालिक धन की आवश्यकताओं को पूरा करने के लिए किया जाता है। इस प्रश्न में विकल्प (B), अर्थात् 91 दिवसीय ट्रेजरी बिल, वाणिज्यिक कागज/प्रपत्र, और बैंकों द्वारा जारी किया गया जमा का प्रमाण पत्र शामिल हैं।

91 दिवसीय ट्रेजरी बिल, जिसे T-Bills के नाम से भी जाना जाता है, एक अल्पकालिक वित्तीय साधन है जिसे सरकार द्वारा अपनी अल्पकालिक वित्तीय आवश्यकताओं को पूरा करने के लिए जारी किया जाता है। ये बिल बिना ब्याज के होते हैं और डिस्काउंट पर बेचे जाते हैं, यानी इन्हें उनके मूल्य से कम मूल्य पर खरीदा जाता है और परिपक्वता पर पूर्ण मूल्य पर भुगतान किया जाता है।

वाणिज्यिक कागज, जिसे Commercial Paper कहा जाता है, एक और अल्पकालिक वित्तीय साधन है जिसे बड़ी कंपनियां अपनी लिक्विडिटी की आवश्यकताओं को पूरा करने के लिए जारी करती हैं। यह आम तौर पर 270 दिनों से कम की अवधि के लिए होता है और इसे भी बाजार में डिस्काउंट पर बेचा जाता है।

बैंकों द्वारा जारी किया गया जमा का प्रमाण पत्र, जिसे Certificate of Deposit के रूप में जाना जाता है, एक प्रकार का जमा साधन है जिसे बैंक अल्पकालिक जमा के रूप में जारी करते हैं। यह भी एक अल्पकालिक निवेश विकल्प है और इसकी अवधि कुछ महीनों से लेकर कुछ वर्षों तक होती है। ये सभी उपकरण मुद्रा बाजार के महत्वपूर्ण घटक हैं क्योंकि ये बाजार में लिक्विडिटी और स्थिरता प्रदान करते हैं।

48. (B): भुगतान संतुलन का चालू खाता एक देश के विदेशी व्यापार और अन्य वित्तीय लेनदेनों का एक महत्वपूर्ण घटक होता है, जो वस्तुओं, सेवाओं, आय, और चालू हस्तांतरणों के आयात और निर्यात से संबंधित होता है।

विकल्प (*a*) का कथन सही है क्योंकि चालू खाता घाटा तब होता है जब एक देश की निर्यात और निवल अंतरण प्राप्तियां उसके आयात से कम होती हैं। यह घाटा दर्शाता है कि देश अधिक मात्रा में वस्तुएं और सेवाएं आयात कर रहा है जिसके मुकाबले वह कम निर्यात कर रहा है, जिससे नकदी का बहिर्वाह होता है।

विकल्प (*b*) का कथन भी सही है क्योंकि चालू खाता घाटे को विदेशी कर्ज के जरिए वित्त पोषित किया जा सकता है। यह एक प्रचलित विधि है जहां देश विदेशी ऋणदाताओं से कर्ज लेकर अपने चालू खाता घाटे की पूर्ति कर सकते हैं।

विकल्प (*c*) का कथन गलत है क्योंकि विदेशियों से आस्तियाँ खरीदना चालू खाता घाटे को और बढ़ा सकता है, यह विदेशी मुद्रा की आउटफ्लो को ट्रिगर करता है, जिससे घाटा बढ़ता है, न कि कम होता है।

विकल्प (*d*) का कथन सही है क्योंकि यदि किसी विशेष समयावधि में चालू खाता घाटा 50 मिलियन डॉलर है, तो इसे 50 मिलियन डॉलर की निवल पूँजी अंतर्वाह से वित्तपोषित किया जा सकता है, जिसमें निवेश, ऋण और अन्य वित्तीय स्रोत शामिल हैं।

49. (C): इस प्रश्न में दिए गए परिस्थितियों के अनुसार, भारत में ब्याज दर 3% है और यू.एस.ए. में 1% है, जिसका मतलब है कि भारत में ब्याज दरें यू.एस. की तुलना में अधिक हैं। हाजिर बाजार में रुपये की विनिमय दर 80 प्रति यू.एस. डॉलर है, और तीन महीने वायदा बाजार में यह 81 प्रति यू.एस. डॉलर है, जो भविष्य में रुपये के मूल्यह्रास की संभावना को दर्शाता है।

विकल्प (*a*) का कथन कि हाजिर बाजार में भारतीय रुपये का मूल्यह्रास होगा, गलत है क्योंकि वर्तमान में हाजिर दर पर रुपये का मूल्य स्थिर है।

विकल्प (*b*) जो कहता है कि वायदा बाजार में भारतीय रुपये का मूल्यह्रास होगा, सही है क्योंकि वायदा दर 81 तक बढ़ने का संकेत देती है, जिसका अर्थ है कि रुपया डॉलर के मुकाबले कमजोर होगा।

विकल्प (*c*) का कथन कि भारत में ब्याज दर में गिरावट होगी, इस स्थिति से सीधे संबंधित नहीं है। ब्याज दरों में परिवर्तन कई कारकों पर निर्भर करता है और केवल विनिमय दरों के अंतर से संबंधित नहीं होता।

विकल्प (*d*) का कथन कि यू.एस. में ब्याज दर में गिरावट होगी, भी इस स्थिति का परिणाम नहीं है। ब्याज दरों में परिवर्तन घरेलू आर्थिक नीतियों और वैश्विक आर्थिक स्थितियों के आधार पर होता है।

50. (C): बी.ओ.पी. का चालू खाता घाटा विभिन्न स्रोतों से वित्तपोषित किया जा सकता है, और प्रश्न में दिए गए सभी विकल्प उपयुक्त तरीके प्रस्तुत करते हैं।

विकल्प (*a*), प्रत्यक्ष विदेशी निवेश (FPI) अंतर्वाह, चालू खाता घाटे को वित्तपोषित करने के लिए एक महत्वपूर्ण स्रोत होता है। FDI विदेशी निवेशकों द्वारा घरेलू बाजारों में स्थायी निवेश के रूप में होता है, जिससे देश को लंबी अवधि की पूंजी प्राप्त होती है।

विकल्प (*b*), विदेशी पोर्टफोलियो निवेश (FPI) का अंतर्वाह, भी चालू खाता घाटे को वित्तपोषित करने में सहायक होता है। FPI विदेशी निवेशकों द्वारा स्टॉक, बॉन्ड या अन्य वित्तीय साधनों में अल्पकालिक निवेश के रूप में किया जाता है।

विकल्प (*c*), अंतर्राष्ट्रीय मुद्रा कोष (IMF) या विश्व बैंक से ऋण, भी चालू खाता घाटे को वित्तपोषित करने का एक प्रचलित माध्यम है। ये ऋण विशेष रूप से विकासशील देशों के लिए महत्वपूर्ण होते हैं जो अपने भुगतान संतुलन की समस्याओं का सामना कर रहे होते हैं।

विकल्प (*d*), विदेश मुद्रा भंडार से निकासी, भी एक विधि है जिसका उपयोग चालू खाता घाटे को वित्तपोषित करने के लिए किया जाता है। विदेशी मुद्रा भंडार का उपयोग करके, देश अपनी विदेशी मुद्रा की आवश्यकताओं को पूरा कर सकते हैं और अपने विदेशी व्यापार घाटे को मैनेज कर सकते हैं।

सही उत्तर विकल्प (C) है जिसमें सभी उपाय (*a*), (*b*), (*c*), और (*d*) सही तरीके हैं जिनसे चालू खाता घाटा वित्तपोषित किया जा सकता है।

51. (D): अंतर्राष्ट्रीय व्यापार के विशिष्ट कारक मॉडल के संदर्भ में, इस प्रश्न में दिए गए कथन विभिन्न कारकों पर व्यापार के प्रभाव को व्यक्त करते हैं। यह मॉडल मानता है कि व्यापार विभिन्न कारकों पर भिन्न प्रभाव डालता है आधारित है कि वे कारक विशिष्ट हैं या चल हैं।

विकल्प (*a*) का कथन सही है क्योंकि व्यापार से उन विशिष्ट कारकों को लाभ होता है जो निर्यात क्षेत्र में प्रयुक्त होते हैं। जब एक देश किसी विशेष उत्पाद में अपनी विशेषज्ञता का उपयोग करता है तो उस क्षेत्र के कारक अधिक मांग में होते हैं।

विकल्प (*b*) का कथन भी सही है क्योंकि आयात प्रतिस्पर्धी क्षेत्रों के विशिष्ट कारकों को व्यापार से क्षति हो सकती है। जब विदेशी उत्पाद घरेलू बाजार में प्रवेश करते हैं, तो घरेलू उत्पादकों की मांग घट सकती है, जिससे उन क्षेत्रों के विशिष्ट कारकों पर नकारात्मक प्रभाव पड़ता है।

विकल्प (*c*) और (*d*) दोनों सही हैं क्योंकि चल कारक, जो किसी भी क्षेत्र में कार्य कर सकते हैं, व्यापार से दोनों लाभ और हानि अर्जित कर सकते हैं। ये कारक अधिक उत्पादक क्षेत्रों में संचालित हो सकते हैं और लाभ उठा सकते हैं, लेकिन यदि वे कम प्रतिस्पर्धी क्षेत्रों में बने रहते हैं, तो उन्हें हानि भी हो सकती है।

इस प्रकार, सही उत्तर विकल्प (D) है, जिसमें सभी कथन (*a*), (*b*), (*c*), और (*d*) सही हैं।

52. (A): मूल्य परिवर्तनीयता के अंतर्गत समग्र मांग (AD) के संबंध में दिए गए कथनों का विश्लेषण करने पर निम्नलिखित समझ बनती है :

विकल्प (*a*) का कथन सही है क्योंकि स्वायत्त निवेश में वृद्धि से अर्थव्यवस्था में कुल खर्च बढ़ता है, जिससे समग्र मांग (AD) वक्र दाहिने तरफ स्थानांतरित होता है। निवेश में वृद्धि अर्थव्यवस्था में अधिक रोजगार और उत्पादन की मांग को उत्प्रेरित करती है, जिससे आर्थिक गतिविधियों में वृद्धि होती है।

विकल्प (*b*) का कथन भी सही है क्योंकि निवल निर्यात में वृद्धि से घरेलू उत्पादों की विदेशों में मांग बढ़ती है, जिससे समग्र मांग में वृद्धि होती है। इससे AD वक्र दाहिने तरफ स्थानांतरित होता है, क्योंकि देश की कुल आय में इजाफा होता है।

विकल्प (*c*) का कथन सही है क्योंकि मुद्रा की आपूर्ति में कमी से बाजार में उपलब्ध धन की मात्रा कम होती है, जिससे खर्च में कमी आती है और इससे AD वक्र बायीं तरफ स्थानांतरित होता है। मुद्रा की आपूर्ति में कमी से ब्याज दरें बढ़ सकती हैं, जिससे निवेश और उपभोग में गिरावट आती है।

विकल्प (*d*) का कथन गलत है क्योंकि LM वक्र की स्थिति बदलने से मुख्यतः मुद्रा बाजार प्रभावित होता है, न कि सीधे तौर पर AD वक्र पर। LM वक्र की

स्थिति परिवर्तन से ब्याज दरों और मुद्रा की आपूर्ति का संतुलन प्रभावित होता है, जो अंततः AD पर प्रभाव डाल सकता है, लेकिन यह सीधा प्रभाव नहीं है।

इस प्रकार, सही उत्तर विकल्प (A) है, जिसमें केवल (*a*), (*b*), और (*c*) सही कथन हैं।

53. (A): समष्टि अर्थशास्त्र की प्रमुख विचारधाराओं के बारे में दिए गए कथनों का मूल्यांकन करने पर निम्नलिखित विवरण समझ में आते हैं :

विकल्प (*a*) का कथन गलत है क्योंकि केन्जीय मतावलंबी आम तौर पर मजदूरी और कीमतों की अल्पकालिक अडिगता में विश्वास करते थे, न कि उनकी सुनम्यता में। उन्होंने समग्र मांग की भूमिका को अधिक उजागर किया, जबकि समग्र आपूर्ति की भूमिका पर कम जोर दिया।

विकल्प (*b*) का कथन सही है क्योंकि मुद्रावादी अर्थशास्त्री मुद्रा की आपूर्ति की महत्ता और अर्थव्यवस्था में मुद्रास्फीति के विश्लेषण में प्रत्याशाओं के महत्व को उजागर करते हैं। उनके अनुसार, मुद्रा की आपूर्ति की वृद्धि मुद्रास्फीति को प्रेरित करती है और यह अर्थव्यवस्था के स्थायित्व पर गहरा प्रभाव डाल सकती है।

विकल्प (*c*) का कथन सही है क्योंकि क्लासिकी मतावलंबियों ने 'दृश्य हाथ' की अवधारणा में विश्वास किया, जिसे एडम स्मिथ ने प्रतिपादित किया। यह विचार बाजार क्रियाविधि की दक्षता पर आधारित है, जहाँ व्यक्तिगत स्वार्थ बाजार में संसाधनों के समुचित वितरण को सुनिश्चित करते हैं।

विकल्प (*d*) का कथन सही है क्योंकि नव केन्जीय विद्वान अपने विश्लेषण में अपूर्ण बाजारों की पूर्वमान्यता का प्रयोग करते हैं, जिसमें वे बाजार में मौजूद असमानताओं और अक्षमताओं को मानते हैं। यह उन्हें आर्थिक नीतियों की सिफारिश करने में सक्षम बनाता है जो इन अक्षमताओं को संबोधित करती हैं।

इस प्रकार, सही उत्तर विकल्प (A) है, जिसमें केवल (*b*), (*c*), और (*d*) सही कथन हैं।

54. (C): एक मौद्रिक प्रसार, जैसे कि एक अर्थव्यवस्था में मुद्रा की आपूर्ति में वृद्धि, समष्टि अर्थशास्त्र के कई मूलभूत परिणामों को प्रभावित करता है। पूँजी की पूर्ण गतिशीलता, कीमतों के स्थिर स्तर और नम्य विनिमय दर वाली अर्थव्यवस्था में, निम्नलिखित प्रभाव उत्पन्न हो सकते हैं :

विकल्प (*a*) और (*b*) दोनों सही हैं। जब मुद्रा की आपूर्ति में वृद्धि होती है, तो यह आमतौर पर अर्थव्यवस्था में अधिक उपभोग और उत्पादन को प्रोत्साहित करता है। उपभोक्ताओं के पास अधिक धन होने से वे अधिक खर्च कर सकते हैं, जिससे उपभोग में वृद्धि होती है।

इसी तरह, उच्च मांग उत्पादन को बढ़ावा देती है, क्योंकि कंपनियां अधिक सामान और सेवाएं उत्पादित करने के लिए प्रेरित होती हैं।

विकल्प (*c*) और (*d*) के संबंध में, ब्याज दरों पर प्रभाव अर्थव्यवस्था के विशिष्ट परिस्थितियों पर निर्भर करेगा। हालांकि, मौद्रिक प्रसार के आम प्रभाव के रूप में, मुद्रा की आपूर्ति में वृद्धि से आमतौर पर ब्याज दरों में कमी आती है, क्योंकि अधिक नकदी उपलब्ध होती है और इससे उधार लेने की लागत कम होती है। यह ब्याज दरों को निम्नतर करने की दिशा में काम करता है, जिससे विकल्प (*c*) सही होता है और विकल्प (*d*) गलत होता है।

इस प्रकार, सही उत्तर विकल्प (C) है, जिसमें (*a*) और (*b*) सही कथन हैं।

55. (B): दिए गए समीकरणों का विश्लेषण करने पर हमें समघातीयता और समस्थितिकता की विशेषताओं को समझने में मदद मिलती है।

विकल्प (*a*) का कथन सही है : $Q = Ax\alpha y\beta$ को देखते हुए, यह फलन वास्तव में समघातीय है। यदि हम x और y को t (एक स्केलिंग फैक्टर) से गुणा करें, तो $Q = A(tx)\alpha(ty)\beta = t\alpha + \beta Ax\alpha y\beta$ होता है, जो समघातीयता की परिभाषा को पूरा करता है।

विकल्प (*b*) का कथन सही है : $H = eQ$ जहां $Q = Ax\alpha y\beta$ है, तो H एक समस्थितिक फलन है क्योंकि Q स्वयं समघातीय है और exponential फलन नैसर्गिक रूप से समस्थितिक होता है। समस्थितिक फलन वे होते हैं जो मोनोटोनिक ट्रांसफॉर्मेशन के माध्यम से समघातीय फलन से बनते हैं।

विकल्प (*c*) का कथन गलत है : यह कथन सुझाव देता है कि Q केवल तब समघातीय होता है $\alpha + \beta = 1$, जो गलत है क्योंकि Q हमेशा समघातीय होता है, चाहे $\alpha + \beta$ का मान कुछ भी हो।

विकल्प (*d*) का कथन सही है : H = eQ समघातीय नहीं है क्योंकि यद्यपि Q स्केलिंग फैक्टर के संदर्भ में पुनः स्केल होता है, exponential फंक्शन के माध्यम से इसका ट्रांसफॉर्मेशन इसे समघातीय नहीं बनाता है।

विकल्प (*e*) का कथन गलत है : यह कथन गलत है क्योंकि Q वास्तव में समघातीय है।

सही उत्तर विकल्प (B) है, जिसमें (*a*), (*b*), और (*d*) सही कथन हैं।

56. (D)

57. (C): अल्पकालिक लागत वक्रों के विश्लेषण में, विकल्प (*a*) और (*e*) का कथन सही है। औसत लागत (AC) वक्र और औसत परिवर्ती लागत (AVC) वक्र दोनों U-आकार के होते हैं, जो कि लागत अर्थशास्त्र की एक प्रमुख विशेषता है। जब उत्पादन की मात्रा बढ़ती है, तो शुरुआत में ये लागतें घटती हैं क्योंकि फिक्स्ड कॉस्ट्स अधिक उत्पादन वाली इकाइयों में वितरित होती हैं, जिससे औसत लागत में कमी आती है। हालांकि, एक निश्चित बिंदु के बाद, औसत लागतें फिर से बढ़ने लगती हैं क्योंकि उत्पादन की अतिरिक्त इकाइयों को जोड़ने की वजह से मार्जिनल कॉस्ट्स बढ़ जाती हैं।

विशेष रूप से, सीमान्त लागत (MC) वक्र इन दोनों वक्रों के निम्नतम बिन्दु पर इन्हें काटता है। इसका कारण यह है कि MC वक्र उस बिंदु पर AC और AVC वक्रों को काटता है जहाँ वे अपने निम्नतम मूल्य पर होते हैं। इसके बाद, जैसे-जैसे उत्पादन में वृद्धि होती है, MC वक्र AC और AVC वक्रों से ऊपर उठने लगता है, जिससे औसत लागत में वृद्धि होती है। यह सब इस बात का संकेत देता है कि उत्पादन में वृद्धि के साथ उत्पादन की अतिरिक्त इकाई की लागत बढ़ती जाती है।

58. (C)

59. (D): भारत के प्रमुख राज्यों की जनांकिकी संबंधी कथनों के सत्यापन के आधार पर :

विकल्प (*a*) का कथन सही है : केरल भारत में प्रजनन संक्रमण का अग्रदूत माना जाता है, जहां पर जनसंख्या वृद्धि दर सबसे पहले कम हुई थी और यह शैक्षिक स्तर और स्वास्थ्य सेवाओं में सुधार के कारण संभव हुआ।

विकल्प (*b*) का कथन सही है : बिहार में आमतौर पर भारत के अन्य राज्यों की तुलना में शिशु मृत्यु दर (IMR) ऊँची होती है, लेकिन अस्वस्थता की रिपोर्टिंग कम होने की स्थिति भी देखी गई है, जो आम जन जागरूकता और स्वास्थ्य सेवाओं तक पहुंच की कमी को दर्शाता है।

विकल्प (*c*) का कथन सही है : NFHS-5 के आंकड़ों के अनुसार, उड़ीसा में प्रतिरक्षित बच्चों का उच्चतम हिस्सा देखा गया था, जिसे राज्य की सक्रिय स्वास्थ्य नीतियों और कार्यक्रमों के फलस्वरूप माना जा सकता है।

60. (D) **61. (D)**

62. (C): यहाँ पर दिए गए कथनों का सही मूल्यांकन और उनकी विशेषताओं की समझ के आधार पर सही उत्तर का चयन किया गया है।

विकल्प (*a*) सही है : यह सही है कि बंद समुच्चयों की परिमित संख्या का सम्मिलन एक बंद समुच्चय होता है। यदि कई बंद समुच्चयों का यूनियन लिया जाए तो परिणामी समुच्चय में सभी तत्वों की सीमाएँ उसमें शामिल होंगी, जिससे वह समुच्चय भी बंद होगा।

विकल्प (*b*) गलत है : रिक्त समुच्चय (empty set) वास्तव में एक खुला समुच्चय है और साथ ही एक बंद समुच्चय भी है। यह टोपोलॉजी के अनुसार दोनों विशेषताएँ रखता है क्योंकि इसमें कोई तत्व नहीं होता, और इसलिए इसे खुला और बंद दोनों माना जाता है।

विकल्प (*c*) गलत है : प्रत्येक अपरिमित समुच्चय को खुला समुच्चय नहीं कहा जा सकता है। अपरिमिति या अनंतता से यह तय नहीं होता कि समुच्चय खुला है या बंद। खुला या बंद होने की विशेषता समुच्चय की गणितीय परिभाषा और संरचना पर निर्भर करती है।

विकल्प (*d*) सही है : खुले समुच्चयों की परिमित संख्या का प्रतिच्छेदन एक खुला समुच्चय होता है। यदि कई खुले समुच्चयों का इंटरसेक्शन लिया जाता है, तो प्रत्येक खुले समुच्चय के गुणों के आधार पर, परिणामी समुच्चय भी खुला होगा, जिसमें सभी तत्वों के आसपास कुछ ओपन नेबरहुड शामिल होंगे।

इसलिए, सही उत्तर विकल्प (C) है, जिसमें केवल (*a*) और (*d*) सही कथन हैं।

63. **(*)**

64. **(C):** इस प्रश्न में विकल्प (*a*), (*b*), और (*c*) को सही माना गया है, और हम उनके विवरण पर विचार करेंगे।

(*a*) इस कथन के अनुसार, अगर उपयोगिता फलन $u(x)$ को $V(b(x))$ के रूप में परिभाषित किया जा सकता है, जहां $V'(.) > 0$ है, तो $V(x)$ उपयोगिता फलन $b(x)$ के समान अधिमान्यता या तरजीह को दर्शाता है। यहाँ $V'(.) > 0$ बताता है कि V बढ़ता हुआ फलन है, इसका मतलब यह है कि जैसे-जैसे $b(x)$ बढ़ता है, $V(b(x))$ भी बढ़ेगा। इसलिए, यदि एक उपयोगिता फलन दूसरे के साथ इस प्रकार से संबंधित है, तो उनकी अधिमान्यता समान होती है।

(*b*) यह कथन यह बताता है कि यदि दो उपयोगिता फलन एक ही अधिमान्यता दर्शाते हैं तो उपभोक्ता की उपयोगिता अधिकतम की समस्या का हल इन दो उपयोगिता फलनों के लिए समान होगा। हालांकि, अप्रत्यक्ष उपयोगिता फलन भिन्न हो सकते हैं क्योंकि ये फलन बजट सीमा के तहत अधिकतम उपयोगिता को प्रतिबिंबित करते हैं और उनका निर्माण अलग-अलग तरीके से हो सकता है।

(*c*) इस कथन के अनुसार, यदि अधिमान्यता की स्थानीय अपरितृप्ति की मान्यता संतुष्ट होती है, तो उपभोक्ता उपयोगिता अधिकतमकरण समस्या का कोई भी हल बजट प्रतिबंध को समानता के साथ संतुष्ट करता है। यह मान्यता यह सुनिश्चित करती है कि उपभोक्ता हमेशा अपने बजट की पूरी सीमा का उपयोग करेगा और किसी भी समाधान में वह अपने उपलब्ध संसाधनों का पूरा इस्तेमाल करेगा।

65. **(C):** इस प्रश्न में विकल्प (*c*) को सही माना गया है, जिसके अनुसार (*i*), (*ii*) और (*iii*) के समाधान नहीं हैं। हम प्रत्येक के लिए विवरण प्रदान करेंगे :

(*i*) जहां $z = \ln x$ और $x > 1$ के अधीन है, इस स्थिति में जैसे-जैसे x की मान बढ़ती है, $\ln x$ भी बढ़ता जाता है। इसलिए, x को जितना अधिक बढ़ाया जा सकता है, z का मान उतना ही अधिक होगा। क्योंकि x की कोई ऊपरी सीमा नहीं है, इसलिए $\ln x$ का मान अनंत तक पहुंच सकता है, जिससे इस समस्या का कोई निश्चित इष्टतम समाधान नहीं है।

(*ii*) जहां $z = \ln x$ और $1 < x < 2$ के अधीन है, इस स्थिति में जैसे-जैसे $\ln x$ शून्य के नजदीक जाता है, $\ln x$ का मान नकारात्मक अनंत तक जाता है। इस कारण z का मान निगेटिव इन्फिनिटी तक गिरता जाता है, और इस समस्या का कोई इष्टतम समाधान नहीं है।

(*iii*) जहां $z = \ln x$ और $1 < x < 2$ के अधीन है, यहां भी $\ln x$ का मान जैसे-जैसे x बढ़ता है उसी अनुपात में बढ़ता है। चूंकि x की सीमा 1 से 2 तक है, इसलिए $\ln x$ का मान अधिकतम $\ln 2$ होगा, जब $x = 2$ होता है। यहाँ भी, x को 2 तक बढ़ाने से z का इष्टतम मान मिलता है, लेकिन क्योंकि x की सीमा निर्धारित है, यह समाधान को प्रभावित करता है और इसलिए $\ln x$ का अधिकतम मान एक निश्चित संख्या $\ln 2$ होता है, जो कि एक निश्चित समाधान नहीं है जैसा कि आम इष्टतमीकरण में होता है।

66. **(D):** इस प्रश्न में विकल्प (*d*) को सही माना गया है, और हम उनके सही मिलान को विस्तार से समझाएंगे :

(*a*) **रामसर सम्मेलन :** यह सम्मेलन दलदलों के संरक्षण पर केंद्रित है। दलदली क्षेत्र बायोडाइवर्सिटी के महत्वपूर्ण स्थान हैं और वे पानी के नेचुरल फिल्टर के रूप में काम करते हैं, पानी को स्टोर करते हैं और बाढ़ को रोकने में मदद करते हैं। इस सम्मेलन का उद्देश्य इन दलदली क्षेत्रों की वैश्विक महत्व को पहचानना और उनका संरक्षण करना है।

(*b*) **बेसल सम्मेलन :** यह सम्मेलन खतरनाक अपशिष्ट के अन्तरसीमा परिवहन और उनके निपटान पर नियंत्रण के लिए है। इसका लक्ष्य है कि खतरनाक अपशिष्ट का सुरक्षित और पर्यावरण के अनुकूल तरीके से निपटान सुनिश्चित किया जा सके, विशेषकर विकासशील देशों में इसके अनुचित निपटान को रोकने के लिए।

(*c*) **मॉन्ट्रियल प्रोटोकॉल :** यह प्रोटोकॉल ओजोन परत की क्षीणता को रोकने के लिए है। इसका उद्देश्य ओजोन को क्षति पहुँचाने वाले केमिकल्स जैसे कि क्लोरोफ्लोरोकार्बन्स (CFCs) के उत्पादन और उपयोग को कम करना है।

(*d*) **पेरिस समझौता :** यह समझौता ग्रीन हाउस गैस उत्सर्जन में कमी को लक्षित करता है और इसका उद्देश्य वैश्विक तापमान वृद्धि को 2 डिग्री सेल्सियस से कम रखना है। इस समझौते के तहत, देशों को अपने उत्सर्जन में कटौती करने की योजनाएँ बनानी होती हैं और नियमित रूप से इसकी समीक्षा की जाती है।

67. (B): कोज सिद्धांत, जिसे रोनाल्ड कोज ने प्रतिपादित किया था, यह विचार व्यक्त करता है कि जब भी पर्यावरणीय हानि होती है, तो नुकसान पहुँचाने वाले को उसकी भरपाई करनी चाहिए। इस सिद्धांत के अनुसार, अगर संपत्ति अधिकार स्पष्ट हैं और लेन-देन की लागत कम है, तो बाजार खुद ही प्रदूषण को नियंत्रित कर सकता है। जलवायु परिवर्तन, जिसे यहां IV विकल्प में वैश्विक बाह्यता के रूप में पहचाना गया है, का मतलब है कि यह एक वैश्विक समस्या है जिसके प्रभाव सीमाओं को पार करते हैं और इसका मुकाबला अंतरराष्ट्रीय सहयोग से ही संभव है। उत्सर्जन परमिट का व्यापार, जिसे तीसरे स्थान पर रखा गया है, एक ऐसी व्यवस्था है जहां प्रदूषण करने की अनुमति खरीदी और बेची जा सकती है। इससे प्रदूषण को नियंत्रित करने में मदद मिलती है और प्रदूषण कम करने के लिए आर्थिक प्रोत्साहन भी मिलता है। पारिस्थितिक क्षेपण, जिसे दूसरे विकल्प में ढीला पर्यावरणीय विनियमन के रूप में बताया गया है, से आशय ऐसी व्यवस्थाओं से है जो पर्यावरणीय संरक्षण के लिए कम सख्त मानदंडों का प्रस्ताव करते हैं।

68. (C): कैनेथ एरो, जो कि एक प्रसिद्ध अर्थशास्त्री थे, उन्होंने कल्याणकारी अर्थशास्त्र में महत्वपूर्ण योगदान दिया। उनके द्वारा विकसित सिद्धांतों ने यह बताया कि कैसे बाजार में असफलताएं हो सकती हैं और कैसे सरकारी हस्तक्षेप से कुछ मामलों में सामाजिक कल्याण में सुधार हो सकता है। रॉबर्ट सोलो, जिन्होंने आर्थिक वृद्धि सिद्धांत में अपना योगदान दिया, उन्होंने सोलो वृद्धि मॉडल के माध्यम से यह दर्शाया कि कैसे तकनीकी प्रगति अर्थव्यवस्था की वृद्धि का मुख्य चालक होती है। डेनियल केनेमैन, जो एक मनोवैज्ञानिक हैं और अर्थशास्त्र में नोबेल पुरस्कार विजेता हैं, उन्होंने व्यावहारिक अर्थशास्त्र में महत्वपूर्ण योगदान दिया है। उनके कार्यों ने यह स्पष्ट किया कि कैसे मनुष्य अपने निर्णयों में तर्कहीन हो सकते हैं और कैसे बाजार व्यवहार की भविष्यवाणी के लिए इस जानकारी का उपयोग किया जा सकता है। जोशुआ एंग्रिस्ट का योगदान कारणात्मक संबंध के विश्लेषण में है, जिसमें वे आर्थिक मॉडलों में कारण और प्रभाव के संबंधों को समझने के लिए अभिनव तकनीकों का प्रयोग करते हैं।

69. (C):

(*a*) **जनांकिकीय संक्रमण :** इसे प्रतिस्थापन दर (III) के साथ जोड़ा गया है। जनांकिकीय संक्रमण सिद्धांत बताता है कि कैसे एक समाज की मृत्यु और जन्म दर समय के साथ परिवर्तित होती है, आखिरकार एक स्थिर प्रतिस्थापन दर तक पहुंचती है, जहां जनसंख्या स्थिर रहती है।

(*b*) **विकास/वृद्धि के चरण :** इसे उत्कृष्टता या टेक ऑफ (II) के साथ जोड़ा गया है। रोस्टो के विकास के पाँच चरणों में टेक ऑफ का चरण उस समय को दर्शाता है जब एक देश स्थायी आर्थिक वृद्धि की ओर बढ़ता है और औद्योगिकीकरण तेजी से बढ़ता है।

(*c*) **ग्रामीण-नगरीय प्रवासन निर्णय :** इसे द्वैतवाद या ड्यूलिज्म (I) के साथ जोड़ा गया है। यह आर्थिक सिद्धांत बताता है कि कैसे विकासशील देशों में एक साथ विकसित और अविकसित आर्थिक क्षेत्र मौजूद हो सकते हैं, जो ग्रामीण से नगरीय क्षेत्रों की ओर प्रवासन को प्रेरित करते हैं।

(*d*) **महिला श्रम-शक्ति भागीदारी दर :** इसे पीछे की ओर झुकता श्रम आपूर्ति वक्र (IV) के साथ जोड़ा गया है। इस सिद्धांत के अनुसार, उच्च आय स्तर पर महिलाएं काम करने की इच्छा कम कर सकती हैं,

जिससे उनकी श्रम आपूर्ति में गिरावट आ सकती है, यह विशेष रूप से उच्च आय वाले समूहों में देखने को मिलता है।

70. (D):

(*a*) **लॉजिट मॉडल :** यह द्विचर (बाइनरी) आश्रित चर (II) के लिए उपयोगी है। लॉजिट मॉडल का प्रयोग तब किया जाता है जब निर्भर चर केवल दो संभाव्य स्थितियों (जैसे हाँ या नहीं, 1 या 0) में होता है।

(*b*) **लॉग-लॉग मॉडल :** इसमें प्रत्यास्थताएँ स्थिर होती हैं (I)। यह मॉडल प्रतिशत परिवर्तनों का विश्लेषण करता है, जहाँ प्रत्येक प्रतिशत वृद्धि या कमी एक स्थिर प्रतिक्रिया को दर्शाती है।

(c) **स्व समाश्रयी (ऑटो रिगरेसिव) मॉडल :** यह आश्रित चर की पश्चताएँ (lags) सम्मिलित करता है (IV)। आटोरिग्रेसिव मॉडल में एक चर की पिछली मानों का प्रयोग उसी चर के भविष्य की मानों की भविष्यवाणी के लिए किया जाता है।

(*d*) **भारित न्यूनतम वर्ग मॉडल :** इससे प्रसरण विषमता के लिए सुधार किया जाता है (III)। यह तकनीक उन मामलों में उपयोगी होती है जहाँ डेटा की विषमता (होमोस्केडास्टिसिटी की कमी) होती है, जिसे सामान्यतः अध्ययन में त्रुटियों के विभिन्न वेरियन्स के अनुकूलन के लिए दूर किया जाता है।

71. (C):

(*a*) **उपभोग की स्थायी आय परिकल्पना :** इसका प्रतिपादन मिल्टन फ्रीडमैन (II) ने किया था। इस सिद्धांत के अनुसार, व्यक्ति अपनी उपभोग योजनाओं को उनकी आय की अपेक्षित लंबी अवधि की औसत पर आधारित करते हैं, न कि केवल वर्तमान आय पर।

(*b*) **उपभोग की जीवन चक्र परिकल्पना :** इसका प्रतिपादन फ्रैंको मोडिग्लियानी (III) ने किया था। यह सिद्धांत बताता है कि व्यक्ति अपनी आय और उपभोग को अपने जीवनकाल में संतुलित करने का प्रयास करते हैं, ताकि वे अपनी रिटायरमेंट के दौरान भी आरामदायक जीवन यापन कर सकें।

(*c*) **वास्तविक व्यवसाय चक्र सिद्धांत :** इसका प्रतिपादन फिन किडलैंड और एडवर्ड प्रेस्कॉट (IV) ने किया था। इस सिद्धांत के अनुसार, आर्थिक उतार-चढ़ाव मुख्य रूप से तकनीकी परिवर्तनों और उत्पादकता में बदलाव के कारण होते हैं।

(*d*) **नीति निष्प्रभावित तर्कवाक्य :** इसका प्रतिपादन टी. सार्जेंट और एन. वालेस (I) ने किया था। यह तर्कवाक्य बताता है कि अगर बाजार सार्वजनिक नीतियों की प्रतिक्रियाओं को अग्रिम रूप से पहचान लेते हैं, तो ये नीतियां अप्रभावी हो सकती हैं क्योंकि बाजार के प्रतिभागी पहले से ही अपने निर्णयों में इन परिवर्तनों को शामिल कर लेते हैं।

72. (C):

(*a*) **अनइक्वल एक्सचेंज :** इसका प्रतिपादन ए. इमानुएल (III) ने किया था। इमानुएल का अनइक्वल एक्सचेंज सिद्धांत बताता है कि कैसे विकसित देश विकासशील देशों के साथ व्यापार करके उनके संसाधनों का लाभ उठाते हैं, जिससे विकासशील देशों के लिए आर्थिक असमानताएं और बढ़ जाती हैं।

(*b*) **द डेवलपमेंट ऑफ अंडरडेवलपमेंट :** इसका प्रतिपादन जी. फ्रैंक (IV) ने किया था। फ्रैंक का यह सिद्धांत बताता है कि कैसे औपनिवेशिक शक्तियां और बड़े आर्थिक शक्ति केंद्र विकासशील देशों को अपने विकास के पथ पर अवरुद्ध करते हैं, जिससे ये देश आर्थिक रूप से पिछड़े रह जाते हैं।

(*c*) **बैकवर्ड एंड फार्वर्ड लिंकेज इफेक्ट :** इसका प्रतिपादन ए. हर्शमैन (I) ने किया था। यह सिद्धांत बताता है कि कैसे नए उद्योगों की स्थापना से अन्य उद्योगों में विकास होता है, जो इन नए उद्योगों के उत्पादन को सहायता प्रदान करते हैं या इनके उत्पादों का उपयोग करते हैं।

(*d*) **बैकवाश इफेक्ट :** इसका प्रतिपादन जी. मिर्डल (II) ने किया था। मिर्डल का यह सिद्धांत बताता है कि कैसे कुछ क्षेत्रों का तीव्र विकास दूसरे क्षेत्रों से संसाधनों को खींच लेता है, जिससे इन दूसरे क्षेत्रों का विकास बाधित होता है और आर्थिक असमानताएं और बढ़ जाती हैं।

73. (D):

(*a*) **स्वतंत्र मानक प्रसामान्य चरों के वर्गों का योगफल :** यह काई स्क्वेयर वितरण (IV) को दर्शाता है। जब स्वतंत्र सामान्य वितरित चरों के वर्गों का योगफल लिया जाता है, तो परिणामी वितरण काई स्क्वेयर वितरण होता है।

(*b*) **एक मानक प्रसामान्य चर का का एक स्वतंत्र काई-स्क्वेयर चर (स्वतंत्रता की कोटियों से विभाजित) के वर्गमूल के साथ अनुपात :** यह F वितरण (II) को दर्शाता है। यह संबंध एक मानक सामान्य वितरित चर को काई-स्क्वेयर वितरण के वर्गमूल के साथ विभाजित करने पर प्राप्त होता है, जिसे वितरण कहा जाता है।

(*c*) **दो स्वतंत्र काई स्क्वेयर चरों (उनकी स्वातंत्र्य कोटियों से विभाजित) का अनुपात :** यह *t* वितरण (I) को दर्शाता है। दो स्वतंत्र काई-स्क्वेयर वितरित चरों को उनकी स्वतंत्रता की डिग्रियों से विभाजित करने के बाद उनका अनुपात *t* वितरण का उदाहरण होता है।

(*d*) **(प्रसामान्य चर – इसका माध्य) ÷ इसका मानक विचलन :** यह मानक प्रसामान्य वितरण (III) को दर्शाता है। जब किसी प्रसामान्य चर से इसके माध्य को घटा दिया जाता है और परिणाम को इसके मानक विचलन से विभाजित किया जाता है, तो यह मानक प्रसामान्य वितरण बन जाता है।

74. (A):

(*a*) **निवेश ब्याज दरों के प्रति असंवेदनशील होता है :** इसके लिए ऊर्ध्वाधर आई.एस. वक्र (IV) उपयुक्त है। जब निवेश ब्याज दरों के प्रति असंवेदनशील होता है, तो यह दर्शाता है कि निवेश में परिवर्तन ब्याज दरों के बदलाव से बहुत कम या न के बराबर प्रभावित होता है।

(*b*) **मुद्रा की माँग ब्याज दरों के संदर्भ में पूर्णतः लोचदार होती है :** इसके लिए क्षैतिज एल.एम. वक्र (III) सही है। यदि मुद्रा की मांग पूर्णतः लोचदार है, तो ब्याज दरों में मामूली परिवर्तन के लिए भी मांग में असीमित परिवर्तन होगा, इसलिए वक्र क्षैतिज होगा।

(*c*) **मुद्रा की माँग ब्याज दरों के संदर्भ में पूर्णतः लोचदार होती है :** इसके लिए ऊर्ध्वाधर एल.एम. वक्र (II) उपयुक्त है। जब मुद्रा की मांग ब्याज दरों के प्रति पूर्णतः लोचदार होती है, तो यह दर्शाता है कि ब्याज दरों में परिवर्तन का मुद्रा की मांग पर कोई प्रभाव नहीं पड़ता, इसलिए वक्र ऊर्ध्वाधर होता है।

(*d*) **निवेश ब्याज दरों के प्रति अत्यधिक उत्तरदायी (संवेदनशील) होता है :** इसके लिए सापेक्षिक रूप से क्षैतिज आई.एस. वक्र (I) उपयुक्त है। जब निवेश ब्याज दरों के प्रति अत्यधिक संवेदनशील होता है, तो इसका मतलब है कि ब्याज दरों में छोटे बदलाव से भी निवेश में बड़े परिवर्तन होते हैं, जिससे वक्र क्षैतिज की ओर झुक जाता है।

75. (A):

(*a*) **मुद्रा का परिमाण सिद्धांत :** इसका प्रतिपादन मिल्टन फ्रीडमैन (I) ने किया था। फ्रीडमैन का मुद्रा का परिमाण सिद्धांत मुद्रास्फीति और मुद्रा की मात्रा के बीच के संबंध पर आधारित है, जिसमें यह वर्णित है कि मुद्रा की आपूर्ति में वृद्धि आमतौर पर कीमतों में वृद्धि का कारण बनती है।

(*b*) **अनैच्छिक बेरोजगारी :** इसका प्रतिपादन जॉन मेनर्ड केन्स (II) ने किया था। केन्स के अनुसार, अनैच्छिक बेरोजगारी तब होती है जब श्रम बाजार में निम्न मांग के कारण लोगों को अपनी इच्छित मजदूरी पर भी रोजगार नहीं मिल पाता है।

(*c*) **यादृच्छिककृत परीक्षण (ट्रायल) :** इसका प्रतिपादन अभिजीत वी. बनर्जी (III) ने किया था। अभिजीत बनर्जी ने अपने शोध में यादृच्छिककृत परीक्षणों का उपयोग किया है ताकि विभिन्न आर्थिक नीतियों और हस्तक्षेपों के प्रभावों का आकलन किया जा सके, विशेष रूप से गरीबी उन्मूलन के क्षेत्र में।

(*d*) **सापेक्ष गरीबी :** इसका प्रतिपादन अमर्त्य के. सेन (IV) ने किया था। अमर्त्य सेन ने गरीबी को एक सापेक्ष अवधारणा के रूप में विकसित किया, जो व्यक्तियों की सामाजिक और आर्थिक स्थितियों की तुलना में उनकी क्षमताओं और अवसरों की कमी को दर्शाता है।

76. **(C):** यहाँ मौद्रिक संचरण क्रियाविधि के विनिमय दर चैनल के चरणों को सही क्रम में व्यवस्थित करने की व्याख्या दी गई है :

(*a*) **नीतिगत दर में कमी :** मौद्रिक नीति का पहला कदम अक्सर नीतिगत ब्याज दर में कमी करना होता है। इससे ऋण पर ब्याज दर कम हो जाती है, जिससे व्यावसायिक निवेश और उपभोक्ता खर्च बढ़ता है।

(*b*) **पूंजी बहिर्प्रवाह :** जब घरेलू ब्याज दरें कम होती हैं, तो निवेशक अधिक रिटर्न की तलाश में विदेशी बाजारों में निवेश कर सकते हैं। इससे पूंजी का बहिर्वाह होता है।

(*c*) **घरेलू मुद्रा का मूल्यह्रास :** पूँजी बहिर्वाह से घरेलू मुद्रा की मांग में कमी आती है, जिससे मुद्रा का मूल्यह्रास होता है।

(*d*) **शुद्ध (निवल) निर्यात में वृद्धि :** घरेलू मुद्रा के मूल्यह्रास से घरेलू उत्पादों की विदेशों में प्रतिस्पर्द्धा बढ़ जाती है, जिससे निर्यात में वृद्धि और आयात में कमी होती है, और इस प्रकार शुद्ध निर्यात में वृद्धि होती है।

ये चरण आपस में जुड़े हुए हैं और एक-दूसरे पर निर्भर करते हैं, जिससे विनिमय दर चैनल के माध्यम से मौद्रिक नीति के प्रभाव सामने आते हैं।

77. **(C):** भारतीय रिजर्व बैंक के गवर्नरों की सूची में वाई. वी. रेड्डी, डी. सुब्बाराव, रघुराम राजन, और उर्जित पटेल का क्रम उनके कार्यकाल के अनुसार सही ढंग से व्यवस्थित है। वाई.वी. रेड्डी का कार्यकाल 6 सितंबर 2003 से 5 सितंबर 2008 तक था। इसके बाद डी. सुब्बाराव ने पदभार संभाला, जिनका कार्यकाल 5 सितंबर 2008 से 4 सितंबर 2013 तक रहा। रघुराम राजन ने 4 सितंबर 2013 से 4 सितंबर 2016 तक भारतीय रिजर्व बैंक के गवर्नर के रूप में सेवा की। उसके बाद उर्जित पटेल ने 4 सितंबर 2016 से 11 दिसंबर 2018 तक इस पद पर कार्य किया।

इन गवर्नरों के कार्यकाल के दौरान, उन्होंने भारतीय अर्थव्यवस्था के विभिन्न पहलुओं पर महत्वपूर्ण प्रभाव डाला। वाई.वी. रेड्डी ने मौद्रिक नीति की स्थिरता पर जोर दिया, जबकि डी. सुब्बाराव के कार्यकाल में वित्तीय संकट के दौरान प्रतिक्रिया में महत्वपूर्ण कदम उठाए गए। रघुराम राजन ने वित्तीय सुधारों और भारतीय बैंकिंग प्रणाली के पारदर्शिता में सुधार पर फोकस किया। उर्जित पटेल के समय में नोटबंदी जैसे बड़े आर्थिक निर्णय लिए गए, जिसका व्यापक प्रभाव पड़ा। इन गवर्नरों का कार्यकाल न केवल उनकी नीतियों के लिए, बल्कि उनके द्वारा किए गए सुधारों के लिए भी याद किया जाता है।

78. **(C):** भारतीय वित्तीय तंत्र की घटनाओं का सही कालक्रम निम्नानुसार है :

(*b*) **यू.टी.आई. की स्थापना :** यूनिट ट्रस्ट ऑफ इंडिया (UTI) की स्थापना 1964 में हुई थी। यह भारत का पहला म्यूचुअल फंड था और इसने देश में निवेश के नए अवसर प्रदान किए।

(*c*) **14 वाणिज्यिक बैंकों का राष्ट्रीयकरण :** 1969 में, भारत सरकार ने 14 प्रमुख निजी बैंकों का राष्ट्रीयकरण किया। यह कदम बैंकिंग सेवाओं को ग्रामीण और दूरदराज के क्षेत्रों तक विस्तारित करने और वित्तीय समावेशन को बढ़ावा देने के उद्देश्य से उठाया गया था।

(*a*) **पी.एफ.आर.डी.ए. की स्थापना :** पेंशन फंड रेगुलेटरी एंड डेवलपमेंट अथॉरिटी (PFRDA) की स्थापना 2003 में की गई थी। इसका उद्देश्य पेंशन और संबंधित क्षेत्रों में विकास और विनियमन करना है, जिससे लोगों को सुरक्षित और स्थायी पेंशन सुविधा प्रदान की जा सके।

(*d*) **आई.बी.सी. का क्रियान्वयन :** इन्सोल्वेंसी और बैंकरप्सी कोड (IBC) 2016 में लागू हुआ। यह कानून दिवालियापन और कंपनी इन्सोल्वेंसी के मामलों को संभालने के लिए एक एकीकृत ढांचा प्रदान करता है, जिससे वित्तीय स्थिरता और क्रेडिट बाजारों में विश्वास बढ़ता है।

यह क्रम भारतीय वित्तीय तंत्र में महत्वपूर्ण घटनाओं को उनकी ऐतिहासिक घटनाओं के क्रमानुसार प्रदर्शित करता है, जिससे इन पहलुओं के विकास और प्रभाव की गहराई से समझ बनती है।

79. (B):

(*a*) **शेफर्ड का लेमा :** यह लेमा यह बताता है कि कैसे लाभ फलन के प्रति इनपुट की मांग उसके डेरिवेटिव से संबंधित होती है। शेफर्ड का लेमा अक्सर लाभ फलन के संदर्भ में प्रयोग किया जाता है जब उत्पादन सिद्धांत की बात आती है, जहां यह बताया जाता है कि कैसे एक फर्म अपने इनपुट्स का उपयोग करती है ताकि उसका लाभ मैक्सिमाइज हो सके।

(*b*) **प्रतिकूल चयन :** यह जब होता है जब एजेंट के छुपे हुए प्रकार (I) के कारण अनिच्छनीय व्यवहार का चयन होता है। उदाहरण के लिए, बीमा बाजारों में, जहां उच्च जोखिम वाले व्यक्ति सबसे अधिक संभावना से बीमा खरीदते हैं क्योंकि वे अपने जोखिम को जानते हैं जबकि बीमा कंपनियां नहीं।

(*c*) **होटलिंग का लेमा :** यह लेमा लाभ फलन (IV) के संदर्भ में है और यह दिखाता है कि उत्पादन की मात्रा कैसे लाभ मैक्सिमाइजेशन के अंतर्गत बदलती है। होटलिंग का लेमा यह दर्शाता है कि किसी उत्पाद की मांग में वृद्धि कैसे उसकी उत्पादन मात्रा को प्रभावित करती है।

(*d*) **रॉय की सर्वसमिका :** यह अप्रत्यक्ष उपयोगिता फलन (III) से संबंधित है। रॉय की सर्वसमिका उपभोक्ता सिद्धांत में एक महत्वपूर्ण उपकरण है जो बताता है कि कैसे विभिन्न सामानों की मांग उपभोक्ताओं की आय और सामानों की कीमतों के प्रति प्रतिक्रियाशील होती है।

ये सिद्धांत और लेमाएँ वित्तीय और आर्थिक निर्णय लेने में मौलिक आधार प्रदान करते हैं और विभिन्न परिस्थितियों में उत्पादन, उपभोग, और निवेश व्यवहार को समझने में सहायक होते हैं।

80. (B): भारत में सरकार द्वारा प्रायोजित विभिन्न योजनाओं का क्रमानुसार आरम्भ होने का विवरण इस प्रकार है : सबसे पहले, 'शिक्षा का अधिकार' योजना को वर्ष 2009 में लागू किया गया। इस योजना का मुख्य उद्देश्य 6 से 14 वर्ष के आयु वर्ग के सभी बच्चों को मुफ्त और अनिवार्य शिक्षा प्रदान करना है। इसके बाद, 'स्वच्छ भारत अभियान' का आरम्भ 2014 में हुआ, जिसका लक्ष्य भारत को स्वच्छ बनाना और खुले में शौच मुक्त करना था। इस अभियान के तहत लाखों शौचालय बनाए गए। फिर 'बेटी बचाओ बेटी पढ़ाओ' योजना 2015 में शुरू की गई, जिसका उद्देश्य लिंग अनुपात में सुधार और बालिकाओं की शिक्षा को प्रोत्साहित करना है। वर्ष 2016 में, 'उज्ज्वला' योजना की शुरुआत की गई, जिसके अंतर्गत गरीब महिलाओं को मुफ्त में एलपीजी कनेक्शन प्रदान किए गए। अंत में, 'आयुष्मान भारत' योजना 2018 में शुरू हुई, जिसका उद्देश्य निम्न और मध्यम वर्गीय परिवारों को स्वास्थ्य सुरक्षा प्रदान करना है। इस प्रकार, इन योजनाओं के सही कालक्रम के अनुसार उत्तर विकल्प (B) है।

81. (A): चाउ परीक्षण एक आंकड़ीय प्रक्रिया है जिसका उपयोग समेकित डेटा पर किए गए प्रतिगमन विश्लेषण की तुलना उसी प्रतिगमन को दो अलग-अलग उप-समूहों पर लागू करके की जाती है। इस परीक्षण के माध्यम से यह जांचा जाता है कि क्या समेकित डेटा पर प्रतिगमन मॉडल उप-समूहों पर किए गए प्रतिगमन से अधिक सटीक है। इसके लिए कई चरणों का पालन किया जाता है। पहला चरण होता है समेकित नमूने पर प्रतिगमन मॉडल का संचालन और आरएसएस (शेष वर्ग योग) की गणना। दूसरा चरण होता है दो उप-नमूनों पर उसी मॉडल को अलग से संचालित करना और उनके आरएसएस की गणना करना। तीसरा चरण में F-सांख्यिकी की गणना की जाती है, जो यह दर्शाती है कि समेकित डेटा के आधार पर मॉडल कितना प्रभावी है। चौथे चरण में F-सांख्यिकी की क्रांतिक मान के साथ तुलना की जाती है, और अंत में यदि परिकलित F क्रांतिक F से कम हो तो शून्य परिकल्पना को अस्वीकार नहीं किया जाता है। इस प्रकार, सही उत्तर विकल्प (A) है, जो इन सभी चरणों का सही क्रम दर्शाता है।

82. (C): भारत में विभिन्न समितियाँ विशेष आर्थिक, सामाजिक, और विकासात्मक मुद्दों पर विचार करने के लिए समय-समय पर गठित की गई हैं। इनमें से अलघ समिति, खुसरो समिति, नायक समिति, लकड़ावाला समिति, और तेंदुलकर समिति प्रमुख हैं। अलघ समिति का गठन सबसे पहले हुआ था, जिसे 1981 में खाद्यान्नों की

उपलब्धता, मांग और खपत का अध्ययन करने के लिए बनाया गया था। इसके बाद खुसरो समिति का गठन 1985 में हुआ, जिसने कृषि ऋण और सुधारों पर अपनी सिफारिशें दीं। तत्पश्चात, नायक समिति की स्थापना 1987 में हुई, जिसने बीमा क्षेत्र में सुधारों की विवेचना की। लकड़ावाला समिति 1991 में गरीबी रेखा की पुनर्परिभाषा के लिए बनाई गई थी। अंत में, तेंदुलकर समिति जो कि 2005 में गठित की गई, ने भी गरीबी के मापदंडों पर पुनर्विचार किया। इस प्रकार, इन समितियों का सही क्रमानुसार गठन (C) विकल्प में दिया गया है।

83. (B): आर्थिक सिद्धांतों के विकास के संदर्भ में, विभिन्न सिद्धांतों का क्रमनिर्धारण उनकी प्रस्तुति और उपयोगिता के आधार पर किया जा सकता है। 'बिग पुश का सिद्धांत' पॉल रोजेन्स्टीन-रोडान द्वारा 1943 में प्रस्तुत किया गया, जिसमें यह बताया गया था कि विकासशील देशों को एक बड़े धक्के की जरूरत होती है ताकि वे विकास के पथ पर अग्रसर हो सकें। इसके बाद, 'श्रम की असीमित आपूर्तियों के साथ विकास' का सिद्धांत आर्थर लुईस द्वारा 1954 में प्रस्तुत किया गया, जिसमें दोहरी अर्थव्यवस्था मॉडल का वर्णन किया गया था। 'पूँजी का संचयन' सिद्धांत हारोड-डोमर मॉडल से संबंधित है, जो 1940 के दशक में प्रस्तुत किया गया था। 'संचयी कारणन का सिद्धांत' अल्बर्ट हिर्शमन द्वारा 1958 में प्रस्तुत किया गया, जिसमें असंतुलित वृद्धि की अवधारणा को विस्तारित किया गया था। अंत में, 'असंतुलित वृद्धि' का सिद्धांत अल्बर्ट हिर्शमन द्वारा 1958 में ही प्रस्तुत किया गया, जो विकास की रणनीति के रूप में असंतुलन का महत्व बताता है। इस प्रकार, विकल्प (B) सही है।

84. (D): समष्टि अर्थशास्त्र की विचारधाराओं के विकास का कालक्रम कुछ इस प्रकार है : सबसे पहले 'शास्त्रीय (क्लासिकी) विचारधारा' का विकास हुआ, जिसे 18वीं और 19वीं सदी के दौरान एडम स्मिथ, डेविड रिकार्डो, और जॉन स्टुअर्ट मिल जैसे अर्थशास्त्रियों ने प्रस्तावित किया। इस विचारधारा का मुख्य फोकस श्रम, उत्पादन, और मूल्य निर्धारण पर था। इसके बाद, 'नव-शास्त्रीय (नव-क्लासिकी) विचारधारा' विकसित हुई, जिसने 19वीं सदी के अंत और 20वीं सदी के शुरुआती दशकों में उभार पाया और यह उपयोगिता, मांग, और आपूर्ति पर जोर देती है। 'केन्जवादी विचारधारा', जो जॉन मेनार्ड केन्स द्वारा 1930 के दशक में प्रस्तुत की गई, ने आर्थिक संकटों के दौरान सरकारी हस्तक्षेप की महत्वपूर्णता को बल दिया। 'मुद्रावादी विचारधारा' का विकास 1950 और 1960 के दशक में हुआ, जिसमें मिल्टन फ्रीडमैन ने मुद्रा स्थिति और मौद्रिक नीति पर जोर दिया। अंत में, 'नव केन्जवादी विचारधारा' का उदय 1970 के दशक में हुआ, जिसमें केन्सीय विचारों को नव-शास्त्रीय विचारों के साथ मिलाकर प्रस्तुत किया गया। इस प्रकार, विकल्प (D) सही उत्तर है, जो इन विचारधाराओं को उनके विकास के क्रम में प्रदर्शित करता है।

85. (D)

86. (C): वर्ष 2022-23 के लिए भारत के आर्थिक आंकड़ों के अनुसार, कथन I का विवरण कृषि क्षेत्र की जी.डी.पी. के बारे में सत्य है। कृषि क्षेत्र आमतौर पर भारत की समग्र जी.डी.पी. का एक महत्वपूर्ण हिस्सा बनाता है, लेकिन यह समग्र जी.डी.पी. का 20% से कम ही होता है, विशेषकर वर्ष 2011-12 की स्थिर कीमतों पर इसका योगदान लगभग 16% के आसपास रहता है। इसलिए कथन I सत्य है।

दूसरी ओर, कथन II में दिया गया विवरण कि सेवा क्षेत्र का जी.डी.पी. समग्र जी.डी.पी. के 16% से कम है, यह गलत है। भारत में, सेवा क्षेत्र समग्र जी.डी.पी. का राबसे बड़ा हिस्सा बनाता है, जो कि 60% से अधिक होता है। यह सेवा क्षेत्र की बड़ी आर्थिक भूमिका को दर्शाता है और इसलिए कथन II गलत है। इस प्रकार, सही उत्तर विकल्प (C) है, जिसमें कथन I सत्य है लेकिन कथन II असत्य है।

87. (C): भारत में सरकारी व्यय के आंकड़े सामाजिक सेवाओं पर व्यय के बारे में महत्वपूर्ण जानकारी प्रदान करते हैं। सन् 2017-18 से सामाजिक सेवाओं पर होने वाले सरकारी व्यय के विश्लेषण से पता चलता है कि जी.डी.पी. के प्रतिशत के रूप में इस खर्च में वृद्धि हुई है।

हालांकि, कुल व्यय के प्रतिशत के रूप में सामाजिक सेवाओं पर व्यय की बात करें तो, वहाँ इसी अवधि में वृद्धि का रुख नहीं दिखाई देता है। इसका कारण यह हो सकता है कि अन्य खर्च जैसे कि रक्षा, बुनियादी ढांचे और ऋण सेवा आदि पर भी सरकार ने अधिक व्यय किया है, जिससे सामाजिक सेवाओं पर होने वाले कुल खर्च का प्रतिशत बढ़ने के बजाय स्थिर बना हुआ है या उसमें कमी आई है। इस प्रकार, कथन I सत्य है लेकिन कथन II असत्य है, जिससे सही उत्तर विकल्प (C) है।

88. (C): मानव विकास की अवधारणा को समझना महत्वपूर्ण है। कथन I के अनुसार, मानव विकास लोगों के विकल्पों को बृहत्तर बनाने की प्रक्रिया है। यह सत्य है क्योंकि मानव विकास का मुख्य लक्ष्य व्यक्तियों को उनकी जीवन क्षमता पूरी करने में सक्षम बनाना है, जिसमें स्वास्थ्य, शिक्षा, और जीवन स्तर जैसे महत्वपूर्ण पहलू शामिल हैं।

दूसरी ओर, कथन II में मानव विकास सूचकांक (HDI) के बारे में कहा गया है कि यह जन्म के समय जीवन प्रत्याशा, शिक्षा के प्रत्याशित वर्ष, शिक्षा के औसत वर्ष और डॉलर PPP पर प्रति व्यक्ति सकल घरेलू उत्पाद पर आधारित है। यहां एक त्रुटि है क्योंकि मानव विकास सूचकांक में शामिल मुख्य तीन संकेतक हैं : जीवन प्रत्याशा, शिक्षा की औसत और प्रत्याशित वर्ष, और GNI प्रति कैपिटा PPP पर। इसलिए, कथन II में प्रति व्यक्ति सकल घरेलू उत्पाद के बजाय GNI प्रति कैपिटा PPP का होना चाहिए था।

इस प्रकार, कथन I सत्य है लेकिन कथन II में वर्णित संकेतक के बारे में त्रुटि के कारण यह असत्य है, जिससे सही उत्तर विकल्प (C) है।

89. (A): अभिकथन (A) यह बताता है कि किसी दिए गए यादृच्छिक प्रतिदर्श में, यदि प्रतिदर्श का आकार बहुत बड़ा हो जाता है, तो प्रतिदर्श के माध्य का वितरण प्रसामान्य वितरण की ओर प्रवृत्त होता है। यह कथन सत्य है और यह सांख्यिकीय सिद्धांतों के अनुरूप है, जिसे केंद्रीय सीमा प्रमेय (Central Limit Theorem) के माध्यम से समझाया जा सकता है।

कारण (R) के अनुसार, यह वितरण की प्रवृत्ति केंद्रीय सीमा प्रमेय के कारण होती है। केंद्रीय सीमा प्रमेय कहता है कि यदि किसी आबादी से बड़े पैमाने पर नमूने लिए जाते हैं, तो उन नमूनों के माध्यों का वितरण, भले ही मूल आबादी का वितरण किसी भी प्रकार का हो, सामान्य वितरण के रूप में सामने आएगा जब नमूने की संख्या पर्याप्त रूप से बड़ी हो। इसलिए, यह प्रमेय सीधे तौर पर अभिकथन की व्याख्या करता है।

इस प्रकार, विकल्प (A) सही है क्योंकि दोनों (A) और (R) सत्य हैं और (R), (A) की सही व्याख्या है।

90. (C): अभिकथन (A) डोमर शर्त का उल्लेख करता है, जो एक महत्वपूर्ण आर्थिक सिद्धांत है। यह सिद्धांत कहता है कि अगर सरकारी देयताओं पर प्रभावी ब्याज दर वर्तमान कीमतों पर जी.डी.पी. की वृद्धि दर से कम या बराबर है, तो जी.डी.पी. के अनुपात में सार्वजनिक ऋण में वृद्धि नहीं होगी। यह तर्क इस बात पर आधारित है कि अगर जी.डी.पी. की वृद्धि दर ऋण पर लगने वाले ब्याज दर से अधिक है या उसके बराबर है, तो ऋण का अनुपात घटेगा या स्थिर रहेगा। इस प्रकार, अभिकथन (A) सत्य है।

दूसरी ओर, कारण (R) कहता है कि किसी अर्थव्यवस्था में वर्तमान कीमतों पर जी.डी.पी. की वृद्धि दर, सरकारी बॉन्डों पर प्रभावी ब्याज दर की तुलना में कम ही रहेगी। यह दावा सामान्य नियम के तौर पर सत्य नहीं है क्योंकि जी.डी.पी. की वृद्धि दर और सरकारी बॉन्डों पर ब्याज दर विभिन्न आर्थिक परिस्थितियों में बदल सकती है। वास्तव में, कई बार जी.डी.पी. की वृद्धि दर बॉन्डों पर ब्याज दर से अधिक हो सकती है। इसलिए, कारण (R) असत्य है।

इसलिए, विकल्प (C) सही है : (A) सत्य है, लेकिन (R) असत्य है।

91. (C)	**92. (D)**	**93. (D)**
94. (A)	**95. (D)**	**96. (C)**
97. (D)	**98. (B)**	**99. (A)**
100. (A)		

पिछले प्रश्न-पत्र

National Testing Agency (NTA)

UGC-NET जूनियर रिसर्च फैलोशिप तथा सहायक प्राध्यापक पात्रता परीक्षा

अर्थशास्त्र, जून-2023

(Exam held on 20-06-2023)

प्रश्न-पत्र-II

1. मान लीजिए वस्तु 1 को क्षितिज रेखा और वस्तु 2 को लंबवत् रेखा पर दर्शाया गया है, तो बजट रेखा में क्या परिवर्तन होगा यदि वस्तु 1 की कीमत दोगुनी और वस्तु 2 की कीमत तिगुनी हो जाए?

A. बजट रेखा अधिक खड़ी हो जाती है
B. बजट रेखा अधिक समतल हो जाती है
C. बजट रेखा लम्बवत हो जाती है
D. बजट रेखा में कोई परिवर्तन नहीं होता है

2. मान लीजिए कि सतत मांग वाला कोई दुर्लभ संसाधन 10 वर्षों में समाप्त हो जाएगा। यदि कोई वैकल्पिक संसाधन $40 की कीमत पर उपलब्ध होगा और ब्याज दर 10% है, तो दुर्लभ संसाधन की आज की कीमत क्या होगी?

A. $ 55.50 B. $ 35.60
C. $ 24.40 D. $ 15.42

3. निम्नलिखित में से कौन-सी विशेषता बाजार ढांचे की नहीं है :

A. क्रेताओं की संख्या B. विक्रेताओं की संख्या
C. प्रवेश की शर्तें D. लंबवत एकीकरण

4. कल्याणकारी अर्थशास्त्र के दूसरे सिद्धांत के मामले में निम्नलिखित में से कौन-सा सही नहीं है?

A. यदि उपभोक्ता उत्तम विकल्प प्रदर्शित करते हैं तो प्रत्येक पैरिटो दक्ष आबंटन विशुद्ध विनिमय अर्थव्यवस्था में संभव प्रतिस्पर्धा संतुलन होता है।
B. किसी उत्पादन वाली अर्थव्यवस्था में उत्पादन सेट की उत्तलता यह सुनिश्चित करती है कि पैरिटो दक्ष आबंटन को बाजार संतुलन के रूप में प्राप्त किया जा सकता है।
C. यह लागू होता है जब पैमाने के अनुसार उत्तरोत्तर प्रतिफल प्राप्त हो।
D. इसका अर्थ है कि बाजार प्रणाली में आबंटन भूमिका और वितरण भूमिका को परस्पर पृथक किया जा सकता है

5. टैलर नियम क्या बताता है :

A. आर्थिक गतिविधि की प्रतिक्रिया में मौद्रिक प्राधिकरण ब्याज दर कैसे निर्धारित करता है
B. मौद्रिक प्राधिकरण बैंक दर कैसे कायम रखता है
C. मौद्रिक प्राधिकरण विनिमय दर कैसे कायम रखता है
D. कर आधार में वृद्धि करने के लिए सरकार कर दर कैसे निर्धारित करती है

6. अर्थव्यवस्था का मौद्रिक आधार क्या है?

A. जनता और बैंकों द्वारा भंडार के रूप में धारित मुद्रा की राशि
B. जनता द्वारा धारित मुद्रा राशि और मांग निक्षेप
C. जनता द्वारा धारित मुद्रा राशि और समय निक्षेप
D. मुद्रा निक्षेप अनुपात

7. दिए गए आय गुणांक सूत्र में $m = \frac{1}{1 - \text{MPC}}$, बचत की सीमान्त प्रवत्ति कम होने पर :

A. गुणांक प्रभाव उच्चतर होगा
B. गुणांक प्रभाव निम्नतर होगा
C. गुणांक अपरिमित होगा
D. गुणांक शून्य होगा

8. राष्ट्रीय आय समता में Y = C + I + G निवेश (I) किसका फलन होगा?

A. वास्तविक आय B. नामिक आय
C. वास्तविक ब्याज दर D. नामिक ब्याज दर

9. LM शेड्यूल के बारे में निम्नलिखित में से कौन-सा सही है?

A. LM शेड्यूल दायीं ओर ऊपर की ओर खिसकती है।
B. यदि धन की माँग की ब्याज लोच सापेक्ष रूप में अधिक (कम) होती है, तो LM शेड्यूल सापेक्ष रूप से समतल (खड़ी) होगी।
C. धन की मात्रा में वृद्धि होने पर LM शेड्यूल दायीं (बायीं) और नीचे (ऊपर) की ओर खिसकती है।
D. LM शेड्यूल वह शेड्यूल होते हैं जिसमें निवेश के मान और ब्याज दर का संयोजन होता है जिसकी वजह से मुद्रा बाजार में संतुलन पैदा होता है।

10. एक व्यापारी के 20 खातों में 6 बकाया और 14 गैर-बकाया खाते हैं। एक लेखापरीक्षक औचक रूप से 5 खातों की जाँच के लिए चयन करता है। इसकी क्या प्रायिकता है कि लेखापरीक्षक को 2 बकाया खाते ही प्राप्त हों?

A. 0.2562 B. 0.3
C. 0.3087 D. 0.4526

11. किसी कंपनी में 140 कर्मचारी हैं। जिनमें से 30 सुपर-वाइजर हैं। 80 कर्मचारी विवाहित हैं और 20% विवाहित कर्मचारी सुपरवाइजर हैं। यदि कंपनी के एक कर्मचारी का औचक रूप से चयन होता है तो क्या प्रायिकता है कि कर्मचारी विवाहित हो और सुपरवाइजर हो?

A. 0.1531 B. 0.1253
C. 0.0923 D. 0.1143

12. हौसमैन का विनिर्देशन त्रुटि परीक्षण का प्रयोग किसका परीक्षण करने के लिए किया जाता है?

A. बहिर्जात चर त्रुटि पद से सह संबंधित है।
B. अंतर्जात चर त्रुटि पद से सह संबधित है।
C. दोनों बहिर्जात चर त्रुटि पद से सह संबंधित है, और अन्तर्जात चर त्रुटि पद से सह संबंधित है।
D. SEM का अनुमान लगाने के लिए OLS तरीका उपयुक्त है।

13. रैनडम वॉक बिना ड्रिफ्ट के, में :

A. प्रघात का प्रभाव पूरी समयावधि में बना रहता है।
B. प्रघात का प्रभाव समयांतर में समाप्त हो जाता है।
C. प्रघात का प्रभाव तत्काल समाप्त हो जाता है।
D. पिछले प्रघात का कोई प्रभाव नहीं होता है।

14. F-test के सांख्यिकीय के लिए वैकल्पिक फार्मूले नीचे दिए गए हैं। हम $Y = \beta_0 + \beta_1 X_1 + \beta_2 X_2 + U$ में 5% महत्व स्तर पर X_3 के उत्तरोत्तर योगदान सांख्यिकीय महत्व की जाँच करना चाहते हैं। इसमें कौन-सा उपयुक्त नहीं हैं? जहाँ RSS का मतलब रेजिडुअल सम ऑफ स्क्वायर है और ESS का मतलब एक्सप्लेंड सम ऑफ स्क्वायर है।

A. $F = \dfrac{R^2_{UR} - R^2_R / d.f}{\left(1 - R^2_{UR}\right) / d.f.}$

B. $F = \dfrac{ESS / d.f.}{RSS / d.f.}$

C. $F = \dfrac{ESS_{new} - ESS_{old} / d.f.}{ESS_{new} / d.f.}$

D. $F = \dfrac{R^2 / d.f.}{(1 - R^2) / d.f.}$

15. समाकलन करें : $\int x\sqrt{x^2 + 1}dx \; x > 0$

A. $\frac{1}{2}\left(x^2 + 1\right)^{\frac{3}{2}} + C$ B. $\frac{1}{3}\left(x^2 + 1\right)^{\frac{3}{2}} + C$

C. $\frac{1}{3}\left(x^3 + 1\right)^{\frac{2}{3}} + C$ D. $\frac{1}{2}\left(x^3 + 1\right)^{\frac{2}{3}} + C$

16. यदि $x + y + z = 1$ है, तो $u = x^2 + y^2 + z^2$ का इष्टतम मान ज्ञात करें :

A. $(\bar{x}, \bar{y}, \bar{z}) = \left(\frac{1}{3}, \frac{1}{2}, \frac{1}{2}\right)$

B. $(\bar{x}, \bar{y}, \bar{z}) = \left(\frac{1}{2}, \frac{1}{2}, \frac{1}{3}\right)$

C. $(\bar{x}, \bar{y}, \bar{z}) = \left(\frac{1}{2}, \frac{1}{2}, \frac{1}{2}\right)$

D. $(\bar{x}, \bar{y}, \bar{z}) = \left(\frac{1}{3}, \frac{1}{3}, \frac{1}{3}\right)$

17. किसी उपभोक्ता का उपयोगिता फलन $U = f(q_1, q_2) = q_1 \times q_2$ दिया गया है। मान लीजिए q_1 की कीमत $p_{q1} = 1$ और q_2 का मूल्य $p_{q2} = 2$ है। उपभोक्ता k यूनिट की ही राशि खर्च करना चाहता है। q_1 और q_2 के लिए उसकी माँग कितनी होगी?

A. $(q_1, q_2) = \left(k, \frac{k}{2}\right)$

B. $(q_1, q_2) = \left(\frac{k}{4}, \frac{k}{6}\right)$

C. $(q_1, q_2) = \left(\frac{k}{2}, \frac{k}{4}\right)$

D. $(q_1, q_2) = \left(\frac{k}{2}, \frac{k}{3}\right)$

18. कोई प्रशुल्क अधीन प्रस्ताव वक्र किस ओर झुकेगा?

A. आयात वस्तु अक्ष
B. निर्यात वस्तु अक्ष
C. मूल (उत्पत्ति)
D. उपरोक्त में से किसी भी एक की ओर

19. कारक कीमत समकरण प्रमेय किसने प्रस्तुत की थी?

A. डेविड रिकॉर्डो
B. जे.एस. मिल
C. पॉल सैम्युएलसन
D. एडम स्मिथ

20. निम्नलिंखित किस वर्ष में IMF ने दीर्घकालीन विशेषता (प्रकृति) वाली भुगतान संतुलन कठिनाइयों में संरचनात्मक सुधारों का समाधान करने हेतु सदस्यों की सहायता के लिए विस्तारित कोष सुविधा (EFF) की स्थापना की थी?

A. 1974
B. 1997
C. 1963
D. 2009

21. "व्हाई नेशन्स फेल, द ओरिजिन ऑफ पॉवर, प्रॉसपरिटी, एंड पॉवर्टी" नामक शीर्षक वाली पुस्तक को किसके द्वारा लिखा गया है?

A. अभिजीत बनर्जी
B. दारोन एक्मोग्लु और जेम्स ए. रॉबिन्सन
C. अमर्त्य सेन
D. जोसेफ स्टिगलिज

22. विदेशी विनिमय स्वैप क्या है?

A. मुद्रा का तत्काल क्रय और उसके साथ उस मुद्रा का अग्र-पुनर्क्रम
B. मुद्रा का तत्काल विक्रय और उसके साथ उस मुद्रा का अग्र-पुनर्क्रम
C. वायदा (फॉरवडं) में मुद्रा की विक्रय एवं क्रय
D. तत्काल बाजार में मुद्रा का क्रय

23. निम्नलिखित में से कौन-सा राज्य सरकार के सकल राजकोषीय घाटे का सही मापन है :

A. राजस्व व्यय + पूँजीगत संवितरण – राजस्व प्राप्ति
B. राजस्व व्यय + केंद्र को ऋणों का प्रतिदान – राजस्व प्राप्ति
C. राजस्व घाटा + पूँजीगत परिव्यय + शुद्ध ऋणद
D. राजस्व व्यय + आंतरिक ऋण अदा करना – राजस्व प्राप्ति

24. कर भार के मामले में निम्नलिखित में से कौन-सा सही नहीं है?

A. कर लगाने से कीमत बढ़ जाती है और गुणवत्ता में कमी आती है।
B. एकाधिकारी बाजार में यदि कर लगाया जाता है तो परिणामी कर-वार मूल्य वृद्धि निरुत्साहित होगी।
C. यदि मांग गैर-लचीली और आपूर्ति लचीली हो तो व्यक्ति कर से बचने के लिए बेहतर स्थिति में होगा और क्रेता के पास बड़ा हिस्सा बच जाएगा।
D. आपूर्ति शेड्यूल में एकक कर समानांतर उच्चवर्गामी शिफ्ट में प्रवेश करता है।

25. जब MPS, 0.25 और स्वायत्त खर्च में प्रारंभिक वृद्धि ₹ 100 है तो खर्च गुणांक और जी.डी.पी. में परिणामी वृद्धि क्रमशः होगी :

A. 1, ₹ 100
B. 0.75, ₹ 75
C. 4, ₹ 400
D. 1.33, ₹ 133

26. तरलता जाल की अत्यधिक स्थिति में :

A. बंध (बॉन्डों) को खरीदने की प्रवृत्ति होगी।
B. अधिकांश निवेशक मंदड़िया व्यवहार दर्शाते हैं।
C. नकदी (रोकड़) को कम पसंद (वरीय) किया जाएगा।
D. बंध-पत्र (बॉन्ड) की कीमत कम होगी।

27. निम्नलिखित में से कौन-सा एक मुद्रा बाजार का निरूपण (प्रतिनिधित्व) करने वाला एक समीकरण हो सकता है?

A. $300 = 2Y - 1.5i$
B. $i = 150 - Y$
C. $Y = 100 - i$
D. $i = (150 - 2Y)/2$

28. सामान मौद्रिक आधार के साथ, निम्नलिखित कौन-सा एक व्यापक मुद्रा में वृद्धि की ओर प्रेरित करेगा?

A. जमा नकदी के रूप में परिवर्तन करने संबंधी उच्च संव्यवहार लागत (मूल्य)
B. एस.एल.आर. के अंतर्गत उच्चतर (बड़ी मात्रा में) निवेश
C. नकदी का बड़े (उच्च) पैमाने पर प्रयोग
D. वित्तीय साक्षरता एवं बैंकिंग आदत (व्यवहार) में वृद्धि

29. रॉबिन्सन के अनुसार हैरॉल्ड-डॉमर मॉडल के संदर्भ में 'स्वर्ण युग' (गोल्डेन एज) शब्द का निम्नलिखित किस पर बल देने हेतु प्रयुक्त होता है?

A. इसके मिथकीय (काल्पनिक) प्रकृति पर
B. इसकी श्रेष्ठता पर
C. प्राकृतिक संवृद्धि दर पर
D. अपेक्षित संवृद्धि दर पर

30. मानव विकास सूचकांक (एच.डी.आई.) का निम्नलिखित में से कौन-सा एक आयाम नहीं है?

A. लंबा एवं स्वस्थ जीवन की क्षमता
B. ज्ञानार्जन की क्षमता
C. शानदार जीवनस्तर प्राप्त करने की क्षमता
D. स्वच्छ पर्यावरण की प्राप्ति (पहुँच) हेतु योग्यता

31. सृजनात्मक विनाश (ध्वंस) का विचार निम्नलिखित में से किससे संबंधित है?

A. मार्क्स
B. एडम स्मिथ
C. रिकॉर्डो
D. शुम्पीटर

32. सामान्यीकृत निर्धनता अंतराल (NPG) को निम्नलिखित में से किस एक के अनुपात के रूप में मापा जाता है?

A. निर्धनता रेखा तथा औसत निर्धनता अंतराल का अनुपात
B. निर्धनता रेखा तथा कुल निर्धनता अंतराल का अनुपात
C. कुल जनसंख्या तथा कुल निर्धनता अंतराल का अनुपात
D. कुल जनसंख्या तथा औसत निर्धनता अंतराल का अनुपात

33. निम्नलिखित में से कौन-सा किसी पर्यावरण नीति में परिवेश मानकों को परिभाषित करता है?

A. वह मानक जो प्राप्त की जाने वाले प्रदूषण सीमा को निर्दिष्ट करता है, लेकिन प्रौद्योगिकी को नहीं।
B. वह मानक जो कुछ कटौती स्तर को प्राप्त करने के लिए प्रयोग किए जाने वाले उपकरण या तरीके को इंगित करता हो।
C. वह मानक जो प्राप्त किए जाने वाले पर्यावरण के कुछ तत्वों के गुणवत्ता स्तर को इंगित करता हो।
D. उपर्युक्त में से कोई नहीं।

34. निम्नलिखित में से कौन-सा पर्यावरणीय फायदों के मूल्यांकन के लिए भौतिक संयोजन अवधारणा पर लागू होता है?

A. वे तरीके जो पर्यावरणीय परिवर्तनों से संबंधित स्तरों का तत्काल मूल्यांकन करें।
B. वे तरीके जो पर्यावरण से जुड़ी वस्तुओं का नहीं बल्कि इससे संबद्ध बाजार परिस्थितियों के बारे में प्रतिक्रियाओं की जाँच करें।
C. वे तरीके जो यथार्थ बाजारों में बरताव की टिप्पणियों की सहायता से फायदों का अनुमान लगाते हों।
D. वे तरीके जो किसी पर्यावरणीय संसाधन और उस संसाधन के प्रयोक्ता के बीच के तकनीकी संबंध के आधार पर फायदों का अनुमान लगाते हों।

35. प्रतिस्पर्धी उत्पाद बाजारों के अंतर्गत बाह्यताओं को अंतः समावेश करने के लिए दीर्घावधि में सब्सिडी प्रभावी नीतिगत क्यों नहीं हैं?

A. सब्सिडी सीमान्त नुकसान के बराबर होती है, जो वास्तव में फर्म की निर्धारिती लागतों में कमी करती है।

B. सब्सिडी भुगतान सभी फर्मों के लिए उपलब्ध होते हैं जो अतिशय बाजार प्रवेश को प्रेरित कर सकते हैं।

C. इस क्षेत्र में औद्योगिक उत्पाद का स्तर सामाजिक रूप से वांछित स्तर को पार कर जाएगा।

D. उपर्युक्त सभी

36. प्रतिदर्श पंजीकरण प्रणाली के अनुसार निम्नलिखित में से भारत के कौन-से राज्य का 2018-2020 के दौरान आजीवन जोखिम स्तर सबसे ऊँचा है?

A. बिहार B. उत्तर प्रदेश
C. मध्य प्रदेश D. छत्तीसगढ़

37. गहन जिला कृषि कार्यक्रम (IADP) को किस वर्ष में प्रारम्भ किया गया था?

A. 1960-61 B. 1961-62
C. 1962-63 D. 1963-64

38. केन्द्रीय बजट 2023-24 में कृषि एवं किसान कल्याण मंत्रालय हेतु आवंटित की गई राशि है?

A. ₹ 2.25 लाख करोड़ B. ₹ 1.25 लाख करोड़
C. ₹ 1.78 लाख करोड़ D. ₹ 1.68 लाख करोड़

39. G-20 के 18वें सम्मेलन का आदर्श वाक्य (मोटो) क्या है?

A. एक पृथ्वी, एक परिवार, एक भविष्य
B. एक पृथ्वी, एक प्रकृति, एक जीवन
C. एक विश्व, एक परिवार, एक जीवन
D. एक पृथ्वी, एक प्रकृति, एक भविष्य

40. अवैध धन की रोकथाम (प्रिवेंशन ऑफ मनी लॉड्रिंग) अधिनियम को किस वर्ष में अधिनियमित किया गया था?

A. 2001 B. 2002
C. 2003 D. 2004

41. निम्नलिखित में से कौन-सा बर्ट्रेंड ध्रुवीय मॉडल के लिए सही है?

(*a*) प्रतिक्रिया वक्र रेखाएँ समलाभ मानचित्रों से प्राप्त होती हैं, जो अक्ष के प्रतिकूल होते हैं।
(*b*) दो प्रतिक्रिया वक्र रेखाओं का प्रतिच्छेद बिंदु संतुलन की दशा को दर्शाता है।
(*c*) प्रतिक्रिया वक्र रेखाएँ समलाभ मानचित्रों से प्राप्त होती हैं, जो अक्षों के प्रतिकूल होती हैं।
(*d*) दो प्रतिक्रिया वक्र रेखाओं का प्रतिच्छेद बिंदु अस्थिर संतुलन को दर्शाता है।
(*e*) फर्म का व्यवहार संबंधी पैटर्न ऐसा कि वे विगत अनुभव से सीखते हैं।

नीचे दिए गए विकल्पों में से सही उत्तर का चयन कीजिए :

A. केवल (*a*) और (*b*)
B. केवल (*c*) और (*d*)
C. केवल (*a*), (*d*) और (*e*)
D. केवल (*b*), (*c*) और (*e*)

42. क्लार्क-विक्स्टीड-वालरस के उत्पाद क्षाय थ्योरम के बारे में निम्नलिखित में से कौन-सा सही है?

(*a*) समरूपी उत्पादन प्रकार्य की अवधारणा आवश्यक है।
(*b*) यह एक पहचान है, जो चरों के समस्त प्रतिमानों के लिए सही है।
(*c*) समरूपी उत्पादन प्रकार्य की अवधारणा आवश्यक नहीं है।
(*d*) यह एक पहचान नहीं है, क्योंकि यह दीर्घावधिक संतुलन के प्रतिमानों के लिए ही सही है।
(*e*) यह सभी प्रकार के उत्पादन प्रकार्यों के लिए सही है।

नीचे दिए गए विकल्पों में से सही उत्तर का चयन कीजिए :

A. केवल (*a*) और (*b*)
B. केवल (*a*) और (*d*)
C. केवल (*b*), (*c*) और (*e*)
D. केवल (*c*), (*d*) और (*e*)

43. व्यय प्रकार्यों (उपयोगिता सिद्धांत के संदर्भ में) के गुण हैं :

(*a*) कीमत P में समरूपता की श्रेणी एक

(*b*) किसी वस्तु 1 के लिए उपयोगिता *u* में पूर्णतः बढ़ते क्रम में और कीमत P में न घटने वाली

(*c*) P में अवतल

(*d*) P और *u* में निरंतरता

(*e*) P में पूर्णतः उत्तल

नीचे दिए गए विकल्पों में से सही उत्तर का चयन कीजिए :

A. केवल (*a*), (*c*), (*d*) और (*e*)

B. केवल (*a*), (*b*), (*d*) और (*e*)

C. केवल (*a*), (*b*), (*c*) और (*d*)

D. केवल (*b*), (*c*), (*d*) और (*e*)

44. निम्नलिखित में से किन कथनों द्वारा 'बहुल संवेदनशीलता' और 'बहुल सुगमता' की अवधारणाओं का आभास होता है?

(*a*) 'बहुल संवेदनशीलता' वह अवस्था है जहाँ खपत अस्थायी आय परिवर्तनों से अधिक प्रभावित होती है।

(*b*) 'बहुल सुगमता' वह अवस्था है, जहाँ खपत अस्थायी आय परिवर्तनों से कम प्रभावित होती है।

(*c*) 'बहुल संवेदनशीलता' आय में प्रत्याशित वृद्धि का संबंध खपत में सापेक्ष रूप से होने वाला मामूली परिवर्तन है।

(*d*) बहुल सुगमता के कारण औसत आय में होने वाले परिवर्तनों का संबंध खपत में सापेक्ष रूप से होने वाले व्यापक परिवर्तनों से है।

(*e*) 'बहुल संवेदनशीलता' और 'बहुल सुगमता' का संबंध स्थायी आय प्राक्कल्पना के प्रयोगाश्रित साक्ष्यों से है।

नीचे दिए गए विकल्पों में से सही उत्तर का चयन कीजिए :

A. केवल (*a*), (*b*), (*c*) और (*d*)

B. केवल (*a*), (*b*), (*c*) और (*e*)

C. केवल (*a*), (*b*) और (*d*)

D. केवल (*a*), (*b*) और (*e*)

45. निवेश के टोबिन Q सिद्धांत के अनुसार, किसी फर्म को निवेश कब करना चाहिए?

(*a*) जब उत्पाद की कीमत में वृद्धि हो

(*b*) जब पूँजी के सीमान्त उत्पादन में वृद्धि हो

(*c*) जब ब्याज दर में वृद्धि हो

(*d*) जब मूल्य ह्रास दर में कमी हो

(*e*) जब निवेश का सीमांत लाभ सीमांत लागत से अधिक हो

नीचे दिए गए विकल्पों में से सही उत्तर का चयन कीजिए :

A. केवल (*b*), (*c*), (*d*) और (*e*)

B. केवल (*a*), (*c*), (*d*) और (*e*)

C. केवल (*a*), (*b*), (*d*) और (*e*)

D. केवल (*a*), (*b*), (*c*) और (*d*)

46. मितव्यय-विरोधाभास के बारे में निम्नलिखित में से कौन-से सही हैं?

(*a*) मितव्यय-विरोधाभास को जे.एम. कीन्स ने लोकप्रिय बनाया था।

(*b*) इसमें उल्लेख है कि व्यक्तिगत बचतें समग्र आर्थिक विकास के लिए बाधक हैं।

(*c*) इसमें उत्पाद वृद्धि और बेरोजगारी दर के बीच के संबंध को दर्शाया जाता है।

(*d*) इसमें मुद्रा स्फीति और ब्याज दर के बीच के संबंध को दर्शाया जाता है।

(*e*) इसमें उल्लेख है कि आर्थिक मंदी के दौरान व्यक्तिगत बचत के कारण औसत मांग में कमी आती है।

नीचे दिए गए विकल्पों में से सही उत्तर का चयन कीजिए :

A. केवल (*a*), (*b*) और (*c*)

B. केवल (*b*), (*c*) और (*d*)

C. केवल (*c*), (*d*) और (*e*)

D. केवल (*a*), (*b*) और (*e*)

47. 1990 के दशक के पूर्वार्ध में भुगतान संतुलन (BOP) संकट के चलते भारत को निम्नलिखित शर्तों पर अंतर्राष्ट्रीय मुद्राकोष से उधार लेना पड़ा?

(*a*) रुपये का 22% अवमूल्यन

(*b*) सभी वस्तुओं के लिए 130% के तत्कालीन स्तर से 30% पर उच्चतम शुल्क में सीमा शुल्क में भरी कटौती

(*c*) सभी अप्रत्यक्ष करों का एक कर में आमेलन

(*d*) सीमा शुल्क कटौती के कारण राजस्व घाटे को निष्क्रिय करने के लिए उत्पाद शुल्क में 20% की वृद्धि की जाएगी।

(*e*) सरकारी व्यय में 10% वार्षिक की कटौती की जाएगी।

नीचे दिए गए विकल्पों में से सही उत्तर का चयन कीजिए :

A. केवल (*a*), (*b*), (*c*) और (*e*)

B. केवल (*b*), (*c*), (*d*) और (*e*)

C. केवल (*c*), (*d*), (*e*) और (*a*)

D. केवल (*a*), (*b*), (*d*) और (*e*)

48. व्यापार वार्ताओं के उरुग्वे दौर में क्या मांग की गई थी?

(*a*) औद्योगिक सामान पर औसत प्रशुल्क में कटौती

(*b*) प्रशुल्कों के स्थान पर कोटा तय किया जाए

(*c*) कृषि निर्यात सब्सिडी में कटौती

(*d*) औद्योगिक सब्सिडी में कटौती

(*e*) एंटी डम्पिंग और सुरक्षा उपायों में ढील दी जाए

नीचे दिए गए विकल्पों में से सही उत्तर का चयन कीजिए :

A. केवल (*a*), (*b*), (*c*) और (*d*)

B. केवल (*b*), (*c*), (*d*) और (*e*)

C. केवल (*c*), (*d*), (*e*) और (*a*)

D. केवल (*d*), (*e*), (*a*) और (*b*)

49. बैसल III प्रतिमानों के पिलर 1 में किस पर ध्यान दिया गया?

(*a*) पूँजी की गुणवत्ता और स्तर

(*b*) जोखिम आच्छादन

(*c*) उत्तोलन पर लगाम लगाना

(*d*) जोखिम प्रबंधन और पर्यवेक्षण

(*e*) बाजार अनुशासन

नीचे दिए गए विकल्पों में से सही उत्तर का चयन कीजिए :

A. केवल (*a*) और (*b*)

B. केवल (*b*) और (*c*)

C. केवल (*c*) और (*d*)

D. केवल (*d*) और (*e*)

50. मौद्रिक नीति में त्रिविधा के बारे में निम्नलिखित में से कौन-सा कथन सही है?

(*a*) यह बंद अर्थव्यवस्था मॉडल से संबंधित है।

(*b*) इसमें मुद्रा दर पूँजीगत संघटन और मौद्रिक नीति शामिल है।

(*c*) इसके उत्पन्न होने का कारण यह है कि पूँजीगत संघटन घरेलू ब्याज दर और विश्व ब्याज दर से मेल खाता है।

(*d*) लचीली विनिमय दर का स्वतंत्र मौद्रिक नीति के साथ सामंजस्य नहीं है।

(*e*) यह पूँजीगत असंवरनता और लचीली विनिमय दर से संबंधित है।

नीचे दिए गए विकल्पों में से सही उत्तर का चयन कीजिए :

A. केवल (*b*) और (*c*)

B. केवल (*c*) और (*d*)

C. केवल (*a*) और (*d*)

D. केवल (*b*) और (*e*)

51. वर्ष 2011-12 के लिए नीति आयोग के गरीबी रेखा अनुमान के आधार पर 30% से अधिक ग्रामीण गरीबी रेखा वाले राज्य कौन-कौन से हैं?

(*a*) मणिपुर (*b*) बिहार

(*c*) सिक्किम (*d*) उत्तर प्रदेश

(*e*) नगालैंड

नीचे दिए गए विकल्पों में से सही उत्तर का चयन कीजिए :

A. केवल (*a*) और (*b*)

B. केवल (*b*) और (*d*)

C. केवल (*b*), (*c*) और (*d*)

D. केवल (*a*), (*b*) और (*d*)

52. एडम स्मिथ का योगदान क्या-क्या है?

(*a*) श्रम विभाजन

(*b*) बढ़ते प्रतिफलों का सिद्धांत

(*c*) घटते प्रतिफलों का सिद्धांत

(*d*) भाषायी भौतिकवाद

(*e*) सामाजिक रूप से आवश्यक सारगर्भित श्रम समय

नीचे दिए गए विकल्पों में से सही उत्तर का चयन कीजिए :

A. केवल (*a*) और (*b*) B. केवल (*a*) और (*c*)

C. केवल (*a*) और (*d*) D. केवल (*a*) और (*e*)

53. ग्रॉस वैल्यू एडेड (GVA) में सेवा क्षेत्र के घटक कौन-कौन से हैं?

(*a*) निर्माण

(*b*) व्यापार, होटल, परिवहन और प्रसारण संबंधी संचार

(*c*) बिजली, गैस, जल-आपूर्ति तथा अन्य उपयोगिता सेवाएँ

(*d*) लोक प्रशासन, प्रतिरक्षा तथा अन्य सेवाएँ

(*e*) वित्तीय, स्थावर संपदा और व्यावसायिक सेवाएँ

नीचे दिए गए विकल्पों में से सही उत्तर का चयन कीजिए :

A. केवल (*b*), (*c*) और (*e*)

B. केवल (*a*), (*b*) और (*c*)

C. केवल (*a*), (*b*), (*d*) और (*e*)

D. केवल (*a*), (*b*), (*c*) और (*e*)

54. गुन्नार-मिर्डाल किस-किसके लेखक हैं?

(*a*) एशियन ड्रामा

(*b*) एन अमेरिकन डिलेमा

(*c*) थ्योरी ऑफ इकोनोमिक डेवलपमेंट

(*d*) प्रिंसिपल ऑफ पोलिटिकल इकोनोमी

(*e*) इकोनॉमिक थ्योरी एंड अंडरडेवलप्ड रीजन्स

नीचे दिए गए विकल्पों में से सही उत्तर का चयन कीजिए :

A. केवल (*a*), (*b*) और (*c*)

B. केवल (*a*), (*c*) और (*d*)

C. केवल (*a*), (*b*) और (*d*)

D. केवल (*a*), (*b*) और (*e*)

55. समुच्चय सिद्धांत के मामले में निम्नलिखित में से कौन-सा सही है?

(*a*) $(A \cup B') \cap (A' \cup C) \cap (B \cup C') = (A \cap B \cap C) \cup (A \cup B \cup C)$

(*b*) $(A \cup B') \cap (A' \cup C) \cap (B \cup C') = (A \cap B \cap C) \cup (A \cup B \cup C)'$

(*c*) $A \cup (B \cap C) = (A \cup B) \cap (A \cup C)$

(*d*) $A \cap (B \cup C) = (A \cup B) \cap (A \cup C)$

(*e*) $(A \cup B') \cap (A' \cup C) \cap (B \cup C') = (A \cap B \cap C) (A' \cap B' \cap C')$

नीचे दिए गए विकल्पों में से सही उत्तर का चयन कीजिए :

A. केवल (*a*), (*c*) और (*e*)

B. केवल (*b*), (*d*) और (*e*)

C. केवल (*b*), (*c*) और (*e*)

D. केवल (*a*), (*b*) और (*d*)

56. यदि S सैम्पल स्पेस और E कार्य का प्रतीक है तो प्रायिकता नियम को किस रूप में लिखा जा सकता है :

(*a*) $P(A) \geq 0$

(*b*) $P(S) = 1$

(*c*) $P\left(\bigcup_{i=1}^{\infty} A_i\right) = \sum_{i=1}^{\infty} P(A_i)$

(*d*) $P(A) \leq 0$

(*e*) $P\left(\bigcup_{i=1}^{\infty} S_i\right) = \sum_{i=1}^{\infty} P(S_i)$

नीचे दिए गए विकल्पों में से सही उत्तर का चयन कीजिए :

A. केवल (*a*) और (*b*)

B. केवल (*a*), (*b*) और (*d*)

C. केवल (*a*), (*b*) और (*e*)

D. केवल (*a*), (*b*) और (*c*)

57. यथेष्ट आकलकों के क्या-क्या गुण होते हैं?

(*a*) यह गैर-पूर्वाग्रही नहीं होता है

(*b*) यह गैर-पूर्वाग्रही होता है।

(*c*) यह सदैव सुसंगत होता है

(*d*) यह सदैव सुसंगत नहीं होता है

(*e*) न्यूनतम विसंगत गैर-पूर्वाग्रही आकलक

नीचे दिए गए विकल्पों में से सही उत्तर का चयन कीजिए :

A. केवल (*a*), (*b*) और (*c*)

B. केवल (*a*), (*c*) और (*e*)

C. केवल (*a*), (*b*), (*c*) और (*d*)

D. केवल (*a*), (*b*), (*c*) और (*e*)

58. सामाजिक वस्तुओं के मामले में निम्नलिखित में से कौन-कौन से कथन सही हैं?

(*a*) सामाजिक वस्तुएँ गैर-विरोधी प्रकृति की होती हैं।

(*b*) सामाजिक वस्तुओं के सफल प्रावधान के लिए बजट निर्धारण की राजनीतिक प्रक्रिया की आवश्यकता होती है।

(*c*) सामाजिक वस्तुओं के सफल प्रावधान में व्यक्ति की आभासी मांग रेखाओं में लम्बवत की बजट क्षैतिज योग शामिल है।

(*d*) विशुद्ध रूप से निजी और विशुद्ध सामाजिक वस्तुओं में मिश्रित मामले होते हैं जो लागत बाध्यताओं या लाभ का सृजन करते हैं।

(*e*) व्यक्ति उपभोक्ता सामाजिक वस्तुओं के लिए बोली नहीं लगाएँगे बल्कि मुफ्तखोर की तरह व्यवहार करेंगे।

नीचे दिए गए विकल्पों में से सही उत्तर का चयन कीजिए :

A. केवल (*a*), (*c*), (*d*) और (*e*)

B. केवल (*a*), (*b*), (*c*) और (*e*)

C. केवल (*a*) और (*b*)

D. केवल (*a*), (*b*), (*d*) और (*e*)

59. सफल कराधान के लिए राम्सेस नियम के मामले में निम्नलिखित में से कौन-कौन से कथन सही हैं?

(*a*) जिन वस्तुओं की मांग लोच कम हो उन पर कर-दर अधिक होनी चाहिए।

(*b*) यदि बाजार में मांग लोच शून्य है तो उसी बाजार में कर लगाए जाने चाहिए।

(*c*) राम्सेस नियम, वस्तुओं के कराधान पर लागू होता है, लेंकिन आय कराधान पर नहीं।

(*d*) राम्सेस नियम सभी बाजारों के कराधान के अत्यधिक भार को न्यूनतम करता है।

(*e*) राम्सेस नियम की वजह से अनिवार्य रूप से सामाजिक न्याय का मार्ग प्रशस्त नहीं होता है।

नीचे दिए गए विकल्पों में से सही उत्तर का चयन कीजिए :

A. केवल (*a*), (*c*), (*d*) और (*e*)

B. केवल (*a*), (*b*), (*d*) और (*e*)

C. केवल (*a*), (*b*), (*c*) और (*d*)

D. केवल (*a*), (*c*) और (*d*)

60. निम्नलिखित में से कौन-कौन से प्रतिगमन मॉडल में भू सरेखीयता के लक्षण नहीं हैं?

(*a*) हाई R^2 के साथ कुछ आकलन के महत्वपूर्ण *t* अनुपात।

(*b*) प्रतिगमनकर्ताओं में उच्च पैरावार सहसंबंध।

(*c*) टोलरेंस (TOLj) शून्य के करीब होता है।

(*d*) चर का भिन्नता मुद्रास्फीति (VIF) 10 से कम होता है।

(*e*) टोलरेंस (TOLj) एक के करीब होता है।

नीचे दिए गए विकल्पों में से सही उत्तर का चयन कीजिए :

A. केवल (*c*) और (*d*) B. केवल (*d*) और (*e*)

C. केवल (*a*) और (*c*) D. केवल (*b*) और (*d*)

61. नरसिंहम समिति, 1991 की निम्नलिखित में से कौन-कौन सी सिफारिशें हैं?

(*a*) ब्याज दर ढांचे का अविनियमन

(*b*) सूचना प्रौद्योगिकी का अधिक प्रयोग की आवश्यकता

(*c*) केवल निजी क्षेत्र के बैंकों को पूँजी सुविधा प्रदान की जाए

(*d*) बैंकों के मुख्य कार्यकारी और अधिकारी नियुक्त करने की आजादी

(*e*) पूँजीगत पर्याप्तता प्रतिमानों को चरणों में कार्यान्वित किया जाए

नीचे दिए गए विकल्पों में से सही उत्तर का चयन कीजिए :

A. केवल (*a*), (*b*) और (*e*)
B. केवल (*a*), (*c*) और (*d*)
C. केवल (*a*), (*d*) और (*e*)
D. केवल (*c*), (*d*) और (*e*)

62. सुरक्षात्मक व्यय पद्धति इस समझ पर आधारित है कि :

(*a*) उपभोक्ता बुरी चीजों के हानिकारक प्रभावों को दूर करने के लिए धन व्यय करता है।

(*b*) किया गया सुरक्षात्मक व्यय बुरी चीजों के स्तर में कमी करने के लिए उपभोक्ता की भुगतान करने की तत्परता को दर्शाता है।

(*c*) किया गया सुरक्षात्मक व्यय बुरी चीजों से बचने के लिए तत्परता की ऊपरी सीमा है।

(*d*) सुरक्षात्मक व्यय में वांछित पर्यावरणीय गुणवत्ता का प्रावधान करने के अलावा कोई अतिरिक्त सेवाओं का प्रावधान नहीं होता है।

(*e*) किया गया सुरक्षात्मक व्यय बुरी चीजों से बचने के लिए तत्परता की निचली सीमा है।

नीचे दिए गए विकल्पों में से सही उत्तर का चयन कीजिए :

A. केवल (*a*), (*b*) और (*c*)
B. केवल (*c*), (*d*) और (*e*)
C. केवल (*a*), (*b*), (*c*) और (*d*)
D. केवल (*a*), (*b*), (*d*) और (*e*)

63. ग्लासगो, यूनाइटेड किंगडम में आयोजित UNFCCC के पक्षकारों के सम्मेलन (COP 26) के 26वें सत्र में लिए गए निर्णय की पृष्ठभूमि में निम्नलिखित कौन-कौन से कथन जलवायु परिवर्तन से लड़ने की भारत की रणनीति का हिस्सा हैं?

(*a*) 2030 तक कोयला आधारित तापीय ऊर्जा उत्पादन को बंद करना।

(*b*) भारतीय अर्थव्यवस्था के कार्बन घनत्व में 2005 के स्तरों की तुलना में 2030 तक 45% तक की कटौती करना।

(*c*) भारतीय अर्थव्यवस्था के कुल अंतिम ऊर्जा खपत को निरपेक्ष स्तरों पर रोकना।

(*d*) भारत के लिए 2070 तक निबल शून्य उत्सर्जन का लक्ष्य प्राप्त करना।

(*e*) जलवायु परिवर्तन से लड़ने के लिए पर्यावरण हेतु जीवन शैली को बढ़ाना।

नीचे दिए गए विकल्पों में से सही उत्तर का चयन कीजिए :

A. केवल (*a*), (*b*) और (*d*)
B. केवल (*b*), (*c*) और (*d*)
C. केवल (*b*), (*d*) और (*e*)
D. केवल (*c*), (*d*) और (*e*)

64. यहाँ अंतर्राष्ट्रीय संगठन और उनके मुख्यालय दिए गए हैं। निम्नलिखित में से कौन-कौन से संस्थाओं और उनके मुख्यालयों के सही संयोजन हैं :

(*a*) GATT : जेनेवा
(*b*) IMF : वाशिंगटन डी.सी.
(*c*) विश्व बैंक : वाशिंगटन डी.सी.
(*d*) अंतर्राष्ट्रीय विकास संघ (IDA) : न्यूयॉर्क
(*e*) एशियन विकास बैंक : मंडालुयांग

नीचे दिए गए विकल्पों में से सही उत्तर का चयन कीजिए :

A. केवल (*a*), (*b*) और (*c*)
B. केवल (*a*) और (*b*)
C. केवल (*c*) और (*d*)
D. केवल (*a*), (*b*), (*c*) और (*e*)

65. वालरैसियन प्रकार्य के बारे में निम्नलिखित में कौन-कौन-सा/से सही है/हैं?

(*a*) यदि किसी P, W और $\alpha > 0$ के लिए $X(\alpha P, \alpha W) = X(P, W)$ है तो वालरैसियन मांग प्रकार्य X(P, W) शून्य डिग्री के सजातीय है।

(*b*) यदि किसी P, W और $\alpha > 0$ के लिए $X(\alpha P, \alpha W) = X(P, W)$ है तो वालरैसियन मांग प्रकार्य X(P, W) डिग्री एक के सजातीय है।

(*c*) यदि किसी $P >> 0$ और $W >> 0$ के लिए हमारे पास सभी $X \in X(P, W)$ के लिए $P.X = W$ है तो वालरैसियन मांग प्रकार्य वालरैसियन नियम को संयोजित करता है।

(*d*) वालरस का नियम कहता है कि उपभोक्ता अपनी संपदा पूरी तरह खर्च करता है।

(*e*) यदि कीमत और संपदा दोनों में समान अनुपात में परिवर्तन होता है, तो व्यक्तिगत खपत विकल्प में कोई परिवर्तन नहीं होता है।

नीचे दिए गए विकल्पों में से सही उत्तर का चयन कीजिए :

A. केवल (*a*), (*b*), (*c*) और (*d*)
B. केवल (*b*), (*c*), (*d*) और (*e*)
C. केवल (*a*), (*b*), (*c*) और (*e*)
D. केवल (*a*), (*c*), (*d*) और (*e*)

66. सूची-I का सूची-II से मिलान कीजिए।

सूची-I	**सूची-II**
(*a*) लागत प्रभावी (किफायती)	I. मानकों के प्रयोग द्वारा प्रदूषकों को प्रत्यक्ष रूप से विनियमित करने वाली नीति
(*b*) प्रदूषण परमिट व्यापार प्रणाली	II. प्रोत्साहन आधारित नीति जो संरक्षण प्रथाओं या प्रदूषण कटौती प्रौद्योगिकियों को प्रोत्साहित करते हों।
(*c*) बाजार अवधारणा	III. जो यह अपेक्षा करती हो कि लक्ष्य प्राप्त करने के लिए कम से कम संसाधनों का प्रयोग किया जाए।
(*d*) कमांड और कंट्रोल अवधारणा	IV. वह बाजार उपाय जो प्रदूषकों के अधिकारों के लिए बाजार स्थापित करे।

निम्नलिखित विकल्पों में से सही उत्तर का चयन कीजिए :

	(*a*)	(*b*)	(*c*)	(*d*)
A.	I	II	III	IV
B.	III	IV	I	II
C.	IV	III	II	I
D.	III	IV	II	I

67. सूची-I का सूची-II से मिलान कीजिए।

सूची-I	**सूची-II**
(*a*) कलेन्स का व्यावहारिक सिद्धांत	I. ढाँचागत विभाजन
(*b*) लंब बॉक्स (LB) स्टैटिस्टिक	II. यूनिट रूट
(*c*) KPSS	III. स्व सहसंबंध गुणांक का सांख्यिकी महत्व
(*d*) बाई-पेरोन	IV. मल्टीकोलिनियरिटी (बहुसंरेखीयता)

निम्नलिखित विकल्पों में से सही उत्तर का चयन कीजिए :

	(*a*)	(*b*)	(*c*)	(*d*)
A.	IV	III	II	I
B.	IV	III	I	II
C.	II	IV	I	III
D.	II	III	IV	I

68. सूची-I का सूची-II से मिलान कीजिए।

सूची-I	**सूची-II**
(*a*) जे.एम. कीन्स	I. धन के लिए लेन-देन मांग की सामान सूची सैद्धांतिक अवधारणा
(*b*) केडलैण्ड प्रिंसकोट	II. तरलता अधिमान
(*c*) बोमल टोबिन	III. समय की असंगतता की समस्या
(*d*) फ्रीडमैन स्वार्च	IV. अमरीका का मौद्रिक इतिहास

निम्नलिखित विकल्पों में से सही उत्तर का चयन कीजिए :

	(*a*)	(*b*)	(*c*)	(*d*)
A.	II	III	IV	I
B.	III	II	I	IV
C.	III	I	II	IV
D.	II	III	I	IV

69. सूची-I का सूची-II से मिलान कीजिए।

सूची-I	**सूची-II**
(*a*) कुजनेट	I. नवीनता और उद्यमशीलता
(*b*) नर्कसे	II. संतुलित वृद्धि सिद्धांत
(*c*) लेबेन्सटीन	III. उल्टा U वक्र प्राक्कल्पना
(*d*) शुम्पीटर	IV. क्रांतिक न्यूनतम प्रयास सिद्धांत

निम्नलिखित विकल्पों में से सही उत्तर का चयन कीजिए :

	(*a*)	(*b*)	(*c*)	(*d*)
A.	I	IV	III	II
B.	III	II	IV	I
C.	IV	III	II	I
D.	II	I	IV	III

70. सूची-I का सूची-II से मिलान कीजिए।

सूची-I (राज्य)	सूची-II (खाद्यान्न उत्पादन (2021-22) हजार टन)
(*a*) तेलंगाना	I. 11266.0
(*b*) झारखंड	II. 4984.2
(*c*) छत्तीसगढ़	III. 8897.0
(*d*) आंध्र प्रदेश	IV. 15095.4

निम्नलिखित विकल्पों में से सही उत्तर का चयन कीजिए :

	(*a*)	(*b*)	(*c*)	(*d*)
A.	I	II	III	IV
B.	IV	III	II	I
C.	I	III	IV	II
D.	IV	II	III	I

71. सूची-I का सूची-II से मिलान कीजिए।

सूची-I	सूची-II
(*a*) कर चोरी	I. बॉन्ड वित्त प्रबंधन
(*b*) प्रभावी कर भार	II. अनधिकृत मुफ्तखोर
(*c*) विधि कर भार	III. सरकार को कर राजस्व प्रदान करने के लिए बाध्य
(*d*) राजकोषीय विभ्रम	IV. यह आवश्यक नहीं कि जिस पर कर लगाया गया है वह उसके अनुरूप हो

निम्नलिखित विकल्पों में से सही उत्तर का चयन कीजिए :

	(*a*)	(*b*)	(*c*)	(*d*)
A.	II	III	IV	I
B.	III	I	II	IV
C.	II	IV	III	I
D.	IV	III	II	I

72. सूची-I का सूची-II से मिलान कीजिए।

सूची-I (भारत के जनसंख्या वृद्धि दर का प्रकार)	सूची-II (अवधि)
(*a*) तीव्र उच्च वृद्धि	I. 1981-2011
(*b*) स्थिर जनसंख्या	II. 1921-1951
(*c*) उच्च वृद्धि धीमी गति के निश्चित संकेतों के साथ	III. 1951-1981
(*d*) सतत वृद्धि	IV. 1891-1921

निम्नलिखित विकल्पों में से सही उत्तर का चयन कीजिए :

	(*a*)	(*b*)	(*c*)	(*d*)
A.	IV	II	III	I
B.	III	IV	I	II
C.	III	IV	II	I
D.	IV	III	II	I

73. सूची-I का सूची-II से मिलान कीजिए।

सूची-I (नीति)	सूची-II (वर्ष)
(*a*) राष्ट्रीय वन नीति	I. 2000
(*b*) समुद्र मत्स्य ग्रहण नीति	II. 1994
(*c*) नई खनिज लवण नीति	III. 2004
(*d*) राष्ट्रीय जनसंख्या नीति	IV. 1988

निम्नलिखित विकल्पों में से सही उत्तर का चयन कीजिए :

	(*a*)	(*b*)	(*c*)	(*d*)
A.	IV	III	II	I
B.	IV	II	III	I
C.	II	IV	III	I
D.	II	III	IV	I

74. सूची-I का सूची-II से मिलान कीजिए।

सूची-I सूची-II

(*a*) $f'(x) > 0$ और $f''(x) > 0$ I. 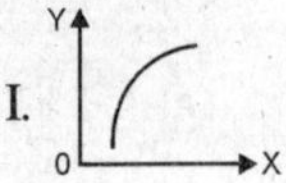

(*b*) $f'(x) > 0$ और $f''(x) < 0$ II. 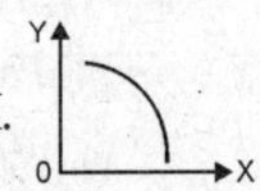

(*c*) $f'(x) < 0$ और $f''(x) < 0$ III. 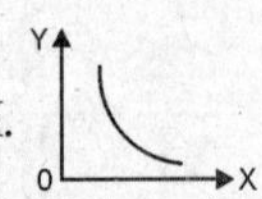

(*d*) $f'(x) < 0$ और $f''(x) > 0$ IV. 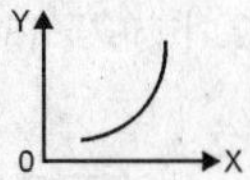

निम्नलिखित विकल्पों में से सही उत्तर का चयन कीजिए :

	(*a*)	(*b*)	(*c*)	(*d*)
A.	I	IV	III	II
B.	I	III	II	IV
C.	IV	I	II	III
D.	IV	II	III	I

75. सूची-I का सूची-II से मिलान कीजिए।

सूची-I	**सूची-II**
(*a*) सेंट्रल बैंक लोस फंक्शन	I. $y_t = A - ar_{t-1}$
(*b*) मौद्रिक नियम (MR)	II. $\pi_t = \pi_{t-1} + \alpha(y_t - y_e)$
(*c*) फिलिप्स वक्र रेखा (PC)	III. $(y_t - y_e) = -\alpha\beta(\pi_t - \pi^T)$
(*d*) डायनेमिक IS वक्र रेखा	IV. $L = (y_t - y_e)^2 + \beta(\pi_t - \pi^T)^2$

निम्नलिखित विकल्पों में से सही उत्तर का चयन कीजिए :

	(*a*)	(*b*)	(*c*)	(*d*)
A.	II	III	IV	I
B.	III	II	IV	I
C.	IV	III	II	I
D.	IV	III	I	II

76. चौदहवें वित्त आयोग द्वारा समनुदेशित निम्नलिखित मापदंड के सापेक्षिक भारों को प्रतिशत में आरोही क्रम में व्यवस्थित कीजिए :

(*a*) आय दूरी

(*b*) क्षेत्रफल

(*c*) जनसंख्या (1971)

(*d*) जननांकीय परिवर्तन (2011 की जनसंख्या)

(*e*) वन क्षेत्र

नीचे दिए गए विकल्पों में से सही उत्तर का चयन कीजिए :

A. (*b*), (*e*), (*d*), (*c*), (*a*)

B. (*e*), (*d*), (*b*), (*c*), (*a*)

C. (*a*), (*c*), (*d*), (*b*), (*e*)

D. (*e*), (*b*), (*d*), (*c*), (*a*)

77. आर्थिक समेकन की मात्रा (डिग्री) के आधार पर निम्नलिखित को आरोही क्रम में व्यवस्थित कीजिए।

(*a*) सीमा संघ

(*b*) मुक्त व्यापार क्षेत्र

(*c*) आर्थिक संघ

(*d*) समान बाजार

(*e*) अधिमान्य व्यापार व्यवस्थाक्रम

नीचे दिए गए विकल्पों में से सही उत्तर का चयन कीजिए :

A. (*a*), (*b*), (*c*), (*d*), (*e*)

B. (*b*), (*c*), (*d*), (*a*), (*e*)

C. (*e*), (*a*), (*b*), (*c*), (*d*)

D. (*e*), (*b*), (*a*), (*d*), (*c*)

78. वर्ष 2020-21 में केंद्र सरकार से प्राप्त ऋणों के आधार पर राज्यों को आरोही क्रम में व्यवस्थित कीजिए :

(*a*) कर्नाटक (*b*) मध्य प्रदेश

(*c*) तमिलनाडु (*d*) गुजरात

(*e*) महाराष्ट्र

नीचे दिए गए विकल्पों में से सही उत्तर का चयन कीजिए :

A. (*c*), (*b*), (*d*), (*a*), (*e*)

B. (*b*), (*c*), (*d*), (*a*), (*e*)

C. (*c*), (*b*), (*a*), (*d*), (*e*)

D. (*b*), (*c*), (*a*), (*d*), (*e*)

79. निम्नलिखित अधिनियमों को उनके अधिनियमन के वर्ष के आधार पर पुरातन से आरंभ करके कालक्रम में व्यवस्थित कीजिए :

(*a*) विदेश विनिमय विनियमन अधिनियम

(*b*) प्रतिस्पर्धा अधिनियम

(*c*) MRTP अधिनियम

(*d*) विदेश विनियमन अधिनियम

(*e*) विदेश विनियमन प्रबंधन अधिनियम

नीचे दिए गए विकल्पों में से सही उत्तर का चयन कीजिए :

A. (*c*), (*b*), (*a*), (*d*), (*e*)

B. (*c*), (*a*), (*b*), (*e*), (*d*)

C. (*b*), (*a*), (*d*), (*e*), (*c*)

D. (*a*), (*b*), (*c*), (*d*), (*e*)

80. निम्नलिखित को उनके स्थापना वर्ष के आधार पर पुरातन से आरंभ करके अनुक्रम में व्यवस्थित कीजिए :

(*a*) भारतीय औद्योगिकीय ऋण और निवेश निगम (ICICI)

(*b*) राष्ट्रीय कृषि और ग्रामीण विकास बैंक (NABARD)

(*c*) भारतीय औद्योगिकीय वित्त निगम (IFCI)

(*d*) भारतीय औद्योगिकीय पुनर्गठन बैंक (IRBI)

(*e*) भारतीय निर्यात-आयात बैंक

नीचे दिए गए विकल्पों में से सही उत्तर का चयन कीजिए :

A. (*a*), (*c*), (*e*), (*b*), (*d*)
B. (*c*), (*a*), (*d*), (*e*), (*b*)
C. (*e*), (*c*), (*a*), (*b*), (*d*)
D. (*a*), (*d*), (*c*), (*b*), (*e*)

81. निम्नलिखित को उनके प्रकाशन के आधार पर पुरातन से आरंभ करके कालक्रम में व्यवस्थित कीजिए :

(*a*) जनरल थियरी ऑफ एम्प्लायमेंट, इंटरेस्ट एंड कंपनी

(*b*) ए ट्रिटिज ऑन प्रॉबेबिलिटी

(*c*) एसेज इन परसुएशन

(*d*) दि एंड ऑफ लैसेज फेयर

(*e*) ए ट्रैक्ट ऑन मोनेटरी रिफार्म

नीचे दिए गए विकल्पों में से सही उत्तर का चयन कीजिए :

A. (*b*), (*c*), (*d*), (*a*), (*e*)
B. (*b*), (*e*), (*d*), (*c*), (*a*)
C. (*e*), (*b*), (*d*), (*c*), (*a*)
D. (*d*), (*e*), (*b*), (*a*), (*c*)

82. भारत में इक्विटी व्यापार की निम्नलिखित घटनाओं को पुरातन से आरंभ करके सही अनुक्रम में व्यवस्थित कीजिए :

(*a*) बी.एस.ई. ने स्क्रीन आधारित व्यापार आरंभ किया।

(*b*) विदेश संस्थागत निवेशकों (एफआईआइ) को भारतीय प्रतिभूति बाजार में निवेश की अनुमति दी गई।

(*c*) एन.एस.ई. ने थोक ऋण बाजार में कार्य संचालन आरंभ किया।

(*d*) SEBI ने BSE के बदलाव व्यापार को प्रतिबंधित किया।

(*e*) NSE ने व्यापार के परिमाप की ही अधिक रूप से बड़े BSE स्टॉक एक्सचेंज का अधिग्रहण किया।

नीचे दिए गए विकल्पों में से सही उत्तर का चयन कीजिए :

A. (*a*), (*b*), (*d*), (*e*), (*c*)
B. (*b*), (*d*), (*c*), (*e*), (*a*)
C. (*d*), (*b*), (*e*), (*c*), (*a*)
D. (*c*), (*b*), (*d*), (*e*), (*a*)

83. अप्रत्यक्ष न्यूनतम वर्ग (ILS) के आकलन अनुमान के निम्नलिखित चरणों को आरंभिक चरण से आरंभ करके सही अनुक्रम में व्यवस्थित कीजिए।

(*a*) संरचनात्मक समीकरणों की पहचान

(*b*) OLS का अनुप्रयोग

(*c*) संरचनात्मक गुणांक प्राप्त करना

(*d*) समीकरण का न्यून रूप प्राप्त करना

(*e*) नीति हेतु मॉडल/प्रारूप का प्रयोग करना

नीचे दिए गए विकल्पों में से सही उत्तर का चयन कीजिए :

A. (*a*), (*d*), (*b*), (*c*) और (*e*)
B. (*a*), (*b*), (*d*), (*c*) और (*e*)
C. (*b*), (*d*), (*a*), (*e*) और (*c*)
D. (*b*), (*a*), (*c*), (*d*) और (*e*)

84. वर्ष 2021-22 में वस्तुओं के घरेलू आपूर्ति और सेवाओं पर जी.एस.टी. के शीर्ष के अंतर्गत भारत सरकार से राज्यों को प्राप्त कुल राजस्व के आधार पर राज्यों को आरोही क्रम में व्यवस्थित कीजिए।

(*a*) ओडिशा

(*b*) राजस्थान

(*c*) दिल्ली

(*d*) पश्चिम बंगाल

(*e*) मध्य प्रदेश

नीचे दिए गए विकल्पों में से सही उत्तर का चयन कीजिए :

A. (*d*), (*c*), (*e*), (*b*), (*a*)
B. (*e*), (*b*), (*a*), (*c*), (*d*)
C. (*b*), (*e*), (*c*), (*a*), (*d*)
D. (*c*), (*e*), (*a*), (*d*), (*b*)

85. जनगणना 2011 के अनुसार साक्षरता दर (7 वर्ष और अधिक आयु) के आधार पर निम्नलिखित राज्यों को अवरोही क्रम में व्यवस्थित कीजिए :

(*a*) नगालैंड (*b*) त्रिपुरा

(*c*) सिक्किम (*d*) मणिपुर

(*e*) मेघालय

नीचे दिए गए विकल्पों में से सही उत्तर का चयन कीजिए :

A. (*d*), (*c*), (*b*), (*e*), (*a*)
B. (*c*), (*b*), (*d*), (*a*), (*e*)
C. (*b*), (*c*), (*a*), (*d*), (*e*)
D. (*a*), (*c*), (*b*), (*e*), (*d*)

86. नीचे दो कथन दिए गए हैं, एक अभिकथन (A) के रूप में लिखित है, तो दूसरा उसके कारण (R) के रूप में :

अभिकथन (A): यदि सरकारें संरक्षणवादियों के लगान का ध्यान नहीं रखती हैं, तो वे सभी आयात शुल्कों के स्थान पर बिक्री कर लगा देंगी।

कारण (R): बिक्री कर आयात प्रशुल्क की वनिस्पत राजस्व जुटाने का अधिक कारगर साधन है।

उपरोक्त कथन के आलोक में, नीचे दिए गए विकल्पों में से सबसे उपयुक्त उत्तर का चयन कीजिए।

A. (A) और (R) दोनों सत्य हैं और (R), (A) की सही व्याख्या है।
B. (A) और (R) दोनों सत्य हैं और (R), (A) की सही व्याख्या नहीं है।
C. (A) सही है, लेकिन (R) सही नहीं है।
D. (A) सही नहीं है, लेकिन (R) सही है।

87. नीचे दो कथन दिए गए हैं, एक अभिकथन (A) के रूप में लिखित है, तो दूसरा उसके कारण (R) के रूप में :

अभिकथन (A): फ्रीडमैन का धन की मांग का सिद्धांत आंशिक रूप से कीन्स समर्थकों और आंशिक रूप से गैर-कीन्स समर्थकों का सिद्धांत है।

कारण (R): गैर-कीन्स समर्थकों में फ्रीडमैन कीन्स के धन रखने के प्रयोजनों के वर्गीकरण और धन की तदनुरूपी घटक मांगों को पूरी तरह नकारता है।

उपरोक्त कथन के आलोक में, नीचे दिए गए विकल्पों में से सबसे उपयुक्त उत्तर का चयन कीजिए।

A. (A) और (R) दोनों सत्य हैं और (R), (A) की सही व्याख्या है।
B. (A) और (R) दोनों सत्य हैं और (R), (A) की सही व्याख्या नहीं है।
C. (A) सही है, लेकिन (R) सही नहीं है।
D. (A) सही नहीं है, लेकिन (R) सही है।

88. नीचे दो कथन दिए गए हैं :

कथन I: प्रथम डिग्री मूल्य अंतर के अंतर्गत एकाधिकारवादी उत्पाद की अलग-अलग इकाइयों को अलग-अलग मूल्यों पर बेचता है और ये मूल्य व्यक्ति-दर-व्यक्ति भिन्न हो सकता है।

कथन II: तृतीय डिग्री मूल्य अंतर के अंतर्गत एकाधिकारवादी उत्पाद की अलग-अलग इकाइयों को अलग-अलग मूल्यों पर बेचता है, लेकिन उत्पाद की समान मात्रा खरीदने वाला प्रत्येक व्यक्ति समान मूल्य अदा करता है।

उपरोक्त कथन के आलोक में, नीचे दिए गए विकल्पों में से सबसे उपयुक्त उत्तर का चयन कीजिए।

A. कथन I और कथन II दोनों सही हैं।
B. कथन I और कथन II दोनों गलत हैं।
C. कथन I सही है, लेकिन कथन II गलत है।
D. कथन I गलत है, लेकिन कथन II सही है।

89. नीचे दो कथन दिए गए हैं :

कथन I: किसी देश के व्यापार की शर्तें उसकी निर्यात वस्तुओं की लागत और उसकी आयात वस्तुओं के मूल्य के अनुरूप में परिभाषित की जाती हैं।

कथन II: व्यापारिक साझेदार की व्यापार शर्तें, अन्य देश की व्यापार शर्तों के प्रतिलोम के बराबर होती हैं।

उपरोक्त कथन के आलोक में, नीचे दिए गए विकल्पों में से सबसे उपयुक्त उत्तर का चयन कीजिए।

A. कथन I और कथन II दोनों सही हैं।
B. कथन I और कथन II दोनों गलत हैं।

C. कथन I सही है, लेकिन कथन II गलत है।

D. कथन I गलत है, लेकिन कथन II सही है।

90. नीचे दो कथन दिए गए हैं :

कथन I: श्रम का विभाजन स्मिथ के आर्थिक वृद्धि सिद्धांत का आरंभिक बिंदु है।

कथन II: यह श्रम का विंभाजन है, जिससे श्रम के उत्पादनकारी अधिकार में अधिकतम सुधार होता है।

उपरोक्त कथन के आलोक में, नीचे दिए गए विकल्पों में से सबसे उपयुक्त उत्तर का चयन कीजिए।

A. कथन I और कथन II दोनों सही हैं।

B. कथन I और कथन II दोनों गलत हैं।

C. कथन I सही है, लेकिन कथन II गलत है।

D. कथन I गलत है, लेकिन कथन II सही है।

निर्देश (प्र.सं. 91 से 95 तक) : *नीचे दिए गए गद्यांश को पढ़िए और प्रश्नों के उत्तर दीजिए।*

कोविड संकट के प्रति भारत सरकार की मौद्रिक नीति प्रतिक्रिया में एक ओर खाद्य एवं उर्वरकों पर बढ़ती सब्सिडी और दूसरी ओर ईंधन एवं कुछ आयातित उत्पादों पर करों में कटौती का न्यायसंगत मिश्रण शामिल है। इन अतिरिक्त मौद्रिक दबावों के बावजूद, संघ सरकार पटरी पर लौट आयी है। गतिविधि में प्रतिप्राप्ति, प्रत्यक्ष करों, सामान और सेवा-कर (जीएसटी) से राजस्व में प्रफुल्लता और बजट में यथार्थवादी पूर्वानुमानों की वजह से संघ सरकार के मौद्रिक कार्य निष्पादन में नव शक्ति का संचार हुआ है। प्रत्यक्ष करों और जी.एस.टी. में जबरदस्त वृद्धि के चलते अप्रैल से नवम्बर 2022 से सकल कर राजस्व में वर्ष-दर-वर्ष 15.5% की वृद्धि दर्ज हुई। इसी अवधि के दौरान सकल जी.एस.टी. समाहरण में वर्ष दर वर्ष 24.8% की वृद्धि हुई है। उच्च राजस्व व्यय के बावजूद पूंजीगत व्यय पर वर्ष के दौरान संघ सरकार का बल जारी रहा है। केंद्र के पूंजीगत व्यय में सकल घरेलू उत्पाद में 1.7 प्रतिशत के दीर्घावधिक औसत (वित्तीय वर्ष 2009 से वित्तीय वर्ष 2020) से वित्तीय वर्ष 2020 में सकल घरेलू उत्पाद में 2.5% तक सतत रूप से बढ़ोत्तरी है। केंद्र ने ब्याज मुक्त ऋण प्रदान करके और उधार लेने की अधिक सीमा तय करके राज्य सरकारों को प्रोत्साहित किया ताकि वे पूंजीगत व्यय पर अपने व्यय की प्राथमिकताएँ तय कर सकें। सरकार ने पूँजीगत व्यय को प्रभावित करने वाले बुनियादी सुविधाओं की बहुलता वाले क्षेत्रों जैसे सड़क और राजमार्ग, आवासन एवं शहरी कार्यों पर नियतनों को भी प्रोत्साहन दिया है। पूंजीगत व्यय में इस वृद्धि के मध्यावधि वृद्धि जीडीपी अनुपात में सतत सरकारी ऋण के प्रति निहितार्थ होंगे।

91. निम्नलिखित में से कौन-सी रणनीतियाँ कोविड संकट के प्रति भारत की मौद्रिक नीति की प्रतिक्रिया का हिस्सा नहीं है :

A. खाद्य सब्सिडी में वृद्धि करना।

B. उर्वरक सब्सिडी में वृद्धि करना।

C. कुछ आयातित उत्पादों पर करों में कटौती करना।

D. ईंधन पर करों में वृद्धि करना।

92. संघ सरकार के मौद्रिक कार्य निष्पादन में नवशक्ति के संचार को लेकर निम्नलिखित में से कौन-सा सही नहीं है?

A. आर्थिक गतिविधियों में प्रतिप्राप्ति।

B. उत्साहवर्धक जी.एस.टी. राजस्व।

C. खाद्य एवं उर्वरक सब्सिडी से संबंधित व्यय मितव्ययता उपाय।

D. बजट में यथार्थवादी पूर्वानुमान।

93. पूँजीगत व्यय पर राज्यों के व्यय की प्राथमिकताओं को तय करने के लिए संघ सरकार द्वारा निम्नलिखित में से कौन-सी रणनीतियाँ अपनाई गई थीं?

A. उच्चतर राजस्व व्यय के लिए प्रोत्साहन देना।

B. ब्याज रहित ऋणों और अधिक कर्ज सीमा।

C. उच्चतर ब्याज के भुगतान को प्रोत्साहित करना।

D. कर समाहरण पर अधिक व्यय को प्रोत्साहित करना।

94. वित्तीय वर्ष 2009 से वित्तीय वर्ष 2020 के संघ सरकार का पूँजीगत व्यय औसतन कितना था?

A. सकल घरेलू उत्पाद का 2.5 प्रतिशत।

B. राजस्व प्राप्ति का 15.5 प्रतिशत।

C. जी.एस.टी. राजस्व का 24.8 प्रतिशत।

D. सकल घरेलू उत्पाद का 1.7 प्रतिशत।

95. पूँजीगत व्यय अधिक वृद्धि करने के लिए निम्नलिखित में से किस बुनियादी क्षेत्र के नियतन में वृद्धि नहीं हुई?

A. बन्दरगाह और जलमार्ग

B. सड़क और राजमार्ग

C. रेलवे

D. आवासन और शहरी कार्य

निर्देश (प्र.सं. 96 से 100 तक) : *नीचे दिए गए गद्यांश को पढ़िए और प्रश्नों के उत्तर दीजिए।*

सकल घरेलू उत्पाद वृद्धि का व्यापक रूप से सर्वाधिक प्रयोग विस्तृत आर्थिक प्रगति के निर्णय हेतु सूक्ष्म आर्थिक संकेतक के रूप में किया जाता है। ऐसे संकेतक के आधार पर किए गए निर्णय के निष्कर्ष बार-बार निराश करते रहे हैं क्योंकि संसाधनों के प्रयोग की पहचान के असफलताओं के कारण वे अपोषणीय हो जाते हैं। समायोजित निवल बचत (ए.एन.एस.) नीति-प्रभावित गतिकी के कुछ महत्वपूर्ण प्रश्नों को ग्रहण करते हुए संपदा में परिवर्तनों को न कि प्रति व्यक्ति संपदा को समझने में सहायता के लिए एक पूरक संकेतक प्रदान करती है। राष्ट्रीय लेखा प्रणाली (एस.एन.ए.) की प्रचलित प्रथाओं पर आधारित विधियों के अनुसार, ए.एन.एस. की माप सकल राष्ट्रीय बचत से पूँजीगत उत्पाद के अवमूल्यन, उप भू-परिसंपत्तियों और टिम्बर संसाधनों के अपक्षय और मानव स्वास्थ्य को क्षति पहुँचाने वाले वायु प्रदूषण को घटाकर और शिक्षा व्यय जमा को योजित करके की जाती है। यदि ए.एन.एस. ऋणात्मक है तो देश का पूँजी भंडार कम हो रहा है और संभवतः भावी भौतिक कल्याण भी घटा रहा है। जब ए.एन.एस. धनात्मक है तो देश की संपदा और भौतिक कल्याण का संवर्धन होता है। जब प्राकृतिक संसाधन क्षीणता को संपदा पोर्टफोलियों के अन्य परिसंपत्तियों में निवेश नहीं किया जाता है तो इस क्षीणता की प्रतिपूर्ति करने में देशों की सकल बचत पर्याप्त नहीं हो सकती है जिसके कारण निवल बचत ऋणात्मक होती है। यद्यपि उच्चतर सकल घरेलू उत्पाद वाले देशों में ऋणात्मक ए.एन.एस. प्राप्त करने की संभावना कम होती है। यह तर्क दिया जाता है कि यदि सततता के संकेतक उच्च नहीं हैं तो ए.एन.एस. अपोषणीयता के एक संकेतक के रूप में उपयोगी होगा। अतः ए.एन.एस. के अनुमान और संकल्पना निर्माण सीमाओं से मुक्त नहीं है।

96. समायोजित निवल बचत (ए.एन.एस.) है :

A. प्रति व्यक्ति संपदा में परिवर्तन का परोक्षी

B. स्टॉक चर

C. प्रवाह चर

D. नीति-प्रभावित गतिशीलता को अभिग्रहण करने में असमर्थता

97. निम्नलिखित में कौन ए.एन.एस. का संघटक नहीं है?

A. शिक्षा पर लोक व्यय

B. वायु प्रदूषण क्षति

C. धातुओं और खनिजों का अपक्षय

D. जैव विविधता का ह्रास

98. प्रति व्यक्ति सकल घरेलू उत्पाद में सतत वृद्धि कर रहे देशों में ए.एन.एस. में ह्रास की व्याख्या निम्नलिखित में कौन करता है?

A. किसी अर्थव्यवस्था में निजी निवेश का बढ़ता समानुपात

B. अप क्षयित परिसंपत्तियाँ जो मानव तथा भौतिक पूँजी में पर्याप्त निवेश द्वारा अनुचित्रित न हो

C. सकल बचत दरों में वृद्धि

D. नवीकरणीय प्राकृतिक पूँजी के उत्पादन में वृद्धि

99. निम्नलिखित में कौन ए.एन.एस. की कमियों को प्रतिबिंबित करता है?

A. यह पूँजी के विभिन्न रूपों के बीच पूरक की अनुमति देता है।

B. यह प्रति व्यक्ति संपदा का एक व्यापक संकेतक नहीं है।

C. यह किसी अर्थव्यवस्था के सकल घरेलू उत्पाद के स्तर से प्रभावित होता है।

D. उपर्युक्त सभी

100. ए.एन.एस. की अवधारणा को किसके लिए सर्वोत्तम रूप में प्रयोग करना चाहिए?

A. पारिस्थितिकीय इष्टतम सतत मापन का मार्गदर्शन

B. असतता के संकेतक के रूप में प्रयोग

C. आर्थिक प्रगति के माप के रूप में सकल घरेलू उत्पाद का प्रतिस्थापन

D. उपर्युक्त में कोई भी नहीं

उत्तरमाला

1. **(B):** जब वस्तु 1 की कीमत दोगुनी और वस्तु 2 की कीमत तिगुनी हो जाती है, तो बजट रेखा का झुकाव बदल जाता है। मान लीजिए उपभोक्ता के पास निश्चित बजट M है, और पहले वस्तु 1 की कीमत P_1 और वस्तु 2 की कीमत P_2 थी। बजट रेखा का समीकरण होता है $P_1X_1 + P_2X_2$। अब, P_1 दोगुना होने पर और P_2 तिगुना होने पर, नया समीकरण होगा $(2P_1X_1 + (3P_2)X_2 = M$। इससे वस्तु 2 की कीमत में वृद्धि, वस्तु 1 की तुलना में अधिक होने के कारण, बजट रेखा अधिक समतल हो जाएगी क्योंकि अब उपभोक्ता उसी बजट में वस्तु 2 की कम मात्रा खरीद पाएगा।

2. **(D):** वर्तमान मूल्य = P.V.

भविष्य मूल्य = F.V.

$$P.V. \frac{F.V.}{(1+r)^n} \quad (r = \text{ब्याज की दर}, n = \text{समय})$$

$$P.V. = \frac{40}{(1+0.10)^{10}}$$

$$(r = 10\% = 0.10)$$

$$P.V. = \frac{40}{(1.10)^{10}}$$

$$P.V. = \frac{40}{2.59} = 15.44 \approx 15.42.$$

3. **(D):** बाजार ढांचे की विशेषताएं आमतौर पर बाजार में प्रतिस्पर्धा की डिग्री, उत्पादों की विशिष्टता, क्रेताओं और विक्रेताओं की संख्या, और प्रवेश की शर्तें जैसे पहलुओं पर केंद्रित होती हैं। लंबवत एकीकरण, जो कि एक व्यापारिक रणनीति है जिसमें एक कंपनी अपने आपूर्ति श्रृंखला के विभिन्न चरणों को नियंत्रित करती है, वह सीधे तौर पर बाजार की संरचना की विशेषता नहीं है बल्कि उस बाजार में कंपनी की स्थिति और उसकी रणनीतियों से संबंधित है।

4. **(C):** कल्याणकारी अर्थशास्त्र के दूसरे सिद्धांत का यह कहना है कि यदि बाजार में सही स्थितियाँ मौजूद हों तो प्रत्येक पैरिटो दक्ष आबंटन को प्रतिस्पर्धा संतुलन के रूप में प्राप्त किया जा सकता है। इसमें पैमाने के अनुसार उत्तरोत्तर प्रतिफल का कोई संदर्भ नहीं होता है। यह धारणा कि उत्तरोत्तर प्रतिफल प्राप्त हो, बाजार की दक्षता या संतुलन से सीधे जुड़ी हुई नहीं है, बल्कि यह उत्पादन फंक्शन और फर्म की स्केल इकोनॉमिक्स से संबंधित होता है।

5. **(A):** टेलर नियम के अनुसार, एक आर्थिक नियम है जो यह बताता है कि मौद्रिक प्राधिकरण को आर्थिक गतिविधियों जैसे कि मुद्रास्फीति और उत्पादन गैप की प्रतिक्रिया में ब्याज दर कैसे निर्धारित करनी चाहिए। यह नियम विशेष रूप से मुद्रास्फीति के लक्ष्य से ऊपर जाने पर और उत्पादन गैप में बढ़त होने पर ब्याज दरें बढ़ाने की सलाह देता है, ताकि आर्थिक स्थिरता बनाए रखी जा सके।

6. **(A):** अर्थव्यवस्था का मौद्रिक आधार वह राशि होती है जो जनता और बैंकों द्वारा भंडार के रूप में धारित की जाती है। इसे अक्सर केंद्रीय बैंक की मौद्रिक नीति के द्वारा नियंत्रित किया जाता है। मौद्रिक आधार में मुद्रा शामिल है जो जनता के हाथ में होती है और वह मुद्रा जो बैंकों के पास भंडार के रूप में होती है। यह मुद्रा बैंकों द्वारा ऋण देने के लिए आधार बनती है और अर्थव्यवस्था में धन की आपूर्ति को बढ़ाने में मदद करती है। मौद्रिक आधार की गणना करने के लिए, हम मुद्रा की राशि को जोड़ते हैं जो जनता के पास होती है और बैंकों के भंडार के रूप में रखी जाती है। इस प्रकार, मौद्रिक आधार का प्रबंधन और विश्लेषण केंद्रीय बैंक के लिए महत्वपूर्ण होता है ताकि वह मुद्रास्फीति को नियंत्रित कर सके और आर्थिक विकास को सहायता प्रदान कर सके।

7. **(A):** राष्ट्रीय आय के समीकरण $Y = C + I + G$ में, निवेश (I) का वास्तविक ब्याज दर से गहरा संबंध होता है। वास्तविक ब्याज दर, नाममात्र ब्याज दर से मुद्रास्फीति की दर को घटाकर प्राप्त की जाती है। यह दर यह निर्धारित करती है कि निवेशकों को अपने निवेश से

कितनी वास्तविक आय प्राप्त होगी। जब वास्तविक ब्याज दर कम होती है, तो निवेशकों के लिए निवेश करना अधिक आकर्षक होता है क्योंकि ऋण लेने की लागत कम होती है, इस प्रकार निवेश में वृद्धि होती है। इसके विपरीत, अगर वास्तविक ब्याज दर अधिक होती है, तो निवेश कम हो सकता है क्योंकि उच्च ब्याज दरें ऋण लेने की लागत को बढ़ा देती हैं। इसलिए, निवेश के निर्धारण में वास्तविक ब्याज दर महत्वपूर्ण भूमिका निभाती है, जिससे यह समझा जा सकता है कि कैसे ब्याज दरों के परिवर्तन से आर्थिक गतिविधियाँ प्रभावित होती हैं।

8. (C)

9. (D): LM शेड्यूल, जो मुद्रा बाजार में संतुलन को दर्शाता है, उस स्थिति को प्रतिबिंबित करता है जहाँ मुद्रा की मांग और मुद्रा की आपूर्ति संतुलन में होती है। इस शेड्यूल का आधार यह है कि विभिन्न ब्याज दरों पर बाजार में धन की मांग और आपूर्ति कैसे संतुलित होती है। LM शेड्यूल की स्थिति और ढलान ब्याज दर और राष्ट्रीय आय के स्तरों के बीच संबंध को प्रकट करते हैं। जब धन की मात्रा में वृद्धि होती है, तब इस शेड्यूल को दायीं ओर और नीचे की ओर स्थानांतरित किया जाता है क्योंकि अधिक मात्रा में उपलब्ध धन से निचली ब्याज दर पर भी मुद्रा की माँग को पूरा किया जा सकता है। यह संयोजन ब्याज दर और मुद्रा की मात्रा के बीच संबंध को स्थापित करने में महत्वपूर्ण है और मुद्रा बाजार में संतुलन की स्थिति का निर्धारण करता है।

10. (C): संख्यात्मक समाधान

P (2 बकाये खाते ही प्राप्त हो)

$= ({}^6C_2 + {}^{14}C_3) \div ({}^{20}C_5)$

$= [(6!) \div (6-2)!\,(2!)] \times [(14!) \div (14-3)!\,(3)!] \div [(20!) \div (20-5)!\,(5!)]$

$= (5 \times 7 \times 13 \times 2) \div (19 \times 17 \times 8)$

$= 910 \div 2584$

$= 0.3087$

अतः लेखा परीक्षक को 2 बकाया खाते ही प्राप्त होने की प्रायिकता 0.3087 है।

11. (D): दिया है कि, $n = 140$

$$\text{सुपरवाइजर} = 30$$

$$\text{विवाहित} = 80$$

$$\text{विवाहित सुपरवाइजर} = \frac{80 \times 20}{100} = 16$$

$$P(S \cap M) = \frac{16}{140} = 0.1143.$$

12. (B)

13. (A): रैंडम वॉक बिना ड्रिफ्ट के मॉडल में, प्रघात (शॉक) का प्रभाव पूरी समयावधि में बना रहता है। इस मॉडल के अनुसार, एक वर्तमान समय पर आया प्रघात भविष्य के सभी मूल्यों को प्रभावित करता है, क्योंकि प्रत्येक नया मूल्य पिछले मूल्य पर निर्भर करता है और उसमें प्रघात जोड़ा जाता है। इस प्रकार, यदि किसी विशेष समय पर प्रघात होता है, तो उसका प्रभाव उसके बाद के सभी अवलोकनों पर दिखाई देता है, और इसे 'यूनिट रूट' की विशेषता के रूप में जाना जाता है। इस मॉडल में, इतिहास का प्रभाव कभी समाप्त नहीं होता है और प्रत्येक प्रघात शृंखला की पथ को स्थायी रूप से बदल देता है।

14. (C): $F = \dfrac{\left(\hat{\beta}\Sigma y_i x_{2i} + \hat{\beta}_3 y_i x_{3i}\right)/2}{\Sigma \hat{u}_i^2 \,/(n-3} = \dfrac{ESS/df}{RSS/df}$

$$F = \frac{ESS/df}{(TSS - ESS)df} \text{ (Divide by TSS)}$$

$$F = \frac{\left(\frac{ESS}{TSS}\right)df}{\frac{(TSS-ESS)}{TSS}df} = \frac{\left(\frac{ESS}{TSS}\right)df}{\left(1-\frac{ESS}{TSS}\right)df}$$

$$\left(R^2 = \frac{ESS}{TSS}\right)$$

$$F = \frac{R^2.df}{(1-R^2df)} \Rightarrow F = \frac{\left(R_{UR}^2 - R_R^2\right)/m}{\left(1-R_{UR}^2\right)/(n-k)}$$

विकल्प (C) में, यदि ESS के स्थान पर RSS होगा। तब विकल्प (C) सत्य होगा।

15. (B)

16. (D): दिया है,

$$u = x^2 + y^2 + z^2 \text{ और } x + y + z = 1$$

लॉरेंज (λ) गुणांक के प्रयोग से,

$$L = x^2 + y^2 + z^2 + \lambda (x + y + z - 1)$$

$$\frac{\partial L}{\partial x} = 2x + \lambda = 0 \Rightarrow x = \frac{-\lambda}{2}$$

$$\frac{\partial L}{\partial y} = 2y + \lambda = 0 \Rightarrow y = \frac{-\lambda}{2}$$

$$\frac{\partial L}{\partial z} = 2z + \lambda = 0 \Rightarrow z = \frac{-\lambda}{2}$$

और $x + y + z - 1 = 0$ ...(*i*)

समीकरण (*i*) में x, y और z का मान रखने पर,

$$\frac{-\lambda}{2} - \frac{\lambda}{2} - \frac{\lambda}{2} - 1 = 0$$

$$\Rightarrow \quad \frac{-3\lambda}{2} - 1 = 0$$

$$\Rightarrow \quad \lambda = \frac{-2}{3}$$

λ का मान x, y और z के मान में रखने पर,

तब, $\bar{x} = \frac{1}{3}, \bar{y} = \frac{1}{3}, \bar{z} = \frac{1}{3}$

अतः $(\bar{x}, \bar{y}, \bar{z}) = \left(\frac{1}{3}, \frac{1}{3}, \frac{1}{3}\right)$.

17. (C): दिया है,

$$U = f(q_1, q_2) = q_1, q_2$$

$$P_{q_1} = 1, P_{q_2} = 2$$

$$P_1q_1 + P_2q_2 = K$$

$$q_1 + 2q_2 = K$$

$$q_1 = (K - 2q_2)$$

$$U = q_2(K - 2q_2)$$

$$U = q_2K - 2q^2{}_2$$

$$\frac{dU}{dq_2} = K - 4q_2$$

$$q_2 = \frac{K}{4}$$

$$q_1 = K - 2q_2$$

$$q_1 = K - 2 \times \frac{K}{4}$$

(q_2 का मान रखने पर)

$$q_1 = K - \frac{K}{2}$$

$$q_1 = \frac{2K - K}{2}$$

$$q_1 = \frac{K}{2}$$

$$(q_1, q_2) = \left(\frac{K}{2}, \frac{K}{4}\right).$$

18. (A): प्रशुल्क अधीन प्रस्ताव वक्र आयात वस्तु अक्ष की ओर झुकेगा क्योंकि जब आयात पर प्रशुल्क लगाया जाता है, तो यह आयात की कीमतों में वृद्धि करता है, जिससे आयातित वस्तुओं की मात्रा में कमी आती है। इसका प्रभाव यह होता है कि आयात वस्तु के अक्ष पर प्रस्ताव वक्र की ढलान बदल जाती है, और यह आयात वस्तु अक्ष की ओर अधिक झुक जाता है। जब एक देश आयात पर प्रशुल्क लगाता है, तो उसका उद्देश्य अक्सर घरेलू उद्योगों को प्रतिस्पर्धी आयात से सुरक्षा प्रदान करना होता है। इसके फलस्वरूप, घरेलू बाजार में आयातित वस्तुओं की कीमतें बढ़ जाती हैं और उपभोक्ता घरेलू वस्तुओं की ओर अधिक झुकाव दिखाते हैं। यह व्यवहार प्रस्ताव वक्र को आयात वस्तु अक्ष की ओर झुकने का कारण बनता है, क्योंकि बाजार अनुकूलन करता है और घरेलू उत्पादकता और उपभोग में बदलाव होता है।

19. (C): कारक कीमत समकरण प्रमेय (Factor Price Equalization Theorem) का प्रस्तावना पॉल सैम्युएलसन द्वारा की गई थी। यह प्रमेय अंतर्राष्ट्रीय व्यापार के क्षेत्र में बेहद महत्वपूर्ण है और यह हेक्सर-ओहलिन मॉडल पर आधारित है। सैम्युएलसन ने बताया कि यदि दो देश समान उत्पादन तकनीकों का

उपयोग करते हैं और केवल उत्पादन कारकों (जैसे श्रम और पूंजी) में अंतर होता है, तो व्यापार के माध्यम से इन कारकों की कीमतें समान हो सकती हैं, भले ही उत्पादन कारकों का अनुपात भिन्न हो। इस प्रकार की आर्थिक गतिविधि से कम विकसित देशों में श्रमिकों की कमाई में वृद्धि हो सकती है जबकि विकसित देशों में श्रमिकों की कमाई पर दबाव पड़ सकता है। इस प्रमेय का महत्व यह है कि यह दिखाता है कि व्यापार से न केवल उत्पादों का आदान-प्रदान होता है, बल्कि यह उत्पादन कारकों के मूल्यों को भी सामान्यीकृत कर सकता है, जिससे अंतर्राष्ट्रीय आर्थिक समानता बढ़ सकती है। इस थ्योरी की व्यावहारिकता यह है कि यह वैश्विक व्यापार नीतियों के निर्माण में मदद करती है और यह बताती है कि कैसे व्यापार से देशों की आर्थिक क्षमताएं एक समान हो सकती हैं।

20. **(A):** अंतर्राष्ट्रीय मुद्रा कोष (IMF) ने वर्ष 1974 में विस्तारित कोष सुविधा (Extended Fund Facility, EFF) की स्थापना की थी। इस सुविधा का मुख्य उद्देश्य उन सदस्य देशों की सहायता करना था जो दीर्घकालीन भुगतान संतुलन की कठिनाइयों से जूझ रहे थे। यह कठिनाई आमतौर पर संरचनात्मक अड़चनों के कारण होती है, जैसे कि आर्थिक ढांचे में अपर्याप्तता, जो आर्थिक वृद्धि को प्रभावित करती हैं। EFF के तहत, वित्तीय सहायता और समर्थन दीर्घकालिक होता है, और इसका उद्देश्य संरचनात्मक सुधारों को बढ़ावा देना और आर्थिक स्थिरता हासिल करने में मदद करना है। यह सुविधा उन देशों के लिए आवश्यक थी जिन्हें अपने आर्थिक सुधारों के लिए अधिक समय और बड़ी मात्रा में संसाधनों की जरूरत थी। इस पहल का आरम्भ करके IMF ने वैश्विक स्थिरता और आर्थिक सहयोग को बढ़ावा दिया, जिससे उन देशों को भी लाभ हुआ जिनकी आर्थिक संरचनाएँ जटिल और चुनौतीपूर्ण थीं।

21. **(B):** 'व्हाई नेशन्स फेल, द ओरिजिन ऑफ पावर, प्रॉस्पेरिटी, एंड पॉवर्टी' नामक पुस्तक दारोन एक्मोग्लु और जेम्स ए. रॉबिन्सन द्वारा लिखी गई है। यह पुस्तक विश्वभर के देशों में आर्थिक और राजनीतिक सफलताओं और असफलताओं के कारणों का विश्लेषण करती है। लेखकों का तर्क है कि 'संस्थागत विकास' की गुणवत्ता यह निर्धारित करती है कि राष्ट्र कैसे विकसित होते हैं। वे इस बात पर जोर देते हैं कि खुली और समावेशी राजनीतिक और आर्थिक संस्थाएं जो नागरिकों को सहभागिता और आर्थिक अवसर प्रदान करती हैं, वे देशों को समृद्ध बनाती हैं। इसके विपरीत, जब संस्थाएं बंद और अनन्य होती हैं, जहाँ कुछ चुने हुए लोगों के हाथ में सत्ता केंद्रित होती है, तो वे राष्ट्रीय विकास को रोकती हैं और असमानता को बढ़ावा देती हैं। इस पुस्तक के माध्यम से, लेखक विश्व के विभिन्न भागों के ऐतिहासिक उदाहरणों के साथ अपने तर्क को सिद्ध करते हैं, जिससे यह नीति निर्माताओं और अकादमिक चर्चा के लिए एक महत्वपूर्ण संसाधन बन जाती है।

22. **(B):** विदेशी विनिमय स्वैप एक ऐसी वित्तीय साधन है जिसमें दो पक्ष मुद्रा का तत्काल विक्रय और उसी मुद्रा का भविष्य में पुनः क्रय करने का समझौता करते हैं। इस प्रक्रिया में, एक मुद्रा का विनिमय दूसरी मुद्रा के लिए एक निर्धारित दर और तारीख पर किया जाता है और इसी तरह का विनिमय भविष्य में एक पूर्व निर्धारित तारीख और दर पर उलटा भी किया जाता है। इस तरह के लेन-देन से व्यापारियों और वित्तीय संस्थानों को विनिमय दर जोखिमों से बचने में मदद मिलती है, और यह नकदी प्रवाह की योजना बनाने में भी सहायक होता है। स्वैप सौदे अक्सर उन कंपनियों द्वारा किए जाते हैं जिनके पास विदेशी मुद्राओं में अपनी देनदारियाँ होती हैं और वे भविष्य की विनिमय दर अस्थिरता से बचना चाहते हैं। इस प्रकार के स्वैप से वे आज की विनिमय दर पर भविष्य में अपनी मुद्रा को दोबारा प्राप्त कर सकते हैं, जिससे वित्तीय योजना में सुगमता और स्थिरता आती है।

23. **(C):** राज्य सरकार के सकल राजकोषीय घाटे का सही मापन विकल्प (C), अर्थात राजस्व घाटा + पूँजीगत परिव्यय + शुद्ध ऋण द्वारा किया जाता है। सकल राजकोषीय घाटा उस राशि को दर्शाता है जो सरकार को अपने खर्च को पूरा करने के लिए उधार लेनी पड़ती है।

इसमें राजस्व घाटा शामिल है, जो कि राजस्व प्राप्तियों और राजस्व व्यय के बीच का अंतर है, और पूँजीगत परिव्यय, जो कि सरकार द्वारा विकासात्मक परियोजनाओं और संपत्ति निर्माण पर किया गया खर्च है। इसके अतिरिक्त, शुद्ध ऋण, जो कि उधार ली गई राशि में से ऋण चुकता करने के बाद की शेष राशि होती है, भी इस गणना में शामिल की जाती है। यह संयोजन राज्य सरकार की वित्तीय स्थिति का एक सटीक और व्यापक आकलन प्रदान करता है, जिससे उसके बजटीय नियोजन और नीतिगत निर्णय लेने में मदद मिलती है।

24. (C): विकल्प (C), जो कहता है कि यदि मांग गैर-लचीली और आपूर्ति लचीली हो तो व्यक्ति कर से बचने के लिए बेहतर स्थिति में होगा और क्रेता के पास बड़ा हिस्सा बच जाएगा, गलत है। यह विकल्प आर्थिक सिद्धांतों के विपरीत है क्योंकि जब मांग गैर-लचीली होती है, तो उपभोक्ता कीमतों में वृद्धि के प्रति कम संवेदनशील होते हैं, और इसलिए, कर लगाने पर कर का बोझ मुख्य रूप से उपभोक्ताओं पर पड़ता है। जब आपूर्ति लचीली होती है, तो आपूर्तिकर्ता कर के प्रभाव को अपनी लागत में समायोजित करने में सक्षम होते हैं और इसे आंशिक रूप से उपभोक्ता पर हस्तांतरित कर सकते हैं। इसलिए, विकल्प (C) ने जो दावा किया है, वह वास्तविकता के विपरीत है। इस स्थिति में, यदि कर लगाया जाता है, तो व्यक्ति कर से बचने के लिए नहीं बल्कि कर का भारी बोझ उठाने के लिए सबसे कम अनुकूल स्थिति में होगा।

25. (C)

26. (B): तरलता जाल की अत्यधिक स्थिति में, अधिकांश निवेशक मंदड़िया व्यवहार दर्शाते हैं। तरलता जाल की अवधारणा को समझने के लिए, यह जानना जरूरी है कि इसे जॉन मेनार्ड केन्स ने परिभाषित किया था। इस स्थिति में, ब्याज दरें इतनी निम्न होती हैं कि निवेशक अपनी धनराशि बैंकों में जमा रखना या नकदी के रूप में रखना पसंद करते हैं, क्योंकि वे आर्थिक उत्थान की संभावना को बहुत कम मानते हैं। इसका मतलब है कि नकदी को निवेश से अधिक सुरक्षित माना जाता है, भले ही यह विकल्प दीर्घकालिक में निवेशक को कोई रिटर्न न दे। इस स्थिति में, मांग की कमी के कारण बाजार में निवेश गतिविधियां कम हो जाती हैं, और आर्थिक वृद्धि स्थिर हो सकती है। यह आर्थिक मंदी के दौरान अक्सर देखने को मिलता है, जब निवेशकों का विश्वास कम होता है और वे अपने पूंजी निवेश के फैसले में अधिक सावधानी बरतते हैं।

27. (A)

28. (D): सामान मौद्रिक आधार के साथ, वित्तीय साक्षरता एवं बैंकिंग आदत (व्यवहार) में वृद्धि एक व्यापक मुद्रा में वृद्धि की ओर प्रेरित करेगा। जब लोगों में वित्तीय साक्षरता बढ़ती है और वे अधिक से अधिक बैंकिंग सेवाओं और उपकरणों का उपयोग करने लगते हैं, तब वे अपने धन को नकदी के रूप में रखने के बजाय बैंकों में जमा करना पसंद करते हैं। यह बैंकों को उन धनराशियों को ऋण के रूप में पुनः उपयोग में लाने की क्षमता देता है, जिससे मुद्रा आपूर्ति में वृद्धि होती है।

इस प्रकार, बढ़ी हुई वित्तीय साक्षरता और बैंकिंग आदतें लोगों को अपनी बचत को अधिक उत्पादक तरीके से निवेश करने के लिए प्रेरित करती हैं, जिससे व्यापक आर्थिक गतिविधियों में सुधार होता है और अंततः मुद्रा आपूर्ति में वृद्धि होती है। यह सब अर्थव्यवस्था की दक्षता और विकास को बढ़ावा देता है, जो वित्तीय स्थिरता और विस्तार के लिए अनिवार्य है।

29. (A): रॉबिन्सन के अनुसार, हैरॉल्ड-डॉमर मॉडल के संदर्भ में 'स्वर्ण युग' (गोल्डन एज) शब्द का प्रयोग इसके मिथकीय (काल्पनिक) प्रकृति पर बल देने हेतु किया जाता है। इस मॉडल में 'स्वर्ण युग' का उल्लेख एक आदर्श या काल्पनिक अवस्था के रूप में किया जाता है, जहाँ आर्थिक विकास अपने सबसे अनुकूल स्तर पर होता है। यह मॉडल दर्शाता है कि यदि निवेश की दर और पूंजी के उत्पादकता अनुपात एक विशेष स्तर पर बनाये रखे जा सकें, तो एक आदर्श विकास दर संभव है।

इस शब्द का उपयोग यह संकेत देता है कि ऐसी स्थिति वास्तविकता में प्राप्त करना बेहद मुश्किल है, क्योंकि यह कई अनुकूल स्थितियों का एक संगम होता है, जिसे

बनाए रखना व्यावहारिक रूप से कठिन है। 'स्वर्ण युग' शब्द का प्रयोग करके, रॉबिन्सन यह दिखाना चाहते हैं कि ऐसी आदर्श स्थितियाँ मूल रूप से काल्पनिक हैं और वास्तविक दुनिया में उनकी प्राप्ति अत्यंत दुर्लभ होती है।

30. (D): मानव विकास सूचकांक (एच.डी.आई.) में 'स्वच्छ पर्यावरण की प्राप्ति (पहुँच) हेतु योग्यता' आयाम शामिल नहीं है। एच.डी.आई. तीन मुख्य आयामों पर आधारित है : लंबा और स्वस्थ जीवन की क्षमता, ज्ञानार्जन की क्षमता, और एक शानदार जीवनस्तर प्राप्त करने की क्षमता। ये आयाम व्यक्तियों के जीवन प्रत्याशा, शिक्षा के स्तर और प्रति व्यक्ति आय को मापते हैं।

स्वच्छ पर्यावरण की पहुँच, हालांकि एक महत्वपूर्ण मुद्दा है, इसे सीधे तौर पर एच.डी.आई. के आयामों में शामिल नहीं किया गया है। यह अधिक व्यापक स्थिरता सूचकांकों में देखा जा सकता है जैसे कि इकोलॉजिकल फुटप्रिंट या अन्य पर्यावरणीय प्रदर्शन सूचकांक। इसलिए, विकल्प क एच.डी.आई. के अंतर्गत नहीं आता है।

31. (D): सृजनात्मक विनाश (ध्वंस) का विचार जोसेफ शुम्पीटर से संबंधित है। यह अवधारणा आर्थिक सिद्धांत में एक महत्वपूर्ण भूमिका निभाती है, जिसे शुम्पीटर ने अपनी पुस्तक 'कैपिटलिज्म, सोशलिज्म एंड डेमोक्रेसी' में प्रस्तुत किया था। सृजनात्मक विनाश का सिद्धांत कहता है कि पुरानी तकनीकों और उद्यमों का विनाश और उनकी जगह नई तकनीकों और उद्यमों का सृजन आर्थिक विकास और प्रगति का एक अनिवार्य हिस्सा है। इस प्रक्रिया में, पुरानी और कम कुशल तकनीकी और उद्यम बाजार से हट जाते हैं, और उनकी जगह नई और अधिक कुशल तकनीकें और उद्यम ले लेते हैं।

इस अवधारणा को आर्थिक परिवर्तन के एक मूलभूत चालक के रूप में माना जाता है क्योंकि यह बताता है कि कैसे नवाचारों से प्रेरित बाजार प्रतिस्पर्धा न केवल नए व्यावसायिक अवसरों को जन्म देती है, बल्कि यह समग्र आर्थिक संरचनाओं और उपभोक्ता वरीयताओं में भी बदलाव लाती है।

32. (A): सामान्यीकृत निर्धनता अंतराल (Normalized Poverty Gap, NPG) को निर्धनता रेखा तथा औसत निर्धनता अंतराल का अनुपात के रूप में मापा जाता है। यह एक आर्थिक मापदंड है जो यह बताता है कि निर्धनता रेखा से नीचे जीवन यापन कर रहे व्यक्तियों की औसत आय या खपत निर्धनता रेखा से कितनी नीचे है। इसे गणना में शामिल सभी निर्धन व्यक्तियों की आय या खपत में निर्धनता रेखा तक की कमी का योग करके, और फिर उसे निर्धनता रेखा से विभाजित करके निकाला जाता है।

इस प्रकार का मापदंड समाज में निर्धनता की गहराई को समझने के लिए उपयोगी होता है क्योंकि यह न केवल यह बताता है कि कितने लोग निर्धनता रेखा से नीचे हैं, बल्कि यह भी दर्शाता है कि वे निर्धनता रेखा से कितनी दूर हैं। यह निर्धनता की तीव्रता को मापने का एक तरीका प्रदान करता है, जिससे नीति निर्माताओं को निर्धनता उन्मूलन की दिशा में और अधिक प्रभावी कदम उठाने में मदद मिल सकती है।

33. (C): निम्नलिखित में से वह मानक जो प्राप्त किए जाने वाले पर्यावरण के कुछ तत्वों के गुणवत्ता स्तर को इंगित करता है, पर्यावरण नीति में परिवेश मानकों को परिभाषित करता है। यह मानक पर्यावरण के विशिष्ट घटकों जैसे वायु, जल, या मिट्टी के लिए गुणवत्ता के स्तर को निर्धारित करता है, जिसे पालन करना आवश्यक होता है। इन मानकों का उद्देश्य पर्यावरणीय गुणवत्ता को संरक्षित या सुधारना होता है, और यह विशेष रूप से उन अधिकतम स्तरों को निर्दिष्ट करते हैं जिनसे अधिक प्रदूषण या क्षति स्वीकार्य नहीं होती।

इस तरह के मानकों को निर्धारित करना पर्यावरण संरक्षण की नीतियों में महत्वपूर्ण होता है क्योंकि यह स्वच्छ और स्वस्थ पर्यावरण के लिए ठोस लक्ष्य प्रदान करते हैं। ये मानक प्रदूषण स्रोतों के प्रबंधन और नियंत्रण के लिए ढांचे का निर्माण करते हैं, और सामुदायिक स्वास्थ्य और पर्यावरणीय स्थिरता को सुनिश्चित करने के लिए क्रियान्वयन किए जाते हैं।

34. (D): भौतिक संयोजन अवधारणा पर्यावरणीय संसाधनों और उनके उपयोगकर्ताओं के बीच के तकनीकी संबंधों पर आधारित मूल्यांकन तरीकों को दर्शाती है। इसमें यह

माना जाता है कि पर्यावरणीय लाभों का सही मूल्यांकन करने के लिए उन संसाधनों का उपयोग कैसे किया जा रहा है, इसे समझना जरूरी है। यह विधि विशेष रूप से उपयोगी है जब पर्यावरणीय संसाधनों का कोई प्रत्यक्ष बाजार न हो और प्रतिक्रियाएँ अधिक जटिल हों।

35. (D): प्रतिस्पर्धी उत्पाद बाजारों में बाह्यताओं को समावेश करने के लिए सब्सिडी दीर्घावधि में प्रभावी नीति नहीं मानी जाती क्योंकि सब्सिडी से संबंधित कई समस्याएं उत्पन्न होती हैं। पहला, सब्सिडी सीमांत नुकसान के बराबर होती है, जो वास्तव में फर्म की निर्धारित लागतों में कमी करती है। दूसरा, सब्सिडी भुगतान सभी फर्मों के लिए उपलब्ध होने पर बाजार में अतिरिक्त प्रवेश को प्रेरित कर सकते हैं, जिससे प्रतिस्पर्धा और संसाधनों का अत्यधिक उपयोग होता है। तीसरा, इससे उत्पादन की मात्रा सामाजिक रूप से वांछित स्तर से अधिक हो सकती है, जो बाजार की अक्षमता को और बढ़ाता है। इन सभी कारणों से सब्सिडी दीर्घकालिक समाधान के रूप में अप्रभावी सिद्ध होती है।

36. (C): प्रतिदर्श पंजीकरण प्रणाली के अनुसार, 2018-2020 के दौरान मध्य प्रदेश का आजीवन जोखिम स्तर सबसे ऊँचा है। यह जोखिम स्तर वहां की जनसंख्या के बीच मौत के जोखिम को दर्शाता है, जो विभिन्न कारणों जैसे कि दुर्घटनाओं, बीमारियों, या अन्य स्वास्थ्य संबंधी मुद्दों के कारण हो सकता है। इस उच्च जोखिम स्तर का निर्धारण कई तरह के डेटा और रिपोर्टों के विश्लेषण से किया जाता है जो कि राज्य की स्वास्थ्य सेवाओं, जनसंख्या की स्वास्थ्य स्थिति, और सामाजिक-आर्थिक परिस्थितियों के आधार पर होता है। यह जानकारी स्वास्थ्य नीति निर्माण और उसके कार्यान्वयन में महत्वपूर्ण भूमिका निभाती है, ताकि जोखिम को कम किया जा सके और बेहतर स्वास्थ्य परिणाम सुनिश्चित किए जा सकें।

37. (A): गहन जिला कृषि कार्यक्रम (IADP) को वर्ष 1960-61 में प्रारंभ किया गया था। यह कार्यक्रम भारत में कृषि क्षेत्र को मजबूत करने के लिए शुरू किया गया एक महत्वपूर्ण पहल थी, जिसका उद्देश्य कृषि उत्पादकता को बढ़ावा देना और किसानों की आय में सुधार करना था। इस कार्यक्रम के तहत, चुनिंदा जिलों में उन्नत कृषि तकनीकों और संसाधनों को प्रदान किया गया था, जिससे उन क्षेत्रों में कृषि उत्पादन में उल्लेखनीय वृद्धि हुई थी। IADP ने भारत में हरित क्रांति के विकास में भी योगदान दिया था, जिसने देश के कृषि परिदृश्य को बदल दिया था।

38. (B): केंद्रीय बजट 2023-24 में कृषि एवं किसान कल्याण मंत्रालय के लिए 1.25 लाख करोड़ रुपये की राशि आवंटित की गई है। इस आवंटन का उद्देश्य कृषि सेक्टर को सशक्त बनाना और किसानों की आर्थिक स्थिति में सुधार करना है। बजट आवंटन में कृषि अनुसंधान, बुनियादी ढांचे के विकास, उर्वरक सब्सिडी, किसान कल्याण योजनाओं और नवीनीकरणीय तकनीकों के प्रचार-प्रसार पर विशेष ध्यान दिया गया है। इस बजट के माध्यम से सरकार किसानों को बेहतर साधन उपलब्ध कराने, उनकी उत्पादन क्षमता बढ़ाने और उनकी वित्तीय स्थिरता सुनिश्चित करने की कोशिश कर रही है।

39. (A): IADP के 18वें सम्मेलन का आदर्श वाक्य 'एक पृथ्वी, एक परिवार, एक भविष्य' है। यह आदर्श वाक्य सम्मेलन की मूल भावना को दर्शाता है, जो कि ग्रह के सभी निवासियों के बीच एकता और साझेदारी की अवधारणा पर जोर देता है। इस मोटो के माध्यम से, सम्मेलन का उद्देश्य यह बताना है कि हम सभी एक साझा ग्रह के निवासी हैं और हमारे भविष्य की सफलता और स्थायित्व हमारे द्वारा अपनाए गए पारस्परिक समर्थन और सहयोग पर निर्भर करती है। यह संदेश पर्यावरणीय संरक्षण और सतत विकास के महत्व को भी रेखांकित करता है।

40. (B): अवैध धन की रोकथाम (प्रिवेंशन ऑफ मनी लॉन्ड्रिंग) अधिनियम को वर्ष 2002 में अधिनियमित किया गया था। इस अधिनियम का मुख्य उद्देश्य धन शोधन की प्रक्रिया को रोकना और इसे नियंत्रित करना है। धन शोधन एक ऐसी प्रक्रिया है जिसमें अवैध रूप से अर्जित धन को वैध बनाया जाता है, ताकि यह धन कानूनी व्यवस्था के तहत संचालित दिखाई दे। इस अधिनियम के तहत, धन शोधन के लिए दोषी पाए जाने वाले

व्यक्तियों के लिए कड़े दंडात्मक प्रावधान किए गए हैं, जिसमें भारी जुर्माना और लंबी अवधि की जेल की सजा शामिल है।

41. (A): बर्ट्रेंड ध्रुवीय मॉडल के संदर्भ में, (*a*) और (*b*) विकल्प सही हैं। प्रतिक्रिया वर्क रेखाएँ समलाभ मानचित्रों से प्राप्त होती हैं, जो अक्ष के प्रतिकूल होते हैं। यह इंगित करता है कि प्रत्येक फर्म की प्रतिक्रिया दूसरी फर्म की कार्रवाई के विपरीत होती है। दूसरा, दो प्रतिक्रिया वर्क रेखाओं का प्रतिच्छेद बिंदु संतुलन की दशा को दर्शाता है, जो कि दोनों फर्मों के लिए एक सामान्य प्रतिक्रिया स्थिति को प्रदर्शित करता है, जहाँ दोनों समान कीमतें तय करते हैं।

42. (D): क्लार्क-विक्स्टीड-वालरस के उत्पाद क्षाय थ्योरम के लिए विकल्प (*c*), (*d*) और (*e*) सही हैं। इस थ्योरम के अनुसार, समरूपी उत्पादन प्रकार्य की अवधारणा आवश्यक नहीं है। यह थ्योरम एक पहचान नहीं है क्योंकि यह केवल दीर्घावधिक संतुलन के प्रतिमानों के लिए सही है। साथ ही, यह सभी प्रकार के उत्पादन प्रकार्यों के लिए सही है, न कि केवल होमोजिनियस प्रकार्यों के लिए। इस प्रकार, यह थ्योरम उत्पादन प्रक्रियाओं की व्यापक विविधताओं को समझने में मदद करता है और उत्पादन संसाधनों के आवंटन में अनेक प्रकार की आर्थिक गतिविधियों के विश्लेषण के लिए प्रयोग किया जा सकता है।

43. (C): व्यय प्रकार्यों (उपयोगिता सिद्धांत के संदर्भ में) के सही गुण हैं : (*a*) कीमत P में समरूपता की श्रेणी एक, (*b*) किसी वस्तु 1 के लिए उपयोगिता u में पूर्णतः बढ़ते क्रम में और कीमत P में न घटने वाली, (*c*) P में अवतल, और (*d*) P और u में निरंतरता। ये गुण व्यय प्रकार्यों को उपयोगिता के सिद्धांत के अंतर्गत वर्णन करने में मदद करते हैं, जिससे उपभोक्ताओं की खरीद पसंदों और उनके बजट संबंधित निर्णयों को समझा जा सकता है। यह संकेत देता है कि व्यय प्रकार्य उपभोक्ताओं की खर्च करने की आदतों के बारे में गणितीय और आर्थिक विश्लेषण के लिए उपयोगी होते हैं।

44. (D): सही विकल्प हैं (*a*), (*b*) और (*e*)। 'बहुल संवेदनशीलता' वह अवस्था है जहाँ खपत अस्थायी आय परिवर्तनों से अधिक प्रभावित होती है, और 'बहुल सुगमता' वह अवस्था है, जहाँ खपत अस्थायी आय परिवर्तनों से कम प्रभावित होती है। ये दोनों अवधारणाएं स्थायी आय प्राक्कल्पना के प्रयोगाश्रित साक्ष्यों से संबंधित हैं, जो यह बताता है कि उपभोक्ता अपनी खपत के निर्णयों में आय की अस्थायिता को किस हद तक मानते हैं। ये अवधारणाएँ उपभोक्ताओं की आर्थिक व्यवहारिकता को समझने में महत्वपूर्ण हैं, विशेष रूप से उनकी खपत प्रवृत्तियों के संदर्भ में।

45. (C): निवेश के टोबिन के Q सिद्धांत के अनुसार, किसी फर्म को निवेश कब करना चाहिए इसका सही उत्तर है (*a*), (*b*), (*d*) और (*e*)। जब उत्पाद की कीमत में वृद्धि होती है, पूंजी के सीमान्त उत्पादन में वृद्धि होती है, मूल्यह्रास दर में कमी होती है, और निवेश का सीमांत लाभ सीमांत लागत से अधिक होता है, तो निवेश करना लाभकारी माना जाता है।

यह सिद्धांत फर्म के निवेश निर्णयों के पीछे आर्थिक तर्क प्रदान करता है, जिसमें मुख्य रूप से उत्पादन क्षमता और बाजार की स्थितियों को मध्य नजर रखा जाता है। यह निवेश के समय और पैमाने को निर्धारित करने में महत्वपूर्ण होता है।

46. (D): मितव्यय-विरोधाभास के बारे में सही कथन हैं (*a*), (*b*) और (*e*)। जे.एम. कीन्स ने मितव्यय-विरोधाभास को लोकप्रिय बनाया था, जिसमें उल्लेख है कि व्यक्तिगत बचतें जब वृद्धि पाती हैं, तो वे समग्र आर्थिक विकास के लिए बाधक हो सकती हैं क्योंकि इससे कुल मांग में कमी आती है। आर्थिक मंदी के दौरान व्यक्तिगत बचत में वृद्धि आमतौर पर औसत मांग में कमी का कारण बनती है, जिससे उत्पादन और रोजगार में गिरावट आ सकती है। यह विरोधाभासी प्रतीत होता है क्योंकि व्यक्तिगत स्तर पर बचत को आमतौर पर समझदारी भरा कदम माना जाता है, लेकिन जब यह व्यापक रूप से होता है, तो यह आर्थिक सुस्ती को बढ़ावा दे सकता है।

47. (D): 1991 के आर्थिक संकट के दौरान, भारत का भुगतान संतुलन (BOP) गंभीर रूप से प्रभावित हुआ था। इस संकट के कारण भारत को अंतर्राष्ट्रीय मुद्रा कोष (IMF) से वित्तीय सहायता लेनी पड़ी, जिसके लिए कई शर्तें लगाई गई थीं। इनमें से एक मुख्य शर्त थी रुपये का 22% अवमूल्यन, जिसका उद्देश्य निर्यात को बढ़ावा देना और आयात को सीमित करना था। इससे विदेशी मुद्रा भंडार में वृद्धि हुई और बाह्य संतुलन की स्थिति सुधरी।

दूसरी महत्वपूर्ण शर्त थी सीमा शुल्क कटौती। इसके अंतर्गत सभी वस्तुओं के लिए उच्चतम शुल्क को 130% से घटाकर 30% कर दिया गया। यह उपाय व्यापार उदारीकरण की दिशा में एक कदम था, जिससे वैश्विक बाजारों में प्रतिस्पर्धी माहौल सुनिश्चित हुआ।

तीसरी शर्त उत्पाद शुल्क में 20% की वृद्धि थी, जिसे सीमा शुल्क कटौती के कारण होने वाले राजस्व घाटे की पूर्ति के लिए लागू किया गया। इससे सरकार को आंतरिक स्रोतों से राजस्व जुटाने में मदद मिली, जो कि वित्तीय स्थिरता के लिए आवश्यक था।

अंत में, सरकारी व्यय में 10% की वार्षिक कटौती की गई, जिससे वित्तीय अनुशासन स्थापित किया गया और सरकारी खर्चों को कम करके बजट घाटे को नियंत्रित करने की कोशिश की गई। ये सभी उपाय भारत को आर्थिक स्थिरता की ओर ले जाने में सहायक सिद्ध हुए और दीर्घकालीन विकास के लिए नींव रखी।

48. (A): उरुग्वे दौर व्यापार वार्ताएँ, जो 1986 से 1994 तक चलीं, ग्लोबल व्यापार नियमों में सुधार और व्यापार उदारीकरण को बढ़ावा देने के लिए महत्वपूर्ण थीं। इन वार्ताओं में मुख्य रूप से चार मांगें शामिल थीं : औद्योगिक सामान पर औसत प्रशुल्क में कटौती, प्रशुल्कों के स्थान पर कोटा तय किया जाना, कृषि निर्यात सब्सिडी में कटौती, और औद्योगिक सब्सिडी में कटौती।

पहली मांग, औद्योगिक सामान पर औसत प्रशुल्क में कटौती, वैश्विक व्यापार को अधिक प्रतिस्पर्धी बनाने के लिए की गई थी। इससे उद्योगों को वैश्विक बाजार में उत्पादों को और अधिक प्रभावी ढंग से बेचने का मौका मिला।

दूसरी मांग, प्रशुल्कों के स्थान पर कोटा तय करने की, यह सुनिश्चित करने के लिए थी कि विशेष उत्पादों का आयात निश्चित सीमा में ही रहे, जिससे घरेलू उद्योगों को संरक्षण प्रदान किया जा सके।

तीसरी मांग, कृषि निर्यात सब्सिडी में कटौती, वैश्विक कृषि बाजार में अधिक उचित प्रतिस्पर्धा को बढ़ावा देने के लिए की गई थी। यह कदम विकासशील देशों के किसानों के लिए अधिक समान अवसर प्रदान करता है।

अंतिम मांग, औद्योगिक सब्सिडी में कटौती, ने उद्योगों को अधिक कुशल बनने और बाजार आधारित योग्यताओं पर प्रतिस्पर्धा करने की ओर प्रेरित किया। ये सभी मांगें मिलकर वैश्विक व्यापार वातावरण को अधिक स्वतंत्र और न्यायसंगत बनाने में मदद करती हैं।

49. (A & B): बैसल III प्रतिमानों के पिलर 1 में मुख्य रूप से पूँजी की गुणवत्ता और स्तर पर ध्यान दिया गया और जोखिम आच्छादन पर भी जोर दिया गया है। इस पिलर का उद्देश्य वित्तीय संस्थाओं के लिए एक मजबूत पूँजी आधार स्थापित करना है, जिससे वे आर्थिक संकट के समय में भी अपने जोखिमों को सहन कर सकें। पूँजी की गुणवत्ता और स्तर (*a*) का मतलब है कि बैंकों को उच्च गुणवत्ता वाली पूँजी बनाए रखनी चाहिए जो कि उनकी संपत्तियों के जोखिमों के अनुरूप हो।

जोखिम आच्छादन (*b*) से संबंधित पहलुओं में यह सुनिश्चित करना शामिल है कि बैंक पर्याप्त पूँजी रखें ताकि वे किसी भी प्रकार के वित्तीय जोखिम जैसे क्रेडिट जोखिम, बाजार जोखिम, और परिचालन जोखिम को संभाल सकें। इसके अलावा, उत्तोलन पर लगाम लगाना (*c*) भी पिलर 1 के अंतर्गत आता है, जिसका उद्देश्य बैंकों द्वारा उच्च उत्तोलन के उपयोग को सीमित करना है, ताकि वित्तीय प्रणाली में स्थिरता बनी रहे।

इस प्रकार, बैसल III के पिलर 1 के दोनों हिस्से (A) और (B) सही हैं, क्योंकि वे वित्तीय संस्थानों के पूँजी ढांचे और जोखिम प्रबंधन के बुनियादी सिद्धांतों को स्थापित करते हैं।

50. (A): मौद्रिक नीति में त्रिविधा का सिद्धांत यह बताता है कि एक खुली अर्थव्यवस्था में, सरकार या मौद्रिक प्राधिकरण

तीन मुख्य नीतिगत उद्देश्यों—लचीली विनिमय दर, स्वतंत्र मौद्रिक नीति और पूँजी की स्वतंत्रता—में से केवल दो को एक साथ प्राप्त कर सकते हैं। यह त्रिविधा की संकल्पना 'असंभव त्रय' के नाम से भी जानी जाती है।

इस सिद्धांत के अनुसार, यदि एक देश पूँजीगत स्वतंत्रता और स्वतंत्र मौद्रिक नीति दोनों को बनाए रखना चाहता है, तो उसे लचीली विनिमय दर को अपनाना होगा। इसके विपरीत, यदि एक देश स्थिर विनिमय दर और पूँजी की स्वतंत्रता को बनाए रखना चाहता है, तो उसे अपनी मौद्रिक नीति की स्वतंत्रता को छोड़ना पड़ सकता है।

विकल्प (*b*) में वर्णित है कि मुद्रा दर, पूँजीगत संघटन और मौद्रिक नीति इस सिद्धांत के तीन प्रमुख स्तंभ हैं। विकल्प (*c*) यह स्पष्ट करता है कि पूँजीगत संघटन का अर्थ है कि घरेलू ब्याज दरें विश्व ब्याज दरों के साथ संरेखित होती हैं, जिससे निवेश प्रवाह में स्थिरता आती है। इस प्रकार, इन दोनों विकल्पों का संयोजन सही उत्तर प्रदान करता है क्योंकि ये मौद्रिक नीति के त्रिविधा सिद्धांत की मूल बातों को सही ढंग से बताते हैं।

51. **(D):** वर्ष 2011-12 के लिए नीति आयोग के गरीबी रेखा अनुमानों के अनुसार, भारत के कुछ राज्यों में 30% से अधिक ग्रामीण गरीबी देखी गई। इनमें मणिपुर, बिहार और उत्तर प्रदेश शामिल हैं। मणिपुर में, गरीबी के उच्च स्तर को कई कारणों से समझाया जा सकता है, जैसे कि सीमित औद्योगिक विकास, उच्च बेरोजगारी दर, और अवसंरचनात्मक सीमाएँ।

बिहार, जो भारत के सबसे गरीब राज्यों में से एक है, गरीबी का स्तर भौगोलिक चुनौतियों, उच्च जनसंख्या वृद्धि दर, और कम औद्योगिकीकरण के कारण बहुत अधिक है। उत्तर प्रदेश, जो एक बड़ी आबादी का घर है, भी समान चुनौतियों का सामना करता है, जैसे कि खेती पर निर्भरता, अनियमित मौसमी परिस्थितियां, और सामाजिक-आर्थिक विषमताएं।

ये राज्य उच्च ग्रामीण गरीबी के साथ जूझ रहे हैं और इसके मुख्य कारणों में शामिल हैं : प्राकृतिक संसाधनों की कमी, शिक्षा और स्वास्थ्य सेवाओं तक सीमित पहुँच, और आधारभूत ढाँचे की कमी। इस प्रकार, इन राज्यों की पहचान 30% से अधिक ग्रामीण गरीबी रेखा वाले के रूप में की गई है।

52. **(A):** एडम स्मिथ, जिन्हें आर्थिक विज्ञान का पिता भी कहा जाता है, ने विशेष रूप से दो महत्वपूर्ण योगदान दिए जो उनकी प्रसिद्ध कृति 'द वेल्थ ऑफ नेशन्स' में वर्णित हैं। पहला योगदान है श्रम विभाजन का सिद्धांत, जिसमें स्मिथ ने बताया कि किस प्रकार श्रम का विभाजन उत्पादन क्षमता को बढ़ाता है और इससे अर्थव्यवस्था की समग्र दक्षता में सुधार होता है।

उन्होंने उदाहरण दिया कि कैसे एक पिन बनाने वाले कारखाने में अलग-अलग कामों के लिए श्रमिकों को विशेषीकृत करने से प्रति व्यक्ति अधिक पिन का उत्पादन हो सकता है। इससे उत्पादकता बढ़ती है और उत्पादन लागत कम होती है।

दूसरा महत्वपूर्ण योगदान है बढ़ते प्रतिफलों का सिद्धांत। इस सिद्धांत के अनुसार, उत्पादन की मात्रा बढ़ने पर कुछ क्षेत्रों में उत्पादकता भी बढ़ती है। यह विचार उस समय के पारंपरिक विचार से अलग था, जिसमें माना जाता था कि उत्पादन की मात्रा बढ़ने पर प्रतिफल घटते हैं। इन दोनों योगदानों ने न केवल आर्थिक चिंतन में महत्वपूर्ण बदलाव लाए, बल्कि आधुनिक औद्योगिक संरचना और संगठन के विकास को भी प्रभावित किया।

53. **(C):** ग्रॉस वैल्यू एडेड (GVA) का मापन उत्पादन प्रक्रिया में जुड़े मूल्य संवर्धन को दर्शाता है और यह अर्थव्यवस्था के विभिन्न क्षेत्रों की आर्थिक गतिविधियों का एक महत्वपूर्ण सूचक है। सेवा क्षेत्र के घटक जो GVA में योगदान देते हैं, उनमें व्यापार, होटल, परिवहन और प्रसारण संबंधी संचार; लोक प्रशासन, प्रतिरक्षा और अन्य सेवाएं; तथा वित्तीय, स्थावर संपदा और व्यावसायिक सेवाएँ शामिल हैं।

व्यापार, होटल, परिवहन और प्रसारण संबंधी संचार (*b*) में विभिन्न प्रकार के व्यापारिक उद्यम, होटल और पर्यटन संबंधित सेवाएं, विभिन्न प्रकार के परिवहन तथा संचार सेवाएं शामिल होती हैं, जो उपभोक्ता सेवाओं का एक बड़ा हिस्सा हैं।

लोक प्रशासन, प्रतिरक्षा और अन्य सेवाएं (*d*) सरकारी सेवाओं और प्रशासनिक सहायता को कवर करती हैं, जिनमें सामाजिक सुरक्षा, रक्षा सेवाएं और सरकारी उपक्रम शामिल हैं।

वित्तीय, स्थावर संपदा और व्यावसायिक सेवाएं (*e*) वित्तीय बाजारों का संचालन, संपत्ति प्रबंधन, और व्यवसायों को विभिन्न प्रकार की परामर्शी सेवाओं का प्रावधान शामिल करते हैं। ये सेवा क्षेत्र के मुख्य घटक हैं जो समग्र GVA में महत्वपूर्ण योगदान देते हैं और व्यापक आर्थिक विकास को सहायता प्रदान करते हैं।

54. (D): गुन्नार मिर्डाल, जो कि एक प्रसिद्ध स्वीडिश अर्थशास्त्री और समाजशास्त्री थे, उनके लेखन का मुख्य योगदान विकासशील देशों में आर्थिक और सामाजिक विषमताओं पर केंद्रित था। उन्होंने विशेष रूप से तीन प्रमुख कृतियाँ लिखीं जिन्हें व्यापक रूप से प्रशंसा प्राप्त हुई है : 'एशियन ड्रामा' (*a*), 'एन अमेरिकन डिलेमा' (*b*), और 'इकोनॉमिक थ्योरी एंड अंडरडेवलप्ड रीजन्स' (*e*)। 'एशियन ड्रामा' में मिर्डाल ने दक्षिण एशिया के देशों में विकास की चुनौतियों और समस्याओं का गहन विश्लेषण किया। 'एन अमेरिकन डिलेमा' में उन्होंने अमेरिका में नस्लीय समस्याओं को उजागर किया और इस पुस्तक के माध्यम से अमेरिकी समाज में नस्लीय न्याय के प्रति जागरूकता बढ़ाने का प्रयास किया। 'इकोनॉमिक थ्योरी एंड अंडरडेवलप्ड रीजन्स' में उन्होंने विकासशील देशों में आर्थिक विषमता के कारणों और उनके समाधान का विश्लेषण किया।

ये तीनों कृतियाँ मिर्डाल के व्यापक अध्ययन और शोध कार्य को दर्शाती हैं, जिसमें उन्होंने विभिन्न सामाजिक और आर्थिक मुद्दों पर प्रकाश डाला। इस प्रकार, विकल्प (D) उनकी इन महत्वपूर्ण रचनाओं को सही ढंग से दर्शाता है।

55. (C): समुच्चय सिद्धांत में दिए गए विकल्पों में से, सही उत्तर विकल्प (C) है जो केवल (*b*), (*d*) और (*e*) को सही मानता है। ये समुच्चय नियम विभिन्न सेटों के संयोजन और प्रतिच्छेदन के आधार पर विश्लेषण करते हैं।

विकल्प (*b*) $(A \cup B') \cap (A' \cup C) \cap (B \cup C') = (A \cap B \cap C) \cup (A \cup B \cup C)'$ कहता है, जो कि डिमॉर्गन के नियम और समुच्चय के बुनियादी सिद्धांतों का पालन करता है, जो नकारात्मक और पूरक सेटों के संयोजनों को दर्शाता है।

विकल्प (*d*) $A \cap (B \cup C) = (A \cup B) \cap (A \cup C)$ गलत है क्योंकि सही सम्बंध $A \cap (B \cup C) = (A \cap B) \cup (A \cap C)$ होता है, जो कि वितरण के नियम को दर्शाता है।

विकल्प (*e*) $(A \cup B') \cap (A' \cup C) \cap (B \cup C') = (A \cap B \cap C) (A' \cap B' \cap C')$ गलत है क्योंकि यह समुच्चय सिद्धांत की व्याख्या नहीं करता है। इसमें डिमॉर्गन के नियम और सेटों की परिभाषा को गलत तरीके से प्रयोग किया गया है।

इसलिए, सही उत्तर (C) है जो कि केवल (*b*) और (*d*) को सही मानता है, और (*e*) के संबंध में गलती है।

56. (D): यदि S सैम्पल स्पेस है और E कार्य (घटना) का प्रतीक है। तब प्रायिकता नियम को इस प्रकार लिखा जा सकता है :

प्रायिकता नियम I: $P[A] \geq 0$

प्रायिकता नियम II: $P[S] = 1$

प्रायिकता नियम III: If $A \cap B = \phi$

प्रायिकता नियम तब, $P[A \cup B]$

$= P[A] + P[B]$

प्रायिकता नियम III: if A_1, A_2 ....

ऐसे घटना के समान क्रम, तब

$A\,i \cap A = \phi$ 1 for all i = , no

$$P\left(\bigcup_{i=1}^{\infty} A_i\right) = \sum_{i=1}^{\infty} P(A_1).$$

57. (D): यथेष्ट आकलक (Efficient Estimator) की चर्चा करते हुए, यह जरूरी है कि हम इसके मूल गुणों को समझें। एक आदर्श यथेष्ट आकलक के तीन मुख्य गुण होते हैं : यह गैर-पूर्वाग्रही होता है (*b*), यह सदैव सुसंगत होता है (*c*), और यह न्यूनतम विसंगत गैर-पूर्वाग्रही आकलक (*e*) होता है।

गैर-पूर्वाग्रहीता का अर्थ है कि आकलक द्वारा प्राप्त अनुमानों की औसत वास्तविक मान से मेल खाती है, जिससे ये अनुमान विश्वसनीय होते हैं। सुसंगतता का मतलब है कि जैसे-जैसे नमूना आकार बढ़ता है, अनुमान वास्तविक मान के और नजदीक आता है। न्यूनतम विसंगत गैर-पूर्वाग्रही आकलक एक ऐसा आकलक होता है जिसकी विसंगति (या मानक विचलन) सभी गैर-पूर्वाग्रही आकलकों में सबसे कम होती है।

इसलिए, उपरोक्त गुणों को देखते हुए सही उत्तर (D) है।

58. (D): सामाजिक वस्तुएं उन वस्तुओं को कहा जाता है जिनका उपयोग समाज के सभी सदस्य कर सकते हैं और उनके उपयोग से किसी अन्य व्यक्ति के उपयोग की क्षमता में कमी नहीं आती। इन वस्तुओं में निहित गुण विशेषताएँ हैं जैसे कि गैर-विरोधी प्रकृति (*a*) और गैर-विलगनीयता। ये वस्तुएं आमतौर पर निजी बाजार में असफल रहती हैं क्योंकि लोग मुफ्तखोरी की प्रवृत्ति (*e*) को अपना सकते हैं और इनके लिए बोली लगाने से बच सकते हैं।

बजट निर्धारण की राजनीतिक प्रक्रिया (*b*) सामाजिक वस्तुओं के प्रावधान के लिए आवश्यक होती है क्योंकि इसके वित्त पोषण और वितरण में सरकारी हस्तक्षेप और निर्णय लेने की प्रक्रिया शामिल होती है। सामाजिक और निजी वस्तुओं के मिश्रित मामले (*d*) में, जैसे कि शिक्षा और स्वास्थ्य सेवाएं, लागत और लाभ की व्यवस्था और सजन की जाती है, जो समाज के लिए अधिकतम लाभ सुनिश्चित करते हैं।

विकल्प (*c*) असंगत है क्योंकि यह व्यक्तिगत मांग रेखाओं के बजट क्षैतिज योग का संदर्भ देता है जो सामाजिक वस्तुओं के संदर्भ में प्रासंगिक नहीं होता है। इसलिए, सही उत्तर (D) है जो केवल (*a*), (*b*), (*d*) और (*e*) को सही मानता है।

59. (B): राम्सेस नियम कराधान के सिद्धांतों में एक महत्वपूर्ण अवधारणा है जो कर के बोझ को कम करने और अर्थव्यवस्था पर इसके प्रभाव को न्यूनतम बनाने के लिए विचार की जाती है। इस नियम के अनुसार, जिन वस्तुओं की मांग लोच कम होती है, उन पर कर-दर अधिक होनी चाहिए (*a*), क्योंकि ऐसी वस्तुओं पर कर लगाने से मांग में कमी न्यूनतम होगी और कर के प्रभाव को कम से कम अनुभव किया जा सकेगा।

यदि बाजार में मांग लोच शून्य है (*b*), तो उसी बाजार में कर लगाना सबसे प्रभावी होगा क्योंकि इससे मांग में किसी भी प्रकार की कमी नहीं आएगी और सरकार अधिकतम राजस्व प्राप्त कर सकेगी।

राम्सेस नियम सभी बाजारों के कराधान के अत्यधिक भार को न्यूनतम करता है (*d*), यह व्यापक अर्थव्यवस्था पर कर के प्रभाव को कम करने के लिए विशेष रूप से उन बाजारों पर ध्यान केंद्रित करता है जहां मांग की लोच अपेक्षाकृत कम होती है। राम्सेस नियम की वजह से अनिवार्य रूप से सामाजिक न्याय का मार्ग प्रशस्त नहीं होता है (*e*), क्योंकि इस नियम का उद्देश्य केवल राजस्व उत्पादन को अधिकतम करना है, न कि सामाजिक न्याय या समानता को सुनिश्चित करना।

इसलिए, सही उत्तर (B) है जो केवल (*a*), (*b*), (*d*) और (*e*) को सही मानता है।

60. (B): प्रतिगमन मॉडल में भू संरेखीयता (Multi-collinearity) तब होती है जब मॉडल के एक या अधिक स्वतंत्र चर आपस में उच्च सहसंबंधित होते हैं। यह स्थिति अनुमानों की गुणवत्ता और आंकड़े के विश्लेषण की विश्वसनीयता को कम कर सकती है। भू संरेखीयता की पहचान के लिए विभिन्न मापदंडों का उपयोग किया जाता है, जैसे कि टोलरेंस (TOLj) और वेरिएंस इन्फ्लेशन फैक्टर (VIF)।

टोलरेंस (TOLj) यह दर्शाता है कि कितनी विशिष्टता से एक स्वतंत्र चर को अन्य स्वतंत्र चरों के साथ समझाया जा सकता है। जब TOLj एक के करीब होता है (*e*), तो यह दर्शाता है कि उस चर में न्यूनतम भू संरेखियता है, यानी वह चर अन्य चरों से स्वतंत्र है।

विपरीत रूप से, जब VIF 10 से कम होता है (*d*), तो यह संकेत देता है कि चर में भू संरेखीयता का स्तर स्वीकार्य है और इससे परिणामों पर नकारात्मक प्रभाव की संभावना कम होती है।

इसलिए, उपरोक्त विकल्पों में (*d*) और (*e*) ऐसे गुण हैं जो भू सरेखीयता की अनुपस्थिति का संकेत देते हैं, न कि इसकी उपस्थिति। इस प्रकार, सही उत्तर (B) है, जो कि केवल (*d*) और (*e*) को सही मानता है।

61. (C): नरसिंहम समिति, ज़िसे 1991 में भारतीय बैंकिंग प्रणाली के सुधार के लिए गठित किया गया था, ने बैंकिंग क्षेत्र में कई महत्वपूर्ण सिफारिशें की थीं। इस समिति की प्रमुख सिफारिशों में शामिल हैं :

(*a*) **ब्याज दर ढांचे का अविनियमन :** समिति ने सिफारिश की कि ब्याज दरों को अधिक लचीला बनाया जाए, जिससे बैंक अपने जोखिमों और बाज़ार की स्थिति के अनुसार ब्याज दरें निर्धारित कर सकें।

(*d*) **बैंकों के मुख्य कार्यकारी और अधिकारी नियुक्त करने को आजादी :** समिति ने यह भी सिफारिश की कि बैंकों को अपने मुख्य कार्यकारी और अन्य वरिष्ठ अधिकारियों को नियुक्त करने में अधिक स्वायत्तता दी जाए, जिससे वे अधिक प्रभावी और जवाबदेह बन सकें।

(*e*) **पूँजीगत पर्याप्तता प्रतिमानों को चरणों में कायान्वित किया जाए :** यह सिफारिश की गई कि बैंकों को अंतर्राष्ट्रीय मानकों के अनुरूप पूँजीगत पर्याप्तता बनाए रखने के लिए कदम उठाने चाहिए, और इसे चरणबद्ध तरीके से लागू किया जाना चाहिए।

इन सिफारिशों के माध्यम से, समिति ने भारतीय बैंकिंग प्रणाली को अधिक प्रतिस्पर्धी, दक्ष और पारदर्शी बनाने की कोशिश की। इसलिए, सही उत्तर (C) है जो केवल (*a*), (*d*) और (*e*) को सही मानता है।

62. (D): सुरक्षात्मक व्यय पद्धति एक आर्थिक विश्लेषण की विधि है जो यह मानती है कि व्यक्ति बुरी चीजों के हानिकारक प्रभावों से बचने के लिए धन व्यय करते हैं (*a*)। यह व्यय व्यक्तियों द्वारा इन हानिकारक प्रभावों से बचाव के लिए भुगतान करने की तत्परता को प्रदर्शित करता है (*b*)।

सुरक्षात्मक व्यय में किए गए खर्च बुरी चीजों से बचने के लिए तत्परता की निचली सीमा का निर्धारण करते हैं, न कि ऊपरी सीमा का (*e*)। यह निचली सीमा इसलिए मानी जाती है क्योंकि वास्तव में उपभोक्ता इससे भी अधिक खर्च करने को तैयार हो सकते हैं अगर वे जानते हैं कि उनके खर्च से समस्या का पूर्ण समाधान हो सकता है।

इस तरह के व्यय में वांछित पर्यावरणीय गुणवत्ता का प्रावधान करने के अलावा अन्य कोई अतिरिक्त सेवाएं शामिल नहीं होतीं (*d*)। यह मतलब है कि सुरक्षात्मक व्यय आमतौर पर केवल उन्हीं सेवाओं के लिए किया जाता है जो नकारात्मक प्रभावों को कम करने या रोकने के लिए आवश्यक होते हैं।

इस प्रकार, सही उत्तर (D) है, जो कि केवल (*a*), (*b*), (*d*) और (*e*) को सही मानता है।

63. (C): COP 26, जो ग्लासगोव, यूनाइटेड किंगडम में आयोजित किया गया था, भारत ने जलवायु परिवर्तन से लड़ने के लिए कई महत्वपूर्ण प्रतिबद्धताएँ की थीं। इनमें से मुख्य हैं :

(*b*) **कार्बन घनत्व में कटौती :** भारत ने 2005 के स्तरों की तुलना में 2030 तक अपनी अर्थव्यवस्था के कार्बन घनत्व में 45% तक की कटौती करने का लक्ष्य रखा है। यह ऊर्जा दक्षता में सुधार और नवीकरणीय ऊर्जा स्रोतों के उपयोग को बढ़ावा देने के माध्यम से हासिल किया जाएगा।

(*d*) **2070 तक नेट जीरो :** भारत ने 2070 तक नेट जीरो उत्सर्जन का लक्ष्य प्राप्त करने की प्रतिज्ञा की है, जिसका मतलब है कि देश उतना ही कार्बन उत्सर्जन करेगा जितना कि वह पर्यावरण से अवशोषित कर सकता है।

(*e*) **पर्यावरण हेतु जीवन शैली :** भारत ने पर्यावरण हेतु जीवन शैली को बढ़ावा देने का संकल्प लिया है, जिसमें नागरिकों को अधिक टिकाऊ जीवन शैली अपनाने के लिए प्रेरित किया जाता है।

विकल्प (*a*) में दिया गया कोयला आधारित तापीय ऊर्जा उत्पादन को 2030 तक बंद करने का कथन सही नहीं है क्योंकि भारत ने ऐसा कोई विशिष्ट लक्ष्य घोषित नहीं किया है। इसी तरह, विकल्प (*c*) में दिया गया

कथन भी भ्रामक है क्योंकि भारत का लक्ष्य ऊर्जा खपत को निरपेक्ष स्तरों पर रोकने का नहीं है।

इसलिए, सही उत्तर (C) है : केवल (*b*), (*d*), और (*e*)।

64. **(D):** अंतर्राष्ट्रीय संगठनों और उनके मुख्यालयों के सही संयोजनों की जानकारी इस प्रकार है :

(*a*) **GATT (जनरल एग्रीमेंट ऑन टैरिफ्स एंड ट्रेड) :** यह अब विश्व व्यापार संगठन (WTO) के रूप में कार्यरत है और इसका मुख्यालय जेनेवा में है।

(*b*) **IMF (इंटरनेशनल मॉनेटरी फंड) :** इसका मुख्यालय वाशिंगटन डी.सी. में स्थित है।

(*c*) **विश्व बैंक :** यह भी वाशिंगटन डी.सी. में स्थित है और आमतौर पर IBRD (इंटरनेशनल बैंक फॉर रिकंस्ट्रक्शन एंड डेवलपमेंट) के नाम से जाना जाता है, जो विश्व बैंक ग्रुप का हिस्सा है।

(*d*) **अंतर्राष्ट्रीय विकास संघ (IDA) :** यह भी विश्व बैंक ग्रुप का हिस्सा है और इसका मुख्यालय वाशिंगटन डी.सी. में है, न कि न्यूयॉर्क में, इसलिए विकल्प (*d*) गलत है।

(*e*) **एशियन विकास बैंक :** इसका मुख्यालय मंडालुयांग, मेट्रो मनीला, फिलीपींस में है, जिसे कभी-कभी सिर्फ मनीला के रूप में भी संदर्भित किया जाता है।

इसलिए, सही उत्तर (D) है, जो केवल (*a*), (*b*), (*c*) और (*e*) को सही मानता है।

65. **(D):** वालरैसियन प्रकार्य के बारे में निम्नलिखित सही कथन हैं :

(*a*) **शून्य डिग्री के सजातीयता :** यदि किसी P, W और $\alpha > 0$ के लिए, $(\alpha P, \alpha W) = X(P, W)$ है, तो वालरैसियन मांग प्रकार्य X(P, W) शून्य डिग्री के सजातीय है। यह मतलब है कि मांग केवल वस्तुओं के मूल्य अनुपात पर निर्भर करती है, न कि उनकी वास्तविक कीमतों पर।

(*c*) **वालरैसियन नियम :** यदि किसी $P >> 0$ और $W >> 0$ के लिए हमारे पास सभी $X \in X(P, W)$ के लिए $P.X = W$ है, तो यह वालरैसियन नियम को संयोजित करता है, जो बताता है कि उपभोक्ता अपनी संपूर्ण संपदा को व्यय करता है।

(*d*) **वालरस का नियम :** यह नियम कहता है कि उपभोक्ता अपनी संपदा पूरी तरह खर्च करता है, जिसे विकल्प (*c*) में भी समर्थन मिलता है।

(*e*) **सजातीयता का लक्षण :** यदि कीमत और संपदा दोनों में समान अनुपात में परिवर्तन होता है, तो व्यक्तिगत खपत विकल्प में कोई परिवर्तन नहीं होता है, जो शून्य डिग्री की सजातीयता का संकेत देता है।

विकल्प (*b*) गलत है क्योंकि वालरैसियन मांग प्रकार्य शून्य डिग्री के सजातीय होता है, न कि डिग्री एक का।

इस प्रकार, सही उत्तर (D) है, जो केवल (*a*), (*c*), (*d*), और (*e*) को सही मानता है।

66. **(D):** सूची-I और सूची-II के बीच सही संयोजनों की जानकारी इस प्रकार है :

(*a*) **लागत प्रभावी (किफायती) :** इसका मतलब है कि लक्ष्य प्राप्त करने के लिए कम से कम संसाधनों का प्रयोग किया जाए, जो बजट या लागत प्रभाविता पर जोर देता है। इसलिए, यह III से मेल खाता है।

(*b*) **प्रदूषण परमिट व्यापार प्रणाली :** यह एक बाजार उपाय है जो प्रदूषण परमिटों के व्यापार के लिए बाजार स्थापित करता है, जिससे प्रदूषण कम करने की प्रोत्साहन आधारित नीति को बढ़ावा मिलता है। यह IV से मेल खाता है।

(*c*) **बाजार अवधारणा :** यह विचार है कि बाजार आधारित उपाय प्रदूषण कम करने के लिए संरक्षण प्रथाओं या प्रौद्योगिकियों को प्रोत्साहित करते हैं। इसलिए, यह II से मेल खाता है।

(*d*) **कमांड और कंट्रोल अवधारणा :** यह एक विनियामक दृष्टिकोण है जहां मानकों के प्रयोग द्वारा प्रदूषकों को प्रत्यक्ष रूप से विनियमित किया जाता है। यह I से मेल खाता है।

67. **(A):** आइए सूची-I के विकल्पों को सूची-II के साथ मिलान करते हैं :

(*a*) **कलेन्स का व्यावहारिक सिद्धांत :** यह सिद्धांत मल्टीकोलिनियरिटी (बहुसरेखीयता) से संबंधित है,

जो कि एक आंकड़ीय दृष्टिकोण है जहां दो या अधिक प्रिडिक्टर्स (व्याख्याकारी चर) एक लीनियर रिग्रेशन मॉडल में उच्च सहसंबंधित होते हैं। इसलिए, इसे IV से मिलान किया जा सकता है।

(*b*) **लंब बॉक्स (LB) स्टैटिस्टिक :** यह एक सांख्यिकी परीक्षण है जो समय शृंखला डेटा में स्व सहसंबंध की उपस्थिति को मापता है। इसलिए, यह III से संबंधित है।

(*c*) **KPSS:** यह एक सांख्यिकीय परीक्षण है जो एक समय शृंखला डेटा में स्थिरता की जांच करता है। यह यूनिट रूट की उपस्थिति की जांच करता है, इसलिए इसे II से मिलान किया जा सकता है।

(*d*) **बाई-पेरोन :** यह भी एक यूनिट रूट टेस्ट है, जिसका उपयोग समय शृंखला डेटा में स्थिरता की जांच के लिए किया जाता है। हालांकि, यह विकल्प में दिए गए संदर्भों में फिट नहीं बैठता, लेकिन अगर हमें चुनना है, तो इसे I से मिलान किया जा सकता है क्योंकि अन्य विकल्पों में बेहतर मैच नहीं है।

68. (D): इस प्रश्न में दिए गए अर्थशास्त्रीय सिद्धांतों और उनके योगदान को सही ढंग से समझने के लिए, हमें प्रत्येक अर्थशास्त्री की मुख्य अवधारणाओं को देखना होगा :

(*a*) **जे.एम. कीन्स :** जॉन मेयनार्ड कीन्स ने 'तरलता अधिमान' की अवधारणा पर विस्तार से चर्चा की, जिसमें व्यक्तियों और संस्थाओं की पैसे को नकदी रूप में रखने की प्रवृत्ति का विश्लेषण किया गया है। यह नकदी को अपने पास रखने की इच्छा को बयान करता है क्योंकि यह सबसे अधिक तरल संपत्ति होती है। इसलिए इसे II से मिलान किया गया है।

(*b*) **केडलैंड प्रिंसकोट :** केडलैंड और प्रिंसकोट ने 'समय की असंगतता की समस्या' पर काम किया, जो बताता है कि आर्थिक निर्णय लेने में समय के अंतराल कैसे महत्वपूर्ण भूमिका निभाते हैं। यह आर्थिक चक्रों और नीतियों के प्रभाव को समझने में केंद्रीय है। इसलिए इसे III से मिलान किया गया है।

(*c*) **बोमल टोबिन :** बोमल और टोबिन ने 'धन के लिए लेन-देन मांग की सामान सूची सैद्धांतिक अवधारणा' पर काम किया, जो व्यवहार के लिए धन की मांग को समझने में मदद करता है। इसे I से मिलान किया गया है।

(*d*) **फ्रीडमैन स्वार्च :** मिल्टन फ्रीडमैन ने 'अमरीका का मौद्रिक इतिहास' पर काम किया, जिसमें उन्होंने मौद्रिक नीति के विभिन्न पहलुओं का गहराई से अध्ययन किया। इसे IV से मिलान किया गया है।

69. (B): यहाँ प्रस्तुत सूची-I के प्रमुख अर्थशास्त्रियों के सिद्धांतों और उनकी अवधारणाओं के साथ सूची-II का सही मिलान करने की व्याख्या दी गई है :

(*a*) **कुजनेट :** साइमन कुजनेट्स ने 'उल्टा U वक्र प्राक्कल्पना' का प्रतिपादन किया, जो यह दर्शाता है कि आर्थिक विकास के शुरुआती चरणों में आय असमानता बढ़ती है, लेकिन एक निश्चित बिंदु के बाद घटने लगती है। इसलिए इसे III से मिलाया जा सकता है।

(*b*) **नर्कसे :** रागनर नर्कसे ने 'संतुलित वृद्धि सिद्धांत' का सुझाव दिया था, जो विकास के लिए सभी क्षेत्रों के समानांतर विकास पर जोर देता है। इसलिए इसे II से मिलाया जा सकता है।

(*c*) **लेबेन्सटीन :** हार्वे लेबेन्सटीन ने 'क्रांतिक न्यूनतम प्रयास सिद्धांत' का प्रतिपादन किया था, जो उत्पादन के संदर्भ में न्यूनतम प्रयास को बताता है। इसलिए इसे IV से मिलाया जा सकता है।

(*d*) **शुम्पीटर :** जोसेफ शुम्पीटर ने 'नवीनता और उद्यमशीलता' का व्यापक विश्लेषण किया था, जिसमें उन्होंने नवाचारों को आर्थिक विकास का मुख्य ड्राइवर माना था। इसलिए इसे I से मिलाया जा सकता है।

70. (D): आइए देखते हैं कि सूची-I में दिए गए राज्यों के खाद्यान्न उत्पादन की मात्रा सूची-II में दिए गए आंकड़ों से कैसे मेल खाती है :

(*a*) **तेलंगाना :** तेलंगाना राज्य खाद्यान्न उत्पादन में महत्वपूर्ण योगदान देता है, और इसका उत्पादन आंध्र प्रदेश के समान या उससे कम हो सकता है। अगर हम संख्याओं के विकल्पों को देखें तो संभावना है कि तेलंगाना IV हो सकता है जो कि सबसे अधिक है।

(*b*) **झारखंड :** झारखंड एक छोटे और कम औद्योगिक राज्य के रूप में खाद्यान्न उत्पादन में कम योगदान दे सकता है। इसे II में रखना उचित होगा जो सबसे कम है।

(*c*) **छत्तीसगढ़ :** छत्तीसगढ़ अपने धान उत्पादन के लिए प्रसिद्ध है और उच्च खाद्यान्न उत्पादन होने की संभावना है। इसे III में रखना उचित होगा।

(*d*) **आंध्र प्रदेश :** आंध्र प्रदेश भी उच्च खाद्यान्न उत्पादन करता है, लेकिन तेलंगाना के तुलना में थोड़ा कम होने की संभावना है। इसे I में रखना उचित होगा।

71. (C): इस प्रश्न में सूची-I में दिए गए विभिन्न अर्थशास्त्रीय शब्दों को सूची-II में दिए गए परिभाषाओं के साथ मिलान किया गया है। आइए विस्तार से इसकी व्याख्या करें :

(*a*) **कर चोरी :** कर चोरी तब होती है जब व्यक्तियों या निगमों द्वारा जानबूझकर अपनी कर देनदारियों को छिपाया जाता है या गलत जानकारी दी जाती है। यह अनधिकृत मुफ्तखोर (II) के रूप में माना जा सकता है, क्योंकि कर चोरी करने वाले व्यक्ति समाज के संसाधनों का उपयोग तो करते हैं पर उनके लिए उचित हिस्सा नहीं देते हैं।

(*b*) **प्रभावी कर भार :** प्रभावी कर भार यह दर्शाता है कि कर का बोझ किसी व्यक्ति या उद्यम पर कितना पड़ता है। यह विचार यह बताता है कि यह आवश्यक नहीं है कि जिस पर कर लगाया गया है वह उसके अनुरूप हो (IV), अर्थात कर का भार अक्सर अन्य लोगों पर पड़ सकता है।

(*c*) **विधि कर भार :** विधि कर भार वह है जिसे कर नियमों के अनुसार देना होता है और यह सरकार को कर राजस्व प्रदान करने के लिए बाध्य करता है (III)। यह कर नीतियों के अनुसार तय किया जाता है और व्यवसायों और व्यक्तियों को इसे चुकाना अनिवार्य होता है।

(*d*) **राजकोषीय विभ्रम :** राजकोषीय विभ्रम आर्थिक नीतियों में असंगतियों को दर्शाता है जो बांड वित्त प्रबंधन (I) को प्रभावित कर सकता है, जिसमें सरकार ऋण लेती है या बॉन्ड जारी करती है ताकि अपने खर्चों को पूरा कर सके।

72. (B): भारत में जनसंख्या वृद्धि दर के विभिन्न प्रकारों और उनके विशेष अवधियों के सही मिलान के लिए, यहाँ विश्लेषण प्रस्तुत किया गया है :

(*a*) **तीव्र उच्च वृद्धि :** इस अवधि में भारत में जनसंख्या वृद्धि दर तीव्रता से बढ़ी, जो कि 1951-1981 के बीच थी। इस समय के दौरान, बेहतर स्वास्थ्य सेवाओं और विभिन्न विकास कार्यक्रमों के कारण जन्म दर में बढ़ोतरी हुई और मृत्यु दर में कमी आई। इसलिए, इसे III से मिलाया गया है।

(*b*) **स्थिर जनसंख्या :** यह अवधि जनसंख्या में न्यूनतम वृद्धि दिखाती है और 1891-1921 के बीच थी। इस दौरान जनसंख्या वृद्धि दर लगभग स्थिर रही, इसलिए इसे IV से मिलाया गया है।

(*c*) **उच्च वृद्धि धीमी गति के निश्चित संकेतों के साथ :** यह अवधि 1981-2011 के बीच होती है, जब जनसंख्या वृद्धि दर में धीमेपन के संकेत देखने को मिले, लेकिन यह अभी भी उच्च थी। इसलिए इसे I से मिलाया गया है।

(*d*) **सतत बृद्धि :** इरा अवधि में जगरांख्या वृद्धि लगातार हो रही थी और यह 1921-1951 के बीच हुआ। इस समय भारतीय जनसंख्या ने सतत वृद्धि देखी। इसलिए, इसे II से मिलाया गया है।

73. (A): आइए इन नीतियों को उनके प्रकाशन वर्ष के साथ मिलान करते हैं :

(*a*) **राष्ट्रीय वन नीति :** यह नीति पहली बार 1952 में आई थी, और फिर 1988 में इसका नवीकरण किया गया। इसलिए, यह IV से मिलती है।

83. (A): अप्रत्यक्ष न्यूनतम वर्ग (ILS) के आकलन अनुमान की प्रक्रिया का सही अनुक्रम समझने के लिए महत्वपूर्ण है, जो आर्थिक मॉडलिंग और नीतिगत विश्लेषण में उपयोगी होती है। इस प्रक्रिया में सही क्रम उत्तर (A) में दिया गया है, जो है : (*a*) संरचनात्मक समीकरणों की पहचान, (*d*) समीकरण का न्यून रूप प्राप्त करना, (*b*) (ILS) का अनुप्रयोग, (*c*) संरचनात्मक गुणांक प्राप्त करना, और (*e*) नीति हेतु मॉडल/प्रारूप का प्रयोग करना।

प्रारंभिक चरण में संरचनात्मक समीकरणों की पहचान की जाती है, जिसमें यह समझा जाता है कि कौन से चर प्रभावित कर रहे हैं और कौन से चर प्रभावित हो रहे हैं। इसके बाद, इन समीकरणों का न्यून रूप प्राप्त करना होता है, जिससे यह स्पष्ट होता है कि संबंधित चर किस प्रकार अन्य चरों से संबंधित हैं। तीसरे चरण में ILS का अनुप्रयोग होता है, जहाँ इस प्रक्रिया को वास्तविक डेटा पर लागू किया जाता है। चौथे चरण में संरचनात्मक गुणांक प्राप्त किए जाते हैं, जो मॉडल के तत्वों की स्पष्टता और व्याख्या प्रदान करते हैं। अंतिम चरण में नीति हेतु मॉडल का प्रयोग किया जाता है, जो नीतिगत निर्णयों के लिए महत्वपूर्ण जानकारी प्रदान करता है।

यह अनुक्रम ILS के आकलन अनुमान की प्रक्रिया को व्यापक रूप से समझाता है और यह कैसे आर्थिक मॉडलों में नीतिगत विश्लेषण के लिए उपयोगी होता है।

84. (B): वर्ष 2021-22 में भारतीय राज्यों को वस्तुओं और सेवाओं पर लगाए गए जी.एस.टी. से प्राप्त कुल राजस्व के आधार पर उन्हें आरोही क्रम में व्यवस्थित करने का यह प्रश्न उनकी आर्थिक सक्रियता को समझने में मदद करता है। सही उत्तर (B) के अनुसार, राज्यों का क्रम है : मध्य प्रदेश, राजस्थान, ओडिशा, दिल्ली, पश्चिम बंगाल। इस क्रमांकन में मध्य प्रदेश सबसे पहले आता है, जिसका अर्थ है कि इस राज्य ने जी.एस.टी. से सबसे कम राजस्व प्राप्त किया है, जबकि पश्चिम बंगाल ने सबसे अधिक राजस्व प्राप्त किया है।

85. (C): जनगणना 2011 के अनुसार, 7 वर्ष और उससे अधिक आयु के व्यक्तियों की साक्षरता दर के आधार पर पूर्वोत्तर भारत के कुछ राज्यों को अवरोही क्रम में व्यवस्थित करने का यह प्रश्न उन राज्यों की शिक्षात्मक प्रगति का मापन करता है। सही उत्तर (C) है जिसमें क्रम है : त्रिपुरा, सिक्किम, नगालैंड, मणिपुर, मेघालय। इस क्रमांकन में त्रिपुरा सबसे ऊपर है जिसका अर्थ है कि इस राज्य में साक्षरता दर सबसे अधिक है और मेघालय सबसे नीचे है, जिसका अर्थ है कि इस राज्य में साक्षरता दर सबसे कम है।

त्रिपुरा की उच्च साक्षरता दर राज्य में शिक्षा के प्रति समर्पित नीतियों और साक्षरता कार्यक्रमों का परिणाम है। सिक्किम और नगालैंड ने भी शिक्षा में निवेश बढ़ाया है, जो उनकी अपेक्षाकृत उच्च साक्षरता दरों में परिलक्षित होता है। मणिपुर और मेघालय में कम साक्षरता दरें शैक्षिक संसाधनों की कमी, दुर्गम भौगोलिक स्थितियों और अन्य सामाजिक-आर्थिक चुनौतियों को दर्शाती हैं। यह विश्लेषण राज्यों के विकास के लिए शिक्षा की महत्वपूर्णता को उजागर करता है और यह कैसे शिक्षा के प्रसार में वृद्धि या कमी एक राज्य की सामाजिक और आर्थिक स्थिति को प्रभावित कर सकती है। यह विश्लेषण शिक्षा नीति निर्माण में निवेश की आवश्यकता और उसके प्रभावों को समझने में मदद करता है।

86. (A): अभिकथन (A) और कारण (R) दोनों ही सत्य हैं और (R), (A) की सही व्याख्या भी करता है। अभिकथन (A) का कहना है कि अगर सरकारें संरक्षणवादियों के दबाव में नहीं आती हैं, तो वे आयात शुल्कों के बजाय बिक्री कर का विकल्प चुन सकती हैं। यह ध्यान देने योग्य है कि संरक्षणवाद अर्थात आयात शुल्क लगाने का उद्देश्य घरेलू उद्योगों को विदेशी प्रतिस्पर्धा से बचाना होता है, जिससे अंतर्राष्ट्रीय व्यापार में प्रतिस्पर्धी असमानता पैदा होती है।

कारण (R) कहता है कि बिक्री कर आयात प्रशुल्क की तुलना में राजस्व जुटाने का अधिक कारगर साधन है। यह सही है क्योंकि बिक्री कर सभी बिक्री पर समान रूप से लागू होता है, जिससे अधिक समान और प्रभावी राजस्व संग्रहण संभव होता है, जबकि आयात प्रशुल्क केवल आयातित वस्तुओं पर ही लागू होता है और इससे अक्सर व्यापारिक तनाव और असमानताएं उत्पन्न होती हैं।

इस प्रकार, (R) वास्तव में (A) की व्याख्या करता है क्योंकि यदि सरकारें संरक्षणवादियों के दबाव को नजरअंदाज करती हैं, तो वे अधिक कुशल और व्यापक राजस्व संग्रहण पद्धति के रूप में बिक्री कर को चुन सकती हैं, जो न केवल आंतरिक बाजार में बल्कि अंतरराष्ट्रीय बाजार में भी अधिक संतुलन बनाता है।

87. (A): मिल्टन फ्रीडमैन का धन की मांग का सिद्धांत आर्थिक चिंतन की दो अलग-अलग परंपराओं के तत्वों का मिश्रण प्रस्तुत करता है, जो कीन्स समर्थकों और गैर-कीन्स समर्थकों के बीच एक संयोजन के रूप में उभरता है। फ्रीडमैन ने अपने सिद्धांत में धन की मांग के स्थायी आय परिकल्पना को समावेशित किया, जो कीन्स के धन की मांग के सिद्धांत से प्रेरित होते हुए भी उससे भिन्न था।

फ्रीडमैन ने माना कि धन की मांग न केवल वर्तमान आय पर, बल्कि लोगों की स्थायी आय पर निर्भर करती है, जो उनकी लंबी अवधि की आय की अपेक्षाओं को दर्शाती है।

कारण (R) में यह बताया गया है कि फ्रीडमैन ने कीन्स के धन रखने के प्रयोजनों के वर्गीकरण और धन की तदनुरूपी घटक मांगों को पूरी तरह से नकारा है। फ्रीडमैन के अनुसार, धन की मांग ब्याज दर, स्थायी आय, धन की प्रत्याशित मूल्य स्थिरता और आर्थिक अनिश्चितताओं के संदर्भ में होती है, जो कीन्स के मुख्य विचारों से विचलन प्रकट करता है। इस प्रकार, फ्रीडमैन का यह मानना कि धन की मांग मुख्य रूप से उपभोक्ताओं की स्थायी आय से संचालित होती है, कीन्स के सापेक्ष तरलता पसंद के सिद्धांत को चुनौती देता है।

इस प्रकार, अभिकथन (A) और कारण (R) दोनों ही सत्य हैं और (R) वास्तव में (A) की सही व्याख्या प्रदान करता है।

88. (C): इस प्रश्न में पहले कथन में बताया गया है कि प्रथम डिग्री मूल्य अंतरण के अंतर्गत एकाधिकारवादी अलग-अलग इकाइयों के लिए विभिन्न मूल्य निर्धारित करता है, जो व्यक्ति दर व्यक्ति भिन्न हो सकते हैं। दूसरे कथन में बताया गया है कि तृतीय डिग्री मूल्य अंतरण के अंतर्गत भले ही उत्पाद को विभिन्न मूल्यों पर बेचा जाता है, परंतु उत्पाद की समान मात्रा खरीदने वाले प्रत्येक व्यक्ति द्वारा समान मूल्य अदा किया जाता है। यहाँ तृतीय डिग्री मूल्य अंतरण की विशेषता यह है कि विभिन्न बाजार खंडों में उत्पादों की कीमतें भिन्न हो सकती हैं, जैसे कि युवाओं के लिए छूट या क्षेत्रीय मूल्य निर्धारण। इसलिए, पहले कथन के सही होने और दूसरे कथन के गलत होने के कारण विकल्प (C) सही है।

89. (D): पहला कथन बताता है कि किसी देश की व्यापार की शर्तें उसकी निर्यात वस्तुओं की लागत और उसकी आयात वस्तुओं के मूल्य के अनुरूप में परिभाषित की जाती हैं। हालांकि, यह व्याख्या त्रुटिपूर्ण है क्योंकि व्यापार की शर्तें वास्तव में निर्यात मूल्यों के अनुपात में आयात मूल्यों को मापती हैं, न कि लागत के अनुरूप।

दूसरे कथन के अनुसार, एक व्यापारिक साझेदार की व्यापार शर्तें, दूसरे देश की व्यापार शर्तों के प्रतिलोम के बराबर होती हैं। यह कथन सही है क्योंकि यदि एक देश अपने निर्यात के बदले में अधिक आयात प्राप्त कर सकता है, तो उसके व्यापारिक साझेदार को उसी अनुपात में कम आयात के बदले में अधिक निर्यात करना पड़ेगा। यह व्यापार बैलेंस और इकोनॉमिक्स के सामान्य सिद्धांतों के अनुरूप है, जहाँ दोनों पक्षों के व्यापारिक लाभों का एक दूसरे के प्रति विपरीत प्रभाव पड़ता है। इसलिए, इस संदर्भ में दूसरा कथन सही है और पहला गलत है, जिससे विकल्प (D) सही उत्तर है।

90. (A): एडम स्मिथ, जो आधुनिक अर्थशास्त्र के पितामह माने जाते हैं, उन्होंने अपनी प्रमुख कृति 'द वेल्थ ऑफ नेशन्स' में श्रम के विभाजन को व्यापक रूप से उद्धृत किया है। इसके अनुसार, पहला कथन जो कहता है कि श्रम का विभाजन स्मिथ के आर्थिक वृद्धि सिद्धांत का आरंभिक बिंदु है, सही है। स्मिथ ने समझाया कि किस प्रकार श्रम का विभाजन, जिसमें कार्यों को छोटे-छोटे हिस्सों में बाँट दिया जाता है, से उत्पादनकारिता में बढ़ोतरी होती है और यह आर्थिक विकास का प्रमुख स्रोत है।

दूसरे कथन में कहा गया है कि यही श्रम का विभाजन श्रम के उत्पादनकारी अधिकार में अधिकतम सुधार करता है। यह भी सही है क्योंकि स्मिथ ने यह बताया था कि जब काम को छोटे-छोटे हिस्सों में बाँट दिया जाता है, तो प्रत्येक कर्मचारी अपने विशिष्ट कार्य में दक्षता प्राप्त कर लेता है, जिससे समग्र उत्पादन क्षमता बढ़ जाती है। इसलिए, दोनों कथन सही हैं और इस प्रश्न का उत्तर (A) होगा।

91. (D): गद्यांश में बताया गया है कि भारत सरकार की मौद्रिक नीति प्रतिक्रिया में खाद्य और उर्वरकों पर सब्सिडी बढ़ाना और कुछ आयातित उत्पादों पर करों में कटौती करना शामिल है। ईंधन पर करों में वृद्धि का उल्लेख नहीं है, इसलिए यह रणनीति कोविड संकट के प्रति प्रतिक्रिया का हिस्सा नहीं है।

92. (C): गद्यांश में खाद्य एवं उर्वरक सब्सिडी में वृद्धि का उल्लेख है, जिसका अर्थ है कि सरकार ने इन पर अधिक व्यय किया है, न कि मितव्ययता उपाय अपनाए हैं। इसलिए विकल्प (C) गलत है।

93. (B): गद्यांश के अनुसार, संघ सरकार ने राज्य सरकारों को ब्याज मुक्त ऋण प्रदान करने और उधार लेने की अधिक सीमा तय करके प्रोत्साहित किया, ताकि वे पूंजीगत व्यय पर व्यय की प्राथमिकताएँ तय कर सकें।

94. (D): गद्यांश में उल्लेख है कि केंद्र के पूंजीगत व्यय में सकल घरेलू उत्पाद में 1.7 प्रतिशत का दीर्घावधिक औसत है (वित्तीय वर्ष 2009 से वित्तीय वर्ष 2020)।

95. (A): गद्यांश में सड़क और राजमार्ग, आवासन और शहरी कार्यों पर नियतनों के प्रोत्साहन का उल्लेख है, जबकि बंदरगाह और जलमार्ग के नियतन में वृद्धि का कोई उल्लेख नहीं है।

96. (C): समायोजित निवल बचत (Adjusted Net Savings - ANS) एक प्रवाह चर है, क्योंकि यह एक विशेष समय अवधि में एक अर्थव्यवस्था की बचत और निवेश की गतिविधियों को मापता है। ANS की गणना में शिक्षा पर व्यय, पर्यावरणीय क्षति और संसाधन अपक्षय को समायोजित करके की जाती है।

97. (D): जैव विविधता का नाश गद्यांश में उल्लेखित ए.एन.एस. के संघटकों में से नहीं है। ए.एन.एस. की गणना में शामिल संघटकों में शिक्षा पर लोक व्यय, वायु प्रदूषण क्षति, और टिम्बर और उप-भू परिसंपत्तियों का अपक्षय शामिल हैं।

98. (B): अपक्षयित परिसंपत्तियाँ, जिन्हें मानव और भौतिक पूंजी में पर्याप्त निवेश द्वारा अनुपूरित नहीं किया गया है, वे प्रति व्यक्ति सकल घरेलू उत्पाद में सतत वृद्धि कर रहे देशों में ANS की नकारात्मकता का कारण बन सकते हैं।

99. (D): ए.एन.एस. की कमियों में यह शामिल है कि यह पूंजी के विभिन्न रूपों के बीच पूरक की अनुमति देता है, यह प्रति व्यक्ति संपदा का एक व्यापक संकेतक नहीं है, और यह किसी अर्थव्यवस्था के सकल घरेलू उत्पाद के स्तर से प्रभावित होता है। इसलिए, विकल्प (D) सही उत्तर है।

100. (B): ए.एन.एस. का प्रयोग असततता के संकेतक के रूप में करना सर्वोत्तम है, क्योंकि यह एक देश की अपोषणीयता के स्तर को उजागर कर सकता है जब ए.एन.एस. ऋणात्मक हो।

पिछले प्रश्न-पत्र (हल सहित)

National Testing Agency (NTA)

UGC-NET जूनियर रिसर्च फैलोशिप तथा सहायक प्राध्यापक पात्रता परीक्षा

अर्थशास्त्र, मार्च-2023

(Exam held on 02-03-2023)

प्रश्न-पत्र-II

1. दो वस्तुओं के संदर्भ में जिसका एम.आर.एस. (MRS) शून्य अथवा अनन्त होता हो तब उन वस्तुओं की प्रकृति होती है :

A. पूर्ण स्थानापन्न B. सामान्य वस्तु
C. पूर्ण अनुपूरक D. निकट स्थानापन्न

2. निम्नलिखित में से कौन सही नहीं हैं?

A. किसी वस्तु के उपभोग करने संबंधी कीमत परिवर्तन का समग्र प्रभाव, आय प्रभाव और प्रतिस्थापन प्रभाव का एक सम्मिश्रण है
B. निम्नस्तरीय (घटिया) वस्तु के लिए आय प्रभाव, प्रतिस्थापन प्रभाव की तुलना में सदैव अधिक होता है
C. Corner solution के लिए $MRS_{xy} \neq \frac{P_x}{P_y}$
D. सामान्य वस्तु के संदर्भ में, आय और प्रतिस्थापन प्रभाव दोनों लागू होते हैं

3. नकारात्मक नेटवर्क बाह्यता, जिसमें कोई उपभोक्ता विशेष रूप से डिजाइन की गई स्पोर्ट्स कार जैसी किसी अनन्य या अद्वितीय वस्तु का स्वामी बनने की इच्छा रखता है, उसको क्या कहा जाता है?

A. बैंडवेगन प्रभाव B. टेकिला प्रभाव
C. स्नोब प्रभाव D. पीगू प्रभाव

4. जब प्रत्येक खिलाड़ी अन्य खिलाड़ी द्वारा चुनी गई रणनीति को ध्यान में रखकर अपनी स्वयं की इष्टतम रणनीति का चयन करता है, तो इस स्थिति को क्या कहा जाता है?

A. नेश संतुलन B. विकसेल का संतुलन
C. कैदी की दुविधा D. सहयोगात्मक खेल

5. किसी कंपनी की निम्नलिखित कुल लागत और मांग फलन दिए गए हैं :

$$C = \frac{1}{3}Q^3 - 7Q^2 + 111Q + 50$$

$Q = 100 - P$ हो, तो उत्पादन (निर्गत) (Q^*) के अधिकतम लाभकारी स्तर और कंपनी का अधिकतम लाभ ज्ञात कीजिए।

A. 50 और 100 B. 111 और 2150
C. 11 और $111\frac{1}{3}$ D. 7 और 84

6. समान अपेक्षित मूल्य वाली जोखिम आय की तुलना में किसी निश्चित आय को वरीयता देने वाली स्थिति को इस रूप में जाना जाता है :

A. जोखिम निरपेक्ष B. जोखिम इच्छुक
C. जोखिम अनिच्छुक D. जोखिम प्रीमियम

7. निम्नलिखित में से कौन एक M_1 का घटक नहीं है?

A. मुद्रा
B. यात्री चेक
C. वाणिज्यिक पेपर (कागज)
D. माँग जमाएँ

8. कीन्स की पशु-भावना (Animal spirits) निम्नांकित में से किससे निकटतम रूप से संबंधित है?

A. अतीत कालीन निवेश

B. वर्तमान निवेश

C. समग्र आय

D. समग्र व्यय

9. मुंडेल-फ्लेमिंग मॉडल (प्रतिरूप) में, मौद्रिक नीति और अधिक प्रभावी होगी जिसमें यह हों :

A. पूँजी की पूर्ण गतिशीलता और लोचदार विनिमय दर

B. पूँजी की पूर्ण गतिशीलता और स्थिर विनिमय दर

C. पूँजी की अपूर्ण गतिशीलता और लोचदार विनिमय दर

D. पूँजी की अपूर्ण गतिशीलता और स्थिर विनिमय दर

10. यदि दो घटनाएँ A और B स्वतंत्र नहीं हैं तो निम्नलिखित में कौन सही है?

A. $P(A \cap B) = P(A) \cdot P(B)$

B. $P(A \cap B) = P(A) \cdot P(B/A)$

C. $P(A \cap B) = P(A) \cdot P(A/B)$

D. $P(A \cap B) = 1 - P(A \cup B)$

11. शृंखला भारित (Chain-weighted) सूचकांक है :

A. प्रत्येक वर्ष में उत्पादित वस्तुओं एवं सेवाओं का कुल बाजार मूल्य

B. वास्तविक सकल घरेलू उत्पाद में प्रतिशत विकास

C. कीमतों में हुए परिवर्तनों के परिकलन हेतु एक ऐसी विधि जिसमें बीते हुए वर्षों से संबंधित आधारवर्ष के औसत का प्रयोग किया जाता है

D. एक ऐसा सूचकांक जिसमें यह मापा जाता है कि सकल घरेलू उत्पाद में वस्तुओं एवं सेवाओं की कीमतों में कैसे परिवर्तन होता है

12. यदि उपभोग फलन मूल से गुजरता है और APC = MPC, तब यह अवश्य होगा :

A. बिना किसी अंतर्रोध के रैखिक

B. बिना किसी अंतर्रोध के गैर-रैखिक

C. आय अक्ष (धुरी) पर ऋणात्मक अंतर्रोध के साथ रैखिक

D. उपभोग अक्ष (धुरी) धनात्मक अंतर्रोध के साथ रैखिक

13. वह उत्पादक अधिशेष (बचत) ज्ञात कीजिए जिसमें यह दिया गया हो कि :

$P_d = 3x^2 - 20x + 5$

$P_S = 15 + 9x$ (x मात्रा है)

A. 400 B. 350

C. 450 D. 500

14. किसी वस्तु A हेतु मांग प्रकार्य/फलन, $Q_A = 100 - 2P_A + 0.2\,Y + 0.3\,P_B$ दिया गया है, $P_A = 6$, $Y = 500$, $P_B = 10$ पर मांग की आय-लोचता (प्रत्यास्थता) ज्ञात कीजिए।

A. 0.06 B. 0.02

C. 0.52 D. –0.06

15. प्रतिस्थापन की स्थिर लोच (CES) संबंधी उत्पादन प्रकार्य/फलन के उस प्रतिस्थापन मानदंड ρ को ज्ञात कीजिए जिसमें प्रतिस्थापन (σ) की लोच 1 से अधिक है?

A. $\rho = 0$ B. $\rho = 1$

C. $-1 < \rho < 0$ D. $0 < \rho < \infty$

16. लॉजिट मॉडल (प्रतिरूप) में, यदि संयोगानुपात 1 से 0 हो जाता है, तब लॉजिट हो जाता है :

A. ऋणात्मक B. शून्य के बराबर

C. धनात्मक D. भिन्न

17. यदि $Y_i = \alpha_1 + \beta_1 X_i + \beta_2(X_i - X^*) D_i + U_i$ के रूप में प्रतिगमन मॉडल दिया गया हो तो इस प्रकार के मॉडल का प्रयोग निम्नांकित में से किस हेतु किया जाता है?

A. किसी चतुर्थांशक समय (काल) श्रेणी आंकड़ों को वे (गैर) मौसमीकृत बनाना

B. मासिक समय (काल) श्रेणी आंकड़ों का मौसमी समायोजन करना

C. समय (काल) श्रेणी - आंकड़ों में संरचनात्मक विराम हेतु चाऊ परीक्षण करने हेतु

D. आंकड़े के खंडवार रैखिक संबंध हेतु परीक्षण

18. कोई खिलाड़ी दो सिक्के उछालता है। यह सिक्के के 2 बार हेड आने पर ₹ 5, 1 बार हेड आने पर ₹ 2 और बिना हेड आए ₹ 1 जीत (प्राप्त) जाता है। उसे प्राप्त होने वाले (अपेक्षित) लाभ को ज्ञात कीजिए।

A. ₹ 2 B. ₹ 2.25

C. ₹ 2.75 D. ₹ 2.50

19. ताश के पत्तों की किसी अच्छी तरह से फेंटी गयी गड्डी (पैकेट) से एक पत्ता निकाला जाता है। इसके एक ईंट का पत्ता होने अथवा बादशाह (King) होने की प्रायिकता ज्ञात कीजिए।

A. $\frac{17}{52}$ B. $\frac{16}{52}$

C. $\frac{18}{52}$ D. $\frac{15}{52}$

20. युगपत् समीकरण मॉडल (प्रतिरूपों) में, ओ.एल.एस. (OLS) को प्रत्यक्ष प्रयुक्त किया जा सकता है यदि :

A. यह एक पुनरावर्तन मॉडल (प्रतिरूप) है

B. क्रम-शर्त सन्तुष्ट (पूरी) होती हों

C. रैंक (कोटि) शर्त सन्तुष्ट (पूरी) होती हों

D. क्रम और रैंक (कोटि) दोनों शर्तें सन्तुष्ट (पूरी) होती है

21. ग्रामीण भूमिहीन रोजगार गारंटी कार्यक्रम (RLEGP) कब शुरू किया गया था?

A. 15 अगस्त, 1947

B. 15 अगस्त, 1950

C. 15 अगस्त, 1983

D. 15 अगस्त, 2000

22. विदेश व्यापार नीति (2015-2020) की घोषणा किस तारीख को की गई थी?

A. 1 अगस्त, 2015

B. 1 अप्रैल, 2015

C. 30 अगस्त, 2015

D. 30 अप्रैल, 2015

23. भारत के 14वें वित्त आयोग के अध्यक्ष कौन थे?

A. डॉ. विजय केलकर

B. डॉ. वाई.वी. रेड्डी

C. डॉ. सी. रंगराजन

D. डॉ. एन.के. सिंह

24. जमींदारी प्रथा की शुरुआत किसने की थी?

A. थॉमस मुनरो B. लॉर्ड कार्नवालिस

C. एच. वेंकटसुबैया D. जी. मिर्डल

25. गैर-विपणित पर्यावरणीय संसाधनों के मामले में निम्नलिखित में से कौन-सा विकल्प सही है?

A. उपभोग में गैर-अपवर्जनीय और गैर-प्रतिस्पर्धी

B. उपभोग में अपवर्जनीय, लेकिन प्रतिस्पर्धी नहीं

C. उपभोग में अपवर्जनीय और प्रतिस्पर्धी

D. उपभोग में गैर-अपवर्जनीय, लेकिन प्रतिस्पर्धी

26. मान लीजिए 'X' एक ब्रेड के पैकेट का मूल्य ₹ 8 निर्धारित करता है और 'Y' उसका मूल्य ₹ 6 निर्धारित करता है। यदि ब्रेड पर कोई कर नहीं लगाया जाता है तो ब्रेड के पैकेट का मूल्य ₹ 5 है। इसलिए X और Y एक-एक पैकेट खरीदते हैं। अब यदि सरकार ₹ 2 प्रति यूनिट कर लगा देती है तो ब्रेड का मूल्य बढ़कर ₹ 7 हो जाता है। तो कुल भार हानि और संग्रहीत कर राजस्व क्रमशः होंगे :

A. ₹ 1 और ₹ 2 B. ₹ 2 और ₹ 4

C. ₹ 2 और ₹ 2 D. ₹ 1 और ₹ 4

27. निम्नलिखित में से कौन-सा घटक प्राथमिक घाटे को राजकोषीय घाटे से अलग करता है?

A. पूँजीगत प्राप्ति का गैर-ऋण घटक

B. ब्याज भुगतान

C. पूँजीगत प्राप्ति का ऋण घटक

D. राजस्व घाटा

28. निम्नलिखित में से कौन-सा 'इनफ्लेशन फारगेटिंग एप्रोच' का पूर्वानुमान या निष्कर्ष नहीं है?

A. ब्याज दर, मौद्रिक नीति का प्रमुख साधन है

B. उच्च ब्याज दर समग्र माँग को नियंत्रित करती है

C. मुद्रास्फीति आपूर्ति पक्ष से संबंधित परिदृश्य होता है

D. मुद्रा आपूर्ति की मात्रा, मुद्रास्फीति को नियंत्रित करने में बहुत प्रभावी नहीं होती है

29. मौद्रिक नीति के परिप्रेक्ष्य में घाटे के अनुपात से तात्पर्य है :

A. ह्रासकारी प्रभाव के कारण ब्याज-लागत में वृद्धि होना

B. बढ़ती मुद्रास्फीति के सापेक्ष मुद्रा के वास्तविक मूल्य में कमी

C. मुद्रास्फीति में कमी लाने की उत्पादन लागत

D. श्रम लागत के कारण न्यूनतम मजदूरी में वृद्धि

30. निम्नलिखित में से किस फार्मूले का प्रयोग राजकोषीय बिलों (T-bills) के प्रतिफल की गणना करने के लिए किया जाता है, जहाँ :

Y = बट्टागत उत्पादन

P = मूल्य

D = परिपक्वता अवधि

A. $Y = \frac{P \times 365 \times 100}{P \times D}$

B. $Y = \frac{D \times 365 \times 100}{P \times D}$

C. $Y = \frac{(100 - P) \times 365 \times 100}{P \times D}$

D. $Y = \frac{(100 - D) \times 365 \times 100}{P \times D}$

31. निम्नलिखित किसके द्वारा सहकालिक रूप से तीव्र विकास (संवृद्धि) और आय के अधिक समान वितरण की जाँच की जा सकती है?

A. गिनी अनुपात

B. निर्धनता भारित वृद्धि दर

C. कुजनेट चक्र

D. उपरोक्त में से कोई नहीं

32. मार्क्स ने पूँजी के जैविक संघटन की संकल्पना का उल्लेख (संदर्भ) किया है। इसके लिए निम्नलिखित कौन-सा एक अनुपात है (जहाँ C स्थिर पूँजी है, V चर पूँजी है और S अधिशेष मूल्य है)?

A. $\frac{C}{V+S}$ B. $\frac{C}{V}$

C. $\frac{C}{(C+V)}$ D. $\frac{(C+V)}{V}$

33. बाह्यया के संबंध में निम्नलिखित में से कौन सही नहीं है?

A. यह मानव-अन्योन्य क्रियाओं से संबंधित है

B. यह उपभोक्ता संप्रभुता से सहबद्ध है

C. यह सही और गलत संबंधी उच्च स्तरीय निर्णयों पर आधारित है

D. यह एक अनैतिक संकल्पना है

34. वस्तु के मूल्य में कमी हेतु प्रतिपूरककारी प्रसरण को इस रूप में व्याख्यायित किया जा सकता है :

A. भुगतान करने के प्रति तत्परता

B. स्वीकार करने के प्रति तत्परता

C. (A) और (B) दोनों

D. कोई भी नहीं

35. निम्नलिखित में से कौन प्राकृतिक पूँजी के मूल्यह्रास का एक उदाहरण है :

A. औद्योगिक कचरों को फेंकने के कारण अप्रयोज्य बन गई नदियों का जीर्णोद्धार

B. मुक्त (विवृत) खनन के कारण वर्षों से खाली पड़ गए क्षेत्रों का पुनर्नवीकरण

C. नगरीय अपशिष्ट निपटान के जैसे सार्वजनिक क्षेत्र द्वारा प्रदूषण-नियंत्रण गतिविधियाँ

D. शहरी अथवा ग्रामीण विकास हेतु अप्रयोज्य मृदा का उपचार (निर्विषीकरण) करना

36. किसी वस्तु के मूल्य-वृद्धि हेतु, समतुल्य प्रसरण को इस रूप में व्याख्यायित किया जा सकता है :

A. भुगतान करने के प्रति तत्परता

B. स्वीकार करने के प्रति तत्परता

C. भुगतान करने के प्रति तत्परता और स्वीकार करने के प्रति तत्परता दोनों

D. कोई भी नहीं

37. विशिष्ट कारक (साधन) मॉडल के अनुसार निम्नलिखित में से कौन-सा सही है?

A. व्यापार, प्रत्येक देश के निर्यात क्षेत्र में संबंधित कारक (साधन) विशिष्ट को लाभ पहुँचाता है किन्तु चल (गतिशील) कारकों पर द्वयर्थक (अस्पष्ट) प्रभावों वाले आयात प्रतिस्पर्धाकारी क्षेत्रों से संबंधित कारक विशिष्ट को नुकसान पहुँचाता है

B. व्यापार, प्रत्येक देश के निर्यात क्षेत्र में संबंधित कारक विशिष्ट को नुकसान पहुँचाता है और चल (गतिशील) कारकों पर द्वयर्थक (अस्पष्ट) प्रभावों वाले आयात प्रतिस्पर्धाकारी क्षेत्रों से संबंधित कारक विशिष्ट को नुकसान पहुँचाता है

C. व्यापार, प्रत्येक देश के आयात क्षेत्र से संबंधित कारक विशिष्ट को लाभ पहुँचाता है किन्तु चल (गतिशील) कारकों पर द्वयर्थक (अस्पष्ट) प्रभावों वाले निर्यात प्रतिस्पर्धाकारी क्षेत्रों से संबंधित कारक विशिष्ट को नुकसान पहुँचाता है

D. व्यापार, प्रत्येक देश के चल कारकों पर द्वयर्थक प्रभावों वाले आयात प्रतिस्पर्धाकारी क्षेत्र एवं निर्यात क्षेत्र से संबंधित कारक विशिष्ट को लाभ पहुँचाता है

38. 'विमोहित संवृद्धि' (Immiserising growth) का तर्क क्या है?

A. गैर-संपन्न (कमजोर) राष्ट्रों द्वारा निर्यात आधारित विकास, वृद्धि व्यापार की शर्तों को अत्यधिक प्रतिकूल (खराब) बना देगा, फिर वे और भी प्रतिकूल (बुरी) हालत वाली हो जाएंगी, अगर उनका बिल्कुल भी विकास नहीं किया गया

B. संपन्न देशों द्वारा निर्यात आधारित विकास, व्यापार की शर्तों को इतना अधिक प्रतिकूल बना देगा, कि वे और भी प्रतिकूल (बुरी) हालत वाली हो जाएंगी, अगर उनका बिल्कुल भी विकास नहीं किया गया

C. गैर-संपन्न देशों द्वारा आयात आधारित विकास, व्यापार की शर्तों को इतना अधिक प्रतिकूल बना देगा, कि वे और भी प्रतिकूल (बुरी) हालत वाली हो जाएंगी, अगर उनका बिल्कुल भी विकास नहीं किया गया

D. संपन्न देशों द्वारा आयात आधारित विकास, व्यापार की शर्तों को इतना अधिक प्रतिकूल बना देगा, कि वे और भी प्रतिकूल (बुरी) हालत वाली हो जाएंगी, अगर उनका बिल्कुल भी विकास नहीं किया गया

39. निम्नलिखित में से कौन ग्रैविटी मॉडल को सही ढंग से अभिगृहीत करता है?

A. दो देश जितने लघु स्तर के और निकटतर होते हैं, उनके मध्य व्यापार की मात्रा उतनी ही लघुतर (कम) स्तर पर होने की अपेक्षा (प्रत्याशा) होगी

B. दो देश जितने बड़े (वृहत) और निकटतर होते हैं, उनके मध्य व्यापार की मात्रा उतने ही व्यापक (बड़े) स्तर पर होने की अपेक्षा (प्रत्याशा) होगी

C. दो देश जितने बड़े (वृहत) और निकटतर होते हैं, उनके मध्य व्यापार की मात्रा उतने ही लघुतर (कम) स्तर पर होने की अपेक्षा (प्रत्याशा) होगी

D. दो देश जितने लघु स्तर के और दूर होते हैं, उनके मध्य व्यापार की मात्रा उतने ही व्यापक (बड़े) स्तर पर होने की अपेक्षा (प्रत्याशा) होगी

40. यदि अंतिम पण्य (वस्तु) के उपभोक्ताओं पर आंशिक प्रशुल्क दर (t) 10 प्रतिशत है, प्रशुल्कों के अभाव की स्थिति में अंतिम पण्य की कीमत के लिए आयातित निवेश (आगत) की लागत का अनुपात (ai) = 0.8 प्रतिशत है, और आयातित निवेश (आगत) (ti) पर आंशिक प्रशुल्क दर = 0 है, तब प्रभावी संरक्षण की दर ज्ञात कीजिए।

A. 5% B. 8%

C. 50% D. 10%

41. रिज लाइन के संबंध में निम्नलिखित में से कौन-से कथन सही हैं?

(*a*) वे सम उत्पादों के प्रासंगिक अंशों को अप्रासंगिक अंशों से अलग करती है।

(*b*) रिज लाइनों पर सम उत्पादों का ढाल या तो शून्य होता है या अनंत होता है।

(*c*) संलग्न समउत्पादों का प्रासंगिक घटक श्रम और पूँजी के लिए उत्पादन के द्वितीय चरण से संबंधित होता है।

(*d*) उत्पादक कभी भी रिज लाइनों से घिरे क्षेत्र के बाहर प्रचालन करना नहीं चाहेंगे।

(*e*) श्रम और पूँजी, दोनों आदानों का सीमांत उत्पाद धनात्मक होता है, लेकिन रिज लाइनों के भीतर समउत्पादनों के अंश के लिए घटता है

नीचे दिए गए विकल्पों में से सही उत्तर का चयन कीजिए :

A. केवल (*a*), (*c*) और (*d*)

B. केवल (*b*), (*c*) और (*e*)

C. केवल (*a*), (*c*), (*d*) और (*e*)

D. (*a*), (*b*), (*c*), (*d*) और (*e*)

42. उचित खेल और उचित बाजी के बारे में निम्नलिखित में से कौन-से कथन सही हैं?

(*a*) उचित बाजी की प्रविष्टि शून्य होती है।

(*b*) उचित बाजी को स्वीकार करने वाले व्यक्ति को जोखिम-इच्छुक कहा जाता है।

(*c*) बाजी से प्रत्याशित आय सुनिश्चित आय के बराबर होती है।

(*d*) उचित बाजी को अस्वीकार करने वाले व्यक्ति को जोखिम तटस्थ कहा जाता है।

(*e*) उचित बाजी को अस्वीकार करने वाले व्यक्ति को जोखिम-अनिच्छुक कहा जाता है।

नीचे दिए गए विकल्पों में से सही उत्तर का चयन कीजिए :

A. केवल (*a*) और (*c*) B. केवल (*b*) और (*e*)

C. केवल (*c*) और (*d*) D. केवल (*c*) और (*e*)

43. आधुनिक लगान सिद्धांत के अनुसार :

(*a*) सभी कारक लगान अर्जित कर सकते हैं।

(*b*) लगान केवल दीर्घकाल में अर्जित किया जा सकता है।

(*c*) अप्रयुक्त कारक की अंतरण आय शून्य होती है।

(*d*) केवल भूमि लगान अर्जित कर सकती है।

(*e*) किसी अप्रयुक्त कारक की संपूर्ण आय को आर्थिक लगान कहा जाता है।

नीचे दिए गए विकल्पों में से सही उत्तर का चयन कीजिए :

A. केवल (*a*), (*b*) और (*c*)

B. केवल (*a*), (*c*) और (*e*)

C. केवल (*b*), (*c*) और (*e*)

D. केवल (*a*), (*c*) और (*d*)

44. युक्तिपूर्ण प्रत्याशाओं के विचार में शामिल हैं :

(*a*) बाजार समाशोधन संबंधी युक्तिपूर्ण प्रत्याशाएँ फिलिप वक्र के अनुरूप नहीं होती हैं।

(*b*) प्रत्याशाओं के सिद्धांत के रूप में युक्तिपूर्ण प्रत्याशा।

(*c*) नीति निर्माताओं की विश्वसनीयता पर बल।

(*d*) विवेक (समझ) की अपेक्षा नीति निर्माणकारी नियमों हेतु वरीयता

(*e*) सामान्यतः इस पर बल दिया जाता है कि बाजार द्रुतगामी तरीके से शोधित नहीं होते हैं।

नीचे दिए गए विकल्पों में से सही उत्तर का चयन कीजिए :

A. केवल (*b*), (*c*) और (*d*)

B. केवल (*a*) और (*e*)

C. (*a*), (*b*), (*c*), (*d*) और (*e*)

D. केवल (*a*), (*d*) और (*e*)

45. बजट एट ग्लांस में, निम्नलिखित कौन-से मद को सम्मिलित करते हैं?

(*a*) वर्तमान वर्ष का बजट प्राक्कलन

(*b*) वर्तमान वर्ष का संशोधित प्राक्कलन

(*c*) वर्तमान वर्ष का वास्तविक प्राक्कलन

(*d*) पिछले वर्ष के लिए वास्तविक प्राक्कलन

(*e*) अगले वर्ष के लिए बजट प्राक्कलन

नीचे दिए गए विकल्पों में से सही उत्तर का चयन कीजिए :

A. केवल (*a*) और (*d*)

B. केवल (*a*), (*b*), (*d*) और (*e*)

C. केवल (*a*), (*b*) और (*c*)

D. केवल (*c*) और (*d*)

46. कोई प्रतिकूल प्रौद्योगिकी आघात, श्रम-माँग और आपूर्ति को कैसे प्रभावित करती है?

(*a*) श्रम हेतु माँग में कमी

(*b*) वास्तविक मजदूरी और रोजगार दोनों में कमी

(*c*) वास्तविक मजदूरी में वृद्धि और रोजगार में गिरावट

(*d*) वास्तविक मजदूरी में गिरावट और रोजगार में वृद्धि

(*e*) बाजार साम्य (संतुलन) पर प्रतिकूल प्रभाव

नीचे दिए गए विकल्पों में से सही उत्तर का चयन कीजिए :

A. केवल (*a*), (*c*) और (*d*)

B. केवल (*b*), (*d*) और (*e*)

C. केवल (*a*), (*b*), (*c*) और (*d*)

D. केवल (*a*), (*b*) और (*e*)

47. प्वाइसन (Poisson) वितरण के संदर्भ में निम्नलिखित कौन-से सही हैं?

(*a*) परीक्षणों की संख्या n, अनन्त होती है, अर्थात $n \to \infty$

(*b*) प्रत्येक परीक्षण हेतु सफलता की निर्यात संभाव्यता, '*p*' अनन्त होती है।

(*c*) $np = m$ सीमित होता है।

(*d*) $\mu_3 = m + 2$

(*e*) $\mu_4 = m + 3m^2$

नीचे दिए गए विकल्पों में से सही उत्तर का चयन कीजिए :

A. केवल (*a*), (*c*) और (*d*)

B. केवल (*a*), (*c*) और (*e*)

C. केवल (*b*), (*c*) और (*e*)

D. केवल (*b*), (*c*) और (*d*)

48. प्राक्कल्पना के परीक्षण के संदर्भ में निम्नलिखित कौन-से बिना त्रुटि से सत्य निष्कर्ष हैं?

(*a*) शून्य प्राक्कल्पना (H_0) के सत्य होने पर भी इसे अस्वीकार करना।

(*b*) H_0 के सत्य होने पर स्वीकार करना।

(*c*) H_0 के असत्य होने पर इसे स्वीकार करना, जब (Alternate) प्राक्कल्पना (H_1) सत्य हो।

(*d*) H_1 के सत्य होने पर, H_0 को अस्वीकार करना।

(*e*) H_1 के असत्य होने पर, H_0 को स्वीकार करना।

नीचे दिए गए विकल्पों में से सही उत्तर का चयन कीजिए :

A. केवल (*a*), (*b*) और (*d*)

B. केवल (*b*), (*d*) और (*e*)

C. केवल (*b*), (*c*) और (*e*)

D. केवल (*a*), (*c*) और (*e*)

49. विषमविसारिता की उपस्थिति में किए हुए OLS अनुमान के बारे में निम्नलिखित कौन-से सही हैं?

(*a*) प्राक्कलित गुणांक रैखिक होते हैं।

(*b*) प्राक्कलित गुणांक निष्पक्ष होते हैं।

(*c*) प्राक्कलित गुणांक निष्पक्ष नहीं होते हैं।

(*d*) प्राक्कलित गुणांक संगत होते हैं।

(*e*) प्राक्कलित गुणांक दक्ष होते हैं।

नीचे दिए गए विकल्पों में से सही उत्तर का चयन कीजिए :

A. केवल (*a*), (*c*) और (*d*)

B. केवल (*a*), (*b*) और (*d*)

C. केवल (*a*), (*c*) और (*e*)

D. केवल (*a*), (*c*) और (*d*)

50. निम्नलिखित में से कौन क्लासकीय रैखिक प्रतिगमन मॉडल की पूर्वधारणा की संपुष्टि करते हैं?

(*a*) डिस्टरबेंस U_i का शून्य माध्य मूल्य

(*b*) व्याख्यात्मक चर और त्रुटिपूर्ण पद स्वतंत्र नहीं होते हैं।

(*c*) U_i की विषम विसारिता अथवा नियत प्रसरण।

(*d*) डिस्टरबेंसों के मध्य कोई स्व-सहसंबंध नहीं होता।

(*e*) इसमें व्याख्यात्मक चरों के मध्य एक से अधिक सटीक रैखिक संबंध होता है।

नीचे दिए गए विकल्पों में से सही उत्तर का चयन कीजिए :

A. केवल (*a*), (*b*), (*c*) और (*d*)

B. केवल (*a*), (*c*), (*d*) और (*e*)

C. केवल (*a*), (*c*) और (*d*)

D. केवल (*c*), (*d*) और (*e*)

51. यदि A, B और C तीन भिन्न गैर-खाली (भरे हुए) समुच्चय हों, तो समुच्चय की संक्रिया के नियम में निम्नलिखित कौन-से सही हैं?

(*a*) $(A')' = A$

(*b*) $(A \cup B) = 1 - (A \cap B)$

(*c*) $A \cup (B \cup C) = (A \cup B) \cup C$

(*d*) $A \cup (B \cap C) = (A \cap B) \cup (A \cap C)$

(*e*) $A - B = A \cap B'$

नीचे दिए गए विकल्पों में से सही उत्तर का चयन कीजिए :

A. केवल (*a*), (*c*) और (*d*)

B. केवल (*a*), (*c*) और (*e*)

C. केवल (*a*), (*b*) और (*c*)

D. केवल (*c*), (*d*) और (*e*)

52. बहुचल प्रतिगमन मॉडल में, निम्नलिखित में से कौन प्राक्कल्पना जैसे $H_0 : \beta_2 = \beta_3 = 0$ की जाँच में उपयुक्त है?

A. *t*-टेस्ट

B. काई-स्क्वायर टेस्ट

C. ANOVA टेस्ट

D. F-टेस्ट

53. मानव विकास सूचकांक के निम्नलिखित कौन-कौन-से संकेतक हैं?

(*a*) प्रतिव्यक्ति आधारित वास्तविक सकल घरेलू उत्पाद (GDP)

(*b*) नामंकन अनुपात सहित प्रौढ़ साक्षरता दर
(*c*) जन्म के समय जीवन प्रत्याशा
(*d*) पाँच वर्ष की आयु के नीचे के बच्चों में कुपोषण
(*e*) पाँच वर्ष की आयु के नीचे के बच्चों की शिशु मृत्यु दर

नीचे दिए गए विकल्पों में से सही उत्तर का चयन कीजिए :

A. केवल (*a*), (*b*) और (*e*)
B. केवल (*b*), (*c*) और (*d*)
C. केवल (*a*), (*b*) और (*c*)
D. केवल (*c*), (*d*) और (*e*)

54. निम्नलिखित में से कौन-से वित्त आयोग के संबंध में सही हैं?

(*a*) इसका गठन संविधान के अनुच्छेद 380 के अन्तर्गत किया जाता है।
(*b*) यह एक सांविधिक निकाय है।
(*c*) यह संविधान के अनुच्छेद 280 के अन्तर्गत गठित किया जाता है।
(*d*) प्रोफेसर के.सी. पंत वित्त आयोग के 10वें अध्यक्ष थे।
(*e*) डा. विजय केलकर वित्त आयोग के 14वें अध्यक्ष थे।

नीचे दिए गए विकल्पों में से सही उत्तर का चयन कीजिए :

A. केवल (*b*), (*c*) और (*d*)
B. केवल (*a*), (*b*) और (*d*)
C. केवल (*c*), (*d*) और (*e*)
D. केवल (*a*), (*c*) और (*e*)

55. निम्नलिखित में से कौन-से सही हैं?

(*a*) उत्पाद कर प्रतिस्पर्धा की स्थिति की अपेक्षा एकाधिकार की स्थिति में कीमतों में कम वृद्धि करेंगे।
(*b*) पूँजीगत आय पर कर प्रगतिशील होने की ओर प्रवृत्त होता है जबकि मजदूरी से प्राप्त आय पर कर ह्रासमान होने की ओर प्रवृत्त होता है।
(*c*) आपूर्ति की माँग की लोच के अनुपात में कर दायित्व विक्रेता एवं क्रेता के मध्य विभाजित हो जाएगा।
(*d*) आपूर्ति सारणी में कोई इकाई कर, समानान्तर अधोगामी अंतरण के माध्यम से प्रविष्ट करता है।
(*e*) करारोपण से कीमत और मात्रा में वृद्धि हो जाती है।

नीचे दिए गए विकल्पों में से सही उत्तर का चयन कीजिए :

A. केवल (*a*) और (*b*)
B. केवल (*a*), (*b*) और (*c*)
C. केवल (*a*), (*b*), (*c*) और (*d*)
D. केवल (*a*), (*b*), (*c*) और (*e*)

56. निम्नलिखित में से कौन-से कथन सही हैं?

(*a*) प्रतिस्पर्धी बाजार निजी वस्तुओं के प्रबंध के मामले में संसाधनों का दक्षतापूर्ण उपयोग सुनिश्चित कर सकता है, लेकिन सामाजिक वस्तुओं के मामले में बाजार विफलता दिखाई पड़ती है।
(*b*) सामाजिक वस्तुओं के दक्षतापूर्ण प्रबंध में अलग-अलग छद्म-माँग समय-सारणियों का विषम स्तरीय जुड़ाव के बजाय समस्तरीय जुड़ाव शामिल होता है।
(*c*) सामाजिक वस्तुओं के दक्षतापूर्ण प्रबंध के लिए बजट निर्धारण की राजनीतिक प्रक्रिया आवश्यक होती है।
(*d*) जब उपभोक्ता की पसंद झूठे विज्ञापन पर आधारित होती है तो सुधारात्मक कार्यवाई की आवश्यकता हो सकती है।
(*e*) पूर्णतः निजी और पूर्णतः सामाजिक वस्तुओं की चरमस्थितियों के बीच मिले-जुले मामले होते हैं।

नीचे दिए गए विकल्पों में से सही उत्तर का चयन कीजिए :

A. केवल (*a*), (*b*) और (*c*)
B. केवल (*a*), (*b*) और (*e*)
C. केवल (*a*), (*b*), (*c*) और (*d*)
D. केवल (*a*), (*c*), (*d*) और (*e*)

57. मुद्रास्फीति को नियंत्रित करने के लिए निम्नलिखित में से किस मौद्रक का प्रयोग किया जाता है?

(*a*) केन्द्रीय बैंक, वाणिज्यिक बैंकों से सरकारी प्रतिभूतियाँ खरीदते हैं।
(*b*) केन्द्रीय बैंक, वाणिज्यिक बैंकों को सरकारी प्रतिभूतियाँ बेचते हैं।

(*c*) बैंक की दर बढ़ाई जा सकती है।

(*d*) बैंक की दर घटाई जा सकती है।

(*e*) नकद रिजर्व अनुपात को बढ़ाना।

नीचे दिए गए विकल्पों में से सही उत्तर का चयन कीजिए :

A. केवल (*a*), (*c*) और (*e*)

B. केवल (*b*), (*c*) और (*e*)

C. केवल (*a*), (*d*) और (*e*)

D. केवल (*a*) और (*d*)

58. भारत में धन (मुद्रा) बाजार के मामले में निम्नलिखित में से कौन-से कथन सही हैं?

(*a*) वाणिज्यिक बिल एक अल्पकालिक लिखत है जिसमें बड़ा जोखिम होता है।

(*b*) राजकोषीय बिल, सरकार द्वारा अल्पकालिक उधारी का लिखत है जिसमें डिफॉल्ट जोखिम नहीं होता है।

(*c*) प्रणाली में तरलता की कमियों से बचने के लिए भारतीय रिजर्व बैंक पुनर्वित्तपोषण का प्रयोग करता है।

(*d*) भारतीय रिजर्व बैंक ने दैनिक निश्चित दर रेपो नीलामी प्रणाली के स्थान पर विभेदमूलक मूल्य नीलामी रेपो अपनाई है।

(*e*) SLR बैंकिंग प्रणाली पर गौण और पूरक आरक्षित आवश्यकताओं को अधिरोपित करने योग्य बनाता है।

नीचे दिए गए विकल्पों में से सही उत्तर का चयन कीजिए :

A. केवल (*a*), (*b*) और (*d*)

B. केवल (*b*), (*c*) और (*d*)

C. केवल (*b*), (*c*) और (*e*)

D. केवल (*c*), (*d*) और (*e*)

59. निर्धनता के कारणों और परिणामों में शामिल हैं :

(*a*) बेरोजगारी

(*b*) कम मजदूरी

(*c*) खराब स्वास्थ्य

(*d*) कम जनसंख्या वृद्धि

(*e*) कम साक्षरता दर

नीचे दिए गए विकल्पों में से सही उत्तर का चयन कीजिए :

A. केवल (*a*) और (*c*)

B. केवल (*b*), (*d*) और (*e*)

C. केवल (*b*), (*c*), (*d*) और (*e*)

D. केवल (*a*), (*b*), (*c*) और (*e*)

60. आय में असमानता को निम्नलिखित के द्वारा मापा जाता है :

(*a*) गिनी गुणांक

(*b*) लॉरेंज वक्र

(*c*) पाल्मा अनुपात

(*d*) वंचन अनुपात

(*e*) फिलिप्स वक्र

नीचे दिए गए विकल्पों में से सही उत्तर का चयन कीजिए :

A. केवल (*b*) और (*e*)

B. केवल (*a*) और (*b*)

C. केवल (*a*), (*b*) और (*c*)

D. केवल (*c*) और (*a*)

61. शुम्पीटर के विकास सिद्धांत के लिए सही कथन चुनें :

(*a*) विकास का वित्तपोषण वास्तविक बचत द्वारा होता है।

(*b*) पूँजीवाद हमेशा अपना चरित्र अपरिवर्तित बनाए रखता है।

(*c*) विकास, विकासमान होता है।

(*d*) विकास में मुद्रास्फीति का सृजन होता है।

(*e*) श्रम की असीमित आपूर्ति

नीचे दिए गए विकल्पों में से सही उत्तर का चयन कीजिए :

A. केवल (*a*) और (*b*)

B. केवल (*c*) और (*d*)

C. केवल (*a*), (*b*), (*c*) और (*d*)

D. उपरोक्त में से कोई नहीं

62. अध्ययन के क्षेत्र में निम्नलिखित में से कौन-सी पर्यावरणीय अर्थशास्त्र की विशेषताएँ हैं?

(*a*) इसका मूल बाह्यता और लोक हित सिद्धांत में निहित है।

(*b*) यह नव क्लासिकल कल्याणकारी सिद्धांत पर आधारित है।
(*c*) इसमें मानव अर्थव्यवस्था को जीवमंडल की उप-प्रणाली के रूप में माना जाता है।
(*d*) यह पदार्थ और ऊर्जा के रूपांतरण के नियम से संलग्न है।
(*e*) यह पर्यावरणीय क्षति को कम करने के सर्वोत्तम कार्यकुशल तरीकों को प्राप्त करने पर ध्यान केंद्रित करता है।

नीचे दिए गए विकल्पों में से सही उत्तर का चयन कीजिए :

A. केवल (*a*), (*b*) और (*c*)
B. केवल (*b*), (*c*) और (*d*)
C. केवल (*a*), (*b*) और (*e*)
D. केवल (*c*), (*d*) और (*e*)

63. निम्नलिखित में से कौन कमजोर प्रकार की धारणीयता की अनिवार्य विशेषताएँ हैं?

(*a*) यह मानवनिर्मित पूँजी और प्राकृतिक पूँजी को निकट स्थानापन्न के रूप में मानता है।
(*b*) यह अर्थव्यवस्था के आरंभिक आकार पर बल देता है। क्योंकि आरंभिक पूँजी स्टॉक के आकार को प्रासंगिक माना जाता है।
(*c*) यह प्रत्येक पीढ़ी से यह सुनिश्चित करने की माँग करता है कि उनके कार्यों से भावी पीढ़ियों की उत्पादक क्षमता से समझौता (प्रभावित होना) न करना पड़े।
(*d*) अर्थव्यवस्था के पूँजी स्टॉक की संरचना (संघटन) अधिक महत्वपूर्ण नहीं होती है।
(*e*) यह प्राकृतिक पूँजी को अनंतकाल तक के लिए निवल राष्ट्रीय आय को बनाए रखने हेतु नितान्त आवश्यकता के रूप में प्रस्तुत करता है।

नीचे दिए गए विकल्पों में से सही उत्तर का चयन कीजिए :

A. केवल (*a*), (*c*) और (*d*)
B. केवल (*a*), (*b*) और (*c*)
C. केवल (*c*), (*d*) और (*e*)
D. केवल (*a*), (*b*) और (*e*)

64. निम्नलिखित में से कौन गैर-प्रशुल्क बाधाओं का भाग है?

(*a*) आयात कोटा
(*b*) स्वैच्छिक निर्यात अवरोध
(*c*) निर्यात सब्सिडी (सहायिकी)
(*d*) चक्रवृद्धि प्रशुल्क
(*e*) मूल्यानुसार प्रशुल्क

नीचे दिए गए विकल्पों में से सही उत्तर का चयन कीजिए :

A. केवल (*a*), (*b*) और (*d*)
B. केवल (*a*), (*b*) और (*e*)
C. केवल (*a*), (*b*) और (*c*)
D. केवल (*b*), (*c*) और (*d*)

65. मार्शल-लर्नर स्थिति यह दर्शाती है कि :

(*a*) अवमूल्यन से देश के भुगतान संतुलन में सुधार होगा, बशर्ते कि निरपेक्ष दृष्टि से निर्यात और आयात के लिए माँग की कीमतों में लोच का योग एक (यूनिट) से अधिक हो।
(*b*) अवमूल्यन से भुगतान संतुलन के घाटे में वृद्धि होगी, बशर्ते निर्यात और आयात के लिए माँग की कीमतों में लोच का योग एक (यूनिट) से कम हो।
(*c*) अवमूल्यन का भुगतान संतुलन की स्थिति पर कोई प्रभाव नहीं पड़ेगा, बशर्ते कि निर्यात और आयात के लिए माँग की कीमतों में लोच का योग एक के बराबर हो।
(*d*) यदि निर्यात के लिए या आयात के लिए माँग की कीमतों में लोच शून्य है तो अवमूल्यन किसी स्थिति में भुगतान संतुलन में सुधार नहीं करेगा।
(*e*) मार्शल-लर्नर स्थिति का BOP स्थिति से कोई संबंध नहीं है।

नीचे दिए गए विकल्पों में से सही उत्तर का चयन कीजिए :

A. केवल (*a*), (*b*) और (*e*)
B. केवल (*b*), (*c*) और (*d*)
C. केवल (*c*), (*d*) और (*a*)
D. केवल (*a*), (*b*) और (*c*)

66. सूची-I के साथ सूची-II का मिलान कीजिए :

सूची-I	सूची-II
(*a*) कोई फर्म अन्य फर्मों से पहले अपने उत्पादन का निर्धारण करती है	(*i*) कॉर्नोट मॉडल
(*b*) प्रत्येक फर्म इस बारे में सही अनुमान लगाती है कि उसकी प्रतिस्पर्धी फर्म कितना उत्पादन करेगी और फिर अपने उत्पादन का स्तर निर्धारित करती है	(*ii*) बेट्रेंड मॉडल
(*c*) फर्में किसी उत्पादन की लागत का माँग में परिवर्तन करना नहीं चाहती है	(*iii*) स्टेकलबर्ग मॉडल
(*d*) प्रत्येक फर्म अपनी प्रतिस्पर्धी फर्मों की कीमत को स्थिर मानती है और फिर सभी फर्में एक साथ यह निर्धारित करती हैं कि कीमत में कितना परिवर्तन किया जाए	(*iv*) स्वीजी मॉडल

निम्नलिखित विकल्पों में से सही उत्तर का चयन कीजिए :

	(*a*)	(*b*)	(*c*)	(*d*)
A.	(*iii*)	(*ii*)	(*iv*)	(*i*)
B.	(*ii*)	(*iii*)	(*iv*)	(*i*)
C.	(*iii*)	(*i*)	(*iv*)	(*ii*)
D.	(*ii*)	(*iv*)	(*iii*)	(*i*)

67. सूची-I के साथ सूची-II का मिलान कीजिए :

सूची-I	सूची-II
(*a*) रॉबर्ट सोलो	(*i*) नवक्लासिकी वृद्धि सिद्धांत
(*b*) पॉल रोमर और रॉबर्ट ल्युकस	(*ii*) बेरोजगारी-उत्पादन
(*c*) पॉल सेमल्सन	(*iii*) अंतर्जात वृद्धि सिद्धांत
(*d*) ओकुन	(*iv*) आर्थिक वृद्धि की नींव

निम्नलिखित विकल्पों में से सही उत्तर का चयन कीजिए :

	(*a*)	(*b*)	(*c*)	(*d*)
A.	(*ii*)	(*iii*)	(*i*)	(*iv*)
B.	(*i*)	(*ii*)	(*iii*)	(*iv*)
C.	(*i*)	(*iii*)	(*iv*)	(*ii*)
D.	(*iii*)	(*i*)	(*ii*)	(*iv*)

68. सूची-I के साथ सूची-II का मिलान कीजिए :

सूची-I	सूची-II
(*a*) क्रमिक सहसंबंध का पता लगाना	(*i*) गोल्डफेल्ड-क्वांट परीक्षण
(*b*) विषमविसारिता का पता लगाना	(*ii*) रन का परीक्षण
(*c*) बहुसरेखीयता का पता लगाना	(*iii*) रेम्से का RESET परीक्षण
(*d*) विनिर्देशन त्रुटि का परीक्षण	(*iv*) कंडीशन इंडेक्स

निम्नलिखित विकल्पों में से सही उत्तर का चयन कीजिए :

	(*a*)	(*b*)	(*c*)	(*d*)
A.	(*iii*)	(*i*)	(*iv*)	(*ii*)
B.	(*ii*)	(*iv*)	(*i*)	(*iii*)
C.	(*ii*)	(*i*)	(*iv*)	(*iii*)
D.	(*iv*)	(*i*)	(*iii*)	(*ii*)

69. सूची-I के साथ सूची-II का मिलान कीजिए :

सूची-I **सूची-II**

(*a*) रेखीय फलन (*i*)

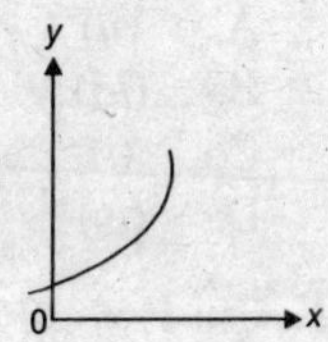

(*b*) चर घातांक फलन (*ii*)

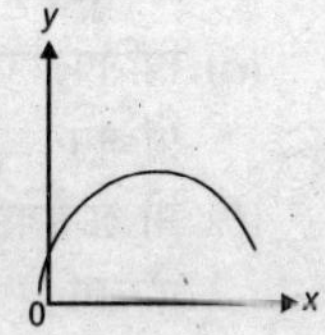

(*c*) द्विघात फलन (*iii*)

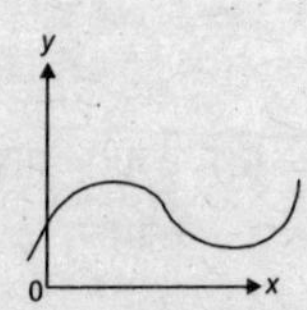

(*d*) त्रिघात फलन (*iv*)

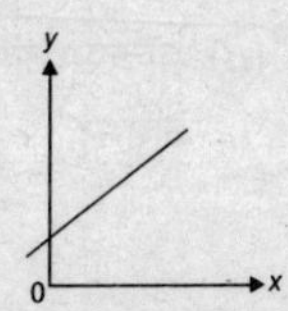

निम्नलिखित विकल्पों में से सही उत्तर का चयन कीजिए :

	(a)	(b)	(c)	(d)
A.	(iv)	(ii)	(i)	(iii)
B.	(i)	(iv)	(iii)	(ii)
C.	(iv)	(i)	(ii)	(iii)
D.	(iv)	(iii)	(ii)	(i)

70. सूची-I के साथ सूची-II का मिलान कीजिए :

सूची-I	सूची-II
(a) मेट्ज़लर विरोधाभास	(i) स्टॉपलर-सैम्युलसन प्रमेय का अतिक्रमण
(b) बिव्हेड प्रभाव	(ii) निर्यातक डॉलर मूल्यह्रास की पूर्ण मात्रा (राशि) से कीमतों में वृद्धि के प्रति अनिच्छुक हो सकते हैं
(c) डच रोग	(iii) अपने परम्परागत औद्योगिक क्षेत्रों में सापेक्षिक प्रतिस्पर्धात्मकता की कमी
(d) जे वक्र	(iv) देश का व्यापार संतुलन, अवमूल्यन अथवा मूल्यह्रास के ठीक बाद में वास्तव में और बदतर हो सके

निम्नलिखित विकल्पों में से सही उत्तर का चयन कीजिए :

	(a)	(b)	(c)	(d)
A.	(ii)	(iii)	(iv)	(i)
B.	(iii)	(iv)	(ii)	(i)
C.	(i)	(ii)	(iii)	(iv)
D.	(iv)	(iii)	(ii)	(i)

71. सूची-I के साथ सूची-II का मिलान कीजिए :

सूची-I	सूची-II
(a) प्रिंसिपल एजेंट प्रॉब्लम	(i) संसाधनों का वांछनीय उपयोग से अधिक उपयोग करना
(b) मोरल हैजर्ड प्रॉब्लम	(ii) किसी व्यक्ति के कार्यों पर ध्यान नहीं दिया जाता है लेकिन इससे भुगतान की मात्रा प्रभावित हो सकती है
(c) ट्रेजडी ऑफ कॉमन्स	(iii) कोई व्यक्ति नियोक्ता के लक्ष्य के बजाय स्वयं के लक्ष्य को प्राप्त करने का प्रयास करता है
(d) प्रॉब्लम ऑफ लेमन्स	(iv) क्रेताओं की तुलना में विक्रेताओं के पास उत्पाद की गुणवत्ता के बारे में बेहतर जानकारी होती है

निम्नलिखित विकल्पों में से सही उत्तर का चयन कीजिए :

	(a)	(b)	(c)	(d)
A.	(iii)	(ii)	(i)	(iv)
B.	(iii)	(ii)	(iv)	(i)
C.	(iv)	(iii)	(i)	(ii)
D.	(i)	(ii)	(iv)	(iii)

72. सूची-I के साथ सूची-II का मिलान कीजिए :

सूची-I	सूची-II
(a) S&P CNX निफ्टी का शुभारंभ	(i) जुलाई 1995
(b) NSE में निवेशक संरक्षण कोष की स्थापना	(ii) मई 1998
(c) NSE की वेबसाईट www.nseindia.com का शुभारंभ	(iii) अप्रैल 1996
(d) NSE को स्टॉक एक्सचेंज के रूप में मान्यता प्रदान की गई	(iv) अप्रैल 1993

निम्नलिखित विकल्पों में से सही उत्तर का चयन कीजिए :

	(a)	(b)	(c)	(d)
A.	(iii)	(ii)	(i)	(iv)
B.	(iii)	(i)	(ii)	(iv)
C.	(ii)	(iv)	(iii)	(i)
D.	(iii)	(ii)	(iv)	(i)

73. सूची-I के साथ सूची-II का मिलान कीजिए :

सूची-I	सूची-II
(a) कार्ल मार्क्स	(i) श्रम का विभाजन
(b) एडम स्मिथ	(ii) बिग पुश थ्योरी
(c) आर. रोडान	(iii) परंपरागत समाज
(d) डब्ल्यू.डब्ल्यू रोस्टोव	(iv) रिजर्व आर्मी

निम्नलिखित विकल्पों में से सही उत्तर का चयन कीजिए :

	(a)	(b)	(c)	(d)
A.	(iii)	(ii)	(i)	(iv)
B.	(iv)	(i)	(iii)	(ii)
C.	(i)	(iii)	(iv)	(ii)
D.	(iv)	(i)	(ii)	(iii)

74. सूची-I के साथ सूची-II का मिलान कीजिए :

सूची-I (राज्य)	सूची-II (2011 में जनसंख्या हजार में)
(*a*) राजस्थान	(*i*) 91,276
(*b*) तमिलनाडु	(*ii*) 68,548
(*c*) पश्चिम बंगाल	(*iii*) 72,627
(*d*) मध्य प्रदेश	(*iv*) 72,147

निम्नलिखित विकल्पों में से सही उत्तर का चयन कीजिए :

	(*a*)	(*b*)	(*c*)	(*d*)
A.	(*ii*)	(*iv*)	(*i*)	(*iii*)
B.	(*iv*)	(*ii*)	(*i*)	(*iii*)
C.	(*ii*)	(*i*)	(*iv*)	(*iii*)
D.	(*iii*)	(*i*)	(*iv*)	(*ii*)

75. सूची-I के साथ सूची-II का मिलान कीजिए :

सूची-I (संस्था)	सूची-II (स्थापना वर्ष)
(*a*) NABARD	(*i*) 1964
(*b*) IFCI	(*ii*) 1955
(*c*) IDBI	(*iii*) 1948
(*d*) ICICI	(*iv*) 1982

निम्नलिखित विकल्पों में से सही उत्तर का चयन कीजिए :

	(*a*)	(*b*)	(*c*)	(*d*)
A.	(*i*)	(*iv*)	(*iii*)	(*ii*)
B.	(*ii*)	(*i*)	(*iv*)	(*iii*)
C.	(*iv*)	(*iii*)	(*i*)	(*ii*)
D.	(*iii*)	(*ii*)	(*i*)	(*iv*)

76. IMF की वर्ल्ड इकॉनोमिक आउटलुक रिपोर्ट के अनुसार निम्नलिखित देशों को वर्ष 2021 की प्राक्कलित वास्तविक जीडीपी वृद्धि दर (वर्ष वार) के अवरोही क्रम में रखें।

(*a*) संयुक्त राज्य अमेरिका
(*b*) जर्मनी
(*c*) यूनाइटेड किंगडम
(*d*) चीन
(*e*) भारत

नीचे दिए गए विकल्पों में से सही उत्तर का चयन कीजिए :

A. (*d*), (*e*), (*c*), (*b*), (*a*)
B. (*e*), (*d*), (*c*), (*a*), (*b*)
C. (*e*), (*c*), (*d*), (*a*), (*b*)
D. (*d*), (*e*), (*b*), (*c*), (*a*)

77. अर्थशास्त्र में नोबेल पुरस्कार विजेताओं को उनके पुरस्कार प्राप्त करने के वर्ष के अनुसार अवरोही क्रम में व्यवस्थित कीजिए :

(*a*) अमर्त्य सेन
(*b*) पॉल क्रुगमैन
(*c*) जेम्स टोबिन
(*d*) फ्रेडरिक हायक
(*e*) मिल्टन फ्राइडमैन

नीचे दिए गए विकल्पों में से सही उत्तर का चयन कीजिए :

A. (*a*), (*b*), (*d*), (*c*), (*e*)
B. (*e*), (*c*), (*a*), (*b*), (*d*)
C. (*a*), (*c*), (*e*), (*d*), (*b*)
D. (*b*), (*a*), (*c*), (*e*), (*d*)

78. निम्नलिखित योजनाओं को उनके शुभारंभ के वर्ष के अनुसार अवरोही क्रम में रखें :

(*a*) जल जीवन मिशन
(*b*) स्वच्छ भारत मिशन (ग्रामीण)
(*c*) प्रधानमंत्री आवास योजना (ग्रामीण)
(*d*) प्रधानमंत्री सड़क योजना (ग्रामीण)
(*e*) प्रधानमंत्री कौशल विकास योजना

नीचे दिए गए विकल्पों में से सही उत्तर का चयन कीजिए :

A. (*b*), (*c*), (*e*), (*d*), (*a*)
B. (*c*), (*a*), (*d*), (*b*), (*e*)
C. (*b*), (*e*), (*c*), (*a*), (*d*)
D. (*c*), (*d*), (*b*), (*e*), (*a*)

79. निम्नलिखित को निधि आवंटन (बजट 2022-23) के आधार पर आरोही क्रम में रखें :

(*a*) रेल मंत्रालय
(*b*) रक्षा मंत्रालय
(*c*) कृषि और किसान कल्याण मंत्रालय
(*d*) सड़क परिवहन और राजमार्ग मंत्रालय
(*e*) ग्रामीण विकास मंत्रालय

नीचे दिए गए विकल्पों में से सही उत्तर का चयन कीजिए :

A. (*a*), (*c*), (*d*), (*b*), (*e*)
B. (*e*), (*b*), (*c*), (*d*), (*a*)
C. (*c*), (*e*), (*a*), (*d*), (*b*)
D. (*b*), (*c*), (*d*), (*e*), (*a*)

80. वर्ष 2022-23 के केन्द्रीय बजट के अनुसार, राजस्व के निम्नलिखित स्रोतों को उनके कुल राजस्व में योगदान के अंश के अनुसार अवरोही क्रम में रखें :

(*a*) सीमा शुल्क
(*b*) आय कर
(*c*) जीएसटी
(*d*) केन्द्रीय उत्पाद शुल्क
(*e*) गैर-ऋण पूँजीगत प्राप्तियाँ

नीचे दिए गए विकल्पों में से सही उत्तर का चयन कीजिए :

A. (*e*), (*b*), (*c*), (*d*), (*a*)
B. (*e*), (*c*), (*b*), (*d*), (*a*)
C. (*c*), (*b*), (*d*), (*a*), (*e*)
D. (*c*), (*b*), (*a*), (*d*), (*e*)

81. CMIE के आँकड़ों (सितम्बर, 2022) के अनुसार निम्नलिखित राज्यों को बेरोजगारी दर के आधार पर अवरोही क्रम में रखें :

(*a*) हरियाणा (*b*) राजस्थान
(*c*) जम्मू-कश्मीर (*d*) झारखंड
(*e*) त्रिपुरा

नीचे दिए गए विकल्पों में से सही उत्तर का चयन कीजिए :

A. (*a*), (*c*), (*d*), (*e*), (*b*)
B. (*b*), (*c*), (*a*), (*d*), (*e*)
C. (*a*), (*b*), (*c*), (*d*), (*e*)
D. (*b*), (*c*), (*a*), (*e*), (*d*)

82. 2021 की नीति आयोग की रिपोर्ट के अनुसार निम्नलिखित राज्यों को जनसंख्या के आधार पर आरोही क्रम में रखें जो बहुआयामी रूप से गरीब हैं :

(*a*) पंजाब (*b*) केरल
(*c*) सिक्किम (*d*) गोवा
(*e*) तमिलनाडु

नीचे दिए गए विकल्पों में से सही उत्तर का चयन कीजिए :

A. (*b*), (*d*), (*c*), (*e*), (*a*)
B. (*d*), (*e*), (*b*), (*c*), (*a*)
C. (*a*), (*e*), (*d*), (*b*), (*c*)
D. (*c*), (*b*), (*a*), (*d*), (*e*)

83. RBI की निम्नलिखित नीतिगत दरों (31-12-2022 के अनुसार) को अवरोही क्रम में रखें :

(*a*) रेपो रेट (*b*) बैंक रेट
(*c*) सी.आर.आर. (*d*) एस.एल.आर.
(*e*) रिवर्स रेपो रेट

नीचे दिए गए विकल्पों में से सही उत्तर का चयन कीजिए :

A. (*a*), (*b*), (*d*), (*c*), (*e*)
B. (*d*), (*a*), (*b*), (*c*), (*e*)
C. (*b*), (*d*), (*a*), (*e*), (*c*)
D. (*d*), (*b*), (*a*), (*c*), (*e*)

84. निम्नलिखित को प्राचीनतम से प्रारंभ करते हुए उनके प्रथम बार प्रतिपादित (उद्भावित) होने के वर्ष के अनुसार उन्हें कालक्रमानुसार व्यवस्थित कीजिए :

(*a*) तरलता वरीयता सिद्धांत
(*b*) आर.एफ. कह्न द्वारा दिया गया गुणक
(*c*) एडम स्मिथ का श्रम-विभाजन
(*d*) फिशर का मुद्रा की मात्रा (परिमाण) सिद्धांत
(*e*) महामंदी

नीचे दिए गए विकल्पों में से सही उत्तर का चयन कीजिए :

A. (*c*), (*e*), (*b*), (*a*), (*d*)
B. (*e*), (*d*), (*c*), (*b*), (*a*)
C. (*b*), (*c*), (*d*), (*e*), (*a*)
D. (*b*), (*a*), (*d*), (*c*), (*e*)

85. निम्नलिखित संगठनों को उनके स्थापना वर्ष के अनुसार प्राचीनतम से प्रारंभ करते हुए व्यवस्थित कीजिए :

(*a*) WTO
(*b*) ADB
(*c*) UNCTAD
(*d*) विश्व बैंक
(*e*) WIPO

नीचे दिए गए विकल्पों में से सही उत्तर का चयन कीजिए :

A. (*d*), (*c*), (*b*), (*e*), (*a*)
B. (*d*), (*b*), (*c*), (*e*), (*a*)
C. (*d*), (*b*), (*c*), (*a*), (*e*)
D. (*d*), (*b*), (*a*), (*c*), (*e*)

86. नीचे दो कथन दिए गए हैं : एक अभिकथन (A) के रूप में लिखित है तो दूसरा कारण (R) के रूप में :

अभिकथन (A): जब अलग-अलग गुणवत्ता वाले उत्पादों को एक ही कीमत पर बेचा जाता है तो एक प्रकार की बाजार विफलता उत्पन्न होती है।

कारण (R): क्रेता और विक्रेता के पास लेन-देन किए जाने वाले उत्पाद के बारे में अलग-अलग जानकारी होती है।

उपरोक्त कथन के आलोक में, नीचे दिए गए विकल्पों में से सही उत्तर का चयन कीजिए :

A. (A) और (R) दोनों सत्य हैं और (R), (A) की सही व्याख्या है
B. (A) और (R) दोनों सत्य हैं और (R), (A) की सही व्याख्या नहीं है
C. (A) सत्य है, लेकिन (R) असत्य है
D. (A) असत्य है, लेकिन (R) सत्य है

87. नीचे दो कथन दिए गए हैं :

कथन I: जब निवेश का स्तर व्यवस्था के अंतर्गत ही स्वयं निर्धारित होता है, तो मौद्रिक नीति की प्रभावशीलता को लोचदार निवेश और गैर-लोचदार तरलता संबंधी तटीयता अनुसूची द्वारा बढ़ाया जाता है, जबकि इसकी विपरीत स्थिति मौद्रिक नीति की प्रभावशीलता के लिए उपयुक्त होती है।

कथन II: राजकोषीय नीति को ध्यान में रखकर बनाई गई मौद्रिक नीति 'ह्रासकारी' प्रभाव का पहले से ही निवारण कर देती है।

उपरोक्त कथन के आलोक में, नीचे दिए गए विकल्पों में से सही उत्तर का चयन कीजिए :

A. कथन I और II दोनों सत्य हैं
B. कथन I और II दोनों असत्य हैं
C. कथन I सत्य है, लेकिन कथन II असत्य है
D. कथन I असत्य है, लेकिन कथन II सत्य है

88. नीचे दो कथन दिए गए हैं :

कथन I: पूँजी सघनीकरण वह प्रक्रिया है जिसके द्वारा श्रम की तुलना में पूँजी में तेज दर से वृद्धि होती है और पूँजी श्रम अनुपात बढ़ता है।

कथन II: प्रति श्रमिक उत्पादन में वृद्धि तकनीकी परिवर्तन के परिणाम रूवरूप होती है जो किसी दिए गए पूँजी/श्रम अनुपात के लिए प्रति श्रमिक उत्पादन को घटाता है।

उपरोक्त कथन के आलोक में, नीचे दिए गए विकल्पों में से सही उत्तर का चयन कीजिए :

A. कथन I और II दोनों सत्य हैं
B. कथन I और II दोनों असत्य हैं
C. कथन I सत्य है, लेकिन कथन II असत्य है
D. कथन I असत्य है, लेकिन कथन II सत्य है

89. नीचे दो कथन दिए गए हैं :

कथन I: देश सदैव यह चाहते हैं कि विदेशी बाजार उनके निर्यातकों के लिए खुले रहें। लेकिन यदि कोई देश अपने स्वयं के बाजार तक पहुँच को सीमित कर देता है तो अन्य देश अपने बाजार को सीमित करने के लिए कार्यवाई कर सकते हैं।

कथन II: व्यापार समझौता अंतर्राष्ट्रीय वाणिज्य की बाधाओं को कम करने में मदद कर सकता है, लेकिन फिर भी देशों को यह विश्वास करना होगा कि अन्य देश 'उचित कार्यवाही' कर रहे हैं।

उपरोक्त कथन के आलोक में, नीचे दिए गए विकल्पों में से सही उत्तर का चयन कीजिए :

A. कथन I और II दोनों सत्य हैं
B. कथन I और II दोनों असत्य हैं
C. कथन I सत्य है, लेकिन कथन II असत्य है
D. कथन I असत्य है, लेकिन कथन II सत्य है

90. नीचे दो कथन दिए गए हैं :

कथन I: आई.एस. वक्र ऋणात्मक ढाल वाला होता है क्योंकि ब्याज दर में वृद्धि होने पर योजनागत निवेश व्यय घटता है और इसके परिणाम स्वरूप आय संतुलन स्तर घटता है।

कथन II: गुणक जितना छोटा होगा और निवेश व्यय ब्याज दरों में परिवर्तनों के प्रति जितना कम संवेदनशील होगा, आई.एस. वक्र उतनी ही अधिक खड़ी ढाल वाला होगा।

उपरोक्त कथन के आलोक में, नीचे दिए गए विकल्पों में से सही उत्तर का चयन कीजिए :

A. कथन I और II दोनों सत्य हैं

B. कथन I और II दोनों असत्य हैं

C. कथन I सत्य है, लेकिन कथन II असत्य है

D. कथन I असत्य है, लेकिन कथन II सत्य है

निर्देश (प्र.सं. 91 से 95 तक): *निम्नलिखित गद्यांश को पढ़ें और प्रश्नों के उत्तर दें।*

''बैंकों और वित्तीय संकट'' पर अनुसंधान करने के लिए बेन एस. बर्नान्के, डगलस डब्ल्यू. डायमंड और फिलिप एच. डायबिज को वर्ष 2022 में अर्थशास्त्र में नोबेल पुरस्कार प्रदान किया गया। उनके अनुसंधान का एक महत्वपूर्ण निष्कर्ष है कि बैंकों के असफल होने को नजरअंदाज करना अहम क्यों है। किसी भी अर्थशास्त्र के कार्यकारण और विकास के लिए बचतों को निवेश में लगाया जाना चाहिए। परंतु एक अन्तर्विरोध उत्पन्न होता है–जबकि बचतकर्ता अनापेक्षित परिव्ययों के लिए अपना धन तुरंत प्राप्त करना चाहते हैं, उधार लेने वाले जानना चाहते हैं कि लिए गए ऋण की समय से पूर्व अदायगी करने के लिए उन पर दबाव नहीं डाला जाएगा। डायमंड और डायबोजी यह स्पष्ट करते हैं कि किस प्रकार बैंक इस समस्या का इष्टतम समाधान प्रस्तुत करते हैं। बैंक ऐसे मध्यस्थ के रूप में काम कर सकते हैं जो बचतकर्ताओं से जमा स्वीकार करते हैं और जमाकर्ताओं को जरूरत पड़ने पर उन्हें उनका धन उपलब्ध करवाते हैं तथा उन्हें दीर्घकालिक ऋण की पेशकश करते हैं। परंतु इन लेखकों के विश्लेषण से यह भी स्पष्ट होता है कि–बैंकों पर अपवादों से प्रतिकूल प्रभाव पड़ता है और निकट भविष्य में उनका दिवाला निकल सकता है। जब बड़ी संख्या में बचतकर्ता एक साथ अपना धन निकालने के लिए बैंक के पास जाते हैं तो बैंक तक की दौड़ शुरू हो जाती है और बैंक का दिवाला निकल जाता है। जमा धनराशि की बीमा सुविधा देकर और बैंकों में जमा पैसों की देनदार बनकर सरकार ऐसे खतरनाक डायनामिक्स को रोक सकती है। डायमंड ने सामाजिक दृष्टि से महत्वपूर्ण बैंक के अन्य कार्य को प्रदर्शित किया। बचतकर्ताओं और उधार लेने वालों के बीच मध्यस्थ की भूमिका निभाने वाले के रूप में बैंक, उधार लेने वालों की ऋण चुकाने की क्षमता का आँकलन करने और ऋणों का उपयोग अच्छे निवेश के लिए करना सुनिश्चित करने के लिए बेहतर स्थिति में होते हैं। इन पुरस्कार प्राप्तकर्ताओं की अन्तदृष्टि से गंभीर संकटों की खर्चीले राहत पैकेजों से बचने की हमारी योग्यता में सुधार हुआ है।

91. बचतों को निवेश के लिए प्रयोग में लाने में बैंकरों को किस अन्तर्विरोध का सामना करना पड़ता है

A. जबकि उधार लेनेवाले ऋण को तुरंत बंद करना चाहते हैं, बचतकर्ता व्यवस्थित रूप में धन आहरित करना चाहते हैं

B. जबकि बचतकर्ता अपने धन को तुरंत प्राप्त करना चाहते हैं, उधार लेने वाले केवल परिपक्व होने पर ही धन चुकाना चाहते हैं

C. जबकि उधार लेने वाले ऋण को तुरंत बंद करना चाहते हैं, उधार लेने वाले अपनी चुकाने की क्षमता से अधिक ऋण की माँग करते हैं

D. बचतकर्ता और उधार लेने वाले दोनों ऋण को तुरंत बंद करना चाहते हैं

92. बचतों को निवेश के लिए प्रयोग में लाने में बैंकरों द्वारा सामना किए जाने वाले अन्तर्विरोध के लिए डायमंड और डायबिज सिद्धांत में क्या समाधान दिया गया है?

A. बैंक बचतकर्ताओं को धन तक तुरंत पहुँच आश्वस्त करें और उधार लेने वालों द्वारा दीर्घकालिक परियोजना को समाप्त करें

B. बैंक, उधार लेने वालों को दीर्घकालिक वित्त आश्वस्त करें और बचत कर्ताओं का खाता समाप्त करें

C. बैंक ऐसे मध्यस्थ की भूमिका निभाए जो बचतकर्ताओं से जमा धनराशि स्वीकार करे और उनकी इच्छा होने पर उनके धन तक उनकी पहुँच सुनिश्चित करे साथ ही उधार लेने वालों को दीर्घकालिक ऋण की पेशकश करे

D. उपरोक्त सभी विकल्प डायमंड और डायबिज सिद्धांत में प्रस्तुत किए गए थे

93. पुरस्कार प्राप्तकर्ताओं के अनुसार किन कारणों से बैंकों का दिवाला निकलना सन्निकट होता है?

A. उधार लेनेवालों का कपटपूर्ण व्यवहार

B. बैंकिंग क्षेत्रों में प्रतिस्पर्धा में वृद्धि होना

C. जब बड़ी संख्या में बचतकर्ता एक साथ अपना पैसा आहरित करते हैं

D. जब बड़ी संख्या में उधार लेने वाले एक साथ बैंक से ऋण लेते हैं

94. अपवाहों के कारण बैंकों का दिवाला निकलने से बचाने के लिए पुरस्कारकर्ताओं ने क्या सुझाव दिए?

A. ऋण देने में कमी लाना

B. ऋण देने में वृद्धि करना

C. अन्य बैंकों के साथ सहयोग करना

D. सरकार द्वारा जमा राशि पर बीमा सुरक्षा देना चाहिए और बैंकों के पास जमा धन का देनदार बनना चाहिए

95. डायमंड के अनुसार बैंक अच्छे निवेश के लिए ऋण का उपयोग कैसे सुनिश्चित करें :

A. चूँकि बैंक, बचतकर्ताओं और उधार लेने वालों के बीच मध्यस्थ के रूप में काम करते हैं, इसलिए उन्हें उधार लेने वालों की ऋण चुकाने की क्षमता के बारे में अच्छी जानकारी होती है, इसलिए वे अच्छे निवेश के लिए ऋण का उपयोग सुनिश्चित कर सकते हैं

B. चूँकि बैंक अपना मुनाफा अधिकतम करना चाहते हैं, इसलिए वे अच्छे निवेश के लिए ऋण का उपयोग सुनिश्चित कर सकते हैं

C. चूँकि बैंक अपने ग्राहकों को लाभ पहुँचाना चाहते हैं, इसलिए वे अच्छे निवेश के लिए ऋण का उपयोग सुनिश्चित कर सकते हैं

D. बैंकों के पास यह सुनिश्चित करने के लिए पर्याप्त जानकारी नहीं होती कि अच्छे निवेश के लिए ऋण का उपयोग कैसे करें

निर्देश (प्र.सं. 96 से 100 तक): *निम्नलिखित गद्यांश को पढ़ें और प्रश्नों के उत्तर दें।*

भारत द्वारा ग्रुप ट्वेंटी (G-20) की अध्यक्षता ग्रहण करना सभी भारतीयों के लिए गर्व की बात है। G-20 एक अंतर सरकारी मंच है जिसमें 19 देश जैसे कि अर्जेंटीना, ऑस्ट्रेलिया, ब्राजील, कनाडा, चीन, फ्रांस, जर्मनी, भारत इंडोनेशिया, इटली, जापान, कोरिया गणराज्य, मेक्सिको, रूस, सऊदी अरब, दक्षिण अफ्रीका, तुर्की, यूनाइटेड किंगडम और यूनाइटेड स्टेट्स तथा यूरोपीय संघ शामिल हैं। एशियाई वित्तीय संकट के बाद, G-20 की स्थापना एक अंतर्राष्ट्रीय आर्थिक सहयोग के मंच के रूप में 1999 में हुई थी। G-20 का आकार विश्व अर्थव्यवस्था में इसकी प्रासंगिकता को दर्शाता है। G-20 के सदस्य 85% विश्व का जीडीपी 75% से अधिक वैश्विक व्यापार और विश्व की 67% जनसंख्या का प्रतिनिधित्व करते हैं। G-20 शिखर सम्मेलन चक्रानुक्रम आधार पर बने अध्यक्ष के नेतृत्व मे वार्षिक रूप से आयोजित होता है। भारत ने 1 दिसम्बर, 2022 को इंडोनेशिया से G-20 की अध्यक्षता ग्रहण की है और वह 2023 में देश में पहली बार G-20 के नेताओं का शिखर सम्मेलन आयोजित करेगा। भारत की G-20 की अध्यक्षता का मूल विषय है—''वसुधैव कुटुम्बकम्'' अर्थात् ''एक धरती, एक परिवार और एक भविष्य'' जिसका लाइफ (LIFE) (पर्यावरण के लिए जीवन शैली) से निकट संबंध है। G-20 की अध्यक्षता एक वर्ष के लिए G-20 का एजेंडा निर्धारित करती है और शिखर सम्मेलन की मेजबानी करती है। G-20 में दो समानांतर मार्ग शामिल हैं जो वित्त मार्ग और शेरपा मार्ग हैं। वित्त मंत्री और केन्द्रीय बैंक के गवर्नर वित्त मार्ग का नेतृत्व करते हैं जबकि शेरपा मार्ग का नेतृत्व शेरपा करते हैं। भारत की G-20 प्राथमिकताएँ हैं—ग्रीन विकास, जलवायु वित्त और जीवन; त्वरित समावेशी और प्रत्यासी विकास; सतत विकास सदस्यों (SDG) पर प्रगति में तेजी लाना; प्रौद्योगिकीय परिवर्तन और डिजिटल सार्वजनिक अवसंरचना; 21वीं सदी के लिए बहुपक्षीय संस्थाएँ, और महिलाओं के नेतृत्व में विकास। भारत ने अनेक पहलों और बैठकों के साथ अपनी अध्यक्षता के कार्यकाल के एजेंडा की शुरुआत कर दी है। इस एजेंडा के एक भाग के रूप में, भारत सितम्बर 2023 में दिल्ली में G-20 का वार्षिक शिखर सम्मेलन आयोजित करने से पहले 32 विभिन्न कार्य शाखाओं के संबंध में 50 से अधिक शहरों में 200 से अधिक बैठकों की मेजबानी करेगा। इस शिखर सम्मेलन में G-20 के अब तक के सर्वाधिक 43 शिष्ट मंडलों के प्रमुख भाग लेंगे। इस शिखर सम्मेलन को आयोजित करने से विश्व व्यवस्था में भारत का कद निश्चित रूप से बढ़ेगा और यह विश्व के

नेताओं के समक्ष भारत की सांस्कृतिक विरासत, संस्कृति और उपलब्धियों के प्रस्तुत करने तथा वैश्विक सतत विकास के लिए भारत की प्रतिबद्धता को दर्शाने का एक बड़ा अवसर है।

96. G-20 की स्थापना मूलतः किस उद्देश्य से की गई थी?

A. अंतर्राष्ट्रीय शांति और आतंकवाद विरोधी मुद्दों पर चर्चा करने के लिए
B. वैश्विक आर्थिक और वित्तीय मुद्दों पर चर्चा करने के लिए
C. जलवायु परिवर्तन और पर्यावरण से संबंधित मुद्दों पर चर्चा करने के लिए
D. रूस और यूक्रेन के बीच युद्ध रोकने के संबंध में चर्चा करने के लिए

97. निम्नलिखित में से कौन-सी भारत की G-20 प्राथमिकता नहीं है?

A. 21वीं सदी के लिए बहुपक्षीय संस्थाएँ
B. महिलाओं के नेतृत्व में विकास
C. सीमा पर सतत विकास
D. प्रौद्योगिकीय परिवर्तन और डिजिटल सार्वजनिक अवसंरचना

98. विश्व की जनसंख्या, वैश्विक जीडीपी और वैश्विक व्यापार की दृष्टि से G-20 का आकार क्रमशः है :

A. 85%, 75% और 85%
B. 67%, 75% और 85%
C. 85%, 67% और 75%
D. 67%, 85% और 75%

99. भारत की G-20 अध्यक्षता के मूल विषय का निम्नलिखित में से किसके साथ निकट संबंध है?

A. वसुधैव कुटुम्बकम्
B. एक धरती, एक परिवार और एक भविष्य
C. प्रौद्योगिकी, अवसंरचना और SDG
D. पर्यावरण के लिए जीवन शैली

100. G-20 में निम्नलिखित में से कौन-से मार्ग शामिल हैं?

A. वित्त मार्ग और शेरपा मार्ग
B. शेरपा मार्ग और अर्थशास्त्र मार्ग
C. जलवायु मार्ग और शेरपा मार्ग
D. शेरपा मार्ग और SDGs मार्ग

उत्तरमाला

1. (C): प्रतिस्थापन की सीमांत दर (MRS) उस दर को मापती है जिस पर उपभोक्ता संतुष्टि या उपयोगिता के समान स्तर को बनाए रखते हुए एक वस्तु का दूसरे वस्तु के विनिमय के रूप में व्यापार करने को तैयार होता है। यह एक वस्तु की सीमांत उपयोगिता और दूसरी वस्तु की सीमांत उपयोगिता का अनुपात है। MRS की अवधारणा का उपयोग आमतौर पर अनधिमान वक्रों के आकार का वर्णन करने के लिए किया जाता है। वास्तव में, उपभोक्ताओं द्वारा सामना किए जाने वाले विकल्पों का वर्णन करते समय हमें किस प्रकार का अनधिमान वक्र मिलता है, यह MRS के व्यवहार पर निर्भर करता है।

उदाहरण के लिए, यदि दो वस्तुएं पूर्ण स्थानापन्न हैं, तो MRS-1 होता है। तटस्थ वस्तुओं के मामले में, MRS अनंत होता है। यदि दो वस्तुएं पूर्ण पूरक हैं, तो MRS या तो शून्य या अनंत होता है और बीच में कुछ भी नहीं होता है।

2. (B): यह निर्धारित करने के लिए कि कौन-सा कथन सत्य नहीं है, आइए प्रत्येक विकल्प का मूल्यांकन करें :

A. किसी वस्तु की खपत पर मूल्य परिवर्तन का कुल प्रभाव आय प्रभाव और प्रतिस्थापन प्रभाव का एक संयोजन होता है।

यह कथन सत्य है। जब किसी वस्तु की कीमत बदलती है, तो उपभोग पर कुल प्रभाव वास्तव में आय प्रभाव और प्रतिस्थापन प्रभाव का एक संयोजन होता है।

B. घटिया वस्तुओं के लिए, आय प्रभाव हमेशा निरपेक्ष रूप से प्रतिस्थापन प्रभाव से बड़ा होता है।

यह कथन सत्य नहीं है। घटिया वस्तुओं के लिए, आय प्रभाव और प्रतिस्थापन प्रभाव विपरीत दिशाओं में काम करते हैं। आय प्रभाव इसलिए होता है क्योंकि कीमत में कमी से उपभोक्ता की वास्तविक आय बढ़ जाती है, जिससे घटिया वस्तु की खपत में कमी आ सकती है। दूसरी ओर, प्रतिस्थापन प्रभाव इसलिए होता है क्योंकि कीमत में कमी से अन्य वस्तुओं की तुलना में घटिया वस्तु अपेक्षाकृत सस्ती हो जाती है, जिससे खपत में वृद्धि हो सकती है। आय प्रभाव और प्रतिस्थापन प्रभाव का सापेक्ष परिमाण विशिष्ट परिस्थितियों पर निर्भर करता है, और हमेशा ऐसा नहीं होता है कि आय प्रभाव प्रतिस्थापन प्रभाव से बड़ा हो।

C. Corner solution के लिए, $MRS_{xy} \neq \frac{P_x}{P_y}$

यह कथन सत्य है। अर्थशास्त्र में, Corner solution तब होता है जब एक उपभोक्ता एक वस्तु का पूरी तरह से उपभोग करता है और बजट की कमी के कारण किसी अन्य वस्तु का उपभोग नहीं करता है। ऐसी स्थिति में, दो वस्तुओं के बीच प्रतिस्थापन की सीमांत दर (MRS) उनकी कीमतों के अनुपात (P_x/P_y) के बराबर नहीं होती है क्योंकि उपभोक्ता दूसरी वस्तु की किसी भी मात्रा का उपभोग नहीं कर रहा है।

D. सामान्य वस्तु के लिए, आय और प्रतिस्थापन दोनों प्रभाव लागू होते हैं

कथन अधूरा है, और यह स्पष्ट नहीं है कि समापन क्या होगा। अतः इसकी सत्यता का निधारण करना असंभव है।

3. (C): यदि नेटवर्क बाह्यताएं नकारात्मक हैं, तो स्नोब प्रभाव उत्पन्न होता है। स्नोब प्रभाव का तात्पर्य प्रभावी मूल्य वाली एक अद्वितीय वस्तु को अपने पास रखने की इच्छा से है। स्नोब प्रभाव बैंडवैगन प्रभाव के बिल्कुल विपरीत काम करता है। किसी वस्तु की मांग की जाने वाली मात्रा जिसका स्नोब मूल्य अधिक होता है, उसके धारक लोगों की संख्या उतनी ही कम होती है। कला की दुर्लभ कलाकृतियाँ, विशेष रूप से डिज़ाइन की गई स्पोर्ट कारें, ऑर्डर पर बनाए गए विशेष रूप से डिज़ाइन किए गए कपड़े, बहुत महंगी लक्जरी कारें। उदाहरण के लिए, एक बहुत महंगी लक्जरी कार से मिलने वाली उपयोगिता मुख्य रूप से इसकी प्रभावी और स्थिति मूल्य के कारण होती है जो इस तथ्य से उत्पन्न होती है कि केवल कुछ ही अन्य लोग इसके धारक होते हैं।

4. (A): नैश (Nash) संतुलन खेल सिद्धांत के भीतर एक निर्णय लेने वाला प्रमेय है जो बताता है कि एक खिलाड़ी अपनी प्रारंभिक रणनीति से विचलित न होकर वांछित परिणाम प्राप्त कर सकता है। नैश संतुलन में, अन्य खिलाड़ियों के निर्णयों पर विचार करते समय प्रत्येक खिलाड़ी की रणनीति इष्टतम होती है। प्रत्येक खिलाड़ी जीतता है क्योंकि सभी को वही परिणाम मिलता है जो वे चाहते हैं। कैदी की दुविधा एक सामान्य खेल सिद्धांत का उदाहरण है जो नैश संतुलन के प्रभाव को पर्याप्त रूप से प्रदर्शित करता है। नैश संतुलन पर अक्सर प्रमुख रणनीति के संयोजन में चर्चा की जाती है, जिसमें कहा गया है कि एक अभिनेता की चुनी हुई रणनीति उन सभी संभावित रणनीतियों में से बेहतर परिणाम देगी, जिनका उपयोग प्रतिद्वंद्वी द्वारा उपयोग की जाने वाली रणनीति की परवाह किए बिना किया जा सकता है। इस प्रमेय का हमेशा यह मतलब नहीं होता कि सबसे इष्टतम रणनीति चुनी गई है।

5. (C)

6. (C): **जोखिम विमुखता (अनिच्छुक) :** समान अपेक्षित मूल्य वाली जोखिम भरी आय की तुलना में एक निश्चित आय को प्राथमिकता देने से जोखिम से विमुख व्यवहार होता है। जोखिम विमुखता जोखिम से बचने की प्रवृत्ति है। यह आकार में अवतल होता है।

जोखिम उन्मुखता (इच्छुक) : समान अपेक्षित मूल्य वाली एक निश्चित आय के स्थान पर जोखिम भरी आय को प्राथमिकता देना जोखिम उन्मुखता की ओर ले जाता है। यह आकार में उत्तल होता है।

जोखिम तटस्थता (निरपेक्ष) : एक निश्चित आय और समान अपेक्षित मूल्य वाली अनिश्चित आय के बीच उदासीन रहने से जोखिम तटस्थता आती है।

जोखिम प्रीमियम : वह धनराशि जो जोखिम न लेने वाला व्यक्ति जोखिम लेने से बचने के लिए चुकाएगा।

7. (C): M_1 धन आपूर्ति का एक संकीर्ण माप है जिसमें भौतिक मुद्रा, मांग जमा, ट्रैवेलर्स चेक और अन्य चेक योग्य जमा शामिल हैं। M_1 में बचत खाते, वाणिज्यिक पत्र, सावधि जमा और बांड जैसी वित्तीय संपत्तियाँ शामिल नहीं हैं।

8. (B): कीन्स की 'पशु भावना' (Animal Spirits) "Man is a Social Animal" के सिद्धांत पर आधारित है जो मनोवैज्ञानिक कारकों और मानव व्यवहार को संदर्भित करती हैं तथा निवेश सहित आर्थिक निर्णयों को प्रभावित करती हैं। पशु भावना उन गैर-तर्कसंगत या भावनात्मक कारकों का प्रतिनिधित्व करती है जो आशावाद, आत्मविश्वास जैसी भावनाओं से निवेश-निर्णयों को प्रभावित करती हैं। ये पशु भावना निवेश के स्तर में उतार-चढ़ाव ला सकती हैं और किसी अर्थव्यवस्था में मौजूदा निवेश के स्तर को निर्धारित करने में महत्वपूर्ण भूमिका निभा सकती हैं।

9. (A): मुंडेल-फ्लेमिंग मॉडल में, मौद्रिक नीति की प्रभावशीलता पूंजी गतिशीलता और लचीली विनिमय दर के संयोजन पर निर्भर करती है।

इस परिदृश्य में, पूर्ण पूंजी गतिशीलता का तात्पर्य यह है कि सीमाओं के पार पूंजी की आवाजाही पर कोई प्रतिबंध नहीं है। निवेशक ब्याज दर के अंतर के आधार पर घरेलू और विदेशी परिसंपत्तियों के बीच आसानी से धनराशि स्थानांतरित कर सकते हैं। लचीली विनिमय दर का मतलब है कि विनिमय दर बाजार की शक्तियों द्वारा निर्धारित की जाती है और आपूर्ति और मांग में बदलाव के प्रत्युत्तर में इसे स्वतंत्र रूप से समायोजित करने की अनुमति दी जाती है। इन परिस्थितियों में, मौद्रिक नीति अधिक प्रभावी हो सकती है क्योंकि केंद्रीय बैंक द्वारा ब्याज दरों में बदलाव का सीधा असर पूंजी प्रवाह पर पड़ेगा। विशेष रूप से, यदि किसी देश का केंद्रीय बैंक ब्याज दरें बढ़ाता है, तो वह उच्च रिटर्न के कारण विदेशों से पूंजी आकर्षित करता है। यह पूंजी प्रवाह घरेलू मुद्रा की विनिमय दर पर ऊपर की ओर दबाव डालता है, जो बदले में, शुद्ध निर्यात को कम कर सकता है और घरेलू निवेश को प्रोत्साहित कर सकता है।

10. (B): यदि घटना A और B स्वतंत्र नहीं हैं, तो इसका मतलब है कि एक घटना का घटित होना या न होना दूसरी घटना की संभावना को प्रभावित करता है। इस स्थिति में, सही विकल्प होगा :

$$B \cdot P(A \cap B) = P(A) \cdot P(B|A)$$

यह सूत्र दोनों घटनाओं A और B के एक साथ घटित होने की संभावना को दर्शाता है, बशर्ते कि घटना A पहले ही घटित हो चुकी हो। यह घटना A के बाद घटना B के घटित होने की सशर्त संभावना को ध्यान में रखता है।

विकल्प (A): $(P(A \cap B) = P(A) \times P(B))$ घटनाओं A और B को स्वतंत्र मानता है, जो दी गई जानकारी का खंडन करता है।

विकल्प (C): $(P(A \cap B) = P(A) \cdot P(A/B))$ गलत है क्योंकि यह बताता है कि घटना B के घटित होने की संभावना घटना A पर निर्भर है, जो जरूरी नहीं कि सत्य हो।

विकल्प (D): $(P(A \cap B) = 1 - P(A \cup B))$ घटना A और B की स्वतंत्रता से असंबंधित है। यह घटनाओं A और B के प्रतिच्छेदन की संभावना का प्रतिनिधित्व करता है, जो उनके यूनियन की संभावना के विपरीत है।

11. (C): चेन-वेटेड सीपीआई जीवनयापन की लागत की अधिक सटीक तस्वीर प्रदान करने के लिए वास्तविक खरीदारी निर्णयों को ध्यान में रखता है। यह उपभोक्ता की प्राथमिकताएँ बदलने पर खर्च में होने वाले सामान्य बदलाव और सापेक्ष कीमतों में बदलाव होने पर प्रतिस्थापन प्रभाव दोनों को पकड़ सकता है। शृंखला-भारित सीपीआई में समायोजन इसे जीवनयापन की लागत का बेहतर माप बनाता है, लेकिन मुद्रास्फीति का कम सटीक माप बनाता है। 2017 में, संघीय आयकर ब्रैकेट निर्धारित करने में नियमित सीपीआई के लिए चेन-वेटेड सीपीआई को प्रतिस्थापित किया गया था।

12. (A): यदि उपभोग फलन मूल (0, 0) से होकर गुजरता है और उपभोग करने की औसत प्रवृत्ति (APC) सीमांत उपभोग प्रवृत्ति (MPC) के बराबर है, तो उपभोग फलन बिना किसी अवरोध के एकरेखीय फलन होना चाहिए।

औसत उपभोग प्रवृत्ति (APC) को उपभोग (C) और आय (Y) के अनुपात के रूप में परिभाषित किया गया है, जबकि सीमांत उपभोग प्रवृत्ति (MPC) आय में परिवर्तन द्वारा विभाजित उपभोग में परिवर्तन है। गणितीय रूप से, हम इन संबंधों को इस प्रकार व्यक्त कर सकते हैं :

$$APC = C/Y$$
$$MPC = \Delta C/\Delta Y$$

चूँकि उपभोग फलन मूल बिंदु (0, 0) से होकर गुजरता है, इसका मतलब है कि जब आय शून्य है, तो उपभोग भी शून्य है। इसका तात्पर्य यह है कि बिंदु (0, 0) पर APC भी शून्य है।

यदि APC, MPC के बराबर है, तो इसका मतलब है कि आय (ΔY) में किसी भी बदलाव के लिए, उपभोग में परिवर्तन (ΔC) समान है। दूसरे शब्दों में, $\Delta C/\Delta Y$ का अनुपात संपूर्ण आय सीमा में स्थिर रहता है।

बिना किसी अवरोध के एक रैखिक फलन के लिए, ढाल (जो MPC का प्रतिनिधित्व करता है) पूरे आय सीमा में स्थिर रहता है। इसलिए, यदि APC, MPC के बराबर है और फलन मूल से होकर गुजरता है, तो इसका मतलब है कि उपभोग फलन बिना किसी अवरोध के एक रैखिक फलन होना चाहिए।

13. (C): उत्पादक के अधिशेष का पता लगाने के लिए, हमें उत्पादक के आपूर्ति वक्र और बाजार मूल्य के बीच के क्षेत्र की गणना करने की आवश्यकता है। उत्पादक का अधिशेष उस अतिरिक्त लाभ का प्रतिनिधित्व करता है जो उत्पादकों को उनकी सीमांत लागत से अधिक कीमत पर अपना माल बेचने से प्राप्त होता है।

इस मामले में, हमारे पास निम्नलिखित समीकरण हैं :

उत्पादक की मांग : $P_d = 3x^2 - 20x + 5$

उत्पादक की आपूर्ति : $P_s = 15 + 9x$

संतुलन कीमत निर्धारित करने के लिए, हम उत्पादक की मांग को उत्पादक की आपूर्ति के बराबर निर्धारित करते हैं :

$$3x^2 - 20x + 5 = 15 + 9x$$

समीकरण को सरल करने पर :

$$3x^2 - 29x - 10 = 0$$

द्विघात सूत्र का उपयोग करके :

$$x = (-b \pm \sqrt{(b^2 - 4ac)})/(2a)$$

इस समीकरण के लिए, $a = 3$, $b = -29$, और $c = -10$.

$$x = (-(-29) \pm \sqrt{((-29)^2 - 4(3)(-10))})/(2(3))$$
$$x = (29 \pm \sqrt{(841 + 120)})/6$$
$$x = (29 \pm \sqrt{961})/6$$
$$x = (29 \pm 31)/6$$

x के लिए दो संभावित समाधान हैं :

$$x_1 = (29 + 31)/6 = 10$$
$$x_2 = (29 - 31)/6 = -1/3$$

हम नकारात्मक मान को अनदेखा कर सकते हैं। इसलिए, संतुलन मात्रा $x = 10$ है।

संतुलन कीमत (Pe) ज्ञात करने के लिए, हम इस मान को वापस उत्पादक मांग या आपूर्ति समीकरण में प्रतिस्थापित करते हैं। आपूर्ति समीकरण का उपयोग करने पर :

$$Ps = 15 + 9x$$
$$Pe = 15 + 9(10)$$
$$Pe = 15 + 90$$
$$Pe = 105$$

संतुलन कीमत Pe = 105 है।

इस प्रकार, संतुलन कीमत (Pe) 105 है।

कुल राजस्व = $P \times x = 105 \times 10 = 1050$

कुल आपूर्ति मूल्य = 600

उत्पादक अधिशेष = 1050 − 600 = 450.

14. (C): मांग की आय लोच की गणना करने के लिए, हमें आय (Y) के संबंध में मांग फलन को अवकलित करने की आवश्यकता है और फिर इसे मूल मांग फलन द्वारा आय (Y) से गुणा करके विभाजित करना होगा। मांग की आय लोच का सूत्र है :

मांग की आय लोच = $(\partial QA/\partial Y) * (Y/QA)$

मांग फलन को देखते हुए :

$$Q_A = 100 - 2P_A + 0.2Y + 0.3P_B$$

दिए गए मानों को प्रतिस्थापित करने पर,

$$P_A = 6,\ Y = 500,\ P_B = 10$$
$$Q_A = 100 - 2(6) + 0.2(500) + 0.3(10)$$
$$= 100 - 12 + 100 + 3 = 191$$

आय (Y) के संबंध में मांग फलन को अवकलित करने पर,

$$\partial QA/\partial Y = 0.2$$

आय लोच सूत्र में मानों को प्रतिस्थापित करने पर,

माँग की लोच = $(0.2) \times (500/191)$
$= 0.2 \times 2.6152$
$= 0.52304$

इसलिए, वस्तु A की माँग की लोच लगभग 0.52304 है।

15. (C)

16. (A): एक लॉजिस्टिक रिग्रेशन मॉडल में, संभावना अनुपात और लॉजिट के बीच संबंध इस प्रकार है : जैसे-जैसे संभावना अनुपात 1 से 0 तक घटता है, लॉजिट तेजी से नकारात्मक हो जाता है।

संभावना अनुपात (OR) किसी घटना के घटित होने की संभावना और उसके घटित न होने की संभावना का अनुपात है। यह विफलता (या घटना के पूरक) के सापेक्ष सफलता (या किसी घटना) की संभावना का प्रतिनिधित्व करता है। संभावना अनुपात 0 से सकारात्मक अनंत तक हो सकता है।

लॉजिट, जिसे लॉग-ऑड्स के रूप में भी जाना जाता है, संभावना अनुपात का प्राकृतिक लघुगणक है। गणितीय रूप से, इसे इस प्रकार व्यक्त किया जा सकता है :

$$\text{logit}(p) = \ln(p/(1 - p))$$

जहाँ p घटना घटित होने की प्रायिकता है।

जब संभावना अनुपात 1 होता है, तो इसका मतलब है कि घटना के घटित होने की संभावना उसके घटित न होने की संभावना के बराबर है। इस मामले में, लॉजिट 0 है। जैसे ही संभावना अनुपात 1 से कम हो जाता है, जो घटना के घटित न होने के सापेक्ष घटने वाली बाधाओं को दर्शाता है, लॉजिट नकारात्मक हो जाता है। जितना अधिक विषम अनुपात 1 से 0 की ओर विचलित होता है, लॉजिट उतना ही अधिक नकारात्मक हो जाता है।

इसके विपरीत, जैसे-जैसे अंतर अनुपात 1 से ऊपर बढ़ता है, जो घटना के घटित न होने की तुलना में घटित होने की बढ़ती संभावना को दर्शाता है, लॉजिट सकारात्मक हो जाता है। जितना अधिक विषम अनुपात 1 से सकारात्मक अनंत की ओर विचलित होता है, लॉजिट उतना ही अधिक सकारात्मक हो जाता है।

यह ध्यान रखना महत्वपूर्ण है कि लॉजिट संभावना अनुपात का एक रैखिक परिवर्तन है और इसका उपयोग संभाव्य चर और लॉजिस्टिक रिग्रेशन में होने वाली घटना की संभावना के बीच संबंध का मॉडल बनाने के लिए किया जाता है।

17. (D): दिया गया रिग्रेशन मॉडल,

$Y_i = \alpha_1 + \beta_1 X_i + \beta_2(X_i - X^*) D_i + U_i$, का उपयोग विकल्प D के लिए किया जा सकता है, जो आँकड़ों के खंड-2 रैखिक संबंध का परीक्षण करता है।

इस मॉडल में, Y_i निर्भर चर का प्रतिनिधित्व करता है, X_i स्वतंत्र चर का प्रतिनिधित्व करता है, D_i एक छद्म चर का प्रतिनिधित्व करता है जो 1 का मान लेता है जब X_i X^* से अधिक है और 0 अन्यथा, α_1 अवरोधन शब्द है, β_1 गुणांक है X_i के लिए, β_2 इंटरैक्शन शब्द $(X_i - X^*) D_i$ के लिए गुणांक है, और U_i त्रुटि शब्द का प्रतिनिधित्व करता है।

इंटरेक्शन शब्द $(X_i - X^*) D_i$ को शामिल करके, मॉडल स्वतंत्र चर X_i पर एक अलग ढाल (β_2) की अनुमति देता है, जो इस बात पर निर्भर करता है कि X_i एक निश्चित सीमा X^* से ऊपर है या नीचे। यह आँकड़ों के खंड-खंड रैखिक संबंध को कैप्चर कर सकता है जहाँ ढाल एक विशिष्ट बिंदु पर बदलता है।

इसलिए, इस रिग्रेशन मॉडल का उपयोग आँकड़ों के खंड-खंड रैखिक संबंध के परीक्षण के लिए किया जा सकता है।

18. (D): माना S प्रायिकता समष्टि है,

तब, S = {HH, HT, TH, TT},

$\because$ 2 सिक्के उछाले जाते हैं

$\therefore n(S) = 4$

अब, प्रायिकता : $P(HH) = \frac{1}{4}$, जीता : $n_1 =$ ₹ 5

$P(HT, TH) = \frac{2}{4}$, जीता : $n_2 =$ ₹ 2

$P(TT) = \frac{1}{4}$, जीता : $n_3 =$ ₹ 1

$$\therefore \text{ अपेक्षित लाभ } = \frac{1}{4} \times 5 + \frac{2}{4} \times 2 + \frac{1}{4} \times 1$$

$$= \frac{5+4+1}{4}$$

$$= \frac{10}{4}$$

= ₹ 2.50

इसलिए, खिलाड़ी का अपेक्षित लाभ ₹ 2.50 है।

19. (B): माना S प्रायिकता समष्टि है,

तब $n(S) = 52$

यहाँ ईंट का पत्ता 13 है जिसमें 1 बादशाह है + 3 और बादशाह हैं

माना E = 1 ईंट का पत्ता या 1 बादशाह होने की घटना है।

तब $n(E) = 13 + 3 = 16$

$$\therefore \quad P(E) = \frac{n(E)}{n(S)} = \frac{16}{52}$$

अतः अभीष्ट प्रायिकता $= \frac{16}{52}$

20. (A): एक युगपत समीकरण मॉडल में, यदि मॉडल पुनरावर्ती है तो साधारण न्यूनतम वर्ग (OLS) अनुमान सीधे लागू किया जा सकता है। एक पुनरावर्ती मॉडल वह है जिसमें प्रत्येक अंतर्जात चर केवल अपने स्वयं के पिछले मूल्यों और सिस्टम में बहिर्जात चर द्वारा निर्धारित होता है। इसका मतलब यह है कि अंतर्जात चर के बीच कोई फीडबैक लूप या युगपत संबंध नहीं हैं।

एक पुनरावर्ती मॉडल में, OLS अनुमान का उपयोग प्रत्येक समीकरण को अलग-अलग और क्रमिक रूप से मानकर मापदंडों का अनुमान लगाने के लिए किया जा सकता है। प्रक्रिया में OLS का उपयोग करके पहले समीकरण का अनुमान लगाना, अंतर्जात चर के अनुमानित मान प्राप्त करना और फिर बाद के समीकरणों में व्याख्यात्मक चर के रूप में इन अनुमानित मानों का उपयोग करना शामिल है।

21. (C): ग्रामीण भूमिहीन रोजगार गारंटी कार्यक्रम (RLEGP) 15 अगस्त, 1983 को शुरू किया गया था। इसका उद्देश्य लाभकारी रोजगार के अवसर पैदा करना, ग्रामीण क्षेत्र में उत्पादक संपत्ति बनाना और ग्रामीण जीवन की समग्र गुणवत्ता में सुधार करना था। पूर्व प्रधानमंत्री इंदिरा गांधी ने छठी पंचवर्षीय योजना के हिस्से के रूप में इस कार्यक्रम की शुरुआत की थी। इस कार्यक्रम में, धन की कमी के कारण गारंटी का संचालन नहीं किया गया। इस कार्यक्रम में भूमिहीन मजदूरों, महिलाओं, अनुसूचित जाति और अनुसूचित जनजाति को रोजगार में प्राथमिकता दी गई। यह कार्यक्रम पूरी तरह से केंद्र सरकार द्वारा वित्त पोषित है।

22. (B): 1 अप्रैल, 2015 को भारत सरकार की वाणिज्य और उद्योग राज्य मंत्री (स्वतंत्र प्रभार) सुश्री निर्मला सीतारमण द्वारा विदेश व्यापार नीति FTP 2015-20 का अनावरण किया गया। FTP 2015-20 'मेक इन इंडिया'

कार्यक्रम के अनुरूप, वस्तुओं और सेवाओं के निर्यात को बढ़ाने के साथ-साथ रोजगार सृजन और देश में मूल्यवर्धन बढ़ाने के लिए रूपरेखा प्रस्तुत करता है। नीति का उद्देश्य तेजी से विकसित हो रहे अंतर्राष्ट्रीय व्यापार ढांचे के साथ कदम मिलाकर चलते हुए भारत को बाहरी वातावरण की चुनौतियों का सामना करने में सक्षम बनाना और व्यापार को देश की आर्थिक वृद्धि और विकास में एक प्रमुख योगदानकर्ता बनाना है।

23. (B): भारत में 14वें वित्त आयोग के अध्यक्ष डॉ. वाई.वी. रेड्डी थे। उन्होंने फरवरी 2013 से दिसंबर 2014 तक अध्यक्ष के रूप में कार्य किया। वित्त आयोग भारत में एक संवैधानिक निकाय है जिसे केंद्र सरकार और राज्य सरकारों के बीच वित्तीय संसाधनों के वितरण की सिफारिश करने के लिए हर पाँच वर्ष में नियुक्त किया जाता है। इसकी प्राथमिक भूमिका केंद्र और राज्यों के बीच कर राजस्व और सहायता अनुदान के बंटवारे पर सिफारिशें करना है।

24. (B): जमींदारी प्रथा को स्थायी बंदोबस्त प्रणाली के रूप में भी जाना जाता है, जिसे सबसे पहले लॉर्ड कॉर्नवालिस ने बंगाल, बिहार, उड़ीसा और वाराणसी प्रांतों में शुरू किया था। जमींदारों को भूस्वामी के रूप में मान्यता दी गई। किसानों द्वारा भूमि कर का भुगतान नकद में किया जाता था। जमींदारों के पास 1/11 हिस्सा था, और ईस्ट इंडिया कंपनी के पास 10/11 हिस्सा था।

25. (D)

26. (A): कुल भार हानि और संग्रहीत कर राजस्व की गणना करने के लिए, हमें उपभोक्ता अधिशेष, उत्पादक अधिशेष और कर के कारण कुल अधिशेष में परिवर्तन का विश्लेषण करने की आवश्यकता है।

कर रहित कीमत : ₹ 5

कर सहित कीमत : ₹ 7

प्रति यूनिट कर : ₹ 2

चूंकि दोनों व्यक्ति, X और Y, शुरू में ब्रेड के पैकेट को बिना कर के उसकी कीमत से अधिक महत्व देते हैं, इसलिए जब कीमत ₹ 5 होती है तो वे एक-एक पैकेट खरीदना चुनते हैं। हालाँकि, जब कर के कारण कीमत बढ़कर ₹ 7 हो जाती है, तो हमें अपने निर्णयों को फिर से निर्धारित की आवश्यकता होती है।

व्यक्ति X के लिए

ब्रेड पैकेट का मूल्य : ₹ 8

कर रहित कीमत : ₹ 5 (किफायती)

कर सहित मूल्य : ₹ 7 (किफायती)

X फिर भी ब्रेड का पैकेट खरीदेगा।

व्यक्ति Y के लिए

ब्रेड पैकेट का मूल्य : ₹ 6

कर रहित कीमत : ₹ 5 (किफायती)

कर के साथ कीमत : ₹ 7 (किफायती नहीं)

Y ब्रेड का पैकेट नहीं खरीदेगा।

अब आइए कुल भार हानि और संग्रहीत कर राजस्व की गणना करें :

कुल भार हानि :

कुल भार हानि कर के कारण कुल अधिशेष में हानि का प्रतिनिधित्व करती है। इस मामले में, यह Y के ब्रेड पैकेट न खरीदने के निर्णय के कारण होता है क्योंकि कर के साथ कीमत उनके मूल्यांकन से अधिक है।

कुल भार हानि = 0.5 × (नहीं खरीदी गई मात्रा) × (कर के बिना कीमत − कर के साथ कीमत)

नहीं खरीदी गई मात्रा = 1 (चूंकि Y पैकेट नहीं खरीदता है)

कर रहित कीमत = ₹ 5

कर सहित कीमत = ₹ 7

कुल भार हानि = 0.5 × 1 × (₹ 5 − ₹ 7)
= 0.5 × (− ₹ 2)
= − ₹ 1

ध्यान दें कि नकारात्मक मान कुल अधिशेष में हानि दर्शाता है।

संग्रहीत राजस्व कर :

कर राजस्व की गणना प्रति यूनिट कर को खरीदी गई मात्रा से गुणा करके की जाती है।

खरीदी गई मात्रा = 1 (X पैकेट खरीदता है)

संग्रहीत कर राजस्व = प्रति इकाई कर × खरीदी गई मात्रा

= ₹ 2 × 1 = ₹ 2

इसलिए, कुल भार हानि – ₹ 1 है, और संग्रहीत कर राजस्व ₹ 2 है।

27. (B): प्राथमिक घाटे को राजकोषीय घाटे से अलग करने वाला घटक ब्याज भुगतान है। प्राथमिक घाटा ब्याज भुगतान को छोड़कर सरकार की उधार लेने की आवश्यकता का एक माप है। यह ब्याज भुगतान को छोड़कर सरकार के कुल व्यय (राजस्व और पूंजीगत व्यय दोनों सहित) और उसके कुल राजस्व (राजस्व और पूंजीगत प्राप्तियों दोनों सहित) के बीच अंतर का प्रतिनिधित्व करता है।

दूसरी ओर, राजकोषीय घाटा सरकार की कुल उधार आवश्यकता का प्रतिनिधित्व करता है, जिसमें ब्याज भुगतान और अन्य व्यय दोनों शामिल हैं। यह सरकार के कुल व्यय (ब्याज भुगतान सहित) और उसके कुल राजस्व (ब्याज प्राप्तियों सहित) के बीच का अंतर है।

28. (C): मुद्रास्फीति एक आपूर्ति पक्ष की घटना है। मुद्रास्फीति लक्ष्यीकरण दृष्टिकोण मुद्रास्फीति को नियंत्रित करने पर ध्यान केंद्रित करके मूल्य स्थिरता बनाए रखने के लिए केंद्रीय बैंकों द्वारा उपयोग किया जाने वाला एक ढांचा है। जबकि दृष्टिकोण कई धारणाएं और निष्कर्ष निकालता है, यह धारणा कि मुद्रास्फीति केवल आपूर्ति पक्ष की घटना है, उनमें से एक नहीं है।

मुद्रास्फीति लक्ष्यीकरण दृष्टिकोण से जुड़ी धारणाएँ और निष्कर्ष यहाँ दिए गए हैं :

- **ब्याज दर मौद्रिक नीति का प्रमुख साधन है :** यह मुद्रास्फीति लक्ष्यीकरण दृष्टिकोण की एक धारणा है। यह सुझाव देता है कि केंद्रीय बैंक मुख्य रूप से मुद्रास्फीति को नियंत्रित करने के लिए ब्याज दरों को अपने प्राथमिक उपकरण के रूप में उपयोग करते हैं।
- **उच्च ब्याज दर कुल मांग को नियंत्रित करती है :** यह मुद्रास्फीति लक्ष्यीकरण दृष्टिकोण की एक धारणा है। यह मानता है कि ब्याज दरें बढ़ाकर, केंद्रीय बैंक अर्थव्यवस्था में कुल मांग को कम कर सकते हैं, जिससे मुद्रास्फीति को नियंत्रित करने में मदद मिल सकती है।
- **मुद्रा आपूर्ति की मात्रा मुद्रास्फीति को नियंत्रित करने में बहुत प्रभावी नहीं है :** यह मुद्रास्फीति लक्ष्यीकरण दृष्टिकोण का निष्कर्ष है। यह सुझाव देता है कि मुद्रा आपूर्ति की मात्रा को नियंत्रित करना मुद्रास्फीति को प्रभावी ढंग से प्रबंधित करने और नियंत्रित करने के लिए पर्याप्त नहीं हो सकता है।

29. (C): घाटे का अनुपात एक आर्थिक अनुपात है जो देश के कुल उत्पादन और उत्पादन पर बढ़ती और घटती मुद्रास्फीति के प्रभाव को मापता है। मुद्रास्फीति में गिरावट के प्रत्युत्तर में लागत आर्थिक उत्पादन की धीमी गति से जुड़ी हुई होती है।

30. (C): राजकोषीय बिल (T-bills) के लाभ की गणना करने का सूत्र इस प्रकार है :

$$Y = (D/P) \times 365$$

जहाँ

Y = बट्टागत उत्पादन

P = मूल्य

D = परिपक्वता अवधि

इस सूत्र में, लाभ की गणना परिपक्वता के दिनों की संख्या (D) को टी-बिल की कीमत (P) से विभाजित करके और फिर परिणाम को 365 से गुणा करके की जाती है। परिणाम आम तौर पर प्रतिशत के रूप में व्यक्त किया जाता है।

सूत्र को इस प्रकार पुनः लिखा जा सकता है :

$$Y = \frac{(100 - P) \times 365 \times 100}{P \times D}$$

31. (B): निर्धनता-भारित वृद्धि दर एक ऐसे उपाय को संदर्भित करती है जो निर्धनता के स्तर पर विशेष ध्यान देने के साथ किसी देश की आर्थिक विकास दर और उसकी आबादी के बीच आय या धन के वितरण दोनों को ध्यान में रखता है।

32. (B): मार्क्सवादी सिद्धांत में, पूंजी की जैविक संरचना की अवधारणा किसी दिए गए उत्पादन प्रक्रिया में स्थिर पूंजी (C) और परिवर्तनीय पूंजी (V) के बीच के अनुपात को संदर्भित करती है। अनुपात इस प्रकार व्यक्त किया जाता है :

पूंजी की जैविक संरचना = C/V

यह अनुपात श्रम शक्ति (परिवर्तनीय पूंजी) में निवेश की गई पूंजी की तुलना में उत्पादन के साधनों (स्थिर पूंजी) में निवेश की गई पूंजी के अनुपात को दर्शाता है। यह पूंजीवादी उत्पादन में पूंजी की बदलती संरचना और श्रम के शोषण पर इसके प्रभाव का विश्लेषण करने में मदद करता है।

33. (C): बाह्यता से तात्पर्य किसी गतिविधि में सीधे तौर पर शामिल व्यक्तियों या संस्थाओं के अलावा अन्य पार्टियों पर आर्थिक गतिविधि के प्रभाव से है। यह सकारात्मक या नकारात्मक हो सकता है और व्यक्तियों, समुदायों या पर्यावरण को प्रभावित करता है। बाह्यताएँ विभिन्न स्रोतों से उत्पन्न हो सकती हैं, जैसे उत्पादन प्रक्रियाएँ, उपभोग विकल्प, या संसाधन की कमी।

दूसरी ओर, उपभोक्ता सम्प्रभुता, अर्थशास्त्र में एक अवधारणा है जो उपभोक्ताओं की अपने क्रय निर्णयों के माध्यम से बाजार द्वारा उत्पादित वस्तुओं और सेवाओं के प्रकार और मात्रा को निर्धारित करने की शक्ति को संदर्भित करती है। यह इस विचार से जुड़ा है कि उपभोक्ता की प्राथमिकताएँ बाज़ार के परिणामों को संचालित करती हैं।

जबकि बाह्यताएँ उपभोक्ता की पसंद और बाजार के परिणामों को प्रभावित कर सकती हैं, वे स्वाभाविक रूप से उपभोक्ता सम्प्रभुता से बंधे नहीं हैं। बाह्यताओं का दायरा व्यापक है, जिसमें आर्थिक गतिविधियों के परिणाम शामिल हैं जो व्यक्तिगत उपभोक्ताओं और उनकी प्राथमिकताओं से परे हैं।

इसलिए, बाह्यता के मामले में कथन B सत्य नहीं है।

34. (A)

35. (C)

36. (A): समतुल्य भिन्नता आय में समायोजन है जो उपभोक्ता की उपयोगिता को उस स्तर के बराबर बदल देती है जो घटना होने पर घटित होती। सकारात्मक आर्थिक परिवर्तन के मामले में, जैसे कि कीमत में गिरावट, EV आय में वृद्धि होगी जो उपभोक्ता को वही अतिरिक्त उपयोगिता देगी जो कीमत गिरने पर होगी। नकारात्मक आर्थिक परिवर्तन के मामले में, EV आय की वह राशि होगी जो उपभोक्ता की उपयोगिता को उस स्तर तक कम करने के लिए ले ली जाएगी जो परिवर्तन होने पर होगी। किसी वस्तु की कीमत में वृद्धि के लिए समतुल्य भिन्नता को भुगतान करने की इच्छा के रूप में समझा जा सकता है।

37. (A): विशिष्ट कारक मॉडल के अनुसार, सही कथन A है। विशिष्ट कारक मॉडल में, उत्पादन के कारकों को तीन श्रेणियों में विभाजित किया गया है : निर्यात क्षेत्र के लिए विशिष्ट, आयात-प्रतिस्पर्धी क्षेत्रों के लिए विशिष्ट, और चल कारक। मॉडल बताता है कि व्यापार से निर्यात क्षेत्र के लिए विशिष्ट कारक को लाभ होता है क्योंकि इससे निर्यात के लिए उत्पादित वस्तुओं की मांग में वृद्धि होती है और कीमतें अधिक होती हैं। दूसरी ओर, व्यापार आयात-प्रतिस्पर्धी क्षेत्रों के लिए विशिष्ट कारक को नुकसान पहुंचाता है क्योंकि यह उन्हें विदेशी वस्तुओं से प्रतिस्पर्धा के लिए उजागर करता है, जिससे घरेलू स्तर पर उत्पादित वस्तुओं की मांग कम हो सकती है और साथ ही कीमतें भी कम हो सकती हैं। चल कारकों पर प्रभाव को अस्पष्ट माना जाता है क्योंकि वे कुछ हद तक क्षेत्रों के बीच स्थानांतरित हो सकते हैं, इसलिए समग्र प्रभाव गतिशीलता लागत और वैकल्पिक रोजगार के अवसरों की उपलब्धता जैसे कारकों पर निर्भर करेगा।

38. (A): कुछ विश्लेषकों ने सुझाव दिया कि गरीब देशों में विकास वास्तव में स्व-पराजय होगा। उन्होंने तर्क दिया कि गरीब देशों द्वारा निर्यात-पक्षपाती वृद्धि से उनके व्यापार की शर्तें इतनी खराब हो जाएंगी कि

उनकी स्थिति उससे भी बदतर हो जाएगी यदि वे बिल्कुल भी विकसित नहीं हुए होते। इस स्थिति को अर्थशास्त्री असंतुलित विकास के मामले के रूप में जानते हैं।

39. (B): ग्रेविटी मॉडल का सही अभिधारणा विकल्प B है : 'दोनों देश जितने बड़े और करीब होंगे, उनके बीच व्यापार की मात्रा उतनी ही अधिक होने की उम्मीद है।'

ग्रेविटी मॉडल एक आर्थिक मॉडल है जो बताता है कि दो देशों के बीच व्यापार की मात्रा सीधे उनकी अर्थव्यवस्थाओं के आकार (जीडीपी द्वारा मापी गई) के समानुपाती होती है और उनके बीच की दूरी के व्युत्क्रमानुपाती होती है। दूसरे शब्दों में, बड़ी अर्थव्यवस्थाओं और कम दूरी के परिणामस्वरूप व्यापार की मात्रा अधिक होती है।

40. (C) **41. (D)**

42. (D) **43. (B)**

44. (A): अर्थशास्त्र में युक्तिपूर्ण प्रत्याशाओं के विचार में शामिल हैं :

- **प्रत्याशाओं के सिद्धांत के रूप में युक्तिपूर्ण प्रत्याशा :** युक्तिपूर्ण प्रत्याशा सिद्धांत मानता है कि व्यक्ति आर्थिक मॉडल, ऐतिहासिक डेटा और अपने स्वयं के अनुभवों सहित सभी उपलब्ध जानकारी के आधार पर भविष्य के आर्थिक चर के बारे में अपनी उम्मीदें बनाते हैं। यह मानता है कि लोग तर्कसंगत हैं और इस जानकारी को अपनी अपेक्षाओं में शामिल करके इष्टतम निर्णय लेते हैं।
- **नीति निर्माताओं की विश्वसनीयता पर बल :** तर्कसंगत उम्मीदों का सिद्धांत बताता है कि मौद्रिक और राजकोषीय नीतियों की प्रभावशीलता नीति निर्माताओं की विश्वसनीयता पर निर्भर करती है। यदि व्यक्तियों का मानना है कि नीति निर्माता लगातार कुछ लक्ष्यों, जैसे कम मुद्रास्फीति या स्थिर आर्थिक विकास का पीछा करेंगे, तो वे इन अपेक्षाओं को अपनी निर्णय लेने की प्रक्रियाओं में शामिल करेंगे।
- **विवेक की अपेक्षा नीति-निर्माणकारी नियमों हेतु वरीयता :** युक्तिपूर्ण प्रत्याशा सिद्धांतकार अक्सर विवेकाधीन नीति-निर्माण के बजाय नीति-नियमों की वकालत करते हैं। नीति नियम नीति निर्माताओं को पालन करने के लिए स्पष्ट दिशानिर्देश प्रदान करते हैं, जो उम्मीदों को स्थिर करने और अर्थव्यवस्था में अनिश्चितता को कम करने में मदद करते हैं। इस दृष्टिकोण का उद्देश्य ऐसे तदर्थ नीतिगत निर्णयों से बचना है जिनके परिणाम असंगत या अप्रत्याशित हो सकते हैं।

45. (B) **46. (D)** **47. (B)**

48. (B): परिकल्पना परीक्षण में, शून्य परिकल्पना (H_0) डिफॉल्ट या अनुमानित स्थिति का प्रतिनिधित्व करती है, जबकि वैकल्पिक परिकल्पना (H_1) परीक्षण किए जा रहे दावे या परिकल्पना का प्रतिनिधित्व करती है। लक्ष्य उपलब्ध साक्ष्यों के आधार पर शून्य परिकल्पना के बारे में निर्णय लेना है।

आदर्श रूप से, हम मामलों की वास्तविक स्थिति के आधार पर सही निर्णय लेना चाहते हैं। हालाँकि, व्यवहार में, परिकल्पना परीक्षण में त्रुटियाँ होने की संभावना हमेशा बनी रहती है। दो प्रकार की त्रुटियाँ हो सकती हैं :

- **टाइप I त्रुटि :** सत्य होने पर शून्य परिकल्पना को अस्वीकार करना।
- **टाइप II त्रुटि :** गलत होने पर शून्य परिकल्पना को स्वीकार करना।

परिकल्पना परीक्षण में, हम एक महत्व स्तर (अक्सर α के रूप में दर्शाया जाता है) निर्धारित करके टाइप I त्रुटि बनाने की संभावना को नियंत्रित करते हैं। यदि प्राप्त परिणाम चुने गए महत्व स्तर पर सांख्यिकीय रूप से महत्वपूर्ण है, तो हम शून्य परिकल्पना को अस्वीकार करते हैं। यदि यह सांख्यिकीय रूप से महत्वपूर्ण नहीं है, तो हम शून्य परिकल्पना को अस्वीकार करने में विफल रहते हैं।

इस जानकारी के आधार पर, सही निष्कर्ष हैं:

- H_0 के सत्य होने पर स्वीकार करना।
- H_1 सत्य होने पर, H_0 को अस्वीकार करें।
- H_1 के असत्य होने पर, H_0 को स्वीकार करना।

49. (B)

50. (C): दिए गए विकल्पों में से, क्लासकीय रैखिक प्रतिगमन मॉडल की धारणाएँ निम्नलिखित हैं:

- **डिस्टरबेंस U_i का शून्य माध्य मूल्य :** यह धारणा बताती है कि त्रुटि शर्तों, या गड़बड़ी का माध्य मान शून्य है। क्लासकीय रैखिक प्रतिगमन मॉडल को धारण करना एक आवश्यकता है।
- **U_i की विषम विसारिता अथवा नियत प्रसरण :** क्लासकीय रैखिक प्रतिगमन मॉडल मानता है कि त्रुटि शर्तों में स्वतंत्र चर के सभी स्तरों पर निरंतर भिन्नता होती है। इस धारणा को समरूपता के रूप में जाना जाता है।
- **डिस्टरबेंसों के मध्य कोई स्व-सहसंबंध नहीं होता :** क्लासकीय रैखिक प्रतिगमन मॉडल मानता है कि विभिन्न अवलोकनों पर या अलग-अलग समय अवधि में त्रुटि शर्तों के बीच कोई सहसंबंध नहीं है। इसका मतलब यह है कि गड़बड़ी स्वतः सहसंबद्ध नहीं है।

51. (B): विकल्पों की जाँच करने पर :

(*a*) $(A')' = A$

कथन (*a*) सही है। यह समुच्चय सिद्धांत में एक नियम है जिसे द्वि-पूरक नियम के रूप में जाना जाता है। समुच्चय के पूरक का पूरक समुच्चय ही होता है।

(*b*) $(A \cup B) = 1 - (A \cap B)$

कथन (*b*) गलत है। सही कथन होना चाहिए : $(A \cup B) = A + B - (A \cap B)$

इसे समावेशन-बहिष्करण सिद्धांत के रूप में जाना जाता है, जो बताता है कि दो समुच्चयों के योग की कार्डिनैलिटी उनकी व्यक्तिगत कार्डिनैलिटी के योग के बराबर होती है, जिसमें उनके सर्वनिष्ठ की कार्डिनैलिटी को घटा दिया जाता है।

(*c*) $A \cup (B \cup C) = (A \cup B) \cup C$

कथन (*c*) सही है। यह समुच्चय यूनियन का साहचर्य नियम है। समुच्चय यूनियन निष्पादित करते समय संचालन का क्रम कोई मायने नहीं रखता।

(*d*) $A \cup (B \cap C) = (A \cap B) \cup (A \cap C)$

कथन (*d*) गलत है। सही कथन होना चाहिए : $A \cup (B \cap C) \subseteq (A \cup B) \cap (A \cup C)$

सामान्य तौर पर, दो अन्य समुच्चयों के सर्वनिष्ठ के साथ एक समुच्चय का यूनियन प्रत्येक व्यक्तिगत समुच्चय के साथ समुच्चय के सर्वनिष्ठ का एक उपसमुच्चय होता है।

(*e*) $A - B = A \cap B'$

कथन (*e*) सही है। समुच्चय A और B के बीच समुच्चय अंतर B के पूरक के साथ A के सर्वनिष्ठ के बराबर है।

अतः सही कथन हैं : (*a*), (*c*) और (*e*).

52. (D): एक एकाधिक प्रतिगमन मॉडल में, परिकल्पना $H_0: \beta_2 = \beta_3 = 0$ का परीक्षण F-टेस्ट का उपयोग करके किया जा सकता है। F-टेस्ट का उपयोग यह निर्धारित करने के लिए किया जाता है कि समग्र रूप से प्रतिगमन मॉडल में प्रतिक्रिया चर (आश्रित चर) और भविष्यवक्ता चर (स्वतंत्र चर) के सेट के बीच कोई महत्वपूर्ण संबंध है या नहीं। यह मॉडल द्वारा समझाए गए विचरण की अवशिष्ट विचरण से तुलना करके प्रतिगमन मॉडल के समग्र महत्व का परीक्षण करता है।

दूसरी ओर, *t*-टेस्ट का उपयोग मॉडल में व्यक्तिगत प्रतिगमन गुणांक (β's) के महत्व का टेस्ट करने के लिए किया जाता है। यह आकलन करता है कि क्या प्रत्येक भविष्यवक्ता चर का स्वतंत्र रूप से प्रतिक्रिया चर पर महत्वपूर्ण प्रभाव पड़ता है।

काई-स्क्वायर टेस्ट का उपयोग श्रेणीबद्ध डेटा विश्लेषण के लिए किया जाता है, जबकि ANOVA (वेरिएंस का विश्लेषण) टेस्ट का उपयोग विभिन्न समूहों में साधनों की तुलना करने के लिए किया जाता है।

इसलिए, एकाधिक प्रतिगमन मॉडल में परिकल्पना $H_0: \beta_2 = \beta_3 = 0$ के टेस्ट के लिए सही उत्तर (D) (F-टेस्ट) है।

53. (C): मानव विकास सूचकांक (HDI) के संकेतकों में शामिल हैं :

- **प्रति व्यक्ति वास्तविक जीडीपी :** यह संकेतक किसी देश में व्यक्तियों की औसत आय या आर्थिक कल्याण को दर्शाता है।
- **नामांकन अनुपात सहित प्रौढ़ साक्षरता दर :** यह संकेतक वयस्कों के बीच साक्षरता दर (आमतौर पर 15 वर्ष और उससे अधिक आयु के व्यक्तियों के रूप में परिभाषित) और नामांकन अनुपात दोनों पर विचार करता है, जो विभिन्न स्तरों पर शिक्षा में नामांकित व्यक्तियों के अनुपात को मापता है। इन दोनों कारकों का संयोजन किसी देश में शिक्षा और ज्ञान के स्तर का संकेत देता है।
- **जन्म के समय जीवन प्रत्याशा :** यह संकेतक एक नवजात शिशु के जीवित रहने की उम्मीद के औसत वर्षों को मापता है। यह जनसंख्या के समग्र स्वास्थ्य और कल्याण का आकलन प्रदान करता है।

संकेतक (*d*) पाँच वर्ष की आयु के नीचे के बच्चों में कुपोषण और (*e*) पाँच वर्ष की आयु के नीचे के बच्चों की शिशु मृत्यु दर बाल स्वास्थ्य और पोषण के महत्वपूर्ण संकेतक हैं। हालाँकि वे बच्चों की भलाई के मूल्यांकन के लिए महत्वपूर्ण उपाय हैं किन्तु वे HDI की गणना में उपयोग किए जाने वाले मुख्य संकेतकों का हिस्सा नहीं हैं।

54. (A)

55. (B)

56. (D): सही कथन निम्नलिखित हैं :

- प्रतिस्पर्धी बाजार में, जहाँ पर्याप्त प्रतिस्पर्धा है और कोई बाहरी चीजें नहीं हैं, आपूर्ति और मांग की ताकतें निजी वस्तुओं के प्रावधान में कुशल संसाधन आवंटन का कारण बन सकती हैं। हालाँकि, सामाजिक वस्तुओं के प्रावधान में बाज़ार की विफलता हो सकती है, जो अक्सर गैर-बहिष्करण और गैर-प्रतिद्वंद्विता की विशेषता होती है। ऐसा इसलिए है क्योंकि फ्री-राइडर समस्याओं या अपर्याप्त लाभ प्रोत्साहनों के कारण निजी बाज़ार इन वस्तुओं को पर्याप्त मात्रा में उपलब्ध नहीं करा सकते हैं।
- सामाजिक वस्तुओं के प्रावधान में आम तौर पर कुछ प्रकार की सामूहिक निर्णय लेने की प्रक्रिया शामिल होती है। हालाँकि बजट निर्धारण की राजनीतिक प्रक्रिया एक दृष्टिकोण हो सकती है, लेकिन यह कुशल प्रावधान प्राप्त करने का एकमात्र तंत्र नहीं है। सामाजिक वस्तुओं के लिए संसाधनों को कुशलतापूर्वक आवंटित करने के लिए अन्य तरीकों, जैसे सरकारी योजना, सार्वजनिक-निजी भागीदारी, या नीलामी या सब्सिडी जैसे बाजार-आधारित तंत्र को भी नियोजित किया जा सकता है।
- यदि उपभोक्ता की पसंद झूठे विज्ञापन या भ्रामक जानकारी से प्रभावित होती है, तो इससे बाजार विफल हो सकता है। ऐसे मामलों में, सुधारात्मक कार्रवाई, जैसे नियामक हस्तक्षेप या उपभोक्ता संरक्षण उपाय, यह सुनिश्चित करने के लिए आवश्यक हो सकते हैं कि उपभोक्ता सूचित निर्णय ले सकें और भ्रामक प्रथाओं के कारण होने वाली बाजार विकृतियों को रोक सकें।
- विशुद्ध रूप से निजी वस्तुओं (बहिष्कृत और प्रतिद्वंद्वी) और पूरी तरह से सामाजिक वस्तुओं (गैर-बहिष्करणीय और गैर-प्रतिद्वंद्वी) के बीच, ऐसे कई सामान हैं जिनमें दोनों की विशेषताएं होती हैं। ये सामान, जिन्हें अर्ध-सार्वजनिक सामान या क्लब सामान के रूप में जाना जाता है, में गैर-बहिष्करण के तत्व होते हैं और आंशिक प्रतिद्वंद्विता प्रदर्शित कर सकते हैं। उदाहरणों में टोल रोड, केबल टीवी या निजी पार्क शामिल हैं, जहाँ पहुंच प्रतिबंधित हो सकती है, लेकिन एक व्यक्ति द्वारा उपभोग कुछ हद तक दूसरों के अनुभव को प्रभावित कर सकता है।

अतः विकल्प (*a*), (*c*), (*d*), (*e*) सही हैं।

57. (B) **58. (C)** **59. (D)**

60. (C): आय में असमानता को निम्नलिखित सांख्यिकीय संकेतकों के द्वारा मापा जाता है :

- **गिनी गुणांक :** गिनी गुणांक आय असमानता के मापन में व्यापक रूप से इस्तेमाल किया जाने वाला उपाय है। यह इस बात की मात्रा निर्धारित करता है कि किसी देश के भीतर व्यक्तियों या परिवारों के बीच आय का वितरण किस हद तक पूर्ण समानता से भटकता है। गिनी गुणांक 0 (पूर्ण समानता) से 1 (अधिकतम असमानता) तक होता है।

- **लॉरेंज वक्र :** लॉरेंज वक्र आय वितरण का एक ग्राफिकल प्रतिनिधित्व है। यह सबसे गरीब से लेकर सबसे अमीर तक की आबादी के एक निश्चित प्रतिशत द्वारा प्राप्त कुल आय का संचयी प्रतिशत दर्शाता है। वक्र आय असमानता को देखने में मदद करता है, एक सपाट वक्र अधिक समानता का संकेत देता है और एक तीव्र वक्र अधिक असमानता का संकेत देता है।

- **पाल्मा अनुपात :** पाल्मा अनुपात आय असमानता के मापन का एक और उपाय है। यह आबादी के सबसे अमीर 10% लोगों की आय के हिस्से की तुलना सबसे गरीब 40% आबादी के हिस्से से करती है। इसका नाम इसके निर्माता, चिली के अर्थशास्त्री गेब्रियल पाल्मा के नाम पर रखा गया है, और यह समाज के सबसे अमीर और सबसे गरीब वर्गों के आय शेयरों की तुलना करने का एक प्रत्यक्ष तरीका प्रदान करता है।

आय असमानता का माप मुख्य रूप से गिनी गुणांक, लोरेंज वक्र और पाल्मा अनुपात का उपयोग करके किया जाता है। गरीबी को मापने के लिए वंचन अनुपात का अधिक उपयोग किया जाता है, जबकि फिलिप्स वक्र आय असमानता माप से असंबंधित है।

61. (D): शुम्पीटर का विकास का सिद्धांत अर्थशास्त्री जोसेफ शुम्पीटर द्वारा प्रस्तुत विचारों और अवधारणाओं को संदर्भित करता है, विशेष रूप से 1942 में प्रकाशित उनकी पुस्तक 'पूंजीवाद, समाजवाद और लोकतंत्र' में, शुम्पीटर का सिद्धांत आर्थिक विकास और परिवर्तन को आगे बढ़ाने में नवाचार और उद्यमिता की भूमिका पर केंद्रित है। शुम्पीटर के अनुसार, आर्थिक विकास एक सहज और क्रमिक प्रक्रिया नहीं है, बल्कि उद्यमियों द्वारा लाए गए विघटनकारी और परिवर्तनकारी परिवर्तनों का परिणाम है। उन्होंने नवप्रवर्तकों के रूप में उद्यमियों की भूमिका पर जोर दिया जो अर्थव्यवस्था में नए उत्पाद, प्रक्रियाएँ और व्यवसाय मॉडल पेश करते हैं, जिससे आर्थिक वृद्धि और विकास होता है।

62. (C)

63. (A): कमजोर प्रकार की धारणीयता की आवश्यक विशेषताएँ हैं :

- यह मानव निर्मित पूंजी और प्राकृतिक पूंजी को करीबी स्थानापन्न मानता है।
- प्रत्येक पीढ़ी को यह सुनिश्चित करने की आवश्यकता है कि उनके कार्यों से आने वाली पीढ़ियों की उत्पादक क्षमता से समझौता न हो।
- किसी अर्थव्यवस्था के पूंजी स्टॉक की संरचना बहुत अधिक महत्व नहीं रखती है।

ये विशेषताएँ इस विचार को दर्शाती हैं कि जबकि मानव निर्मित पूंजी आंशिक रूप से प्राकृतिक पूंजी का स्थान ले सकती है, दीर्घकालिक स्थिरता के लिए प्राकृतिक पूंजी का संरक्षण अभी भी महत्वपूर्ण है। इसके अतिरिक्त, ध्यान अंतर-पीढ़ीगत समानता पर है, जहाँ प्रत्येक पीढ़ी को यह सुनिश्चित करना होगा कि उनकी गतिविधियों से संसाधनों की कमी न हो या भविष्य की पीढ़ियों की जरूरतों को पूरा करने की क्षमता को नुकसान न पहुंचे। लंबे समय तक आय बनाए रखने के लिए एक आवश्यक घटक के रूप में प्राकृतिक पूंजी की मान्यता प्राकृतिक पर्यावरण द्वारा प्रदान की जाने वाली सेवाओं पर अर्थव्यवस्थाओं की निर्भरता को स्वीकार करती है।

64. (C): विकल्पों में से गैर-प्रशुल्क बाधाएँ हैं :

- आयात कोटा
- स्वैच्छिक निर्यात प्रतिबंध
- निर्यात सब्सिडी

गैर-प्रशुल्क बाधाएँ प्रशुल्क के अलावा अन्य व्यापार बाधाएं हैं, जिसका अर्थ है कि उनमें आयात या निर्यात पर कर या शुल्क लगाना शामिल नहीं है। इसके बजाय, उनमें कई अन्य उपाय शामिल हैं जो अंतर्राष्ट्रीय व्यापार को प्रतिबंधित या प्रभावित कर सकते हैं। आयात कोटा उन वस्तुओं की मात्रा को सीमित करता है जिन्हें किसी देश में आयात किया जा सकता है। स्वैच्छिक निर्यात प्रतिबंध निर्यात और आयात करने वाले देशों के बीच निर्यात की मात्रा को स्वेच्छा से सीमित करने के लिए किए गए समझौते हैं। निर्यात सब्सिडी निर्यात को बढ़ावा देने के लिए सरकारों द्वारा प्रदान किया जाने वाला वित्तीय प्रोत्साहन है। दूसरी ओर, कंपाउंड टैरिफ और एड वैलोरम टैरिफ, टैरिफ के प्रकार हैं, जो प्रशुल्क बाधाओं की श्रेणी में आते हैं।

65. (D)	**66. (C)**	**67. (C)**
68. (C)	**69. (C)**	**70. (C)**
71. (A)	**72. (B)**	**73. (D)**
74. (A)	**75. (C)**	**76. (B)**

77. (D): यहाँ अर्थशास्त्र में नोबेल पुरस्कार विजेताओं की सूची दी गई है, जो पुरस्कार प्राप्त करने के वर्ष के आधार पर अवरोही क्रम में व्यवस्थित है :

- पॉल क्रुगमैन 2008
- अमर्त्य सेन 1998
- जेम्स टोबिन 1981
- मिल्टन फ्राइडमैन 1976
- फ्रेडरिक हायक 1974

अतः सही क्रम (*b*), (*a*), (*c*), (*e*), (*d*) है।

78. (*)

79. (C): निधि आवंटन आरोही क्रम में (बजट 2022-23) :

- कृषि और किसान कल्याण मंत्रालय ₹ 15,500 करोड़
- ग्रामीण विकास मंत्रालय ₹ 1,57,545 करोड़
- रेल मंत्रालय ₹ 1,59,100 करोड़
- सड़क परिवहन और राजमार्ग मंत्रालय ₹ 1,62,207 करोड़
- रक्षा मंत्रालय ₹ 5,94,000 करोड़

अतः आरोही क्रम (*c*), (*e*), (*a*), (*d*), (*b*) है।

80. (C): राजस्व के स्रोत (बजट 2022-23) :

- जीएसटी ₹ 7,80,000 करोड़
- आयकर ₹ 7,00,000 करोड़
- केन्द्रीय उत्पाद शुल्क ₹ 3,35,000 करोड़
- सीमा शुल्क ₹ 2,13,000 करोड़
- गैर-ऋण पूँजीगत प्राप्तियाँ ₹ 79,291 करोड़

अतः अवरोही क्रम (*c*), (*b*), (*d*), (*a*), (*e*) है।

81. (D): बेरोजगारी दर CMIE के आँकड़ों (सितम्बर, 2022) के अनुसार,

- राजस्थान 23.8%
- जम्मू-कश्मीर 23.2%
- हरियाणा 22.9%
- त्रिपुरा 17.0%
- झारखंड 12.2%

अतः अवरोही क्रम (*b*), (*c*), (*a*), (*e*), (*d*) है।

82. (A): नीति आयोग रिपोर्ट, 2021 के अनुसार बहुआयामी निर्धनता :

- केरल 0.71%
- गोवा 3.76%
- सिक्किम 3.82%
- तमिलनाडु 4.89%
- पंजाब 5.59%

अतः आरोही क्रम (*b*), (*d*), (*c*), (*e*), (*a*) है।

83. (D): RBI नीति दर (31-12-2022 के अनुसार) :

- एस.एल.आर 18.00%
- बैंक रेट 6.25%
- रेपो रेट 6.25%
- सी.आर.आर. 4.50%
- रिवर्स रेपो रेट 3.35%

अतः अवरोही क्रम (*d*), (*b*), (*a*), (*c*), (*e*) है।

84. (A): प्रथम बार प्रतिपादित (उद्भावित) होने के वर्ष के अनुसार :

- एडम स्मिथ का श्रम विभाजन 1776
- महामंदी 1929
- आर.एफ. कहून द्वारा दिया गया गुणक 1931
- तरलता वरीयता सिद्धांत 1936
- फिशर का मुद्रा की मात्रा सिद्धांत 1941

अतः क्रम (*c*), (*e*), (*b*), (*a*), (*d*) है।

85. (A): प्राचीनतम से लेकर उनकी स्थापना के वर्षों के अनुसार संगठन :

संगठन	स्थापना का वर्ष
• विश्व बैंक	1944
• UNCTAD	1964
• ADB	1966
• WIPO	1967
• WTO	1995

अतः क्रम (*d*), (*c*), (*b*), (*e*), (*a*) है।

86. (A): कथन (A) बताता है कि जब विभिन्न गुणवत्ता के उत्पाद एक ही कीमत पर बेचे जाते हैं तो बाजार में विफलता आती है। यह सच है क्योंकि ऐसे मामलों में, कीमत उत्पादों के वास्तविक मूल्य या गुणवत्ता को प्रतिबिंबित नहीं करती है, और उपभोक्ता विभिन्न गुणों के लिए अपनी प्राथमिकताओं के आधार पर सूचित विकल्प चुनने में सक्षम नहीं हो सकते हैं।

कारण (R) बताता है कि एक खरीदार और विक्रेता के पास लेनदेन किए गए उत्पाद के बारे में अलग-अलग जानकारी होती है। यह सच भी है क्योंकि विक्रेताओं के पास अक्सर खरीदारों की तुलना में उन उत्पादों के बारे में अधिक जानकारी होती है जो वे बेच रहे हैं, जिससे बाजार में सूचना में विभिन्नता हो सकती है।

(A) और (R) दोनों सत्य हैं, और (R) बताता है कि एक ही कीमत पर विभिन्न गुणवत्ता के उत्पाद बेचने से बाजार में विफलता क्यों हो सकती है।

87. (A)	**88. (C)**	**89. (A)**
90. (A)	**91. (B)**	**92. (C)**
93. (C)	**94. (D)**	**95. (A)**
96. (B)	**97. (C)**	**98. (D)**
99. (D)	**100. (A)**	

पिछले प्रश्न-पत्र (हल सहित)

National Testing Agency (NTA)

UGC-NET जूनियर रिसर्च फैलोशिप तथा सहायक प्राध्यापक पात्रता परीक्षा

अर्थशास्त्र, जून, 2022

(Online exam held on 08-10-2022)

प्रश्न-पत्र-II

1. पर्यावरण की गुणवत्ता में परिवर्तन के कारण कल्याण में परिवर्तन को किसके द्वारा मापा जाता है।

A. सुखात्मक कीमत फलन

B. सीमान्त अंतर्निहित फलन

C. सीमान्त भुगतान इच्छा (डब्ल्यूटीपी) फलन

D. प्रस्ताव (ऑफर) फलन

2. प्रधानमंत्री जन धन योजना भारत सरकार की एक अत्यन्त महत्वपूर्ण महत्वाकांक्षी योजना है। इसके सन्दर्भ में सही विकल्प चुनें :

(*a*) इस योजना के लाभार्थी दुर्घटना बीमा के ₹ 1 लाख के हकदार हैं

(*b*) इससे सम्मिलित विकास में सहायता मिलती है

(*c*) पी.एम.जे.डी.वाई. के लाभार्थी मुद्रा स्कीम के फायदे के लिए योग्य नहीं है

(*d*) इससे महिला सशक्तिकरण होगा

(*e*) अभी तक इससे 45 करोड़ लाभार्थियों को पी.एम.जे.डी.वाई. से लाभ हुआ

नीचे दिए गए विकल्पों में से सही उत्तर का चयन कीजिए :

A. केवल (*a*), (*b*) और (*c*)

B. केवल (*b*), (*c*) और (*d*)

C. केवल (*b*), (*d*) और (*e*)

D. केवल (*a*), (*d*) और (*e*)

3. नीचे दो कथन दिए गए हैं :

कथन I: कोविड-19 महामारी के दौरान खाद्यान्नों के माँग में हुई वृद्धि का फायदा उठाते हुए भारत की कृषि निर्यात का 2021-22 में भी प्रदर्शन बेहतर रहा है।

कथन II: वर्ष 2020-21 की तरह ही कुछ खण्ड जैसे कि समुद्री उत्पाद, भैंस का माँस, चाय, कॉफी एवं दुग्ध उत्पाद का 2021-22 में निर्यात के सम्बन्ध में प्रदर्शन खराब ही रहा है।

उपरोक्त कथन के आलोक में, नीचे दिए गए विकल्पों में से सबसे सही उत्तर का चयन कीजिए :

A. कथन I और II दोनों सत्य हैं

B. कथन I और II दोनों असत्य हैं

C. कथन I सत्य है, लेकिन कथन II असत्य है

D. कथन I असत्य है, लेकिन कथन II सत्य है

4. ''टकीला प्रभाव'' दर्शाता है :

A. 1994-95 में मैक्सिकन संकट का लैटिन अमरीका के अन्य देशों में फैलना

B. थाइलैंड में 1997 के संकट का एशिया के अन्य देशों में फैलना

C. यूनाइटेड स्टेट में 2007 में उभरने वाला सब-प्राइम संकट

D. 1989 में अर्जेंटीना में आया घरेलू ऋण संकट

5. निम्नलिखित को आरोही क्रम में लगाइये :

(*a*) 2015-16 में भारत की सकल राष्ट्रीय आय (स्थिर कीमतों पर) की वृद्धि दर

(*b*) 2016-17 में भारत की सकल राष्ट्रीय आय (स्थिर कीमतों पर) की वृद्धि दर

(*c*) 2017-18 में भारत की सकल राष्ट्रीय आय (स्थिर कीमतों पर) की वृद्धि दर

(*d*) 2018-19 में भारत की सकल राष्ट्रीय आय (स्थिर कीमतों पर) की वृद्धि दर

(*e*) 2019-20 में भारत की सकल राष्ट्रीय आय (स्थिर कीमतों पर) की वृद्धि दर

नीचे दिए गए विकल्पों में से सही उत्तर का चयन कीजिए :

A. (*e*), (*a*), (*d*), (*c*), (*b*)
B. (*c*), (*e*), (*b*), (*d*), (*a*)
C. (*e*), (*d*), (*c*), (*a*), (*b*)
D. (*c*), (*d*), (*e*), (*b*), (*a*)

6. IS-LM के सन्दर्भ में निम्न में से कौन-कौन से विकल्प सही हैं?

(*a*) LM अनुसूची का ढ़लान ऊपर की तरफ दाहिने होता है

(*b*) LM अनुसूची मुद्रा की मात्रा में वृद्धि के साथ बायीं तरफ मुड़ेगा

(*c*) LM अनुसूची मुद्रा बाजार में सन्तुलन प्रदान करता है

(*d*) IS अनुसूची जब सरकारी खर्चों में वृद्धि होती है तब बायीं तरफ मुड़ती है

(*e*) जब करों में कटौती की जाती है तब IS अनुसूची बायीं तरफ मुड़ती है

नीचे दिए गए विकल्पों में से सही उत्तर का चयन कीजिए :

A. केवल (*a*), (*c*), (*e*)
B. केवल (*a*), (*b*), (*c*), (*d*)
C. केवल (*a*), (*c*)
D. केवल (*b*), (*d*), (*c*), (*e*)

7. उत्पादन के दो साधनों, जैसे A और B की कीमत समान है। उत्पादन के दिए गए स्तर का उत्पादन करने के लिए A और B का न्यूनतम लागत संयोग उस बिन्दु पर प्राप्त होगा, जहाँ सम-उत्पाद वक्र की ढ़लान निम्नलिखित के बराबर होगी :

A. 0 B. 1
C. –1 D. 2

8. सूची-I के साथ सूची-II का मिलान कीजिए :

सूची-I	सूची-II
(*a*) महानतम वस्तु अधिकतम संख्या	(*i*) शिक्षार्थी सूचकांक
(*b*) सामान्य सन्तुलन की स्थिरता	(*ii*) बेंन्थम मापदण्ड
(*c*) एकाधिकार शक्ति की मात्रा	(*iii*) पुनर्प्रयास विधि
(*d*) तृतीय श्रेणी कीमत-भेदभाव	(*iv*) पिगो

नीचे दिए गए विकल्पों में से सही उत्तर का चयन कीजिए :

	(*a*)	(*b*)	(*c*)	(*d*)
A.	(*iv*)	(*iii*)	(*i*)	(*ii*)
B.	(*iv*)	(*iii*)	(*ii*)	(*i*)
C.	(*i*)	(*iii*)	(*ii*)	(*iv*)
D.	(*ii*)	(*iii*)	(*i*)	(*iv*)

9. नीचे दो कथन दिए गए हैं :

कथन I: अवमूल्यन सदैव एक लम्बे समय से चले आ रहे भुगतान घाटे शेष को सुधारता है।

कथन II: एक आपेक्षित अवमूल्यन देश से सट्टे की पूंजी को बाहर निकालता है।

उपरोक्त कथन के आलोक में, नीचे दिए गए विकल्पों में से सबसे सही उत्तर का चयन कीजिए :

A. कथन I और II दोनों सत्य हैं
B. कथन I और II दोनों असत्य हैं
C. कथन I सत्य है, लेकिन कथन II असत्य है
D. कथन I असत्य है, लेकिन कथन II सत्य है

10. देश में वाहन पंजीकरण में हाल में आई गिरावट का कारण क्या रहा है?

A. सेमी-कंडक्टर चिप्स की कमी
B. बैंकिंग क्षेत्र द्वारा ऋण की कम आपूर्ति
C. वाहनों की कीमतों में तीव्र वृद्धि
D. वाहनों की माँग में कमी

11. पारम्परिक प्रणाली में वास्तविक चरों के लिए धन की अप्रासंगिकता कहलाती है :

A. राजकोषीय तटस्थता B. मौद्रिक तटस्थता

C. विनिमय दर तटस्थता D. प्रौद्योगिकीय तटस्थता

12. निम्न में से कौन-कौन से विकल्प सही हैं?

(*a*) $M_1 = C + DD + OD$

(*b*) $M_2 = M_1 +$ डाकघर बचत बैंकों के साथ बचत

(*c*) $M_3 = M_2 +$ बैंकों में निवल कालिक जमा

(*d*) $M_3 = M_1 +$ बैंकों में निवल कालिक जमा

(*e*) $M_4 = M_1 +$ डाक घर के बचत खाते में कुल जमा

नीचे दिए गए विकल्पों में से सही उत्तर का चयन कीजिए :

A. केवल (*a*), (*b*) और (*c*)

B. केवल (*a*), (*b*) और (*d*)

C. केवल (*a*), (*c*) और (*d*)

D. केवल (*b*), (*d*) और (*e*)

13. निम्नलिखित आयोजनों को क्रम में लगाइये (सबसे पहले हुए आयोजन को सबसे पहले):

(*a*) टोक्यो राउंड (*b*) उरुग्वे राउंड

(*c*) एनेसी राउंड (*d*) डिलन राउंड

(*e*) टरक्यो राउंड

नीचे दिए गए विकल्पों में से सही उत्तर का चयन कीजिए :

A. (*c*), (*e*), (*d*), (*b*), (*a*)

B. (*e*), (*c*), (*a*), (*d*), (*b*)

C. (*c*), (*e*), (*d*), (*a*), (*b*)

D. (*e*), (*c*), (*d*), (*a*), (*b*)

14. सूची-I के साथ सूची-II का मिलान कीजिए :

सूची-I	सूची-II
(*a*) प्रत्यावर्ती पुनः खरीद दर	(*i*) आर.बी.आई. वाणिज्यिक बैंकों को लघु अवधि का ऋण देता है।
(*b*) बैंक दर	(*ii*) आर.बी.आई. वाणिज्यिक बैंकों को दीर्घ अवधि का कर्ज देता है
(*c*) पुनः खरीद दर	(*iii*) आर.बी.आई. वाणिज्यिक बैंकों से कर्ज लेता है
(*d*) नकद आरक्षित अनुपात	(*iv*) वाणिज्यिक बैंकों को अपने कुल दायित्वों का न्यूनतम प्रतिशत आर.बी.आई. में जमा करना पड़ता है

नीचे दिए गए विकल्पों में से सही उत्तर का चयन कीजिए :

	(*a*)	(*b*)	(*c*)	(*d*)
A.	(*i*)	(*iii*)	(*ii*)	(*iv*)
B.	(*iii*)	(*ii*)	(*i*)	(*iv*)
C.	(*iii*)	(*i*)	(*ii*)	(*iv*)
D.	(*i*)	(*ii*)	(*iii*)	(*iv*)

15. यदि समयावधि जमा को सम्मिलित न किया जाए, तो मुद्रा गुणक होगा (Cr = मुद्रा जमा अनुपात, rr = आरक्षित जमा अनुपात)

A. (Cr + rr)/(1 + Cr) B. (Cr + rr)/(rr + 1)

C. (Cr/rr) D. (Cr + 1)/(rr + Cr)

16. प्राथमिक घाटे को निम्न में से किस प्रकार बताया जाता है :

A. राजकोषीय घाटा – ब्याज भुगतान

B. राजस्व घाटा – ब्याज भुगतान

C. आयव्ययक घाटा – ब्याज भुगतान

D. राजस्व प्राप्ति – राजस्व व्यय

17. समय शृंखला में ईसीएम/वीएआर मॉडल के अनुमान के चरणों को क्रम में लगाएं :

(*a*) यूनिट रूट परीक्षण

(*b*) एसीएफ और पीएसीएफ परीक्षण

(*c*) ईसीएम/वीएआर

(*d*) इनपुटिंग डेटा

(*e*) सह-एकीकरण परीक्षण

नीचे दिए गए विकल्पों में से सही उत्तर का चयन कीजिए :

A. (*d*), (*a*), (*e*), (*b*), (*c*)

B. (*d*), (*b*), (*a*), (*c*), (*e*)

C. (*d*), (*b*), (*a*), (*e*), (*c*)

D. (*b*), (*a*), (*d*), (*e*), (*c*)

18. निम्न में से संचार (मैट्रिक्स) के सन्दर्भ में कौन-से तथ्य सही हैं?

(*a*) $(A')' = A$

(*b*) एक $n \times n$ असाधारण संचार A, *n* से कम होना चाहिए

(*c*) $(AB)' = B'A'$

(*d*) $(A + B)^n = A^n + B^n$

(*e*) $(A')^{-1} = (A^{-1})$

नीचे दिए गए विकल्पों में से सही उत्तर का चयन कीजिए :

A. केवल (*a*), (*b*) और (*c*)

B. केवल (*a*), (*d*) और (*e*)

C. केवल (*a*), (*c*) और (*d*)
D. केवल (*c*), (*d*) और (*e*)

19. सूची-I के साथ सूची-II का मिलान कीजिए :

सूची-I	सूची-II
(*a*) 2020-21 में आन्ध्र प्रदेश में पी.सी.आई.	(*i*) ₹ 98418
(*b*) 2020-21 में मध्य प्रदेश में पी.सी.आई.	(*ii*) ₹ 109730
(*c*) 2020-21 में ओडिशा में पी.सी.आई.	(*iii*) ₹ 121267
(*d*) 2020-21 में पश्चिम बंगाल में पी.सी.आई.	(*iv*) ₹ 170215

नीचे दिए गए विकल्पों में से सही उत्तर का चयन कीजिए :

	(*a*)	(*b*)	(*c*)	(*d*)
A.	(*ii*)	(*i*)	(*iii*)	(*iv*)
B.	(*iv*)	(*i*)	(*ii*)	(*iii*)
C.	(*iv*)	(*ii*)	(*i*)	(*iii*)
D.	(*iii*)	(*i*)	(*ii*)	(*iv*)

20. किसी फर्म के कुल राजस्व (आर) एवं कुल लागत (सी) को $R = 30Q - Q^2$. $C = 20 + 4Q$ जहाँ Q निर्गत है, अब फर्म का निर्गत सन्तुलन ज्ञात कीजिए।

A. 4 B. 13
C. 15 D. 10

21. वास्तविक और नामिक आय का परिकलन क्रमशः किस आधार पर किया जाता है :

A. चालू और स्थिर कीमतें
B. स्थिर और चालू कीमतें
C. स्थिर और स्थिर कीमतें
D. चालू और चालू कीमतें

22. निम्नलिखित पर्यावरण संबंधी आपदाओं को उनके होने के कालंक्रमानुसार लगाइये :

(*a*) भोपाल गैस त्रासदी (*b*) चेर्नोबिल विस्फोट
(*c*) लंदन स्मॉग एपिसोड (*d*) एक्सोन वाल्देज
(*e*) दि थ्री माइल आइलैंड न्यूक्लियर आपदा

नीचे दिए गए विकल्पों में से सही उत्तर का चयन कीजिए :

A. (*a*), (*d*), (*e*), (*c*), (*b*)
B. (*c*), (*e*), (*a*), (*b*), (*d*)
C. (*a*), (*c*), (*d*), (*e*), (*b*)
D. (*b*), (*c*), (*d*), (*a*), (*e*)

23. नीचे दो कथन दिए गए हैं : एक अभिकथन (A) के रूप में लिखित है तो दूसरा उसके कारण (R) के रूप में :

अभिकथन (A): नवीन अर्न्तजाल विकास सिद्धान्त उत्पादन क्रिया के उस पहलू का परीक्षण करती है जोकि बढ़ते हुए प्रतिफल को दर्शाता है।

कारण (R): अर्न्तजाल विकास सिद्धान्त में बढ़ता हुआ प्रतिफल, ज्ञान की पूंजी एवं कर के सीखने के नियम के कारण सम्भव है।

उपरोक्त कथन के आलोक में, नीचे दिए गए विकल्पों में से सबसे उपयुक्त उत्तर का चयन कीजिए :

A. (A) और (R) दोनों सही हैं, और (R), (A) की सही व्याख्या है।
B. (A) और (R) दोनों सही हैं, लेकिन (R), (A) की सही व्याख्या नहीं है।
C. (A) सही है, लेकिन (R) सही नहीं है।
D. (A) सही नहीं है, लेकिन (R) सही है।

24. "प्रधानमंत्री गति शक्ति" .... इंजनों द्वारा चालित है :

A. चार B. पाँच
C. छह D. सात

25. एक थैले में 1 से 20 तक अंकित संख्याओं वाले 20 टिकट हैं। एक टिकट यादृच्छिक रूप से निकाला गया। वह संभाव्यता ज्ञात कीजिए जो 2 या 5 की गुणज होगी।

A. 0.7 B. 0.9
C. 0.6 D. 0.3

26. सी.एल.आर.एम. में, मल्टी कोलीनीरिटी के व्यवहारिक परिणाम क्या होते हैं?

(*a*) R^2, गुडनेस ऑफ फिट का समग्र माप काफी अधिक हो सकता है
(*b*) ओ.एल.एस. प्राक्कलक BLUE नहीं होते हैं
(*c*) ओ.एल.एस. प्राक्कलक के पास छोटे प्रसरण और सह-प्रसरण होते हैं
(*d*) एक या उससे अधिक गुणांकों का टी अनुपात सांख्यिकीय रूप से अमहत्वपूर्ण होता है
(*e*) ओ.एल.एस. प्राक्कलक और उनकी मानक त्रुटियाँ आँकड़ों में छोटे परिवर्तनों के प्रति संवेदनशील हो सकती हैं

नीचे दिए गए विकल्पों में से सही उत्तर का चयन कीजिए :

A. केवल (*a*), (*b*) और (*c*)
B. केवल (*a*), (*b*) और (*d*)
C. केवल (*a*), (*d*) और (*e*)
D. केवल (*b*), (*c*) और (*e*)

27. वासिली लियोंटिक द्वारा हेक्शर-ओहलिन मॉडल के पहले अनुभवजन्य परीक्षण का परिणाम क्या था?

A. यू.एस. के निर्यात यू.एस. के आयातों से कम पूँजी प्रधान थे।
B. यू.एस. के निर्यात यू.एस. के आयातों से अधिक पूँजी-प्रधान थे
C. यू.एस. के निर्यात यू.एस. के आयातों से अधिक मानव पूँजी प्रधान थे
D. उपर्युक्त सभी

28. निम्न में से कौन-से सही हैं?

(*a*) व्यापार के सकल वस्तु विनिमय शर्त आयात और निर्यात के लिए मात्रात्मक सूचकांक का प्रयोग करते हैं।
(*b*) व्यापार के वस्तु सकल विनिमय शर्त और निवल वस्तु विनिमय शर्त आयात और निर्यात के लिए मूल्य सूचकांक का प्रयोग करते हैं।
(*c*) व्यापार का निवल वस्तु विनिमय शर्त आयात और निर्यात के लिए मूल्य सूचकांक का प्रयोग करते हैं।
(*d*) व्यापार के सकल वस्तु विनिमय शर्त एवं निवल विनिमय आयात और निर्यात के लिए मात्रात्मक सूचकांक का प्रयोग करते हैं।
(*e*) व्यापार का सकल वस्तु विनिमय मूल्य सूचकांक का प्रयोग करता है परन्तु निवल वस्तु विनिमय आयात और निर्यात के लिए मात्रात्मक सूचकांक का उपयोग करते हैं।

नीचे दिए गए विकल्पों में से सही उत्तर का चयन कीजिए :

A. केवल (*a*) और (*b*)   B. केवल (*b*) और (*c*)
C. केवल (*c*) और (*e*)   D. केवल (*a*) और (*c*)

29. 2022-23 के लिए अर्थव्यवस्था की समग्र घरेलू आय एनडीपी (एफसी) क्या होगी; यदि

जीडीपी (बाजार कीमत) = 27,654 करोड़
मूल्यह्रास = 2847 करोड़
अप्रत्यक्ष कर ऋण सब्सिडियाँ = 2160 करोड़

A. 24,807   B. 22,647
C. 26,967   D. 28,467

30. सामान्य वितरण के सन्दर्भ में निम्न में से कौन-कौन से सही हैं?

(*a*) $Q_1 + Q_2 = 2\ Md$
(*b*) $Q.D. = \frac{1}{3}\sigma$
(*c*) $Q.D. = \frac{2}{3}\sigma$
(*d*) माध्य और सभी विषम क्रम के क्षण शून्य हैं
(*e*) $Q_1 + Q_2 = Md$

नीचे दिए गए विकल्पों में से सही उत्तर का चयन कीजिए :

A. केवल (*b*), (*d*) और (*e*)
B. केवल (*a*), (*b*) और (*d*)
C. केवल (*a*), (*c*) और (*d*)
D. केवल (*c*), (*d*) और (*e*)

31. भारत के औद्योगिक उत्पादन सूचकांक के उपयोग आधारित वर्गीकरण के आधार पर वस्तुओं का भार निम्नवत् है। सही विकल्प चुनें।

(*a*) प्राथमिक वस्तु 34.05%
(*b*) पूँजीगत पदार्थ 12.22%
(*c*) माध्यमिक पदार्थ 17.22%
(*d*) संरचनागत/विनिर्माणकारी पदार्थ 12.34%
(*e*) उपभोक्ता पदार्थ 24.17%

नीचे दिए गए विकल्पों में से सही उत्तर का चयन कीजिए :

A. केवल (*b*), (*c*) और (*d*)
B. केवल (*a*), (*b*) और (*e*)
C. केवल (*a*), (*c*) और (*d*)
D. केवल (*b*), (*d*) और (*e*)

32. निम्नलिखित में से उचित मद के साथ 'श्रम शक्ति' का मिलान करें :

A. कुल कार्यबल

B. रोजगार प्राप्त + बेरोजगार

C. कुल शिक्षित मानव शक्ति

D. 15-60 आयु वर्ग की जनसंख्या

33. मंडेल-फ्लेमिंग मॉडल में, परिवर्तनशील विनिमय दर के अधीन, समग्र आय को प्रभावित करने के लिए कौन-सी नीति अधिक कारगर है?

A. राजकोषीय नीति

B. मौद्रिक नीति

C. विनिमय दर नीति

D. उपर्युक्त में से कोई नहीं

34. निम्न में से कौन-सा सही है?

(*a*) बाजार एक ऐसी व्यवस्था है जोकि मूल्य तन्त्र के साथ काम करता है

(*b*) बाजार की विफलता बाजार सन्तुलन का विसरण परेटो आप्टीमेलीटी की वजह से

(*c*) बाजार वस्तुओं के दक्ष जन आपूर्ति में विफल होता है जिससे सरकार के दखल की आवश्यकता पड़ती है

(*d*) बाजार सकारात्मक बाह्य कारकों की उपस्थिति में दक्ष तरीके से काम करता है

(*e*) बाजार नकारात्मक बाह्य कारकों की उपस्थिति में दक्ष तरीके से काम करता है

नीचे दिए गए विकल्पों में से सही उत्तर का चयन कीजिए :

A. केवल (*a*), (*b*), (*c*) और (*d*)

B. केवल (*a*), (*b*) और (*c*)

C. केवल (*c*), (*d*) और (*e*)

D. केवल (*b*) और (*e*)

35. नीचे दो कथन दिए गए हैं :

कथन I: किसी अर्थव्यवस्था में द्वैतवाद का अर्थ आर्थिक और सामाजिक विभाजन होता है, जैसे कि तकनीक के स्तर में अन्तर, क्षेत्रों और वर्गों में अन्तर, भौगोलिक विकास में पाया जाने वाला अन्तर और सामाजिक रीतियों और दृष्टिकोण में पाया जाने वाला अन्तर।

कथन II: विकासशील देश विकास के आरम्भिक अवस्था में द्वैतवाद का अनुभव करते हैं जिसका असर भविष्य में विकास के गति और क्रम पर पड़ता है।

उपरोक्त कथन के आलोक में, नीचे दिए गए विकल्पों में से सबसे उपयुक्त उत्तर का चयन कीजिए :

A. कथन I और II दोनों सत्य हैं

B. कथन I और II दोनों असत्य हैं

C. कथन I सत्य है, लेकिन कथन II असत्य है

D. कथन I असत्य है, लेकिन कथन II सत्य है

36. भारत के विभिन्न राज्यों के सन् 2011 का लिंग-अनुपात निम्नवत है। इनमें से सही विकल्प चुनें :

(*a*) गुजरात : 942

(*b*) मध्यप्रदेश : 931

(*c*) ओडिशा : 979

(*d*) तमिलनाडु : 996

(*e*) हरियाणा : 862

नीचे दिए गए विकल्पों में से सही उत्तर का चयन कीजिए :

A. केवल (*b*), (*c*) और (*d*)

B. केवल (*a*) और (*b*)

C. केवल (*c*) और (*d*)

D. केवल (*c*), (*d*) और (*e*)

37. विस्तारकारी राजकोषीय नीति के उपकरण हैं :

(*a*) सरकारी खर्चे को बढ़ाना

(*b*) सरकारी खर्चे को घटाना

(*c*) कर दर को बढ़ाना

(*d*) कर दर को घटाना

(*e*) मुद्रा आपूर्ति को बढ़ाना

नीचे दिए गए विकल्पों में से सही उत्तर का चयन कीजिए :

A. केवल (*a*), (*d*)

B. केवल (*b*), (*c*)

C. केवल (*a*), (*d*), (*e*)

D. केवल (*b*), (*c*), (*e*)

38. स्थिर जनसंख्या होती है जब जनसंख्या वृद्धि

A. बढ़ती हुई दर पर बढ़ रही हो

B. घटती हुई दर पर बढ़ रही हो

C. शून्य दर पर बढ़ती है

D. 100%

39. मान लीजिए लाभ अधिकतम करने वाला कोई अधिकारी 800 यूनिट का उत्पादन कर रहा है और 40 रुपये प्रति यूनिट की कीमत प्रभारित करता है।

यदि उस उत्पाद के लिए माँग की लोच –2 है, तो अंतिम उत्पादित यूनिट की सीमान्त लागत .... है।

A. 10 B. –400
C. –2 D. 20

40. सामाजिक वस्तुओं को व्यवस्था, या वह प्रक्रिया जिससे समस्त संसाधन के उपयोग को निजी एवं सामाजिक वस्तुओं में विभाजित किया जाता है तथा जिसके माध्यम से सामाजिक वस्तुओं के मिश्रण का चयन किया जाता है उसे कहा जाता है :

A. नियतन फलन B. वितरण फलन
C. स्थैतिकरण फलन D. सामान्यीकरण फलन

41. विकासशील देशों को पिछड़ेपन के स्पष्टीकरण के रूप में संचयी कारणात्मकता की परिकल्पना निम्न में से किससे संबंधित है :

A. रेगनर नर्क्स B. गुन्नार मिर्डल
C. आर्थर लेविस D. फी और रानिस

42. कोविड-19 की महामारी के दौरान प्रत्यक्ष विदेशी विनिवेश, नीति सुधार और अन्य कौन-कौन से नीतिगत फैसले लिए गए?

(*a*) चिकित्सा क्षेत्र में 100 प्रतिशत प्रत्यक्ष विदेशी विनिवेश
(*b*) दूरसंचार सेवा के क्षेत्र में स्वचालित जरिये से 100 प्रतिशत प्रत्यक्ष विदेशी विनिवेश को मंजूरी देना
(*c*) प्रत्यक्ष विदेशी विनिमय सेल का गठन करके प्रत्यक्ष विदेशी विनिवेश प्रस्ताव को बढ़ावा देना
(*d*) बीमा कम्पनियों में स्वचालित जरिए से प्रत्यक्ष विदेशी विनिवेश को 49 से 74 प्रतिशत तक बढ़ाना
(*e*) आत्मनिर्भर भारत के विजन को समझते हुए सैन्य क्षेत्र में प्रत्यक्ष विदेशी विनिवेश की सीमा को कम करना

नीचे दिए गए विकल्पों में से सही उत्तर का चयन कीजिए :

A. केवल (*d*) और (*e*)
B. केवल (*b*), (*c*) और (*e*)
C. केवल (*b*), (*c*) और (*d*)
D. केवल (*a*), (*d*) और (*e*)

43. भारत में सूक्ष्म, लघु और मध्यम उद्योग के सन्दर्भ में कुछ तथ्य निम्नवत हैं। सही विकल्प चुनें :

(*a*) एमएसएमई की संशोधित परिभाषा जुलाई 2020 में लायी गई
(*b*) इस परिभाषा में कुल राशि का कारोबार सेवा व विनिर्माण क्षेत्र के मध्य रहा है
(*c*) संशोधित परिभाषा में लघु उद्योग के लिए कुल राशि के कारोबार की सीमा ₹ 50 करोड़ है
(*d*) संशोधित परिभाषा में यन्त्र और मशीनरी के मध्यम उद्योग में विनिवेश की सीमा ₹ 50 करोड़ है
(*e*) संशोधित परिभाषा में यन्त्र और मशीनरी के मध्यम उद्योग में विनिवेश की सीमा ₹ 5 करोड़ है

नीचे दिए गए विकल्पों में से सही उत्तर का चयन कीजिए :

A. केवल (*a*), (*d*) और (*e*)
B. केवल (*a*), (*c*) और (*d*)
C. केवल (*d*) और (*e*)
D. केवल (*a*), (*b*) और (*d*)

44. सम्यकता के प्राथमिक उद्देश्य क्या-क्या हैं?

(*a*) गरीबी और भूख का अन्त
(*b*) शिक्षा और चिकित्सा के बेहतर स्तर
(*c*) लैंगिक समानता को प्राप्त करना
(*d*) सतत आर्थिक विकास
(*e*) अन्तर और अन्तः पीढ़ीगत समता को प्राप्त करना

नीचे दिए गए विकल्पों में से सही उत्तर का चयन कीजिए :

A. केवल (*a*), (*b*), (*c*) और (*e*)
B. केवल (*a*), (*c*), (*d*) और (*e*)
C. केवल (*a*), (*b*), (*c*) और (*d*)
D. केवल (*a*), (*b*), (*c*), (*d*) और (*e*)

45. सूची-I के साथ सूची-II का मिलान कीजिए :

सूची-I	**सूची-II**
(*a*) समस्त महत्व का परीक्षण	(*i*) काई-स्क्वायर परीक्षण
(*b*) गुणों के स्वतन्त्र होने का परीक्षण	(*ii*) जार्क-बेरा परीक्षण
(*c*) प्रतिगामी गुणांक के महत्व का परीक्षण	(*iii*) F-परीक्षण
(*d*) सामान्यीकरण परीक्षण	(*iv*) T-परीक्षण

नीचे दिए गए विकल्पों में से सही उत्तर का चयन कीजिए :

	(*a*)	(*b*)	(*c*)	(*d*)
A.	(*i*)	(*ii*)	(*iii*)	(*iv*)
B.	(*iii*)	(*i*)	(*iv*)	(*ii*)
C.	(*i*)	(*iv*)	(*iii*)	(*ii*)
D.	(*i*)	(*iii*)	(*iv*)	(*ii*)

46. भारत में 2021-22 में कुल उपभोग में वृद्धि कितनी रहने की संभावना है :

A. 5.0 प्रतिशत B. 6.0 प्रतिशत

C. 7.0 प्रतिशत D. 8.0 प्रतिशत

47. सार्वजनिक ऋण के संबंध में क्लासिकल अर्थशास्त्रियों के विचारों के संदर्भ में, निम्नलिखित में से कौन-कौन से सही हैं?

(*a*) सार्वजनिक ऋण के कारण भावी वित्तपोषण और अधिक समस्याग्रस्त हो जाता है

(*b*) सार्वजनिक ऋण के कारण उत्पादक निजी रोजगार के लिए संसाधनों में कटौती होती है

(*c*) सार्वजनिक ऋण में वृद्धि से मुद्रा का मूल्याह्रास और अर्थव्यवस्था में अवस्फीति की स्थितियाँ हो जाती हैं

(*d*) ऋण वित्तपोषण के लिए ब्याज भुगतान और आशोधन हेतु निधियों की आवश्यकता होती है इसलिए राजकोष पर दोहरा बोझ पड़ता है

(*e*) सार्वजनिक ऋण से उत्पादक कार्यकलाप होते हैं

नीचे दिए गए विकल्पों में से सही उत्तर का चयन कीजिए :

A. केवल (*a*), (*e*) और (*b*)

B. केवल (*c*), (*d*) और (*e*)

C. केवल (*e*), (*d*) और (*a*)

D. केवल (*a*), (*b*) और (*d*)

48. सूची-I के साथ सूची-II का मिलान कीजिए :

सूची-I	सूची-II
(*a*) शुद्ध सार्वजनिक वस्तु	(*i*) अप्रतिस्पर्धी और अपवर्जक
(*b*) शुद्ध निजी वस्तु	(*ii*) अअपवर्जक पर प्रतिस्पर्धी
(*c*) स्वतन्त्र संसाधन	(*iii*) अप्रतिस्पर्धी एवं अअपवर्जक
(*d*) संकुलित संसाधन	(*iv*) प्रतिस्पर्धी एवं अपवर्जक

नीचे दिए गए विकल्पों में से सही उत्तर का चयन कीजिए :

	(*a*)	(*b*)	(*c*)	(*d*)
A.	(*iii*)	(*iv*)	(*i*)	(*ii*)
B.	(*iii*)	(*iv*)	(*ii*)	(*i*)
C.	(*i*)	(*ii*)	(*iii*)	(*iv*)
D.	(*iii*)	(*ii*)	(*i*)	(*iv*)

49. जनसांख्यिकीय लाभांश के सन्दर्भ में जनसांख्यिकीय द्वैतवाद उभरकर सामने आता है जोकि भारतीय राज्यों में परिलक्षित होता है। इस सन्दर्भ में निम्न कारकों पर विचार कर सही विकल्प चुनें :

(*a*) कुल प्रजनन दर

(*b*) लिंग-अनुपात

(*c*) प्रतिव्यक्ति-आय

(*d*) शहरीकरण का दर

नीचे दिए गए विकल्पों में से सही उत्तर का चयन कीजिए :

A. केवल (*a*) और (*b*)

B. केवल (*a*)

C. केवल (*b*) और (*c*)

D. केवल (*a*), (*b*) और (*d*)

50. निम्न में से कौन-सा राजकोषीय नीति के विस्तारपरक प्रभाव की कार्यनीति हेतु सही नहीं है :

A. सार्वजनिक व्यय को कर्ज लेकर वित्तपोषित करना

B. सार्वजनिक व्यय मात्र करों को बढ़ाकर वित्तपोषित करना

C. सार्वजनिक निवेश हेतु आपूर्ति निवेश

D. करों में कटौती

51. लेविस के विकास मॉडल के सन्दर्भ में निम्न में से कौन-कौन से विकल्प सही हैं :

(*a*) श्रम की असीमित आपूर्ति

(*b*) अवस्थितिक क्षेत्र में श्रम की सीमान्त उत्पादकता जीवन निर्वाहक मजदूरी के बराबर या उससे कम होती है

(*c*) आधुनिक एवं अवस्थितिक क्षेत्र के साथ द्वैतवादी अर्थव्यवस्था

(*d*) कृषि क्षेत्र बढ़ते हुए लाभ के सापेक्ष सम्बन्ध में

(*e*) विकास की प्रक्रिया में पूँजीवादी अधिकता को व्याख्या करने वाला मॉडल

नीचे दिए गए विकल्पों में से सही उत्तर का चयन कीजिए :

A. केवल (*a*), (*b*), (*c*), (*e*)

B. केवल (*a*), (*b*), (*d*), (*e*)

C. केवल (*b*), (*c*), (*d*), (*e*)

D. केवल (*a*), (*c*), (*d*), (*e*)

52. सूची-I के साथ सूची-II का मिलान कीजिए :

सूची-I	सूची-II
(*a*) एफ.ई.एम.ए.	(*i*) 1969
(*b*) एम.आर.टी.पी. एक्ट	(*ii*) 2002
(*c*) प्रतियोगिता (कम्पीटीशन) एक्ट	(*iii*) 1973
(*d*) एफ.ई.आर.ए.	(*iv*) 1999

नीचे दिए गए विकल्पों में से सही उत्तर का चयन कीजिए :

	(*a*)	(*b*)	(*c*)	(*d*)
A.	(*i*)	(*ii*)	(*iv*)	(*iii*)
B.	(*iii*)	(*i*)	(*ii*)	(*iv*)
C.	(*iv*)	(*ii*)	(*i*)	(*iii*)
D.	(*iv*)	(*i*)	(*ii*)	(*iii*)

53. निम्नलिखित देशों को 2019 में मानव विकास सूचकांक में उनके स्थान के अनुसार अवरोही क्रम में लगाइये :

(*a*) नार्वे (*b*) बांग्लादेश
(*c*) भारत (*d*) चीन
(*e*) नेपाल

नीचे दिए गए विकल्पों में से सही उत्तर का चयन कीजिए :

A. (*a*), (*d*), (*c*), (*b*), (*e*)
B. (*d*), (*a*), (*b*), (*e*), (*c*)
C. (*a*), (*d*), (*b*), (*c*), (*e*)
D. (*a*), (*d*), (*b*), (*e*), (*c*)

54. सांख्यिकी की प्रथम वर्ष में हरी के अंक 76 हैं, जबकि कक्षा का औसत 5 के मानक विचलन के साथ 68 है। हरी का जेड-स्कोर कितना है?

A. 1.5 B. 1.6
C. 1.2 D. 1.4

55. यदि किसी वस्तु के लिए आय प्रभाव, प्रतिस्थापन प्रभाव की तरह विपरीत दिशा में पड़ता है, किंतु प्रतिस्थापन प्रभाव का प्रभुत्व रहता है, तो वह वस्तु है :

A. सामान्य
B. घटिया किंतु गिफिन नहीं
C. गिफिन
D. उपर्युक्त में से कोई नहीं

56. निम्नलिखित में से कौन-सी पैरैटो ईष्टतम मापदंडों की एक सीमांत शर्त नहीं है।

A. $MRS^{A}_{x,y} = MRS^{B}_{x,y} = \frac{P_x}{P_y}$

B. $MRTS^{x}_{L,K} = MRTS^{y}_{L,K} = \frac{w}{r}$

C. $MRS^{A}_{x,y} = MRS^{B}_{x,y} = MRPT_{x,y}$

D. $MRPT^{K}_{x,y} = MRPT^{L}_{x,y} = \frac{w}{r}$

57. किसी युगपत समीकरण मॉडल को अति-अभिज्ञात कहा जाता है, यदि

A. संरचनात्मक मापदंडों के अद्वितीय संख्यात्मक मूल्य प्राप्त किए जा सकते हों
B. संरचनात्मक समीकरणों के कुछ मापदंडों के लिए एक से अधिक संख्यात्मक मूल्य प्राप्त किए जा सकते हों
C. सभी संरचनात्मक गुणांकों का अद्वितीय समाधान संभव न हो
D. संरचनात्मक गुणांक का अनुमान नहीं लगाया जा सकता हो

58. निम्न में से तुलनात्मक उपयोगिता विश्लेषण के सन्दर्भ में कौन-सी अवधारणा सही है?

(*a*) उपभोक्ता अपने प्राथमिकता में एक समान रहता है
(*b*) उपभोक्ता कुल उपयोगिता का परिमाण किसी भी वस्तु के समूह से करते हैं
(*c*) उपभोक्ता प्राथमिकता संक्रामिकता का अनुपालन करते हैं
(*d*) उपभोक्ता पाये जाने वाले वस्तुओं से परितृप्त नहीं होते
(*e*) उपभोक्ता विवेकहीन होते हैं

नीचे दिए गए विकल्पों में से सही उत्तर का चयन कीजिए :

A. केवल (*b*), (*c*) और (*d*)
B. केवल (*c*), (*d*) और (*e*)
C. केवल (*a*), (*c*) और (*d*)
D. केवल (*a*), (*b*) और (*c*)

59. केन्द्रीय बैंक द्वारा प्रदत्त घरेलू ऋण को विदेशी मुद्रा भण्डार में परिवर्तन के लिए समान और विपरीत दिशा में बदलने, ताकि मौद्रिक आधार अपरिवर्तित रहे, की नीति कहलाती है :

A. स्थिरीकरण B. मौद्रिक विस्तार
C. राजकोषीय विस्तार D. अधिरक्षण

60. निम्नलिखित में से कौन-सा आधुनिक भारतीय-आर्थिक विचारक अध्ययन या कार्य करने के लिए विदेश नहीं गया?

A. महात्मा गाँधी B. राम मनोहर लोहिया
C. बी.आर. अम्बेडकर D. दीन दयाल उपाध्याय

61. सूची-I के साथ सूची-II का मिलान कीजिए :

सूची-I	सूची-II
(*a*) निरपेक्ष आय संकल्पना	(*i*) मिल्टन फ्रीडमैन
(*b*) सापेक्ष आय संकल्पना	(*ii*) जे.एम. कीन्स
(*c*) स्थायी आय संकल्पना	(*iii*) जेम्स डसेनबरी
(*d*) जीवन चक्र संकल्पना	(*iv*) फ्रांको मोढीगलानी

नीचे दिए गए विकल्पों में से सही उत्तर का चयन कीजिए :

	(*a*)	(*b*)	(*c*)	(*d*)
A.	(*ii*)	(*i*)	(*iv*)	(*iii*)
B.	(*ii*)	(*iii*)	(*i*)	(*iv*)
C.	(*iv*)	(*iii*)	(*ii*)	(*i*)
D.	(*iii*)	(*ii*)	(*i*)	(*iv*)

62. ''मेन्यु कॉस्ट'' निम्नलिखित में प्रयुक्त एक अवधारणा है :

A. क्लासिकीय अर्थशास्त्र
B. नव-क्लासिकीय अर्थशास्त्र
C. नव-कीन्सीयन अर्थशास्त्र
D. कीन्स का अर्थशास्त्र

63. स्थापित प्रतिगमन समीकरण $Y_i = -10 + 0.6X$ के रूप में दिया गया है। X = 40, Y = 60 बिन्दु पर अवशिष्ट का मूल्य कितना होगा?

A. 74 B. 46
C. 0 D. 45

64. सूची-I के साथ सूची-II का मिलान कीजिए :

सूची-I	सूची-II
(*a*) अंतर्राष्ट्रीय व्यापार में आकार का महत्व है	(*i*) पॉल क्रुगमैन
(*b*) अंतर्राष्ट्रीय व्यापार में पैमाने की मितव्ययिताएं और एकाधिकारिक प्रतियोगिता	(*ii*) वणिकवादी
(*c*) व्यापार का प्रौद्योगिकीय अंतर सिद्धांत	(*iii*) एम.वी. पोसनर
(*d*) व्यापार का जीरो सम गेम	(*iv*) दि ग्रेविटी मॉडल

नीचे दिए गए विकल्पों में से सही उत्तर का चयन कीजिए :

	(*a*)	(*b*)	(*c*)	(*d*)
A.	(*iv*)	(*iii*)	(*i*)	(*ii*)
B.	(*iv*)	(*i*)	(*iii*)	(*ii*)
C.	(*iii*)	(*i*)	(*iv*)	(*ii*)
D.	(*iii*)	(*iv*)	(*i*)	(*ii*)

65. सूची-I के साथ सूची-II का मिलान कीजिए :

सूची-I	सूची-II
(*a*) ग्रामीण-शहरी प्रवास	(*i*) आर्थर लेविस
(*b*) श्रम के असीमित उपलब्धता के साथ आर्थिक विकास	(*ii*) गुन्नार मिर्डल
(*c*) संचयी कार्योत्पादन की प्रक्रिया	(*iii*) राऊल प्रेबीच
(*d*) प्राथमिक वस्तुओं के व्यापार के शर्तों में ह्रास	(*iv*) हैरिस टोडारो

नीचे दिए गए विकल्पों में से सही उत्तर का चयन चुनिए :

	(*a*)	(*b*)	(*c*)	(*d*)
A.	(*i*)	(*iv*)	(*ii*)	(*iii*)
B.	(*iv*)	(*i*)	(*ii*)	(*iii*)
C.	(*i*)	(*iv*)	(*iii*)	(*ii*)
D.	(*i*)	(*iii*)	(*ii*)	(*iv*)

66. निवल विस्थापन का अर्थ है :

A. कुल प्रवासियों और उत्प्रवासियों के परिणामस्वरूप जनसंख्या परिवर्तन के समग्र स्तर
B. अप्रवासी कामगारों की संख्या और उत्प्रवासी कामगारों की संख्या के बीच अंतर
C. इसमें शरणार्थी और अन्य विधिसम्मत प्रवासी शामिल नहीं होते हैं
D. इसमें केवल शरणार्थी शामिल होते हैं

67. नीचे दो कथन दिए गए हैं :

कथन I: यदि आपने एक उत्पाद खरीदा जोकि अब कर के अधीन आता है, आप कर देने से बच सकने की बेहतर स्थिति में हो सकते हैं, और विक्रेता के ऊपर अधिकतम भार पड़ेगा जब आपकी माँग में लोच हो और विक्रेता के पूर्ति में लोच न हो।

कथन II: नमक पर लगने वाला कर उपभोक्ता को वहन करना पड़ता है।

उपरोक्त कथन के आलोक में, नीचे दिए गए विकल्पों में से सबसे सही उत्तर का चयन कीजिए :

A. कथन I और II दोनों सही हैं
B. कथन I और II दोनों गलत हैं
C. कथन I सही है, लेकिन कथन II गलत है
D. कथन I गलत है, लेकिन कथन II सही है

68. द्विपद वितरण निम्नलिखित स्थितियों के अंतर्गत प्रयुक्त हो सकता है :

(*a*) परीक्षणों की संख्या *n*, सीमित एवं स्वतंत्र होती है
(*b*) परीक्षणों की संख्या *n*, अनंत एवं स्वतंत्र होती है
(*c*) सफल एवं असफल के पदों में प्रत्येक परीक्षण परिणाम दो पारस्परिक ऐकांतिक एवं सर्वांगीण परिणाम के रूप होता है
(*d*) सफलता की संभाव्यता P, प्रत्येक परीक्षण हेतु नियत होती है
(*e*) असफलता की संभाव्यता प्रत्येक परीक्षण हेतु समान नहीं होती है

नीचे दिए गए विकल्पों में से सही उत्तर का चयन कीजिए :

A. केवल (*a*), (*c*) और (*e*)
B. केवल (*b*), (*c*) और (*d*)
C. केवल (*a*), (*c*) और (*d*)
D. केवल (*b*), (*c*) और (*e*)

69. उस नीति का चयन करने की रणनीति, जिसका सर्वोत्तम संभव परिणाम हो, कहलाती है ....

A. डोमिनेंट रणनीति
B. मैक्सीमैक्स
C. मिनिमैक्स
D. मैक्सीमिन

70. निम्न की कोटि ज्ञात करें, $A = \begin{vmatrix} 6 & 3 & 5 \\ -10 & 2 & 8 \\ 5 & 2 & 3 \end{vmatrix}$

A. 3
B. 2
C. 1
D. 0

71. मुद्रा के विनिमय माँग के सन्दर्भ में वर्गमूल नियम किसने विकसित किया?

A. किडलैण्ड-प्रेस्कोट
B. फ्रीडमैन-स्वार्टज
C. बूमोल-टॉबीन
D. जे.एम. केन्स

72. कौन-से वर्ष में, सकल घरेलू बचत दर सर्वाधिक थी?

A. 2004-05
B. 2007-08
C. 2011-12
D. 2016-17

73. भारत में शुरू की गई भिन्न-भिन्न स्कीमों को उचित कालक्रमानुसारेण लगाइये :

(*a*) प्रधानमंत्री जन औषधि योजना
(*b*) प्रधानमंत्री उज्ज्वला योजना
(*c*) अटल पेंशन योजना
(*d*) प्रधानमंत्री जन-धन योजना
(*e*) आयुष्मान भारत योजना

नीचे दिए गए विकल्पों में से सही उत्तर का चयन कीजिए :

A. (*c*), (*b*), (*a*), (*d*), (*e*)
B. (*c*), (*d*), (*b*), (*a*), (*e*)
C. (*d*), (*a*), (*b*), (*c*), (*e*)
D. (*d*), (*c*), (*a*), (*b*), (*e*)

74. जब MPC = 0.75 है, तब करों में 200 करोड़ रुपए के घट जाने से GDP (सकल घरेलू उत्पाद) में कितनी वृद्धि होगी?

A. 200 करोड़
B. 100 करोड़
C. 600 करोड़
D. 800 करोड़

75. सूची-I के साथ सूची-II का मिलान कीजिए :

सूची-I	सूची-II
(*a*) किसी भी अर्थव्यवस्था में मुद्रा आपूर्ति एवं मूल्य स्तर प्रत्यक्ष सन्तुलन में होते हैं	(*i*) ए.डब्ल्यू. फिलिप्स
(*b*) बेरोजगारी एवं मजदूरी स्फीति में प्रतिलोम सम्बन्ध	(*ii*) फिशर
(*c*) नई खोज के लिए पुरस्कार स्वरूप लाभ	(*iii*) राबर्ट लूकश
(*d*) नीति अप्रभाव प्रतिज्ञप्ति	(*iv*) जोसेफ शूम्पीटर

नीचे दिए गए विकल्पों में से सही उत्तर का चयन कीजिए :

	(*a*)	(*b*)	(*c*)	(*d*)
A.	(*ii*)	(*i*)	(*iv*)	(*iii*)
B.	(*iii*)	(*ii*)	(*i*)	(*iv*)
C.	(*ii*)	(*iv*)	(*iii*)	(*i*)
D.	(*iv*)	(*iii*)	(*ii*)	(*i*)

76. किसी अल्प विकसित अर्थव्यवस्था के मौलिक लक्षण हैं :

(*a*) निम्न तकनीकी स्तर एवं मानव पूँजी की कमी

(*b*) सकल घरेलू उत्पाद एवं प्रति व्यक्ति आय का उच्चतर स्तर

(*c*) श्रम शक्ति की उच्चतर मात्रा का कृषि एवं निम्न कृषि उत्पाद में संलग्न होना

(*d*) खाद्य-पदार्थ पर उच्चतर घरेलू खर्च

(*e*) गरीबी की अधिकता

नीचे दिए गए विकल्पों में से सही उत्तर का चयन कीजिए :

A. केवल (*a*), (*c*), (*d*), (*e*)

B. केवल (*a*), (*c*), (*b*), (*e*)

C. केवल (*b*), (*d*), (*e*)

D. केवल (*b*)

77. यदि मांग का कार्य है: $P = 35 - 2x - x^2$ एवं मांग x_0 है 3, तो उपभोक्ता आधिक्य क्या होगा?

A. 27 B. 25

C. 60 D. 20

78. निम्नलिखित को उनके पहली बार होने के वर्ष के कालक्रमानुसार व्यवस्थित कीजिए :

(*a*) पर्यावरण संबंधी कुजनेट्स वक्र परिकल्पना

(*b*) वृद्धि की सीमाएं सिद्धांत

(*c*) बॉलडिंग का "पृथ्वी पर अंतरिक्षयान आगमन का अर्थशास्त्र"

(*d*) जेवोन का कोल क्वेश्चन

(*e*) रैचल कार्सन का साइलेंट स्प्रिंग

नीचे दिए गए विकल्पों में से सही उत्तर का चयन कीजिए :

A. (*e*), (*a*), (*b*), (*d*), (*c*)

B. (*a*), (*c*), (*d*), (*b*), (*e*)

C. (*d*), (*a*), (*e*), (*c*), (*b*)

D. (*e*), (*d*), (*c*), (*b*), (*a*)

79. $\dfrac{x^2}{x+2}$ का एकीकरण करें :

A. $\dfrac{4x}{(x+2)^2}+c$

B. $\dfrac{x^2}{2}+2x+4\log(x+2)+c$

C. $\dfrac{x^2}{2}-2x+4\log(x+2)+c$

D. $\dfrac{x^2}{2}-2x+c$

80. मौद्रिक नीति उपकरण हैं :

(*a*) राजकोषीय खर्चे में परिवर्तन

(*b*) करों में परिवर्तन

(*c*) खुला-बाजार कार्यकलाप

(*d*) बैंक आरक्षित आवश्यकताएँ

(*e*) ब्याज दर नीति

नीचे दिए गए विकल्पों में से सही उत्तर का चयन कीजिए :

A. केवल (*a*), (*b*) B. केवल (*a*), (*b*), (*c*)

C. केवल (*c*), (*d*), (*e*) D. केवल (*b*), (*d*), (*e*)

81. भारत के पंद्रहवें वित्त आयोग द्वारा क्षैतिज हस्तांतरण के लिए बनाए गए मापदंड और मानक :

(*a*) क्षेत्रफल

(*b*) वन और पारिस्थितिकी

(*c*) आय अंतर

(*d*) कर और राजकोषीय प्रयास

(*e*) जनांकिकीय कार्यनिष्पादन

नीचे दिए गए विकल्पों में से सही उत्तर का चयन कीजिए :

A. (*d*), (*b*), (*e*), (*a*), (*c*)

B. (*b*), (*d*), (*a*), (*e*), (*c*)

C. (*e*), (*a*), (*d*), (*c*), (*b*)

D. (*a*), (*d*), (*b*), (*c*), (*e*)

82. हैरॉड-डोमर मॉडल में, यदि आय की वृद्धि दर 8% है और पूँजी-उत्पादन अनुपात 4% है, तो बचत की दर होगी :

A. 32% B. 2%

C. 36% D. 1/2%

83. निम्न में से कौन-कौन सा सही विकल्प है?

(*a*) चालू खाते में वाणिज्यिक वस्तु सम्मिलित होता है

(*b*) चालू खाते में वाणिज्यिक वस्तु सम्मिलित नहीं होता है

(*c*) चालू खाते में अदृश्य निर्यात सम्मिलित होता है

(*d*) चालू खाते में अदृश्य निर्यात सम्मिलित नहीं होता है

(*e*) चालू खाते में वाणिज्यिक वस्तु का आयात और निर्यात सम्मिलित होते हैं तथा अदृश्य आयात और निर्यात भी।

नीचे दिए गए विकल्पों में से सही उत्तर का चयन कीजिए:

A. केवल (*a*), (*b*) और (*c*)

B. केवल (*a*), (*c*) और (*e*)

C. केवल (*a*), (*d*) और (*e*)

D. केवल (*c*), (*d*) और (*e*)

84. किसी भी तर्कसंगत फर्म द्वारा सन्तुलन प्राप्त करने के लिए निम्न में से किन शर्तों को पूर्ण किया जाता है जब $Q = f(L, K)$ का अधिकतमीकरण किया गया हो बशर्ते कि $C = wL + rK$ है।

(*a*) $\dfrac{\frac{\partial Q}{\partial L}}{\frac{\partial Q}{\partial K}} = \dfrac{w}{r}$

(*b*) $\dfrac{\partial^2 Q}{\partial L^2} > 0, \dfrac{\partial^2 Q}{\partial K^2} > 0$

(*c*) $\dfrac{\partial^2 Q}{\partial L^2} < 0$ तथा $\dfrac{\partial^2 Q}{\partial K^2} > 0$

(*d*) $\dfrac{\partial^2 Q}{\partial L^2} < 0$ तथा $\dfrac{\partial^2 Q}{\partial K^2} < 0$

(*e*) $\left(\dfrac{\partial^2 Q}{\partial L^2}\right)\left(\dfrac{\partial^2 Q}{\partial K^2}\right) > \left(\dfrac{\partial^2 Q}{\partial L \partial K}\right)^2$

नीचे दिए गए विकल्पों में से सही उत्तर का चयन कीजिए:

A. केवल (*a*), (*b*) और (*e*)

B. केवल (*a*), (*d*) और (*e*)

C. केवल (*a*) और (*e*)

D. केवल (*a*) और (*b*)

85. यदि हमारे पास *n* चरों को शामिल करने वाले उद्देश्य प्रकार्य हैं $U = f(X_1, X_2, X_3, ..., X_n)$ के अधीन $\phi(X_1, X_2, X_3, ... X_n) = 0$ एक्सट्रीमम हेतु द्वितीय क्रम स्थिति होगी।

(*a*) अधिकतम के लिए $|\bar{H}_2| < 0, |\bar{H}_3| < 0...$

(*b*) अधिकतम के लिए $|\bar{H}_2| > 0, |\bar{H}_3| < 0...$

(*c*) अधिकतम के लिए $|\bar{H}_2| < 0, |\bar{H}_3| > 0...$

(*d*) न्यूनतम के लिए $|\bar{H}_2| < 0, |\bar{H}_3| < 0...$

(*e*) न्यूनतम के लिए $|\bar{H}_2| > 0, |\bar{H}_3| > 0...$

नीचे दिए गए विकल्पों में से सही उत्तर का चयन कीजिए:

A. केवल (*a*) और (*d*) B. केवल (*b*) और (*d*)

C. केवल (*c*) और (*e*) D. केवल (*b*) और (*e*)

86. नीति आयोग की 2021 की रिपोर्ट के आधार पर बहु आयामी गरीबी जनसंख्या के प्रतिशत के अनुसार निम्नलिखित राज्यों को अवरोही क्रम में लगाइये:

(*a*) बिहार (*b*) ओडिशा

(*c*) राजस्थान (*d*) उत्तर प्रदेश

(*e*) मध्य प्रदेश

नीचे दिए गए विकल्पों में से सही उत्तर का चयन कीजिए:

A. (*a*), (*d*), (*e*), (*c*), (*b*)

B. (*a*), (*e*), (*c*), (*d*), (*b*)

C. (*a*), (*c*), (*e*), (*b*), (*d*)

D. (*a*), (*b*), (*c*), (*e*), (*d*)

87. उद्योग के संतुलन में अंततोगत्वा इष्टतम संसाधन आवरण प्राप्त करने हेतु कौन-सी स्थितियाँ व्याप्त होती हैं?

(*a*) न्यूनतम व्यवहार्य लागत पर वस्तु का उत्पादन होता है

(*b*) उपभोक्ता न्यूनतम संभावित मूल्य का भुगतान करता है जिसमें उत्पाद की सीमांत लागत मात्र शामिल है

(*c*) अंततः संयंत्रों की पूरी क्षमता का उपयोग होता है

(*d*) प्रतिष्ठान को सामान्य से बहुत अधिक लाभ होते हैं

(*e*) संपूर्ण प्रतिस्पर्धात्मक प्रतिष्ठान और मूल्य प्रचालन संयन्त्र कार्यकारी होते हैं

नीचे दिए गए विकल्पों में से सही उत्तर का चयन कीजिए:

A. केवल (*a*), (*b*), (*c*) और (*e*)

B. केवल (*c*), (*d*) और (*e*)

C. केवल (*b*), (*d*) और (*e*)

D. केवल (*a*), (*b*) और (*e*)

88. निम्न में से विभिन्न गुणकारी उपकरणों में से एक जोकि केन्द्रीय बैंक मुद्रा-स्फीति के समय उपयोग करते हैं, वह है:

A. सीमान्त आवश्यकता को बढ़ाना

B. सीमान्त आवश्यकता को हटाना

C. सीमान्त आवश्यकता को घटाना

D. सीमान्त आवश्यकता को दुरुस्त करना

89. भिन्न-भिन्न विचारधाराओं को सबसे प्राचीन से शुरु होते हुए कालक्रमानुसार व्यवस्थित क्रम में लगाइये :

(*a*) प्रकृतिवादी

(*b*) कीन्सीयन अर्थशास्त्र

(*c*) क्लासिकीय अर्थशास्त्र

(*d*) नव कीन्सीयन अर्थशास्त्र

(*e*) मुद्रावादी विरोधी क्रांति

नीचे दिए गए विकल्पों में से सही उत्तर का चयन कीजिए :

A. (*a*), (*b*), (*c*), (*e*), (*d*)

B. (*a*), (*c*), (*e*), (*b*), (*d*)

C. (*a*), (*b*), (*e*), (*c*), (*d*)

D. (*a*), (*c*), (*b*), (*e*), (*d*)

90. उत्पाद चक्र मॉडल की कौन-सी अवस्था में, अनुकृति बनाने वाला देश घरेलू उपभोग के लिए उत्पाद शुरु कर देता है?

A. अवस्था-III B. अवस्था-II

C. अवस्था-I D. अवस्था-V

निर्देश (प्र.सं. 91 से 95 तक): *निम्नलिखित गद्यांश को पढ़िए और उस पर आधारित प्रश्नों के उत्तर दीजिए :*

हालांकि वैश्वीकरण को प्रायः विश्व की गरीबी में वृद्धि के लिए दोषारोपित किया जाता है लेकिन यह तथ्य है कि गरीबी का बिना वैश्वीकरण के प्रायः और अधिक विस्तार हो सकता है। यह सत्य है कि वैश्वीकरण के लाभ सभी देशों को नहीं मिले हैं। वैश्वीकरण को किस कारण से उत्तरदायी ठहराया जा सकता है कि यह वृद्धिगत उन कार्यक्षमता एवं खुलापन के लाभों का विस्तार नहीं करता है जो वैश्वीकरण के साथ सभी देश के लिए समान रूप एवं समतुल्य तौर पर आए हैं। विश्व भर में विदेशी प्रत्यक्ष विदेशों का स्टॉक वर्ष 2010 में विकसित देशों का एफडीआई का आवक स्टॉक 48% था जबकि विकसित देशों का उनका जावक स्टॉक लगभग 17% था। नवीन अन्तर्राष्ट्रीय आर्थिक मापक्रम (एनआइईएस) बताता है कि अन्तर्राष्ट्रीय निगमों द्वारा अधिक से अधिक निर्मित उत्पादों के भाग एवं संघटकों को विभिन्न देशों द्वारा निर्मित किया गया है। यह उत्पादन लागतों को न्यूनतम करने का कारण है। उत्पादनों का विदेशी 'सोर्सिंग' अधिक लाभ अर्जित करने के लिए प्रायः रुचि की बात नहीं है बल्कि यह प्रतिस्पर्धक बने रहने के लिए केवल एक जरूरत है। लागत व्यापार एक नीति है जिसमें निवेशक एक कम लाभकारी मुद्रा उधार लेता है और उसे उच्च लाभकारी मुद्रा में उधार (निवेश) करता है। इसमें निवेश अवधि का जोखिम है कि उच्च लाभकारी मुद्रा का कम लाभकारी मुद्रा में उच्च प्रतिशत से सकारात्मक ब्याज भिन्नताओं से अधिक मूल्यह्रासित होता है और फलतः निवेशक को राशि की हानि होती है।

91. निम्नलिखित में से कौन-से नवीन अन्तर्राष्ट्रीय मापक (एनआइईएस) को सर्वाधिक सही मायनों में प्रतिपादित करता है?

A. उत्पादक सभी भागों एवं संगठकों को केवल आतिथ्य देशों में ही विनिर्माण किया गया है

B. जब उत्पादक सभी भागों एवं संगठकों को आतिथेय देश में विनिर्माण किया गया है इससे प्रत्येक उत्पादक देश में उनकी उत्पादन लागत न्यूनतम होती है

C. स्पर्धक बने रहने के लिए सभी देशों से सस्ते उत्पाद की आवश्यकता रहती है

D. एनआइईएस स्पर्धक रहने के बजाय लाभ के लिए अधिक ध्यान देता है

92. निम्नलिखित में से कौन-सा सही है?

A. वैश्वीकरण के कारण विश्व के सभी देशों में गरीबी में वृद्धि हुई है

B. वैश्वीकरण के कारण विश्व के सभी देशों में गरीबी में कमी आई है

C. बिना वैश्वीकरण के विश्व में गरीबी प्रायः और अधिक बढ़ सकती है

D. बिना वैश्वीकरण के विश्व में गरीबी शायद कम हो सकती है

93. वैश्वीकरण को किस लिए दोषी पाया गया है?

A. वैश्वीकरण ने न तो कार्यक्षमता और न ही खुलापन बढ़ाया है

B. वैश्वीकरण में कार्यक्षमता एवं खुलापन दोनों में वृद्धि हुई है

C. वैश्वीकरण ने कार्यक्षमता में वृद्धि की लेकिन खुलापन नहीं बढ़ा

D. वैश्वीकरण ने सभी देशों में समान रूप में कार्यक्षमता एवं खुलापन के लाभों को बढ़ाया नहीं है

94. निवेश अवधि के दौरान, जब कम लाभप्रद मुद्रा की तुलना में उच्च लाभप्रद का उच्च प्रतिशत से मूल्यह्रास होता है तब सकारात्मक ब्याज अंतरीय होता है ऐसी स्थिति में क्या होगा?

A. निवेशक को धन-हानि होगी

B. निवेशक को लाभ प्राप्त होगा

C. निवेशक के लाभ में कोई फर्क नहीं पड़ेगा

D. उक्त में से कोई नहीं

95. निम्नलिखित में से कौन सही नहीं है?

A. एफडीआई का विकसित देशों की तुलना में विकासशील देशों में आवक स्टॉक कम होता है

B. एफडीआई का विकसित देशों की तुलना में विकासशील देशों में जावक स्टॉक कम होता है

C. विकासशील देशों का आवक स्टॉक एवं जावक स्टॉक दोनों विकसित देशों की तुलना में विकासशील देशों में अधिक रहे हैं

D. विकासशील देशों से एफडीआई के आवक एवं जावक स्टॉक विकसित देशों की तुलना में विकासशील देशों में कम रहे हैं

निर्देश (प्र.सं. 96 से 100 तक): *नीचे दिए गए गद्यांश का अध्ययन करें और गद्यांश के आधार पर अगले पाँच प्रश्नों के उत्तर दें।*

भारत सरकार द्वितीय पंचवर्षीय योजना से भारत को स्वावलंबी बनाने के उद्देश्य से उद्योगों के विकास पर विशेष जोर दे रहा है। लेकिन उस समय आयात का प्रतिस्थापन एवं निर्यात उन्नयन को प्राथमिकता दी गई थी। यद्यपि इसी दृष्टिकोण, औद्योगिकरण की प्राथमिकता की स्थिर प्रासंगिकता को परिवर्तित किया गया। उद्योग न केवल स्वावलंबी एवं विदेशों पर निर्भरता को कम करते हैं बल्कि इससे भारत जैसे जनसंख्या वाले देश में प्रचुर रोजगार उत्पन्न करते हैं। स्टार्टअप भारत कार्यक्रम 2014 से प्रारम्भ किया गया जो इससे नए नवाचारों एवं छोटे-छोटे उद्योगों का महत्वपूर्ण रणनीतिक वाले क्रांतिक दिशा में उन्नयन कर रहा है। मान्यता प्राप्त स्टार्टअप वित्त वर्ष 2016-17 के 726 से बढ़कर वित्त वर्ष 2021-22 तक 65861 हो गई है। ये स्टार्टअप 640 जिलों में फैले हैं और 7 लाख से अधिक रोजगार सृजित किये हैं। ये स्टार्टअप हाल ही में, नए डोमिन एवं आईटी सेवाओं के विकास, हार्डवेयर प्रौद्योगिकी, सॉफ्टवेयर व्यवसायों, कृत्रिम आसूचना, रोबोटिक्स एवं बैंकिंग एवं वित्त की प्रौद्योगिकी में फैले 56 क्षेत्रों में शामिल कर रणनीतिक महत्ता वाले सेक्टरों में विकसित हो गए हैं : यथा 2022 फरवरी को वाणिज्य एवं उद्योग मंत्रालय ने एसआईडीआईबी को ₹ 2791.29 करोड़ का आवंटन किया है जिसमें से ₹ 6795 करोड़ 82 वैकल्पिक निवेश निधियों (एआईएफएस) को ₹ 8725 करोड़ 574 स्टार्टअपों के सहायक एआइएफों में निवेश एवं योजना का प्रमाण, फोटोटाइप, उत्पादों का परीक्षण, बाजार में पदार्पण एवं वाणिज्यिकरण के लिए स्टार्टअपों हेतु 2021-22 से प्रारम्भ होने वालों के लिए एक योजना के अधीन चार वर्षों की अवधि के लिए ₹ 945 करोड़ की राशि आवंटित की गई है। तथापि इन स्टार्टअपों को लंबी अवधि तक बरकरार रखने एवं रोजगार सृजन करना आवश्यक है। इन सेक्टरों में अनवरत निवेश, निर्यात संवर्धन एवं स्टार्टअप उत्पादों, नए सेक्टरों में नवाचार एवं इन उत्पादों, की स्वदेशी मांग का निर्माण दीर्घकालिक विकास एवं नवीन स्टार्टअपों को आकर्षित करना महत्वपूर्ण है।

96. भारत में स्टार्टअप के संदर्भ में निम्नलिखित में से कौन-सा सत्य है?

A. 2016-17 से 2021-22 के दौरान स्टार्टअप में 7.25% से वृद्धि हुई है

B. स्टार्टअपों का सेक्टरवार-वृद्धि 56% से हुई है

C. स्टार्टअप कृषि, पर्यटन एवं सिंचाई जैसे एक महत्वपूर्ण सेक्टर में विकसित हुआ है

D. इस मान्यता प्राप्त सेक्टर ने 7 लाख से अधिक रोजगार सृजित किए हैं

97. स्टार्टअप में हाल ही में कौन-सा सेक्टर विकसित नहीं हुआ है :

A. आई.टी. सेवाएं

B. रोबोटिक्स

C. कृत्रिम आसूचना

D. स्पेस प्रौद्योगिकी

98. स्टार्टअपों को बरकरार रखने हेतु निम्नलिखित में से कौन-से उपायों की जरूरत है?

A. एफडीआई स्टार्टअप को आकर्षित करना

B. स्टार्टअपों को कर राहत

C. स्टार्टअपों के लिए स्वदेशी मांगों को सृजित करना

D. रक्षा क्षेत्र में स्टार्टअपों को प्रोत्साहित करना

99. स्टार्टअप नवाचारों के सन्दर्भ में औद्योगिकरण के प्राथमिक उद्देश्य क्या हैं?

A. स्वावलंबी

B. रोजगार अवसर सृजित करना

C. स्वावलंबी एवं रोजगार सृजन दोनों

D. निर्यात कम करना

100. नए स्टार्टअप योजना का प्रमाण, प्रोटोटाइप एवं उत्पादों का परीक्षण, बाजार में पदार्पण एवं वाणिज्यीकरण के लिए इस योजना के अन्तर्गत कितनी राशि आवंटित की गई हैं?

A. ₹ 2791.29 करोड़ B. ₹ 6795.00 करोड़

C. ₹ 945.00 करोड़ D. ₹ 12521 करोड़

उत्तरमाला

1. (C)

2. (C): प्रधानमंत्री जन-धन योजना (PMJDY) की शुरुआत 28 अगस्त, 2014 को प्रधानमंत्री नरेन्द्र मोदी ने की। यह भारत सरकार का महत्वाकांक्षी वित्तीय समावेशन प्रोग्राम है, इसके तहत देश के गरीबों का खाता जीरो बैलेंस पर बैंक, पोस्ट ऑफिस और राष्ट्रीयकृत बैंकों में खोला जाता है। बीमा राशि ₹ 1 लाख से बढ़ाकर ₹ 2 लाख कर दिया गया है। 3 मार्च, 2022 की स्थिति के अनुसार इस योजना के लाभार्थियों की कुल संख्या लगभग 45.06 करोड़ थी।

3. (C)

4. (A): टकीला संकट : मैक्सिको की मुद्रा 'पेसो' के अचानक अवमूल्यन की वजह से उत्पन्न हुई स्थिति, जिसने इस क्षेत्र की दक्षिणी कोन और ब्राजील (Southern Cone and Brazil) की मुद्राओं को भी प्रभावित किया और उनमें भी गिरावट दर्ज की गई।

(Southern Cone = दक्षिण अमेरिका के सुदूरवर्ती दक्षिणी इलाके जिनमें अधिकांश मकर रेखा के दक्षिण में स्थित है)

बेलगाम मुद्रास्फीति, पूंजी पर लगने वाले सट्टे की वजह से होने वाली परेशानी और विकास दर में गिरावट को रोकने के लिये IMF ने सहायता उपायों के तहत इन देशों को कई बेलआउट पैकेज दिये। बेलआउट पैकेज देने के बाद कुछ समय तक तो अस्थायी सुधार दिखाई दिया, लेकिन इसके बाद इन देशों की अर्थव्यवस्थाओं ने आर्थिक संकटों में डूबना-उबरना जारी रखा। ऐसा इसलिये हुआ क्योंकि अधिकांश देशों में सैन्य शासक थे, जो लोकलुभावन आर्थिक प्रतिबद्धताओं और नीतियों के आधार पर चुनकर आए थे।

लोकलुभावन आर्थिक प्रतिबद्धता और नीति ऐसी नीतियाँ हैं जो राजनीतिक रूप से तो बेहतर होती हैं, लेकिन अर्थव्यवस्था के नजरिए से खराब।

स्पष्ट रूप से ये देश खराब राजकोषीय संरचना और आर्थिक कुप्रबंधन से ग्रस्त थे और इसी वजह से IMF के बेलआउट पैकेज भी विफल हो गए।

5. (C): सकल राष्ट्रीय आय की वार्षिक वृद्धि दर (2011-12 शृंखला)

वर्ष	वर्तमान कीमतें	सतत कीमतें
2013-14	12.9	6.3
2014-15	11.1	7.5
2015-16	10.5	8.0
2016-17	11.8	8.3
2017-18	11.1	6.9
2018-19	10.5	6.6
2019-20	7.9	4.2

6. (A): सामान्य संतुलन में परिवर्तन : IS रेखा या LM रेखा में परिवर्तन या दोनों में परिवर्तन संतुलन ब्याज दर तथा आय स्तर में परिवर्तन उत्पन्न करेंगे।

- **IS रेखा में परिवर्तन :** सर्वप्रथम हम IS रेखा में परिवर्तन को लेते हैं (इसके साथ यह मान लिया जाता है कि LM रेखा में कोई परिवर्तन नहीं

होता है) माना कि विनियोग में वृद्धि (या बचत में कमी) के कारण IS_1 रेखा दायें को खिसककर IS_2 की स्थिति में आ जाती है जैसा कि चित्र में दिखाया गया है। बिन्दु P प्रारंभिक संतुलन को बताता है। चूँकि IS रेखा दायें को खिसक जाती है इसलिए नये P संतुलन को बिन्दु P_1 बताता है। इसका अर्थ है कि आय स्तर Y_1 बढ़कर Y_2 हो जाता है तथा ब्याज दर N से बढ़कर N_1 हो जाती है। इस प्रकार IS रेखा का दायीं ओर खिसकना आय स्तर तथा ब्याज दर दोनों में वृद्धि करता है।

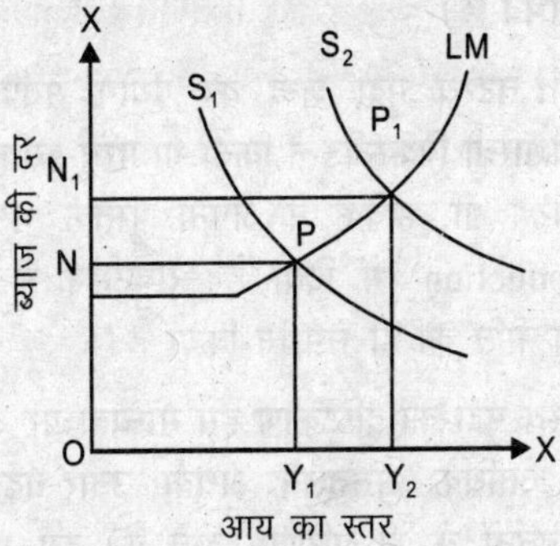

- **LM रेखा में परिवर्तन :** अब हम LM रेखा में परिवर्तित को लेते हैं और यह मान लेते हैं कि IS रेखा पूर्ववत् रहती है। चित्र में प्रारंभिक संतुलन बिन्दु को A बताता है।

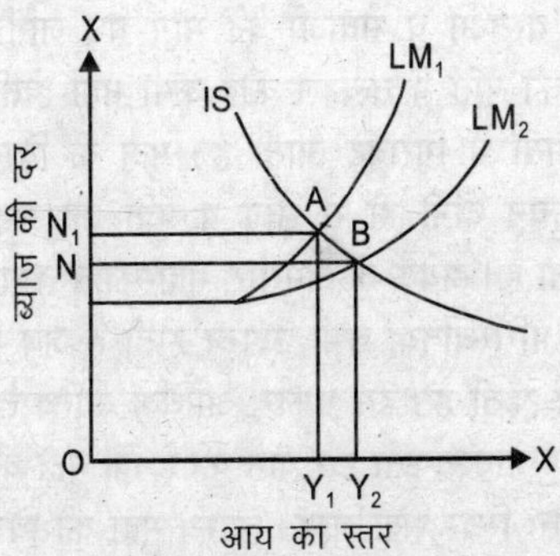

मुद्रा की पूर्ति में वृद्धि (अथवा तरलता पसंदगी में कमी) LM_1 रेखा को दायीं ओर खिसकायेगी और अब उसकी नई स्थिति LM_2 हो जाती है परिणामस्वरूप नया संतुलन बिन्दु B बताता है अर्थात् आय स्तर Y_1 से बढ़कर Y_2 हो जाता है, परन्तु ब्याज दर N से घटकर N_1 हो जाती है।

- **IS रेखा तथा LM रेखा दोनों में परिवर्तन :** अन्त में हम एक ऐसी स्थिति का अध्ययन करेंगे जिससे IS रेखा तथा LM रेखा दोनों में परिवर्तन होता है जिसे चित्र द्वारा स्पष्ट किया गया है। यहाँ हम कई संभावित स्थितियों में से केवल एक स्थिति लेते हैं।

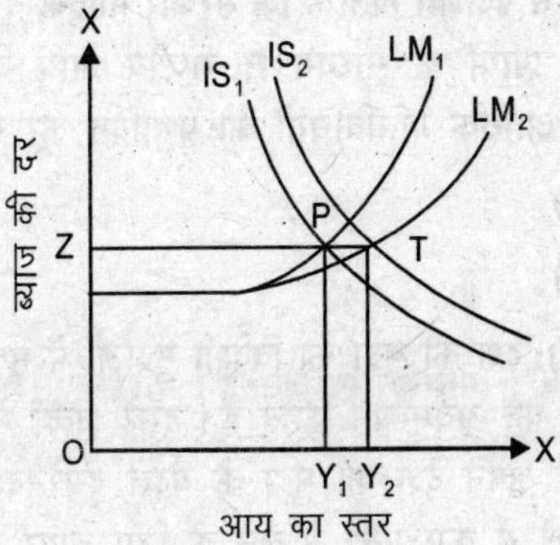

माना कि विनियोग में वृद्धि होती है जिसके कारण IS, वक्र रेखा विवर्तित होकर IS_2 की स्थिति में आ जाती है। इसी प्रकार मुद्रा की पूर्ति में वृद्धि हो जाने के कारण LM_1 रेखा दायीं ओर विवर्तित होकर LM_2 की स्थिति में आ जाती है।

प्रारंभिक संतुलन को P बिन्दु व्यक्त करता है अर्थात् प्रारंभिक संतुलन की स्थिति में ब्याज की दर ON और आय स्तर OY_1 है।

IS रेखा तथा LM रेखा में परिवर्तनों के कारण नये संतुलन को T बिन्दु बताता है। इसका अर्थ है कि संतुलन की नई स्थिति में ब्याज दर पूर्ववत् ON रहती है परंतु आय स्तर OY_1 से बढ़कर OY_2 हो जाता है।

उपर्युक्त विवेचना से स्पष्ट है कि IS तथा LM रेखाओं का विश्लेषण आय का एक निर्धारणीय सिद्धांत प्रस्तुत करता है। यह एक साथ संतुलन ब्याज दर तथा संतुलन आय स्तर को निर्धारित करता है। यह वस्तु बाजार तथा मुद्रा बाजार दोनों में एक साथ सामान्य संतुलन स्थापित करता है।

IS-LM वक्र मॉडल के गुण

- IS-LM वक्र मॉडल ब्याज दर तथा राष्ट्रीय आय के स्तर के एक साथ निर्धारण की व्याख्या करने में

महत्वपूर्ण सुधार करता है। यह ब्याज दर निर्धारण की अपेक्षाकृत अधिक सामान्य, समावेशी तथा वास्तविक दृष्टिकोण को प्रदर्शित करता है।

- IS-LM वक्र मॉडल के अंतर्गत वस्तु बाजार तथा मुद्रा बाजार में एकीकरण अथवा समन्वय स्पष्ट रूप से प्रदर्शित होता है कि सरकार मौद्रिक व राजकोषीय उपायों के माध्यम से राष्ट्रीय आय के स्तर या आर्थिक गतिविधियों को प्रभावित कर सकती है।

7. (C)

8. (D)

9. (D): देश की मुद्रा का विदेशी मुद्राओं में मूल्य कम कर देने को अवमूल्यन कहते हैं। दूसरे शब्दों में जब कोई देश अपने देश की मुद्रा के बदले दूसरे देश की मुद्रा पहले से कम मूल्य में लेने के लिए तैयार हो जाता है तो उसे मुद्रा का अवमूल्यन कहते हैं।

अवमूल्यन की कुछ परिभाषाएँ इस प्रकार हैं :

डॉक्टर गांगुली के अनुसार, "अवमूल्यन का अभिप्राय देश की मुद्रा के बाह्य मूल्य में कमी कर देना है।"

पॉल एन्जिग के अनुसार, "देश की मुद्रा की अन्य देशों की मुद्राओं के मूल्य के साथ निर्धारित सरकारी क्षमता (Official Parties) में कमी करना अवमूल्यन है।"

मुद्रा के अवमूल्यन में मुद्रा के बाह्य मूल्य में कमी की जाती है परंतु उसका आंतरिक मूल्य पूर्ववत् ही रखा जाता है। अतः अवमूल्यन के पश्चात् सामान्यतया देश के अन्दर मुद्रा की क्रय-शक्ति पहले ही जैसी रहती है परंतु देशी वस्तुएँ विदेशियों के लिए सस्ती ही जाती हैं।

10. (A): देश में वाहन पंजीकरण में हाल में आई गिरावट का प्रमुख कारण सेमी-कंडक्टर चिप्स की कमी है। माना जा रहा है कि चिप संकट के लिए सबसे ज्यादा जिम्मेदार कोरोना वायरस है। कोविड से जुड़े हुए प्रतिबंधों की वजह से इसका उत्पाद प्रभावित हुआ है। इस वजह से पिछले एक साल से इसके उत्पाद में कमी आई है जिससे इसकी सप्लाई डिमांड की तुलना में काफी कम हो गई है। सबसे बड़ी समस्या यह है कि पूरी दुनिया में बहुत ही कम कंपनियाँ सेमीकंडक्टर चिप बनाती हैं, माना जा रहा है कि कंपनियों की उत्पादन क्षमता बढ़ाने के बावजूद साल 2023 तक इसकी कमी बनी रहेगी।

दुनिया में जितनी भी गाड़ियाँ बन रही हैं उन सभी के लिए पावर स्टीयरिंग, ब्रेक सेंसर, एंटरटेनमेंट सिस्टम, एयरबैग और पार्किंग कैमरों में सेमीकंडक्टर चिप का इस्तेमाल होता है। आमतौर पर एक गाड़ी में 1,000 से ज्यादा सेमीकंडक्टर चिप्स लगाए जाते हैं। ये चिप कंप्यूटर प्रोग्रामिंग पर आधारित होते हैं और आपकी गाड़ी के डेटा को भी प्रोसेस करते हैं, सेमीकंडक्टर चिप्स के बिना आधुनिक गाड़ियों का निर्माण लगभग असंभव है।

11. (B): तटस्थ मुद्रा शब्द का प्रयोग सर्वप्रथम अंग्रेज अर्थशास्त्री विकस्टीड ने किया था परंतु इसका सविस्तार विवरण प्रो. हायेक ने अपनी पुस्तक 'Prices and Production' में दिया है। रॉबर्टसन ने भी तटस्थ मुद्रा-नीति का ही समर्थन किया है।

तटस्थ मुद्रा का दृष्टिकोण इस मान्यता पर आधारित है कि आर्थिक असंतुलन अथवा उतार-चढ़ाव मौद्रिक परिवर्तनों के ही परिणाम होते हैं। इस मान्यता का आधार यह है कि नयी मुद्रा का निर्माण करने से वस्तुओं तथा सेवाओं की माँग तो बढ़ जाती है परंतु उनकी पूर्ति में तत्काल वृद्धि नहीं होती है जिससे कीमतों में वृद्धि होना स्वाभाविक है। इसी प्रकार, मुद्रा की मात्रा घटा देने पर वस्तुओं व सेवाओं की माँग घट जाती है जबकि उनकी पूर्ति में तत्काल कोई कमी नहीं होती है जिससे कीमतों में गिरावट आती है। मुद्रा के विस्तार अथवा संकुचन दोनों ही से माँग व पूर्ति का संतुलन बिगड़ जाता है। हायेक के अनुसार, मुद्रास्फीति तथा अवस्फीति की परिस्थितियाँ तभी उत्पन्न होती हैं जब मुद्रा तटस्थ नहीं रहती हैं। इस प्रकार, आर्थिक अस्थिरता रोकने के लिए आवश्यकता इस बात की है कि मुद्रा की मात्रा को पूर्णतः स्थिर रखा जाय। तटस्थ मुद्रा की विचारधारा के अनुसार मुद्रा की मात्रा इस प्रकार नियमित रखनी चाहिए कि कुल उत्पादन, कुल क्रय-विक्रय तथा वस्तुओं एवं सेवाओं की कीमत वैसे ही रहें जैसे कि एक मुद्राविहीन समाज में होंगी। इस प्रकार पारम्परिक प्रणाली में वास्तविक चरों के लिए धन की अप्रासंगिकता मौद्रिक तटस्था कहलाती है।

12. **(B):** भारत में मुद्रा आपूर्ति का मान चार M के M_1, M_2, M_3 और M_4 से जुड़ा हुआ है। इन्हें निम्नानुसार वर्णित किया गया है :

- M_1 – इसे संकीर्ण धन के रूप में भी जाना जाता है।
  - $M_1 = C + DD + OD$
    जहाँ C = जनता के साथ मुद्रा है, DD = जनता के साथ बैंक में मांग जमा, OD = RBI के साथ जनता के द्वारा अन्य जमा।
  - यह धन की आपूर्ति का सबसे तरल रूप है।
- M_2 – यह मुद्रा आपूर्ति की एक व्यापक अवधारणा है।
  - $M_2 = M_1$ + डाकघर बचत बैंकों के साथ बचत
  - M_1 को M_2 से अलग किया गया है क्योंकि डाकघर की बचत जमा बैंक जमा के रूप में तरल नहीं है।
- M_3 – इसे वृहद् धन या संयोजित मौद्रिक संसाधन के रूप में भी जाना जाता है।
  - $M_3 = M_1$ + बैंक के साथ समय जमा
  - समय जमा धन के भंडार के रूप में होता है और लोगों की बचत का प्रतिनिधित्व करता है और यह उतना तरल नहीं होता है क्योंकि मांग जमा में जमा धन की तुलना में इन्हें चेक या एटीएम के माध्यम से नहीं निकाला जा सकता है
  - M_3 धन की आपूर्ति का सबसे लोकप्रिय और आवश्यक उपाय है
  - प्रोफेसर सुखमॉय चक्रवर्ती की अध्यक्षता वाली मौद्रिक समिति ने अर्थव्यवस्था में मौद्रिक योजना के लिए इसके उपयोग की सिफारिश की थी।
- M_4 – इसमें डाकघर बचत खाते की कुल जमा के साथ M_3 के सभी उत्पाद सम्मिलित होते हैं।
  - $M_4 = M_3$ + डाकघर बचत संगठनों के साथ कुल जमा
  - हालाँकि M_4, डाकघरों के राष्ट्रीय बचत प्रमाणपत्र को नहीं रखता है

13. **(C):** आयोजनों का क्रम निम्नलिखित है :

वर्ष	स्थान	उल्लेखनीय परिणाम
1947	जिनेवा	45,000 प्रशुल्कों में कटौती-औसतन 35% कटौती
1949	अन्नेसी	प्रशुल्क में कमी
1951	टरक्यो	प्रशुल्क में कमी
1956	जिनेवा	प्रशुल्क में कमी
1960-61	जिनेवा डिलन राउंड	प्रशुल्क में कमी
1964-67	जिनेवा कैनेडी राउंड	औद्योगिक वस्तुओं पर औसतन 35% प्रशुल्क कटौती; बाजार मूल्य अवमूल्यन रोधी कानूनों के उपयोग पर प्रतिबद्धता
1973-79	जिनेवा टोक्यो राउंड	औद्योगिक वस्तुओं पर औसतन 34% प्रशुल्क कटौती; गैर प्रशुल्क उपायों पर प्रतिबद्धताएँ
1986-94	जिनेवा उरुग्वे राउंड	सेवाओं के व्यापार एवं बौद्धिक संपदा को शामिल किया गया; कृषि पर बिल्ट-इन-एजेंडा; डब्ल्यू.टी.ओ. की स्थापना

14. **(B)**

15. **(D)**

16. **(A): प्राथमिक घाटा** : राजकोषीय घाटा तथा ब्याज भुगतान के अन्तर को प्राथमिक घाटा कहते हैं। प्राथमिक घाटे की कोई एक सर्वसम्मत संकल्पना नहीं है। आमतौर पर जिस राजकोषीय घाटे की संकल्पना का उपयोग किया जाता है, उसमें खर्च के खाते में शुद्ध उधार (Net Lending) शामिल होते हैं। ऐसे राजकोषीय घाटे को सकल राजकोषीय घाटा

(Gross Fiscal Deficit) कहा जाता है। सकल राजकोषीय घाटे (GFD) में से प्राथमिक घाटा निकालने के संबंध में कोई एक धारणा नहीं है। एक विचार यह है कि GFD में से सरकारों के ब्याज भुगतानों को निकाल देने पर प्राथमिक घाटा मिलता है। दूसरी धारणा यह है कि प्राथमिक घाटा GFD में से शुद्ध ब्याज भुगतान को निकाल देने पर प्राप्त होता है। कुल ब्याज भुगतान में से ब्याज प्राप्ति को घटा देने पर शुद्ध ब्याज भुगतान प्राप्त होता है। जिस राजकोषीय घाटे में सरकार का शुद्ध उधार शामिल नहीं होता है, उसे शुद्ध राजकोषीय घाटा (Net Fiscal Deficit) कहा जाता है। शुद्ध उधार सरकार द्वारा दिए गए उधार तथा अग्रिम तथा उधार की वसूली का अन्तर है। जब शुद्ध राजकोषीय घाटे में शुद्ध ब्याज भुगतान को घटा दिया जाता है, तब शुद्ध प्राथमिक घाटा प्राप्त होता है। प्राथमिक घाटे की यह ऐसी संकल्पना है जो सकल घरेलू उत्पाद में ऋण के अनुपात की स्थिति को निर्धारित करने के लिए सुसंगत है।

17. (C) **18. (*)**

19. (B): प्रमुख राज्यों की प्रति व्यक्ति आय (PCI) :

राज्य	2020-21
आंध्र प्रदेश	170215
बिहार	46292
छत्तीसगढ़	104943
हरियाणा	239535
झारखंड	75587
कर्नाटक	226796
मध्य प्रदेश	98418
मेघालय	82182
ओडिशा	109730
पंजाब	151367
राजस्थान	109386
सिक्किम	424454
तमिलनाडु	225106
तेलंगाना	237632
त्रिपुरा	129995
उत्तर प्रदेश	65431
पश्चिम बंगाल	121267

20. (B): $R = 30Q - Q^2 \rightarrow MR = 30 - 2Q$

$C = 20 + 4Q \rightarrow MC = 4$

$\Rightarrow MR - MC$

$\Rightarrow 30 - 2Q = 4$

$\Rightarrow 2Q = 26$

$\Rightarrow Q = 13.$

21. (B): वास्तविक GDP (Real GDP): वास्तविक GDP अथवा स्थिर कीमतों पर GDP एक अर्थव्यवस्था के वास्तविक विकास को मापने का बहुत उपयोगी सूचक है। इसे किसी आधार वर्ष की कीमतों पर उत्पादन के मूल्य के रूप में परिभाषित किया जा सकता है।

इसे चालू वर्ष में उत्पादित वस्तुओं और सेवाओं को आधार अथवा स्थिर वर्ष की कीमतों से गुणा करके ज्ञात किया जा सकता है। स्थिर कीमतों अथवा मूल्यों पर GDP को वास्तविक GDP भी कहा जाता है। आधार वर्ष स्थिर वर्ष होता है। इसका चयन बहुत ध्यान से किया जाता है, जिस वर्ष में कोई प्राकृतिक आपदा, जैसे—बाढ़, भूकम्प, सूखा, महामारी अथवा युद्ध न हुए हों। कीमतें पूरे वर्ष स्थिर रहती हैं।

नाममात्र GDP (Nominal GDP): नाममात्र GDP अथवा चालू कीमतों पर GDP आर्थिक विकास का कमजोर सूचक है। इसे चालू उत्पादन के चालू कीमतों पर मूल्यों के रूप में परिभाषित किया जा सकता है। इसे चालू वर्ष में उत्पादित वस्तुओं एवं सेवाओं को चालू वर्ष की कीमतों से गुणा करके ज्ञात किया जा सकता है। चालू कीमतों पर GDP को मौद्रिक GDP भी कहा जाता है। प्रत्येक वर्ष देश चालू मूल्यों पर GDP की गणना करता है।

22. (B): लंदन स्मॉग एपिसोड : यह वायु प्रदूषण के रूप में 1952 में लंदन में सल्फ्यूरस धूम-कोहरे के रूप में देखा

गया इसलिए इसका नाम लंदन स्मॉग रखा गया। धुएँ, कोहरे तथा सल्फर डाइ-ऑक्साइड (SO_2) ने बुरी तरह लंदन को प्रभावित किया क्योंकि कोयले का ईंधन के रूप में प्रयोग किया गया। रासायनिक रूप से यह अपचायक मिश्रण होता है इसलिए इसे अपचायक स्मॉग कहते हैं। यह धूम-कोहरा लंदन पर दिसम्बर 1952 में पाँच दिन रहा तथा इससे लगभग 5000 व्यक्ति मारे गए। मृत्यु के कारण निमोनिया ब्रोंकाइटिस तथा श्वसन संबंधी समस्याएँ थीं।

दि थ्री माइल आइलैंड न्यूक्लियर आपदा : यह हादसा जो 28 मार्च, 1979 को हुआ था, पेंसिल्वेनिया के मिडलटाउन में एक परमाणु ऊर्जा संयंत्र के पिघलने से हुआ था। यह अमेरिकी वाणिज्यिक परमाणु ऊर्जा संयंत्र के परिचालन इतिहास में सबसे गंभीर दुर्घटना थी। यह उपकरण की खराबी, डिजाइन से संबंधित समस्याओं और मानवीय त्रुटियों के संयोजन के परिणामस्वरूप हुआ।

भोपाल गैस त्रासदी : भारत के मध्य प्रदेश राज्य के भोपाल शहर में 2-3 दिसम्बर, 1984 को एक भयानक औद्योगिक दुर्घटना हुई। इसे भोपाल गैस त्रासदी के नाम से जाना जाता है। भोपाल स्थित यूनियन कार्बाइड नामक कंपनी के कारखाने से मिथाईल आइसोसाइनेट (मिक) नामक जहरीली गैस का रिसाव हुआ जिससे लगभग 15000 से अधिक लोगों की जान गई तथा बहुत सारे लोग शारीरिक अपंगता का शिकार हुए।

चेरनोविल आपदा : यूक्रेन (जो तब पूर्व सोवियत संघ का हिस्सा था) में चेरनोबिल परमाणु ऊर्जा संयंत्र में 1986 का हादसा, वाणिज्यिक परमाणु ऊर्जा के इतिहास में एकमात्र दुर्घटना है, जो विकिरण से होने वाली मृत्यु का कारण बनती है। यह मानवीय त्रुटी के साथ एक गंभीर रूप से त्रुटिपूर्ण रिएक्टर डिजाइन का परिणाम था।

एक्सॉन वाल्डेज : यह तेल रिसाव 24 मार्च, 1989 को प्रिंस विलियम साउंड, अलास्का में हुआ था।

23. (A)

24. (D): पीएम गतिशक्ति आर्थिक वृद्धि और सतत विकास की दिशा में एक परिवर्तनकारी पद्धति है। इस पद्धति का संचालन सात कारकों (Seven Engines) के माध्यम से होता है। ये हैं–सड़क, रेलवे, एयरपोर्ट्स, पत्तन, सार्वजनिक परिवहन, जलमार्ग और लॉजिस्टिक अवसंरचना। पीएम गतिशक्ति राष्ट्रीय मास्टर योजना के अंतर्गत परिवर्तन के सभी सात कारक, निर्बाध मल्टीमॉडल कनेक्टिविटी और लॉजिस्टिक्स दक्षता क्षमता शामिल है। इस योजना के तहत वर्ष 2019 में प्रारंभ की गई राष्ट्रीय अवसंरचना पाइप लाइन को समाहित किया जाएगा।

25. (C)

26. (C)

27. (A): वासिली लियोंटिक द्वारा हेक्शर-ओहलिन मॉडल के पहले अनुभवजन्य परीक्षण का परिणाम यू.एस. के निर्यात यू.एस. के आयातों से कम पूँजी प्रधान थे।

इस सिद्धांत को अंतर्राष्ट्रीय व्यापार का आधुनिक सिद्धांत कहा जाता है। इस सिद्धांत के अनुसार दो देशों के बीच व्यापार वस्तुओं की लागतों में सापेक्षिक अन्तर के कारण होता है तथा यह अन्तर दो कारणों से उत्पन्न होता है :

1. प्रथम यह है कि उत्पत्ति के साधनों की कीमत में सापेक्षिक अन्तर होता है।
2. द्वितीय यह कि विभिन्न वस्तुओं के उत्पादन में उत्पत्ति के साधनों की आवश्यकता में भी सापेक्षिक भिन्नता पाई जाती है।

इस आधार पर कहा जा सकता है कि एक देश उन वस्तुओं का विशिष्टीकरण एवं निर्यात करता है जिनके उत्पादन में सापेक्षिक रूप से उन साधनों की अधिक आवश्यकता होती है, जो उस देश में सापेक्षिक रूप से प्रचुर मात्रा में है और इसलिए सापेक्षिक रूप से सस्ते होते हैं। हेक्शर-ओहलिन ने सापेक्षिक साधन प्रचुरता को दो प्रकार से स्पष्ट किया :

1. भौतिक कसौटी पर साधन प्रचुरता।
2. कीमत कसौटी पर साधन प्रचुरता।

28. (D): सकल वस्तु विनिमय व्यापार शर्तें : शुद्ध वस्तु विनिमय शर्तों की धारणा की कमियों को दूर करने के लिए प्रो. टॉजिंग ने सकल वस्तु विनिमय व्यापार शर्तों

की धारणा का विकास किया। प्रो. टॉजिंग ने बताया कि हमें आयात व निर्यात कीमतों के अनुपात के स्थान पर आयात व निर्यात की वस्तुओं की भैतिक मात्राओं का अनुपात निकालकर सकल व्यापार शर्तें निकालनी चाहिए। संक्षेप में, इस धारणा में हम कीमतों की अपेक्षा मात्राओं के बीच संबंध स्थापित करते हैं। इस प्रकार टॉजिंग के अनुसार, ''एक देश की सकल वस्तु विनिमय व्यापार शर्तें उस देश के कुल आयात व निर्यात की भौतिक मात्राओं का अनुपात हैं।'' गणितीय रूप में :

$$\text{सकल वस्तु विनिमय व्यापार शर्तें} = \frac{Qm}{Qx}$$

यहाँ पर Qm = एक देश की कुल आयात की मात्रा, Qx = एक देश की कुल निर्यात की मात्रा।

दो समयावधियों के मध्य सकल वस्तु विनिमय व्यापार शर्तों के परिवर्तन को देखने के लिए दोनों अवधियों के मध्य कुल आयात व निर्यात की भौतिक मात्राओं के तुलनात्मक अनुपात को निकाला जाता है।

डोरेन्स ने व्यापार की आय शर्तों के सिद्धांत को प्रतिपादित किया। यह सूचक किसी देश के निर्यातों और उस देश के निर्यात और आयात कीमतों पर ध्यान देता है। यह किसी देश के निर्यातों में परिवर्तनों के अनुपात में उसकी परिवर्तित हुई आयात क्षमता को प्रदर्शित करता है। इस व्यापार की आय शर्तें तथा उसके निर्यात मात्रा सूचक का गुणनफल होती है।

29. (B): साधन कीमत पर शुद्ध घरेलू उत्पाद (NDP_{FC})

- यह एक लेखा वर्ष में किसी देश की घरेलू सीमा में कार्यरत उत्पादन के साधनों द्वारा अर्जित आय है।
- इसका आकलन साधन लागत पर किया जाता है।
- इनमें शुद्ध अप्रत्यक्ष करों को सम्मिलित नहीं किया जाता है।
- $NDP_{FC} = NDP_{MP}$ – अप्रत्यक्ष कर + आर्थिक सहायता

$$= 27654 - 2160 + 2847$$
$$= 22647.$$

30. (C)

31. (C):

औद्योगिक उत्पादन सूचकांक (आधार 2011-12)	**वर्गीकरण**	**भार** (%)
प्राथमिक वस्तु	15	34.05
मध्यवर्ती वस्तुएँ	110	17.22
पूंजीगत वस्तु	67	8.22
संरचनात्मक/विनिर्माणकारी पदार्थ	29	12.34
कंज्यूमर ड्यूरेबल	86	12.84
गैर-कंज्यूमर ड्यूरेबल	100	15.33
कुल	407	100

32. (B)

33. (B): एक खुली अर्थव्यवस्था में पूंजी की पूर्ण गतिशीलता के अन्तर्गत IS-LM विश्लेषण को मंडेल-फ्लेमिंग मॉडल कहा गया है। 1960 के दशक में राबर्ट मंडेल तथा जे.एम. फ्लेमिंग ने इस विश्लेषण को विकसित किया बाद में वर्षों में विनिमय दरों में परिवर्तनशीलता आने पर कुछ संशोधन किये गये हैं। मूल रूप में यह मॉडल पूंजी की गतिशीलता के अंतर्गत नीतियों के कार्य की व्याख्या करता है।

यह मॉडल दो उपायों और दो उद्देश्यों के बीच संबंध का विश्लेषण करता है। दो उपाय हैं–ब्याज की दर द्वारा व्यक्त मौद्रिक नीति तथा सरकारी व्यय द्वारा व्यक्त राजकोषीय नीति। दो उद्देश्य हैं–पूर्ण रोजगार (आंतरिक संतुलन) तथा भुगतान शेष संतुलन (बाह्य संतुलन) बाह्य संतुलन के लिए मौद्रिक नीति तथा आंतरिक संतुलन के लिए राजकोषीय नीति को अपनाया जाता है।

मान्यताएँ : मंडेल का मॉडल निम्नलिखित मान्यताओं पर आधारित है–

- ब्याज दर का संबंध मौद्रिक नीति के साथ है।
- अंतर्राष्ट्रीय पूंजी प्रवाह घरेलू ब्याजदर परिवर्तनों से प्रभावित होते हैं।
- आयात आय का धनात्मक फलन है।

- निर्यात बहिर्जात रूप से (Exogenously) दिये हुए हैं, तथा
- बजट के घाटे अथवा आधिक्य का संबंध राजकोषीय नीति के साथ है।

34. (B)

35. (A)

36. (A): लिंग-अनुपात : प्रति हजार पुरुषों पर स्त्रियों की संख्या को लिंग अनुपात कहा जाता है। भारत में लिंग अनुपात पुरुषों के पक्ष में रहा है। 1901 में लिंगानुपात 927 था जो 2011 में बढ़कर 943 हो गया अर्थात् 1000 पुरुषों पर 943 स्त्रियाँ। हरियाणा में लिंगानुपात न्यूनतम है (879 स्त्रियाँ/हजार पुरुष) व केरल में लिंगानुपात अधिकतम (1084 स्त्रियाँ/हजार पुरुष) है। मध्य प्रदेश में लिंगानुपात 931, ओडिशा में 979, गुजरात में 919 तथा तमिलनाडु में 996 है।

37. (A): राजकोषीय नीति : वह नीति जिसके माध्यम से सरकार अपने नियोजित व्यय में परिवर्तन और एकत्र कर और गैर-कर राजस्व की मात्रा निर्धारित करती है, राजकोषीय नीति के रूप में जानी जाती है। केन्जियन विचारधारा के अनुसार, करों का समायोजन और/या सरकारी खर्च कुल माँग को बदलने और फर्मों और व्यक्तियों द्वारा विभिन्न प्रकार की आर्थिक गतिविधियों को शुरू करने के लिए प्रोत्साहन को प्रभावित करते हैं। राजकोषीय नीति एक व्यावसायिक चक्र के दौरान अर्थव्यवस्था को स्थिर करने के लिए एक प्रभावी साधन है। इसका उपयोग सकल माँग, बचत और निवेश और आय वितरण जैसे व्यापक आर्थिक चरों को प्रभावित करने के लिए किया जाता है। राजकोषीय नीति के निम्नलिखित तीन व्यापक स्वरूप हैं :

- **निरपेक्ष राजकोषीय नीति :** स्थिर आर्थिक स्थितियों में प्रयुक्त।
- **विस्तारवादी राजकोषीय नीति :** एक मंदी या मंदी की स्थिति के दौरान प्रयुक्त (जब एक राजकोषीय प्रोत्साहन सम्वेष्टन (पैकेज) जिसमें बढ़ाया गया सरकारी खर्च या कम कर की दरें या इनका एक संयोजन अपनाया जाता है)
- **संकुचनकारी राजकोषीय नीति :** इसे उस समय प्रयोग किया जाता है जब अर्थव्यवस्था में तेजी होती है या उछाल होता है। इसमें बढ़े हुए कर और व्यय में कटौती शामिल हो सकते हैं।

38. (C): जनसंख्या स्थिरीकरण एक ऐसा चरण है जब जनसंख्या वृद्धि दर अपरिवर्तित रहती है। इसे शून्य जनसंख्या वृद्धि का चरण भी कहा जाता है। देश स्तर की जनसंख्या का स्थिरीकरण तब होता है जब जन्म के साथ-साथ प्रवास और मृत्यु के साथ-साथ बाहर-प्रवास बराबर होता है। इस प्रकार, प्रतिस्थापन स्तर की प्रजनन दर अर्थात टीएफआर 2.1 (प्रति दंपति दो बच्चे) और जनसंख्या स्थिरीकरण प्राप्त करने के बीच अक्सर कुछ दशकों का अंतर होता है। राष्ट्रीय जनसंख्या नीति के अनुसार, भारत ने 2045 तक जनसंख्या स्थिरीकरण के बड़े लक्ष्य को प्राप्त करने का लक्ष्य निर्धारित किया है।

39. (D): निम्नलिखित समीकरण एकाधिकार मूल्य, सीमांत लागत और लोच के मध्य संबंध स्थापित करता है :

$$\frac{P - MC}{P} = \frac{1}{e}$$

जहाँ e लोच को इंगित करता है।

पुनः $P\left(1+\frac{1}{e}\right) = MC$

कोई अधिकारी ₹ 40 प्रति यूनिट की कीमत प्रभारित करता है जिसकी लोच –2 है।

$$\text{सीमांत लागत} = 40\left(1+\frac{1}{-2}\right)$$

$$= 40 \times \frac{1}{2}$$

$$= ₹\ 20.$$

40. (A)

41. (B): नोबल पुरस्कार विजेता अर्थशास्त्री प्रो. मिर्डल ने अपनी पुस्तक 'Economic Theory and Underdeveloped Regions' में अर्द्ध-विकसित देशों के अल्पविकास के कारणों की व्याख्या करते हुए एक नये दृष्टिकोण की चर्चा की जिसके अनुसार चक्रीय संचयी कार्यकरण तथा संकुचन प्रभाव (Backwash Effect)

के कारण अर्द्ध-विकसित और विकसित देशों के बीच एक दुश्चक्र (Vicious Circle) पैदा हो जाता है जो अर्द्ध-विकसित तथा विकसित देशों के बीच आय की असमानता के अन्तराल को बढ़ाता रहता है।

प्रो. मिर्डल ने अपने चक्रीय कार्यकारण सिद्धांत के आधार पर स्पष्ट किया कि असमानताओं के विषय में प्राचीन सैद्धांतिक स्थिर संतुलन की मान्यता सर्वथा गलत है। स्थिर संतुलन की यह मान्यता है कि जब भी संतुलन कुछ क्रिया विशेषों अथवा कारण विशेषों के कारण भंग होता है तो कुछ ऐसी प्रक्रियाओं का भी जन्म होता है जो इस संतुलन की पुनः प्राप्ति की व्यवस्था करती है। इस प्रकार प्राचीन अर्थशास्त्रियों की यह मान्यता थी कि अर्थव्यवस्था में निरंतर एक संतुलन स्थापित रहता है।

प्रो. गुन्नार मिर्डल का यह मत है कि वास्तविक जगत में इस प्रकार की स्थिति नहीं पायी जाती। ऐसा आवश्यक नहीं है कि अर्थव्यवस्था में सदैव संतुलन स्थापित होता रहे। वास्तविकता यह है कि अर्थव्यवस्था में जब एक बार संतुलन भंग हो जाता है तो अर्थव्यवस्था निरंतर संतुलन से दूर हटती चली जाती है क्योंकि असंतुलन का उदय करने वाले घटकों का संचयी प्रभाव होता है।

विकास के प्रभावित करने वाले आकस्मिक घटकों में परस्पर संबंध एवं परस्पर निर्भरता होती है। यह घटक चक्राकार रूप में संचयी प्रवृत्ति लिये रहते हैं जिसके फलस्वरूप जब इनमें किसी एक घटक में कोई परिवर्तन होता है तो उसके प्रभावों से अन्य घटकों में परिवर्तन हो जाता है। इस प्रकार एक परिवर्तन दूसरे परिवर्तन का कारण एवं प्रभाव बन जाता है।

42. (C): कोविड-19 की महामारी के दौरान FDI को बढ़ावा देने हेतु सरकार की पहल :

- भारत सरकार ने हाल के वर्षों में कई पहल की हैं जैसे कि रक्षा, PSU तेल रिफ़ाइनरियों, दूरसंचार, पॉवर एक्सचेंजों और स्टॉक एक्सचेंजों जैसे क्षेत्रों में FDI मानदंडों में ढील देना।
- 'मेक इन इंडिया' और 'आत्मनिर्भर भारत' अभियानों के साथ-साथ वैश्विक आपूर्ति शृंखलाओं में भारत के कदम मजबूत करने से पिछले कुछ वर्षों में FDI प्रवाह को गति मिली है।
- निवेश को आकर्षित करने वाली योजनाओं का शुभारंभ, जैसे, राष्ट्रीय तकनीकी वस्त्र मिशन, उत्पादन से जुड़ी प्रोत्साहन योजना, प्रधानमंत्री किसान संपदा योजना आदि।
- कोविड-19 महामारी की पहली लहर ने लगभग 1,000 कंपनियों को अपना आधार चीन से बाहर स्थानांतरित करने के लिये प्रेरित किया, जिनमें से लगभग 300 चिकित्सा और इलेक्ट्रॉनिक उपकरण, मोबाइल और वस्त्रों के क्षेत्रों में थीं।
- दूरसंचार सेवा के क्षेत्र में स्वचालित जरिये से 100 प्रतिशत प्रत्यक्ष विदेशी विनिवेश को मंजूरी देना।
- प्रत्यक्ष विदेशी विनिमय सेल का गठन करके प्रत्यक्ष विदेशी विनिवेश प्रस्ताव को बढ़ावा देना।

43. (B)

44. (D): सतत विकास के प्राथमिक लक्ष्य लैंगिक समानता, गरीबी और भूख का अंत हासिल करना है; शिक्षा और स्वास्थ्य देखभाल के बेहतर मानक मुख्य रूप से पानी की गुणवत्ता और बेहतर स्वच्छता और नौकरियों और मजबूत अर्थव्यवस्थाओं को बढ़ावा देने के दौरान सतत आर्थिक विकास से संबंधित हैं।

सतत विकास लक्ष्य सभी के लिए एक बेहतर और अधिक टिकाऊ भविष्य प्राप्त करने का खाका है।

वे हमारे सामने आने वाली वैश्विक चुनौतियों का समाधान करते हैं, जिनमें गरीबी, असमानता, जलवायु परिवर्तन, पर्यावरण क्षरण, शांति और न्याय से संबंधित चुनौतियाँ शामिल हैं। सभी 17 लक्ष्य आपस में जुड़े हुए हैं, और किसी को पीछे न छोड़ने के लिए यह महत्वपूर्ण है कि हम 2030 तक उन सभी को प्राप्त कर लें।

इसलिए, स्थिरता के प्राथमिक लक्ष्यों में निम्नलिखित शामिल हैं :

- गरीबी और भूख को समाप्त करना।
- शिक्षा और स्वास्थ्य देखभाल के बेहतर मानक– खासकर जब यह पानी की गुणवत्ता और बेहतर स्वच्छता से संबंधित है।

- लैंगिक समानता प्राप्त करना।
- नौकरियों और मजबूत अर्थव्यवस्थाओं को बढ़ावा देते हुए सतत आर्थिक विकास।
- अंतर और अन्तः पीढ़ीगत समता को प्राप्त करना।

45. (B): F-परीक्षण : F-परीक्षण नल परिकल्पना (Null Hypothesis) के अंतर्गत किये गये वितरण (Distribution) की शुद्धता को जानने के लिए किया जाता है। इस परीक्षण का उद्देश्य यह जानना है कि अपनाये गये मॉडल जनसंख्या के लिए उचित हैं या नहीं अथवा कौन-सा मॉडल सबसे सही होगा।

T-परीक्षण : इसका उपयोग दो समूहों के साधनों की तुलना करने के लिए किया जाता है। इस परीक्षण के माध्यम से प्रतिगामी गुणांक के महत्व का परीक्षण किया जाता है। T-परीक्षण में टी वितरण का विशेष रूप इसकी स्वतंत्रता की डिग्री से निर्धारित होता है। इस परीक्षण का उपयोग परिकल्पना परीक्षण में किया जाता है ताकि यह पता लगाया जा सके कि वास्तव में एक प्रक्रिया का आबादी पर प्रभाव है, या क्या समूह एक-दूसरे से भिन्न हैं। छोटे नमूने के आकार ($n < 30$) के लिए एक परीक्षण आवश्यक है जहाँ वितरण सामान्य नहीं है।

काई-स्क्वायर परीक्षण : काई-स्क्वायर परीक्षण को χ^2 Test के माध्यम से भी दर्शाया जाता है। इसका उच्चारण 'काई स्क्वायर' किया जाता है। महत्ता की जाँच के लिए प्रयोग किये जाने वाले विभिन्न परीक्षणों में काई-स्क्वायर परीक्षण सबसे महत्वपूर्ण है। काई-स्क्वायर परीक्षण द्वारा जनसंख्या और श्रेणियों में विभाजित जनसंख्या के आँकड़ों की तुलना की जा सकती है। यहाँ जनसंख्या को उसके विभिन्न गुणों के आधार पर विभिन्न श्रेणियों में बाँटकर परीक्षण किया जाता है।

जार्क-बेरा परीक्षण : परीक्षण का नाम कार्लोस जार्क और अनिल के. बेरा के नाम पर रखा गया है। परीक्षण आँकड़ा हमेशा गैर-ऋणात्मक होता है। यदि यह शून्य से बहुत दूर है, तो यह संकेत देता है कि डेटा का सामान्य वितरण नहीं है।

46. (C): सर्वेक्षण के अनुसार 2021-22 में कुल उपभोग अनुमानतः 7.0 प्रतिशत की दर से बढ़ा है और इसमें सरकारी उपभोग का पिछले वर्ष की ही तरह सबसे बड़ा योगदान है। अनुमान है कि सरकार उपभोग 7.6 प्रतिशत की दर से मजबूती से बढ़ेगा और वह महामारी पूर्व के स्तर को पार कर जाएगा। निजी उपभोग में भी अनुमानतः महत्वपूर्ण सुधार आएगा और वह भी महामारी पूर्व के स्तर की तुलना में 97 प्रतिशत बढ़ेगा। इसके साथ ही यह टीकाकरण की तीव्र कवरेज और आर्थिक गतिविधियों के तेजी से सामान्य होने के कारण और भी तेजी से बढ़ेगा।

47. (D)

48. (B)

49. (B): कुल प्रजनन दर : इसकी गणना आयु विशिष्ट प्रजनन-दर की सहायता से की जाती है। इसकी गणना करने के लिए सर्वप्रथम प्रत्येक आयु वर्ग के लिए आयु विशिष्ट प्रजनन-दर की गणना की जाती है। तत्पश्चात् उन सभी आयु वर्ग के योग को आयु वर्गान्तर से गुणा कर दिया जाता है। यह गुणनफल उस संख्या को व्यक्त करेगा जो प्रति हजार स्त्रियों को उनका सम्पूर्ण प्रजनन-काल पूर्ण कर लेने पर प्रतिस्थापित करेगी।

बार्कले के अनुसार, ''कुल प्रजनन-दर कुल जन्मे शिशुओं की वह संख्या है जिसे स्त्रियों का एक (काल्पनिक) समूह सम्पूर्ण प्रजनन-काल पूर्ण कर लेने पर तब जन्म देगा जबकि प्रत्येक आयु वर्ग के लिए ये जन्म दरें हों।''

इसे निम्नांकित सूत्र द्वारा ज्ञात किया जा सकता है :

$$\text{TFR} = \frac{\text{ASFR} \times i}{1000}$$

जहाँ TFR = कुल प्रजनन-दर

ASFR = आयु विशिष्ट प्रजनन-दर का योग

i = आयु वर्गान्तर।

50. (B): विस्तारवादी नीति का उद्देश्य मौद्रिक और राजकोषीय प्रोत्साहन के माध्यम से मांग को बढ़ावा देकर अर्थव्यवस्था को प्रोत्साहित करना है। विस्तारवादी नीति आर्थिक गिरावट और मंदी को रोकने या मध्यम करने के लिए प्रवृत्त है।

विस्तारवादी राजकोषीय नीति में करों को कम करना या सकल मांग और उत्पादन बढ़ाने के लिए सरकारी खर्च को बढ़ाना शामिल है।

51. (A): असीमित श्रम पूर्ति के साथ आर्थिक विकास के सिद्धांत का प्रतिपादन डब्ल्यू.ए. लेविस द्वारा किया गया। अपने सिद्धांत में लेविस अल्पविकसित देशों में 'आर्थिक द्वैत' का विश्लेषण करते हैं, जिसका आशय है कि इन देशों में अर्थव्यवस्था दो क्षेत्रों में विभाजित होती है : 1. पूंजीवादी क्षेत्र और 2. जीवन-निर्वाह क्षेत्र।

लेविस के अनुसार आर्थिक विकास उस समय होगा जबकि जीवन-निर्वाह क्षेत्र से अतिरिक्त श्रम को निकालकर पूंजीवादी क्षेत्र में लगाया जाता है तो जीवन निर्वाह क्षेत्र में श्रमातिरेक समाप्त हो जाएगो तथा औद्योगिक क्षेत्र में पूंजी-निर्माण की दर बढ़ती जाएगी। यह सिद्धांत विकास की प्रक्रिया में पूंजीवादी अधिकता की व्याख्या करता है।

52. (D): आर्थिक सुधारों तथा उदारीकृत परिदृश्य के प्रकाश में फेरा (FERA) को एक नए अधिनियम द्वारा प्रतिस्थापित किया गया था, इसी को विदेशी मुद्रा प्रबंधन अधिनियम (FEMA) 1999 कहा जाता है। यह जून 2000 में प्रभावी हुआ। फेमा में केवल अधिकृत व्यक्तियों को ही विदेशी मुद्रा या विदेशी प्रतिभूति में लेन-देन करने की अनुमति दी गई है। इसका उद्देश्य विदेशी व्यापार तथा भुगतानों को आसान बनाना तथा विदेशी मुद्रा बाजार का अनुरक्षण और संवर्धन करना है।

एकाधिकार, प्रतिबंधात्मक और अनुचित व्यापार व्यवहार (Monopalistic and Restrictive Trade Practice Act—MRTP) 1969 का निर्माण बाजार में एकाधिकार के निर्माण को रोकना तथा व्यापार में अनुचित क्रिया-कलापों की रोकथाम करना था। वर्ष 2002 में प्रतिस्पर्धा अधिनियम, 2002 की स्थापना की गई जिसने एमआरटीपी एक्ट का स्थान लिया तथा इसका उद्देश्य भी एकाधिकार एवं प्रतिबंधित क्रियाओं की रोकथाम था।

53. (A): 9 दिसम्बर, 2019 को बोगोटा, कोलंबिया में जारी 'मानव विकास सूचकांक, 2019' में विश्व के 189 देशों को उनके प्राप्तांक के आधार पर चार वर्गों में विभाजित किया गया है। 0.800 या उससे अधिक HDI मूल्य वाले 62 देशों (1-62 रैंक) को अति उच्च मानव विकास वर्ग, 0.700-0.799 HDI मूल्य वाले 54 देशों (63-116 रैंक) को उच्च मानव विकास वर्ग, 0.550-0.699 HDI मूल्य वाले 37 देशों (117-153 रैंक) को मध्यम मानव विकास वर्ग तथा 0.550 से कम अंक पाने वाले 36 देशों (154-189 रैंक) को निम्न मानव विकास वर्ग में रखा गया है।

2019 में नॉर्वे 0.954 HDI मूल्य के साथ मानव विकास सूचकांक में शीर्ष स्थान पर है। इसके पश्चात् स्विट्ज़रलैंड दूसरे, जबकि आयरलैंड तीसरे स्थान पर रहा। सूची में जर्मनी और हांगकांग संयुक्त रूप से चौथे तथा ऑस्ट्रेलिया और आइसलैंड संयुक्त रूप से छठे स्थान पर हैं। ऑस्ट्रेलिया वर्ष 2018 की सूची में तीसरे स्थान पर था।

वर्ष 2019 में मानव विकास सूचकांक में प्रमुख देशों का अवरोही क्रम इस प्रकार है—नार्वे, चीन, भारत, बांग्लादेश तथा नेपाल।

54. (B)

55. (B): अर्थशास्त्र में उपभोक्ता सिद्धांत को, एक गिफेन वस्तु वह है जिसे लोग विरोधाभासी रूप से अधिक उपभोग करते हैं क्योंकि कीमत बढ़ती है, मांग का नियम का उल्लंघन करती है। सामान्य परिस्थितियों में, जैसे-जैसे किसी वस्तु की कीमत बढ़ती है, प्रतिस्थापन प्रभाव के कारण उपभोक्ता उससे कम और स्थानापन्न वस्तुओं को अधिक खरीद करता है। गिफेन की अच्छी स्थिति में आय का प्रभाव हावी होता है, जिससे लोग अधिक सामान खरीदने के लिए प्रेरित होते हैं, भले ही इसकी कीमत बढ़ जाती है।

इस प्रकार यदि किसी वस्तु के लिए आय प्रभाव, प्रतिस्थापन प्रभाव की तरह विपरीत दिशा में पड़ता है, किन्तु प्रतिस्थापन प्रभाव का प्रभुत्व रहता है तो वह वस्तु घटिया किंतु गिफिन नहीं है।

56. (D)

57. (B): दो या दो से अधिक ऐसे समीकरण जिनमें दो या दो से अधिक अज्ञात राशियाँ हों, युगपत समीकरण कहलाते हैं।

युगपत समीकरण को हल करने की प्रचलित विधियाँ इस प्रकार हैं :

विलोपन विधि : इस विधि के अन्तर्गत समीकरणों को ऐसी संख्या से गुणा करते हैं जिससे दोनों समीकरणों में किसी एक अज्ञात राशि के गुणांक परस्पर समान हो जायें। गुणांक यदि समान चिह्न के हों तो एक समीकरण में से दूसरे समीकरण से घटाकर तथा गुणांक यदि विपरीत चिह्न के हों तो दोनों समीकरणों को जोड़कर एक ऐसा समीकरण प्राप्त कर लेते हैं जिससे एक ही अज्ञात राशि रह जाती है।

वज्रगुणन विधि : इस विधि के अन्तर्गत समीकरणों को व्यापक रूप में लेते हैं और उनको हल कर एक सूत्र प्राप्त करते हैं। इस सूत्र के प्रयोग से अन्य प्रश्न सीधे हल कर लिये जा सकते हैं।

प्रतिस्थापन विधि : इस विधि के अन्तर्गत किसी एक समीकरण से एक अज्ञात राशि का मान दूसरे अज्ञात राशि के पदों में ज्ञात कर लेते हैं और फिर उसे दूसरे समीकरण में प्रतिस्थापित कर देते हैं। इस प्रकार एक अज्ञात राशि विलोपित हो जाती है और एक नया समीकरण प्राप्त होता है जिससे दूसरी अज्ञात राशि का मान ज्ञात कर लेते हैं।

58. **(C)**

59. **(D)**

60. **(D):** पंडित दीनदयाल उपाध्याय जी का जन्म 25 सितम्बर, 1916 को मथुरा जिले के 'नगला चन्द्रभान' ग्राम में हुआ था। संघ के माध्यम से ही उपाध्याय जी राजनीति में आये। 21 अक्टूबर, 1951 को डॉ. श्यामाप्रसाद मुखर्जी की अध्यक्षता में 'भारतीय जनसंघ' की स्थापना हुई।

8वीं की परीक्षा उत्तीर्ण करने के बाद उपाध्याय जी ने कल्याण हाईस्कूल, सीकर, राजस्थान से दसवीं की परीक्षा में बोर्ड में प्रथम स्थान प्राप्त किया। 1937 में पिलानी से इंटरमीडिएट की परीक्षा में पुनः बोर्ड में प्रथम स्थान प्राप्त किया। 1939 में कानपुर के सनातन धर्म कालेज से बी.ए. की परीक्षा प्रथम श्रेणी में उत्तीर्ण की। एम.ए. करने के लिए सेंट जॉन्स कालेज, आगरा में प्रवेश लिया और पूर्वार्द्ध में प्रथम श्रेणी में उत्तीर्ण हुए। पंडित दीनदयाल उपाध्याय अध्ययन या कार्य करने के लिए विदेश नहीं गये।

61. **(B): निरपेक्ष आय संकल्पना** उपभोक्ता व्यवहार की व्याख्या करता है। जे.एम. कीन्स के उपभोग फलन को निरपेक्ष आय परिकल्पना नाम दिया गया है जो बताता है कि जब आय बढ़ती है तो उपभोग भी बढ़ता है परन्तु वह आय में वृद्धि की अपेक्षा कम बढ़ता है और विलोमशः भी। इसका मतलब है कि उपभोग तथा आय का संबंध गैर-आनुपातिक है।

सापेक्ष आय परिकल्पना जेम्स ड्यूसेनबेरी द्वारा व्यक्त की गई थी। यह स्पष्ट करती है कि उपभोग और बचत के लिए एक व्यक्ति का दृष्टिकोण सामान्य जीवन स्तर के बजाय ज्यादातर दूसरों के संबंध में उसकी आय से निर्धारित किया जाता है।

मिल्टन फ्रीडमैन ने वर्ष 1957 में प्रकाशित अपनी पुस्तक 'ए थ्योरी ऑफ कंजम्पशन फंक्शन' में **स्थायी आय परिकल्पना** (PIH) विकसित की। इस परिकल्पना का मूल तर्क यह है कि लोग अपने वर्तमान उपभोग की योजना अपने जीवनकाल में अपनी औसत प्रत्याशित आय के आधार पर बनाते हैं, न कि उनकी वर्तमान अवधि की आय के आधार पर।

एंडो और मोढीगलानी ने अपने **'लाइफ साइकिल हाइपोथिसिस'** में इस बात पर प्रकाश डाला कि यद्यपि व्यक्तियों की आय उनके जीवनकाल में काफी भिन्न-भिन्न होती है, वे जीवनकाल में एक समकृत उपभोग पथ बनाए रखते हैं। उपभोक्ता अपने उपभोग पथ को समकृत करने के लिए उधार और बचत का उपयोग करते हैं। नीति-निर्माताओं के लिए बचत दर में अंतर्देशीय अंतर और धन की वृद्धि पर उसके प्रभाव का विश्लेषण करने के लिए इस मॉडल का सशक्त निहितार्थ था।

62. **(C):** क्लासिकल तथा नवक्लासिकल अर्थशास्त्रियों के अनुसार अर्थव्यवस्था में सदैव बाजार संतुलन रहेगा। नवीन कीन्सीयन अर्थशास्त्री अल्पकाल में कीमत स्थिरता की बात करते हैं क्योंकि कीमतों के समायोजन की कुछ लागतें होती हैं। इसलिए एकाधिकार या अपूर्ण प्रतियोगी बाजार में फर्में वस्तुओं की कीमतों का निर्धारण स्वयं करती हैं। इस प्रकार कीमतों के समायोजन की जो लागत होती है, उसे 'मेन्यु कॉस्ट'

कहते हैं। मेन्यु कॉस्ट की अवधारणा का प्रतिपादन मैनक्यू ने किया था।

मेन्यु कॉस्ट के कारण अल्पकाल में कीमतों में स्थिरता पायी जाती है क्योंकि कीमतों में परिवर्तन के परिणामस्वरूप प्राप्त होने वाला लाभ लागतों से कम होता है। यही कारण है कि होटलों, रेस्तराओं में कीमतों में बार-बार परिवर्तन नहीं किया जाता।

63. (B)

64. (B): पॉल क्रुगमैन अमेरिका के प्रिन्सटन विश्वविद्यालय में अर्थशास्त्र और अंतर्राष्ट्रीय मामलों के प्रोफेसर हैं। इन्होंने अंतर्राष्ट्रीय व्यापार में पैमाने की मितव्ययिताएँ और एकाधिकारिक प्रतियोगिता का सिद्धांत दिया। इन्हें अर्थशास्त्र के क्षेत्र में वर्ष 2008 में नोबेल पुरस्कार के लिए चुना गया था।

वाणिकविदों के अनुसार व्यापार एक शून्य योग क्रीड़ा है। शून्य योग क्रीड़ा–यदि किसी व्यापार में दो व्यक्ति हों तो एक व्यक्ति को जितनी मात्रा में लाभ होगा दूसरे व्यक्ति को उतनी ही मात्रा में हानि होगी।

व्यापार का प्रौद्योगिकीय सिद्धांत एम.वी. पोसनर द्वारा विकसित एक मॉडल है। पोसनर एक बाजार में नए सामान पेश करने वाले देश द्वारा प्राप्त लाभ का वर्णन करता है।

व्यापार की व्याख्या के लिए दि ग्रेविटी मॉडल का विकास जॉन टिनबर्जन के द्वारा वर्ष 1962 में किया गया था। इस मॉडल का उपयोग द्विपक्षीय संदर्भ में किया जाता है। यह व्यापार करने वाले देशों के बीच दूरी को शामिल करता है।

65. (B): हैरिस-टोडरो का मॉडल ग्राम-शहरी स्थानांतरण और शहरी बेरोजगारी की समस्याओं का सामना करते हुए उष्ण कटिबंधी अफ्रीका के अनुभवों पर आधारित है। श्रम स्थानांतरण का कारण औसत प्रत्याशित मजदूरी में ग्राम शहरी अंतर है। न्यूनतम शहरी मजदूरी ग्राम मजदूरी से पर्याप्त ऊँची होती है। यदि न्यूनतम मजदूरी पर शहरी क्षेत्र में अधिक रोजगार के अवसर निर्मित किए जाते हैं तो प्रत्याशित मजदूरी में वृद्धि होगी और ग्राम-शहरी स्थानांतरण प्रोत्साहित होगा, जिससे शहरी बेरोजगारी में वृद्धि होगी। इसको दूर करने के लिए हैरिस टोडारो एक युक्त कर द्वारा सब्सिडी दी गई न्यूनतम मजदूरी का सुझाव देते हैं।

प्रो. डब्ल्यू. आर्थर लेविस अपने लेख 'श्रम की असीमित उपलब्धता के साथ आर्थिक विकास (1954) में इस बात पर विचार किया कि किस प्रकार एक अल्पविकसित अर्थव्यवस्था में पाये जाने वाले जीवन निर्वाह क्षेत्र (Subsistence sector) से जीवन निर्वाह स्तरीय मजदूरी दर पर पायी जाने वाली श्रम की असीमित पूर्ति को निकालकर पूँजीवादी क्षेत्र में लगाया जा सकता है और श्रमातिरेक वाली इन अर्थव्यवस्थाओं में आर्थिक विकास की प्रक्रिया को तेज किया जा सकता है।

संचयी कार्योत्पादन मॉडल का प्रतिपादन गुन्नार मायर्डल ने सन् 1956 में किया था। यह स्वीडिश अर्थशास्त्री थे इन्हें 1974 में नोबेल पुरस्कार से सम्मानित किया गया था। मायर्डल ने विकसित, विकासशील और अविकसित अर्थतंत्रों का अध्ययन करके सघन जनसंख्या और निम्न आर्थिक विकास वाले देशों के आधार पर अपना संचयी कार्य उत्पादन का मॉडल विकसित किया।

प्रेबिश-सिद्धांत के अनुसार प्राथमिक वस्तुओं के व्यापार के शर्तों में ह्रास को रोकने में एक महत्वपूर्ण घटक है। राल प्रेबिश विकास से संबंधित अर्थशास्त्री हैं इन्होंने स्पष्ट किया कि जिस आधार पर अंतर्राष्ट्रीय व्यापार किया जाता है और श्रम का विभाजन किया जाता है उससे व्यापार के दोनों पक्षों विकसित तथा अल्पविकसित देशों को परस्पर लाभ नहीं प्राप्त होता।

66. (A): प्राकृतिक वृद्धि और निवल प्रवसन, जनसंख्या वृद्धि की सही जनसांख्यिकीय समीकरण को दर्शाता है। जनसंख्या वृद्धि किसी निश्चित अवधि के दौरान किसी निश्चित क्षेत्र के निवासियों की संख्या को दर्शाता है। अतः जन्म दर, मृत्यु-दर तथा प्रवास तीन ऐसे महत्वपूर्ण कारक हैं, जो जनसंख्या में वृद्धि को निर्धारित करते हैं।

67. (A)

68. (C): द्विपद-वितरण के साथ स्विस गणितज्ञ जेम्स बर्नोली का नाम जुड़ा हुआ है तथा इसे बर्नोली वितरण भी कहा

जाता है। इस सैद्धांतिक वितरण का प्रतिपादन बर्नोली के द्वारा किया गया था और इसका प्रकाशन उनकी मृत्यु के 8 वर्ष पश्चात् 1713 में हुआ था। द्विपद (Binomial) का अर्थ 'दो नाम' (Two Names) है, अतः आवृत्ति वितरण दो वर्गों के अंतर्गत आता है। द्विपद-वितरण एक खंडित आवृत्ति वितरण है जो द्वन्द्वात्मक-विकल्पों–एक समंक समूह की सफलता व असफलता के रूप में सम्भावनाओं पर आधारित होता है। द्विपद-वितरण की विशेषताएँ निम्नलिखित हैं :

- परीक्षणों की संख्या n, सीमित एवं स्वतंत्र होती है।
- सफल एवं असफल के पदों में प्रत्येक परीक्षण दो पारस्परिक ऐकांतिक एवं सर्वांगीण परिणाम के रूप में होता है।
- प्रयोगों की संख्या निश्चित होती है।
- प्रत्येक प्रयोग के पारस्परिक अपवर्जी परिणाम दो होते हैं।
- प्रयोग की सफलता का संकेताक्षर 'p' होता है तथा असफलता का 'q'[1] 'q', $1 - p$, के बराबर होता है।
- प्रयोग स्वतंत्र होते हैं, अर्थात् किसी एक प्रयोग के परिणाम का प्रभाव आगे किये जाने वाले प्रयोगों के परिणामों पर नहीं पड़ता है।

69. **(B)** **70.** **(B)**

71. **(C)** **72.** **(B)**

73. **(D): प्रधानमंत्री जन-धन योजना (PMJDY):** इसकी शुरुआत 28 अगस्त, 2014 को प्रधानमंत्री नरेन्द्र मोदी ने की। यह भारत सरकार का महत्वाकांक्षी वित्तीय समावेशन प्रोग्राम है, इसके तहत देश के गरीबों का खाता जीरो बैलेंस पर बैंक, पोस्ट ऑफिस और राष्ट्रीयकृत बैंकों में खोला जाता है।

अटल पेंशन योजना (APY): यह भारत के नागरिकों के लिए असंगठित क्षेत्र के श्रमिकों पर केंद्रित एक पेंशन योजना है। इसके तहत, 60 साल की आयु में ₹ 1,000, ₹ 2,000, ₹ 3000, ₹ 4000, ₹ 5000 प्रतिमाह की न्यूनतम पेंशन का गारंटी ग्राहकों द्वारा योगदान के आधार पर दिया जाएगा। केंद्र सरकार ने इस योजना को मई 2015 में शुरू किया था।

प्रधानमंत्री जन औषधि योजना : यह योजना 1 जुलाई, 2015 को घोषित की गई। इस योजना के तहत सरकार द्वारा उच्च गुणवत्ता वाली जेनरिक दवाइयों को बाजार मूल्य से कम मूल्य पर नागरिकों को उपलब्ध कराना है। सरकार द्वारा "जन औषधि स्टोर" के माध्यम से सस्ते दाम में दवाइयाँ उपलब्ध कराई जा रही हैं।

प्रधानमंत्री उज्ज्वला योजना : प्रधानमंत्री नरेन्द्र मोदी द्वारा इस योजना की शुरुआत उत्तर प्रदेश के बलिया जिले से 1 मई, 2016 को की गई। इसका उद्देश्य धुआँरहित ग्रामीण भारत की परिकल्पना साकार करना है।

आयुष्मान भारत योजना : इसकी शुरुआत 23 सितम्बर, 2018 को भारत के प्रधानमंत्री नरेन्द्र मोदी द्वारा राँची (झारखंड) से शुरू की गयी थी। आयुष्मान योजना के अंतर्गत देश के 10 करोड़ परिवारों या 50 करोड़ लोगों को सालाना ₹ 5 लाख का स्वास्थ्य कवरेज प्रदान करती है। यह एक राष्ट्रीय स्वास्थ्य सुरक्षा योजना है। आयुष्मान भारत योजना को प्रधानमंत्री जन आरोग्य योजना भी कहा जाता है।

74. **(*)**

75. **(A):** ए.डब्ल्यू. फिलिप्स ने मौद्रिक मजदूरी में परिवर्तन की दर या स्फीति की दर तथा बेरोजगारी की दर के बीच एक विलोम संबंध पाया। इस संबंध को प्रदर्शित करने वाले वक्र को फिलिप्स वक्र कहते हैं।

अमेरिका के प्रसिद्ध अर्थशास्त्री इर्विंग फिशर को मुद्रा परिमाण सिद्धांत को एक वैज्ञानिक तथा व्यावहारिक रूप प्रदान कर उसे अधिक लोकप्रिय बनाने का श्रेय प्राप्त है। फिशर ने मुद्रा परिमाण सिद्धांत की व्याख्या में 'नकद आदान-प्रदान दृष्टिकोण' को अपनाया है, जिसका प्रादुर्भाव जे.एस. मिल व अन्य प्रतिष्ठित अर्थशास्त्रियों के समय हुआ था। प्रो. फिशर ने पुरातन अर्थशास्त्रियों की इस मिथ्या एवं भ्रमपूर्ण मान्यता का खंडन किया कि मुद्रा का परिमाण वैधानिक मुद्रा एवं उसकी चलन गति पर ही निर्भर है। अतः फिशर ने स्पष्ट किया कि किसी भी अर्थव्यवस्था में मुद्रा आपूर्ति एवं मूल्य स्तर प्रत्यक्ष संतुलन में होते हैं।

जोसेफ शूम्पीटर, ऑस्ट्रिया में जन्में एक अमेरिकन अर्थशास्त्री और राजनीतिज्ञ थे। इन्होंने 1919 में 'ऑस्ट्रियन वित्त मंत्री' के रूप में भी कार्य किया। इन्होंने लाभ का नवप्रवर्तन सिद्धांत दिया, इसके अनुसार जब कोई नया परिवर्तन (खोज) किया जायेगा, तो उससे होने वाला लाभ इसके ईनाम के रूप में मिलेगा।

नीति अप्रभाव प्रतिज्ञप्ति रॉबर्ट लुकास से संबंधित है। रॉबर्ट लुकास पहले अर्थशास्त्री थे जिन्होंने व्यापक आर्थिक नीति निर्माण और पूर्वानुमान में सार्वजनिक प्रत्याशाओं के महत्व पर प्रकाश डाला। लुकास के अनुसार, आर्थिक प्रतिनिधियों (जनता, फर्म और सरकार) की प्रत्याशा नीति निर्माताओं की प्रत्याशा अधिक महत्वपूर्ण है। इसलिए, नीति निर्माताओं को यह जानना होगा कि अर्थव्यवस्था कैसे काम करती है और आर्थिक प्रतिनिधियों (परिवारों, फर्मों और सरकार) की प्रत्याशाओं को समझना चाहिए। 1970 के दशक की शुरुआत में, रॉबर्ट ई. लुकास ने विवेकशील प्रत्याशा की परिकल्पना मानकर फिलिप्स वक्र का एक वैकल्पिक प्रतिमान विकसित किया। लुकास ने दिखाया कि अर्थव्यवस्था में मूल्य स्तर के बारे में अपूर्ण जानकारी के कारण उत्पादन और मुद्रास्फीति के बीच एक सकारात्मक संबंध उत्पन्न हो सकता है।

76. (A): अल्पविकसित अर्थव्यवस्था वह अर्थव्यवस्था है जहाँ जनसंख्या की वृद्धि की दर अपेक्षाकृत अधिक हो, पर्याप्त मात्रा में प्राकृतिक साधन उपलब्ध हों परंतु उनका पूर्णरूपेण विदोहन न हुआ हो, लोगों का जीवन-स्तर अत्यंत नीचा हो, जहाँ विनियोग के विस्तृत क्षेत्र हों परंतु पूंजी निर्माण की गति अत्यंत धीमी हो, जनता की उपभोग वृत्ति बहुत ऊँची हो जबकि बचत न्यूनाधिक शून्य हो, छिपी हुई बेरोजगारी विद्यमान हो, कृषि अत्यन्त प्राचीन ढंग से की जाती हो, उद्योग, व्यापार एवं यातायात तकनीकी दृष्टि से अत्यंत पिछड़ी हुई अवस्था से हो परंतु फिर भी उस देश के निवासी रहन-सहन के स्तर में वृद्धि करने हेतु राष्ट्रीय साधनों का सर्वोपयुक्त ढंग से उपयोग करने में कार्यारत हों।

77. (A) **78. (*)**

79. (C)

80. (C): मौद्रिक नीति के साधन दो प्रकार के होते हैं–प्रथम, परिमाणात्मक (Quantitative) जिन्हें सामान्य या अप्रत्यक्ष साधन कहा जा सकता है एवं दूसरे, गुणात्मक (Qualitative) जिन्हें चयनात्मक अथवा प्रत्यक्ष साधन कहा जा सकता है। ये दोनों प्रकार के साधन मुद्रा की पूर्ति, मुद्रा की लागत अर्थात् ब्याज की दर एवं साख की उपलब्धि के माध्यम से कुल माँग को प्रभावित करते हैं जिससे उत्पादन, रोजगार एवं आय का स्तर प्रभावित होता है। परिमाणात्मक उपकरणों में (*i*) बैंक-दर, (*ii*) खुले बाजार की क्रियाएँ, (*iii*) आरक्षित निधियों के अनुपात में परिवर्तन, (*iv*) तरल कोषानुपात पद्धति आते हैं। ये व्यापारिक बैंकों के माध्यम से समस्त अर्थव्यवस्था में साख के स्तर को नियंत्रित करते हैं। चयनात्मक साख नियंत्रण का उद्देश्य किसी विशेष प्रकार की साख को नियंत्रित करना होता है। इनमें (*i*) उधार प्रतिभूति अन्तर व (*ii*) उपभोक्ता साख का नियमन आदि शामिल किये जाते हैं। सभी देशों में मौद्रिक नीति के प्रबंध का कार्य वहाँ का केन्द्रीय बैंक किया करता है। अतः किसी निश्चित उद्देश्य की प्राप्ति हेतु केन्द्रीय बैंक उपर्युक्त दोनों उपकरणों में से एक या दोनों का एक साथ प्रयोग कर सकती है।

81. (A): वित्त आयोग एक संवैधानिक निकाय है, जो केंद्र और राज्यों के बीच तथा राज्यों के बीच संवैधानिक व्यवस्था और वर्तमान आवश्यकताओं के अनुरूप कर से प्राप्त आय के वितरण के लिये विधि और सूत्र निर्धारित करता है। संविधान के अनुच्छेद 280 के तहत भारत के राष्ट्रपति के लिये प्रत्येक पाँच वर्ष या उससे पहले एक वित्त आयोग का गठन करना आवश्यक है।

15वें वित्त आयोग का गठन भारत के राष्ट्रपति द्वारा नवम्बर, 2017 में एन.के. सिंह की अध्यक्षता में किया गया था। इसकी सिफारिशें वर्ष 2021-22 से वर्ष 2025-26 तक पाँच वर्ष की अवधि के लिये मान्य होंगी।

क्षैतिज हस्तांतरण के लिए बनाए गए मापदंड और मानक :

- जनसंख्या
- क्षेत्रफल

- वन और पारिस्थितिकी
- आय-अंतर
- जनसांख्यिकीय कार्यनिष्पादन
- कर और राजकोषीय प्रयास

82. (A)

83. (B): चालू खाता (Current Account): भुगतान संतुलन के चालू खाते के लेखे में दृश्य मदें अर्थात् वस्तुओं का आयात-निर्यात, गैर-मौद्रिक उद्देश्य के लिए स्वर्ण की गतिशीलता अर्थात् आयात-निर्यात चालू लेखे में शामिल अदृश्य मदों में सेवाएँ अन्तरण तथा निवेश आय शामिल होती हैं। सेवाओं में यात्रा, परिवहन, बीमा, ऋण पर ब्याज, पूँजी पर लाभांश, दूतावासों के व्यय, दंड, क्षतिपूर्ति, चिकित्सा के व्यय, अध्ययन हेतु राशि एवं चन्दे आदि शामिल होते हैं। अन्तरण में व्यक्तिगत, सरकारी या पारिवारिक भुगतान, दान, भेंट पेंशन की प्राप्तियाँ, भुगतान एवं अंतर्राष्ट्रीय संगठनों के चंदे शामिल होते हैं। निवेश आय में विदेशों में पूर्व के वर्षों में किये गये विनियोगों से मिलने वाली आय को शामिल किया जाता है।

84. (B) **85. (B)**

86. (A): नीति आयोग की 2021 की रिपोर्ट के आधार पर बहुआयामी गरीबी जनसंख्या का प्रतिशत

राज्य	गरीबी जनसंख्या का प्रतिशत
बिहार	51.91%
झारखंड	42.16%
उत्तर प्रदेश	37.79%
मध्य प्रदेश	36.65%
मेघालय	32.67%
असम	32.67%
छत्तीसगढ़	29.91%
राजस्थान	29.46%
ओडिशा	29.35%
नगालैंड	25.23%
अरुणाचल प्रदेश	24.27%
पश्चिम बंगाल	21.43%
गुजरात	18.60%
मणिपुर	17.89%
उत्तराखंड	17.72%
त्रिपुरा	16.65%
महाराष्ट्र	14.85%
तेलंगाना	13.74%
कर्नाटक	13.16%
आंध्र प्रदेश	12.31%
हरियाणा	12.28%
मिजोरम	9.80%
हिमाचल प्रदेश	7.62%
पंजाब	5.59%
तमिलनाडु	4.89%
सिक्किम	3.82%
गोवा	3.76%
केरल	0.71%

87. (A)

88. (A): गुणात्मक उपाय वे उपाय हैं जिनका उद्देश्य अर्थव्यवस्था के कुछ विशेष कार्यों के लिए दी जाने वाली साख के प्रवाह को नियंत्रित करना है। इसे चयनात्मक साख नियंत्रण भी कहते हैं। 'सीमान्त आवश्यकता को बढ़ाना' विभिन्न गुणकारी उपकरणों में से एक है जो केन्द्रीय बैंक मुद्रा-स्फीति के समय उपयोग करते हैं।

89. (D) **90. (A)**
91. (C) **92. (C)**
93. (D) **94. (A)**
95. (C) **96. (D)**
97. (D) **98. (C)**
99. (C) **100. (C)**

YOUR SPACE

पिछले प्रश्न-पत्र (हल सहित)

National Testing Agency (NTA)

UGC-NET जूनियर रिसर्च फैलोशिप तथा सहायक प्राध्यापक पात्रता परीक्षा

अर्थशास्त्र, जून-2021

(Online exam held on 24-11-2021)

प्रश्न-पत्र-II

1. X और Y दो वस्तुओं के अनधिमान वक्र की स्थिति में, X का उपभोग बढ़ने के साथ :

A. MRSxy बढ़ता है

B. MRSxy घटता है

C. MRSxy एक समान रहता है

D. पहले MRSxy बढ़ता है परन्तु बाद में MRSxy घटता है

2. सामान्य आर्थिक संतुलन निम्नलिखित में से किस समस्या से संबंधित नहीं है :

A. एकलता समस्या

B. अस्तित्व समस्या

C. स्थिरता समस्या

D. नैतिक रूप से खतरनाक समस्या

3. अल्पविधि उत्पादन फलन में, निम्नलिखित में से क्या सही है?

A. श्रम आगत में परिवर्तन के साथ प्रौद्योगिकी परिवर्तन की कल्पना की जाती है।

B. पूंजी स्टॉक में परिवर्तन के साथ प्रौद्योगिकी परिवर्तन की कल्पना की जाती है।

C. ह्रासमान प्रतिलाभ आरंभ होने तक प्रौद्योगिकी में सकारात्मक परिवर्तन की कल्पना की जाती है

D. प्रदत्त उत्पादन फलन संबंध के लिए प्रौद्योगिकी स्थिर होने की कल्पना की जाती है

4. निर्गत में विस्तार के साथ, एलएसी वक्र में गिरावट आती है इसका कारण है :

A. परिवर्ती अनुपात नियम

B. ह्रासमान प्रतिफल नियम

C. परिमाण मूलक सुलाभ (इकोनॉमिक्स ऑफ स्केल)

D. परिमाण मूलक हानि (डिस-इकोनॉमिक्स ऑफ स्केल)

5. अनिश्चितता के अंतर्गत निर्णय लेने की स्थिति में, यदि उपभोक्ता को दो विकल्पों से एक समान आय की प्रत्याशा होती है, तो वह निम्नलिखित में से किस आधार पर निर्णय करेगा?

A. दोनों विकल्पों की प्रत्याशित उपयोगिता

B. प्रत्येक विकल्प के साथ संबद्ध जोखिम की संभाविता

C. प्रत्येक विकल्प के साथ संबद्ध जोखिम विचरण

D. प्रत्येक विकल्प के जोखिम का माध्य

6. फिलिप्स वक्र के अनुसार बेरोजगारी व मौद्रिक मजदूरी में वृद्धि दर के बीच किस प्रकार का संबंध है?

A. प्रतिलोम

B. प्रत्यक्ष

C. प्रत्यक्ष व समानुपाती

D. प्रतिलोम व समानुपाती

7. ''मौद्रिक भ्रम'' की संकल्पना सर्वप्रथम किसने दी थी?

A. मिल्टन फ्रीडमैन B. इरविंग फिशर

C. राबर्टसन D. जे.एम. कीन्स

8. निम्नलिखित में से 'अतिगुणक' की संकल्पना का सही वर्णन कौन करता है?

A. निवेश गुणक

B. मौद्रिक गुणक

C. गुणक व त्वरक के बीच अंतःक्रिया

D. रोजगार गुणक

9. प्रदत्त :

$I = 50 + 0.2\ Y$

$S = -150 + 0.4\ Y$

$G = 50$

जहाँ :

I = निवेश

S = बचत

G = सरकारी व्यय

Y = राष्ट्रीय आय

राष्ट्रीय आय का संतुलन स्तर क्या है?

A. 2500 B. 1250

C. 250 D. 1500

10. मुद्रा आपूर्ति और नामिक चरों में परिवर्तन से वास्तविक चरों की स्वतंत्रता को निम्नलिखित में से क्या कहा जाता है?

A. कीन्सवादी द्विभाजन

B. क्लासिकीय द्विभाजन

C. मौद्रिक भ्रम

D. मौद्रिक गुणक

11. पुरुष जन्म की संभाव्यता को 0.5 मान कर, इस संभावना का पता लगाएं कि 3 बच्चों वाले परिवार में दो बालक व एक बालिका हो :

A. $\frac{1}{8}$ B. $\frac{2}{8}$

C. $\frac{3}{8}$ D. $\frac{4}{8}$

12. यदि आंकड़े दरों, समानुपात व अनुपात से संबंधित हैं तो केन्द्रीय प्रवृत्ति के कौन-से मापक का प्रयोग करना सर्वाधिक उपयुक्त होगा?

A. अंकगणितीय माध्य

B. माध्यिका

C. हरात्मक माध्य

D. ज्यामितीय माध्य

13. प्रतिस्थापन के बिना चयनित 13 इकाइयों के एक सैंपल पर आधारित प्रतिचयन वितरण का माध्य 5 इकाइयों का विचरण दर्शाता है यदि जनसंख्या में 49 इकाइयां हैं, तो जनसंख्या के विभिन्न का आकलन कीजिए :

A. 80.67 B. 84.87

C. 86.67 D. 86.87

14. क्लासिकीय रेखीय समाश्रयण मॉडल में X_i और U_i के बारे में कल्पना की जाती है कि वे :

A. अत्यधिक सहसंबद्ध हैं

B. सहसंबद्ध नहीं हैं

C. सकारात्मक रूप से सहसंबद्ध हैं

D. नकारात्मक रूप से सहसंबद्ध हैं

15. निम्नलिखित में से गलत कथन की पहचान कीजिए :

A. दो असंयुक्त समुच्चयों का तर्कगुणनफल रिक्त समुच्चय है

B. समष्टीय समुच्चय का पूरक रिक्त समुच्चय है

C. यदि $X \cap Y = \phi$, तो $X - Y \neq X$

D. $X - Y = X \cap \bar{Y}$

16. प्रदत्त $Y = X^3 - 12X^2 + 36X + 8$

निम्नलिखित में से सही की पहचान कीजिए :

A. $X = 6$ पर Y अधिकतम है और $X = 2$ पर Y न्यूनतम है

B. $X = 6$ पर Y न्यूनतम है और $X = 2$ पर Y अधिकतम है

C. Y के $X = 2$ और $X = 6$ पर दो नति परिवर्तन बिंदु है

D. इष्टतमी बिंदु अनियत है

17. निम्नलिखित में से सही कथन की पहचान कीजिए :

A. A^{-1} Adj (A) के समान है यदि निर्धारक A का मूल्य एकान्विति (यूनिटी) है

B. यदि एक निर्धारक के दो कॉलमों को परस्पर परिवर्तित कर दिया जाता है, निर्धारक का चिन्ह नहीं बदलता है

C. यदि पंक्तियों और कॉलमों को परस्पर परिवर्तित कर दिया जाता है तो निर्धारक का मूल्य बदल जाता है

D. मैट्रिक्स प्रचालन से विभाजन के नियम की अनुमति है

18. रैखिक प्रौग्रामन समस्या (एलपीपी) के संबंध में निम्नलिखित में से सही कथन की पहचान कीजिए :

A. यदि समस्या के समस्त साध्य समाधान इसकी बाध्यताओं द्वारा रचित सीमाओं के भीतर आते हैं, तो एलपीपी में समाधान अनाबद्ध है

B. यदि A एक आदि समस्या है और B इसका द्वय है, तो B का द्वय A नहीं है

C. मानक रूप में एलपीपी की बाध्यताएं हमेशा कम और/ अथवा समान के रूप में अभिव्यक्त होती है

D. यदि किसी एलपीपी के दो इष्टम समाधान है तो इसके अनियत संख्या में इष्टतम समाधान भी हैं

19. व्यापार की शुद्ध वस्तु विनिमय दर बतलाती है :

A. निर्यात उपार्जनों पर आयात व्ययों का आधिक्य

B. व्यापार समझौते

C. निर्यात कीमतों और आयात कीमतों के बीच का अनुपात

D. निबंधन और शर्तें जिस पर एक देश को भुगतान संतुलन की कठिनाइयों की स्थिति में ऋण देने का प्रस्ताव किया गया है

20. भुगतान संतुलन में पूँजी खाते की मदें हैं :

A. प्रवाह चर

B. स्टॉक चर

C. स्टॉक परिमाण में बदलाव

D. दोनों स्टॉक और प्रवाह चर

21. आयात प्रशुल्क से मुक्त व्यापार की ओर अचानक अंतरण लघुकालिक बेरोजगारी को किस ओर प्रेरित कर सकता है :

A. आयात-प्रतिस्पर्धी उद्योगों

B. उन उद्योगों में जो केवल निर्यातक हैं

C. उन उद्योग में जो आन्तरिक स्तर और बाह्य स्तर पर विक्रय करते हैं

D. उन उद्योग में जो न तो आयात और न ही निर्यात करते हैं

22. इष्टतम प्रशुल्क का मतलब है :

A. प्रशुल्क लगाने वाले घरेलू देश के प्रस्ताव वक्र की लोचदार सीमा के भीतर ही होता है

B. लागू करने वाला देश इस संभाव्यता का ध्यान रखेगा कि भागीदार देश अपने स्वयं के संरक्षण मापकों के साथ प्रतिकार करेगा

C. लागू करने वाले देश के संपूर्ण निर्यात बिक्रियों को अधिकाधिक करता है।

D. भागीदार देश के प्रस्ताव वक्र की लोचदार सीमा के भीतर होता है

23. व्यय और कराधान के पुराने स्तर से नए और उच्चतर स्तर की ओर संचलन को क्या कहा जाता है?

A. संकेन्द्रण प्रभाव

B. निरीक्षण प्रभाव

C. विस्थापन प्रभाव

D. उपर्युक्त में से सभी

24. यदि बाह्यताएं अस्तित्व में रहती हैं, तो निम्नलिखित में कौन-सी विधि कल्याण सुधार की प्राप्ति में सहायक हो सकते हैं?

A. पिगोवियन कर

B. विनियमन

C. सम्पदा अधिकार प्रदान करना और मोल-भाव की अनुमति देना

D. उपर्युक्त में से सभी

25. विशुद्ध सार्वजनिक वस्तु के उत्पादन में दक्षता स्थिति के लिए यह अपेक्षित है कि उत्पादन उस बिन्दु तक जारी रखा जाए जब : जहां MB*i*, (*i*) व्यक्ति के सीमांत लाभ को दर्शाता है, और MB*j* सीमांत लाभ जो (*j*) 'व्यक्ति तक संचित होता है को दर्शाता है, और MC सीमांत लागत है :

A. $MB_i + \sum_{j=1}^{n-1} MB_j = MC$

B. $MB_i + \sum_{j=1}^{n-1} MB_j > MC$

C. $MB_i - \sum_{j=1}^{n-1} MB_j > MC$

D. $MB_i - \sum_{j=1}^{n-1} MB_j < MC$

26. निम्नलिखित में से कौन-सा एकाधिकारवादी पर पूरी तरह आपतित होगा :

A. एकमुश्त कर

B. विशिष्ट कर

C. विनियमित एकाधिकार मूल्यन

D. इनमें से कोई नहीं

27. निम्नलिखित में से कौन एक वाणिज्यिक बैंक नहीं है?

A. सार्वजनिक क्षेत्र बैंक B. निजी क्षेत्र बैंक

C. क्षेत्रीय ग्रामीण बैंक D. सहकारी बैंक

28. तरलता समायोजन सुविधा (एल.ए.एफ.) की सिफारिश किसने की :

A. सी. रंगराजन समिति

B. रघुराम राजन समिति

C. नरसिंहम समिति

D. बिमल जालान समिति

29. बैंक दर के बारे में निम्नलिखित में कौन सही है?

A. केंद्रीय बैंक दर में वृद्धि दूसरे कारकों को स्थिर रखते हुए आपूर्ति को बढ़ा देगी

B. बैंक दर एक गुणात्मक उपकरण (Instrument) है

C. बैंक दर वह न्यूनतम दर है जिस पर केंद्रीय बैंक सरकारी प्रतिभूति के बदले वित्तीय संस्थानों को ऋण प्रदान करती है

D. बैंक दर साख नियंत्रण का एक प्रत्यक्ष उपकरण है

30. यूएनडीपी द्वारा प्रकाशित मानव विकास सूचकांक (एचडीआई) की वर्तमान में निम्नलिखित में से किसके उपयोग द्वारा गणना की जाती है?

A. ज्यामितीय माध्य

B. अंकगणितीय माध्य

C. हरात्मक माध्य

D. द्विघातीय माध्य

31. हेरोड निरपेक्ष तकनीकी विकास अनिवार्यत :

A. संवृद्धि संवर्धक है B. श्रम संवर्धक है

C. पूंजी संवर्धक है D. संसाधन संवर्धक है

32. निम्नलिखित में से कौन संवृद्धि के नव-क्लासिकीय सिद्धांत का भाग नहीं है?

A. स्वान मॉडल B. मीड मॉडल

C. पैसिनेट्टी मॉडल D. सोलो मॉडल

33. यदि कोई उत्पादन फलन हेरोड व हिंक्स निरपेक्ष तकनीकी प्रगति दोनों स्वीकार करता है तो स्थानापत्ति लोच निम्नलिखित होनी चाहिए :

A. एक के समान

B. शून्य के समान

C. अनंत के समान

D. एक बटा दो के समान

34. 2011 में शहर X की कुल जनसंख्या 28 लाख थी और कुल जीवित शिशुओं की संख्या 50 हजार थी, प्रत्येक हजार जनसंख्या पर अशोधित जन्मदर पता लगाइए?

A. 178.57 B. 1.7857

C. 17.857 D. 0.17857

35. रोनॉल्ड कोज के अनुसार प्रदूषण नियंत्रण हेतु निम्नलिखित कथनों में कौन सही है?

A. राज्य को संपत्ति के अधिकार प्रदान करना

B. विधिक संस्थानों को संपत्ति के अधिकार प्रदान करना

C. प्रदूषक और प्रदूषित को संपत्ति के अधिकार प्रदान करना

D. श्रम संघों को संपत्ति के अधिकार प्रदान करना

36. वर्ष 2011 में जनगणना के अनुसार निम्नलिखित में से किन राज्यों में ग्रामीण आबादी का सर्वाधिक है?

A. बिहार B. ओडिशा

C. उत्तर प्रदेश D. हिमाचल प्रदेश

37. वर्तमान में भारत में जीडीपी के स्थिर कीमतों पर आकलन के लिए निम्नलिखित किस वर्ष को आधार वर्ष के रूप में प्रयोग किया जाता है?

A. 2011-12 B. 2010-11

C. 2014-15 D. 2000-01

38. 12 नवंबर, 2020 को आरंभ की गई 'आत्मनिर्भर भारत रोजगार योजना' के संबंध में निम्नलिखित में से कौन-सा कथन सही है?

A. नए रोजगार सृजित करने वाले प्रतिष्ठानों को सेवा निवृत्ति निधि में नियोजकों व कर्मचारियों के अंशदान की मद में दो वर्ष तक राज सहायता मिलेगी

B. प्रतिष्ठान को 5 वर्ष की अवधि के लिए 10 करोड़ रुपये की राज सहायता मिलेगी

C. प्रतिष्ठान को लगातार तीन वर्षों के लिए कर में लाभ मिलेगा

D. प्रतिष्ठान को 5 वर्षों तक कर राज सहायता मिलेगी

39. 15वें वित्त आयोग (एफसी) ने अनुशंसा की है कि 2021-22 से 2025-26 की अवधि के दौरान राज्यों को केन्द्र के विभाज्य कर पूल का .... प्रतिशत दिया जाए।

A. 51 B. 31
C. 41 D. 61

40. अर्थव्यवस्था के निम्नलिखित में से किन क्षेत्रों में वर्ष 2020-21 की दूसरी तिमाही में सर्वोच्च संवृद्धि दर दर्ज हुई है। राष्ट्रीय सांख्यिकी कार्यालय के आंकड़ों के अनुसार :

A. विनिर्माण

B. विद्युत्, गैस, जलआपूर्ति व अन्य उपयोगी सेवाएं

C. कृषि व संबद्ध क्षेत्र

D. सामान्य प्रशासन

41. जोखिम से बचने वाले व्यक्ति द्वारा जोखिम को न्यूनतम करने के लिए निम्नलिखित में से कौन-से उपाय किये जाते हैं :

(*a*) संसाधनों का वैविध्यकरण

(*b*) जोखिम घटना की बीमा

(*c*) संसाधनों की कुल लागत

(*d*) जोखिम घटना की जानकारी का मूल्य

नीचे दिए गए विकल्पों में से सही उत्तर का चयन कीजिए :

A. केवल (*a*), (*b*) और (*c*)

B. केवल (*a*), (*b*) और (*d*)

C. केवल (*b*), (*c*) और (*d*)

D. केवल (*a*), (*c*) और (*d*)

42. निम्नलिखित में से कौन-से कथन कल्याण अर्थशास्त्र के लिए सही हैं?

(*a*) किसी प्रतियोगी संतुलन से संसाधनों का परेटो-दक्ष आवंटन होता है

(*b*) प्रतियोगी संतुलन से संसाधनों का परेटो-दक्ष आवंटन नहीं होता है

(*c*) बाजार तंत्रों से पुनर्वितरण होने के चलते प्रतियोगी संतुलन से कोई दक्ष आवंटन प्राप्त हो सकता है

(*d*) समाज में संसाधनों का कोई परेटो-दक्ष आवंटन नहीं होगा

नीचे दिए गए विकल्पों में से सही उत्तर का चयन कीजिए :

A. केवल (*a*), (*b*) और (*c*)

B. केवल (*a*) और (*c*)

C. केवल (*b*) और (*c*)

D. केवल (*c*) और (*d*)

43. निम्नलिखित में से कौन-सी स्थितियाँ उपादान कीमत निर्धारण के लिए सत्य हैं यदि उपादान बाजार पूर्णतया प्रतिस्पर्धी है और उत्पाद बाजार एकाधिकारिक है?

(*a*) VMP > MRP

(*b*) VMP और MRP दोनों कम हो रहे हैं

(*c*) VMP < MRP

(*d*) $MRP_L = W$

नीचे दिए गए विकल्पों में से सही उत्तर का चयन कीजिए :

A. केवल (*a*), (*b*) और (*c*)

B. केवल (*b*), (*c*) और (*d*)

C. केवल (*a*), (*b*) और (*d*)

D. केवल (*a*), (*c*) और (*d*)

44. निम्नलिखित फलनों में किसका परिणाम एक ऐसा निवेश गुणक होगा, जिसका मान 4 है :

(*a*) C = 50 + .25 Y

(*b*) C = 50 + .75 Y

(*c*) S = -50 + .25 Y

(*d*) I = 50 + .75 Y

नीचे दिए गए विकल्पों में से सही उत्तर का चुनाव कीजिए :

A. केवल (*a*) और (*c*)

B. केवल (*c*) और (*d*)

C. केवल (*a*) और (*d*)

D. केवल (*b*) और (*c*)

45. निम्नलिखित में से कौन कथन सही है?

(*a*) यदि प्रेक्षणों का चयन सोद्देश्य है, तो इसे गैर यादृच्छिक प्रतिचयन की विधि कहा जाता है

(*b*) यदि प्रेक्षणों का चयन तदर्थ रूप में किया जाता है, तो इसे गैर-यादृच्छिक प्रतिचयन की विधि कहा जाता है

(*c*) यदि प्रेक्षणों का चयन सुव्यवस्थित रूप में किया जाता है, तो इसे गैर यादृच्छिक प्रतिचयन की विधि कहा जाता है

(*d*) यदि प्रेक्षणों का चयन निर्णय के आधार पर किया जाता है, तो इसे गैर-यादृच्छिक प्रतिचयन की विधि कहा जाता है

नीचे दिए गए विकल्पों में से सही उत्तर का चयन कीजिए :

A. केवल (*a*), (*b*) और (*c*)

B. केवल (*b*), (*c*) और (*d*)

C. केवल (*a*), (*c*) और (*d*)

D. केवल (*a*), (*b*) और (*d*)

46. निम्नलिखित में से मैट्रिक्स के सही अभिलक्षण कौन-से हैं?

(*a*) एक तादात्म्य मैट्रिक्स एक वर्ग मैट्रिक्स है।

(*b*) एक तादात्म्य मैट्रिक्स पक्षान्तरण होने पर तादात्म्य मैट्रिक्स ही रहता है।

(*c*) $(A.B)^T = A^T. B^T$ जहां A और B मैट्रिक्स है।

(*d*) $(A^{-1})^T = (A^T)^{-1}$ जहां A एक मैट्रिक्स है।

नीचे दिए गए विकल्पों में से सही उत्तर का चयन कीजिए :

A. केवल (*a*) और (*b*)

B. केवल (*b*) और (*c*)

C. केवल (*a*) और (*c*)

D. केवल (*c*) और (*d*)

47. जब विनिमय दर \$1 (डॉलर) = ₹ 72 से 1 डॉलर = ₹ .68 में परिवर्तित होता है तब :

(*a*) रुपये के मूल्य में गिरावट होती है

(*b*) डॉलर के मूल्य में गिरावट होती है

(*c*) रुपये के मूल्य में वृद्धि होती है

(*d*) डॉलर के मूल्य में वृद्धि होती है

नीचे दिए गए विकल्पों में से सही उत्तर का चयन कीजिए :

A. केवल (*a*) और (*d*)

B. केवल (*b*) और (*c*)

C. केवल (*c*) और (*d*)

D. केवल (*a*) और (*b*)

48. निम्नलिखित में से कौन-सा बाजार विफलता का स्रोत है?

(*a*) सार्वजनिक वस्तुओं का अस्तित्व

(*b*) बाह्यताओं की उपस्थिति

(*c*) यह तथ्य कि कुछ वस्तुएं उपभोग में प्रतिस्पर्धी हैं

(*d*) एकाधिकारों का अस्तित्व

नीचे दिए गए विकल्पों में से सही उत्तर का चयन कीजिए :

A. केवल (*a*), (*b*) और (*d*)

B. केवल (*a*), (*b*) और (*c*)

C. केवल (*b*), (*c*) और (*d*)

D. केवल (*a*), (*c*) और (*b*)

49. निम्नलिखित में से किस-किस के कारण वाणिज्यिक बैंक की ऋण सृजन क्षमता कम हो जाएगी?

(*a*) सावधि व मांग जमा

(*b*) ऋण

(*c*) केन्द्रीय बैंक के पास जमा

(*d*) हाथ में नकदी

नीचे दिए गए विकल्पों में से सही उत्तर का चयन कीजिए :

A. केवल (*a*) और (*b*)

B. केवल (*b*) और (*c*)

C. केवल (*c*) और (*d*)

D. केवल (*a*) और (*d*)

50. निम्नलिखित में से किन उपायों के फलस्वरूप अर्थव्यवस्था में मुद्रा आपूर्ति में वृद्धि होगी?

(*a*) केन्द्रीय बैंक द्वारा जनसाधारण से सरकारी प्रतिभूतियों की खरीद

(*b*) जनसाधारण द्वारा वाणिज्यिक बैंकों में मुद्रा जमा करना

(*c*) सरकार द्वारा केंद्रीय बैंक से ऋण लेना

(*d*) केन्द्रीय बैंक द्वारा जनसाधारण को सरकारी प्रतिभूतियों की बिक्री

(*e*) केन्द्रीय बैंक द्वारा परिचालन के लिए अधिक मुद्रा ढलाई/मुद्रण

नीचे दिए गए विकल्पों में से सही उत्तर का चयन कीजिए :

A. केवल (*a*), (*c*) और (*e*)

B. केवल (*b*), (*c*) और (*d*)

C. केवल (*a*), (*b*) और (*c*)

D. केवल (*b*), (*d*) और (*e*)

51. निम्नलिखित में से किसके द्वारा आय में असमानताओं को मापा जाता है?

(*a*) लॉरेंज अनुपात (*b*) थेइल्स सूचकांक

(*c*) पाल्मा अनुपात (*d*) वंचन अनुपात

नीचे दिए गए विकल्पों में से सही उत्तर का चयन कीजिए :

A. केवल (*a*)

B. केवल (*a*) और (*b*)

C. केवल (*a*) और (*d*)

D. केवल (*a*), (*b*) और (*c*)

52. निम्नलिखित में से कौन-कौन सही हैं?

(*a*) भारत में पर्यावरण व वन मंत्रालय की स्थापना 1985 में हुई थी

(*b*) केंद्रीय प्रदूषण नियंत्रण बोर्ड की स्थापना 1984 में हुई थी

(*c*) पर्यावरण संरक्षण अधिनियम 1990 में आरम्भ हुआ था

(*d*) राष्ट्रीय पर्यावरण अपीली प्राधिकरण अधिनियम 1977 में पारित हुआ था

नीचे दिए गए विकल्पों में से सही उत्तर का चयन कीजिए :

A. (*a*), (*b*), (*c*) और (*d*)

B. केवल (*b*)

C. केवल (*c*)

D. केवल (*a*) और (*d*)

53. निम्नलिखित में से किन तरीकों से भारत में कृषि और ग्रामीण क्षेत्रों में ढांचागत परिवर्तन हुए हैं?

(*a*) कृषि क्षेत्र में फसल विविधीकरण

(*b*) पशुधन से खेती-बाड़ी की ओर विविधीकरण

(*c*) गैर-व्यावसायिक फसलों से व्यावसायिक फसलों की ओर विविधीकरण

(*d*) पारंपरिक आगतों से आधुनिक आगतों की ओर विविधीकरण

नीचे दिए गए विकल्पों में से सही उत्तर का चयन कीजिए :

A. केवल (*a*), (*c*) और (*d*)

B. केवल (*a*), (*b*) और (*c*)

C. केवल (*a*), (*b*) और (*d*)

D. केवल (*b*), (*c*) और (*d*)

54. 'निधि' (एनआईडीएचआइ) कार्यक्रम के संदर्भ में निम्नलिखित में से कौन-से कथन सही हैं?

(*a*) 'निधि' कार्यक्रम विद्यार्थियों के लिए स्टार्ट-अप आरंभ करने के लिए चलाया गया

(*b*) इसका उद्देश्य स्टार्ट-अप के लिए हर वर्ष 20 विद्यार्थियों की वित्तीय सहायता करता है

(*c*) इसका उद्देश्य स्टार्ट-अप के लिए हर वर्ष 200 विद्यार्थियों की वित्तीय सहायता करता है

(*d*) इसका उद्देश्य स्टार्ट-अप के लिए हर वर्ष केवल पिछड़े वर्गों के विद्यार्थियों की वित्तीय सहायता करता है

नीचे दिए गए विकल्पों में से सही उत्तर का चयन कीजिए :

A. केवल (*a*) और (*d*)

B. केवल (*a*) और (*b*)

C. केवल (*a*), (*c*) और (*d*)

D. केवल (*c*) और (*d*)

55. निम्नलिखित में से कौन-से कथन वित्तीय वर्ष 2019-2020 में भारत में प्रत्यक्ष विदेशी निवेश के संबंध में सही हैं?

(*a*) सेवा क्षेत्र का हिस्सा अधिकतम है

(*b*) आधारिक संरचना क्रियाकलापों की हिस्सा अधिकतम है

(*c*) कंप्यूटर हार्डवेयर और सॉफ्टवेयर का हिस्सा द्वितीय स्थान पर है

(*d*) दूरसंचार का हिस्सा अधिकतम है

नीचे दिए गए विकल्पों में से सही उत्तर का चयन कीजिए :

A. केवल (*a*) और (*c*)

B. केवल (*b*) और (*c*)

C. केवल (*b*)

D. केवल (*c*) और (*d*)

56. तार्किक प्रत्याशा मॉडल के बारे में निम्नलिखित कथनों पर विचार कीजिए :

(*a*) मौद्रिक नीति निर्गत और रोजगार को प्रभावित नहीं कर सकती

(*b*) अति लघु अवधि में वास्तविक चरों को अप्रत्याशित बदलाव प्रभावित नहीं करेगा

(*c*) बाजारों में संतुलन की स्थिति है

(*d*) आर्थिक अभिकर्ता (ऐजेंट) अपनी प्रत्याशाओं को आकार देने में सभी संगत उपलब्ध सूचनाओं का इस्तेमाल करता है

नीचे दिए गए विकल्पों में से सही उत्तर का चयन कीजिए :

A. केवल (*a*), (*c*) और (*d*)

B. केवल (*a*), (*b*) और (*c*)

C. केवल (*b*), (*c*) और (*d*)

D. (*a*), (*b*), (*c*) और (*d*)

57. निवेश के सन्दर्भ में निम्नलिखित कथनों में कौन-से सही है/हैं?

(*a*) त्वरक मॉडल के अनुसार निवेश मांग आय में परिवर्तन के समानुपाती है

(*b*) जितना ही वास्तविक ब्याज दर अधिक होगी उतना ही पूंजी की किराया लागत अधिक होगी

(*c*) निवेश एक स्टॉक चर है

(*d*) ब्याज की वास्तविक दर ब्याज की अधिक दर और मुद्रास्फीति दर के समान होगी योग के बराबर होगी

नीचे दिए गए विकल्पों में से सही उत्तर का चयन कीजिए :

A. केवल (*a*) और (*b*)

B. केवल (*a*) और (*d*)

C. केवल (*b*) और (*c*)

D. केवल (*c*) और (*d*)

58. सहसंबंध विश्लेषण में निम्नलिखित में से कौन-से कथन सही हैं?

(*a*) दो चरों के बीच रैखिक संबंध की डिग्री को मापा जाता है

(*b*) पूर्वानुमान का सामर्थ्य सहसंबंध विश्लेषण का भाग नहीं है

(*c*) सह-संबंध विश्लेषण में स्पियरमैन का कोई योगदान नहीं है

(*d*) सह-संबंध विश्लेषण के माध्यम से कारण और प्रभाव का संबंध स्थापित किया जाता है

नीचे दिए गए विकल्पों में से सही उत्तर का चयन कीजिए :

A. केवल (*a*) और (*c*)

B. केवल (*b*) और (*c*)

C. केवल (*a*) और (*b*)

D. केवल (*a*) और (*d*)

59. निम्नलिखित में से क्या-क्या कॉब-डगलस उत्पादन फलन के गुण नहीं हैं?

(*a*) कॉब-डगलस उत्पादन फलन एक सजातीय उत्पादन फलन है

(*b*) आगत की औसत व सीमांत उत्पादकता का प्रतिनिधित्व करने वाले वक्र अधोमुखी ढलवा नहीं हैं

(*c*) कॉब-डगलस उत्पादन फलन में श्रम और पूंजी की सीमांत उत्पादकता पूंजी-श्रम अनुपात का फलन है

(*d*) कॉब-डगलस उत्पादन फलन के सम-उत्पादक वक्र (आइसो-क्वांट्स) धनात्मक रूप से ढलवां हैं

नीचे दिए गए विकल्पों में से सही उत्तर का चुनाव कीजिए :

A. केवल (*a*) और (*b*)

B. केवल (*b*) और (*d*)

C. केवल (*b*) और (*c*)

D. केवल (*c*) और (*d*)

60. भुगतान संतुलन में घाटे में सुधार हेतु क्या किया जा सकता है?

(*a*) आयात नियंत्रण (*b*) निर्यात प्रोत्साहन

(*c*) विदेशी मुद्रा नियंत्रण (*d*) अवमूल्यन

नीचे दिए गए विकल्पों में से सही उत्तर का चयन कीजिए :

A. (*a*), (*b*), (*c*) और (*d*)

B. केवल (*a*) और (*b*)

C. केवल (*c*) और (*d*)

D. केवल (*a*), (*b*) और (*c*)

61. साधन कीमत समता सिद्धांत द्वारा किन संगत दशाओं को माना जाता है?

(*a*) वे देश जो विभिन्न साधन इंडोमेंट्स की विशेषता वाले हैं

(*b*) वे देश जो विभिन्न उत्पादन प्रकार्यों की विशेषता वाले हैं

(*c*) वे उद्योग जो विभिन्न साधन तीव्रता की विशेषता वाले हैं

(*d*) प्रत्येक देश वस्तुओं का निर्यात करेगा जो इसके प्रचुर साधन का उपयोग करते हैं

नीचे दिए गए विकल्पों में से सही उत्तर का चयन कीजिए :

A. केवल (*a*), (*b*) और (*c*)

B. केवल (*a*), (*c*) और (*d*)

C. केवल (*a*), (*b*) और (*d*)

D. केवल (*b*), (*c*) और (*d*)

62. शून्य आधारित़ बजटन (जेडबीबी) किस पर बल देता है :

(*a*) लागत-लाभ शर्तों पर आधारित संसाधनों पर आधारित आवंटन

(*b*) असीमित घाटे की वित्त व्यवस्था

(*c*) स्क्रैच से नया बजट अधिकार तैयार करना

(*d*) व्यय के इतिहास की उपेक्षा करते हुए बज़ट तैयार करना

नीचे दिए गए विकल्पों में से सही उत्तर का चयन कीजिए :

A. केवल (*a*), (*b*) और (*c*)

B. केवल (*a*), (*c*) और (*d*)

C. केवल (*b*), (*c*) और (*d*)

D. केवल (*a*), (*b*) और (*d*)

63. लिंग आधारित बजटिंग (जेंडर बजटिंग) के लिए निम्नलिखित कथनों में से कौन संगत हैं?

(*a*) महिलाओं के लिए पृथक बजट बनाना

(*b*) भारत सरकार द्वारा जेंडर बजट बनाने की परंपरा नहीं है

(*c*) लिंग (जेंडर) परिप्रेक्ष्य से बजट के प्रावधानों का मूल्यांकन

(*d*) लिंग (जेंडर) सशक्तीकरण के लिए जेंडर बजटिंग एक साधन के रूप में है

नीचे दिए गए विकल्पों में से सही उत्तर का चयन कीजिए :

A. केवल (*a*) B. केवल (*a*) और (*d*)

C. केवल (*c*) और (*d*) D. (*a*), (*b*), (*c*) और (*d*)

64. पर्यावरणीय कुजनेट्स वक्र (ईकेसी) के संबंध में निम्नलिखित में से कौन-कौन सही है?

(*a*) आय व पर्यावरणीय क्षति के बीच का संबंध विपर्यस्त U का आकार ले लेता है

(*b*) अप्रत्यावर्तनीय पर्यावरणीय क्षति के मामले में ईकेसी लागू है

(*c*) वैश्विक प्रदूषकों के संबंध में ईकेसी लागू है

(*d*) ईकेसी की प्राक्कल्पना आर्थिक संवृद्धि व प्रदूषण के बीच दीर्घावधि संबंध बनाने की है

नीचे दिए गए विकल्पों में से सही उत्तर का चुनाव कीजिए :

A. केवल (*a*) और (*b*) B. केवल (*a*) और (*d*)

C. केवल (*c*) और (*d*) D. (*a*), (*b*), (*c*) और (*d*)

65. पर्यावरणीय आकलन के लिए निम्नलिखित में से कौन-कौन से कथन सही हैं?

(*a*) यात्रा लागत विधि पर्यावरणीय संसाधनों के मनो-विनोद मूल्य को मापती है

(*b*) सुखात्मक मूल्य निर्धारण का प्रयोग संपत्ति मूल्य से संबंधित पर्यावरणीय सुविधाओं के लिए किया जाता है

(*c*) प्रतिस्थापन लागत विधि का प्रयोग प्राकृतिक संसाधनों को मानव निर्मित समतुल्य से प्रतिस्थापित कर दिया जाता है

(*d*) रक्षात्मक व्यय निवारक उपायों से संबंधित है

नीचे दिए गए विकल्पों में से सही उत्तर का चयन कीजिए :

A. केवल (*a*) और (*b*) B. केवल (*b*) और (*c*)

C. केवल (*c*) D. (*a*), (*b*), (*c*) और (*d*)

66. सूची-I को सूची-II से सुमेलित कीजिए :

सूची-I	सूची-II
(*a*) पूर्ण प्रतिस्पर्द्धा	(*i*) उत्पाद में अनेक वास्तविक अथवा अनुबोधित अंतर
(*b*) एकाधिकार	(*ii*) उत्पाद में अल्प अथवा कोई अंतर न होना
(*c*) एकाधिकारी प्रतिस्पर्द्धा	(*iii*) समरूपी उत्पाद
(*d*) अल्पाधिकार	(*iv*) निकट अनुकल्प के बिना उत्पाद

नीचे दिए गए विकल्पों में से सही उत्तर चुनिए :

	(*a*)	(*b*)	(*c*)	(*d*)
A.	(*iii*)	(*iv*)	(*i*)	(*ii*)
B.	(*iii*)	(*i*)	(*ii*)	(*iv*)
C.	(*ii*)	(*iv*)	(*i*)	(*iii*)
D.	(*iii*)	(*iv*)	(*ii*)	(*i*)

67. सूची-I को सूची-II से सुमेलित कीजिए :

सूची-I	सूची-II
(*a*) मेन्यू लागत	(*i*) मौद्रिक नीति
(*b*) मात्रात्मक सुगमता	(*ii*) मुद्रास्फीति
(*c*) सार्वजनिक अतिव्यय	(*iii*) फिलिप्स वक्र
(*d*) मुद्रास्फीति व बेरोजगारी	(*iv*) राजकोषीय नीति

नीचे दिए गए विकल्पों में से सही उत्तर चुनिए :

	(*a*)	(*b*)	(*c*)	(*d*)
A.	(*ii*)	(*i*)	(*iv*)	(*iii*)
B.	(*i*)	(*ii*)	(*iii*)	(*iv*)
C.	(*iii*)	(*iv*)	(*i*)	(*ii*)
D.	(*iv*)	(*iii*)	(*ii*)	(*i*)

68. सूची-I को सूची-II से सुमेलित कीजिए :

सूची-I	सूची-II
(*a*) कार्ल फ्रेडरिक गॉस	(*i*) केंद्रीय प्रवृत्ति
(*b*) बहुसमरेखिता	(*ii*) ओ एल एस
(*c*) बहुलक	(*iii*) कार्ल पियर्सन
(*d*) सहसंबंध गुणांक	(*iv*) स्पष्टकारी चरों के बीच संबंध

नीचे दिए गए विकल्पों में से सही उत्तर चुनिए :

	(*a*)	(*b*)	(*c*)	(*d*)
A.	(*iv*)	(*i*)	(*ii*)	(*iii*)
B.	(*iii*)	(*iv*)	(*i*)	(*ii*)
C.	(*ii*)	(*iv*)	(*iii*)	(*i*)
D.	(*ii*)	(*iv*)	(*i*)	(*iii*)

69. सूची-I को सूची-II से सुमेलित कीजिए :

सूची-I	सूची-II
(*a*) उत्तल फलन	(*i*) मूल चर
(*b*) आगत-निर्गत विश्लेषण	(*ii*) व्युत्पन्न (डेरिवेटिव) का प्रयोग
(*c*) रेखिक प्रोग्रामन	(*iii*) हॉकिन्स साइमन शर्तें
(*d*) सीमांत उपभोग-प्रवृत्ति	(*iv*) मांग वक्र

नीचे दिए गए विकल्पों में से सही उत्तर चुनिए :

	(*a*)	(*b*)	(*c*)	(*d*)
A.	(*iv*)	(*iii*)	(*i*)	(*ii*)
B.	(*ii*)	(*iii*)	(*i*)	(*iv*)
C.	(*iii*)	(*iv*)	(*i*)	(*ii*)
D.	(*iv*)	(*i*)	(*iii*)	(*ii*)

70. सूची-I को सूची-II से सुमेलित कीजिए :

सूची-I	सूची-II
(*a*) अंतर्राष्ट्रीय व्यापार का आपूर्ति पक्ष	(*i*) डेविड रिकार्डो
(*b*) अंतर्राष्ट्रीय व्यापार की मांग	(*ii*) बास्टेबल और अल्फर्ड

(*c*) अंतर्राष्ट्रीय व्यापार की अवसर लागत — (*iii*) जी. हुबर्लर

(*d*) अंतर्राष्ट्रीय व्यापार का वास्तविक लागत सिद्धांत — (*iv*) अल्फर्ड मार्शल और एजवर्थ

नीचे दिए गए विकल्पों में से सही उत्तर चुनिए :

	(*a*)	(*b*)	(*c*)	(*d*)
A.	(*i*)	(*iv*)	(*ii*)	(*iii*)
B.	(*iv*)	(*i*)	(*ii*)	(*iii*)
C.	(*i*)	(*iv*)	(*iii*)	(*ii*)
D.	(*iv*)	(*i*)	(*iii*)	(*ii*)

71. सूची-I को सूची-II से सुमेलित कीजिए :

सूची-I	सूची-II
(*a*) कराधान के सिद्धांत	(*i*) यू.के. हिक्स
(*b*) सार्वजनिक व्यय के सिद्धांत	(*ii*) एडम स्मिथ
(*c*) कर का प्रभावी आपत्य	(*iii*) फिंडले शिरास
(*d*) सार्वजनिक व्यय से प्राप्त लाभ का दृष्टिकोण	(*iv*) एरिक लिंडाल

नीचे दिए गए विकल्पों में से सही उत्तर चुनिए :

	(*a*)	(*b*)	(*c*)	(*d*)
A.	(*ii*)	(*iii*)	(*i*)	(*iv*)
B.	(*i*)	(*ii*)	(*iii*)	(*iv*)
C.	(*ii*)	(*iii*)	(*iv*)	(*i*)
D.	(*iv*)	(*i*)	(*ii*)	(*iii*)

72. सूची-I को सूची-II से सुमेलित कीजिए :

सूची-I	सूची-II
(*a*) सिक्युरिटी एक्सचेंज बोर्ड (सेबी)	(*i*) 1991
(*b*) नेशनल सिक्युरिटीज डिपॉजिटरी लि. (एनएसडीएल)	(*ii*) 1992
(*c*) क्रेडिट रेटिंग इंफारमेशन सर्विस ऑफ इंडिया लि. (क्रिसिल)	(*iii*) 1988
(*d*) इन्वेस्टमेंट इन्फॉरमेशन एंड क्रेडिट रेटिंग एजेंसी ऑफ इंडिया (इ.क्रा)	(*iv*) 1996

नीचे दिए गए विकल्पों में से सही उत्तर चुनिए :

	(*a*)	(*b*)	(*c*)	(*d*)
A.	(*i*)	(*ii*)	(*iii*)	(*iv*)
B.	(*iv*)	(*iii*)	(*ii*)	(*i*)
C.	(*iii*)	(*ii*)	(*iv*)	(*i*)
D.	(*ii*)	(*iv*)	(*iii*)	(*i*)

73. सूची-I को सूची-II से सुमेलित कीजिए :

सूची-I	सूची-II
(*a*) एडम स्मिथ	(*i*) बड़े धक्के का सिद्धांत (थ्योरी ऑफ बिग पुश)
(*b*) आर. रोडन	(*ii*) पारंपरिक समाज
(*c*) डब्ल्यू.डब्ल्यू रोस्तोव	(*iii*) श्रमिकों की आरक्षित सेना
(*d*) कार्ल मार्क्स	(*iv*) श्रम विभाजन

नीचे दिए गए विकल्पों में से सही उत्तर चुनिए :

	(*a*)	(*b*)	(*c*)	(*d*)
A.	(*iv*)	(*i*)	(*ii*)	(*iii*)
B.	(*ii*)	(*iii*)	(*i*)	(*iv*)
C.	(*iii*)	(*ii*)	(*iv*)	(*i*)
D.	(*i*)	(*iv*)	(*iii*)	(*ii*)

74. सूची-I को सूची-II से सुमेलित कीजिए :

सूची-I	सूची-II
(*a*) आगे की पीढ़ी के उपयोग के लिए पर्यावरण का संरक्षण करना	(*i*) अप्रत्यक्ष उपयोग मूल्य
(*b*) वैकल्पिक ईंधन की खोज आवश्यक है क्योंकि पारंपरिक स्रोत गैर-नवीकरणीय स्रोत हैं	(*ii*) विकल्प मूल्य
(*c*) वनों से प्राप्त लकड़ी इमारती लकड़ी के रूप में उपयोगी होती है	(*iii*) वसीयत मूल्य
(*d*) कीट-पतंगें महत्त्वपूर्ण हैं क्योंकि वे परागण में मदद करते हैं	(*iv*) उपयोग मूल्य

नीचे दिए गए विकल्पों में से सही उत्तर चुनिए :

	(*a*)	(*b*)	(*c*)	(*d*)
A.	(*i*)	(*ii*)	(*iii*)	(*iv*)
B.	(*iii*)	(*ii*)	(*iv*)	(*i*)
C.	(*ii*)	(*iv*)	(*i*)	(*iii*)
D.	(*iii*)	(*iv*)	(*ii*)	(*i*)

75. सूची-I को सूची-II से सुमेलित कीजिए :

सूची-I	सूची-II
(*a*) एनआइआरबीआईके	(*i*) लाखों परिवारों को पाईप के द्वारा रसोई गैस प्रदान करने की परियोजना
(*b*) आयुष्मान भारत	(*ii*) ऊर्जा दक्षता वृद्धि करने की स्कीम
(*c*) प्रधानमंत्री ऊर्जा गंगा (पी.एम.यू.जी)	(*iii*) निर्यात ऋण बीमा स्कीम
(*d*) निष्पादन, प्राप्ति व व्यापार (पीएटी)	(*iv*) प्राथमिक, द्वितीयक व तृतीयक क्षेत्र में स्वास्थ्य मुद्दों से संबंधित कार्यक्रम

नीचे दिए गए विकल्पों में से सही उत्तर चुनिए :

	(*a*)	(*b*)	(*c*)	(*d*)
A.	(*ii*)	(*iii*)	(*i*)	(*iv*)
B.	(*iii*)	(*iv*)	(*ii*)	(*i*)
C.	(*ii*)	(*iv*)	(*iii*)	(*i*)
D.	(*iii*)	(*iv*)	(*i*)	(*ii*)

76. उपभोक्ता व्यवहार की निम्नलिखित संकल्पनाओं को कालक्रमानुसार लगाएं :

(*a*) ह्रासमान सीमांत उपयोगिता नियम
(*b*) मांग का नियम
(*c*) उद्घाटित वरीयता विश्लेषण
(*d*) अनधिमान वक्र विश्लेषण

नीचे दिए गए विकल्पों में से सही उत्तर का चयन कीजिए :

A. (*a*), (*b*), (*d*), (*c*) B. (*b*), (*a*), (*d*), (*c*)
C. (*b*), (*a*), (*c*), (*d*) D. (*a*), (*b*), (*c*), (*d*)

77. निम्नलिखित व्यवसाय चक्रों को उनकी अनुमानित अवधि के अनुसार आरोही क्रम में लगाएं :

(*a*) कोन्द्रातिएव चक्र (*b*) किचिन चक्र
(*c*) जुगुलर चक्र (*d*) कुज्नेट्स चक्र

नीचे दिए गए विकल्पों में से सही उत्तर का चयन कीजिए :

A. (*c*), (*b*), (*a*), (*d*) B. (*b*), (*c*), (*d*), (*a*)
C. (*a*), (*c*), (*b*), (*d*) D. (*d*), (*a*), (*c*), (*b*)

78. शोध करने के पारंपरिक अर्थमितीय पद्धति में उचित क्रम को पहचानिए :

(*a*) आँकड़ा संग्रहण
(*b*) नीति-निर्धारण
(*c*) परिकल्पना का परीक्षण करना
(*d*) परिकल्पना का निर्माण

नीचे दिए गए विकल्पों में से सही उत्तर का चयन कीजिए :

A. (*d*), (*a*), (*b*), (*c*) B. (*a*), (*d*), (*b*), (*c*)
C. (*d*), (*a*), (*c*), (*b*) D. (*a*), (*b*), (*c*), (*d*)

79. निम्न का सही क्रम क्या है?

(*a*) उरुग्वे दौर (*b*) केनेडी दौर
(*c*) दोहा दौर (*d*) जेनेवा दौर

नीचे दिए गए विकल्पों में से सही उत्तर का चयन कीजिए :

A. (*d*), (*b*), (*a*), (*c*) B. (*b*), (*d*), (*c*), (*a*)
C. (*a*), (*b*), (*c*), (*d*) D. (*c*), (*a*), (*b*), (*d*)

80. भारत में निम्नलिखित करों की शुरुआत को कालक्रमानुसार व्यवस्थित कीजिए :

(*a*) सेवा कर (*b*) आयकर
(*c*) बैंकिंग संव्यवहार कर (*d*) उपहार कर
(*e*) माल और सेवा कर

नीचे दिए गए विकल्पों में से सही उत्तर का चयन कीजिए :

A. (*b*), (*d*), (*a*), (*c*), (*e*)
B. (*b*), (*a*), (*c*), (*e*), (*d*)
C. (*b*), (*c*), (*a*), (*d*), (*e*)
D. (*d*), (*b*), (*a*), (*c*), (*e*)

81. भारत में बैंक क्षेत्र के लिए गठित निम्नलिखित समितियों को कालक्रमानुसार व्यवस्थित कीजिए :

(*a*) उर्जित पटेल समिति (*b*) गोइपुरिया समिति
(*c*) नरसिंहम समिति-I (*d*) चक्रवर्ती समिति

नीचे दिए गए विकल्पों में से सही उत्तर का चयन कीजिए :

A. (*d*), (*c*), (*b*), (*a*) B. (*a*), (*c*), (*d*), (*b*)
C. (*c*), (*b*), (*d*), (*a*) D. (*d*), (*b*), (*c*), (*a*)

82. निम्नलिखित को उनके प्रचलन में आने के कालक्रमानुसार लगाएं :

(*a*) एसडीजी (*b*) एमपीआई
(*c*) पीक्यूएलआई (*d*) एचडीआई

नीचे दिए गए विकल्पों में से सही उत्तर का चयन कीजिए :

A. (*d*), (*c*), (*a*), (*b*) B. (*c*), (*d*), (*b*), (*a*)
C. (*c*), (*b*), (*a*), (*d*) D. (*d*), (*c*), (*b*), (*a*)

83. जलवायु परिवर्तन पर संयुक्त राष्ट्र संघ फ्रेमवर्क कंवेंशन (यूएनएफसीसीसी) निम्नलिखित सम्मेलनों को कालक्रमानुसार व्यवस्थित कीजिए :

(*a*) कोपेनहेगेन सम्मेलन (*b*) दोहा सम्मेलन
(*c*) पेरिस सम्मेलन (*d*) काटोवाइस सम्मेलन

नीचे दिए गए विकल्पों में से सही उत्तर का चयन कीजिए :

A. (*b*), (*c*), (*d*), (*a*) B. (*d*), (*c*), (*b*), (*a*)
C. (*a*), (*b*), (*c*), (*d*) D. (*c*), (*d*), (*b*), (*a*)

84. कृषि उत्पादकता और किसानों की आय में वृद्धि करने के लिए भारत सरकार द्वारा आरंभ की गई स्कीमों/कार्यक्रमों पर विचार कीजिए उन्हें उनके आरंभ किए जाने के कालक्रमानुसार लगाएं :

(*a*) मृदा स्वास्थ्य कार्ड योजना
(*b*) किसान क्रेडिट कार्ड स्कीम
(*c*) प्रधानमंत्री फसल बीमा योजना
(*d*) किसानों की आय को दुगना करने का कार्यक्रम

नीचे दिए गए विकल्पों में से सही उत्तर का चयन कीजिए :

A. (*a*), (*b*), (*c*), (*d*) B. (*b*), (*a*), (*c*), (*d*)
C. (*b*), (*c*), (*a*), (*d*) D. (*b*), (*a*), (*d*), (*c*)

85. निर्धनता आकलन की निम्नलिखित समितियों को कालक्रमानुसार लगाएं :

(*a*) अलघ समिति (*b*) लकडावाला समिति
(*c*) तेंदुलकर समिति (*d*) रंगराजन समिति

नीचे दिए गए विकल्पों में से सही उत्तर का चयन कीजिए :

A. (*a*), (*b*), (*c*), (*d*) B. (*a*), (*c*), (*b*), (*d*)
C. (*b*), (*c*), (*a*), (*d*) D. (*b*), (*a*), (*c*), (*d*)

86. नीचे दो कथन दिए गए हैं : एक अभिकथन (A) के रूप में लिखित है तो दूसरा उसके कारण (R) के रूप में :

अभिकथन (A): एकाधिकारवादी पर आरोपित एकमुश्त कर को उपभोक्ताओं पर अंतरित नहीं किया जा सकता है।

कारण (R): एकमुश्त कर उसकी निर्धारित लागत का हिस्सा हो सकता है और यह उत्पादन की सीमांत लागत को प्रभावित करता है।

उपरोक्त कथनों के आलोक में, नीचे दिए गए विकल्पों में से सबसे उपयुक्त उत्तर का चयन कीजिए :

A. (A) और (R) दोनों सही हैं, परन्तु (R), (A) की सही व्याख्या है।
B. (A) और (R) दोनों सही हैं, परन्तु (R), (A) की सही व्याख्या नहीं है।
C. (A) सही है परन्तु (R) सही नहीं है।
D. (A) सही नहीं है परन्तु (R) सही है।

87. नीचे दो कथन दिए गए हैं : एक अभिकथन (A) के रूप में लिखित है तो दूसरा उसके कारण (R) के रूप में :

अभिकथन (A): लाभ को अधिकतम बनाने वाले उत्पादक के लिए सार्वजनिक वस्तुओं के लिए कोई प्रोत्साहन नहीं है।

कारण (R): यदि वह इसका उत्पादन करता है, वह लोगों को उसका उपभोग करने से बहिष्कृत करने में असमर्थ है और इसलिए वह मूल्य पारित नहीं कर सकता है।

उपरोक्त कथनों के आलोक में, नीचे दिए गए विकल्पों में से सबसे उपयुक्त उत्तर का चयन कीजिए :

A. (A) और (R) दोनों सही हैं, परन्तु (R), (A) की सही व्याख्या है।
B. (A) और (R) दोनों सही हैं, परन्तु (R), (A) की सही व्याख्या नहीं है।
C. (A) सही है परन्तु (R) सही नहीं है।
D. (A) सही नहीं है परन्तु (R) सही है।

88. नीचे दो कथन दिए गए हैं : एक अभिकथन (A) के रूप में लिखित है तो दूसरा उसके कारण (R) के रूप में :

अभिकथन (A): नव पूंजी संचयन तकनीकी का वाहक है।

कारण (R): तकनीकी प्रगति नयी मशीनों में सन्निहित होती है।

उपरोक्त कथनों के आलोक में, नीचे दिए गए विकल्पों में से सबसे उपयुक्त उत्तर का चयन कीजिए :

A. (A) और (R) दोनों सही हैं और (R), (A) की सही व्याख्या है।

B. (A) और (R) दोनों सही हैं और (R), (A) की सही व्याख्या नहीं है।

C. (A) सही है परन्तु (R) सही नहीं है।

D. (A) सही नहीं है परन्तु (R) सही है।

89. नीचे दो कथन दिए गए हैं :

कथन-I: समाज कल्याण फलन (एस.डब्ल्यू.एफ.) एक प्रकार का सामाजिक अनधिमान मानचित्र है जिसमें एक समान स्तर का सामाजिक कल्याण (एस.डब्ल्यू.) प्रदान करने वाले विभिन्न संयोजनों को दर्शाने वाले सामाजिक अनधिमान वक्र (एस.आई.सी.) हैं

कथन-II: सामाजिक अनधिमान वक्र उत्पत्ति से उत्तल या अवतल नहीं हो सकते हैं

उपरोक्त कथनों के आलोक में, नीचे दिए गए विकल्पों में से सबसे उपयुक्त उत्तर का चयन कीजिए :

A. कथन I और II दोनों सही हैं

B. कथन I और II दोनों गलत हैं

C. कथन I सही है किन्तु कथन II गलत है

D. कथन I गलत है किन्तु कथन II सही है

90. नीचे दो कथन दिए गए हैं :

कथन-I: ओएलएस विधि के अंतर्गत एक पूर्वधारणा यह है कि समाश्रयण मॉडल पैरामीटर में रैखिक है यद्यपि चरों में यह रैखिक नहीं भी हो सकता है

कथन-II: ओएलएस के अंतर्गत स्पष्ट करने वाले चर का मूल्य कुछ भी हो, त्रुटि का प्रसरण अथवा विक्षोभ पद एक समान नहीं है

उपरोक्त कथनों के आलोक में, नीचे दिए गए विकल्पों में से सबसे उपयुक्त उत्तर का चयन कीजिए :

A. कथन I और II दोनों सही हैं

B. कथन I और II दोनों गलत हैं

C. कथन I सही है किन्तु कथन II गलत है

D. कथन I गलत है किन्तु कथन II सही है

निर्देश (91 से 95 तक): *निम्नलिखित गद्यांश को पढ़िए और उस पर आधारित प्रश्नों के उत्तर दीजिए :*

''मॉनिटरी पॉलिसी ट्रांसपेरेंसी एंड एंकरिंग ऑफ इनफ्लेशन एक्सपेक्टेशंस इन इंडिया'' शीर्षक अध्ययन में भारत के लिए मौद्रिक नीति पारदर्शिता का एक सूचकांक बनाया गया है और मुद्रास्फीति प्रत्याशाओं के स्थिरीकरण में पारदर्शिता की भूमिका की जांच की गई है, आनुभविक परिणाम दर्शाते हैं कि 2016 में नम्य मुद्रास्फीति लक्ष्य (एफआईटी) को स्वीकार किए जाने के बाद से नीति पारदर्शिता के अंश में वास्तव में महत्वपूर्ण वृद्धि हुई है। आगे, आनुभविक साक्ष्य इंगित करता है कि पूर्वानुमान लगाने वाले पेशेवरों और परिवारों की मुद्रास्फीति प्रत्याशाएं एफआईटी के बाद की अवधि में कमजोर रूप में स्थिर थी यद्यपि परिवारों की प्रत्याशाएं अनिवार्य रूप में मुद्रास्फीति सह्य सीमा के भीतर नहीं थी। संक्रमण काल (2014 में स्वारोपित अवस्फीतिकारी बहाव (ग्लाइड) मार्ग और एफआईटी को स्वीकार किए जाने के बाद) के दौरान वास्तविक मुद्रास्फीति व प्रत्याशाएं दोनों अवरोही मार्ग पर चली जिसकी परिणति इनके बीच एक सकारात्मक संबंध में हुई संक्रमण पूर्व की अवधि के दौरान जब सुस्पष्ट मुद्रास्फीति लक्ष्य अनुपस्थित था, प्रत्याशाएं भी, बेशक उच्चतर स्तर पर ही सही, समुचित रूप से स्थिर थी।

91. निम्नलिखित में से किस कालावधि को मौद्रिक नीति का संक्रमण काल कहा गया है :

A. 2014-2016 B. 2016-2020

C. 2000-2014 D. 2008-2014

92. मुद्रास्फीति प्रत्याशाओं के स्थिरीकरण (एंकरिंग) का क्या हुआ?

A. मुद्रास्फीति प्रत्याशाएं सशक्त रूप में स्थिर हुई

B. एफआईटी के बाद की अवधि में मुद्रास्फीति प्रत्याशाएं कमजोर रूप में स्थिर हुई

C. वास्तविक और प्रत्याशित मुद्रास्फीति में कोई संबंध नहीं था

D. अनुभव की गई व प्रत्याशित मुद्रास्फीति में ऋणात्मक संबंध था

93. निम्नलिखित में से कौन-सा सूचकांक बनाया गया है?

A. मौद्रिक नीति सूचकांक

B. मुद्रास्फीति प्रत्याशा सूचकांक

C. भारत के लिए मौद्रिक नीति पारदर्शिता सूचकांक

D. पारदर्शिता सूचकांक

94. निम्नलिखित में से क्या आनुभविक साक्ष्य दर्शाया गया है?

A. नीति पारदर्शिता के अंश में गिरावट आई है

B. नीति पारदर्शिता के अंश में वृद्धि हुई है

C. नीति पारदर्शिता के अंश में वृद्धि हुई है, परन्तु एफ.आई.टी. के लागू होने के बाद से

D. वास्तविक मुद्रास्फीति उच्च रही है

95. निम्नलिखित में से किस समूह की मुद्रास्फीति प्रत्याशाओं का आनुभविक परीक्षण किया गया?

A. केवल पूर्वानुमान लगाने वाले पेशेवरों का

B. केवल परिवारों का

C. पूर्वानुमान लगाने वाले पेशेवरों और परिवारों दोनों का

D. न पूर्वानुमान लगाने वाले पेशेवरों का और न ही परिवारों का

निर्देश (96 से 100 तक): *निम्नलिखित गद्यांश को ध्यानपूर्वक पढ़कर पूछे गए प्रश्नों के उत्तर दीजिए :*

संरक्षण का एक तर्क जो आर्थिक सूक्ष्मपरीक्षण का डटकर सामना करता है वह है शिशु उद्योग वाला तर्क इसका मानना है कि किसी राष्ट्र के पास किसी वस्तु में सम्भाव्य तुलनात्मक श्रेष्ठता हो सकती है, परन्तु ज्ञान के अभाव में और उत्पाद की प्रारम्भिक कम मात्रा के चलते वह उद्योग सुव्यवस्थित विदेशी प्रतिष्ठानों का सफलतापूर्वक मुकाबला नहीं कर पाता है संरक्षण के लिए शिशु-उद्योग वाला तर्क सही है परन्तु इसमें कई महत्वपूर्ण शर्तों की आवश्यकता है।

पहला, ऐसा तर्क विकासशील राष्ट्रों के लिए न्यायसंगत है जहाँ पूँजी बाजार ठीक से कार्य न करते हों। दूसरा, अनुभव यह दिखा चुका है कि यदि एक बार संरक्षण दे दिया गया तो उसे हटाना कठिन होता है। तीसरा, जो व्यापार संरक्षण आयात शुल्क के रूप में दिया जा सकता है। उससे बेहतर संरक्षण शिशु उद्योग को समतुल्य उत्पादन राज-सहायता देकर दिया जा सकता है इसका कारण यह है कि इस प्रकार के विशुद्ध घरेलू निरूपण को शिशु उद्योग की प्रत्यक्ष उत्पादन राज-सहायता जैसी विशुद्ध घरेलू नीति से ही दूर करना चाहिए साथ ही उत्पादन राज-सहायता का अधिक प्रत्यक्ष रूप है और इसे आयात शुल्क की तुलना में अधिक आसानी से हटाया जा सकता है। बेहतर नीति वह होगी कि उद्योग को प्रत्यक्ष राज-सहायता दी जाए। उसी प्रकार बाह्य अलाभों को जन्म देने वाले क्रियाकलापों को हतोत्साहित करने के लिए शुल्क से बेहतर प्रत्यक्ष कर होगा क्योंकि यह कर सापेक्ष मूल्यों और उपभोग का निरूपण नहीं करता है।

96. व्यापार संरक्षण का सबसे उपयुक्त साधन कौन-सा है?

A. आयात शुल्क B. निर्यात शुल्क

C. गैर-शुल्क प्रतिबन्ध D. उत्पादन राज-सहायता

97. विकासशील देशों की विशिष्टता होती है :

A. मुद्रा बाजारों और पूँजी बाजारों दोनों की अनुपस्थिति

B. पूँजी बाजारों का ठीक से कार्य न करना

C. मुद्रा बाजारों का ठीक से कार्य न करना

D. पूँजी बाजारों की अनुपस्थिति

98. सुस्थापित विदेशी प्रतिष्ठानों से मुकाबला करने में किसी उद्योग को किस कारण से बाधाएं आती हैं?

A. ज्ञान का अभाव और उत्पाद की प्रारंभिक कम मात्रा

B. लचीलेपन का अभाव

C. बाजारों का अभाव

D. मानव संसाधनों का अभाव

99. निम्नलिखित में से कौन-सा बाह्य अलाभों को रोकने में प्रभावी होता है?

A. व्यापार नीतियां

B. उत्पादन राज-सहायता

C. प्रत्यक्ष कर

D. शुल्क

100. निम्नलिखित में से कौन-सी घरेलू उद्योगों की प्रत्यक्ष सहायता है?

A. आयात नियंत्रण

B. आयात कोटा

C. उत्पादन राज-सहायता

D. पेटेंट के अधिकार

उत्तरमाला

1. **(B):** X और Y दो वस्तुओं के अनधिमान वक्र की स्थिति में X का उपभोग बढ़ने के साथ-साथ Y की जो मात्रा वह छोड़ने को तैयार है वह धीरे-धीरे घटती जाती है। उपभोक्ता के इस व्यवहार को स्थानापन्नता की घटती सीमांत दर का नियम कहते हैं। X की Y के लिए स्थानापन्नता की सीमांत दर (MRS_{xy}) वास्तव में अनधिमान वक्र के किसी बिन्दु वक्र की ढलान होती है। इस प्रकार

$$MRS_{xy} = -\left(\frac{\Delta Y}{\Delta X}\right)$$

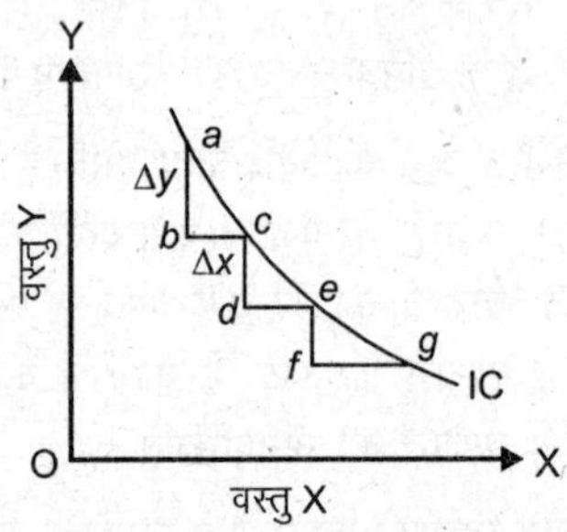

2. **(D): आर्थिक संतुलन :** आर्थिक संतुलन वह अवस्था है जिसमें आर्थिक क्रियाएँ तो होती रहती हैं, किन्तु उनमें वृद्धि अथवा कमी की प्रवृत्ति नहीं पाई जाती। दूसरे शब्दों में उस समय पर स्थिति आर्थिक शक्तियों में किसी परिवर्तन की प्रवृत्ति नहीं होती।

   प्रो. जे.के. मेहता के शब्दों में "अर्थशास्त्र में संतुलन गति में परिवर्तन की अनुपस्थिति बताता है।" सामान्य आर्थिक संतुलन निम्न समस्याओं से संबंधित है :

   - अस्तित्व समस्या
   - स्थिरता समस्या
   - एकलता समस्या

3. **(D):** अल्प अवधि उत्पादन फलन के संबंध के लिए प्रौद्योगिकी स्थिर होने की कल्पना की जाती है। अल्प-अवधि उस समय अवधि को संदर्भित करता है जिसमें कुछ कारकों की आपूर्ति निश्चित होती है यानी इसे बढ़ाया या घटाया जा सकता है। अर्थशास्त्र में समय से आशय उस अवधि से है जो मांग में परिवर्तन के अनुसार पूर्ति को समायोजित करने में उत्पादक को लगता है। समय या अवधि तीन प्रकार का हो सकता है—अति अल्पकाल जिसमें पूर्ति में कोई परिवर्तन नहीं हो सके अर्थात् सभी साधन स्थिर स्वभाव के हों, अल्पकाल जिसमें उत्पादन में कुछ परिवर्तन लाया जा सके ऐसी स्थिति में कुछ साधन ऐसे होंगे जिसमें बिल्कुल परिवर्तन नहीं लाया जा सके, उन्हें स्थिर साधन कहते हैं तथा कुछ ऐसे होंगे जिसमें परिवर्तन लाया जा सकता है, इन्हें परिवर्तनीय साधन कहते हैं। दीर्घकाल वह काल होगा जिसमें सभी साधनों में परिवर्तन लाया जा सके इसलिए दीर्घकाल में कोई साधन स्थिर साधन नहीं होगा।

4. **(C):** दीर्घकालीन औसत लागत वक्र भी अंग्रेजी के अक्षर 'U' के आकार का होता है अर्थात् जब कोई फर्म उत्पादन आरंभ करती है जो LAC वक्र ऊपर से नीचे की ओर गिरती है तथा न्यूनतम होने के पश्चात् यह बढ़ना शुरू हो जाती है। ऐसा उत्पादन के पैमाने की बचतों (Economies of Scale) तथा पैमाने की हानियों (Diseconomies of Scale) के कारण होता है। उत्पादन के बड़े पैमाने की बचतें कई प्रकार की होती हैं; जैसे—श्रम-विभाजन की बचतें, तकनीकी बचतें, कम मूल्य पर कच्चा माल इत्यादि। दूसरी ओर बड़े पैमाने की कई प्रकार की हानियाँ भी होती हैं, जैसे—प्रबंध की कार्य-कुशलता की सीमाएँ, अधिक कीमत पर कच्चा माल, यात्रा व्यय, टेलीफोन इत्यादि पर अधिक खर्चा इत्यादि।

   दीर्घकालीन औसत लागत वक्र की निम्न विशेषताएँ हैं :

   - दीर्घकालीन औसत लागत वक्र (LAC) विभिन्न अल्पकालीन औसत लागत वक्रों (SAC) से मिलकर बना है।
   - दीर्घकालीन औसत लागत वक्र (LAC) अंग्रेजी के शब्द 'U' आकार का होता है। समय में वृद्धि के साथ इसका आकार चपटा होता जाता है।
   - दीर्घकालीन औसत लागत वक्र (LAC) सभी अल्पकालीन औसत लागत वक्रों को उनके न्यूनतम बिन्दु पर स्पर्श नहीं करता है।

- दीर्घकालीन औसत लागत वक्र (LAC) अल्पकालीन औसत लागत वक्र (SAC) को स्पर्श करता है, काटता नहीं है अर्थात् यह किसी भी स्थिति में SAC से ऊपर नहीं होता है।
- दीर्घकालीन औसत लागत वक्र (LAC) सदैव अल्पकालीन औसत लागत वक्रों से नीचा रहता है अर्थात् दीर्घकालीन औसत लागतें सदैव कम होती हैं।
- LAC रेखा फर्म के लिए विभिन्न उत्पादन मात्राओं पर औसत लागत संभावनाओं को व्यक्त करती है।
- LAC रेखा फर्म का न्यूनतम बिन्दु दीर्घकालीन न्यूनतम औसत लागत व अनुकूलतम उत्पादन स्तर को बताता है।
- LAC संभावित उत्पादन मात्रा के लिए न्यूनतम संभव लागत की जानकारी देता है।

5. (C): अनिश्चितता के अर्न्तगत निर्णय लेने की स्थिति में यदि उपभोक्ता को दो विकल्पों से एक समान आय की प्रत्याशा होती है, तो वह प्रत्येक विकल्प के साथ सम्बद्ध जोखिम विचरण के आधार पर निर्णय करेगा। न्यूमैन और मोरगेन्स्टर्न ने अपनी पुस्तक "Theory of Games and Economic Behaviour" में जोखिम स्थितियों में एक व्यक्ति के व्यवहार का अध्ययन किया। उनके सिद्धांत को फ्रीडमैन, सेवेज तथा मार्कोविज ने परिष्कृत किया।

6. (A): फिलिप्स वक्र बेरोजगारी की दर तथा मुद्रा मजदूरी परिवर्तनों की दर में संबंध का निरीक्षण करता है। इंग्लैंड के अर्थशास्त्री फिलिप्स ने बेरोजगारी की दर तथा मुद्रा मजदूरी दरों में परिवर्तनों की दर के बीच विपरीत तथा गैर-रेखीय संबंध को दर्शाने के लिये जो वक्र प्रस्तुत किया उसे उसी के नाम से फिलिप्स वक्र के रूप में जाना जाता है। फिलिप्स से ब्रिटिश अर्थव्यवस्था के आँकड़ों के आधार पर यह अनुभवजन्य निष्कर्ष निकाला कि जब बेरोजगारी की दर ऊँची होती है तो मुद्रा मजदूरी दरों में बढ़ने की दर नीची होने पर मुद्रा मजदूरी दरों में बढ़ने की दर ऊँची होती है। इस प्रकार बेरोजगारी की दर तथा मुद्रा मजदूरी दरों में परिवर्तन की दर में विपरीत संबंध होता है। इन दोनों के बीच विपरीत (विलोम) संबंध पाये जाने का स्वाभाविक कारण यह है कि जब बेरोजगारी की दर ऊँची होती है तो रोजगार के अवसर सीमित होने के कारण न तो मजदूर संघ मजदूरी दर बढ़ाने की माँग करते हैं और न ही व्यावसायिक फर्मे नकद मजदूरी दर में वृद्धि की माँग स्वीकार करते हैं।

7. (B): 'मौद्रिक भ्रम' की संकल्पना सर्वप्रथम इरविंग फिशर ने अपनी पुस्तक ''स्टैबिलाइजिंग द डॉलर'' में दिया।

8. (C): प्रो. हिक्स ने आय पर प्रारंभिक निवेश का कुल प्रभाव मापने के लिए गुणक तथा त्वरक को गणितीय विधि से मिला दिया और उसे अतिगुणक का नाम दिया है। गुणक और त्वरक का सम्मिलित प्रभाव लीवर प्रभाव भी कहलाता है जो अर्थव्यवस्था को आय प्रजनन के बहुत ऊँचे या नीचे स्तर पर ले जा सकता है।

$$K_s \frac{1}{1-C-V} = \frac{1}{S-V}$$

जहाँ K_s अतिगुणक, C सीमांत उपभोग प्रवृत्ति, V सीमांत निवेश प्रवृत्ति और S सीमांत बचत प्रवृत्ति (S = 1 – C) है।

9. (B): राष्ट्रीय आय के संतुलन स्तर पर :

$$AD = AS$$
$$AD = C + I + G$$
$$= C + 50 + 0.2Y + 50$$
$$AS = C + S$$
$$= -150 + 0.4Y$$

अतः $AD = AS$

$$C + 50 + 0.2Y + 50 = -150 + 0.4Y$$
$$100 + 0.2Y = -150 + 0.4Y$$
$$250 = 0.2Y$$
$$250/0.2 = Y$$
$$1250 = Y.$$

10. (B): मुद्रा आपूर्ति और नामिक चरों में परिवर्तन से वास्तविक चरों की स्वतंत्रता को क्लासिकीय द्वि-विभाजन कहा जाता है। द्वि-विभाजन का अर्थ है कि सापेक्ष कीमत स्तर को वस्तुओं की मांग तथा पूर्ति निर्धारित करती है और निरपेक्ष कीमत स्तर को मुद्रा की मांग तथा पूर्ति निर्धारित करती है। समरूपता सिद्धांत की भांति इस मान्यता का भी यह अर्थ निकलता है कि अर्थव्यवस्था के मौद्रिक क्षेत्र पर कीमत स्तर का बिल्कुल

कोई प्रभाव नहीं पड़ता और आगे मौद्रिक कीमतों के स्तर का अर्थव्यवस्था के वास्तविक क्षेत्र पर कोई प्रभाव नहीं पड़ता।

11. (C): P(2 लड़के, 1 लड़की)

$= P(BBG) + P(BGB) + P(GBB)$

$$= \frac{1\times1\times1}{2\times2\times2}+\frac{1\times1\times1}{2\times2\times2}+\frac{1\times1\times1}{2\times2\times2}=\frac{3}{8}.$$

12. (D): यदि आंकड़े दरों समानुपात व अनुपात से संबंधित है तो केन्द्रीय प्रवृत्ति के माप के लिए ज्यामितीय माध्य या गुणोत्तर माध्य सर्वाधिक उपर्युक्त माप होगा। किसी समंक श्रेणी का गुणोत्तर माध्य उसके सभी मूल्यों को गुणनफल का वह मूल्य होता है जितनी उस श्रेणी में संख्यायें होती हैं।

$$G.M. = n\sqrt{X_1, X_2, X_3....X_n}$$

गुणोत्तर माध्य में यह गुण पाया जाता है कि विभिन्न मूल्यों को आपस में गुणा करने पर वही संख्या प्राप्त होगी जो प्रत्येक मूल्य के स्थान पर उनके गुणोत्तर माध्य रखने पर प्राप्त होती है।

13. (C) **14. (B)**

15. (C) **16. (B)**

17. (A)

18. (D): रैखिक प्रोग्रामन समस्या : एक रैखिक प्रोग्रामन समस्या वह समस्या है जोकि x और y जैसे कुछ अनेक चरों के एक रैखिक फलन Z (जोकि उद्देश्य फलन कहलाता है) का इष्टतम सुसंगम/अनुकूलतम सुसंगत मान (अधिकतम या न्यूनतम मान) ज्ञात करने से संबंधित है। प्रतिबंध यह है कि चर ऋणोत्तर पूर्णांक हैं और ये रैखिक असमिकाओं के समुच्चय रैखिक व्यवरोधों को संतुष्ट करते हैं। रैखिक पद से तात्पर्य है कि समस्या में सभी गणितीय संबंध रैखिक हैं, जबकि प्रोग्राम से तात्पर्य है कि विशेष प्रोग्राम या विशेष क्रिया योजना ज्ञात करना।

रूस के गणितज्ञ एल.बी. कान्टरोविच ने सबसे पहले सन् 1939 में रेखीय प्रक्रमन का प्रतिपादन किया था। इसके बाद 1947 में अमेरिका के गणितज्ञ जी.बी. डान्टजिंग ने अमेरिकन वायु सेना के लिए इसका विकास किया। इसकी महत्ता तथा उपयोगिता को ध्यान में रखते हुए अनेक अर्थशास्त्रियों जैसे टी.सी. कूपमैन, आर. डार्फमैन, डब्ल्यू.डब्ल्यू. कूपर ने रेखीय प्रक्रमन के उपयोग एवं विकास में महत्वपूर्ण योगदान दिया।

19. (C): "शुद्ध" वस्तु विनिमय वाली व्यापार-शर्तें : किन्हीं दो निर्धारित समयों में आयात-कीमतों से निर्यात-कीमतों की तुलना के अनुपात को शुद्ध अदल-बदल वाली व्यापार शर्तें (N) अथवा वस्तुगत व्यापार शर्तें कहते हैं। संक्षेप में, शुद्ध व्यापार शर्तो से आशय आयात-कीमतों और निर्यात-कीमतों के अनुपात से है। बीज रूप से इसे निम्नलिखित ढंग से व्यक्त किया जा सकता है :

$$N = \frac{Px_1}{Pm_1} - \frac{Px_0}{Pm} \quad \text{अथवा} \quad \frac{Px}{Pm} \times 100$$

जहाँ P = कीमत, X = निर्यात, M = आयात, O = आधार वर्ष, 1 = अगला वर्ष, N = शुद्ध व्यापार की शर्तें। यदि N बढ़ जाये, तब उस दशा में यह सूत्र प्रदर्शित करेगा कि केवल कीमतों के संबंध के आधार पर निर्यात की एक दी हुई मात्रा के बदले पहले से अधिक माल आयात किया जा सकता है।

20. (A): भुगतान संतुलन में पूँजी खाते की मदें प्रवाह चर हैं। पूँजी खाता पूँजी का वित्तीय प्रवाह प्रदर्शित करता है। इसके अन्तर्गत स्वर्ण सहित अल्पकालिक तथा दीर्घकालिक अन्तर्राष्ट्रीय पूँजीगत हस्तान्तरण सम्मिलित होते हैं। इसके अन्तर्गत सम्पत्तियों के अधिग्रहण के लिए कोषों के हस्तांतरण संबंधित सभी भुगतानों, सभी ऋणों तथा सभी विनियोगों को सम्मिलित किया जाता है।

पूँजी खाते से संबंधित महत्वपूर्ण विशेषताएँ :

- वे सभी पूँजीगत सौदे जिनके कारण विदेशी मुद्रा का प्रवाह देश में होता है, उन्हें भुगतान संतुलन के पूँजी खाते में धनात्मक (+) मदों के रूप में लिखा जाता है।
- वे सभी पूँजीगत सौदे जिनके कारण विदेशी मुद्रा का प्रवाह देश से बाहर जाता है, उन्हें भुगतान संतुलन के पूँजी खाते में ऋणात्मक (–) मदों के रूप में लिखते हैं, जैसे—किसी कंपनी द्वारा विदेश में किसी फर्म को खरीदना।
- (*a*) प्रत्यक्ष विनियोग तथा (*b*) पोर्टफोलियो विनियोग के शुद्ध मूल्य को पूँजी खाते के शेष में लिखा जाता है।

21. (A)

22. (D): इष्टतम प्रशुल्क वह प्रशुल्क है जो देश को उस व्यापार उदासीनता वक्र पर ले जाये जो दूसरे देश के प्रस्ताव वक्र को स्पर्श करता हो। प्रो. सोडर्स्टन के अनुसार, "अन्य कोई देश मुक्त व्यापार की स्थिति में हो, तो वह सही प्रशुल्क लगाकर हमेशा अपने कल्याण में सुधार कर सकता है, अर्थात् जो प्रशुल्क देश के कल्याण को अधिकतम बनाए, इष्टतम प्रशुल्क कहलाता है।" इष्टतम प्रशुल्क के स्तर का निर्धारण उस बिंदु पर होता है जहाँ प्रशुल्क लगाने वाले देश का व्यापार उदासीनता वक्र दूसरे देश के प्रस्ताव वक्र को स्पर्श करता है।

23. (C): व्यय और कराधान के पुराने स्तर से नये और उच्चतर स्तर की ओर संचलन को विस्थापन प्रभाव कहते हैं। विस्थापन प्रभाव के संदर्भ में पीकॉक-वाइजमैन ने 1890 में ब्रिटिश अर्थव्यवस्था अनुभवजन्य आँकड़े का उपयोग करके यह निष्कर्ष निकाला कि ब्रिटिश सार्वजनिक क्षेत्र में सापेक्ष वृद्धि पीढ़ी-दर-पीढ़ी के रूप में हुई है न कि निरंतर वृद्धि के आधार पर। दूसरे शब्दों में सरकारी राजस्व पीढ़ी-दर-पीढ़ी आगे बढ़े हैं तथा सामाजिक संकट के समय भी अर्थात् जिस समय पर युद्ध व मंदी भी थी तो इसमें वृद्धि हुई है। इन बाधाओं ने विस्थापन प्रभाव स्थापित किया है जिसके फलस्वरूप पुराने कर तथा व्यय स्तर के स्थान पर नए तथा उच्च बजटीय स्तर आ जाते हैं। जब से सामाजिक उपद्रव शांत हुए हैं तब से करों की नई दरें आई हैं तथा समाज सोचता है कि वह उच्च सार्वजनिक व्यय स्तर के लिए नए करों को सह सकता है। इसलिए सामाजिक अशांति के पश्चात् पुराने कराधान के स्तर को लागू नहीं किया गया तथा सार्वजनिक क्षेत्र के आबंटन के उच्च स्तर के लिए अतिरिक्त राशि खर्च करने के लिए तैयार रहते हैं।

24. (D): यदि बाह्यताएँ अस्तित्व में रहती हैं तो कल्याण सुधार की प्राप्ति में निम्नलिखित विधियाँ सहायक होती हैं :

- संपदा अधिकार प्रदान करना और मोल-भाव की अनुमति देना
- पिगूवियन कर
- विनियमन

बाह्यताएं उस समय उत्पन्न होती हैं जब एक आर्थिक एजेन्ट का कार्य दूसरे एजेन्ट को प्रभावित करता है तथा जिसे बाजार के क्रियाशीलन द्वारा नियमित नहीं किया जा सकता है।

25. (A)

26. (A): एकमुश्त कर एकाधिकारवादी पर पूरी तरह आपतित होगा। एकमुश्त कर लगाकर सरकार एकाधिकारी लाभों को वस्तु के उत्पादन अथवा कीमत प्रभावित किये बिना कम या समाप्त कर सकती है। एकाधिकारी फर्म पर लगायी गयी एकमुश्त राशि कर को निम्न चित्र द्वारा दिखाया गया है जहाँ कर लगने से पहले AC तथा MC औसत लागत तथा सीमांत लागत वक्र हैं। एकाधिकारी MP कीमत पर OM उत्पादन बेचकर सामान्य से बहुत अधिक लाभ APRT कमाता है। वास्तव में एकमुश्त कर का लगाया जाना एकाधिकारी फर्म के लिए एक स्थिर लागत है। क्योंकि इसका उत्पादन की मात्रा से कोई संबंध नहीं है। इसलिए इससे कर की मात्रा TC के बराबर औसत लागत बढ़ जाती है और AC वक्र ऊपर की ओर खिसक कर AC_1 बन जाता है। परन्तु सीमांत लागत पर कोई प्रभाव नहीं पड़ता। इस प्रकार एकमुश्त कर लगने का प्रभाव यह होता है कि एकाधिकारी लाभ APRT से घटकर APBC हो जाता है। कर का सारा बोझ एकाधिकारी को स्वयं उठाना पड़ेगा।

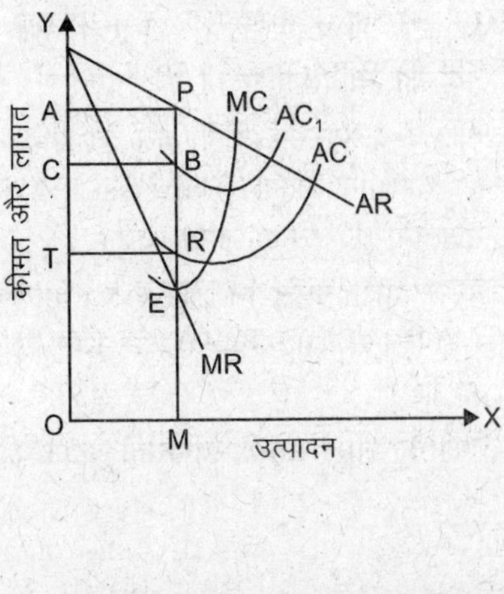

27. (D):

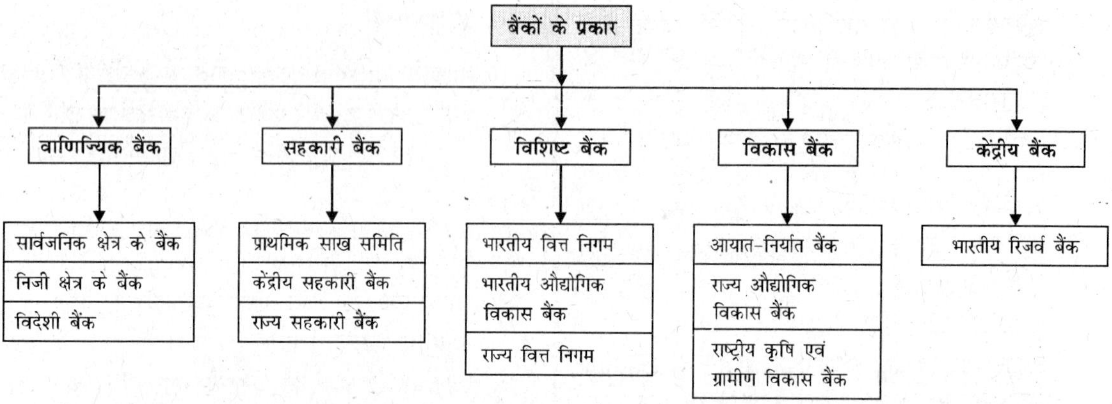

28. (C): तरलता समायोजन सुविधा (एल.ए.एफ.) की सिफारिश नरसिंहम समिति II ने की। वित्त मंत्रालय ने नरसिंहम की अध्यक्षता में दूसरी समिति 'बैंकिंग सेक्टर रिफार्म समिति गठित की, जिसने रिपोर्ट 1998 में सरकार को प्रस्तुत कर दी।

इनका उद्देश्य बैंकों की परिसम्पत्तियों की गुणवत्ता में सुधार करते हुए, बैंकों में जमा धन के जोखिमों को कम करना था।

इस-समिति की प्रमुख अनुशंसाएँ निम्नलिखित हैं :

- बैंकों के विलय और अधिग्रहण को अनुमति दी जाए।
- कमजोर बैंकों की पुनर्स्थापना हेतु लघु-बैंकों की अवधारणा को अपनाया जाए।
- सार्वजनिक बैंकों में सरकार की इक्विटी शेयर को 33% के नीचे लाया जाए।
- रिजर्व बैंक की नियामक और प्रशासन संबंधी क्रियाओं को पृथक् करने के लिए वित्तीय पर्यवेक्षण बोर्ड को स्वायत्तता प्रदान की जाए।
- बैंकों के कम्प्यूटरीकरण पर बल देते हुए सक्षम बैंकों को सार्वभौम बैंकिंग (Universal Banking) की संकल्पना के अंतर्गत लाया जाए।
- गैर-निष्पादित परिसंपत्ति (NPA) की समय-सीमा को 180 दिन से कम करके 90 दिन करने की अनुशंसा की गई।
- बैंकों को साख संबंधी स्वायत्तता प्रदान की जाए।
- खराब ऋणों की वसूली के लिए एसेट रिकन्सट्रक्शन कंपनी (ARC) की स्थापना की जाए और बैंकों के प्रूडेंशियल नार्म्स को आसान बनाया जाए।

29. (D): बैंक दर साख नियंत्रण का एक प्रत्यक्ष उपकरण है। बैंक दर के द्वारा केन्द्रिय बैंक साख की उपलब्धता तथा साख की लागत को प्रभावित कर सकता है और इस प्रकार बैंकों की साख सृजन शक्ति को प्रभावित कर सकता है।

बैंक दर में परिवर्तन से सभी प्रकार की मौद्रिक दरों में परिवर्तन आता है। जब बैंक दर बढ़ जाती है तो बाजार ब्याज दर भी बढ़ जाने से ऋणों की मात्रा घटती है और साख संकुचन होता है। इसके विपरीत जब बैंक दर घट जाती है तो मुद्रा बाजार में भी ब्याज दरें गिर जाने से ऋण लेना सस्ता हो जाता है और ऋणों की मात्रा बढ़ती है। अतः साख का प्रसार होता है। बैंक दर कम होने पर उसे सस्ती मुद्रा नीति (Cheap Money Policy) तथा बैंक दर अधिक होने पर महंगी मुद्रा नीति (Dear Money Policy) कहा जाता है। सस्ती साख नीति से साख का प्रसार होता है, जबकि महंगी साख नीति से साख का संकुचन होता है।

इस प्रकार बैंक दर में परिवर्तन के चार प्रभाव पड़ते हैं—(*i*) साख का प्रसार या संकुचन होता है, (*ii*) आन्तरिक मूल्य-स्तर एवं मजदूरी दरों में वृद्धि या कमी होती है, (*iii*) विनिमय दर पर प्रभाव पड़ता है तथा (*iv*) देश के विनियोगों पर प्रभाव पड़ता है।

30. (A): यू.एन.डी.पी. द्वारा प्रकाशित मानव विकास सूचकांक (एच.डी.आई.) की गणना वर्तमान में ज्यामितीय माध्य द्वारा की जाती है।

$$HDI = (I_{Life} \times I_{Edu} \times I_{GNI})^{1/3}$$
$$= 3\sqrt{I_{Life} \times I_{Edu} \times I_{GNI}}$$

ज्यामितीय माध्य के प्रयोग के कारण अधिकतम मूल्य सापेक्षिक मूल्य को नहीं प्रभावित करते। HDI का अधिकतम मूल्य 1 के बराबर होता है तथा इसका मूल्य 0 – 1 के बीच होता है।

संयुक्त राष्ट्र विकास कार्यक्रम (UNDP) में पाकिस्तानी अर्थशास्त्री महबूब-उल-हक ने सर्वप्रथम 1990 में मानव विकास सूचकांकों का प्रकशन किया। यू.एन.डी.पी. ने मानव विकास को मापने के लिए तीन मानकों का प्रयोग किया–1. जीवन प्रत्याशा, 2. शैक्षिक स्तर तथा 3. प्रति व्यक्ति आय। मानव विकास सूचकांकों की तरह UNDP ने एक विषमता सूचकांक का भी प्रकाशन प्रारंभ किया है। विषमता सूचकांक के निर्धारण के मानक–आयुदीर्घता, शिशु स्वास्थ्य का स्तर तथा रोजगार का स्तर है।

31. (B): सर रॉय हैरड के अनुसार तटस्थ तकनीकी प्रगति का अर्थ है ब्याज दर स्थिर होने पर पूँजी एवं श्रम के बीच कुल राष्ट्रीय उत्पाद का वितरण सतत रहना। यदि K/Y अचर हो तो ds/dt शून्य से अधिक हो तो हैरॉड के वर्गीकरण में तकनीकी परिवर्तन श्रम बचतकारी कहलाता है। जब K/Y अचर हो तथा $ds/dt < 0$ हो तो तकनीकी परिवर्तन पूँजी बचतकारी होता है तथा यदि अचर K/Y में S नियत रहता है तथा $ds/dt = 0$ हो तो तकनीकी प्रगति हैरड-तटस्थ होती है।

32. (C): आर्थिक वृद्धि का नव-क्लासिकी मॉडल संतुलन वृद्धि (Equilibrium Growth) की धारणा से संबंधित है। जिसमें उत्पादन जनसंख्या, पूँजी स्टॉक, बचत, निवेश और तकनीकी उन्नति जैसे सभी चर या तो स्थिर घातांकीय दर से बढ़ते हैं या स्थिर रहते हैं।

नव प्रतिष्ठित आर्थिक विकास सिद्धांतों के प्रतिपादन का सिलसिला 20वीं शताब्दी के पांचवें दशक में प्रारंभ होकर उसके मध्य तक आर्थिक विकास संबंधी काफी साहित्य प्रकाशित हो गया, जिसमें आर.एम. सोलो का लेख 'A Contribution to the Theory of Growth', टी.डब्ल्यू. स्वान का लेख 'Economic Growth and Capital Accumulation' तथा केम्ब्रिज विश्वविद्यालय के प्रसिद्ध अर्थशास्त्री जे.ई. मीड की प्रसिद्ध पुस्तक 'A Neo-Classical Theory of Economic Growth' का नव-प्रतिष्ठित विकास मॉडल में उल्लेखनीय योगदान रहा है।

जबकि संवृद्धि के पैसिनैटि (Pasinetti) मॉडल में लाभ दर, आय का वितरण और आर्थिक संवृद्धि की अंतःक्रिया महत्वपूर्ण है। यह क्लासिकी बचत फलन पर आधारित है।

33. (A)

34. (C): अशोधित जन्म दर (Crude Birth Rate)

इसकी गणना अशोधित मृत्यु दर की भाँति ही की जाती है। केवल मृत्यु संख्या के स्थान पर कुल जीवित जन्म (Live Birth) संख्या को मध्यावधि की कुल जनसंख्या से भाग दिया जाता है। इसका सूत्र निम्नलिखित है :

$$CBR = \frac{\Sigma B}{\Sigma P} \times 1,000 \quad \text{अथवा}$$

अशोधित जन्म दर =

$$\frac{\text{किसी शहर या स्थान में कुल जन्मे शिशुओं की संख्या}}{\text{उसी शहर या स्थान में कुल जनसंख्या}} \times 1,000$$

जहाँ, CBR = अशोधित जन्म दर

ΣB = किसी वर्ष में जन्मित किसी क्षेत्र में जीवित शिशुओं की कुल संख्या

ΣP = उस क्षेत्र की उसी वर्ष की कुल जनसंख्या (वर्ष के मध्य में)

प्रश्नानुसार, शहर की कुल जनसंख्या = 2800000 तथा जन्म संख्या = 50000 है।

अशोधित जन्म दर (CBR)

$$= \frac{50000(\Sigma B)}{2800000(\Sigma P)} \times 1000$$

= 0.17857 × 1000
= 17.857.

35. (C): रोनॉल्ड कोज के अनुसार प्रदूषण नियंत्रण हेतु प्रदूषक और प्रदूषित को संपत्ति के अधिकार प्रदान करना। कोजियन समझौता समाधान इस मान्यता पर आधारित है कि व्यक्तिगत सम्पत्ति अधिकार स्थापित है

और पर्यावरण क्षरण की प्रक्रिया में भाग लेने वाले व्यक्ति या समूह परस्पर समझौता के द्वारा 'कुशलतम समाधान' को प्राप्त कर लेते हैं।

36. (D): जनगणना 2011 के अनुसार ग्रामीण जनसंख्या का सर्वोच्च प्रतिशत हिमालच प्रदेश (90%) में है। हिमाचल प्रदेश की ग्रामीण जनसंख्या 61,76,050 है जबकि नगरीय जनसंख्या केवल 10 प्रतिशत (6,88,552) ही है। उल्लेखनीय है कि भारत की कुल नगरीय जनसंख्या 31.2 प्रतिशत ही है। बिहार की ग्रामीण जनसंख्या का प्रतिशत 89.5%, ओडिशा की 85.0% और उत्तर प्रदेश की ग्रामीण जनसंख्या का प्रतिशत 79.2% है।

37. (A): स्थिर मूल्यों पर राष्ट्रीय आय संबंधी विभिन्न मापों के आकलन हेतु 'केन्द्रीय सांख्यिकीय संगठन' (CSO) ने आधार वर्ष को बदल दिया है। अभी तक इनके आकलन के लिए 1980-81 को आधार वर्ष के रूप में इस्तेमाल किया जा रहा था, जिसे बदलकर अब 1993-94 कर दिया गया है। वर्तमान में CSO द्वारा GDP के आकलन के लिए आधार वर्ष 2011-12 का प्रयोग किया जाता है।

38. (A): 12 नवम्बर, 2020 को केंद्र सरकार ने आत्मनिर्भर भारत पैकेज-3.0 के अंतर्गत औपचारिक क्षेत्र (Formal Sector) में रोजगार को बढ़ावा देने तथा नए रोजगार अवसरों के सृजन को प्रोत्साहित करने के उद्देश्य से 'आत्मनिर्भर भारत रोजगार योजना' (ABRY) की घोषणा की थी।

इस योजना की प्रमुख विशेषताएँ निम्नलिखित हैं :

- भारत सरकार 1 अक्टूबर, 2020 को या उसके बाद और 30 जून, 2021 तक शामिल सभी नए कर्मचारियों को दो वर्ष की अवधि के लिए सब्सिडी प्रदान करेगी।
- जिन रोजगार प्रदाता संगठनों में अधिकतम 1000 कर्मचारी हैं, वहाँ केंद्र सरकार नए कर्मचारियों हेतु 2 वर्ष की अवधि के लिए 12 प्रतिशत कर्मचारी योगदान और 12 प्रतिशत नियोक्ता योगदान (दोनों) अर्थात् वेतन भत्तों का 24 प्रतिशत ईपीएफ में योगदान देगी।
- जिन रोजगार प्रदाता संगठनों में 1000 से अधिक कर्मचारी हैं, वहाँ केंद्र सरकार नए कर्मचारियों के संदर्भ में 2 वर्ष की अवधि के लिए ईपीएफ में केवल 12 प्रतिशत कर्मचारी योगदान देगी।
- सदस्यों के आधार संख्या से जुड़े खाते में ईपीएफओ इलेक्ट्रॉनिक तरीके से इस योगदान का भुगतान करेगा।

39. (C): वित्त आयोग एक ऐसी संवैधानिक संस्था है जिसे केंद्र और राज्य सरकारों के बीच वित्तीय संबंधों पर सुझाव देने के लिए राष्ट्रपति द्वारा गठित किया जाता है। 15वें वित्त आयोग के अध्यक्ष एन.के. सिंह हैं। 15वें वित्त आयोग ने राज्यों की हिस्सेदारी को 41% बनाए रखने की सिफारिश की है। यह 2020-21 की रिपोर्ट में दी गई सिफारिश जैसी ही है। यह राशि वितरण पूल के 42% के समान स्तर पर है जैसा कि 14वें वित्त आयोग द्वारा अनुशंसित है।

40. (C)

41. (B): जोखिम से बचने वाले व्यक्ति द्वारा जोखिम को न्यूनतम करने के लिए निम्नलिखित उपाय किये जाते हैं :

- संसाधनों का वैविध्यकरण
- जोखिम घटना का बीमा
- जोखिम घटना की जानकारी का मूल्य।

42. (B): कल्याण अर्थशास्त्र, अर्थशास्त्र की एक शाखा है, जो सूक्ष्म अर्थशास्त्रीय तकनीकों का प्रयोग करता है, जिससे सकल (अर्थव्यवस्था के) स्तर पर भलाई (कल्याण) का आंकलन किया जा सके।

कल्याण अर्थशास्त्र के पहले मौलिक प्रमेय के लिए निम्न अपेक्षित है :

- उत्पादक और उपभोक्ता कीमत स्वीकार करने वाले हों।
- अर्थव्यवस्था उपयोगिता संभाव्यता वक्र के किसी बिंदु पर काम करती है।
- प्रत्येक वस्तु के लिए प्रभावी बाजार हो।

43. (C)

44. (D): C = 50 + .75 Y में, MPC = 0.75

K = 1/MPS, जहाँ MPS = 1 – MPC

K = 1/1 – 0.75 = 1/0.25 = 4

S = –50 + .25 Y में, MPS = 0.25

K = 1/MPS = 1/0.25 = 4.

45. (D)

46. (A)

47. (B): विनिमय दर वह दर है जिस पर एक देश की एक मुद्रा इकाई का दूसरे देश की मुद्रा में विनिमय किया जाता है। दूसरे शब्दों में, विदेशी विनिमय दर यह बताती है कि किसी देश की मुद्रा की एक इकाई के बदले में दूसरे देश की मुद्रा की कितनी इकाइयाँ मिल सकती हैं। इसे व्यक्त करने का प्रचलित तरीका यह है कि घरेलू करेंसी के रूप में विदेशी करेंसी की एक इकाई की कीमत। जब विनिमय दर $1 (डॉलर) = ₹ 72 से 1 डॉलर = ₹ 68 में परिवर्तित होता है तब डॉलर के मूल्य में गिरावट होती है और रुपये के मूल्य में वृद्धि होती है।

48. (A): जिन परिस्थितियों के कारण स्वतंत्र बाजार अर्थव्यवस्था, आर्थिक कुशलता (पैरैटो कुशलता) या सामाजिक कल्याण को प्राप्त करने में असफल रहता है, उन्हें बाजार विफलता कहते हैं।

जे.वी. टेलर के शब्दों में, "बाजार विफलता वह स्थिति है जो कुशल आर्थिक लागत को प्राप्त नहीं करती और जिसमें सरकार के हस्तक्षेप की संभावना होती है। इसके तीन मुख्य कारण हैं–सार्वजनिक पदार्थ, बाहरी प्रभाव तथा बाजार शक्ति।"

संक्षेप में, "बाजार असफलता से तात्पर्य उन परिस्थितियों से है जिनके अंतर्गत बाजार संसाधनों को कुशलता से आबंटन करना विफल हो जाता है।"

बाजार असफलताओं के कारण ही सार्वजनिक नीति की आवश्यकता होती है ताकि अर्थव्यवस्था को नेतृत्व प्रदान किया जा सके, उसके दोषों को दूर किया जा सके तथा जहाँ आवश्यकता समझी जाये पूरक के रूप में कार्य करे।

बाजार असफलताएँ या पैरैटो अनुकूलतम प्राप्त न करने के प्रमुख कारण निम्नलिखित हैं :

- एकाधिकार व एकाधिकृत प्रतियोगिता का अस्तित्व
- बाह्यताओं की उपस्थिति अर्थात् उत्पादन एवं उपभोग में बाह्य मितव्ययिताएँ एवं अमितव्ययिताएँ
- सार्वजनिक वस्तुओं का अस्तित्व
- पैमाने के बढ़ते प्रतिफल
- अविभाज्यताएँ
- अपूर्ण सूचना या असममित
- अपूर्ण बाजार।

49. (C): वाणिज्यिक बैंक की ऋण सृजन क्षमता निम्नलिखित कारणों से कम हो जाती है :

- केन्द्रीय बैंक के पास जमा
- हाथ में नकदी
- उचित जमानतें
- न्यूनतम कानूनी रिजर्व अनुपात
- केन्द्रीय बैंक की साख-नियंत्रण नीति
- अन्य बैंकों का व्यवहार
- रिसाव

50. (A)

51. (D): आय में असमानताओं को मापने के लिए निम्न सूचकांकों का प्रयोग किया जाता है :

- **लॉरेंज वक्र :** लॉरेंज वक्र को वर्ष 1905 में मैक्स ओ लॉरेंज द्वारा विकसित किया गया। लॉरेंज वक्र द्वारा किसी देश के लोगों के बीच आय की विषमता को मापा जाता है इसे हम 'पूर्ण समता रेखा' या 'निरपेक्ष समता रेखा' भी कहते हैं। इसमें एक अक्ष पर कुल आय एक निश्चित आय के प्रतिशत के नीचे है।
- **थेइल्स सूचकांक :** थेइल्स सूचकांक मुख्य रूप से आर्थिक असमानता और अन्य आर्थिक तथ्य हालांकि यह भी नस्लीय अलगाव को मापने के लिए प्रयोग किया जाता है।
- **पाल्मा अनुपात :** पाल्मा अनुपात आय की असमानता को व्यक्त करता है। जब 40% GDP का भाग 10% समृद्ध लोगों के पास रहता है तो इसे पाल्मा अनुपात कहा जाता है।

52. (*)

53. (A)

54. (B): नेशनल इनिशिएटिव फॉर डेवलपिंग एंड हारनेसिंग इनोवेशन (NIDHI) कार्यक्रम : यह कार्यक्रम इग्निशन फंडिंग के साथ स्टार्टअप की मदद करेगा और इसलिए इसे स्टार्टअप-NIDHI कहा जाएगा। NIDHI विज्ञान और प्रौद्योगिकी विभाग (DST), भारत सरकार द्वारा सफल स्टार्टअप में विचारों और नवाचारों (ज्ञान-आधारित और प्रौद्योगिकी-संचालित) के पोषण के लिए एक अम्ब्रेला कार्यक्रम का नेतृत्व किया गया था।

स्टार्ट अप-NIDHI का लक्ष्य 20 छात्रों को स्टार्टअप के लिए वित्तीय रूप से प्रत्येक वर्ष समर्थन करना है। स्टार्ट अप-NIDHI चयनित प्रत्येक स्टार्टअप को 10 लाख रुपये का वित्तीय समर्थन करेगा, जिसे इग्निशन अनुदान/पुरस्कार के रूप में दिया जाएगा। स्टार्ट-अप के लिए अनिवार्य रूप से स्टूडेंट स्टार्टअप होना चाहिए और IEDC/NewGen IEDC का छात्र स्टार्टअप होना चाहिए। स्टार्टअप का चयन राष्ट्रीय स्तर की प्रतियोगिता के माध्यम से होगा।

55. (A)

56. (A): तार्किक प्रत्याशा मॉडल मुख्य बाजार की मॉडलिंग कीमत गतिविधियों के बारे में है। तार्किक प्रत्याशा का विचार सर्वप्रथम जॉन मूथ द्वारा 1961 में प्रस्तुत किया गया जिसने यह विचार इंजीनियरी साहित्य से लिया था। तार्किक प्रत्याशा मॉडल के बारे में निम्न कथन सही है :

- मौद्रिक नीति निर्गत और रोजगार को प्रभावित नहीं कर सकती।
- बाजारों में संतुलन की स्थिति है।
- आर्थिक अभिकर्ता (एजेंट) अपनी प्रत्याशाओं को आकार देने में सभी संगत उपलब्ध सूचनाओं का इस्तेमाल करता है।

57. (A): किसी समयावधि या वित्तीय वर्ष में अर्थव्यवस्था की कुल पूंजी स्टॉक जैसे–मशीन, प्लान्ट, सड़क, अस्पताल आदि में होने वाली वृद्धि को निवेश या विनियोग कहते हैं। निवेश के संदर्भ में निम्न कथन सही है :

- त्वरक मॉडल के अनुसार निवेश मांग आय में परिवर्तन के समानुपाती है।
- जितना ही वास्तविक ब्याज दर अधिक होगी उतना ही पूंजी की किराया लागत अधिक होगी।
- निवेश का अर्थ है वस्तुओं के वर्तमान स्टॉक में वृद्धि करना।

58. (C): सहसंबंध को आमतौर पर धनात्मक या ऋणात्मक सहसंबंध के रूप में वर्गीकृत किया जा सकता है। जब चरों की गति एक ही दिशा में एक साथ होती है तो सहसंबंध को धनात्मक कहा जाता है। जब आय बढ़ती है तो उपभोग में भी वृद्धि होती है। अब आय में कमी होती है तो उपभोग भी कम हो जाता है।

जो चर स्वतंत्र होते हैं, वे सहसंबंधित नहीं होते। सहसंबंध गुणांक –1 तथा +1 के बीच एक संख्या होती है। यह प्रेक्षणों के बहुत से युग्मों, जिनको बिंदु (X, Y) से सूचित किया जाता है, से परिकलित किया जाता है। जब गुणांक का मान +1 है तो इसका अर्थ पूर्ण धनात्मक सहसंबंध, गुणांक का मान –1 है तो इसका अर्थ पूर्ण ऋणात्मक सहसंबंध तथा गुणांक का मान 0 है तो इसका अर्थ कोई सहसंबंध नहीं होता है।

सहसंबंध विश्लेषण के निम्न कथन सही हैं :

- दो चरों के बीच रैखिक संबंध की डिग्री को मापा जाता है।
- पूर्वानुमान का सामर्थ्य सहसंबंध विश्लेषण का भाग नहीं है।

59. (B): सुप्रसिद्ध अमेरिकी अर्थशास्त्री प्रो. कॉब तथा प्रो. डगलस ने अमेरिका में (1890 से 1922 के दौरान) उत्पादन पर श्रम तथा पूंजी का प्रभाव ज्ञात करने के प्रयास में एक सूत्र का आविष्कार किया जो श्रम तथा पूंजी का उत्पादन के साथ ठीक-ठीक संबंध व्यय कर सके। इस उद्देश्य की पूर्ति हेतु उभय अर्थशास्त्रियों द्वारा प्रस्तुत फलन का सूत्र निम्न प्रकार है :

$$P = bL^{K}C^{1-K}$$

जहाँ P = उत्पादन मात्रा, b, K = धनात्मक स्थिरांक, L = श्रम, C = पूंजी।

प्रो. कॉब तथा प्रो. डगलस ने इस फलन का प्रयोग दिए हुए आँकड़ों पर किया। यही कारण है कि इसे कॉब-डगलस फलन के नाम से जाना जाता है।

कॉब-डगलस उत्पादन फलन के गुण निम्नलिखित हैं :

- कॉब-डगलस उत्पादन फलन एक सजातीय उत्पादन फलन है।
- कॉब-डगलस उत्पादन फलन में श्रम और पूंजी की सीमांत उत्पादकता पूंजी-श्रम अनुपात का फलन है।
- कॉब-डगलस उत्पादन फलन की साधन स्थानापन्नता की लोच एक के बराबर है।
- कॉब-डगलस उत्पादन फलन में α/β अनुपात साधन गहनता को मापता है।

60. (A): भुगतान संतुलन (Balance of Payment–BoP) से आशय किसी निश्चित समयावधि में किसी देश के निवासियों (या किसी देश का) और शेष विश्व के मध्य वस्तुओं, सेवाओं और परिसम्पत्तियों के लेन-देन के वितरण से है।

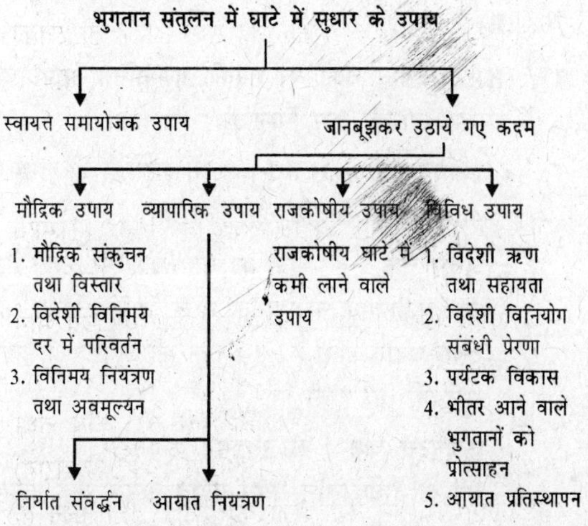

61. (B)

62. (B): शून्य आधारित बजट (ZBB): प्रबंधकीय उपकरण के रूप में शून्य आधारित बजट (ZBB) एक नवीनतम तकनीक है। सर्वप्रथम इस तकनीक का उपयोग सन् 1962 में अमेरिका में किया गया था।

भारत में शून्य बजटिंग की शुरुआत 1986 में सार्वजनिक बजट के निर्धारण के संबंध में की गयी पर बजट के अस्त्र के रूप में इसे 2000-01 से लागू किया गया जिसकी घोषणा वित्त मंत्री ने 1999-2000 में किया। शून्य आधारित बजट निम्न पर बल देता है :

- लागत-लाभ शर्तों पर आधारित संसाधनों पर आधारित आबंटन।
- स्क्रैच से नया बजट अधिकार तैयार करना।
- व्यय के इतिहास की उपेक्षा करते हुए बजट तैयार करना।

63. (C): जैंडर बजटिंग : सरकार द्वारा निर्मित ऐसा बजट, जो संसाधन एवं कार्यों का आवंटन लिंग (Gender) के आधार पर करता है, 'लिंग आधारित बजटीय प्रक्रिया' (Gender Budgeting) है। ऐसी बजटीय प्रक्रिया उन देशों में उपयोग में लायी जाती है, जहाँ सामाजिक आर्थिक असमानता में लिंग के आधार पर विभेद दिखता हो तथा वह चिरकालिक (Chronic) भी हो (जैसे भारत में)। भारत में इस तरह की बजटीय प्रक्रिया आम बजट 2006-07 से प्रारंभ की गई।

64. (B): पर्यावरणीय कुजनेट्स वक्र (EKC) पर्यावरणीय निम्नीकरण (Environmental Degradation) तथा प्रति व्यक्ति GDP के मध्य संबंध प्रदर्शित करता है। आर्थिक संवृद्धि के प्रारंभिक चरणों में प्रदूषण एवं पर्यावरण पर अन्य मानवीय प्रभावों में वृद्धि हुई लेकिन प्रति व्यक्ति GDP के कुछ स्तर के पश्चात् यह प्रवृत्ति उलट (Reverses) गई और उच्च आय स्तरों पर आर्थिक संवृद्धि से पर्यावरण में सुधार प्रदर्शित हुआ। इसका अर्थ यह है कि पर्यावरणीय प्रभाव या प्रति व्यक्ति उत्सर्जन प्रति व्यक्ति GDP का उल्टा U-आकार का फलन (Function) है।

65. (D) **66. (A)**

67. (A) **68. (D)**

69. (A) **70. (C)**

71. (A)

72. (D): सिक्युरिटी एण्ड एक्सचेंज बोर्ड (सेबी) : यह एक गैर-सवैधानिक संस्था है जिसकी स्थापना केन्द्र सरकार द्वारा संसद में एक कानून पास करके 12 अप्रैल, 1988 को की गई। बाद में 30 जनवरी, 1992 को

एक अध्यादेश द्वारा इस संस्था को वैधानिक दर्जा भी प्रदान कर दिया गया।

नेशनल सिक्युरिटीज डिपॉजिटरी लि. (एनएसडीएल): यह भारत की पहली निक्षेप-निधि है, जिसे 7 जून, 1996 को सेबी द्वारा पंजीकृत किया गया तथा जो डीमेट फॉर्म में व्यापार और प्रतिभूतियों के निपटारे की सुविधा देती है। इसे IDBI, UTI, NSE द्वारा प्रमोट किया जाता है।

क्रेडिट रेटिंग इंफारमेशन सर्विस ऑफ इंडिया लि. (क्रिसिल) : इसको 1987 में निर्गमित किया गया। इसकी स्थापना जनवरी, 1988 में ICICI, UTI, LIC, GIC तथा एशियन विकास बैंक द्वारा संयुक्त रूप से भारत में पहली साख श्रेणीयन एजेन्सी के रूप में की गई। क्रिसिल भारत में एकमात्र ऐसी श्रेणीयन एजेन्सी है जो क्षेत्रीय विशिष्टिकरण के आधार पर कार्य करती है जो कि विश्लेषण की तीव्रता, प्रक्रिया की अनुकूलता तथा विचारों का विभिन्न स्तरों पर प्रसार आदि को बढ़ाती है।

इन्वेस्टमेंट इन्फॉरमेशन एंड क्रेडिट रेटिंग एजेंसी ऑफ इंडिया (इक्रा) : यह एक भारतीय स्वतंत्र और पेशेवर निवेश सूचना और क्रेडिट रेटिंग एजेंसी है। इसकी स्थापना 1991 में हुई थी और इसे मूल रूप से इन्वेस्टमेंट इंफॉर्मेशन एंड क्रेडिट रेटिंग एजेंसी ऑफ इंडिया लिमिटेड (IICRA India) नाम दिया गया था। इसका मुख्यालय गुरुग्राम में अवस्थित है।

73. (A)

74. (B)

75. (D): निर्विक (एनआइआरबीआईके) योजना : निर्विक योजना वाणिज्य एवं उद्योग मंत्रालय के अंतर्गत आती है। इस योजना से निर्यातकों का बीमा कवर बढ़ेगा, छोटे निर्यातकों को प्रीमियम में छूट, सस्ती और पहुँच में पूंजी और ब्याज दर में कटौती होगी। इसमें दावों के लिए सरल प्रक्रिया अपनायी जाएगी।

इस योजना के तहत भारतीय निर्यात ऋण गारंटी निगम (Export Credit Guarantee Corporation of India-ECGC) द्वारा गांरटीकृत बीमा में मूलधन और ब्याज का 90 प्रतिशत तक कवर किया जा सकता है। इसे निर्यात ऋण बीमा योजना (ESIC) भी कहा जाता है।

आयुष्मान भारत योजना : इसकी शुरुआत 23 सितम्बर, 2018 को भारत के प्रधानमंत्री नरेन्द्र मोदी द्वारा राँची (झारखंड) से शुरू की गयी थी। आयुष्मान योजना के अंतर्गत देश के 10 करोड़ परिवारों या 50 करोड़ लोगों को सालाना ₹ 5 लाख का स्वास्थ्य कवरेज प्रदान किया जाता है।

प्रधानमंत्री ऊर्जा गंगा योजना (पोएमयूजी) : यह योजना अत्यंत महत्वाकांक्षी गैस पाइप लाइन परियोजना है। इसका लक्ष्य देश के पूर्वी भाग के निवासियों को 'पाइप्ड नेचुरल गैस' (PNG) और वाहनों के लिए CNG उपलब्ध कराना है।

निष्पादन, प्राप्ति व व्यापार (पीएटी) : यह योजना राष्ट्रीय विस्तारित ऊर्जा दक्षता मिशन (एनएमईईई) के तहत ऊर्जा दक्षता ब्यूरो का एक प्रमुख कार्यक्रम है। वर्ष 2008 में भारत सरकार द्वारा शुरू की गई राष्ट्रीय जलवायु परिवर्तन कार्य योजना (एनएपीसीसी) के तहत एनएमईईई आठ राष्ट्रीय मिशनों में से एक है।

76. (B)

77. (B): व्यवसाय चक्रों को उनकी अनुमानित अवधि के अनुसार आरोही क्रम निम्न है :

- **किचिन चक्र :** इसे लघु-चक्र भी कहते हैं जो लगभग 40 माह की अवधि का होता है।
- **जुग्लर चक्र :** इस चक्र को बड़ा चक्र भी कहते हैं। यह अनुक्रमिक संकटों के बीच व्यापार क्रिया का उतार-चढ़ाव होता है। इस चक्र की अवधि औसतन साढ़े नौ वर्ष होती है।
- **कुजनेट्स चक्र :** प्रो. साइमन कुजनेट्स ने 16-22 वर्ष के दीर्घकालीन उतार-चढ़ाव नामक एक प्रकार के चक्रों की प्रस्थापना की जिसे ऐसे ढंग से प्रस्तुत किया गया है कि वह 7-11 वर्ष के वक्र को अपेक्षाकृत महत्वहीन बना देता है। इसे कुजनेट्स चक्र कहा जाने लगा।
- **केंद्रातीफ चक्र :** 1925 में रूसी अर्थशास्त्री केंद्रातीफ इस निष्कर्ष पर पहुँचे कि चक्रों की अति दीर्घ तरंगें होती हैं जिनकी अवधि 50 वर्ष से अधिक होती है और जो छः जुग्लर चक्रों की बनी होती है।

78. (C)

79. (A): जेनेवा दौर – 1955-56

केनेडी दौर – 1964

उरुग्वे दौर – 1986 से 1993

दोहा दौर – 2001

80. (A): आयकर : 24 जुलाई, 1860 को ब्रिटिश शासन द्वारा प्रथम स्वतंत्रता संग्राम के दौरान ब्रिटिश शासन को हुए नुकसान की भरपाई के लिये सर जेम्स विल्सन द्वारा भारत में पहली बार आयकर पेश किया गया था।

उपहार कर : प्रत्यक्ष करारोपण की कमी को दूर करने के उद्देश्य से प्रो. कालडोर के सुझाव पर अप्रैल, 1958 से भारत में उपहार कर लागू किया गया था।

सेवा कर : भारत में सर्वप्रथम वित्तीय वर्ष 1 जुलाई, 1994 से 3 सेवाओं सामान्य बीमा, स्टॉक ब्रोकर एवं टेलीफोन सेवा पर 5 प्रतिशत की दर से 'सेवा कर' लगाया गया था। सेवा कर एक अप्रत्यक्ष कर है।

बैंकिंग संव्यवहार कर : वर्ष 2005-06 के बजट में लगाए गए इस कर का उद्देश्य राजस्व प्राप्ति न होकर बैंकों के माध्यम से नकदी के गैर-कानूनी लेनदेन का पता लगाना और रोकना था।

माल और सेवा कर : माल एवं सेवा कर (GST) घरेलू उपभोग के लिये बेचे जाने वाले अधिकांश वस्तुओं और सेवाओं पर लगाया जाने वाला मूल्यवर्द्धित कर है। इसे 1 जुलाई, 2017 की मध्यरात्रि को परिचालन में लाया गया था।

81. (D): चक्रवर्ती समिति : मुद्रा प्रणाली की कार्यकारिता का पुनरावलोकन करने के लिए चक्रवर्ती समिति का गठन किया गया था। इस समिति का गठन दिसंबर, 1982 में किया गया था। सुखमय चक्रवर्ती भारत की पंचवर्षीय योजनाओं के वास्तुकारों में से एक थे। समिति का विचार था कि बैंकों को अपनी ऋण दरों को निर्धारित करने की अधिक स्वतंत्रता होनी चाहिए।

गोइपुरिया समिति : बैंकों में ग्राहक सुविधा सुधारने के लिए 1990 में एम.एन. गोइपोरिया की अध्यक्षता में एक समिति का गठन हुआ जिसने 1991 में अपनी रिपोर्ट प्रस्तुत की।

नरसिंहम समिति-I : नरसिंहम समिति द्वारा अगस्त 1991 में भारत सरकार को प्रस्तुत की गयी सिफारिशों के संदर्भ में अनेक वित्तीय सुधार अपनाये गये। वित्तीय क्षेत्र में सुधारों का दौर 1992-93 में आरंभ हुआ।

उर्जित पटेल समिति : इस समिति का गठन 12 सितम्बर, 2013 को किया गया था। मुद्रास्फीति की माप के लिए थोक मूल्य सूचकांक (WPI) के स्थान पर उपभोक्ता मूल्य सूचकांक (CPI) का चयन, मौद्रिक नीति संबंधी निर्णय मौद्रिक नीति समिति को सौंपने, राजकोषीय घाटा 2016-17 तक 3 प्रतिशत पर लाने, खुले बाजारों के कार्यकलापों को राजकोषीय, परिचालनों से अलग करने एवं इसके स्थान पर उन्हें पूर्णतः चल निधि प्रबंधन से जोड़े जाने का सुझाव आदि सिफारिशें उर्जित पटेल समिति ने दी थी।

82. (B)

83. (C): कोपेनहेगन सम्मेलन (2009) : यह सम्मेलन 7-18 दिसम्बर, 2009 बेला सेंटर कोपेनहेगन में संपन्न हुआ। इसने 193 देशों के प्रतिनिधियों, 138 देशों के राष्ट्राध्यक्षों ने भाग लिया।

दोहा सम्मेलन (2012) : संयुक्त राष्ट्र संघ के वार्षिक पर्यावरण व तापमान घटाने के उपायों को कम करने हेतु 194 देशों के प्रतिनिधि कतर की राजधानी दोहा में 26 नवम्बर-7 दिसम्बर, 2012 को उपस्थित हुए।

पेरिस सम्मेलन (2015) : फ्रांस की राजधानी पेरिस में संयुक्त राष्ट्र के तत्वाधान में यूएनएफसीसीसी के 21वें (कोप-21) दौर की वार्ता का आयोजन 30 नवम्बर से 11 दिसम्बर, 2015 के मध्य किया गया।

काटोवाइस सम्मेलन (2018) : संयुक्त राष्ट्र जलवायु शिखर सम्मेलन, यानी COP एक वैश्विक सम्मेलन है, जिसके दौरान जलवायु नीति के लिए कार्रवाई की बातचीत की जाती है। जलवायु परिवर्तन सम्मेलन 2018 काटोवाइस, पोलैंड में आयोजित किया गया था।

84. (B): किसान ऋण (क्रेडिट) कार्ड योजना : इस योजना को अगस्त, 1998 में फसल ऋण के बड़े शेयर के साथ शुरू किया गया था। किसान क्रेडिट कार्ड की योजना से उपभोग साख एवं निवेश साख दोनों आच्छादित हैं।

मृदा स्वास्थ्य कार्ड योजना : प्रधानमंत्री नरेन्द्र मोदी ने 'विश्व मृदा दिवस' के अवसर पर 5 दिसम्बर, 2015 को राष्ट्रीय स्तर पर 'मृदा स्वास्थ्य कार्ड' योजना की शुरुआत की। इस कार्ड योजना का उद्देश्य मिट्टी की स्थिति में सुधार के लिए किसानों द्वारा आवश्यक सूचनाएँ प्राप्त करना है।

प्रधानमंत्री फसल बीमा योजना : कृषि क्षेत्र में व्याप्त अनिश्चितता से उत्पन्न समस्याओं के समाधान हेतु सरकार द्वारा 13 जनवरी, 2016 को 'प्रधानमंत्री फसल बीमा योजना' (PMFBY) की शुरुआत की गई है। इस योजना की सफलता हेतु सरकार ने तकनीक के प्रयोग पर बल दिया है, जिससे कार्य में तीव्रता के साथ-साथ गुणवत्ता सुनिश्चित की जा सके।

किसानों की आय को दुगना करने का कार्यक्रम : भारत सरकार ने वित्तीय वर्ष 2016-17 के केंद्रीय बजट में वर्ष 2022 तक किसानों की आय को दोगुना करने का नीतिगत लक्ष्य निर्धारित किया था।

85. (A): अलघ समिति : वाई.के. अलघ की अध्यक्षता में योजना आयोग ने वर्ष 1979 में अलघ समिति का गठन किया। इस समिति ने पहली बार शहरी और ग्रामीण क्षेत्रों के लिए कैलोरी की अलग-अलग मात्रा निर्धारित की जो क्रमशः 2100 कैलोरी और 2400 कैलोरी थी।

लकड़वाला समिति : भारत में गरीबी रेखा का आकलन लकड़वाला समिति के आधार पर किया जाता है। 1989 में योजना आयोग ने देश में निर्धनता की माप के लिए प्रो. डी.टी. लकड़वाला की अध्यक्षता में एक विशेषज्ञ दल का गठन किया।

तेंदुलकर समिति : सुरेश तेंदुलकर भारतीय अर्थशास्त्री व राष्ट्रीय सांख्यिकी आयोग के पूर्व प्रमुख थे। इन्होंने अपनी रिपोर्ट में भारत की कुल जनसंख्या के 37.2% जनसंख्या को गरीबी रेखा से नीचे बताया था।

सी. रंगराजन समिति : गरीबी रेखा के मूल्यांकन की तेंदुलकर समिति की पद्धति की समीक्षा हेतु गठित सी. रंगराजन समिति ने अपनी रिपोर्ट 1 जुलाई, 2014 को योजना आयोग को सौंप दी।

86. (A): एकाधिकारवादी पर आरोपित एकमुश्त कर को उपभोक्ताओं पर अंतरित नहीं किया जा सकता। क्योंकि एक मुश्त कर उसकी निर्धारित लागत का हिस्सा हो सकता है और यह उत्पादन की सीमांत लागत को प्रभावित करता है। अतः कथन (A) और (R) दोनों सही हैं और (R), (A) की सही व्याख्या है।

87. (A): लाभ को अधिकतम बनाने वाले उत्पादक के लिए सार्वजनिक वस्तुओं के लिए कोई प्रोत्साहन नहीं है, क्योंकि यदि वह इसका उत्पादन करता है, तो वह लोगों को उसका उपभोग करने से बहिष्कृत करने में असमर्थ है और इसलिए वह मूल्य पारित नहीं कर सकता है।

88. (A)

89. (A): समाज कल्याण फलन (एस.डब्ल्यू.एफ.) एक प्रकार का सामाजिक अनधिमान मानचित्र है जिसमें एक समान स्तर का सामाजिक कल्याण (एस.डब्ल्यू.) प्रदान करने वाले विभिन्न संयोजनों को दर्शाने वाले सामाजिक अनधिमान वक्र (एस.आई.सी.) है। सामाजिक अनधिमान वक्र उत्पत्ति से उत्तल या अवतल नहीं हो सकते हैं।

90. (C): ओ.एल.एस. विधि के अंतर्गत एक पूर्वधारणा यह है कि समाश्रयण मॉडल पैरामीटर में रैखिक है यद्यपि चरों में यह रैखिक नहीं भी हो सकता है। कथन I सही है तथा कथन II गलत है।

91. (A) **92. (B)**
93. (C) **94. (C)**
95. (C) **96. (D)**
97. (B) **98. (A)**
99. (C) **100. (C)**

पिछले प्रश्न-पत्र (हल सहित)

National Testing Agency (NTA)

UGC-NET जूनियर रिसर्च फैलोशिप तथा सहायक प्राध्यापक पात्रता परीक्षा

अर्थशास्त्र, जून-2020

(Online exam held on 30-09-2020)

प्रश्न-पत्र-II

नोटः *इस प्रश्न-पत्र में* ***सौ (100)*** *बहु-विकल्पीय प्रश्न हैं। प्रत्येक प्रश्न के* ***दो (2)*** *अंक हैं।* ***सभी प्रश्न अनिवार्य*** *हैं।*

1. वर्ष 2018-19 के दौरान वर्तमान मूल्य पर भारत की सकल मूल्य वृद्धि में सेवा क्षेत्र का हिस्सा है :

A. 45 से 47 प्रतिशत के बीच

B. 50 से 52 प्रतिशत के बीच

C. 53 से 55 प्रतिशत के बीच

D. 60 से 62 प्रतिशत के बीच

2. वह संवृद्धि प्रतिमान (ग्रोथ मॉडल) जिसमें उत्पादन के प्रत्येक साधन के ह्रासमान प्रतिलाभ हैं, पर पैमाने के स्थिर प्रतिलाभ हैं और बहिर्जात प्रौद्योगिकी परिवर्तन से दीर्घकालिक आर्थिक संवृद्धि होती हैं, कहलाता है :

A. लेबेन्स्टीन प्रतिमान

B. ए.के. सेन प्रतिमान

C. केलकी प्रतिमान

D. सोलो प्रतिमान

3. सूची-I को सूची-II के साथ सुमेलित कीजिए :

सूची-I	सूची-II
(*a*) अंतर्राष्ट्रीय व्यापार सिद्धांत निरपेक्ष लाभ	(*i*) हैक्सचर-ओहलिव
(*b*) कारक अनुपात व्यापार का सिद्धांत	(*ii*) मार्शल
(*c*) अर्पण वक्र	(*iii*) एड्म स्मिथ
(*d*) अवसर लागत	(*iv*) हबर्लर

नीचे दिए गए विकल्पों में से सही उत्तर चुनिए :

	(*a*)	(*b*)	(*c*)	(*d*)
A.	(*i*)	(*iii*)	(*ii*)	(*iv*)
B.	(*iii*)	(*i*)	(*ii*)	(*iv*)
C.	(*i*)	(*iii*)	(*iv*)	(*ii*)
D.	(*iii*)	(*i*)	(*iv*)	(*ii*)

4. किन्हीं दो समान, संगत, वृहत्त एवं स्वतंत्र घटनाओं A और B के लिए P(AB) किसके बराबर होगा?

A. 0 B. 0.25

C. 0.50 D. 1

5. नीचे दो कथन दिए गए हैं : एक को अभिकथन (A) और दूसरे को तर्क (R) कहा गया है :

अभिकथन (A): वाणिज्यिक बैंक के असफल होने का मुख्य कारण बैंक अंतरंगियों (इनसाईडस) को अनुचित ऋण उपलब्ध करवाना है।

तर्क (R): बैंक कर्मचारियों को कमतर ब्याज दरों पर ऋण उपलब्ध करवाए जाते हैं।

उपर्युक्त कथनों के आलोक में निम्नांकित विकल्पों में से सर्वाधिक उपयुक्त उत्तर चुनें :

A. (A) और (R) दोनों सही हैं और (R), (A) की सही व्याख्या है।

B. (A) और (R) दोनों सही हैं और (R), (A) की सही व्याख्या नहीं है।

C. (A) सही है परन्तु (R) सही नहीं है।

D. (A) सही नहीं है परन्तु (R) सही है।

6. निम्नलिखित को कालक्रमानुसार व्यवस्थित करें :

(*a*) विवेकी प्रत्याशा का सिद्धांत

(*b*) केंसीय का अर्थशास्त्र

(*c*) मुद्रावाद

(*d*) शास्त्रीय अर्थशास्त्र

नीचे दिए गए विकल्पों में से सही उत्तर चुनिए :

A. (*b*), (*d*), (*c*), (*a*) B. (*a*), (*d*), (*c*), (*b*)

C. (*a*), (*b*), (*c*), (*d*) D. (*d*), (*b*), (*c*), (*a*)

7. नीचे दो कथन दिए गए हैं : एक को अभिकथन (A) और दूसरे को तर्क (R) कहा गया है :

अभिकथन (A): वाल्ट. डब्ल्यू. रोस्टो के अनुसार, गति प्राप्त करने के लिए आवश्यक विकास की प्रमुख नीति में घरेलू और विदेशी बचतों को जुटाना शामिल है।

तर्क (R): आर्थिक विकास की गति बढ़ाने के लिए पर्याप्त निवेश के सृजन हेतु घरेलू और विदेशी बचतों को जुटाना है।

उपर्युक्त कथनों के आलोक में निम्नांकित विकल्पों में से सही उत्तर चुनें :

A. (A) और (R) दोनों सही हैं और (R), (A) की सही व्याख्या है।

B. (A) और (R) दोनों सही हैं और (R), (A) की सही व्याख्या नहीं है।

C. (A) सही है परन्तु (R) सही नहीं है।

D. (A) सही नहीं है परन्तु (R) सही है।

8. व्यवसाय की शर्तों में परिवर्तन से विशेष रूप से अल्प विकसित देशों को हानि होती है क्योंकि :

A. उनकी विशेषज्ञता तथा व्यवसाय कृषि संबंधी वस्तुओं में होती हैं न कि विनिर्मित वस्तुओं में

B. उनकी श्रम लागत उच्चतर होती है

C. उनकी विशेषज्ञता तथा व्यवसाय पर्यटन जैसी सेवाओं में होती है

D. उद्योगीकृत देश अल्प विकसित देशों के साथ अनुचित व्यवसाय करते हैं

9. रैखिक प्रोग्रामन निर्भेद के रूप में निम्नलिखित में से कौन-सा वैध आब्जेक्टिव फलन है?

A. Max $Z = 5x^2y$

B. Max $Z = 3x + 2y + 8xy$

C. Min $Z = 2x^2 + 3y^2$

D. Min $Z = 5x + 2y$

10. माल एवं सेवाकर (जीएसटी) की अवधारणा कहाँ शुरू हुई थी?

A. कनाडा B. ब्रिटेन

C. जर्मनी D. यू.एस.ए.

11. नीचे दो कथन दिए गए हैं : एक को अभिकथन (A) और दूसरे को तर्क (R) कहा गया है :

अभिकथन (A): जीर्ण निर्धनता भारत की मुख्य समस्या है।

तर्क (R): ब्रिटिश औपनिवेशिक शासन के कारण भारत में कम विकास हुआ।

उपर्युक्त कथनों के आलोक में निम्नांकित विकल्पों में से सर्वाधिक उपयुक्त उत्तर चुनें :

A. (A) और (R) दोनों सही हैं और (R), (A) की सही व्याख्या है।

B. (A) और (R) दोनों सही हैं और (R), (A) की सही व्याख्या नहीं है।

C. (A) सही है परन्तु (R) सही नहीं है।

D. (A) सही नहीं है परन्तु (R) सही है।

12. स्थिति $E(x_t) = \mu$ तथा $Cov\ (x_t, x_{t+k}) = \gamma(k)$ में समय शृंखला (टाइम सीरीज) निम्नलिखित में से क्या कहलाता है?

A. नियमबद्ध रूप से स्थिर (Strictly Stationary)

B. अ-स्थिर (Non Stationary)

C. क्षीण रूप से स्थिर (Weakly Stationary)

D. अपरिभाषित

13. चैक बाऊंसिंग के लिए एनआई अधिनियम के अंतर्गत लगाया जानेवाला अधिकतम दण्ड क्या है?

A. 6 माह B. 1 वर्ष

C. 2 वर्ष D. 5 वर्ष

14. कुल लागत $TC = Q^3 - 10Q^2 + 60Q$ दी गई है। न्यूनतम औसत लागत क्या होगी? निर्गत के कौन से स्तर पर न्यूनतम लागत आती है? (Q निर्गत का स्तर है)

A. $Q = 5$ पर न्यूनतम औसत लागत $AC_{Min} = 35$ है
B. $Q = 5$ पर न्यूनतम औसत लागत $AC_{Min} = 175$ है
C. $Q = 1$ पर न्यूनतम औसत लागत $AC_{Min} = 170$ है
D. $Q = 1$ पर न्यूनतम औसत लागत $AC_{Min} = 45$ है

15. जनगणना (2011) के अनुसार भारत के किस राज्य में न्यूनतम लिंग अनुपात है?

A. पंजाब B. दिल्ली
C. बिहार D. हरियाणा

16. श्रम शक्ति भागीदारी दर प्रदर्शित होता है :

A. $\frac{\text{श्रम शक्ति}}{\text{कुल जनसंख्या}} \times 100$

B. $\frac{\text{रोजगार प्राप्त श्रमिकों की संख्या}}{\text{श्रम शक्ति}} \times 100$

C. $\frac{\text{श्रम शक्ति}}{\text{वयस्क जनसंख्या}} \times 100$

D. $\frac{\text{रोजगार प्राप्त श्रमिकों की संख्या}}{\text{वयस्क जनसंख्या}} \times 100$

17. उत्पादन कार्य के लिए $Q = AL^{\alpha}K^{\beta}$ हो, तो सही विकल्प है :

(*a*) गुणांक A प्रबंधकीय क्षमता दर्शाता है।
(*b*) यदि $\alpha + \beta > 1$ है, तो उत्पादन प्रकार्य प्रमाप हेतु वृद्धिकारी प्रतिफलों को प्रदर्शित करता है।
(*c*) K के लिए (L) के तकनीकी प्रतिस्थापना का सीमांत दर $\frac{\beta K}{\alpha L}$ द्वारा दिया जाता है।
(*d*) पूंजी का सीमांतक उत्पाद द्वारा $\beta\frac{Q}{K}$ द्वारा

नीचे दिए गए विकल्पों में से सही उत्तर चुनिए :

A. केवल (*a*), (*b*) और (*c*)
B. केवल (*a*), (*b*) और (*d*)
C. केवल (*a*), (*c*) और (*d*)
D. (*a*), (*b*), (*c*) और (*d*)

18. वर्तमान मूल्यों के संदर्भ में व्यक्त सकल घरेलू उत्पाद (जीडीपी) कहलाता है :

A. वास्तविक जीडीपी
B. निवल घरेलू उत्पाद (एनडीपी)
C. प्राधिकृत (नोमिनल) जीडीपी
D. सकल राष्ट्रीय उत्पाद

19. आई एस एण्ड एल एम विश्लेषण व्याख्या करता है :

(*a*) उत्पाद बाजार संतुलन
(*b*) मुद्रा बाजार संतुलन
(*c*) पूंजी बाजार संतुलन
(*d*) विदेशी व्यापार संतुलन

नीचे दिए गए विकल्पों में से सही उत्तर चुनिए :

A. केवल (*a*) और (*c*) B. केवल (*a*) और (*d*)
C. केवल (*a*) और (*b*) D. केवल (*c*) और (*d*)

20. सूची-I को सूची-II के साथ सुमेलित कीजिए :

सूची-I (सांख्यिकी)	**सूची-II (मानक त्रुटि)**
(*a*) प्रतिदर्श माध्य ($\bar{X}$)	(*i*) $\sqrt{\left(\frac{\sigma_1^2}{2n_1}\right)+\left(\frac{\sigma_2^2}{2n_2}\right)}$
(*b*) प्रतिदर्श प्रसरण (s^2)	(*ii*) $\sqrt{\left(\frac{\sigma_1^2}{n_1}\right)+\left(\frac{\sigma_2^2}{n_2}\right)}$
(*c*) दो स्वतंत्र प्रतिदर्श माध्यों का अंतर $(\bar{X}_1 - \bar{X}_2)$	(*iii*) $\frac{\sigma}{\sqrt{n}}$
(*d*) दो स्वतंत्र मानक विचलनों का अंतर $(s_1 - s_2)$	(*iv*) $\sigma^2\sqrt{\frac{2}{n}}$

नीचे दिए गए विकल्पों में से सही उत्तर चुनिए :

	(*a*)	(*b*)	(*c*)	(*d*)
A.	(*iii*)	(*iv*)	(*ii*)	(*i*)
B.	(*iii*)	(*ii*)	(*iv*)	(*i*)
C.	(*iii*)	(*iv*)	(*i*)	(*ii*)
D.	(*i*)	(*iii*)	(*ii*)	(*iv*)

21. सरकारी गुणक निम्नलिखित में से कौन-सा सही है (जहाँ c = उपभोग की सीमांत प्रवृत्ति, t = कर की दर)

A. $\frac{1}{1-(c-t)}$ B. $\frac{1}{(1-c)t}$

C. $\frac{1}{1-c-t}$ D. $\frac{1}{1-c(1-t)}$

22. श्रम माँग वक्र में वामावर्ती विचलन किसके कारण होता है?
A. मजदूरी दर में वृद्धि
B. मजदूरी दर में कमी
C. श्रम की सीमांत उत्पादकता में वृद्धि
D. श्रम की सीमांत उत्पादकता में कमी

23. अंतर्राष्ट्रीय अर्थशास्त्र के अध्ययन में हम निम्नलिखित में से किसका उपयोग करते हैं?
A. केवल व्यष्टिमूलक आर्थिक सिद्धांत का
B. केवल समष्टिमूलक आर्थिक सिद्धांत का
C. न तो व्यष्टिमूलक और न ही समष्टिमूलक आर्थिक सिद्धांत का
D. व्यष्टिमूलक तथा समष्टिमूलक दोनों आर्थिक सिद्धांत का, परंतु हम उसका विस्तार अनुकूलन तथा समेकन भी करते हैं

24. नीचे दो कथन दिए गए हैं : एक को अभिकथन (A) और दूसरे को तर्क (R) कहा गया है :

अभिकथन (A): उच्च शक्ति प्राप्त मुद्रा (हाई पावर्ड मनी) दूसरे उन अन्य सभी प्रकार के मुद्रा का स्रोत है जो मुद्रा की आपूर्ति को प्रभावित करता है।

तर्क (R): वाणिज्यिक बैंकों द्वारा ऋण का निर्माण होताहै।

उपर्युक्त कथनों के आलोक में निम्नांकित विकल्पों में से सर्वाधिक उपयुक्त उत्तर चुनें :
A. (A) और (R) दोनों सही हैं और (R), (A) की सही व्याख्या है।
B. (A) और (R) दोनों सही हैं और (R), (A) की सही व्याख्या नहीं है।
C. (A) सही है परन्तु (R) सही नहीं है।
D. (A) सही नहीं है परन्तु (R) सही है।

25. निम्नलिखित में से कौन आई.एम.एफ. का उद्देश्य नहींहै?
A. अंतर्राष्ट्रीय मौद्रिक सहयोग को बढ़ावा देना
B. संतुलित अंतर्राष्ट्रीय व्यवसाय सुनिश्चित करना
C. विनिमय दर की स्थिरता सुनिश्चित करना
D. निजी क्षेत्रों को ऋण प्रदान करना

26. निरपेक्ष (Absolute) आय की संकल्पना किसकी व्याख्या करता है?
A. उपभोक्ता व्यवहार
B. उत्पादक व्यवहार
C. मुद्रा स्फीति
D. सरकारी व्यय

27. वायदा विनिमय दर उनके लिए लाभदायक है जो :
(*a*) स्वयं की उस जोखिम से सुरक्षा चाहते हैं कि संव्यवहार पूरा होने के पूर्व विनिमय दर में परिवर्तन होगा।
(*b*) यह दाँव पर लगाना चाहते हैं कि मुद्रा का मूल्य बढ़ेगा।
(*c*) यह दाँव पर लगाना चाहते हैं कि मुद्रा का मूल्य घटेगा।
(*d*) भविष्य में किसी समय बिंदु पर मुद्रा का विनिमय करना चाहते हैं।

नीचे दिए गए विकल्पों में से सही उत्तर चुनिए :
A. केवल (*a*), (*b*) और (*c*)
B. केवल (*a*) और (*b*)
C. केवल (*a*) और (*c*)
D. (*a*), (*b*), (*c*) और (*d*)

28. किसी दी गई श्रेणी के मानक विचलन के रूप में 'σ' दिया गया है और यदि उस श्रेणी के प्रत्येक अवलोकनों के पश्चात् उसमें स्थिरांक 'k' जोड़ा जाता है, तब नई श्रेणी का मानक विचलन क्या होगा?
A. $\sigma + k$
B. $\sigma - k$
C. σ
D. σk

29. ब्लैकर के जनसंख्या वृद्धि के चरणों के निम्नलिखित चित्र के आधार पर A, B और C के मध्य के भाग का आशय है :

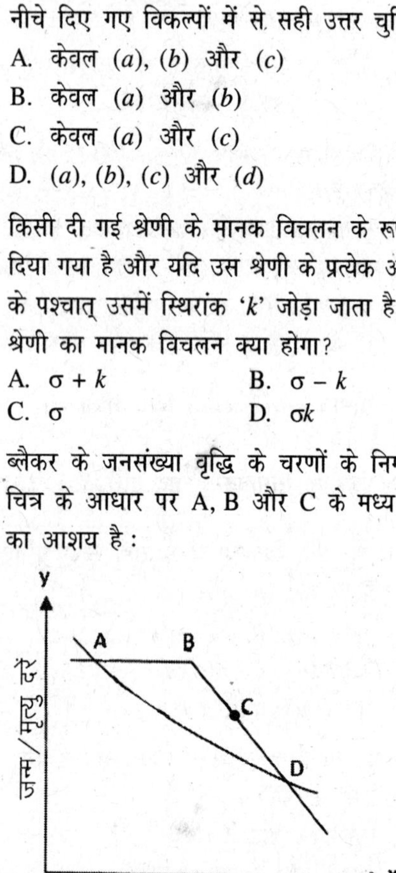

A. निम्न स्थिरता (लो स्टेशनरी) का चरण

B. जनसंख्या में गिरावट हो रही है

C. प्रारंभिक विस्तार (अर्ली एक्सपेंडिंग)

D. पश्चात् विस्तार (लेट एक्सपेंडिंग)

30. उत्पादन फलन $q = 10\ L^{0.8}\ K^{0.2}$ दिया गया है, श्रम एवं पूंजी की सीमान्त उत्पादों (MP_K और MP_L) को इस प्रकार दिया जाता है :

(*a*) $MP_L = 8\ (K/L)^{0.2}$

(*b*) $MP_L = 8\ (L/K)^{0.2}$

(*c*) $MP_K = 2\ (L/K)^{0.8}$

(*d*) $MP_K = 2\ (K/L)^{0.8}$

नीचे दिए गए विकल्पों में से सही उत्तर चुनिए :

A. केवल (*a*) और (*d*) सही हैं

B. केवल (*a*) और (*c*) सही हैं

C. केवल (*b*) और (*c*) सही हैं

D. केवल (*b*) और (*d*) सही हैं

31. हॉकिन-साईमन की शर्तें क्या हैं?

(*a*) निर्धारक (डिटरमिनेंट) A धनात्मक होना चाहिए।

(*b*) निर्धारक (डिटरमिनेंट) (I-A) धनात्मक होना चाहिए।

(*c*) निर्धारक (डिटरमिनेंट) (I-A) ऋणात्मक होना चाहिए।

(*d*) मैट्रिक्स (I-A) का प्रधान विकर्णी अवयव धनात्मक होना चाहिए।

नीचे दिए गए विकल्पों में से सही उत्तर चुनिए :

A. केवल (*a*) और (*c*) सही हैं

B. केवल (*a*) और (*d*) सही हैं

C. केवल (*b*) और (*d*) सही हैं

D. केवल (*c*) और (*d*) सही हैं

32. 14वें वित्त आयोग की सिफारिशों के अनुसार निम्नलिखित में से कौन-से तीन राज्य हैं जिन्हें राज्यों के बीच वितरित किए जानेवाले कर-राजस्व का अधिकतम प्रतिशत प्राप्त हुआ?

(*a*) उत्तर प्रदेश (*b*) बिहार

(*c*) मध्य प्रदेश (*d*) आंध्र प्रदेश

नीचे दिए गए विकल्पों में से सही उत्तर चुनिए :

A. केवल (*a*), (*b*) और (*d*)

B. केवल (*a*), (*c*) और (*d*)

C. केवल (*a*), (*b*) और (*c*)

D. केवल (*b*), (*c*) और (*d*)

33. के वाई सी (KYC) मानकों की अपर्याप्तता अथवा अनुपस्थिति में बैंक को निम्नलिखित गंभीर एवं प्रतिपक्ष जोखिम हो सकते हैं :

(*a*) प्रतिष्ठा का जोखिम

(*b*) अनुपालन का जोखिम

(*c*) विधिक जोखिम

(*d*) दिवालियापन का जोखिम

नीचे दिए गए विकल्पों में से सही उत्तर चुनिए :

A. केवल (*a*), (*b*) और (*d*)

B. केवल (*a*), (*b*) और (*c*)

C. केवल (*b*), (*c*) और (*d*)

D. केवल (*a*), (*c*) और (*d*)

34. नीचे दो कथन दिए गए हैं :

कथन-I : औद्योगिक नीति जो सरकारी नीति के माध्यम से बाजार की असफलता से उबरने के लिए व्यापार और विकास की वकालत करती है।

कथन-II : यह प्रौद्योगिकी अंतरण को प्रोत्साहित करता है और अधिक उन्नत उत्पादों का उत्तरोत्तर निर्यात करता है।

उपर्युक्त कथनों के आलोक में निम्नलिखित विकल्पों में से सही उत्तर चुनें :

A. कथन I और II दोनों सही नहीं हैं।

B. केवल कथन I सही है।

C. केवल कथन II सही है।

D. कथन I और II दोनों सही हैं।

35. सूची-I को सूची-II के साथ सुमेलित कीजिए :

सूची-I	सूची-II
(*a*) रेखीय फलन	(*i*) $y = 3x^2 + 2x + 9$
(*b*) द्विघाती फलन	(*ii*) $y = 5x^3$
(*c*) घातांकी फलन	(*iii*) $y = 3e^{2x}$
(*d*) पावर फलन	(*iv*) $y = 5x + 3$

नीचे दिए गए विकल्पों में से सही उत्तर चुनिए :

	(a)	(b)	(c)	(d)
A.	(iv)	(i)	(iii)	(ii)
B.	(iv)	(i)	(ii)	(iii)
C.	(iv)	(ii)	(iii)	(i)
D.	(i)	(ii)	(iii)	(iv)

36. वर्ष 2016-17 तथा 2017-18 के दौरान जीडीपी में केंद्र तथा राज्यों की सम्मिलित देयता का प्रतिशत है :

A. 69 प्रतिशत B. 67 प्रतिशत

C. 68 प्रतिशत D. 66 प्रतिशत

37. पारंपरिक नवशास्त्रीय वृद्धि सिद्धांत के अनुसार निर्गम संवृद्धि किसके परिणामस्वरूप होती है?

(a) श्रम की मात्रा एवं गुणवत्ता में वृद्धि से

(b) पूंजी की वृद्धि से

(c) निर्यातों में वृद्धि से

(d) प्रौद्योगिकी में सुधार से

नीचे दिए गए विकल्पों में से सबसे उपयुक्त उत्तर का चयन करें :

A. केवल (a), (b) और (c)

B. केवल (a) और (b)

C. केवल (b) और (c)

D. केवल (a), (b) और (d)

38. युगपत समीकरण पूर्वाग्रह (साइमल्टेनियस इक्वेशन बाइस) के लिए निम्नलिखित में से कौन-से हल सही उत्तर हैं?

(a) ओ एल एस (OLS) प्रणाली

(b) प्रधान घटक प्रणाली (Principle Component Method)

(c) द्वि स्तरीय न्यूनतम वर्ग विधि प्रणाली (Two-Stage Least Square Method)

(d) पूर्ण जानकारी अधिकतम संभावना प्रणाली (FIML)

नीचे दिए गए विकल्पों में से सही उत्तर चुनिये :

A. केवल (a) और (b) सही हैं

B. केवल (b) और (c) सही हैं

C. केवल (c) और (d) सही हैं

D. केवल (a) और (d) सही हैं

39. आर्थिक स[illegible]ा-2019 के अनुसार, भारत के पाँच शीर्ष व्यापार साझेदार—अमेरिका, चीन, यू.ए.ई. के अलावा और कौन-कौन बने रहेंगे?

(a) सऊदी अरब (b) हाँगकाँग

(c) सिंगापुर (d) श्रीलंका

नीचे दिए गए विकल्पों में से सही उत्तर चुनिये :

A. केवल (c) और (d)

B. केवल (b) और (c)

C. केवल (a) और (d)

D. केवल (a) और (b)

40. निम्नलिखित समीकरणों में से कौन राष्ट्रीय आय की पहचान का प्रतिनिधित्व करता है?

(a) $Y = C + I + X$

(b) $Y = C + I + G + S$

(c) $Y = C + I + G + (X - M)$

(d) $Y = C + I + G + M$

नीचे दिए गए विकल्पों में से सही उत्तर चुनिये :

A. केवल (a)

B. केवल (c)

C. केवल (b), (c) और (d)

D. केवल (a), (b) और (d)

41. सूची-I को सूची-II के साथ सुमेलित कीजिए :

सूची-I	सूची-II
(a) बाह्य कारकों से निपटने में निजी बाजार की प्रभाविकता	(i) लैफर वक्र
(b) कर-आकार में वृद्धि और कर राजस्व के बीच संबंध	(ii) मृत भार हानि
(c) प्रबल रणनीति	(iii) कोस प्रमेय
(d) प्रभावी मूल्य अवसीमन तथा मूल्य सतह के माध्यम से मूल्य नियंत्रण	(iv) गेम का सिद्धांत

नीचे दिए गए विकल्पों में से सही उत्तर चुनिये :

	(a)	(b)	(c)	(d)
A.	(iii)	(i)	(iv)	(ii)
B.	(iv)	(i)	(ii)	(iii)
C.	(i)	(iii)	(ii)	(iv)
D.	(iii)	(i)	(ii)	(iv)

42. सूची-I को सूची-II के साथ सुमेलित कीजिए :

सूची-I	**सूची-II**
(*a*) केरल	(*i*) कम शहरीकृत
(*b*) पंजाब	(*ii*) उनकी जनसंख्या में अनुसूचित जातियों की उच्चतम प्रतिशतता
(*c*) हिमाचल प्रदेश	(*iii*) अनुसूचित जनजातियों की उच्चतम प्रतिशतता
(*d*) मध्य प्रदेश	(*iv*) उच्चतम लिंग अनुपात

नीचे दिए गए विकल्पों में से सही उत्तर चुनिये :

	(*a*)	(*b*)	(*c*)	(*d*)
A.	(*iv*)	(*ii*)	(*i*)	(*iii*)
B.	(*i*)	(*iii*)	(*ii*)	(*iv*)
C.	(*ii*)	(*i*)	(*iii*)	(*iv*)
D.	(*iv*)	(*i*)	(*iii*)	(*ii*)

43. किसी देश की प्रति व्यक्ति आय तथा आय वितरण में असमानता के बीच संबंध को निरूपित करने वाला ग्राफ दर्शाता है :

A. लॉरेंज वक्र
B. फिलिप्स वक्र
C. लैफर वक्र
D. कुजनेट वक्र

44. सूची-I को सूची-II के साथ सुमेलित कीजिए :

सूची-I	**सूची-II**
(*a*) क्रांतिक न्यूनतम प्रयास सिद्धांत (Critical Minimum Effort Theory)	(*i*) सी.पी. ब्लैकर
(*b*) नियो क्लासिकल संवृद्धि प्रतिमान	(*ii*) डब्ल्यू.डब्ल्यू रोस्टो
(*c*) जनांकिकीय संक्रमण सिद्धांत (Demographic Transition Theory)	(*iii*) आर. सोलो
(*d*) उच्च जनसमूह उपभोग युग (Age of High Mass Consumption)	(*iv*) एच. लेबिनस्टिन

नीचे दिए गए विकल्पों में से सही उत्तर चुनिये :

	(*a*)	(*b*)	(*c*)	(*d*)
A.	(*ii*)	(*i*)	(*iii*)	(*iv*)
B.	(*iii*)	(*iv*)	(*ii*)	(*i*)
C.	(*i*)	(*ii*)	(*iv*)	(*iii*)
D.	(*iv*)	(*iii*)	(*i*)	(*ii*)

45. नीचे दो कथन दिए गए हैं :

कथन-I : अधिगम वक्र प्रभाव फर्म के दीर्घावधिक औसत लागत वक्र से संबंधित है।

कथन-II : आपस में परिवर्तित (swapped) आबंटन ऐसा आबंटन है जो पैरेटो सक्षम होने के साथ-साथ साम्य (equitable) आबंटन है।

उपर्युक्त कथनों के आलोक में निम्नलिखित विकल्पों में से सही उत्तर चुनें :

A. कथन I और II दोनों सही हैं।
B. कथन I और II दोनों गलत हैं।
C. कथन I सत्य है, किन्तु कथन II गलत है।
D. कथन I असत्य है, किन्तु कथन II सही है।

46. निम्नलिखित खेल

खिलाड़ी **B**

खिलाड़ी **A**

$$\begin{array}{c} \\ A_1 \\ A_2 \\ A_3 \end{array}\begin{array}{c} \begin{array}{ccc} B_1 & B_2 & B_3 \end{array} \\ \begin{bmatrix} 2 & 4 & 2 \\ 1 & -5 & -4 \\ 2 & 6 & -2 \end{bmatrix} \end{array}$$

का हल है :

A. खेल का मूल्य = 2, खिलाड़ी A और B के लिए सर्वोत्तम नीति क्रमशः (A_1, B_1) है
B. खेल का मूल्य = 2, खिलाड़ी A और B के लिए सर्वोत्तम नीति क्रमशः (A_1, B_1) अथवा (A_3, B_1) अथवा (A_1, B_3) है
C. खेल का मूल्य = 2, खिलाड़ी A और B के लिए सर्वोत्तम नीति क्रमशः (A_3, B_1) है
D. खेल का मूल्य = 2, खिलाड़ी A और B के लिए सर्वोत्तम नीति क्रमशः (A_1, B_3) है

47. सघन क्षेत्र विकास कार्यक्रम (1960) के अंतर्गत आरंभ में कितने जिले चुने गए थे :

A. प्रत्येक राज्य से एक जिला
B. तीन राज्यों से तीन जिले
C. पांच राज्यों से पांच जिले
D. सात राज्यों से सात जिले

48. अधिकतम सामाजिक कल्याण की गारंटी होती है, जहाँ प्रतिस्पर्धी कंपनी निम्नलिखित शर्तों को प्रदर्शित करता है : y के लिए x के उत्पाद परिवर्तन की सीमान्त दर ($MRPT_{xy}$):

A. $MRPT_{xy} = \dfrac{x \text{ का मूल्य } (Px)}{y \text{ का मूल्य } (Py)}$

$= \dfrac{x \text{ की सीमांत लागत } (MCx)}{y \text{ की सीमांत लागत } (MCy)}$

B. $MRPT_{xy} = \dfrac{Px}{Py} = \dfrac{x \text{ की कुल लागत}}{y \text{ की कुल लागत}}$

C. $MRPT_{xy} = \dfrac{Px}{Py}$

$= \dfrac{x \text{ की औसत परिवर्तनशील लागत}}{y \text{ की औसत परिवर्तनशील लागत}}$

D. $MRPT_{xy} = \dfrac{Px}{Py}$

$= \dfrac{x \text{ की कुल परिवर्तनशील लागत}}{y \text{ की कुल परिवर्तनशील लागत}}$

49. यदि बाधा पद विषमविसारी (हेटेरोसिडेस्टिक) हो तो निम्न कथनों के आधार पर कौन-सा उत्तर सही होगा?

(*a*) ओ एल एस (OLS) अनुमान पूर्वाग्रह से पूर्ण है।

(*b*) ओ एल एस (OLS) अनुमान का न्यूनतम प्रसरण गुण नहीं है।

(*c*) ओ एल एस (OLS) अनुमान के आधार पर महत्व का परीक्षण करना अयथार्थ होगा।

(*d*) ओ एल एस (OLS) अनुमान असंगत हैं।

नीचे दिए गए विकल्पों में से सही उत्तर चुनिये :

A. केवल (*a*) और (*b*) सही हैं

B. केवल (*a*) और (*c*) सही हैं

C. केवल (*b*) और (*c*) सही हैं

D. केवल (*a*) और (*d*) सही हैं

50. वर्ष 2022 तक किसानों की आय दुगुनी करने के लिए निम्नलिखित में से कौन-सी समिति का गठन कियागया है?

A. अशोक मेहता समिति

B. नरेश चंद्र समिति

C. राजीव कुमार समिति

D. अशोक दलवी समिति

51. नीचे दो कथन दिए गए हैं :

कथन-I : सुश्री उरसुला के. हिक्स के अनुसार, "निजी वित्त, चाहे वह किसी कंपनी का हो अथवा किसी व्यक्ति का, अवसंरचना के रूप में एक दी हुई आय योजना से शुरू होती है जिसके अंतर्गत व्यय की योजना की जानी जरूरी है; लोकवित्त, विलोमतः एक दी हुई व्यय योजना के साथ शुरू होता और प्राधिकरण करों एवं संसाधनों के अनुसार अपनी आय को सुमेलित एवं विस्तारित करने का प्रयत्न करते हैं।"

कथन-II : प्रो. सिराज ने कहा है कि "लोक प्राधिकरण निजी वित्त पर अलग राय रखते हैं, यह कि पूर्ववर्ती की आय का संतुलन करना चाहिए और उसे किसी व्यक्ति के समान अनिवार्य रूप से लाभ की ही अपेक्षा नहीं करनी चाहिए।"

उपर्युक्त कथनों के आलोक में निम्नलिखित विकल्पों में से सही उत्तर चुनें :

A. कथन I और II दोनों सही हैं।

B. कथन I और II दोनों गलत हैं।

C. कथन I सत्य है, किन्तु कथन II गलत है।

D. कथन I असत्य है, किन्तु कथन II सही है।

52. मेट्रो सवारी की माँग की तिरछी लोच 0.8 है और प्रतिदिन कुल सवारी 1.5 लाख है। यदि बस सवारी की कीमत 5% बढ़ती है, तो मेट्रो की कुल सवारी में कितना अंतर आएगा?

A. 4000 B. 5000

C. 6000 D. 7500

53. नीचे दो कथन दिए गए हैं : एक को अभिकथन (A) और दूसरे को तर्क (R) कहा गया है :

अभिकथन (A): किसी संकुचन वक्र के कतिपय बिंदु की तुलना में, संकुचन वक्र के ऊपर की बिंदु अधिक फलोत्पादक होता है।

तर्क (R): संकुचन वक्र बिन्दुओं के बिंदु पथ को निरूपित करता है, जहाँ दो वस्तुओं के बीच प्रतिस्थापन की सीमांत दर दोनों व्यक्तियों के लिए समान है।

उपर्युक्त कथनों के आलोक में निम्नांकित विकल्पों में से सर्वाधिक उपयुक्त उत्तर चुनें :

A. (A) और (R) दोनों सही हैं और (R), (A) की सही व्याख्या है।
B. (A) और (R) दोनों सही हैं और (R), (A) की सही व्याख्या नहीं है।
C. (A) सही है परन्तु (R) सही नहीं है।
D. (A) सही नहीं है परन्तु (R) सही है।

54. हैरोड-डॉमर एक ऐसी प्रकार्यात्मक आर्थिक संबंध के बारे में बताते हैं जिसमें सकल घरेलू उत्पाद की विकास दर निर्भर करती है :

(*a*) राष्ट्रीय निवल बचत दर पर प्रत्यक्ष रूप से
(*b*) राष्ट्रीय पूंजी-उत्पादन अनुपात पर व्युत्क्रमानुपाती ढंग से
(*c*) औद्योगिक विकास पर प्रत्यक्ष रूप से
(*d*) कृषि विकास पर व्युत्क्रमानुपाती रूप से

नीचे दिए गए विकल्पों में से सही उत्तर चुनिये :
A. केवल (*a*) और (*b*)
B. केवल (*a*) और (*c*)
C. केवल (*b*) और (*d*)
D. केवल (*c*) और (*d*)

55. नीचे दो कथन दिए गए हैं :

कथन-I : रेबेन्सकी सिद्धांत में यह बताया गया है कि नियत वस्तु कीमत पर एक उपादान के स्वामित्व में वृद्धि होने से उपादान में वस्तु गढन के निर्गत में अधिक अनुपात में वृद्धि होगी तथा अन्य वस्तु के निर्गत में कमी होगी।

कथन-II : स्टॉप्लर सैमुएलसन सिद्धांत में यह बताया गया है कि किसी वस्तु की सापेक्ष कीमत में वृद्धि होने से (उदाहरण के लिए प्रशुल्क कारण) वस्तु के उत्पादन में अत्यधिक उपयोग किए गए उपादान के प्रतिलाभ अथवा आय में कमी होगी।

उपर्युक्त कथनों के आलोक में निम्नलिखित विकल्पों में से सही उत्तर चुनें :
A. कथन I और II दोनों सही हैं।
B. कथन I और II दोनों गलत हैं।
C. कथन I सत्य है, किन्तु कथन II गलत है।
D. कथन I असत्य है, किन्तु कथन II सही है।

56. निम्नलिखित मूल्य सूचकांकों में से कौन-सा गुणक-उत्क्रमण जाँच को संतुष्ट करता है?
A. लैस्पीयर्स मूल्य सूचकांक
B. पास्चेज मूल्य सूचकांक
C. वाल्श का मूल्य सूचकांक
D. फिशर्स मूल्य सूचकांक

57. इस तिथि से बैंकिंग ट्रांजेक्शन टैक्स (बी.सी.टी.टी.) आरंभ किया गया :
A. 1 जनवरी, 2015 B. 1 जून, 2005
C. 1 जनवरी, 2019 D. 1 जून, 2009

58. निम्नलिखित में से कौन-से तरीके (Form) को सरकारी ऋण कहा जाता है?
A. राजकोष से आहरण करना
B. मुद्रा का मुद्रण करना
C. सार्वजनिक गैर बैंक से उधार लेना
D. बैंककारी व्यवस्था से उधार लेना

59. राष्ट्रीय आय की गणना में निम्नलिखित स्थितियों में से कौन-सा आर्थिक निवेश है :
(*a*) स्वयं के रहने हेतु एक नये निर्मित भवन की खरीद
(*b*) नये शेयर की खरीद
(*c*) पुस्तकों को गन्तव्य स्थान पर पहुँचाने के लिए एक पुस्तक प्रकाशक द्वारा एक नयी कार की खरीद
(*d*) एक गृहस्थ द्वारा एक नयी कार की खरीद

नीचे दिए गए विकल्पों में से सही उत्तर चुनिये :
A. केवल (*a*), (*b*) और (*c*)
B. (*a*), (*b*), (*c*) और (*d*)
C. केवल (*a*), (*c*) और (*d*)
D. केवल (*a*) और (*c*)

60. सूची-I को सूची-II के साथ सुमेलित कीजिए :

सूची-I	सूची-II
(*a*) स्थायी आय की संकल्पना	(*i*) एफ. मोडिगलियानी
(*b*) सापेक्ष आय की संकल्पना	(*ii*) जे.एम. केन्स
(*c*) निरपेक्ष आय की संकल्पना	(*iii*) एम. फ्रायडमैन
(*d*) जीवन चक्र की संकल्पना	(*iv*) जे. ड्यूजेनबेरी

नीचे दिए गए विकल्पों में से सही उत्तर चुनिये :

	(a)	(b)	(c)	(d)
A.	(ii)	(iii)	(iv)	(i)
B.	(i)	(iv)	(iii)	(ii)
C.	(iii)	(ii)	(i)	(iv)
D.	(iii)	(iv)	(ii)	(i)

61. "आर्थिक दृष्टि से कर निर्धारण प्रणाली वह है जिसमें उत्कृष्ट या न्यूनतम बुरे आर्थिक प्रभाव हों।"

A. मसग्रेव B. मार्शल

C. हू डाल्टन D. पिगो

62. एक अर्थव्यवस्था के लिए दिए गए आंकड़े के अनुसार आय का संतुलन स्तर क्या है?

$c = 50 + 0.8\ Yd$

$t = 20\%$

$I = 100$

$G = 30$

A. 400 B. 300

C. 500 D. 600

63. जनसंख्या की वृद्धि दर है :

A. जिसमें जनसंख्या प्रतिवर्ष प्रति 1000 की दर से बढ़ती है

B. जिसमें जन्मदर प्रतिवर्ष प्रति 1000 की दर से बढ़ती है

C. जिसमें जनसंख्या प्रतिवर्ष प्रति 10,000 की दर से बढ़ती है

D. जिसमें प्रजनन दर प्रतिवर्ष बढ़ती है

64. व्यक्तियों द्वारा मुद्रा धारिता (होल्डिंग मनी) की लागत है :

(a) मुद्रा अवस्फीति के कारण मुद्रा की वास्तविक कीमत की हानि

(b) बचत पर मिलने वाले ब्याज की हानि

(c) वस्तुओं और सेवाओं की खरीदारी नहीं करने के कारण उपयोगिता की हानि

(d) अन्य परिसम्पत्तियों को न रखने के कारण प्रतिफल का दावा छोड़ना

नीचे दिए गए विकल्पों में से सही उत्तर चुनिये :

A. केवल (b), (c) और (d)

B. केवल (a), (b) और (c)

C. केवल (a), (b) और (d)

D. केवल (a), (c) और (d)

65. व्यवसाय की परिवहन लागत प्रभावित करती है :

(a) व्यवसाय के पैटर्न को

(b) व्यवसाय करने योग्य और व्यवसाय नहीं करने योग्य सामानों के बीच सीमा को

(c) वैश्विक आपूर्ति शृंखला को

(d) व्यवसाय नहीं करने योग्य सामानों की सीमा को

निम्नलिखित विकल्पों में से सही उत्तर चुनिये :

A. केवल (a) और (b)

B. केवल (a), (b) और (c)

C. (a), (b), (c) और (d)

D. केवल (d)

66. बाजार की असफलता किसकी उपस्थिति के कारण होती है :

(a) गरीबी

(b) बाह्यताएँ से

(c) बाजार शक्ति

(d) निजी वस्तुओं से

नीचे दिए गए विकल्पों में से सही उत्तर चुनिये :

A. केवल (a) और (b)

B. केवल (b) और (d)

C. केवल (b), (c) और (d)

D. केवल (b) और (c)

67. सूची-I को सूची-II के साथ सुमेलित कीजिए :

सूची-I	सूची-II
(a) कार्ल मार्क्स का जनसंख्या वृद्धि का सिद्धांत	(i) स्थिर व्याख्या (स्टेटिक इंटरप्रीटेशन)
(b) ब्लैकर का जनसंख्या वृद्धि का सिद्धांत	(ii) तीन चरण
(c) लैंड्री का जनसंख्या वृद्धि का सिद्धांत	(iii) चार चरण
(d) प्रोफेसर सिगविक्स का आदर्श जनसंख्या सिद्धांत	(iv) पाँच चरण

नीचे दिए गए विकल्पों में से सही उत्तर चुनिये :

	(a)	(b)	(c)	(d)
A.	(ii)	(iii)	(iv)	(i)
B.	(i)	(ii)	(iii)	(iv)
C.	(iii)	(iv)	(ii)	(i)
D.	(iv)	(ii)	(i)	(iii)

68. निम्नलिखित संवृद्धि अर्थशास्त्रीयों को उनके सिद्धांत काल क्रमानुसार व्यवस्थित कीजिए :

(a) हेरोड (b) शूम्पटर

(c) रोस्टो (d) सोलो

नीचे दिए गए विकल्पों में से सही उत्तर चुनिये :

A. (b), (a), (c), (d)

B. (c), (d), (b), (a)

C. (a), (c), (d), (b)

D. (d), (b), (a), (c)

69. दो परिवर्ती घटकों के बीच कौन-सा संबंध विद्यमान है, यदि प्रकीर्ण आरेख (स्कैटर डायग्राम) पर संगत सारे बिंदु बायीं से दांयीं ओर ऊपर जाने पर एक सीधी रेखा पर प्रतीत होती है?

A. सकारात्मक सहसंबंध

B. पूर्ण सकारात्मक सहसंबंध

C. नकारात्मक सहसंबंध

D. पूर्ण नकारात्मक सहसंबंध

70. नीचे दो कथन दिए गए हैं : एक को अभिकथन (A) और दूसरे को तर्क (R) कहा गया है :

अभिकथन (A): अवमूल्यन की सफलता के लिए मार्शल-लर्नर शर्त को पूरा किया जाना चाहिए।

तर्क (R): अवमूल्यन से निर्यात महंगा तथा आयात सस्ता होता है।

उपर्युक्त कथनों के आलोक में निम्नांकित विकल्पों में से सर्वाधिक उपयुक्त उत्तर चुनें :

A. (A) और (R) दोनों सही हैं और (R), (A) की सही व्याख्या है।

B. (A) और (R) दोनों सही हैं और (R), (A) की सही व्याख्या नहीं है।

C. (A) सही है परन्तु (R) सही नहीं है।

D. (A) सही नहीं है परन्तु (R) सही है।

71. अर्थशास्त्री रूडी डार्नबुश द्वारा प्रतिपादित विनिमय दर में अत्यधिक वृद्धि का प्रतिमान यह तथ्य स्थापित कहता है कि :

A. बाजार में विदेशी मुद्रा संतुलन क्यों कभी नहीं रहती है

B. स्थिर कीमतें और अस्थिर विनिमय दर के बीच संबंध होता है

C. वायदा विनिमय दर भविष्य तत्काल विनिमय दर का अच्छा पूर्वानुमान बताने वाला नहीं है

D. स्थिर कीमतें और अस्थिर विनिमय दर में किसी प्रकार का संबंध नहीं है

72. Q = 100 इकाइयों (जहाँ Q निर्गत की मात्रा है) पर कुल राजस्व फलन $TR = 1400Q - 6Q^2$ तथा कुल लागत फलन $TC = 1500 + 80Q$ दिया गया है। निम्नलिखित में से कौन-सा उत्तर सही है?

(a) MR > MC (b) MC = 80

(c) MR < MC (d) MR = MC

नीचे दिए गए विकल्पों में से सही उत्तर चुनिये :

A. केवल (a) और (b) सही हैं

B. केवल (b) और (c) सही हैं

C. केवल (b) और (d) सही हैं

D. परिभाषित नहीं किया जा सकता

73. सूची-I को सूची-II के साथ सुमेलित कीजिए :

सूची-I	सूची-II
(a) चैम्बरलिन	(i) लघु समूह मॉडल
(b) स्वीजि	(ii) किंक्ड मांग वक्र
(c) स्टैक्लबर्ग	(iii) मूल्य नेतृत्व मॉडल
(d) फेल्नर	(iv) प्रतिक्रिया वक्र

नीचे दिए गए विकल्पों में से सही उत्तर चुनिये :

	(a)	(b)	(c)	(d)
A.	(i)	(iii)	(iv)	(ii)
B.	(ii)	(i)	(iii)	(iv)
C.	(ii)	(i)	(iv)	(iii)
D.	(i)	(ii)	(iv)	(iii)

74. आर्थिक वृद्धि पर किसी देश की सर्वाधिक बाध्यकारी बाधाओं की पहचान करने के लिए निर्णय मुक्त ढाँचे को कहा जाता है :

A. वृद्धि प्रतिमान B. वृद्धि नैदानिक
C. वृद्धि उद्दीपक D. वृद्धि विरोधाभास

75. नीचे दो कथन दिए गए हैं :

कथन-I : अंतःप्रवर्धी वृद्धि सिद्धांतों के प्रवर्तक यह सुझाव देते हैं कि मानव पूंजी, नवाचार एवं ज्ञान के क्षेत्र में निवेश से आर्थिक विकास होता है।

कथन-II : मानवपूंजी, नवाचार एवं ज्ञान के क्षेत्र में निवेश करने से निवेश पर ह्रासमान प्रतिफल कम होता है।

उपर्युक्त कथनों के आलोक में निम्नलिखित विकल्पों में से सही उत्तर चुनें :

A. कथन I और II दोनों सही हैं।
B. कथन I और II दोनों गलत हैं।
C. कथन I सत्य है, किन्तु कथन II गलत है।
D. कथन I असत्य है, किन्तु कथन II सही है।

76. दिए गए प्रतिदर्श आकार 400 का प्रतिदर्श माध्य 99, समष्टि माध्य (पॉपुलेशन मीन) 100 तथा z-स्थैतिक (स्टेटिस्टिक) का परिकलित मान (कम्प्यूटेड वैल्यू)-2.5 है, तो समष्टिगत मानक विचलन (पॉपुलेशन स्टैंडर्ड डेवियशन) का मान होगा :

A. 59.17 B. 123.46
C. 8 D. अनिर्णीत

77. किसने कहा है कि : "मैं मानता हूँ कि विनिवेश का उद्देश्य आम आदमी, उपभोक्ता तथा निवेशक को लाभ पहुँचाने के साथ-साथ प्रतिस्पर्धा में सुधार लाना और एकाधिकार समाप्त करना है।"

A. मनमोहन सिंह B. जार्ज फर्नांडिज
C. चिदंबरम D. यशवंत सिन्हा

78. नीचे दो कथन दिए गए हैं : एक को अभिकथन (A) और दूसरे को तर्क (R) कहा गया है :

अभिकथन (A): यदि A एक मैट्रिक्स है जिसे इस प्रकार

दिया गया है $A = \begin{pmatrix} 5 & 0 & 3 \\ -1 & 0 & 2 \\ 1 & 0 & 1 \end{pmatrix}$ क्योंकि कालम II के

सभी अवयव (एलीमेंट्स) शून्य हैं तो det A = 0 है।

तर्क (R): लाप्लेस विस्तार किसी भी पंक्ति अथवा कालम के साथ निर्धारक (डिटरमिनेन्ट) के मूल्यांकन की अनुमति देता है।

उपर्युक्त कथनों के आलोक में निम्नांकित विकल्पों में से सर्वाधिक उपयुक्त उत्तर चुनें :

A. (A) और (R) दोनों सही हैं और (R), (A) की सही व्याख्या है।
B. (A) और (R) दोनों सही हैं और (R), (A) की सही व्याख्या नहीं है।
C. (A) सही है परन्तु (R) सही नहीं है।
D. (A) सही नहीं है परन्तु (R) सही है।

79. सूची-I को सूची-II के साथ सुमेलित कीजिए :

सूची-I	**सूची-II**
(*a*) रिबेजिंस्की का सिद्धांत	(*i*) उपादान कीमत पर प्रशुल्क का प्रभाव
(*b*) मेटजलर का सिद्धांत	(*ii*) उत्पादन और व्यवसाय पर उपादान वृद्धि का प्रभाव
(*c*) स्टॉपलर-सैम्यूलसन का सिद्धांत	(*iii*) घरेलू मूल्यों पर प्रशुल्क का प्रभाव
(*d*) इमिजराइजिंग ग्रोथ का सिद्धांत	(*iv*) व्यवसाय की शर्तों पर वृद्धि का प्रभाव

नीचे दिए गए विकल्पों में से सही उत्तर चुनिये :

	(*a*)	(*b*)	(*c*)	(*d*)
A.	(*ii*)	(*iii*)	(*i*)	(*iv*)
B.	(*iv*)	(*iii*)	(*i*)	(*ii*)
C.	(*iv*)	(*i*)	(*iii*)	(*ii*)
D.	(*ii*)	(*i*)	(*iii*)	(*iv*)

80. बाजार में असममीतिय सूचना की उपस्थिति से निम्नलिखित होता है :

(*a*) नकारात्मक चयन
(*b*) संसाधनों के एक अतिरिक्त इकाई के सीमान्त लाभ में कमी आती है जैसे-जैसे संसाधनों की इकाई बढ़ाई जाती है
(*c*) अक्षमता मजदूरी
(*d*) प्रधान-अभिकर्ता समस्या

निम्नलिखित विकल्पों में से सही उत्तर चुनिये :

A. केवल (*a*), (*b*) और (*d*)
B. केवल (*b*), (*c*) और (*d*)
C. केवल (*a*) और (*d*)
D. केवल (*a*) और (*c*)

81. जनसंख्या घनत्व संदर्भित करता है :

A. प्रत्येक वर्ग किलोमीटर में पुरुषों की संख्या को
B. प्रत्येक घन किलोमीटर में व्यक्तियों की संख्या को
C. प्रत्येक वर्ग किलोमीटर में व्यक्तियों की संख्या को
D. प्रत्येक दस किलोमीटर में व्यक्तियों की संख्या को

82. यदि कोई भी उद्योग (सेक्टर) अपने निर्गत को आगत के रूप में नहीं लेता तो तकनीकी गुणांक मैट्रिक्स में प्रधान विकर्णी अवयव निम्नलिखित में से एक होगा :

A. –1 B. +1
C. शून्य D. असीमित

83. आदाता खाता क्रासिंग (Account Payee Crossing) को परक्राम्य दस्तावेज अधिनियम की किस धारा में परिभाषित किया गया है?

A. धारा 123
B. धारा 124
C. धारा 125
D. एन आई अधिनियम में अपरिभाषित

84. मॉर्कोविट्ज के पोर्टफोलियो प्रबंधन सिद्धांत निम्नलिखित पूर्वधारणाओं पर विचार करता है :

(*a*) निवेशक स्टार्ट-अपस के प्रति निराशावादी हैं परंतु स्थापित व्यापार के प्रति आशादायी हैं।
(*b*) निवेशकों की प्रतिफल एवं जोखिम पर उचित तथा सही सूचना एक मुक्त पहुँच है।
(*c*) क्रिप्टोमुद्रा (क्रिप्टोकरंसी) के प्रति निवेशकों की झुकाव की प्रवृत्ति है।
(*d*) निवेशक समझदार हैं और वे दी गई आय तथा धन के स्तर के साथ अपनी प्रयोज्यता को बढ़ाते हैं।

नीचे दिए गए विकल्पों में से सही उत्तर चुनिये :

A. केवल (*a*) और (*b*) B. केवल (*b*) और (*d*)
C. केवल (*c*) और (*d*) D. केवल (*a*) और (*c*)

85. नीचे दो कथन दिए गए हैं :

कथन-I : आधारभूत संरचना में संवृद्धि को जीडीपी संवृद्धि के लिए अनिवार्य शर्त माना जाता है।

कथन-II : भारत में पूंजी के निर्माण में वृद्धि अत्यंत महत्वपूर्ण है।

उपर्युक्त कथनों के आलोक में निम्नलिखित विकल्पों में से सही उत्तर चुनें :

A. कथन I और II दोनों गलत हैं।
B. कथन I सही है और कथन II गलत है।
C. कथन I और II दोनों सही हैं।
D. कथन I गलत है और कथन II सही है।

86. क्रम शर्त (ऑर्डर कंडीशन) के आधार पर बताएं कि निम्नलिखित में से कौन-सा पहला समीकरण चिह्नित (आइडेंटिफाइड) है?

संरचनात्मक प्रतिमान (स्ट्रक्चरल मॉडल) इस प्रकार दिए गए हैं :

$$y_1 = 3y_2 - 2x_1 + x_2 + u_1$$
$$y_2 = y_3 + x_3 + u_2$$
$$y_3 = y_1 - y_2 - 2x_3 + u_3$$

जहाँ y अंतर्ज़ात चर (इन्डोजेनस वेरिएबल), x पूर्वनिर्धारित चर तथा u यादृच्छिक पद (रेंडम टर्म) है।

A. अति चिह्नित (Over Identified)
B. अल्प चिह्नित (Under Identified)
C. सटीक चिह्नित (Exactly Identified)
D. सूचना अपर्याप्त है।

87. निम्नलिखित में से कौन-सा कथन गलत है :

A. भारत में भूमि की सीमान्त जोत (1 हेक्टर से कम) का क्षेत्र 67% है।
B. भारत में भूमि की वृहत जोत (10 हेक्टर अथवा उससे अधिक) का क्षेत्र 10% है।
C. ग्रामीण क्षेत्र में भूमि आय का मुख्य स्रोत है।
D. जनसंख्या में अत्यधिक वृद्धि के कारण जोत का औसत आकार छोटा है।

88. श्वेत क्रांति किस के उत्पादन में वृद्धि से संबंधित है?

A. चावल B. दूध
C. अंडे D. शहद

89. बैंकिंग में सलाभ सिक्का ढलाई का अभिप्राय है :

(*a*) किसी दी गई अर्थव्यवस्था के अंदर मुद्रा उपलब्ध करवाने की आर्थिक लागत

(*b*) मुद्रा के अंकित मूल्य और इसको उपलब्ध करवाने की लागत के बीच का अंतर

(*c*) एटीएम चलाने में शामिल लागत

(*d*) एक अर्थव्यवस्था में डेबिट/क्रेडिट कार्ड्स बनाने की लागत

नीचे दिए गए विकल्पों में से सही उत्तर चुनिये :

A. केवल (*a*) और (*c*) B. केवल (*b*) और (*c*)

C. केवल (*b*) और (*d*) D. केवल (*a*) और (*b*)

90. आरेख में दिए गए आय-खपत वक्र के संबंध में निम्न में से कौन सही है, A बिंदु के पश्चात् :

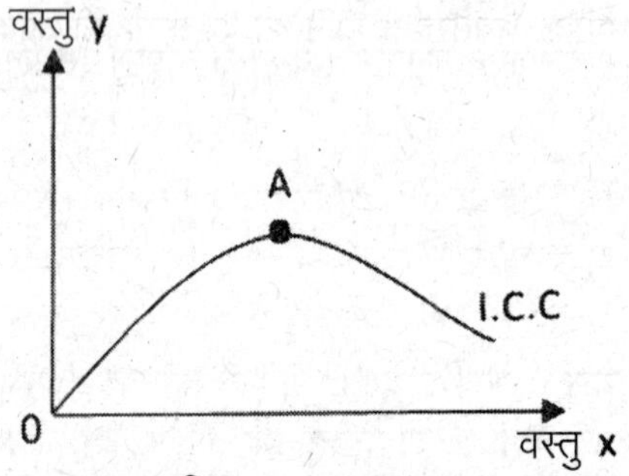

A. वस्तु *x* घटिया तथा वस्तु *y* सामान्य वस्तु है।

B. वस्तु *y* घटिया तथा वस्तु *x* सामान्य वस्तु है।

C. वस्तु *x* और वस्तु *y* सामान्य वस्तु है।

D. वस्तु *x* और वस्तु *y* घटिया वस्तुएँ हैं।

निर्देश (प्रश्न संख्या 91 से 95 तक): *निम्नलिखित गद्यांश को पढ़िए और प्रश्नों के उत्तर दें।*

इस बात के पर्याप्त साक्ष्य उपलब्ध हैं कि कुछ उपभोक्ता हरित पदार्थ के लिए अधिक भुगतान करने के लिए तैयार हैं। हरित पदार्थ वे पदार्थ हैं जिनका उत्पादन पर्यावरण हितैषी विधि (यथा धारणीय वन से उत्पन्न लकड़ियाँ, पवन ऊर्जा से निर्मित बिजली) से होता है और इसका उपभोक्ता पर प्रत्यक्ष प्रभाव नहीं पड़ता है। इन्हें विशुद्ध सार्वजनिक वस्तुएं–निजी तथा सार्वजनिक वस्तु का पैकेज–कहा जाता है।

इन वस्तुओं के लिए उपभोक्ता अधिक भुगतान करने के लिए क्यों तैयार हैं, यहाँ एक जटिल विषय है। कारण कुछ भी हो, पर यह स्पष्ट है कि कुछ उपभोक्ता उन हरित पदार्थों के लिए अधिक भुगतान करना चाहते हैं जिनसे उनका प्रत्यक्ष लाभ नहीं है।

हरित पदार्थ का एक उदाहरण है 'हरित विद्युत' नवीकरणीय ऊर्जा स्रोतों से विद्युत का निर्माण ही हरित विद्युत है। सचमुच, गैर-हरित विद्युत से निर्मित विद्युत का पूर्णतः उद्योगीकरण किया जा सकता है चाहे इसे सीधे खरीद कर अथवा हरित विद्युत क्षमता की निर्माण लागत में योगदान देकर।

स्पष्टतः उपभोक्ता हितैषी (हरित) विद्युत के लिए अधिक खर्च करना चाहेंगे और उनकी हरित उत्पादों के लिए प्राथमिकता हालिया खुदरा कार्बन ऑफसेटों की लोकप्रियता में वृद्धि के माध्यम से प्रदर्शित होती हैं। उत्सर्जक ऑफसेटों का उपयोग कंपनियों द्वारा उत्सर्जन को कम करने संबंधी बाध्यता के साथ इसे बेचा और खरीदा जाता रहा है। यू.एस.ए. में, किसी शहरी क्षेत्र में नए उत्सर्जकों को व्यवसाय की स्थापना करने में अपने उत्सर्जन अधिकताओं को 'ऑफसेट' करना पड़ा, जिसे मौजूदा कंपनियों को ढूंढकर (भुगतान करके) उनके उत्सर्जनों को कम करना पड़ा। हाल ही में, कंपनियों ने प्रभावी रूप से ऑफसेटों (अतिभार का भुगतान) का उपयोग अपने उत्सर्जनों के बचाव हेतु किया है ताकि विशेषतः कार्बन उत्सर्जन के मामले में वे एक हरित छवि बना सकें।

उपभोक्ताओं द्वारा ऑफसेटों की खरीद अलग होती है, जब उपभोक्ता ऑफसेट खरीदते हैं वे शुद्ध रूप से पर्यावरण के लिए स्वैच्छिक अंशदान करते हैं। खुदरा (रिटेल) ऑफसेट एक ऐसा तरीका है जिसमें उपभोक्ता भूरे (ब्राउन) उत्पाद से हरित उत्पाद का उत्पादन करते हैं। उदाहरण के तौर पर कोई व्यक्ति अपने कार्बन उत्सर्जन को कम करने के लिए किसी और को भुगतान करके अपने फ्लाइट कार्बन न्यूट्रल (उदासीन) बना सकता है। इसे ऑफसेट बाजार में औपचारिक रूप दिया गया है जिसमें ऑफसेटों के विक्रेता उत्सर्जन को कम करते हैं, और तब इन अवकारकों (रिडक्शन्स) को बेचते हैं।

91. उपभोक्ता किसी भूरे (ब्राउन) उत्पाद से हरित उत्पाद का निर्माण किस प्रकार कर सकता है?

A. एकाधिकार B. रिटेल ऑफसेट

C. कीमत विभेद D. राजकोषीय घाटा

92. कार्बन उत्सर्जन के ऑफसेट का उपयोग किसलिए किया जाता है?

A. कार्बन उत्सर्जन घटाने के लिए

B. हरित छवि प्रदान करने के लिए

C. कार्बन उत्सर्जन बढ़ाने के लिए

D. उपभोक्ता की पसंद को पूरी करने के लिए

93. अशुद्ध सार्वजनिक वस्तुएँ हैं–

A. निजी वस्तु

B. सार्वजनिक वस्तु

C. सार्वजनिक तथा निजी वस्तु का पॅकेज

D. समाज के लिए हानिकारक वस्तु

94. हरित वस्तु का एक उदाहरण है :

(*a*) सफेद कागज (White paper)

(*b*) वायु शक्ति (Wind power)

(*c*) वन्य उत्पाद (Forest products)

(*d*) सौर ऊर्जा (Solar energy)

नीचे दिए गए विकल्पों में से सही उत्तर चुनिये :

A. केवल (*a*) और (*b*) B. केवल (*b*) और (*c*)

C. केवल (*c*) और (*d*) D. केवल (*b*) और (*d*)

95. हरित विद्युत से आशय है :

A. नवीकरणीय ऊर्जा के स्रोतों से विद्युत का उत्पादन

B. थर्मल प्लांट (वाष्प संयंत्र) से विद्युत उत्पादन

C. गैस पावर प्लांट से विद्युत उत्पादन

D. जल शक्ति (हाइड्रो पावर) से विद्युत उत्पादन

निर्देश (प्रश्न संख्या 96 से 100 तक): *निम्नलिखित गद्यांश को पढ़िए और प्रश्नों के उत्तर दें।*

लोक वित्त का उद्देश्य समष्टि-अर्थव्यवस्था की स्थिरता को सुनिश्चित करना, वितरण की वांछित स्थिति को प्राप्त करना और वृद्धि तथा विकास की गति को तेज करने के लिए जन सुविधाओं का प्रावधान करना है। राजकोषीय नीति के समष्टि तथा व्यष्टि अर्थव्यवस्था नामक दो पहलू हैं। इसके अतिरिक्त, इन उद्देश्यों में जन सेवाओं के लिए प्रावधान करने हेतु संसाधनों का आबंटन शामिल है। इसका महत्वपूर्ण बिंदु है, सुरक्षा सुनिश्चित करना तथा संपत्ति के अधिकार की संरक्षा करना जो मूलभूत जनकल्याण के पहलू हैं और इसे केवल सरकार द्वारा ही प्रदान किया जा सकता है। सरकारों के पास आय का संवितरण तथा गरीबी के उन्मूलन का कार्य है। भारी अवनति के पश्चात् तथा कीनेजियन अर्थव्यवस्था से प्रभावित होकर लोक व्यय को केंन्द्रीय भूमिका सौंपी गई थी। इस प्रकार, लोक वित्त की भूमिका को राज्य की भूमिका के साथ अविमोचनीय रूप से सहबद्ध किया गया है। सरकारों ने मात्र सुरक्षा, संरक्षा तथा संपत्ति के अधिकारों को सुनिश्चित करके बाह्य कारकों के साथ अनेक जन-सेवाएं प्रदान करने के लिए अपनी गतिविधियों के दायरे को बढ़ाया है। इस प्रकार का विस्तार काफी चर्चा का विषय बन गया है। मसग्रेव मानते हैं कि सार्वजनिक क्षेत्र का विस्तार एक आवश्यक एवं रचनात्मक विकास का पहलू रहा है और मजबूत सार्वजनिक क्षेत्र, पूंजीवादी बाजार के साथ-साथ आवश्यक हो गया है। इसके विपरीत, बुचैनन यह दावा करते हैं कि, विवाद तब उत्पन्न होता है जब राज्य संरक्षात्मक राज्य की सीमा-क्षेत्र से आगे उत्पादक अथवा कर-अंतरण करनेवाले राज्य के रूप में अपना विस्तार करता है।

भारत में, लोक वित्तीय नीति के माध्यम से राज्य के हस्तक्षेप को लोगों की सुरक्षा और संरक्षा सुनिश्चित करने तथा उनकी संपत्ति के अधिकारों की रक्षा करने के अतिरिक्त बेहद महत्वपूर्ण भूमिका का निर्वाह करना है। इनमें बड़ी सामाजिक और भौतिक अवसंरचना हानि को दूर करने की आवश्यकता, अदृश्य और अपूर्ण बाजारों को उपचार उपलब्ध कराना, भारी असमानताओं और गरीबी को दूर करने के लिए उपाय शुरू करना तथा सूचना संबंधी असममितीय व्यवस्था के लिए उपचार का प्रावधान करना शामिल है। इस प्रकार, हस्तक्षेप की आवश्यकता कृषि क्षेत्र में बाजार विकास, सिंचाई, भंडारण तथा सहायता मूल्य जैसी बाह्य सुविधाएं प्रदान करने में भी हैं, ताकि बाजार की कमियों और आपूर्ति संबंधी अस्थिरता से निपटा जा सके। इसी प्रकार, विनिर्माण तथा सेवा क्षेत्रों में अवसंरचना के प्रतिस्पर्धी स्तरों के माध्यम से सामान्यीकृत बाह्यताएँ सुनिश्चित की जाती हैं। भारत जैसे देश में लोक वित्त की नीतियों ने सरकार को अर्थव्यवस्था के पूर्ण विकास के क्षेत्र में उत्प्रेरक की भूमिका निभाने में सक्षम बनता है। इसके अतिरिक्त, बाद के वर्षों में सरकार से मिलने वाली सहायता राशि में काफी वृद्धि देखी गयी है जैसे कि रोजगार गारंटी और खाद्य सुरक्षा, राष्ट्रीय आवासन योजना, स्वच्छ भारत अभियान, उज्ज्वला योजना, प्रधानमंत्री किसान सम्मान निधि, आवधिक ऋण मोचन इत्यादि।

96. निम्नलिखित में से कौन सरकारी सहायता (राशि के) अंतरण की श्रेणी में नहीं आता है?

A. राष्ट्रीय आवासन B. स्वच्छ भारत अभियान

C. आवधिक ऋण मोचन D. शिक्षा

97. अर्थव्यवस्था में सरकारी हस्तक्षेप के बाह्य घटकों को किन मदों के रूप में पाया जा सकता है?

(*a*) बाजार विकास

(*b*) मुद्रा आपूर्ति

(*c*) कृषि क्षेत्र में भंडारण एवं सहायता मूल्य

(*d*) सिंचाई

नीचे दिए गए विकल्पों में से सही उत्तर चुनिये :

A. केवल (*a*), (*c*) और (*d*)
B. केवल (*a*), (*b*) और (*d*)
C. केवल (*a*), (*b*) और (*c*)
D. केवल (*a*) और (*d*)

98. निम्नलिखित में से लोक वित्त के उद्देश्यों में से कौन सही नहीं है?

A. समष्टि अर्थव्यवस्था में स्थायित्व सुनिश्चित करना
B. भुगतान के विपरीत संतुलन में कमी सुनिश्चित करना
C. वृद्धि एवं विकास की गति तेज करना
D. संवितरण की वांछित स्थिति प्राप्त करना

99. निम्नलिखित में से कौन-सा कथन सही नहीं है :

(*a*) सार्वजनिक क्षेत्र का विस्तार एक आवश्यक तथा रचनात्मक विकास है, और मजबूत सार्वजनिक क्षेत्र, पूंजीवादी बाजार के साथ-साथ आवश्यक है।

(*b*) राज्य को काफी बड़ी भूमिका अपनाने के अनेक कारण हैं।

(*c*) भारत में, लोक वित्तीय नीति के माध्यम से राज्य को हस्तक्षेप द्वारा काफी महत्वपूर्ण भूमिका निभानी है।

(*d*) केनिजीयन अर्थव्यवस्था में उल्लेख है कि राज्य को पूर्ण नियोजन सुनिश्चित करना है।

नीचे दिए गए विकल्पों में से सही उत्तर चुनिये :

A. केवल (*a*) और (*b*)
B. केवल (*a*), (*b*) और (*c*)
C. केवल (*a*) और (*c*)
D. (*a*), (*b*), (*c*) और (*d*)

100. यह कथन कि "विवाद तब उत्पन्न होता है जब राज्य संरक्षात्मक राज्य की अपनी सीमा से आगे जाकर उत्पादक अथवा कर-अंतरण करने वाले राज्य के रूप में अपना विस्तार करता है।" किसका है?

A. मसग्रेव
B. केन्ज
C. डॉल्टन
D. बुचैनन

उत्तरमाला

1	2	3	4	5	6	7	8	9	10
C	D	B	B	B	D	A	A	D	A
11	**12**	**13**	**14**	**15**	**16**	**17**	**18**	**19**	**20**
B	C	C	A	D	C	B	C	C	A
21	**22**	**23**	**24**	**25**	**26**	**27**	**28**	**29**	**30**
D	D	D	B	D	A	D	C	C	B
31	**32**	**33**	**34**	**35**	**36**	**37**	**38**	**39**	**40**
C	C	B	D	A	B	D	C	D	B
41	**42**	**43**	**44**	**45**	**46**	**47**	**48**	**49**	**50**
A	A	D	D	A	B	D	A	C	D
51	**52**	**53**	**54**	**55**	**56**	**57**	**58**	**59**	**60**
A	C	D	A	C	D	B	C	D	D
61	**62**	**63**	**64**	**65**	**66**	**67**	**68**	**69**	**70**
C	C	A	A	B	B, D	C	A	B	C
71	**72**	**73**	**74**	**75**	**76**	**77**	**78**	**79**	**80**
B	A	D	B	A	C	B	A	A	C
81	**82**	**83**	**84**	**85**	**86**	**87**	**88**	**89**	**90**
C	C	D	B	C	C	B	B	D	B
91	**92**	**93**	**94**	**95**	**96**	**97**	**98**	**99**	**100**
B	C	C	D	A	D	A	B	C	D

व्याख्यात्मक उत्तर

7. डेवलॅपमेंट लिटरेचर में टेक ऑफ की अवधारणा अक्सर देखी जाती है। सामान्य शब्दों में, 'टेक-ऑफ' का अर्थ है कि एक देश ने आधुनिक आर्थिक विकास की अवधि में प्रवेश किया है। हालांकि, इसके मूल अर्थ में अवधारणा अधिक विशिष्ट है।

टेक-ऑफ सिद्धांत, जिसे 'स्टेज ऑफ ग्रोथ थ्योरी 'भी कहा जाता है, को स्पष्ट रूप से डब्ल्यू.डब्ल्यू. रोस्टो (1960) द्वारा तैयार किया गया था। इसमें कहा गया है कि अविकसित विकास से विकास को उन चरणों या चरणों की श्रृंखला के संदर्भ में सर्वोत्तम रूप से वर्णित किया जा सकता है, जिनके माध्यम से सभी देशों को आगे बढ़ना चाहिए। उन्नत देशों ने पहले से ही तथाकथित 'स्टेज ऑफ टेक-ऑफ के चरण को सेल्फ-सस्टेनिंग ग्रोथ' के चरण में पारित कर दिया था, जबकि अंडर-डेवलपमेंट देशों (अभी भी 'पारंपरिक समाज' या 'पूर्व-स्थितियों' के चरण) में ही करने की आवश्यकता है, केवल विकास के नियमों के एक निश्चित सेट का पालन करें। आर्थिक विकास को गति देने के लिए पर्याप्त निवेश उत्पन्न करने के लिए किसी भी टेक-ऑफ के लिए आवश्यक सिद्धांत की स्थिति को घरेलू और विदेशी बचत का साधन माना जाता है। इस सिद्धांत के अनुसार, आर्थिक तंत्र, जिसके द्वारा अधिक निवेश से आर्थिक विकास में वृद्धि होती है, को हारोड-डोमर ग्रोथ मॉडल के संदर्भ में सबसे अच्छा बताया जा सकता है।

13. चेक बाउंसिंग की स्थिति में एनआई अधिनियम की धारा 138 के तहत आपराधिक मुकदमा दायर किया जा सकता है। एनआई अधिनियम की धारा 138 के तहत इस अपराध के लिए दो साल तक की सजा या जुर्माना जो चेक राशि का दोगुना या दोनों हो सकता है। अपराध जमानती, समाधेय और गैर-संज्ञेय है।

इस धारा के तहत किसी अपराध की अनिवार्य अवयवों को निम्नानुसार संक्षेपित किया जा सकता है :

- एक व्यक्ति को अपने द्वारा अनुरक्षित बैंक के खाते से चेक अवश्य आहत करना चाहिए।
- चेक को किसी भी ऋण या अन्य देयता के निर्वहन में, पूरे या आंशिक रूप में जारी किया जाना चाहिए।
- चेक को उसकी वैधता की अवधि (चेक की तारीख से 3 महीने) के भीतर बैंक को प्रस्तुत किया जाना चाहिए।
- चेक को बैंक द्वारा अशोधित कर वापस कर दिया जाता है, क्योंकि या तो खाते में पर्याप्त राशि न हो या फिर चेक भुगतान की जाने वाली राशि से अधिक है।
- प्रापक, बैंक से उसके द्वारा सूचना प्राप्त होने के 30 दिनों के भीतर लिखित में एक नोटिस देकर भुगतान की माँग करता है।
- उक्त नोटिस प्राप्त होने के 15 दिनों के भीतर आहर्ता उक्त राशि का भुगतान करने में विफल रहता है।
- शिकायत उस तारीख के एक महीने के भीतर की जाती है, जिस पर कार्रवाई का कारण बनता है।

निम्नलिखित अपवाद उल्लेखनीय हैं :

जब पहले अस्वीकरण के खिलाफ कार्रवाई नहीं की जाती है और चेक को दो बार प्रस्तुत किया जाता है और दूसरे अस्वीकरण के खिलाफ शिकायत दर्ज की जाती है, तो शिकायत कायम रहती है। हालाँकि, अभियोजन केवल पिछली बार के चेक बाउंस के लिए होता है और कई बार चेक वापस होने पर कई अभियोजन नहीं हो सकते हैं।

14. चूँकि MC अपने न्यूनतम स्तर पर ATC को पार करता है

अतः MC = ATC उत्पादन के उस स्तर पर जो MC वक्र को ATC के प्रतिच्छेदन से मेल खाती है।

$$MC = \frac{d(TC)}{dQ} = 3Q^2 - 20Q + 60 = ATC$$

$$= Q^2 - 10Q + 60$$

$\Rightarrow 2Q^2 - 10Q = 0$

$\Rightarrow \quad 2Q^2 = 10Q \Rightarrow 2Q = 10$

$\Rightarrow \quad Q = 5$

तथा, $\quad ATC = Q^2 = 10Q + 60$

$= 25 - 50 + 60 = 35$

17. कॉब-डगलस उत्पादन प्रकार्य के लिए

$$\frac{\partial Q}{\partial K} = \beta\, AL^{\alpha}\, K^{\beta-1} = \frac{\beta Q}{K} \text{ और}$$

$$\frac{\partial Q}{\partial L} = \alpha\, AL^{\alpha-1}\, K^{\beta} = \frac{\alpha Q}{K}$$

इस प्रकार, कॉब-डगलस उत्पादन प्रकार्य के लिए, पूंजी का सीमांत उत्पाद (श्रम से संबंधित) पूंजी के औसत उत्पाद (श्रम से संबंधित) का नियत समय है।

ये सीमांत दरें मात्रा को मापने के लिए उपयोग की जाने वाली इकाइयों पर निर्भर करती हैं। राशि में परिवर्तन की मात्रा का अनुपात इकाइयों पर निर्भर नहीं करता है, $\frac{\Delta Q}{Q}$, और इसकी व्याख्या मात्रा के 'प्रतिशत परिवर्तन' के रूप में की जा सकती है। यदि हम प्रतिशत परिवर्तनों के अनुपात का उपयोग करते हैं, तो हमें एक मात्रा मिलती है जो इकाइयों से स्वतंत्र होती है। उदाहरण के लिए,

$$\frac{\frac{\Delta Q}{Q}}{\frac{\Delta K}{K}} = \frac{K}{Q} \cdot \frac{\Delta Q}{\Delta K}$$

इकाइयों पर निर्भर नहीं करता है। पूंजी के परिवर्तन में छोटे परिवर्तन के साथ सीमा लेते हुए, हम पाते हैं

$$\in = \frac{K}{Q} \cdot \frac{\partial Q}{\partial K} = \frac{\frac{\partial Q}{\partial K}}{\frac{Q}{K}},$$

जिसे उत्पाद की पूंजी लोच कहा जाता है। ध्यान दें कि यह पूंजी के औसत उत्पाद के पूंजीगत उत्पाद के अनुपात के बराबर है। यदि $\in < 1$, पूँजी में अगला छोटा परिवर्तन औसत पूँजी प्रति इकाई पूँजी की तुलना में आउटपुट में कम परिवर्तन करता है, अर्थात् पूंजी पर कम रिटर्न है। इस स्थिति के लिए, उत्पादन फलन को लोचहीन कहा जाता है। कॉब-डगलस उत्पादन लोचहीन के लिए, उत्पाद की पूंजी लोच घातांक β के बराबर होती है। अतः, जब $0 < \beta < 1$, उत्पादन प्रकार्य लोचहीन है।

23. अंतर्राष्ट्रीय अर्थशास्त्र की विषय वस्तु

अंतर्राष्ट्रीय अर्थशास्त्र संबंधित है :

1. **अंतर्राष्ट्रीय व्यापार सिद्धात :** यह व्यापार के आधार और व्यापार से लाभ की जांच करता है।
2. **अंतर्राष्ट्रीय व्यापार नीति :** यह व्यापार के मुक्त प्रवाह में अवरोधों के कारणों और परिणामों का अध्ययन करता है।
3. **भुगतान संतुलन :** यह विश्व के बाकी हिस्सों से देश के कुल भुगतान और कुल प्राप्तियों की जांच करता है। इनमें दूसरों के लिए एक मुद्रा का आदान-प्रदान भी शामिल है।
4. **भुगतान संतुलन में समायोजन :** यह विभिन्न अंतर्राष्ट्रीय मौद्रिक प्रणालियों के तहत भुगतान संतुलन-असंतुलन के समायोजन के तंत्र से संबंधित है।

बिंदु 1 और 2 अंतर्राष्ट्रीय अर्थशास्त्र के सूक्ष्म आर्थिक पहलुओं का प्रतिनिधित्व करते हैं। बिंदु 3 और 4 व्यापक आर्थिक पहलू हैं।

24. किसी देश का केंद्रीय बैंक देश में धन आपूर्ति का मुख्य स्रोत है। केंद्रीय बैंक द्वारा प्रदत्त धन को 'उच्च शक्ति प्राप्त मुद्रा' के रूप में जाना जाता है। हालांकि, केंद्रीय बैंक विनिमय के माध्यम के रूप में उपयोग किए जाने वाली मुद्रा की आपूर्ति का एकमात्र स्रोत नहीं है। मुद्रा आपूर्ति का दूसरा प्रमुख स्रोत देश की बैंकिंग प्रणाली है। बैंक जनता को पैसा उधार देने और लेने की प्रक्रिया में मुद्रा आपूर्ति का निर्माण करते हैं। वाणिज्यिक बैंकों द्वारा सृजित धन को 'क्रेडिट मनी' कहा जाता है। उच्च शक्ति प्राप्त मुद्रा और क्रेडिट मनी सामान्यतः मुद्रा आपूर्ति या देश के स्टॉक की कुल मुद्रा की सबसे आम माप बनाते हैं, जिसे M1 द्वारा निरूपित किया जाता है।

26. कीन्स द्वारा आगे की गई उपभोग प्रकार्य परिकल्पना को पूर्ण आय परिकल्पना के रूप में जाना जाता है। यह हमें अल्पकालिक उपभोग व्यवहार या आय-खपत

संबंध की व्याख्या करने में मदद करता है। कीन्स का दावा है कि खपत आय का एक स्थिर प्रकार्य है, अर्थात, आय और खपत के बीच एक स्थिर अनुभवजन्य (सांख्यिकीय) संबंध है। हालांकि, कीन्स ने यह भी बताया कि जब आय बढ़ती है तो उपभोग व्यय भी बढ़ता है, लेकिन अनुपातिक रूप से नहीं। इसका अर्थ है कि MPC गिर जाता है। जब MPC गिरता है तो यह APC से कम होता है। इस प्रकार, कीन्स ने घटती हुई MPC परिकल्पना की वकालत की।

कीनेसियन उपभोग प्रकार्य के मुख्य गुणों को निम्नानुसार संक्षेपित किया जा सकता है :

- वास्तविक खपत व्यय वास्तविक वर्तमान डिस्पोजेबल आय का एक सकारात्मक प्रकार्य है। खपत और आय के बीच यह संबंध पूर्ण आय परिकल्पना का निर्माण करता है। चूंकि कीनेसियन सिद्धांत अल्पकाल में आर्थिक घटना से संबंधित है, इसलिए उनके उपभोग के सिद्धांत को भी अल्पकालिक सिद्धांत के रूप में माना जाता है।
- उपभोग करने के लिए सीमांत प्रवृत्ति (MPC)— खपत की सीमांत आय का अनुपात – 0 और 1 के बीच है, जो कि, $0 < MPC < 1$ (0 और 1 सम्मिलित)।
- MPC उपभोग की औसत प्रवृत्ति (APC) से कम है, अर्थात् $\Delta C/\Delta Y < C/Y$.
- MPC में गिरावट आय में वृद्धि के साथ आती है, अर्थात्, सीमांत आय का अनुपात कम हो जाता है।

27. फॉरवर्ड एक्सचेंज मार्केट फ्लोटिंग विनिमय दरों के आगमन के बाद विकसित हुआ। लेन-देन करने के बाद प्रतिभागियों को विनिमय दर में बदलाव के जोखिम के खिलाफ खुद की रक्षा कर सकते हैं, लेकिन भुगतान करने से पहले। उदाहरण के लिए, फ्रांसीसी निर्यातक जो डॉलर में संयुक्त राज्य अमेरिका को निर्यात करते हैं, उन्हें नुकसान का जोखिम होगा यदि डॉलर के मूल्य में फ्रेंच फ्रैंक के संदर्भ में डॉलर के फ्रैंक में परिवर्तित होने से पहले गिरने वाला हो। निर्यातक को 'हेजिंग' द्वारा संरक्षित किया जा सकता है या किसी निश्चित तिथि पर एक निश्चित दर पर भविष्य के वितरण के लिए डॉलर की बिक्री कर सकता है। आयातकों और निवेशकों को अल्पकालिक विदेशी प्रतिभूतियों जैसे यू.एस. ट्रेजरी बिल भी आगे के विनिमय बाजार में मुद्रा जोखिम को कम कर सकते हैं। सट्टेबाज एक अनावृत (या खुली) स्थिति लेकर आगे के विनिमय बाजार में भाग लेते हैं।

हेजर्स और सट्टेबाजों के अलावा, फॉरवर्ड एक्सचेंज मार्केट में प्रतिभागियों का एक तीसरा सेट 'कवर किए गए ब्याज मध्यस्थ' हैं। कवर किए गए ब्याज की मध्यस्थता एक घरेलू सुरक्षा के बजाय एक विदेशी सुरक्षा में निवेश करने के लिए एक निवेशक होगा। उदाहरण के लिए, यदि एक वर्ष का यू.एस. ट्रेजरी नोट एक वर्ष के यू.के. ट्रेजरी नोट की तुलना में एक प्रतिशत कम भुगतान करता है, तो एक अमेरिकी निवेशक यू.के. परिसंपत्ति में निवेश कर सकता है यदि पाउंड/डॉलर विनिमय दर में परिवर्तन हो सकता है। निवेशक जोखिम को समाप्त करने के लिए फॉरवर्ड मार्किट का उपयोग करता है और यू.के. परिसंपत्ति को कवर किया जाता है।

विदेशी मुद्रा फ्यूचर में एक सक्रिय बाजार मौजूद है। फ्यूचर कॉन्ट्रैक्ट आमतौर पर भविष्य में निश्चित तारीख पर किसी दिए गए वित्तीय साधन की एक विशिष्ट राशि के वितरण के लिए कहता है। अनुबंधों को मानकीकृत किया जाता है, और खरीदारों और विक्रेताओं को केवल ट्रेड किए गए अनुबंधों की कीमत और संख्या पर सहमत होने की आवश्यकता होती है। इंटरनेशनल फाइनेंशियल फ्यूचर्स एक्सचेंज डिफॉल्ट के खिलाफ रोकने के लिए अनुबंधों पर न्यूनतम मार्जिन आवश्यकताएं रखता है। जबकि एक फॉरवर्ड विदेशी मुद्रा अनुबंध एक बैंक और एक व्यक्ति के बीच होता है, एक फ्यूचर विदेशी विनिमय लेनदेन मानकीकृत अनुबंधों में एक संगठित एक्सचेंज के भीतर होता है। फ्यूचर बाजार फॉरवर्ड बाजार की तुलना में अधिक तरल है। इसके अलावा, आगे के विदेशी मुद्रा बाजारों के विपरीत, केवल कुछ दिनों की सीमित संख्या होती है जिस पर फ्यूचर बाजार परिपक्व होते हैं। यह वाणिज्यिक बैंकों के फॉरवर्ड बाजारों की तुलना में बाजार की लघुता से उत्पन्न होता है। अंत में, विदेशी मुद्रा फ्यूचर्स का कारोबार

केंद्रीकृत एक्सचेंजों पर किया जाता है जबकि बैंकिंग प्रणाली आगे लेनदेन के लिए व्यवस्था करती है।

फॉरवर्ड समझौते केवल एक वर्ष तक के समय के क्षितिज के लिए मौजूद हैं। इस प्रकार विदेशी बॉन्ड के निवेशक विनिमय दर के जोखिम से परिचित होंगे। करेंसी स्वैप में बदलाव के साथ, विभिन्न देशों के दो समकक्षों ने एक दूसरे की मुद्रा में संप्रदायों को जारी किया और समय के साथ ब्याज भुगतान दायित्वों की धाराओं का आदान-प्रदान करने के लिए सहमत हुए। मुद्रा स्वैप से भी अधिक लोकप्रिय ब्याज दर स्वैप हैं–जोखिम का प्रबंधन करने का एक तरीका अगर परिवर्तनीय ब्याज दरों का उपयोग किया जाता है।

28. प्रसरण और फलस्वरूप वितरण का मानक विचलन मूल परिवर्तन से स्वतंत्र है। इस प्रकार, यदि हम श्रृंखला के प्रत्येक अवलोकन का निर्माण करने के लिए एक नियतांक जोड़ते (घटाते) हैं, तो इसका विचरण समान रहता है।

29. 1947 में, ब्रिटिश जनसांख्यिकी सी.पी. ब्लैकर ने एक पेपर प्रकाशित किया, 'स्टेप्स इन पॉपुलेशन ग्रोथ', जिसमें विभाजित जनसांख्यिकीय परिवर्तन को पांच चरणों में दिखाया गया।

- चरण एक उच्च स्थावर है, जो जन्म दर और मृत्यु दर दोनों के संतुलन द्वारा चिह्नित है जो जनसंख्या वृद्धि के स्थिर होने पर बहुत अधिक हैं।
- चरण दो प्रारंभिक विस्तार है, जिसमें मृत्यु दर गिरने की विशेषता है जो जन्म दर से दूर और आगे तक बढ़ती है, जिसके परिणामस्वरूप जनसंख्या में तेजी आती है।
- चरण तीन का विस्तार देर से होता है, जिसमें मृत्यु दर में निरंतर कमी और जन्म दर में गिरावट की शुरुआत होती है, जबकि दो दरों में अंतर सबसे बड़ा है। और इसलिए जनसंख्या वृद्धि, सबसे तेज जब जन्म दर में उस समय गिरावट आती है, तो जनसंख्या वृद्धि धीमी हो जाती है।
- चरण चार कम स्थिर है, जिसमें मृत्यु दर और जन्म दर के बीच एक नया संतुलन होता है, जब दो दरें कम स्तर तक पहुंच जाती हैं; हालाँकि, यह संतुलन निम्न स्तर पर एक है, उच्च स्थिर चरण के संतुलन से अलग है।
- चरण पांच में ह्रासमान हो रहा है, जन्म दर में कमी, जो मृत्यु दर की तुलना में बाद में कम हो गई है, जन्म दर को कम करने के साथ ही मृत्यु दर के समान स्तर तक पहुंचने के बाद गिरावट जारी रखने के लिए ड्राइविंग की गति से चिह्नित है, और जनसंख्या नकारात्मक वृद्धि के लिए संक्रमण शुरू कर देती है।

30. कॉब-डगलस उत्पादन फलन के लिए :

$Q = f(L, K) = AL^{\alpha} K^{\beta}$.

श्रम और पूंजी की दी गई राशि के लिए, अनुपात पूंजी की एक इकाई के लिए उत्पादन की औसत राशि $\frac{Q}{K}$ है। दूसरी ओर श्रम में परिवर्तन होने पर उत्पादन में परिवर्तन होता है और पूंजी को K से $K + \Delta K$ is $\Delta Q = f(L, K + \Delta K) - f(L, K)$ बदल दिया जाता है। ΔK द्वारा इस मात्रा को विभाजित करने से पूंजी में प्रति यूनिट उत्पादन में परिवर्तन होता है,

$$\frac{\Delta Q}{\Delta K} = \frac{f(L, K+\Delta K) - f(L, K)}{\Delta K}.$$

आमतौर पर, हम पूंजी में असीम परिवर्तन के साथ सीमा लेते हैं, या सीमा के रूप में ΔL शून्य पर जाता है तो हमें मिलता है $\frac{\partial Q}{\partial K}$, जिसे पूंजी का सीमांत उत्पाद कहा जाता है। शब्द 'मार्गियल' का उपयोग किया जाता है क्योंकि यह पूंजी के एक छोटे से परिवर्तन के साथ उत्पादन के परिवर्तन को मापता है।

उसी तरह, $\frac{\partial Q}{\partial L}$, जिसे श्रम का सीमांत उत्पाद कहा जाता है।

कॉब-डगलस उत्पादन प्रकार्य के लिए

$$\frac{\partial Q}{\partial K} = \beta\, AL^{\alpha} K^{\beta-1} = \frac{bQ}{K} \text{ और}$$

$$\frac{\partial Q}{\partial L} = \alpha\, AL^{\alpha-1} K^{\beta} = \frac{\alpha Q}{K}.$$

इस प्रकार, कॉब-डगलस उत्पादन प्रकार्य के लिए, पूंजी का सीमांत उत्पाद (श्रम से संबंधित) पूंजी के औसत उत्पाद (श्रम से संबंधित) का एक नियत समय है।

ये सीमांत दरें मात्रा को मापने के लिए उपयोग की जाने वाली इकाइयों पर निर्भर करती हैं। राशि में परिवर्तन की मात्रा का अनुपात इकाइयों पर निर्भर नहीं करता है, $\frac{\Delta Q}{Q}$, और इसकी मात्रा के 'प्रतिशत परिवर्तन' के रूप में व्याख्या की जा सकती है। यदि हम प्रतिशत परिवर्तनों के अनुपात का उपयोग करते हैं, तो हमें एक मात्रा मिलती है जो इकाइयों से स्वतंत्र होती है।

33. बैंकिंग विनियमन अधिनियम के आरबीआई u/s 35A ने बैंकों को KYC नीति को लागू करने और धन-शोधन विरोधी उपायों को अपनाने का निर्देश जारी किया है।

मनी लॉन्ड्रिंग-जोखिम की धारणा : KYC मानकों की असमानता या अनुपस्थिति गंभीर ग्राहक और काउंटर-पार्टी जोखिमों के लिए बैंक को प्रभावित कर सकती है :

- **प्रतिष्ठा जोखिम :** बैंक की प्रतिष्ठा पर गंभीर प्रभाव के कारण नुकसान का जोखिम। यह बैंक के व्यवसाय की प्रकृति को देखते हुए विशेष चिंता का विषय हो सकता है जिसके लिए जमाकर्ताओं, लेनदारों और सामान्य बाजार स्थान के विश्वास की आवश्यकता होती है।
- **अनुपालन जोखिम :** बैंक के संचालन को नियंत्रित करने वाले प्रमुख नियमों के अनुपालन में विफलता के कारण नुकसान का जोखिम।
- **कानूनी जोखिम :** कानूनी जोखिम मुकदमों की संभावना है, अनुबंध के प्रतिकूल निर्णय जिसके परिणामस्वरूप अनिवार्य केवाईसी मानकों का पालन करने में विफलता के कारण या परिश्रम के कारण अभ्यास करने में विफलता है। नतीजतन, बैंक जुर्माना, आपराधिक देनदारियों और पर्यवेक्षक द्वारा लगाए गए विशेष दंड को भुगत सकते हैं।

37. पारंपरिक नवशास्त्रीय वृद्धि सिद्धांत के अनुसार, एक या एक से अधिक तीन कारकों से उत्पादन में वृद्धि होती है : श्रम की मात्रा और गुणवत्ता में वृद्धि (जनसंख्या वृद्धि और शिक्षा के माध्यम से), पूंजी में वृद्धि (बचत और निवेश के माध्यम से), और प्रौद्योगिकी में सुधार होता है। कम बचत दरों के साथ आंतरिक अर्थव्यवस्था प्रणाली (जिनकी कोई बाह्य गतिविधियां नहीं हैं) अल्पकालिक दौर में बहुत धीमी गति से बढ़ते हैं उनके बनिस्पत जो उच्च बचत दर वाले और प्रति व्यक्ति आय के स्तर को कम करने के लिए अभिसरण करते हैं। हालांकि, अमीर देशों से गरीब देशों में पूंजी प्रवाह खुली अर्थव्यवस्थाएं (व्यापार, विदेशी निवेश, आदि के साथ), उच्च स्तर पर आय के अभिसरण का अनुभव दिलाती हैं, जहां पूंजी-श्रम अनुपात कम होता है और इस प्रकार निवेश पर रिटर्न अधिक होता है। परिणामतः विदेशी निवेश की आमद को बाधित करके, LDC सरकारों की भारी-भरकमता, नवशास्त्रीय वृद्धि सिद्धांत के अनुसार, विकासशील दुनिया की अर्थव्यवस्थाओं में बुद्धि मंदता विकास है।

43. आय असमानता और आर्थिक विकास के बीच संबंधों को लोकप्रिय रूप से कुजनेट्स के व्युत्क्रमित-U वक्र (कुजनेट्स, 1955) द्वारा चित्रित किया गया है, जिसने तर्क दिया कि आय असमानता विकास के प्रारंभिक चरण में बढ़ती है और फिर अर्थव्यवस्था के विकास के रूप में घटती है, जिसका अर्थ है आय असमानता गिर जाएगी क्योंकि विकासशील देशों में आय में वृद्धि जारी है। हालांकि, जब आय बढ़ रही है और उच्च स्तर पर पहुंच गई है, तो आय असमानता फिर से बढ़ जाती है। व्युत्क्रमित-यू वक्र का अंतर्ज्ञान यह है कि जब एक अर्थव्यवस्था की आय निम्न स्तर पर होती है, तो केवल कुछ अमीर व्यक्ति होते हैं, और गिन्नी गुणांक काफी चरम होगा। जैसे-जैसे समग्र आय बढ़ती है, वैसे-वैसे रोजगार और नौकरी के अवसरों में वृद्धि होती है। इसके परिणामस्वरूप आय सीढ़ी पर ऊपर की ओर गतिशीलता होगी, और आय प्राप्तकर्त्ताओं का एक मध्यम वर्ग उभरेगा, जिससे गिनी गुणांक में सुधार होगा। यह कुजनेत के सम्बन्ध की भविष्यवाणी है जो आय के विस्तार के रूप में असमानता में सुधार करता है। हालाँकि, जब किसी अर्थव्यवस्था का आय स्तर उच्च स्तर तक बढ़ता रहता है, तो ऐसे और भी लोग हैं जो उच्च आय

प्राप्त कर सकते हैं। उदाहरण के लिए, स्टॉक और प्रॉपर्टी में अटकलों से पोर्टफोलियो निवेश और विंडफॉल का लाभ, सुपर-रिच व्यक्तियों के उदय में हो सकता है, जबकि अधिकांश आबादी पेड जॉब्स में लगी हुई है, परिणामस्वरूप आय असमानता घट जाएगी। उलटा-यू वक्र वास्तव में आर्थिक विकास के विभिन्न चरणों में आय का वर्णन करता है।

49. समय श्रृंखला प्रकार के डेटा की तुलना में पार अनुभागीय प्रकार के डेटा में हेटरोसैडैसिटी (विषमविसारिता) अधिक आम है। यदि सामान्य रूप से कम-से-कम वर्गों (OLS) की प्रक्रिया को स्पष्टता से ध्यान में रखकर किया जाता है, तो शोधकर्ता के लिए आत्मविश्वास अंतराल और परिकल्पनाओं के परीक्षण को स्थापित करना मुश्किल होगा। विषमविसारिता इसलिए, महत्वपूर्ण परीक्षणों के माध्यम से शोधकर्ता द्वारा प्राप्त परिणाम विषमविसारिता की उपस्थिति के कारण गलत होंगे।

53. **अनुबंध वक्र :** दो वस्तुओं का आदान-प्रदान करने वाले दो उपभोक्ताओं के संदर्भ में, वक्र उन बिंदुओं के स्थान को प्रदर्शित करता है, जहाँ माल की जोड़ी के बीच प्रतिस्थापन की सीमांत दर दोनों व्यक्तियों के लिए समान है। व्यक्तियों की उदासीनता वक्र के बीच स्पशरिखा के ये बिंदु इस अर्थ में कुशल या इष्टतम विनिमय ऑप्टिमा हैं कि किसी भी व्यक्ति द्वारा किसी व्यक्ति को दूसरे से बदतर किए बिना बेहतर बनाना संभव नहीं है।

उत्पादन के मामले में कॉन्ट्रैक्ट कर्व इस्कोक्वांट्स के बीच स्पशरिखा के बिंदुओं को प्रदर्शित करता है और इस प्रकार उन बिंदुओं का लोकस होता है, जिसके लिए प्रत्येक अच्छी वस्तु या प्रत्येक फर्म के लिए एक अच्छी वस्तु के लिए तकनीकी प्रतिस्थापन की सीमांत दर समान होती है।

55. 1941 में प्रकाशित स्टॉपर-सैमुएलसन का प्रारंभिक लेख, टैरिफ के आय वितरण प्रभावों पर केंद्रित था। प्रमेय को बाद में सामान्य रूप से अंतर्राष्ट्रीय व्यापार के आय वितरण प्रभावों की व्याख्या करने के लिए विस्तारित किया गया था। इस प्रकार, स्टॉपर-सैमुएलसन प्रमेय का उपयोग दो मामलों से निपटने के लिए किया जा सकता है :

- कारक आवंटन और आय वितरण पर टैरिफ का प्रभाव।
- कारक आवंटन और आय वितरण पर मुक्त व्यापार के प्रभाव।

स्टॉपर-सैमुएलसन प्रमेय में कहा गया है कि किसी वस्तु के सापेक्ष मूल्य में वृद्धि उस वस्तु के उत्पादन में गहनता से उपयोग किए गए कारक की वापसी या आय को बढ़ाती है। यदि श्रम गहन वस्तु की सापेक्ष कीमत बढ़ जाती है, तो मजदूरी में वृद्धि होगी। इसी तरह, पूंजी गहन उत्पाद के सापेक्ष मूल्य में वृद्धि पूंजी में रिटर्न को बढ़ाएगी।

56. **फिशर का आदर्श सूचकांक :**

- यह लैस्पीयर्स और पास्चेज के सूचकांक संख्याओं का ज्यामितीय माध्य है (L-P सूचकांक संख्याओं के बीच स्थित)।
- फिशर सूचकांक को एक आदर्श (सबसे अच्छा) सूचकांक संख्या माना जाता है क्योंकि यह कालोत्क्रमण के साथ-साथ उपादान उत्क्रमण परीक्षणों दोनों को संतुष्ट करता है। वास्तव में, यह केवल सूचकांक संख्या है जिनपर दोनों टिकी अवस्थित हैं।
- यह चालू वर्ष के साथ-साथ आधार वर्ष के भार दोनों के मान को ध्यान में रखता है।

फिशर सूचकांक सूत्र निम्न प्रकार है :

$$P_{01} = \sqrt{\frac{\Sigma p_1 q_0}{\Sigma p_0 q_0} \times \frac{\Sigma p_1 q_1}{\Sigma p_0 q_1}} \times 100$$

57. बैंकिंग कैश ट्रांजेक्शन टैक्स को पहली बार वित्त अधिनियम, 2005 द्वारा शामिल किया गया जो एक कर चोरी विरोधी माप के रूप में 01.06.2005 से लागू हुआ। यह प्रावधान जम्मू और कश्मीर राज्य को छोड़कर पूरे भारत में लागू है।

कवर किये गए लेन-देन :

- SB खाते के अलावा किसी भी खाते से किसी भी मोड से नकदी की निकासी।
  - ❑ स्वयं के चेक से निकासी।
  - ❑ बियरर चेक द्वारा निकासी।

- एक या एक से अधिक सावधि जमा (चाहे परिपक्वता पर हो या अन्य) के नकदीकरण की निकासी) और यदि कोई हो तो नकद द्वारा LD का लाभ उठाना। हालाँकि, यदि आय SB खाते में जमा की जाती है, तो वही BCTT के लिए उत्तरदायी नहीं है।

कर के लिए प्रभार्य राशि - BCTT का भुगतान करने का दायित्व निम्नानुसार है : व्यक्तियों का खाता (प्रोप्राइटरशिप फर्म्स सहित) और HUFs

- एक ही खाते से किसी भी एक दिन में ₹ 25,000 से अधिक की नकद निकासी। यदि किसी एक खाते में एक दिन में एक से अधिक लेन-देन होते हैं, तो सभी लेनदेन जोड़े जाएंगे और यदि कुल लेन-देन राशि पर ₹ 25,000 से अधिक कर जमा करना है।
- टर्म डिपॉजिट्स के समान, ₹ 25,000 से अधिक नकद में LDs का लाभ उठाना

58. हर सरकार के पास कर्ज लेने के दो प्रमुख स्रोत होते हैं—आंतरिक और बाहरी। आंतरिक रूप से, सरकार व्यक्तियों, वित्तीय संस्थानों, वाणिज्यिक बैंकों और केंद्रीय बैंक से उधार ले सकती है। बाहरी रूप से, सरकार व्यक्तियों और बैंकों, अंतर्राष्ट्रीय संस्थानों और विदेशी सरकारों से उधार लेती है।

61. कराधान की घटना कर के प्रत्यक्ष धन बोझ के संदर्भ में है। आर्थिक संस्थाओं जैसे उत्पादन, उपभोग, वितरण आदि पर कराधान के अंतिम प्रभाव को कराधान के प्रभावों के रूप में जाना जाता है। व्यापक परिप्रेक्ष्य में, कराधान राजकोषीय नीति के एक साधन के रूप में सामाजिक-आर्थिक लक्ष्यों को साकार करने में मदद कर सकता है, जैसे मूल्य स्थिरीकरण, उपभोग और उत्पादन का नियमन, उछाल और अवसाद के उतार-चढ़ाव की जाँच, आर्थिक विकास को बढ़ावा देना आदि। हालांकि, कराधान के आर्थिक प्रभाव को अच्छा होने की ज़रूरत है, लेकिन वे हमेशा अच्छे नहीं होते, वे बुरे भी हो सकते हैं। इसलिए, एक कर नीति बनाते समय, सरकार को न केवल राजस्व बल्कि कर के आर्थिक परिणामों पर भी ध्यान देना चाहिए। प्रोफेसर डाल्टन के अनुसार ''आर्थिक दृष्टि से कर निर्धारण प्रणाली वह है जिसमें उत्कृष्ट या न्यूनतम बुरे आर्थिक प्रभाव हों।'' उन्होंने कराधान के तीन प्रकार के आर्थिक प्रभावों पर चर्चा की। वे हैं : (*i*) उत्पादन पर कराधान के प्रभाव (*ii*) वितरण पर कराधान के प्रभाव और (*iii*) कराधान के अन्य प्रभाव।

62. यहाँ $T = 20\% = 0.2Y$

साम्य स्तर $Y = C + I + F$

$$Y = 50 + 0.8(Y - T) + I + G$$
$$Y = 50 + 0.8(Y - 0.2Y) + 100 + 30$$
$$Y = 180 + 0.8Y - 0.16Y$$
$$Y = 180 + 0.64Y$$
$$\Rightarrow Y(1 - .64) = 180$$
$$Y = \frac{180}{.36} = \frac{18000}{36} = 500$$

64. पैसे की कीमत : पैसे की 'कीमत' की प्रकृति स्पष्ट होनी चाहिए : जो लोग नकदी रखते हैं, वे ब्याज कमाने का अवसर प्राप्त कर रहे हैं। तो क्या ऐसे लोग हैं जो बिना किसी ब्याज के चेकिंग अकाउंट में पैसा रखते हैं। या तो मामले में, माफ किया गया ब्याज उन लोगों की अवसर लागत (कीमत) है जिन्हें लोग चुनना चाहते हैं। वह कीमत कितनी अधिक है? यह बाजार की ब्याज दर के बराबर है।

ब्याज-भुगतान करने वाले बैंक खातों में रखे पैसे से कुछ ब्याज मिलता है। इस मामले में, पैसा रखने का अवसर लागत ब्याज की मौजूदा दर और जमा शेष राशि पर भुगतान की गई दर के बीच का अंतर है। जैसा कि नकद और नियमित चेकिंग खातों के साथ होता है, विदेशी ब्याज द्वारा मापी गई अवसर लागत।

एक बार जब हम पहचान लेते हैं कि पैसे की कीमत है, तो हम आसानी से पैसे की मांग कर सकते हैं। जैसा कि सभी वस्तुओं के मामले में, पैसे की मांग एक शेड्यूल (या वक्र) है जो वैकल्पिक कीमतों (ब्याज दरों) में मांगे गए धन की मात्रा दिखाती है।

66. बाजार की असफलता का अर्थ है किसी प्रणाली को कुछ सामान 'इष्टतम' स्तर पर सबसे अधिक वांछनीय स्तर प्रदान करना। मान्य तौर पर, चार मुख्य कारणों के कारण बाजार की असफलता उत्पन्न होती है। पहला बाजार अपूर्णता है, जिसका अर्थ है कि उत्पाद

और कारक बाजारों में सही प्रतिस्पर्धा के लिए आवश्यक शर्तों से विचलन। इस प्रकार, यदि वस्तु बाजार में एकाधिकार शक्ति है या श्रम बाजार में श्रम संघबद्ध है, तो परिणाम बाजार की असफलता है।

बाजार की असफलता का दूसरा कारण असममित (अपूर्ण) जानकारी है, जिसका अर्थ है कि पार्टियों द्वारा बाजार लेनदेन के लिए जानकारी में अंतर।

बहिर्मुखता के कारण वस्तुओं के उत्पादन में अत्यधिक वृद्धि या माल और सेवाओं के उत्पादन में काफी कमी होती है जिसका परिणाम अर्थव्यवस्था में नुकसान या बाजार की असफलता के रूप में होता है। बाजार की असफलता का अंतिम मुख्य कारण सार्वजनिक वस्तुओं की उपस्थिति है। सार्वजनिक वस्तुओं को दो विशेषताओं द्वारा परिभाषित किया गया है : *(i)* वे उपभोग में गैर-प्रतिद्वंद्वी हैं और *(ii)* वे गैर-बहिष्कृत हैं। यह गैर-बहिष्करण की विशेषता के कारण है, कि पेरेटो-इष्टतमता की स्थिति संतुष्ट नहीं है और इसका परिणाम बाजार की असफलता है। इस प्रकार, बाजार की अपूर्णता, असममित जानकारी, बाह्यताओं और सार्वजनिक वस्तुओं की उपस्थिति के कारण प्रतिस्पर्धी बाजार विफल हो जाते हैं।

67. मानव जनसंख्या की प्रजनन क्षमता और मृत्यु दर के आधार पर, विकसित और विकासशील दोनों देशों में विभिन्न चरणों में विकास होता है। इन चरणों को कभी-कभी 'जनसंख्या चक्र' या 'जनसांख्यिकीय अवस्थांतरण' कहा जाता है, अर्थात, एक जनसांख्यिकीय स्थिति से दूसरे में वृद्धि।

1929 में वॉरेन थॉम्पसन और 1909 में एडोल्फ लैंड्री जैसे कई जनसांख्यिकीविदों ने उच्च और निम्न मृत्यु दर और प्रजनन स्थितियों के आधार पर जनसांख्यिकीय संक्रमण का वर्णन करने का प्रयास किया।

एडोल्फ लैंड्री : लैंड्री के अनुसार, एक आबादी आर्थिक और जनसांख्यिकीय व्यवस्था पर आधारित होती है। तीन व्यवस्थाएं हैं जो जनसंख्या और आर्थिक विकास तथा खाद्य आपूर्ति के बीच संबंध पर आधारित हैं।

- प्राचीन व्यवस्था
- मध्यवर्ती जनसांख्यिकीय व्यवस्था
- आधुनिक युग

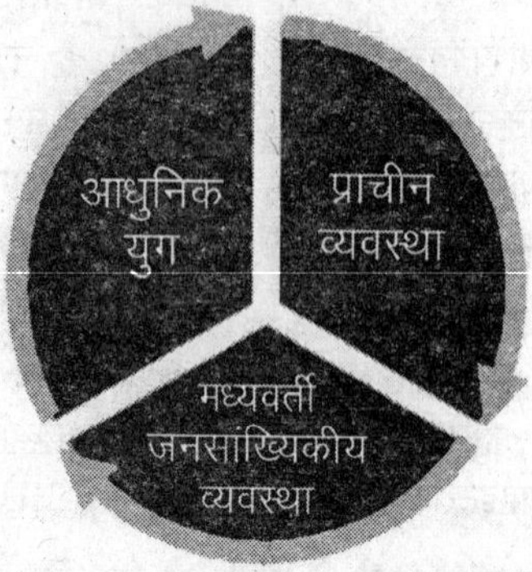

जनसांख्यिकी अवस्थांतरण से संबंधित लैंड्री के नियम

- **प्राचीन व्यवस्था :** जनसंख्या परिवर्तन के इस चरण में खाद्य आपूर्ति एक महत्वपूर्ण भूमिका निभाती है। खाद्य सामग्री की आपूर्ति जनसंख्या में वृद्धि और कमी पर आधारित है। भोजन की उपलब्धता पर मृत्यु दर निर्भर है।
- **मध्यवर्ती जनसांख्यिकीय व्यवस्था :** इस चरण में, जनसंख्या में परिवर्तन खाद्य आपूर्ति के बजाय देश के आर्थिक विकास पर निर्भर करता है।
- **आधुनिक युग :** इस चरण में, जनसंख्या और खाद्य आपूर्ति तथा आर्थिक विकास के बीच कोई सीधा संबंध नहीं है। इस चरण को 'जनसंख्या क्रांति' के चरण के रूप में भी जाना जाता है।

सी.पी. ब्लैकर : सी.पी. ब्लैकर के अनुसार विकसित देशों में जनसांख्यिकी अवस्थांतरण को पाँच चरणों में विभाजित किया जा सकता है। ये हैं :

- उच्च स्थिर अवस्था
- प्रारंभिक विस्तार अवस्था
- विलम्ब विस्तार अवस्था
- निम्न स्थिर अवस्था
- ह्रासमान अवस्था

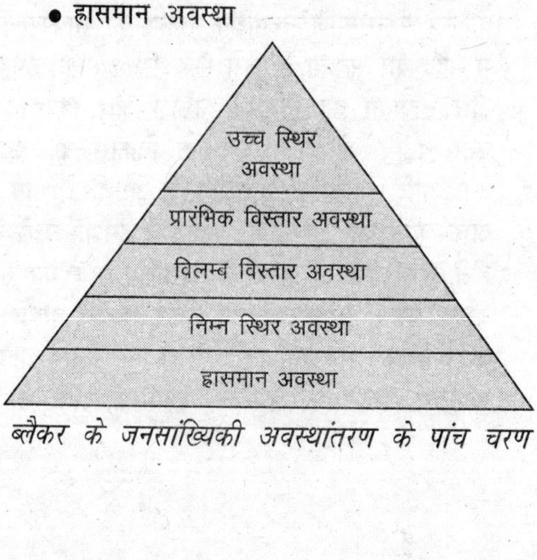

ब्लैकर के जनसांख्यिकी अवस्थांतरण के पांच चरण

- **उच्च स्थिर अवस्था :** इस चरण में, किसी देश की जनसंख्या प्रति वर्ष 40-50 हजार से लेकर उच्च जन्म और मृत्यु दर के कारण लगभग स्थिर है, यह चरण उन देशों के लिए आम है जिनकी निर्भरता कृषि पर है। नतीजतन, जीवन स्तर बहुत कम है।
- **प्रारंभिक विस्तार अवस्था :** इस अवस्था में जन्म दर स्थिर (उच्च स्तर) होती है, जबकि मृत्यु दर बहुत धीरे-धीरे कम होने लगती है। इसके परिणामस्वरूप, जनसंख्या धीरे-धीरे बढ़ने लगती है। अधिकांश विकासशील देशों में जनसांख्यिकीय अवस्थांतरण का यह चरण है।
- **विलम्ब विस्तार अवस्था :** इस अवस्था में जन्म और मृत्यु दर में धीमी गति से गिरावट आती है लेकिन मृत्यु दर उच्च स्तर पर रहती है। अधिकांश शहरीकृत देश इस श्रेणी में आते हैं।
- **निम्न स्थिर अवस्था :** इस चरण में, जन्म दर और मृत्यु दर दोनों नियंत्रण में रहते हैं और यह निम्न स्तर पर होता है। इस प्रकार, इस चरण में जनसंख्या में वृद्धि दर लगभग नगण्य है। प्रजनन क्षमता और मृत्यु दर बहुत कम है। अधिकांश विकसित देश इस श्रेणी में आते हैं।
- **ह्रासमान अवस्था :** इस चरण में, कम प्रजनन दर और उच्च मृत्यु दर के कारण जनसंख्या की वृद्धि में गिरावट शुरू होती है।

थॉम्पसन, बोगे और नोटेस्टें : यहां, जनसांख्यिकीय संक्रमण को तीन चरणों में विभाजित किया गया है। ये हैं :

- पूर्व-अवस्थांतरण चरण
- अवस्थांतरण चरण
- पश्च -अवस्थांतरण चरण

69. डॉट्स के माध्यम से एक ग्राफ पर दो चर (x, y) के संबंधित मानों के चित्रमय प्रदर्शन को स्कैटर ऑफ डॉट डायग्राम कहा जाता है।

अध्ययन के तहत चर के बीच के संबंधों की प्रकृति का अध्ययन करने के लिए स्कैटर आरेख सबसे सरल उपकरण है। बस स्कैटर आरेख को देखते हुए, किसी को भी कोई विचार प्राप्त हो सकता है कि क्या दो चर संबंधित हैं या नहीं। एक स्कैटर आरेख में बिंदुओं के प्रकीर्णन को देखकर सहसंबंध के बारे में निम्नलिखित निष्कर्ष निकाले जा सकते हैं।

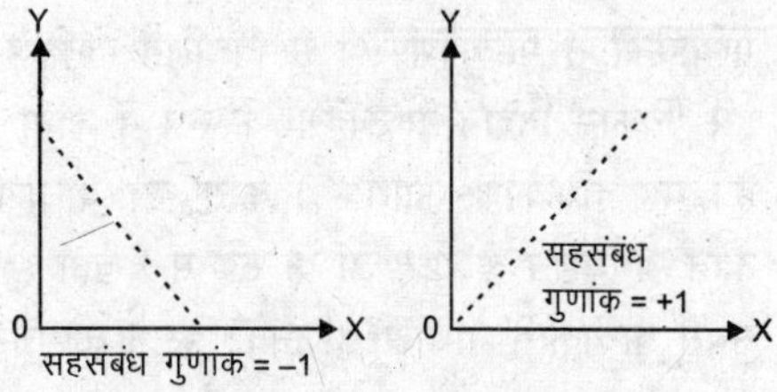

सहसंबंध को मापने की विधि

- जब प्लॉटेड पॉइंट बेतरतीब ढंग से स्थित होते हैं अर्थात् ये बिंदु कोई विशेष प्रवृत्ति नहीं दिखाते हैं, तो चर स्वतंत्र कहे जाते हैं, यानी, हमारे पास शून्य सहसंबंध है और यह निष्कर्ष निकालता है कि x और y के बीच कोई संबंध नहीं है।
- यदि बिंदु ऊपर या नीचे की प्रवृत्ति में दिखते हैं, तो चर को सहसंबद्ध कहा जाता है। यदि बिंदुओं की प्रवृत्ति ऊपर की ओर उठती है यानी निचले बाएँ हाथ के कोने से ऊपरी दाएँ हाथ के कोने तक, चर सकारात्मक रूप से सहसंबद्ध कहे जाते हैं। यदि सभी बिंदु निचले बाएँ हाथ के कोने से ऊपरी दाएँ हाथ के कोने तक गिरने वाली सीधी रेखा पर स्थित हैं, तो सहसंबंध पूरी तरह से सकारात्मक कहा जाता है।
- जब बिंदुओं की प्रवृत्ति शीर्ष बाएं हाथ के कोने से नीचे दाहिने हाथ के कोने तक नीचे की ओर ढलान की ओर होती है, तो सहसंबंध नकारात्मक कहा जाता है। यदि सभी बिंदु सीधी रेखा पर बाएं हाथ के कोने से दाहिने हाथ के कोने तक नीचे की ओर झुके हों, तो सहसंबंध पूरी तरह से नकारात्मक है।

72. यहाँ TC = 1500 + 80Q

$$\therefore \quad MC = \frac{d(TC)}{dQ} = 80$$

तथा, $TR = 1400Q - 6Q^2$

$$\therefore \quad MR = 1400 - 12Q$$

$$= 1400 - 1200 = 200$$

74. अपने पेपर में, हॉसमैन, रोड्रिक और वेलास्को (2005) ने एक नई कार्यप्रणाली की वकालत की, जो यह बताती है कि विकास में क्या कमी है। यह पारंपरिक मूल्यांकनों से महत्वपूर्ण रूप से विचलित होता है और इसे 'विकास निदान दृष्टिकोण' के रूप में जाना जाता है। यह दृष्टिकोण आर्थिक विकास को बाधाओं के तहत अनुकूलन के परिणाम के रूप में देखता है, और सबसे बाध्यकारी बाधाओं (जिनकी हटाने की अनुमति देता है) की पहचान करना चाहता है—एक उच्च शैडो मूल्य संसाधन की कमी को दर्शाता है, यह दर्शाता है कि संसाधन विकास में बाधा डालता है। हौसमैन, रॉड्रिक और वेलास्को (2005) ने एक निर्णय वृक्ष का प्रस्ताव रखा जहां निजी निवेश और उद्यमिता के निम्न स्तर को प्रमुख समस्या के रूप में देखा जाता है। वृक्ष समस्या की मूल कारणों को निर्धारित करने के लिए विभिन्न शाखाओं के माध्यम से शोधकर्ताओं को आकर्षित करता है, अर्थात्, आर्थिक विकास के लिए बाध्यकारी बाधाएं। निर्णय वृक्ष के शीर्ष पर यह प्रश्न है कि क्या निजी निवेश वित्त की पहुंच में कमी के कारण आयोजित किया जाता है (यानी, कई परियोजनाएं हैं, लेकिन उद्यमी उन्हें उचित लागत पर वित्त नहीं दे सकते हैं) या कम रिटर्न (यानी, बहुत क्रेडिट है लेकिन उद्यमी लाभदायक निवेश नहीं पाते हैं)। दो बाधाओं के अलग-अलग निहितार्थ हैं। रॉड्रिक और सुब्रमण्यन (2008) इंगित करते हैं कि कई अर्थव्यवस्थाओं में निवेश कम रिटर्न से बाधित होता है और उच्च लागत के कारण वित्त तक पहुंच से नहीं। इन अर्थव्यवस्थाओं में, बाहरी वित्त मदद नहीं करता है (जैसे, इन अर्थव्यवस्थाओं में, क्रेडिट उपलब्ध है), इसलिए पूंजी प्रवाह का प्रभाव खपत को बढ़ावा देता है, जबकि निवेश अप्रभावित है।

75. अंतःप्रवर्धी वृद्धि सिद्धांत का दावा है कि आर्थिक विकास का कारण मुख्य रूप से अंतःप्रवर्धी है और बाह्य ताकतों के कारण नहीं। आर्थिक विकास के महत्वपूर्ण योगदान के रूप में अंतःप्रवर्धी वृद्धि सिद्धांत मानव पूंजी, नवाचार, और ज्ञान में निवेश पर जोर देता है। यह सिद्धांत ज्ञान आधारित अर्थव्यवस्था के सकारात्मक बाह्यता और गणनीय संज्ञा के प्रभावों पर भी ध्यान केंद्रित करता है जिससे आर्थिक विकास होगा। अंतःप्रवर्धी वृद्धि सिद्धांत के अनुसार किसी अर्थव्यवस्था की दीर्घकालीन विकास दर नीतिगत उपायों पर निर्भर करती है। उदाहरण के लिए, अनुसंधान और विकास या शिक्षा के लिए सब्सिडी नवाचार के लिए प्रोत्साहन बढ़ाकर कुछ अंतःप्रवर्धी वृद्धि मॉडल में वृद्धि दर को बढ़ाती है।

1980 के दशक के मध्य में, विकास सिद्धांतकारों का एक समूह लंबे समय से विकास को निर्धारित करने के लिए बहिर्जात कारकों के सामान्य उपचार से असंतुष्ट रहा है। उन्होंने एक मॉडल का पक्ष लिया था जो कि एक मॉडल के साथ बहिर्जात विकास चर (अस्पष्टीकृत तकनीकी प्रगति) को बदल दिया था, जिसके मॉडल में विकास के प्रमुख निर्धारक स्पष्ट थे। पॉल रोमर (1986), रॉबर्ट लुकास (1988) और सर्जियो रेबेलो (1991) ने मानव पूंजी में अनिश्चितकालीन निवेश के परिणामस्वरूप तकनीकी परिवर्तन और मॉडलिंग विकास को छोड़ दिया, जिसका अर्थव्यवस्था पर स्पिलओवर प्रभाव है और पूंजी संचय में कमी को कम करता है।

हालांकि, अंतःप्रवर्धी वृद्धि सिद्धांत को आगे मॉडल के साथ समर्थित किया गया है जिसमें एजेंटों ने खपत और बचत को निर्धारित किया, तकनीकी प्रगति के लिए अनुसंधान और विकास के लिए संसाधनों के आवंटन का अनुकूलन किया। रोमर (1987, 1990), एगिओन और हॉविट (1992) और ग्रॉसमैन और हेल्पमैन (1991) ने अपूर्ण बाजारों और R&D को विकास मॉडल में शामिल किया।

अंतःप्रवर्धी वृद्धि सिद्धांत का तात्पर्य है कि जो नीतियां खुलेपन, प्रतिस्पर्धा, परिवर्तन और नवाचार को गले लगाती हैं, वे विकास को बढ़ावा देंगी और जिन नीतियों में बदलाव को धीमा या धीमा करने का प्रभाव है, उनमें समय के साथ विकास को धीमा करने की संभावना है।

76. $Z = \frac{\overline{x}-\mu}{SE_x} \Rightarrow \frac{\overline{x}-\mu}{6/\sqrt{n}}$

$$2.5 = \frac{100-99}{\sigma/\sqrt{400}}$$

$$2.5 = \frac{1}{\sigma/20} \Rightarrow 2.5 = \frac{20}{\sigma}$$

$$\sigma = \frac{20}{2.5} = \frac{200}{25} = 8$$

$\therefore$ मानक विचलन $(\sigma) = 8$

80. असममित जानकारी, दो पक्षों के बीच अलग-अलग जानकारी, नकारात्मक चयन, नैतिक खतरों और बाजार की विफलता की ओर उन्मुख होती है।

नकारात्मक चयन (Adverse Selection) : नकारात्मक चयन अर्थशास्त्र में उपयोग किया जाने वाला एक शब्द है जो एक ऐसी प्रक्रिया को संदर्भित करता है जिसमें अवांछित परिणाम तब होते हैं जब खरीदारों और विक्रेताओं को अलग-अलग/अपूर्ण जानकारी प्राप्त होती है। अनियमित ज्ञान बाजार में वस्तुओं या सेवाओं की कीमत और मात्रा को स्थानांतरित करने का कारण बनता है। इससे "खराब" उत्पादों या "सेवाओं" का चयन किया जाता है। उदाहरण के लिए, यदि कोई बैंक अपने सभी चेकिंग खाता ग्राहकों के लिए एक ही मूल्य निर्धारित करता है तो वह अपने कम-बैलेंस और उच्च गतिविधि वाले ग्राहकों पर प्रतिकूल प्रभाव डालने का जोखिम उठाता है। व्यक्तिगत मूल्य के कारण बैंक के लिए कम लाभ उत्पन्न होगा।

प्रधान-अभिकर्ता समस्या (Principal-Agent Problem) : अर्थशास्त्र में, प्रधान-अभिकर्ता समस्या (एक एजेंसी डाइलेमा के रूप में भी जाना जाता है) तब होती है जब एक व्यवसाय सेटिंग में एक प्रिंसिपल और एक एजेंट के बीच ब्याज सम्बन्धी मतभिन्नता उत्पन्न होती है। आमतौर पर मतभिन्नता तब होती है जब दोनों पक्षों द्वारा उठाए गए अनिश्चितता और जोखिम के कारण अनुबंध लिखे जाते हैं। प्रिंसिपल एजेंट को विशिष्ट कर्तव्यों को पूरा करने के लिए काम पर रखता है जो उसके सर्वोत्तम हित का प्रतिनिधित्व करता है। जो कार्य किया जाता है, वह एजेंट को महंगा पड़ सकता है और मूलधन के सर्वोत्तम हित में नहीं हो सकता है। संक्षेप में, एजेंट द्वारा किया गया कार्य वास्तव में प्रिंसिपल के सर्वोत्तम हितों को नहीं दर्शाता है। प्रधान-अभिकर्ता समस्या का अनुभव कर सकने वाले संबंधों के उदाहरणों में शामिल हैं :

- प्रबंधन (एजेंट) और शेयरधारक (प्रिंसिपल)
- राजनेता (एजेंट) और मतदाता (प्रिंसिपल)

हितों का टकराव लगभग किसी भी संदर्भ में उत्पन्न होता है, जहां एक पार्टी को कुछ करने के लिए दूसरे द्वारा भुगतान किया जा रहा है, चाहे वह औपचारिक रोजगार में हो या एक सौदे में सौदा हो। दोनों पार्टियों के अलग-अलग हित और असममित जानकारियाँ होती हैं। मूलधन ब्याज से एजेंट के विचलन को 'एजेंसी की लागत' कहा जाता है।

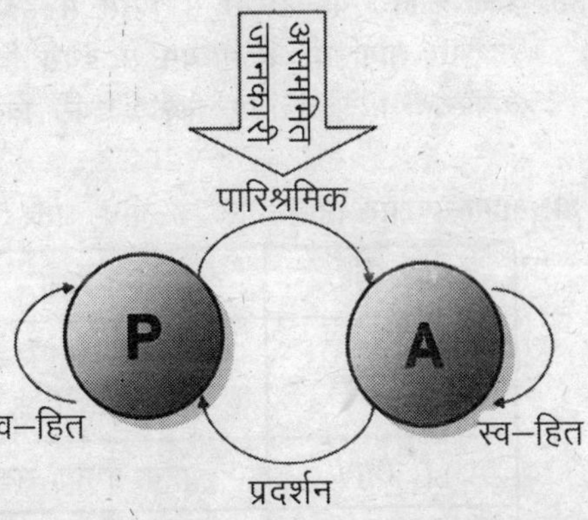

प्रिंसिपल-एजेंट समस्या : आरेख सिद्धांत एजेंट समस्या का मूल विचार प्रदर्शित करता है। P सिद्धांत है और A एजेंट है। यह स्पष्ट रूप से व्यावसायिक साझेदारी के साथ-साथ स्व-हित की उपस्थिति पर प्रकाश डालते हुए सिद्धांत और एजेंट के बीच कार्य संबंध को स्पष्ट करता है।

81. जनसंख्या घनत्व एक वर्ग किमी में रहने वाले लोगों की औसत संख्या को संदर्भित करता है। 45 के जनसंख्या घनत्व का अर्थ है किसी विशेष क्षेत्र में औसतन 45 लोग प्रति वर्ग किलोमीटर में रहते हैं।

84. मार्कोविट्ज का पोर्टफोलियो सिद्धांत निम्नलिखित मान्यताओं पर आधारित है :

- निवेशक तर्कसंगत हैं और एक निश्चित स्तर की आय या धन के साथ अपनी उपयोगिता को अधिकतम करने के रूप में व्यवहार करते हैं।
- निवेशकों को रिटर्न और जोखिम के बारे में सही जानकारी उपलब्ध होनी चाहिये।
- बाजार सक्षम होते हैं और जानकारी को जल्दी और पूरी तरह से समाहित करते हैं।
- निवेशक जोखिम से ग्रस्त हैं और जोखिम को कम करने और वापसी को अधिकतम करने की कोशिश करते हैं।
- अनुमानित रिटर्न पर निवेशक आधारित निर्णय और माध्य से इन रिटर्न की विभिन्नताएं या मानक विचलन।
- निवेशक किसी दिए गए स्तर के जोखिम के लिए कम रिटर्न की तुलना में उच्च रिटर्न चुनते हैं।

88. श्वेत क्रांति : यह 1970 में भारत में हुई थी, जब सहकारी समितियों के माध्यम से डेयरी विकास को व्यवस्थित करने के लिए राष्ट्रीय डेयरी विकास बोर्ड (NDDB) की स्थापना की गई थी। प्रो. वर्गीस कूरियन भारत में श्वेत क्रांति के जनक थे। श्वेत क्रांति ने भारत को न केवल आत्मनिर्भर बनने में मदद की, बल्कि दुनिया का सबसे बड़ा डेयरी उत्पादक भी बन गया। यह सहकारी समितियों के एक नेटवर्क के माध्यम से काम करता है जो दूध उत्पादकों के स्वामित्व और प्रबंधन में है। गुजरात के आनंद जिले में सहकारी समितियाँ सबसे सफल रहीं। सहकारी समिति के मुख्य उद्देश्य द्रुतशीतन संयंत्रों में दूध की खरीद, परिवहन, भंडारण आदि हैं। ये सहकारी समितियाँ वित्तीय सहायता प्रदान करने के अलावा परामर्श भी प्रदान करती हैं।

89. सलाभ सिक्का ढलाई (सीग्नीअरिज) : पैसे के मूल्य और इसे उत्पादित करने की लागत के बीच अंतर - दूसरे शब्दों में, किसी दिए गए अर्थव्यवस्था या देश के भीतर मुद्रा का उत्पादन करने की आर्थिक लागत। यदि सीग्नीअरिज सकारात्मक है, तो सरकार को आर्थिक लाभ होगा। एक नकारात्मक सीग्नीअरिज का आर्थिक नुकसान में परिणाम होगा। आरक्षित उद्देश्यों के लिए डॉलर की अंतर्राष्ट्रीय मांग का अर्थ है अमेरिकी सरकार को मिलने वाले लाभ।

90. सामान्य और निम्न माल के बीच अंतर :

मतभेद बिंदु	सामान्य माल	निम्न माल
अर्थ	ये वह वस्तुएँ हैं जिनकी मांग आय की बढ़ोतरी के साथ बढ़ती है।	ये वह वस्तुएँ हैं जिनकी मांग आय की बढ़ोतरी के साथ घटती है।
आय प्रभाव	आय प्रभाव सकारात्मक है।	आय प्रभाव नकारात्मक है।
संबंध	सामान्य वस्तुओं के लिए आय और मांग के बीच सीधा संबंध है।	निम्न वस्तुओं के लिए आय और मांग के बीच व्युत्क्रम संबंध है।
उदाहरण	फुल क्रीम दूध	टोंड मिल्क

पिछले प्रश्न-पत्र (हल सहित)

National Testing Agency (NTA)

UGC-NET जूनियर रिसर्च फैलोशिप तथा सहायक प्राध्यापक पात्रता परीक्षा

अर्थशास्त्र, दिसम्बर-2019*

प्रश्न-पत्र-II

नोटः *इस प्रश्न-पत्र में* **सौ (100)** *बहु-विकल्पीय प्रश्न हैं। प्रत्येक प्रश्न के* **दो (2)** *अंक हैं।* **सभी प्रश्न अनिवार्य** *हैं।*

1. निम्नलिखित को सुमेलित कीजिए :

(*a*) फॉरवर्ड एक्सचेन्ज (अगाऊ विनिमय)	(*i*) विदेशी मुद्रा की मूल्य वृद्धि के बदले में विनिमय जोखिम को कवर करने की एक प्रविधि (डिवाइस)
(*b*) हेजिंग	(*ii*) एक सहमत मूल्य पर भविष्य में किसी स्थिर दर पर दूसरी मुद्रा के बदले में विदेशी मुद्रा के क्रय या विक्रय की संविदा
(*c*) अंतर-प्रणन (आर्बिट्रेज)	(*iii*) स्वर्ण के एक से दूसरे देश में संचलन की लागत द्वारा निर्धारित दो सीमाओं के बीच विनिमय दर का संचलन
(*d*) विशिष्ट बिन्दु	(*iv*) एक तंत्र, जो उन दो बाजार को आर्थिक अर्थ में एकल बाजार बनाता है, जो भौतिक रूप में पृथक हैं

नीचे दिए गए विकल्पों में से सही विकल्प चुनिए :

	(*a*)	(*b*)	(*c*)	(*d*)
A.	(*ii*)	(*i*)	(*iv*)	(*iii*)
B.	(*ii*)	(*iii*)	(*iv*)	(*i*)
C.	(*iv*)	(*i*)	(*ii*)	(*iii*)
D.	(*iv*)	(*iii*)	(*ii*)	(*i*)

2. निम्नलिखित को सुमेलित कीजिए :

(*a*) सीमांतवादी क्रांति	(*i*) सेमुअल्सन
(*b*) गुणक त्वरक मॉडल	(*ii*) जे.आर. हिक्स
(*c*) आई.एस.-एल.एम. वक्र	(*iii*) जेवन्स
(*d*) वास्तविक व्यापार चक्र	(*iv*) रॉबर्ट जे. बोरो

नीचे दिए गए विकल्पों में से सही विकल्प चुनिए :

	(*a*)	(*b*)	(*c*)	(*d*)
A.	(*iii*)	(*i*)	(*ii*)	(*iv*)
B.	(*ii*)	(*iv*)	(*i*)	(*iii*)
C.	(*iii*)	(*ii*)	(*iv*)	(*i*)
D.	(*i*)	(*iv*)	(*iii*)	(*ii*)

3. निम्नलिखित पुस्तकों को सही कालानुक्रमण क्रम में सुव्यवस्थित करें :

(*a*) दास कैपिटल

(*b*) वैल्यू एंड कैपिटल

(*c*) कैपिटल एंड ग्रोथ

(*d*) एक्युमुलेशन ऑफ कैपिटल

सही विकल्प चुनें :

A. (*d*), (*b*), (*c*), (*a*) B. (*a*), (*b*), (*d*), (*c*)

C. (*a*), (*b*), (*c*), (*d*) D. (*b*), (*a*), (*d*), (*c*)

4. निम्नलिखित में से कौन जनसंख्या के इष्टतम सिद्धांत से संबंधित नहीं है?

A. टी.आर. माल्थस B. एच. डाल्टन

C. ई. कैनन D. कार सौन्डर्स

5. नीचे दिए गए अवयव भारतीय अर्थव्यवस्था में संभवतः M_4 आपूर्ति मुद्रा के भाग हैं :

(*a*) व्यापक मुद्रा (M_3)

*Online exam held on 03 December, 2019.

(*b*) डाक घर बचत खाते के सभी जमा

(*c*) राष्ट्रीय बचत प्रमाण पत्र

नीचे दिए गए उत्तरों में से M_4 के सही अवयव को चुनें :

A. केवल (*a*) एवं (*b*) B. केवल (*b*) एवं (*c*)

C. केवल (*a*) एवं (*c*) D. (*a*), (*b*) और (*c*)

6. निम्नलिखित में से किस व्यापार नीति का परिणाम सरकार द्वारा आयातित वस्तुओं पर एक विशिष्ट प्रशुल्क और एक एडवेलोरम प्रशुल्क दोनों लगाने के रूप में सामने आता है।

A. प्रभावी प्रशुल्क

B. राजस्व प्रशुल्क

C. यौगिक प्रशुल्क

D. मौद्रिक का प्रशुल्क (नॉमिनल टेरिफ्स)

7. काल्डर के वृद्धि मॉडल में निम्नलिखित में कौन-सी मान्यता सम्मिलित है :

(*a*) कुल बचतों में मजदूरी में से बचतें और लाभ में से बचतें सम्मिलित हैं।

(*b*) मजदूरी में से बचत की सीमांत प्रवृत्ति लाभ में से बचत की सीमांत प्रवृत्ति के समान है।

(*c*) निर्गत में मजदूरी और लाभ सम्मिलित हैं।

(*d*) पूर्ण रोजगार की तुलना में कम रोजगार है।

सही विकल्प चुनिए :

A. (*a*) और (*b*) B. (*b*) और (*c*)

C. (*c*) और (*d*) D. (*a*) और (*c*)

8. किसी फर्म का कुल लागत फलन है :

$$C = \frac{1}{10}q^3 - 3q^2 + 50q + 300$$

जिसमें C = कुल लागत, q = निर्गत

$q = 10$ पर सीमांत लागत क्या होगी :

A. 20 B. 10

C. 30 D. 50

9. निम्नलिखित में से कौन-से मॉडल में 'नाईफ-एज' समस्या उत्पन्न होती है :

A. कालडर B. सोलो

C. हैरॉड D. स्वॉन

10. नीचे दिए गए क्रमों में से परिमाण का कौन-सा आरोही क्रम सही है?

A. रेपो दर, रिवर्स रेपो दर, सांविधिक तरलता अनुपात (एस.एल.आर.) तथा मार्जिनल स्टैंडिंग फेसिलिटी दर (एम.एस.एफ.आर.)

B. एस.एल.आर., एम.एस.एफ.आर., रिवर्स रेपो दर

C. रेपो दर, एस.एल.आर., एम.एस.एफ.आर., रिवर्स रेपो दर

D. रिवर्स रेपो दर, रेपो दर, एम.एस.एफ.आर., एस.एल.आर.

11. निम्नलिखित में से कौन-सा अर्थशास्त्री 'संतुलित वृद्धि' सिद्धांत से संबंधित है?

(*a*) डल्ब्यू.ए. लेविस

(*b*) एच.डब्ल्यू. सिंगर

(*c*) आर. नेल्सन

(*d*) रगनार नर्क्स

सही विकल्प चुनिए :

A. (*a*) और (*d*) B. (*c*) और (*d*)

C. (*a*) और (*b*) D. (*b*) और (*c*)

12. पीकॉक-वाईसमैन परिकल्पना में 'विस्थापन प्रभाव' में यह समाविष्ट है :

A. उच्चतर आर्थिक वृद्धि के अनुसार सार्वजनिक व्यय का उर्ध्वगामी विस्थापन

B. सार्वजनिक व्यय एवं कराधान के पुराने स्तर से अधिक नए एवं उच्चतर स्तर की ओर झुकाव

C. सार्वजनिक व्यय स्थिर दर पर बढ़ता है तथा उच्चतर स्तर पर पहुँचता है

D. सरकार द्वारा अधिक एवं नए कार्यकलाप किए जाते हैं अतः इसलिए सार्वजनिक व्यय तीव्रता से उर्ध्वगामी रूप से बढ़ते हैं

13. नीचे दिए गए परीक्षणों को उनके प्रयोजन से सुमेलित कीजिए :

(*a*) डिकी-फुलर परीक्षण	(*i*) हेटेरोसेडेस्टीसिटी
(*b*) बॉक्स-जेन्किन्स विधि	(*ii*) कारणता
(*c*) ग्लेजसर परीक्षण	(*iii*) पूर्वानुमान
(*d*) ग्रेन्गार परीक्षण	(*iv*) स्थिरता

नीचे दिए गए विकल्पों में से सही विकल्प चुनिए :

	(a)	(b)	(c)	(d)
A.	(iii)	(i)	(ii)	(iv)
B.	(ii)	(iv)	(i)	(iii)
C.	(iv)	(iii)	(i)	(ii)
D.	(i)	(ii)	(iii)	(iv)

14. निम्नलिखित में से कौन-सा उदाहरण 'बाजार असफलता' का नहीं है?

A. एकाधिकार

B. असममित सूचना

C. कौशल की मितव्ययता (इकॉनामीज ऑफ स्केल)

D. बाह्यता

15. निम्नलिखित में से कौन-सा एक भारतीय रिजर्व बैंक (आर.बी.आई.) का आय का स्रोत नहीं है?

A. मुक्त बाजार क्रियाकलापों के लिए धारित सरकारी बांड्स पर ब्याज

B. विदेशी मुद्रा परिसंपत्तियों में निवेश से आय में संवृद्धि

C. भारत सरकार को प्रदत्त शुद्ध लाभांश से प्रातिधारित अर्जन

D. बैंकों द्वारा धारित प्राइवेट इक्विटी के शेयरों पर लाभांश

16. निम्नलिखित उपागमों में से कौन-सा उपागम में फिलिप्स वक्र विश्लेषण सही उतरता है :

(a) अनुकूली प्रत्याशा

(b) युक्तिमूलक प्रत्याशा

सही विकल्प चुनें :

A. केवल (a)

B. केवल (b)

C. (a) और (b) दोनों

D. न (a) और न (b)

17. सूची-I को सूची-II के साथ सुमेलित कीजिए :

सूची-I	सूची-II
(a) ई. कैनन	(i) इष्टतम जनसंख्या
(b) फ्रेंक नेटस्टीन	(ii) लेन-देन लागत (ट्रांजेक्शन कॉस्ट)
(c) ब्रंड्टलैंड	(iii) जनांकिकीय संक्रमण
(d) रोनाल्ड कोस	(iv) सतत् (धारणीय) विकास

नीचे दिए गए विकल्पों में से सही विकल्प चुनिए :

	(a)	(b)	(c)	(d)
A.	(i)	(ii)	(iii)	(iv)
B.	(ii)	(i)	(iv)	(iii)
C.	(i)	(iii)	(iv)	(ii)
D.	(iii)	(iv)	(ii)	(i)

18. निम्नलिखित में से किसने सार्वजनिक ऋण के बोझ से संबंधित समस्या का प्रतिपादन किया है?

(a) ए.पी. लर्नर

(b) ई.डी. डोमर

(c) ए.सी. पिगू

(d) ए.एच. हैनसन

नीचे दिए गए उत्तरों में से सही उत्तर चुनें :

A. (a) तथा (b) B. (b) तथा (c)

C. (a) तथा (d) D. (b) तथा (d)

19. कर के प्रभाव इससे संदर्भित हैं :

A. कर प्रगामी, आनुपातिक अथवा प्रातिगामी है

B. कर संग्रह करने वाला प्राधिकरण

C. अंततः कर देने वाला व्यक्ति अथवा समूह

D. कर किस तरह संग्रह किया गया?

20. किस तिथि तथा वर्ष में भारत में जी.एस.टी. प्रभावी हुआ?

A. 1 अप्रैल, 2017 B. 1 जनवरी, 2017

C. 1 जुलाई, 2017 D. 1 मार्च, 2018

21. निम्नलिखित अंतर्राष्ट्रीय व्यापार सिद्धांतों के प्रकट होने के अनुसार सही कालक्रम की पहचान कीजिए :

(a) अवसर लागत का सिद्धांत

(b) तुलनात्मक लागत का सिद्धांत

(c) कारक मूल्य समकारी सिद्धांत

(d) निरपेक्ष लागत (एब्सोलूट कॉस्ट) का सिद्धांत

सही कालक्रम पहचानिए :

A. (d), (b), (a), (c) B. (c), (b), (d), (a)

C. (b), (d), (a), (c) D. (a), (c), (d), (b)

22. हैरोड्स का वृद्धि मॉडल इस प्रकार दिया गया है :

$S_t = aY_t \qquad 0 < a < 1$

$I_t = b[Y_t - Y_{t-1}] \qquad b > 0$

$S_t \equiv I_t$

इस मॉडल में वृद्धि की शर्त है :

A. $\frac{b}{(b-a)} > 0$ B. $\frac{b}{(b-a)} < 0$

C. $\frac{a}{b-a} > 0$ D. $\frac{a}{b-a} < 0$

23. निम्नलिखित को कालक्रमानुसार व्यवस्थित कीजिए :

(*a*) अप्रत्यक्ष कर जांच समिति (झा समिति)

(*b*) कर सुधार समिति (आर.जे. चेलैय्या समिति)

(*c*) कराधान जांच समिति (माथुर समिति)

(*d*) प्रत्यक्ष कर जांच समिति (वांचू समिति)

नीचे दिए गए विकल्पों में से सही विकल्प चुनिए :

A. (*c*), (*b*), (*d*), (*a*) B. (*c*), (*a*), (*d*), (*b*)

C. (*b*), (*c*), (*a*), (*d*) D. (*c*), (*d*), (*a*), (*b*)

24. निम्नलिखित में से कौन-सा अर्थशास्त्री 'संतुलित वृद्धि' सिद्धांत से संबंधित है?

(*a*) डब्ल्यू.ए. लेविस

(*b*) एच.डब्ल्यू. सिंगर

(*c*) आर. नेल्सन

(*d*) रगनार नर्क्स

सही विकल्प चुनिए :

A. (*a*) और (*d*) B. (*c*) और (*d*)

C. (*a*) और (*b*) D. (*b*) और (*c*)

25. हिक्स तथा हैरड की तटस्थ तकनीकी प्रगति को स्वीकार करने वाली उत्पादन फर्म के प्रतिस्थापन (σ) की लोचशीलता होगी :

A. $\sigma = 0$ B. $\sigma = 1$

C. $\sigma = \infty$ D. $0 < \sigma < 1$

26. नीचे दो कथन दिए गए हैं जिनमें एक को अभिकथन (A) तथा दूसरे को तर्क (R) कहा गया है :

अभिकथन (A) : क्लासिकी मॉडल में निवेश माँग को आय अथवा रोजगार में परिवर्तनों से स्वतंत्र माना जाता है।

तर्क (R) : यहाँ मजदूरी-कीमत की लोचशीलता है जो क्लासिकी मॉडल से पूर्ण रोजगार लाती है।

उपरोक्त कथनों के संदर्भ में सही विकल्प चुनें :

A. (A) तथा (R) दोनों सही हैं और (R), (A) की सही व्याख्या है।

B. (A) तथा (R) दोनों सही हैं और (R), (A) की सही व्याख्या नहीं है।

C. (A) सही है, और (R) गलत है।

D. (A) गलत है, और (R) सही है।

27. नीचे दो कथन दिए गए हैं जिनमें एक को अभिकथन (A) तथा दूसरे को तर्क (R) कहा गया है :

अभिकथन (A) : मुद्रा स्फीतिकारी प्रवृत्तियों के नियंत्रण के लिए आर.बी.आई. रेपो दर में वृद्धि करता है।

तर्क (R) : ऐसा करके आर.बी.आई. उपयोग माँग को नियंत्रित करना चाहता है।

उपरोक्त दो कथनों के संदर्भ में सही विकल्प चुनें :

A. (A) तथा (R) दोनों सही हैं और (R), (A) की सही व्याख्या है।

B. (A) तथा (R) दोनों सही हैं और (R), (A) की सही व्याख्या नहीं है।

C. (A) सही है, और (R) गलत है।

D. (A) गलत है, और (R) सही है।

28. तथ्यतः पहचाने गए समीकरण के लिए पालन की जानेवाली क्रम शर्त यह है कि समीकरण आवश्यक रूप से :

A. मॉडल में अंतर्जात चरों की कुल संख्या की तुलना में एक कम को शामिल न करे।

B. मॉडल में अंतर्जात चरों की कुल संख्या की तुलना में एक कम को शामिल करे।

C. मॉडल में केवल एक अंतर्जात चर को शामिल करे।

D. दो या अधिक अंतर्जात चरों को शामिल न करे।

29. अर्थव्यवस्था में दो आगतों-पूँजी तथा श्रम सहित कॉब-डगलस उत्पादन के समरूप रेखीय फलन पर विचार करें : पूँजी तथा श्रम की हिस्सेदारी क्रमशः 1/3 तथा 2/3 है। पूँजी तथा श्रम की विकास दर क्रमशः 6% तथा 3% प्रतिवर्ष है। यदि निर्गत की वृद्धि दर 6% प्रतिवर्ष है तो टोटल फैक्टर प्रोडक्टिविटी (टी.एफ.पी.) के कारण निर्गत की वृद्धि दर क्या होगी?

A. 1% B. 2%

C. 3% D. 4%

30. निम्नलिखित में से कौन-सी प्रासंगिक मूल्यांकन विधि की विशेषता नहीं है?

A. यह एक आर्थिक गैर-बाजार आधारित मूल्यांकन विधि है

B. यह उपभोक्ताओं द्वारा भुगतान की अधिक इच्छुकता पर आधारित है

C. यह केवल वायु प्रदूषण के मामले में प्रयुक्त की जाती है

D. यह बाजार की विफलता की स्थिति के अंतर्गत प्रयुक्त की जाती है

31. सेबी का निम्नलिखित में से कौन-सा कार्य है?

A. मुद्रा बाजार का विनियमन

B. सार्वजनिक ऋण का विनियमन

C. वस्तु बाजार का विनियमन

D. प्राथमिक और द्वितीयक प्रतिभूति बाजार का विनियमन

32. 'बूट स्ट्रेपिंग' तकनीक का किसके लिए उपयोग किया जाता है?

A. विशिष्टीकरण-झुकाव के परीक्षण के लिए

B. हेतुक प्रचलों के मानदण्डों के प्रतिचयन वितरण को प्राप्त करने के लिए

C. स्व-साहचार्य के परीक्षण के लिए

D. त्रुटि पद की सामान्यता के परीक्षण के लिए

33. भारत के एन.एस.एस.ओ. द्वारा बेरोजगारी के अनुमान के लिए प्रयुक्त नहीं की जा रही विधि की पहचान कीजिए :

A. वर्तमान मासिक स्थिति

B. वर्तमान दैनिक स्थिति

C. वर्तमान साप्ताहिक स्थिति

D. प्रायिक मुख्य और सहायक स्थिति

34. दिए गए बचत फलन $S = -20 + 0.2Y$ और स्वायत्त निवेश (I) = ₹ 100 मिलियन दी गई है। उपभोग का साम्यावस्था स्तर होगा :

A. 500 B. 600

C. 400 D. 700

35. भारतीय संविधान के किस अनुच्छेद के अंतर्गत राष्ट्रपति को वित्त आयोग की नियुक्ति का अधिकार है?

A. 279 B. 280

C. 281 D. 282

36. जिस क्रम में यह घटित हुए हैं उस कालानुक्रमण क्रम में निम्नलिखित को सुव्यवस्थित करें :

(*a*) पेरिस जलवायु समझौता

(*b*) रियो पृथ्वी शिखर सम्मेलन

(*c*) ब्रुन्डलैंड आयोग

(*d*) क्योटो प्रोटोकोल

सही विकल्प का चयन करें :

A. (*a*), (*b*), (*c*), (*d*) B. (*b*), (*d*), (*a*), (*c*)

C. (*d*), (*b*), (*c*), (*a*) D. (*c*), (*b*), (*d*), (*a*)

37. निम्नलिखित बाजार प्रारूप में किसमें सर्वाधिक कुशल साधन आबंटन होता है?

A. एकाधिकारिक प्रतियोगिता

B. एकाधिकार

C. अल्पाधिकार

D. पूर्ण प्रतियोगिता

38. निम्नलिखित उपभोग फलन में आय गुणक का मूल्य K = 4? होगा :

A. $C = 100 + .5Y$ B. $C = 50 + .8Y$

C. $C = 200 + .75Y$ D. $C = 50 + .4Y$

39. उस सही विकल्प की पहचान कीजिए, जिसके लिए आगत का आवंटन तकनीकी रूप से कुशल है :

(*a*) एक माल के निर्गत में कमी अन्य माल के निर्गत में वृद्धि किए बिना नहीं की जा सकती

(*b*) एक माल के उपभोग में वृद्धि अन्य माल के उपभोग में कमी किए बिना नहीं की जा सकती

(*c*) उपभोक्ता अधिकतम संतुष्टि प्राप्त करता है

विकल्प :

A. केवल (*b*)

B. केवल (*a*)

C. दोनों (*a*) और (*c*)

D. दोनों (*b*) और (*c*)

40. नीचे दो कथन दिए गए हैं जिनमें एक को अभिकथन (A) तथा दूसरे को तर्क (R) कहा गया है :

अभिकथन (A) : भारत जैसे देश के लिए समावेशी विकास आवश्यक है।

तर्क (R) : महत्वपूर्ण बाह्य क्षेत्रों के साथ भारत एक मुक्त अर्थव्यवस्था है।

उपरोक्त दो कथनों के संदर्भ में सही विकल्प चुनें :

A. (A) तथा (R) दोनों सही हैं और (R), (A) की सही व्याख्या है।

B. (A) तथा (R) दोनों सही हैं और (R), (A) की सही व्याख्या नहीं है।

C. (A) सही है और (R) गलत है।

D. (A) गलत है और (R) सही है।

41. आर्थिक विकास से संबंधित जनांकिकीय संक्रमण के चरणों के सही क्रम के बारे में निम्नलिखित कथनों पर विचार कीजिए :

(*a*) निम्न मृत्यु दर के साथ निम्न जन्म दर

(*b*) उच्च मृत्यु दर के साथ उच्च जन्म दर

(*c*) निम्न मृत्यु दर के साथ उच्च जन्म दर

सही विकल्प चुनिए :

A. (*b*), (*c*), (*a*) B. (*c*), (*b*), (*a*)

C. (*a*), (*b*), (*c*) D. (*c*), (*a*), (*b*)

42. 'प्रतिपूर्ति मापदण्ड' जो यह कहता है कि स्थिति (A) सामाजिक रूप से स्थिति (B) से अधिमानित है, जिसमें जो परिवर्तन से लाभ प्राप्त करता है, वह हानि उठाने वाले को प्रतिपूर्ति कर सकता है और फिर भी उसे अधिशेष बहिर्गमन लाभ होता है। इसका श्रेय इन्हें दिया जाता है :

A. डब्ल्यू. पेरेटो

B. एन. कालडर

C. टी. सीटोवस्की

D. बर्जसन

43. निम्नलिखित अर्थशास्त्रियों को गणितीय अर्थशास्त्र में योगदान के क्षेत्र से सुमेलित कीजिए :

(*a*) स्लटस्की (*i*) रैखिक प्रोग्रेमिंग

(*b*) ऐरो (*ii*) आगत-निर्गत विश्लेषण

(*c*) लियोन्टिफ (*iii*) उपभोक्ता व्यवहार विश्लेषण

(*d*) डान्तजिंग (*iv*) सी.ई.एस. उत्पादन फलन

नीचे दिए गए विकल्पों में से सही विकल्प चुनिए :

	(*a*)	(*b*)	(*c*)	(*d*)
A.	(*ii*)	(*iv*)	(*i*)	(*iii*)
B.	(*iii*)	(*iv*)	(*ii*)	(*i*)
C.	(*i*)	(*ii*)	(*iv*)	(*iii*)
D.	(*iv*)	(*i*)	(*iii*)	(*ii*)

44. भारतीय अर्थव्यवस्था की निम्नलिखित घटनाओं को कालक्रमानुसार क्रम में सुव्यवस्थित करें :

(*a*) कमर्शियल बैंकों के राष्ट्रीयकरण का पहला चरण

(*b*) बैंकिंग प्रणाली पर नरसिम्हन समिति की स्थापना

(*c*) फेमा अधिनियम लागू किया जाना

(*d*) भारत के एक्जिम बैंक की स्थापना

विकल्पों से सही विकल्प चुनें :

A. (*a*), (*c*), (*d*), (*b*) B. (*a*), (*d*), (*b*), (*c*)

C. (*a*), (*c*), (*b*), (*d*) D. (*a*), (*d*), (*c*), (*b*)

45. सामान्य लागत वक्रों में निम्नलिखित में से किस वक्र में न्यूनतम बिन्दु नहीं है?

A. औसत लागत

B. सीमांत लागत

C. औसत चर लागत

D. औसत स्थिर लागत

46. कॉब-डगलस उत्पादन फलन के लिए $Q = 100 L^{0.7} K^{0.8}$ के बारे में निम्नलिखित में से कौन-सा कथन सही नहीं है?

A. यह एक रैखिक समरूप फलन है।

B. इसकी विशेषता निरंतर पैमाने का प्रतिफल है।

C. इसमें कारक स्थानापन्न का शून्य लोच होती है।

D. इसका विशेषता स्थानापन्न की इकाई लोच है।

47. हेक्शर-ओहलिन व्यापार मॉडल का क्या मानना है?

A. तुलनात्मक लाभ व्यापार के मुनाफे का वितरण निर्धारित करता है

B. देश उन वस्तुओं का निर्यात करता है, जिसके लिए उसकी संसाधन-उपलब्धता सर्वाधित उपयुक्त है

C. निरपेक्ष लाभ का सिद्धांत (एब्सोल्यूट एडवान्टेज थ्योरी) व्यापार से प्राप्त मुनाफे का वितरण निर्धारित करता है

D. विश्व बाजार के आकार द्वारा श्रम का विभाजन सीमित होता है

48. निम्नलिखित में किसका प्रयोग करके भिन्नता (प्रसरण) का (variance) विश्लेषण किया जा सकता है :

A. *t*–परीक्षण (टेस्ट) B. Z–परीक्षण (टेस्ट)

C. χ^2–परीक्षण (टेस्ट) D. F–परीक्षण (टेस्ट)

49. निम्नलिखित को सुमेलित कीजिए :

सूची-I	**सूची-II**
(*a*) कपार्ट (CAPART)	(*i*) कृषि विपणन
(*b*) सीडो (SIDO)	(*ii*) गुणवत्ता गारंटी
(*c*) नेफेड (NAFED)	(*iii*) लघु उद्योग
(*d*) एगमार्क (AGMARK)	(*iv*) ग्रामीण प्रौद्योगिकी

सही विकल्प चुनिए :

	(*a*)	(*b*)	(*c*)	(*d*)
A.	(*i*)	(*ii*)	(*iii*)	(*iv*)
B.	(*iv*)	(*iii*)	(*ii*)	(*i*)
C.	(*iv*)	(*ii*)	(*iii*)	(*i*)
D.	(*ii*)	(*iv*)	(*i*)	(*iii*)

50. मुद्रा माप—M_1 के लिए निम्नलिखित में से कौन-सा एक सही है?

A. किसी निश्चित समय पर लोगों के पास मुद्रा + वाणिज्यिक बैंकों की माँग जमा + अन्य जमा

B. एक वर्ष से अधिक समय में लोगों के पास मुद्रा + बैंकों की माँग जमा + अन्य जमा

C. किसी निश्चित समय पर लोगों के पास जमा + सभी बैंकों की जमा (बैंक डिपाजिट्स)

D. किसी निश्चित समय पर लोगों के पास मुद्रा + पोस्ट ऑफिस जमा + अन्य जमा

51. निम्नलिखित कथनों पर विचार कीजिए :

(*a*) भारत की व्यापार नीति पुनरीक्षा (टी.पी.आर.) प्रत्येक चार वर्षों के पश्चात् की जाती है।

(*b*) डब्ल्यू.टी.ओ. के पास सदस्य देशों की व्यापार नीतियों की पुनरीक्षा करने की क्रियाविधि है।

उपरोक्त दिए गए कथनों में से कौन-सा (से) सही हैं?

A. केवल (*a*) B. केवल (*b*)

C. (*a*) और (*b*) दोनों D. न तो (*a*) और न (*b*)

52. सूची-I को सूची-II के साथ सुमेलित कीजिए :

सूची-I	**सूची-II**
(*a*) राजकोषीय घाटा	(*i*) कुल प्राप्तियों की तुलना में अधिक कुल व्यय
(*b*) बजट घाटा	(*ii*) राजस्व प्राप्तियों की तुलना में राजस्व व्यय आधिक्य
(*c*) राजस्व घाटा	(*iii*) कुल प्राप्तियों से उधारियाँ घटा कर प्राप्त राशि की तुलना में अधिक कुल व्यय
(*d*) प्राथमिक घाटा	(*iv*) कुल प्राप्तियों से उधारियाँ तथा ब्याज भुगतान के पश्चात् प्राप्त राशि की तुलना में अधिक कुल व्यय

नीचे दिए गए विकल्पों में से सही विकल्प चुनिए :

	(*a*)	(*b*)	(*c*)	(*d*)
A.	(*iii*)	(*i*)	(*ii*)	(*iv*)
B.	(*i*)	(*iii*)	(*ii*)	(*iv*)
C.	(*iii*)	(*i*)	(*iv*)	(*ii*)
D.	(*iv*)	(*iii*)	(*ii*)	(*i*)

53. निम्नलिखित में से कौन-सा कथन त्रिभुजीय अथवा रिकर्सिव प्रणाली के संबंध में सही है?

(*a*) प्रत्येक समीकरण में ओ.एल.एस. के अलग अनुप्रयोगों द्वारा पैरामीटर्स का वैध रूप से आकलन किया जा सकता है।

(*b*) स्वतंत्र चरों को अन्य समीकरण में त्रुटि टर्म्स के साथ सहसंबंधित किया जा सकता है।

(*c*) टू-स्टेज लीस्ट वर्गों का अनुप्रयोग अनभिनती परन्तु अकुशल पैरामीटर आकलन की ओर ले जाता है।

(*d*) स्वतंत्र चरों को समीकरण में त्रुटि टर्म्स, जिनमें वे स्वतंत्र चरों के रूप में प्रदर्शित होते हैं, के साथ संबंधित किया जा सकता है।

सही विकल्प चुनें :

A. केवल (*a*) एवं (*d*)

B. केवल (*a*) एवं (*c*)

C. केवल (*a*), (*b*) एवं (*c*)

D. (*a*), (*b*), (*c*) और (*d*)

54. दिवाला एवं दिवालियापन (आचार संहिता/इन्साल्वेंसी तथा बैंकरप्सी कोड) को निम्नलिखित में से मुख्यतः कौन-सी जिम्मेदारी दी गई है?

A. सरकारी देयों तथा ऋणों की वसूली को सुगम बनाना

B. विदेशी बैंकों द्वारा भारतीय कम्पनियों को दिए गए ऋण की वसूली को सुगम बनाना

C. बैंकों द्वारा पहले वसूले गए अशोध्य ऋणों की राशि से अधिक राशि वसूलने में बैंकों की सहायता करना

D. प्राथमिकता वाले क्षेत्र में अपने बकायों की वसूली के लिए बैंकों की सहायता करना

55. निम्नलिखित में से कौन-सा सकारात्मक बाहरी प्रभाव का उदाहरण है?

A. सार्वजनिक प्रतिरक्षण

B. कारपोरेट कर में वृद्धि

C. प्रदूषण के लिए अतिरिक्त परमिट जारी करना

D. उद्योगों के कारण उत्पन्न हुए खतरे का पर्यवेक्षण

56. सूची-I को सूची-II के साथ सुमेलित करें :

सूची-I	**सूची-II**
(*a*) हैड काउंट अनुपात	(*i*) गरीबी का परिमाण
(*b*) गरीबी अन्तराल	(*ii*) गरीबी की गहनता (डैप्थ ऑफ पॉवर्टी)
(*c*) गरीबी अंतराल का वर्ग	(*iii*) वंचन (डेपरीविएशन) के रूप में गरीबी
(*d*) बहु-आयामी गरीबी	(*iv*) गरीबी की प्रचण्डता (सेवेरिटी)

सही विकल्प चुनिए :

	(*a*)	(*b*)	(*c*)	(*d*)
A.	(*ii*)	(*i*)	(*iv*)	(*iii*)
B.	(*iii*)	(*ii*)	(*i*)	(*iv*)
C.	(*i*)	(*iii*)	(*ii*)	(*iv*)
D.	(*i*)	(*ii*)	(*iv*)	(*iii*)

57. मैट्रिक्स $\begin{bmatrix} 2 & 0 & 0 & 0 \\ 0 & 4 & 0 & 0 \\ 0 & 0 & 5 & 0 \\ 0 & 0 & 0 & 1 \end{bmatrix}$ का प्रतिलोम है :

A. $\begin{bmatrix} 0.25 & 0 & 0 & 0 \\ 0 & 0.5 & 0 & 0 \\ 0 & 0 & 0.2 & 0 \\ 0 & 0 & 0 & 1 \end{bmatrix}$

B. $\begin{bmatrix} 0.2 & 0 & 0 & 0 \\ 0 & 1 & 0 & 0 \\ 0 & 0 & .25 & 0 \\ 0 & 0 & 0 & 0.5 \end{bmatrix}$

C. $\begin{bmatrix} 0.5 & 0 & 0 & 0 \\ 0 & 0.25 & 0 & 0 \\ 0 & 0 & 0.2 & 0 \\ 0 & 0 & 0 & 1 \end{bmatrix}$

D. $\begin{bmatrix} 0.5 & 0 & 0 & 0 \\ 0 & 0.25 & 0 & 0 \\ 0 & 0 & 1 & 0 \\ 0 & 0 & 0 & 0.4 \end{bmatrix}$

58. सूची-I को सूची-II के साथ सुमेलित करें तथा निम्नलिखित विकल्पों में से सही विकल्प चुनें :

सूची-I	**सूची-II**
(*a*) ट्रेजरी बिल	(*i*) आर.बी.आई.
(*b*) वाणिज्यिक पत्र	(*ii*) आई.एम.एफ.
(*c*) रेपो दर	(*iii*) सरकार
(*d*) एस.डी.आर.	(*iv*) निजी कम्पनियाँ

कोड :

	(*a*)	(*b*)	(*c*)	(*d*)
A.	(*iv*)	(*iii*)	(*ii*)	(*i*)
B.	(*iii*)	(*iv*)	(*ii*)	(*i*)
C.	(*iii*)	(*iv*)	(*i*)	(*ii*)
D.	(*iv*)	(*iii*)	(*i*)	(*ii*)

59. निम्नलिखित को उनके प्रकट होने के कालक्रमानुसार व्यवस्थित कीजिए :

(*a*) हयेक का निवेश सिद्धांत

(*b*) फिशर का निवेश सिद्धांत

(*c*) जोर्गेन्सन का निवेश सिद्धांत

(*d*) मार्कोविट्ज का निवेश सिद्धांत

सही दिए गए विकल्पों में से सही विकल्प चुनिए :

A. (*b*), (*a*), (*d*), (*c*) B. (*d*), (*b*), (*c*), (*a*)

C. (*c*), (*a*), (*b*), (*d*) D. (*a*), (*c*), (*d*), (*b*)

60. निम्नलिखित उत्पादों में से किस उत्पाद में प्रतिकूल चयन का सामना किया जाता है?

A. बीमा का बाजार

B. क्रेडिट का बाजार

C. न A और न B

D. दोनों A और B

61. उपभोक्ता सिद्धांत में अर्थशास्त्रियों के निम्नलिखित योगदान को कालक्रमानुसार व्यवस्थित कीजिए :

A. रैखिक व्यय प्रणाली, प्रकट अधिमान (वरीयता) सिद्धांत, गणनावाचक सिद्धांत (कार्डिनल थ्योरी), क्रमवाचक सिद्धांत (ओर्डिनल थ्योरी)

B. गणनावाचक सिद्धांत, क्रमवाचक सिद्धांत, प्रकट अधिमान सिद्धांत, रैखिक व्यय प्रणाली

C. गणनावाचक सिद्धांत, प्रकट अधिमान सिद्धांत, क्रमवाचक सिद्धांत, रैखिक व्यय प्रणाली

D. प्रकट अधिमान सिद्धांत, गणनावाचक सिद्धांत, रैखिक व्यय प्रणाली, क्रमवाचक सिद्धांत

62. निम्नलिखित अर्थशास्त्रियों को उपभोक्ता व्यवहार के सिद्धान्त में उनके योगदान के संबंध में कालाक्रमानुसार क्रम में सुव्यवस्थित कीजिए। सही उत्तर को चुनिए :

A. ए. मार्शल, आर. स्टोन, पी. सैम्युल्सन, जे.आर. हिक्स तथा आर.जी.डी. एलेन

B. आर.टोन, पी. सैम्युल्सन, जे.आर., हिक्स तथा आर. जी.डी. एलेन, ए. मार्शल

C. पी. सैम्युल्सन, जे.आर. हिक्स तथा आर.जी.डी. एलेन, आर. स्टोन, ए. मार्शल

D. ए. मार्शल, जे.आर. हिक्स तथा आर.जी.डी. एलेन, पी. सैम्युल्सन, आर. स्टोन

63. निम्नलिखित कथनों पर विचार कीजिए :

I. जोखिमपूर्ण आय की तुलना में प्रत्याशित मूल्य के समान स्तर के साथ निश्चित आय को तरजीह देने पर जोखिम-विमुख व्यवहार का मार्ग प्रशस्त होता है।

II. प्रत्याशित मूल्य के समान स्तर के साथ निश्चित आय और अनिश्चित आय के बीच तटस्थ होने पर जोखिम-विमुख व्यवहार का मार्ग प्रशस्त होता है।

उपरोक्त में से कौन-सा कथन सही है? सही विकल्प चुनिए :

A. I और II दोनों सही हैं

B. न तो I और न ही II सही है

C. केवल I सही है

D. केवल II सही है

64. नीचे दो कथन दिए गए हैं जिनमें एक को अभिकथन (A) तथा दूसरे को तर्क (R) कहा गया है :

अभिकथन (A) : बौद्धिक संपदा अधिकारों को ऊरुग्वे राउंड ट्रेड नेगोशिएशन्स में लाया गया था।

तर्क (R) : अंतर्राष्ट्रीय व्यापार प्रतिबंधों का प्रयोग बौद्धिक संपदा अधिकारों के उल्लंघन को हतोत्साहित करने के लिए किया जा सकता है।

उपरोक्त दो कथनों के संदर्भ में सही विकल्प चुनें :

A. (A) तथा (R) दोनों सही हैं और (R), (A) की सही व्याख्या है।

B. (A) तथा (R) दोनों सही हैं और (R), (A) की सही व्याख्या नहीं है।

C. (A) सही है और (R) गलत है।

D. (A) गलत है और (R) सही है।

65. रेखीय प्रोग्रामिंग में प्रत्येक निर्मेय (जिसे प्राइमल कहा जाता है) में द्वैत भी होता है। रेखीय प्रोग्रामिंग में द्वैतता (ड्यूएलिटी) के संबंध में निम्नलिखित कथन दिए गए हैं :

(*a*) यदि रेखीय प्रोग्रामिंग समस्या अधिकतम प्रकार का है तो इसका द्वैत न्यूनतम प्रकार का है।

(*b*) प्राइमल तथा द्वैत दोनों का एक ही इष्टतम मान है।

(*c*) रेखीय प्रोग्रामिंग के द्वैत की द्वैत समस्या प्राइमल समस्या होती है।

(*d*) यदि रेखीय प्रोग्रामिंग निर्मेय को 'से कम (लैस देन)' प्रकार के साथ अधिकतम बनाना (मैक्सी-माइसिंग) बाध्यता है तो इस समस्या का द्वैत से 'से अधिक' (मोर दैन) प्रकार का होगा।

सही विकल्प चुनें :

A. केवल (*a*) तथा (*b*) सही हैं

B. केवल (*c*) तथा (*d*) सही हैं

C. (*a*), (*b*) तथा (*c*) सही हैं

D. (*a*), (*b*), (*c*) तथा (*d*) सभी सही हैं

66. कर का समपूर्ण बोझ उपभोक्ता द्वारा वहन किया जाता है, यदि :

A. मद की माँग पूर्णतः लोचशील तथा पूर्ति पूर्णतः अलोचशील है

B. मद की माँग की लोचशीलता वही है जैसी मद की पूर्ति की लोचशीलता
C. मद की माँग अलोचशील है और पूर्ति पूर्णतः लोचशील है
D. किसी मद की माँग की लोचशीलता वस्तु की पूर्ति की लोचशीलता से कम है

67. निम्नलिखित कथनों पर विचार करें :

(*a*) राष्ट्रीय कृषि बीमा योजना (एन.ए.आई.एस.) का मुख्य उद्देश्य प्राकृतिक आपदाओं के कारण फसल खराब होने से हुई हानियों के प्रति किसानों को सुरक्षा देना है।

(*b*) राष्ट्रीय कृषि बीमा योजना (एन.ए.आई.एस.) सभी कर्जदार एवं गैर-कर्जदार दोनों किसानों को उनकी धारिता पर ध्यान दिए बिना उपलब्ध है।

उपरोक्त दिए गए कथनों में से कौन-सा/से सही हैं?

A. केवल (*a*)
B. केवल (*b*)
C. (*a*) और (*b*) दोनों
D. (*a*) तथा (*b*) में कोई नहीं

68. नीचे दो कथन दिए गए हैं जिनमें एक को अभिकथन (A) तथा दूसरे को तर्क (R) कहा गया है :

अभिकथन (A) : भारत में छिपी हुई बेरोजगारी विद्यमान है।

तर्क (R) : मार्जिन पर कृषि उत्पादकता शून्य के समीप है।

उपरोक्त दो कथनों के संदर्भ में सही विकल्प चुनें :

A. (A) तथा (R) दोनों सही हैं और (R), (A) की सही व्याख्या है।
B. (A) तथा (R) दोनों सही हैं और (R), (A) की सही व्याख्या नहीं है।
C. (A) सही है और (R) गलत है।
D. (A) गलत है और (R) सही है।

69. नीचे तीन कथन दिए गए हैं :

(*a*) जनराईलज्ड लीस्ट स्केवयर्स (जी.एल.एस.) पद्धति जहाँ ओ.एल.एस. असफल होता है उस स्थिति में ब्लू (बी.एल.यू.ई.) उपलब्ध करवाने में सक्षम होती है।

(*b*) जी.एल.एस. परिवर्तित चरों पर ओ.एल.एस. है जो स्टैंडर्ड लीस्ट स्केवयर्स की परिकल्पना को सन्तुष्ट करता है।

(*c*) जी.एल.एस. पद्धति मल्टीकॉलीनियरिटी की समस्या के समाधान के लिए उपयुक्त है।

सही विकल्प चुनें :

A. (*a*) तथा (*b*) सही हैं और (*c*) सही नहीं है
B. (*a*) तथा (*c*) सही हैं और (*b*) सही नहीं है
C. (*a*) सही है और (*b*) तथा (*c*) सही नहीं है
D. (*a*) गलत है और (*b*) तथा (*c*) सही हैं

70. आयातित पनीर की प्रति इकाई पर ₹ 20 का कर किसका उदाहरण है :

A. यौगिक प्रशुल्क
B. विशिष्ट प्रशुल्क
C. प्रभावी प्रशुल्क
D. एडवेलोरम प्रशुल्क

71. निम्नलिखित में से कौन-सा कथन भारत में टेक्सटाइल क्षेत्र के बारे में सही नहीं है?

A. भारत के टेक्सटाइल और क्लोदिंग (पहनावा) सेक्टर में वर्तमान में 35 मिलियन व्यक्तियों को रोजगार प्राप्त है
B. यह कृषि के बाद दूसरा सबसे बड़ा रोजगार-प्रदाता है
C. जी.डी.पी. और अर्थव्यवस्था में वृद्धि होने पर टेक्सटाइल क्षेत्र में संकुचन की प्रवृत्ति है
D. टेक्सटाइल क्षेत्र निम्न कौशल वाले श्रमिकों का एक प्रमुख समाहक (एब्जॉर्बर) है

72. नीचे दो कथन दिए गए हैं जिनमें एक को अभिकथन (A) तथा दूसरे को तर्क (R) कहा गया है :

अभिकथन (A) : कुल वस्तुओं के लिए ग्राहकों द्वारा खरीद व्यय में गिरावट आती है।

तर्क (R) : उक्त वस्तुओं के लिए माँग की आय लोच अधिक होती है।

उपरोक्त कथनों के संदर्भ में सही विकल्प चुनें :

A. (A) तथा (R) दोनों सही हैं और (R), (A) की सही व्याख्या है।
B. (A) तथा (R) दोनों सही हैं और (R), (A) की सही व्याख्या नहीं है।
C. (A) सही है परन्तु (R) गलत है।
D. (A) गलत है परन्तु (R) सही है।

73. अर्थमिति में उनके योगदान के संदर्भ में निम्नलिखित में से कौन-सा कालक्रमानुसार सही है?

A. एल.आर. क्लेन, एच. थील, ए.एल. नागर, टी. हेवेल्मो

B. ए.एल. नागर, टी. हेवेल्मो, एल.आर. क्लेन, एच. थील

C. टी. हेवेल्मो, एल.आर. क्लेन, एच. थील, ए.एल. नागर

D. एच. थील, एल.आर. क्लेन, ए.एल. नागर, टी. हेवेल्मो

74. नीचे दो शृंखलाएँ दी गई हैं :

(*a*) $1-\frac{1}{2}+\frac{1}{4}-\frac{1}{8}+\frac{1}{16}-\frac{1}{32}+...\infty$ तक

(*b*) $2+\sqrt{2}+1+\frac{1}{\sqrt{2}}+\frac{1}{2}+\frac{1}{2\sqrt{2}}+...\infty$ तक

सही विकल्प चुनें :

A. (*a*) अभिसारी है जबकि (*b*) अपसारी शृंखला है

B. (*a*) तथा (*b*) दोनों अभिसारी शृंखलाएँ हैं

C. (*a*) अपसारी है जबकि (*b*) अभिसारी शृंखला है

D. (*a*) तथा (*b*) दोनों अभिसारी नहीं हैं

75. 'जनांकिकीय लाभांश' की परिघटना निम्नलिखित में से किससे संबंधित है?

A. लिंगानुपात में वृद्धि

B. महिला जनसंख्या के हिस्से में वृद्धि

C. टी.एफ.आर. में गिरावट

D. कार्यशील आयु की जनसंख्या के हिस्से में वृद्धि

76. आगत-निर्गत विश्लेषण में योगदानकर्ता अर्थशास्त्रियों का निम्नलिखित में से कौन-सा कालक्रमानुसार क्रम सही है?

A. हॉकिन्स-साइमन, लिओन्टिफ, कार्ल मार्क्स, क्वैने

B. कार्ल मार्क्स, क्वैने, लिओन्टिफ, हॉकिन्स-साइमन

C. क्वैने, कार्ल-मार्क्स, लिओन्टिफ, हॉकिन्स-साइमन

D. लिओन्टिफ, हॉकिन्स-साइमन, कार्ल मार्क्स, क्वैने

77. लेन-देन माँग के प्रति माल-सूची (इन्वैंट्री) के उपागम सुझाव देते हैं कि माँग के लेन-देन घटक हैं :

A. ऋणात्मक रूप से वास्तविक सम्पत्ति से संबंधित है।

B. ऋणात्मक रूप से वास्तविक आय से संबंधित है।

C. ऋणात्मक रूप से मौद्रिक आय से संबंधित है।

D. ऋणात्मक रूप से ब्याज दर से संबंधित है।

78. तेल आयातक देशों के लिए 1970 के दशक तथा मध्य 2000 में तेल मूल्यों में वृद्धि ने निम्नलिखित में से किसका सहयोग किया?

(*a*) व्यापार की शर्तों में सुधार

(*b*) व्यापार छूट में संतुलन

(*c*) मुद्रा स्फीति

(*d*) सीमित आर्थिक विकास

नीचे दिए गए कूटों से सही उत्तर चुनें :

A. केवल (*a*), (*b*) तथा (*c*)

B. केवल (*b*), (*c*) तथा (*d*)

C. केवल (*c*), (*d*) तथा (*a*)

D. केवल (*a*) तथा (*d*)

79. सूची-I को सूची-II के साथ सुमेलित करें :

सूची-I	**सूची-II**
(*a*) आभासी लगान (क्वासी रेन्ट)	(*i*) ए.पी. लर्नर
(*b*) योजनाबद्ध विक्रय कर	(*ii*) पी.ए. सेम्युअल्सन
(*c*) एकाधिकार शक्ति	(*iii*) ए. मार्शल
(*d*) अधिमानों का सबल क्रम	(*iv*) एफ. चैम्बरलिन

सही विकल्प चुनिए :

	(*a*)	(*b*)	(*c*)	(*d*)
A.	(*iii*)	(*iv*)	(*i*)	(*ii*)
B.	(*iii*)	(*iv*)	(*ii*)	(*i*)
C.	(*iv*)	(*iii*)	(*i*)	(*ii*)
D.	(*iii*)	(*i*)	(*iv*)	(*ii*)

80. नीचे दो कथन दिए गए हैं जिनमें एक को अभिकथन (A) तथा दूसरे को तर्क (R) कहा गया है :

अभिकथन (A) : सूचकांक निर्माण में ज्यामितीय माध्य को सिद्धान्तया सर्वोत्तम औसत माना गया है।

तर्क (R) : ज्यामितीय माध्य का प्रयोग तब किया जाता है जब मदों की परिसीमा बहुत बड़ी होती है।

उपरोक्त कथनों के संदर्भ में सही विकल्प चुनें :

A. (A) तथा (R) दोनों सही हैं और (R), (A) की सही व्याख्या है।

B. (A) तथा (R) दोनों सही हैं और (R), (A) की सही व्याख्या नहीं है।

C. (A) सही है और (R) गलत है।

D. (A) गलत है और (R) सही है।

81. निम्नलिखित में से कौन-से संस्थान ग्रीन/नीले बक्स आर्थिक सहायता से संबंधित हैं?

(*a*) संयुक्त राष्ट्र

(*b*) विश्व बैंक

(*c*) विश्व पर्यटन संगठन

(*d*) विश्व व्यापार संगठन

नीचे दिए गए विकल्पों से सही विकल्प चुनें :

A. (*a*) और (*d*) B. (*b*) और (*d*)

C. केवल (*d*) D. केवल (*b*)

82. नीचे दो कथन दिए गए हैं जिनमें एक को अभिकथन (A) तथा दूसरे को तर्क (R) कहा गया है :

अभिकथन (A) : सी.ई.एस. उत्पादन फलन, उत्पादन फलनों के बड़े वर्ग की व्याख्या करता है।

तर्क (R) : सी.ई.एम. उत्पादन फलन में फैक्टर प्रतिस्थापन के लोच की स्थिर होने का गुण होता है।

उपरोक्त दो कथनों के संदर्भ में सही विकल्प चुनें :

A. (A) तथा (R) दोनों सही हैं और (R), (A) की सही व्याख्या है।

B. (A) तथा (R) दोनों सही हैं और (R), (A) की सही व्याख्या नहीं है।

C. (A) सही है और (R) गलत है।

D. (A) गलत है और (R) सही है।

83. निम्नलिखित में से बेसल III मानकों के कौन-से मुख्य स्तम्भ हैं?

(*a*) न्यूनतम पूँजी आवश्यकता

(*b*) पर्यवेक्षी पुनरीक्षा प्रक्रिया

(*c*) बाजार अनुशासन

(*d*) पूँजी पर अधिकतम प्रतिफल

नीचे दिए गए कूटों से सही उत्तर चुनें :

A. केवल (*a*), (*b*) तथा (*c*)

B. केवल (*a*) तथा (*d*)

C. केवल (*b*) तथा (*c*)

D. केवल (*b*), (*c*) तथा (*d*)

84. स्वायत्त निवेश के कारक हो सकते हैं :

(*a*) प्रौद्योगिकी का स्तर

(*b*) प्रत्याशा

(*c*) राष्ट्रीय आय-स्तर

सही विकल्प चुनिए :

A. केवल (*a*) तथा (*c*)

B. केवल (*b*) तथा (*c*)

C. केवल (*a*) तथा (*b*)

D. (*a*), (*b*) तथा (*c*)

85. जब ब्याज की बाजार दर में गिरावट होती है तो निम्नलिखित में से क्या होगा?

A. बंध पत्र (बांड) मूल्य तथा बंध पत्र (बांड) प्रतिफल दोनों में वृद्धि होगी

B. बंध पत्र (बांड) मूल्य तथा बंध पत्र (बांड) प्रतिफल दोनों में गिरावट होगी

C. बंध पत्र (बांड) मूल्य बढ़ेंगे और बंध पत्र (बांड) प्रतिफल में गिरावट होगी

D. बंध पत्र (बांड) मूल्य में गिरावट होगी तथा बंध पत्र (बांड) प्रतिफल में वृद्धि होगी

86. फ्रीडमैन के मुद्रा के आधुनिक परिमाण सिद्धान्त से निष्कर्ष निकलता है कि समग्र व्यय में परिवर्तनों का निर्धारण निम्नलिखित में परिवर्तन द्वारा किया जाता है :

A. मुद्रा आपूर्ति

B. ब्याज दर

C. मुद्रा का वेग

D. सरकारी व्यय तथा कर

87. यदि दी गई एक परिस्थिति में $P_x = 170$, $P_m = 190$ और $Z_x = 152$ है तो व्यापार की एकल कारकीय शर्त का मूल्य (T_s) निम्नलिखित में से क्या होगा?

A. 136 B. 148

C. 84 D. 116

88. 'फ्रीडम एज डिवलपमेंट' पुस्तक का लेखक कौन है?

A. गुन्नार मिरडल

B. एफ.ए. वॉन हेयक

C. अमर्त्य सेन

D. पॉल ए. सैम्युल्सन

89. नीचे दो कथन दिए गए हैं जिनमें एक को अभिकथन (A) तथा दूसरे को तर्क (R) कहा गया है :

अभिकथन (A) : सम्पत्ति अधिकारों पर विवाद के पक्ष आर्थिक रूप से इष्टतम समाधान के लिए बातचीत कर सकते हैं।

तर्क (R) : कुशल, प्रतिस्पर्धात्मक बाजार है तथा इनमें कोई लेन-देन लागत नहीं है।

उपरोक्त दोनों कथनों के संबंध में सही विकल्प चुनें :

A. (A) तथा (R) दोनों सही हैं और (R), (A) की सही व्याख्या है।

B. (A) तथा (R) दोनों सही हैं और (R), (A) की सही व्याख्या नहीं है।

C. (A) सही है और (R) गलत है।

D. (A) गलत है और (R) सही है।

90. सामान्य संभाव्यता वक्र में $\mu - 1.96\,\sigma$ और $\mu + 1.96\,\mu$ की रेन्ज (जहाँ μ = माध्य और σ = मानक विचलन है) के भीतर क्षेत्र कितना हे?

A. 90 प्रतिशत

B. 95 प्रतिशत

C. 75 प्रतिशत

D. 99 प्रतिशत

निर्देश (प्रश्न संख्या 91 से 95 तक): *निम्नलिखित गद्यांश को पढ़ें तथा इस पर आधारित प्रश्नों के उत्तर दें।*

औद्योगीकरण एवं विकास

वैश्विक परिदृश्य से देशों में कुछ सीमा तक औद्योगिक क्रियाविधियों को समर्पित जीवन स्तरों तथा संसाधनों की हिस्सेदारी के बीच निकट संबंध है। बहुत गरीब देशों में वस्तुतः कोई भी औद्योगिक नीति नहीं है जबकि मध्यम-उच्च आय वाले देश उद्योगों को 20-40 प्रतिशत संसाधन उपलब्ध करवाते हैं। विश्व के मात्र तीन देश ही केवल कृषि से अमीर हुए हैं : ये ऑस्ट्रेलिया, न्यूजीलैंड तथा कनाडा हैं। अन्य सभी देशों में कृषि से उद्योग एवं परिष्कृत सेवाओं में संसाधनों के स्थानान्तरण के कारण जीवन स्तरों में तीव्रता के साथ बढ़ोत्तरी हुई है।

उसके अतिरिक्त, शोध यह भी दर्शाते हैं कि देशों में उद्योग के वृद्धि तथा जीडीपी में वृद्धि के बीच निकट संबंध है अर्थात् अधिक यथार्थ रूप से जीडीपी वृद्धि के सापेक्ष में औद्योगिक विकास की अधिकता से जीडीपी वृद्धि तीव्र तथा बड़ी होती है यानी कि कुल जीडीपी में उद्योग का भाग तीव्रता से बढ़ता है। वर्ष 2000-2005 की अवधि में 131 विकासशील देशों के संबंध को चित्र में प्रदर्शित किया गया है जिसमें जीडीपी में वृद्धि उर्ध्वाधर अक्ष पर है तथा उद्योग की वृद्धि क्षैतिज अक्ष पर मापी गई है।

उद्योग की वृद्धि तथा जीडीपी में वृद्धि का संबंध

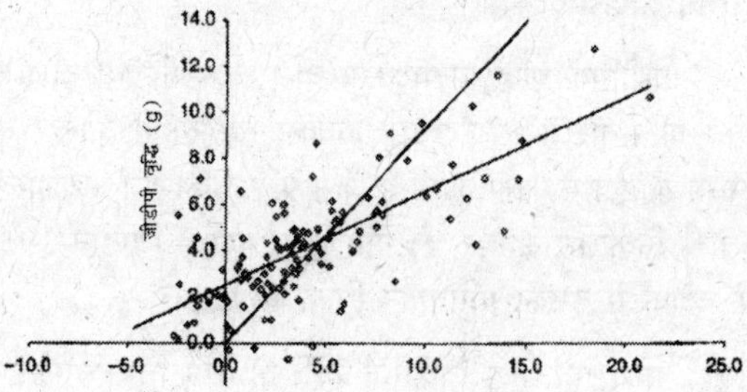

$$g = 2.529 + 0.39x$$
$$r^2 = 0.507$$

इस समीकरण के अनुसार सभी देशों के औसत से एक प्रतिशत, अधिक औद्योगिक वृद्धि देशों की जीडीपी वृद्धि औसत से 0.394 प्रतिशत, प्वाइंट अधिक होगी तथा बिन्दु जहाँ सहसम्बन्ध (को-रिलेशन) रेखा, 45 डिग्री पर रेखा को काटती है वहाँ यह लगभग 4.5 प्रतिशत होगी। यह औद्योगिक वृद्धि दर धीमे विकास वाले देशों को तीव्र विकास वाले देशों से अलग करती है।

प्रश्न है कि उद्योग, विशेषतः विनिर्माण उद्योग जो आनुभाविक संबंधों के लिए जवाबदेह है तथा जो उद्योग को विकास का इंजन बनाता है, के विषय में क्या विशेष है? चूँकि जीडीपी में वृद्धि का अंतर बड़े रूप से श्रम उत्पादकता की वृद्धि दर में संबंध होता है, अतः उद्योग की वृद्धि तथा उसकी उत्पादकता में अवश्य संबंध होना चाहिए, दो प्रमुख कारणों से इसकी प्रत्याशा है। सबसे पहले यदि स्थिर तथा गतिज दोनों रूपों में निर्गत में वृद्धि तथा उद्योग में श्रम उत्पादकता के विकास में संबंध होने की प्रत्याशा है। पैमाने की स्थिर मितव्ययता का संदर्भ बड़े स्तर की अर्थव्यवस्था से है जिसमें मदों के व्यापक पैमाने पर उत्पादन कम औसत लागत पर किए जाते हैं। पैमाने की गतिज मितव्ययता के पैमाने का संदर्भ अभिप्रेरित प्रभाव से है कि निर्गत वृद्धि पूँजी संचयन तथा पूँजी में नई तकनीकी

प्रगति का मूर्त रूप है। जैसे-जैसे 'लर्निंग ऑफ डूइंग' द्वारा निर्गत में वृद्धि होती है, श्रम उत्पादकता भी बढ़ती है। दूसरे यदि कृषि तथा खुदरा सेवाओं जैसी उद्योग से बाहर की क्रियाविधि श्रम के सीमांत उत्पाद औसत उत्पाद से कम करके ह्रासमान प्रतिफल के अधीन है और जैसे उद्योग विस्तारित होते हैं संसाधनों को उन क्रियाविधियों से निकाल कर उद्योग में यदि लगाया जाता है तो गैर-औद्योगिक क्रियाविधियों में श्रम का औसत उत्पाद बढ़ेगा।

औद्योगिक वृद्धि, उत्पादकता वृद्धि तथा जीडीपी वृद्धि के बीच के संबंध को प्रगति पूर्व विकास साहित्य में काल्डर का नियम के रूप में जाना जाता है जिसे प्रसिद्ध कैम्ब्रिज अर्थशास्त्री (लॉर्ड) निकोलस काल्डर का नाम दिया गया है जिन्होंने 1960 के दशक में इसका प्रतिपादन किया था।

91. मध्य एवं उच्च विकसित देशों के लिए निम्नलिखित में से कौन-सा कथन सही है?

A. औद्योगिक क्रियाविधि को ये देश संसाधनों का औसत 30 प्रतिशत भाग समर्पित करते हैं

B. औद्योगिक क्रियाविधि की वृद्धि में कृषि से उद्योग में संसाधनों का स्थानांतरण शामिल है

C. उच्चतर वृद्धि के लिए कृषि, उद्योग तथा उच्चतर श्रम की सेवाओं के बीच संसाधनों का स्थानांतरण एक समान है

D. ऑस्ट्रेलिया, कनाडा तथा न्यूजीलैंड ने अकेले कृषि में वृद्धि से ही विकास किया है

92. पैमाने की गतिज अर्थव्यवस्था में निम्नलिखित में से किसे शामिल नहीं किया गया?

A. पूँजी संचयन पर निर्गत वृद्धि का अभिप्रेरित प्रभाव

B. नई तकनीक के कारण पूँजी की गुणवत्ता में सुधार

C. श्रम सघन क्षेत्र को निर्गत की वृद्धि सहित बढ़े हुए प्रतिफल मिलेंगे

D. कम उत्पादक क्षेत्र से अधिक उत्पादक क्षेत्र में स्थानांतरण से श्रम के औसत उत्पाद में वृद्धि होगी

93. चित्र से संबंधित निम्नलिखित कथनों पर विचार करें :

(*a*) 45 डिग्री रेखा औद्योगिक वृद्धि दर तथा जीडीपी वृद्धि दर के बीच समान संगतता को इंगित करती है।

(*b*) जीडीपी वृद्धि दर औद्योगिक वृद्धि दर का कारण है।

(*c*) औद्योगिक वृद्धि दर का जीडीपी दर पर आधिक्य, जीडीपी वृद्धि दर को और बढ़ा रहा है।

(*d*) धीमे तथा तीव्रता से वृद्धि कर रही अर्थव्यवस्थाओं को विभक्त करने वाला बिंदु औद्योगिक वृद्धि दर का 3.9 प्रतिशत है।

सही विकल्प का चयन करें :

A. केवल (*a*) और (*c*) सही हैं

B. केवल (*a*) और (*b*) सही हैं

C. केवल (*a*), (*b*) और (*c*) सही हैं

D. केवल (*b*) तथा (*d*) सही हैं

94. पैमाने की गतिज अर्थव्यवस्था में निम्नलिखित में से किसे शामिल नहीं किया गया?

A. पूँजी संचयन पर निर्गत वृद्धि का अभिप्रेरित प्रभाव

B. नई तकनीक के कारण पूँजी की गुणवत्ता में सुधार

C. श्रम सघन क्षेत्र को निर्गत की वृद्धि सहित बड़े हुए प्रतिफल मिलेंगे

D. कम उत्पादक क्षेत्र से अधिक उत्पादक क्षेत्र में स्थानान्तरण से श्रम के औसत उत्पाद में वृद्धि होगी

95. निम्नलिखित में से कौन-सा कथन सही है?

A. कुछ देशों में औद्योगिक क्रियाविधि को समर्पित जीवन स्तर तथा संसाधनों के बीच सकारात्मक संबंध है

B. जीवन स्तरों तथा संसाधनों के प्रयोग में निकट संबंध है

C. जीवन स्तरों तथा औद्योगिक गतिविधि को समर्पित संसाधनों के बीच संबंध वैश्विक रूप से सही है

D. जीवन स्तरों तथा संसाधनों के प्रयोग के बीच कम सह संबंध है

निर्देश (प्रश्न संख्या 96 से 100 तक): *निम्नलिखित गद्यांश को पढ़ें तथा इस पर आधारित प्रश्नों के उत्तर दें।*

सतत विकास लक्ष्य (एस.डी.जी.) पूर्ववर्ती सहस्राब्दी विकास लक्ष्यों (एम.जी.डी.) के आधार पर बनाए गए हैं। वे व्यापक, सार्वभौम एवं समाकलित हैं और गरीबी तथा असमानता, आर्थिक

वृद्धि, नवोन्मेष, सतत उपभोग तथा उत्पादन, जलवायु परिवर्तन, शांति एवं न्याय और साझेदारियों के मूल क्षेत्रों पर बल देते हैं।

अनुमान दर्शाते हैं कि विश्व भर में इन लक्ष्यों के वित्तपोषण के लिए प्रतिवर्ष 5 से 7 ट्रिलियन अमेरिकी डॉलर और विकासशील देशों में इन लक्ष्यों के वित्तपोषण के लिए प्रतिवर्ष 3.9 ट्रिलियन अमेरिकी डॉलर की आवश्यकता पड़ेगी। लेकिन, विकासशील देशों में वर्तमान निवेश लगभग 1.4 ट्रिलियन अमेरिकी डॉलर का है, जिससे प्रतिवर्ष 2.5 ट्रिलियन अमेरिकी डॉलर की कमी (अंकटाड, 2014) हो गई है। इसलिए, इस पैमाने पर वैश्विक कार्रवाई के बारे में विश्व भर में प्रभावोत्पादक वित्तपोषण और कार्यान्वयन के लिए विभिन्न सरकारों, विकास-संस्थाओं, निजी क्षेत्र और वित्तीय संस्थाओं के बीच सुदृढ़ समन्वय आवश्यक है।

सतत विकास के लिए प्रत्येक देश द्वारा अपने लक्ष्यों की प्राथमिकता तैयार करना और स्थानीय चुनौतियों, क्षमताओं और उपलब्ध संसाधनों के अनुसार विभिन्न योजनाओं/कार्यक्रमों का सावधानीपूर्वक कार्यान्वयन आवश्यक है। भारत अनेक व्यापक योजनाओं का कार्यान्वयन कर सतत विकास लक्ष्यों की प्राप्ति के लिए एक समग्र उपागम अपना रहा है। भारत सरकार की सिरमौर नीतियाँ और कार्यक्रम, जैसे—स्वच्छ भारत मिशन (एस.बी.एम.), बेटी बचाओ, बेटी पढ़ाओ (बी.बी.बी.पी.), प्रधानमंत्री आवास योजना (पी.एम.ए.वाई.), प्रधानमंत्री जन-धन योजना (पी.एम.जे.डी.वाई.), दीनदयाल उपाध्याय ग्राम ज्योति योजना (डी.डी.यू.जी.जे.वाई.) और प्रधानमंत्री उज्ज्वला योजना (पी.एम.यू.वाई.) ने इस बारे में भारतीय प्रगति में सतत योगदान किया है।

भारत के संघीय ढाँचे के संदर्भ में कार्यक्रमों और योजनाओं को मूल रूप से राज्यों और संघ-राज्य क्षेत्रों में कार्यान्वित किया जाता है। इसलिए, उपयुक्त नीतिगत कार्यों और राज्यों एवं संघ राज्य क्षेत्रों के बीच एक प्रतियोगात्मक भावना के निर्माण के लिए विभिन्न सतत विकास लक्ष्यों की प्रगति की खोज-खबर लेते रहना (ट्रैकिंग) अति आवश्यक है। नीति आयोग ने सभी राज्यों एवं संघ-राज्य क्षेत्रों (राज्यों/संघ राज्य क्षेत्रों में तुलनात्मक आंकड़ों की उपलब्धता के आधार पर लक्ष्य 12, 13, 14 और 17 को छोड़कर) में प्रगति की खोज-खबर लेते रहने के लिए एक एकल मापनीय सूचकांक तैयार किया है। सतत विकास लक्ष्यों (एस.डी.जी.) संबंधी यह सूचकांक भारत की प्रगति के बारे में एक समुच्चित (कुल) मूल्यांकन प्रदान करता है। यह सूचकांक संसूचित नीति निर्माण में सहायता करता है क्योंकि इसमें राष्ट्र एवं राज्य दोनों के स्तर पर सामाजिक, आर्थिक एवं पर्यावरण संबंधी 62 चयनित संकेतकों का लेखा-जोखा प्रस्तुत किया जाता है। इसके प्राप्तांक (स्कोर) में 0 से लेकर 100 तक की सीमा होती है। 65 के बराबर/उससे अधिक प्राप्तांक वाले राज्यों को 'फ्रंट रनर्स' और 50-64 की रेंज के प्राप्तांक वाले राज्यों को 'परफॉर्मर्स' माना जाता है, तथा यदि प्राप्तांक 50 से कम है तो उन राज्यों को 'एसपायेरन्ट्स' माना जाता है। 100 प्राप्तांक वाले राज्यों को 'अचीवर्स' माना जाता है यानी इन राज्यों ने 2030 के लिए निर्धारित राष्ट्रीय लक्ष्यों को प्राप्त कर लिया है। शून्य (0) प्राप्तांक को सर्वाधिक खराब निष्पादक (परफॉर्म) के रूप में निरूपित किया जाता है। सतत विकास लक्ष्य सूचकांक स्कोर की राज्यों के लिए 42 और 69 के बीच रेन्ज है, जबकि संघ-राज्यक्षेत्रों के लिए रेन्ज 57 और 68 के बीच है।

96. भारत सरकार की निम्नलिखित में से कौन-सी योजनाएँ सतत विकास लक्ष्यों (एस.डी.जी.) की दिशा में भारत की प्रगति में योगदान करती हैं?

(*a*) स्वच्छ भारत मिशन

(*b*) प्रधानमंत्री उज्ज्वला योजना

(*c*) प्रधानमंत्री सौभाग्य योजना

(*d*) प्रधानमंत्री मुद्रा योजना

नीचे दिए गए विकल्पों से सही विकल्प चुनें :

A. (*a*) और (*b*) B. (*a*) और (*c*)

C. (*c*) और (*d*) D. (*b*) और (*d*)

97. नीति आयोग द्वारा तैयार किए गए एस.डी.जी. सूचकांक के बारे में निम्नलिखित में से कौन-सा सही नहीं है?

A. इसमें 13 एस.डी.जी. सम्मिलित हैं

B. इसमें 62 संकेतक हैं

C. इससे लक्ष्य 12, 14 को अपवर्जित (एक्सक्लूड) कर दिया गया है

D. इस सूचकांक की रेंज 0 से 1 तक है

98. सतत विकास लक्ष्यों (एस.डी.जी.) के बारे में निम्नलिखित में से कौन-सा सही नहीं है?

A. गरीबी और असमानता

B. जलवायु परिवर्तन

C. सहस्राब्दी विकास लक्ष्य

D. सतत उपभोग

99. नीति आयोग का एस.डी.जी. सूचकांक राज्यों/संघ राज्य क्षेत्रों को विभिन्न श्रेणियों में वर्गीत करता है। श्रेणी को संबंधित स्कोर (प्राप्तांक) से सुमेलित कीजिए।

(*a*) परफोर्मस (निष्पादक)	(*i*) 50-64
(*b*) एसपायरेन्ट्स	(*ii*) ≥ 65
(*c*) फ्रंट रर्न्स	(*iii*) 100
(*d*) अचीवर्स	(*iv*) < 50

नीचे दिए गए विकल्पों में से सही विकल्प चुनिए :

	(*a*)	(*b*)	(*c*)	(*d*)
A.	(*iv*)	(*i*)	(*iii*)	(*ii*)
B.	(*ii*)	(*iii*)	(*i*)	(*iv*)
C.	(*i*)	(*iv*)	(*ii*)	(*iii*)
D.	(*iii*)	(*ii*)	(*iv*)	(*i*)

100. भारत में राज्यों के लिए एस.डी.जी. सूचकांक की रेन्ज क्या है?

A. 42-69 B. 57-68

C. 42-57 D. 42-68

उत्तरमाला

1	2	3	4	5	6	7	8	9	10
A	A	C	A	A	C	D	A	C	D
11	**12**	**13**	**14**	**15**	**16**	**17**	**18**	**19**	**20**
A	B	C	C	D	D	C	B	C	C
21	**22**	**23**	**24**	**25**	**26**	**27**	**28**	**29**	**30**
A	A	D	A	B	D	C	A	B	C
31	**32**	**33**	**34**	**35**	**36**	**37**	**38**	**39**	**40**
D	B	A	A	B	D	D	C	A	B
41	**42**	**43**	**44**	**45**	**46**	**47**	**48**	**49**	**50**
A	B	B	B	D	C	B	D	B	A
51	**52**	**53**	**54**	**55**	**56**	**57**	**58**	**59**	**60**
C	A	C	C	A	D	C	C	A	D
61	**62**	**63**	**64**	**65**	**66**	**67**	**68**	**69**	**70**
B	D	A	B	D	A	C	A	A	B
71	**72**	**73**	**74**	**75**	**76**	**77**	**78**	**79**	**80**
C	C	C	B	D	C	D	B	A	B
81	**82**	**83**	**84**	**85**	**86**	**87**	**88**	**89**	**90**
C	A	A	D	C	A	A	C	A	B
91	**92**	**93**	**94**	**95**	**96**	**97**	**98**	**99**	**100**
C	C	A	C	C	A	D	C	C	A

व्याख्यात्मक उत्तर

3. दास कैपिटल = 1867 मार्क्स द्वारा
वैल्यू एंड कैपिटल = 1939 हिक्स द्वारा
कैपिटल एंड ग्रोथ = 1965 हिक्स द्वारा
एक्यूमुलेसन ऑफ कैपिटल = 1956 रॉबिन्सन द्वारा

4. जनसंख्या के इष्टतम स्तर को एक ऐसी स्थिति के रूप में परिभाषित किया जा सकता है जहां व्यक्तियों को प्रति व्यक्ति आय सबसे अधिक संभव हो रही है। उपलब्ध संसाधनों और प्रौद्योगिकी के स्तर को देखते हुए, सिद्धांत को शुरू में 1924 में एडविन केनन द्वारा लोकप्रिय बनाया गया था। सिद्धांत से जुड़े अन्य से जुड़े अन्य अर्थशास्त्री मार्शल, रॉबिंस, डाल्टन, गिन्नी, सिडगविक, कैर-सॉन्डर्स हैं।

7. **के. कैल्डोर के विकास का मॉडलः** प्रोफेसर कैल्डॉर अपने मॉडल ऑफ इकोनॉमिक ग्रोथ में हैरोडियन एप्रोच और कीनेसियन के तकनीकों के विश्लेषण का अनुसरण करते हैं। अन्य नियोक्लासिकल मॉडल तकनीकी प्रगति के कारण को पूरी तरह से बहिर्जात मानते हैं, लेकिन कैल्डॉर "पूंजी संचय के लिए तकनीकी प्रगति की उत्पत्ति से संबंधित एक ढांचा प्रदान करने" का प्रयास करते हैं। मान्यताऐं - कैल्डॉर के मॉडल के मूल गुण का धारणा निम्नानुसार हैं–

(*a*) यह कीन एसियन के पूर्ण रोजगार धारणा पर आधारित है, जिसमें सकल वस्तुओं और सेवाओं की छोटी अवधि की आपूर्ति मौद्रिक मांग में किसी थी वृद्धि के लिए अयोग्य और गैर जिम्मेदार है।

(*b*) यह माना जाता है कि तकनीकी प्रगति पूंजी संचय की दर पर निर्भर करती है। इसके लिए, कैल्डॉर "तकनीकी प्रगति कार्य" को दर्शाता है, जो प्रवृत्तियों का एक संयुक्त उत्पादन हैः पूंजी की वृद्धि और उत्पादकता का विकास। पूंजी-उत्पादन अनुपात दोनों के बीच के संबंध पर निर्भर करेगा।

(*c*) आय में मजदूरी और मुनाफा होता है, जिसमें वेतन और शारीरिक श्रम की कमाई शामिल होती है, और मुनाफे में उद्यमियों और साथ ही संपत्ति के मालिकों की आय भी शामिल होती है।

(*d*) कुल बचत में मजदूरी से बाहर की बचत और मुनाफे से बचत शामिल हैं।

(*e*) यह माना जाता है कि कुल आय में मुनाफे का हिस्सा निवेश का एक कार्य है, जिसे मुनाफे से बचाने के लिए प्रवृत्ति दी जाती है।

(*f*) मॉडल में उपयोग की जाने वाली आय, मजदूरी, लाभ, पूंजी, बचत और निवेश की सभी वृहद आर्थिक अवधारणाएं नियम कीमतों पर व्यक्त की जाती हैं।

(*g*) मौद्रिक नीति उस मॉडल में एक निष्क्रिय भूमिका निभाती है जिसमें उत्पादकता या उत्पादकता के साथ पैसे की मजदूरी तेजी से बढ़ सकती है।

(*h*) यह माना जाता है कि मुनाफे और मजदूरी के हिस्से में बदलाव और अपनाई गई तकनीकों के विकल्प पर ब्याज दरों में बदलाव को कोई प्रभाव नहीं है।

(*i*) तकनीक का विकल्प पूंजी के संचय और उद्योगों को बनाने वाले पूंजीगत सामान में तकनीकों की प्रगति के साथ माना जाता है।

8. यहाँ, कुल लागत

$$C = \frac{1}{10}q^3 - 3q^2 + 50q + 300$$

$$\therefore \quad MC = \frac{dC}{dq}$$

$$= \frac{1}{10} \times 3 \times q^2 - 3 \times 2 \times q + 50$$

चूँकि, $q = 10$

$$\therefore \quad MC = \frac{1}{10} \times 3 \times 10^2 - 3 \times 2 \times 10 + 50$$

$$= \frac{1}{10} \times 3 \times 100 - 60 + 50$$

$$= 30 - 60 + 50$$

$$= 20.$$

10. **रेपो रेटः** यह दर है जिस पर भारतीय रिजर्व बैंक (RBI) वाणिज्यिक बैंकों को उधार पर पैसा देता है।

रिवर्स रेपो रेटः यह वह दर है जिस पर आर बी आई वाणिज्यिक बैंकों से पैसा उधार लेता है।

नगद आरक्षित अनुपात (CRR): शुद्ध मांग और देनदारियों का समय दायित्व (जमा) का अंश जिसे बैंकों को रिजर्व बैंक के साथ नकदी संतुलन बनाए रखना चाहिए।

सांविधिक तरलता अनुपात (SLR): शुद्ध मांग और देनदारियों का समय दायित्व (जमा) का अंग जिसे बैंकों को सुरक्षित और तरल परिसंपत्ति जैसे– सरकारी प्रतिभूतियां, नकद और सोना आदि के रूप में बनाए रखना चाहिए।

बैंक दरः यह पह दर है जिस पर रिजर्व बैंक दीर्घावधि के लिए विनिमय-पत्रों अथवा वाणिज्यिक पत्रों के बिलों को खरीदने या रिडिस्काउंट बिलों को खरीदने के लिए तैयार रहता है।

सीमांत स्थायी सुविधा दर (MSF): वह दर जिस पर अनुसूचित बैंक रातों-रात आर.बी.आई. से अनुमोदित सरकारी प्रतिभूतियों के एवज में धन राशि प्राप्त कर सकते हैं।

24. तीन महत्वपूर्ण संतुलित विकास सिद्धांत हैं जैसे कि "रोसेस्टीन रोडन का "बिग पुश" सिद्धांत, ए. लेविस द्वारा श्रम की असीमित आपूर्ति का सिद्धांत और आर. नर्से द्वारा संतुलित विकास सिद्धांत। "बिग पुश" सिद्धांत विकासशील अर्थव्यवस्था से अविकसित अर्थव्यवस्था को खींचने के क्रम में व्यापक सर्वसमावेशी निवेश पर जोर देता है। लेविस के श्रम सिद्धांत की असीमित आपूर्ति निर्वाह क्षेत्र में श्रम के हस्तांतरण पर जोर देती है। अंत में, नर्से का संतुलित विकास सिद्धांत अविकसित अर्थव्यवस्थाओं के विकास को सुविधाजनक बनाने के लिए सभी क्षेत्रों के संतुलित विकास पर जोर देता है।

25. अर्थशास्त्रियों ने जोन रबिन्सन के विश्लेषण के आधार पर दिखाया है कि तकनीकी प्रगति हिक्स-न्यूट्रल और हैरोड-न्यूट्रल दोनों है। श्रम और पूंजी के बीच प्रतिस्थापन की लोच एकता है और आय के वितरण में कोई बदलाव नहीं है। यदि दी गई श्रम शक्ति पूंजी अपरिवर्तित रहती है और आय का वितरण समान होता है, तो हिक्स के अर्थ में तटस्थ तकनीकी परिवर्तन है। यदि दी गई श्रम शक्ति के साथ पूंजी उसी अनुपात में जैसे राष्ट्रीय उत्पादन बढ़ती है और आय का वितरण समान है, तो यह हारोड तटस्थ है।

29. Output growth
= (Labour share × Labour growth) + (Capital share × Capital growth) + technical progress
Here, the rate of improvement of technology called technical progress, or the growth of total factor productivity
For Question,
Labour share = 2/3
Labour growth = 3%
Capital share = 1/3
Capital growth = 6%
From output growth = 6%
For equation (i)

$6 = \left(\frac{2}{3}\times 3\right) + \left(\frac{1}{3}\times 6\right)$ + Growth of total factor production

$\Rightarrow$ Grwoth total factor productivity
= 6 – (2 + 2) = 2%

34. V = C + S ...(*i*)

संतुलन स्तर पर

$$I = S$$
$$100 = -20 + 0.2Y$$
$$0.2Y = 120$$
$$Y = 120 = 600 = 0.2$$

(*i*) से, Y = C + S ...(*ii*)

यहाँ, S = –20 + 0.2 = 600
= –20 + 120 = 100

और, Y = 600

∴ समीकरण (*ii*) से,

$$600 = C + 100$$
$$C = 500$$

35. भारत में, संविधान का अनुच्छेछ 280 (3) (a) और (b) प्रत्येक 5 वर्षों में राष्ट्रपति को वित्त आयोग

नियुक्त करने का अधिकार देता है। वित्त आयोग का अधिदेश केंद्र और प्रत्येक राज्यों के राजकोषीय संसाधनों और जरूरतों का आकलन करने के लिए है, और राज्यों के बीच वितरण की सिफारिश करने के लिए अनुच्छेद 270 के तहत कर योग्य करों (निगम कर के अलावा अन्य आयकर) और अनुच्छेद 272 (संघ उत्पाद शुल्क), और राज्यों को अनुच्छेद 275 के तहत अनुदान सहायता की सिफारिश करने के लिए जो सहायता की आवश्यकता हो कर सकती है। अनुच्छेद 280 (3) (b) अन्य मामलों को वित्त आयोग को मजबूत वित्त के हितों में संदर्भित करने में सक्षम बनाता है।

37. ए. कौत्सायाइंस के अनुसार, पूर्ण प्रतियोगिता में विपणन तंत्र ही स्वयं संसाधनों के कुशल आबटंन के लिए प्रतिस्पर्धा को नेतृत्व करता है। जब पूरी तरह से महत्वपूर्ण स्थिति प्रबल होती है तो प्रतिस्पर्धी उद्योग लंबे समय से संतुलन की स्थिति में चल रहे होते हैं, ऐसे समय में निम्नलिखित स्थितियों के कारण इष्टतमता प्राप्त की जाती है:

(*a*) आउटपुट प्रति यूनिट लागत पर न्यूनतम उत्पादित किया जाता है।

(*b*) किसी वस्तु के लिए न्यूनतम संभावित मूल्य का भुगतान करके उपभोक्ता अपनी उपयोगिता को अधिकतम कर लेते हैं। प्रत्येक वस्तु की कीमत उत्पादन के सीमांत लागत को कवर करती है। अतः यहाँ P = MC, MC यहाँ संसाधनों के अवसर लागत को दर्शाता है।

(*c*) चूंकि प्रत्येक फर्म अपना इष्टतम आउटपुट सृजित करते हैं, इसलिए संयंत्रों को पूरी क्षमता से चलाया जाता है। अतः संसाधनों की क्षमता की बर्बादी नहीं होती न ही कोई ढिलाई होती है।

(*d*) फर्म सिर्फ सामान्य लाभ कमाते हैं। चूंकि प्रति यूनिट (Unit) लागत न्यूनतम है और मुनाफा सामान्य है, तो कीमत को फिलहाल कम नहीं किया जा सकता है। दूसरे शब्दों में प्रत्येक फर्म द्वारा शून्य अतिरिक्त लाभ होता है, जो यह सुनिश्चित करता है कि उपभोक्ता जो उत्पाद खरीदते हैं, उसका भुगतान न्यूनतम संभावित मूल्य पर करें।

हालांकि पूर्ण प्रतियोगिता दुलर्भ है, लेकिन भविष्य में ये स्थितियां सभी प्रतिस्पर्धी बाजारों में व्याप्त होंगी। इस प्रकार यदि संपूर्ण प्रतियोगिता को सभी में प्रबल होने दिया जाए, तो कमोडिटी और फैक्टर मार्केट संसाधन पूरी तरह से अर्थव्यवस्था में समग्र रूप से विकसित होंगी।

38. आय गुणक

$$K = \frac{1}{1 - MPC}$$

यहाँ, $MPC = 0.75$

$$\therefore \quad K = \frac{1}{1 - 0.75} = \frac{1}{0.25} = 4.$$

39. इनपुट दक्षता यह देखने के लिए कि कैसे इनपुट को कुशलता से संयोजित किया जा सकता है, हमें उन इनपुटों के विभिन्न संयोजनों को खोजना होगा जो दो आउटपुट में से प्रत्येक का उत्पादन करने के लिए उपयोग किए जा सकते हैं। उत्पादन प्रक्रिया में इनपुट का एक विशेष आवंटन तकनीकी रूप से कुशल है अगर है अगर एक वस्तु का उत्पादन दूसरे के बिना नहीं बढ़ाया जा सकता है। यदि इनपुट बाजार प्रतिस्पर्धी हैं, तो कुशल उत्पादन का एक बिंदु हासिल किया जाएगा। आइए देखें कि, यदि श्रम और पूंजी बाजार पूरी तरह से प्रतिस्पर्धी हैं, तो सभी उद्योगों से मजदूरी दर समान होगी। इसी तरह, पूंजी *r* के किराये की दर वही होगी चाहे पूंजी का उपयोग खाद्य या वस्त्र उद्योग में किया जाए। हम जानते हैं, कि अगर भोजन और कपड़ों के उत्पादक उत्पादन लागत को कम करते हैं, तो श्रम और पूंजी के संयोजन का उपयोग करेंगे ताकि दोनों इनपुट के सीमांत उत्पादों का अनुपात इनपुट मूल्यों के अनुपात के बराबर हो:

$$MP_L/MP_K = w/r$$

चूंकि दोनों इनपुट के सीमांत उत्पादों का अनुपात पूंजी के लिए श्रम के तकनीकी प्रतिस्थापन के सीमांत दर के बराबर है।

$$MRTSL_{LK},$$

जिसे परिणामस्वरूप

$$MRTS_{LK} = w/r$$

चूंकि MRTS फर्म के आइसोकेट का ढलान है, इसलिए इनपुट मार्केट में प्रतिस्पर्धी संतुलन तभी हो सकता है। जब प्रत्येक निर्माता श्रम और पूंजी का उपयोग करता है ताकि आइसोकेंट्स का ढलान एक-दूसरे के बराबर और दो इनपुट की कीमतों के अनुपात में हो। परिणामतः प्रतिस्पर्धी संतुलन उत्पादन में कुशल है।

47. हेक्सरार-ओहलिन प्रमेय, हेक्रार-ओहलिन प्रारूप के उन चार महत्वपूर्ण प्रमेयों में से एक है। यह कहता है, ''एक पूंजी-प्रचुर देश पूंजी-गहन वस्तुओं का निर्यात करेगा, जबकि प्रचुर मात्रा में श्रम संपन्न देश श्रम-प्रधान वस्तुओं का निर्यात करेंगा।'' हैक्सरार-ओहलिन प्रारूप की आलोचनात्मक अवधारणा है कि संसाधन बंदोबस्ती के अंतर के अलावा दोनों देश समान हैं। इसका तात्पर्य यह भी है कि कुल प्राथमिकतायें समान हैं। पूंजी में सापेक्ष प्रचुरता देश की पूंजी की प्रचुरता का कारण बनेगी। पूंजी-गहन वस्तुएं, श्रम-प्रचुर देश की तुलना में सस्ती या विलोमतः होंगी। प्रारंभ में जब देश व्यापार नहीं कर रहे हैं।

- पूँजी-प्रचुर मात्रा में पूँजी-सघन वस्तुओं की कीमत दूसरे देश में माल की कीमत के सापेक्ष कम बोली लगाई जाएगी।
- श्रम-प्रचुर देश में श्रम-गहन वस्तुओं की कीमत दूसरे देश में वस्तुओं की कीमत के सापेक्ष कम बोली लगाई जाएगी।
- एक बार व्यापार की अनुमति देने के बाद, लाभ-प्राप्त करने वाली कंपनियां अपने उत्पादों को उन बाजारों में स्थानांतरित कर देंगी, जहाँ (अस्थायी) उच्च कीमत है जिसके परिणामस्वरूपः
  - पूंजी-प्रचुर देश पूंजी-गहन वस्तुओं का निर्यात करेगा
  - श्रम-प्रचुर देश श्रम-गहन वस्तुओं का निर्यात करेगा।

वर्ष 1954 में वासिली लेओन्टिफ द्वारा लेओन्टिफ पैराडॉक्स प्रस्तुत किया गया। जिसके अनुसार, अमेरिका ने (दुनिया में सबसे अधिक पूंजी-उन्मूलन वाला देश किसी भी मापदंड से) हेक्सरार-ओहलिन प्रमेय के साथ स्पष्ट विरोधाभास में, श्रम-गहन वस्तुओं और आयातित पूंजी-गहन वस्तुओं का निर्यात किया।

48. प्रसरण विश्लेषण (ANOVA) में यह पता लागने में सक्षम करता है कि जिस जनसंख्या से हमने दो से अधिक नमूने लिए हैं क्या उनका माध्य मान है। दो से अधिक नमूनों के बीच अंतर के महत्व का परीक्षण करने का मतलब है कि हम इस तरह के निष्कर्ष बनाते हैं। भिन्नताओं की समानता का परीक्षण करने के लिए, हम ''F'' परीक्षण का उपयोग करते हैं। ''F'' के टेबल मान के साथ ''F'' मान की तुलना करके और अंतर के महत्व का विश्लेषण करके (यदि कोई हो) हम अपनी परिकल्पना का परीक्षण करते हैं।

51. पारदर्शिता को बढ़ावा देने और अपने सदस्यों की व्यापार नीतियों और प्रथाओं की बेहतर समझ प्रदान करने के लिए, डब्ल्यूटीओ के पास उनकी व्यापार नीतियों की नियमित समीक्षा के लिए एक तंत्र है। विश्व व्यापार में इसकी हिस्सेदारी के आधार पर, प्रत्येक सदस्य की व्यापार नीति की समीक्षा डब्ल्यूटीओ द्वारा निश्चित आवधिक अंतराल पर की जाती है। भारत का TPR हर चार साल में किया जाता है। TPR अन्य डब्ल्यूटीओ सदस्यों को समीक्षाधीन देश की नीतियों और प्रथाओं के विभिन्न पहलुओं पर सवाल पूछने और अपना हित रखने के लिए सभी अवसर प्रदान करता है।

53. एक त्रिकोणीय प्रणाली वह है जहां, ''अंतर्जात चर'' के बीच कार्य-कारण सभी एक दिशा में जाते हैं। इस प्रकार, इस तरह की प्रणाली युगपत प्रणाली नहीं है, और इसलिए OLS को सिस्टम में प्रत्येक समीकरण के लिए अलग से वैध रूप से लागू किया जा सकता है। यह इस प्रकार है कि यदि 2SLS जैसे सिस्टम तकनीक का उपयोग किया जाता है, यह अनावश्यक रूप से किया गया होगा, और इसलिए कम होने पर एक दक्षता हानि हो सकती है, वास्तविक मूल्यों के बजाय फार्म फिटेड मूल्यों का उपयोग किया जाता है।

55. विपणन में प्रतिस्पर्धा और बाह्यताः बाजार की प्रतिस्पर्धा यह मानती है कि नकारात्मक बाह्यता या खपत नहीं हैं और खपत का कोई सकारात्मक बाह्यता भी नहीं है। यदि किसी व्यक्ति की किसी वस्तु या सेवा की खपत किसी अन्य व्यक्ति की उपयोगिता के लिए सकारात्मक या नकारात्मक परिणाम है, तो उपभोग की बाह्यता मौजूद है। यदि बाह्यता मौजूद हैं, तो एक प्रतिस्पर्धी विपणन प्रक्रिया सामाजिक रूप से इष्टतम परिणामों को जन्म नहीं देगी। एक सकारात्मक बाह्यता दूसरे व्यक्ति की उपयोगिता को बढ़ाती है - हालांकि वह इसके लिए भुगतान नहीं करता है। स्वास्थ्य अर्थशास्त्र में एक सकारात्मक बाह्यता का एक उत्कृष्ट उदाहरण टीकाकरण हैः टीकाकरण का लाभ उन व्यक्तियों तक सीमित नहीं है जिनका इलाज किया गया है। हालांकि, विपणन प्रतिस्पर्धा में टीकाकरण के प्रत्यक्ष लाभार्थी को पूरी लागत वहन करनी होगी। परिणामस्वरूप, व्यक्तिगत उपभोक्ता बहुत कम टीकाकरण खरीदेंगे। इस बाजार की विफलता को दूर करने के लिए, सरकारें टीकाकरण की खरीद पर सब्सिडी दे सकते हैं, उन्हें मुफ्त में प्रदान कर सकते हैं या उन्हें अनिवार्य कर सकते हैं। एक नकारात्मक बाह्यता दूसरे व्यक्ति की उपयोगिता कम कर देती है। स्वास्थ्य अर्थशास्त्र में नकारात्मक बाह्यता का एक उत्कृष्ट उदाहरण धूम्रपान है। एक व्यक्ति द्वारा धूम्रपान करने से दूसरे व्यक्ति की उपयोगिता घट जाती हैं। परिणामस्वरूप, सरकारें धूम्रपान की कीमत बढ़ाएंगी या धूम्रपान न करने वालों की उपस्थिति में धूम्रपान करने के लिए व्यक्तिगत अवसरों को प्रतिबंधित करेंगी।

62.

ए. मार्शल	:	1890
जे. आर. हिक्स	:	1932
आर.जी.डी. एलन	:	1934
पी. सैमुअलसन	:	1938
आर. स्टोन	:	1982

63. जोखिम का लाभः जोखिम वाली आय के लिए एक निश्चित आय को उसी अपेक्षित मूल्य के साथ प्राथमिकता देना।

जोखिम से प्यारः एक निश्चित आय के लिए एक ही अनुमानित मूल्य के साथ एक जोखिम भरी आय को प्राथमिकता देना।

जोखिम तटस्थः एक निश्चित आय और एक ही अपेक्षित मूल्य के साथ अनिश्चित आय के बीच उदासीन होना।

जोखिम प्रीमियमः किसी जोखिम से बचने के लिए या किसी जोखिम को उठाने के लिए भुगतान की जाने वाली राशि।

66. मांग की आय लोच के प्रकारः आय लोच सकारात्मक हो सकती है। आय लोच पाँच अलग-अलग मान ग्रहण कर सकते हैं। ये हैं:

(i) **एक से अधिक :** यह तब होता है जब कि मांग की मात्रा में परिवर्तन, आय में प्रतिशत परिवर्तन से अधिक हो। इसे उच्च आय लोच कहा जाता है। यह विलासिता संबंधी सामानों के मामले में होता है।

(ii) **एक से बराबर :** यह तब होता है जब मांग की मात्रा में परिवर्तन, आय के प्रतिशत परिवर्तन के बराबर है, तो इसे एकात्मक आय लोच कहा जाता है। यह उन सामानों के लिए है जो आवश्यकताएँ और विलासिता की श्रेणी के बीच आते हैं।

(iii) **एक से कम :** यह तब होता है जब आय के प्रतिशत परिवर्तन की तुलना में मांग की मात्रा में प्रतिशत परिवर्तन कम होता है। इसे निम्न आय लोच कहा जाता है। यह आवश्यकताओं के मामले में होता है।

(iv) **शून्य के बराबर :** यह तब होता है जब आय में परिवर्तन के साथ मांग की मात्रा में कोई बदलाव नहीं होता है। इसे शून्य आय लोच कहा जाता है। इस तरह की वस्तुओं का उल्लेख करना कठिन है, जहाँ η_Y शून्य हो फिर भी इस प्रकार की वस्तुएँ आवश्यक श्रेणी और निम्न वस्तुओं की श्रेणी के बीच आती हैं।

(v) **शून्य से कम :** यह तब होता है, जब आय में परिवर्तन के साथ मांग की मात्रा में प्रतिशत ऋणात्मक होता है। इसे ऋणात्मक आय लोच कहते है। यह निम्न वस्तुओं के मामले में होता है।

सारणीः आय लोच के विभिन्न मान

η_Y का मान	शब्दावली	वस्तु के प्रकार
$\eta_Y > 1$	उच्च आय लोच	विलासिता की वस्तुएं
$\eta_Y = 1$	एकात्मक आय लोच	सामान्य वस्तुएं जिसकी अनिवार्यता है साथ ही अर्द्ध-विलासिता संबंधी है
$0 < \eta_Y < 1$	निम्न आय लोच	अनिवार्य
$\eta_Y = 0$	शून्य आय लोच	एक खराब गुणवत्ता वाली आवश्यकता हो सकती है
$\eta_Y < 1$	नकारात्मक आय लोच	निम्न स्तरीय वस्तुएं

69. मूल चर को इस तरह से बदलने की प्रक्रिया है कि रूपांतरित चर शास्त्रीय मॉडल की मान्यताओं को संतुष्ट करता है और फिर उन पर OLS लागू करने को सामान्यीकृत न्यूनतम वर्गों (GLS) की विधि के रूप में जाना जाता है। संक्षेप में, GLS, उन परिवर्तित चर पर OLS है जो मानक न्यूनतम-वर्गों की धारणाओं को संतुष्ट करते हैं। इस प्रकार अनुमानकों को GLS अनुमानक के रूप में जाना जाता है, और यह ये अनुमानक हैं BLUE।

70. टैरिफ को विशिष्ट, एड वेलेरम और यौगिक के रूप में वर्गीकृत किया जा सकता है।

विशिष्ट टैरिफः एक विशिष्ट टैरिफ आयातित उत्पाद की भौतिक इकाई के प्रति निश्चित राशि के संदर्भ में व्यक्त किया जाता है।

उदाहरण के लिए, अमेंरिकी कंप्यूटर के एक भारतीय आयातक को प्रति कंप्यूटर ₹ 2,000 की भारतीय सरकार को शुल्क का भुगतान करने की आवश्यकता हो सकती है, कंप्यूटर की कीमत की परवाह किए बिना।

एड वेलोरेम टैरिफः एड वेलोरेम टैरिफ आयातित सामान के मूल्य के प्रतिशत के रूप में व्यक्त किया गया है। मान लीजिए कि इम्पोर्टेड कारों पर एड वेलोरेम आयात पर 20 प्रतिशत शुल्क लगाया जाता है। एक जापानी कार के भारतीय आयातक को ₹ 8,00,000 का मूल्य दिया गया सरकार को ₹ 1,60,000 का शुल्क अदा करें।

(₹ 8,00,000 × 20% = ₹ 1,60,000

कंपाउंड टैरिफः एक टैरिफ जिसमें एक विशिष्ट टैरिफ और एक एड वैलेरियम टैरिफ दोनों शामिल हैं, एक कंपाउंड टैरिफ है। उदाहरण के लिए, लैपटॉप के एक अमेरिकी आयातक को लैपटॉप के मूल्य का ₹ 10,000 से अधिक 5 प्रतिशत शुल्क का भुगतान करने की आवश्यकता हो सकती है।

74. **Convergent and Divergent Series:** If S_n the sum of first n terms of an infinite series tends to a definite limit S, as n approaches infinity, the infinite series is said to be convergent and this limit S is called the sum of the infinite series.

Illustration.

The infinite series $1+\frac{1}{3}+\frac{1}{9}+\frac{1}{27}+\ldots$ is convergent, for

If S_n denotes the sum to n terms

$$= \frac{1\left(1-\frac{1}{3^n}\right)}{1-\frac{1}{3}} = \frac{3}{2}\left(1-\frac{1}{3^n}\right) = \frac{3}{2}-\frac{1}{2}.\frac{1}{3^{n-1}}$$

Now, if limit of S_n when $n \to \infty$, be denoted by S, then

$$S = \frac{3}{2} \quad \left(\because \text{as } n \to \infty, \frac{1}{3^{n-1}} \to 0\right)$$

Since the limit of $S_n \to \infty$ when $n \to \infty$ is definite and finite; the series is convergent. The second kind of the infinite series in which S_n, the sum of first n terms does not tend to a finite limit but increases beyond all bounds as n increases indefinitely, is called a Divergent Series. It is evident that the question of the sum of a non-convergents series docs not arise.

Illustration 1. The series 1 + 2 + 3 + 4 + ... ∞ is a divergent series.

Here, $S_n = \frac{n(n+1)}{2}$

and, $\lim_{n\to\infty} S_n = \lim_{n\to\infty} \frac{n(n+1)}{2} = \infty$

Since, the limit of S_n when $n \to \infty$ is not definite and finite, the series is divergent.

In mathematics, the infinite series $\frac{1}{2} - \frac{1}{4} + \frac{1}{8} - \frac{1}{16} + \ldots$ is a simple example of an alternating series that converges absolutely.

It is a geometric series whose first term is $\frac{1}{2}$ and whose common ratio is $-\frac{1}{2}$, so its sum is

$$\sum_{n=1}^{\infty} \frac{(-1)^{n+1}}{2^n} = \frac{1}{2} - \frac{1}{4} + \frac{1}{8} - \frac{1}{16} + \ldots$$

$$= \frac{\frac{1}{2}}{1-\left(-\frac{1}{2}\right)} = \frac{1}{3}.$$

75. संयुक्त राज्य जनसंख्या कोष (UNFPA) द्वारा परिभाषित जनसांख्यिकी लाभांश का अर्थ है, "आर्थिक विकास की क्षमता जो जनसंख्या की आयु में बदलाव से परिणामित हो सकता है, मुख्य रूप से उस समय जब कार्य-आयु की आबादी (15 से 16), गैर कामकाजी आयु की जनसंख्या 14 और उससे कम तथा 65 और उससे अधिक के हिस्से की तुलना में अधिक हो" दूसरे शब्दों में, "यह आर्थिक उत्पादकता में वृद्धि तब होती है, जब कार्यबल में लोगों की बढ़ती संख्या, आश्रितों की संख्या के सापेक्ष होती है।"

UNFPA का कथन है, "युवाओं की संख्या में वृद्धि और घटती प्रजनन क्षमता वाला देश के पास वह क्षमता होती है जो जनसांख्यिकीय लाभांश प्राप्त कर सके।"

82. Constant Elasticity of Substitution (C.E.S.) Production Function

One of the crucial implications of a production function is the degree of elasticity of substitution between two inputs. For a long time, the theory of production had focused on two convenient values for the elasticity of substitution (σ). These two values are $\sigma = 1$ and $\sigma = 0$. In Cobb-Douglas production function with constant rerurns to scale, the value of σ is one. On the other extreme, in the Leontief input-output production function, the value of σ is zero. In many cases, the value of elasticity of substitution of a production function may be constant but not necessarily be equal to one or zero. The constant elasticity of substitution (C.E.S.) production function assumes that the elastcity of substitution is a constant. The form of the C.E.S. production function is

$$Q = A\left[\delta \kappa^{-\rho} + (1-\partial)L^{-\rho}\right]^{\frac{-1}{\rho}}$$

where, Q = output, L = labour, K = capital, A = efficiency parameter (A > 0), δ = distribution parameter or capital intensity coefficient ($0 < \partial < 1$), ($1 - \partial$) = labour intensity co-efficient and ρ = substitution parameter ($\rho \geq -1$).

The C.E.S. production function is linearly homogeneous or homogeneous of degree one, *i.e.,* the production function always obeys the law ol constant returns to scale.

The C.E.S. production function represents a family of production functions which include the special cases, *i.e.*, linear production function, input-output production function and Cobb-Douglas production function for different values of ρ.

83. बेसल III या बेसल 3 दिसंबर, 2010 में जारी किया गया, बेसल एकॉर्ड्स की श्रृंखला में तीसरा है। यह बैंकिंग क्षेत्र के लिए जोखिम प्रबंधन पहलुओं के लहजे से निपटते हैं। संक्षेप में हम कह सकते हैं कि बेसल III बैंक पूंजी पर्याप्तता, तनाव परीक्षण और बाजार में तरलता जोखिम पर वैश्विक नियामत मानक (बैंकिंग पर्यविक्षण पर बेसल समिति के सदस्यों द्वारा सहमत) है। (बेसल I और बेसल II उसी के पुराने संस्करण हैं, और कम कड़े थे)। बैंकिंग पर्यवेक्षण पर बेसल समिति के अनुसार "बेसल III, बेसल द्वारा विकसित सुधार उपाय का एक व्यापक सेट है बैंकिंग क्षेत्र पर विनियमन, पर्यवेक्षण और जोखिम प्रबंधन को मजबूत करने के लिए बैंकिंग पर्यवेक्षण पर समिति" "बेसल III की मूल संरचना तीन परस्पर सुदृढ़ स्तंभों के साथ अपरिवर्तित रहती है।

स्तंभ 1: जोखिम भारित परिसंपत्तियों (आरडब्ल्यूए) पर आधारित न्यूनतम विनियामक पूंजी आवश्यकताएँ: क्रेडिट, बाजार और परिचालन जोखिम क्षेत्रों के माध्यम से गणना की गई पूंजी को बनाए रखना।

स्तंभ 2: पर्यवेक्षी समीक्षा प्रक्रिया परिधीय जोखिमों से निपटने के लिए उपकरण और रूपरेखा का विनियमन जो बैंकों का सामान करते हैं।

स्तंभ 3: बाजार अनुशासन बैंकों के पारदर्शिता को बढ़ाने के लिए बैंकों द्वारा प्रदान किए जाने वाले खुलासे को बढ़ाना।

84. स्वायत्त निवेशः यह निवेश मौजूदा आर्थिक स्थितियों से स्वतंत्र रूप से निर्धारित किया जाता है, जैसे कि सामान्य मूल्य स्तर, राष्ट्रीय आय, राष्ट्रीय खपत आदि "प्रेरित निवेश", इसके विपरीत, मौजूदा आर्थिक स्थितियों द्वारा निर्धारित किया जाता है।

87. व्यापार का एकल फेक्टोरल पद

$$T_s = \frac{P_x}{P_m} Z_x$$

यहाँ, $P_x = 170$

$P_m = 190$

$Z_x = 152$

$$\therefore \quad T_s = \frac{170}{190} \times 152$$

$$= 136.$$

पिछले प्रश्न-पत्र (हल सहित)

National Testing Agency (NTA)

UGC-NET जूनियर रिसर्च फैलोशिप तथा सहायक प्राध्यापक पात्रता परीक्षा

अर्थशास्त्र, जून-2019*

प्रश्न-पत्र-II

नोटः *इस प्रश्न-पत्र में* ***सौ (100)*** *बहु-विकल्पीय प्रश्न हैं। प्रत्येक प्रश्न के* ***दो (2)*** *अंक हैं।* ***सभी प्रश्न अनिवार्य*** *हैं।*

1. निम्नलिखित में से रणनीति के चयन की कौन-सी विधि जोखिम निवारण व्यवहार के साथ संगत है?

A. यदि दो रणनीतियों का प्रत्याशित समान लाभ हो, तो लघुतर मानक विचलन वाले को चुनें

B. यदि दो रणनीतियों का समान मानक विचलन हो, तो प्रत्याशित लघुतर लाभ वाले को चुनें

C. यदि दो रणनीतियों का समान मानक विचलन हो, तो विचरण के दीर्घतर गुणांक वाले को चुनें

D. यदि दो रणनीतियों को प्रत्याशित भिन्न लाभ हों, तो दीर्घतर मानक विचलन वाले को चुनें

2. कॉब-डगलस उत्पादन फलन के बारे में निम्नलिखित में से कौन-से कथन सही हैं?

(*a*) यह लंबी अवधि का उत्पादन फलन है

(*b*) यह लघु अवधि का उत्पादन फलन है

(*c*) यह पैमाने पर बढ़ते प्रतिफल पर आधारित है

(*d*) कारकों के सापेक्ष उत्पाद लोच स्थिर होते हैं

सही विकल्प चुनिए :

A. (*a*) और (*c*) B. (*a*) और (*d*)

C. (*b*) और (*c*) D. (*c*) और (*d*)

3. सूची-I को सूची-II के साथ सुमेलित कीजिए :

सूची-I	सूची-II
(*a*) विभिन्न संयोजन, जिन्हें क्रेता क्रय कर सकता है	(*i*) अनधिमान मानचित्र
(*b*) दो वस्तुओं के विभिन्न संयोजन, जो उपभोक्ता को समान अभिपुष्टि प्रदान करते हैं	(*ii*) अनधिमान वक्र
(*c*) अनधिमान वक्रों का समुच्चय	(*iii*) बजट रेखा
(*d*) अनधिमान वक्र पर बजट रेखा का स्पर्श-बिन्दु	(*iv*) उपभोक्ता का संतुलन

सही विकल्प चुनिए :

	(*a*)	(*b*)	(*c*)	(*d*)
A.	(*i*)	(*ii*)	(*iv*)	(*iii*)
B.	(*iv*)	(*iii*)	(*i*)	(*ii*)
C.	(*ii*)	(*iii*)	(*iv*)	(*i*)
D.	(*iii*)	(*ii*)	(*i*)	(*iv*)

4. असहयोगात्मक क्रीड़ाओं के अंतर्गत :

A. अपने प्रतिपक्षी के दृष्टिकोण को समझना आवश्यक है

B. अपने प्रतिपक्षी के दृष्टिकोण को समझना आवश्यक नहीं है

C. अपने प्रतिपक्षी के दृष्टिकोण को समझना और उसकी संभावित अनुक्रियाओं के अनुसार निगमन करना आवश्यक है

D. अपने प्रतिपक्षी की संभावित अनुक्रियाओं को समझना आवश्यक है

निर्देश (प्रश्न संख्या 5 से 7 तक) : *निम्नलिखित अनुच्छेद और आरेख को पढ़िए तथा दिए गए प्रश्न के उत्तर दीजिए।*

एकाधिकारी सीमांत लागत से अधिक मूल्य वसूलते हैं। वे सभी उपभोक्ता, जो वस्तु की लागत की तुलना में वस्तु को महत्व देते हैं, उसको खरीदते हैं। अतः एकाधिकारी द्वारा उत्पादित और विक्रय की गई मात्रा सामाजिक रूप से कुशल स्तर से नीचे होती है। माँग वक्र और सीमांत लागत वक्र के बीच त्रिकोण को क्षेत्र 'डेड वेट लॉस' (डेड वेट हानि) का प्रतिनिधित्व करता है।

*Online exam held on 21 June, 2019.

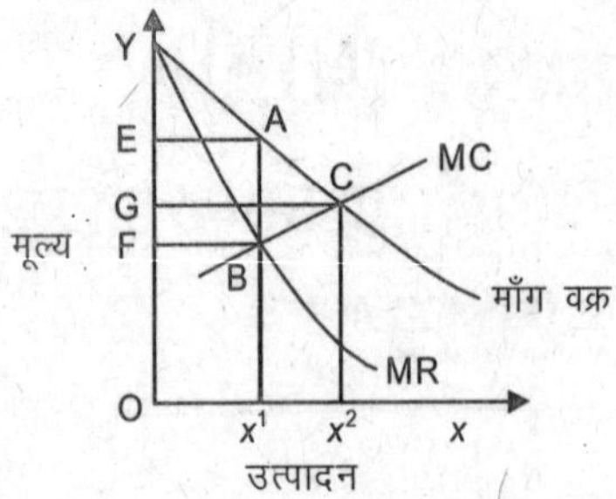

5. किसका क्षेत्र 'डेड वेट लॉस' का प्रतिनिधित्व करता है?

A. X^1X^2CA B. X^1BCX^2

C. OX^1AE D. BAC

6. एकाधिकारी के अंतर्गत क्या मूल्य वसूल किया जाएगा?

A. OF B. X^2C

C. OE D. OG

7. उत्पादन का सामाजिक रूप से कुशल स्तर कौन-सा है?

A. OX^1 B. OX^2

C. AX^1 D. CX^2

8. निम्नलिखित में से किस कसौटी की असंगतता को सिटोवस्की पैरेडॉक्स (सिटोवस्की विरोधाभास) के रूप में नाम दिया गया है?

A. लिटल कसौटी B. पैरेटो कसौटी

C. बर्गसा कसौटी D. कैल्डर-हिक्स कसौटी

9. सामान्य संतुलन विश्लेषण निर्धारित करता है :

A. सभी बाजारों में एकसाथ मूल्यों और मात्राओं को

B. सभी बाजारों में एकसाथ मूल्यों और मात्राओं को और स्पष्ट रूप से प्रतिपुष्टि (फीडबैक) को दृष्टिगत रखता है

C. प्रतिपुष्टि प्रभावों को

D. सभी बाजारों में मूल्यों को

10. निर्गत (वस्तु-मिश्रण) की संरचना में पैरेटो की सीमांत दशा के लिए आवश्यक है :

A. $MRTS^X_{L,K} = MRTS^Y_{L,K} = MRTS^Z_{L,K}$

B. $MRS^A_{X,Y} = MRS^A_{X,Z} = MRS^B_{X,Z}$

C. $MRTP_{X,Y} = MRS^A_{X,Y} = MRS^B_{X,Y}$

D. $MRTS^Y_{L,K} = MRS^A_{X,Y} = MRS^Z_{X,Y}$

11. बीमित होने के बाद व्यक्ति क्यों अधिक जोखिमी तरीकों से कार्य करते हैं?

A. प्रतिकूल चयन की समस्या के कारण

B. मिथ्या आत्मविश्वास की समस्या के कारण

C. नैतिक खतरें की समस्या के कारण

D. जांच-लागतों की समस्या के कारण

12. फर्में प्रतिस्पर्धी और अधिकतम लाभ बनाने वाली हैं तो किसके द्वारा श्रम का मांग वक्र निर्धारित किया जाता है?

A. मजदूर के समय की अवसर-लागत द्वारा

B. श्रम के सीमांत उत्पाद के मूल्य द्वारा

C. प्रतिकारक आय और स्थानापन्नता प्रभाव द्वारा

D. पूंजी के सीमांत उत्पाद के मूल्य द्वारा

निर्देश (प्रश्न संख्या 13 से 17 तक) : *निम्नलिखित परिच्छेद को पढ़िए और दिए गए प्रश्न के उत्तर दीजिए।*

मान लो, एक विशेष अर्थव्यवस्था में कुछ समयावधि के लिए निवेश 100 के बराबर था, सरकारी व्यय 75 के बराबर था, निवल करों को 100 पर नियत किया गया था और उपभोग फलन द्वारा उपभोग (C) दिया गया था :

$C = 25 + 0.8\ Y_D$

जहाँ Y_D निपटान आय और Y जी.डी.पी. है।

13. सरकारी व्यय गुणक $\left(\frac{\Delta Y}{\Delta G}\right)$ का मूल्य क्या है?

A. 5 B. 4

C. 6 D. 3

14. कर गुणक का मूल्य $\left(\frac{\Delta Y}{\Delta T}\right)$ क्या है?

A. −3 B. −2

C. −5 D. −4

15. संतुलन आय (Y) का क्या स्तर है?

A. 700 B. 600

C. 850 D. 800

16. सूची-I को सूची-II से सुमेलित कीजिए :

सूची-I (संस्थान)	सूची-II (स्थापना वर्ष)
(*a*) ICICI	(*i*) 1971
(*b*) IRBI	(*ii*) 1964
(*c*) IFCI	(*iii*) 1955
(*d*) IDBI	(*iv*) 1948

नीचे दिए गए विकल्पों में से सही उत्तर चुनिए :

	(a)	(b)	(c)	(d)
A.	(i)	(ii)	(iii)	(iv)
B.	(ii)	(iii)	(iv)	(i)
C.	(iii)	(i)	(iv)	(ii)
D.	(iii)	(ii)	(i)	(iv)

17. कुशलता मजदूरी मॉडल में वास्तविक मजदूरी किसको नियत करती है?

A. प्रति रुपए की प्राप्त वास्तविक मजदूरी के संदर्भ में मजदूरी की कुशलता को न्यूनतम करती है
B. श्रम बाजार को संतुलित करती है
C. श्रम बाजार को संतुलित नहीं करती है
D. प्रति रुपये की प्राप्त वास्तविक मजदूरी के संदर्भ में मजदूर की कुशलता को अधिकतम करती है

18. मंदी के दौरान निम्नांकित में से कौन-सा नीतिगत उपाय किया जाना चाहिए?

A. कर बढ़ा दिए जाने चाहिए
B. करों में कोई बदलाव नहीं किया जाता और सार्वजनिक व्यय बढ़ाया जाता है
C. सार्वजनिक व्यय घटाया जाता है
D. एक संतुलित बजट होना चाहिए

19. निम्नांकित कारकों में से कौन-सा 'बाजार विफलता' का कारण **नहीं** है?

A. असंगत सूचना B. सार्वजनिक वस्तुएँ
C. बाह्यता D. माँग की कमी

20. बाह्य प्रवाह वाणिज्यिक बैंक पर किस प्रकार का प्रभाव छोड़ते हैं?

A. बैंक की आरक्षित निधि को घटाते हैं
B. जमाओं में और वृद्धि करते हैं
C. साख सृजन में वृद्धि करते हैं
D. मांग जमा का सृजन करते हैं

21. निम्नलिखित में से कौन-सा साख नियंत्रण का मुख्य उद्देश्य **नहीं** है?

A. सामान्य मूल्य स्तर का स्थिरीकरण
B. आर्थिक संवृद्धि को प्रोत्साहन देना
C. उत्पादक क्षेत्रों के साख के पर्याप्त प्रवाह को सुनिश्चित करना
D. आर्थिक कल्याण को प्रोत्साहन देना

22. सूची-I को सूची-II से सुमेलित कीजिए :

सूची-I	**सूची-II**
(a) बिग पुश का सिद्धान्त	(i) जे.एच. बेके
(b) अभीष्ट संवृद्धि दर	(ii) पॉल रोमर
(c) सामाजिक द्वैतवाद	(iii) रोसेंस्टीन रोडन
(d) अंतर्जात संवृद्धि दर	(iv) आर.एफ. हैरोड

नीचे दिए गए विकल्पों में से सही उत्तर चुनिए :

	(a)	(b)	(c)	(d)
A.	(ii)	(iii)	(iv)	(i)
B.	(iii)	(i)	(iv)	(ii)
C.	(iii)	(iv)	(i)	(ii)
D.	(iv)	(ii)	(iii)	(i)

23. निम्नांकित में से कौन-सा संवृद्धि मॉडल प्रौद्योगिकी को बहिर्जात पर मानता है?

A. सैलो मॉडल B. रॉबिंसन मॉडल
C. ल्यूकास मॉडल D. टोडेरो मॉडल

24. निम्नलिखित में से कौन-सी वस्तु किसी देश के भुगतान संतुलन के पूँजी खाते में शामिल है?

A. निवेश आय B. अदृश्य
C. वाणिज्यिक उधार D. निजी स्थानांतरण

25. शून्य व्यापार संतुलन मूल्य से ऊपर एक वस्तु को अतिरिक्त आपूर्ति एक देश की क्या प्रदान करती है?

A. वस्तु की आयात मांग
B. वस्तु की निर्यात आपूर्ति और आयात मांग
C. वस्तु की निर्यात आपूर्ति
D. वस्तु की आयात आपूर्ति

26. बाजार में मजदूरों के कौशल और अन्य विशेषताओं के बीच असंतुलन से होने वाली दीर्घकालिक क्रोनिक बेरोजगारी और कर्मचारियों की आवश्यकताओं को किस रूप में जाना जाता है?

A. चक्रीय बेरोजगारी
B. प्रतिरोधात्मक बेरोजगारी
C. संरचनात्मक बेरोजगारी
D. मौसमी बेरोजगारी

27. तरलता उपागम को किस अन्य नाम से भी जाना जाता है?

A. गुर्ले-शॉ उपागम B. रेडक्लिफ उपागम
C. पारम्परिक उपागम D. मुद्रावादी उपागम

28. जे. रॉबिंसन के संवृद्धि मॉडल में, पूँजी संचयन किस पर निर्भर करता है?

A. बचत-आय अनुपात

B. मुनाफा-मजदूरी संबंध और श्रम उत्पादकता

C. मुनाफा-आय अनुपात और पूँजी उत्पादकता

D. बचत-निवेश अनुपात

29. राजकोषीय घाटे की अवधारणा का निम्नलिखित में से कौन-सा निहितार्थ है?

A. राजस्व और ब्याज प्राप्तियों में से राजस्व व्यय को घटाएँ

B. राजस्व प्राप्तियों और ऋणों की वसूली और अन्य वसूलियों में से कुल व्यय को घटाएँ

C. प्राप्तियों में से पूँजीगत लेखा में संवितरण को घटाएँ

D. कुल प्राप्तियों में से कुल व्यय को घटाएँ

30. एशिया-प्रशांत आर्थिक सहयोग (ए.पी.ई.सी.) के तीन स्तम्भ हैं

(*a*) व्यापार और निवेश संबंधी उदारीकरण

(*b*) व्यापार सुगमीकरण

(*c*) आर्थिक और तकनीकी सहयोग

(*d*) सैनिक सहयोग

सही विकल्प चुनिए :

A. (*a*), (*b*), (*d*) B. (*a*), (*b*), (*c*)

C. (*a*), (*c*), (*d*) D. (*b*), (*c*), (*d*)

31. एक विदेशी विनिमय जोखिम में लेनदेन जोखिम, लेखांकन जोखिम और, _______ शामिल हैं :

A. अनुवाद जोखिम B. लचीलापन जोखिम

C. कठोरता जोखिम D. आर्थिक जोखिम

32. आय में गिरावट होने पर उपभोग में कमी आती है, लेकिन वह आय में कमी की तुलना में आनुपातिक रूप से कम होती है क्योंकि उपभोक्ता पिछले जीवन-स्तर को बनाए रखने की इच्छा रखता है। इसे कहा जाता है :

A. रैचेट प्रभाव B. सम्पत्ति प्रभाव

C. प्रदर्शन प्रभाव D. आय प्रभाव

33. तरलता समग्रों को किस रूप में वर्गीकृत किया गया है?

A. L_1, L_2 और L_3 B. M_1, M_2 और M_3

C. NM_3 D. M_1, M_2, M_3 और M_4

34. मुद्रा आपूर्ति में वृद्धि किस प्रकार वस्तुओं और सेवाओं की माँग में वृद्धि करेगी?

A. सरकारी व्यय में कमी लाकर

B. ब्याज दर को घटाकर ताकि निवेश व्यय में वृद्धि हो

C. ब्याज दर को बढ़ाकर ताकि निवेश व्यय में कमी हो

D. वस्तुओं और सेवाओं पर सरकारी व्यय में वृद्धि करना

35. निम्नांकित में से कौन-सा आधुनिक नौकरी पाने के लिए एक व्यक्ति के लिए आवश्यक स्कूलिंग के वर्ष की संख्या निर्धारित **नहीं** करता है?

A. मजदूरी अथवा आय विभेदक

B. आधुनिक क्षेत्र का रोजगार प्राप्त करने में सफलता की संभाव्यता

C. स्कूलिंग की अवसर लागत

D. शहरी क्षेत्र में स्वास्थ्य सुविधा अवसरंचना का विकास

36. 'दरिद्रता कारक' पद का प्रयोग किसने किया है?

A. अमर्त्य सेन B. एन. काल्डोर

C. पॉल क्रूगमैन D. जगदीश भगवती

37. निम्नांकित में से कौन-सा एक पूँजी बाजार का कार्य नहीं है?

A. यह बचत को निवेश में बदलता है

B. निधियों को कम लाभकारी से ज्यादा लाभकारी बनाता है

C. निधियों को अधिशेष इकाई से हानि इकाई में बदलता है

D. प्रत्यक्ष निवेशकों को बेहतर मुनाफा दिलाता है

38. निर्देशित साख कार्यक्रमों ने किसको प्रारंभ किया था?

A. सुरक्षा-उन्मुखी साख B. विकास-उन्मुखी साख

C. प्रयोजन-उन्मुखी साख D. कल्याण-उन्मुखी साख

39. वस्तु अथवा शुद्ध अदल-बदल व्यापार की शर्तों का सूत्र क्या है?

A. $\frac{\text{निर्यात की मात्रा}}{\text{आयात की मात्रा}} \times 100$

B. $\frac{\text{मूल्य} \times \text{निर्यात की मात्रा}}{\text{मूल्य} \times \text{आयात की मात्रा}} \times 100$

C. $\frac{\text{निर्यात का परिमाण}}{\text{आयात का परिमाण}} \times 100$

D. $\frac{\text{निर्यात का मूल्य सूचकांक}}{\text{आयात का मूल्य सूचकांक}} \times 100$

40. राजकोषीय व्यय में वृद्धि से :

A. फिलिप्स वक्र में बाईं ओर अंतरण होता है

B. फिलिप्स वक्र में दाईं ओर अंतरण होता है

C. फिलिप्स वक्र पर ही संचलन इस प्रकार होता है कि बेरोजगारी बढ़ती है और मुद्रास्फीति भी बढ़ती है

D. फिलिप्स वक्र पर ही संचलन इस प्रकार होता है कि बेरोजगारी में गिरावट आती है और मुद्रास्फीति बढ़ती है

41. सूची-I को सूची-II से सुमेलित कीजिए :

सूची-I	**सूची-II**
(*a*) त्वरक और गुणक अंतःक्रिया	(*i*) मोडिग्लियानी, एंडो एंड ब्लूमबर्ग
(*b*) कैम्ब्रिज उपागम	(*ii*) एकरलॉफ येलिन
(*c*) जीवन चक्र परिकल्पना	(*iii*) पॉल सैमुएल्सन
(*d*) कुशल मजदूरी	(*iv*) अल्फ्रेड मार्शल और ए.सी. पिगू

नीचे दिए गए विकल्पों में से सही उत्तर चुनिए :

	(*a*)	(*b*)	(*c*)	(*d*)
A.	(*i*)	(*iv*)	(*ii*)	(*iii*)
B.	(*iii*)	(*iv*)	(*i*)	(*ii*)
C.	(*ii*)	(*i*)	(*iii*)	(*iv*)
D.	(*iv*)	(*iii*)	(*ii*)	(*i*)

42. आई.एम.एफ. के सदस्यता संबंधी खंड के अंतर्गत प्रावधान है कि कोई भी देश सदस्य बन सकता है यदि :

A. वह देश विश्व बैंक का एक सदस्य बनने का इच्छुक है और स्वर्ण में समस्त योगदान (सब्सक्रिप्शन) को देने का इच्छुक है

B. वह देश डब्ल्यू.टी.ओ. का एक सदस्य बनने का इच्छुक है और स्वर्ण में समस्त योगदान को देने का इच्छुक है

C. वह देश विश्व बैंक का एक सदस्य बनने का इच्छुक है और योगदान को देने का इच्छुक है

D. वह देश संयुक्त राष्ट्र का एक सदस्य बनने का इच्छुक है और योगदान को देने का इच्छुक है

43. मार्क्सवादी विश्लेषण के अनुसार अधिशेष मान किस पर निर्भर करता है?

A. अधिशेष और आवश्यक श्रम समय

B. सिर्फ आवश्यक श्रम समय

C. सिर्फ अधिशेष श्रमं समय

D. नाममात्र मजदूरी दर

44. अर्थशास्त्री 'फाइनेन्शियल क्राउडिंग आउट' से क्या अर्थ मानते हैं?

A. साख-राशनिंग

B. सरकार जो उधार लेती है, उसका निजी निवेश के लिए उपयोग नहीं किया जा सकता

C. सरकार द्वारा उधार राशियां लेने से ब्याज दर बढ़ती है

D. भारतीय रिजर्व बैंक वाणिज्यिक बैंक द्वारा उधार देने पर नियंत्रण करता है

45. मान लो एक अर्थव्यवस्था का समष्टि आर्थिक संतुलन में प्रारम्भ होता है, इसके बाद करों में महत्वपूर्ण कमी की जाती है। इस परिवर्तन का परिणाम किस रूप में होता है?

A. अर्थव्यवस्था में विस्तार और अपस्फीति होते हैं

B. अर्थव्यवस्था में मंदी और अपस्फीति होते हैं

C. अर्थव्यवस्था में विस्तार और मुद्रास्फीति होते हैं

D. अर्थव्यवस्था में मुद्रास्फीतिजनित मंदी होते हैं

46. निम्नलिखित में से कौन अंतर्जात वृद्धि सिद्धांत से संबद्ध **नहीं** है?

A. रॉबर्ट सोलो B. पॉल रोमर

C. रेबेलो D. रॉबर्ट लुकास

47. एक वाणिज्यिक बैंक अपनी परिसम्पत्तियों और देयताओं के प्रबंधन में किसको दृष्टिगत **नहीं** रखता है?

A. तरलता

B. लाभप्रदता

C. शोधनक्षमता

D. समता

48. करारोपण में उर्ध्व समता का क्या अर्थ है?

A. अलग-अलग आय समूहों के लोगों पर समान कर लगना चाहिए

B. अलग-अलग आय समूहों के लोगों पर अलग-अलग कर लगना चाहिए

C. अलग-अलग समूहों के लोगों से आनुपातिक शुल्क लिया जाना चाहिए

D. असमान व्यक्तियों के साथ एकसमान व्यवहार किया जाना चाहिए

49. किस प्रणाली के तहत सेंट्रल बैंक कानून द्वारा सरकारी प्रतिभूतियों के विरुद्ध नोटों की एक निश्चित राशि जारी करने के लिए अधिकृत है और किसी भी अतिरिक्त सोने/चांदी से पूरी तरह से समर्थित होना चाहिए?

A. अधिकतम वैश्वासिक प्रणाली

B. न्यूनतम आरक्षित प्रणाली

C. निश्चित वैश्वासिक प्रणाली

D. अधिकतम और न्यूनतम वैश्वासिक प्रणाली

50. तार्किक प्रत्याशा परिकल्पना मानती है कि व्यक्ति भावी मुद्रास्फीति दरों से संबंधित जो भविष्यवाणी करते हैं, उसमें वे :

A. भविष्य में मुद्रास्फीति की वास्तविक दर के बारे में निरंतर अधिक अनुमान करते हैं

B. सदैव सही होते हैं

C. भविष्य में मुद्रास्फीति की वास्तविक दर के बारे में कम अनुमान करते हैं

D. औसत रूप से सही हैं, लेकिन उन त्रुटियों के अध्याधीन हैं, जो यादृच्छिक रूप से वितरित हैं

51. निम्नांकित में से कौन-सा सार्वजनिक वस्तु का उदाहरण है?

A. आवासीय भवन B. राष्ट्रीय रक्षा

C. रेस्तराँ भोजन D. एक घर का तरणताल

52. एक कर, प्रत्यक्ष कहलाता है, यदि :

A. प्रभाव और आपतन एक ही व्यक्ति पर हो

B. एक ही व्यक्ति पर सिर्फ आपतन होता हो

C. प्रभाव दूसरे व्यक्ति पर अंतरित हो जाता है

D. व्यक्ति कर देने से बच जाता है

53. मार्शल-लर्नर दशा के अनुसार, विदेशी मुद्रा बाजार के स्थिर होने के लिए, आयात माँग और निर्यात माँग की लोच का योग क्या होना चाहिए?

A. 1 से कम B. शून्य के बराबर

C. 1 के बराबर D. 1 से अधिक

54. भुगतान संतुलन खाते में अंतरण व्यय निम्नलिखित में से किसमें सम्मिलित किए जाते हैं?

A. पूँजीगत खाता

B. सेवागत खाता

C. चालू खाता

D. आधिकारिक आरक्षित खाता

55. मंदी के दौरान निम्नलिखित में से कौन-सा उपाय आरंभ किया जाता है?

A. करों में कटौती और सरकारी व्यय में वृद्धि करना

B. करों में वृद्धि और सरकारी व्यय में कमी लाना

C. कर-दरों को स्थिर रखना और सरकारी व्यय में वृद्धि करना

D. कर दरों में वृद्धि और सरकारी व्यय को स्थिर रखना

56. निम्नलिखित में से कौन-सा ऋण प्रतिदान की विधि **नहीं** है?

A. पुनर्निधिकरण B. प्रत्याख्यान

C. निक्षेप निधि D. पूँजी कर

57. सूत्र $g = \frac{t - a_1 t_1}{1 - a_1}$ का उपयोग करते हुए प्रभावी संरक्षण दर की गणना कीजिए यदि, $g = 0.3$, $a_2 = 0.8$ और $t_1 = 0$ है, तो t के मान की गणना कीजिए :

A. 0.2 B. 0.3

C. 0.1 D. 0.4

58. निम्नलिखित में से कौन वाइजमैन और पीकॉक परिकल्पना का हिस्सा **नहीं** है?

A. एकाग्रता प्रभाव B. विस्थापन प्रभाव

C. निरीक्षण प्रभाव D. कराधान प्रभाव

59. निम्नांकित में से कौन-सा असमानता मापों का एक स्वयंसिद्ध तथ्य नहीं है?

A. पैमाने के प्रति अपरिवर्तनीयता का सिद्धांत

B. समता का सिद्धांत

C. अनुवाद अपरिवर्तनीयता का सिद्धांत

D. वियोजनीयता का स्वयंसिद्ध तथ्य

60. टोल टैक्स निम्नलिखित में से किस पर आधारित कर है?

A. लाभ सिद्धांत B. क्षैतिज समता

C. अनुलंब समता D. उत्तरोत्तर कर

निर्देश (प्रश्न संख्या 61 से 63 तक) : *निम्नांकित सारणी पर विचार करें जिसमें आठ घरों का मासिक प्रति व्यक्ति उपभोग व्यय (एम.पी.सी.ई.) दिया गया है और दिए गए प्रश्न के उत्तर दें :*

सारणी

राज्य	घरों का एम.पी.सी.ई. (रुपयों में)							
	1	2	3	4	5	6	7	8
राज्य–A	950	1100	1000	975	750	775	790	1400
राज्य-B	1250	1150	1400	1100	550	600	490	1200

Z का मान (गरीबी रेखा एम.पी.सी.ई. कट ऑफ) का ₹ 800 है।

61. सारणी से राज्य–A और राज्य–B के गरीबी अंतराल अनुपात (पी.जी.आर.) के अनुमान की गणना करें और सही विकल्प चुनें :
A. राज्य–A: 0.133; राज्य–B: 0.0119
B. राज्य–A: 0.153; राज्य–B: 0.0135
C. राज्य–A: 0.0133; राज्य–B: 0.119
D. राज्य–A: 0.0153; राज्य–B: 0.135

62. राज्य–A और राज्य–B में व्यक्ति संख्या अनुपात का अनुमान है :
A. राज्य–A: 0.375; राज्य–B: 0.375
B. राज्य–A: 0.475; राज्य–B: 0.375
C. राज्य–A: 0.575; राज्य–B: 0.575
D. राज्य–A: 0.385; राज्य–B: 0.425

63. सारणी से गरीबी वर्ग अंतराल अनुपात (एस.पी.जी.आर.) के अनुपात की गणना करें और फिर यह दर्शाएं कि राज्य–A का एस.पी.जी.आर. :
A. राज्य–B के बराबर है
B. राज्य–B के एस.पी.जी.आर. से ज्यादा है
C. राज्य–B के एस.पी.जी.आर. से कम है
D. शून्य से काफी अलग है

64. मानकों में एक साथ समीकरणों के परिणाम के लिए OLS लागू करना :
A. अक्षम
B. असंगत
C. पक्षपाती
D. पक्षपाती और असंगत

65. 1-02-2019 को घोषित 'पी.एम. किसान सम्मान निधि' योजना का निम्नलिखित में से कौन-सा भाग नहीं है?
A. दो हेक्टेयर तक की जोत वाले सभी किसान इस योजना के अंतर्गत पात्र हैं
B. यह योजना एक अप्रैल, 2019 से प्रयोज्य होगी
C. सरकार प्रतिवर्ष ₹ 6,000 का पात्र लाभार्थियों के बैंक खाते में अंतरण करेगी
D. यह राशि प्रति ₹ 2000 की तीन समान किस्तों में दी जाएगी

66. अधिकांश पर्यावरणीय वस्तुओं के मामले में बाजार की विफलता होती है, क्योंकि :
A. पर्यावरणीय वस्तु प्रतिद्वंद्वी उत्पाद हैं
B. पर्यावरणीय वस्तु बाहरी उत्पाद हैं
C. पर्यावरणीय वस्तु उत्पादन में गैर-प्रतिद्वंद्वी हैं
D. पर्यावरणीय वस्तु गैर-प्रतिद्वंद्वी और खपत में गैर-असाधारण हैं

67. "मानव संसाधनों में शिक्षा के रूप में निवेश उन कारकों के बीच एक महत्वपूर्ण भूमिका निभाता है, जो आर्थिक संवृद्धि में योगदान करते हैं।" यह कथन किसमें/किसके द्वारा दिया गया था?
A. नई शिक्षा नीति, 1985
B. शिक्षा आयोग, 1966
C. एन.सी.ई.आर.टी.
D. भारतीय सर्वोच्च न्यायालय

68. जनसांख्यिकीय लाभांश के लिए कौन-सी आयु संरचना महत्वपूर्ण है?
A. 0-14
B. 15-59
C. 60 और उससे अधिक ऊपर
D. 0-14 एवं 60 और उससे अधिक ऊपर

69. निम्नलिखित में से कौन-सा भारतीय अर्थव्यवस्था के सेवा क्षेत्र के संदर्भ में सही **नहीं** है?
A. सेवा क्षेत्र का जी.डी.पी. में अधिकतम हिस्सा है

B. सेवा क्षेत्र का रोजगार में अधिकतम हिस्सा है

C. सेवा क्षेत्र की संवृद्धि कृषि क्षेत्र की संवृद्धि की तुलना में उच्चतर रही है

D. सेवा क्षेत्र में प्रति कर्मचारी उत्पादकता उच्चतम है

70. एक द्विचर (X और Y) प्रतीगमन विश्लेषण में प्रतीपगमन गुणांक $b_{xy} = 0.6$ और $b_{yx} = 0.8$ हैं। यदि y आश्रित चर और x स्वतंत्र चर है, तो X द्वारा की गई व्याख्या के अनुसार Y में विचलन प्रतिशतता क्या है?

A. 47% B. 48%
C. 49% D. 36%

71. निम्नलिखित में से कौन भारत के विशेष संदर्भ में पूँजी बाजार का लेख-पत्र **नहीं** है?

A. इक्विटी शेयर B. डिबेंचर
C. गोल्ड ईटीएफ D. वाणिज्यिक पत्र

72. सूची-I को सूची-II से सुमेलित कीजिए :

सूची-I	**सूची-II**
(*a*) विश्व पर्यावरण दिवस	(*i*) 11 जुलाई
(*b*) विश्व वन्यजीव दिवस	(*ii*) 5 जून
(*c*) विश्व जल दिवस	(*iii*) 3 मार्च
(*d*) विश्व जनसंख्या दिवस	(*iv*) 22 मार्च

नीचे दिए गए विकल्पों में से सही उत्तर चुनिए :

	(*a*)	(*b*)	(*c*)	(*d*)
A.	(*i*)	(*ii*)	(*iii*)	(*iv*)
B.	(*iii*)	(*i*)	(*iv*)	(*ii*)
C.	(*iv*)	(*iii*)	(*ii*)	(*i*)
D.	(*ii*)	(*iii*)	(*iv*)	(*i*)

73. सूची-I को सूची-II से सुमेलित कीजिए :

सूची-I	**सूची-II**
(*a*) विषमता	(*i*) प्रकीर्णन
(*b*) प्रसरण	(*ii*) यादृच्छिक विचलन
(*c*) भूकम्प	(*iii*) प्रसरण का अनुपात
(*d*) F-परीक्षण	(*iv*) सममितता का अभाव

नीचे दिए गए विकल्पों में से सही उत्तर चुनिए :

	(*a*)	(*b*)	(*c*)	(*d*)
A.	(*iii*)	(*iv*)	(*i*)	(*ii*)
B.	(*iv*)	(*i*)	(*ii*)	(*iii*)
C.	(*i*)	(*iii*)	(*iv*)	(*ii*)
D.	(*ii*)	(*i*)	(*iv*)	(*iii*)

74. यदि $A = \begin{bmatrix} 6 & 5 & 5 \\ 3 & -11 & -5 \\ 3 & -5 & -2 \end{bmatrix}$, तो $|A|$ किसके समतुल्य है?

A. 15 B. 16
C. 27 D. 20

75. एक रेखीय प्रतिरूप समस्या का समाधान निम्नांकित में से किसके द्वारा किया जा सकता है?

A. एरिमा तकनीक B. सिम्पलेक्स पद्धति
C. एकक मूल पद्धति D. उपर्युक्त में से कोई नहीं

76. निम्नांकित में से कौन-सा मद जीवन सारणी को पूर्ण करता है?

आयु	I_x	d_x	L_x	T_x	e_x^0
7	90,000	500	89,750	48,50,000	?

A. 50.50 B. 54.00
C. 53.89 D. 51.31

77. 'ट्रिप्स' के अंतर्गत कॉपीराइट्ट की संरक्षा कितने वर्षों तक के लिए है?

A. लेखक की मृत्यु के बाद 20 वर्ष

B. लेखक की मृत्यु के बाद 30 वर्ष

C. लेखक की मृत्यु के बाद 40 वर्ष

D. लेखक की मृत्यु के बाद 50 वर्ष

78. यदि AR = 15, MR = 5 है, तो माँग की कीमत लोच है :

A. 2.3 B. 1.5
C. 1.75 D. 1

79. **अभिकथन (A)** : भारत की राष्ट्रीय आय में गैर-वस्तु क्षेत्र के हिस्से में वृद्धि हो रही है।

तर्क (R) : भारत में उद्योग और कृषि अपेक्षाकृत रूप से अधिक धीमी गति से आगे बढ़ रहे हैं।

नीचे दिए गए विकल्पों में से सही उत्तर चुनें :

A. (A) और (R) दोनों सही हैं तथा (R), (A) की व्याख्या करता है

B. (A) और (R) दोनों सही हैं किन्तु (R), (A) की व्याख्या नहीं करता है

C. (A) सही है किन्तु (R) गलत है

D. (A) गलत है किन्तु (R) सही है

80. एक द्विपद वितरण में, किसी क्रम में n परीक्षणों में x सफलता की संभाव्यता निम्नांकित में से किससे प्राप्त होती है?

A. $p(x) = {}^nC_x p^x.q^{n-x}$ B. $p(x) = {}^nC_1 p^{2x}.q^{n-1}$

C. $p(x) = {}^nC_x p^2 x.q^{n-1}$ D. $p(x) = {}^nC_x p^x.q^{n-2}$

81. जब शून्य परिकल्पना एक समानता के रूप में विद्यमान हो तो महत्व का स्तर निम्नांकित में से किसकी संभाव्यता है?

A. टाइप II त्रुटि B. टाइप I त्रुटि

C. टाइप I और II त्रुटि D. टाइप I और III त्रुटि

82. श्रम पर द्वितीय राष्ट्रीय आयोग ने त्रि-स्तरीय प्रणाली की अनुशंसा की है, जिसमें सम्मिलित है :

A. लोक अदालतें, श्रम अदालतें और श्रम आयोग

B. लोक अदालतें, श्रम अदालतें और श्रम संबंध आयोग

C. लोक अदालतें, श्रम अदालतें और न्यायिक अदालतें

D. लोक अदालतें, श्रम अदालतें और श्रम निरीक्षक

83. "कुछ दशाओं में, कुशलता पर इस बात से कोई प्रभाव नहीं पड़ता कि प्रदूषक के पास प्रदूषण करने का अधिकार है अथवा पीड़ित का स्वच्छ हवा का अधिकार है।" यह कथन निम्नांकित में से किसके कार्य से संबंधित है?

A. जी. हार्डिन B. आर. कोज

C. एन. काल्डोर D. जुलियन साइमन

84. एक खुली अर्थव्यवस्था आगत-निर्गत मॉडल में अर्थ-सक्षमता का परीक्षण किसके द्वारा किया जाता है?

A. हॉकिंस-साइमन दशाएँ

B. कुह्न-टकर दशाएँ

C. डिकी-फुलर परीक्षण

D. गोल्डफेल्ड-कलांड्ट परीक्षण

85. गुणात्मक वियोजनीयता मॉडल किसके लिए प्रयुक्त किया जाता है?

A. समय श्रेणी आँकड़ों को गैर-मौसमी बनाना

B. जीवन निर्वाह व्यय सूचकांक का निर्माण

C. एक परिकल्पना का परीक्षण

D. संभाव्यता का आकलन

86. सूची-I को सूची-II से सुमेलित कीजिए :

सूची-I	**सूची-II**
(*a*) थॉमस डबलडे	(*i*) नियति सिद्धांत
(*b*) थॉमस सैडलर	(*ii*) जैविक सिद्धांत
(*c*) लीबेनस्टीन	(*iii*) आहार सिद्धांत
(*d*) हर्बर्ट स्पेंसर	(*iv*) जनसंख्या वृद्धि का अभिप्रेरण सिद्धांत

नीचे दिए गए विकल्पों में से सही उत्तर चुनिए :

	(*a*)	(*b*)	(*c*)	(*d*)
A.	(*i*)	(*ii*)	(*iii*)	(*iv*)
B.	(*iii*)	(*i*)	(*iv*)	(*ii*)
C.	(*iv*)	(*iii*)	(*ii*)	(*i*)
D.	(*iv*)	(*ii*)	(*i*)	(*ii*)

87. आईआरआर (IRR) वह छूट दर है जो परियोजना एनपीवी (NPV) को _____ और लाभ-लागत अनुपात को _____ के बराबर बनाती है।

A. 1, 0 B. 0, 1

C. 0, 0 D. 1, 1

88. जनसंख्या का इष्टतम सिद्धांत किसने प्रतिपादित किया?

A. रॉबिंस B. डॉल्टन

C. केनन D. कार सौन्डर्स

89. एक एकाधिकारी का लागत फलन है $C = 40 + 12X$. उसका माँग फलन इस प्रकार लिखिए: $P = 60 - 3X$, उसके लाभ को अधिकतम बनाने वाले निर्गत का स्तर क्या होगा?

A. 12 B. 11

C. 8 D. 9

90. एक असीमित जनसंख्या के यादृच्छिक प्रतिदर्शन अथवा प्रतिस्थापन के साथ यादृच्छिक प्रतिदर्शन में प्रतिदर्श माध्य ($\bar{x}$) की मानक त्रुटि (एस.ई.) निम्न में से किससे प्राप्त होती है?

A. एस.ई. $= \dfrac{\sigma^2}{\sqrt{n}}$

जहाँ σ जनसंख्या मानक विचलन है

B. एस.ई. $= \dfrac{\sigma}{\sqrt{n^2}}$

जहाँ σ जनसंख्या मानक विचलन है

C. एस.ई. $= \dfrac{\sigma^3}{\sqrt{n}}$

जहाँ σ जनसंख्या मानक विचलन है

D. एस.ई. $= \dfrac{\sigma}{\sqrt{n}}$

जहाँ σ जनसंख्या मानक विचलन है

91. विभेद समीकरण किससे संबंधित है?

A. असतत परिवर्तन B. सतत परिवर्तन

C. उपर्युक्त दोनों D. उपर्युक्त में से कोई नहीं

92. सूची-I को सूची-II से सुमेलित कीजिए :

सूची-I	सूची-II
(*a*) गॉस-मार्कोव	(*i*) R^2
(*b*) निर्धारण का गुणांक	(*ii*) एकतरफा परीक्षण
(*c*) $H_0 : B_2 = 0,$ $H_1 : B_2 = 70$	(*iii*) गॉल्डफेल्ड-कलांड्ट परीक्षण
(*d*) विषमविचालिता	(*iv*) BLUE

सही विकल्प चुनिए :

	(*a*)	(*b*)	(*c*)	(*d*)
A.	(*iv*)	(*i*)	(*ii*)	(*iii*)
B.	(*i*)	(*ii*)	(*iv*)	(*iii*)
C.	(*ii*)	(*iii*)	(*i*)	(*iv*)
D.	(*iii*)	(*i*)	(*ii*)	(*iv*)

93. एक सामान्य रूप से विषम वितरण के लिए बहुलक का मान 10 और माध्यिका का मान 20 है। माध्य क्या होगा?

A. 15 B. 30

C. 25 D. 35

94. आर.बी.आई. ने वस्तुओं और सेवाओं से संबंधित चालू खाते के लेन-देन को किस वर्ष में भारतीय रुपये को पूर्णरूपेण परिवर्तनीय बनाया था?

A. 1985 B. 2002

C. 1994 D. 2011

95. संशोधित जन्म-दर का समीकरण क्या है?

A. संशोधित जन्म-दर

$$= \frac{\text{एक वर्ष में पंजीकृत जन्म + संभावित जन्म}}{\text{वर्ष - मध्य की जनसंख्या}} \times 1000$$

B. संशोधित जन्म-दर

$$= \frac{\text{एक वर्ष में जीवित संतान का जन्म}}{\text{वर्ष - मध्य की जनसंख्या}} \times 1000$$

C. संशोधित जन्म-दर

$$= \frac{\text{कन्याओं की जन्म संख्या}}{\text{वर्ष - मध्य की जनसंख्या}} \times 1000$$

D. संशोधित जन्म-दर

$$= \frac{\text{पंजीकृत जन्म + संभावित जन्म}}{\text{वर्ष - मध्य की जनसंख्या}} \times 1000$$

96. किसी युगपथ समीकरण मॉडल की निम्नांकित में से किस दशा में सही पहचान की जाती है?

A. यदि संरचनात्मक प्राचलों के विशिष्ट संख्यात्मक मान प्राप्त किए जा सकते हों

B. यदि संरचनात्मक समीकरणों के कुछ प्राचलों से एक से अधिक संख्यात्मक मान प्राप्त किए जा सकते हों

C. यदि सभी संरचनात्मक गुणांकों के लिए विशिष्ट हल संभव नहीं हों

D. यदि संरचनात्मक गुणांक का अनुमान नहीं लगाया जा सकता हो

97. वर्ष 2011 में नगरीय जनसंख्या का 40 प्रतिशत से अधिक अनुपात किन राज्यों में था?

A. तमिलनाडु, पंजाब, आंध्र प्रदेश, गुजरात

B. तमिलनाडु, हरियाणा, गुजरात, महाराष्ट्र

C. तमिलनाडु, केरल, आंध्र प्रदेश, पश्चिम बंगाल

D. तमिलनाडु, केरल, महाराष्ट्र, गुजरात

98. 'सुख-शास्त्रीय कीमत' विधि पर्यावरणीय परिसंपत्तियों के मूल्य की माप निम्नांकित में से किसके माध्यम से करती है?

A. किसी पर्यावरणीय परिसंपत्ति के 'अस्तित्व' के प्रयोग द्वारा

B. आंतरिक कीमतों में विचलनों के बीच संपर्कों के प्रयोग द्वारा

C. पर्यावरणीय परिसंपत्ति के मूल्य पर डब्ल्यू.टी.पी. के प्रयोग द्वारा

D. पर्यावरणीय परिसंपत्ति के मूल्य पर डब्ल्यू.टी.ए. के प्रयोग के द्वारा

99. राष्ट्रीय खाद्य सुरक्षा विधि में सम्मिलित है :

A. 65 प्रतिशत ग्रामीण जनसंख्या

B. 70 प्रतिशत ग्रामीण जनसंख्या

C. 75 प्रतिशत ग्रामीण जनसंख्या

D. 80 प्रतिशत ग्रामीण जनसंख्या

100. समांतर माध्य (ए.एम.) ज्यामितीय माध्य (जी.एम.) और हरात्मक माध्य (एच.एम.) के बीच सही संबंध की पहचान करें :

A. जी.एम. = ए.एम. + जी.एम.

B. ए.एम. < एच.एम.

C. [जी.एम.]^2 = एच.एम. × ए.एम.

D. ए.एम. = जी.एम. – एच.एम.

उत्तरमाला

1	2	3	4	5	6	7	8	9	10
A	B	D	C	D	C	B	D	B	C
11	**12**	**13**	**14**	**15**	**16**	**17**	**18**	**19**	**20**
C	B	A	D	B	C	D	B	D	A
21	**22**	**23**	**24**	**25**	**26**	**27**	**28**	**29**	**30**
D	C	A	C	C	C	B	B	B	B
31	**32**	**33**	**34**	**35**	**36**	**37**	**38**	**39**	**40**
D	A	A	B	D	D	D	C	D	*
41	**42**	**43**	**44**	**45**	**46**	**47**	**48**	**49**	**50**
B	C	A	C	C	A	D	B	C	D
51	**52**	**53**	**54**	**55**	**56**	**57**	**58**	**59**	**60**
B	A	D	C	A	B	*	D	B	A
61	**62**	**63**	**64**	**65**	**66**	**67**	**68**	**69**	**70**
C	C	A	D	B	D	B	B	B	B
71	**72**	**73**	**74**	**75**	**76**	**77**	**78**	**79**	**80**
D	D	B	C	B	C	D	B	A	A
81	**82**	**83**	**84**	**85**	**86**	**87**	**88**	**89**	**90**
B	B	B	A	A	B	B	C	C	D
91	**92**	**93**	**94**	**95**	**96**	**97**	**98**	**99**	**100**
A	A	C	C	A	A	D	B	C	C

व्याख्यात्मक उत्तर

1. एक निवेश के जोखिम को अपेक्षित रिटर्न के आसपास संभावित रिटर्न के विचलन या मानक विचलन द्वारा मापा जा सकता है; जितना अधिक प्रसार, उतना अधिक जोखिम उसी प्रकार अधिक से अधिक विचरण या मानक विचलन और विलोमतः और जहाँ संभावित रिटर्न का प्रसार नहीं है, तो अपेक्षित रिटर्न एक निश्चित रिटर्न है, कोई जोखिम नहीं है और दोनों विचलन और मानक विचलन शून्य का मापन देते हैं।

2. अर्थशास्त्र में, उत्पादन कार्यों के कॉब-डगलस कार्यात्मक रूप का व्यापक रूप से इनपुट के लिए एक आउटपुट के संबंध का प्रतिनिधित्व करने के लिए उपयोग किया जाता है। यह नॉट विक्सेल (1851-1926) द्वारा प्रस्तावित किया गया था और 1928 में चार्ल्स कॉब और पॉल डगलस द्वारा सांख्यिकीय साक्ष्य के खिलाफ परीक्षण किया गया था।

वर्ष 1928 में चार्ल्स कॉब और पॉल डगलस ने एक विचार प्रकाशित किया, जिसमें उन्होंने 1899-1922 की अवधि के दौरान अमेरिकी विनिर्माण उद्योग के विकास का मॉडल तैयार किया था। उन्होंने अर्थव्यवस्था का एक सरल दृष्टिकोण माना जिसमें प्रोडक्शन आउटपुट में शामिल श्रम की मात्रा और पूँजी निवेश की मात्रा से निर्धारित होता है। इस प्रसिद्ध सांख्यिकीय अध्ययन से निकाला गया निष्कर्ष यह है कि श्रमिकों ने लगभग 3/4 और निर्मित उत्पादन में वृद्धि का 1/4 पूँजी का योगदान दिया। उत्पादन के लिए वे जिस कार्य का उपयोग करते थे, वह था :

$Q = KL^{\alpha}C^{1-\alpha}$,

जहाँ Q = कुल आउटपुट/प्रोडक्शन, L = श्रम की मात्रा, K और α सकारात्मक स्थिरांक हैं और C पूँजी की राशि है। आउटपुट लोच उत्पादन में उपयोग किए जाने वाले श्रम या पूँजी के स्तरों में बदलाव की आउटपुट क्षमता को मापता है, यदि अन्य बातें पूर्ववत् रहें। कॉब-डगलस उत्पादन प्रकार्य के लिए, प्रतिस्थापन की लोच एक (इकाई) के बराबर है।

4. असहयोगात्मक बनाम सहयोगात्मक क्रीड़ा–आर्थिक क्रीड़ा जो फर्म खेलते हैं, वे सहयोगात्मक या असहयोगात्मक हो सकते हैं। सहकारी खेलों में खिलाड़ी बाध्यकारी अनुबंधों पर बातचीत कर सकते हैं जो उन्हें संयुक्त रणनीतियों की योजना बनाने की अनुमति देते हैं।

- एक सहयोगात्मक क्रीड़ा का एक उदाहरण गलीचा की कीमत पर खरीदार और विक्रेता के बीच सौदेबाजी है। यदि गलीचा का उत्पादन करने के लिए \$ 100 की लागत आती है और खरीदार \$ 200 पर गलीचा को मूल्यांकित करता है, तो क्रीड़ा के लिए एक सहयोगात्मक समाधान संभव है। \$ 101 और \$ 199 के बीच किसी भी कीमत पर गलीचा बेचने का एक समझौता खरीदार के उपभोक्ता अधिशेष की राशि और विक्रेता के लाभ को अधिकतम करेगा, जबकि दोनों पक्षों का बेहतर बनना संभव है। एक असहयोगात्मक क्रीड़ा में, बाध्यकारी अनुबंधों की बातचीत और प्रवर्तन संभव नहीं है।
- असहयोगात्मक क्रीड़ा का एक उदाहरण वह मामला है जहाँ दो प्रतिस्पर्धी फर्में स्वतंत्र रूप से कीमतें निर्धारित करते समय एक-दूसरे के व्यवहार को ध्यान में रखती हैं। प्रत्येक फर्म जानती है कि अपने प्रतिस्पर्धी को कम करके वह बाजार की अधिक हिस्सेदारी पर कब्जा कर सकती है। लेकिन यह भी जानती है कि ऐसा करने में एक प्राइस वॉर को बंद करने का जोखिम रहता है।
- असहयोगात्मक क्रीड़ा का एक अन्य उदाहरण नीलामी है। प्रत्येक बोली लगानेवाले को इष्टतम बोली कार्यनीति का निर्धारण करते समय अन्य बोली लगानेवालों के संभावित व्यवहार को ध्यान में रखकर करना चाहिए।

नोट : सहयोगात्मक और असहयोगात्मक क्रीड़ा के बीच बुनियादी अंतर अनुबंध की संभावनाओं में निहित है। सहयोगात्मक क्रीड़ा में बाध्यकारी अनुबंध संभव है और असहयोगात्मक क्रीड़ा में नहीं हैं।

5-7. एकाधिकार की अक्षमता : चूँकि एकाधिकार सीमांत लागत से अधिक कीमत वसूलता है, न कि सभी उपभोक्ताओं से जो इसकी लागत से अधिक मूल्य पर सामान को खरीदते हैं। माँग वक्र (जो उपभोक्ताओं के लिए अच्छे के मूल्य को दर्शाता है) और सीमांत लागत वक्र (जो एकाधिकार उत्पादक की लागतों को दर्शाता है) के बीच त्रिभुज के क्षेत्र डेडवेट लॉस का प्रतिनिधित्व करता है।

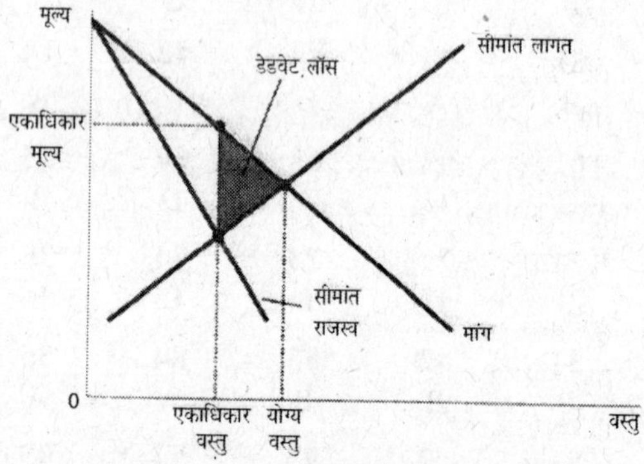

10. यह चित्र प्रदर्शित करता है कि सीमांत उत्पाद का मूल्य (सीमांत उत्पाद, उत्पाद की कीमत को अंकित करता है) श्रमिकों की संख्या पर निर्भर करता है। घटते सीमान्त उत्पाद के कारण वक्र नीचे की ओर जाता है। एक प्रतिस्पर्धी, अधिकतम लाभ वाले फर्म के लिए, सीमांत उत्पाद वक्र का यह मूल्य फर्म की श्रम मांग वक्र भी है।

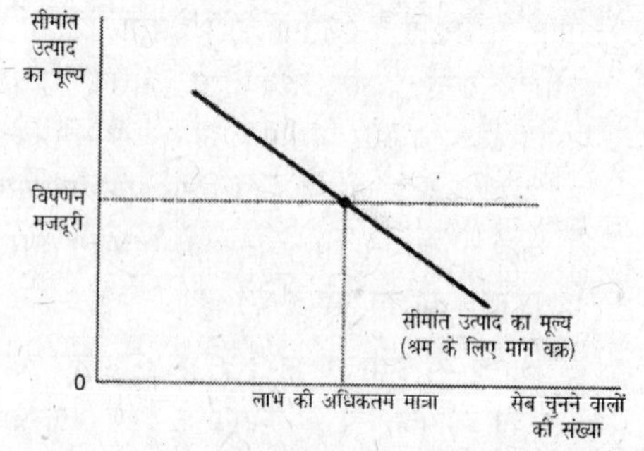

इस प्रकार, एक प्रतिस्पर्धी, उच्च-लाभकारी फर्म श्रमिकों को उस बिंदु तक काम पर रखता है जहाँ श्रम के सीमांत उत्पाद का मूल्य मजदूरी के बराबर होता है।

11. आंशिक संतुलन विश्लेषण के विपरीत, सामान्य संतुलन विश्लेषण सभी बाजारों में कीमतों और मात्राओं को एक साथ निर्धारित करता है और यह प्रतिक्रिया प्रभाव को स्पष्ट रूप से ध्यान में रखता है। प्रतिक्रिया प्रभाव संबंधित बाजारों में मूल्य और मात्रा समायोजन के कारण बाजार में मूल्य या मात्रा का समायोजन है। उदाहरण के लिए, मान लीजिए कि सरकार तेल आयात पर कर लगाती है। यह नीति तुरंत तेल के लिए आपूर्ति वक्र को बाईं ओर ले जाएगी (विदेशी तेल को और अधिक महंगा बनाकर) और तेल की कीमत बढ़ाएगी। लेकिन टैक्स का असर वहाँ खत्म नहीं होगा। तेल की अधिक कीमत से प्राकृतिक गैस की कीमत बढ़ जाती है। उच्च प्राकृतिक गैस की कीमत बदले में तेल की माँग (दाईं ओर शिफ्ट होने) और तेल की कीमत को और भी अधिक बढ़ा देगी। तेल और प्राकृतिक गैस बाजार तब तक एक-दूसरे को प्रभावित करते रहेंगे जब तक कि एक संतुलन की स्थिति नहीं हो जाती है, जिसमें माँग की गई मात्रा और आपूर्ति की गई मात्रा दोनों बाजारों में बराबर हो जाती है।

12. **परिभाषा :** नैतिक जोखिम एक ऐसी स्थिति है जिसमें एक पक्ष एक जोखिमपूर्ण घटना में यह जानकर शामिल हो जाता है कि यह जोखिम के विरुद्ध सुरक्षित है और दूसरा पक्ष लागत का भुगतान करेगा। यह तब होता है जब दोनों पक्षों को एक-दूसरे के बारे में अधूरी जानकारी होती है।

विवरण : एक वित्तीय बाजार में, एक जोखिम होता है जो उधारकर्ता गतिविधियों में संलग्न हो सकता है जो ऋणदाता के दृष्टिकोण से अवांछनीय है क्योंकि वे उसे वापस ऋण का भुगतान करने की संभावना कम कर देते हैं। यह तब होता है जब उधारकर्ता जानता है कि कोई और उस गलती के लिए भुगतान करेगा जो वह करता है। यह बदले में उसे जोखिम भरे तरीके से कार्य करने के लिए प्रोत्साहन देता है। इस आर्थिक अवधारणा को नैतिक जोखिम के रूप में जाना जाता है।

उदाहरण : आपने भविष्य के किसी भी नुकसान से बचने के लिए अपने घर का बीमा नहीं कराया है। तात्पर्य यह है कि आग या चोरी जैसे कुकृत्य से उत्पन्न नुकसान आपके द्वारा पूरी तरह से वहन किया जाएगा। इसलिए आप अतिरिक्त सावधानी और चौकसता दिखाएंगे। आप किसी भी अप्रत्याशित घटना से बचने के लिए हाई टेक बर्गलर अलार्म लगाएंगे और चौकीदार नियुक्त करेंगे। लेकिन अगर आपके घर का उसके पूरे मूल्य के अनुसार बीमा किया जाता है, तो कुछ भी क्षति होने पर आप वास्तव में कुछ भी नहीं खोएंगे। इसलिए, आपके पास किसी भी दुर्घटना से बचाने के लिए कम साधन हैं। इस मामले में, बीमा कंपनी घाटे उठाती है और नैतिक जोखिम की समस्या उत्पन्न होती है।

13.
$$\frac{\Delta Y}{\Delta T} = -\frac{MPC}{1-MPC}$$
$$= -\frac{0.8}{0.2} = -4.$$

14.
$$Y = C + I + G$$
$$Y = 25 + 0.8Y_d + 100 + 75$$
$$Y = 200 + 0.8\ Y_d$$
$$Y_d = Y - T$$
$$Y = 200 + 0.8(Y - T)$$
$$Y = 200 + 0.8(Y - 100)$$
$$Y = 200 + 0.8Y - 80$$
$$Y = 120 + 0.8Y$$
$$Y - 0.8Y = 120$$
$$0.2Y = 120$$
$$Y = \frac{120}{0.2}$$
$$Y = 600$$

इसलिए, संतुलन आय का स्तर \$ 600 है।

15. G गुणक $= \frac{1}{(1-c)}$

जहाँ c उपभोग करने के लिए सीमांत प्रवृत्ति है।

$$\therefore \quad \frac{\Delta Y}{\Delta G} = \frac{1}{1-0.8}$$
$$= \frac{1}{0.2} = 5.$$

17. **परिभाषा :** अवसाद को एक गंभीर और लंबे समय तक मंदी के रूप में परिभाषित किया गया है। एक मंदी आर्थिक गतिविधि में गिरावट की स्थिति है। आर्थिक गतिविधि में गिरावट उत्पादन और रोजगार के स्तर की

विशेषता है। आमतौर पर, जब कोई अर्थव्यवस्था दो या दो से अधिक तिमाहियों के लिए मंदी का शिकार होती रहती है, तो उसे अवसाद कहा जाता है।

वितरण : एक अर्थव्यवस्था में उत्पादकता का स्तर एक अवसाद के दौरान काफी गिर जाता है। जीडीपी (सकल घरेलू उत्पाद) और जीएनपी (सकल राष्ट्रीय उत्पाद) दोनों ही अधिक व्यावसायिक विफलताओं और बेरोजगारी के साथ नकारात्मक वृद्धि दर्शाते हैं। जब मंदी किसी भी अर्थव्यवस्था पर अपना प्रभाव डालती है, अन्तर्निहित प्रक्रिया, निवेश में कटौती के साथ-साथ खपत व्यय को भी ट्रिगर करता है। यह निवेशकों और उपभोक्ताओं के बीच विश्वास की कमी के कारण होता है। इसके अलावा, वित्तीय संकट से क्रेडिट की उपलब्धता घट सकती है। अत्यधिक उतार-चढ़ाव मुद्रा के सापेक्ष मूल्य में होता है। कुल मिलाकर व्यापार और वाणिज्य कम हो जाते हैं। 1929 के ग्रेट डिप्रेशन को आर्थिक इतिहास में एक अवसाद का सबसे क्लासिक उदाहरण माना जाता है।

20. विनिमय जोखिम के विभिन्न प्रकार हैं : लेनदेन जोखिम, ट्रांसलेशन जोखिम और आर्थिक जोखिम।

1. **लेन-देन जोखिम :** विदेशी मुद्रा में परिवर्तन करने या प्राप्त करने के लिए मौजूदा प्रतिबद्धताओं की शुद्ध राशि को 'लेन-देन जोखिम' के रूप में जाना जाता है। फॉरवर्ड कॉन्ट्रैक्ट का अल्पकालिक प्रतिबद्धताओं पर विनिमय जोखिम को ऑफसेट करने में व्यापक उपयोग होता है, जहाँ मात्रा अग्रिम में जानी जाती है। आगे के अनुबंधों के साथ हेजिंग सरल है, जिसमें कम लागत और कम जोखिम शामिल है। हेजिंग ट्रांजैक्शन एक्सपोजर हमेशा समग्र एक्सपोजर के आधार पर किया जाता है न कि भागों के आधारपर।
2. **ट्रांसलेशन जोखिम :** विनिमय दरों में बदलाव से उत्पन्न होने वाली विदेशी मुद्रा में संपत्तियों और देनदारियों की शुद्ध बुक वैल्यू को 'ट्रांसलेशन या एकाउंटिंग एक्सपोजर' कहा जाता है। सहायक कंपनी में पेरेंट्स इन्वेस्टमेंट के बुक वैल्यू में बदलाव के कारण इस तरह का जोखिम उत्पन्न होता है, जिसके परिणामस्वरूप मूल कंपनी को नुकसान होता है। महत्वपूर्ण ट्रांसलेशन एक कंपनी को अपने ट्रांसलेशन जोखिम को रोकने के लिए मजबूर कर सकती है।
3. **आर्थिक जोखिम :** वे जोखिम जो किसी फर्म के वर्तमान मूल्य के परिवर्तन से जुड़े होते हैं, विनिमय दर में परिवर्तन के कारण किसी परिसंपत्ति या देयता को 'आर्थिक जोखिम' कहा जाता है। चूँकि वर्तमान मूल्य उन प्रतिबद्धताओं के अपेक्षित परिणामों पर निर्भर करता है जो अभी तक नहीं किए गए हैं, इसलिए आर्थिक जोखिम लेनदेन जोखिम की तुलना में बहुत अधिक व्यापक है। यह ट्रांसलेशन जोखिम से अलग है क्योंकि आर्थिक जोखिम भविष्य पर निर्भर करता है जबकि ट्रांसलेशन जोखिम अतीत में हुई घटनाओं को दर्शाता है। आर्थिक जोखिम लेन-देन और ट्रांसलेशन जोखिम से भी भिन्न होता है क्योंकि एक फर्म को विनिमय दरों में बदलाव के लिए उजागर किया जा सकता है, भले ही इसके पास न तो संपत्ति हो और न ही विदेशी मुद्रा में देनदारियाँ हों।

22. सार्वजनिक ऋण से मुक्ति का अर्थ है सार्वजनिक ऋण का पुनर्भुगतान। सभी सरकारी ऋण का भुगतान तेजी से होना चाहिए। पुनर्भुगतान के विभिन्न तरीके हैं जिन पर निम्नलिखित शीर्षों के तहत चर्चा की जा सकती है :

1. **अधिशेष बजट :** अधिशेष बजट का अर्थ है सार्वजनिक व्यय से अधिक राजस्व। यदि सरकार ने अधिशेष बजट की योजना बनाई है, तो सार्वजनिक ऋण चुकाने के लिए अतिरिक्त राजस्व का उपयोग किया जा सकता है।
2. **धनवापसी :** धनवापसी का तात्पर्य सरकार द्वारा नए सिरे से जारी किए गए बांडों और प्रतिभूतियों के मुद्दे से है, ताकि परिपक्व ऋणों का उपयोग सार्वजनिक ऋण के पुनर्भुगतान के लिए किया जा सके।
3. **वार्षिकियाँ :** इस पद्धति के द्वारा, सरकार हर साल सार्वजनिक ऋण का भुगतान करती है। इस तरह के वार्षिक भुगतान नियमित रूप से किए जाते हैं जब तक कि कर्ज पूरी तरह से पूरी न हो जाए।
4. **सिंकिंग फंड :** इस विधि द्वारा, सरकार सार्वजनिक ऋण चुकाने के उद्देश्य से एक अलग कोष बनाती है जिसे 'सिंकिंग फंड' कहा जाता है। यह ऋणमुक्ति का सबसे अच्छा तरीका माना जाता है।

5. कन्वर्जन : कन्वर्जन का अर्थ है मौजूदा ऋण को उनकी परिपक्वता की तारीख से पहले नए ऋण में बदल दिया जाता है।

6. अतिरिक्त कराधान : सरकार अतिरिक्त कराधान का सहारा ले सकती है ताकि इस पद्धति के तहत सार्वजनिक ऋण चुकाने के लिए आवश्यक धन जुटाया जा सके।

7. पूँजी कर : पूँजी कर, पूँजी परिसंपत्तियाँ और परिसंपत्तियाँ पर एक भारी कर है।

8. भुगतान का अधिशेष संतुलन : यह बाहरी ऋण को चुकाने के लिए उपयोगी है, जिसके लिए विदेशी मुद्रा की आवश्यकता होती है, अधिशेष का भुगतान अत्यधिक आयात के निर्यात से होता है, जिसके द्वारा विदेशी मुद्रा का भंडार बनाया जा सकता है।

32. निर्यात और आयात द्वारा परिलक्षित भुगतान का संतुलन विदेशी मुद्राओं की माँग और आपूर्ति को भी प्रभावित करता है। भुगतान संतुलन को निम्न में वर्गीकृत किया गया है :

(*a*) चालू खाते पर भुगतान संतुलन, और

(*b*) पूँजी खाते पर भुगतान का संतुलन

चालू खाता के शेष में तीन आइटम शामिल हैं :

(*i*) वस्तुओं के आयात और निर्यात से संबंधित विजिबल व्यापार संतुलन के रूप में जाना जाता है।

(*ii*) इनविजिबल वस्तुएँ, यानी, शिपिंग, बैंकिंग, बीमा, यात्रा जैसी सेवाओं के लिए रसीदें और भुगतान।

(*iii*) एकतरफा स्थानान्तरण, जैसे—दान।

चालू खाते पर शेष भुगतान यह दर्शाता है कि यह अवधि के लिए अनुकूल है या घाटे का संतुलन है। पूँजी खाते पर भुगतान के संतुलन में विदेशी निवेश, बाह्य सहायता, वाणिज्यिक उधार, एनआरआई जमा जैसे आइटम शामिल हैं।

33. विस्तारक राजकोषीय नीति निजी क्षेत्र के खर्च को बढ़ा सकती है; यानी सरकारी खर्च में बढ़ोत्तरी से खपत और निवेश में कमी आ सकती है। करों के बजाय उधार द्वारा वित्तपोषित सरकारी खर्च के संदर्भ में आमतौर पर भीड़ की चर्चा की जाती है। सरकारी उधारी में वृद्धि ब्याज दरों को बढ़ाती है। जैसे ही ब्याज दरें बढ़ती हैं, निवेश गिरता है, इस तरह की अप्रत्यक्ष भीड़ बांड मार्केट के जरिए काम करती है।

34. क्रेडिट कंट्रोल पॉलिसी आर्थिक नीति का एक हिस्सा है जो केंद्रीय बैंक के दायरे में आता है। इसलिए, इसका मुख्य उद्देश्य पैसे की आंतरिक क्रय शक्ति की उचित स्थिरता बनाए रखते हुए उच्च विकास दर की प्राप्ति है। हमारे देश में ऋण नियंत्रण नीति के व्यापक उद्देश्यों को निम्नानुसार गणना की जा सकती है :

- देश की विनिमय दर और मुद्रा बाजार में स्थिरता प्राप्त करना।
- हर समय अर्थव्यवस्था में वित्तीय आवश्यकता को पूरा करना।
- व्यापार चक्र को नियंत्रित करने और व्यावसायिक आवश्यकताओं को पूरा करने के लिए।
- सामान्य मूल्य स्तर को स्थिर करने के लिए।
- रोजगार और आय के उच्च स्तर को बढ़ावा देने और बनाए रखने के लिए।
- रोजगार और उत्पादन में अनुचित उतार-चढ़ाव को खत्म करना।

36. घाटे :

(*a*) **राजस्व घाटा** राजस्व प्राप्तियों पर राजस्व व्यय की अधिकता को दर्शाता है।

(*b*) **बजट घाटा** कुल प्राप्तियों पर कुल व्यय की अधिकता को दर्शाता है। यहाँ, कुल प्राप्तियों में वर्तमान राजस्व और सरकारों की शुद्ध आंतरिक और बाहरी पूँजी प्राप्तियाँ शामिल हैं।

(*c*) **राजकोषीय घाटा** एक तरफ कुल व्यय (राजस्व, पूँजी और ऋण शुद्ध पुनर्भुगतान) और दूसरी ओर, राजस्व प्राप्तियाँ प्लस और उन पूँजी प्राप्तियाँ जो उधार के रूप में नहीं हैं, लेकिन जो अंत में सरकार को प्राप्त होती हैं, के बीच अंतर को संदर्भित करता है।

(*d*) प्राथमिक घाटा राजकोषीय घाटा – ब्याज भुगतान को संदर्भित करता है।

विमुद्रीकृत घाटा = केंद्र सरकार को नेट आरबीआई क्रेडिट में वृद्धि।

38. करदाता की भुगतान करने की क्षमता के आधार पर कर होना चाहिए। करदाता के आय के स्तर के अनुपात में कर का भुगतान किया जाता है जिसके परिणामस्वरूप सरकार के समर्थन की लागत के समान वितरण होता है। समानता की अवधारणा को क्षैतिज और ऊर्ध्वाधर दोनों इक्विटी पर विचार करने की आवश्यकता है। क्षैतिज इक्विटी तब होता है जब दो समान रूप से स्थित करदाताओं पर समान कर लगाया जाता है। वर्टिकल इक्विटी तब होती है जब विभिन्न परिस्थितियों वाले करदाताओं पर अलग-अलग तरह से कर लगाया जाता है, लेकिन प्रत्येक करदाता की कर के भुगतान करने की क्षमता के संबंध में ध्यान दिया जाता है। इसका अर्थ यह है कि जिस करदाता को कर चुकाने की अधिक क्षमता होती है, उन्हें कर के सबसे बड़े अनुपात का भुगतान करना चाहिए।

39. करदाता पर कर का प्रभाव तत्काल या प्रत्यक्ष धन के बोझ को दर्शाता है। कर का प्रभाव उस व्यक्ति पर होता है जो इसे पहली बार कर प्राधिकरण को भुगतान करता है। जिस व्यक्ति पर कर का प्रभाव पड़ता है, वह किसी न किसी माध्यम से किसी अन्य को बोझ हस्तांतरित करने की कोशिश कर सकता है। कर के भार के हस्तांतरण की प्रक्रिया को इनसिडेंस ऑफ टैक्स के रूप में जाना जाता है। इसलिए इनसिडेंस टैक्स के अंतिम पैसे के बोझ को संदर्भित करती है जो गैर-परिवर्तनशील है। इनसिडेंस उस व्यक्ति पर पड़ता है जो वास्तव में सैक्रिफाइस से गुजरता है। सरकार वस्तु के निर्माता पर कर लगाती है, लेकिन निर्माता सरकार को भुगतान करने के बाद उस उत्पाद की कीमत में वृद्धि करके कर के बोझ को उपभोक्ताओं पर स्थानांतरित करने की कोशिश करता है। यहाँ प्रभाव उत्पादक पर होता है लेकिन वस्तु के अंतिम उपभोक्ता पर होता है। इस प्रकार, कर के प्रभाव को दूसरों पर स्थानांतरित करना पड़ता है, जो अंत में इनसिडेंस के साथ समाप्त होता है। करों को प्रत्यक्ष कर और अप्रत्यक्ष कर के रूप में वर्गीकृत किया जा सकता है। यह वर्गीकरण आमतौर पर प्रभाव और घटना के आधार पर बनाया गया है। प्रत्यक्ष कर वह है, जिसका इम्पैक्ट और इनसिडेंस उसी व्यक्ति पर पड़ता है। प्रत्यक्ष कर के मामले में स्थानांतरण असंभव है। इसके विपरीत अप्रत्यक्ष कर वह है, जिसका इम्पैक्ट और इनसिडेंस अलग-अलग व्यक्तियों पर होता है। अप्रत्यक्ष कर में बदलाव संभव है—आंशिक या पूर्ण रूप से।

40. 12 सदस्यीय अर्थव्यवस्थाओं के साथ 1989 में स्थापित, एशिया-प्रशांत आर्थिक सहयोग (APEC) तभी से बढ़ते-बढ़ते 21 सदस्यीय अंतर-सरकारी निकाय के रूप में हो गया जिसका उद्देश्य एशिया प्रशांत क्षेत्र में आर्थिक विकास, सहयोग, व्यापार और निवेश को बढ़ावा देना है। APEC के लक्ष्यों को 1994 के बोगोर घोषणापत्र में स्पष्ट किया गया है। बोगोर लक्ष्यों को प्राप्त करने के लिए, APEC ने सहयोग के तीन क्षेत्रों की पहचान की जिन्हें कभी-कभी APEC के 'थ्री पिलर्स' के रूप में जाना जाता है : व्यापार और निवेश उदारीकरण, व्यापार सुविधा और आर्थिक तथा तकनीकी सहय्रोग। व्यापार और निवेश उदारीकरण बाजार को खोलने और अंत में व्यापार और निवेश के लिए टैरिफ और गैर-टैरिफ बाधाओं को दूर करने पर ध्यान केंद्रित करता है। व्यापार सुगमता व्यापार लेनदेन की लागत को कम करने और व्यापार जानकारी तक पहुँच में सुधार पर केंद्रित है। सभी APEC सदस्य अर्थव्यवस्थाओं में क्षमता निर्माण के लिए प्रशिक्षण और सहयोग प्रदान करने हेतु आर्थिक और तकनीकी सहयोग पर केंद्रित है। सूचना और संचार प्रौद्योगिकी (आईसीटी) को तीनों स्तंभों में एपीईसी के काम में एक महत्वपूर्ण उपकरण के रूप में मान्यता प्राप्त है।

41. **एक्सटर्नल ड्रेन :** एक्सटर्नल ड्रेन शब्द का अर्थ उधारकर्ताओं द्वारा बैंकों से निकाली गई नकदी से है। कुछ उधारकर्ताओं द्वारा नकदी में अपनी जमा राशि का हिस्सा वापस लेने की संभावना है। नकदी की निकासी के साथ, बैंकों के अतिरिक्त भंडार अपने आप कम हो जाते हैं। इससे उनकी सृजन क्षमता कम हो जाती है।

49. **नोट जारी करने की मानक प्रणाली :** मुद्रा समस्या की मुख्य प्रणाली निम्नलिखित है:

1. **सरल जमा प्रणाली :** इस प्रणाली के तहत, जारी किए गए नोट के लिए मौद्रिक प्राधिकरण को सौ प्रतिशत बुलियन (सोने या चाँदी) रखने की आवश्यकता होती है। इसीलिए इसे फुल रिजर्व सिस्टम के नाम से भी जाना जाता है।

2. **फिक्स्ड फिडुसियरी सिस्टम :** इस प्रणाली के तहत देश के सेंट्रल बैंक को किसी भी धातु के भंडार को रखे बिना एक निश्चित मात्रा में नोट जारी करने की अनुमति है। इस हिस्से को फिडुसियरी सिस्टम कहा जाता है लेकिन इस राशि के ऊपर जारी किए गए सभी नोटों को 100 प्रतिशत धातु के भंडारण द्वारा परिवर्तित किया जाना चाहिए।
3. **मैक्सिमम फिडुसियरी सिस्टम :** इस प्रणाली के तहत, अधिकतम सीमा होती है, जिसमें केंद्रीय बैंक बिना किसी स्वर्ण भंडारण के नोट जारी करने के लिए अधिकृत होता है लेकिन इस सीमा से आगे सोने के भंडारण का पूरा समर्थन करना होगा।
4. **आनुपातिक आरक्षित प्रणाली :** इस प्रणाली के तहत केंद्रीय बैंक को नोट के मुद्दे के एवज में सोने का एक निश्चित प्रतिशत रखने की आवश्यकता होती है और उन नोट के शेष हिस्से को प्रतिभूतियों द्वारा कवर किया जाता है।
5. **मिनिमम रिजर्व सिस्टम :** इस प्रणाली के तहत सेंट्रल बैंक को किसी भी हद तक नोट जारी करने की अनुमति दी जाती है, बशर्ते एक निश्चित न्यूनतम भंडारण सोने और विदेशी प्रतिभूतियों द्वारा बनाए रखा जाए।

51. अंतर्राष्ट्रीय अर्थशास्त्री जगदीश भगवती ने एक अलग उदाहरण पेश किया कि कैसे व्यापार की बदलती शर्तें व्यापार से लाभ को कम करती हैं। भगवती पारंपरिक एच.ओ. मॉडल का उपयोग यह दिखाने के लिए करते हैं कि अंतर्राष्ट्रीय कीमतों को प्रभावित करने के लिए बड़े देश के मामले में, किसी देश के निर्यात की प्रतिकूल कीमत की रफ्तार से अंतर्राष्ट्रीय व्यापार में वृद्धि को कम करके आंका जा सकता है। भगवती ने इस घटना को विकास को गति देने वाला कहा, और यह आमतौर पर स्वीकार की गई परिकल्पना का प्रभावी रूप से खंडन करता है कि आर्थिक विकास और अंतर्राष्ट्रीय व्यापार हमेशा कल्याणकारी होते हैं और कभी कोई संकट पैदा नहीं करते हैं।

53. **वाइजमैन-पीक परिकल्पना :** सार्वजनिक व्यय की वृद्धि की यह थिसिस 1890-1955 की अवधि के दौरान यूनाइटेड किंगडम में सार्वजनिक व्यय के अपने प्रसिद्ध अध्ययन में वाइजमैन और पीकॉक द्वारा दी गई थी। लेखकों की मुख्य थिसिस यह है कि सार्वजनिक व्यय सहज और निरंतर तरीके से नहीं बढ़ता है। समय के साथ सार्वजनिक व्यय में वृद्धि झटके के साथ या चरणबद्ध तरीके से हुई है। परिकल्पना के लिए सामान्य दृष्टिकोण तीन संबंधित अवधारणाओं को संदर्भित करता है :

1. विस्थापन प्रभाव
2. निरीक्षण प्रभाव
3. एकाग्रता प्रभाव

54. खर्च और कराधान के पुराने स्तर का संचलन एक नए और उच्च स्तर पर विस्थापन प्रभाव है। आवश्यक सार्वजनिक व्यय की तुलना में राजस्व की अपर्याप्तता सरकार के पक्ष में एक निरीक्षण प्रभाव उत्पन्न करती है। सरकार और लोग राजस्व स्थिति की समीक्षा करते हैं और उन महत्वपूर्ण समस्याओं के समाधान को खोजने की आवश्यकता महसूस करते हैं जो बढ़े हुए व्यय को वित्त करने के लिए आवश्यक समायोजन के लिए सहमत हैं। वे कर सहिष्णुता के एक नए स्तर को प्राप्त करते हैं। वे अब कराधान के अधिक बोझ को सहन करने के लिए तैयार हैं जिसके परिणामस्वरूप व्यय और राजस्व का सामान्य स्तर बढ़ जाता है। इस तरह, सार्वजनिक व्यय और राजस्व एक नए स्तर पर स्थिर हो जाते हैं जब तक कि एक और गड़बड़ी विस्थापन प्रभाव पैदा करती है। इस प्रकार, प्रत्येक बड़ी गड़बड़ी को सरकार कुल राष्ट्रीय आर्थिक गतिविधि का एक बड़ा हिस्सा मानती है। दूसरे शब्दों में, यह एकाग्रता प्रभाव है। सांद्रता का प्रभाव राज्य और स्थानीय स्तर की सरकारों की तुलना में केंद्र सरकार की आर्थिक गतिविधियों के तेजी से बढ़ने की स्पष्ट प्रवृत्ति को भी दर्शाता है।

57. लाभ का सिद्धांत यह मानता है कि कर दाताओं को सार्वजनिक वस्तुओं और सेवाओं से कितना करदाता लाभ या लाभ के अनुपात में वितरित किया जाना चाहिए। यह दृष्टिकोण व्यक्ति और राज्य के बीच मौलिक रूप से भिन्न संबंध को प्रदर्शित करता है और कर नीति में उस संबंध को कैसे प्रतिबिंबित किया जाता है, को भी व्यक्त करता है। लाभ का सिद्धांत उन नीतियों में सबसे आसानी से लागू होता है जो बाजार मूल्य निर्धारण

तंत्र की विशेषता वाले असाधारण सार्वजनिक सामानों के लिए शुल्क लेते हैं। उदाहरण के लिए, टोल रोड के लिए लागत बोझ, उपयोगिताओं और कुछ सार्वजनिक मनोरंजन सुविधाओं का लागत बोझ उन लोगों को सौंपा जा सकता है जो उपयोग के लिए एक सरल शुल्क लगाकर सामान का सबसे अधिक उपयोग करते हैं। ड्राइवरों द्वारा भुगतान किए गए ईंधन को सड़क निर्माण और उपयोगकर्ताओं पर रखरखाव की लागत को स्थानांतरित करने का एक और तरीका है। लाभ सिद्धांत के कई अनुप्रयोगों में, किसी व्यक्ति के लाभ को उनके उपभोग के लिए आनुपातिक माना जाता है। पूर्ववर्ती उदाहरणों में, जो लोग इसके लिए वस्तुओं या सेवा का लाभ उठाते हैं, और वे जितना अधिक लाभ या उपभोग करते हैं, उतना ही अधिक भुगतान करते हैं। जब किसी सार्वजनिक कल्याण या सेवा को विशुद्ध रूप से लाभ सिद्धांत के अनुसार मूल्य अदा किया जाता है, तो जो लोग वस्तुओं या सेवा का उपयोग नहीं करते हैं वे कुछ भी नहीं देते हैं। लाभ सिद्धांत की कमजोरी समय की अज्ञानता नहीं है, बल्कि इसकी परिबद्ध प्रयोज्यता है। लाभ के सिद्धांत को गैर-बहिष्कृत, या 'शुद्ध' सार्वजनिक वस्तुओं जैसे कि राष्ट्रीय रक्षा और पर्यावरण संरक्षण पर लागू करना कठिन है, लेकिन असंभव नहीं। सिद्धांत रूप में, इस तरह के सामान को एक उपयोगकर्ता शुल्क के माध्यम से वित्तपोषित किया जा सकता है, लेकिन यह एक फ्री-राइडर समस्या और पर्याप्त प्रशासनिक बोझ पैदा करेगा।

61. राजस्व-A के लिए पी.जी.आर.

$$= \frac{1}{8} \times \frac{1}{800}((800-750)+(800-775)+(800-790))$$

$$= \frac{1}{8} \times \frac{1}{800}(50+25+10) = \frac{1}{8} \times \frac{1}{800} \times 85$$

$$= 0.01328 \approx 0.01329$$

राज्य-B के लिए पी.जी.आर.

$$= \frac{1}{8} \times \frac{1}{800}((800-550)+(800-600)+(800-490))$$

$$= \frac{1}{6400}(250+200+310)$$

$$= 0.11875 \approx 0.119.$$

62. राज्य-A के लिए व्यक्ति संख्या अनुपात

$$\frac{3}{8} = 0.375$$

राज्य-B के लिए व्यक्ति संख्या अनुपात

$$\frac{3}{8} = 0.375.$$

72. पारंपरिक वस्तुओं (यानी, ब्रेड) और पर्यावरणीय घटक (यानी, प्रदूषण) के बीच मूलभूत अंतर यह है कि पारंपरिक सामानों के मामले में, बाजार माल को कुशलता से आवंटित करता है, जबकि पर्यावरणीय घटक के मामले में बाजार इसे कुशलता से आवंटित करने में विफल रहता है। यह पर्यावरणीय घटक (यानी, प्रदूषण) की प्रकृति है जो बाजार की विफलता की ओर उन्मुख होता है। गैर-प्रतिद्वंद्वी खपत और गैर-बहिष्करण की सुविधा पर्यावरणीय घटकों के लिए बाजार की विफलता का मार्ग प्रशस्त करती है।

75. राजस्व, $R = P \times x$

$$= (60 - 3x)x = 60x - 3x^2$$

लाभ, $\pi = R - C$

$$= 60x - 3x^2 - 40 - 12x$$

$$= 48x - 3x^2 - 40$$

अधिकतम के लिए,

$$\frac{d\pi}{dx} = 0$$

$$\Rightarrow \quad 48 - 6x = 0$$

$$6x = 48 \Rightarrow x = 8.$$

77. दूसरा राष्ट्रीय श्रम आयोग (एनसीएल), 1999 ने कुछ पथप्रवर्तक और महत्वपूर्ण सिफारिशें की हैं। रिपोर्ट के कुछ बिंदुओं में निम्नलिखित शामिल हैं :

1. आयोग असंगठित क्षेत्र के श्रमिकों को व्यापार संघ बनाने और उन्हें पंजीकृत करने में सक्षम बनाने के लिए ट्रेड यूनियन अधिनियम में एक विशिष्ट प्रावधान की सिफारिश करता है। इसने नियोक्ता- कर्मचारी संबंध की स्थिति और प्रतिष्ठान में 10 प्रतिशत सदस्यता की छूट की सिफारिश की है। यह एक पथप्रवर्तक सिफारिश है जो असंगठित क्षेत्र के 92 प्रतिशत मजदूरों को मजदूर आंदोलन में लाने का मार्ग प्रशस्त कर सकती है।

2. किसी प्रतिष्ठान में निगोशिएटिंग एजेंट का निर्धारण करने के लिए आयोग ने 'चेक ऑफ पद्धति' के उपयोग की अनुशंसा की है। पुनः निगोशिएटिंग एजेंट के रूप में पात्रता के लिए 66 प्रतिशत सदस्यता तय करके, इसने साधारण बहुमत के सिद्धांत का पक्ष नहीं लिया है, बल्कि दो-तिहाई बहुमत का विकल्प चुना है। यदि यह शर्त पूरी नहीं होती है, तो 25 प्रतिशत से अधिक समर्थन वाले यूनियनों के प्रतिनिधियों में से एक समग्र वार्ता एजेंट की सिफारिश की गई है।
3. इसने लोक अदालतों, श्रम न्यायालयों और श्रम संबंध आयोग की त्रिस्तरीय व्यवस्था की सिफारिश की है। जबकि लोक अदालत और श्रम अदालत व्यक्तिगत शिकायतों और अन्य शिकायतों से निपटते हैं। श्रम संबंध आयोग को व्यक्तिगत समस्याओं और सामूहिक सौदेबाजी दोनों से निपटने के लिए अधिकार दिया गया है।
4. इसने सिफारिश की है कि श्रम से संबंधित मुद्दों में श्रम न्यायालयों को अंतिम अधिकार होना चाहिए, और इस क्षेत्र में दीवानी अदालतों के क्षेत्राधिकार पर प्रतिबंध लगाया जाना चाहिए। विभिन्न मंचों में श्रम का प्रतिनिधित्व करने के लिए 10 प्रतिशत सदस्यता की शर्त यूनियनों पर थोपकर, इसने श्रम के वास्तविक प्रतिनिधियों के रूप में बहुत छोटे यूनियनों की भूमिका को समाप्त कर दिया है। अखिल भारतीय श्रम न्यायिक सेवा के गठन का सुझाव स्वागत योग्य है।
5. इसने सभी कर्मचारियों के लिए 8.33 प्रतिशत बोनस की गारंटी देते हुए कहा है कि प्रत्येक नियोक्ता को एक विशेष त्योहार से पहले प्रत्येक श्रमिक को एक महीने का बोनस का भुगतान करना चाहिए। इससे अधिक के लिए अधिकतम 20 प्रतिशत मजदूरी की मांग बातचीत के अधीन होगी।
6. यह सिफारिश की गई है कि पात्रता की गणना के लिए और बोनस की गणना के लिए दो वेतन उच्चतम सीमा की मौजूदा प्रणाली को बढ़ाकर ₹ 7,500 और ₹ 3,500 तक किया जाना चाहिए। इसने बोनस के लिए न्यूनतम और अधिकतम सीमाएँ प्रस्तुत की हैं और बातचीत के लिए स्वतंत्रता की अनुमति दी है।
7. इसका स्पष्ट दृष्टिकोण कि श्रम कानूनों से किसी तरह की छूट निर्यात संवर्धन क्षेत्रों या विशेष आर्थिक क्षेत्रों में नहीं दी जानी चाहिए, कानूनों को लागू करने में आयोग की ईमानदारी का और अधिक प्रमाण है।

80. परिकल्पना परीक्षण में यह संभव है कि आंकड़ों के आधार पर, एक ट्रू नल्ल हाइपोथिसिस को अस्वीकृत कर दिया जाए। इस त्रुटि को टाइप-I त्रुटि कहा जाता है। टाइप-II त्रुटि तब होती है जब एक फॉल्स नल्ल हाइपोथिसिस को स्वीकार कर लिया जाता है। टाइप-I त्रुटि करने की संभावना को α द्वारा निरूपित किया जाता है, और महत्व के स्तर को परिभाषित करने का यह एक और तरीका है। टाइप-II त्रुटि करने की संभावना को β द्वारा निरूपित किया जाता है।

81. भारत सरकार ने 1966 में डॉ. डी.एस. कोठारी, एक प्रख्यात शिक्षाविद् की अध्यक्षता में शिक्षा को बढ़ावा देने के लिए आवश्यक सकल घरेलू उत्पाद (जीडीपी) का अनुमान लगाने और उसकी आवश्यकता का आकलन करने के लिए शिक्षा आयोग की स्थापना की थी। डॉ. कोठारी ने शिक्षा और उत्पादकता के बीच महत्वपूर्ण संबंधों पर जोर दिया और भारत के राष्ट्रीय और आर्थिक विकास में शिक्षा की भूमिका को रेखांकित किया। यह बहुत स्पष्ट रूप से कहा गया है; "मानव संसाधन में निवेश के रूप में शिक्षा आर्थिक विकास में योगदान करने वाले कारकों में से एक महत्वपूर्ण भूमिका निभाती है।" यह भी कहा कि अगले 20 वर्षों के दौरान, शिक्षा पर व्यय को जीडीपी के 6% तक बढ़ाया जाना चाहिए।

82. $$P_e = \frac{AR}{AR - MR}$$

$$= \frac{15}{15-5} = \frac{15}{10} = 1.5.$$

85. माध्य – बहुलक = 3(माध्य – माध्यिका)

बहुलक = 3 माध्यिका – 2 माध्य

$\Rightarrow$ 10 = 3 × 20 – 2 × माध्य

$$10 = 60 - 2 \text{ माध्य}$$

$$\Rightarrow \quad 2 \text{ माध्य} = 50$$

$$\text{माध्य} = 25.$$

88. दिया गया है,

$$A = \begin{bmatrix} 6 & 5 & 5 \\ 3 & -11 & -5 \\ 3 & -5 & -2 \end{bmatrix}$$

$$|A| = [6\{(-11)(-2) - (-5)(-5)\} - 5\{(3)(-2) - (3)(-5)\} + 5\{(3)(-5) - (-11)(3)\}]$$

$$= [6\{22 - 25\} - 5\{-6 + 15\} + 5\{-15 + 33\}]$$

$$= 6 \times (-3) - 5(9) + 5(18)$$

$$= -18 - 45 + 90$$

$$= -63 + 90 = 27.$$

90. निर्धारण r^2 का गुणांक, स्वतंत्र चर में भिन्नता के आधार पर या उसके आधार पर निर्भर चर में कुल विचरण के अनुपात को इंगित करता है।

यहाँ $\quad r = \sqrt{0.8 \times 0.6}$

$$= \sqrt{0.48}$$

$\therefore \quad r^2 = 0.48 = 48\%.$

94. एक मुद्रा को परिवर्तनीय तब कहा जाता है, जब इसे बाजार की दरों पर किसी अन्य मुद्रा के लिए स्वतंत्र रूप से आदान-प्रदान किया जा सकता हो। चालू खाते के लेन-देन में विदेशी व्यापार, यात्रा और अन्य सेवाओं से संबंधित भुगतान शामिल हैं। पूँजी खाता वित्तीय परिसंपत्तियों में लेनदेन से संबंधित है। जबकि भारत ने चालू खाते पर भारतीय रुपये को पूरी तरह से परिवर्तनीय बना दिया है, इसे अभी भी लक्ष्य के रूप में पूँजी खाता परिवर्तनीयता स्वीकार करना है। मोटे तौर पर, पूँजी खाता परिवर्तनीयता का मतलब फर्मों और निवासियों को विदेशी निवेशकों जैसे कि इक्विटी, बॉन्ड, प्रापर्टी में स्वतंत्र रूप से खरीदने और विदेशी निवेशकों द्वारा आय के मुक्त प्रत्यावर्तन के अलावा विदेशी फर्मों के स्वामित्व का अधिग्रहण करना होगा।

97. रिटर्न की आंतरिक दर (IRR) वह छूट दर है जो प्रारंभिक निवेश परिव्यय के बराबर परियोजना नकदी प्रवाह के वर्तमान मूल्य को निर्धारित करती है। दूसरे शब्दों में, IRR छूट दर है जो परियोजना NPV को शून्य के बराबर करती है।

NPV विधि और IRR विधि संबंध को निम्नानुसार संक्षेप में प्रस्तुत किया जा सकता है :

NPV	**IRR**
NPV > 0	IRR > छूट की दर
NPV = 0	IRR = छूट की दर
NPV < 0	IRR < छूट की दर

लाभ-लागत अनुपात : किसी परियोजना का लाभ-लागत अनुपात (BCR) सभी परियोजना लागतों के वर्तमान मूल्य से विभाजित सभी परियोजना राजस्व का वर्तमान मूल्य है। लाभ-लागत अनुपात के लिए समीकरण है :

$$\text{BCR} = \frac{\text{Sum of discounted revenues}}{\text{Sum of discounted costs}}$$

$$\text{BCR} = \frac{\sum_{t=0}^{n}\left[\frac{R_t}{(1+i)^t}\right]}{\sum_{t=0}^{n}\left[\frac{C_t}{(1+i)^t}\right]}$$

हम इस समीकरण से देख सकते हैं कि जब परियोजना राजस्व का वर्तमान मूल्य, परियोजना लागत के वर्तमान मूल्य के बराबर है, तो परियोजना का BCR एक (BCR = 1) के बराबर होगा।

ध्यान दें कि जब परियोजना राजस्व का वर्तमान मूल्य, परियोजना लागत के वर्तमान मूल्य के बराबर होता है, तो परियोजना का शुद्ध वर्तमान मूल्य शून्य के बराबर होगा (NPV = 0) इस संबंध को देखते हुए, यदि BCR, 1 से अधिक है, तो NPV, 0 से अधिक होगा।

98. $$e_x^0 = \frac{T_x}{I_x}$$

$$= \frac{48,50,000}{90,000} = 53.89.$$

पिछले प्रश्न-पत्र (हल सहित)

National Testing Agency (NTA)

UGC-NET जूनियर रिसर्च फैलोशिप तथा सहायक प्राध्यापक पात्रता परीक्षा

अर्थशास्त्र, दिसम्बर-2018

प्रश्न-पत्र-II

निर्देश : *इस प्रश्न-पत्र में* ***सौ (100)*** *बहु-विकल्पीय प्रश्न हैं। प्रत्येक प्रश्न के* ***दो (2)*** *अंक हैं।* ***सभी*** *प्रश्न अनिवार्य हैं।*

1. किसी फर्म की औसत स्थिर लागत के बारे में निम्नलिखित कथनों पर विचार कीजिए:

(*i*) इसका ढाल सदैव ऋणात्मक होता है।

(*ii*) इसका ढाल सदैव इकाई से अधिक होता है।

(*iii*) इसका ढाल सदैव इकाई के बराबर होता है।

(*iv*) उत्पादन के संबंध में लोच इकाई के बराबर होती है।

नीचे दिए गए कूट में से सही उत्तर को चुनिए:

कूट:

A. केवल (*iii*)

B. केवल (*i*)

C. (*i*) और (*iv*)

D. (*ii*) और (*iii*)

2. वर्ष 2015-16 में, भारत निम्नलिखित उत्पादों में से किसका निवल आयातक रहा है?

(*i*) सेब

(*ii*) चावल

(*iii*) दाल

नीचे दिए गए कूट में से सही उत्तर को चुनिए:

कूट:

A. (*ii*) और (*iii*)

B. (*i*) और (*iii*)

C. (*i*), (*ii*) और (*iii*)

D. केवल (*ii*)

3. निचले स्तर से नियोजन को कहते हैं:

A. विकेन्द्रित नियोजन B. क्रियात्मक नियोजन

C. संरचनात्मक नियोजन D. केन्द्रित नियोजन

4. आर.बी.आई. के प्रारूप दिशा-निर्देशों के अंतर्गत किसी नए बैंक के लिए लाइसेन्स का आवेदन करने हेतु अपेक्षित पूँजी पर्याप्तता अनुपात कितना है?

A. 12 प्रतिशत B. 11 प्रतिशत

C. 9 प्रतिशत D. 10 प्रतिशत

5. निम्नलिखित फसल बीमा योजनाओं को उनके शुरू किए जाने के कालक्रमानुसार व्यवस्थित कीजिए:

(*i*) व्यापक फसल बीमा योजना।

(*ii*) राष्ट्रीय कृषि बीमा योजना।

(*iii*) संशोधित राष्ट्रीय कृषि बीमा योजना।

(*iv*) प्रधान मंत्री फसल बीमा योजना।

नीचे दिए गए कूट में से सही उत्तर को चुनिए:

कूट:

A. (*i*), (*ii*), (*iii*), (*iv*)

B. (*iii*), (*ii*), (*iv*), (*i*)

C. (*i*), (*iii*), (*ii*), (*iv*)

D. (*ii*), (*iii*), (*i*), (*iv*)

6. पूँजी खाता–भुगतान संतुलन में निम्नलिखित में से कौन-सा सम्मिलित ***नहीं*** है?

A. विदेशी सरकारों को सरकारी ऋण

B. निवल आय अंतरण

C. विदेशी प्रत्यक्ष निवेश का संतुलन

D. विदेशी पोर्टफोलियो निवेश

7. उजावा प्रमेय के विषय में निम्नलिखित में से कौन-सा/से कथन सही है/हैं?

A. प्रति श्रमिक उत्पादन, प्रति श्रमिक उपभोग और प्रति व्यक्ति पूँजी की वृद्धि दर समान है और समय सापेक्ष स्थिर है।

B. उत्पादन फलन रैखिक समजातीय है।

C. तकनीकी प्रगति केवल 'हैरड-तटस्थ' है।

D. उपर्युक्त सभी

8. मूल-बिन्दु से गुजरती हुई रैखिक आपूर्ति वक्र की कीमत लोच होगीः

A. अनन्त   B. इकाई

C. इकाई से कम   D. शून्य

9. अवसर लागत सिद्धान्त की मान्यता है किः

A. उपर्युक्त में से कोई नहीं

B. वस्तु की लागत केवल श्रम की लागत के बराबर है।

C. श्रम सजातीय होता है।

D. श्रम उत्पादन का एकमात्र साधन है।

10. विवेकपूर्ण प्रत्याशा के बारे में निम्नलिखित कथनों में से कौन-सा ***गलत*** है?

A. यह मानता है कि जनता द्वारा लगाए गए पूर्वानुमान औसतन सही होते हैं।

B. यह मानता है कि लोग सभी सूचनाओं पर विचार कर काम करते हैं।

C. इसका अर्थ है कि माँग में प्रत्याशित परिवर्तनों का बेरोजगारी पर कोई प्रभाव नहीं होता है।

D. इसका अर्थ है कि माँग में अप्रत्याशित परिवर्तनों का बेरोजगारी और कीमत स्तर दोनों पर स्थायी प्रभाव होता है।

11. नए व्यापार सिद्धान्त के संदर्भ में निम्नलिखित कथनों पर विचार कीजिएः

(*i*) यह इस बात की व्याख्या करता है कि देश क्यों सदृश वस्तुओं में व्यापार करते हैं।

(*ii*) यह मुक्त व्यापार मानता है।

(*iii*) यह मानता है कि व्यापार एकाधिकारी दशाओं में होता है।

(*iv*) यह उत्पादन में पैमाने की मितव्ययिता का लाभ उठाता है।

उपर्युक्त कथनों में से कौन-से से सही हैं?

नीचे दिए गए कूट में से सही उत्तर को चुनिएः

कूटः

A. (*i*) और (*iii*)

B. (*ii*) और (*iv*)

C. (*i*), (*iii*) और (*iv*)

D. (*i*) और (*ii*)

12. "असममित सूचनाओं के साथ बाजारों के विश्लेषण" हेतु निम्नलिखित में से किसे 'अर्थशास्त्र' में नोबल पुरस्कार दिया गया है?

A. रिचर्ड थेलर   B. रॉबर्ट ए. मुण्डेल

C. जॉर्ज ए. अकरलॉफ   D. पॉल क्रूगमेन

13. बौद्धिक सम्पदा अधिकार में सम्मिलित है

A. कॉपीराइट   B. उपर्युक्त सभी

C. ट्रेडमार्क   D. पेटेन्ट

14. वर्ष 2017 के लिए विश्व बैंक आँकड़ों के अनुसार भारतीय अर्थव्यवस्था के लिए निम्नलिखित में से कौन-सा कथन ***सही*** है?

A. उपर्युक्त दोनों

B. वर्ष 2017 के अंत में भारत का सकल घरेलू उत्पाद 5 ट्रिलियन डॉलर है

C. उपर्युक्त में से कोई नहीं

D. भारत इस समय विश्व की छठी सबसे बड़ी अर्थव्यवस्था है

15. नकद शेष उपागम के अनुसार, मुद्रा की माँग की लोच हैः

A. एक के बराबर

B. स्फीति के चरणों में परिवर्तन के साथ उतार-चढ़ाव करती हुई

C. एक से कम

D. एक से अधिक

16. निम्नलिखित में से किसको रोस्टोव के आर्थिक संवृद्धि के चरण मॉडल में तीसरा चरण माना जाता है?

A. उच्च जन उपभोग अवस्था

B. उड़ान की अवस्था के लिए पूर्व शर्तें

C. परम्परागत समाज अवस्था

D. उड़ान

17. कीन्सियन मॉडल के लिए निम्नलिखित में से कौन-सा/से सही है/हैं?

A. यह आपूर्ति निर्धारित है।

B. यह मुद्रा बाजार की उपेक्षा करता है।

C. उपर्युक्त में से कोई नहीं

D. यह संसाधनों का पूर्ण उपयोग मानता है।

18. जनांकिकीय संक्रमण सिद्धान्त के लिए निम्नलिखित में से कौन-सा सत्य ***नहीं*** है?

A. जनसंख्या वृद्धि दर एक सीमित दायरे में लगभग स्थिर हो जाती है

B. जनसंख्या वृद्धि दर शून्य हो जाती है

C. जन्म दर तीव्रता से गिरती है

D. मृत्यु दर शनैः शनैः कम होती है

19. अवमूल्यन अधिक प्रभावी होगा जबः

(*i*) अंतर्राष्ट्रीय पूँजी का प्रवाह निर्बाध होता है।

(*ii*) अंतर्राष्ट्रीय पूँजी का प्रवाह निर्बाध नहीं होता है।

(*iii*) आयात की सीमांत प्रवृत्ति अधिक है।

उपर्युक्त कथनों में से कौन-सा/से सही है/हैं? नीचे दिए गए कूट में से सही उत्तर को चुनिएः

कूटः

A. (*i*) और (*iii*)

B. (*ii*) और (*iii*)

C. केवल (*iii*)

D. केवल (*ii*)

20. निम्नलिखित में से कौन-सा *प्रत्यय* – *अर्थशास्त्री* युग्म सही सुमेलित ***नहीं*** है?

A. संचय का स्वर्णिम नियम – ई.एस. फेल्प्स

B. अति गुणक – जे.एम. कीन्स

C. टर्नपाईक प्रत्यय – डॉर्फमैन, सैम्युलसन और सोलो

D. चाकूधार समस्या – हेरोड-डोमर

21. तकनीकी द्वैतवाद का अर्थ हैः

A. अल्पविकसित देशों में कृषि क्षेत्र में विभिन्न तकनीकों का प्रचलन

B. अल्पविकसित देशों में औद्योगिक क्षेत्र में विभिन्न उत्पादन फलनों का प्रचलन

C. अल्पविकसित देशों के उन्नत तथा पारम्परिक क्षेत्रों में विभिन्न उत्पादन फलनों का प्रचलन

D. अल्पविकसित देशों के घरेलू तथा निर्यात क्षेत्रों में विभिन्न उत्पादन फलनों का प्रचलन

22. अंतर्राष्ट्रीय व्यापार में 'राउंड ट्रिपिंग' एक पद्धति हैः

A. कर अपवंचन की

B. विदेशी प्रत्यक्ष निवेश बढ़ाने की

C. 'स्टार्ट अप' के वित्तपोषण की

D. निर्यात को बढ़ाने की

23. केंद्रीय बजट के अनुसार, वर्ष 2018-19 के लिए निम्नलिखित में से कौन-सा राजकोषीय घाटे का लक्ष्य सही है?

A. सकल घरेलू उत्पाद का 4.5%

B. सकल घरेलू उत्पाद का 4.3%

C. सकल घरेलू उत्पाद का 5.3%

D. सकल घरेलू उत्पाद का 3.3%

24. यदि $\left(\frac{K}{L}\right)_A > \left(\frac{K}{L}\right)_B$ है, तो

A. देश A में पूँजी महँगी है

B. देश A पूँजी प्रचुर है

C. देश A श्रम प्रचुर है

D. देश A में श्रम सस्ता है

25. परिवर्तनशील अनुपातों के नियम के बारे में निम्नलिखित कथनों पर विचार कीजिएः

(*i*) आगत अनुपात अपरिवर्तित रहता है।

(*ii*) अंततः परिवर्तनशील आगत की सीमांत और औसत उत्पादकता ऋणात्मक हो जाती है।

(*iii*) निर्गत पर तकनीकी परिवर्तन का प्रभाव दृष्टिगोचर होता है।

नीचे दिए गए कूट में से सही उत्तर को चुनिएः

कूटः

A. केवल (*ii*) सही है

B. (*ii*) और (*iii*) सही हैं

C. (*i*) और (*ii*) सही हैं

D. उपर्युक्त कथनों में से कोई भी सही नहीं है

26. संतुलित संवृद्धि की मूल व्याख्या निम्नलिखित में से किससे संबंधित है?
A. समस्त क्षेत्र एक ही दर से बढ़ रहे हैं।
B. कमी अथवा आधिक्य का नहीं होना।
C. निजी और सामाजिक लाभों के बीच अपसरण दूर करने हेतु कार्यकलापों का व्यापक स्तर पर विस्तार।
D. सभी क्षेत्रों में समान मात्रा में निवेश।

27. कोई आयकर प्रगतिशील होगा यदिः
A. कर की सीमांत दर शून्य है।
B. कर की सीमांत दर, कर की औसत दर से कम है।
C. कर की सीमांत दर, कर की औसत दर के समान है।
D. कर की सीमांत दर, कर की औसत दर से अधिक है।

28. अन्य सभी बातों के समान होने की दशा में सरकार के खर्चे के स्तर में वृद्धि का IS – LM मॉडल के अन्तर्गत निम्नलिखित में से क्या प्रभाव पड़ेगा?
A. सभी ब्याज दरों पर संतुलन आय के स्तर में वृद्धि, IS वक्र का दायीं ओर अन्तरण
B. सभी ब्याज दरों में वृद्धि, LM वक्र का बायीं ओर अन्तरण
C. अर्थव्यवस्था को सदैव पूर्ण रोजगार की ओर ले जाना
D. ब्याज दरों में कमी, LM वक्र का दायीं ओर अन्तरण

29. पुस्तक 'आई डू व्हाट आई डू' के लेखक कौन हैं?
A. अमर्त्य सेन B. अरविन्द पनगढ़िया
C. रघुराम जी. राजन D. जगदीश एन. भगवती

30. शुम्पीटर के विकास सिद्धान्त के अनुसार, निम्नलिखित कथनों में से कौन-सा सही है?
A. लोकतंत्र एक आर्थिक प्रणाली की दक्षता को बढ़ाता है।
B. उपर्युक्त सभी सही हैं।
C. आर्थिक उत्पादन का विस्तार अर्थव्यवस्था की वास्तविक बचतों द्वारा सीमित होता है।
D. उपर्युक्त में से कोई सही नहीं है

31. निम्नलिखित में से कौन-सा मस्ग्रेव और थीन के कर प्रगतिशीलता के मान को सही रूप में दर्शाता है?
जहाँ
G_a = कर पश्चात् गिनी गुणांक,
G_b = कर पूर्व गिनी गुणांक।
A. $M = \frac{1-G_a}{1-G_b}$ B. $M = \frac{G_a}{G_b}$
C. $M = \frac{G_b}{G_a}$ D. $M = \frac{1-G_b}{1-G_a}$

32. निम्नलिखित में से किसका कथन है कि "मुद्रा क्रय शक्ति का अस्थायी वास है"
A. विलियम जे. बॉमल B. मिल्टन फ्रीडमैन
C. इर्विंग फिशर D. जेम्स टोबिन

33. किसी परिकल्पित अर्थव्यवस्था में, मौद्रिक सकल घरेलू उत्पाद (जी.डी.पी.) की वृद्धि दर 15% वार्षिक है, सकल घरेलू उत्पाद अवस्फीतक की वार्षिक वृद्धि दर 5% है। यदि जनसंख्या में 2% प्रतिवर्ष की दर से वृद्धि हो रही हो, तो प्रति व्यक्ति सकल घरेलू उत्पाद की वार्षिक वृद्धि दर क्या होगी?
A. 10% B. 3%
C. 8% D. 7%

34. 1 जुलाई, 2017 से लागू वस्तु एवं सेवा कर (जी.एस.टी.) के अन्तर्गत भारत में वस्तुओं तथा सेवाओं पर चार (04) कर स्लैब लागू हैं। निम्नलिखित में से कौन-से कर स्लैब सही हैं?
A. 8%, 12%, 15% और 18%
B. 8%, 12%, 18% और 28%
C. 5%, 8%, 12% और 18%
D. 5%, 12%, 18% और 28%

35. निम्नलिखित में से कौन-सा मुद्रा बाजार का उपकरण ***नहीं*** है?
A. ट्रेजरी बिल B. जमा का प्रमाण पत्र
C. अधिमान शेयर D. वाणिज्यिक प्रपत्र

36. उत्पादन का आर्थिक क्षेत्र कौन-सा होता है?
A. सभी समोत्पाद वक्रों के ऋणात्मक ढाल वाले भाग
B. सभी समोत्पाद वक्रों के मध्य भाग

C. सभी समोत्पाद वक्रों के धनात्मक ढाल वाले भाग

D. सभी समोत्पाद वक्रों के उच्चतम बिन्दु

37. सूची-I को सूची-II के साथ सुमेलित कीजिए और नीचे दिए गए कूट में से ही सही उत्तर को चुनिए :

सूची-I	**सूची-II**
(*a*) n = Pk	(*i*) ए.सी. पीगू
(*b*) M = PkT	(*ii*) कीन्स
(*c*) $P = \frac{kR}{M}$	(*iii*) अल्फ्रेड मार्शल
(*d*) M = kPY	(*iv*) डी.एच. रॉबर्ट्सन

कूट :

	(*a*)	(*b*)	(*c*)	(*d*)
A.	(*iii*)	(*ii*)	(*i*)	(*iv*)
B.	(*i*)	(*ii*)	(*iii*)	(*iv*)
C.	(*iv*)	(*i*)	(*ii*)	(*iii*)
D.	(*ii*)	(*iv*)	(*i*)	(*iii*)

38. भारतीय अर्थव्यवस्था के संबंध में निम्नलिखित घटनाओं को कालक्रमानुसार व्यवस्थित कीजिए:

(*i*) बैंकों के राष्ट्रीयकरण का पहला चरण।

(*ii*) बैंकिंग प्रणाली के संबंध में नरसिम्हन समिति की स्थापना।

(*iii*) भारत में फेमा (एफ.ई.एम.ए.) अधिनियम का अधिनियमन।

(*iv*) भारत में एक्जिम बैंक की स्थापना।

नीचे दिए गए कूट में से सही उत्तर को चुनिए:

कूटः

A. (*i*), (*iv*), (*ii*), (*iii*)

B. (*i*), (*ii*), (*iii*), (*iv*)

C. (*i*), (*iii*), (*ii*), (*iv*)

D. (*i*), (*iii*), (*iv*), (*ii*)

39. निम्नलिखित पर विचार कीजिए:

(*i*) अनुषंगी लाभ कर

(*ii*) पूँजीगत अभिलाभ कर

(*iii*) प्रतिभूति लेन-देन कर

उपर्युक्त में से कौन-सा/से प्रत्यक्ष कर है/हैं?

नीचे दिए गए कूट में से सही उत्तर को चुनिए:

कूटः

A. केवल (*i*)

B. (*i*), (*ii*) और (*iii*)

C. (*ii*) और (*iii*)

D. (*i*) और (*iii*)

40. सूची-I (लेखकों) को सूची-II (पुस्तकों) के साथ सुमेलित कीजिए और नीचे दिए गए कूट में से सही उत्तर को चुनिए:

सूची-I (लेखक)	**सूची-II (पुस्तक)**
(*a*) मिल्टन फ्रीडमैन	(*i*) दास कैपिटल
(*b*) जोसेफ शुम्पीटर	(*ii*) कैपिटलिज्म एण्ड फ्रीडम
(*c*) कार्ल मार्क्स	(*iii*) कैपिटल इन द 21st सेन्चुअरी
(*d*) टॉमस पिकेटी	(*iv*) कैपिटलिज्म, सोशियलिज्म एण्ड डेमोक्रेसी

कूट :

	(*a*)	(*b*)	(*c*)	(*d*)
A.	(*iii*)	(*i*)	(*iv*)	(*ii*)
B.	(*ii*)	(*iv*)	(*i*)	(*iii*)
C.	(*iv*)	(*iii*)	(*i*)	(*ii*)
D.	(*iii*)	(*ii*)	(*i*)	(*iv*)

41. निम्नलिखित में से कौन-सा जैव-ईंधन (बायो-फ्यूल) की श्रेणी में ***नहीं*** है?

A. संपीड़ित प्राकृतिक गैस

B. बायोडीजल

C. बायोइथनॉल

D. गोबर गैस

42. भारत में सार्वजनिक्र व्यय को पूँजी तथा राजस्व में वर्गीकृत किया गया है। निम्नलिखित में से कौन-सा/से राजस्व व्यय है/हैं?

(*i*) राज सहायता

(*ii*) सार्वजनिक ऋण पर ब्याज का भुगतान

(*iii*) मजदूरी और वेतन

नीचे दिए गए कूट में से सही उत्तर को चुनिए:

कूटः

A. (*ii*) और (*iii*)

B. (*i*) और (*iii*)

C. (*i*), (*ii*) और (*iii*)

D. (*i*) और (*ii*)

43. निम्नलिखित संगठनों में से किसके द्वारा वैश्विक प्रतिस्पर्धात्मकता रिपोर्ट जारी की जाती है?

A. विश्व आर्थिक मंच B. विश्व बैंक

C. यूरोपीय संघ D. विश्व व्यापार संगठन

44. निम्नलिखित में से कौन-सा पीकॉक-वाइजमेन परिकल्पना का भाग ***नहीं*** है?

A. निरीक्षण प्रभाव B. घोषणा प्रभाव

C. विस्थापन प्रभाव D. संकेंद्रण प्रभाव

45. नव-क्लासिकल संवृद्धि मॉडल के संबंध में क्या सही है?

(*i*) ब्याज की दर और लाभ नम्य हैं

(*ii*) पूँजी विषमांग है

(*iii*) पूर्ण प्रतियोगिता होती है

(*iv*) पूँजी और श्रम प्रतिस्थापनीय हैं

नीचे दिए गए कूट में से सही उत्तर को चुनिए:

कूट:

A. (*ii*) और (*iii*)

B. उपर्युक्त सभी

C. (*i*), (*iii*) और (*iv*)

D. (*i*), (*ii*) और (*iii*)

46. निम्नलिखित में से कौन-सा अर्थव्यवस्था के खुलेपन का उपयुक्त मापक है?

A. $\frac{\text{निर्यात} - \text{आयात}}{\text{सकल घरेलू उत्पाद}}$ B. $\frac{\text{निर्यात} - \text{आयात}}{\text{जनसंख्या}}$

C. $\frac{\text{निर्यात}}{\text{आयात}}$ D. निर्यात – आयात

47. केन्द्र सरकार के विकास व्यय में सम्मिलित ***नहीं*** है:

(*i*) केन्द्र द्वारा प्रायोजित स्कीमों के अन्तर्गत राज्यों को अनुदान।

(*ii*) सामाजिक और सामुदायिक सेवाओं पर व्यय।

(*iii*) आर्थिक सेवाओं पर व्यय।

(*iv*) रक्षा व्यय।

नीचे दिए गए कूट में से सही उत्तर को चुनिए:

कूट:

A. (*ii*) और (*iii*) B. (*iii*) और (*iv*)

C. (*i*) और (*ii*) D. केवल (*iv*)

48. इनाडा शर्तें निम्नलिखित में से किस पर लागू होंगी?

A. सुव्यवहारित निवेश फलन

B. सुव्यवहारित उत्पादन फलन

C. सुव्यवहारित उपभोग फलन

D. सुव्यवहारित तकनीकी प्रगति फलन

49. सितम्बर, 2017 के एस.आर.एस. बुलेटिन के अनुसार, केरल में अनुमानित मृत्यु दर 7.6 है, जबकि बिहार में यह 6 है। इन आँकड़ों के आधार पर निम्नलिखित में से कौन-सा निष्कर्ष सही है?

A. केरल में आत्महत्या कर काफी अधिक है।

B. बिहार की तुलना में केरल में जनसंख्या का वयोवृद्धिकरण अधिक है।

C. केरल की तुलना में बिहार में जीवन प्रत्याशा उच्च है।

D. बिहार के लोगों की स्वास्थ्य स्थिति केरल के लोगों से बेहतर है।

50. निम्नलिखित में से किसके कारण सामान्य मूल्य स्तर में वृद्धि हो सकती है?

(*i*) मुद्रा आपूर्ति में वृद्धि

(*ii*) उत्पादन के कुल स्तर में वृद्धि

(*iii*) प्रभावी माँग में वृद्धि

नीचे दिए गए कूट में से सही उत्तर को चुनिए:

कूट:

A. (*i*) और (*iii*)

B. (*i*), (*ii*) और (*iii*)

C. (*i*) और (*ii*)

D. केवल (*iii*)

51. भारत में बारंबार किसानों की ऋण माफी के कारण क्या समस्या उत्पन्न हो सकती है?

A. प्रतिकूल चयन

B. ऋण आधिक्य (डेट ओवरहैंग)

C. जोखिम विमुखता

D. नैतिक संकट

52. यह धारणा कि निजी क्षेत्र द्वारा महंगे नए ज्ञान की कम आपूर्ति की जाएगी, नए ज्ञान की आवश्यक विशेषता पर आधारित है।

यह है (A) .... और (B) ....।

A. (A) गैर-प्रतिस्पर्धी (B) गैर-अपवर्जनीय
B. (A) प्रतिस्पर्धी (B) गैर-अपवर्जनीय
C. (A) प्रतिस्पर्धी (B) अपवर्जनीय
D. (A) गैर-प्रतिस्पर्धी (B) अपवर्जनीय

53. एस.आर.एस., मई, 2018 के विशेष बुलेटिन के अनुसार मातृ-मृत्यु अनुपात (एम.एम.आर.) के अनुसार निम्नलिखित राज्यों को अवरोही क्रम में व्यवस्थित कीजिए:

(*i*) असम
(*ii*) बिहार
(*iii*) मध्य प्रदेश
(*iv*) उत्तर प्रदेश

नीचे दिए गए कूट में से सही उत्तर को चुनिए:

कूट:
A. (*i*), (*iv*), (*iii*), (*ii*)
B. (*ii*), (*iv*), (*iii*), (*i*)
C. (*iii*), (*ii*), (*i*), (*iv*)
D. (*iv*), (*i*), (*ii*), (*iii*)

54. निम्नलिखित में से कौन-सा कोष की सीमान्त लागत आधारित उधारी दर (एम.सी.एल.आर.) का उद्देश्य ***नहीं*** है?

A. स्फीति लक्ष्य को प्राप्त करने में आर.बी.आई. को समर्थ करना
B. नीति दरों के बैंकों की उधारी दरों में पारेषण को सुधारना
C. बैंकों को अधिक प्रतिस्पर्धी बनने में समर्थ बनाना
D. ब्याज दरों, जो उधारकर्ताओं और बैंकों दोनों के लिए ही समुचित हैं, पर बैंक ऋण की उपलब्धता सुनिश्चित करना

55. प्रतिकूल चयन की समस्या निम्नलिखित में से किस कारण से उत्पन्न होती है?

A. गलत सूचना B. असममित सूचना
C. पूर्ण सूचना D. कोई सूचना नहीं

56. 'सतत आर्थिक कल्याण के सूचकांक' की गणना हेतु निम्नलिखित में से कौन-सा संशोधन सकल घरेलू उत्पाद में किया जाता है?

A. मूल्यह्रास का मौद्रिक मान घटाया जाता है
B. रक्षा पर किए गए व्यय के मौद्रिक मूल्य को घटाया जाता है
C. पर्यावरणीय क्षरण की लागत को घटाया जाता है
D. बाढ़ और सूखे से हुई हानि के मौद्रिक मूल्य को घटाया जाता है

57. आर्थिक विकास के कार्ल मार्क्स के सिद्धान्त के संबंध में निम्नलिखित में से कौन-सा/से सही है/हैं?

A. उत्पादन के तरीके स्वतंत्र रूप से बदलते हैं।
B. उपर्युक्त दोनों
C. उपर्युक्त में से कोई नहीं
D. उत्पादन में संबंध स्वतंत्र रूप से बदलते हैं।

58. 'आकांक्षापूर्ण जिलों के कायाकल्प' कार्यक्रम के संदर्भ में निम्नलिखित कथनों पर विचार कीजिए:

(*i*) इस कार्यक्रम में 115 जिले शामिल हैं।
(*ii*) इस कार्यक्रम की प्रमुख रणनीति है अभिसरण, सहयोग और स्पर्धा।
(*iii*) इन जिलों की प्रगति का आकलन करने हेतु 49 मुख्य निष्पादन संकेतक हैं।

नीचे दिए गए कूट में से सही उत्तर को चुनिए:

कूट:
A. (*ii*) और (*iii*)
B. (*i*), (*ii*) और (*iii*)
C. (*i*) और (*iii*)
D. (*i*) और (*ii*)

59. मूल नव-क्लासिकीय संवृद्धि मॉडल में संवृद्धि संतुलन कहाँ होता है?

A. जहाँ प्रति कामगार निवेश प्रति कामगार पूँजी के बराबर होता है।
B. जहाँ प्रति कामगार निवेश प्रति कामगार बचतों के बराबर होता है।
C. जहाँ प्रति कामगार निवेश प्रति कामगार पूँजी-ह्रास के बराबर होता है।
D. जहाँ प्रति कामगार पूँजी प्रति कामगार उत्पादन के बराबर होती है।

60. टी.डब्ल्यू. शुल्ज ने आर्थिक संवृद्धि के लिए शिक्षा के संबंध में निम्नलिखित अनुपात दिया है:

A. शिक्षा-आय अनुपात

B. शिक्षा-श्रम अनुपात

C. शिक्षा-पूँजी और श्रम अनुपात

D. शिक्षा-श्रम अनुपात, शिक्षा-आय अनुपात और शिक्षा-निवेश अनुपात

61. निम्नलिखित में से कौन-सा सरकार द्वारा ऋण लेने में एक उपकरण के रूप में कार्य करता है?

(*i*) पुनः खरीद दर (रेपो रेट)

(*ii*) प्रत्यावर्ती पुनः खरीद दर (रिवर्स रेपो रेट)

(*iii*) आरक्षित नकदी निधि अनुपात (सी.आर.आर.)

(*iv*) वैधानिक तरलता अनुपात (एस.एल.आर.)

नीचे दिए गए कूट में से सही उत्तर को चुनिएः

कूटः

A. (*i*) और (*iii*)

B. (*i*) और (*iv*)

C. (*iii*) और (*iv*)

D. केवल (*iv*)

62. निम्नलिखित कथनों पर विचार कीजिएः

(*i*) भारत की न्यूनतम समर्थन मूल्य (एम.एस.पी.) नीति केवल गेहूँ, धान और मोटे अनाज को शामिल करती है।

(*ii*) ग्रेड-A धान का न्यूनतम समर्थन मूल्य (एम.एस.पी.) सामान्य धान के न्यूनतम समर्थन मूल्य से सदा ही अधिक होता है।

नीचे दिए गए कूट में से सही उत्तर को चुनिएः

कूटः

A. केवल (*ii*)

B. (*i*) और (*ii*) दोनों

C. न तो (*i*) और न ही (*ii*)

D. केवल (*i*)

63. निम्नलिखित में से किस पर कीन्सीय और मुद्रावादी सहमत होते हैं?

A. मुद्रा की माँग ब्याज लोचनीय होती है।

B. माँग आघात का सबसे महत्वपूर्ण कारण आपूर्ति में परिवर्तन होता है।

C. माँग आघातों के कारण उत्पादन, संभाव्य उत्पादन से कभी-कभी विचलित होता है।

D. जब मंदी का अंतराल होता है, नम्य मजदूरी शीघ्र ही श्रम बाजार को पुनः संतुलन में ले आएगी।

64. पैरेटो अनुकूलता के बारे में निम्नलिखित कथनों में से कौन-सा **सही नहीं** है?

A. उपभोक्ता अपनी संतुष्टि को अधिकतम करते हैं।

B. साधन और वस्तु बाजारों में पूर्ण प्रतियोगिता है।

C. सभी वस्तुओं के उत्पादन में सभी साधनों का प्रयोग किया जाता है।

D. उपभोक्ताओं के मात्रात्मक उपयोगिता फलन हैं।

65. अर्थव्यवस्था में निम्नलिखित में से किसके परिणामस्वरूप 'अंतर्गमन' (Crowding out effect) प्रभाव होगा?

(*i*) आधारभूत संरचना पर व्यय के वित्तपोषण के लिए सार्वजनिक उधारी।

(*ii*) वेतन और मजदूरी पर व्यय के वित्तपोषण के लिए सार्वजनिक उधारी।

(*iii*) स्वास्थ्य और शिक्षा पर व्यय के वित्तपोषण के लिए सार्वजनिक उधारी।

(*iv*) कौशल विकास पर व्यय के वित्तपोषण के लिए सार्वजनिक उधारी।

नीचे दिए गए कूट में से सही उत्तर को चुनिएः

कूटः

A. (*i*), (*ii*) और (*iii*)

B. (*iii*) और (*iv*)

C. (*i*) और (*ii*)

D. (*i*), (*iii*) और (*iv*)

66. प्रसामान्य लाभ के बारे में निम्नलिखित कथनों में से कौन-सा/से सही है/हैं?

A. यह दीर्घ अवधि और अल्प अवधि दोनों में अर्जित किया जाता है।

B. यह केवल पूर्ण प्रतियोगिता में अर्जित किया जाता है।

C. यह केवल अल्प अवधि में अर्जित किया जाता है।

D. यह केवल दीर्घ अवधि में अर्जित किया जाता है।

67. निम्नलिखित में से किस समिति ने भारत में सार्वभौमिक बैंकिंग की अवधारणा की सिफारिश की थी?

A. आबिद हुसैन समिति

B. एस. पद्मनाभन समिति

C. एस.एच. खान समिति

D. वाई.एच. मालेगाम समिति

68. निम्नलिखित आरेख तथा कथनों पर विचार कीजिए:

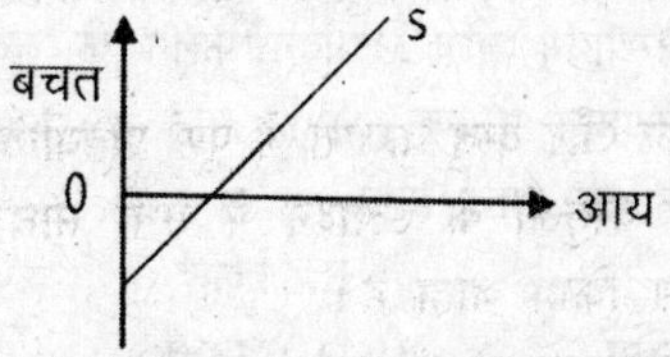

(*i*) बचत आय से धनात्मक रूप से संबंधित है।

(*ii*) बचत की सीमान्त प्रवृत्ति धनात्मक है, परन्तु 1 से कम है।

नीचे दिए गए कूट में से सही उत्तर को चुनिए:

कूटः

A. केवल (*i*)

B. (*i*) और (*ii*) दोनों

C. केवल (*ii*)

D. न तो (*i*) और न ही (*ii*)

69. किसी रेखीय समघातीय कॉब-डगलस उत्पादन फलन वाली अर्थव्यवस्था में कुल उत्पादन में पूँजी तथा श्रम का हिस्सा क्रमशः 40% तथा 60% है। पूँजीगत स्टॉक तथा श्रम शक्ति में क्रमशः 8% तथा 3% वार्षिक की दर से वृद्धि हो रही है। यदि उत्पादन की वृद्धि दर 7% वार्षिक दर्ज की गई है, तो कुल साधन उत्पादकता की वृद्धि दर क्या होगी?

A. 4% B. 11%

C. 2% D. 10%

70. निम्नलिखित में से कौन-सी भारतीय अर्थव्यवस्था के सम्मुख इस समय समष्टि आर्थिक चुनौती ***नहीं*** है?

A. चालू खाते के घाटे का बढ़ना

B. सोने का अधिक आयात

C. भारतीय रुपए का अवमूल्यन

D. विश्व में बढ़ता हुआ संरक्षणवाद

71. कृषि लागत और मूल्य आयोग (सी.ए.सी.पी.) के उद्देश्य निम्नलिखित में से कौन-से हैं?

(*i*) किसानों के लिए सार्थक वास्तविक आय स्तर सुनिश्चित करना।

(*ii*) कृषि मूल्यों को स्थिर करना।

(*iii*) उपभोक्ताओं के हित की रक्षा करना।

नीचे दिए गए कूट में से सही उत्तर को चुनिए:

कूटः

A. (*i*) और (*iii*) B. (*i*) और (*ii*)

C. (*ii*) और (*iii*) D. उपर्युक्त सभी

72. नव क्लासिकल अर्थशास्त्र के अनुसार, वास्तविक व्यापार चक्र निम्नलिखित में से किसके परिणाम हैं?

(*i*) नवप्रवर्तन

(*ii*) खराब मौसम

(*iii*) कर नीति

(*iv*) ऋण नीति

नीचे दिए गए कूट में से सही उत्तर को चुनिए:

कूटः

A. (*i*) और (*iii*)

B. (*ii*) और (*iv*)

C. (*i*) और (*ii*)

D. (*iii*) और (*iv*)

73. निम्नलिखित अर्थशास्त्रियों में से किसने प्रकृति को कृपणता युक्त माना है?

(*i*) जे.एस. मिल

(*ii*) डेविड रिकार्डो

(*iii*) कार्ल मार्क्स

(*iv*) थॉमस रॉबर्ट माल्थस

नीचे दिए गए कूट में से सही उत्तर को चुनिए:

कूटः

A. (*i*), (*ii*) और (*iii*)

B. (*ii*) और (*iv*)

C. (*iii*) और (*iv*)

D. (*ii*) और (*iii*)

74. अप्रत्यक्ष करों को प्रतिगामी क्यों कहा जाता है?

A. उपर्युक्त दोनों सही हैं

B. उपर्युक्त में से कोई भी सही नहीं है

C. ये सभी आय समूहों के लिए समान दर पर प्रभारित किए जाते हैं।

D. ये प्रत्यक्ष कर की तुलना में उच्चतर दरों पर प्रभारित किए जाते हैं।

75. बेंट हेन्सन के अनुसार, निम्नलिखित में से किन्हें प्रभावी माँग बढ़ाने के साधन के रूप में माना जाता है?

(*i*) सार्वजनिक व्यय
(*ii*) बढ़ती हुई जनसंख्या
(*iii*) बैंकिंग और वित्तीय व्यवस्था

नीचे दिए गए कूट में से सही उत्तर को चुनिएः

कूटः

A. (*i*), (*ii*) और (*iii*)
B. (*i*) और (*iii*)
C. (*i*) और (*ii*)
D. (*ii*) और (*iii*)

76. सूची-I को सूची-II के साथ सुमेलित कीजिए और नीचे दिए गए कूट में से सही उत्तर को चुनिएः

सूची-I	**सूची-II**
(*a*) पूंजी की अवशोषण क्षमता	(*i*) एम. कलैकी
(*b*) तकनीकी द्वैतता	(*ii*) ए.ओ. हर्षमैन
(*c*) जीवन का भौतिक गुणवत्ता सूचकांक	(*iii*) डी. मॉरिस
(*d*) उद्योगों के विस्तार हेतु अनुमेय एवं अनिवार्य क्रम	(*iv*) बी. हिगिंस

कूट :

	(*a*)	(*b*)	(*c*)	(*d*)
A.	(*i*)	(*ii*)	(*iii*)	(*iv*)
B.	(*ii*)	(*iv*)	(*iii*)	(*i*)
C.	(*iv*)	(*iii*)	(*ii*)	(*i*)
D.	(*i*)	(*iv*)	(*iii*)	(*ii*)

77. ऐतिहासिक रूप से विकासशील देशों की व्यापार की शर्तें इस कारण प्रतिकूल रही हैं कि जब विकसित देशों में आय बढ़ती है तब प्राथमिक वस्तुओं की माँग घटती है, क्योंकि

A. प्राथमिक वस्तुओं की माँग की आय लोच शून्य होती है।
B. प्राथमिक वस्तुओं की माँग की आय लोच अधिक होती है।
C. प्राथमिक वस्तुओं की माँग की कीमत लोच अधिक होती है।
D. प्राथमिक वस्तुओं की माँग की आय लोच निम्न होती है।

78. राष्ट्रीय ग्रामीण स्वास्थ्य मिशन निम्नलिखित में से किस वर्ष शुरू किया गया?

A. 2009 B. 1991
C. 2005 D. 1998

79. स्थिर प्रतिस्थापन लोच उत्पादन फलन के संदर्भ में यदि प्रतिस्थापन प्राचल (ρ) का मान $= -1$ हो, तो प्रतिस्थापन की लोच होगीः

A. शून्य B. इकाई
C. अनिर्धार्य D. अनन्त

80. ''बहुत ज्यादा मुद्रा बहुत ही कम वस्तुओं का पीछा करती है'' यह कथन निम्नलिखित में से किन सैद्धान्तिक विचारों पर आधारित है?

A. मुद्रा की माँग का मालसूची सैद्धान्तिक उपागम
B. कीमतों का परिमाण सिद्धान्त
C. वास्तविक शेष प्रभाव
D. मुद्रा का परिमाण सिद्धान्त

81. नीचे दो कथन दिए गए हैं, जिनमें से एक अभिकथन (A) है और दूसरा तर्क (R) है। कथनों को पढ़िए और नीचे दिए गए कूट का प्रयोग कर सही उत्तर चुनिए।

अभिकथन (A): अल्पाधिकारी बाजार में मूल्य अनम्यता होती है।

तर्क (R): स्पर्धी फर्में मूल्य वृद्धि का अनुसरण न कर मूल्य गिरावट का अनुसरण करती है।

कूटः

A. (A) गलत है, परन्तु (R) सही है।
B. (A) सही है, परन्तु (R) गलत है।
C. (A) और (R) दोनों सही हैं तथा (R), (A) की सही व्याख्या है।
D. (A) और (R) दोनों सही हैं, परन्तु (R), (A) की सही व्याख्या नहीं है।

82. नीचे दो कथन दिए गए हैं, जिनमें से एक अभिकथन (A) है और दूसरा तर्क (R) है। कथनों को पढ़िए और नीचे दिए गए कूट का प्रयोग कर सही उत्तर चुनिए।

अभिकथन (A): पी.एन. रोजेन्स्टीन-रोडान मॉडल में उत्पादन में अविभाज्यता की धनात्मक भूमिका का विश्लेषण किया गया है।

तर्क (R): अविभाज्यता को हटाने के परिणामस्वरूप उत्पादन में पैमाने के प्रतिफल स्थिर (समानुपातिक) होते हैं।

कूटः

A. (A) और (R) दोनों सही हैं तथा (R), (A) की सही व्याख्या है।

B. (A) गलत है, परन्तु (R) सही है।

C. (A) और (R) दोनों सही हैं, परन्तु (R), (A) की सही व्याख्या नहीं है।

D. (A) सही है, परन्तु (R) गलत है।

83. नीचे दो कथन दिए गए हैं, जिनमें से एक अभिकथन (A) है और दूसरा तर्क (R) है। कथनों को पढ़िए और नीचे दिए गए कूट का प्रयोग कर सही उत्तर चुनिए।

अभिकथन (A): एक प्रगतिशील आय कर समसीमांत त्याग पर आधारित होता है।

तर्क (R): एक करदाता के लिए आय जितनी अधिक होगी मुद्रा की सीमान्त उपयोगिता उतनी ही कम होगी।

कूटः

A. (A) और (R) दोनों सही हैं, परन्तु (R), (A) की सही व्याख्या नहीं है।

B. (A) सही है, परन्तु (R) गलत है।

C. (A) गलत है, परन्तु (R) सही है।

D. (A) और (R) दोनों सही हैं तथा (R), (A) की सही व्याख्या है।

84. नीचे दो कथन दिए गए हैं, जिनमें से एक अभिकथन (A) है और दूसरा तर्क (R) है। कथनों को पढ़िए और नीचे दिए गए कूट का प्रयोग कर सही उत्तर चुनिए।

अभिकथन (A): भारत की अर्थव्यवस्था सेवा क्षेत्र द्वारा चालित है।

तर्क (R): कुल रोजगार में सेवा क्षेत्र का अंश सर्वाधिक है।

कूटः

A. (A) और (R) दोनों सही हैं, परन्तु (R), (A) की सही व्याख्या नहीं है।

B. (A) गलत है, परन्तु (R) सही है।

C. (A) सही है, परन्तु (R) गलत है।

D. (A) और (R) दोनों सही हैं तथा (R), (A) की सही व्याख्या है।

85. नीचे दो कथन दिए गए हैं, जिनमें से एक अभिकथन (A) है और दूसरा तर्क (R) है। कथनों को पढ़िए और नीचे दिए गए कूट का प्रयोग कर सही उत्तर चुनिए।

अभिकथन (A): नव क्लासिकल अर्थशास्त्र के अनुसार व्यापार-चक्रों की प्रकृति मौद्रिक है।

तर्क (R): ये वास्तविक मजदूरी दर में गिरावट के परिणाम हैं।

कूटः

A. (A) गलत है, परन्तु (R) सही है।

B. (A) और (R) दोनों सही हैं तथा (R), (A) की सही व्याख्या है।

C. (A) सही है, परन्तु (R) गलत है।

D. (A) और (R) दोनों सही हैं, परन्तु (R), (A) की सही व्याख्या नहीं है।

86. युगपत् समीकरण अर्थमिति मॉडल के संदर्भ में निम्नलिखित कथनों पर विचार कीजिए:

(*i*) आकलन से पूर्व अभिनिर्धारण की क्रम और कोटि दोनों शर्तों को पूरा करना है।

(*ii*) अभिनिर्धारण के लिए क्रम शर्त आवश्यक है किंतु पर्याप्त शर्त नहीं है।

(*iii*) अतिअभिनिर्धारित समीकरणों के लिए द्वि-चरण न्यूनतम वर्ग विधि उपयुक्त है।

उपर्युक्त कथनों में से कौन-सा/से सही है/हैं?

नीचे दिए गए कूट में से सही उत्तर को चुनिए:

कूटः

A. केवल (*i*)

B. (*i*), (*ii*) और (*iii*)

C. (*i*) और (*iii*)

D. केवल (*ii*)

87. द्वि-चर समाश्रयण में, यदि आश्रित और स्वतंत्र चरों Y और X के बीच सहसंबंध गुणांक 0.7 है, तो X के द्वारा Y में कितने प्रतिशत विचरण की व्याख्या होती है?

A. 70%　　B. 7%
C. 0.7%　　D. 49%

88. निम्नलिखित सूचकांक संख्या की शृंखला पर ध्यान दीजिए:

वर्ष:	2014	2015	2016
सूचकांक:	100	120	126

यदि आधार वर्ष बदलकर 2015 कर दिया जाता है, तो नई शृंखला में वर्ष 2016 में सूचकांक का मान कितना होगा?

A. 151.2　　B. 95.2
C. 105　　D. 106

89. स्वतःसहसंबंध का अर्थ है:

A. समाश्रयण मॉडल के त्रुटि पदों के वर्ग समान रूप से फैले नहीं होते हैं।

B. समाश्रयण मॉडल के त्रुटि पद एक या अधिक समाश्रयकों के साथ संबंधित होते हैं।

C. समाश्रयण मॉडल के त्रुटि पद स्वतंत्र नहीं होते हैं।

D. समाश्रयण मॉडल के त्रुटि पदों का प्रसरण सभी आँकड़ों के लिए अचर नहीं है।

90. किसी फर्म के दस वर्षों संबंधी वार्षिक आँकड़ों की समय शृंखला के बारे में निम्नलिखित कथनों पर विचार कीजिए:

(*i*) शृंखला में मौसमी विचरण होगा।
(*ii*) शृंखला में दीर्घकालीन प्रवृत्ति होगी।
(*iii*) शृंखला में चक्रीय विचरण होगा।

नीचे दिए गए कूट में से सही उत्तर को चुनिए:

कूट:

A. (*i*), (*ii*) और (*iii*)

B. (*ii*) और (*iii*)

C. (*i*) और (*ii*)

D. (*i*) और (*iii*)

91. हैरॉड का संवृद्धि मॉडल निम्नवत् दिया गया है:

$S_t = \alpha Y_t \qquad 0 < \alpha < 1$

$I_t = \beta[Y_t - Y_{t-1}] \qquad \beta > 0$

$S_t = I_t$

जहाँ S_t = बचत, Y_t = आय

I_t = निवेश, t = समय

आर्थिक संवृद्धि के इस मॉडल में, आर्थिक संवृद्धि की शर्त है:

A. $\frac{\beta}{\alpha-\beta} > 0$　　B. $\frac{\beta}{\beta-\alpha} > 1$

C. $\frac{\beta}{\alpha} > 0$　　D. $\frac{\beta}{\beta-\alpha} < 0$

92. एक एकाधिकारी का रैखिक माँग वक्र $p = 100 - 4q$ है, जबकि उसका लागत फलन $C = 50 + 20q$ है। इस एकाधिकारी के लिए लाभ अधिकतम करने हेतु उत्पादन है:

A. 40　　B. 20
C. 5　　D. 10

93. एक बॉक्स में 10 बल्व रखे हैं, जिनमें से 4 खराब हैं। यदि 3 बल्बों को बिना बदले हुए यादृच्छिक रूप से निकाला जाता है, तो सभी तीन बल्बों के खराब होने की प्रायिकता कितनी होगी?

A. $\frac{3}{10}$　　B. $\frac{1}{30}$

C. $\frac{3}{4}$　　D. $\frac{4}{10}$

94. यदि उपभोक्ता का माँग फलन $p = 27 - 3x - x^2$ (जहाँ x = माँग की मात्रा, p = कीमत) है, $x = 3$ पर उपभोक्ता अतिरेक है:

A. 31.5　　B. 32.5
C. 50.5　　D. 49.5

95. यद्यपि दो समय शृंखलाएँ अलग-अलग अस्थैतिक हैं, पर उनकी रैखिक संयुक्ति स्थैतिक है। यह किसका उदाहरण है?

A. नकली समाश्रयण

B. रैंडम वाक (यादृच्छिक चाल)

C. सह-एकीकरण

D. उपनति स्थैतिकता

96. नीचे दिए गए आरेख के लिए, निम्नलिखित में से कौन-सा अवकलजों के पदों में सही है?

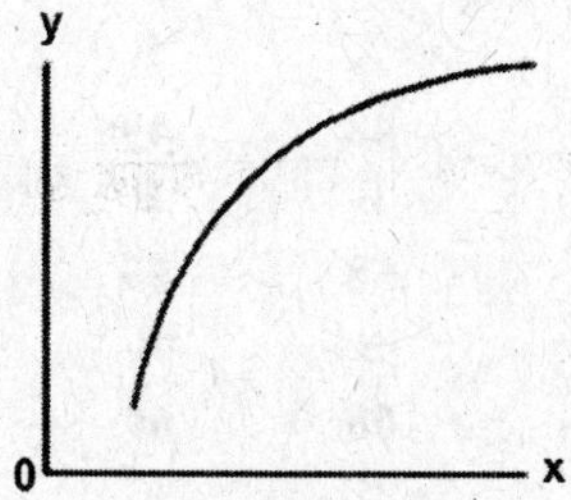

A. $\frac{dy}{dx} < 0, \frac{d^2y}{dx^2} < 0$

B. $\frac{dy}{dx} > 0, \frac{d^2y}{dx^2} < 0$

C. $\frac{dy}{dx} < 0, \frac{d^2y}{dx^2} > 0$

D. $\frac{dy}{dx} > 0, \frac{d^2y}{dx^2} > 0$

97. किसी वस्तु के माँग फलन $q = kp^{-r}$ (यहाँ p कीमत है, q माँग की मात्रा और k तथा r धनात्मक अचर हैं) के लिए माँग की कीमत लोच निम्नलिखित में से कौन-सी है?

A. R

B. अचर नहीं क्योंकि फलन गैर-रैखिक है

C. $\frac{1}{r}$

D. 1

98. सूची-I को सूची-II के साथ सुमेलित कीजिए और नीचे दिए गए कूट में से सही उत्तर को चुनिए :

सूची-I	सूची-II
(*a*) डेल्फी विधि	(*i*) स्थैतिकता
(*b*) डिकी-फुलर परीक्षण	(*ii*) स्वतःसहसंबंध
(*c*) डर्बिन-वाटसन परीक्षण	(*iii*) समाश्रयण गुणांक का सार्थकता परीक्षण
(*d*) स्टुडेन्ट्स टी-परीक्षण	(*iv*) पूर्वानुमान

कूट :

	(*a*)	(*b*)	(*c*)	(*d*)
A.	(*i*)	(*iv*)	(*iii*)	(*ii*)
B.	(*i*)	(*ii*)	(*iii*)	(*iv*)
C.	(*iv*)	(*i*)	(*ii*)	(*iii*)
D.	(*iv*)	(*ii*)	(*i*)	(*iii*)

99. समाश्रयण विश्लेषण में यदि मात्रात्मक चर में 'm' वर्ग हैं, तो कितने मूक चर सम्मिलित किए जा सकते हैं?

A. केवल $m - 1$ मूक चर

B. केवल $m + 1$ मूक चर

C. केवल m मूक चर

D. केवल $2m$ चर

100. सूची-I को सूची-II के साथ सुमेलित कीजिए और नीचे दिए गए कूट में से ही सही उत्तर को चुनिए:

सूची-I	सूची-II
(*a*) हॉकिन्स-साइमन शर्तें	(*i*) क्रीड़ा सिद्धान्त
(*b*) सैडल बिन्दु	(*ii*) गैर-रैखिक प्रोग्रामिंग
(*c*) सिम्प्लेक्स विधि	(*iii*) आगत-निर्गत विश्लेषण
(*d*) कुन-टकर शर्तें	(*iv*) रैखिक प्रोग्रामिंग

कूट :

	(*a*)	(*b*)	(*c*)	(*d*)
A.	(*i*)	(*ii*)	(*iv*)	(*iii*)
B.	(*ii*)	(*i*)	(*iii*)	(*iv*)
C.	(*iii*)	(*ii*)	(*i*)	(*iv*)
D.	(*iii*)	(*i*)	(*iv*)	(*ii*)

उत्तरमाला

1	2	3	4	5	6	7	8	9	10
C	D	A	A	A	B	D	B	A	D
11	**12**	**13**	**14**	**15**	**16**	**17**	**18**	**19**	**20**
C	C	B	D	A	D	C	B	D	B
21	**22**	**23**	**24**	**25**	**26**	**27**	**28**	**29**	**30**
C	A	D	B	D	C	D	A	C	D

31	32	33	34	35	36	37	38	39	40
A	B	C	D	C	A	D	A	B	B
41	**42**	**43**	**44**	**45**	**46**	**47**	**48**	**49**	**50**
A	C	A	B	C	A	D	B	B	A
51	**52**	**53**	**54**	**55**	**56**	**57**	**58**	**59**	**60**
D	A	A	A	B	C	A	B	B	D
61	**62**	**63**	**64**	**65**	**66**	**67**	**68**	**69**	**70**
D	A	A	C	D	A	C	B	C	B
71	**72**	**73**	**74**	**75**	**76**	**77**	**78**	**79**	**80**
D	C	B	C	C	D	D	C	D	D
81	**82**	**83**	**84**	**85**	**86**	**87**	**88**	**89**	**90**
C	D	A	C	A	B	D	C	C	B
91	**92**	**93**	**94**	**95**	**96**	**97**	**98**	**99**	**100**
B	D	B	A	C	B	A	C	A	D

व्याख्यात्मक उत्तर

3. **केंद्रीयकृत और विकेंद्रीकृत योजनाएँः** केंद्रीयकृत योजना को 'ऊपर से तय योजना' कहा जाता है। इसका अर्थ है कि शीर्ष स्तर पर केन्द्रीय प्राधिकरण द्वारा योजना तैयार करना है। यह एक उद्देश्य आधारित योजना है। विकेन्द्रीकृत योजना को नीचे से तय योजना' कहा जाता है। इसका अर्थ है कि सबसे छोटे (ग्राम) स्तर पर छोटे समुदायों द्वारा योजनाओं को तैयार करना है। यह व्यक्तिपरक आधारित योजना है।

4. पूंजी पर्याप्तता अनुपात (सी.ए.आर.) अपनी जोखिम भारित संपत्ति और वर्तमान देनदारियों के संबंध में एक बैंक की पूंजी का अनुपात है। केन्द्रीय बैंकों और बैंक नियामकों द्वारा निर्णय लिया जाता है वाणिज्यक बैंकों को अधिक लाभ उठाने और प्रक्रिया में दिवालिया होने से किस प्रकार बचाया जाए। बेसल III मानदंडों ने 8% की भारित संपत्ति को जोखिम में डालने के लिए पूंजी निर्धारित की है। हालांकि, भारतीय रिजर्व बैंक के मानदंडों के अनुसार, भारतीय अनुसूचित वाणिज्यिक बैंकों को 9% की CAR बनाए रखने की आवश्यकता होती है, जबकि भारतीय सार्वजनिक क्षेत्र के बैंकों को 12% की CAR रखने पर जोर दिया जाता है।

6. एक देश का भुगतान संतुलन रिकॉर्ड के दो खाते ह हैं: (*a*) चालू खाता (*b*) पूंजी खाता। जबकि भुगत संतुलन रिकॉर्ड में चालू खाता मुख्यतः आयात अ निर्यात को समाहित करता है। पूंजी खाता, वित्त निवेश; जमा और ऋण को संदर्भित करता है। यद्य चालू खाता में अदृश्य मद, जैसे–सेवाओं के ति प्राप्तियां एवम् भुगतान यथा यात्रा, बीमा और याताय इत्यादि शामिल होते हैं।

एक देश का चालू खाता में निम्नलिखित मद सन्नि होते हैं:

(*i*) शुद्ध निर्यात (निर्यात घटाव आयात)

(*ii*) विदेशों के निवेश से शुद्ध आय प्राप्ति

(*iii*) विदेशों से नेट स्थानांतरण भुगतान (जैसे विदेशी सहायता)।

7. उजावा की प्रमेय, जिसे स्थिर राज्य विकास प्रमेय रूप में भी जाना जाता है। आर्थिक विकास के सिद्ध का एक प्रमेय है, जो इस रूप से संबंधित है तकनीकी परिवर्तन सोलो-स्वान और रैमसे-कोस-कोपम विकास मॉडल में ले सकते हैं। यह पहली बार जापा अर्थशास्त्री हिरोफुमी उजावा ने साबित किया थ प्रमेय के एक सामान्य संस्करण में दो भाग होते

पहला कहता है कि सोलो और नियोक्लासिकल मॉडल की सामान्य मान्यताओं के तहत, अगर (कुछ समय बाद T) पूंजी, निवेश, खपत और उत्पादन निरंतर घातीय दरों पर बढ़ रहे हैं, तो इन दरों के बराबर होना चाहिए। इस परिणाम पर निर्मित दूसरे भाग का दावा है कि इस तरह के संतुलित विकास पथ के भीतर उत्पादन फलन $Y = \tilde{F}(\tilde{A}, K, L)$ (जहाँ A प्रौद्योगिकी है, के पूंजी हैं, और L श्रम है), को फिर से लिखा जा सकता है जैसे कि तकनीकी परिवर्तन पूरी तरह से आउटपुट को प्रभावित करता है। यह प्रभाव श्रम पर स्केलर के रूप में होता है (यानि $Y = F(K, AL)$ एक प्रोपर्टी जिसे श्रम-संवर्द्धन या हेरोड-तटस्थ तकनीकी परिवर्तन कहा जाता है। उजावा का प्रमेय आमतौर पर इस्तेमाल किए जाने वाले नियोक्लासिकल और सोलो मॉडल की एक महत्वपूर्ण सीमा को दर्शाता है। ऐसे मॉडलों के भीतर संतुलित विकास की धारणा को अपनाने के लिए श्रम-संवर्द्धन द्वारा तकनीकी परिवर्तन की आवश्यकता होती है। प्रतिस्थिति द्वारा, कोई भी उत्पादन फलन जिसके लिए प्रौद्योगिकी के प्रभाव का प्रतिनिधित्व करना संभव नहीं है क्योंकि श्रम पर स्केलर संतुलित विकास पथ का उत्पादन नहीं कर सकता है।

9. अवसर लागत सिद्धांत प्रदर्शित करता है कि जब तक अवसर लागत में अंतर होता है तब तक व्यापार लाभदायक होता है।

पूर्वानुमानः अवसर लागत सिद्धांत भी क्लासिकीय सिद्धांतों के सामान्य पूर्वानुमानों पर आधारित होता है। इस सिद्धांत की महत्वपूर्ण पूर्वानुमान हैं:

(*a*) दो देश–दो वस्तु मॉडल

(*b*) उत्पाद के केवल दो कारक हैं, जैसे–श्रम और पूंजी। उत्पाद के कारक देश के भीतर पूर्णरूपेण चलंत हैं लेकिन देशों के बीच चलंत नहीं हैं।

(*c*) आपूर्ति में उत्पाद के कारण नियत होते हैं।

(*d*) दोनों कारकों और उत्पाद विपणन में पूर्ण प्रतिस्पर्धा होती है।

(*e*) प्रत्येक रोजगार में प्रत्येक कारक का मूल्य इसके सीमांत उत्पादन के समान होता है।

(*f*) प्रत्येक वस्तु का मूल्य इसके उत्पादन की सीमांत लागत के समान होता है।

(*g*) प्रत्येक देश में पूर्ण रोजगार होता है।

(*h*) तकनीकी परिवर्तन नहीं होता है।

(*i*) अंतर्राष्ट्रीय व्यापार निःशुल्क है।

13. बौद्धिक सम्पदा अधिकार एक विधिक अधिकार है, जो उद्योग में बौद्धिक क्रिया, वैज्ञानिक, साहित्यिक और कलात्मक क्षेत्रों से आए परिणाम हैं। ये अधिकार बौद्धिक वस्तुओं एवं सेवाओं के अन्य उत्पादकों के लिए सुरक्षात्मक सृजनकर्ता हैं जो अपने उपयोग के नियंत्रण का निश्चित समय सीमा के लिए अधिकारों को स्वीकृति प्रदान करते हैं। संरक्षित बौद्धिक संपदा अधिकार, अन्य संपदा की तरह ही व्यापार का विषय हो सकते हैं जिसे बेचा, खरीदा जा सकता है, साथ ही स्वामित्व भी स्थापित किया जा सकता है। ये अमूर्त और सशक्त व्यय हैं।

बौद्धिक सम्पदा अधिकारों के प्रकारः

(*a*) पेटेन्ट

(*b*) ट्रेडमार्क

(*c*) कॉपीराइट्स और संबंधित अधिकार

(*d*) भौगोलिक संकेत

(*e*) औद्योगिक रूप-रेखा

(*f*) व्यापार रहस्य

(*g*) समाकलित परिपथ के लिए ले-आउट डिजाइन

(*h*) नये संयंत्र किस्म की सुरक्षा

15. नकद शेष सिद्धांत मुद्रा के लिए मांग की प्रत्यस्थता को स्थापित करता है। यह इकाई इंगित करती है कि मुद्रा की मांग मूल्य स्तर में आनुपातिक ह्रास की ओर उन्मुख होती है।

16. रोस्टों के माडल के पाँच चरणों में (1) 'पारंपरिक समाज' (2) 'लोकप्रिय होने की पूर्व शर्त' (3) 'लोकप्रिय होना' (4) 'अभियान हेतु परिपक्वता' (5) 'उच्च जन' उपभोग की आयु। रोस्टो के अनुसार, प्रत्येक देश को आर्थिक विकास के इन चरणों में से एक के रूप में वर्गीकृत किया जा सकता है और जिसमें केवल सबसे उन्नत देश ऐतिहासिक रूप से सभी पाँच चरणों के माध्यम से विकसित हुए हैं। इसलिए, संयुक्त राष्ट्र के नेतृत्व में विकसित राष्ट्र जिनमें ब्रिटेन, फ्रांस, जर्मनी और जापान भी शामिल हैं, विकास के पाचवें चरण तक पहुँचा हुआ माना जाता है।

20. 'अति गुणक' शब्द की पहली बार खोज जे.एम. कीन्स ने अपने व्यापार चक्र सिद्धांत में की। उत्प्रेरित निवेश और आय में संवादी परिवर्तन के संबंध को प्रदर्शित करना उस प्रयोजन का उद्देश्य था। विशिष्ट होने पर, यह दो परिवर्तनों के बीच के अनुपात को इंगित करता है। अर्थात् निवेश में और साम्य उत्पाद में। वास्तव में, यदि हम अति गुणक के बारे में जानते हैं, तो हम आसानी से आय के स्तर की गणना करते हैं, जो स्वायत्त निवेश के किसी तय स्तर (बाह्य तत्वों से विकसित) को संवादी बनाता है।

22. **राउंड ट्रिपिंगः** यहाँ पैसा विदेशी निगम में जमा किया जाता है, जो स्वामित्वों के नियंत्रण में होता है, एक टैक्स हेवन के रूप में जमा पैसा जिसमें न्यूनतम दस्तावेज मांगे जाते हैं और फिर गृह देश में प्रत्यक्ष विदेशी निवेश के रूप में लौटा दिए जाते हैं, जो कर मुक्त होते हैं।

24. **अक्षयनिधि कारक**

देश अपने सापेक्ष अक्षयनिधि कारकों में अलग-अलग हैं

संकेतः K = पूंजी, L = श्रम, r = पूंजी की कीमत, w = श्रम की कीमत।

भौतिक परिभाषाः $(K/L)_1 > (K/L)_2 \Leftrightarrow$ देश 1 में पूंजी की प्रचुरता (श्रम अप्रचुरता) देश 2 में श्रम की प्रचुरता (पूंजी अप्रचुरता)

मूल्य की परिभाषाः $(r/w)_1 < (r/w)_2 \Leftrightarrow$ देश 1 में पूंजी की प्रचुरता, देश में श्रम की प्रचुरता।

26. 'संतुलित संवृद्धि' शब्द का उपयोग कई अलग-अलग अर्थों में किया जाता है, लेकिन संतुलित संवृद्धि सिद्धांत के मूल प्रतिपादकों के पास निवेश और विकास की प्रक्रिया की मांग और आपूर्ति दोनों पक्षों की अनिश्चितताओं को दूर करने के लिए आवश्यक निवेश का पैमाना था। प्रक्रिया की माँग और आपूर्ति पक्ष पर अभाज्यता 'पूंजी की लम्पिनेस' को संदर्भित करता है। विशेषकर सामाजिक ओवर हेड पूंजी के अर्थों में। तथ्य यह है कि केवल एक साथ बड़ी संख्या में गतिविधियों में निवेश करने से विभिन्न बाहरी अर्थव्यवस्थाओं का लाभ उठाया जा सकता है। मांग पक्ष पर क्षतिपूर्ति बाजार के आकार द्वारा लाभप्रदता, व्यवहार्यता, आर्थिक गतिविधियों की सीमाओं द्वारा लगाई गई सीमाओं को संदर्भित करती है। यह संतुलित संवृद्धि के सिद्धांत की मूल व्याख्या थीः निवेश के लिए निजी और सामाजिक रिटर्न के बीच की गतिविधियों को दूर करने के लिए बड़े पैमाने पर गतिविधियों का विस्तार या बड़ा धक्का आवश्यक था। सिद्धांत को बाद में विस्तारित किया गया था, हालांकि आर्थिक विकास के मार्ग और अर्थव्यवस्था के विभिन्न क्षेत्रों को संतुलन में रखने के लिए आवश्यक निवेश के पैटर्न को संदर्भित करने के लिए ताकि एक क्षेत्र में विकास की कमी दूसरों में विकास को बाधा न पहुँचाए। उदाहरण के लिए कृषि और उद्योग जैसे पूंजीगत वस्तुओं और उपभोक्ता वस्तुओं के उद्योगों के बीच और सामाजिक पूंजी तथा सीधे उत्पादक गतिविधियों के बीच संतुलन बनाने की आवश्यकता।

27. **प्रगतिशील दर संरचनाः** प्रगतिशील दर संरचना को कर के रूप में परिभाषित किया जाता है, जिसमें औसत कर दर तब बढ़ती है जब कर आधार बढ़ता है। यदि कर दर संरचना प्रगतिशील है, तो सीमांत कर दर, औसत कर दर से ऊँची होती है। ज्यों ही कर आधार में वृद्धि होती है, कर आधार में वृद्धि के साथ औसत कर दर, सीमांत कर दर और कुल करों में वृद्धि होने लगती है। एक व्यक्ति जिसका न्यूनतम कर आधार होता है, उस व्यक्ति की तुलना में जिसका कर आधार, ऊँचा है–दोनों न्यूनतम औसत और कर की सीमांत दर का भुगतान करेंगे।

प्रगतिशील दर संरचना एडम स्मिथ की समानता की कसौटी को प्रदर्शित करती है, जो उनके संघीय आयकर दरों को अंतःस्थापित करता है। इस कसौटी के अनुसार करदाताओं की अपनी योग्यता के अनुसार, कर का भुगतान करना चाहिए। प्रगतिशील दर संरचना का उपयोग जहाँ लोग उच्च कर आय स्तर के हैं, उच्च सीमांत कर दरों का भुगतान करते हैं और समानता को आगे बढ़ाते हैं।

28. **IS वक्र में बदलावः** व्यय में कोई भी बहिर्जात परिवर्तन– C, I, G अथवा X–M– यह व्यय को

बढ़ाता है और इस तरह Y, IS वक्र को दायीं ओर स्थानांतरित कर देगा। कोई भी बहिर्जात व्यय में कमी होने पर IS वक्र को बाईं ओर स्थानांतरित कर देगा।

- यदि G में वृद्धि होती है, IS वक्र दायीं ओर स्थानांतरित हो जाता है।
- यदि G में गिरावट आती है, तो IS वक्र बाईं ओर स्थानांतरित हो जाएगा।
- यदि निर्यात गिरता है, तो IS वक्र बाईं ओर स्थानांतरित हो जाएगा।
- यदि करों में कमी हो जाती है, तो इससे खपत में वृद्धि होगी और IS वक्र दायीं ओर स्थानांतरित हो जाएगा।
- यदि आयात पर प्रतिबंध लगाया जाता है, तो आयात में बाहरी गिरावट जैसा परिणाम होगा। X–M बढ़ेगा और IS वक्र दायीं ओर स्थानांतरित होगा।
- यदि निवेशक के विश्वास में गिरावट (यानी मौजूदा ब्याज दर के स्तर पर) के कारण निवेश गिरता है, तो यह IS वक्र को बाईं ओर स्थानांतरित कर देगा।

LM वक्र में बदलावः LM वक्र में बदलाव का प्राथमिक कारण मुद्रा आपूर्ति MS में बहिर्जात या नीतिगत परिवर्तन हैः

- यदि मुद्रा की आपूर्ति में विस्तार होता है, तो LM वक्र दायीं ओर स्थानांतरित हो जाता है।
- यदि मुद्रा की आपूर्ति में संकुचन होता है, तो LM वक्र बायीं ओर स्थानांतरित हो जाता है।

30. जोसेफ अलोइस शुम्पीटर ने पहली बार 1911 में जर्मन में प्रकाशित ''ध्योरी ऑफ इकोनॉमिकल डेवलपमेंट'' में आर्थिक विकास के अपने सिद्धांत को प्रस्तुत किया था। उन्होंने पूर्णतः प्रतिस्पर्धी अर्थव्यवस्था की परिकल्पना की थी, जो स्थैतिज संतुलन में है। इस तरह के स्थिर राज्य में कोई लाभ नहीं है, कोई ब्याज दर नहीं है, कोई बचत नहीं है, कोई निवेश नहीं है और कोई अनैच्छिक बेरोजगारी नहीं है। इस संतुलन की विशेषता ''वृत्ताकार प्रवाह'' शब्द से है, जो साल-दर-साल उसी तरह से अपने आपको दोहराता है। वृत्तीय प्रवाह में साल-दर-साल इसी तरह के उत्पादों का उत्पादन किया जाता है। ''प्रत्येक आपूर्ति के लिए कुछ अनुरूप मांग है, और प्रत्येक मांग के लिए अनुरूप आपूर्ति।''

31. मस्ग्रेव और थीन ने एक प्रगतिशील सूचकांक M को विकसित किया, जिसे उन्होंने ''प्रभावशील प्रगतिशीलता'' कहा, जो आय के लिए गिनी गुणांक की तुलना कर (G_b) के पूर्व और कर (G_a) के पश्चात् पर आधारित होता है।

$$M = (1 - G_a)/(1 - G_b)$$

यह कर वितरण के पूर्व और पश्चात की सापेक्ष समता का सूचक हैः 1 से अधिक मान का प्रदर्शन प्रगतिशीलता सूचक में 1 से बड़ा होता है।

32. फ्रीडमैन मुद्रा को संपत्ति या पूंजी के रूप में मानते हैं, जो क्रय शक्ति का एक अस्थाई पड़ाव है। लोग इसे धारण करते हैं क्योंकि यह आय या उपभोज्य सेवाओं की धारा है। दूसरी तरफ, कीन्स के अनुसार मुद्रा में डिमांड डिपॉजिट और सरकार का नॉन-इंटरेस्ट वियरिंग कर्ज भी शामिल है। इस प्रकार फ्रीडमैन ने मनी फंक्शन की मांग को समझने के लिए कीन्स की तुलना में पैसे की बहुत व्यापक परिभाषा का उपयोग किया है।

33. प्रति व्यक्ति वास्तविक जीडीपी $= 15\% - 2\% - 5\%$
$= 8\%.$

35. मुद्रा बाजार अल्पकालिक ऋण बाजार हैं। ऋण एक निश्चित आय सुरक्षा है और एक बाजार के खिलाड़ी की उधारी का प्रतिनिधित्व करता है। मुद्रा बाजार अधिकांशतः वित्तीय साधनों के लिए थोक बाजार हैं। अल्पकालिक अधिशेष-निधि धारकों और निधि उधारकर्त्ताओं की आवश्यकताओं को पूरा करने के लिए मुद्रा बाजार में लेन-देन अत्यधिक सरल है। कॉल (नोटिस) मुद्रा बाजार भारतीय मुद्रा बाजार का एक प्रमुख खंड है, जहाँ लेन-देन रातोंरात परिपक्वता पर दर्ज किया जाता है। व्यापार की बड़ी मात्रा अनिवार्य रूप से मुद्रा बाजार में खिलाड़ियों को संस्थागत

निवेशकों जैसे—बैंकों, अन्य वित्तीय संस्थानों, सरकार और बड़ी व्यावसायिक फर्मों तक सीमित रखती है। यहाँ खिलाड़ी कम अवधि के लिए मौजूदा ब्याज दरों (कॉल दरों) पर अधिशेष धन का आदान-प्रदान करते हैं। अवधि एक दिन, एक सप्ताह, एक महीना, छः महीने या एक वर्ष हो सकती है। यह अवधि साधन की परिपक्वता को इंगित करती है। मनी मार्केट इंस्ट्रूमेंट के इश्यू के साथ-साथ इंस्ट्रूमेंट की परिपक्वता के समय, शुरुआती रकम का अकाउंट ट्रांसफर ब्याज दर के साथ मनी मार्केट में खिलाड़ियों के बीच होता है। मुद्रा बाजार के उपकरण टी बिल बाजार, अंतर-बैंक बाजार, जमा बाजार का प्रमाण-पत्र, रेपो बाजार, वाणिज्यिक कागज (प्रपत्र) बाजार, अंतर-कॉर्पोरेट जमा बाजार और वाणिज्यिक बिल बाजार हैं।

38. (*i*) बैंकों के राष्ट्रीयकरण का प्रथम चरण– 1969

(*ii*) बैंकिंग प्रणाली पर नरसिम्हन समिति की स्थापना – 1991

(*iii*) भारत में FEMA एक्ट की शुरुआत (का लागू होना) – 1999

(*iv*) भारत में EXIM (एक्जिम बैंक) की स्थापना – 1982

41. संपीड़ित प्राकृतिक गैस हाइड्रोजन और वाष्पों का मिश्रण है, जिसमें मुख्यतः मीथेन होता है [या फिर हाइड्रोजन और मीथेन का उपयुक्त मिश्रण]। ये गैसीय अवस्था में होता है जिसका उपयोग ऑटोमेटिव ईंधन में संपीड़ित कर लिया जाता है।

42. सार्वजनिक व्यय को निम्नलिखित प्रकार से वर्गीकृत किया जा सकता है:

सार्वजनिक व्यय का वर्गीकरण

↓

- राजस्व एवं पूंजी व्यय
- योजना एवं गैर-योजना व्यय
- विकासात्मक और गैर-विकासात्मक व्यय

राजस्व व्यय

सरकारी विभागों के सामान्य क्रियाओं के लिए व्यय होता है और विभिन्न सेवाओं, ब्याज, ऋण पर शुल्क आदि के लिए प्रावधान सरकार द्वारा किया जाता है। इन्हें ही राजस्व व्यय के रूप में जाना जाता है। दूसरे शब्दों में, सभी व्यय जो परिसंपत्ति का सृजन नहीं करते हैं, राजस्व व्यय कहलाते हैं। राज्य सरकारों को स्वीकृत अनुदान भी राजस्व व्यय का ही हिस्सा है। यद्यपि कुछ अनुदान परिसंपत्ति का सृजन करते हैं। सरकार के मुख्य राजस्व व्यय—वेतन, पेंशन, ब्याज, सब्सिडी और अनुदान इत्यादि हैं।

पूंजी व्यय

परिसंपत्ति अर्जित करने के लिए किया गया व्यय जैसे कि भूमि, भवन, मशीनरी, उपस्कर, शेयरों में निवेश इत्यादि कर्ज एवं अग्रिम केन्द्र सरकार द्वारा राज्य सरकारों, केन्द्रशासित प्रदेशों, सरकारी कंपनियों, निगमों और अन्य पार्टियों को अनुदान देना पूंजी व्यय की श्रेणी में आता है।

43. वैश्विक प्रतिस्पर्धात्मक रिपोर्ट (GCR) एक वार्षिक प्रतिवेदन है, ज़ो विश्व आर्थिक मंच द्वारा प्रकाशित किया गया। वर्ष 2004 से, जेवियर साला-इ-मार्टिन और इल्सा वी. अर्टाडी द्वारा विकसित वैश्विक प्रतिस्पर्धात्मक सूचकांक पर आधारित वैश्विक प्रतिस्पर्धात्मक रिपोर्ट देशों को क्रमांकित करता आ रहा है। इसके पूर्व, मैक्रोइकॉनामिक रैक्स जेफेर साथ की विकास संवर्धन सूचकांक पर आधारित था और माइक्रोइकॉनामिक रैक्स माइकल पोर्टर का प्रतिस्पर्धात्मक व्यवसाय सूचकांक पर आधारित था। वैश्विक प्रतिस्पर्धात्मक सूचकांक मैक्रोइकॉनामिक और माइक्रो/व्यवसाय के प्रतिस्पर्धात्मक पहलू को एकल सूचकांक में एकीकृत करता है।

44. पिकॉक और वाइजमैन परिकल्पना

सार्वजनिक व्यय में पिकॉक और वाइजमैन की परिकल्पना 1890 से 1955 की अवधि के दौरान यूनाइटेड किंगडम में किए गए उनके अनुभवजन्य अध्ययन पर आधारित है। यहाँ भी एडोल्फ वैगनर की तरह, ये अर्थशास्त्री हमें अर्थव्यवस्था के विकास और सार्वजनिक व्यय के बीच संबंध के बारे में बताते हैं, लेकिन इन दोनों सिद्धांतों में व्यापक अंतर है। यहाँ पिकॉक में वाइजमैन ने कहा है कि अर्थव्यवस्था के विकास के संबंध में सार्वजनिक व्यय में वृद्धि होगी किन्तु बढ़ती प्रवृत्ति एडोल्फ वैगनर के सिद्धांत की तरह नहीं होगी। परिकल्पना की व्याख्या नीचे दिए गए चित्र की सहायता से की जा सकती है।

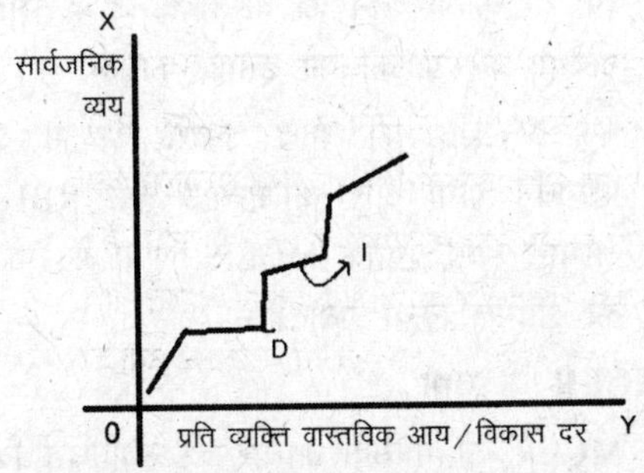

चित्र में, प्रति व्यक्ति वास्तविक आय या विकास दर को 'X' अक्ष पर और सार्वजनिक व्यय को 'Y' अक्ष पर दर्शाया गया है। इस परिकल्पना के अनुसार, अर्थव्यवस्था में तीन बुनियादी प्रभाव होते हैं जो किसी देश के बढ़ते मार्ग को देख सकते हैं। वो हैंः

(*a*) विस्थापन प्रभाव

(*b*) निरीक्षण प्रभाव

(*c*) एकाग्रता प्रभाव

47. सार्वजनिक व्यय के प्रकार

सार्वजनिक व्यय को विभिन्न श्रेणियों में वर्गीकृत किया गया है। सार्वजनिक व्यय के ये विभिन्न वर्गीकरण सार्वजनिक व्यय को विभिन्न कोणों से देखते हैं। मुख्य वर्गीकरण की चर्चा नीचे की गई है।

1. **प्रत्यक्ष व्यय और हस्तांतरण व्ययः** वस्तुओं और सेवाओं की खरीद और उत्पादन के कारकों की वर्तमान सेवाओं पर सरकार द्वारा किए गए व्यय को सरकारी प्रत्यक्ष व्यय कहा जाता है। इसे कभी-कभी संपूर्ण व्यय या गैर-हस्तांतरण व्यय कहा जाता है। रक्षा, नागरिक सेवाओं, शैक्षणिक सेवाओं, न्यायपालिका और निवेश व्यय आदि पर किए गए व्यय, प्रत्यक्ष व्यय हैं। दूसरी ओर, स्थानांतरण व्यय, वे व्यय हैं, जो मौजूदा अवधि में किसी भी कारक सेवाओं के संबंधित रिटर्न के बिना किए गए भुगतानों का रूप लेते हैं। वे हस्तांतरण भुगतान की प्रकृति के हैं। सरकारी ऋण, वृद्धावस्था पेंशन, बीमारी लाभ आदि पर ब्याज के भुगतान के लिए किए गए व्यय, हस्तांतरण व्यय हैं।

2. **विकासात्मक और गैर-विकासात्मक व्ययः** विकासात्मक व्यय वह व्यय है, जो देश के आर्थिक और सामाजिक विकास से संबंधित गतिविधियों पर किया जाता है। विकासात्मक व्यय में कृषि, उद्योग, परिवहन, संचार आदि जैसी आर्थिक सेवाओं पर व्यय और सामाजिक तथा सामुदायिक सेवाओं जैसे-शिक्षा, सार्वजनिक स्वास्थ्य, श्रम, रोजगार आदि पर व्यय शामिल हैं।

   गैर विकासात्मक व्यय वह व्यय होता है जो सरकार की गैर विकासात्मक गतिविधियों पर किया जाता है। इस तरह के व्यय में प्रशासनिक सेवाओं, जैसे—पुलिस, रक्षा, न्याय प्रशासन, सामान्य प्रशासन आदि पर व्यय शामिल हैं।

3. **उत्पादक और अनुत्पादक व्ययः** उत्पादक व्यय वे व्यय हैं जो अर्थव्यवस्था की उत्पादक क्षमता में सुधार करने में मदद करते हैं। ये व्यय अर्थव्यवस्था की दक्षता को जोड़ते हैं और वे निवेश की प्रकृति में हैं। वे भौतिक संपत्ति जैसे—मशीनरी, कारखानों के साथ-साथ मानव पूंजी जैसे—शिक्षा, प्रशिक्षण, स्वास्थ्य आदि का सहारा ले सकते हैं। दूसरी ओर, अनुत्पादक व्यय वे व्यय हैं, जो सीधे अर्थव्यवस्था की उत्पादक दक्षता में नहीं आते हैं। वे उपभोग की प्रकृति के हैं। प्रशासन, रक्षा, न्यायपालिका, कानून और व्यवस्था के रख-रखाव आदि पर व्यय अनुत्पादक व्यय हैं। इसका अर्थ यह नहीं कि ये व्यय व्यर्थ हैं। वे अप्रत्यक्ष रूप से स्वास्थ्य और अर्थव्यवस्था की दक्षता को जोड़ सकते हैं।

48. वृहत अर्थशास्त्र में जापानी अर्थशास्त्री केन-इची इनेडा के नाम पर **इनेडा की स्थितियां**, उत्पाद फलन की आकृति के बारे में अवधारणाएं हैं, जो नव-क्लासिकीय संवृद्धि मॉडल में आर्थिक संवर्धन के स्थायित्व की गारंटी देता है।

53. मातृ-मृत्युः प्रसवकाल के दौरान अथवा प्रसव के 42 घंटों के भीतर महिला की मृत्यु, अवधि का विचार किए बिना और प्रसव स्थल—कोई भी कारण जो इससे संबंधित हों अथवा प्रसव के द्वारा अपवृद्धि करती हो या इसके प्रबंधन न कि दुर्घटनात्मक या अनुवर्ती कारणों से।

मातृ-मृत्यु अनुपात (MMR): MMR की गणना दिए गए वर्ष में प्रति 100,000 जीवित पर उसी वर्ष

मातृ-मृत्यु की संख्या द्वारा की जाती है। मातृ-मृत्यु अनुपात प्रत्येक प्रसव से जुड़े खतरे को प्रदर्शित करता है, जैसेः–प्रसूति संबंधी खतरा।

मातृ-मृत्यु दरः इसकी गणना दी गई अवधि में प्रति 100,000 में प्रजनन आयु (15-49 वर्ष) की महिलाओं की संख्या की मातृ-मृत्यु के आधार पर की जाती है। मातृ-मृत्यु प्रसूति के खतरे और उसकी निरंतरता दोनों की माप करती है जिसमें महिलाओं की खतरों को उजागर किया जाता है।

54. कोष की सीमांत लागत आधारित उधारी दर इंगित करता है बैंक की न्यूनतम ब्याज दर को जिसे उधार नहीं लिया जा सकता है, कुछ मामलों को छोड़कर भारतीय रिजर्व बैंक ने स्वीकृति प्रदान की हैं। यह बैंक के लिए आंतरिक बेंचमार्क या संदर्भित दर है। वास्तव में MCLR उस विधि का वर्णन करता है जिसके द्वारा ऋण की न्यूनतम ब्याज दर बैंक द्वारा निर्धारित की जाती है। यह निर्धारण सीमांत लागत अथवा अतिरिक्त अथवा प्रत्याशित कर्जदार के लिए वृद्धि संबंधी लागत हेतु एक और रुपया की व्यवस्था करने के आधार पर की जाती है। भारतीय रिजर्व बैंक हाल ही में अपने ऐतिहासिक बेंचमार्क प्राइम लेंडिंग रेट (BPLR) से आगे बढ़ते हुए अप्रैल, 2016 में उधारी दर पर आधारित कोष की सीमांत लागत पर पहुँचा। इसने वाणिज्यिक बैंकों द्वारा उधार देने वाली रकम के लिए व्यवस्था स्थापित की।

MCLR की आवश्यकता

- भारतीय रिजर्व बैंक रेपो दरों और अन्य दरों को समय-समय पर परिवर्तित करता है लेकिन आरबीआई रेट की तुलना में बैंक अपने ब्याज दरों को बदलने में सुस्त हैं।
- अधिकांश वाणिज्यिक बैंक ग्राहकों के लिए अपने उधारी दर में परिवर्तन नहीं करते हैं।
- अंततः रिजर्व बैंक द्वारा लक्षित लाभों का बैंक के ग्राहक फायदा नहीं उठा सकते हैं।
- अब तक रिजर्व बैंक वाणिज्यिक बैंकों को मौखिक रूप से रेपो दर के परिवर्तन के साथ उधारी दर में भी बदलाव का निर्देश देती रही है।
- रेपो दर के परिवर्तन का वास्तविक लाभ तभी हो पायेगा जब ग्राहकों को इसका फायदा हो।
- नए MCLR को साथ उधारी दर में शीघ्र परिवर्तन होगा और वाणिज्यिक बैंक RBI का आभारी होगा क्योंकि MCLR गणना में रेपों दर को शामिल किया गया है।

MCLR के लाभ

- MCLR को मासिक आधार पर संशोधित किया जाता है, जिससे बैंक के ग्राहकों विशेषकर कर्जदारों को लाभ होता है।
- बैंकों को वाणिज्यिक विपणन पत्र के साथ प्रतिस्पर्धा करनी होती है।
- कंपनियों के लिए ऋणलागत कम करता है।
- भारतीय बैंकिंग उद्योग अंतर्राष्ट्रीय मानकों की ओर उन्मुख होती है

पिटफॉल्स

- MCLR के नियम अवकाशप्राप्त कर्मचारियों, कार्यरत कर्मचारियों, सरकारी योजनाओं इत्यादि के लिए दिए जाने वाले ऋण में छूट का प्रावधान रखते हैं।
- बैंक MCLR नियमों में परिवर्तन करने के लिए ब्याज दर में कटौती के कारण अनिच्छुक हैं। वर्तमान में, यह ग्राहकों पर निर्भर करता है कि वे ऋण प्राप्ति में MCLR का विकल्प चुनें।

55. बैंकिंग सिस्टम असममित जानकारी की समस्या के क्लासिक उदाहरण हैं। बैंक और अन्य उधार देने वाले संस्थान उधारकर्ता की क्षमता और उधारकर्ता की तुलना में भुगतान करने की इच्छा के बारे में कम जानते हैं। यह असममित जानकारी की दोनों समस्याओं की ओर जाता हैः प्रतिकूल चयन और नैतिक खतरा। प्रतिकूल चयन इसलिए होता है क्योंकि वित्तीय संस्थान ब्याज दरों का भुगतान करते हैं, जो आंशिक रूप से भुगतान करने की क्षमता और उधारकर्ता की इच्छा के आकलन पर आधारित होते हैं।

चूँकि मूल्यांकन निम्न-गुणवत्ता वाले उधारकर्ताओं से अपेक्षित संख्या में चूक पर आधारित होता है, इसलिए दरों को उच्च-गुणवत्ता वाले उधारकर्ताओं द्वारा उच्च

माना जा सकता है जो स्व-वित्त का चयन कर सकते हैं तथा उधार नहीं ले सकते। यह ऋण लेने के लिए एक प्रवृत्ति (या केवल निम्न-गुणवत्ता वाले उधारकर्ताओं का उत्पादन करता है अर्थात् प्रतिकूल चयन)। नैतिक खतरा पैदा होता है क्योंकि एक बार ऋण लेने के बाद उधारकर्ता व्यवहार को बदलने का विकल्प चुन सकता है। उदाहरण के लिए एक प्लम्बर नालियों को खोलने के लिए मशीन खरीदने के लिए पैसे उधार लेने का इरादा कर सकता है लेकिन एक बार जब वह ऋण प्राप्त कर लेता है, तो उसे पैसे लेने और दांव लगाने में आसानी हो सकती है। यदि बैंक को पता था कि यह वह धन है जिसका उपयोग किया जाने वाला था, तो यह संभवतः ऋण नहीं होगा। ऋण देने के बाद नैतिक खतरा पैदा होता है क्योंकि उधारकर्ता भुगतान नहीं करने या उन गतिविधियों में संलग्न होने का विकल्प चुन सकता है जिससे ऋणदाता सहमत नहीं होंगे।

56. लम्बे समय से अर्थशास्त्रियों ने इस तथ्य को मान्यता दी है कि जीडीपी एक संकेतक के रूप में या एक राष्ट्र के "कल्याण" के एक छद्म रूप में भ्रम उत्पन्न करते हैं, अकेले लोगों की भलाई के उपाय के रूप में जाने दें, हालांकि आर्थिक नीति के निर्माता आमतौर पर इसके विपरीत सोचते हैं। 1970 के दशक की शुरुआत में अधिकांश औद्योगिक देशों में व्यावहारिक आर्थिक नीतियों में यह समस्या दृष्टिगोचर हो गई। इस विकास का सबसे प्रसिद्ध उदाहरण MEW सूचकांक था, जिसे येल विश्वविद्यालय के अर्थशास्त्र के प्रोफेसर विलियम नॉर्डहॉस और जेम्स टोबिन ने 1972 में अपने आर्थिक कल्याण के उपाय (MEW) में विकसित किया था। आर्थिक कल्याण उनके लिए जीडीपी का योग है, अवकाश का महत्व। समय, अवैतनिक कार्य का मूल्य, पर्यावरणीय क्षति का मूल्य घटाता है। पहली बार हम यहाँ आर्थिक विकास के प्रतिकूल पर्यावरणीय प्रभावों के लिए सुधार देख रहे हैं। 1973 में प्रकाशित जापानी नेट नेशनल वेलफेयर (NNW) संकेतक एक विशेष समिति द्वारा विकसित किया गया था, जिसे एम. शिनोहारा की अध्यक्षता में जापान की आर्थिक परिषद् ने बनाया। NNW गैर बाजार सेवाओं सहित शृंखला कल्याण माप को जोड़ता है और प्रदूषण की लागत में कटौती करके इसे सही करता है। संयुक्त राष्ट्र ने 1977 में "राष्ट्रीय कल्याण और संतुलन के पूरक के लिए व्यवहार्यता के उपायों पर एक अध्ययन" प्रकाशित किया था, जो अलग-अलग सूचकांकों का विश्लेषण करते हुए और अलग-अलग तत्वों के मापन की चर्चा करती थी। 1981 में, ग्रीक अर्थशास्त्री जेनोफन जोलोटस ने आर्थिक कल्याण पहलू सूचकांक विकसित किया। EAW माल और सेवाओं के वर्तमान प्रवाह पर ध्यान केंद्रित करके और बड़े पैमाने पर पूंजी संचय और स्थिरता के मुद्दे की अनदेखी करके MEW से अलग हो गया। अधिक व्यापक स्तर पर, EAW विज्ञापन की लागत का आधा हिस्सा घटाकर MEW से भटक जाता है (यह मानते हुए कि इसका केवल आधा हिस्सा उपभोक्ताओं को एक मूल्यवान सूचना सेवा प्रदान करता है); वायु और जल प्रदूषण नियंत्रण की आधी लागत, पूरी लागत ठोस अपशिष्ट प्रदूषक नियंत्रण, वायु प्रदूषण की अनुमानित लागतों में कटौती करता है, और वास्तविक सार्वजनिक और निजी स्वास्थ्य देखभाल लागतों में प्रति व्यक्ति विकास का आधा हिस्सा होता है। इसके अलावा, जालोटस में प्राकृतिक संसाधन की कमी के लिए एक आंकड़ा शामिल है। 1989 में, हरमन डेली (विश्व बैंक) और जॉन कॉब ने MEW सूचकांकः सतत आर्थिक कल्याण सूचकांक (ISEW) के आधार पर एक नया सूचकांक विकसित किया। वे सार्वजनिक व्यय को जोड़ने (रक्षा को छोड़) और अवैतनिक कार्य के मूल्य को जोड़ते हुए प्रारंभिक व्यक्तिगत व्यय के रूप में लेते हैं, लेकिन निजी और पर्यावरणीय क्षति के मूल्य में कटौती करते हैं। बाद में उन्होंने सूचकांक में कई अन्य 'लागत' जोड़े। यह अंततः निचले स्तर के वास्तविक प्रगति संकेतक जोड़े। इस GPI में भारित निजी खपत शामिल है, कल्याण उत्पन्न करने वाले गैर-बाजार सेवाओं का मूल्य जोड़ता है, प्राकृतिक गिरावट की निजी रक्षा लागत और प्रकृति तथा प्राकृतिक संसाधनों की गिरावट की लागत में कटौती करता है लेकिन पूंजी स्टॉक और अंतर्राष्ट्रीय व्यापार में संतुलन लाता है। अंत में यह 1990 में संयुक्त राष्ट्र के मानव विकास सूचकांक या HDI में परिलक्षित होता है।

58. माननीय प्रधानमंत्री ने जनवरी, 2018 में 28 राज्यों में 115 जिलों को बदलने के लिए "परिवर्तन के आकांक्षी जिले" नामक कार्यक्रम का शुभारंभ किया। इन जिलों को पाँच क्षेत्रों में 49 प्रमुख प्रदर्शन संकेतक (KPI) में स्थान दिया गया है। शिक्षा उन क्षेत्रों में से एक है जो 30% भार के साथ जुड़ा है। शिक्षा के तहत् 8 KPI की पहचान की गई है।

प्रमुख प्रदर्शन संकेतक–शिक्षा क्षेत्र

1. परिवर्तन काल से
   (*a*) प्राथमिक से उच्च प्राथमिक।
   (*b*) उच्च प्राथमिक से माध्यमिक तक।
2. फंक्शनल गर्ल्स टॉयलेट्स वाले स्कूल।
3. स्कूलों में कार्यात्मक पेथजल सुविधा की उपलब्धता।
4. शैक्षणिक सत्र के 1 महीने के भीतर पाठ्यपुस्तकों की उपलब्धता।
5. माध्यमिक विद्यालय स्तर पर कार्यात्मक विद्युत सुविधा की उपलब्धता।
6. आरटीई के अनुपालन वाले प्राथमिक विद्यालय छात्र-शिक्षक अनुपात निर्दिष्ट करते हैं।
7. भाषा और गणित में कक्षा 3, 5 और 8 के अधिगम का परिणाम।
8. महिला साक्षरता (15+ वर्ष)

59. नव-क्लासिकीय संवृद्धि मॉडल में, प्रति कामगार पूंजी साम्यावस्था में होती है, जहाँ/जब प्रति कामगार निवेश बराबर होता है–प्रति कामगार पूंजी ह्रास के। प्रति कामगार की पूंजी के स्तर पर उत्पादन फलन को प्रति कामगार का साम्य उत्पाद को रीड ऑफ किया जा सकता है।

60. टी.डब्ल्यू. शुल्ज ने शिक्षा और विकास के संबंध में तीन अनुपात दिए–

1. मानव प्रयास की मात्रा को शिक्षा-श्रम अनुपात प्रदर्शित करता है। यह प्रयास शिक्षा संबंधी कुल श्रमशक्ति का है।
2. शिक्षा आय अनुपात उन संसाधनों को जोड़ता है, जो उपभोक्ता के आय में शिक्षा के प्रवेश में महती भूमिका अदा करता है।
3. शिक्षा में प्रवेश करते संसाधन और वे संसाधन पुनरुत्पादनीय भौतिक पूंजी की ओर जा रहे, के बीच के संबंध को शिक्षा-आय अनुपात प्रदर्शित करता है।

64. विलफ्रेडो पेरेटो पहले महान अर्थशास्त्री थे जिन्होंने सामाजिक कल्याण में वृद्धि या कमी के लिए सकारात्मक मानदंड प्रस्तुत किया था। उनके नियमन को कैम्ब्रिज के अर्थशास्त्रियों ने स्वीकार किया। उनकी अवधारणा व्यक्तिपरक कल्याणकारी अर्थशास्त्र के इतिहास में एक ऐतिहासिक कदम था। "ए प्राइओरी वेलफेयर थ्योरी" के रूप में जाना जाने वाला यह सिद्धांत मुख्यतः विनिमय लेनदेन में व्यक्तिगत उपभोक्ताओं, उत्पादकों और अन्य प्रतिभागियों द्वारा संसाधनों के आवंटन से संबंधित है। पेरेटो दो महत्वपूर्ण बिन्दुओं पर पहले के अर्थशास्त्रियों से भिन्न थेः (*i*) उन्होंने आधारभूत उपयोगिता और योगशील उपयोगिता प्रकार्य को अस्वीकृत कर दिया, और (*ii*) उन्होंने स्वयं को कल्याणकारी निष्कर्षों तक सीमित रखा जो पारस्परिक तुलनाओं से स्वतंत्र हैं। उनका नियमन प्रदर्शित करता है कि किसी समाज के आर्थिक कल्याण को अधिकतम किया जाएगा यदि केवल संसाधनों को कुशलतापूर्वक और एक साथ उपभोग, उत्पादन और विनिमय में आवंटित किया जाए। यह कहता है कि सह-प्रतिस्पर्धा समाज को आय के वितरण की परवाह किए बिना एक इष्टतम कल्याणकारी स्थिति तक पहुँचने में सक्षम बनाती है, और भले ही विभिन्न व्यक्तियों की उपयोगिताओं को तुलनीय नहीं माना जाता है।

65. क्राउडिंग-आउट प्रभाव का अर्थ है सरकारी खर्च में वृद्धि से ब्याज दर बढ़ जाती है, जिससे निजी निवेश कम हो जाता है। क्राउडिंग-आउट प्रभाव की तीन अवस्थाएं हैं। सरकारी खर्च बढ़ने पर क्राउडिंग-आउट प्रभाव शून्य हो जाता है लेकिन निवेश कम नहीं होता। निरपेक्ष मूल्य के संदर्भ में, एक आंशिक क्राउडिंग-आउट प्रभाव तब होता है जब सरकारी खर्च में वृद्धि, निवेश में कमी से अधिक होती है। निरपेक्ष मूल्य के संदर्भ में, एक पूर्ण क्राउडिंग-आउट प्रभाव तब होता है जब सरकारी खर्च में वृद्धि, निवेश में कमी के बराबर होती है।

67. यूनिवर्सल बैंकिंगः यूनिवर्सल बैंकिंग; वाणिज्यिक बैंकिंग, बीमा सेवाओं और निवेश बैंकिंग के संयोजन को संदर्भित करता है। यह "नए ऋण और इक्विटी मुद्दों, आढ़ती निवेश प्रबंधन और बीमा की अंडरराइटिंग, वित्तीय साधनों और विदेशी मुद्रा (और उनके व्युत्पन्न) के व्यापार, जमा लेने और उधार देने, वित्तीय सेवाओं की श्रेणी का आचरण है।" इस प्रकार, इस प्रणाली के तहत बैंक ग्राहकों को एक छत के नीचे वित्तीय सेवाओं के प्रावधान के माध्यम से एक वित्तीय सुपरमार्केट की भूमिका ग्रहण करते हैं। यूनिवर्सल बैंकिंग भारत में अतिक्रमण कर रही है क्योंकि यह बैंकों को व्यापार की मात्रा बढ़ाने और ग्राहकों के साथ दीर्घकालिक संबंध विकसित करने के लिए अपने नेटवर्क का लाभ उठाने में मदद करता है। ग्राहकों को भी लाभ होता है क्योंकि यह बैंकों को व्यापार की मात्रा बढ़ाने में मदद करता है। ग्राहकों को भी लाभ होता है क्योंकि यह अपेक्षाकृत कम लागत पर सेवाओं की पूरी शृंखला तक पहुँचने का अवसर प्रदान करता है। भारत में यूनिवर्सल बैंकिंग की अवधारणा नरसिम्हम समिति की रिपोर्ट (1998) और एस.एच. खान समिति की रिपोर्ट (1998)। विलय और वित्तीय गतिविधियों के एकीकरण के माध्यम से बैंकिंग उद्योग के समेकन के लिए अनुशंसित दोनों रिपोर्टों, इस प्रकार भारत में यूनिवर्सल बैंकिंग की शुरुआत का सुझाव है। वर्तमान में भारतीय रिजर्व बैंक के दिशानिर्देशों के अनुसार एक वित्तीय संस्थान यूनिवर्सल बैंकिंग में बदल सकता है बशर्ते आरक्षित आवश्यकताओं को पूरा करते हों। 2000 में, ICICI बैंक ने पहल की और RBI से भारत में यूनिवर्सल बैंक की अवधारणा को लागू करने की अनुमति मांगी। बाद में, कई अन्य भारतीय बैंकों ने यूनिवर्सल बैंकिंग को अपनाया।

71. कृषि लागत और मूल्य आयोग (सी.ए.सी.पी.) भारत सरकार के कृषि और किसान कल्याण मंत्रालय का एक संलग्न कार्यालय है। यह जनवरी, 1965 में अस्तित्व में आया। वर्तमान में, आयोग में एक अध्यक्ष, सदस्य सचिव, एक सदस्य (आधिकारिक) और दो सदस्य (गैर आधिकारिक) शामिल हैं। गैर-आधारिक सदस्य कृषक समुदाय के प्रतिनिधि हैं और आमतौर पर कृषक समुदाय के साथ सक्रिय संबंध रखते हैं। आधुनिक तकनीक को अपनाने के लिए कृषकों को प्रोत्साहित करने के लिए न्यूनतम समर्थन मूल्य (एमएसपी) की सिफारिश करना और देश में उठते मांग पैटर्न के अनुरूप उत्पादकता और समग्र अनाज उत्पादन को बढ़ाना अनिवार्य है।

परिश्रमिक और स्थिर मूल्य वातावरण का आश्वासन कृषि उत्पादन और उत्पादकता बढ़ाने के लिए बहुत महत्वपूर्ण माना जाता है, क्योंकि कृषि उपज के लिए बाजार में स्थान स्वाभाविक रूप से अस्थिर हो जाता है, जो अक्सर उत्पादकों के लिए अनुचित क्षति उत्पन्न करते हैं, भले ही वे सर्वोत्तम उपलब्ध प्रौद्योगिकी पैकेज को अपनाते हैं और कुशलता से उत्पादन करते हैं। प्रमुख कृषि उत्पादों के लिए एमएसपी को सरकार द्वारा आयोग की सिफारिशों के आधार पर प्रत्येक वर्ष के अंत तक निर्धारित किया जाता है।

अब तक सीएसपी 23 वस्तुओं के एमएसपी की सिफारिश करता है, जिसमें 7 अनाज (धान, गहूँ, मक्का, शर्बत, मोती बाजरा, जौ और रागी शामिल हैं। 5 दालें (चना, अरहर, मूँग, उड़द, मसूर), 7 तिलहन (मूँगफली, रेपसीड-सरसों, सोयाबीन, सीसम, सूरजमुखी, कुसुम, निगर्सिड), और 4 वाणिज्यिक फसलें (खोपरा, गन्ना, कपास और कच्ची जूट)।

74. प्रतिगामी करः प्रतिगामी कर वह कर है जिसमें कर की दर घटती है ज्यों ही संबंधित कर की रकम बढ़ती है; कर दर उच्च से निम्न की ओर बढ़ता है। उच्च कर न्यूनतम रकम का विषय है और यह न्यूनतम आय के साथ व्यक्ति की ओर उन्मुख होता है। यह प्रतिगामी कर उच्च जवाबदेही को शामिल करता है। इस तरह के कर भुगतान करने की योग्यता को धारण करता है।

अप्रत्यक्ष कर जैसे कि बिक्री/सेवा कर प्रतिगामी कर के उदाहरण हैं। इसमें गरीब और अमीर प्रत्येक दिन उत्पादों और सेवाओं की खरीद पर समानता प्रदान की जाती है। अप्रत्यक्ष करों के अलावा कुछ अन्य प्रतिगामी कर Sin tax के उदाहरण हैं। नशे पर कर जैसे–तम्बाकू और शराब, जिसका सेवन नीचे के तबकों द्वारा किया जाता है। टोल टैक्स अर्थात्

(उसी प्रकार के प्रत्येक गुजरने वाले वाहन को उस वाहन में यात्रा करने वाले व्यक्ति की आय का भुगतान करना पड़ता है) आदि।

75. बेंट हेंसन की अत्यधिक मांग प्रतिदर्शः डेनिश अर्थशास्त्री बेंट हेंसन ने मुद्रास्फीति का एक स्पष्ट गतिशील अत्यधिक मांग प्रतिदर्श प्रस्तुत किया है जिसमें दो अलग-अलग मूल्य स्तर शामिल हैं, एक माल बाजार के लिए और दूसरा कारक (श्रम) बाजार के लिए।

इसके अनुमानः मुद्रास्फीति की मांग के लिए उनका गतिशील मॉडल निम्नलिखित मान्यताओं पर आधारित है:

- माल बाजार और कारक बाजार दोनों में सही प्रतिस्पर्धा है।
- फिलहाल कीमत भविष्य में बनी रहेगी।
- केवल एक परिवर्तनीय कारक श्रम सेवाओं की सहायता से एक ही वस्तु का उत्पादन किया जाता है।
- समय की प्रति इकाई श्रम सेवाओं की मात्रा दी गई परिमाण है।
- रोजगार का एक निश्चित वास्तविक स्तर है और आउटपुट के परिणामस्वरूप जो पूर्ण रोजगार है।

80. मुद्रा का मान सिद्धांतः यह मात्र यह विचार है कि बहुत अधिक धन का पीछा करते हुए बहुत अधिक वस्तुओं के कारण मुद्रास्फीति होती है। इसलिए, अगर केंद्रीय बैंक मुद्रा आपूर्ति को बढ़ाते हैं, तो मुद्रास्फीति होगी। इसलिए, मुद्रा आपूर्ति की वृद्धि दर को कम करने के लिए मुद्रास्फीति का इलाज केंद्रीय बैंकों के लिए है। मुद्रा के परिमाण सिद्धान्त में कहा गया है कि धन की आपूर्ति में परिवर्तन का संबंध सीधे तौर पर मूल्य स्तर में परिवर्तन से है। मुद्रा के परिमाण सिद्धांत के आधार पर मौद्रिक नीति इसलिए सीधे मूल्य स्तर को प्रभावित करती है। स्पष्ट करने के लिए हम एक बार (–) V और Q के ऊपर रखते हुए लगाकर विनिमय के समीकरण को संशोधित करेंगे ताकि यह इंगित किया जा सके कि वे तय किए गए हैं या इसके अतिरिक्त हैं:

$$\mathbf{M \times \bar{V} = P \times \bar{Q}}$$

क्या होगा अगर मुद्रा की आपूर्ति दोगुनी हो जाए? मूल्य स्तर भी दोगुना हो जाता है। अथवा यदि केंद्र मुद्रा आपूर्ति में आधी कटौती कर देता है, तो मूल्य स्तर में भी आधी कटौती हो जाएगी। इस बीच, वस्तुओं और सेवाओं का वास्तविक उत्पादन, Q अपरिवर्तित रहता है। संक्षेप में, मुद्रावादियों का कथन है कि मुद्रास्फीति कारण "कुछ वस्तुओं के लिए बहुत अधिक मुद्रा के पीछे भागना" है। मुद्रा का परिमाण सिद्धांत गैर-आर्थिक कारकों के लिए किसी भी भूमिका से इनकार करता है, जैसे तेल की कीमतों में बढ़ोतरी से झटका, जो लागत-धक्का मुद्रास्फीति का कारण बनता है। इसके अलावा यह सिद्धांत कराधान और मूल्य स्तर पर खर्च में राजकोषीय नीति में बदलाव के प्रभाव को नजरअंदाज करता है।

88. $\text{स्थानांतरित सूचकांक} = \dfrac{\text{वास्तविक सूचकांक}}{\text{नया आधार वर्ष सूचकांक}} \times 100$

$$\text{वर्ष 2016 में नयी सूचकांक संख्या} = \frac{126}{120} \times 100$$

$$= 105.$$

92.

$$P = 100 - 4q$$
$$R = 100q - 4q^2$$
$$MR = 100 - 8q$$
$$C = 50 + 20q$$
$$MC = 20$$
$$\therefore \quad 100 - 8q = 20$$
$$8q = 80 \Rightarrow q = 10.$$

पिछले प्रश्न-पत्र (हल सहित)

UGC-NET जूनियर रिसर्च फैलोशिप तथा सहायक प्राध्यापक परीक्षा

अर्थशास्त्र, जुलाई–2018*

प्रश्न–पत्र-II

निर्देश : *इस प्रश्न-पत्र में* ***सौ (100)*** *बहु-विकल्पीय प्रश्न हैं। प्रत्येक प्रश्न के* ***दो (2)*** *अंक हैं।* ***सभी*** *प्रश्न अनिवार्य हैं।*

1. अल्पकालिक अवधि में एकाधिकारी और एकाधिकारिक प्रतिस्पर्धा दोनों के लिए निम्नलिखित में से कौन-सा **सही** होगा?

A. कीमत सीमांत आय से अधिक है।

B. कीमत सीमांत आय के बराबर है।

C. कीमत सीमांत लागत के बराबर है।

D. कीमत औसत लागत के बराबर है।

2. निम्नलिखित आव्यूह पर विचार कीजिए जो द्विअधिकार में कार्य कर रहे फर्म A और B की संबंधित रणनीतियों और तदनुरूपी भुगतानों का वर्णन करता है :

		फर्म B	
		विज्ञापन करना	विज्ञापन नहीं करना
फर्म A	विज्ञापन करना	11, 6	16, 0
	विज्ञापन नहीं करना	7, 9	20, 2

उपर्युक्त क्रीड़ा के लिए निम्नलिखित में से कौन-से कथन **सही** है/हैं? नीचे दिए गए कूट से सही उत्तर का चयन कीजिए :

(*a*) फर्म A की कोई प्रबल रणनीति नहीं है।

(*b*) फर्म B की प्रबल रणनीति है।

(*c*) क्रीड़ा में नैश संतुलन है।

(*d*) न तो फर्म A के पास, न ही फर्म B के पास कोई प्रबल रणनीति है।

कूट :

A. (*a*), (*c*) B. (*b*), (*c*)

C. केवल (*d*) D. (*a*), (*b*) और (*c*)

3. अल्पाधिकार के संदर्भ में, निम्नलिखित कथनों पर विचार कीजिए :

(*a*) कूर्नों का संतुलन एक नैश संतुलन है।

(*b*) स्टेकलबर्ग संतुलन एक नैश संतुलन है।

नीचे दिए गए कूट में से **सही** उत्तर चुनें :

A. केवल (*a*) B. केवल (*b*)

C. (*a*) और (*b*) दोनों D. न तो (*a*) न ही (*b*)

4. सूची-I को सूची-II से सुमेलित कीजिए और नीचे दिए गए कूट में से ही सही उत्तर को चुनिए :

सूची-I (संकल्पना)	**सूची-II (अर्थशास्त्री)**
(*a*) प्रावैगिक अधिशेष के रूप में लाभ	(*i*) जे. शुम्पीटर
(*b*) नवप्रवर्तन के लिए पुरस्कार के रूप में लाभ	(*ii*) एम. केलेस्की
(*c*) अनिश्चितता वहन करने के पुरस्कार के रूप में लाभ	(*iii*) एफ.एच. नाइट
(*d*) उत्पादक को प्राप्त एकाधिकारी शक्तियों के कारण होने वाला लाभ	(*iv*) जे.बी. क्लार्क

कूट :

	(*a*)	(*b*)	(*c*)	(*d*)
A.	(*ii*)	(*i*)	(*iii*)	(*iv*)
B.	(*iv*)	(*i*)	(*iii*)	(*ii*)
C.	(*iv*)	(*ii*)	(*iii*)	(*i*)
D.	(*iii*)	(*iv*)	(*ii*)	(*i*)

*Held on 8 July, 2018.

5. जब सीमांत लागत औसत लागत के बराबर है, तो औसत लागत का ढाल होगा :

A. धनात्मक B. ऋणात्मक

C. शून्य D. अनन्त

6. फलन $Q = A . K^{\alpha} . L^{\beta}$, के लिए निम्नलिखित में से कौन-सा **सही** है?

A. समांगता की कोटि 1 है

B. प्रतिस्थापन की लोच $\alpha + \beta$ के समान है

C. पूँजी के प्रति उत्पादन लोच α है

D. साधन की सीमांत उत्पाद = साधन की औसत उत्पाद

7. जब व्यक्तियों के बीच करार के पश्चात सूचना असममितता पाई जाती है तो उसे कहा जाता है :

A. संकेतन

B. नैतिक खतरे

C. उपर्युक्त में से कोई नहीं

D. उपर्युक्त (A) और (B) दोनों

8. दिए गए आरेख में कीमत परिवर्तन के पश्चात कीमत रेखा PQ से PQ' पर चली जाती है और उपभोक्ता बिन्दु A की बजाय बिन्दु B पर संतुलन प्राप्त करता है। इस स्थिति में आलू (Potatoes) के संबंध में क्या **सही** है?

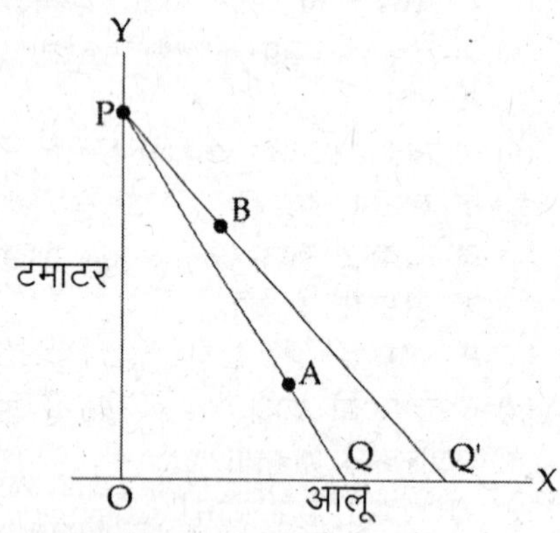

A. यह एक सामान्य वस्तु है।

B. यह निकृष्ट वस्तु है।

C. यह गिफिन वस्तु है।

D. वस्तु की प्रकृति के बारे में कुछ नहीं कहा जा सकता है।

9. निम्नलिखित में से कौन-सा प्रतिलोम मांग फलन क **सही** वर्णन करता है?

A. $p = f(\text{D})$ B. $\text{D} = f(p)$

C. $\text{D} = f\left(\frac{1}{p}\right)$ D. $p = f\left(\text{D}, \frac{1}{y}\right)$

जहाँ p = कीमत, D = मांग और y = वृद्धि

10. कल्याणकारी अर्थशास्त्र के पहले मूल सिद्धांत मे अपेक्षित है :

A. प्रत्येक वस्तु के लिए एक कुशल बाजार है।

B. अर्थव्यवस्था उपयोगिता सम्भाव्यता वक्र पर किसी बिन्दु पर क्रियाशील होती है।

C. उत्पादक और उपभोक्ता कीमत स्वीकारक होते हैं।

D. उपर्युक्त सभी।

11. जब वांछित निवेश की तुलना में वास्तविक निवेश अधिक्य के कारण व्यापार चक्र सृजित होता है तो यह सिद्धांत निम्नलिखित में से किसके द्वारा प्रतिपादित किया गया?

A. आर.जी. हाट्रे B. एफ. हायक

C. पी. सेमुअलसन D. जे. शुम्पीटर

12. निम्नलिखित कथनों पर विचार कीजिए :

(*a*) 'तरलता जाल' वह स्थिति होती है जिसमें लोग मुद्रा को निवेश करने की बजाय अपने पास ही रखना पसंद करते हैं।

(*b*) 'तरलता अधिमान' वह स्थिति होती है जिसमें लोग मुद्रा को अपने पास रखने की बजाय निवेश करना पसंद करते हैं।

(*c*) 'तरलता अभाव' वह स्थिति होती है जिसमें मुद्रा बाजार में मुद्रा की अल्प आपूर्ति होती है।

(*d*) 'साख अभाव' वह स्थिति होती है जिसमें ऋण बाजार में मुद्रा की अल्प आपूर्ति होती है।

नीचे दिए गए कूट की सहायता से **सही** कथन चुनिए :

A. (*a*), (*b*) और (*d*)

B. (*a*), (*c*) और (*d*)

C. (*b*), (*c*) और (*d*)

D. (*a*), (*b*) और (*c*)

13. मुद्रास्फीति के संदर्भ में "मेन्यु लागत" का संबंध है :
A. मुद्रा के पुनर्मूल्यांकन की लागत
B. कीमत सूची में परिवर्तन करने की लागत
C. मौद्रिक आधार के रखरखाव की लागत
D. प्रतिफल की बेहतर दर प्राप्त करने की लागत

14. एम. फ्रीडमेन के अनुसार मुद्रा का परिमाण सिद्धांत, किसका सिद्धांत है?
A. मुद्रा के मूल्य का B. कीमत निर्धारण का
C. मौद्रिक आय का D. मुद्रा की मांग का

15. गिल्ट-एज्ड बाजार का अर्थ है :
A. बुलियन बाजार
B. शुद्ध धातु बाजार
C. सरकारी प्रतिभूति बाजार
D. वस्तु-बाजार

16. निम्नलिखित में से किसका प्रभाव सबसे अधिक मुद्रास्फीतिकारी हो सकता है?
A. सार्वजनिक ऋण का भुगतान
B. बजट घाटा पूरा करने के लिए जनता से ऋण लेना
C. बजट घाटा पूरा करने के लिए बैंकों से ऋण लेना
D. बजट घाटा पूरा करने के लिए नई मुद्रा जारी करना

17. सीमांत स्थायी सुविधा (एम.एस.एफ.) के बारे में निम्नलिखित कथनों पर विचार कीजिए :
(*a*) सीमांत स्थायी सुविधा वर्तमान तरलता समायोजन सुविधा (एल.ए.एफ.) की तर्ज पर है और इसका भाग है।
(*b*) सीमांत स्थायी सुविधा रेपो से अधिक महंगा उपाय है।
(*c*) सीमांत स्थायी सुविधा बैंकों के लिए अल्पावधिक ऋण लेने के अंतिम उपाय के रूप में कार्य करता है।
(*d*) सीमांत स्थायी सुविधा बैंकों की निवल मांग और समय देयताओं से जुड़ी है।
नीचे दिए गए कूट में से **सही** कूट चुनिए :
A. (*b*), (*c*) और (*d*)
B. (*a*), (*b*) और (*c*)
C. (*a*), (*c*) और (*d*)
D. (*a*), (*b*), (*c*) और (*d*)

18. भुगतान संतुलन विश्लेषण के 'अवशोषण उपागम' का प्रतिपादन किसके द्वारा किया गया?
A. एम. फ्रीडमैन B. मार्शल और लर्नर
C. सिडनी एलेक्जेंडर D. हेबरलर

19. भुगतान संतुलन के संबंध में निम्नलिखित में से कौन-सा **सही** रूप से सुमेलित **नहीं** है?

	मद	प्रकृति
A.	वस्तुओं और सेवाओं का आयात	चालू खाता नामे
B.	अंतरण भुगतानों की प्राप्ति	चालू खाता जमा
C.	प्रत्यक्ष निवेश प्राप्तियां	पूंजी खाता जमा
D.	पोर्टफोलियो निवेश प्रतिदान	चालू खाता नामे

20. प्रेबिश सिंगर परिकल्पना किससे संबंधित है?
A. विकासशील देशों की भुगतान संतुलन की समस्या
B. विकासशील देशों की व्यापार की शर्तें
C. विकासशील देशों में निर्धनता की व्याप्ति
D. विकासशील देशों में आय की असमानता

21. भारत के भुगतान संतुलन के बारे में कौन-सा कथन सही **नहीं** है?
A. यदि कोई विदेशी नागरिक भारत में किसी बैंक में कुछ धन जमा करता है तो लेखा में यह जमा माना जाएगा।
B. चालू खाता सन्तुलन केवल वस्तुओं और सेवाओं में, व्यापार के सन्तुलन को दर्शाता है।
C. भूल चूक को लेकर खाते हमेशा संतुलित रहते हैं।
D. यदि देश के विदेशी मुद्रा भण्डार में वृद्धि होती है तो इस प्रविष्टि में ऋण चिह्न होगा।

22. मान लीजिए किसी देश के लिए निर्यात के लिए मांग की लोच ex है और आयात के लिए मांग की लोच em है। मान लिया जाए कि देश अपनी मुद्रा का अवमूल्यन करता है तो उसके भुगतान संतुलन में निश्चित रूप से सुधार को दर्शाएगा यदि :
A. $ex + em > 1$ B. $ex + em < 1$
C. $ex + em = 1$ D. $ex = em = 1$

23. अन्य बातों के समान रहने पर निम्नलिखित में से कौन-सा यू.एस. डालर के मुकाबले रुपए का मूल्यह्रास करेगा?

A. भारत में ब्याज दरों में वृद्धि
B. यू.एस.ए. में आय में गिरावट
C. रुपए के बाह्य मूल्य में प्रत्याशित वृद्धि
D. भारत में विदेशी निवेश के प्रवाह में वृद्धि

24. वणिक्वादियों के अनुसार व्यापार है एक :

A. धनात्मक योग क्रीड़ा
B. अनंत योग क्रीड़ा
C. शून्य योग क्रीड़ा
D. ऋणात्मक योग क्रीड़ा

25. उत्पादन में अपूर्ण विशिष्टिकरण होता है जब देश के सन्मुख होती है :

A. स्थिर अवसर लागत
B. गिरती हुई अवसर लागत
C. बढ़ती हुई अवसर लागत
D. अनिश्चित अवसर लागत

26. कर उत्प्लावलता को इस रूप में दर्शाया जाता है :

A. $E^b_{TY} = \frac{\Delta T^b}{\Delta Y} \times \frac{Y}{T^b}$

B. $E^b_{TY} = \frac{\Delta Y}{\Delta T^b} \times \frac{T^b}{Y}$

C. $E^b_{TY} = \frac{\Delta Y}{\Delta T^b} \div \frac{T^b}{Y}$

D. $E^b_{TY} = \frac{\Delta T^b}{\Delta Y} \div \frac{Y}{T^b}$

यहाँ E^b_{TY} = आय के प्रति कर राजस्व की उत्प्लावलता
T^b = कुल कर राजस्व
ΔT^b = कुल कर राजस्व में परिवर्तन
Y = आय
ΔY = आय में परिवर्तन

27. सामान्यतः आयकर किस सिद्धांत पर आधारित होता है?

A. लाभ प्राप्ति का सिद्धांत
B. करदेय क्षमता का सिद्धांत
C. कर देने की इच्छा का सिद्धांत
D. इनमें से कोई नहीं

28. कल्याणकारी सुधार प्राप्ति में कौन-सी पद्धति सहायक होती है यदि बाह्यताएं विद्यमान हैं?

A. विनियमन
B. संपत्ति अधिकारों का समनुदेशन और सौदेबाजी की अनुमति
C. पीगू कर
D. उपर्युक्त सभी

29. सरकारी बजट में निम्नलिखित में से कौन-सी पूँजी प्राप्तियाँ हैं?

A. सरकार द्वारा अन्य पक्षों को दिए गए ऋण पर ब्याज प्राप्तियां
B. लोक उद्यमों का लाभांश और लाभ
C. जनता से सरकार द्वारा लिया गया ऋण
D. संपत्ति कर प्राप्तियां

30. निम्नलिखित में से कौन बाह्यता के प्रभाव को कम करने के लिए सबसे अधिक प्रभावशाली होगा?

A. वित्तीय नीति
B. एकाधिकार का विनियमन
C. सक्रिय मौद्रिक नीति
D. बाजार को नियंत्रण मुक्त करना

31. अधिकतम सामाजिक लाभ प्राप्त किया जा सकता है जब :

A. कुल सामाजिक त्याग = कुल सामाजिक लाभ
B. सीमांत सामाजिक त्याग = सीमांत सामाजिक लाभ
C. निवल सामाजिक त्याग = निवल सामाजिक लाभ
D. औसत सामाजिक त्याग = औसत सामाजिक लाभ

32. कर का वैधानिक करापात किससे संबंधित है?

A. व्यक्ति जो कर का भुगतान करने के लिए कानूनी तौर पर उत्तरदायी है
B. कर के भुगतान के पश्चात बची हुई आय की रकम
C. मुद्रास्फीति को हिसाब में लेने के पश्चात भुगतान किए गए कर की रकम
D. कर लगाए जाने के पश्चात सृजित कर-राजस्व की रकम

33. प्रत्याशा-वर्धित फिलिप्स वक्र द्वारा वर्णित संबंध निम्नलिखित में से किसमें **सही** है?

A. केवल दीर्घ अवधि में

B. केवल अल्प अवधि में

C. अल्प अवधि और दीर्घ अवधि दोनों में

D. न तो अल्प अवधि में और न दीर्घ अवधि में

34. बेरोजगारी की गैर त्वरित स्फीति दर (एन.ए.आई.आर.यू.) का अर्थ है :

A. बेरोजगारी की दर जिसके लिए स्फीति दर में परिवर्तन शून्य है

B. स्फीति की दर जो बेरोजगारी की दर को शून्य करती है

C. स्फीति की दर जिसके लिए बेरोजगारी की दर में परिवर्तन शून्य है

D. बेरोजगारी की दर जो स्फीति की दर के बराबर है

35. नव केन्जवादी कीमत और मजदूरी जड़ता की व्याख्या के लिए निम्नलिखित में से किसका उपयोग करते हैं?

A. छितरे हुए श्रम संविदाएं

B. मेन्यू लागत

C. परिसीमित युक्ति पर आधारित व्यवहार

D. उपर्युक्त सभी

36. निम्नलिखित कथनों पर विचार कीजिए :

(*a*) किसी बाजार में किसी उत्पाद या सेवा के लिए प्रभावी मांग उस समय उत्पन्न होती है जब किसी अन्य बाजार में क्रेताओं का व्यवहार प्रतिबंधित होता है।

(*b*) प्रतीकात्मक मांग उस समय उत्पन्न होती है जब किसी अन्य बाजार में क्रेताओं का व्यवहार प्रतिबंधित नहीं होता है।

उपर्युक्त में से कौन-सा/से कथन **सही** हैं? नीचे दिए गए कूट की सहायता से उत्तर दीजिए :

A. केवल (*a*) सही है

B. केवल (*b*) सही है

C. (*a*) और (*b*) दोनों सही हैं

D. न तो (*a*) और न ही (*b*) सही है

37. पूँजीवादी अर्थव्यवस्था के लिए, नवीन प्रतिष्ठित अर्थशास्त्र का प्राथमिक उद्देश्य निम्नलिखित में से किसकी व्याख्या करना है?

A. व्यापार चक्र घटना

B. अल्प बेरोजगारी

C. मजदूरी-कीमत जड़ता

D. सरकारी नीतियों की प्रभावकारिता

38. निम्नलिखित में से कौन-से संवृद्धि मॉडल में तटस्थ तकनीकी प्रगति को मान लिया जाता है?

A. हैरड मॉडल

B. सोलो मॉडल

C. (A) और (B) दोनों

D. न तो (A) और न ही (B)

39. चालू वर्ष के लिए किसी अर्थव्यवस्था में सकल घरेलू उत्पाद अवस्फीतक 110 है। यदि इसी वर्ष में सकल घरेलू उत्पाद में 15 प्रतिशत की दर से वार्षिक वृद्धि हुई हो, तो वास्तविक सकल घरेलू उत्पाद की वृद्धि दर होगी :

A. 5% B. 1.5%

C. 25% D. 2.5%

40. IS-LM मॉडल में संतुलन की प्रकृति क्या होगी?

A. स्टॉक संतुलन

B. प्रवाह संतुलन

C. स्टॉक और प्रवाह संतुलन

D. दोलन संतुलन

41. यदि सीमांत निर्यात प्रवृत्ति 0.1 और सीमांत उपभोग प्रवृत्ति 0.7 है, आय गुणक का मान होगा :

A. 1.25 B. 2.33

C. 2.5 D. 3.33

42. वितरण के नव प्रतिष्ठित सिद्धांत के अनुसार राष्ट्रीय आय में मजदूरी के हिस्से में स्थिरता आएगी जब साधन प्रतिस्थापन की लोच होगी :

A. एक से कम B. एक के बराबर

C. शून्य D. एक से अधिक

43. निम्नलिखित में से कौन-सा जे.ई. मीड के मॉडल की विशेषता **नहीं** है?

A. पूर्ण प्रतिस्पर्धा विद्यमान है

B. अर्थव्यवस्था उपभोक्ता वस्तुओं और उत्पादक वस्तुओं का उत्पादन करती है

C. उपभोग और पूंजीगत वस्तुओं के बीच पूर्ण प्रतिस्थापन्नता संभव है

D. यह जनसंख्या वृद्धि दर और बचत वृद्धि दर के बीच संबंध की जांच करता है

44. तकनीकी प्रगति पद A(*t*) के साथ निम्नलिखित उत्पादन फलनों के स्वरूपों पर विचार कीजिए :

(*a*) $Q = f(K_t, A(t) . L_t)$

(*b*) $Q = f(A(t) . K_t, L_t)$

(*c*) $Q = A(t) f(K_t, L_t)$

उपर्युक्त में से कौन-सा उत्पादन फलन, श्रम वर्धित प्रौद्योगिकी के साथ, श्रम और पूँजी के बीच निर्गत के वितरण को स्थिर बनाए रखता है। नीचे दिए गए कूट में से **सही** उत्तर चुनिए :

A. केवल (*a*) B. (*a*) और (*b*) दोनों

C. केवल (*c*) D. (*a*) और (*c*) दोनों

45. संवृद्धि के AK मॉडल (Y = AK) के बारे में निम्नलिखित में से कौन-सा कथन **गलत** है?

A. यह अन्तरजात संवृद्धि सिद्धांतों का एक भाग है

B. मॉडल यह मानता है कि पूँजी के भौतिक स्टॉक में वृद्धि से उत्पादन फलन ऊपर की ओर परिवर्तित होगा

C. मॉडल पूँजी के सापेक्ष ह्रासमान प्रतिफल को मानता है

D. मॉडल यह सुझाता है कि यदि निवेश का स्तर मूल्यह्रास से अधिक है तो सतत वृद्धि होगी

46. निम्नलिखित में से कौन-सा लक्षण निरपेक्ष अभिसरण के अस्तित्व के लिए सही **नहीं** है?

A. समान जनसंख्या वृद्धि दर

B. समान बचत प्रवृत्ति

C. समान पूँजी-श्रम अनुपात

D. भिन्न पूँजी-श्रम अनुपात

47. सोलो के वृद्धि मॉडल में, प्रति व्यक्ति निर्गत किसका फलन होगा?

A. श्रम-उत्पाद अनुपात B. पूँजी-निर्गत अनुपात

C. तकनीकी प्रगति D. पूँजी-श्रम अनुपात

48. डूसनबरी की यह राय थी कि अल्प विकसित देशों में निम्नलिखित में से किस कारण से उनके भुगतान संतुलन पर गंभीर और प्रतिकूल प्रभाव पड़ेगा?

A. प्रदर्शन प्रभाव B. गुणक प्रभाव

C. 'बैकवॉश' प्रभाव D. छितराव प्रभाव

49. लिबेन्स्टिन ने अपने क्रान्तिक न्यूनतम प्रयास सिद्धांत में जनसंख्या को ऐसे रूप में माना है, जो है :

A. आय-सृजक B. निवेश-उत्प्रेरक

C. आय-अवसादक D. बाजार-विस्तारक

50. 'कामगारों के पास उस पूँजी का स्वामित्व होना चाहिए जो उनकी बचत से हुई है।' यह किसके द्वारा दिए गए संवृद्धि मॉडल की एक महत्वपूर्ण मान्यता है?

A. एल. पसिनेती B. एन. कैलडर

C. आर. सोलो D. जे.ई. मीड

51. गरीबी के दुष्चक्र के मांग पक्ष के बारे में निम्नलिखित में से कौन-सा **सही** है?

A. निम्न आय → निम्न मांग → निम्न निवेश → पूँजी की अल्पता → निम्न उत्पादकता → निम्न आय

B. निम्न उत्पादकता → निम्न आय → निम्न बचत → निम्न निवेश → पूँजी की अल्पता

C. निम्न आय → निम्न निवेश → निम्न मांग → पूँजी की निम्न अल्पता

D. निम्न मांग → निम्न बचत → निम्न उत्पादकता → निम्न निवेश → पूँजी की अल्पता

52. हैरोड मॉडल में निम्नलिखित में से कौन-सा वांछित वृद्धि दर और वास्तविक वृद्धि दर के बीच असंतुलन का कारण है?

A. प्रत्याशित निवेश और वास्तविक निवेश के बीच विसंगति

B. प्रत्याशित निवेश और प्रत्याशित बचत के बीच विसंगति

C. प्रत्याशित बचत और वास्तविक बचत के बीच विसंगति

D. वास्तविक निवेश और वास्तविक बचत के बीच विसंगति

53. निम्नलिखित में से किस समिति ने भारत में राष्ट्रीय कृषि और ग्रामीण विकास बैंक (NABARD) की स्थापना किए जाने की सिफारिश की?

A. नरसिंहम समिति

B. चक्रवर्ती समिति

C. अभिजीत सेन समिति

D. शिवरामन समिति

54. जलवायु परिवर्तन पर राष्ट्रीय कार्य योजना के बारे में निम्नलिखित में से क्या विकल्प **सही** है/हैं?

A. इसे 2008 में आरंभ किया गया

B. इसमें प्रदूषण नियंत्रण हेतु 8 ऊर्ध्व मिशन हैं

C. (A) व (B) दोनों सही हैं

D. न तो (A) और न ही (B) सही है

55. निम्नलिखित में से कौन-सी योजना राष्ट्रीय कृषि विकास योजना (RKVY) में शामिल **नहीं** है?

A. प्रोटीन पूरक के लिए राष्ट्रीय मिशन

B. सेफरन मिशन

C. त्वरित चारा विकास कार्यक्रम

D. उपर्युक्त सभी

56. देश के जनसंख्या पिरामिड से निम्नलिखित में से क्या प्रदर्शित होता है?

A. जनसंख्या का ग्रामीण-शहरी वितरण

B. जनसंख्या का युवा-वृद्ध वितरण

C. जनसंख्या का आयु और लिंग अनुसार वितरण

D. जनसंख्या का लिंगानुसार वितरण

57. दीर्घ अवधि में निम्नलिखित में से कौन-सा वक्र विकासशील अर्थव्यवस्था के लिए जनसंख्या के समय पथ का सटीक प्रतिनिधित्व करता है?

A. चरघातांकी वक्र B. लॉजिस्टिक वक्र

C. लॉरेन्ज वक्र D. अतिपरवलयिक वक्र

58. कुल प्रजननता दर और सकल पुनर्जनन दर के बीच संबंध के बारे में **सही** कथन को चुनें।

A. TFR < GRR B. TFR = GRR

C. TFR > GRR D. उपर्युक्त सभी

59. निम्नलिखित में से किसे पर्यावरणीय आस्तियों के मूल्यांकन के लिए "हेडोनिक कीमत" के रूप में प्रायः संदर्भित किया जाता है?

A. किसी पर्यावरणीय आस्ति की इन-हाउस कीमतों और भौगोलिक समीपता में भिन्नता के बीच योजकों का उपयोग करना

B. किसी पर्यावरणीय आस्ति के मूल्य के आकलन के लिए 'वर्तमान मूल्य' का उपयोग करना

C. किसी पर्यावरणीय आस्ति के मूल्य के आकलन के लिए यात्रा लागतों का उपयोग करना

D. किसी पर्यावरणीय आस्ति के मूल्यांकन के लिए "भुगतान करने की इच्छा" का उपयोग करना

60. निम्नलिखित में से कौन-सी योजना भारत में महिलाओं के उत्थान के लिए **नहीं** है?

A. बेटी बचाओ, बेटी पढ़ाओ

B. सुकन्या समृद्धि योजना

C. जेन्डर बजटिंग

D. उजाला (UJALA) योजना

61. कृषकों की आय को दोगुना करने के उद्देश्य के संदर्भ में निम्नलिखित में से कौन-सा सही **नहीं** है?

A. लक्ष्य वर्ष 2022-23 है

B. यह वास्तविक आय है जिसे दोगुना किया जाना है

C. केवल खेती-बाड़ी से होने वाली आय को दोगुना किया जाना है

D. इस उद्देश्य से कृषि के विविधिकरण को प्रोत्साहित किया जाना है

62. निम्नलिखित में से कौन-सा कथन **सही** है?

A. ग्रीन हाउस प्रभाव को साधारणतया ग्लोबल वार्मिंग भी कहा जाता है

B. ग्लोबल वार्मिंग पूर्णतः प्राकृतिक घटना है

C. ग्लोबल वार्मिंग का अर्थ है हिमखण्डों का पिघलना

D. ग्लोबल वार्मिंग में पृथ्वी की सतह के औसत तापमान में वृद्धि होती है

63. आर्थिक सर्वेक्षण 2017-18 के अनुसार, भारतीय अर्थव्यवस्था और अधिक औपचारिक बनती जा रही है। इसे निम्नलिखित में से किस परिवर्तन द्वारा दर्शाया गया है? नीचे दिए गए कूटों में से **सही** उत्तर चुनिए :

(*a*) वस्तु एवं सेवा कर (GST) लगाए जाने से और अधिक फर्में अप्रत्यक्ष कर के दायरे में आ गई हैं।

(*b*) विमुद्रीकरण के पश्चात आयकर विवरणी भरने वाले व्यक्तियों की संख्या में काफी वृद्धि हुई है।

(*c*) औपचारिक वित्तीय क्षेत्र में बचत में वृद्धि हुई है।

कूट :

A. (*a*) और (*b*) B. केवल (*c*)

C. (*a*), (*b*) और (*c*) D. (*b*), (*c*)

64. भारत के वित्त आयोग के संबंध में निम्नलिखित में से कौन-सा कथन **सही** है?

(*a*) वित्त आयोग का गठन संविधान के अनुच्छेद 275 के अंतर्गत हुआ है।

(*b*) राज्यों को अनुदान-सहायता का प्रावधान अनुच्छेद 280 के अंतर्गत उपबंधित किया गया है।

उपर्युक्त में से कौन-सा/से कथन **सही** है/हैं। नीचे दिए गए कूटों में से **सही** उत्तर चुनें :

A. केवल (*a*)

B. केवल (*b*)

C. (*a*) और (*b*) दोनों

D. न तो (*a*) और न ही (*b*)

65. भारत के सकल घरेलू उत्पाद (GDP) में कृषि के हिस्से में पिछले वर्षों में कमी आई है। निम्नलिखित में से कौन-सा इसका सही कारण **नहीं** है?

A. अर्थव्यवस्था में गैर-कृषि क्षेत्रों की अपेक्षतया तीव्र वृद्धि दर

B. कृषि वस्तुओं की पैदावार में स्थिरता या धीमी वृद्धि

C. शिक्षित ग्रामीण युवा कृषि को व्यवसाय के रूप में नहीं अपना रहे हैं

D. कृषि वस्तुओं के संदर्भ में निम्न मूल्य वर्धन

66. पिछले दशक में, भारत में, निम्नलिखित में से किस क्षेत्र में, सबसे अधिक विदेशी प्रत्यक्ष निवेश (FDI) आया?

A. दूरसंचार क्षेत्र B. रक्षा क्षेत्र

C. सेवा क्षेत्र D. बीमा क्षेत्र

67. भारत में द्वि-तुलन-पत्र की समस्या के संदर्भ में निम्नलिखित कथनों पर विचार करें :

(*a*) अति उत्तोलित कार्पोरेट ऋण।

(*b*) राष्ट्रीयकृत बैंकों की गैर निष्पादनकारी आस्तियों की अत्याधिकता।

(*c*) उच्च वित्तीय घाटा।

नीचे दिए गए कूटों में से **सही** उत्तर चुनिए :

A. (*a*) और (*c*) B. (*a*) और (*b*)

C. (*b*) और (*c*) D. (*a*), (*b*) और (*c*)

68. 2016-2017 में भारत सरकार ने केन्द्र द्वारा प्रायोजित योजनाओं (CSS's) को पुनः संरचित किया पुनर्संरचना से संबंधित **सही** कथनों का चयन नीचे दिए गए कूटों की सहायता से करें :

(*a*) नीति आयोग की शासी परिषद् द्वारा पुनर्संरचना का निर्णय लिया गया।

(*b*) इससे व्यय की अतिव्याप्ति नहीं होगी और केन्द्र द्वारा प्रायोजित योजनाओं में पारदर्शिता और प्रभावीपन आएगा।

(*c*) केन्द्र द्वारा प्रायोजित योजनाओं को प्रमुख (फ्लेगशिप) और गैर-प्रमुख (एक्स्ट्रा फ्लेगशिप) श्रेणियों में वर्गीकृत किया गया है।

(*d*) वर्तमान में केन्द्र द्वारा प्रायोजित योजनाओं की संख्या 37 है।

कूट :

A. (*a*), (*b*), (*c*) और (*d*)

B. (*b*), (*c*) और (*d*)

C. (*a*) और (*b*)

D. (*a*), (*b*) और (*c*)

69. 2011 की जनगणना के अनुसार शहरीकरण के अंश के अनुसार निम्नलिखित राज्यों को घटते क्रम में लगाएं :

(*a*) तमिलनाडु (*b*) महाराष्ट्र

(*c*) गोवा (*d*) पंजाब

नीचे दिए गए कूटों में से **सही** उत्तर चुनिए :

A. (*b*), (*a*), (*d*), (*c*) B. (*c*), (*a*), (*b*), (*d*)

C. (*a*), (*c*), (*d*), (*b*) D. (*d*), (*b*), (*a*), (*c*)

70. 31 मार्च, 2017 की स्थिति के अनुसार भारत का बाह्य ऋण (सकल घरेलू उत्पाद के प्रतिशत के रूप में) निम्नलिखित में से किस सीमा में था?

A. 14 से 16 प्रतिशत

B. 16 से 18 प्रतिशत

C. 18 से 20 प्रतिशत

D. 20 से 22 प्रतिशत

71. जनांकिकीय लाभांश पर विचार के संदर्भ में भारतीय राज्यों में 'जनांकिकीय द्वैतता' प्रदर्शित हो रही है। इस संबंध में निम्नलिखित कारकों पर विचार करें :

(*a*) कुल प्रजनन दर

(*b*) लिंग अनुपात

(*c*) प्रति व्यक्ति आय

उपर्युक्त में से कौन-सा कारक **सही** है/हैं। नीचे दिए गए कूटों में से सही उत्तर चुनें :

A. केवल (*a*)

B. (*a*) और (*b*) दोनों

C. (*b*) और (*c*) दोनों

D. केवल (*b*)

72. भारतीय अर्थव्यवस्था में निम्नलिखित घटनाओं को कालक्रमानुसार व्यवस्थित करें :

(*a*) 14 बैंकों के राष्ट्रीयकरण का पहला चरण

(*b*) बैंकिंग प्रणाली पर नरसिंहम प्रथम समिति का गठन

(*c*) फेमा (FEMA) अधिनियम को अधिनियमित करना

(*d*) भारतीय निर्यात आयात बैंक की स्थापना

कूट :

A. (*a*), (*c*), (*d*), (*b*) B. (*a*), (*d*), (*b*), (*c*)

C. (*a*), (*c*), (*b*), (*d*) D. (*a*), (*d*), (*c*), (*b*)

73. निम्नलिखित में से कौन-सी जोड़ी सही रूप से सुमेलित **नहीं** है?

	(संकल्पना)	(संगठन)
A.	महिला विकास सूचकांक	यू.एन.डी.पी.
B.	व्यापार करने में सरलता	विश्व बैंक
C.	समावेशी सूचकांक	विश्व आर्थिक फोरम
D.	विश्व भुखमरी सूचकांक	संयुक्त राष्ट्र संघ

74. निम्नलिखित आरेख पर विचार कीजिए जो बढ़ रही लागत के अंतर्गत वस्तु के उत्पादन को दर्शाता है। यदि वस्तु पर इकाई कर अधिरोपित किया जाता है तो क्रेता पर पड़ने वाले कर भार की राशि क्या होगी?

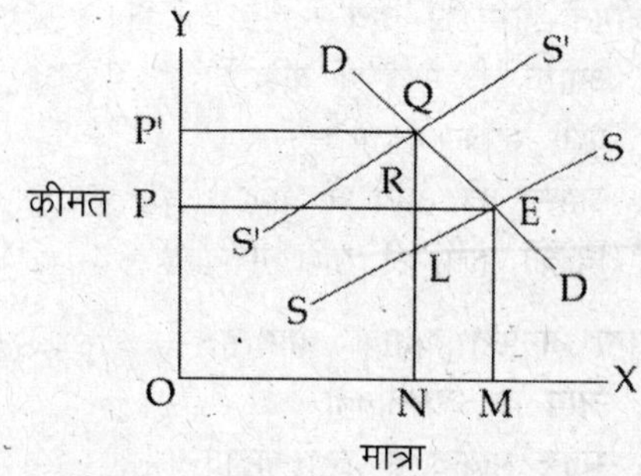

A. NL B. LQ

C. LR D. RQ

75. निम्नलिखित में से कौन-सा/से कथन सत्य है/हैं?

(*a*) साझे संसाधन प्रतिद्वंद्वी और अ-अपवर्जनीय होते हैं।

(*b*) सार्वजनिक वस्तु अ-प्रतिद्वंद्वी और अ-अपवर्जनीय है।

नीचे दिए गए कूटों में से सही उत्तर चुनिए :

A. (*a*) और (*b*) दोनों

B. केवल (*a*)

C. केवल (*b*)

D. न तो (*a*) और न ही (*b*)

76. निम्नलिखित पुस्तकों को उनके प्रकाशन के कालक्रमानुसार व्यवस्थित करें। नीचे दिए गए कूटों में से सही उत्तर चुनिए :

(*a*) दी एफल्युएंट सोसाइटी

(*b*) एशियन ड्रामा

(*c*) दी जनरल थ्योरी ऑफ एम्प्लायमेंट, इन्टरेस्ट एण्ड मनी

(*d*) डेवलपमेंट एज फ्रीडम

कूट :

A. (*c*), (*b*), (*a*), (*d*) B. (*c*), (*a*), (*b*), (*d*)

C. (*a*), (*b*), (*c*), (*d*) D. (*d*), (*c*), (*b*), (*a*)

77. किन कारणों से बाजार विफलता हो सकती है :

A. अपूर्ण प्रतिस्पर्धा

B. बाह्यतायें

C. (A) और (B) दोनों

D. न तो (A) और न ही (B)

78. पूंजीगत लाभ का अर्थ है :

A. आस्ति के मूल्य में वृद्धि

B. पूंजी स्टॉक में वृद्धि

C. आस्ति की आय में वृद्धि

D. विदेशी पूंजी की राशि में वृद्धि

79. पाल्मा अनुपात किसका माप है?

A. आय की असमानता

B. स्टॉक मार्केट में उतार-चढ़ाव

C. किसी क्षेत्र में रुग्णता

D. फसल की कीमतों में उतार-चढ़ाव

निर्देश (प्र.सं. 80-84 तक) : *निम्नलिखित प्रश्न अभिकथन (A) और कारण (R) से संबंधित हैं। इन प्रश्नों के उत्तरों की कुंजी निम्नानुसार है :*

A. (A) और (R) दोनों सही हैं और (R), (A) की सही व्याख्या है।

B. (A) और (R) दोनों सही हैं और (R), (A) की सही व्याख्या नहीं करता है।

C. (A) सही है, लेकिन (R) गलत है।

D. (A) गलत है, लेकिन (R) सही है।

80. (A) : सोलो (Solow) के वृद्धि मॉडल के अनुसार संतुलन की दशा में पूंजी श्रम अनुपात में परिवर्तन नहीं होता है।

(R) : पूंजी और श्रम के बीच प्रतिस्थापन संभव है।

81. (A) : तुलनात्मक लाभ की तर्ज पर अन्तर्राष्ट्रीय व्यापार वर्तमान संसाधनों की वितरणात्मक दक्षता में सुधार लाता है।

(R) : अन्तर्राष्ट्रीय व्यापार संवृद्धि का इंजन है।

82. (A) : उत्पादन संभावना सीमा वक्र एक सीधी रेखा हो सकती है।

(R) : संसाधन विशेषीकृत नहीं हैं और बिना किसी अतिरिक्त लागत के इनका प्रतिस्थापन किया जा सकता है।

83. (A) : अवमूल्यन के परिणामस्वरूप किसी अर्थव्यवस्था में व्यय परिवर्तन होता है।

(R) : अवमूल्यन भुगतान संतुलन के चालू खाते की संरचना को परिवर्तित करता है।

84. (A) : विकासशील देशों के आर्थिक कार्यकलापों पर बाह्य दबावों का विशिष्ट महत्व होता है।

(R) : प्रबल और निर्भर देशों के बीच संबंध असमान पैटर्न को मजबूत करने के लिए गत्यात्मक होते हैं।

85. यदि किसी उपभोक्ता का मांग फलन $D = 10 - 2p$ है, तो कीमत = 2 पर उपभोक्ता अतिरेक क्या होगा?

A. 2 B. 10

C. 9 D. 15

86. किसी उत्पादक का कुल लागत फलन $C = 10 + 5Q + 2Q^2$ है। यदि कीमत 15 है, तो समीकरण में उत्पादक की सीमांत लागत क्या होगी?

A. 10 B. 5

C. 15 D. 4

87. लिओन्तिफ (Leontief) की स्थैतिक प्रणाली की आर्थिक व्यवहार्यता और प्रौद्योगिकी साध्यता की निम्नलिखित में से कौन-सी शर्त है?

A. मार्शल-एजवर्थ शर्तें

B. कुन-टुकर शर्तें

C. हॉकिन्स-साइमन शर्तें

D. प्राथमिक समस्या के लक्ष्य फलन का मान प्राथमिक द्वैत के लक्ष्य फलन के मान के बराबर होना चाहिए

88. रैखिक प्रोग्रामन समस्याओं के समाधान के लिए निम्नलिखित में से किसने सिम्प्लेक्स विधि को विकसित किया था?

A. कूपमन्स B. डान्जिग

C. लिओन्तिफ D. सोलो

89. एक थैले में 5 लाल, 7 सफेद और 3 हरी गेंद हैं। इस थैले से एक गेंद यादृच्छिक रूप से निकाली जाती है तो उसमें हरी गेंद होने की क्या संभाव्यता है?

A. $\frac{12}{15}$ B. $\frac{1}{5}$

C. $\frac{7}{15}$ D. $\frac{1}{3}$

90. यदि पाँच वर्ष तक प्रतिवर्ष किसी गाँव-विशेष में उन्हीं 100 परिवारों का एक प्रतिदर्श सर्वेक्षण किया जाता है, तो उसमें संग्रहित किए गए आँकड़ों का वर्णन किस रूप में किया जाएगा :

A. काल श्रेणी आँकड़े

B. अनुप्रस्थ काट आँकड़े

C. पैनल आँकड़े

D. संग्रहित काल श्रेणी और अनुप्रस्थ-काट आँकड़े

91. यदि वितरण मान 40 है, बहुलक 60 है और मानक विचलन 10 है, तो विषमता का गुणांक क्या होगा?

A. –2 B. 2

C. –20 D. 5

92. किसी बहुरैखिक समाश्रयण (Multiple Linear Regression) जिसमें 4 स्वतंत्र चर हैं, समग्र समाश्रयण की महत्ता का परीक्षण किया जाना है। किस परीक्षण का उपयोग किया जाएगा?

A. Z परीक्षण B. F परीक्षण

C. χ^2 परीक्षण D. t परीक्षण

93. 1000 कृषकों की जनसंख्या से 100 का प्रतिदर्श (sample) लिया जाता है जिसमें सीमांत, छोटे और बड़े कृषक शामिल किए जाने हैं, निम्नलिखित में से कौन-सी सबसे अधिक उपयुक्त प्रतिदर्श पद्धति होगी?

A. साधारण यादृच्छिक प्रतिदर्श

B. कलस्टर प्रतिदर्श

C. स्तरीकृत यादृच्छिक प्रतिदर्श

D. प्रणालीगत प्रतिदर्श

94. रिकर्सिव सिस्टम के संबंध में निम्नलिखित में से कौन-सा कथन **सही** है?

(*a*) प्रत्येक समीकरण में OLS का पृथक अनुप्रयोग करके प्राचलों का तर्क संगत आकलन किया जा सकता है।

(*b*) अन्य समीकरणों में स्वतंत्र चर अन्य पदों के साथ सहसंबंधित हो सकते हैं।

कूट :

A. केवल (*a*)

B. केवल (*b*)

C. (*a*) और (*b*) दोनों

D. न तो (*a*) और न ही (*b*)

95. सूची-I को सूची-II से सुमेलित कीजिए और नीचे दिए गए कूट से **सही** उत्तर को चुनिए :

सूची-I	**सूची-II**
(*a*) आकस्मिकता तालिका	(*i*) स्थिरता
(*b*) इकाई मूल परीक्षण	(*ii*) कारणत्व
(*c*) फिशर का F परीक्षण	(*iii*) χ^2 परीक्षण
(*d*) ग्रेंगर परीक्षण	(*iv*) समग्र समाश्रयण के महत्व का परीक्षण

कूट :

	(*a*)	(*b*)	(*c*)	(*d*)
A.	(*iii*)	(*i*)	(*iv*)	(*ii*)
B.	(*i*)	(*ii*)	(*iii*)	(*iv*)
C.	(*iv*)	(*iii*)	(*ii*)	(*i*)
D.	(*ii*)	(*iii*)	(*i*)	(*iv*)

96. आकलन की सामान्यीकृत न्यूनतम वर्ग विधि निम्नलिखित में से किस समस्या से निपटने में उपयुक्त **नहीं** होगी?

(*a*) स्व-सह संबंध

(*b*) विषम विचालिका त्रुटिपद

(*c*) बहुसमरैखिकता

(*d*) चरों में त्रुटियाँ

कूट :

A. केवल (*a*) B. केवल (*b*)

C. (*c*) और (*d*) D. (*a*) और (*b*)

97. सूची-I को सूची-II से सुमेलित कीजिए और नीचे दिए गए कूट में से **सही** उत्तर को चुनिए :

सूची-I (संवृद्धि मॉडल)	**सूची-II (सूत्र)**
(*a*) सोलो	(*i*) $\frac{\Delta N}{N} = \frac{\Delta K}{K}$
(*b*) डोगर	(*ii*) $Gw \cdot Cr = s$
(*c*) जॉन रॉबिन्सन	(*iii*) $sf(k) = (\delta + n)k$
(*d*) हैरोड	(*iv*) $\frac{\Delta I}{I} = \alpha\sigma$

कूट :

	(*a*)	(*b*)	(*c*)	(*d*)
A.	(*iii*)	(*iv*)	(*i*)	(*ii*)
B.	(*iv*)	(*ii*)	(*iii*)	(*i*)
C.	(*iii*)	(*i*)	(*ii*)	(*iv*)
D.	(*ii*)	(*iv*)	(*iii*)	(*i*)

98. नीचे दिए गए आरेख में सरकार द्वारा निम्नलिखित में से किस बिंदु पर कीमत निर्धारित करनी चाहिए जिससे एकाधिकार में एक सामाजिक इष्टतम परिणाम प्राप्त हो?

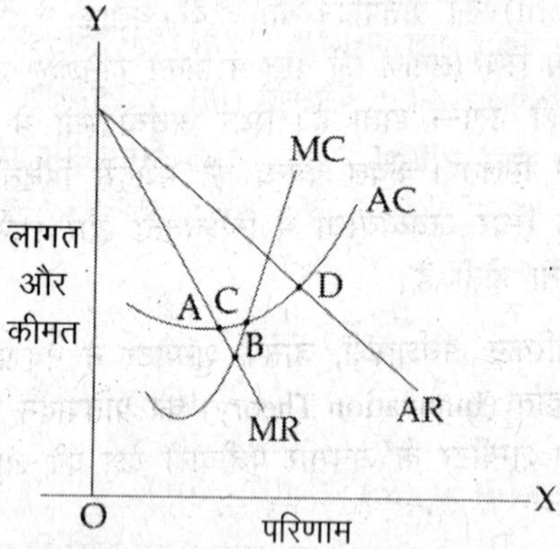

A. बिंदु 'A' पर B. बिंदु 'B' पर
C. बिंदु 'C' पर D. बिंदु 'D' पर

99. यदि उत्पादक द्वारा उपयोग में लाए गए प्रत्येक आगत के लिए भुगतान की गई कीमत उसके सीमांत उत्पाद के मूल्य के बराबर है, तो वह निम्नलिखित में से क्या अर्जित करेगा?

A. शून्य अतिप्रसामान्य लाभ
B. एकाधिकार लाभ
C. धनात्मक अतिप्रसामान्य लाभ
D. ऋणात्मक अतिप्रसामान्य लाभ

100. 01.02.2018 को घोषित 2018-19 के केन्द्रीय बजट के संबंध में निम्नलिखित में से कौन-सा सही रूप से सुमेलित **नहीं** है?

(सकल घरेलू उत्पाद के % के रूप में)

A. वित्तीय घाटा	3.5
B. राजस्व घाटा	2.2
C. प्राथमिक घाटा	1.2
D. प्रभावी राजस्व घाटा	0.3

उत्तरमाला

1	2	3	4	5	6	7	8	9	10
A	D	C	B	C	C	B	C	A	D
11	**12**	**13**	**14**	**15**	**16**	**17**	**18**	**19**	**20**
B	B	B	D	C	D	A	C	D	B
21	**22**	**23**	**24**	**25**	**26**	**27**	**28**	**29**	**30**
B	A	B	C	C	A	B	D	C	A
31	**32**	**33**	**34**	**35**	**36**	**37**	**38**	**39**	**40**
B	A	A	A	D	C	A	C	A	C
41	**42**	**43**	**44**	**45**	**46**	**47**	**48**	**49**	**50**
C	B	D	A	C	C	D	A	C	A
51	**52**	**53**	**54**	**55**	**56**	**57**	**58**	**59**	**60**
A	A	D	C	*	C	B	C	A	D
61	**62**	**63**	**64**	**65**	**66**	**67**	**68**	**69**	**70**
C	D	C	D	C	C	B	C	B	D
71	**72**	**73**	**74**	**75**	**76**	**77**	**78**	**79**	**80**
A	B	D	D	A	B	C	A	A	A
81	**82**	**83**	**84**	**85**	**86**	**87**	**88**	**89**	**90**
B	A	A	B	C	C	C	B	B	C
91	**92**	**93**	**94**	**95**	**96**	**97**	**98**	**99**	**100**
A	B	C	C	A	C	A	C	A	A

* Denotes either question or option is worng.

व्याख्यात्मक उत्तर

1. अल्पकाल की प्रमुख विशेषता यह है कि एकाधिकारी फर्म एक दिये हुए प्लांट पर ही कार्य करेगी क्योंकि वह इस अवधि में प्लांट के आकार में परिवर्तन नहीं ला सकती है। मांग में वृद्धि या कमी के अनुसार पूर्ति में समायोजन वह परिवर्तनीय साधनों में परिवर्तन के द्वारा ही कर सकती है। वस्तुतः एकाधिकारी के विषय में एक सामान्य धारणा यह होती है कि उसे हानि नहीं हो सकती है क्योंकि वह एकाधिकारी है परन्तु सच्चाई यह है कि एकाधिकारी लाभ की मात्रा उसकी माँग तथा लागत की दशाओं पर निर्भर करती है।

एकाधिकार प्रतियोगिता में एक व्यक्तिगत फर्म का मांग वक्र, बाजार में उसके द्वारा उत्पादित वस्तु के निकट में स्थानापन्न होने के कारण अधिक मूल्य सापेक्ष या लोचदार होता है। इस प्रकार फर्म का अपने वस्तु की किस्म पर एकाधिकारिक नियंत्रण बाजार में उपलब्ध स्थानापन्न वस्तुओं की मात्रा द्वारा सीमित होता है। यदि स्थानापन्न वस्तुओं की किस्म और उसकी कीमतों को स्थिर मान लिया जाए तो एक फर्म के वस्तु का एक निश्चित मांग वक्र होगा।

एकाधिकारिक प्रतियोगिता के अंतर्गत उपरोक्त विशेषताओं तथा मान्यताओं के लिए होने पर, प्रत्येक फर्म ऐसी कीमत तथा उत्पादन निश्चित करती है, अर्थात् वहाँ संतुलन में होती है, जहाँ उसे अधिकतम लाभ प्राप्त होता है। फर्म का लाभ वहाँ अधिकतम होगा जहाँ उसकी सीमांत लागत (MC) सीमान्त आय (MR) के बराबर होती है।

3. अल्पाधिकार (Oligopoly) अपूर्ण प्रतियोगिता का एक रूप है। जब उद्योग में कुछ फर्में एकसमान वस्तुएँ (जो पूर्ण स्थानापन्न न होकर निकट स्थानापन्न होती हैं) उत्पादित करती हैं तब अपूर्ण प्रतियोगिता की इस स्थिति को अल्पाधिकार कहा जाता है।

कूर्नो एवं स्टेकलबर्ग का संतुलन एक नैश संतुलन है। कूर्नो मॉडल की मुख्य अवधारणा यह है कि प्रत्येक विक्रेता अपने प्रतिद्वंद्वी विक्रेता की पूर्ति को स्थिर मान लेता है।

4. लाभ का प्रावैगिक सिद्धांत (Dynamic Theory of Profit) का प्रतिपादन प्रो. जे.बी. क्लार्क ने किया। लाभ स्थिर समाज की वस्तु न होकर गतिशील समाज में ही उत्पन्न होता है। स्थिर अर्थव्यवस्था में लाभ नहीं मिलता। केवल प्रबन्ध की मजदूरी मिलती है। एक स्थिर अर्थव्यवस्था में निश्चितता और ज्ञान की पूर्णता होती है।

अमेरिकन अर्थशास्त्री, जोसेफ शुम्पीटर ने नव-प्रवर्तन सिद्धांत (Innovation Theory) का प्रतिपादन किया था। शुम्पीटर के अनुसार पूंजीवादी देश की आर्थिक प्रणाली में समय-समय पर जो नवप्रवर्तन होते रहते हैं, उन्हीं के कारण व्यापार चक्र की शुरुआत होती है। शुम्पीटर के अनुसार, "नव प्रवर्तन का आशय ऐसी किसी नवीन प्रवर्तन से है जो उत्पादन की वर्तमान प्रविधियों में उद्यमियों द्वारा रूपान्तरण कर दिया जाता है"।

लाभ का अनिश्चितता वहन करने का सिद्धांत (Uncertainty Bearing Theory of Profit) का प्रतिपादन प्रो. एफ.एच. नाइट ने अपनी पुस्तक 'Risk, Uncertainty and Profit' में किया है। नाइट अपने सिद्धांत में इस बात पर बल देते हैं कि उद्यमी का लाभ जोखिम उठाने के कारण प्राप्त नहीं होता बल्कि उत्पादन प्रक्रिया की अनिश्चितता सहन करने के पुरस्कार के रूप में प्राप्त होता है।

5. सीमांत लागत (Marginal Cost) सम्पूर्ण लागत में हुए परिवर्तनों की वह राशि है, जो वस्तु की एक इकाई कम या अधिक उत्पादन करने के परिणामस्वरूप ज्ञात होती है।

किसी वस्तु की एक अतिरिक्त इकाई के उत्पादन करने से कुल लागत में जो वृद्धि होती है, वह सीमांत लागत कहलाती है।

सीमांत लागत में केवल परिवर्तनशील व्ययों (Variable Expenses) को ही सम्मिलित किया जाता है। सीमांत लागत से उत्पादन की मात्रा में कमी या वृद्धि का लाभ पर पड़ने वाले प्रभाव की जानकारी की जा

सकती है, साथ-ही लाभदायक वस्तुओं के उत्पादन पर बल देना आसान हो जाता है।

कुल लागत में वस्तु की इकाइयों की संख्या का भाग देने पर जो लागत प्राप्त होती है, वह औसत लागत (Average Cost) कहलाती है।

जब सीमांत लागत औसत लागत के बराबर है, तो औसत लागत का ढाल शून्य होगा।

10. कल्याण अर्थशास्त्र (Welfare Economics) अर्थशास्त्र की वह शाखा है जो आदर्श मामलों या मूल्यनिर्णयों (Value Judgements) का अध्ययन करती है। इसका उद्देश्य यह बताना नहीं है कि कोई अर्थव्यवस्था कैसे कार्य करती है बल्कि इस बात की जाँच करना है कि वह कितना अच्छा कार्य करती है। यह अर्थशास्त्र की वह शाखा है जो वैकल्पिक नीतियों की सामाजिक वांछनीयता का मूल्यांकन करती है।

पीगू के अनुसार–कल्याणकारी अर्थशास्त्र उन प्रभावों की खोज से संबंधित है जिनके द्वारा विश्व या किसी देश के आर्थिक कल्याण को बढ़ाया जा सकता है।

11. जब वांछित निवेश की तुलना में वास्तविक निवेश अधिक्य के कारण व्यापार चक्र सृजित होता है। यह सिद्धांत एफ. हायक द्वारा प्रतिपादित किया गया है।

व्यापार चक्र का अधि-विनियोग सिद्धांत आस्ट्रेलियन अर्थशास्त्री एफ.ए. वान हायक के नाम से सम्बद्ध है। हायक के अनुसार–"कृत्रिम रूप से निम्न ब्याज दरों पर (ब्याज की बाजार दर प्राकृतिक दर से कम होती है) किया गया बैंक साख का अति निर्गमन ही व्यापार चक्रों की क्रियाशीलता के लिये पूर्णतः उत्तरदायी होता है।" हायक के अनुसार जब तक ब्याज की ब्याज दर ब्याज की प्राकृतिक दर के समान रहती है तब तक कोई समस्या उत्पन्न नहीं होती और देश की अर्थव्यवस्था संतुलन की अवस्था में रहती है। लेकिन समस्या उस समय उत्पन्न होती है जब ब्याज की ब्याज दर एवं प्राकृतिक दर में अंतर उत्पन्न होता है।

13. मुद्रास्फीति के संदर्भ में "मेन्यु लागत" का संबंध कीमत सूची में परिवर्तन करने की लागत से है। उच्च मुद्रास्फीति के साथ, फर्मों को अर्थव्यवस्था व्यापक परिवर्तनों को बनाए रखने के लिए अक्सर अपनी कीमतें बदलनी चाहिए। कीमतों को बदलने के रूप में यह नए मेन्यु मुद्रण की जरूरत, या अतिरिक्त समय और प्रयास की कीमतों में लगातार बदलने की जरूरत को बढ़ावा मिलेगा, यह अपने आप में एक महंगी गतिविधि है।

14. फ्रीडमैन ने मुद्रा का धन का संचय करने के लिये एक परिसम्पत्ति माना है। उनके अनुसार, मुद्रा की मांग का सिद्धांत पूंजी सिद्धांत का एक भाग है। मुद्रा की मांग करते समय तीन बातों का विशेष ध्यान रखा जाना चाहिए :

- विभिन्न परिसम्पत्तियों में संचय किये जाने वाले धन का आकार।
- विभिन्न परिसम्पत्तियों की सापेक्ष कीमत तथा उनसे प्राप्त आय का आकार।
- धन का संचय करने वालों की रुचि एवं पसन्दगी।

अतः वे वास्तविक नकदी शेषों की राशि M/P को एक वस्तु मानते हैं जिसकी मांग की जाती है क्योंकि जो उसे रखता है वह उस व्यक्ति को सेवाएँ प्रदान करता है।

अतः मुद्रा एक परिसम्पत्ति अथवा पूंजी वस्तु है, और मुद्रा का सिद्धांत पूंजी या संपत्ति का अंग है।

आय से फ्रीडमैन का तात्पर्य है–समस्त मुद्रारूप स्थायी आय अर्थात् जीवन काल की औसत प्रत्याशित आय। संपत्ति पाँच विभिन्न रूपों में रखी जा सकती है।

- मुद्रा
- बांड
- इक्विटी
- भौतिक गैर मानव वस्तुएँ और
- मानवीय पूंजी

संपत्ति धारक अपनी संपत्ति को विविध रूपों में बाँट देते हैं जिससे कि वे अधिक से अधिक लाभ उठा सकें। मानवीय पूंजी को छोड़कर अन्य सभी धारणों से कमाई जाने वाली ब्याज की दर एवं कीमतों में परिवर्तन को मापा जा सकता है। ब्याज की दर घटने पर परिसम्मिलित की कीमत बढ़ती है तो लोग अधिक संपत्ति रखते हैं और विलोमशा भी। किंतु सामान्य स्थिति में मुद्रा की मांग की ब्याज नगण्य होती है।

जब कीमत स्तर गिरता है जो मुद्रा का प्रतिफल धनात्मक होता है क्योंकि मुद्रा का मूल्य घट जाता है। इस प्रकार फ्रीडमैन के मुद्रा के मांग फलन में कीमत स्तर एक महत्वपूर्ण चर है।

बांड, इक्विटी, एवं अन्य भौतिक परिसंपत्तियों के प्रतिफल की मुद्रा एवं दर में दो चीजें शामिल रहती हैं–

- प्रतिफल का वर्तमान भुगतान यानि बांड इक्विटी पर लाभांश और भौतिक परिसंपत्तियों के संग्रह करने की लागत।
- कीमतों में होने वाले परिवर्तन।

15. ''गिल्ट-एज्ड'' बाजार में रिजर्व बैंक के माध्यम से सरकारी और अर्द्ध-सरकारी प्रतिभूतियों का क्रय-विक्रय किया जाता है। 'गिल्ट एज्ड' का अर्थ सर्वोत्तम या उत्कृष्ट होता है। इसे उत्कृष्ट इसलिए कहा जाता है कि इन सरकारी और अर्द्ध-सरकारी प्रतिभूतियों का मूल्य स्थिर रहता है और इस क्षेत्र की अन्य प्रतिभूतियों के समान इनमें अस्थिरता नहीं होती है। यही कारण है कि बैंक और अन्य संस्थाएँ इन प्रतिभूतियों के लिए विशेष आकर्षण रखती हैं।

17. आरबीआई ने वर्ष 2011-12 से सालाना मॉनेटरी पॉलिसी रिव्यू में सीमांत स्थायी सुविधा (Marginal Standing Facility) की शुरुआत की। इसमें सभी शेडयूल कर्मशल बैंक एक रात के लिए अपने कुल डिपॉजिट का 1 प्रतिशत लोन ले सकते हैं। बैंकों को यह सुविधा शनिवार को छोड़कर सभी कार्यदिवसों में मिलती है। MSF में बैंक कम-से-कम 1 करोड़ रुपये ले सकते हैं। इंटरनेट ओवरनाइट मार्केट में वोलैटिलिटी पर अंकुश लगाने के लिए बैंकों को यह फैसिलिटी दी गयी थी। MSF से RBI ने पॉलिसी रेट में 2 फीसदी का कॉरिडोर बनाया। यह रेपो से अधिक महंगा होता है। सीमांत स्थायी सुविधा बैंकों के लिए अल्पावधिक ऋण लेने के अंतिम उपाय के रूप में कार्य करता है। यह बैंकों की निवल मांग और समय देयताओं से जुड़ी है।

18. अवमूल्यन का अवशोषण सिद्धांत सामान्य संतुलन प्रकृति का है तथा केन्ज के राष्ट्रीय आय संबंधों पर आधारित है। इसलिए इसे भुगतान शेष का केन्जीय मार्ग भी कहते हैं। लेकिन यह विश्लेषण केन्जीयन मॉडल से भिन्न है। केन्ज का मॉडल अवमूल्यन निर्यातों को बढ़ने तथा आयातों के कम होने से जो आय में परिवर्तन होते हैं उनका विश्लेषण करता है जबकि अवशोषण सिद्धांत घरेलू व्यय में परिवर्तन द्वारा विश्लेषित करता है।

सिडनी एलेक्जेंडर ने केन्जीय शब्दावली और विचारधारा को लेकर अवमूल्यन के आय पर प्रभाव का विश्लेषण किया है। उसके अनुसार, यदि किसी देश के भुगतान शेष में घाटा है तो इसका मतलब है कि लोग जितना उत्पादन करते हैं उससे अधिक अवशोषण कर रहे हैं। अन्य शब्दों में राष्ट्रीय आय से उपभोग और निवेश पर घरेलू व्यय अधिक है। यदि भुगतान शेष में अतिरेक है तो वे कम अवशोषण कर रहे हैं, अर्थात् राष्ट्रीय आय से उपभोग और निवेश पर घरेलू व्यय कम है।

20. प्रेबिश सिन्गर परिकल्पना विकासशील देशों की व्यापार की शर्तों से संबंधित है। सिन्गर तथा प्रेबिश ने संयुक्त राष्ट्र संगठन से प्राप्त आँकड़ों के आधार पर निष्कर्ष निकाला कि कृषिगत वस्तुओं की कीमतों की प्रवृत्ति अल्पकाल में अस्थिर तथा दीर्घकाल में गिरने की होती है, जबकि औद्योगिक वस्तुओं में ऐसी प्रवृत्ति नहीं होती। विकासशील देशों के निर्यातों में प्राथमिक कृषिगत पदार्थों का प्रतिशत अंश अधिक होता है। अतः इनकी व्यापार की शर्तें प्रतिकूल होती जाती हैं और विदेशी व्यापार विकासशील देशों के आर्थिक विकास में सहायक नहीं होता है। व्यापार की शर्तों के प्रतिकूल होने का कारण यह भी है कि विकासशील देशों के विदेशी व्यापार में एक दुष्चक्र पाया जाता है। इस दुष्चक्र का परिणाम यह होता है कि विकासशील देशों के आयात व निर्यात दोनों पर विकसित देशों का एकाधिकार प्राप्त हो जाता है।

21. भुगतान संतुलन (BOP) में चालू खाता, पूंजी खाता, भूल-चूक और विदेशी मुद्रा प्रारक्षित निधियों में परिवर्तन शामिल है। भुगतान संतुलन के चालू लेखे के तहत लेन देनों को पण्य (निर्यात तथा आयात) और अदृश्य लेखों में वर्गीकृत किया जाता है।

यदि कोई विदेशी नागरिक भारत में किसी बैंक में कुछ धन जमा करता है तो लेखा में यह जमा माना जाएगा। भूल-चूक को लेकर खाते हमेशा संतुलित रहते हैं।

24. वणिक्वादियों (Mercantilists) के अनुसार, व्यापार एक शून्य-योग क्रीड़ा (Zero-games) है। शून्य-योग खेल स्थिर-योग की एक विशेष स्थिति को कहते हैं जहाँ खेल का परिणाम शून्य के बराबर होता है। यदि शून्य-योग खेल में दो खिलाड़ी हों तो एक खिलाड़ी का पे-ऑफ धनात्मक होने पर दूसरे खिलाड़ी का पे-ऑफ ऋणात्मक होगा, ताकि खेल के परिणाम का योग शून्य हो। अतः एक खिलाड़ी जितना जीतता है, दूसरा उतना ही हारता है।

27. कृषि आय को छोड़कर, अन्य स्रोतों से प्राप्त व्यक्तिगत आय पर जो कर केन्द्रीय सरकार द्वारा लगाया जाता है, उसे आयकर (Income-Tax) कहते हैं। आयकर से प्राप्त राजस्व को केन्द्र एवं राज्यों के बीच विभाजित किया जाता है।

भारत में आयकर की मुख्य विशेषताएं निम्न प्रकार हैं–

- आयकर, प्रगतिशील दर से लिया जाता है अर्थात् जैसे-जैसे आय बढ़ती है, कर की दर भी बढ़ती जाती है। इस प्रकार यह कर देने की योग्यता (Ability to Pay) के सिद्धांत पर आधारित है। अर्थात् जिनकी आय अधिक है उन्हें अधिक कर देना चाहिए।
- आयकर, कुल आय पर नहीं वरन् शुद्ध आय (Net Revenue) पर लगाया जाता है। शुद्ध आय, वह आय है जो कुछ आवश्यक कटौतियों के बाद प्राप्त होती है।
- आयकर एक वर्ष अवधि में प्राप्त आय पर लगाया जाता है जिसे वित्तीय वर्ष कहते हैं।
- आयकर एक वर्ष अवधि में प्राप्त आय पर तो लगाया ही जाता है साथ-ही इसमें उस आय को भी शामिल किया जाता है जो आकस्मिक रूप से प्राप्त होती है। इसे अन्य स्रोतों से आय (Income from Other Sources) के अंतर्गत वर्गीकृत किया जाता है।

29. पूंजीगत प्राप्तियाँ (Capital Receipts) ऐसी सार्वजनिक प्राप्तियों को कहते हैं जिनसे सरकार के उत्तरदायित्व में वृद्धि होती है और सरकार की परिसंपत्तियों में कमी होती है। उदाहरण–देश के अंदर जनता से लिया गया ऋण, विदेश से लिया गया ऋण, रिजर्व बैंक से लिया जाने वाला ऋण आदि।

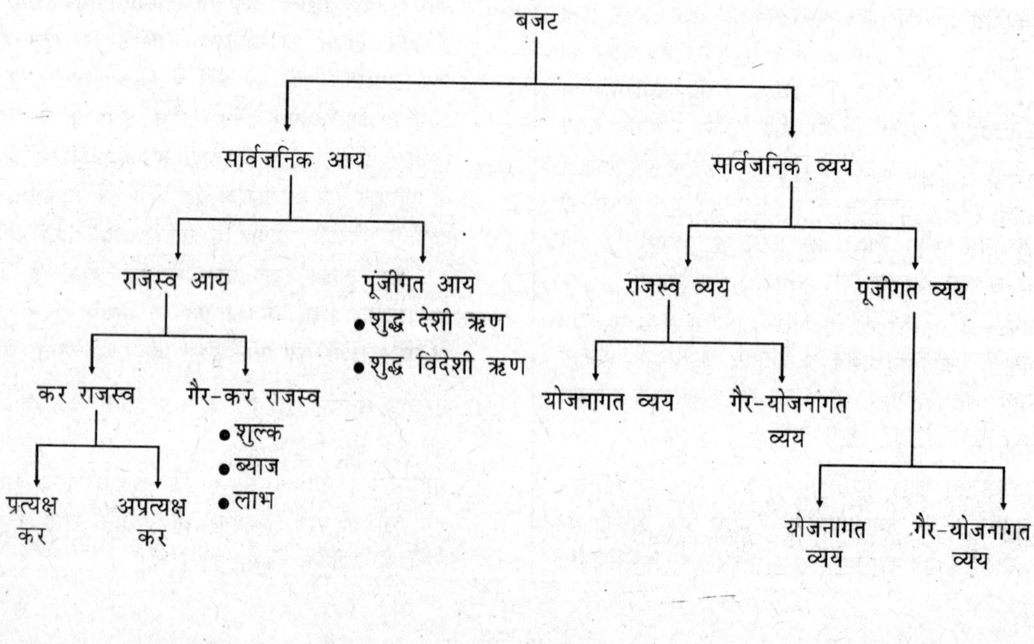

30. राजकोषीय या वित्तीय नीति (Fiscal Policy) का संबंध राजस्व से है, जो कि सार्वजनिक आय, सार्वजनिक व्यय एवं सार्वजनिक ऋण से संबंधित है।

किसी भी देश की राजकोषीय नीति का मुख्य उद्देश्य सैद्धांतिक रूप से, क्रियात्मक वित्त प्रबंधन (Functional Finance Management) तथा कार्यशील वित्त प्रबंधन की व्यवस्था करना है। दूसरे शब्दों में आर्थिक विकास के लिए आवश्यक एवं पर्याप्त मात्रा में धन की व्यवस्था करना राजकोषीय नीति का मुख्य कार्य है। यद्यपि राजकोषीय नीति के उद्देश्य किसी राष्ट्र विकास के लिए उसकी परिस्थितियों, विकास संबंधी आवश्यकताओं और विकास की अवस्था के आधार पर निर्धारित किये जाते हैं। मुद्रास्फीति को नियंत्रित करना और कीमतों को स्थिर रखना राजकोषीय नीति के मुख्य उद्देश्य हैं। वित्तीय या राजकोषीय नीति बाह्यता के प्रभाव (Effect of Externalities) को कम करने के लिए सबसे अधिक प्रभावशाली होगा।

एक व्यापक परिदृश्य में देखा जाए तो पैसे का अत्यधिक मुद्रण, अर्थव्यवस्था में मुद्रास्फीति को बढ़ाने में मदद करता है। यदि सरकार विदेशों से ज्यादा मात्रा में उधार लेती है, तो यह देश को एक ऋण संकट की ओर ले जाता है। ज्यादा मात्रा में विदेशों से उधार लेने से देश के विदेशी मुद्रा भंडार पर दबाव बढ़ता है, और देश का भुगतान संतुलन बिगड़ सकता है। किसी भी देश की राजकोषीय नीति उस देश के विकास की दिशा तय करती है।

31. अधिकतम सामाजिक लाभ का सिद्धांत (Doctrine of Maximum Social Welfare) डाल्टन द्वारा प्रतिपादित किया गया। इस सिद्धांत के अनुसार, सरकार को अपनी राजस्व क्रियाओं को इस प्रकार व्यवस्थित करना चाहिए, कि उससे 'अधिकतम सामाजिक कल्याण' की प्राप्ति हो सके। यह सिद्धांत सम-सीमान्त उपयोगिता नियम तथा उपयोगिता ह्रास नियम पर आधारित है। अधिकतम सामाजिक लाभ की प्राप्ति सीमान्त संतुष्टि वक्र के उस बिन्दु पर प्राप्त होती है जहाँ पर सीमान्त त्याग और सीमान्त संतुष्टि बराबर होती है।

सीमान्त सामाजिक त्याग = सीमांत सामाजिक लाभ

यह सिद्धांत केवल यही नहीं बताता है कि सार्वजनिक आय तथा व्यय की मात्रा में किस सीमा तक वृद्धि करनी चाहिए, बल्कि यह भी स्पष्ट करता कि अधिकतम सामाजिक लाभ को प्राप्त करने के लिए सार्वजनिक व्यय की राशि को विभिन्न मदों पर इस प्रकार विभाजित करना चाहिए कि प्रत्येक मद पर व्यय की गई सीमांत इकाई से प्राप्त सीमांत उपयोगिता बराबर हो।

32. कर का वैधानिक करापात (Statutory Incidence of a Tax) व्यक्ति जो कर का भुगतान करने के लिए कानूनी तौर पर उत्तरदायी है, से संबंधित है।

कर एक अनिवार्य भुगतान है। जब किसी कर का कराघात तथा करापात (Impact and Incidence of Taxation) एक ही व्यक्ति पर पड़ता है, तब यह कर प्रत्यक्ष कर कहलाता है। प्रत्यक्ष कर का सबसे अच्छा उदाहरण आयकर है क्योंकि यह जिस व्यक्ति पर लगाया जाता है, वही व्यक्ति उसकी अदायगी करता है।

33. **विवेकपूर्ण प्रत्याशाएँ तथा फिलिप्स वक्र :** अनुकूलित प्रत्याशा परिकल्पना ने इस बात को स्वीकारा कि दीर्घकाल में बेरोजगारी और स्फीति में विनिमय नहीं होता। ऐसी ही एक अन्य दृष्टिकोण विवेकपूर्ण प्रत्याशाओं के सिद्धांत के रूप में नये प्रतिष्ठित समष्टि अर्थशास्त्रियों द्वारा स्वाभाविक बेराजगारी की दर की व्याख्या करता है। इसके अनुसार मौद्रिक मजदूरी दरों तथा कीमत स्तर में वृद्धि के बीच समायोजन होने में कोई समयान्तर नहीं होता है। जैसे ही कीमत स्तर में सम्भावित परिवर्तन होता है, मजदूरी दरें बिना विलम्ब के समायोजित हो जाती हैं जिससे कि स्फीति तथा बेरोजगारी में विनिमय नहीं होता है। इसके समर्थक यह मानते हैं कि कुल मांग बढ़ने पर बेरोजगारी दर में कोई कमी नहीं होती है। जैसे ही प्रतीत होता है कि मांग बढ़ रही है, स्फीति का अंदाजा लगाते हैं। उत्पादक उसी के अनुसार मजदूरी दरों की वृद्धि करना स्वीकार कर लेते हैं। इस प्रकार, कीमत स्तर में तो वृद्धि होती है, पर वास्तविक उत्पादन तथा रोजगार का स्तर अपने स्वाभाविक स्तर पर अपरिवर्तित रहता है।

विवेकपूर्ण प्रत्याशाओं के सिद्धांत के अनुसार कुल पूर्ति वक्र पूर्ण रोजगार के स्तर पर अनुलम्ब रेखा के रूप में ही होता है। यह मान्यता निम्न बातों पर आधारितहै।

- श्रमिक और उत्पादक इतने विवेकपूर्ण हैं कि वे सरकार की नीतियों के प्रभाव का पहले से अनुमान लगा लेते हैं और सही निर्णय लेते हैं।

- प्रतिष्ठित अर्थशास्त्रियों के समान यह सिद्धांत भी यह मानता है कि सभी वस्तुओं तथा साधनों के बाजार काफी प्रतिस्पर्धात्मक हैं, फलस्वरूप कीमतें तथा मजदूरियां काफी लचकपूर्ण हैं।
- नयी संतुलन कीमतें तत्काल बदली हुई परिस्थितियों तथा नीतियों के साथ समायोजन प्राप्त कर लेती हैं।

37. पूँजीवाद (Capitalism) सामान्यतः उस आर्थिक प्रणाली या तंत्र को कहते हैं जिसमें उत्पादन के साधन पर निजी स्वामित्व होता है। पूँजीवादी अर्थव्यवस्था के लिए, नवीन प्रतिष्ठित अर्थशास्त्र का प्राथमिक उद्देश्य व्यापार चक्र घटना की व्याख्या करना है। व्यापार चक्र एक मौद्रिक घटना है।

आधुनिक पूँजीवादी अर्थव्यवस्थाओं की एक प्रमुख विशेषता इसे तेजी एवं मंदी, समृद्धि तथा अद्यःपतन द्वारा बारी-बारी से ग्रस्त होना है। ऐसी अर्थव्यवस्थाओं के विकास में स्थिरता नहीं रहती है बल्कि इनमें सदा तेजी के बाद मंदी और मंदी के बाद तेजी ज्वार-भाटा की तरह आती रहती हैं।

पूँजीवादी आर्थिक प्रणाली में मांग एवं पूर्ति बलों के स्वतंत्र कार्य करने के कारण समय-समय पर मांग एवं पूर्ति बलों में असंतुलन उपस्थित होते रहते हैं, जिसके कारण व्यापार चक्र के उच्चावचन, अर्थव्यवस्था में आर्थिक अस्थिरता बनाए रखते हैं। व्यापार चक्रों के उच्चावचनों–मंदीकाल तथा स्फीतिकाल दोनों का ही समाज के विभिन्न वर्गों पर दुष्प्रभाव पड़ता है।

व्यापार चक्र की चार अवस्थाएँ हैं–पुनरुद्धार (Recovery), पूर्ण रोजगार (Full Employment), तेजी (Boom) एवं अवरोध (Recession)।

40. **ब्याज का आधुनिक सिद्धांत (IS-LM मॉडल) :** ब्याज के क्लासिकल सिद्धांत से लेकर केन्स तक के सिद्धांत कोई भी सिद्धांत ऐसा नहीं है जो अकेला ही पर्याप्त तथा निश्चित सिद्धांत हो। जहाँ प्रतिष्ठित सिद्धांत ने वास्तविक तत्वों के आधार पर सिद्धांत की नींव रखी वहीं केन्स ने पूर्ण रूप से मौद्रिक तत्वों को ही सिद्धांत का आधार बनाया। जहाँ क्लासिकल सिद्धांत में ब्याज दर की समस्या का अध्ययन करने के लिये वास्तविक तत्वों जैसे बचत एवं विनियोग को शामिल किया, वहीं केन्स ने तरलता अधिमान एवं मुद्रा की पूर्ति जैसे मौद्रिक निर्धारकों को सम्मिलित किया तथा वास्तविक तत्वों की अपेक्षा की।

हिक्स, लर्नर, हेन्सन जैसे आधुनिक अर्थशास्त्रियों ने केन्स के ब्याज सिद्धांत तथा ऋणयोग्य कोष सिद्धांत के कुछ महत्वपूर्ण अंशों को मिलाकर एक नवीन सिद्धांत प्रस्तुत करने का प्रयास किया।

यदि प्रतिष्ठित सिद्धांत एवं कीन्स सिद्धांत का समन्वय कर दिया जाये तो एक उचित तथा निर्धारणीय सिद्धांत प्रस्तुत किया जा सकता है। आधुनिक सिद्धांत को नव केन्द्रीय सिद्धांत भी कहा जाता है।

नव प्रतिष्ठित तथा नव केन्सीयन सिद्धांतों का समन्वय करने से चार तत्व प्राप्त होते हैं–निवेश, बचत, तरलता अधिमान तथा मुद्रा की मात्रा। आधुनिक सिद्धांत के अनुसार ब्याज का निर्धारण इन चारों तत्वों पर निर्भर करता है। इस प्रकार मौद्रिक तथा वास्तविक तत्व एक साथ ब्याज निर्धारण का आधार बन जाते हैं।

हेन्सन के अनुसार, "ये दोनों ही सिद्धांत एकपक्षीय तथा अपूर्ण हैं, परन्तु यदि इनका समन्वय कर दिया जाय तो निश्चित ही ब्याज का एक सन्तोषजनक सिद्धांत मिल सकता है।

आधुनिक सिद्धांत में आय परिवर्तन का मौद्रिक एवं वास्तविक तत्वों पर प्रभाव देखकर ब्याज दर का निर्धारण किया गया है।

प्रो. हेन्सन के अनुसार, ब्याज दर के चार निर्धारक तत्व हैं–

- निवेश माँग अनुसूची
- उपभोग क्रिया
- तरलता अभिमान अनुसूची
- मुद्रा की मात्रा

संतुलन की स्थिति में मुद्रा की पूर्ति नकद कोषों की मांग के बराबर होती है तथा निवेश की मात्रा बचत की सामान्य मात्रा के बराबर होती है और ये सभी तत्व एक-दूसरे से जुड़े होते हैं। इस व्याख्या के अंतर्गत मौद्रिक तत्व वास्तविक तत्वों के साथ समन्वित होते हैं तथा प्रवाह संबंधी परिवर्ती तत्व स्टॉक संबंधी परिवर्ती तत्वों के साथ समन्वित हो जाते हैं।

एक IS वक्र है जो वास्तविक तत्वों अर्थात् प्रवाह चरों के संतुलन बचत-निवेश को व्यक्त करता है, तथा दूसरा LM वक्र है जो मौद्रिक क्षेत्र अर्थात् स्टॉक चरों के संतुलन मुद्रा की पूर्ति तरलता अधिमान को व्यक्त करता है। IS तथा LM वक्रों का संतुलन ब्याज सिद्धांत का निश्चित हल प्रस्तुत करता है।

42. प्रतिष्ठित अर्थशास्त्रियों की विचारधारा के अनुसार राष्ट्रीय आय की वितरण प्रक्रिया में सर्वप्रथम भूमि को लगान दिया जाता है। उसके बाद क्रमशः श्रमिकों की मजदूरी तथा पूँजीपति का ब्याज एवं लाभ निर्धारित किये जाते हैं। इस प्रकार उत्पत्ति के सभी साधनों को दिये गए पुरस्कारों का योग राष्ट्रीय आय के बराबर होता है।

43. जे.ई. मीड ने 1961 में आर्थिक वृद्धि का नव क्लासिकी मॉडल निर्मित किया है जिसका उद्देश्य यह प्रकट करना है कि संतुलन वृद्धि की प्रक्रिया के दौरान सरलतम क्लासिकी आर्थिक प्रणाली का व्यवहार क्या होगा।

मीड नव-क्लासिकी आर्थिक विकास प्रारूप की मान्यताएँ निम्नवत हैं–

- पैमाने के लिए स्थिर प्रतिफल पाये जाते हैं।
- स्वतंत्र बंद अर्थव्यवस्था होती है जिसमें पूर्ण प्रतियोगिता पाई जाती है।
- अर्थव्यवस्था में पूँजी तथा उपभोग वस्तुएँ ही उत्पादित होती हैं।
- अर्थव्यवस्था में मशीनें ही पूँजी का एकमात्र रूप हैं।
- माना गया है कि उपभोग वस्तुओं की स्थिर मुद्रा कीमत होती है।
- पूँजी तथा उपभोग वस्तुओं के बीच उत्पादन में पूर्ण स्थानापन्नता होती है।
- अल्पकाल तथा दीर्घकाल दोनों में ही श्रम का मशीनरी से अनुपात बदला का सकता है इसे मीड मशीनरी की पूर्ण लोचता कहते हैं।

47. हैरोड डोमर प्रारूप के आलोचकों में नव प्रतिष्ठित अर्थशास्त्री अग्रणी हैं उनमें रॉबर्ट सोलो का नाम प्रमुख है। सोलो के अनुसार, ''पूँजी-श्रम अनुपात में परिवर्तन करने से आर्थिक विकास प्रक्रिया में समायोजनशीलता बढ़ जाती है।'' दूसरे शब्दों में संसाधनों की वर्तमान स्थिति के अनुरूप उत्पादन में कम या अधिक पूँजी-श्रम अनुपात वाली तकनीक को अपनाना सम्भव हो जाता है।

सोलो ने स्पष्ट किया है कि यदि तकनीकी गुणांक परिवर्ती हो, तो पूँजी-श्रम अनुपात की प्रवृत्ति यह होगी कि वह अपने आपको समय बीतने पर संतुलन अनुपात की दिशा में समायोजित कर लेगा। यदि श्रम से पूँजी का प्रारंभिक अनुपात अधिक होगा, तो श्रमशक्ति की तुलना में पूँजी तथा उत्पादन की वृद्धि अधिक धीरे होगी। सोलो का विश्लेषण संतुलन पक्ष स्थिर अवस्था की ओर केन्द्रित है चाहे वह किसी भी पूँजी-श्रम अनुपात से क्यों न प्रारंभ हो। सोलो केन्द्रीय विश्लेषण की सहायता से यह स्पष्ट करता है कि उत्पादन की दर अर्थव्यवस्था की वास्तविक आय प्रकट करती है। आय का कुछ भाग उपभोग किया जाता है, कुछ बचा लिया जाता है साथ ही निवेशित किया जाता है। दूसरे शब्दों में एक स्थिर पूँजी-श्रम अनुपात बनाए रखने के लिए बचत का भाग अवश्य निवेश के बराबर होना चाहिए।

48. डूसनबरी के अनुसार उपभोग केवल वर्तमान वर्ष की आय का फलन नहीं है बल्कि उपभोक्ता की वर्तमान आय और इसके पूर्व की उच्चतम आय के अनुपात का फलन है। इसके अलावा डूसनबरी ने 'प्रदर्शन प्रभाव' (Demonstration effect) की चर्चा की जिसके अनुसार लोगों में अपने से धनी व्यक्ति के उपभोग को अनुकरण करने की प्रवृत्ति होती है।

डूसनबरी की यह राय थी कि अल्प विकसित देशों में 'प्रदर्शन प्रभाव' के कारण से उनके भुगतान संतुलन पर गंभीर और प्रतिकूल प्रभाव पड़ेगा।

49. लिबेन्स्टिन का क्रांतिक न्यूनतम प्रयत्न सिद्धांत : लिबेन्स्टिन ने यह सिद्धांत प्रस्तुत किया है कि अल्पविकसित देशों में गरीबी का दुश्चक्र पाया जाता है, जो उन्हें प्रति व्यक्ति निम्न आय संतुलन स्थिति के इर्द-गिर्द रखता है। इस दुश्चक्र से निकलने का मार्ग है एक निश्चित ''क्रांतिक न्यूनतम प्रयत्न'' (Critical Minimum Effort) जो प्रति व्यक्ति आय

को उस स्तर तक बढ़ा दे जिस पर सतत विकास कायम रह सके।

लिबेन्स्टिन ने अपने क्रांतिक न्यूनतम प्रयास सिद्धांत में जनसंख्या को आय-अवसादक (Income-Depressing) रूप में माना है। लिबेन्स्टिन का सिद्धांत इस अनुभवजन्य प्रमाण पर आधारित है कि जनसंख्या वृद्धि की दर प्रति व्यक्ति आय के स्तर का फलन होती है। यह आर्थिक विकास की विभिन्न अवस्थाओं से गहरा संबंध रखती है। आरंभ में निर्वाह संतुलन स्तर आय पर जन्म तथा मरण दरें दोनों अधिकतम होती हैं। यदि प्रति व्यक्ति आय को निर्वाह संतुलन की स्थिति से ऊपर बढ़ा दिया जाए तो मृत्यु दर गिर जाएगी लेकिन जन्म दर में कोई कमी नहीं होगी। परिणामतः जनसंख्या वृद्धि की दर बढ़ जाएगी। इस प्रकार प्रति व्यक्ति आय में वृद्धि जनसंख्या में वृद्धि दर को बढ़ाती है, लेकिन एक निश्चित सीमा तक ही ऐसा होता है। उसके बाद प्रति व्यक्ति आय में वृद्धि जन्म दर को घटा देती है और ज्यों-ज्यों विकास की गति बढ़ती है त्यों-त्यों जनसंख्या वृद्धि की दर कम होती चली जाती है।

50. एल. पसिनेती (L. Pasinetti) पोस्टकेन्सयिन स्कूल के इटली के अर्थशास्त्री थे। अर्थशास्त्र के उनके योगदान मूल्य और वितरण के सिद्धांत समेत नियोरिकार्डियन अर्थशास्त्र की विश्लेषणात्मक नींव विकसित करना है। उन्होंने संरचनात्मक परिवर्तन और आर्थिक विकास, संरचनात्मक आर्थिक गतिशीलता और असमान्य क्षेत्रीय विकास का सिद्धांत भी विकसित किया।

51. अल्पविकसित देश गरीबी के दुश्चक्रों में पड़े हुए रहते हैं। नर्क्से ने गरीबी के दुश्चक्रों को इन शब्दों में व्यक्त किया है–"इसका तात्पर्य ऐसी शक्तियों का वृत्तीय समूह है जो एक-दूसरे पर इस तरह क्रिया और प्रतिक्रिया करती है कि वे एक गरीब देश को गरीबी की अवस्था में ही रखती हैं। अल्पविकसित देशों में गरीबी के दुश्चक्र उत्पन्न होने का कारण है–पूँजी की कमी, मार्केट-अपूर्णताओं, आर्थिक पिछड़ेपन तथा कम उत्पादकता। गरीबी का दुश्चक्र मांग और पूर्ति पक्ष दोनों ओर से होता है। अल्पविकसित देशों में निम्न उत्पादकता के कारण वास्तविक आय कम होती है।

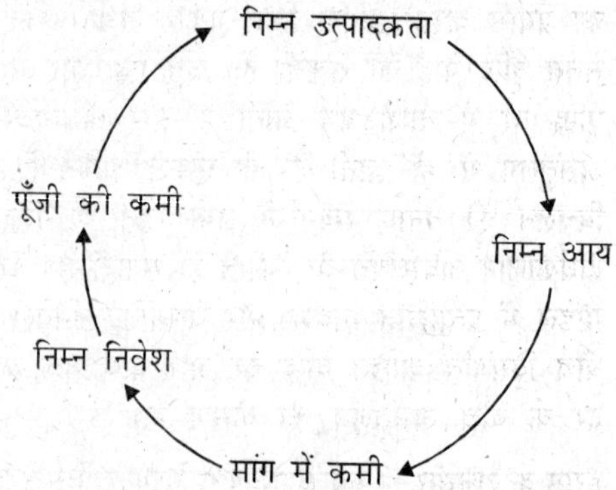

मांग पक्ष की ओर से गरीबी का दुश्चक्र इस प्रकार पूरा होता है। अल्पविकसित देशों में वास्तविक आय का निम्न स्तर मांग के स्तर को गिरा देता है, जिससे आगे निवेश का अनुपात गिर जाता है। जिसमें पूँजी की कमी तथा आगे उत्पादकता का स्तर निम्न हो जाता है।

इस प्रकार अर्थव्यवस्था का अल्पविकास तथा गरीबी पर्यायवाची हैं।

52. हैरोड-डोमर के आर्थिक संवृद्धि का मॉडल विकसित देशों के अनुभव पर आधारित है। हैरोड तथा डोमर आर्थिक वृद्धि की प्रक्रिया में निवेश को काफी महत्व देते हैं, परंतु वे निवेश की द्वैत (Dual) प्रवृत्ति पर बल देते हैं।

हैरोड-डोमर का विकास मॉडल निम्नलिखित मान्यताओं पर आधारित है–

- बिना सरकारी हस्तक्षेप के मुक्त अर्थव्यवस्था पाई जाती है।
- निवेश तथा उत्पादन क्षमता निर्माण के बीच कोई समय अंतराल नहीं होता है।
- अर्थव्यवस्था बंद होती है, जिनमें विदेशी व्यापार नहीं होता।
- औसत बचत प्रवृत्ति, सीमान्त बचत प्रवृत्ति के बराबर होती है।
- कोई मूल्य ह्रास नहीं होता क्योंकि पूँजी वस्तुओं को अनन्तजीवी मान लिया जाता है।
- बचत तथा निवेश उसी वर्ष की आय से संबंध रखते हैं।

हैरोड का मॉडल : हैरोड अपने मॉडल द्वारा यह बताने का प्रयास करता है कि किस प्रकार अर्थव्यवस्था में सतत् वृद्धि पाई जा सकती है। जब एक बार सतत् वृद्धि दर में बाधा पड़ जाती है और अर्थव्यवस्था असंतुलन में हो जाती है तो संचयी शक्तियाँ इस विचलन को बनाए रखने में लगी रहती हैं, जिससे दीर्घकालीन अवस्थीति या स्फीति हो सकती है। हैरोड मॉडल में प्रत्याशित निवेश और वास्तविक निवेश के बीच विसंगति वांछित वृद्धि दर और वास्तविक वृद्धि दर के बीच असंतुलन का कारण है।

हैरोड के अनुसार—"एक देश को विदेशी व्यापार से उस समय लाभ प्राप्त होता है जबकि उस देश के व्यापारियों को यह मालूम हो कि विदेशों में मूल्य अनुपात उनके देश में प्रचलित मूल्य अनुपात की तुलना में बहुत अधिक मिलता है। ऐसे समय में जो वस्तुएँ उन्हें सस्ती प्रतीत होती हैं उन्हें खरीदते हैं तथा जो वस्तुएँ महंगी मालूम होती हैं उन्हें बेचते हैं। इस प्रकार उनको ज्ञात हुए निम्नतम एवं उच्चतम बिन्दुओं में जितना अधिक अंतर होता है तथा उन वस्तुओं का महत्व जितना अधिक होगा उतना ही अधिक व्यापार से लाभ प्राप्त होगा।"

59. किसी पर्यावरणीय आस्ति की इन-हाउस कीमतों और भौगोलिक समीपता में भिन्नता के बीच योजकों का उपयोग पर्यावरणीय आस्तियों के मूल्यांकन के लिए 'हेडोनिक कीमत' के रूप में संदर्भित किया जाता है।

हेडोनिक मूल्य निर्धारण एक मॉडल है, जो आधार कारकों की पहचान करता है। एक हेडोनिक मूल्य निर्धारण मॉडल का प्रयोग पारिस्थितिक तंत्र या पर्यावरण सेवाओं के लिए मात्रात्मक मूल्यों का अनुमान लगाने के लिए किया जाता है जो घरों के लिए बाजार की कीमतों को सीधे प्रभावित करते हैं। हेडोनिक मूल्य निर्धारण आवास की कीमतों, यात्रा खर्चों और पार्कों के दौरे के भुगतान के माध्यम से आर्थिक निर्णयों पर पर्यावरण के प्रभाव को जाँचता है।

60. **उजाला** (Unnat Jyoti by Affordable LEDs for All—UJALA) योजना भारत सरकार की एक योजना है जिसके अन्तर्गत कम मूल्य पर एलईडी (LED) बल्ब दिये जाते हैं ताकि बिजली की बचत की जा सके। यह योजना 'बचत लैम्प योजना' के स्थान पर 2015 में शुरू की गयी।

बेटी बचाओ बेटी पढ़ाओ योजना महिला एवं विकास मंत्रालय, स्वास्थ्य एवं परिवार कल्याण मंत्रालय एवं मानव संसाधन मंत्रालय की एक संयुक्त पहल के रूप में समन्वित और अभिसरित प्रयासों के अंतर्गत बालिकाओं को संरक्षण और सशक्त करने के लिए बेटी बचाओ बेटी पढ़ाओं योजना की शुरुआत 22 जनवरी, 2015 को की गई है, जिसे निम्न लिंगानुपात वाले 100 जिलों में प्रारंभ किया गया है।

सुकन्या समृद्धि योजना बालिकाओं (Girl Child) के लिए केन्द्र सरकार की एक छोटी बचत योजना है जिसे 'बेटी बचाओ-बेटी पढ़ाओ' योजना के तहत शुरू किया गया है। 10 वर्ष से कम उम्र की बच्ची के लिए उच्च शिक्षा और शादी के लिए बचत करने के लिहाज से केन्द्र सरकार की सुकन्या समृद्धि योजना एक अच्छी निवेश योजना है।

जेन्डर बजटिंग महिलाओं को विकास की मुख्य धारा में लाने का एक सशक्त उपकरण है। इसमें नीति-निर्माण और संसाधनों का आवंटन इस प्रकार किया जाता है, जिससे महिलाओं को भी विकास का लाभ पुरुषों के समान मिल सके।

61. भारत सरकार की नए भारत के विकास की रणनीति में किसानों और कृषि को अहम् स्थान दिया गया है और 'सक्षम किसान-समृद्ध भारत' की कल्पना की गई है। 2022-23 तक कृषकों की आय को दोगुना करने के उद्देश्य से सरकार ने एक समिति का गठन किया है। इस लक्ष्य को प्राप्त करने के लिए 7 सूत्रीय कार्यनीति बनाई गई है—

- प्रति बूंद अधिक फसल के सिद्धांत पर पर्याप्त संसाधनों के साथ सिंचाई पर विशेष बल।
- प्रत्येक खेत की मिट्टी गुणवत्ता के अनुसार गुणवान बीज एवं पोषक तत्वों के प्रावधान।
- कटाई के बाद फसल नुकसान को रोकने के लिए गोदामों और कोल्डचेन में बड़ा निवेश।
- खाद्य प्रसंस्करण के माध्यम से मूल्य संवर्धन को प्रोत्साहन।
- राष्ट्रीय कृषि बाजार का क्रियान्वयन एवं सभी 585 केन्द्रों पर विकृतियों को दूर करते हुए ई-प्लेटफार्म की शुरुआत।

- जोखिम को कम करने के लिए कम कीमत पर फसल बीमा योजना की शुरुआत।
- डेयरी-पशुपालन, मुर्गी-पालन, मधुमक्खी-पालन, मेड़ पर पेड़, बागवानी व मछली पालन जैसी सहायक गतिविधियों को बढ़ावा देना।

62. ग्लोबल वार्मिंग या भूमंडलीय तापन का अर्थ पृथ्वी के औसत सतही या ग्रीनहाउस प्रभाव के कारण पर्यावरणीय तापमान में सतत वृद्धि है। हमारी पृथ्वी के तापमान में वृद्धि का सबसे महत्वपूर्ण कारण प्रदूषण में निरंतर वृद्धि है जिसके कारण ग्रीनहाउस गैस का स्तर बढ़ रहा है जो ओजोन परत को नुकसान पहुँचा रहा है। ग्लोबल वार्मिंग के निम्नलिखित प्रभाव हैं–

- ग्लेशियर का पिघलना
- ओजोन परत में कमी
- पर्यावरण में विषाक्त गैसें
- बिना मौसम में बारिश
- भयंकर तूफान, चक्रवात एवं सूखा
- विभिन्न प्रकार की त्वचा संबंधी बीमारियाँ, कैंसर से संबंधित बीमारियाँ, डेंगू, मलेरिया।

पृथ्वी पर मौजूद वातावरण ग्रीनहाउस की सतह के रूप में कार्य करता है। ग्रीनहाउस प्रभाव एक प्राकृतिक घटना है, जो पृथ्वी की सतह को गर्म बनाये रखने में मदद करती है और इसी कारण पृथ्वी पर जीवन संभव है।

63. आर्थिक सर्वेक्षण 2017-18 के अनुसार, मौजूदा वित्त वर्ष की आर्थिक वृद्धि दर 6.75% रहने का अनुमान लगाया गया है। 2017-18 के लिए इस कमतर वृद्धि के साथ भी, 2014-15 से 2017-18 की अवधि के लिए सकल घरेलू उत्पाद (GDP) वृद्धि का औसत 7.3 प्रतिशत रहा है, जो विश्व के प्रमुख देशों में सबसे अधिक है। यह तथ्य कि यह वृद्धि कम मुद्रास्फीति, बेहतर चालू खाता शेष और सकल घरेलू उत्पाद के अनुपात में राजकोषीय घाटे में उल्लेखनीय कमी के चलते हासिल की गई, इसे और अधिक सराहनीय बनाता है। वस्तु एवं सेवा कर (GST) शुरू करने के अलावा, इस वर्ष बैंकों की अनर्जक आस्तियों से संबंधित समस्याओं के समाधान, विदेशी प्रत्यक्ष निवेश को और अधिक उदार बनाने आदि के लिए महत्वपूर्ण कदम उठाए गए, इस प्रकार सुधारों की गति और तेज की गई। GST ने भारतीय अर्थव्यवस्था को एक नया परिप्रेक्ष्य दिया है और नए आँकड़े उभरकर सामने आए हैं। अप्रत्यक्ष करदाताओं की संख्या में 50% की वृद्धि दर्ज की गयी है। GST लगाए जाने से और अधिक फर्में अप्रत्यक्ष कर के दायरे में आ गई हैं।

विमुद्रीकरण के पश्चात् आयकर विवरणी भरनेवाले व्यक्तियों की संख्या में काफी वृद्धि हुई है। 2016 में विमुद्रीकरण के बाद व्यक्तिगत आयकर रिटर्न दाखिल करनेवालों की संख्या में लगभग 18 लाख की वृद्धि दर्ज की गयी है। नए करदाताओं ने अधिकांश मामलों में औसत आय करीब ₹ 2.5 लाख दिखाई जिससे राजस्व पर शुरुआती प्रभाव पड़ा। जैसे-जैसे इनकी आय बढ़ेगी ओर ये आयकर के दायरे में आएंगे। राजस्व में तीव्र वृद्धि होगी। औपचारिक वित्तीय क्षेत्र में बचत में वृद्धि भी हुई है।

64. वित्त आयोग का गठन संविधान के अनुच्छेद 280 के अनुसार, 1951 में किया गया। इस आयोग को केन्द्र और राज्य के बीच वित्तीय संबंधों को परिभाषित करने के लिए किया गया।

केन्द्र और राज्य संबंध : संविधान के अनुच्छेद 275(1) के तहत् संसद कानून के जरिये जरूरत पड़ने पर राज्यों को अनुदान के तौर पर पैसा दे सकती है। यह अनुदान कितना होगा ये वित्त आयोग की सिफारिशों के बाद तय होगा। इसके अलावा अनुच्छेद 282 के तहत केन्द्र और राज्य दोनों किसी सार्वजनिक उद्देश्य के लिए अनुदान दे सकते हैं, लेकिन इसे वित्त आयोग के निर्णय क्षेत्र से बाहर रखा गया है।

वित्त आयोग के कार्य : वित्त आयोग का कर्तव्य है कि वह निम्न विषयों पर राष्ट्रपति को सिफारिश करता है–

- आयकर और अन्य करों से प्राप्त राशि का केन्द्र और राज्य सरकारों के बीच किस अनुपात में बँटवारा किया जाये।
- "भारत को संचित कोष" से राज्यों के राजस्व में सहायता देने के क्या सिद्धांत हों।

- सुदृढ़ वित्त के हित में राष्ट्रपति द्वारा आयोग को सौंपे गए अन्य विषय के बारे में आयोग राष्ट्रपति को सिफरिश करता है।

राष्ट्रपति वित्त आयोग की संस्तुतियों को संसद के समक्ष रखता है। अनुच्छेद 270, 273, 275 एवं 280 इसकी पुष्टि करता है। अनुच्छेद 280 के अनुसार, वित्त आयोग जिन मुद्दों पर राष्ट्रपति को परामर्श देता है, उनमें टैक्स से कुल प्राप्तियों को केन्द्र और राज्यों में बँटवारा, भारत की संचित निधि से राज्य सरकार को दी जानेवाली सहायता/अनुदान के संबंध में सिफारिशें शामिल होती हैं।

65. कृषि का देश के जीडीपी में 16 फीसदी हिस्सेदारी है। साथ ही इस क्षेत्र में 49 फीसदी लोगों को रोजगार मिल रहा है। भारत में पिछले वर्षों में कृषि विकास कमजोर रहा है। भारतीय कृषि की जीडीपी में कमी के निम्नलिखित महत्वपूर्ण कारण हैं–

- भारतीय कृषि आज भी वर्षा पर निर्भर है। कृषि क्षेत्र में सुस्ती के लिए कमजोर मानसून को जिम्मेदार ठहराया जा रहा है।
- कृषि वस्तुओं की पैदावार में स्थिरता या धीमी वृद्धि रही है।
- कृषि वस्तुओं के संदर्भ में निम्न मूल्यवर्धन।
- कृषि एवं सम्बद्ध क्षेत्रों में पूँजी निर्माण में कमी।

66. प्रत्यक्ष विदेशी निवेश (FDI) मेजबान देश में पूँजी, कौशल व प्रौद्योगिकी लाकर उच्चतर स्तर पर आर्थिक विकास को संभव बनाता है।

पिछले दशकों में भारत में सेवा क्षेत्र में सबसे अधिक FDI आया। विदेशी निवेश इन्फ्लो में सेवाओं के हिस्से की गणना में कुछ समस्याएँ हैं क्योंकि कंप्यूटर हार्डवेयर और सॉफ्टवेयर, दूरसंचार और निर्माण जैसे कुछ क्षेत्रों में सेवाओं और वस्तुओं में कार्यों का स्पष्ट भेद करना मुश्किल है। इसके बावजूद 4 संयुक्त क्षेत्रों [सेवा (वित्तीय एवं गैर वित्तीय), कंप्यूटर हार्डवेयर और सॉफ्टवेयर, दूरसंचार और आवास एवं अचल संपदा] के हिस्से में मुख्य रूप से सेवाएँ शामिल हैं।

सर्वाधिक FDI ईक्विटी अन्तर्प्रवाह करने वाले क्षेत्र क्रमशः सेवाएं (वित्त, बैंकिंग व बीमा आदि), दूरसंचार तथा कम्प्यूटर सॉफ्टवेयर एवं हार्डवेयर रहे हैं।

69. 2011 की जनगणना के अनुसार शहरीकरण :

राज्य	शहरीकरण %
गोवा	62.17
तमिलनाडु	48.45
महाराष्ट्र	45.23
पंजाब	37.49

71. जनांकिकीय लाभांश (Demographic Dividend) अर्थव्यवस्था में मानव संसाधन के सकारात्मक और सतत् विकास को दर्शाता है। यह जनसंख्या ढाँचे में बढ़ती युवा एवं कार्यशील जनसंख्या तथा घटते आश्रितता अनुपात के परिणामस्वरूप उत्पादन में बड़ी मात्रा के सृजन को प्रदर्शित करता है।

भारतीय राज्यों में कुल प्रजनन दर के कारण 'जनांकिकीय द्वैतता' (Demographic Dualism) प्रदर्शित हो रही है। भारत के राज्यों के बीच प्रजनन दरों के मामले में अत्यधिक भिन्नताएँ पाई जाती हैं। केरल और तमिलनाडु जैसे कुछ राज्यों के बीच प्रजनन दरों के मामले में अत्यधिक भिन्नताएँ पाई जाती हैं। केरल और तमिलनाडु जैसे कुछ राज्य प्रजनन दर 1.7 तक नीचे लाने में सफल हुए हैं, लेकिन कुछ राज्य खासतौर पर बिहार, मध्य प्रदेश, उत्तर प्रदेश, राजस्थान ऐसे हैं जहाँ आज भी प्रजनन दरें 3 या उससे ऊपर हैं।

72.

(*a*)	14 बैंकों के राष्ट्रीयकरण का पहला चरण	–	1969
(*b*)	भारतीय निर्यात आयात बैंक की स्थापना	–	1982
(*c*)	बैंकिग प्रणाली पर नरसिंहम प्रथम समिति का गठन	–	1991
(*d*)	फेमा (FEMA) अधिनियम को अधिनियमित करना	–	1999

73. विश्व भुखमरी सूचकांक (World Hunger Index) विश्व के विकासशील देशों में भुखमरी एवं कुपोषण की गणना एवं इसके तुलनात्मक अध्ययन हेतु एक बहुआयामी साधन है। वर्ष 2006 से यह सूचकांक प्रतिवर्ष 'अंतर्राष्ट्रीय खाद्य नीति अनुसंधान संस्था (IFPRI)' द्वारा दो गैर-सरकारी संगठनों यथा 'वेल्टहंगरहिल्फ' (Welthungerhelfe) और 'कंसर्न वर्ल्डवाइड' (Concern Worldwide) की सहायता से प्रकाशित किया गया है।

78. पूँजीगत लाभ (Capital gains) वह आय है जो पूँजीगत निवेश के विक्रय से व्युत्पन्न होती है। शेयर, बॉण्ड, अचल सम्पत्ति आदि के विक्रय से प्राप्त लाभ को पूँजीगत लाभ कहते हैं। पूँजीगत लाभ उस राशि को कहा जाता है जो परिसंपत्तियों के विक्रय से प्राप्त राशि में से परिसंपत्ति को क्रय करने के लिए व्यय की गयी राशि को घटाने से प्राप्त होती है। पूँजीगत लाभ से तात्पर्य आस्ति (Asset) के मूल्य में वृद्धि से होता है।

79. पाल्मा अनुपात (Palma Ratio) आय की असमानता का माप है। पाल्मा अनुपात चिली के अर्थशास्त्री गेब्रियल पाल्मा के नाम पर रखा गया है। गेब्रियल पाल्मा के अनुसार, मध्यम वर्ग की आय लगभग हमेशा सकल राष्ट्रीय आय का आधा हिस्सा दर्शाती है जबकि सकल राष्ट्रीय आय की आबादी का 10% सबसे अमीर और 40% सबसे गरीब के बीच विभाजित होता है।

पाल्मा अनुपात वितरण के मध्य परिवर्तन और शीर्ष और निचले स्तर पर परिवर्तनों की असंवेदनशीलता के लिए गिनी इंडेक्स की अत्यधिक संवेदनशीलता को संबोधित करता है। पाल्मा के अनुसार, वितरण राजनीति मुख्य रूप से गरीबों और मध्य वर्ग के साथ संघर्ष का संबंध है।

87. अर्थशास्त्र में, इनपुट-आउटपुट मॉडल एक मात्रात्मक आर्थिक तकनीक है जो राष्ट्रीय अर्थव्यवस्था या विभिन्न क्षेत्रीय अर्थव्यवस्थाओं की विभिन्न शाखाओं के बीच परस्पर निर्भरता का प्रतिनिधित्व करता है। इस विश्लेषण का क्षेत्र लियोन्तिफ को दिया जाता है जिसके लिये इन्हें नोबेल पुरस्कार भी प्रदान किया गया।

लियोन्तिफ की स्थैतिक प्रणाली की आर्थिक व्यवहार्यता और प्रौद्योगिकी साध्यता की हॉकिन्स-साइमन शर्तें हैं।

90. पैनल आँकड़ा (Panel Data) पद्धति के अंतर्गत कुछ लोगों का पैनल (दल) बना दिया जाता है जो अनुसंधानकर्ता को जनता के रुख, रुचि एवं वैचारिक भावनाओं की सूचना-सामग्री प्रदान करते हैं। यह स्रोत काफी विश्वसनीय है।

पैनल विधि डेटा संग्रह की ऐसी विधि है, जिसके द्वारा डेटा का संग्रह या तो मेल संग्रह या व्यक्तिगत साक्षात्कार के द्वारा एक अंतराल पर ही नमूने के उत्तरदाताओं से एकत्र किया जाता है। इसे आर्थिक दशाओं, एक्सपेंडिचर पैटर्न, उपभोक्ता व्यवहार आदि पर Longitudinal Studies पर प्रयोग किया जाता है।

पैनल विधि की बुनियादी विशेषता समय की अवधि में एक ही व्यक्ति से एक ही आइटम पर डेटा का लगातार संग्रह है।

92. एफ-टेस्ट (F-test) को प्रतिपादित और विकसित करने का श्रेय फिशर एवं जार्ज स्नैडेकॉर को दिया जाता है। F-test को प्रसरण अनुपात जाँच विधि के नाम से भी जाना जाता है। इसका प्रयोग तब किया जाता है जब दो प्रसरणों (Variance) अर्थात् विचरण मापांकों के अंतर की सार्थकता की जाँच करनी हो। अन्य शब्दों में, जब इस तथ्य का पता लगाना हो कि समग्र के प्रसरण के दो स्वतंत्र अनुमान सार्थक रूप से भिन्न हैं अर्थात् दोनों प्रतिदर्श एक ही समष्टि-प्रसरण वाले प्रसामान्य समग्र में उद्धृत किये गये हैं या नहीं तो प्रसरण-अनुपात परीक्षण विधि का प्रयोग किया जाता है।

93. **स्तरीकृत यादृच्छिक प्रतिदर्श (Stratified Random Sampling):** एक प्रतिदर्श को जनसंख्या का सच्चा प्रतिनिधित्व करना चाहिए। इसीलिए कई बार जब सम्पूर्ण जनसंख्या विजातीय होती है अथवा शोध की प्रकृति के आधार पर किसी भी प्रकार के पक्षपात से बचने के लिए प्रतिदर्श में जनसंख्या के हर वर्ग से इकाइयों का प्रतिनिधित्व आवश्यक हो जाता है, तो उस स्थिति में स्तरीकृत यादृच्छिक प्रतिदर्श का प्रयोग किया जाता है।

स्तरीकृत यादृच्छिक प्रतिदर्श या स्तरवार प्रायिकता चयन (Stratified Random Sampling) से अभिप्राय ऐसी विधि से है जिसमें प्रतिदर्श की इकाई का चयन सम्पूर्ण जनसंख्या को स्तरों (Stratum) में विभाजित करके किया जाता है एवं प्रत्येक 'स्तर' से कुछ इकाइयों का 'सरल प्रायिकता विधि' के आधार पर चयन किया जाता है।

94. रिकर्सिव सिस्टम (Recursive System) एक प्रणाली है जिसमें वर्तमान आउटपुट पिछले आउटपुट और इनपुट पर निर्भर करता है।

प्रत्येक समीकरण में OLS का पृथक अनुप्रयोग करके प्राचलों का तर्कसंगत आकलन किया जा सकता है। इसमें अन्य समीकरणों में स्वतंत्र चर अन्य पदों के साथ सहसंबंधित हो सकते हैं।

पिछले प्रश्न-पत्र (हल सहित)

UGC-NET जूनियर रिसर्च फैलोशिप तथा सहायक प्राध्यापक परीक्षा

अर्थशास्त्र, नवम्बर-2017*

प्रश्न-पत्र-II

निर्देश : *इस प्रश्न-पत्र में* **पचास (50)** *बहु-विकल्पीय प्रश्न हैं। प्रत्येक प्रश्न के* **दो (2)** *अंक हैं।* **सभी** *प्रश्न अनिवार्य हैं।*

1. दो समानांतर माँग वक्र रेखाओं AB और CD के साथ निम्नलिखित आरेख पर विचार कीजिए:

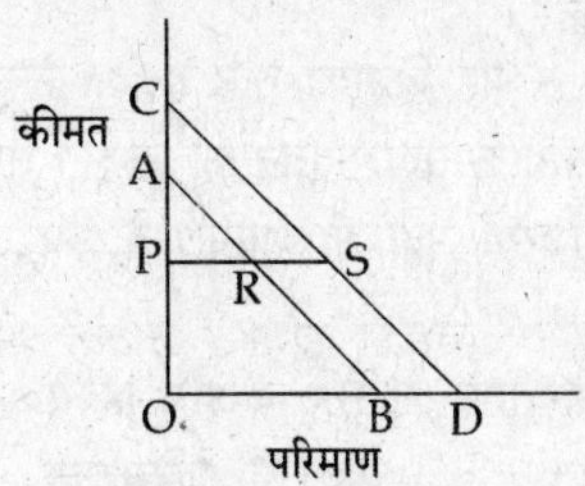

माँग की कीमत लोचः

A. बिन्दु R और S पर समान है।

B. बिन्दु R पर बिन्दु S से ज्यादा है।

C. बिन्दु R पर बिन्दु S से कम है।

D. बिन्दु R और S पर अनंत है।

2. निम्नलिखित में से किसके लिए वर्ष 2016 में अर्थशास्त्र में नोबेल पुरस्कार प्रदान किया गया था?

A. व्यापार प्रतिमान और आर्थिक गतिविधि के स्थान निर्धारण का विश्लेषण

B. परिसम्पत्ति-कीमतों का विश्लेषण

C. वैश्वीकरण का विश्लेषण

D. संविदा सिद्धान्त में योगदान

3. निम्नलिखित में से कौन-सा एक पूर्ण प्रतियोगिता के लिए सही **नहीं** है?

A. कीमत = एल.ए.सी. (LAC)

B. एक वस्तु के लिए बाजार माँग वक्र X अक्ष के प्रति क्षैतिज होता है

C. फर्में सामान्य लाभ अर्जित करती हैं

D. दीर्घकालिक अवधि में, फर्में औसत लागत के न्यूनतम बिन्दु पर परिचालन करती हैं

4. निम्नलिखित कथनों में से कौन-सा **सही** है?

A. औसत परिवर्तनशील लागत और सीमांत लागत का न्यूनतम बिन्दु एक ही उत्पादन स्तर पर समान होते हैं।

B. औसत परिवर्तनशील लागत का न्यूनतम, सीमांत लागत के न्यूनतम की तुलना में कम उत्पादन पर प्राप्त होता है।

C. औसत परिवर्तनशील लागत का न्यूनतम, सीमांत लागत के न्यूनतम की तुलना में अधिक उत्पादन पर प्राप्त होता है।

D. प्रतिफल के नियमों के क्रियाशील होने के कारण उपर्युक्त में से कोई भी संभव है।

5. एक एकाधिकारात्मक प्रतियोगिता में एक फर्म निम्नलिखित में से किस लिये विज्ञापन करती है?

A. अपने उत्पाद को अपनी प्रतिस्पर्धात्मक कंपनियों के अधिक समान बनाने हेतु

B. अपने उत्पाद के लिए माँग वक्र को बायीं ओर स्थानांतरित करने हेतु

C. अपने उत्पाद के लिए माँग की कीमत लोच को कम करने हेतु

D. उद्योग की कीमत को घटाने हेतु

6. प्रभावी न्यूनतम मजदूरी में वृद्धि का रोजगार पर कम प्रभाव के लिए निम्नलिखित में से कौन **सही** है?

(*a*) श्रमिक की माँग अपेक्षाकृत बेलोचदार होती है।

(*b*) श्रमिक की माँग अपेक्षाकृत लोचदार होती है।

(*c*) श्रमिक की माँग व्युत्पन्न माँग होती है।

* Held on 5 November, 2017.

नीचे दिए गए कूट में से **सही** उत्तर चुनिएः

A. केवल (*a*) B. केवल (*c*)

C. (*a*) और (*b*) D. (*a*) और (*c*)

7. माना कि लोग अपने हैमबर्गरों को प्याज के साथ पसंद करते हैं, यदि हैमबर्गरों की आपूर्ति में कमी आती हैं, तो प्याज की माँग में निम्नलिखित में से सर्वाधिक संभाव्यता किसकी होगी?

A. अपरिवर्तित बनी रहेगी क्योंकि हैमबर्गर और प्याज अलग-अलग वस्तुएँ हैं।

B. वृद्धि होगी क्योंकि हैमबर्गर और प्याज स्थानापन्न हैं।

C. वृद्धि होगी क्योंकि हैमबर्गर और प्याज एक-दूसरे के पूरक हैं।

D. कमी आएगी क्योंकि हैमबर्गर और प्याज एक-दूसरे के पूरक हैं।

8. जब उत्पादन में वृद्धि होती है, तो अल्पावधि में, निम्नलिखित लागतों में से कौन-सी लागत में निरंतर कमी आनी चाहिए?

A. कुल परिवर्तनशील लागत

B. कुल स्थिर लागत

C. औसत परिवर्तनशील लागत

D. औसत स्थिर लागत

9. यदि निर्यात कीमतें 5 प्रतिशत बढ़ें और आयात कीमतों में 20 प्रतिशत वृद्धि हो, तो वस्तु व्यापार शर्तें होंगीः

A. 0.91 B. 0.87

C. 0.25 D. 4

10. यदि आर्थिक अभिकर्ता नीति परिवर्तनों का पूर्ण रूप से पूर्वानुमान लगा लेते हैं और यदि मजदूरी सहित सभी कीमतें पूर्ण रूप से लोचशील हैं तो निम्नलिखित में से दीर्घकालिक अवधि में कौन-सा सही है?

A. मुद्रास्फीति और बेरोजगारी के बीच कोई ट्रेड-ऑफ नहीं होगा

B. बेरोजगारी दर, बेरोजगारी की वास्तविक दर से कम होगी

C. कीमत स्तर स्थिर होगा

D. मुद्रा आपूर्ति में परिवर्तन से कीमत स्तर में परिवर्तन नहीं होगा

11. निम्नलिखित में से यह किसका कथन था कि "मुद्रास्फीति प्रत्येक स्थल पर और सदैव एक मौद्रिक घटना है?"

A. मिल्टन फ्रीडमैन B. जेम्स टोबिन

C. टी.डब्ल्यू. स्वान D. ए.डब्ल्यू. फिलिप्स

12. निम्नलिखित में से कौन-सा सही रूप से सुमेलित नहीं है?

	प्रत्यय	**अर्थशास्त्री**
A.	नवीन क्लासिकी अर्थशास्त्र	रॉबर्ट लुकास
B.	संतुलित बजट के बहुआयामी प्रभाव	टी.एच. हैवेल्मो
C.	नवीन केन्सीयन अर्थशास्त्र	पॉल रोमर
D.	स्थायी आय परिकल्पना	एम. फ्रीडमैन

13. निम्नलिखित में से यह किसका तर्क है कि केन्स का अनैच्छिक बेरोजगारी के साथ संतुलन का सिद्धांत सामान्य संतुलन मॉडल जिसमें मुद्रा भी शामिल है, का विशेष मामला है?

A. डब्ल्यू. लियोनतीफ B. जे.आर. हिक्स

C. एम. फ्रीडमैन D. डी. पेटिनकिन

14. एडम स्मिथ ने निम्नलिखित में से किसका समर्थन किया है?

(*a*) मुक्त अर्थव्यवस्था

(*b*) अदृश्य शक्ति

(*c*) मुक्त व्यापार नीति

(*d*) प्रतिस्पर्धात्मक बाजार

नीचे दिए गए कूट में से **सही** उत्तर का चयन कीजिएः

A. (*a*) और (*b*) B. (*b*) और (*c*)

C. (*a*), (*b*) और (*c*) D. (*a*), (*b*), (*c*) और (*d*)

15. निम्नलिखित को उनके कार्यान्वयन की अवधि के क्रम में इंगित कीजिए, (भारतीय संदर्भ में):

(*a*) आय कर

(*b*) व्यय कर

(*c*) राज्य स्तर पर मूल्य-संवर्धित कर

(*d*) सेवा कर

नीचे दिए गए कूट में से **सही** उत्तर का चयन कीजिएः

A. (*a*), (*c*), (*b*), (*d*) B. (*a*), (*b*), (*d*), (*c*)

C. (*b*), (*c*), (*d*), (*a*) D. (*c*), (*d*), (*a*), (*b*)

16. निम्नलिखित देशों के समूहन को एकीकरण के न्यून से उच्चतर क्रम में व्यवस्थित कीजिए:

(*a*) एफ.टी.ए.

(*b*) आर्थिक संघ

(*c*) साझा बाजार

(*d*) तटकर संघ

नीचे दिए गए कूट में से **सही** उत्तर का चयन कीजिए:

A. (*a*), (*d*), (*c*), (*b*) B. (*a*), (*c*), (*b*), (*d*)

C. (*b*), (*a*), (*d*), (*c*) D. (*b*), (*c*), (*d*), (*a*)

17. निम्नलिखित में से किसके परिणामस्वरूप एक देश अपने व्यापार शेष में बढ़ता हुआ अतिरेक प्राप्त कर सकता है:

A. आयात में कमी और निर्यात में वृद्धि करके

B. व्यापारिक साझेदारों के द्वारा उच्च प्रशुल्क लगाने पर

C. घरेलू मुद्रास्फीति में वृद्धि करके

D. पूँजी अन्तर्वाह में वृद्धि करके

18. निम्नलिखित कथनों में से कौन-से/सा एक देश के चालू खाते के लिए सही है?

(*a*) यह विदेशी व्यापार क्षेत्र में शुद्ध सृजित आय को प्रदर्शित करता है।

(*b*) यह वित्तीय प्रकृति में दावों और दायित्वों से संबंधित है।

नीचे दिए गए कूट में से **सही** उत्तर चुनिए:

A. केवल (*a*) सही है

B. केवल (*b*) सही है

C. दोनों (*a*) और (*b*) सही हैं

D. न ही (*a*), न ही (*b*) सही है

19. निम्नलिखित अर्थशास्त्रियों में से कौन संरक्षणवादी व्यापार नीति का मजबूती से समर्थन करते हैं?

A. एफ. लिस्ट और ए. हेमिल्टन

B. एडम स्मिथ और डेविड रिकार्डो

C. जे.एस. मिल और पी. क्रूगमैन

D. ए. हेमिल्टन और जे.एस. मिल

20. निम्नलिखित में से कौन-सी मद को विकासशील देशों में सर्वाधिक दीर्घकालिक वृद्धि कारक माना जाता है:

A. आयातित पूँजी वस्तुओं पर प्रशुल्क

B. पूँजी वस्तुओं की खरीद के लिए व्यवसाय में सहायकी

C. बेरोजगारी भत्ते

D. पेंशन भुगतान

21. एशिया, अफ्रीका और लैटिन अमरीका में अल्प विकास के लिए बरन की क्या व्याख्या है?

A. विदेशों से एकाधिकारी व्यवसाय

B. रूढ़िवादी शासक गठबंधन

C. कमजोर घरेलू मध्यम वर्ग

D. उपर्युक्त सभी

22. निम्नलिखित में से किसके द्वारा कर भार के आबंटन का लाभ सिद्धांत दिया गया है?

A. सेलिग्मैन B. लिनढाल

C. डाल्टन D. पीगू

23. निम्नलिखित पर विचार कीजिए:

(*a*) अल्पाधिकारी बाजार संरचना

(*b*) पैमाने की मितव्ययताएं

उपरोक्त में से विकास के बारे में रोजेन्टीन रोडन के दृष्टिकोण की कौन-सी विशिष्ट विशेषताएं हैं?

नीचे दिए गए कूट में से उत्तर दीजिए:

A. उपरोक्त (*a*) और (*b*) दोनों

B. उपरोक्त (*a*) और (*b*) में से कोई भी नहीं

C. केवल (*a*)

D. केवल (*b*)

24. आय (Y) के सभी स्तरों के लिए उपभोग की सीमांत प्रवृत्ति (एम.पी.सी.) = उपभोग की औसत प्रवृत्ति (एम.पी.सी.) है, तो संगत उपभोग फलन होगा:

A. $C = a + bY$ B. $C = bY$

C. $C = bY^2$ D. $C = a + bY^2$

25. निम्नलिखित में से किस माल को सन्दर्भ एक जुलाई, 2017, जी.एस.टी. के अंतर्गत सम्मिलित किया गया है?

A. बिजली

B. तरलीकृत पैट्रोलियम गैस

C. हाई स्पीड डीजल

D. पेट्रोलियम क्रूड

26. आपूर्ति में जितना अधिक लोच होगा, उतना ही अधिक होगा:

A. क्रेता पर करापात B. विक्रेता पर करापात
C. विक्रेता पर कराघात D. क्रेता पर कराघात

27. कराधान के भुगतान की योग्यता का सिद्धान्त किस आदर्शवादी धारणा के साथ तार्किक रूप से सर्वाधिक संगत है?

A. कर निरपेक्षता
B. क्षैतिजीय समता
C. मूल्य संवर्धित कराधान
D. ऊर्ध्वाधर समता

28. अधिकतम सामाजिक लाभ का सिद्धांत किससे संबंधित है?

A. केवल कराधान
B. केवल सार्वजनिक व्यय
C. केवल सार्वजनिक ऋण
D. कराधान और सार्वजनिक व्यय दोनों

29. इष्टतम प्रशुल्क के बारे में निम्नलिखित कथनों पर विचार कीजिए:

(*a*) लाभार्थी देश विश्व बाजार में किसी विशेष वस्तु के बारे में बड़ा उत्पादक देश होता है।
(*b*) इष्टतम प्रशुल्क में विचलन से कल्याण में गिरावट प्राप्त होगी।

उपरोक्त में से कौन-सा कथन सही है? नीचे दिए गए कूट में से उत्तर दीजिए:

A. (*a*) और (*b*) दोनों सही हैं।
B. (*a*) और (*b*) में से कोई भी सही नहीं है।
C. केवल (*a*) सही है।
D. केवल (*b*) सही है।

30. मेलिट्ज द्वारा विकसित नए व्यापार सिद्धांत का निम्नलिखित में से कौन-सा विशिष्ट निहितार्थ नए व्यापार सिद्धांत से भिन्न है?

A. व्यापार से औसत उत्पादकता में वृद्धि होती है क्योंकि अधिक उत्पादक फर्मों का विस्तार होता है।
B. राज्य का सहायक हस्तक्षेप।
C. व्यापार आर. एंड डी. को प्रोत्साहित करता है और नए उत्पादों का मार्ग प्रशस्त होता है।
D. देश एक ही उद्योग के माल का निर्यात और आयात कर सकता है।

31. यह विचार कि विकास के साथ आय की असमानताएं पहले बढ़ती हैं और उसके आगे के विकास के साथ कम होती हैं तथा उसको 'उलटी यू' परिकल्पना के रूप में भी जाना जाता है, जिसका/जिसको:

A. सभी आनुभविक अध्ययनों में समर्थन किया गया है।
B. मुख्य रूप से अनुप्रस्थकाट अध्ययनों में समर्थन किया गया है, जबकि काल श्रेणी अध्ययनों में समर्थन नहीं किया गया है।
C. काल श्रेणी अध्ययनों में समर्थन किया गया है, जबकि अनुप्रस्थकाट अध्ययनों में समर्थन नहीं किया गया है।
D. आनुभविक अध्ययनों में आमतौर पर निरस्त किया गया है।

32. एडम स्मिथ के 'अदृश्य हाथ' (इनविजिबल हैंड) का अंतिम प्रभाव यह है कि एक प्रतिस्पर्धात्मक अर्थव्यवस्था में प्रत्येक व्यक्तिः

A. यदि वह अपने हित में कार्य करता है तो लाभ पाता है।
B. वह एक मुक्त बाजार में अपने लाभ में वृद्धि करेगा।
C. उसे आर्थिक संवृद्धि को अधिकतम बनाने का कार्य करना चाहिए।
D. उसे सार्वजनिक हित को प्रोत्साहन देने का कार्य करना चाहिए।

33. सूची-I को सूची-II से सुमेलित कीजिए और नीचे दिए गए कूट में से सही उत्तर को चुनिए:

सूची-I (निवेश कसौटियाँ)	सूची-II (अर्थशास्त्री)
(*a*) काल श्रेणी कसौटी	(*i*) ओटो एकस्टीन
(*b*) सामाजिक सीमांत उत्पादकता कसौटी	(*ii*) ए.के. सेन
(*c*) सीमांत संवृद्धि योगदान कसौटी	(*iii*) ए.ई. कॉन
(*d*) सीमांत प्रति व्यक्ति पुनर्निवेश कसौटी	(*iv*) गालेन्स्टीन-लिबेन्स्टीन

कूटः

	(*a*)	(*b*)	(*c*)	(*d*)
A.	(*ii*)	(*i*)	(*iv*)	(*iii*)
B.	(*iv*)	(*iii*)	(*i*)	(*ii*)
C.	(*ii*)	(*iii*)	(*i*)	(*iv*)
D.	(*iii*)	(*ii*)	(*iv*)	(*i*)

34. यदि सोलो के संवृद्धि मॉडल की मुख्य भविष्यवाणी वैध हैं, तोः

A. देशों के बीच प्रति व्यक्ति वास्तविक जी.डी.पी. के अन्तरों में वृद्धि होगी।

B. देशों के बीच प्रति व्यक्ति वास्तविक जी.डी.पी. के अन्तरों में कमी होगी।

C. आर्थिक स्वतंत्रता कम होगी, जैसा कि हेरीटेज फाउंडेशन सूचकांक में मापा गया है।

D. अमीर देशों में जनसंख्या वृद्धि दर में वृद्धि होगी।

35. उपभोग फलन C = 0.75 Y और निवेश फलन, I = 110 – 0.25 *i* दिए होने पर IS फलन का समीकरण होगाः

A. Y = 110 – 0.75 *i*

B. Y = 440 – *i*

C. Y = 500 – 0.25 *i*

D. Y = 400 – 0.75 *i*

36. निम्नलिखित में से किस क्षेत्र में अवधि (2004-05 से 2009-10) के दौरान रोजगार लोच का अनुमान इकाई से अधिक किया गया हैः

A. कृषि B. निर्माण (कन्सट्रक्शन)

C. विनिर्माण D. खनन और खान

37. निम्नलिखित को कालक्रम में व्यवस्थित कीजिएः

(*a*) महालनोबिस मॉडल

(*b*) अनवरत योजना का प्रारंभ

(*c*) योजना अवकाश की घोषणा

(*d*) समावेशी संवृद्धि रणनीति

नीचे दिए गए कूट में से उत्तर चुनिएः

A. (*b*), (*a*), (*c*), (*d*) B. (*a*), (*c*), (*b*), (*d*)

C. (*c*), (*a*), (*b*), (*d*) D. (*a*), (*c*), (*d*), (*b*)

38. निम्नलिखित में से कौन-सा कथन 2014-16 की अवधि के दौरान भारतीय अर्थव्यवस्था के संबंध में सही है?

A. निर्यात उत्साहजनक रहे हैं।

B. निजी पूंजी निवेश तेज गति से हुआ।

C. A और B दोनों सही हैं।

D. A और B में से कोई भी सही नहीं है।

39. जी.एस.टी. के अंतर्गत माल के वर्गीकरण के लिए प्रयुक्त कोड हैः

A. एन.आई.सी. B. एच.एस.एन.

C. जी.एस.टी.एन. D. आई.टी.सी.

40. यदि देश में सी.पी.आई. आधारित मुद्रास्फीति दर इस प्रकार दी गई हैः

वर्ष :	2017	2016	2015	2014	2013
मुद्रास्फीति दर : (प्रतिशत)	2	5	6	7	9

इस प्रवृत्ति को कहा ज़ाएगाः

A. विस्फीति B. अवस्फीति

C. रेंगती हुई स्फीति D. अवरोधात्मक स्फीति

41. जनगणना 2011 के अनुसार, निम्नलिखित में से किस राज्य में सबसे कम प्रतिशत शहरी जनसंख्या है?

A. बिहार B. ओडिशा

C. हिमाचल प्रदेश D. मेघालय

42. यदि वर्ष 1980 और 2000 के लिए मूल्य आंकड़े दिए गए हैं और वर्ष 2000 के लिए केवल मात्रा आंकड़े दिए गए हैं तो 1980 को आधार मानने पर किस प्रकार के सूचकांक की रचना की जा सकती है?

A. लैसपेयर का सूचकांक B. पाशे सूचकांक

C. फिशर सूचकांक D. केली सूचकांक

43. यदि दो घटनाएं, A और B परस्पर अपवर्जी हैं, तो निम्नलिखित में से कौन-सा **सही** है?

A. P(A + B) = P(A) + P(B)

B. P(AB) = P(A).P(B)

C. P(AB) = P(A)/P(B)

D. P(A/B) = P(A) – P(B)

44. यदि 1,000 सीमांत, लघु और बड़े कृषकों के समग्र से 100 कृषकों का नमूना लिया जाना है, तो निम्नलिखित में से कौन-सा नमूना-चयन सर्वाधिक उपयुक्त होगा?

A. सरल यादृच्छिक नमूना-चयन
B. क्लस्टर नमूना-चयन
C. स्तरित यादृच्छिक नमूना-चयन
D. व्यवस्थित नमूना-चयन

45. मूल्यों के एक समुच्चय के विचरण के वर्गों का योग न्यूनतम है, तो किससे विचरण लिए जायेंगे:

A. समानांतर माध्य से B. हरात्मक माध्य से
C. माध्यिका से D. ज्यामितीय माध्य से

46. सूची-I को सूची-II से सुमेलित कीजिए और नीचे दिए गए कूट में से सही उत्तर को चुनिए:

सूची-I	**सूची-II**
(*a*) नमूना-चयन बंटन	(*i*) प्वासां बंटन
(*b*) असतत बंटन	(*ii*) काई वर्ग (χ^2) का बंटन
(*c*) केन्द्रीय प्रवृत्ति के माप	(*iii*) गैर-संभाव्यता आधारित नमूना-चयन
(*d*) उद्देश्यात्मक नमूना-चयन	(*iv*) बहुलक

कूट :

	(*a*)	(*b*)	(*c*)	(*d*)
A.	(*i*)	(*ii*)	(*iii*)	(*iv*)
B.	(*iii*)	(*i*)	(*ii*)	(*iv*)
C.	(*ii*)	(*i*)	(*iv*)	(*iii*)
D.	(*iv*)	(*iii*)	(*i*)	(*ii*)

निर्देश (प्र.सं. 47 से 50 तक): *नीचे दो कथन दिए गए हैं जिनमें एक अभिकथन (A) और दूसरा तर्क (R)। प्रश्नों के उत्तर का चयन नीचे दिए गए कूटों का प्रयोग करके करें।*

A. (A) और (R) दोनों सही हैं और (R), (A) की सही व्याख्या है।
B. (A) और (R) दोनों सही हैं, किंतु (R), (A) की सही व्याख्या नहीं है।
C. (A) सही है, किंतु (R) सही नहीं है।
D. (A) सही नहीं है, किंतु (R) सही है।

47. अभिकथन (A) : अनेक विकासशील देशों की माँग है कि प्राकृतिक व्यक्तियों का देशों के पार आवागमन को प्रोत्साहित किया जाना चाहिए।
तर्क (R) : विकासशील देशों के पास श्रम-बहुल सेवाओं में प्रतिस्पर्धात्मक लाभ होता है।

48. अभिकथन (A) : प्रकटित अधिमान सिद्धांत गिफिन वस्तु को बहिष्कृत करता है।
तर्क (R) : प्रकटित अधिमान सिद्धांत केवल माँग के ऋणात्मक आय लोच पर विचार करता है।

49. अभिकथन (A) : भारतीय कृषि में अभी भी श्रमिकों के एक बड़े भाग का उपयोग होता है।
तर्क (R) : कृषि क्षेत्र में रोजगार लोच उच्च है।

50. अभिकथन (A) : फ्रीडमैन का तर्क है कि मुद्रा माँग फलन एक स्थायी फलन है।
तर्क (R) : फ्रीडमैन मुद्रा को एक प्रकार की परिसम्पत्ति मानते हैं, जिसमें संपदा धारक अपनी संपदा का एक भाग रख सकते हैं।

उत्तरमाला

1	2	3	4	5	6	7	8	9	10
B	D	B	C	C	D	D	D	B	A
11	**12**	**13**	**14**	**15**	**16**	**17**	**18**	**19**	**20**
A	C	D	D	B	A	A	A	A	B
21	**22**	**23**	**24**	**25**	**26**	**27**	**28**	**29**	**30**
D	B	A	B	B	A	D	D	A	A
31	**32**	**33**	**34**	**35**	**36**	**37**	**38**	**39**	**40**
B	A	C	B	B	B	B	D	B	A
41	**42**	**43**	**44**	**45**	**46**	**47**	**48**	**49**	**50**
C	B	A	C	A	C	A	C	C	B

व्याख्यात्मक उत्तर

2. वर्ष 2016 में अर्थशास्त्र में नोबेल पुरस्कार अर्थशास्त्री ओलिवर हर्ट एवं वेंग्ट होमस्ट्रोम को "संविदा सिद्धांत में योगदान" (Contributions to Contract Theory) के लिए प्रदान किया गया। इन दोनों ने जिस संविदा सिद्धांत को विकसित किया है, उसमें शीर्ष अधिकारियों के लिए प्रदर्शन आधारित वेतन, बीमा में कटौती योग्य व सह भुगतान और सार्वजनिक क्षेत्र की गतिविधियों का निजीकरण जैसे अनुबंध प्रारूप में कई विविध मामलों का व्यापक विश्लेषण किया गया है।

हार्ट और होल्मस्ट्रोम के विकसित किए गए नए सैद्धांतिक उपकरण वास्तविक जीवन के अनुबंधों और संस्थाओं को समझने के साथ-साथ अनुबंध प्रारूप के संभावित खतरों के आकलन में भी महत्वपूर्ण हैं।

3. पूर्ण प्रतियोगिता (Perfect Competition) बाजार के उस रूप को कहते हैं जिसमें विक्रेताओं की संख्या की कोई सीमा नहीं होती। फलतः कोई भी एक उत्पादक (विक्रेता) बाजार से वस्तु की कीमत पर प्रभाव नहीं डाल सकता। अर्थात् पूर्ण प्रतियोगिता बाजार की वह स्थिति है जिसमें बहुत से क्रेता और विक्रेता होते हैं और यह दोनों ही कीमत स्वीकार्य होते हैं।

पूर्ण प्रतियोगिता के होने के लिए पूर्वानुमान

- प्रत्येक उत्पादक बाजार की पूरी आपूर्ति का इतना छोटा हिस्सा प्रदान करता है कि वो अकेला बाजार में वस्तु की कीमत पर प्रभाव नहीं डाल सकता।
- प्रत्येक उत्पादक के द्वारा बनायी गयी वस्तु समान होती है।
- प्रत्येक उत्पादक बाजार में उपलब्ध उत्पादन तकनीक तक पहुँच रखता है।
- किसी भी नए उत्पादक के बाजार में आने पर अथवा बाजार में उपस्थित किसी उत्पादक के बाजार से निकलने पर कोई रोक टोक नहीं है।
- बाजार में विद्यमान प्रत्येक क्रेता और विक्रेता के बाजार का पूर्ण ज्ञान है।

पूर्ण प्रतियोगिता में विक्रेता का मांग-वक्र पूर्णतः लोचशील होता है क्योंकि वह बाजार निर्धारित मूल्य पर जितना चाहे उत्पादन कर सकता है और उसे बेच सकता है।

5. एकाधिकार प्रतियोगिता (Monopolistic Competition) बाजार की स्थिति को स्पष्ट करती है। बाजार की इस स्थिति में प्रतियोगिता उपस्थित रहती है, परन्तु यह प्रतियोगिता पूर्ण एवं शुद्ध अवस्था में नहीं होती। इसमें अधिक संख्या में वस्तु उत्पादक एवं विक्रेताओं का समूह होता है जो एकाधिकार की प्रवृति रखते हुए आपस में प्रतियोगिता करता है।

एकाधिकार प्रतियोगिता की विशेषताएँ :

- अधिक संख्याओं में विक्रेताओं का होना—ये परस्पर प्रतियोगिता करके निकट स्थानापन्न (close substitude) वस्तुओं का विक्रय करते हैं।
- कोई भी फर्म समूह में प्रवेश करके निकट स्थानापन्न वस्तुओं का उत्पादन कर सकती है अर्थात् नई फर्म के प्रवेश व बाहर आने पर कोई प्रतिबंध नहीं है।
- एकाधिकार प्रतियोगिता में फर्मों की अपनी मूल्य नीति होती है।

एक एकाधिकार प्रतियोगिता में एक फर्म अपने उत्पाद के लिए माँग की कीमत की लोच को कम करने हेतु विज्ञापन करती है।

8. औसत स्थिर लागत (Average Fixed Cost) उत्पादन की प्रति इकाई स्थिर लागत है। अन्य शब्दों में, कुल स्थिर लागत को उत्पादन की कुल मात्रा से भाग देने पर स्थिर लागत प्राप्त होती है।

$$\text{अतः औसत स्थिर लागत} = \frac{\text{कुल स्थिर लागत}}{\text{उत्पादन की कुल मात्रा}}$$

$$AFC = \frac{TFC}{Q}$$

चूंकि कुल स्थिर लागत (TFC) एक स्थिर मात्रा होती है, इसलिए औसत स्थिर लागत उत्पादन बढ़ने पर लगातार घटती जाएगी।

जब उत्पादन में वृद्धि होती है, तो अल्पावधि में, औसत स्थिर लागत में निरंतर कमी आनी चाहिए।

9. Commodity Terms of Trade: The commodity or net barter terms of trade is the ratio between the prices of a country's export goods and import goods. Symbolically, it can be expressed as $Tc = \frac{Px}{Pm}$. Where Tc stands for the commodity terms of trade, P for Price, the subscript x for export and m for imports.

$$Tc = \frac{\text{Price of Export}}{\text{Price of Import}} = \frac{105}{120} = 0.87.$$

11. कीमतों में सामान्य स्तर में लगातार वृद्धि होने को मुद्रास्फीति कहते हैं। मिल्टन फ्राइडमैन एक अमेरिकी नोबेल पुरस्कार विजेता अर्थशास्त्री हैं। उनका कहना है कि–"मुद्रास्फीति हमेशा और हर जगह मौद्रिक कारण से होती है।" यह कहने से उनका मतलब था कि एक अवधि में मुद्रास्फीति तब बढ़ती है जब मुद्रा की पूर्ति अर्थव्यवस्था में वृद्धि से ज्यादा होती है। मुद्रास्फीति को "जरा सी वस्तुओं की खरीद के लिए ज्यादा मात्रा में पैसे की उपलब्धता" के रूप में भी परिभाषित किया गया है।

13. केंस के पूँजीवादी अर्थव्यवस्था में पूर्ण रोजगार संतुलन की क्लासिकी सिद्धांत की मान्यता को अवास्तविक बताया। केंस के अनुसार पूँजीवादी अर्थव्यवस्थाओं में अनैच्छिक बेरोजगारी (involuntary unemployment) का अस्तित्व यह सिद्ध करता है कि अल्परोजगार संतुलन एक समान्य स्थिति है और पूर्ण रोजगार संतुलन की स्थिति असाधारण तथा आकस्मिक है।

डी. पेटिनकिन का तर्क है कि केंस का अनैच्छिक बेरोजगारी के साथ संतुलन का सिद्धांत सामान्य संतुलन मॉडल जिसमें मुद्रा भी शामिल है, का विशेष मामला है।

14. एडम स्मिथ को अर्थशास्त्र का जनक कहा जाता है। उनकी पुस्तक 'राष्ट्रों की संपदा' (The Wealth of Nations) ने 18वीं शताब्दी के इतिहासकारों और अर्थशास्त्रियों को प्रभावित किया। स्मिथ अपनी पुस्तक The Wealth of Nations में आर्थिक सिद्धांतों की दार्शनिक विवेचनाएं की हैं।

स्मिथ की ख्याति उनके सिद्धांत 'मुक्त अर्थव्यवस्था' (Laissez-Faire) के कारण है, जो आगे चलकर उदार आर्थिक नीतियों का प्रवर्तक सिद्धांत बना। 'Laissez-Faire' का अभिप्राय था 'कार्य करने की स्वतंत्रता' अर्थात् गतिविधियों के क्षेत्र में सरकार का न्यूनतम हस्तक्षेप।

'The Wealth of Nations' में स्मिथ ने 'अदृश्य शक्ति' (Invisible hand) की व्याख्या की है। उनके अनुसार, एक अर्थव्यवस्था एक स्वतंत्र बाजार परिदृश्य में अच्छी तरह काम कर सकती है जहाँ हर कोई अपने हित के लिए काम करेगा। अपने हित के लिए कार्य करेगा तो लाभ भी प्राप्त होगा। स्मिथ ने 'मुक्त बाजार नीति' (Free Trade Policy) एवं प्रतिस्पर्धात्मक बाजार (Competitive Market) का भी समर्थन किया।

15. आयकर (Income Tax) — 1961
व्ययकर (Expenditure Tax) — 1987
राज्य स्तर पर मूल्य-संवर्धित कर (Value added tax at the state level) — 2005
सेवा कर (Service Tax) — 1994

16. आर्थिक एकीकरण के स्तर को निम्नलिखित 7 चरणों में (न्यून से उच्चतर क्रम में) वर्गीकृत किया जा सकता है:

- अधिमानी व्यापार क्षेत्र (Preferential Trading Area)
- मुक्त व्यापार क्षेत्र (Free Trade Area)
- सीमा शुल्क संघ (Customs Union)
- साझा बाजार (Common Market)
- आर्थिक संघ (Economic Union)
- आर्थिक और मौद्रिक संघ (Economic and Monetary Union)
- पूर्ण आर्थिक एकीकरण (Complete Economic Integration)

18. चालू खाते (Current Account) में देश के वे सभी लेन-देन आते हैं जो वस्तुओं तथा सेवाओं के व्यापार तथा एकपक्षीय (या न लौटाये जाने वाले) हस्तांतरणों से संबंध रखते हैं। सेवाओं के लेन-देन में यात्रा तथा परिवहन, विदेशी निवेशों पर आय तथा भुगतान इत्यादि शामिल रहते हैं।

19. संरक्षणवाद (Protectionism) वह आर्थिक नीति है जिसका अर्थ विभिन्न देशों के बीच व्यापार निरोधक

लगाना है। यह नीति अवैश्विकरण से संबंधित है अर्थात् वैश्वीकरण और मुक्त के विपरीत।

अर्थशास्त्री एफ. लिस्ट एवं ए. हेमिल्टन संरक्षणवादी व्यापार नीति के समर्थक हैं।

21. अंतर्राष्ट्रीय संबंधों से संबंधित लैटिन अमेरिकी विद्वानों ने 'पराश्रिता सिद्धांत' दिया। पराश्रिता सिद्धांत के प्रमुख प्रर्वतक रौल प्रेविस, आंद्रे गुंडर फ्रैंक, पॉल बारन आदि हैं। पराश्रिता ऐतिहासिक रूप से एक ऐसी अंतर्राष्ट्रीय परिस्थिति अथवा प्रक्रिया है जिसकी जड़ें पूँजीवाद के अंतर्राष्ट्रीयकरण में मौजूद हैं और यह विश्व अर्थव्यवस्था को इस तरह का आकार देती है जिसमें कुछ देशों को तो दूसरे देशों की कीमत पर अधिक लाभ पहुँचता है परंतु निम्न देशों की अर्थव्यवस्थाएँ कई तरह की सीमाओं में बंध जाती हैं। इसके परिणामस्वरूप ये निम्न देश अपने विकास के लिए उन विकसित देशों पर निर्भर हो जाते हैं जिनके वे अधीन होते हैं। आश्रित देशों में एशिया, अफ्रीका तथा लैटिन अमेरिका के पिछड़े हुए देश सम्मिलित हैं। इन देशों में अल्प विकास के लिए वरन निम्नलिखित स्थितियों को जिम्मेवार मानते हैं:

- विदेशों से एकाधिकारी व्यवसाय
- रूढ़िवादी शासक गठबंधन
- कमजोर घरेलू मध्यम वर्ग

22. स्वीडन के अर्थशास्त्री एरिक लिनढाल ने 19वीं शताब्दी के विक्सैल और अन्य अर्थशास्त्रियों के विचारों को सरकार की कर-व्यय नीति के संबंध में "स्वैच्छिक विनिमय दृष्टिकोण" द्वारा व्यक्त किया है। इसके दो पहलू हैं: 1. न्यायपूर्ण वितरण प्राप्त करने के लिए सामाजिक-राजनैतिक समस्या। 2. सामाजिक वस्तुओं की व्यवस्था की विशुद्ध राजकोषीय समस्या जबकि वितरण को अप्रभावित रखा गया है।

23. पाल एन. रोजेनटीन रोडन ने 'प्रबल प्रयास सिद्धांत' (The Big Push Theory) का प्रतिपादन किया था। इस सिद्धांत के अनुसार, अल्पविकसित अर्थव्यवस्था में विकास की बाधाओं को पार करने और उसे प्रगति पथ पर चलाने के लिए प्रबल प्रयास की आवश्यकता होती है जो न्यूनतम किन्तु उच्च मात्रा के निवेश के रूप में होना चाहिए। इस सिद्धांत का मानना है कि धीमी गति के विकास के द्वारा अर्थव्यवस्था को सफलतापूर्वक विकास पथ पर नहीं लाया जा सकता बल्कि इसके लिए आवश्यक स्थिति यह है कि एक न्यूनतम मात्रा में निवेश किया जाए। यह सिद्धांत अल्पाधिकारी बाजार संचरना (Oligopolistic Market Structure) एवं पैमाने की मितव्ययताएं (Economics of Scale) को मानता है और बताता है कि औद्योगिकीकरण कब होगा।

24. The short-run Keynesian Function is:

$$C = a + bY,$$

where 'C' stands for consumption, 'a' for autonomous consumption, 'b' for marginal propensity to consume, and 'Y' for income. Now divide it by 'Y' throughout. You get:

$$\frac{C}{Y} = \frac{a}{Y} + b$$

We know that $\frac{C}{Y}$ = average propensity to consume.

So, the function can be rewritten as:

$$APC = \frac{a}{Y} + MPC$$

However in the long run, the consumption function doesn't take into account autonomous consumption, that is, 'a' = 0.

$$\therefore \quad C = bY$$

25. निम्नलिखित वस्तुओं को भारत में जीएसटी (GST) के दायरे से बाहर रखा गया है:

1. मानव उपभोग के लिए शराब
2. पेट्रोलियम उत्पाद : पेट्रोलियम उत्पाद के अंतर्गत् पेट्रोलियम क्रुक, हाई स्पीड डीजल, प्राकृतिक गैस और विमानन टरबाइन ईंधन आदि को GST के दायरे से बाहर रखा गया है।
3. बिजली

26. किसी वस्तु की कीमत में हुए परिवर्तन के प्रति विक्रेताओं की अनुक्रियाशीलता (Responsiveness) को पूर्ति की लोच (Elasticity of supply) कहकर परिभाषित किया

जा सकता है। एक वस्तु की पूर्ति की लोच वस्तु की कीमत में परिवर्तन होने के कारण वस्तु की पूर्ति में आनुपातिक परिवर्तन की प्रवृति को प्रदर्शित करती है। कीमत परिवर्तन के परिणामस्वरूप वस्तु की पूर्ति बढ़ सकती है अथवा घट सकती है। कीमत-परिवर्तन के परिणामस्वरूप जिस सीमा तक वस्तु की पूर्ति बढ़ती है या घटती है, उसे पूर्ति की लोच कहते हैं। आपूर्ति में जितना अधिक लोच होगा, क्रेता पर करापात (incidence of tax on buyers) उतना ही अधिक होगा।

27. कराधान के भुगतान की योग्यता (The Ability-to-Pay Principle) एक सर्वस्वीकृत सिद्धांत है। इस सिद्धांत के अनुसार प्रत्येक व्यक्ति को अपनी भुगतान करने की सामर्थ्य के अनुपात में राज्य को अपना अंशदान देना चाहिए। अर्थात् जिनके पास अधिक आय है, उन्हें अधिक करों का भुगतान करना चाहिए। कराधान के भुगतान की योग्यता का सिद्धांत इस उक्ति के आधार पर बनाया गया है कि कानून के अंतर्गत सभी के साथ समान व्यवहार किया जाना चाहिए। यदि सभी सार्वजनिक सामान से लाभ उठाते हैं तो सभी को भुगतान करना चाहिए। हालांकि हर कोई भुगतान नहीं कर सकता, परंतु जो लोग भुगतान कर सकते हैं उन्हें यह भार सहन करने की आवश्यकता है।

इस सिद्धांत के अनुसार यह भी है कि समान आय वाले समान करों का भुगतान करते हैं और अलग-अलग आय वाले लोग अलग-अलग करों का भुगतान करते हैं। इन्हें क्रमशः क्षैतिज और ऊर्ध्वाधर समता कहा जाता है।

- **क्षैतिजीय समता (Horizontal Equity):** इस कर समता सिद्धांत के अनुसार कर चुकाने की समान क्षमता वाले लोगों को करों की समान राशि का भुगतान करना चाहिए।
- **लंबवत् या ऊर्ध्वाधर समता (Vertical Equity):** यह कर समता (Equity) सिद्धांत बताता है कि कर चुकाने की अलग-अलग क्षमता वाले लोगों को करों की एक अलग राशि का भुगतान करना चाहिए।

कराधान के भुगतान की योग्यता का सिद्धांत ऊर्ध्वाधर समता के आदर्शवादी धारणा के साथ तार्किक रूप से सर्वाधिक संगत है।

28. अधिकतम सामाजिक लाभ का सिद्धांत (Principle of Maximum Social Advantage): ब्रिटेन के अर्थशास्त्री डॉ. डॉल्टन द्वारा प्रतिपादित इस सिद्धांत के अनुसार सरकार को अपनी राजस्व क्रियाओं को इस प्रकार व्यवस्थित करना चाहिए, कि उससे 'अधिकतम सामाजिक कल्याण' की प्राप्ति सम्भव हो सके। यह सिद्धांत सम-सीमान्त उपयोगिता नियम और उपयोगिता ह्रास नियम पर आधारित है। अधिकतम सामाजिक लाभ की प्राप्ति सीमान्त संतुष्टि वक्र के उस बिन्दु पर प्राप्त होती है जहाँ पर सीमान्त त्याग और सीमान्त सन्तुष्टि बराबर होती है। यह सिद्धांत केवल यही नहीं बताता है कि सार्वजनिक आय और व्यय की मात्रा में किस सीमा तक वृद्धि करनी चाहिए, बल्कि यह भी स्पष्ट करता है कि अधिकतम सामाजिक लाभ को प्राप्त करने के लिए सार्वजनिक व्यय की राशि को विभिन्न मदों पर इस प्रकार विभाजित करना चाहिए कि प्रत्येक मद पर व्यय की गई सीमांत इकाई से प्राप्त सीमान्त उपयोगिता बराबर हो।

29. अनुकूलतम या इष्टतम प्रशुल्क (Optimum Tariff): प्रशुल्क की वह मात्रा जिससे किसी देश का लाभ अधिकतम हो सकता है तथा व्यापार शर्तों में अधिकतम सुधार हो सकता है उसे अनुकूलतम प्रशुल्क कहते हैं।

- यदि प्रशुल्क की मात्रा इस अनुकूलतम बिन्दु से अधिक बढ़ायी जाती है, तो व्यापार की शर्तों में सुधार से जो लाभ होता है उसकी तुलना में व्यापार की मात्रा घट जाने से हानि अधिक होती है।
- जब विदेशी प्रस्ताव वक्र की लोच इकाई के बराबर होती है तब इष्टतम प्रशुल्क अनन्त के बराबर होता है।
- आयात करने वाले देश में प्रशुल्क के बाद आयात की मात्रा में कमी होगी बशर्ते कि आयात की माँग लोच पूर्णतः बेलोचदार न हो।
- जब अनुकूल व्यापार शर्त के कारण प्राप्त लाभ और व्यापार की मात्रा में हुई कमी के कारण होने वाली हानि का अंतर धनात्मक और अधिकतम होता है, तो यह अनुकूलतम अथवा इष्टतम प्रशुल्क की स्थिति होती है। इस स्थिति में प्रशुल्क लगाने

वाले देश का व्यापार अधिमान वक्र दूसरे देश के देय वक्र को स्पर्श करता है।

- प्रशुल्क लगाने वाले देश को इष्टतम प्रशुल्क से तभी लाभ हो सकता है जब दूसरे देश का प्रस्ताव वक्र पूर्ण लोचदार (Perfect Elastic) से कम हो। यदि दूसरे देश का प्रस्ताव वक्र पूर्ण लोचदार है तो प्रशुल्क लगाने से प्रशुल्क लगाने वाले देश का कल्याण नहीं बढ़ेगा।

31. कुजनेट्स की आर्थिक वृद्धि और आय वितरण संबंधी परिकल्पना के अनुसार, आर्थिक वृद्धि की प्रारम्भिक अवस्था में सापेक्ष आय असमानता बढ़ती है, कुछ समय के लिए स्थिर होती है और बाद की अवस्थाओं में कम होती है। इसे आय वितरण की विपरीत U आकार की परिकल्पना (inverted U-shaped hypothesis) कहते हैं। विपरीत U-आकार वक्र परिकल्पना वर्तमान विकसित और विकासशील देशों पर लागू होती है, जहाँ विकसित देशों की तुलना में विकासशील देशों में असमानता की कोटि अधिक है।

32. एडम स्मिथ ने 1776 में अपनी प्रसिद्ध पुस्तक "The wealth of Nations" में "अदृश्य हाथ" (Invisible hand) की अवधारणा को समझाया। उनका मानना था कि एक मुक्त बाजार के वातावरण में तर्कसंगत मनुष्यों द्वारा किया जाने वाला आदान-प्रदान समाज में समृद्धि को बढ़ावा देगा। यह विचार स्मिथ के दर्शन का आधार माना जाता है। स्मिथ के "अदृश्य हाथ" का अंतिम प्रभाव यह है कि एक प्रतिस्पर्धात्मक अर्थव्यवस्था में प्रत्येक व्यक्ति यदि वह अपने हित में कार्य करता है तो लाभ पाता है। स्मिथ का कहना था कि अगर प्रत्येक व्यक्ति अपना स्वहित प्राप्त करने के लिए कार्य करे तो सामाजिक हित स्वतः ही प्राप्त हो जाएगा।

34. सोलो स्वान एक आर्थिक मॉडल है। यह मॉडल सोल और स्वान द्वारा विकसित किया गया है। यह मॉडल का उत्पादन प्रकार्य, पूँजी और मजदूर से होता हुआ उत्पादन के बारे में बताता है। यह मॉडल नियोक्लासिकल अर्थशास्त्र के ढाँचे के अंदर लंबे समय से चलने वाले आर्थिक विकास का एक मॉडल है। यह पूँजीगत संचय, श्रम या जनसंख्या वृद्धि और उत्पादकता में वृद्धि संबंधी दीर्घकालिक आर्थिक विकास की व्याख्या करने का प्रयास करता है। यदि सोलो क संवृद्धि मॉडल की मुख्य भविष्यवाणी वैद्य है तो देशों के बीच प्रति व्यक्ति वास्तविक जीडीपी के अंतरों में कमी होगी।

35. Equation of the IS function

$$Y = 0.75Y + 110 - 0.25\,i$$

$$\Rightarrow \quad 0.25\,Y = 110 - 0.25\,i$$

$$\Rightarrow \quad Y = 440 - i.$$

37. महालानोबिस मॉडल : 1953

योजना अवकाश की घोषणा : 1966

अनवरत योजना का प्रारंभ : 1978

समावेशी संवृद्धि रणनीति : 11वीं पंचवर्षीय योजना

41. जनगणना-2011 के अनुसार सबसे कम प्रतिशत शहरी जनसंख्या वाले राज्य :

राज्य	*शहरी जनसंख्या %*
हिमाचल प्रदेश	10 प्रतिशत
बिहार	11.29 प्रतिशत
असम	14.10 प्रतिशत
ओडिशा	16.69 प्रतिशत
मेघालय	20 प्रतिशत
उत्तर प्रदेश	22.27 प्रतिशत

42. पाशे सूचकांक (Paasche index) वर्तमान अवधि की वस्तुओं के विशिष्ट बंडल की कुल खरीद लागत (वस्तुओं के मूल्य के वर्तमान कीमतों पर) की तुलना करता है, जो आधार अवधि की कीमतों पर उन वस्तुओं की कीमत के साथ होती है। इस अनुपात में 100 से गुणा किया जाता है।

पाशे मूल्य सूचकांक, मूल्य वृद्धि को कम करने के लिए किया जाता है, क्योंकि यह उपभोग के मूल्य में बढ़ोतरी की वजह से उपभोगों के होने वाले परिवर्तनों में से कुछ परिवर्तन को पहले से ही दर्शाता है।

43. If two events A and B are mutually exclusive (*i.e.,* only one of them can occur at a time) and P(A) and P (B) are the probabilities of occurrence of A and B, respectively; then

$$P(A \cup B) = P(A) + P(B)$$

44. स्तरीकृत यादृच्छिक नमूना-चयन नमूनाकरण की एक विधि है जिसमें आबादी का विभाजन छोटे समूहों में होता है जिसे स्तर या परत (strata) कहते हैं। फिर प्रत्येक समूह के भीतर, एक संभावना प्रतिदर्श का चयन किया जाता है। इसमें वर्ग के सदस्यों के साझा गुणों या विशेषताओं को आधार बनाया जाता है। स्तरीकृत यादृच्छिक नमूने को आनुपातिक यादृच्छिक नमूना या कोटा यादृच्छिक नमूना भी कहा जाता है।

45. समानांतर माध्य (Arithmetic Mean) सबसे अधिक प्रचलित माध्य है जिसका प्रयोग सामान्यतः प्रत्येक व्यक्ति द्वारा दैनिक जीवन में किया जाता है। "समानांतर माध्य वह मूल्य है जो किसी श्रेणी के सभी पदों के मूल्यों के योग में उन पदों की संख्या से भाग देने पर प्राप्त होता है।"

मूल्यों के एक समुच्चय के विचरण के वर्गों का योग न्यूनतम है तो समानांतर माध्य से विचरण लिये जायेंगे।

48. प्रकटित अधिमान सिद्धांत (Revealed Preference Theroy) अमेरिकी अर्थशास्त्री पॉल सैमुएलसन द्वारा दिया गया है। यह सिद्धांत व्यक्तियों द्वारा किए गए विकल्पों का विश्लेषण करने का एक तरीका है, जो ज्यादात्तर उपभोक्ता के व्यवहार को आधार मानकर उपभोक्ता की मांग की व्याख्या करना है। ये मॉडल मानता है कि उपभोक्ताओं की प्राथमिकताओं को उनकी खरीद की आदतों से पता किया जा सकता है। प्रकटित अधिमान सिद्धांत गिफेन वस्तु को बहिष्कृत करता है। गिफेन वह वस्तु होता है, जिनका उपभोग कीमत परिवर्तन की दिशा में ही परिवर्तित होता है। इनकी माँग-वक्र ऊपर की ओर उठती हुई बनती है।

सैमुएलसन का प्रकटित अधिमान सिद्धांत चार महत्वपूर्ण मान्यताओं पर आधारित है:

1. उपभोक्ता का चयन उसके अधिमान को प्रकट करता है।
2. उपभोक्ता कम वस्तुओं की तुलना में अधिक वस्तुओं को अधिमान देता है।
3. किसी दी हुई कीमत-आय परिस्थितियों में उपभोक्ता को दो वस्तुओं के किसी एक संयोग का चयन करना चाहिए।
4. किसी व्यक्तिगत उपभोक्ता के अधिमानों से सम्बन्धित चयन संबंधी दो अवलोकनों में टकराव नहीं हो सकता।

यह सिद्धांत गिफेन विरोधाभास की व्याख्या नहीं कर सकता। चूँकि गिफेन वस्तुओं की स्थिति तब उत्पन्न होती है जब आय प्रभाव ऋणात्मक हो। मांग नियम (Demand theorem) की स्थापना में आय लोच को धनात्मक मान लेने के कारण सेम्युलसन का सिद्धांत गिफेन विरोधाभास की व्याख्या नहीं कर सकता।

50. फ्रीडमैन के द्वारा प्रतिपादित मुद्रा के मांग सिद्धांत को मुद्रा का आधुनिक सिद्धांत (Modern theory of Money) भी कहा जाता है। फ्रीडमैन के अनुसार, मुद्रा की माँग तीन कारकों पर निर्भर करती है:

1. विभिन्न प्रकार की परिसम्पत्तियों के रूप में रखी गयी कुल सम्पत्ति।
2. विभिन्न प्रकार की सम्पत्तियों से संबंधित कीमतें या उनके सापेक्षिक प्रतिफल
3. सम्पत्तियों के स्वामियों की रूचियों एवं अधिमान।

फ्रीडमैन ने मुद्रा की मांग या मुद्रा शेषों की मांग को निर्धारित करने वाले दो कारकों पर बल दिया है। वे हैं:

1. विभिन्न प्रकार की वैकल्पिक परिसम्पत्तियों जैसे बांड व शेयरों पर ब्याज की दर।
2. कीमत स्तरों में परिवर्तन की प्रत्याशित दर।

वास्तविक आय में वृद्धि व उसके फलस्वरूप लेन-देन की मात्रा में वृद्धि के कारण मुद्रा की लेन-देन मांग में वृद्धि हो जाती है। दूसरा, मुद्रा एक परिसम्पत्ति है और यह मौद्रिक प्रतिफल भी प्रदान करती है अर्थात बैंक के बचत खाते में रखी राशि पर बैंक ब्याज भी प्रदान करता है। दीर्घकाल में मुद्रा की मांग की लोच इकाई से अधिक होती है।

फ्रीडमैन के अनुसार, मुद्रा माँग फलन एक स्थायी फलन है। मांग फलन से विभिन्न परिसम्पत्तियों की लाभ में वृद्धि होने से सम्पत्ति धारक की मुद्रा की मांग राशि घट जाती है और सम्पत्ति में वृद्धि मुद्रा की मांग को बढ़ा देती है।

प्रश्न-पत्र-III

निर्देश : *इस प्रश्न-पत्र में* ***पचहत्तर (75)*** *बहु-विकल्पीय प्रश्न हैं। प्रत्येक प्रश्न के* ***दो (2)*** *अंक हैं।* ***सभी*** *प्रश्न अनिवार्य हैं।*

1. निम्नलिखित आरेख पर विचार कीजिए जिसमें किसी वस्तु की बाजार माँग और पूर्ति वक्रों को दर्शाया गया है। यदि सरकार बाजार संतुलित करने वाली कीमत P_0, के बजाए कीमत P_1, को निर्धारित करती है तो 'कुल भार हानि' निम्नलिखित में से किसके द्वारा दर्शायी जाएगी?

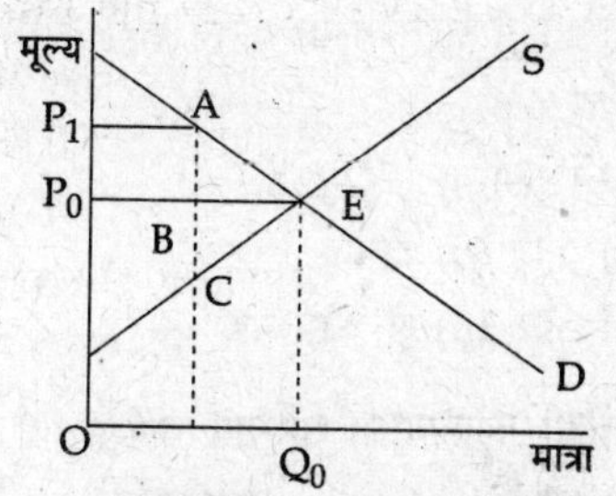

A. त्रिभुज ABE का क्षेत्रफल

B. त्रिभुज EBC का क्षेत्रफल

C. त्रिभुज ABE का क्षेत्रफल + त्रिभुज EBC का क्षेत्रफल

D. आयत P_1A B P_0 का क्षेत्रफल

2. निम्नलिखित में कौन-सी विशेषताएँ कुरनों के द्वयाधिकार मॉडल से संबंधित हैं?

(*a*) इसके द्वारा द्वयाधिकारियों को निर्धाय और स्थायी संतुलन प्राप्त होता है

(*b*) यह नैश संतुलन का पर्याप्त प्रतिनिधित्व है

(*c*) यदि द्वयाधिकारी मिलकर एकाधिकार बनाते हैं, तो उनके द्वारा कीमत में परिवर्तन उनके एकसाथ मिले बिना संतुलन कीमत से कम होगी

उपर्युक्त में से कौन-सा कथन **सही** है? नीचे दिए गए कूट से चुनिएः

A. उपर्युक्त सभी सही हैं

B. (*a*) और (*c*) सही हैं

C. (*a*) और (*b*) सही हैं

D. (*b*) और (*c*) सही हैं

3. किसी वस्तु को 'गिफिन वस्तु' तब कहा जाता है जब आय प्रभाव निम्नलिखित में से कौन-सा होता है?

A. धनात्मक और प्रतिस्थानापन्न प्रभाव से अधिक होता है

B. प्रतिस्थानापन्न प्रभाव के बराबर

C. प्रतिस्थानापन्न प्रभाव से कम

D. ऋणात्मक और प्रतिस्थानापन्न प्रभाव से अधिक

4. एज़वर्थ बॉक्स में अकुशल आवंटन से कुशल आवंटन में जाने से निम्नलिखित में से क्या होगा?

A. सभी व्यक्तियों की उपयोगिता में वृद्धि

B. कम-से-कम एक व्यक्ति की उपयोगिता में वृद्धि लेकिन दूसरे व्यक्ति का उपयोगिता का स्तर कम हो सकता है

C. किसी एक व्यक्ति की उपयोगिता में वृद्धि लेकिन किसी अन्य व्यक्ति की उपयोगिता नहीं बढ़ सकती है

D. सभी व्यक्तियों की उपयोगिता में कमी

5. कीमत प्रभाव के स्पष्टीकरण में निम्नलिखित में से कौन स्थिर रहता/रहते हैं?

(*a*) वास्तविक आय

(*b*) मौद्रिक आय

(*c*) कीमत अनुपात

नीचे दिए गए कूट में से **सही** उत्तर चुनिएः

कूटः

A. केवल (*a*) B. केवल (*b*)

C. (*b*) और (*c*) दोनों D. (*a*) और (*c*) दोनों

6. निम्नलिखित में से कौन सामान्य संतुलन विश्लेषण से संबंधित एक समस्या है?

A. अस्तित्व समस्या B. विशिष्ट समस्या

C. स्थायित्व समस्या D. उपर्युक्त सभी

7. दिए गए आरेख 1 और 2 में, माँग वक्र DD और पूर्ति वक्र SS को दिखाया गया है। बिन्दु E और F संतुलन बिंदुओं को देर्शाते हैं, तो निम्नलिखित में से कौन सही है?

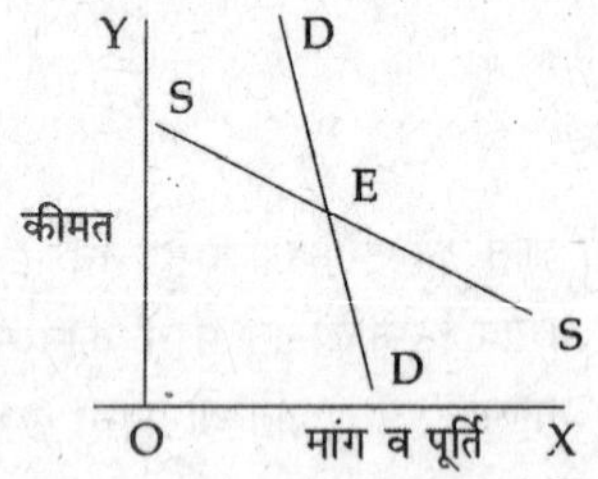

चित्र 1

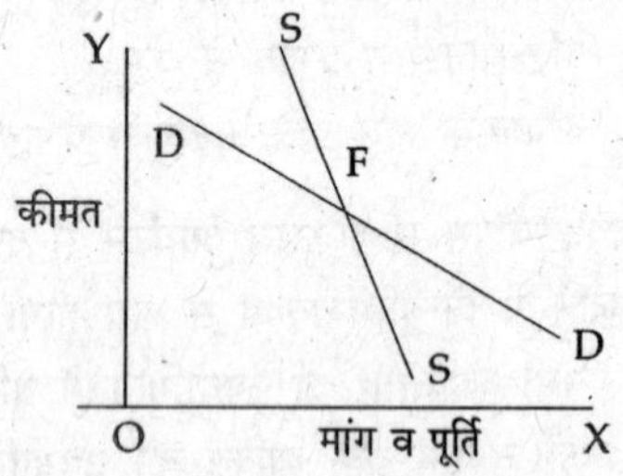

चित्र 2

A. E और F दोनों स्थायी संतुलन के बिन्दु हैं

B. E और F दोनों अस्थायी संतुलन के बिन्दु हैं

C. बिन्दु E पर संतुलन स्थायी है और बिन्दु F पर अस्थायी है

D. बिन्दु E पर संतुलन अस्थायी और बिन्दु F पर स्थायी है

8. निम्नलिखित में से कौन-सा कथन पेरेटो इष्टतम के बारे में **सही** है?

(*a*) आय वितरण में परिवर्तन से यह बदलता है

(*b*) पेरेटो इष्टतम पर, उपभोग में एम आर एस = उत्पादन में एम आर टी

(*c*) यह विशिष्ट नहीं है

(*d*) यह पूर्ण प्रतियोगिता में प्राप्त होता है

कूटः

A. (*a*), (*c*) और (*d*) B. (*b*) और (*c*)

C. (*a*), (*b*) और (*d*) D. (*a*) और (*b*)

9. सामाजिक लागत लाभ और निजी लागत लाभ के बीच अंतर की गणना के लिए बाजार कीमतों को निम्नलिखित में से किसके लिए समायोजित किया जाता है?

A. उपभोक्ता अतिरेक B. कीमत विरूपण

C. विनिमय दरें D. प्रतिछाया कीमतें

10. 'बैंडवैगन प्रभाव' निम्नलिखित में से किससे सम्बन्धित है?

A. जीवन-चक्र परिकल्पना

B. स्थायी आय परिकल्पना

C. निरपेक्ष आय परिकल्पना

D. सापेक्ष आय परिकल्पना

11. निम्नलिखित कथनों पर विचार कीजिए:

(*a*) फिलिप्स वक्र अर्थव्यवस्था में बेरोजगारी की दर और मुद्रास्फीति की दर के बीच प्रतिलोम संबंध है।

(*b*) ऐंजिल लॉ के अनुसार जैसे आय बढ़ती है भोजन पर वास्तविक खर्च बढ़ने पर भी भोजन पर खर्च की जाने वाली आय का अनुपात कम हो जाता है।

निम्नलिखित में से कौन-सा कथन **सही** है/हैं?

A. केवल (*a*)

B. केवल (*b*)

C. (*a*) और (*b*) दोनों

D. (*a*) और (*b*) में कोई नहीं

12. निम्नलिखित में कौन-सा सुमेलित **नहीं** है?

	अवधारणा	**अर्थशास्त्री**
A.	द्वि-निर्णय परिकल्पना	आर.डब्ल्यू. क्लोवर
B.	बेराजगारी की प्राकृतिक दर	ई.फेल्प्स एवं एम.फ्रीडमैन
C.	परिसीमन कीमत सिद्धान्त	जे. भगवती
D.	नियोजन विक्रय वक्र	श्रीमती जे. रॉबिन्सन

13. निम्नलिखित में से कौन, आरेख में दर्शाए गए समग्र मांग के संबंध में **सही** है?

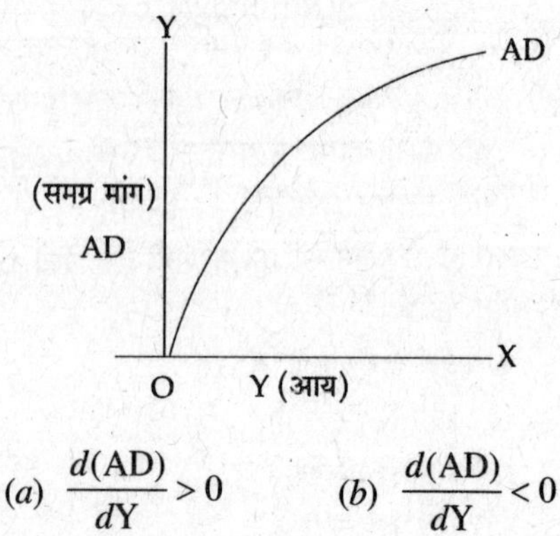

(*a*) $\frac{d(\text{AD})}{d\text{Y}} > 0$ (*b*) $\frac{d(\text{AD})}{d\text{Y}} < 0$

(*c*) $\frac{d^2(\text{AD})}{dY^2} > 0$ (*d*) $\frac{d^2(\text{AD})}{dY^2} < 0$

निम्नलिखित दिए गए कूट से उत्तर चुनिए:

A. (*a*) और (*d*) सही हैं
B. (*a*) और (*c*) सही हैं
C. (*b*) और (*c*) सही हैं
D. (*b*) और (*d*) सही हैं

14. स्थायी आय परिकल्पना के अनुसार निम्नलिखित किन चरों के युग्मों के बीच धनात्मक सह-सम्बन्ध होता है?

A. स्थायी आय और अस्थायी आय
B. स्थायी आय और अस्थायी उपभोग
C. स्थायी आय और स्थायी उपभोग
D. अस्थायी आय और अस्थायी उपभोग

15. निम्नलिखित में से अर्थव्यवस्था में क्या प्रारंभिक प्रभाव होगा जब मजदूरी में मजदूर की उत्पादकता से अधिक वृद्धि की जाती है?

A. रोजगार बढ़ेगा जिससे समग्र माँग वक्र दायीं ओर शिफ्ट होगा
B. समग्र माँग वक्र बायीं ओर होगा जिससे कीमत स्तर में वृद्धि होगी
C. अल्पकालिक समग्र आपूर्ति वक्र बायीं ओर शिफ्ट होगा इससे कीमत स्तर में वृद्धि होगी
D. रोजगार घटेगा जिससे समग्र माँग वक्र दायीं ओर शिफ्ट होगा

16. निम्नलिखित कथनों पर विचार कीजिए जिनमें उपभोग की सीमान्त प्रकृति (m.p.c) और गुणक के मान के बीच संबंध की व्याख्या की गई है।

(*a*) एम.पी.सी. (m.p.c.) जितना अधिक होगी गुणक का मान उतना ही कम होगा
(*b*) एम.पी.सी. (m.p.c.) जितना अधिक होगी गुणक का मान उतना ही अधिक होगा
(*c*) यदि एम.पी.सी. (m.p.c.) = 1 है, तो गुणक का मान अनन्त (∞) होगा

उपर्युक्त में से कौन-सा कथन **सही** है/हैं?

A. केवल (*b*) B. (*b*) और (*c*)
C. केवल (*c*) D. केवल (*a*)

17. सूची-I को सूची-II के साथ सुमेलित कीजिए और नीचे दिए गए कूट से सही उत्तर चुनिए:

सूची-I (वक्र)	**सूची-II (संबंध)**
(*a*) एंजेल वक्र	(*i*) कर राजस्व - कर दर
(*b*) रॉहन वक्र	(*ii*) आय - उपभोग
(*c*) लैफर वक्र	(*iii*) पर्यावरण - प्रति व्यक्ति आय
(*d*) कुज़नेट्स वक्र	(*iv*) सरकारी व्यय - प्रति व्यक्ति आय

कूट :

	(*a*)	(*b*)	(*c*)	(*d*)
A.	(*iv*)	(*ii*)	(*i*)	(*iii*)
B.	(*i*)	(*iii*)	(*iv*)	(*ii*)
C.	(*ii*)	(*iv*)	(*i*)	(*iii*)
D.	(*iii*)	(*i*)	(*ii*)	(*iv*)

18. 'संचयना का स्वर्णिय नियम' बचत दर को इंगित करता है जो:

A. उत्पादन की वृद्धि दर को अधिकतम करता है
B. अर्थव्यस्था में निवेश को अनुकूलतम करता है
C. वृद्धिमान, प्रति व्यक्ति उपभोग को अधिकतम करता है
D. उपर्युक्त में से कोई नहीं

19. निम्नलिखित में से कौन-सा शुम्पीटर के विकास मॉडल के संबंध में **सही** है/हैं?

(*a*) बैंकों द्वारा साख सृजन के कारण विकास सम्भव है
(*b*) लोकतंत्र में विकास फलना-फूलना है
(*c*) व्यापार चक्र के माध्यम से पूँजीवादी अर्थव्यवस्था विकसित होती है

उपर्युक्त में कौन-सा कथन **सही** है? नीचे दिए गए कूट से उत्तर दीजिए:

A. उपर्युक्त सभी सही हैं
B. (*a*) और (*b*) सही हैं
C. (*b*) और (*c*) सही हैं
D. (*a*) और (*c*) सही हैं

20. मार्क्सवादी मॉडल में, पूँजी पर लाभ की दर निम्न में से क्या है?

A. शोषण की दर और पूँजी की जैविक संरचना के प्रत्यक्ष अनुपातिक

B. शोषण की दर और पूँजी की जैविक संरचना के प्रतिलोम अनुपातिक
C. शोषण की दर के प्रतिलोम अनुपातिक और पूँजी की जैविक संरचना के प्रत्यक्ष अनुपातिक
D. शोषण की दर के प्रत्यक्ष आनुपातिक और पूँजी की जैविक संरचना के प्रतिलोम अनुपातिक

21. निम्नलिखित में से कौन विकास के ए.के. मॉडल के लिए सही है/हैं?
(*a*) यह नियत बचत दर धारित करता है।
(*b*) इस बचत दर का बहिर्जात रूप से निर्धारण किया जाता है।
(*c*) उत्पादन बढ़ने के साथ पूँजी के सीमांत उत्पाद में ह्रास होता है।
उपर्युक्त में से कौन-सा कथन **सही** है?
A. उपर्युक्त सभी सही हैं।
B. केवल (*a*) और (*b*) सही हैं।
C. (*a*) और (*c*) सही हैं।
D. केवल (*b*) और (*c*) सही हैं।

22. फिशर-क्लार्क थीसिस के अनुसार निम्नलिखित में से कौन विकास की प्रक्रिया में संरचनात्मक परिवर्तन का सही अनुक्रम है?
A. कृषि, सेवाएँ, उद्योग
B. कृषि, उद्योग, सेवाएँ
C. कृषि, उद्योग, विदेशी व्यापार
D. कृषि, विदेशी व्यापार, सेवाएँ

23. हेगेन का सामाजिक परिवर्तन सिद्धांत इस बात को स्पष्ट करने के लिए मनोविज्ञान, समाज विज्ञान और नृविज्ञान का उपयोग करता है कि किस प्रकार एक पारम्परिक कृषि समाजः
A. निरंतर तकनीकी प्रगति हासिल करता है।
B. अपनी नियति को स्वीकार करना सीख लेता है।
C. में एक सामाजिक संरचना होती है जिसमें उच्च हैसियत बरकरार रहती है।
D. उपलब्धि की अत्यधिक जरूरत के साथ एक समायोजी व्यक्तित्व पैदा करता है।

24. लेविस मॉडल के अनुसार दोहरी अर्थव्यवस्था केवल तभी बढ़ती है जबः
A. आधुनिक सेक्टर पारम्परिक सेक्टर के सापेक्ष अपना उत्पादन हिस्सा बढ़ाता है।
B. कृषि सेक्टर आधुनिक उपस्कर का इस्तेमाल करता है।
C. कृषि सेक्टर श्रम को किफायती रूप से भाड़े पर लेता है।
D. आधुनिक विनिर्माण सेक्टर पूँजी प्रधान होता है।

25. परनिर्भरता सिद्धांतवादियों में से एक, आंद्रे गुंदर फ्रैंक सुझाव देते हैं कि निम्नलिखित आर्थिक कार्यकलापों ने अल्पविकास में योगदान किया हैः
(*a*) गांवों से विदेशी-प्रधानता वाले शहरी परिसरों में प्रवास करने वाले कामगार।
(*b*) कारखानों और खानों एवं बगानों में काम करने के लिए अकुशल श्रमिक बल का निर्माण करना।
(*c*) देशीय उद्यमों को प्रौद्योगिकीय रूप से अधिक उन्नत, वैश्विक अनुषंगी कम्पनियों से प्रतिस्थापित करना।
(*d*) अर्थव्यवस्था को विकसित देशों के साथ व्यापार करने और निवेश करने से रोक देना (बंद करना)
नीचे दिए गए कूट में से **सही** उत्तर चुनेः
A. (*a*) और (*b*)
B. (*b*) और (*c*)
C. (*a*), (*b*) और (*c*)
D. (*a*), (*b*), (*c*) और (*d*)

26. हैरोडियन अर्थव्यवस्था में, Ga = 10% और Gw = 8% तो इसके परिणामस्वरूप क्या होगा/होगी?
A. मुद्रास्फीति B. बेरोजगारी
C. अवस्फीति D. अवरोधात्मक स्फीति

27. सूची-I और सूची-II को सुमेलित कीजिए और नीचे दिए गए कूट से सही उत्तर का चयन करें:

सूची-I (लेखक)	**सूची-II (पुस्तक)**
(*a*) गुन्नार मिर्डल	(*i*) दी राइज एंड फॉल ऑफ नेशन्स
(*b*) रुचिर शर्मा	(*ii*) इन डिफेंस ऑफ ग्लोबलाइजशन
(*c*) जगदीश भगवती	(*iii*) कैपिटलिज्म, सोशलिज्म एण्ड डेमोक्रेसी
(*d*) जोसेफ शुरपीटर	(*iv*) एशियन ड्रामा

कूट :

	(a)	(b)	(c)	(d)
A.	(ii)	(i)	(iii)	(iv)
B.	(iv)	(i)	(ii)	(iii)
C.	(iv)	(ii)	(i)	(iii)
D.	(i)	(iii)	(ii)	(iv)

28. 'ट्विन डेफिसिट' समस्या का अर्थ एक देश में निम्नलिखित का होना है:

A. उच्च राजकोषीय घाटा और उच्च चालू खाता घाटा

B. उच्च राजकोषीय घाटा और उच्च राजस्व घाटा

C. उच्च राजकोषीय घाटा और उच्च शासन (गवर्नेन्स) घाटा

D. उच्च राजकोषीय घाटा और उच्च प्राथमिक घाटा

29. बहुराष्ट्रीय कम्पनियाँ निम्नलिखित में विकासशील देशों की किस प्रकार सहायता कर सकते हैं?

(*a*) उत्पादकता बढ़ाने के लिए विदेशी प्रौद्योगिकी एवं नवोन्मेषी पद्धतियाँ हासिल करना।

(*b*) ग्रामीण बेरोजगार श्रम को नियोजित करना।

(*c*) बचत अंतर या भुगतान शेष घाटे का वित्तपोषण करना।

(*d*) मौजूदा प्रक्रियाओं के प्रति अनुकूलन करके उपयुक्त प्रौद्योगिकी तैयार करना।

नीचे दिए गए कूट में से **सही** उत्तर का चयन करें:

A. केवल (*a*) और (*c*)

B. केवल (*b*) और (*c*)

C. केवल (*a*), (*c*) और (*d*)

D. (*a*), (*b*), (*c*) और (*d*)

30. निम्नलिखित में से कौन कृषि पर डब्ल्यू.टी.ओ. करार (ए.ओ.ए.) का हिस्सा **नहीं** है?

A. 'इनपुट' सब्सिडी

B. निर्यात सब्सिडी

C. घरेलू समर्थन

D. बाजार अभिगम्यता

31. यू.एस. अर्थव्यवस्था के संदर्भ में निम्नलिखित में से कौन 'ट्रिफिन दुविधा' के लिए **सही** है?

(*a*) यू.एस. को अंतर्राष्ट्रीय रूप से स्वीकृत करेंसी के रूप में काम करने के लिए बड़ी मात्रा में डॉलर की आपूर्ति का समर्थन करना पड़ता है।

(*b*) यू.एस. व्यापार नीति के अल्पावधि घरेलू और दीर्घावधि उद्देश्यों में विरोध है जिसके परिणामस्वरूप व्यापार घाटा होता है।

उपर्युक्त में से कौन-सा कथन **सही** है? नीचे दिए गए कूट में से चयन करें:

A. (*a*) और (*b*) दोनों सही हैं।

B. न तो (*a*) और न ही (*b*) सही है।

C. केवल (*a*) सही है।

D. केवल (*b*) सही है।

32. निम्नलिखित में से कौन भारत के विदेशी मुद्रा रिजर्व का हिस्सा नहीं बनता है?

A. स्वर्ण

B. एस.डी.आर.

C. विदेशी मुद्रा परिसम्पत्तियाँ

D. बैंकों और कॉरपोरेट निकायों द्वारा धारित विदेशी मुद्रा एवं प्रतिभूतियाँ

33. 'दी रीजनल कम्प्रीहेन्सिव इकोनामिक पार्टनरशिप' (आर.पी.ई.पी.) निम्नलिखित के सदस्यों के बीच एक प्रस्तावित मुक्त व्यापार करार है?

A. सार्क (SAARC)

B. आसियान (ASEAN)

C. ब्रिक्स (BRICS)

D. यूरोपीय संघ (EUROPEAN UNION)

34. सूची-I (संकल्पनाएँ) को सूची-II (अर्थशास्त्रियों) से सुमेलित कीजिए और नीचे दिए गए कूट की सहायता से सही उत्तर का चयन कीजिए:

सूची-I (संकल्पनाएँ)	**सूची-II (अर्थशास्त्री)**
(*a*) सकल अदल-बदल व्यापार शर्तें	(*i*) जैकब वाईनर
(*b*) एकल साधन व्यापार शर्तें	(*ii*) डोरेंस
(*c*) आय व्यापार शर्तें	(*iii*) एफ.डब्ल्यू. टासिग
(*d*) विकासशील देशों की व्यापार शर्तों में दीर्घकालिक ह्रास	(*iv*) प्रेबिश-सिंगर

कूट :

	(a)	(b)	(c)	(d)
A.	(i)	(ii)	(iii)	(iv)
B.	(ii)	(i)	(iv)	(iii)
C.	(iii)	(i)	(ii)	(iv)
D.	(iv)	(iii)	(i)	(ii)

35. एक उद्योग में पैमाने के बढ़ते प्रतिफल की मौजूदगी में किस बात की प्रवृति होती है?

A. उत्पादकों को निर्यात करने से निरुत्साहित करना

B. उस उद्योग में बड़े देशों को तुलनात्मक फायदा देना

C. उस उद्योग को पूरी तरह प्रतिस्पर्धी बनाना

D. उस उद्योग में उत्पादन के साथ कीमत का बढ़ना कारित करना

36. विदेशी विनिमय बाजार में हैजिंग निम्नलिखित में किसकी ओर संकेत करती है?

A. अवमूल्यन करना

B. भविष्य में विदेशी विनिमय दरों में उच्चावचनों के जोखिम से प्रतिरक्षित करना

C. भविष्य में विदेशी विनिमय दरों में उच्चावचनों के जोखिम से प्रतिरक्षित नहीं करना

D. पुनर्मूल्यन करना

37. निम्नलिखित अधिनियमों को उनके प्रवृत्त होने के अनुक्रम में व्यवस्थित करें:

(a) प्रतिस्पर्धा अधिनियम

(b) विदेशी मुद्रा प्रबंधन अधिनियम

(c) उपभोक्ता संरक्षण अधिनियम

(d) कारखाना अधिनियम

नीचे दिए गए कूट में से **सही** उत्तर का चयन कीजिए:

A (b), (a), (d), (c) B. (d), (b), (c), (a)

C. (d), (c), (b), (a) D. (c), (d), (b), (a)

38. निम्नलिखित सूचियों को सुमेलित करें:

सूची-I (समिति)	**सूची-II (अध्यक्ष)**
(a) औद्योगिक रुग्णता	(i) आबिद हुसैन
(b) लोक उद्यम स्वायत्तता	(ii) ओंकार गोस्वामी
(c) लघु उद्योग	(iii) राकेश मोहन
(d) अवसंरचना विकास	(iv) अर्जुन सेन गुप्ता

कूट :

	(a)	(b)	(c)	(d)
A.	(iii)	(ii)	(i)	(iv)
B.	(ii)	(iv)	(i)	(iii)
C.	(iv)	(i)	(iii)	(ii)
D.	(i)	(iii)	(ii)	(iv)

39. निम्नलिखित सेक्टरों को, 2011-12 के आधार वर्ष के साथ, औद्योगिक उत्पादन के सूचकांक (आई.आई.पी.) में उनके भार के आधार पर आरोही क्रम में व्यवस्थित करें। नीचे दिए गए कूट में से उत्तर का चयन करें:

(a) बिजली

(b) विनिर्माण

(c) खनन

कूट:

A. (c), (b) और (a) B. (a), (c) और (b)

C. (b), (a) और (c) D. (a), (b) और (c)

40. एक वित्तीय परिसम्पत्ति के लिए निम्नलिखित में से कौन रिटर्न की दर और उससे प्राप्ति के संबंध में सही है/हैं?

(a) प्रतिफल की दर पूर्वव्यापी होती है जबकि प्राप्ति भविष्य प्रभावी होती है।

(b) प्रतिफल की दर में पूँजीगत लाभ नहीं शामिल होता है जबकि प्राप्ति में पूँजीगत लाभ शामिल होता है।

निम्नलिखित कूट से उत्तर का चयन करें:

A. (a) और (b) दोनों सही हैं।

B. न तो (a) और न ही (b) सही हैं।

C. केवल (a) सही है।

D. केवल (b) सही है।

41. जब भारतीय रिजर्व बैंक नकद आरक्षित अनुपात में वृद्धि की घोषणा करता है तो उसका क्या अर्थ होता है?

A. वाणिज्यिक बैंकों के पास उधार देने के लिए कम धन होगा।

B. भारतीय रिजर्व बैंक के पास उधार देने के लिए कम धन होगा।

C. संघ सरकार के पास उधार देने के लिए कम धन होगा।

D. वाणिज्यिक बैंकों के पास उधार देने के लिए अधिक धन होगा।

42. 'कोर' मुद्रास्फीति को किस रूप में वर्णित किया गया है?

A. 'हैडलाइन' मुद्रास्फीति – खाद्य मुद्रास्फीति

B. 'हैडलाइन' मुद्रास्फीति – (खाद्य मुद्रास्फीति + ईंधन मुद्रास्फीति)

C. हैडलाइन मुद्रास्फीति – ईंधन मुद्रास्फीति

D. खाद्य मुद्रास्फीति + ईंधन मुद्रास्फीति

43. टी.डब्ल्यू. शुल्ज के अनुसार निम्नलिखित में से कौन-सा/से कथन सही है/हैं?

(*a*) विकासशील देशों में किसान सरकार द्वारा नियत कृषि मूल्यों के प्रति अननुक्रियाशील होते हैं।

(*b*) विकासशील देशों में किसान नवोन्मेषण करने और खेती की नई पद्धतियां अपनाने के इच्छुक होते हैं।

निम्नलिखित कूट में से **सही** उत्तर का चयन करें:

A. (*a*) और (*b*) दोनों सही हैं।

B. न तो (*a*) और न ही (*b*) सही है।

C. केवल (*a*) सही है।

D. केवल (*b*) सही है।

44. सरकार द्वारा प्रदूषकों पर कर उद्ग्रहित करने या कीटनाशकों के उपयोग पर अधिभार प्रभारित करने का क्या अर्थ है?

A. नकारात्मक अधिप्लावन प्रभावों का आभ्यंतरीकरण

B. सीमांत उपशमन लागत

C. मुफ्तखोर के उदाहरण

D. कोसे (Coase) प्रमेय के उदाहरण

45. भारत में 4% प्रति वर्ष की कृषि विकास दर मान कर, जीडीपी में कृषि सेक्टर के 20% योगदान के साथ, देश की जीडीपी विकास दर में इसका क्या योगदान होगा?

A. 8% B. 5%

C. 2% D. 0.8%

46. इष्टतम जनसंख्या उस बिन्दु पर होगी जब:

A. राष्ट्रीय आय अधिकतम हो।

B. प्रति व्यक्ति आय अधिकतम हो।

C. जनसंख्या अधिकतम हो।

D. प्रति व्यक्ति उपभोग अधिकतम हो।

47. निम्नलिखित कथन निम्न में से किसका है?

"प्रकृति की दावत थोड़े लोगों के लिए है। जो बिना निमंत्रण के आएंगे वे भूखे रहेंगे।"

A. जुलियस सिमॉन B. ई. बोसरप

C. टी.डब्ल्यू. माल्थस D. एच. डाल्टन

48. निम्नलिखित में से कौन-सा जीवन-सारणी का भाग **नहीं** है?

A. यह आयु-विशिष्ट मृत्यु दर दर्शाती है।

B. आयु-विशिष्ट जीवन प्रत्याशा का आकलन किया जा सकता है।

C. किसी खास वर्ष तक जीवित रहने की संभावना का आकलन किया जा सकता है।

D. आयु-विशिष्ट जन्म दर का आकलन किया जा सकता है।

49. एन.एफ.एच.एस.–4 के अनुसार, भारत से संबंधित निम्नलिखित आँकड़े पर विचार करें और सूची-I को सूची-II के साथ सुमेलित करें। नीचे दिए गए कूट की सहायता से सही उत्तर का चयन करें:

सूची-I (संकेतक)	**सूची-II (मूल्य)**
(*a*) कुल प्रजनन दर	(*i*) 2.2
(*b*) शिशु मृत्यु दर	(*ii*) 50
(*c*) 5 वर्ष से कम मृत्यु दर	(*iii*) 79
(*d*) संस्थागत प्रसवित जन्म	(*iv*) 41

कूट :

	(*a*)	(*b*)	(*c*)	(*d*)
A.	(*i*)	(*iii*)	(*ii*)	(*iv*)
B.	(*i*)	(*iv*)	(*ii*)	(*iii*)
C.	(*iv*)	(*i*)	(*iii*)	(*ii*)
D.	(*i*)	(*ii*)	(*iii*)	(*iv*)

50. वर्ष 2011 की जनगणना के अनुसार, लिंग अनुपात के संदर्भ में निम्नलिखित राज्यों को घटते हुए क्रम में सजाएँ:

(*a*) मध्य प्रदेश (*b*) पंजाब

(*c*) उत्तर प्रदेश (*b*) बिहार

कूट:

A. (*a*), (*c*), (*d*), (*b*) B. (*b*), (*a*), (*c*), (*d*)

C. (*a*), (*b*), (*c*), (*d*) D. (*c*), (*d*), (*b*), (*a*)

51. प्रदूषण बाजार विफलता का एक उदाहरण है क्योंकि:

A. बाजार मूल्य कुशल मूल्य से कम होता है।

B. बाजार मूल्य कुशल मूल्य से अधिक होता है।

C. सम्पत्ति के अधिकार का खराब वितरण होता है।

D. प्रदूषण से प्रभावित व्यक्ति की बाजार के बाहर क्षतिपूर्ति की जाती है।

52. "वे वस्तुएँ जो उपभोग में संबंधित नहीं हैं, उनकी दक्षता के लिए यह अपेक्षित होता है कि कर दरें, माँग की लोच के प्रतिलोम अनुपात में हों।" यह परिभाषा किसकी है?

A. सुलाभ प्राप्ति सिद्धांत

B. द्वितीय श्रेष्ठतम सिद्धांत

C. प्रतिलोम लोच नियम

D. रैम्से नियम

53. अग्र-स्थानांतरित कर का प्रभाव होगाः

A. क्रेताओं और विक्रेताओं पर समान रूप से

B. क्रेताओं की अपेक्षा विक्रेताओं पर अधिक

C. सरकार के राजस्व पर नकारात्मक

D. विक्रेताओं की अपेक्षा क्रेताओं पर अधिक

54. प्रगतिशील कर दरों का मामला निम्नलिखित में से किस पर निर्भर करता है?

A. प्राप्त लाभ   B. सेवा लागत

C. भुगतान योग्यता   D. उपर्युक्त कोई नहीं

55. प्राथमिक घाटे की माप निम्नलिखित में से किसके द्वारा की जाती है?

A. राजकोषीय घाटा – ब्याज भुगतान

B. बजट घाटा – ब्याज भुगतान

C. बजट घाटा + कुल उधार-राशि

D. कुल राजस्व व्यय – कुल राजस्व प्राप्ति

56. निम्नलिखित में से कौन-सा सुमेलित **नहीं** है?

योजना	**योजना की रणनीति**
A. ग्यारहवीं योजना	समावेशी विकास
B. दूसरी योजना	भारी उद्योग निवेश
C. तीसरी योजना	संतुलित संवृद्धि
D. आठवीं योजना	बुनियादी आवश्यकताएँ

57. भारत के संदर्भ में निम्नलिखित में से किस अर्थशास्त्री/किन अर्थशास्त्रियों का टी.एफ.पी. अध्ययन में महती योगदान रहा है?

(*a*) बी.एन. गोल्डर

(*b*) ए. विरमानी

(*c*) डी.के. दास

(*d*) ए. सेन

नीचे दिए गए कूट में से **सही** उत्तर का चयन करें:

A. उपर्युक्त सभी   B. (*c*) और (*d*)

C. (*a*), (*b*) और (*c*)   D. (*b*) और (*d*)

58. 'जेंडर बजटिंग' के संदर्भ में निम्नलिखित कथनों पर विचार करें और नीचे दिए गए कूट की सहायता से उत्तर दें:

(*a*) बजट का 'जेंडर विश्लेषण'

(*b*) महिलाओं के लिए एक अलग बजट तैयार करना

(*c*) भारत सरकार ने वर्ष 2005-06 में 'जेंडर बजटिंग' अपनाया था।

कूट :

A. (*a*), (*b*) सही हैं।   B. (*a*), (*c*) सही हैं।

C. (*b*), (*c*) सही हैं।   D. (*a*), (*b*), (*c*) सही हैं।

59. निम्नलिखित सूचकांकों को कालक्रमानुसार सजाएं और नीचे दिये गए कूट की सहायता से उत्तर दें:

(*a*) बहुआयामी निर्धनता सूचकांक

(*b*) मानव निर्धनता सूचकांक

(*c*) क्षमता निर्धनता माप

(*d*) मानव विकास सूचकांक

कूटः

A. (*d*), (*c*), (*b*), (*a*)   B. (*d*), (*b*), (*c*), (*a*)

C. (*b*), (*a*), (*d*), (*c*)   D. (*a*), (*b*), (*c*), (*d*)

60. भारत के किस संगठन को संधारणीय विकास लक्ष्यों की निगरानी करने का दायित्व सौंपा गया है?

A. भारतीय रिजर्व बैंक

B. केन्द्रीय सांख्यिकी आफिस

C. नीति आयोग

D. राष्ट्रीय नमूना सर्वेक्षण आफिस

61. भारत सरकार के अनुसार, निम्नलिखित में से कौन-सा लघु बचत योजनाओं के अंतर्गत **नहीं** आता है?

A. डाकघर जमा

B. लोक भविष्य निधि

C. जनधन खाते

D. सुकन्या समृद्धि योजना

62. निम्नलिखित में से किस योजना के अंतर्गत 18-70 वर्ष के आयु-समूह के लोगों को ₹ 2 लाख रुपये का दुर्घटना मृत्यु बीमा दिया जाता है?

A. अटल पेंशन योजना

B. प्रधानमंत्री जीवन ज्योति बीमा योजना

C. प्रधानमंत्री सुरक्षा बीमा योजना

D. अटल जीवन बीमा योजना

निर्देश (प्र.सं. 63 से 66 तक): *नीचे दो कथन दिए गए हैं जिनमें एक अभिकथन (A) और दूसरा तर्क (R)। प्रश्नों के उत्तर का चयन नीचे दिए गए कूटों का प्रयोग करके करें।*

A. (A) और (R) दोनों सही हैं तथा (R), (A) की सही व्याख्या है।

B. (A) और (R) दोनों सही हैं, लेकिन (R), (A) की सही व्याख्या नहीं है।

C. (A) सही है, परन्तु (R) गलत है।

D. (A) गलत है, परन्तु (R) सही है।

63. अभिकथन (A): सरकारी कम्पनियाँ लाभ अधिकतम करने की नीति नहीं अपनाती हैं।

तर्क (R) : इससे क्षमता का अल्प उपयोग हो पाएगा।

64. अभिकथन (A): वृद्धिमान पैमाने के प्रतिफल पर आधारित उद्योग का अस्तित्व व्यापार से लाभ का एक अतिरिक्त अवसर उत्पन्न करता है।

तर्क (R) : अपेक्षाकृत कम उद्योगों में ही विशिष्टीकरण के माध्यम से, देश प्रत्येक उद्योग में अधिक उत्पादन कर सकता है और इस प्रकार, उत्पादन लागत कम होगी।

65. अभिकथन (A): 'रिकर्सिव' मॉडल का ओ.एल.एस. पद्धति के द्वारा समुचित रूप से अनुमान लगाया जा सकता है।

तर्क (R) : 'रिकर्सिव' मॉडल अभिनिर्धारण शर्तों को संतुष्ट करते हैं।

66. अभिकथन (A): क्लासिकल समष्टि मॉडल को वास्तविक और मौद्रिक क्षेत्रों में बाँटा जा सकता है।

तर्क (R) : मुद्रा आय और रोजगार दोनों को प्रभावित करती है।

67. किसी उद्यमी का अल्पावधि कुल लागत फलन $C = q^3 - 10q^2 + 17q + 66$ है। यदि $p = 5$ है, तो उक्त उद्यमी द्वारा निम्नलिखित में से किस उत्पादन पर लाभ अधिकतम किया जाएगा?

A. 7 B. 6

C. 5 D. 2/3

68. एक बाजार मॉडल में माँग और आपूर्ति फलन निम्नवत दिए गए हैं:

$D_t = ap_t + b \qquad a < 0$

$S_t = Ap_{t-1} + B \qquad A > 0$

यहाँ स्थायी साम्य हेतु शर्त होगी:

A. $a < A$ B. $|a| < \left|\frac{1}{A}\right|$

C. $\left|\frac{1}{a}\right| < \left|\frac{1}{A}\right|$ D. $\left|\frac{1}{a}\right| > \left|\frac{1}{A}\right|$

69. आगत-निर्गत विश्लेषण में उत्पादन फलन जिसे डब्ल्यू. डब्ल्यू. लियोन्टिफ ने प्रतिपादित किया था, के अंतर्गत आगतों के बीच प्रतिस्थापन की लोच का क्या मान रखा गया है?

A. एक B. शून्य

C. स्थिर D. अनंत

70. जहाँ माँग फलन $p = 16 - q - 0.5q^2$ है वहाँ $q = 4$ होने पर माँग की मूल्य लोच होगी:

A. + 0.5

B. + 0.2

C. + 0.7

D. + 0.3

71. कॉब-डगलस उत्पादन फलन $Q = AL^aK^{1-a} (a > 0)$ की निम्नलिखित में से कौन-सी विशेषता **नहीं** है?

A. पैमाने के स्थिर प्रतिफल

B. प्रतिस्थापन की इकाई लोच

C. प्रतिस्थापन की परिवर्तनीय लोच

D. रैखिक समांगता

72. 30 से अधिक, आकार वाले प्रतिदर्श में कोटि सहसंबंध गुणांक के प्रतिचयन बंटन हेतु निम्न में से कौन-सा निकटतर बंटन होगा?

A. 'टी' ('t')
B. द्विपद
C. काई-वर्ग
D. प्रसामान्य

73. यदि डर्बिन वाट्सन स्टैटिस्टिक शून्य के निकट का मूल्य धारण करता है, तो प्रथम कोटि स्वसहसंबंध गुणांक का मूल्य क्या होगा?

A. शून्य के निकट
B. +1 के निकट
C. −1 के निकट
D. −1 और +1 में से किसी के निकट

74. यदि समाश्रयण मॉडल में बिषमविसारिता मौजूद हो परन्तु उसे नजरअंदाज कर दिया जाए तो 'ओ.एल.एस' आकलक पर इसका क्या प्रभाव पड़ेगा?

A. यह अभिनत होगा
B. यह असंगत होगा
C. यह अकुशल होगा
D. A, B और C सभी सही होंगे

75. निम्नलिखित को सुमेलित करें और **सही** कूट का चयन करें:

सूची-I	**सूची-II**
(*a*) कोयाक	(*i*) स्वसहसंबंधित त्रुटिपद
(*b*) डरबिन वाट्सन	(*ii*) पश्चतायुक्त चर
(*c*) फिशर का (एफ) '(F)' परीक्षण	(*iii*) कारणीयता
(*d*) ग्रैंजर	(*iv*) समग्र समाश्रयण की सार्थकता का परीक्षण

कूट :

	(*a*)	(*b*)	(*c*)	(*d*)
A.	(*i*)	(*ii*)	(*iii*)	(*iv*)
B.	(*ii*)	(*i*)	(*iv*)	(*iii*)
C.	(*iii*)	(*iv*)	(*i*)	(*ii*)
D.	(*i*)	(*iii*)	(*iv*)	(*ii*)

उत्तरमाला

1	**2**	**3**	**4**	**5**	**6**	**7**	**8**	**9**	**10**
C	C	D	C	B	D	D	C	D	D
11	**12**	**13**	**14**	**15**	**16**	**17**	**18**	**19**	**20**
C	D	A	C	C	B	C	C	D	D
21	**22**	**23**	**24**	**25**	**26**	**27**	**28**	**29**	**30**
B	B	A	A	C	A	B	A	A	A
31	**32**	**33**	**34**	**35**	**36**	**37**	**38**	**39**	**40**
A	D	B	C	B	B	C	B	B	C
41	**42**	**43**	**44**	**45**	**46**	**47**	**48**	**49**	**50**
A	B	D	A	D	B	C	D	B	*
51	**52**	**53**	**54**	**55**	**56**	**57**	**58**	**59**	**60**
A	D	D	C	A	D	C	B	A	C
61	**62**	**63**	**64**	**65**	**66**	**67**	**68**	**69**	**70**
C	C	B	B	A	B	B	C	B	B
71	**72**	**73**	**74**	**75**					
C	D	B	C	B					

* Error in Question.

व्याख्यात्मक उत्तर

2. कुरनो के द्वयाधिकार मॉडल (Cournot's model of Duopoly) जिसे कुरनो प्रतियोगिता (Cournot Competiton) भी कहा जाता है। यह एक आर्थिक मॉडल है जो एक उद्योग संरचना का वर्णन करने के लिए प्रयोग की जाती है जिसमें कंपनियाँ उत्पादन की मात्रा पर प्रतिस्पर्द्धा करती हैं। यह एक अपूर्ण प्रतिस्पर्द्धा का मॉडल है जिसमें समान लागत वाले दो फर्म सजातीय उत्पादों के साथ प्रतिस्पर्द्धा करते हैं।

इसकी निम्नलिखित विशेषताएँ हैं:

- इसमें एक से अधिक फर्म होते हैं और सभी कंपनियाँ एक सजातीय उत्पाद का निर्माण करती है।
- फर्मों का एक-दूसरे से कोई संलयन नहीं होता है।
- फर्मों की बाजार शक्ति होती है, अर्थात प्रत्येक फर्म का आउटपुट निर्णय अच्छे मूल्य को प्रभावित करता है।
- फर्मों की संख्या तय होती है।
- फर्म मात्रा में प्रतिस्पर्द्धा करते हैं और मात्राओं को एक साथ चुनते हैं।
- कंपनियाँ रणनीतिक रूप से कार्य करती है।
- इसके द्वारा द्वयाधिकारियों को निर्धाय (determinate) एवं स्थायी (stable) संतुलन प्राप्त होता है।

कुरनो का दृष्टिकोण इष्टतम कीमतों को परिभाषित करके बाजार हिस्सेदारी और लाभप्रदता दोनों को अधिकतम करता है। यह कीमत दोनों कंपनियों के लिए समान होगी, अन्यथा निचले मूल्य वाले व्यक्ति को पूर्ण बाजार हिस्सेदारी मिल जाएगी, जो इसे नैश संतुलन बनाती है। इसीलिए इस मॉडल को कुरनो-नैश समतुल्य भी कहा जाता है।

3. **गिफेन वस्तु (Giffen Good):** वह वस्तु होता है जिनका उपभोग कीमत परिवर्तन की दिशा में ही परिवर्तित होता है। इनकी माँग-वक्र ऊपर की ओर उठती हुई बनती है। गिफेन वस्तु का आय प्रभाव ऋणात्मक और प्रतिस्थानापन्न प्रभाव से अधिक होता है।

गिफेन वस्तुएँ पर सामान्यता माँग का नियम लागू नहीं होता है मतलब वस्तु की कीमत बढ़ने पर उसकी माँग और बढ़ जाती है तथा कीमत कम होने पर मांग घट जाती है। इसलिए जब भी गिफेन वस्तु की कीमत में वृद्धि होती है उपभोक्ता दूसरे वस्तुओं के उपयोग को कम करके गिफेन वस्तुओं की मांग बढ़ा देता है जिनकी कीमतों में वृद्धि अक्सर आपदाओं के समय होती है।

4. एजवर्थ बॉक्स (Edgeworth Box) अर्थशास्त्र में दो व्यक्तियों और दो वस्तुओं का विश्लेषण करने में समक्ष बनाता है। एजवर्थ बॉक्स में अकुशल आवंटन से कुशल आवंटन में जाने से किसी एक व्यक्ति की उपयोगिता में वृद्धि लेकिन किसी अन्य व्यक्ति की उपयोगिता नहीं बढ़ सकती है। एजवर्थ बॉक्स विनिमय समस्या का समाधान करने के लिए एक आलेखी (graphical) प्रतिनिधित्व करता है। परेटो दक्षता एक आवंटन है।

5. कीमत प्रभाव (Price Effect) उपभोक्ता की किसी वस्तु की कीमत में परिवर्तन के फलस्वरूप उस समस्त प्रभाव को मापता है जो कि उस वस्तु की क्रय मात्रा पर पड़ता है। जबकि उपभोक्ता की आय, उसकी रूचियाँ और अन्य वस्तुओं की कीमतें समान रहती हैं। जब किसी वस्तु की कीमत में कमी या वृद्धि होती है तो उपभोक्ता की संतुष्टि में भी परिवर्तन होता है। दूसरे शब्दों में, वस्तु की कीमत के घटने पर उसका संतुलन एक उच्चतर अनधिमान वक्र पर होगा और यदि वस्तु की कीमत बढ़ती है तो वह इसके कारण नीचे के अनधिमान वक्र पर आ जाएगा। कीमत प्रभाव के स्पष्टीकरण में मौद्रिक आय स्थिर रहता है।

6. सामान्य संतुलन सिद्धांत (General Equilibrium Theory) एक व्यापक आर्थिक सिद्धांत है जो बताता है कि कई बाजारों के साथ एक अर्थव्यवस्था में आपूर्ति और मांग गतिशील रूप से कैसे चलती है और अंत में कीमतों के संतुलन में समापन होती है।

सामान्य संतुलन के अंतर्गत हम विभिन्न चरों की परस्पर निर्भरता का वर्णन करते हैं। इस स्थिति में कोई भी चर स्थिर नहीं होता है। अस्तित्व समस्या, विशिष्ट समस्या एवं स्थायित्व समस्या सामान्य संतुलन विश्लेषण से संबंधित समस्या है।

8. परेटो प्रथम अर्थशास्त्री थे जिन्होंने उपयोगिता के क्रमवाचक विचार (ordinal concept of utility) के आधार पर कल्याणकारी अर्थशास्त्र का विचार प्रस्तुत किया। उन्होंने स्पष्ट किया कि पूर्ण प्रतियोगिता समाज के अनुकूलतम कल्याण की स्थिति को प्राप्त करने में सहायक होती है। अतः परेटो ने सामाजिक अनुकूलतम (social optimum) का विचार प्रस्तुत किया। परेटो की सामाजिक अनुकूलतम वह स्थिति है जिसके अंतर्गत साधनों (inputs) अथवा उत्पादनों (outputs) के पुनरावंटन (reallocation) द्वारा बिना किसी व्यक्ति को हीनतर किए हुए किसी अन्य व्यक्ति को श्रेष्ठतर करना संभव नहीं होता है। अर्थात् किसी के कल्याण में वृद्धि के लिए किसी अन्य के कल्याण में कमी करना आवश्यक है।

परेटो ईष्टतम की शर्तें (Condition of Pareto Optimum)

1. उपयोगिता एक क्रमवाचक तत्व है तथा प्रत्येक व्यक्ति के लिए क्रमवाचक उपयोगिता फलन (Ordinal utility function) दिया हुआ है।
2. उत्पादन फलन (Production Function) दिया हुआ है।
3. प्रत्येक व्यक्ति अपनी संतुष्टि (Satisfaction) को अधिकतम करना चाहता है।
4. सभी वस्तुएँ पूर्णतः विभाज्य (Pefectly divisible) हैं तथा सभी व्यक्ति प्रत्येक वस्तु की एक निश्चित मात्रा का प्रयोग करते हैं।
5. पूर्ण प्रतियोगिता के कारण उत्पादन के सभी साधन पूर्णतया गतिशील हैं।

9. क्यूयम के अनुसार, छाया मूल्य या लेखा मूल्य "घटक की सीमांत उत्पादकता के मूल्य के बराबर हैं जब ऐसी तकनीक का चुनाव किया गया हो जो साधनों की उपलब्धता, अंतिम माँग के ढाँचे और उत्पादन की तकनीकी संभावनाओं के संदर्भ में अधिकतम उत्पादन को संभव बनाता है।

प्रो. पी.एन. माथुर के अनुसार छाया मूल्यों की आवश्यकता मूल रूप से बाजार की अपूर्णता और अल्पविकसित राष्ट्रों में पाई जाने वाली परिस्थितियों के कारण होती है। टिंबरजन और क्यूयम द्वारा परिभाषित लेखा मूल्य या छाया मूल्य वे मूल्य हैं जो अर्थव्यवस्था में पूर्ण प्रतियोगिता की स्थिति में पाए जाएंगे।

सामाजिक लागत लाभ और निजी लागत लाभ के बीच अंतर की गणना के लिए बाजार कीमतों को प्रतिछाया कीमतों के लिए समायोजित किया जाता है।

अल्पविकसित राष्ट्रों में व्यापक आंकड़ों और सूचनाओं के अभाव में विकेन्द्रित क्षेत्र में आदान-प्रदान विश्लेषण का उपयोग संभव नहीं है अतः वहाँ छाया या लेखा मूल्यों का उपयोग आवश्यक हो जाता है। छाया या लेखा मूल्यों का प्रमुख कार्य विस्तृत समूह के अंतर्गत उत्पादन तकनीक के चुनाव में सहायता पहुँचाना है। छाया मूल्यों का अन्य महत्वपूर्ण उपयोग ऐतिहासिक दृष्टि से विकास की दर को मापने के क्षेत्र में है।

10. "बैंडवैगन प्रभाव" (Bandwagon Effect) ऐसा प्रभाव होता है जिसमें लोग किसी चीज के पीछे मात्र इसलिए भागते हैं क्योंकि उसे बहुत से लोग कर रहे हैं यानी जिस बात का हल्ला हो, उसके पीछे भागना। अतिसरलीकरण कर दें तो इसे भेड़चाल भी कह सकते हैं। 'बैंडवैगन प्रभाव' सापेक्ष आय परिकल्पना से संबंधित है।

जेम्स डूसनबरी की सापेक्ष आय परिकल्पना केन्ज के उपभोग सिद्धांत की आधारभूत मान्यताओं के अस्वीकार पर आधारित है। डूसनबरी का कहना है कि प्रत्येक व्यक्ति का उपभोग व्यवहार स्वतंत्र नहीं होता अपितु प्रत्येक अन्य व्यक्ति के व्यवहार पर निर्भर होता है, और उपभोग संबंध समय में अपरिवर्तनीय होते हैं, और परिवर्तनीय नहीं होते।

दूसरे शब्दों में, प्रवृति यह होती है कि निरंतर ऊँचे उपभोग स्तर की ओर बढ़ा जाए और अपने धनी पड़ोसियों तथा साथियों के उपभोग ढाँचों से स्पर्द्धा की जाए। इस प्रकार उपभोक्ताओं के अधिमान एक-दूसरे पर निर्भर होते हैं।

11. फिलिप्स वक्र, बेरोजगारी दर तथा मुद्रा मजदूरी परिवर्तनों की दर में संबंध का निरीक्षण करती है। यह वक्र बताता है कि बेरोजगारी की दर और मुद्रा मजदूरी बढ़ने की दर के बीच विपरीत संबंध होता है। फिलिप्स ने अपने विश्लेषण को इंग्लैंड के आंकड़ों पर आधारित करके यह अनुभवजन्य निष्कर्ष प्रस्तुत किया कि जब अर्थव्यवस्था

में बेरोजगारी बहुत होती है तो मुद्रा मजदूरी दरों के बढ़ने की दर कम होती है क्योंकि नियोक्ताओं पर मुद्रा मजदूरी दरें बढ़ाने का दबाव कम होता है। इसके विपरीत जब बेरोजगारी कम होती है तो मुद्रा मजदूरी दरों में वृद्धि की दर ऊँची होती है।

ऐंजिल लॉ के अनुसार जैसे आय बढ़ती है भोजन पर वास्तविक खर्च बढ़ने पर भी खर्च की जाने वाली आय का अनुपात कम हो जाता है। ऐंजिल वक्र वस्तु विशेष की मांगी गयी मात्रा तथा उपभोक्ता की आय के बीच संबंध को प्रदर्शित करता है। चूँकि आय में वृद्धि होने से सामान्यतः वस्तु की अधिक मात्रा की मांग की जाती है। अतः ऐंजिल वक्र का ढाल धनात्मक होता है। भिन्न-भिन्न वस्तुओं के लिए ऐंजिल वक्र की आकृति भिन्न-भिन्न होती है। अन्य शब्दों में, आवश्यक विलासिता अथवा घटिया वस्तुओं के लिए एंजिल वक्र की आकृति भिन्न-भिन्न होता है।

आवश्यक वस्तुओं की स्थिति में एंजिल वक्र उन्नतोदर (convex) होता है क्योंकि मांगी गयी मात्रा में वृद्धि का अनुपात आय में वृद्धि के अनुपात से कम होता है। इस प्रकार के एंजिल वक्र का ढाल आय में वृद्धि के साथ बढ़ता है जो यह सूचित करता है कि आय में प्रत्येक समान वृद्धि होने पर वस्तु की खरीदी गयी मात्रा में होने वाले वृद्धि क्रमशः घटती जाती है। आवश्यक वस्तुओं की स्थिति में उपभोग आय में वृद्धि की अपेक्षा कम बढ़ता है।

14. आमतौर पर लोग भविष्य में होने वाली संभावित आय को ध्यान में रखते हुए अपनी खर्च योजनाएँ बनाते हैं यही उपभोग का स्थायी आय सिद्धांत है जिसे अमेरिकी अर्थशास्त्री मिल्टन फ्रीडमैन ने पेश किया है।

फ्रीडमैन के अनुसार, उपभोग आय के वर्तमान स्तर के बजाए दीर्घकालीन संभावित आय से निर्धारित होता है और दीर्घकालीन संभावित आय ही फ्रीडमैन के अनुसार स्थायी आय कही जाती है। इसके अनुसार उपभोग व्यक्ति की स्थायी आय के आनुपातिक होता है।

स्थायी आय परिकल्पना के अनुसार स्थायी आय और स्थायी उपभोग चरों के युग्मों के बीच धनात्मक सह-संबंध होता है।

16. There is direct relationship between investment multiplier and marginal propensity to consume. Higher the marginal propensity to consume, greater is the size of multiplier. On the contrary, lower the marginal propensity to consume, smaller is the size of multiplier. In fact, the value of multiplier is determined by the value of marginal propensity to consume. *i.e.*,

$$K = \frac{1}{1 - MPC}$$

Where, K = Multiplier and MPC = Marginal propensity to consume.

19. शुम्पीटर के विकास मॉडल :

शुम्पीटर 'चक्रीय बहाव' को आर्थिक व्यवस्था का प्रारूप मानते हैं और 'नवीनता' पर बल देते हैं और मानते हैं कि नये साहसिक व्यक्ति, नये उत्पाद, नये बाजार, नये तकनीक, नये कच्चे माल से नये उत्पाद विकास के मार्ग को प्रशस्त कर सकते हैं। आर्थिक विकास चक्रीय बहाव का परिणाम है। बैंकिंग व्यवस्था पर उन्होंने बल दिया और पूंजीवाद से समाजवाद की ओर समाज का झुकाव माना है।

(*i*) शुम्पीटर ने उद्यमी को आर्थिक विकास का केन्द्र बिन्दु माना है, उनकी दृष्टि में उद्यमी नव-प्रवर्तन के मुख्य प्रेरक स्रोत हैं।

(*ii*) आर्थिक विकास नव-प्रवर्तकों का परिणाम है।

(*iii*) आर्थिक विकास चक्रीय प्रवाह में होने वाला एक आकस्मिक एवं असतत् परिवर्तन है जिसमें पूर्व स्थापित साम्य की दशा सदैव के लिए बदल जाती है।

(*iv*) शुम्पीटर ने पूँजीवादी विकास की चक्रीय प्रक्रिया में चार अवस्थाओं का उल्लेख किया हैः

- प्राथमिक लहर → नव प्रवर्तन के लिए उद्यमी की आर्थिक चेतना।
- द्वितीयक लहर → समृद्धि अवस्था।
- तृतीयक लहर → रचनात्मक विनाश की प्रक्रिया।
- चतुर्थ लहर → पुनरुत्थान लहर।

20. मार्क्सवाद सामाजिक आर्थिक विश्लेषण का एक रूप है जो ऐतिहासिक विकास का भौतिक विचारों ओर सामाजिक परिवर्तन के द्वंद्वात्मक दृष्टिकोण का उपयोग करके वर्ग संबंधों और सामाजिक संघर्षों की खोज करता है।

मार्क्स और एंजिल्स की 'कम्यूनिस्ट मैनिफेस्टो' कार्लमार्क्स की 'दास कैपिटल' में साम्यवाद की सामाजिक एवं आर्थिक विकास की अंतिम भविष्यवाणी की आधार उनका (*i*) इतिहास का भौतिकवादी विश्लेषण (*ii*) पूंजीवादी विकास की शक्तियों के प्रति अनादर का भाव (*iii*) आर्थिक विकास का सुनियोजित विकास में उनकी आस्था प्रमुख थी।

उनका विश्वास था कि इतिहास 'उत्पन्न संबंधों के आधार पर उत्पन्न 'वर्ग संघर्ष' से भरा पड़ा है। मार्क्स ने आर्थिक विकास की अवस्थाओं का निम्नांकित क्रम प्रस्तुत किया हैः

- आदिम समाज
- गुलामी प्रथा
- सामन्तवाद
- पूँजीवाद
- समाजवाद

मार्क्सवादी मॉडल में, पूँजी पर लाभ की दर शोषण की दर के प्रत्यक्ष आनुपातिक और पूँजी की जैविक संरचना के प्रतिलोम अनुपातिक है।

लाभ की दर (Rate of profit) अतिरेक मूल्य और कुल पूँजी का अनुपात है।

21. आर्थिक विकास का ए.के. मॉडल आधुनिक समष्टि अर्थशास्त्र के उप-क्षेत्र में उपयोग किए जाने वाले अंतर्जात विकास मॉडल है। इस मॉडल का विकास 1980 के दशक में पॉल रोमर के द्वारा किया गया। यह मॉडल नियत बचत दर धारित करता है एवं उत्पादन बढ़ने के साथ पूँजी के सीमांत उत्पाद में ह्रास होता है।

22. एलन फिशर एवं कॉलिन क्लार्क द्वारा दिए गए त्रिक्षेत्रीय सिद्धांत (Three-Sector Theory) एक आर्थिक सिद्धांत है जो अर्थव्यवस्थाओं को तीन भागों में बाँटता हैः

- प्राथमिक (कृषि, शिकार, खनन)
- द्वितीय (विनिर्माण)
- तृतीय (सेवाएँ)

इसके अनुसार इन तीनों क्षेत्रों की अलग-अलग आवश्यकताएँ और विकास-क्रम होते हैं और यह तीन किसी देश, राज्य या समाज के आर्थिक विकास के अलग-अलग स्तर दर्शाते हैं।

23. हेगेन ने सामाजिक परिवर्तन सिद्धांत (Theory of Social Change) में बताया कि किस प्रकार एक परंपरागत समाज में निरंतर तकनीकी प्रगति होती है। यह सिद्धांत विभिन्न विशेषताओं की पड़ताल करता है जो उद्यमी की रचनात्मकता को सामाजिक परिवर्तन और आर्थिक विकास के प्रमुख तत्व मानते हैं।

हेगन अपनी पुस्तक 'How Economic Gowth Begins' में ऐतिहासिक बदलाव को महत्वपूर्ण रूप में दर्शाते हैं, जिससे सामाजिक परिवर्तन हुए तकनीकी प्रगति विभिन्न जातियों और समुदायों का उद्यमी वर्ग में उभरने का अवसर मिलता है। उन्होंने मनोविज्ञान, समाज विज्ञान तथा नृविज्ञान का उपयोग करते हुए स्पष्ट किया कि किस प्रकार एक पारम्परिक कृषि समाज निरंतर तकनीकी हासिल करता है।

24. लेविस के आर्थिक विकास का सिद्धांत द्वि-क्षेत्र अर्थव्यवस्था (Two sector economy) से संबधित है। उसने श्रम की असीमित आपूर्ति से आर्थिक विकास (Economic Development with Unlimited Supplies of Labour) का व्यवस्थित सिद्धांत प्रस्तुत किया। लेविस के अनुसार, आर्थिक विकास तब होता है जब श्रम को निर्वाह क्षेत्र (Subsistence Sector) से हटा कर पूंजीवादी क्षेत्र में लगाने के परिणामस्वरूप पूंजी संचय होता है। यह मॉडल दो क्षेत्रों, पूंजीवादी क्षेत्र और निर्वाह क्षेत्र के बीच श्रम संक्रमण के संदर्भ में एक विकासशील अर्थव्यवस्था के विकास की व्याख्या करता है।

लेविस मॉडल के अनुसार, दोहरी अर्थव्यवस्था केवल तभी बढ़ती है जब आधुनिक सेक्टर पारम्परिक सेक्टर के सापेक्ष अपना उत्पादन हिस्सा बढ़ाता है।

25. निर्भरता सिद्धांत (Dependency Theory) बताता है कि संसाधन, निर्धन एवं अल्पविकसित देशों से धनी देशों की ओर प्रवाहित होते हैं और निर्धन देशों को और गरीब करते हुए धनी देशों को और धनी बनाते हैं। निर्भरता सिद्धांत इस मूल मान्यता पर आधारित है कि राजनैतिक एवं आर्थिक कारकों के बीच एक गहन संबंध होता है। ये दोनों कारक परस्पर प्रभावित करते हैं तथा काफी हद तक आर्थिक कारकों के आधार पर राजनीतिक में महत्वपूर्ण बदलाव देखने को मिलते हैं।

आंद्रे गुंडर फ्रेंक ने पश्चिमी पूंजीवाद के विकास के संदर्भ में निम्नस्तरीय विकास की प्रक्रिया की व्याख्या की। उनके अनुसार अल्पविकसित राज्यों तथा विकसित

केंद्रों के आपसी संबंध निम्नस्तर के विकास के लिए उत्तरदायी है। लैटिन अमेरिकी राज्यों का उदाहरण देते हुए उन्होंने कहा कि विश्व व्यवस्था में कतिपय समृद्ध देश परिधि राज्यों की एक बड़ी संख्या के विकास को अवरुद्ध कर रहे थे।

फ्रैंक ने पूंजीवादी विकास के निम्नांकित तीन विरोधाभासों की चर्चा की—

1. आर्थिक अतिरेक के विनियोग तथा छीना-झपटी का विरोधाभास;
2. महानगरीय उपग्रही ध्रुवीकरण;
3. परिवर्तन में निरन्तरता।

फ्रैंक के अनुसार, विकसित देशों के समक्ष निम्नस्तर के अल्पविकसित देशों को निम्नस्तरीय विकास तथा उनकी अधीनस्थ राज्यों जैसी स्थिति उनके सीमित विकास का कारण रही है। उसने यह भी कहा कि साम्राज्यवाद एवं बुर्जुआ वर्ग को पहचानकर अल्पविकसित देश अपनी विकास समस्या का निदान खोज सकते हैं।

28. एक ट्विन डेफिसिट तब होता है तब एक राष्ट्र की सरकार के पास व्यापार घाटे और बजट घाटे दोनों होते हैं। एक व्यापार घाटा जिसे वर्तमान खाता घाटे के रूप में भी जाना जाता है, तब होता है जब एक देश निर्यात से अधिक आयात करता है, तथा दूसरे देश और विदेशी कंपनियों से खरीददारी अधिक करता है। एक बजट घाटा तब होता है जब एक देश, कर और अन्य वित्तीय लाभों के मुकाबले वस्तुओं और सेवाओं पर अधिक खर्च करता है। जब किसी देश में ट्विन डेफिसिट की स्थिति बनती है तो वहाँ पर वित्तीय अस्थिरता का खतरा मंड़रा जाता है। इसका एक प्रभाव यह भी है कि इससे देश में निवेश आने के बजाए मुद्रा का प्रवाह बाहर की तरफ हो जाता है।

29. बहुराष्ट्रीय कंपनियाँ/निगम, जिन्हें आमतौर पर एमएनसी के नाम से जानते हैं।

विकासशील देशों में बहुराष्ट्रीय कंपनियों के लाभ :

- पूँजी की उपलब्धता तथा विदेशी निवेश।
- विदेशी विनिमय की उपलब्धता।
- उत्पादकता बढ़ाने के लिए विदेशी प्रौद्योगिकी एवं नवोन्मेषी पद्धतियाँ उपलब्ध करना।
- बचत अंतर या भुगतान शेष घाटे का वित्तपोषण करना।
- विदेशी व्यापार तथा बाजार का एकीकरण।

30. कृषि पर समझौता (Agreement on Agriculture) विश्व व्यापार संगठन की एक अंतर्राष्ट्रीय संधि है। इसके अंतर्गत सभी सदस्य देशों को बाजार पहुँच (Market access), घरेलू समर्थन (Deomestic support) एवं निर्यात सब्सिडी (export subsides) को कृषि वस्तुओं के संदर्भ में कम करना होगा ताकि विश्व व्यापार मुक्त एवं प्रतियोगी वातावरण में आगे बढ़ सके। जिसके फलस्वरूप भारतीय कृषि वस्तुओं को विदेशी बाजार प्राप्त हो सके एवं वस्तुओं की गुणवत्ता बढ़ सके।

31. 'ट्रिफिन दुविधा' (Triffin Dilemma) या ट्रिफिन विरोधाभास आर्थिक हितों का संघर्ष है जो उन देशों के लिए अल्पकालिक घरेलू और दीर्घकालिक अंतर्राष्ट्रीय उद्देश्यों के बीच उत्पन्न होता है जिनकी मुद्राएँ वैश्विक रिजर्व मुद्राओं के रूप में कार्य करती है।

ब्रेटन वुड्स पद्धति के मुख्य आलोचक रॉबर्ट ट्रिफिन ने सलाह दी कि अंतर्राष्ट्रीय मुद्रा कोष को केन्द्रीय बैंकों के 'जमा बैंकों' में बदल देना चाहिए और नई 'आरक्षित परिसंपत्ति' का सृजन अंतर्राष्ट्रीय मुद्रा कोष के नियंत्रण में करना चाहिए।

32. देश के कुल विदेशी मुद्रा भंडार (Foreign Exchange Reserve) के 4 महत्वपूर्ण घटक हैं:

1. भारतीय रिजर्व बैंक की विदेशी मुद्रा परिसम्पत्तियाँ
2. RBI के स्वर्ण भंडार
3. सरकार की SDR राशि तथा
4. IMF के पास सुरक्षित राशि।

33. क्षेत्रीय व्यापक आर्थिक साझेदारी समूह (The Regional Comprchensive Economic Partnership) RCEP, दक्षिण पूर्व एशियाई राष्ट्र संघ (आसियान) के दस सदस्यीय देशों तथा छः अन्य देशों (ऑस्ट्रेलिया, चीन, भारत, जापान, दक्षिण कोरिया और न्यूजीलैंड) जिनके साथ आसियान का मुक्त व्यापार समझौता है। RCEP समूह में 16 सदस्य हैं। इसकी औपचारिक शुरूआत 2012 में हुई है। इसका उद्देश्य व्यापार और निवेश को बढ़ावा देने के लिये इसके सदस्य देशों के बीच व्यापार नियमों को उदार एवं सरल बनाना है।

सामर्थ्य के अनुपात में राज्य को अपना अंशदान देना चाहिए।

55. प्राथमिक घाटा (Primary deficit): देश के वित्तीय घाटे और ब्याज की आदयगी के अंतर को प्राथमिक घाटा कहते हैं।

राजकोषीय घाटा – ब्याज भुगतान = प्राथमिक घाटा

प्राथमिक घाटे के आंकड़े से इस बात का पता चलता है कि किसी भी सरकार के लिए ब्याज अदायगी कितनी बड़ी या छोटी समस्या है। भारत में ब्याज की अदायगी का बड़ा खर्च है। भारत में ₹ 100 में से ₹ 18 सरकार के उधार पर ब्याज की अदायगी में जाते हैं।

56. आठवीं पंचवर्षीय योजना (1992-1997) का मूलभूत उद्देश्य विभिन्न पहलुओं में मानव विकास करना था। इस मूलभूत उद्देश्य की प्राप्ति हेतु योजना में जिन उद्देश्यों को प्राथमिकता दी गयी, वे निम्नलिखित थे–

(*i*) शताब्दी के अंत तक लगभग पूर्ण रोजगार के स्तर को प्राप्त करने की दृष्टि से पर्याप्त रोजगार का सृजन।

(*ii*) जनसंख्या वृद्धि पर रोक।

(*iii*) प्राथमिक शिक्षा को सर्वव्यापक बनाना।

(*iv*) सभी गाँवों एवं समस्त जनसंख्या हेतु पेयजल तथा टीकाकरण सहित प्राथमिक चिकित्सा सुविधाओं का प्रावधान करना तथा मैला ढोने की प्रथा को पूर्णतः समाप्त करना।

(*v*) खाद्यान्नों में आत्मनिर्भरता एवं निर्यात योग्य बचत प्राप्त करने हेतु कृषि का विकास एवं विस्तार करना।

(*vi*) विकास प्रक्रिया को स्थायी आधार पर समर्थन देने हेतु आधारभूत ढाँचे (ऊर्जा, परिवहन, संचार व सिंचाई) को मजबूत करना।

58. देश में महिला अधिकारिता और महिला सशक्तीकरण की दिशा में बजट के योगदान को स्वीकार करते हुए केन्द्र सरकार जेंडर बजटिंग (Gender Budgeting) की शुरूआत 2005-06 में की गयी थी। जेंडर बजटिंग के माध्यम से सरकार द्वारा महिलाओं के विकास, कल्याण और सशक्तीकरण से संबंधित योजनाओं और कार्यक्रमों के लिए प्रतिवर्ष बजट में एक निर्धारित राशि की व्यवस्था सुनिश्चित करने के प्रावधान किए जाते हैं।

59. मानव विकास सूचकांक – 1990
क्षमता निर्धनता माप – 1996
मानव निर्धनता सूचकांक – 1997
बहुआयामी निर्धनता सूचकांक – 2010

60. भारत सरकार के एक थिंक टैंक के रूप में नीति आयोग देश को महत्वपूर्ण जानकारी, नवीनता और उद्यमशीलता सहायता प्रदान करता है।

नीति आयोग का उद्देश्य ऐसे सुदृढ़ राज्यों का निर्माण करना है जो आपस में एकजुट होकर एक सुदृढ़ भारत का निर्माण करें। धारणीय विकास (sustainable development) लक्ष्यों की निगरानी करने का दायित्व नीति आयोग को सौंपा गया है।

61. प्रधानमंत्री नरेन्द्र मोदी ने 28 अगस्त, 2014 को प्रधानमंत्री जन धन योजना की शुरुआत की। इसके साथ ही राज्यों की राजधानियों एवं राज्यों/केन्द्र शासित प्रदेशों के अन्य प्रमुख केन्द्रों और सभी जिला मुख्यालयों में इस योजना को शुरू किया गया। यह योजना वित्तीय समावेशन पर एक राष्ट्रीय मिशन है, जिसका उद्देश्य देश में सभी परिवारों को बैंकिंग सुविधाएं उपलब्ध कराना और हर परिवार का एक बैंक खाता खोलना है। योजना के तहत वित्तीय साक्षरता को प्राथमिकता दी गई है। बैंक खाता खुल जाने के बाद प्रत्येक परिवार को बैंकिंग और ऋण की सुविधाएं सुलभ हो जाएंगी। इससे उन्हें साहूकारों के चंगुल से बाहर निकलने, आपातकालीन जरूरतों के चलते उत्पन्न होने वाले वित्तीय संकटों से खुद को दूर रखने और विभिन्न प्रकार के वित्तीय उत्पादों से लाभान्वित होने का मौका मिलेगा। इस प्रकार जनधन खाता लघु बचत योजना के अंतर्गत नहीं आता है।

62. प्रधानमंत्री सुरक्षा बीमा योजना भारत सरकार द्वारा समर्थित दुर्घटना बीमा योजना है। इसका आरंभ 2005 में किया गया। प्रधानमंत्री सुरक्षा बीमा योजना का वार्षिक प्रीमियम मात्र ₹ 12 रुपए है। यह बीमा योजना 18-70 साल के लोगों के लिए है। यदि इस योजना के अंतर्गत बीमित व्यक्ति की दुर्घटना में मौत हो जाती है, या फिर हादसे में दोनों आंखें या दोनों हाथ या दोनों पैर खराब हो जाते हैं तो उसे ₹ 2 लाख मिलेंगें।

67. Here, Total cost function is

$$TC = q^3 - 10q^2 + 17q + 66$$

$\therefore$ Total profit

$$\Pi = TR - TC$$
$$= q.5 - (q^3 - 10q^2 + 17q + 66)$$
$$= 5q - q^3 + 10q^2 - 17q - 66$$

For Maximum Profit

$$\frac{d\Pi}{dq} = 5 - 3q^2 + 20q - 17 = 0$$

$$\Rightarrow \quad 3q^2 - 20q + 12 = 0$$
$$\Rightarrow \quad 3q^2 - 18q - 2q + 12 = 0$$
$$\Rightarrow \quad 3q(q - 6) - 2(q - 6) = 0$$
$$(q - 6)(3q - 2) = 0$$
$$\therefore \quad q = 6 \text{ or } q = 2/3$$

For maximum,

$$\frac{d^2\Pi}{dq^2} = -6q + 20 < 0$$

At $q = 6$, This condition is satisfied.

68. Supply response: $S_t = Ap_{t-1} + B$

Consumer demand: $D_t = ap_t + b$

Market equilibrium: $S_t = D_t$

This is the famous cobweb model developed by Ezekiel (1938) and Waugh (1964), which they used to explain the unstable performance of many agricultural commodity markets. The solution to this model, assuming that $p = p_0$ at $t = 0$, is (Henderson and Quandt, 1971):

$$p_t = \left(p_0 - \frac{B-b}{a-A}\right)\left(\frac{A}{a}\right)^t + \frac{B-b}{a-A},$$

which gives the time path of p_t as a function of t. A dynamic market equilibrium is achieved if prices stabilize, *i.e.*, if $p_t = p_{t-1}$ as $t \to \infty$. This requires that $p_t = (B - b)/(a - A)$. For this to occur, the first right hand term in the p_t equation must tend to zero as $t \to \infty$, which will be the case if A/a = slope S/slope D < 1, assuming normal slopes for supply and demand, *i.e.*, A > 0 and $a < 0$. Thus:

if $A/a < 1$, the market oscillates toward a stable equilibrium price and quantity;

if $A/a > 1$, the market oscillates toward unstable and explosive equilibrium.

71. Cobb-Douglas Production Function: The American economists like Charles W. Cobb and Paul H. Douglas have studied the relationship between physical input and physical output and formed an empirical production function, popularly known as 'Cobb-Douglas Production Function.'

Given a specific production function Q = f(L, K), Cobb–Douglas production function is of the form:

$$Q = A.L^a.K^b \; [a + b = 1]$$

Where,

Q = the rate of output (or total production)

L = the quantity of labour employed

K = the quantity of capital employed

A, a, b = the positive constants

a = the elasticity of output with respect to labour

b = the elasticity of output with respect to capital.

This function can also be written as:

$$Q = A.L^a.K^{1-a} \; [\because \; b = 1 - a]$$

It is noted here that the value of a is greater than zero ($a > 0$) but less than one ($a < 1$).

In their research, Cobb and Douglas estimated the function from time series data between 1899 and 1992. The result was that labour's share in national income of the USA is about 3/4 or 0.75 and that of capital share is about 1/4 or 0.25. The estimated value of efficiency parameter A is 1.01 (*i.e.*, $e > 1$). Hence, the result of their research studies was of the form

$$Q = 1 - 01.L^{0.75}.\ K^{0.25}$$

Properties: The following are the important properties of Cobb-Douglas production function:

1. The general form of Cobb-Douglas production function is homogenous of degree one, *i.e.*, $a + b = 1$.

2. If $a + b = 1$, then the production is operating under constant returns to scale.
3. If the inputs—labour and capital—are increased by m times, the total output will also be increased by m times.
4. The elasticity of substitution between labour and capital is equal to one.
5. The marginal product of labour is equal to the increase in output when labour input is increased by one unit. That is,

$$\frac{\partial Q}{\partial L} = \frac{a}{LQ}$$

6. The marginal product of capital is equal to the increase e in output when capital input is increased by one unit. That is,

$$\frac{\partial Q}{\partial K} = \frac{b}{K} \cdot Q$$

7. The average product of labour is equal to the ratio between output and labour input. That is,

$$\frac{Q}{L} = A \cdot L^{a-1} \cdot K^{b}$$

8. The average product of capital is equal to the ratio between output and capital input. That is,

$$\frac{Q}{K} = A \cdot L^{a} \cdot K^{b-1}$$

9. If one of the inputs is zero, the output will also be zero.
10. The 'expansion path' generated by this function is linear homogeneous and it passes through the origin.
11. It satisfies the Euler's theorem. That is,

$$MP_L . L + MP_K . K = Q$$

12. a and b represent elasticities of output with respect to labour and capital respectively.
13. The multiplicative form of the function can be changed into a log-linear form as:

$$\log Q = \log A + a \log L + b \log K$$

73. The Durbin-Watson Test: The Durbin-Watson test (DW) is may be the most common test for autocorrelation and is based on the assumption that the structure is of first order. Since first order autocorrelation is most likely to appear in time series data, the test is very relevant, and all statistical software has the option of calculating it automatically for you.

The Durbin-Watson test statistic for first order autocorrelation is given by:

$$DW = \frac{\sum_{t=2}^{T}(e_t - e_{t-1})^2}{\sum_{t=1}^{T}(e_t)^2} \qquad ...(1)$$

with e being the estimated residual from a sample regression model. To see that this test statistic is related to the first order autocorrelation case we may rewrite (1) in the following way:

$$DW = \frac{\sum_{t=2}^{T}(e_t - e_{t-1})^2}{\sum^{T}(e_t)^2}$$

$$= \frac{\sum_{t=2}^{T} e_t^2}{\sum^{T}(e_t)^2} + \frac{\sum_{t=2}^{T} e_{t-1}^2}{\sum^{T}(e_t)^2} - \frac{2\sum_{t=2}^{T} e_t e_{t-1}}{\sum^{T}(e_t)^2}$$

$$\approx 1 + 1 + 2\hat{p} = 2(1 - \hat{p}) \qquad ...(2)$$

Where $\hat{p}$ on the right hand side is the autocorrelation coefficient from an first order autoregression scheme.

However, it is only an approximation since the expressions in the numerator sum from 2 to T instead of 1 to T as is the case in the denominator. The larger the value of T the better is the approximation.

From (2) it is possible to see that the DW test statistic only takes values between 0 and 4 since the autocorrelation coefficient only takes values between –1 and 1. Hence, when the autocorrelation coefficient equals 0, the DW test statistics equals 2. If DW > 2 we have an indication of a negative autocorrelation, and if DW < 2 we would have an indication of a positive autocorrelation.

पिछले प्रश्न-पत्र (हल सहित)

UGC-NET जूनियर रिसर्च फैलोशिप तथा सहायक प्राध्यापक परीक्षा

अर्थशास्त्र, जनवरी–2017*

प्रश्न-पत्र-II

निर्देश : *इस प्रश्न-पत्र में* ***पचास (50)*** *बहु-विकल्पीय प्रश्न हैं। प्रत्येक प्रश्न के* ***दो (2)*** *अंक हैं।* ***सभी*** *प्रश्न अनिवार्य हैं।*

1. दो वस्तुओं X और Y के बीच रूपान्तरण की सीमान्त दर को किस रूप में परिभाषित किया जाता है?

A. $MRT_{X,Y} = \frac{MC_X}{MC_Y}$

B. $MRT_{X,Y} = MRS_{X,Y}$

C. $MRT_{X,Y} = MRS_{X,Y} = \frac{P_X}{P_Y}$

D. उपर्युक्त में से कोई नहीं

2. किसी फर्म के विस्तार पथ के संबंध में निम्नलिखित कथनों पर विचार कीजिए :

I. यह उत्पादन के विभिन्न स्तर को बनाने हेतु न्यूनतम लागत संयोजन को दर्शाता है।

II. आदान मूल्य स्थिर रहते हैं।

उपर्युक्त में से कौन-सा/से कथन सही है/हैं?

नीचे दिए गए कूट से उत्तर दीजिए :

कूट :

A. I और II दोनों सही हैं।

B. केवल I सही है।

C. केवल II सही है।

D. I और II दोनं. ही सही नहीं है।

3. कल्याण अर्थशास्त्र के पहले मौलिक प्रमेय के लिए अपेक्षित है :

A. उत्पादक और उपभोक्ता कीमत स्वीकार करने वाले हों।

B. कि अर्थव्यवस्था उपयोगिता संभाव्यता वक्र के किसी बिंदु पर काम करती है।

C. कि प्रत्येक वस्तु के लिए प्रभावी बाजार हो।

D. उपर्युक्त सभी

4. निम्नलिखित में से कौन-सा आवंटन/वितरण समता की रॉलसियन अवधारणा के अनुरूप है?

A. समाज के सभी सदस्य वस्तुओं की समान मात्रा प्राप्त करते हैं।

B. सबसे कम संपन्न लोगों की उपयोगिता को अधिकतम करना।

C. बाजार परिणाम सर्वाधिक उचित हैं।

D. समाज के सभी सदस्यों की कुल उपयोगिता को अधिकतम करना।

5. विभेदकारी एकाधिकार के अंतर्गत यदि बाजार I में माँग की लोच 2 है और बाजार II में 1 है (लोच के निरपेक्ष मान हैं) तब एकाधिकारी का मूल्य व्यवहार होगा :

A. बाजार I में उच्चतर कीमत लेना।

B. बाजार II में उच्चतर कीमत लेना।

C. दोनों बाजारों में समान कीमत लेना।

D. बाजार I तथा II में ली गई कीमत से दोगुना लेना।

6. दिए गए माँग फलन $Q = \frac{20}{P}$ में, जहाँ चिह्नों का अपना सामान्य अर्थ है, किस कीमत पर माँग की लोच एक होगी?

A. 20 B. 10

C. 5 D. उपर्युक्त सभी

7. भारत की किस पंचवर्षीय योजना में निर्देशात्मक आयोजन के विचार को पहली बार अपनाया गया?

A. दूसरी योजना B. पाँचवीं योजना

C. सातवीं योजना D. आठवीं योजना

* *Held on 22 January, 2017.*

8. राष्ट्रीय स्वास्थ्य बीमा योजना (आर.एस.बी.वाई.) के संबंध में निम्नलिखित कथनों पर विचार कीजिए :

(*a*) आर.एस.बी.वाई. के अंतर्गत केंद्र और राज्य सरकारों के द्वारा 85 : 15 के आधार पर प्रीमियम में हिस्सेदारी की जाती है।

(*b*) पूर्वोत्तर राज्यों और जम्मू तथा कश्मीर के मामले में आर.एस.बी.वाई के अंतर्गत 90 : 10 के अनुपात में प्रीमियम में हिस्सेदारी की जाती है।

ऊपर दिए गए कथन (कथनों) में से कौन-सा (से) सही है/हैं?

A. सिर्फ (*b*)
B. सिर्फ (*a*)
C. (*a*) और (*b*) दोनों
D. (*a*) और (*b*) में कोई नहीं

9. नीचे दी गई सूचियों में से निम्नलिखित को सुमेलित कीजिए :

सूची-I	सूची-II
(*a*) राष्ट्रीय ग्रामीण रोजगार कार्यक्रम (एन.आर.ई.पी.)	1. 2001
(*b*) सुकन्या समृद्धि योजना (एस.एस.वाई.)	2. 1980
(*c*) काम के लिए अनाज कार्यक्रम (एफ.डब्ल्यू.पी.)	3. 1983
(*d*) ग्रामीण भूमिहीन रोजगार गारंटी कार्यक्रम (आर.एल.ई.जी.पी.)	4. 2015

नीचे दिए गए कूट से उत्तर दीजिए :

कूट :

	(*a*)	(*b*)	(*c*)	(*d*)
A.	4	3	2	1
B.	1	2	4	3
C.	2	4	1	3
D.	3	2	4	1

10. मार्च 2015 के अंत में भारत के बाह्य ऋण में निम्नलिखित में से किसका अधिकतम हिस्सा है?

A. रुपया ऋण
B. एन.आर.आई. जमा
C. वाणिज्यिक उधारियाँ
D. निर्यात साख

11. आर.बी.आई. किस मूल्य तक के मुद्रा नोटों का मुद्रण कर सकता है?

A. ₹ 25,000
B. ₹ 10,000
C. ₹ 5,000
D. ₹ 1,000

12. केन्द्रीय बजट 2016-17 ने कितनी आय से अधिक पर 15% का अधिभार लगाया है?

A. ₹ 2 करोड़
B. ₹ 75 लाख
C. ₹ 10 लाख
D. ₹ 1 करोड़

13. परम्परागत कृषि विकास योजना का उद्देश्य निम्नलिखित में से किसे बढ़ावा देना है?

A. ड्रिप सिंचाई
B. जैविक कृषि
C. बागवानी फसल
D. सब्जी का उत्पादन

14. निम्नलिखित में से कौन क्लासिकल द्वैधता को संदर्भित करता है?

A. अर्थव्यवस्था के दो सेक्टर हैं नामतः कृषि और उद्योग
B. मुद्रा का प्रभाव वास्तविक चरों जैसे रोजगार और उत्पादन पर नहीं अपितु कीमत स्तर पर होता है।
C. बचत सिर्फ लाभ से आती है न कि मजदूरी से
D. उपर्युक्त सभी

15. 'बिग-पुश' सिद्धान्त का मूल तर्काधार निम्नलिखित में से किस विचार पर आधारित है?

A. जनसंख्या का आकार
B. बाह्य मितव्ययिताएँ
C. आंतरिक मितव्ययिताएँ
D. उपर्युक्त में से कोई नहीं

16. "आर्थिक विकास के सिद्धान्त में केन्द्रीय समस्या उस प्रक्रिया को समझना है जिसके द्वारा कोई समुदाय जो पहले अपनी राष्ट्रीय आय का 4 से 5 प्रतिशत या उससे भी कम बचत कर रहा था, अपने आपको ऐसी अर्थव्यवस्था में बदल लेता है जब स्वैच्छिक बचत राष्ट्रीय आय का लगभग 12 से 15 प्रतिशत से अधिक हो रही है।" निम्नलिखित में से किस अर्थशास्त्री ने यह विचार व्यक्त किया?

A. रागनार नर्क्स
B. पी.एन. रोजेन्स्टीन-रोडन
C. गुन्नार मिर्डाल
D. डब्ल्यू. आर्थर लेविस

17. हैरोड-डोमर समीकरण g = s÷v में v किस प्रकार परिभाषित है?

A. देश के पूँजी-स्टॉक का मूल्य
B. वृद्धिशील पूँजी निर्गत अनुपात
C. देश के पूँजी-स्टॉक में परिवर्तन
D. उपर्युक्त में से कोई नहीं

18. लाइबेन्स्टीन अपने क्रांतिक न्यूनतम प्रयास सिद्धान्त में जनसंख्या को कौन-सा कारक मानते हैं?

A. निवेश प्रेरक B. आय सृजक
C. बाजार विस्तारक D. आय मंदक

19. निम्नलिखित में से कौन-से अर्थशास्त्री विकास की निर्भरता सिद्धान्त से संबद्ध नहीं थे/हैं?

A. राउल प्रेबिश B. टी.डी. सान्तोस
C. आन्द्रे गन्डर फ्रैंक D. गुन्नार मिर्डाल

20. नव क्लासिकल संवृद्धि मॉडल में किस बचत फलन का प्रयोग किया गया है?

A. क्लासिकल बचत फलन
B. समानुपातिक बचत फलन
C. विभेदक बचत फलन
D. स्थिर बचत फलन

21. भारत में भुगतान संतुलन में निम्नलिखित मदों पर विचार कीजिए :

I. एन.आर.आई जमा
II. प्रेषित धन

उपर्युक्त में से कौन भुगतान संतुलन के पूँजी खाता का हिस्सा है?

नीचे दिए गए कूट से उत्तर दीजिए :

कूट :

A. सिर्फ I
B. सिर्फ II
C. I और II दोनों
D. I और II में से कोई नहीं

22. निम्नलिखित में से कौन-सा जोड़ा सही नहीं है?

A. टौसिग : व्यापार की वस्तु-विनिमय शर्तें
B. प्रेबिश : व्यापार की पतनोन्मुखी शर्तें
C. मार्शल : प्रस्ताव वक्र
D. वालरस : पाटन शर्तें

23. निम्नलिखित में से कौन विवेकाधीन राजकोषीय कार्रवाई के बारे में सही है?

A. बेरोजगारी बीमा का भुगतान।
B. सेवानिवृत्त व्यक्तियों को सामाजिक सुरक्षा प्रदान करना।
C. सरकार के खर्च और/अथवा निवल कर-राजस्व के स्तर में व्यवस्थित परिवर्तन।
D. आयकर संरचना के परिणामस्वरूप होने वाले निवल कर-राजस्व में स्वतः परिवर्तन।

24. निम्नलिखित में से किसने व्यापार को 'संवृद्धि का उपकरण' (हैंड मेडेन) कहा है?

A. जे. वाइनर B. इर्विंग बी. क्रेविस
C. एन. क्रूगर D. जे. भगवती

25. 1950 के दशक में लैटिन अमरीकी देशों की आयात प्रतिस्थापन नीति के बारे में निम्नलिखित में से कौन सही है/हैं?

I. इसके परिणामस्वरूप विनिमय दर का अधिमूल्यन हुआ।
II. इसने विकास को स्वाभाविक प्रक्रिया माना।

नीचे दिए गए कूट से उत्तर दीजिए :

कूट :

A. I और II दोनों सही हैं।
B. सिर्फ I सही है।
C. सिर्फ II सही है।
D. I और II कोई सही नहीं है।

26. निम्नलिखित अवधारणाओं पर विचार कीजिए :

I. लियोण्टिफ विरोधाभास
II. लिन्डर परिकल्पना

निम्नलिखित में से किसे हेक्सचर-ओहलिन सिद्धान्त के निष्कर्षो का अपवाद माना जा सकता है। निम्नलिखित कूट से उत्तर दीजिए :

कूट :

A. I और II दोनों अपवाद हैं।
B. I और II में से कोई भी अपवाद नहीं हैं।
C. सिर्फ I अपवाद है।
D. सिर्फ II अपवाद है।

27. निम्नलिखित में से कौन-सा/से कथन भारत में प्रस्तावित जी.एस.टी. व्यवस्थाओं के लिए सही है/हैं?

I. केन्द्रीय और राज्य कर दोनों बिक्री के बिंदु पर संग्रह किए जाएँगे।

II. केन्द्रीय और राज्य जी.एस.टी. विनिर्माण लागत पर वसूले जाएँगे।

उपर्युक्त में से कौन-सा/से कथन सही है/हैं?

नीचे दिए गए कूट से उत्तर दें :

कूट :

A. I और II में से कोई सही नहीं है।

B. सिर्फ I सही है।

C. सिर्फ II सही है।

D. I और II दोनों सही हैं।

28. अर्थशास्त्री अप्रत्याशित स्फीति, जो बकाया सरकारी ऋण के वास्तविक मूल्य को कम करता है, को कहते हैं :

A. स्फीति का भार B. अप्रत्याशित चूक

C. टकसाली लाभ D. स्फीति कर

29. लोक वस्तु है :

(*i*) अवर्जनीय प्रकृति की

(*ii*) उपभोग में प्रतिद्वंद्विता रहित

(*iii*) वर्जनीय प्रकृति की

(*iv*) वस्तु जो जनता के पास अवश्य हो

निम्नलिखित कूटों का प्रयोग करते हुए सही उत्तर चुनिए :

कूट :

A. (*i*) और (*ii*) दोनों B. केवल (*iii*)

C. (*iii*) और (*iv*) दोनों D. केवल (*iv*)

30. अग्र-अंतरित कर निम्नलिखित में से किसे प्रभावित करेगा?

A. विक्रेता से अधिक खरीदार को

B. खरीदार से अधिक विक्रेता को

C. खरीदार और विक्रेता को बराबर-बराबर

D. सरकारी राजस्व को नकारात्मक रूप में

31. मान लीजिए B सामाजिक लाभ है, C सामाजिक लागत है, r सामाजिक बट्टा दर है, t समय है और T निवेश परियोजना का जीवन काल है। परियोजना का निवल वर्तमान मूल्य (NPV) कितना है :

A. $\text{NPV} = \sum_{t=0}^{T} \frac{B_t - C_t}{(1+r)^t}$ B. $\text{NPV} = \sum_{t=0}^{T} \frac{C_t - B_t}{(1+r)^t}$

C. $\text{NPV} = \sum_{t=0}^{T} \frac{(1+r)^t}{B_t - C_t}$ D. $\text{NPV} = \sum_{t=0}^{T} \frac{B_t - C_t}{(C_t)^t}$

32. 'वर्जनीयता-रहित' और 'प्रतिद्वंद्विता रहित' की विशेषताओं के संदर्भ में 'विधि और व्यवस्था' किसका क्लासिक उदाहरण है?

A. नकारात्मक बाह्यता

B. सकारात्मक बाह्यता

C. वृद्धिशील प्रतिलाभ

D. लोक वस्तु

33. जे.आर. हिक्स के व्यापार चक्र सिद्धान्त में निम्नलिखित में से किसके द्वारा दीर्घकालिक साम्य संवृद्धि निर्धारित होती है?

A. प्रौद्योगिकी B. जनसंख्या

C. स्वायत्त निवेश D. (A) और (B) दोनों

34. निम्नलिखित में से कौन स्फीति-गतिरोध की विशेषता नहीं है?

A. उच्च स्फीति B. उच्च बेरोजगारी

C. निम्न संवृद्धि D. उच्च रोजगार

35. वर्ष 1869 से 1929 की अवधि के लिए अमरीकी आर्थिक आँकड़ों में साइमन कुटनेट्ज द्वारा आसंजित किए गए उपभोग फलन के संबंध में निम्नलिखित कथनों पर विचार कीजिए :

I. इस प्रकार आसंजित किए गए रैखिक उपभोग फलन में कोई भी स्थिर पद नहीं प्रतीत हुआ।

II. ए.पी.सी. और एम.पी.सी. में बहुत अधिक भिन्नता नहीं थी।

उपर्युक्त में से कौन-सा/से कथन सही है/हैं?

निम्नलिखित कूट से उत्तर दीजिए :

कूट :

A. दोनों कथन सही नहीं हैं।

B. केवल I सही है।

C. केवल II सही है।

D. दोनों कथन I और II सही हैं।

36. निम्नलिखित में से कौन-सा सिद्धान्त/उपागम उपभोग को प्रत्याशित आय पर निर्भर नहीं मानता है?

A. केन्ज उपागम

B. फ्रीडमैन का उपागम

C. जीवनचक्र उपागम

D. उपर्युक्त (B) और (C) दोनों

37. एक अर्थव्यवस्था में बचत और निवेश फलन निम्नवत् दिए गए हैं :

$S = -100 + 0.2y$

$I = -30 + 0.1y$

आय का साम्य स्तर क्या होगा?

A. 1000 B. 900

C. 600 D. 700

38. दिए गए आँकड़े : 0, 4, 5, 7, 100 के सेट के लिए निम्नलिखित में से कौन-सा सबसे उपयुक्त माध्य है?

A. गणितीय माध्य B. ज्यामितीय माध्य

C. माध्यिका D. हरात्मक माध्य

39. निम्नलिखित में से कौन यादृच्छिक प्रतिचयन पद्धति है?

A. कोटा प्रतिचयन B. सोद्देश्य प्रतिचयन

C. व्यवस्थित प्रतिचयन D. क्लस्टर प्रतिचयन

40. स्टैण्डर्ड प्रसामान्य वक्र के अन्तर्गत -3σ और $+3\sigma$ के बीच क्षेत्र है :

A. 1 B. 0.9973

C. 0.95 D. 0.6826

41. सममित वितरण में विषमता का मान होगा :

A. 3 B. 0

C. 1 D. 2

42. दिए गए निम्नलिखित आँकड़ों में से :

अवलोकन की संख्या = 100

गणितीय माध्य = 180

प्रसरण = 324

तब विचरण का गुणांक का मान होगा :

A. 32.4% B. 10%

C. 18% D. 1.8%

43. निम्नलिखित में से कौन समय उत्क्रमण परीक्षण को पूरा करता है किंतु कारक उत्क्रमण परीक्षण को नहीं?

A. लेस्पीयर्स B. मार्शल-एजवर्थ

C. फिशर D. पॉशे

44. गुणों के संबंध के परीक्षण के लिए निम्नलिखित में से कौन-सा परीक्षण उपयुक्त है?

A. t परीक्षण B. F परीक्षण

C. χ^2 परीक्षण D. Z परीक्षण

निर्देश (प्र.सं. 45 से 50 तक): *नीचे दो कथन दिए गए हैं जिनमें एक अभिकथन (A) और दूसरा तर्क (R)। प्रश्नों के उत्तर का चयन नीचे दिए गए कूटों का प्रयोग करके करें।*

A. (A) और (R) दोनों सही हैं और (R), (A) की सही व्याख्या है।

B. (A) और (R) दोनों सही हैं, किन्तु (R), (A) की सही व्याख्या नहीं है।

C. (A) सही है, किन्तु (R) सही नहीं है।

D. (A) सही नहीं है, किन्तु (R) सही है।

45. अभिकथन (A) : लम्बी अवधि में और पूर्ण प्रतिस्पर्धा में एक फर्म केवल प्रसामान्य लाभ अर्जित करती है।

तर्क (R) : इस प्रणाली में परिवहन की कोई लागत नहीं है।

46. अभिकथन (A) : एक श्रमिक ओवर टाइम करने के लिए तत्पर होता है।

तर्क (R) : उद्योग अपने कर्मचारियों को दक्षता-मजदूरी का भुगतान करता है।

47. अभिकथन (A) : प्रगतिशील कराधान का सिद्धान्त सामान्यतया स्वीकार्य राज्यनीति है।

तर्क (R) : प्रगतिशील कराधान आय और सम्पत्ति के वितरण को प्रभावित नहीं करता है।

48. अभिकथन (A) : बाजार की अपूर्णता के कारण गतिरोध-स्फीति की स्थिति उत्पन्न हो सकती है।

तर्क (R) : मजदूरी नम्यता से गतिरोध-स्फीति की स्थिति उत्पन्न हो सकती है।

49. अभिकथन (A) : फ्रीडमैन मुद्रा को विलासिता की वस्तु मानता है।

तर्क (R) : यह विनिमय के माध्यम के रूप में काम करती है।

50. अभिकथन (A) : चल माध्य विधि उपनति अनुमान का तरीका है।

तर्क (R) : समाश्रयण विधि का प्रयोग काल शृंखला में उच्चावचन के अनुमान के लिए किया जाता है।

उत्तरमाला

1	2	3	4	5	6	7	8	9	10
A	A	D	B	B	D	D	A	C	C
11	**12**	**13**	**14**	**15**	**16**	**17**	**18**	**19**	**20**
B	D	B	B	B	D	B	D	D	B
21	**22**	**23**	**24**	**25**	**26**	**27**	**28**	**29**	**30**
A	D	C	B	B	A	D	D	A	A
31	**32**	**33**	**34**	**35**	**36**	**37**	**38**	**39**	**40**
A	D	C	D	D	A	D	C	*	B
41	**42**	**43**	**44**	**45**	**46**	**47**	**48**	**49**	**50**
B	B	B	C	B	B	C	B	B	C

व्याख्यात्मक उत्तर

1. रूपांतरण की सीमान्त दर : दो उत्पादों के लिए रूपांतरण की सीमान्त दर इन उत्पादों के उत्पादन की सीमान्त लागत के अनुपात के रूप में परिभाषित की गई है। दो उत्पादों के साथ रूपांतरण की सीमान्त दर अर्थव्यवस्था की उत्पादन संभावना सीमा की ढलान है। निविष्टियों के पुनः आवंटन के साथ, रूपांतरण की सीमान्त दर से ज्ञात होता है कि कैसे अर्थव्यवस्था एक उत्पाद के उत्पादन को दूसरे उत्पाद के उत्पादन से कुशलता से बदल सकती है। संसाधन आवंटन इष्टतम होता है जब उत्पादों की प्रत्येक जोड़ी के लिए रूपांतरण की सीमान्त दर दो उत्पादों के मूल्य अनुपात के बराबर होती है।

2. संतुलन पथ जिसके साथ उत्पादन में विस्तार होता है, जैसा कि परिव्यय बढ़ता है, विस्तार पथ कहलाता है। विस्तार पथ को 'स्केल लाइन' या 'रे' के रूप में भी जाना जाता है।

1. प्रोफेसर रॉबर्ट वाई. अहव के शब्दों में, "यह मानते हुए कि इनपुट कीमतें स्थिर रहती हैं, एक विस्तार पथ उत्पादन के विभिन्न स्तरों को संभालने के लिए सर्वोत्तम लागत इनपुट संयोजनों का स्थान प्रदर्शित करता है।"
2. स्टोनियर और हेग के अनुसार, "विस्तार पथ वह रेखा है जो उत्पादन के विभिन्न स्तरों की न्यूनतम लागत विधि को प्रदर्शित करता है, जब कारक की कीमतें स्थिर रहती हैं।"

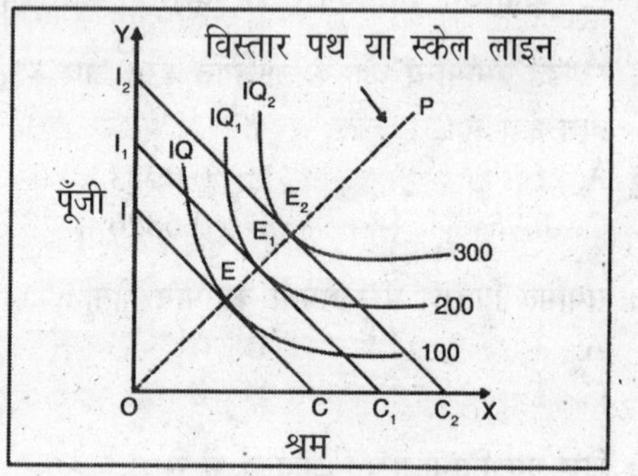

चित्र : *विस्तार पथ*

3. कल्याण अर्थशास्त्र का पहला मौलिक प्रमेय : जब तक उत्पादक और उपभोक्ता मूल्य खरीदार के रूप में कार्य करते हैं और प्रत्येक वस्तु के लिए एक बाजार है, तो संसाधनों का संतुलन आवंटन परेटो कुशल होता है। अर्थात् अर्थव्यवस्था उपयोगिता संभावनाओं की सीमा पर कुछ बिंदु पर संचालित होता है।

पहला कल्याण प्रमेय के पीछे अंतर्ज्ञान :

1. उपभोग क्षमता : यदि सभी लोग एक ही कीमत का भुगतान करते हैं, तो प्रति व्यक्ति प्रतिस्थापन की सीमान्त दर (एमआरएस) मूल्य अनुपात के बराबर होती है। इस प्रकार, उनके एमआरएस एक-दूसरें के बराबर होने चाहिए। यही उपभोग क्षमता की आवश्यकता है।

2. उत्पादन क्षमता : यदि फर्म कारक बाजारों और उत्पादन बाजार में मूल्य खरीदार हों, तो वे सभी श्रम (W) और पूँजी की कीमत (C) के समान मूल्यों का सामना करते हैं। लागतों को कम करने के लिए, फर्म को श्रम और पूँजी की कीमतों के अनुपात के बराबर तकनीकी प्रतिस्थापन (MRTS) की अपनी सीमान्त दर निर्धारित करनी चाहिए। यह किसीं भी वस्तु के लिए सत्य है। इसलिए, प्रत्येक फर्म के पास वही एमआरटीएस होनी चाहिए जो उत्पादन क्षमता के लिए आवश्यक शर्त है।

3. आवंटन क्षमता : हमलोग जानते हैं कि दो वस्तुओं के बीच परिवर्तन की सीमान्त दर, प्रतिस्थापन की सीमान्त दर के बराबर होती है। हम यह भी जानते हैं कि एक अधिकतम लाभ प्रतिस्पर्धी फर्म उस बिन्दु तक उत्पादन करता है जिस पर सीमांत लागत मूल्य के बराबर होती है। इस प्रकार फर्मों का सीमान्त लागत अनुपात, मूल्य अनुपात के बराबर होता है। प्रत्येक व्यक्ति का एमआरएस, मूल्य अनुपात के बराबर होता है अतः प्रत्येक व्यक्ति का एमआरएस दो फर्मों के सीमान्त लागत अनुपात के बराबर होता है। इसलिए, प्रत्येक व्यक्ति के लिए एमआरएस दो वस्तुओं के लिए एमआरटी के बराबर होता है।

6. हम जानते हैं कि,

$$e_p = -\frac{P}{Q}\cdot\frac{dQ}{dP}$$

$\Rightarrow$ दिया गया है,

$$Q = \frac{20}{P}$$

$$\therefore \quad \frac{dQ}{dP} = \frac{-20}{P^2}$$

$$\therefore \quad e_p = \frac{-P}{Q}\cdot\frac{-20}{P^2} = \frac{-P}{20/P}\cdot\frac{-20}{P^2}$$

$$\left(\because Q = \frac{20}{P}\right)$$

$$= \frac{-P^2}{20}\cdot\frac{-20}{P^2} = -(-1) = 1$$

इसलिए, प्रत्येक मूल्य पर मांग की लोच एकात्मक होगी।

7. अनिवार्यताओं की योजना : इस प्रकार की योजना में, केन्द्रीय योजना प्राधिकरण अर्थव्यवस्था के प्रत्येक पहलू पर निर्णय लेता है, और उन्हें प्राप्त करने के लिए निरूपित प्रक्रियाओं का कड़ाई से पालन करवाया जाता है। इस प्रकार की योजना मुख्यतः समाजवादी अर्थव्यवस्थाओं में प्रचलित है।

निर्देशात्मक आयोजन : इस प्रकार के आयोजन में अर्थव्यवस्था के लिए राज्य व्यापक मापदंड और लक्ष्य निर्धारित करता है। हमारे देश में यह 8वीं पंचवर्षीय योजना से अपनाया गया, जो कई विकसित देशों में प्रचलित है।

8. राष्ट्रीय स्वास्थ्य बीमा योजना (RSBY) जो असंगठित क्षेत्र में स्मार्ट कार्ड आधारित प्रति वर्ष ₹ 30000 बीपीएल परिवारों को प्रति परिवार (पाँच की इकाई) नकद रहित स्वास्थ्य बीमा कवर प्रदान करती है, का अब प्रसार महात्मा गाँधी राष्ट्रीय ग्रामीण रोजगार गारंटी योजना (MGNREGS) के उन लाभार्थियों तक कर दिया गया है जिन्होंने पूर्ववर्ती वित्तीय वर्ष में 15 दिनों से अधिक दिनों तक काम किया है। 75 : 25 के अनुपात में प्रीमियम केन्द्र और राज्य सरकार के बीच साझा किया जाता है और उत्तर पूर्वी क्षेत्र तथा जम्मू और कश्मीर राज्य के मामलों में प्रीमियम का हिस्सा 90 : 10 है। लाभार्थियों को केवल ₹ 30 प्रति वर्ष पंजीकरण/नवीकरण शुल्क के रूप में भुगतान करना आवश्यक है।

11. मुद्रा जारीकर्ता : भारतीय रिजर्व बैंक अधिनियम की धारा 22 के अनुसार भारतीय रिजर्व बैंक (आरबीआई) को सभी मूल्यवर्ग के बैंक नोट जारी करने का एकमात्र अधिकार है। आरबीआई, भारत में एकमात्र नोट जारी करने वाले प्राधिकरण के रूप में ₹ 10,000 के मूल्य तक का नोट जारी करने में सशक्त है। आरबीआई मुद्रा के डिजाइन और उत्पादन तथा संपूर्ण प्रबंधन के लिए जिम्मेदार है। मुंबई में मुद्रा प्रबंधन विभाग, मुद्रा के उत्पादन और वितरण के लिए रिजर्व बैंक के क्षेत्रीय कार्यालयों की सहायता से कार्य संपादित करता है। भारतीय रिजर्व बैंक के अंतर्गत सिक्कों और नोटों का परिचालन इन मूल्य वर्ग में है : 50 पैसे, ₹ 1, ₹ 2, ₹ 5 और ₹ 10 के सिक्के हैं जबकि संचालन में नोट हैं : ₹ 1, ₹ 2, ₹ 5, ₹ 10, ₹ 20, ₹ 50, ₹ 100, ₹ 500 तथा ₹ 2000।

13. केन्द्रीय बजट 2015 में एक नया कार्यक्रम परंपरागत कृषि विकास योजना की उद्घोषणा जैविक खेती को बढ़ावा देने के लिए हुई। इस योजना के लिए ₹ 300 करोड़ का प्रारंभिक आवंटन किया गया। सरकार परंपरागत जैविक खेती को बढ़ावा देने के लिए किसानों को प्रोत्साहित करने हेतु एक क्लस्टर आधारित कार्यक्रम का कार्यान्वयन कर रही है, जिसे कृषि विकास योजना (PKVY) कहा जाता है। इस कार्यक्रम के तहत् किसानों के समूह को जैविक खेती करने के लिए प्रेरित किया जाएगा। पारंपरिक संसाधनों का उपयोग करके जैविक खेती को बढ़ावा दिया जाएगा और जैविक उत्पादों को बाजार से जोड़ा जाएगा। इससे सम्मिलित किसानों द्वारा जैविक उत्पादों की घरेलू उत्पादन और प्रमाणन में वृद्धि की जाएगी। वर्ष 2015-16 में PKVY को लागू करने के लिए ₹ 300 करोड़ की राशि आवंटित की गई है।

14. क्लासिकल मॉडल बाजारों में निःशुल्क प्रतिस्पर्धा ग्रहण करता है : बड़ी संख्या में खरीदार और विक्रेता उत्पादों और उत्पादन के कारकों के लिए बाजार में भाग लेते हैं। बाजार के कोई भी भागीदार बाजार पर हावी नहीं होते (उदाहरण-एकाधिकार); सभी कीमतें लचीली होती हैं, और बदलती हुई माँग और आपूर्ति के लिए तुरंत समायोजन होता है। चूँकि कुल व्यय उत्पादन के बराबर होता है इसलिए बाजार पूर्ण-रोजगार के स्तरों को इस प्रकार समायोजित करेगा, मानो 'अदृश्य' अथवा 'गुप्त' हाथों द्वारा निर्देशित होता हो। यह दो प्रमुख क्लासिकल आर्थिक निष्कर्षों की ओर उन्मुख होता है :

- मूल्य स्तर पूरी तरह से लचीला होता है, वास्तविक जीडीपी मूल्य स्तर से स्वतंत्र (धन तटस्थ है) निर्धारित किया जाता है।
- अर्थव्यवस्था एक पूर्ण (या प्राकृतिक) रोजगार स्तर पर काम करेगी।

पहला निष्कर्ष वास्तविक और नाममात्र चरों (जिसे धन की तटस्थता के रूप में भी जाना जाता है) के क्लासिक विरोधाभास के रूप में वर्णित है। अर्थव्यवस्था में वास्तविक चर (उदाहरण—वास्तविक जीडीपी, बेरोजगारी और खपत) आर्थिक प्रदर्शन के प्रभावी संकेतक हैं। डॉलर मूल्यों और अर्थव्यवस्था में रहने की लागत के संकेतक नाममात्र के चर हैं (उदाहरण—नाममात्र की जीडीपी, मूल्य स्तर और मुद्रास्फीति की दर)। क्लासिकल विरोधाभास में कहा गया है कि पूर्ण रोजगार, वास्तविक चरों का निर्धारण करने वाले बल उन बलों से अलग हैं जो नाममात्र के चर निर्धारित करते हैं। कीमतों और मजदूरी का लचीलापन यह दर्शाता है कि बाजार स्वतः ही पूर्ण नियोजन प्राप्त करने के लिए सुधार करता है। उदाहरण के लिए, यदि उत्पाद नहीं बेचे जा रहे हैं और कर्मचारियों को निकाल दिया जाता है, पूर्ण नियोजन के लिए बाजार आत्म-सुधार करता है क्योंकि फर्म इनवेंट्री को बेचने के लिए कीमतें कम कर सकती हैं और चूँकि मजदूर न्यूनतम मजदूरी को स्वीकार करेंगे और फर्म उन मजदूरी पर उन्हें पुनः स्थापित करेंगे। कीमत और मजदूरी स्तर मूल्य में परिवर्तन ला सकते हैं, लेकिन ये मामूली बदलाव होंगे। यह नाममात्र परिवर्तन एक-दूसरे को पूरा करेंगे और क्रयशक्ति समान होगी। व्यापक आर्थिक संतुलन के क्लासिकीय दृष्टिकोण के अनुसार, उन कारकों के विश्लेषण करने की कोई आवश्यकता नहीं है जो नाममात्र के चरों को प्रभावित करता है।

15. **'बिग-पुश' सिद्धांत :** बिग पुश का सिद्धांत प्रोफेसर पॉल एन. रोसेस्टीन-रोडन के नाम से जुड़ा हुआ है। थीसिस यह है कि एक "बिग पुश" अथवा एक बड़े व्यापक कार्यक्रम की आवश्यकता, निवेश की एक उच्च न्यूनतम राशि के रूप में एक कम विकसित अर्थव्यवस्था में विकास के लिए बाधाओं को दूर करने हेतु आवश्यक होता है और प्रगति के मार्ग पर इसे शुरू करने के लिए भी होता है। यह सिद्धांत बताता है कि "थोड़े-थोड़े" की कार्यवाही विकास पथ पर सफलतापूर्वक अर्थव्यवस्था को लांच नहीं करेगी बल्कि इसके लिए एक न्यूनतम राशि का निवेश एक आवश्यंक शर्त है। यह तकनीकी रूप से अन्योन्याश्रित उद्योगों की एक साथ स्थापना से उत्पन्न होने वाली बाह्य अर्थव्यवस्थाओं को प्राप्त करने की आवश्यकता है। इस प्रकार, न्यूनतम निवेश की मात्रा से निकलने वाली अप्रत्यक्षताएँ और बाहरी अर्थव्यवस्था आर्थिक विकास को सफलतापूर्वक शुरू करने की एक शर्त है। रोसेस्टीन-रोडन तीन अलग-अलग तरह के अविभाज्यता और बाह्य अर्थव्यवस्थाओं के बीच अंतर स्थापित करता है।

1. उत्पादन कार्यों में अविभाज्यता, विशेष रूप से सामाजिक ओवरहेड पूँजी की आपूर्ति की अविभाज्यता।
2. माँग की अविभाज्यता।
3. बचत की आपूर्ति में अविभाज्यताएँ।

दिए गए इन तीन अविभाज्यताएँ और बाहरी अर्थव्यवस्थाओं को जिन्हें वे आगे बढ़ाते हैं, 'बिग-पुश' अथवा एक न्यूनतम राशि के निवेश की आवश्यकता कम विकसित देशों में विकास की बाधाओं को दूर करने के लिए होती है। रोडन ने लिखा है, "एक सफल विकास नीति के लिए अंततः बल में अविभाज्यता की घटना और ड्राइव की आवश्यकता हो सकती है लेकिन पृथक और छोटे रास्ते में थोड़ा-सा चलना विकास पर पर्याप्त प्रभाव नहीं डालता है। विकास के लिए माहौल तभी बनाया जाता है जब अविकसित अर्थव्यवस्था के भीतर एक न्यून गति या आकार का निवेश किया जाता है।

16. द्वितीय विश्व युद्ध के बाद के आरंभिक क्षणों में साहित्य के विकास में वृद्धि हुई जिसे विकास दर की वृद्धि के अर्थों में देखा गया। हेरोड-डोमर के सरलतम मॉडल में उदाहरण के लिए, संतुलन विकास दर, जो माँग में वृद्धि के साथ उत्पादन क्षमता में वृद्धि के बराबर होती है, वृद्धिशील पूँजी उत्पादन अनुपात से विभाजित बचत दर के बराबर होती है। अपने प्रभावशाली "आर्थिक विकास के चरण" के एक जाने-माने उपमा में रोस्तो (1960) ने सुझाव दिया कि स्व-अविच्छन्न विकास के लिए 'उड़ान' तब शुरू हुआ जब अर्थव्यवस्था ने अपनी बचत दर 10 प्रतिशत से ऊपर बढ़ा दी। सर आर्थर लुईस ने श्रम की असीमित आपूर्ति के साथ आर्थिक विकास के अपने प्रसिद्ध पत्र में तर्क दिया कि "आर्थिक विकास की केन्द्रीय समस्या उस प्रक्रिया को समझने की है जिसके द्वारा एक समुदाय जो पहले से ही उसकी राष्ट्रीय आय का 4 या 5 प्रतिशत निवेश कर रहा था और बचत कर रहा था अथवा उससे कम एक ऐसी अर्थव्यवस्था में परिवर्तित कर रहा था जहाँ स्वैच्छिक बचत राष्ट्रीय आय या उससे अधिक की 12 से 15 प्रतिशत पर चल रही थी। यह केंद्रीय समस्या है क्योंकि आर्थिक विकास का मुख्य तथ्य है—तेजी से पूँजी संचय (पूँजी के ज्ञान और कौशल सहित)।" (लुईस, 1954)।

17. हैरोड-डोमर समीकरण है :

$$g = s\grave{e}v$$

जहाँ g विकास दर है,

s बचत अनुपात है, और

v वृद्धिशील पूँजी निर्गत अनुपात है।

18. लाइबेन्स्टीन (1957) के क्रिटिकल मिनिमम एफर्ट के सिद्धांत ने आय मंदक बल के रूप में जनसंख्या वृद्धि को वर्गीकृत किया। विकास के लिए एक स्थिर समाज के निम्न स्तर के संतुलन को दूर करना आवश्यक है, जहाँ आय-बढ़ोत्तरी बलों को दर किनार किया जाता है। यदि विकासात्मक उत्तेजक पर्याप्त रूप से सशक्त नहीं हैं, तो जीडीपी/शीर्ष शीघ्र ही उत्पादित हो जाएगा और अपेक्षाकृत स्थिर संतुलन में वापस आ जाएगा। इसलिए एक क्रांतिक न्यूनतम प्रयास जो बिग-पुश से तुलनीय है, अनिवार्य है। आबादी के साथ यह न्यूनतम वृद्धि, अधिक लोगों के अधिक प्रयास की माँग की है। हार्वे लाइबेन्स्टीन द्वारा दिया गया सिद्धांत तीन तरीकों—प्रति व्यक्ति आय, जनसंख्या वृद्धि और निवेश, के बीच के संबंधों पर आधारित है। जनसंख्या एक आय-मंदक कारक है, जबकि निवेश एक आय सृजक कारक है। विकास संभव है जब बाद वाला ज्यादा शक्तिशाली हो। एक छोटा निवेश छोटी आमदनी सृजित करेगा जो बढ़ती हुई जनसंख्या द्वारा निगल लिया जाएगा और इसलिए कई विकास में असफल हो जाएँगे। अतः विकास प्रारंभ करने के लिए पर्याप्त निवेश की आवश्यकता है। सभी प्रयासों से आर्थिक विकास नहीं हो सकता है। ऐसा करने में कुछ बहुत छोटे हैं। आबादी के मसौदे पर काबू पाने के लिए क्रांतिक न्यूनतम प्रयास आवश्यक है, क्योंकि अभाज्यता और अर्थव्यवस्था में अन्योन्याश्रितता का अस्तित्व है।

19. लैटिन अमेरिका, एशिया और अफ्रीका में विकास के निम्न स्तर की व्याख्या विद्वानों और नीति निर्माताओं के लिए एक स्थायी चिंता रही है। अत्यंत व्यापक अर्थों में, दो प्रकार की व्याख्या प्रस्तुत की गई है। प्रथम प्रकार—आधुनिकीकरण सिद्धांत में संपुटित—तृतीय विश्व में देशों के लिए कारकों पर केंद्रित है। आधुनिकीकरण के सिद्धांतकारों के अनुसार, उनमें विकास के लिए आवश्यक कुछ गुणों की कमी है, जो विकास के लिए

आवश्यक हैं, जिन्हें स्वयं को आर्थिक विकास के रूप में मापा जाना चाहिए। ऐसे गुणों में पूँजी तक पहुँच, बचत की उच्च दर, एक औद्योगिक आधारभूत संरचना और तकनीकी विशेषज्ञता शामिल है।

दूसरे प्रकार की व्याख्या–जिसमें निर्भरता सिद्धांत शामिल है–न केवल विकास पर रूढ़िवादी फोकस को समानता पर अधिक जोर देने और बुनियादी जरूरतों को पूरा करने के लिए आर्थिक विकास के रूप में नकार देता है बल्कि प्रथम विश्व और तीसरी दुनिया के बीच सत्ता असमानता पर भी ध्यान केंद्रित करता है। दूसरे शब्दों में, तीसरी दुनिया के देशों के बाहरी कारकों का परिणाम अल्पविकास है। निर्भरता की अवधारणा का विकास 1960 और 1970 के दशक में वैश्विक धन और शक्ति में व्याप्त इन संरचनात्मक असमानताओं के कारण हुआ। निर्भरता सिद्धांत लैटिन अमेरिकी अर्थशास्त्री राउल प्रेबिश द्वारा 1930 में विकसित अंतर्राष्ट्रीय राजनीतिक अर्थव्यवस्था के संरचनात्मक विद्यालय के काम पर आधारित है। उत्तरी अमेरिका में निर्भरता सिद्धांत के अग्रगण्य प्रतिपादक आन्द्रे गन्डर फ्रैंक हैं, हालांकि फर्नांडो कार्डोगो और थियोटोनियो डोस सैंटोस जैसे अन्य लैटिन अमेरिका में महत्वपूर्ण थे। निर्भरता सिद्धांतकारों ने न केवल आधुनिकीकरण सिद्धांत को अस्वीकार कर दिया, बल्कि कार्ल मार्क्स के विचारों को भी दुर्बल कर दिया कि पूँजीवाद हर जगह विकास को बढ़ावा देने में सक्षम है। निर्भरता बहिर्जात रूप से लागू शर्तों को संदर्भित करता है जिसके तहत तीसरी दुनिया विदेशी प्रत्यक्ष निवेश (एफडीआई), असमान व्यापार समझौते, ऋण पर ब्याज भुगतान और उच्च मूल्य वाली विनिर्मित वस्तुओं के लिए कच्चे माल का आदान-प्रदान मुख्य और परिधि के बीच संरचनात्मक रूप से असमान संबंध बनाती है।

20. हेरोड (1939) और डोमर (1946) के मौलिक कार्यों के उत्तर में सोलोव ने नव क्लासिकल संवृद्धि सिद्धांत विकसित किया था। वास्तव में, यह इन दोनों के अध्ययन हैं जो विकास सिद्धांत में जबरदस्त रुचि पैदा कर चुके हैं और इस क्षेत्र में अनुसंधान का एक हिमस्खलन शुरू किया है। नव क्लासिकल विकास सिद्धांत इस विशाल अनुसंधान प्रयास का एक प्रमुख उत्पादन था।

गुण–

(*a*) नव क्लासिकल मॉडल के अग्रणी के रूप में, सोलोव, हेरोड-डोमर मॉडल की मुख्य विशेषताओं, जैसे–समरूप पूँजी, आनुपातिक बचत कार्य और श्रम बल में दी गई विकास दर को बरकरार रखता है।

(*b*) वह विकास की प्रक्रिया का विश्लेषण करने में एक सतत उत्पादन कार्य को लेता है।

(*c*) श्रम और पूँजी के बीच प्रतिस्थापन की धारणा विकास की प्रक्रिया को एक समायोज्यता प्रदान करता है और यथार्थवाद का स्पर्श देता है।

(*d*) वह विकास पथ की स्थिर अवस्था प्रदर्शित करता है।

(*e*) विकास की दर की लम्बी दौर एक विस्तारित श्रम शक्ति और तकनीकी प्रक्रिया द्वारा निर्धारित की जाती है।

(*f*) आधुनिक किनेसियन आय विश्लेषण में जाने वाली सभी कठिनाइयों और दृढ़ता को उन्होंने अलग-थलग कर दिया।

(*g*) उसका उद्देश्य यह जाँचना था कि आर्थिक विकास के मध्य मार्ग को क्या कहा जा सकता है और यह भी देखना कि कहाँ उत्पादन के बारे में और अधिक लचीली मान्यताओं के लिए सरल मॉडल का नेतृत्व किया जाएगा।

दोष–प्रोफेसर अमर्त्य सेन ने इनके मॉडल के कुछ दोषों को बताते हुए कहा :

(*a*) सोलोव मॉडल केवल हेरोड के Gw और Gn के बीच संतुलन की समस्या को उठाता है और G और Gw के बीच संतुलन की समस्या की अनदेखी करता है।

(*b*) उनके मॉडल में निवेश कार्य की अनुपस्थिति है और एक बार इसे प्रस्तुत करने के बाद, हेरोड की अस्थिरता की समस्या सोलोव मॉडल से आती है।

23. कुल व्यय के स्तर को बदलने के लिए विवेकाधीन राजकोषीय नीति में सरकारी व्यय और/या शुद्ध कर राजस्व में जानबूझकर परिवर्तन शामिल है। जैसा कि हम जानते हैं कि सरकारी खर्चे में वृद्धि और या एकमुश्त

करों में कमी कुल व्यय की रेखा को ऊपर की ओर बढ़ाती है और साथ ही उत्पादन का संतुलन स्तर भी बढ़ा देती है, जबकि सरकारी खर्चे में कमी और/या एकमुश्त करों में वृद्धि कुल व्यय की रेखा को नीचे की ओर ले जाती है और उत्पाद के संतुलन स्तर को कम करती है। सरकार मुद्रास्फीति या मंदी की खाई को समाप्त करने के लिए विवेकाधीन वित्तीय कार्यों का उपयोग कर सकती है।

24. इर्विंग बी. क्रेविस (1970) के एक लेख के शीर्षक से यह उक्ति ''व्यापार 'संवृद्धि का उपकरण' के रूप में'' ली गई है। उन्होंने सन् 1970 में लिखा है कि पारिभाषिक शब्द 'विकास का इंजन' आमतौर पर वर्णनात्मक नहीं है और उन आशाओं को शामिल करता है, जो केवल व्यापार द्वारा पूरा नहीं किया जा सकता है; पारिभाषिक पद 'संवृद्धि का उपकरण' भूमिका के उस विचार को अच्छी तरह परिलक्षित करता है जो व्यापार चला सकता है। आज के विकासशील देशों के लिए इस उपकरण की प्रमुख भूमिकाओं में से एक यह हो सकती है कि बाहरी कीमतों और लागतों के साथ संपर्क में मूल्य और लागत संरचनाओं को रखकर हो सकता है कि नए उद्योगों की उपयुक्तता पर एक जाँच के रूप में सेवा करें।

25. सन् 1950 से 1980 के दशक तक लैटिन अमेरिकी आर्थिक नीति बनाने का ज्यादातर हिस्सा आयात प्रतिस्थापन के माध्यम से औद्योगिकीकरण की अवधारणा पर आधारित था, अर्थात् घरेलू उद्योगों का विकास पहले से आयातित वस्तुओं के निर्माण के लिए किया गया था।

यह नीति लैटिन अमेरिका की महामंदी और द्वितीय विश्व युद्ध के अनुभव में निहित थी जब इस क्षेत्र की पारंपरिक वस्तुओं के निर्यात के लिए विश्व की माँग में तेजी से गिरावट आई और आयातित वस्तुओं का आयात अनुपलब्ध और अपेक्षाकृत महँगा रहा। अर्जेंटीना के अर्थशास्त्री राउल प्रेबिश के विचारों से अभिभूत लैटिन अमेरिकी देशों ने इस अनुभव से यह सबक लिया कि उन्हें आर्थिक आजादी का अनुसरण करना चाहिए। लैटिन अमेरिकी देशों ने पर्याप्त सीमा शुल्क और गैर सीमा शुल्क आयात बाधाएँ लगाई, विदेशी निवेश को नियंत्रित करने, मुद्रा विनिमय को सीमित करने, आयातित निवेश की कीमतों को कम रखने के लिए उच्च मूल्यवान विनिमय दर बनाए रखने और घरेलू विनिर्माण को बढ़ावा देने के लिए अनुदान और अन्य प्रोत्साहनों का उपयोग करके इस रणनीति को अपनाया। आयात-प्रतिस्थापन नीतियाँ लैटिन अमेरिका को वस्तु निर्यात पर निर्भरता से मुक्त करने में असफल रही, क्योंकि इन निर्यातों से होने वाली आय में निवेश और उन्नत-प्रौद्योगिकी उत्पादों के आयात के लिए भुगतान करने की जरूरत थी, जो देश घरेलू स्तर पर उत्पादन नहीं कर सके। इसके अलावा इन नीतियों को अक्सर उन उद्योगों के रूप में परिणाम मिला, जो विश्व के मानकों से अक्षम थे और विश्व बाजारों में प्रतिस्पर्धा करने में असमर्थ थे। यह दोनों हुआ क्योंकि उद्योगों को विश्व प्रतियोगिता से बचाया गया था और चूँकि घरेलू उत्पादन आमतौर पर उत्पादन के कुशल स्तर प्राप्त करने में अत्यंत निर्बल थे। ब्राजील के कुछ उद्योग इस नियम के अपवाद थे, आंशिक रूप से घरेलू बाजार के अपेक्षाकृत बड़े आकार के कारण और 1970 के दशक के बाद से आंशिक रूप से कुछ उद्योगों को निर्यात बाजारों में प्रतिस्पर्धी बनाने के लिए (उदाहरणस्वरूप शीट और अर्द्ध-तैयार स्टील, विमान और जूते)।

गैर-प्रतिस्पर्धी उद्योगों के अतिरिक्त, आयात-प्रतिस्थापन नीतियों, अन्य कारकों के साथ, बड़े पैमाने पर, लाभहीन राज्य उद्यमों, विकृत पूँजी बाजारों और पर्याप्त सार्वजनिक कर्ज में योगदान दिया। नीति में कमियों के कारण लैटिन अमेरिका को 1980 के दशक में अपने आर्थिक माहौल में दो बड़े बदलावों को प्रभावी ढंग से जवाब देने के लिए तैयार नहीं होने दिया : क्षेत्र के निर्यात वस्तुओं के लिए विश्व की माँग में गिरावट और विदेशी बैंकों द्वारा उधार में कमी।

27. जीएसटी (वस्तु एवं सेवा कर) राष्ट्रीय स्तर पर निर्माण, बिक्री और माल एवं सेवाओं की खपत पर लगने वाला व्यापक करारोपण है।

'G' – Goods

'S' – Services

'T' – Tax

जीएसटी उत्पादक/सेवा प्रदाता की ओर से रिटेलर के स्तर तक लाभों के सेट की सतत श्रृंखला और व्यापकता वाले प्रत्येक चरण में मूल्यवर्धन के साथ वस्तु और सेवाओं पर लगने वाला कर है, जहाँ केवल अंतिम उपभोक्ता को कर का वहन करना चाहिए।

टैक्स क्रेडिट तंत्र के माध्यम से, जीएसटी आपूर्ति श्रृंखला में बिक्री या खरीद के प्रत्येक स्तर पर मूल्यवर्धित वस्तुओं और सेवाओं पर एकत्र की जाती है। जीएसटी प्रणाली में, बिक्री के समय केन्द्र और राज्य कर दोनों एकत्र किए जाएँगे। दोनों घटक (केन्द्र और राज्य जीएसटी) पर विनिर्माण लागत पर शुल्क लिया जाएगा। इससे व्यक्तियों को लाभ होगा क्योंकि कीमतों में गिरावट आने की संभावना है। कम कीमतों से अधिक खपत होती है जिससे कंपनियों को मदद मिलती है।

28. मुद्रास्फीति कर को मूल्य स्तर में बढ़ोत्तरी के कारण मौद्रिक आधार के वास्तविक मूल्य में कमी के रूप में परिभाषित किया गया है। मुद्रास्फीति कर राजस्व वास्तविक मौद्रिक आधार के मूल्य स्तर के समय में वृद्धि की आनुपातिक दर है।

मुद्रास्फीति कर का अनुमानित मुद्रास्फीति कर के रूप में अत्यंत सटीक वर्णन किया जाता है। अप्रत्याशित मुद्रास्फीति सार्वजनिक ऋण का अनुक्रमित निर्धारित दर के वास्तविक मूल्य को कम कर देती है। ऋण की एक निश्चित मात्रा की परिपक्वता जितनी अधिक होगी, उतना ही वर्तमान और भविष्य की मुद्रास्फीति में दिए गए वृद्धि के लिए यह प्रभाव बड़ा होगा। नए सार्वजनिक ऋण के मुद्दों पर ब्याज की दर अनुमानित मुद्रास्फीति के कारण होगी और संभावित अप्रत्याशित मुद्रास्फीति को दर्शाती जोखिम प्रीमियम शामिल हो सकती है। कम मुद्रास्फीति के इतिहास वाले देश अपने राष्ट्रीय ऋण के वास्तविक बोझ को कम करने के लिए अप्रत्याशित मुद्रास्फीति करों का उपयोग करने में सक्षम होते हैं। कम मुद्रास्फीति सरकार को लेनदारों की एक बड़ी संख्या के लिए अधिक अनुकूल शर्तों पर अधिक परिपक्वता वाले ब्याज दर पर ऋण जारी करने की अनुमति देती है। राष्ट्रीय ऋण पर अप्रत्याशित मुद्रास्फीति अमेरिका और यूनाइटेड किंगडम द्वारा मुद्रास्फीति के माध्यम से उपयुक्त वास्तविक संसाधनों के लिए प्राथमिक साधन के रूप में प्रयोग किए जाते हैं। मूल्य स्तर में परिवर्तन की दर में वृद्धि के विपरीत मूल्य स्तर में एक अनापेक्षित वृद्धि, राष्ट्रीय मुद्रा में निहित स्थायी और परिवर्तनीय दर ऋण दोनों के वास्तविक मूल्य को कम कर देगी। यह अप्रत्याशित असतत अवमूल्यन द्वारा प्राप्त किया जा सकता है।

29. सार्वजनिक वस्तुएँ गैर-अपव्यय और गैर-प्रतिद्वंद्वी के रूप में परिभाषित की जाती है :

- **गैर-अपव्यय :** एक बार प्रदान की गई, व्यक्तियों को माल लेने से वंचित नहीं किया जा सकता है।
- **गैर-प्रतिद्वंद्वी :** एक व्यक्ति द्वारा माल का उपभोग किसी अन्य व्यक्ति को माल लेने से नहीं रोकता है।

यह देखने के लिए कौन एक माल को सार्वजनिक माल बनाता है, हमें सभी वस्तुओं की दो विशेषताओं में अंतर करना चाहिए। जिस हद तक लोगों को उन्हें प्राप्त करने से बाहर रखा जा सकता है और जिस सीमा तक एक व्यक्ति की खपत दूसरों की खपत का विरोध करती है। किसी को इन लाभों का आनंद लेने से रोकना संभव है यदि वस्तु या सेवा को बाहर रखा गया हो। एक वस्तु या सेवा को तब बाहर नहीं रखा जाता है जब किसी को इसके लाभ उठाने से रोका जाता है।

एक वस्तु या सेवा या संसाधन प्रतिद्वंद्वी होता है यदि इसका उपयोग एक व्यक्ति द्वारा होता है जो किसी और के लिए उपलब्ध मात्रा को घटा देता है। एक वस्तु या सेवा या संसाधन गैर-प्रतिद्वंद्वी होता है यदि इसका उपयोग एक व्यक्ति द्वारा होता है लेकिन किसी और के लिए उपलब्ध मात्रा में कमी नहीं लाता है। सार्वजनिक वस्तुओं का प्रसिद्ध उदाहरण स्ट्रीट लाइट है। एक बार प्रदान किए जाने पर, यदि असंभव नहीं तो अत्यंत कठिन होगा कि किसी को इसका लाभ उठाने से रोकना—सड़क पर चलने वाला कोई भी उसकी उपस्थिति से लाभान्वित होगा। इसके अलावा, किसी व्यक्ति को प्रकाश से लाभ लेने की क्षमता अन्य व्यक्तियों की संख्या से प्रभावित नहीं होती है जो सड़क पर चलने से पहले प्रकाश से लाभान्वित हुए हों।

सार्वजनिक वस्तुएँ फ्री-राइडर समस्या उत्पन्न करती हैं। वस्तुओं के गैर-प्रतिद्वंद्वी और गैर-छोड़ी जाने वाली प्रकृति

की वजह से व्यक्ति उसके लिए भुगतान करने हेतु तैयार नहीं होगा यह जानते हुए कि वे बिना किसी भुगतान के लाभों का आनंद उठा सकते हैं। इसलिए यह 'विलुप्त विपणन' के रूप में जाना जाता है—क्योंकि व्यक्तियों को सामानों के भुगतान करने के लिए कोई प्रोत्साहन नहीं मिलता है, इसलिए यह जोखिम है कि उन्हें मुफ्त बाजार में उपलब्ध नहीं कराया जाएगा।

30. कर का स्थानांतरण, उन लोगों से कर भुगतान के बोझ का परिवर्तन है, जो दूसरों के लिए कानूनी रूप से उत्तरदायी हैं। जब कर स्थानांतरित हो जाता है, तो वे जो भुगतान के लिए जिम्मेदार होते हैं, अपनी आय में कुछ कटौती करने में सफल हो जाते हैं। यह कर भुगतान मदों की कीमतों में परिवर्तन के माध्यम से होती है जो वे खरीदते या बेचते हैं। अग्र-अंतरित कर विक्रेताओं से अपनी बोझ का स्थानांतरण है, जो क्रेताओं के करारोपित वस्तु के मूल्य में वृद्धि के परिणामस्वरूप भुगतान के लिए उत्तरदायी हैं।

उदाहरण के लिए, विक्रेताओं पर लगाए गए कर के कारण गैसोलीन की कीमत बढ़ जाती है जिससे खरीदारों को बोझ का हिस्सा बनना पड़ता है। पश्च-अंतरित कर खरीदारों से उनके बोझ का स्थानांतरण है, जो अपने विक्रेताओं को करारोपित वस्तुओं के बाजार मूल्य में कमी के कारण भुगतान के लिए उत्तरदायी हैं। उदाहरण के लिए, अगर नियोक्ता श्रमिकों को दी गई मजदूरी पर पेरोल करों के लिए उत्तरदायी हैं, तो वे विक्रेताओं के श्रमिक सेवाओं (कामगारों) के कर के बोझ को आंशिक रूप से स्थानांतरित करने में सफल होंगे, यदि कर के परिणामस्वरूप मजदूरी में कमी आती है।

31. दक्षता बढ़ाने के लिए हम किसी भी कार्रवाई या संभावित नीति परिवर्तन के लाभों और लागतों की तुलना करना चाहते हैं। इसलिए, हमें नीति में बदलाव के निवल वर्तमान मूल्य (एनपीवी) प्राप्त करने के लिए वर्तमान और भविष्य के सभी छूट वाले लाभों को जोड़ना और वर्तमान तथा भविष्य की रियायती लागतों का योग घटाना होगा।

माना कि, B_t अवधि t में प्राप्त लाभों को प्रदर्शित करता है और C_t अवधि t में व्यय लागत को प्रदर्शित करता है। एक परियोजना का निवल वर्तमान मूल्य जो t वर्षों तक रहता है—

$$NPV = \sum_{t=0}^{T} \frac{B_i - C_t}{(1+R)^t}$$

यदि कोई परियोजना या नीति की कार्रवाई में निवल वर्तमान मूल्य सकारात्मक होती है, तो समाज के संसाधनों का उपयोग करने के लिए यह नीति लागू करना कुशल है। वैकल्पिक रूप से, यदि नीति की कार्रवाई में निवल वर्तमान मूल्य नकारात्मक होती है तो संसाधन जिनकी आवश्यकता नीति को लागू करने के लिए आवश्यक है, कुछ वैकल्पिक उपयोग में समाज के लिए अधिक मूल्यवान होता है।

33. हिक्स ने व्यापार चक्र के सिद्धांत का विकास हेरोड-डोमर विकास मॉडल के साथ गुणक और त्वरक के बीच पारस्परिक क्रिया (प्रभाव) का संयोजन करते हुए किया है। दूसरे शब्दों में, हिक्स ने व्यापारिक चक्र के अपने सिद्धांत को बताने के लिए सैमुएलसन के गुणक-त्वरक प्रभाव मॉडल और हैरोड-डोमर विकास मॉडल को जोड़ लिया है। वह विकास सिद्धांत के साथ गुणक-त्वरक प्रभाव को जोड़ता है, क्योंकि उनकी राय में व्यापार चक्र ऐतिहासिक रूप से आय वृद्धि की पृष्ठभूमि के विरुद्ध है, और इसलिए व्यापार चक्र सिद्धांत को विकास सिद्धांत से जोड़ा जाना चाहिए।

अपने सिद्धांत में, हिक्स ने—

(*i*) बचत-निवेश संबंधों और गुणक की किनेसियन अवधारणा,

(*ii*) क्लार्क का त्वरण सिद्धांत,

(*iii*) सैमुएलसन के गुणक-त्वरक प्रभाव और

(*iv*) हैरोड-डोमर विकास मॉडल का उपयोग किया।

ये हिक्स के व्यापार चक्र के सिद्धांत के मुख्य तत्व हैं। अपने मॉडल में, हिक्स मॉडल अर्थव्यवस्था में वृद्धि का एक संतुलन दर मानता है। संतुलन विकास दर को दर के रूप में परिभाषित किया जाता है जिस पर विकास दर (Gr) प्राकृतिक विकास दर (Gn) के बराबर होती है। उन्होंने यह भी मान लिया कि स्वायत्त निवेश नियत दर से बढ़ता है जो स्वैच्छिक बचत में वृद्धि की दर के

बराबर है। साम्य संवृद्धि दर का निर्धारण स्वायत्त निवेश की दर और बचत से होता है। यह उनके सिद्धांत का केनेसियन हिस्सा है। इसके अलावा, हिक्स सैमुएलसन-प्रकार के उपभोग प्रकार्य मानता है, $C_t = aY_{t-1}$ (आय और खपत के बीच एक साल के अंतराल के साथ)। वह मध्यम उपभोग प्रकार्य के लिए दो कारण देता है :

(*i*) आय के पीछे उपभोग व्यय का अंतराल, और

(*ii*) जीडीपी के बदलाव के पीछे गैर-मजदूरी आय में अंतराल।

बचत प्रकार्य स्वाभाविक रूप से पिछले वर्ष की आय का प्रकार्य हो जाता है। दी गई मान्यताओं के अनुसार, हिक्स का गुणक गणितीय स्वयं सिद्ध बन जाता है। आय और बचत-निवेश के बीच मध्यम संबंध के साथ, गुणक प्रक्रिया में उतार-चढ़ाव पर उत्साहहीन प्रभाव पड़ता है। मध्यम गुणात्मकता अभ्युत्थान पर अवसाद के रूप में और बिगड़ती व्यापार पर प्रतिबल के रूप में कार्य करता है। हिक्स मॉडल का एक अन्य महत्वपूर्ण घटक क्लार्क का त्वरण सिद्धांत है। इस संबंध में, हिक्स स्वायत्त और प्रेरित निवेश प्रकार्यों के बीच अंतर करता है। वे मानते हैं कि स्वायत्त निवेश मौजूदा आउटपुट का एक प्रकार्य है और क्लांत पूँजी को बदलने के लिए किया जाता है।

उसके मॉडल में प्रेरित निवेश उत्पादन में परिवर्तन का एक प्रकार्य है। उत्पादन में परिवर्तन प्रेरित निवेश उत्पन्न करता है। जो कार्य में तेजी लाता है। यहाँ पर यह ध्यान देना आवश्यक है कि त्वरक आय और खपत पर गुणक प्रभाव के साथ संपर्क करता है।

34. स्फीति-गतिरोध तब होता है जब कभी कुल आपूर्ति वक्र बाईं ओर चली जाती है। चूँकि मुद्रास्फीति और बेरोजगारी दोनों बढ़ रहे हैं, यह फिलिप्स के संबंधों को चुनौती देता है जिससे निष्कर्ष निकलता है कि बेरोजगारी और मुद्रास्फीति विपरीत दिशाओं में बढ़ती है। सन् 1970 से पहले, अमेरिकी अर्थव्यवस्था बेरोजगारी और मुद्रास्फीति के बीच एक स्थिर व्यापार दुविधा जैसा दिखता था। यह संबंध (फिलिप्स वक्र द्वारा वर्णित) 1950 और 1960 के दशकों में अवस्थित था। वर्ष 1970 के मंदी के दौरान, नीति निर्माताओं ने आश्चर्य व्यक्त किया कि मुद्रास्फीति की दर 5.7 प्रतिशत तक बढ़ गई। अर्थशास्त्री पॉल सैमुएलसन ने इस स्फीति-गतिरोध पर चोट की (उच्च बेरोजगारी को उच्च मुद्रास्फीति और स्थिर आर्थिक विकास के साथ जोड़ा)। इस प्रकार, संयुक्त राज्य अमेरिका में 1970 के दशक में स्फीति-गतिरोध तब हुआ जब एक अत्यंत महत्वपूर्ण संसाधन, तेल की कटौती तेल उत्पादक संघ द्वारा की गई।

ध्यान दें कि स्फीति गतिरोध राजकोषीय नीति के लिए एक विशेष समस्या है। अगर मुद्रास्फीति और बेरोजगारी दोनों अधिकतम होती हों, तो क्या राजकोषीय नीति का उपयोग अधिक बेरोजगारी या उच्च मुद्रास्फीति से लड़ने के लिए किया जाना चाहिए? यह एक ही समय में दोनों का उपचार नहीं कर सकता है।

36. केन्जियन उपभोग प्रकार्य उपभोग और वर्तमान आय के बीच एक स्थिर संबंध स्थापित करता है। इसका उद्देश्य औसत और सीमांत प्रवृत्ति के साथ उपभोग करने के लिए अनुमानित रूप से निरंतर माना जाता है। ये संबंध गुणक का आधार बनता है और इस प्रकार केन्जियन की सटीक ट्यूनिंग भी है। हालांकि उपभोग के इस सरल सिद्धांत की आलोचना इस आधार पर की गई कि इसमें पर्याप्त सूक्ष्म आर्थिक नींव (अर्थात् यह व्यापक आर्थिक सिद्धांत को प्रदर्शित करता है जो सूक्ष्म आर्थिक स्तर पर विवेकशील व्यक्तियों के स्वभाव पर आधारित नहीं है)।

इसके अलावा, कई अनुभवजन्य अध्ययनों के परिणामों में केन्जियन सिद्धांत की भविष्यवाणियों में विचलन पाया गया; विशेष रूप से उपभोग करने के लिए औसतन प्रवृत्ति प्राप्य आय के साथ व्युत्क्रम भिन्न होने के लिए पाए गए थे।

इस तरह की कमी के कारण मिल्टन फ्राइडमैन ने 1957 के अपने कार्य में स्थायी आय परिकल्पना (पी. आई.एच.) का प्रतिपादन किया। ए थ्योरी ऑफ द कन्जम्पशन फंक्शन। उनका तर्क था कि व्यक्ति अपने उपभोग का निर्णय मौजूदा आय पर नहीं बल्कि दीर्घकालिक अवधि के लिए अपेक्षित आय पर निर्भर करेगा। यदि जीवन भर नहीं है (इसलिए स्थायी आय)। वर्तमान आय के उनके स्तरों पर ध्यान दिए बिना समान स्थायी आय

के साथ गृहस्थी के समान और रुचि के अनुसार सामानों और सेवाओं का उपभोग करते हैं। यदि व्यक्तियों को वर्तमान आय में वृद्धि का अनुभव है, तो यह केवल उपभोग की योजनाओं को प्रभावित करेगा जिसकी स्थायी आय में वृद्धि हुई है। यदि वर्तमान आय में वृद्धि अस्थायी प्रतीत होता हो, तो स्थायी आय पर प्रभाव डालेगा और फलतः उपभोग कम होगा।

37. साम्यावस्था में,

$$S = I$$

$$\Rightarrow \quad -100 + 0.2y = -30 + 0.1y$$

$$\Rightarrow \quad 0.2y - 0.1y = -30 + 100$$

$$\Rightarrow \quad 0.1y = 70$$

$$\therefore \quad y = \frac{70}{0.1} = 700$$

38. माध्यिका के लाभ

1. गणितीय माध्य के उलट, माध्यिका चरम मूल्यों से बिल्कुल प्रभावित नहीं होती है, क्योंकि यह एक स्थितीय औसत होता है। जैसे कि माध्यिका खासतौर पर बहुत उपयोगी होता है, जब कोई वितरण विषम होता है।
2. दूसरा तथ्य जो माध्यिका के पक्ष में जाता है—इसका अभिकलन किया जा सकता है जब वितरण विवृतांत (Open-end) वर्ग का होता है।
3. माध्यिका का एक और गुण यह है कि जब वितरण में गुणात्मक डेटा होता है, तो यह एकमात्र औसत होता है जिसका उपयोग किया जा सकता है। ऐसे वितरण में कोई अन्य औसत उपयुक्त नहीं होते हैं।

39. एक विकल्प के रूप में व्यवस्थित प्रतिचयन का उपयोग दो कारणों से सामान्य यादृच्छिक प्रतिचयन अथवा स्तरीकृत यादृच्छिक प्रतिचयन के लिए होता है। सबसे पहले, व्यवस्थित प्रतिचयन के लिए प्रतिचयन यूनिट की प्रक्रिया सामान्य है। दूसरा व्यवस्थित प्रतिचयन के लिए कुछ निश्चित परिस्थितियों में आकलनों के और अधिक सटीक होने की आशा की जा सकती है क्योंकि जनसंख्या का अधिक समान रूप से आच्छादन कर सकता है।

40. $x = \mu - 3\sigma$ और $x = \mu + 3\sigma$ पर कोटियों के बीच का क्षेत्र 0.9973 है अर्थात् सामान्य वक्र के अधीन क्षेत्र इन कोटियों से परे केवल $1 - 0.9973 = .0027$ है, जो बहुत छोटा है। इस प्रकार, व्यावहारिक रूप से हम कह सकते हैं कि सामान्य वक्र के अधीन संपूर्ण क्षेत्र $\mu \pm 3\sigma$ सीमा के भीतर है, जिन्हें 3-सिग्मा सीमा भी कहा जाता है। प्रायिकता पद में, इन क्षेत्रों को इस प्रकार संक्षेपित किया जा सकता है :

(*i*) 1σ सीमाओं के अधीन क्षेत्र

$$= P[\mu - \sigma < x < \mu + \sigma] = 0.6827$$

(*ii*) 2σ सीमाओं के अधीन क्षेत्र

$$= P[\mu - 2\sigma < x < \mu + 2\sigma] = 0.9545$$

(*iii*) 3σ सीमाओं के अधीन क्षेत्र

$$= P[\mu - 3\sigma < x < \mu + 3\sigma] = 0.9973$$

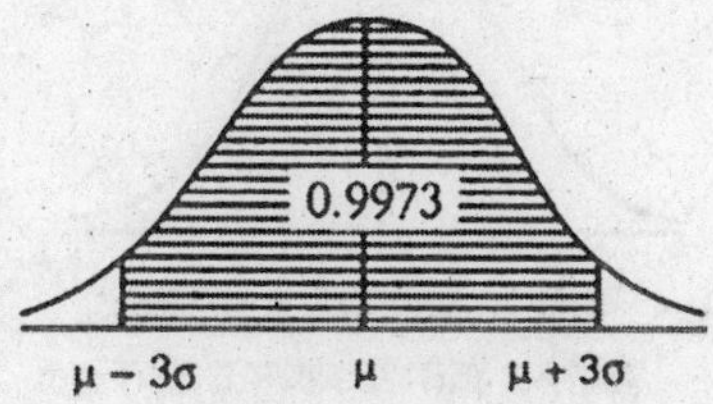

चित्र : 3σ *सीमाओं* (99.73) *के बीच का क्षेत्र*

41. विषमता अर्थात् स्क्यूनिस का अर्थ "समरूपता की कमी" है, अर्थात् यदि डेटा का वितरण सममित नहीं है, तो उसे विषम कहा जाता है। एक वितरण तभी सममित कहा जाता है जब माध्य के संदर्भ में आवृत्तियों को सममित रूप से वितरित किया जाए। दूसरे शब्दों में, एक आवृत्ति वक्र को सममित माना जाता है यदि इसे केन्द्र (माध्य) पर एक ऊर्ध्वाधर रेखा से मोड़ दिया जाता है ताकि आंकड़े के दो भागों के साथ मेल खा सके। दूसरी तरफ, एक वितरण में यदि माध्य से आवृत्तियाँ समदूरस्थ हों, तो वितरण विषम अर्थात् स्क्यूनिस कहलाता है। सममित वितरण एक घंटी के आकार का वक्र होता है। ब्लेयर के शब्दों में, विषमता वितरण की वह प्रवृत्ति है जो सामान्य से दो पक्षों के संतुलन में जाती है।

सरल शब्दों में, विषमता उस प्रकार की सांख्यिकीय माप है जो विषम प्रकृति का वर्णन करती है और इसकी

सीमाएँ आवृत्ति वितरण की होती है। एक सममित वितरण में माध्य, माध्यिका और बहुलक के मान समान होते हैं। एक विषम वितरण में ये मान (माध्य, माध्यिका और बहुलक) अलग-अलग होते हैं और इसलिए गुरुत्व केन्द्र का संतुलन एक ओर या अन्य तरफ चला जाता है, या तो बायीं ओर या फिर दायीं ओर। जब बायीं ओर वितरण की लाइन लम्बी होती है, तो इसे नकारात्मक रूप से विषम होना कहा जाता है और अगर वितरण की लाइन दायीं ओर लम्बी होती है, तो इसे सकारात्मक विषम कहा जाता है। नकारात्मक विषम वितरण में बहुलक माध्य से अधिक होता है और माध्यिका, माध्य और बहुलक के बीच अवस्थित होता है। एक सकारात्मक विषम विवरण में माध्य बहुलक से अधिक होता है और माध्यिका, माध्य और बहुलक के बीच किसी न किसी स्थान पर स्थित होता है।

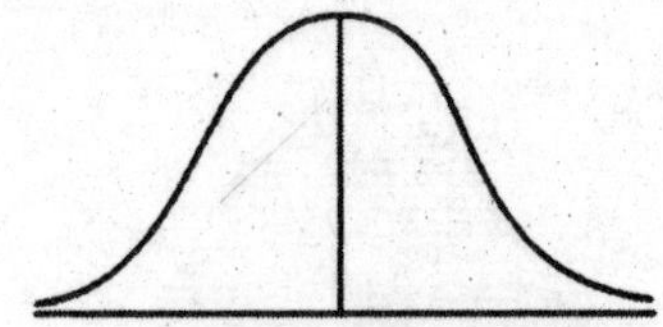

माध्य = माध्यिका = बहुलक
सममित वितरण विषमता = 0

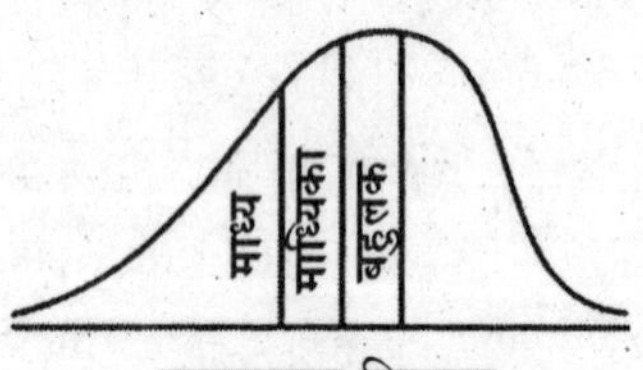

नकारात्मक विषमता
माध्य < माध्यिका < बहुलक

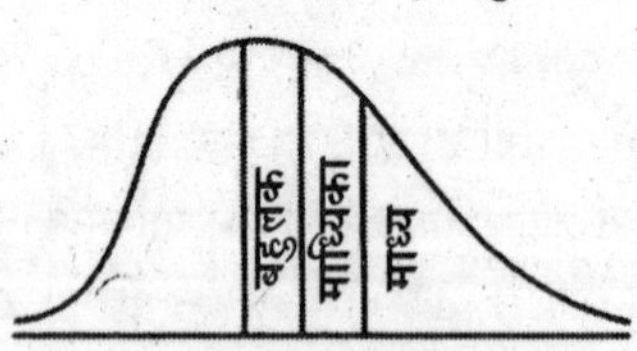

सकारात्मक विषमता
माध्य > माध्यिका > बहुलक

42. विचरण का गुणांक : यह कभी-कभी विचरणशीलता का वर्णन करने के लिए उपयोगी है। यह स्थायी विचलन के माध्य के अनुपात के रूप में सामान्यतः प्रतिशत की तरह व्यक्त किया जाता है। प्रतिशत के रूप में इसका सूत्र है :

$$\text{विचरण का गुणांक} = \frac{\text{मानक विचरण}}{\text{माध्य}} \times 100$$

$$\because \quad \text{विचरण} = (SD)^2$$

$$\Rightarrow \quad SD = \sqrt{\text{विचरण}}$$

$$SD = \sqrt{324}$$

$$= 18$$

इस प्रकार, विचरण का गुणांक

$$= \frac{18}{180} \times 100$$

$$= 10\%$$

44. चाई-स्क्वायर को χ^2 संकेत द्वारा निरूपित किया जाता है। इसकी खोज सन् 1875 में हेलमर्ट द्वारा की गई थी और सन् 1900 में कार्ल पियर्सन द्वारा पुनः खोजा गया। चाई-स्क्वायर हमेशा धनात्मक होता है। χ^2 का मान 0 और ∞ के बीच होता है। चूँकि χ^2 जनसंख्या के निरीक्षण से प्राप्त नहीं होता है, इसलिए यह एक मानदंड नहीं है। चाई-स्क्वायर टेस्ट एक प्रामाणिक जाँच नहीं है। χ^2 वितरण का उपयोग अच्छाई के परीक्षण के लिए किया जाता है।

इसका उपयोग संस्था और गुणों के बीच के संबंध को प्राप्त करने के लिए किया जाता है। इसका उपयोग जनसंख्या के स्वतंत्र अनुमानों की एकरूपता का परीक्षण करने के लिए भी किया जाता है। चाई-स्क्वायर की गणना एक नमूने में विद्यमान आवृत्तियों के आधार पर की जाती है और इस प्रकार, प्राप्त χ^2 का मान एक सांख्यिकी है।

प्रश्न-पत्र-III

निर्देश : *इस प्रश्न-पत्र में* **पचहत्तर** *(75) बहु-विकल्पीय प्रश्न हैं। प्रत्येक प्रश्न के* **दो** *(2) अंक हैं।* **सभी** *प्रश्न अनिवार्य हैं।*

1. निम्नलिखित में से कौन 'कार्टेल' के लिए सही है/हैं?

I. यह फर्म के अपने लाभ को अधिकतम करने का लक्ष्य करता है।

II. यह उद्योग, जिसका प्रतिनिधित्व कार्टेल करता है, में कुल उत्पादन के बारे में निर्णय करता है।

III. यह कीमत निर्धारित नहीं करता है जिस पर सदस्य अपना उत्पाद बेचते हैं।

नीचे दिए गए कूट से उत्तर दीजिए :

A. उपर्युक्त सभी सही हैं।
B. I और II सही हैं।
C. केवल II सही है।
D. केवल I और III सही हैं।

2. माँग वक्र में ऋणात्मक ढाल क्यों होता है?

I. केवल आय प्रभाव के कारण

II. प्रतिस्थापन प्रभाव के कारण

नीचे दिए गए कूट से उत्तर दीजिए :

A. I और II दोनों　　B. केवल I
C. केवल II　　D. I और II में कोई नहीं

3. बेन के प्रवेश निवारण मॉडल में फर्म किस पर प्रीमियम वसूलती है?

A. दीर्घावधिक प्रतिस्पर्धात्मक कीमत
B. अल्पावधिक प्रतिस्पर्धात्मक कीमत
C. न्यूनतम औसत लागत
D. उपर्युक्त में से कोई नहीं

4. निम्नलिखित में से कौन-सा सुमेलित नहीं है?

	वस्तु	**प्रकृति**
A.	बड़ी झील में मत्स्यन	– अ-अपवर्जी किंतु प्रतिद्वंद्वी
B.	वायु	– अ-अपवर्जी और अप्रतिद्वंद्वी
C.	प्रकाशस्तम्भ का प्रयोग	– प्रतिद्वंद्वी
D.	वाशिंग मशीन का स्टॉक	– अपवर्जी

5. उत्पादन संभाव्यता वक्र की ढाल होती है :

A. विनिमय की सीमांत दर
B. प्रतिस्थापन की सीमान्त दर
C. रूपांतरण की औसत दर
D. रूपांतरण की सीमान्त दर

6.

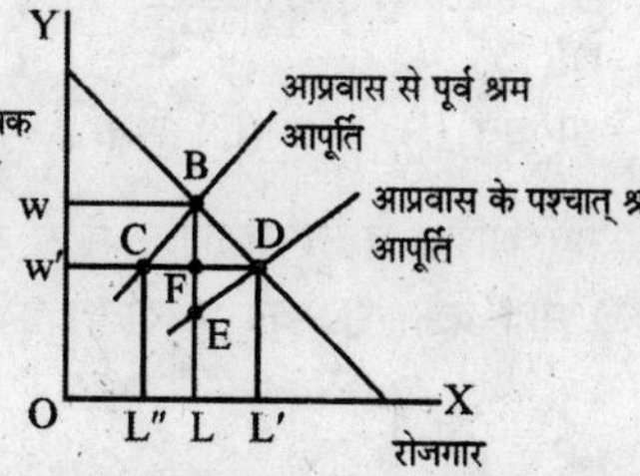

दिए गए आरेख में आप्रवास में वृद्धि से लाभ आय में वृद्धि इस प्रकार है :

A. BDL'L का क्षेत्र
B. WBDW' का क्षेत्र
C. WBFW' और FDL'L दोनों का क्षेत्र
D. WBDW' और FDL'L दोनों का क्षेत्र

7. दुर्लभ चित्रों, दुर्लभ टिकटों इत्यादि की माँग की व्याख्या निम्नलिखित में से किस प्रभाव से की जा सकती है?

A. स्नॉब प्रभाव　　B. बैंडवैगन प्रभाव
C. वेबलेन प्रभाव　　D. उपर्युक्त में कोई नहीं

8. किसी बाजार को आर्थिक दृष्टि से दक्ष कहा जाता है यदि वह अधिकतम करता है :

A. उपभोक्ता अधिशेष को
B. उत्पादक अधिशेष को
C. उपभोक्ता और उत्पादक अधिशेष के समुच्चय को
D. उपर्युक्त में से कोई नहीं

9. निम्नलिखित अर्थशास्त्रियों में से किनका संबंध आभासी लगान की अवधारणा से हैं?

I. ए. मार्शल　　II. जे. रॉबिन्सन

III. डी. रिकार्डो

नीचे दिए गए कूट से उत्तर दीजिए :

A. केवल I और III　　B. I और II
C. उपर्युक्त सभी　　D. केवल III

10. दिए गए आरेख में कौन-सी रेखा प्रतिफल के नियम को निरूपित करती है?

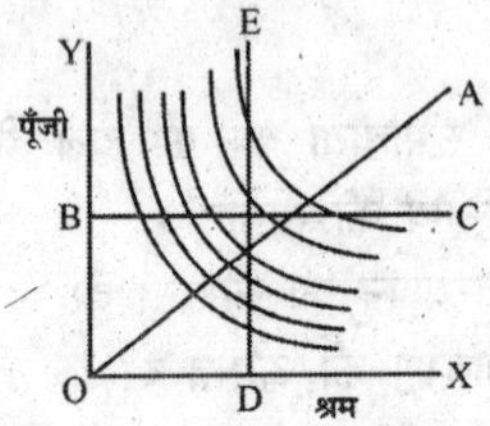

A. OA
B. BC
C. DE
D. उपर्युक्त (B) और (C) दोनों

11. दिए गए आरेख में निम्नलिखित में से कौन-सा प्रभाव सकल माँग वक्र AD को परिवर्तित करेगा?

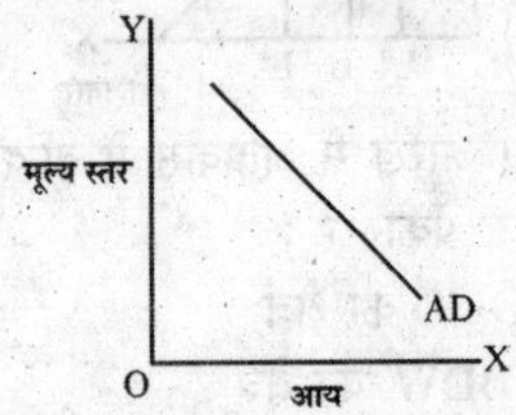

A. व्यापार प्रभाव B. तरलता प्रभाव
C. सम्पत्ति प्रभाव D. उपर्युक्त सभी

12. सूची-I और सूची-II को सुमेलित कीजिए :

सूची-I	सूची-II
(*a*) केन्ज	1. ब्याज वास्तविक प्रघटना है।
(*b*) इर्विंग फिशर	2. ब्याज अमौद्रिक प्रघटना है।
(*c*) विकसेल	3. ब्याज मौद्रिक और अमौद्रिक प्रघटना दोनों हैं।
(*d*) क्लासिकल अर्थशास्त्री	4. ब्याज मौद्रिक प्रघटना है।

नीचे दिए गए कूटों से सही उत्तर चुनिए :

कूट :

	(*a*)	(*b*)	(*c*)	(*d*)
A.	4	2	3	1
B.	1	2	3	4
C.	4	3	2	1
D.	2	1	4	3

13. 1973 के तेल संकट ने अमरीका और कुछ यूरोपीय राष्ट्रों में व्यापक आर्थिक संकट को भी जन्म दिया। इस संदर्भ में कौन-सा कथन सही है?

A. इसके कारण केन्ज के अर्थशास्त्र पर आधारित स्थापित नीतियों से मोहभंग हुआ।
B. अवरोध-स्फीति नामक व्याधि उत्पन्न हो गई।
C. केन्ज के आर्थिक विचारों को चुनौती के रूप में नवीन क्लासिकल अर्थव्यवस्थाओं का प्रादुर्भाव हुआ।
D. उपर्युक्त सभी सही हैं।

14. आई एस-एल एम प्रारूप के अनुसार सरकारी व्यय में वृद्धि के परिणामस्वरूप क्या होगा?

A. आय और ब्याज दर दोनों में वृद्धि होगी।
B. केवल आय में वृद्धि होगी।
C. निवेश और ब्याज दर दोनों में कमी होगी।
D. आय और ब्याज दर दोनों में कमी होगी।

15. निम्नलिखित में से कौन गुणक प्रभाव में रिसाव के रूप में माना जा सकता है?

A. आयात की उच्चतर प्रवृत्ति
B. बचत करने की उच्चतर सीमान्त प्रवृत्ति
C. उपर्युक्त (A) और (B) दोनों
D. उपर्युक्त (A) और (B) में कोई नहीं

16. रॉबिन्सन-उजावा प्रमेय के अनुसार धीर संवृद्धि अवस्था तभी संभव होगी जब तकनीकी प्रगति :

A. केवल हिक्स तटस्थ हो।
B. केवल हैरोड तटस्थ हो।
C. केवल सोलो तटस्थ हो।
D. हिक्स और हैरोड तटस्थ दोनों हो।

17. निम्नलिखित में से कौन स्थायी आय परिकल्पना की मान्यता नहीं है?

A. अस्थायी आय धनात्मक और ऋणात्मक दोनों हो सकती है।
B. स्थायी आय मानवीय और गैर-मानवीय सम्पत्ति पर निर्भर करती है।
C. अस्थायी उपभोग धनात्मक और ऋणात्मक दोनों हो सकता है।
D. उपभोग करने की औसत प्रवृत्ति उपभोग करने की सीमान्त प्रवृत्ति से अधिक होती है।

18. त्वरक मॉडल निम्नलिखित किनमें परिवर्तन के द्वारा निवेश में परिवर्तन के निर्धारण का पूर्वकथन करता है?

A. ब्याज B. उत्पादन
C. पूँजी D. माल सूची

19. शुम्पीटर के विकास सिद्धान्त के संदर्भ में निम्नलिखित कथनों पर ध्यान दे :

I. विकास उद्भववादी होता है।

II. विकास का वित्तीयन वास्तविक बचत द्वारा होता है।

III. पूँजीवाद समयोपरांत अपना स्वरूप यथावत रखता है।

उपर्युक्त में कौन-सा/से कथन सत्य है/हैं?

नीचे लिखे कूट से उत्तर दीजिए :

कूट :

A. केवल I B. केवल I तथा II

C. उपर्युक्त सभी D. उपर्युक्त में कोई नहीं

20. निम्नलिखित में से किस अर्थशास्त्री ने असीमित श्रम आपूर्ति की संकल्पना पर आधारित अपना मॉडल नहीं बनाया है?

A. डी. डब्ल्यू. जोरगेन्सन B. रेनिस फेई

C. डब्ल्यू. आर्थर. लेविस D. गुन्नार मिर्डल

21. गुन्नार मिर्डल ने आर्थिक विकास के किस पहलू पर ध्यान केन्द्रित किया?

A. पूँजी दुर्लभता B. मानव संसाधन दुर्लभता

C. क्षेत्रीय विषमताएँ D. जनसंख्या विस्फोट

22. फेई रेनिस का आर्थिक विकास का सिद्धान्त निम्नलिखित में से किस पर आधारित है?

A. विकास के प्रति द्वैत उपागम

B. प्रच्छन्न बेरोजगारी की उपस्थिति

C. कृषि विकास का महत्व

D. उपर्युक्त सभी

23. आन्द्रे गुन्डर फ्रैंक, जो एक प्रमुख निर्भरता सिद्धान्तवादी हैं सुझाव देते हैं कि निम्नलिखित आर्थिक कार्यकलापों ने अल्पविकास में योगदान किया है :

(*i*) स्वदेशी उपक्रमों को अधिक उन्नत प्रौद्योगिकी वाले भूमंडलीय अनुषंगी कंपनियों से प्रतिस्थापित करना।

(*ii*) अर्थव्यवस्था को विकसित देशों के साथ व्यापार और उनके निवेश के लिए बंद करना।

(*iii*) गाँवों से विदेशी प्रभुत्व वाले नगरीय परिसरों की ओर श्रमिकों का प्रवास।

(*iv*) फैक्टरियों और खानों और बागानों में काम करने के लिए अकुशल श्रमबल का निर्माण करना।

नीचे दिए गए कूटों से सही उत्तर दीजिए :

कूट :

A. (*i*), (*iii*) और (*iv*)

B. (*i*), (*ii*) और (*iii*)

C. (*ii*), (*iii*) और (*iv*)

D. (*i*), (*ii*), (*iii*) और (*iv*)

24. हैरोडियन अर्थव्यवस्था में आई.सी.ओ.आर. 4.5 : 1 है, जनसंख्या संवृद्धि 2% प्रतिवर्ष है और निवेश की दर 27% है। परिणामतः प्रतिव्यक्ति वार्षिक संवृद्धि होगी :

A. 2.5% B. 9%

C. 6% D. 4%

25. निम्नलिखित में से कौन सही-सही सुमेलित नहीं है?

	लेखक		पुस्तक
A.	एम. फ्रीडमैन	–	कैपिटलिज्म एंड फ्रीडम
B.	अमर्त्य सेन	–	आर्गुमेन्टेटिव इंडियन
C.	जोसेफ स्टिग्लिट्ज	–	इन डिफेन्स ऑफ ग्लोबलाइजेशन
D.	रुचिर शर्मा	–	द राइज एंड फॉल ऑफ नेशन्स

26. निम्नलिखित में से कौन-सा कथन श्रीमती जॉन रॉबिन्सन की संवृद्धि मॉडल में स्वर्णयुग साम्य के लिए सही नहीं है?

A. लाभ के दर के बढ़ने की प्रवृत्ति होती है।

B. वास्तविक मजदूरी का स्तर प्रति व्यक्ति उत्पादन के साथ बढ़ता है।

C. तकनीकी प्रगति तटस्थ है।

D. जनसंख्या स्थिर दर पर बढ़ रही है।

27. केन्द्रीय बजट 2015-16 के लिए निम्नलिखित को जी.डी.पी. में उनके प्रतिशत के आरोही क्रम में व्यवस्थित कीजिए :

(*i*) राजस्व घाटा (*ii*) प्रभावी घाटा

(*iii*) प्राथमिक घाटा (*iv*) राजकोषीय घाटा

कूट :

A. (*iii*), (*ii*), (*i*), (*iv*) B. (*ii*), (*iii*), (*iv*), (*i*)

C. (*i*), (*iv*), (*iii*), (*ii*) D. (*iv*), (*i*), (*ii*), (*iii*)

28. क्षैतिज वितरण की अनुशंसा करते समय 14वें वित्त आयोग ने निम्नलिखित में से किस मापदंड को सबसे कम भार दिया?

A. जनसांख्यिकीय परिवर्तन B. क्षेत्रफल

C. जनसंख्या D. आय दूरी

29. यदि किसी वर्ष सरकार का संकल राजकोषीय घाटा ₹ 3,00,000 करोड़ है, राजस्व घाटा ₹ 1,50,000 करोड़ है और ब्याज भुगतान ₹ 80,000 करोड़ है, उस वर्ष सरकार का प्राथमिक घाटा कितना है?

A. ₹ 70,000 करोड़ B. ₹ 23,000 करोड़

C. ₹ 2,20,000 करोड़ D. ₹ 1,50,000 करोड़

30. केन्द्रीय बजट 2016-17 के प्रस्तावों के अनुसार निम्नलिखित में से किस कर का हिस्सा कुल राजस्व संग्रह में अधिकतम योगदान करता है?

A. कॉर्पोरेशन कर B. केन्द्रीय उत्पाद शुल्क

C. सीमा शुल्क D. आयकर

31. सार्वजनिक व्यय में संकेन्द्रण और विस्थापन प्रभाव की अवधारणा का श्रेय किसे दिया जाता है?

A. एलन टी. पीकॉक एंड जैक वाइजमैन

B. ए.आर. प्रेस्ट एंड आई.एम.डी. लिट्टल

C. ए.सी. पीगू एंड जे.के. मेहता

D. केनेथ ऐरो एंड पॉल.ए. सैमुअलसन

32. निम्नलिखित में से कौन-सा कथन वरदून नियम के लिए सही है?

A. दीर्घावधिक उत्पादकता सामान्यतया उत्पादन वृद्धि के वर्गमूल के समानुपातिक बढ़ती है।

B. अल्पावधिक उत्पादकता सामान्यतया उत्पादन वृद्धि के समानुपातिक बढ़ती है।

C. वरदून गुणांक का मूल्य 1 के लगभग होता है।

D. वरदून का नियम सोलो मॉडल के कार्यकरण के अनुरूप होता है।

33. निम्नलिखित में से कौन-सा किसी क्षेत्र के औद्योगिक वातावरण में सुधार में योगदान कर सकता है?

A. विकास बैंक B. ट्रेड यूनियन

C. प्राकृतिक संसाधन D. उपर्युक्त सभी

34. शोधकर्ता बताते हैं कि मुद्रा की आय वेग समय के साथ निम्नलिखित में से किसके कारण गिर रहा है?

A. मुद्रा की माँग की आय लोच इकाई से अधिक है।

B. मुद्रा की माँग की आय लोच इकाई से कम है।

C. मुद्रा की माँग की आय लोच इकाई के बराबर है।

D. उपर्युक्त सभी

35. मुद्रावादियों के अनुसार मुद्रा फलन के लिए माँग होती है

A. स्थिर और ब्याज लोचहीन

B. सतत और ब्याज लोचदार

C. स्थिर और ब्याज लोचदार

D. अस्थिर और ब्याज लोचहीन

36. निम्नलिखित तरल परिसम्पत्तियों को अवरोही क्रम में व्यवस्थित कीजिए :

(*a*) सावधि जमा (*b*) बचत जमा

(*c*) करेंसी (*d*) माँग जमा

निम्नलिखित कूटों से उत्तर चुनिए :

A. (*d*), (*a*), (*b*), (*c*) B. (*c*), (*d*), (*b*), (*a*)

C. (*a*), (*b*), (*d*), (*c*) D. (*b*), (*a*), (*c*), (*d*)

37. निम्नलिखित को सुमेलित कीजिए :

सूची-I	**सूची-II**
(*a*) अल्फ्रेड मार्शल	1. M = PKT
(*b*) इर्विंग फिशर	2. M = PKY
(*c*) रॉबर्टसन	3. N = PK
(*d*) केन्ज	4. MV = PT

निम्नलिखित कूटों से उत्तर चुनिए :

कूट :

	(*a*)	(*b*)	(*c*)	(*d*)
A.	4	3	2	1
B.	2	4	1	3
C.	1	2	3	4
D.	3	1	4	2

38. जेम्स टॉबिन मुद्रा के अपने सिद्धान्त में लोर्ड केन्ज द्वारा प्रतिपादित तरलता की वरीयता के लिए मुद्रा की माँग के निम्नलिखित निष्कर्षों/मान्यताओं के साथ सहमत नहीं था।

I. भावी ब्याज दरों की प्रत्याशा की लोच

II. व्यक्ति या तो मुद्रा रखते हैं या बॉण्ड

उपर्युक्त में से कौन-सा सही है?

नीचे दिए गए कूटों से उत्तर दीजिए :

कूट :

A. केवल I B. केवल II

C. I और II दोनों D. I और II में कोई नहीं

39. किसी देश का जनसंख्या पिरामिड प्रदर्शित करता है :

A. पुरुष एवं महिला जनसंख्या की आयु संरचना

B. पुरुष जनसंख्या की आयु संरचना

C. महिला जनसंख्या की आयु संरचना

D. ग्रामीण एवं नगरीय जनसंख्या की आयु संरचना

40. यदि वास्तविक बेरोजगारी दर बेरोजगारी की प्राकृतिक दर से नीचे है तो यह प्रत्याशा की जाएगी कि :

A. स्फीति की दर बढ़ेगी।

B. मजदूरी घटेगी।

C. फिलिप्स वक्र दाहिनी ओर खिसकेगा।

D. बेरोजगारी की प्राकृतिक दर घटेगी।

41. जनसांख्यिकीय संक्रमण का अभिप्राय है :

A. कम जन्म दर और उच्च मृत्यु दर की स्थिति से उच्च जन्म दर और उच्च मृत्यु दर की स्थिति की ओर बढ़ना।

B. उच्च जन्म दर और उच्च मृत्यु दर की स्थिति से कम जन्म दर और कम मृत्यु दर की स्थिति की ओर बढ़ना।

C. उच्च मृत्यु दर और कम जन्म दर की स्थिति से उच्च मृत्यु दर और उच्च जन्म दर की स्थिति की ओर बढ़ना।

D. उपर्युक्त में से कोई नहीं।

42. अंतर्राष्ट्रीय व्यापार के संदर्भ में पाटन (डम्पिंग) का अभिप्राय है :

A. विकसित देशों द्वारा प्रयोग में लाए गए उत्पादों का विकासशील देशों में मुफ्त वितरण।

B. किसी वस्तु को विदेशों में सस्ती और घरेलू बाजार में महँगी बेचना।

C. विकसित देशों द्वारा विकासशील देशों में सस्ती वस्तुएँ भेजना।

D. उपर्युक्त कोई नहीं।

43. सूची-I को सूची-II के साथ सुमेलित करें और नीचे दिए गए कूटों में से सही उत्तर का चयन करें :

सूची-I	**सूची-II**
(*a*) अंतर्राष्ट्रीय मुद्रा कोष	1. निजी क्षेत्र को उधार देना
(*b*) इंटरनेशनल बैंक फॉर रिकंस्ट्रक्शन एंड डेवलपमेंट	2. भुगतान संतुलन समस्याएँ
(*c*) इंटरनेशनल डेवलपमेंट एसोसिएशन	3. निर्धन देशों को आसान शर्तों पर ऋण (सॉफ्ट लोन)
(*d*) अंतर्राष्ट्रीय वित्त निगम	4. सामाजिक-आर्थिक अवसंरचना

कूट :

	(*a*)	(*b*)	(*c*)	(*d*)
A.	2	1	3	4
B.	1	2	4	3
C.	3	4	1	2
D.	2	4	3	1

44. भुगतान संतुलन में घाटे को निम्नलिखित में से किसके द्वारा सही किया जा सकता है?

A. ब्याज दर में कटौती

B. पूँजी अंतर्वाह को हतोत्साहित करना

C. ब्याज दर में वृद्धि

D. विप्रेषण पर प्रतिबंध लगाना

45. विश्व व्यापार संगठन की शब्दावली में निम्नलिखित में से कौन-सा पीत पेटिका राजसहायता नहीं है?

A. अनाज का न्यूनतम समर्थन मूल्य

B. बीजों पर राजसहायता

C. सिंचाई दरों पर राजसहायता

D. सरकारी कीट नियंत्रण और प्रबंधन लागत

46. पुराने औद्योगिक उत्पादन सूचकांक (आधार 1993-94) में विनिर्माण का भार 76.36% था जो नए औद्योगिक उत्पादन सूचकांक (आधार 2004-05) में बदलकर ________ हो गया है।

A. 75.53%

B. 76.36% पर अपरिवर्तित

C. 78.22%

D. 79.39%

47. निम्नलिखित में से कौन-सा कृषि जोत भारत में सर्वाधिक प्रतिशत में है?

A. सीमांत जोत

B. लघु जोत

C. बड़े जोत

D. अर्द्ध-मध्यम (सेमी मीडियम) जोत

48. वर्ष 2013-14 में भारत में धान की सर्वाधिक उत्पादकता वाले प्रथम दो राज्य/क्षेत्र ________ थे।

A. राष्ट्रीय राजधानी क्षेत्र दिल्ली और पंजाब

B. पंजाब और पश्चिम बंगाल

C. आंध्र प्रदेश और हरियाणा

D. पंजाब और उत्तर प्रदेश

49. निम्नलिखित में से कौन-सी दर/दरें भारत में स्वतंत्र रूप से निर्धारित होती है/हैं?

A. रेपो रेट

B. रिवर्स रेपो रेट

C. (A) और (B) दोनों

D. (A) और (B) में से कोई भी नहीं

50. 12वीं पंचवर्षीय योजना के मुख्य उद्देश्य हैं :

A. समावेशी विकास और गरीबी में कमी लाना।

B. समावेशी और सतत विकास।

C. तेज, सतत तथा और अधिक समावेशी विकास।

D. गरीबी और बेरोजगारी कम करने हेतु सतत और समावेशी विकास।

51. सूची-I और सूची-II को सुमेलित करें और नीचे दिए गए कूटों में से सही उत्तर का चयन करें :

सूची-I (सूचकांक)	सूची-II (आधार वर्ष)
(*a*) बी.एस.ई. सेंसेक्स	1. 2012
(*b*) निफ्टी	2. 2011-12
(*c*) सी.पी.आई.	3. 1978-79
(*d*) जी.डी.पी.	4. 1995

कूट :

	(*a*)	(*b*)	(*c*)	(*d*)
A.	3	4	1	2
B.	4	3	1	2
C.	4	1	2	3
D.	3	2	4	1

52. वर्ष 2013 की सूचना के अनुसार, शिशु मृत्यु दर के घटते हुए क्रम में निम्नलिखित राज्यों का क्रम सजाएँ :

I. उत्तर प्रदेश II. राजस्थान

III. मध्य प्रदेश IV. ओडिशा

नीचे दिए गए कूट से उत्तर दें :

A. III, IV, I, II B. IV, III, II, I

C. I, II, III, IV D. III, I, III, IV

53. निम्नलिखित में से किस चर को आर्थिक विश्लेषण में प्रवाह चर नहीं माना जाता है?

A. पूर्ति तथा माँग

B. बचत तथा निवेश

C. मुद्रा पूर्ति तथा सार्वजनिक ऋण

D. निर्यात तथा आयात

54. रिजर्व बैंक मुद्रा आपूर्ति घटाना चाहती है, इसे निम्नलिखित में से क्या करना चाहिए?

A. वैधानिक तरलता अनुपात को बढ़ाना चाहिए।

B. खुले बाजार में ट्रेजरी बिल खरीदनी चाहिए।

C. बट्टा दर में वृद्धि करनी चाहिए।

D. आरक्षी कोष में कमी।

55. M_1 में निम्नलिखित में से कौन-सा शामिल होता है?

A. बचत जमा

B. माँग जमा

C. स्वर्ण भंडार

D. मुद्रा बाजार म्युचुअल फंड के अधीन आस्तियाँ

56. भारत में गठित निम्नलिखित समितियों को कालक्रमानुसार सजाएँ :

I. उर्जित पटेल समिति II. गोयपुरिया समिति

III. नरसिम्हन समिति IV. चक्रवर्ती समिति

नीचे दिए गए कूटों में से उत्तर दें :

कूट :

A. I, II, III, IV B. IV, II, III, I

C. III, I, II, IV D. II, IV, I, III

57. भारतीय रिजर्व बैंक की निम्नलिखित नीति दरों (30-9-2016 के अनुसार) के लिए उन्हें उनके परिणाम के घटते क्रम में सजाएँ और नीचे दिए गए कूटों में से सही उत्तर का चयन करें :

I. बैंक दर II. रेपो दर

III. एस.एल.आर. IV. रिवर्स रेपो दर

कूट :

A. III, II, IV, I B. III, I, IV, II

C. I, II, III, IV D. III, I, II, IV

58. निम्नलिखित जलवायु संबंधी सम्मेलनों को उनके कालक्रमानुसार सजाएँ :

I. क्योटो प्रोटोकॉल II. अर्थ सम्मिट

III. बाली सम्मिट

नीचे दिए गए कूट से उत्तर दें :

कूट :

A. II, I, III B. II, III, I

C. III, I, II D. I, II, III

59. सहकारिता क्षेत्र में एकल खिड़की प्रणाली निम्न में से किसका समन्वय करती है?

(*a*) ग्रामीण ऋण की आपूर्ति

(*b*) कृषि आदानों की आपूर्ति

(*c*) विपणन सुविधाओं के विस्तार

(*d*) भण्डागार सुविधाओं के निर्माण

नीचे दिए गए कूटों में से सही उत्तर का चयन करें :

कूट :

A. (*a*) और (*b*) B. (*a*), (*b*), (*c*) और (*d*)
C. (*a*), (*b*) और (*c*) D. (*c*) और (*d*)

60. भारत में औसत भू-जोत के सतत घटते आकार के निम्नलिखित कारणों पर विचार करें :

(*a*) कृषि का यंत्रीकरण (*b*) चकबंदी
(*c*) भू-स्वामित्व की इच्छा (*d*) उत्तराधिकार का कानून

नीचे दिए गए कूटों में से सही उत्तर का चयन करें :

कूट :

A. (*a*), (*b*), (*c*) B. (*a*), (*b*), (*c*) और (*d*)
C. (*b*), (*c*) और (*d*) D. (*c*) और (*d*)

निर्देश (प्र.सं. 61 से 65 तक): *नीचे दो कथन दिए गए हैं जिनमें एक अभिकथन (A) और दूसरा तर्क (R)। प्रश्नों के उत्तर का चयन नीचे दिए गए कूटों का प्रयोग करके करें।*

A. (A) और (R) दोनों सही हैं और (R), (A) की सही व्याख्या है।
B. (A) और (R) दोनों सही हैं, परन्तु (R), (A) की सही व्याख्या नहीं है।
C. (A) सही है, परन्तु (R) गलत है।
D. (A) गलत है, परन्तु (R) सही है।

61. अभिकथन (A): व्यापार की आय शर्तों में सुधार का होना आयात की क्षमता में वृद्धि का सूचक होता है।

तर्क (R) : व्यापार की सकल वस्तु-विनिमय शर्तों में आयात की मात्रा से गुणा करके व्यापार की आय शर्तों को ज्ञात किया जा सकता है।

62. अभिकथन (A): भारत में औद्योगिक विकास रणनीति में पैमाने की पसंद, आकार और साधन प्रयोग की तीव्रता का ध्यान रखना पड़ता है।

तर्क (R) : साधन असंतुलन और संसाधन प्रवाह भारत में सतत औद्योगिक विकास के लिए अनुकूल नहीं हैं।

63. अभिकथन (A): भारत में कृषि उत्पादन के लक्षण विकास और अस्थिरता है।

तर्क (R) : भारत में कृषि उत्पादन में स्पष्ट रूप से अंतर-क्षेत्रीय और अंतर-फसली अंतर पाया जाता है।

64. अभिकथन (A): क्षेत्रीय व्यापार ब्लॉक मुक्त अंतर्राष्ट्रीय व्यापार में बाधक हैं।

तर्क (R) : ये गैर-सदस्य देशों के साथ भेदभाव करते हैं।

65. अभिकथन (A): प्रगामी आयकर सम-सीमांत त्याग पर आधारित होता है।

तर्क (R) : आय जितनी अधिक होती है करदाता के लिए मुद्रा की सीमांत उपयोगिता उतनी कम होती है।

66. उत्पादन फलन $Q = 150\,L^{0.7}\,K^{05}$ निम्नलिखित में से किस प्रकार के पैमाने का प्रतिफल प्रदर्शित करता है?

A. स्थिर प्रतिफल B. वृद्धिमान
C. ह्रासमान D. घट-बढ़ होते हुए

67. किसी मुक्त अर्थव्यवस्था आगत-निर्गत मॉडल में A आगत-गुणांक मैट्रिक्स है, व्यवहार्यता स्थिति निम्नलिखित में से किसको संतुष्ट करेगी?

A. $|I - A| \neq 0$
B. $|I - A| > 0$
C. $|I - A| < 0$
D. मैट्रिक्स (I – A) के सभी मुख्य उप-सारणिक धनात्मक होंगे।

68. निम्नलिखित को सुमेलित करें :

सूची-I	सूची-II
(*a*) ग्रेंजर परीक्षण	1. स्व-सहसंबंध
(*b*) डिक्की-फुलर परीक्षण	2. कारणीयता
(*c*) F-परीक्षण	3. स्थिरता
(*d*) डरबिन-वाट्सन 'd' परीक्षण	4. समाश्रयण का समग्र महत्व

कूट :

	(*a*)	(*b*)	(*c*)	(*d*)
A.	3	1	4	2
B.	4	2	3	1
C.	1	3	2	4
D.	2	3	4	1

69. आकलन की अप्रत्यक्ष न्यूनतम वर्ग विधि का प्रयोग युगपत् समीकरण प्रणाली के समीकरणों के लिए किया जाता है। इस प्रकार से प्राप्त आकलन _______ होगा।

A. अनभिनत औ.र संगत B. अभिनत और संगत
C. अभिनत और असंगत D. अनभिनत और असंगत

70. नीचे दी गई किसी फर्म की कुल लागत और माँग फलन के अनुसार, यह बताएँ कि किस कीमत पर लाभ अधिकतम होगा।

$C = 5Q^2 + 20Q + 10; P = 100 - 3Q$

जहाँ C = कुल लागत, Q = उत्पादन, P = कीमत

A. 95 B. 85

C. 100 D. 5

71.

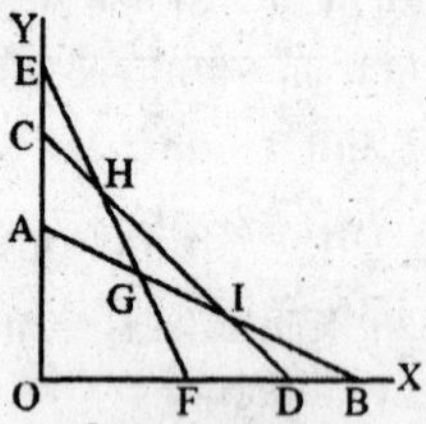

एक रैखिक प्रोग्रामन समस्या के उपर्युक्त आरेख पर विचार कीजिए। यदि बिंदु A पर इष्टतम हल है, तो किस प्रतिबंध के संबद्ध 'स्लैक' चर गैर-शून्य है/हैं?

A. केवल AB B. AB और CD

C. केवल EF D. CD और EF

72. दो चर समाश्रयण में Y आश्रित चर और X स्वतंत्र चर है। यदि Y और X के बीच सह-संबंध गुणांक 0.7 है, तो निम्नलिखित में से कौन-सा परिणाम सही है?

A. X द्वारा Y में 7% विचलन की व्याख्या की जाती है।

B. X द्वारा Y में 70% विचलन की व्याख्या की जाती है।

C. X द्वारा Y में 49% विचलन की व्याख्या की जाती है।

D. X द्वारा Y में 0.7% विचलन की व्याख्या की जाती है।

73. अर्थमिति विश्लेषण का कोयक उपागम किनके संबंधों के बारे में है?

A. विलंबित व्याख्यात्मक चर

B. गुणात्मक व्याख्यात्मक चर

C. घातीय व्याख्यात्मक चर

D. उपर्युक्त में कोई नहीं

74. माँग फलन $P = 10 - 2x - 0.5x^2$ के लिए $x = 2$ के मान पर माँग की कीमत लोच कितनी होगी?

A. शून्य B. 0.5

C. 1 D. 1.5

75. 3 स्वतंत्र चरों और 20 अवलोकनों के समाश्रयण में गणना किए गए F मूल्य की जाँच करनी है। जाँच की प्रक्रिया में अंश और हर के लिए स्वतंत्र्य कोटि क्या होगी?

A. 2, 18 B. 3, 17

C. 3, 16 D. 3, 20

उत्तरमाला

1	2	3	4	5	6	7	8	9	10
C	C	A	C	D	B	A	C	A	D
11	**12**	**13**	**14**	**15**	**16**	**17**	**18**	**19**	**20**
D	A	D	A	C	B	D	B	D	D
21	**22**	**23**	**24**	**25**	**26**	**27**	**28**	**29**	**30**
C	D	A	D	C	A	A	A	C	A
31	**32**	**33**	**34**	**35**	**36**	**37**	**38**	**39**	**40**
A	A	A	A	A	B	B	C	A	A
41	**42**	**43**	**44**	**45**	**46**	**47**	**48**	**49**	**50**
B	B	D	C	D	A	A	A	A	C
51	**52**	**53**	**54**	**55**	**56**	**57**	**58**	**59**	**60**
A	A	C	C	B	B	D	A	B	D
61	**62**	**63**	**64**	**65**	**66**	**67**	**68**	**69**	**70**
C	A	A	A	A	B	D	D	*	B
71	**72**	**73**	**74**	**75**					
D	C	A	B	C					

व्याख्यात्मक उत्तर

1. कार्टेल उद्योग में अल्पाधिकारी फर्मों का एक औपचारिक संगठन है। कार्टेल कूटसंधि का सही रूप है। कार्टेल का सामान्य उद्देश्य आम सुविधाओं को बढ़ावा देने के उद्देश्य से उद्योग में व्यक्तिगत फर्म के कुछ प्रबंधकीय निर्णय और कार्यों को केन्द्रित करना है। कार्टेल खुली कूटसंधि अथवा गुप्त कूटसंधि के रूप में हो सकती है। चाहे खुली हो या गुप्त, कार्टेल समझौते इस अर्थ में स्पष्ट और औपचारिक रूप से अर्थपूर्ण होते हैं कि समझौते उन फर्मों के सदस्यों पर प्रवर्तनीय होते हैं जो स्वतंत्र मूल्य निर्धारण नीति को आगे बढ़ाने की कोशिश कर रहे हैं। इसलिए कार्टेल कूटसंधि का सही रूप माना जाता है। अधिकांश देशों में विनिर्माण और व्यापार में फर्मों के बीच कार्टेल और कार्टेल प्रकार के समझौते अवैध होते हैं। फिर भी, 'अस्तित्व' शब्द के व्यापक अर्थ में कार्टेल व्यापार संघों, पेशेवर संगठनों और इस प्रकार के रूप में उपस्थित है। कार्टेल अपने सदस्यों के लिए विभिन्न प्रकार की सेवाएँ प्रदान करता है। केन्द्रीय महत्व की दो विशिष्ट सेवाएँ हैं:

(*i*) उद्योग के लाभों का संयुक्त अधिकतमकरण के लिए मूल्य निर्धारण; और

(*ii*) अपने सदस्यों के बीच विपणन साझेदारी।

2. माँग वक्र का आकार और ढलान उस दिशा पर निर्भर करता है जिसमें आय और कार्य मूल्य में गिरावट का प्रतिस्थापन प्रभाव होता है। वास्तव में, सामान्य वस्तुओं के मामलों में प्रतिस्थापन प्रभाव सकारात्मक होता है, लेकिन आय का प्रभाव अनिश्चित है। इसलिए, नकारात्मक प्रतिस्थापन प्रभाव को देखते हुए, माँग वक्र के आकार सकारात्मक आय प्रभाव की दिशा और परिणाम पर निर्भर करता है। एक वस्तु की कीमत में गिरावट के प्रतिस्थापन और आय प्रभाव के चार संभावित संयोजन और माँग वक्र की इस प्रकृति का संक्षेप निम्नानुसार किया जा सकता है।

(*i*) जब प्रतिस्थापन और आय का प्रभाव सकारात्मक होता है तो X की माँग की गई मात्रा बढ़ती है ज्यों ही P_x घटती है। इसलिए माँग वक्र नीचे की ओर दायीं तरफ ढलती है। यह 'सामान्य' वस्तुओं का मामला है।

(*ii*) यदि आय प्रभाव नकारात्मक है लेकिन प्रतिस्थापन प्रभाव से कम (जैसा कि यह निम्न स्तरीय सामान के मामले में होता है) माँग वक्र ढलान नीचे की ओर सामान्य से अधिक तेजी से दायीं ओर होता है।

(*iii*) यदि आय प्रभाव शून्य है, तो माँग वक्र, प्रतिस्थापन प्रभाव का अनुसरण करता है, अर्थात् ज्यों ही मूल्य ह्रास होता है, माँग बढ़ जाती है। माँग वक्र का एक नकारात्मक ढलान है, लेकिन यह अपेक्षाकृत चपटी है।

(*iv*) यदि आय प्रभाव नकारात्मक है और प्रतिस्थापन प्रभाव से अधिक शक्तिशाली है (जैसा कि गिफेन वस्तुओं के मामले में होता है) माँग वक्र, एंजेल वक्र के समान पीछे की ओर झुकाव बनाता है। लेकिन यह असंभाव्य है कि कोई भी माँग वक्र अपनी पूरी लंबाई के साथ बायीं ओर नीचे ढुल जाए। ऐसा केवल इतना ही होगा कि मूल्य परिवर्तन की उस सीमा से ऊपर जिसके ऊपर कौन-सा नकारात्मक आय प्रभाव प्रतिस्थापन से सशक्त है।

3. बेन ने 'प्रविष्टि की स्थिति' की अवधारणा प्रस्तावित किया, जिसे उन्होंने सीमांत के रूप में परिभाषित किया, जिसके द्वारा स्थापित फर्म प्रविष्टि को आकर्षित किए बिना लगातार प्रतिस्पर्धी मूल्य से ज्यादा अपने मूल्य को बढ़ा सकता है। सांकेतिक रूप से, हमारे पास है–

$$E = \frac{P_L - P_C}{P_C}$$

जहाँ, E = 'प्रविष्टि की स्थिति'

P_L = सीमित मूल्य

P_C = प्रतिस्पर्धी मूल्य, लम्बी अवधि में शुद्ध प्रतिस्पर्धा के तहत मूल्य ($P_C = LAC$)

P_L के लिए हल करने पर हम पाते हैं,

$$P_L = P_C (1 + E)$$

इस प्रकार प्रविष्टि की स्थिति E, वास्तव में प्रीमियम है।

7. माँग पर बाहरी प्रभाव की भूमिका का परिचय कराने का श्रेय हार्वे लेबेंस्टीन (1950) को दिया जाता है। खासतौर पर तीन बाहरी प्रभावों की पहचान की गई, जिनके नाम

हैं—बैंडवैगन, स्नॉब और वेबलेन प्रभाव। इन प्रभावों को 'बाहरी' कहा जाता है क्योंकि वे उपभोक्ताओं के माल के अंतर्गत मूल्य (या विशेषताओं) के बाहरी माँग पर प्रभाव का उल्लेख करते हैं। लेबेंस्टीन के अनुसार उपभोक्ता वस्तुओं की खरीदारी कर सकते हैं, क्योंकि अन्य उसे खरीद रहे हैं (बैंडवैगन प्रभाव), या अनन्य होने की इच्छा (स्नॉब प्रभाव) या बड़ा शोरूम या ध्यानाकर्षी मूल्य होने के कारण (वेबलन प्रभाव)। चूँकि वे माँग वक्र के लोच को प्रभावित करते हैं और यहाँ तक कि संकेत (वेबलेन प्रभाव) को भी प्रभावित करते हैं इसलिए बाजार में इन प्रभावों के बारे में पता करने के लिए आपूर्तिकर्ताओं के लिए ये उपयोगी हैं। इन प्रभावों को क्रमानुकूल माना जाता है।

बैंडवैगन प्रभाव : यह मामला जहाँ उपभोक्ता की वस्तु के लिए इच्छा दूसरों की खरीद से सकारात्मक रूप से प्रभावित होती है, बैंडवैगन प्रभाव को दर्शाता है। इस मामले में ज्यों ही उपभोक्ता अधिक से अधिक सामान खरीदता है, अन्य उपभोक्ताओं की सामानों में रुचि या वरीयता में भी वृद्धि होती है। यह 'बैंडवैगन पर कूदने की' उपभोक्ताओं की इच्छा और अपने साथियों के बीच फिट होने के लिए 'फैशन में' होने के कारण है। जितना अधिक उपभोक्ता इन सामानों को खरीदते हैं उतनी ही ललक दूसरे उपभोक्ताओं को सामान खरीदने की होती है। कई बार कुछ उदाहरण ऐसे भी देखे गए हैं जिनमें लोग नीला जीन्स, ब्रांडेड जूते और कपड़े और विभिन्न इलेक्ट्रॉनिक गैजेट्स लिए हुए देखे गए हैं। जिनमें सेलुलर फोन और म्यूजिक प्लेयर्स शामिल हैं। इसलिए बैंडवैगन प्रभाव वस्तुओं की माँग में बदलाव का कारक है। इसके अलावा, जितना अधिक व्यक्तियों को माल प्राप्त होता है, वह दूसरों को प्रभावित करता है और माँग वक्र को आगे बढ़ाता रहता है। लेबेंस्टीन ने स्वीकार किया कि दूसरों की बढ़ी हुई खरीदारी के आधार पर बढ़ी हुई माँग (पालियों में) अनिश्चितकाल तक जारी नहीं रख सकते हैं, और आय सीमाओं के कारण कमजोर बाहरी प्रभाव को पहचान सकते हैं।

स्नॉब प्रभाव : स्नॉब प्रभाव उपभोक्ता द्वारा विशिष्टता की इच्छा है। यह दूसरों द्वारा खरीदी गई मात्रा के जवाब में एक नकारात्मक बदलाव का प्रभाव है। यह बैंडवैगन प्रभाव के विपरीत है। ज्यों ही स्नॉब माल की कीमत गिरती है और दूसरे बाजार में आते हैं (माँग वक्र के साथ गति), बाजार में स्नॉब के माल के लिए वरीयता (रुचि) कम हो जाती है। इससे बाजार में माँग की जाने वाली मात्रा के विश्वास या वास्तविक ज्ञान के जवाब में माँग वक्र में अप्रत्याशित बदलाव की ओर अग्रसर हो जाता है।

वेबलेन प्रभाव : वेबलेन प्रभाव, अन्य दो प्रभावों के विपरीत, उपभोक्ताओं द्वारा अन्य लोगों द्वारा खरीदी जा रही मात्रा की तुलना में माल के उपेक्षात्मक मूल्य के लिए एक प्रतिक्रिया है। इसका प्रभाव आमतौर पर विशिष्ट खपत के रूप में जाना जाता है। उदाहरण एक फेरारी कार हो सकती है जो बाजार में कई लोगों द्वारा खरीदी जा सकती है, न सिर्फ विशेष रूप से कार रेसिंग सर्किट पर इसके रिकॉर्ड प्रदर्शन के लिए बल्कि इसलिए कि कम कीमत के बजाय ऊँची है। इस मामले में अच्छे शोरूम के जवाब में वस्तु की कीमत उपभोक्ताओं की माँग के संदर्भ में माँग वक्र खींची जाती है। एक छोटे शोरूम में कीमत वस्तु के लिए माँग वक्र में आवक पाली की ओर उन्मुख होता है। इस मामले में वेबलेन प्रभाव एक सकारात्मक ढालुआं वेबलेन माँग वक्र की ओर उन्मुख मूल्य प्रभाव को पूर्णतया दबा देता है।

8. आर्थिक दक्षता दोनों तकनीकी दक्षता का कारण बनती है, जिसके लिए कम लागत वाले उत्पादन और आवंटन दक्षता की आवश्यकता होती है। इसके लिए अपेक्षा की जाती है कि दुर्लभ संसाधनों से दुर्लभ उत्पादन उपभोक्ताओं के बीच कुशलता से वितरित किया जाता है। इतालवी अर्थशास्त्री विलफ्रेडो पेरेटो (1848-1923) के नाम पर आर्थिक दक्षता हासिल करने के लिए अक्सर पेरेटो इष्टतम कहा जाता है। ऐसे इष्टतम का मुख्य सिद्धांत यह है कि कोई भी एजेंट, उपभोक्ता या उत्पादक और एजेंट को खराब होने के बावजूद बेहतर बनाया जा सकता है।

इन संबंधों में, पूर्ण प्रतिस्पर्धा के संचालन के माध्यम से आर्थिक दक्षता प्राप्त की जाती है। पूर्ण प्रतिस्पर्धा उपभोक्ता और उत्पादक अधिशेष के कुल जोड़ को वांछित मूल्य (P) को सीमांत लागत (MC) के बराबर करने के लिए चरम सीमा तक बढ़ाता है। अर्थशास्त्र में प्रमुख नियमों में से एक नियम $P = MC$ है। उपभोक्ताओं की ओर से, भुगतान की गई कीमत खरीदी गई वस्तु की सीमांत उपयोगिता को दर्शाती है। विवेकशील उपभोक्ता खरीदी गई सभी वस्तुओं में सीमांत उपयोगिता की समानता

रखते हैं, ताकि उनकी समग्र उपयोगिता को अधिकतम किया जा सके। उसी समय, किसी भी दो वस्तुओं के बीच प्रतिस्थापन की सीमांत दर सभी उपभोक्ताओं के लिए एक समान होगी। चूँकि किसी भी उपभोक्ता की उपयोगिता को किसी अन्य की उपयोगिता को कम किए बिना पुनः आवंटन में सुधार किया जा सकता है अतः निर्माता की ओर से, उत्पादित वस्तु की अंतिम इकाई की बिक्री से प्राप्त मूल्य उत्पादन की सीमांत लागत से मेल खाता है। यहाँ निर्माता सामान्य लाभ कमा रहा है और उसे कम से कम लागत पर उत्पादन करना होगा अन्यथा प्रतिस्पर्धा बाजार से फर्म को बाहर कर देगी।

9. **आभासी लगान :** मार्शल ने फिक्स्ड कैपिटल इक्विपमेंट जैसे मशीनों की अल्प अवधि में कमाई को सुरक्षित करने के लिए लगान की अवधारणा का विस्तार किया। भूमि की विशिष्टता है कि इसकी आपूर्ति अल्प समय में पूर्णतया बेलोच होती है, और इसलिए इसकी कमाई मुख्य रूप से इसकी माँग पर निर्भर करती है। अल्पकाल में फिक्स्ड कैपिटल इक्विपमेंट जैसे मशीनें भी अपने उत्पादन की लागत और आपूर्ति में तब प्रासंगिक नहीं है जब इसका उत्पादन हो जाता है। इस प्रकार, अल्पकाल में निश्चित पूँजी उपकरणों की कमाई मुख्य रूप से माँग की शर्तों पर निर्भर करती है और इस प्रकार ये भूमि लगान के समान होती है और इसलिए मार्शल द्वारा इसे लगान कहा जाता है। चूँकि ये पूँजीगत उपकरण स्थायी रूप से भूमि की तरह निश्चित आपूर्ति में नहीं है और इसके बजाय उनकी आपूर्ति लम्बी अवधि में बहुत ही लोचदार है इसलिए मार्शल ने अपनी कमाई को लगान पर लेने के बजाय आभासी लगान के रूप में कम समय में करना पसंद किया।

11. **सकल माँग वक्र :** सकल माँग वक्र विभिन्न मूल्य स्तरों पर घरेलू रूप से निर्मित वस्तुओं और सेवाओं की मात्रा जो उपभोक्ताओं, व्यवसायों, सरकारों और विदेशियों (शुद्ध निर्यात) कारोबार की अवधि के दौरान खरीदने के लिए तैयार हैं, को दर्शाता है। वक्र ढलान नीचे दाईं ओर इंगित करता है कि मूल्य स्तर में कमी (वृद्धि) के कारण, अधिक (कम) वस्तुओं और सेवाओं की माँग की जाती है। सकल माँग वक्र में बदलाव करने वाले कारकों में शामिल हैं: वास्तविक ब्याज दर में परिवर्तन : ऐसे परिवर्तनों से व्यक्तिगत उपभोक्ताओं और व्यवसायों द्वारा किए गए पूँजीगत सामान के निर्णय पर असर पड़ेगा। वास्तविक निम्न ब्याज दरें महत्वपूर्ण उत्पादों जैसे—कार, बड़े उपकरणों और घरों की लागतों को कम करेगी। वे व्यावसायिक पूँजी परियोजना खर्च में वृद्धि करेंगे क्योंकि निवेश परियोजनाओं की लंबी अवधि की लागत कम हो जाती है। सकल माँग वक्र नीचे दायीं ओर चली जाएगी। उच्च वास्तविक ब्याज दरें पूँजीगत वस्तुओं को अपेक्षाकृत अधिक महँगी बनाती हैं और सकल माँग वक्र को ऊपर की ओर बायीं ओर स्थानांतरित करने का कारण बनता है।

- **आकांक्षाओं में परिवर्तन :** यदि अर्थव्यवस्था के भविष्य के विषय में व्यवसाय और परिवार अधिक आशावादी हैं, तो वे बड़ी वस्तुओं को खरीदना पसंद करेंगे और नए निवेश करेंगे इससे कुल माँग में वृद्धि होगी।
- **धन प्रभाव :** अगर वास्तविक घरेलू संपदा बढ़ जाती है (घट जाती है), तो कुल माँग बढ़ जाएगी (घट जाएगी)।
- **विदेशियों की आय में बदलाव (व्यापार प्रभाव) :** यदि विदेशियों की आय बढ़ती है (घट जाती है), तो घरेलू स्तर पर उत्पादित वस्तुओं और सेवाओं की सकल माँग में कमी (वृद्धि) होनी चाहिए।
- **मुद्रा विनिमय दरों में परिवर्तन (तरलता प्रभाव) :** अमेरिका के दृष्टिकोण से, यदि अमेरिकी डॉलर का मूल्य गिरता है (बढ़ता है), विदेशी सामान अधिक (कम) महँगा हो जाएगा जबकि अमेरिका में उत्पादित माल विदेशियों के लिए सस्ता हो जाएगा (अधिक महँगा) सकल माँग में शुद्ध परिणाम में वृद्धि (कमी) होगी।
- **मुद्रास्फीति में अनुमानित परिवर्तन :** यदि उपभोक्ता भविष्य में मुद्रास्फीति के ऊपर उठने की आशा करते हैं, अब सकल माँग बढ़ने के कारण वे खरीदने को प्रवृत्त होंगे। यदि उपभोक्ताओं के अनुमान में परिवर्तन होता है और वे भविष्य में कीमतों में गिरावट की उम्मीद करते हैं, तो सकल माँग में गिरावट आएगी तथा सकल माँग वक्र बायीं ओर चला जाएगा।

13. तेल संकट, जो अक्टूबर 1973 के चौथे अरब-इजरायल युद्ध के परिणामस्वरूप आया था, युद्ध के बाद के अंतर्राष्ट्रीय संबंधों में एक महत्वपूर्ण मोड़ था और विशेष रूप से कई विकसित और विकासशील देशों का आर्थिक इतिहास। यह पहली बार मध्य पूर्व क्षेत्र की उभरती भूमिका और विश्व की राजनीति में तेल के बढ़ते प्रभाव

को दर्शाता है। संकट ने तेल-आधारित औद्योगिक विकास की असुरक्षा से औद्योगिक दुनिया को न केवल सतर्क किया बल्कि भविष्य में ऐसे संकटों से निपटने के लिए वैकल्पिक ऊर्जा स्रोतों और एक नीति विकसित करने की आवश्यकता भी पैदा की। इससे प्रदर्शित हुआ कि आर्थिक शक्ति या सेना के अलावा, तेल जैसे प्राकृतिक संसाधनों का कब्जा भी अंतर्राष्ट्रीय संबंधों को प्रभावित करने के लिए उपयोग में लाया जा सकता है।

14. आई.एस–एल.एम. प्रारूप की सरकारी नीति में बदलाव के प्रभाव के संदर्भ में कई जाने-माने आशय हैं। सरकारी खर्चे में बढ़ोत्तरी ने, r और Y के संतुलन स्तर को G ने बढ़ाया है और I के संतुलन स्तर को घटाया है। सरकार के खर्च में वृद्धि से प्रेरित निवेश में कमी को छोटी कंपनियों के निर्गम हेतु सही समय के रूप में जाना जाता है। जब धन की माँग मामूली ब्याज दर पर निर्भर नहीं होती है तो इस दृष्टि से छोटी कंपनियों के निर्गम हेतु सही समय होता है कि G में वृद्धि I की कमी द्वारा पूर्णतया बदल जाती है ताकि सकल माँग अप्रभावित होता है। नाममात्र ब्याज दर से धन की माँग की स्वतंत्रता को अक्सर अर्थवाद की कसौटी के रूप में माना जाता है, क्योंकि इस मामले में राजकोषीय नीति में कोई वास्तविक प्रभाव नहीं होता है। समान परिवर्तन तब होते हैं जब कोई कर परिवर्तन को समझता है, या एकमुश्त करों में कमी या दोनों Y और r आयकर दर में वृद्धि। मौद्रिक नीति के संदर्भ में, M में वृद्धि, Y में वृद्धि की अगुआई करता है, r में कमी और I में वृद्धि करता है। इसलिए, विस्तारीय राजकोषीय नीति के विपरीत, विस्तारित मौद्रिक नीति निवेश को बढ़ाती है और इसलिए बड़ी परियोजनाओं से सहबद्ध उद्योग खुलते हैं। इस परिणाम का अपवाद एक तरलता जाल है जिसमें धन की आपूर्ति में परिवर्तन प्रारंभिक नाममात्र ब्याज दर पर जनता द्वारा स्वीकार किया जाता है।

चित्र : *सरकारी खरीद में वृद्धि का प्रभाव*

15. एक बंद अर्थव्यवस्था में केवल एक रिसाव होता है, जो बचत होता है। गुणक का आकार अन्य बातों के अलावा, सीमांत प्रवृत्ति पर निर्भर करता है। उपभोग करने की उच्चतर सीमान्त प्रवृत्ति (बचत करने की निम्नतर सीमान्त प्रवृत्ति) होने पर गुणक बड़ा होगा।

एक खुली अर्थव्यवस्था में दो रिसाव होते हैं—बचत और आयात। आयात भी एक रिसाव है क्योंकि आयातित वस्तुओं पर खर्च होने वाला पैसा हमारी आय में वृद्धि नहीं करता है। दो रिसावों के कारण, एक खुली अर्थव्यवस्था के गुणक का आकार हमेशा एक बंद अर्थव्यवस्था की तुलना में छोटा होता है।

$$\text{गुणक} = \frac{1}{\text{MPS + MPI}} = \frac{1}{\text{रिसाव}}$$

MPS = बचत करने की सीमान्त प्रवृत्ति

बचत करने की सीमांत प्रवृत्ति (MPS) बचत राशि में वृद्धि को दर्शाती है। आय में वृद्धि के कारण बचत राशि में यह वृद्धि हुई है। कुछ और अपेक्षाकृत अधिक अनुपात में खर्च नहीं किया जाता है, अर्थात् बचत करने की सीमांत प्रवृत्ति को घरेलू आय के रूप में अर्जित प्रत्येक अतिरिक्त रुपया से अनुपात बचत के रूप में परिभाषित किया जा सकता है। यह बचत लाइन के ढलान द्वारा दर्शाया जाता है। उदाहरण के लिए, यदि कोई परिवार एक अतिरिक्त रुपये कमाता है और बचत करने की सीमांत प्रवृत्ति 0.25 है, तो 1 आई.एम.आर. से 0.25 बचाया जाएगा और शेष 0.75 खर्च किए जाएंगे। यह बचत राशि अवरुद्ध हो जाएगी और आगे गुणन के लिए उपलब्ध नहीं होगी।

MPI = आयात की सीमांत प्रवृत्ति

आयात की सीमांत प्रवृत्ति आयात, व्यय में परिवर्तन जो प्राप्य आय में परिवर्तन (करों और हस्तांतरण के बाद आय) के साथ होता है, को संदर्भित करता है। उदाहरण के लिए, यदि एक परिवार अब प्राप्य आय से एक अतिरिक्त रुपया अर्जित कर रहा है और आयात की सीमांत प्रवृत्ति 0.1 है, तो उस पैसे से, परिवार आयात सेवाओं और सामानों पर रुपये के 10 पैसे खर्च करेगा। चूँकि आय में बढ़ी हुई राशि उद्भव देशों से सामानों और सेवाओं के आयात के लिए उपयोग की जाएगी, इसलिए यह धन वापस मूल देश में चला जाएगा। MPS और MPI को सामूहिक रूप से रिसाव के रूप में जाना जाता है।

17. फ्रीडमैन का मूल तर्क यह है कि स्थायी खपत स्थायी आय पर निर्भर करता है। PIH का मूल संबंध यह है कि स्थायी खपत स्थायी आय के लिए आनुपातिक है जो स्पष्ट रूप से नियत APC को दर्शाती है।
यह है, $C = kY_p$ जहाँ k नियत है, और APC और MPC के बराबर है।

18. निवेश के त्वरक सिद्धांत से पता चलता है कि नियोजित निवेश का स्तर ब्याज दर की तुलना में आय या उत्पादन में बदलाव की दर से भिन्न होता है। त्वरक सिद्धांत का सरलतम रूप इस रूप में व्यक्त किया जा सकता है :

$$I_t = a(Y_t - Y_{t-1})$$

जहाँ I_t समय अवधि t में निवेश है, $Y_t - Y_{t-1}$ t वर्ष के दौरान वास्तविक आय में परिवर्तन है और a त्वरक गुणांक या पूँजी उत्पादन अनुपात है। पूँजी-उत्पादन अनुपात एक निश्चित मात्रा में वस्तुओं का उत्पादन करने के लिए अर्थव्यवस्था में आवश्यक पूँजी की राशि है। इसलिए यह सिद्धांत यह अनुमान लगाता है कि निवेश के स्तर में परिवर्तन आय के पिछले परिवर्तनों से संबंधित है।

20. डब्ल्यू.आर्थर लेविस के लिए श्रम बाजार के दोहरेवाद का मुख्य परिणाम उनके 1954 के लेख जिसका शीर्षक ''इकोनोमिक डेवलपमेंट विथ अनलिमिटेड सप्लाइज ऑफ लेबर'' है, में झलकता है। लेविस की संरचना की नई विशेषता यह थी कि आधुनिक क्षेत्र मजदूरों की असीमित आपूर्ति का सामना करता है जिसकी मजदूरी जीवन-यापन स्तर से कुछ हद तक अधिक है। यह वह है जो लेविस के प्रारूप को 'क्लासिकल' बनाता है जो 'नियोक्लासिक' प्रारूप के विपरीत है, जिसमें श्रम दुर्लभ होता है और इसे अन्य उपयोगों से दूर करना पड़ता है। यह महत्वपूर्ण लेख बाद में रेनिस और फी (1961), फी और रेनिस (1964) और जोर्गेन्सन (1967) द्वारा विस्तारित किया गया था।

21. जब गुन्नार मिर्डल यूरोप के लिए संयुक्त राष्ट्र आर्थिक आयोग के कार्यकारी सचिव थे, तो उन्होंने यूरोप में क्षेत्रीय विकास और अल्प विकास का अध्ययन किया। वर्ष 1954 में यूरोप के आर्थिक सर्वेक्षण में जो परिणाम प्रकाशित हुए, अत्यंत रुचिकर थे : (1) गरीब देशों में क्षेत्रीय अंतराल बड़े थे, जबकि अमीर देशों में कम; (2) गरीब देशों में क्षेत्रीय अंतराल बढ़ रहे हैं, जबकि अमीर देशों में कमी आ रही है। उन दिनों इटली, टर्की, स्पेन, ग्रीस, युगोस्लाविया और पुर्तगाल अविकसित देशों के रूप में जाने जाते थे। ऐसे देशों में, क्षेत्रीय असमानता के साथ उन क्षेत्रों में रहने वाली आबादी के अनुपात के रूप में परिभाषित किया जाता था जहाँ कि औसत आय राष्ट्रीय औसत के दो तिहाई से कम थी, अंतराल लगभग 33%, जबकि नार्वे और फ्रांस जैसे देशों में 10 प्रतिशत और ग्रेट ब्रिटेन तथा स्विट्जरलैंड में केवल कुछ प्रतिशत था। इसके अलावा, उन देशों में जहाँ क्षेत्रीय अंतराल बड़े थे, वे भी बढ़ रहे थे। जहाँ अंतर छोटा था, वे कम हो रहे थे।

22. जॉन फेई और गुस्ताव रेनिस ने एक लेख ''आर्थिक विकास का सिद्धांत'' में विश्लेषण किया है कि ''संक्रमण प्रक्रिया के माध्यम से एक अल्पविकसित अर्थव्यवस्था स्थिरता की स्थिति से स्वयंधारी वृद्धि की ओर जाने की आशा करता है।'' उनका सिद्धांत लेविस के श्रम की असीमित आपूर्ति के सिद्धांत का एक सुधार है क्योंकि लेविस कृषि क्षेत्र के विकास का संतोषजनक विश्लेषण प्रस्तुत करने में विफल रहे। फेई और रेनिस का सिद्धांत एक अविकसित श्रम-अधिशेष और गरीब अर्थव्यवस्था के संसाधन से संबंधित है जिसमें बड़े पैमाने पर जनसंख्या, चारों ओर व्याप्त बेरोजगारी और जनसंख्या वृद्धि की उच्च दर के बीच, कृषि में लगी हुई है। कृषि अर्थव्यवस्था स्थिर है। लोग पारंपरिक कृषि व्यवसाय में लगे हुए हैं। यद्यपि गैर-कृषि व्यवसाय मौजूद हैं लेकिन वे पूँजी की एक मामूली उपयोग की विशेषता है। एक सक्रिय और गतिशील औद्योगिक क्षेत्र भी होता है। विकास में अधिशेष कृषि श्रमिकों का पुनः आवंटन होता है, जिनका उत्पादन औद्योगिक क्षेत्र में शून्य या नगण्य है, जहाँ वे कृषि में संस्थागत मजदूरी के बराबर उत्पादक बन जाते हैं।

मान्यताएँ : अर्थव्यवस्था के विकास के अपने सिद्धांतों को प्रस्तुत करने में फेई और रेनिस ने निम्नलिखित मान्यताओं की चर्चा की है :

1. एक दोहरी अर्थव्यवस्था पारंपरिक और स्थिर कृषि क्षेत्र एवं सक्रिय औद्योगिक क्षेत्र में विभाजित है।
2. कृषि क्षेत्र का उत्पादन केवल भूमि और श्रम का कार्य है।
3. भूमि सुधार के रूप में खेती में पूँजी का कोई संचय नहीं है।

23. आन्द्रे गुन्डर फ्रैंक (1969), एक प्रमुख निर्भरता सिद्धांतवादी ने तर्क दिया कि अल्पविकसित का अर्थ पारंपरिक आर्थिक, राजनीतिक और सामाजिक संस्थानों से नहीं है, बल्कि औपनिवेशिक शासन और शाही वर्चस्व के लिए तीसरी दुनिया के राष्ट्रों के अधीन होने से है। संक्षेप में, गुन्डर फ्रेंक अल्पविकास को तीसरी दुनिया के प्राचीन आर्थिक ढांचे में आधुनिक पूँजीवाद के प्रवेश के प्रभाव के रूप में देखता है। अधिक स्पष्ट रूप से कहा गया है, अमीर देशों का आर्थिक विकास अफ्रीकी राष्ट्रों के अल्पविकास के लिए योगदान देता है। गुन्डर फ्रैंक ने सुझाव दिया है कि निम्न आर्थिक गतिविधियों ने अल्पविकसित को योगदान दिया है, न कि तीसरी दुनिया के देशों के विकास के लिए :

(*i*) तकनीकी रूप से और अधिक उन्नत, वैश्विक सहायक कंपनियाँ;

(*ii*) अर्थव्यवस्था के साथ व्यापार करने के लिए और विकसित देशों के साथ निवेश खोलना;

(*iii*) गाँवों से विदेशी वर्चस्व वाले शहरी परिसरों में पलायन करने वाले श्रमिक;

(*iv*) उपनिवेशीय प्रशासनिक सेवा में कनीय पदों के लिए उच्च शिक्षित युवाओं की भर्ती; और

(*v*) कारखानों, खानों और बागानों में काम करने के लिए अकुशल मजदूर बल का गठन करना। उन्हें लगता है कि विकसित देशों के पूँजी संस्थानों और मूल्यों को अंधाधुंध रूप से स्थानांतरित करके अविकसित देशों के विकास को प्रेरित किया जाएगा।

24. ∵ प्रति व्यक्ति विकास दर

$$= \frac{\text{निवेश दर}}{\text{ICOR}} - \text{जनसंख्या वृद्धि}$$

$$\text{प्रति व्यक्ति वृद्धि दर} = \frac{27}{45} - 2$$

$$= 6 - 2 = 4\%.$$

29. प्राथमिक घाटा = सकल राजकोषीय घाटा – ब्याज भुगतान

= 3,00,000 – 80,000 = 2,20,000.

31. वैगनर के नियम की व्याख्या करने के संदर्भ में, पीकॉक और वाइजमैन (1961) ने तथाकथित विस्थापन प्रभाव की परिकल्पना को विकसित किया। इस सिद्धांत के अनुसार, विश्व-युद्ध जैसे संकट उच्च करों के लिए करदाता प्रतिरोध पर नियंत्रण स्थापित करने में मददगार होते हैं। और इस प्रकार, राजनीतिज्ञ जीडीपी के सार्वजनिक क्षेत्र के हिस्से बढ़ा सकते हैं। हालाँकि, एक बार संकट का समाधान हो जाने के बाद, लोग उच्च स्तर के कराधान के लिए अभ्यस्त हो जाते हैं और वास्तविक स्तर तक गिरने के बजाय सकल घरेलू उत्पाद का सार्वजनिक क्षेत्र का हिस्सा बढ़ना जारी रहता है। इसी घटना को विस्थापन प्रभाव के रूप में जाना जाता है।

32. वरदून नियम कहता है कि लम्बे समय में उत्पादन में वृद्धि और उत्पादकता में वृद्धि के बीच एक रेखीय संबंध होता है। इस संबंध को संचयी कारण के सिद्धांत के द्वारा समझा जा सकता है। इस सिद्धांत में यह प्राथमिक रूप से प्रभावी माँग में वृद्धि है, जो तकनीकी विकास को प्रोत्साहित करती है, जो श्रम विभाजन के लिए बड़ी क्षमता और सीखने के माध्यम से संभव हो पाता है। परिणामस्वरूप उत्पादकता में वृद्धि मौजूदा बाजारों के विस्तार और नए बाजारों को खोलने के माध्यम से उच्च उत्पादन को उत्तेजित करती है। इससे ज्ञात होता है कि उत्पादकता के लाभ और उत्पादन में वृद्धि पारस्परिक रूप से मजबूत प्रणाली हैं। तर्क की इस रेखा का अनुसरण करने पर, राष्ट्रीय स्तर, क्षेत्रीय स्तर और उद्योग स्तर के डेटा का उपयोग करते हुए देश, क्षेत्र और उद्योगों में वरदून के नियम को व्यावहारिक रूप से देखा जाता है।

34. आय वेग वास्तविक शेष के लिए माँग का वास्तविक आय के स्तर का अनुपात है। वेग-वास्तविक आय और ब्याज दर का प्रकार्य है। ब्याज दर में वृद्धि वास्तविक शेष की माँग को घटाता है और इसलिए वेग में वृद्धि होती है। जब धारित राशि की लागत बढ़ती है, धन धारक अपने पैसे का अधिक उपयोग करते हैं और इस तरह इसे अधिक बार चालू रखते हैं। जिस प्रकार वास्तविक आय में परिवर्तन वेग को प्रभावित करता है, वह धन की माँग के लिए आय लोच पर आश्रित रहता है। यदि वास्तविक शेष के लिए माँग की लोच 1 थी, तो वास्तविक शेष के लिए माँग उसी अनुपात में बदलेगी जिस अनुपात में आय। उस स्थिति में, वास्तविक आय में परिवर्तन वेग को प्रभावित नहीं करेगा। यदि मुद्रा की माँग ही आय लोच इकाई से अधिक है, तो वास्तविक आय में वृद्धि के साथ वेग घटेगा।

38. टॉबिन के अनुसार, केन्ज का सिद्धांत दो प्रमुख दोषों से ग्रस्त है: पहला, यह इंगित करता है कि तरलता की वरीयता का निर्धारण भविष्य की ब्याज दरों की प्रत्याशा के अलोच के माध्यम से होता है। और दूसरा, व्यक्ति यां तो मुद्रा या बांड धारण करते हैं। टॉबिन का विश्लेषण इन दोनों दोषों का निरूपण करता है। उनका विश्लेषण इस धारणा पर आधारित है कि पूँजीगत लाभ की प्रत्याशा या हित के दायरे वाले परिसंपत्तियों से होने वाली हानि का अनुमानित मूल्य हमेशा शून्य होता है। यह स्पष्ट करता है कि व्यक्ति के पोर्टफोलियो में मुद्रा और बांड दोनों होते हैं और इनमें से कोई एक, एक ही समय में नहीं होते हैं। इसलिए वह इस धारणा के साथ विश्लेषण आरंभ करता है कि मुद्रा न तो कोई आय लाता है और न ही व्यक्तिगत संपत्ति धारक पर कोई जोखिम उत्पन्न करता है। बांड ब्याज का सृजन करता है और आय लाता है। यह, हालाँकि अनिश्चित है और इसमें हानि या लाभ के जोखिम शामिल हैं। बांड में जितना अधिक निवेश, उतनी ही पूँजी नुकसान की संभावना है। एक व्यक्तिगत निवेशक इस जोखिम को अदालत में पेश कर सकता है कि बांड से अपर्याप्त रिटर्न मिलता है।

39. एक जनसंख्या पिरामिड में एक बार ग्राफ होता है जिसमें पुरुषों और महिलाओं दोनों के उम्र वितरण को दर्शाया जाता है, जिसे एक विशेष तरीके के साथ प्रस्तुत किया जाता है। उम्र श्रेणियाँ नीचे से ऊपर तक आगे बढ़ती हैं। पुरुष बार एक उर्ध्वाधर केन्द्र रेखा के बाएं से आगे बढ़ता है, महिला बार उर्ध्वाधर केन्द्र रेखा के दायीं ओर आगे बढ़ता है। पिरामिड या तो आवृत्ति वितरण या प्रतिशत वितरण से बनाया जा सकता है।

मुद्रास्फीति की दर में परिवर्तन वास्तविक और प्राकृतिक बेरोजगारी दर के बीच के अंतर पर निर्भर करता है। जब वास्तविक बेरोजगारी दर, प्राकृतिक बेरोजगारी दर से अधिक है, तो मुद्रास्फीति की दर घट जाती है : जब वास्तविक बेरोजगारी दर, प्राकृतिक बेरोजगारी दर से कम है, तो मुद्रास्फीति की दर में वृद्धि हो जाती है। बेरोजगारी की प्राकृतिक दर, बेरोजगारी की वह दर है जो मुद्रास्फीति की दर को स्थिर रखने के लिए आवश्यक है। यही कारण है कि प्राकृतिक दर को बेरोजगारी की गैर-मुद्रास्फीति दर या NAIRU भी कहा जाता है।

44. एक राष्ट्र अपनी मुद्रा का अवमूल्यन कर भुगतान के अपने संतुलन में कमी को सुधार सकता है जो विदेशों से अपनी मुद्रास्फीति की दर कम कर, अपनी अल्पकालिक ब्याज दरों को बढ़ाकर या व्यापार और भुगतान पर प्रत्यक्ष नियंत्रण द्वारा संभव है। अवमूल्यन देश के आयात को घरेलू खरीददारों के लिए अधिक महँगा कर देगा और विदेशियों के लिए इसका निर्यात सस्ता होगा। विदेशों की तुलना में मुद्रास्फीति की घरेलू दर को नियंत्रित कर यही परिणाम प्राप्त किया जा सकता है। दूसरी ओर, राष्ट्र के अल्पकालिक ब्याज दर में वृद्धि आमतौर पर देश के अल्पकालिक पूँजी प्रवाह को कम कर देता है या प्रवाह बढ़ाता है, इस प्रकार पूँजी खाते और भुगतान पर इसके संतुलन में सुधार होता है।

49. रेपो/रिवर्स रेपो

भारत में, दो प्रकार के रेपो संचालन में हैं: इंटर बैंक रेपो और आर.बी.आई. रेपो। विनियमन के शर्तों के अधीन इंटर-बैंक रेपो की अनुमति दी जाती है। कोष की आपूर्ति और कोष की माँग के बीच अल्पकालिक विसंगतियों का सामना करने के लिए धन जुटाने के लिए इसे उपयोग में लाया जाता है। बैंकों के अलावा, प्राथमिक डीलरों को रेपो/रिवर्स रेपो लेन-देन की स्वीकृति दी जाती है। गैर-बैंकिंग प्रतिभागियों को रेपो मार्केट में केवल उधारदाताओं के रूप में अनुमति दी जाती है। वे अन्य पात्र प्रतिभागियों को धन उधार दे सकते हैं। सभी सरकारी प्रतिभूतियाँ रेपो के लिए पात्र हैं। सार्वजनिक क्षेत्र की इकाई के बांड और निजी कॉरपोरेट प्रतिभूतियों में रेपो को भी अनुमति दी गई है, बशर्ते कि उन्हें डिपोस्ट्री में डिमटेरियलाइज्ड रूप में रखा जाता हो और लेन-देन मान्यता प्राप्त स्टॉक एक्सचेंजों में किया जाता है। सभी अधिसूचित वाणिज्यिक बैंकों (क्षेत्रीय ग्रामीण बैंकों—आर.आर.बी.) को छोड़कर और प्राथमिक डीलरों जिनके पास चालू खाता हो और आर.बी.आई., मुंबई के साथ एस.जी.एल. खाता हो, रेपो और रिवर्स रेपो नीलामियों में भाग लेने के लिए पात्र हैं। चूँकि भारत में रेपो/रिवर्स रेपो का कार्यकाल 1 से 14 दिनों के लिए है, इस लेख-पत्र का उपयोग आर.बी.आई. द्वारा दिन-प्रतिदिन या लघु अवधि की तरलता के प्रबंधन के लिए किया जाता है। निर्धारित समय की अवधि में, भारतीय रिजर्व बैंक द्वारा निर्धारित रेपो/रिवर्स रेपो दरें, बैंक दर के साथ

एक ही तरह की संकेतन दर बन गई हैं। ये दरें कॉल मनी मॉर्केट के लिए एक कॉरिडोर प्रदान करते हैं। मात्रा और दर बाजार में प्रचलित तरलता की स्थिति को दर्शाती है। रेपो और रिवर्स रेपो दरों का उपयोग तरलता समायोजन सुविधा (LAF) संचालन के एक हिस्से के रूप में किया जाता है, जो सीमांत तरलता का दिन-प्रतिदिन दबाव दर्शाते हैं। इन दरों में LAF के अधीन ब्याज पर कॉरिडोर का गठन किया गया है। इन दरों में कोई भी भिन्नता अल्पकालिक ब्याज दर के रूप में बाजार द्वारा माना जाता है जो भारतीय रिजर्व बैंक के रूख में बदलाव से उत्पन्न संकेत है। नए संचालन व्यवस्था के क्रियान्वयन के बाद, भारतीय रिजर्व बैंक स्वतंत्र रूप से केवल रेपो रेट निर्धारित करता है। रिवर्स रेपो रेट इससे पंक्तिबद्ध है, और रेपो रेट के नीचे 100 आधार अंक बनाए रखता है।

53. मैक्रोइकॉनॉमिक्स कुछ आर्थिक समुच्चय का उपयोग करता है, जिसे एक अर्थव्यवस्था के प्रदर्शन का आकलन करने के लिए व्यापक आर्थिक चर कहा जाता है। इन चरों को स्टॉक चर और प्रवाह चर के तहत बाँटा गया है, जो समय के साथ बढ़ या घट सकता है। दो चरों के बीच का अंतर यह है कि एक स्टॉक एक विशिष्ट बिन्दु पर एक मात्रा मापने योग्य है, जबकि एक प्रवाह एक निश्चित अवधि के दौरान मापने योग्य मात्रा है।

स्टॉक चर–1. कुल स्टॉक या पूँजी की मात्रा, 2. मुद्रा की आपूर्ति, 3. सामान, 4. बचत, 5. विदेशी मुद्रा रिजर्व, 6. बेरोजगारी लोगों की संख्या, 7. राजकीय ऋण, 8. धन।

प्रवाह चर–1. निवेश, 2. मुद्रा आपूर्ति में परिवर्तन, 3. सामान में परिवर्तन, 4. बचत और निवेश, 5. भुगतान का संतुलन, 6. नौकरी खोने वाले लोगों की सख्या, 7. सरकारी कर राजस्व, सरकारी व्यय, बजट घाटा या अधिशेष, 8. आय और व्यय।

56. I. उर्जित पटेल समिति : 2014
II. गोयपुरिया समिति : 1990
III. नरसिम्हन समिति : 1991
IV. चक्रवर्ती समिति : 1982

66. यहाँ, प्रतिपादक $\alpha = 0.7$ और प्रतिपादक $\beta = 0.5$.
प्रतिपादकों का योग $(\alpha + \beta) = 0.7 + 0.5 = 1.2$
चूँकि $\alpha + \beta > 1$, यह उत्पादन फलन पैमाने पर बढ़ती रिटर्न दर्शाता है।

70. $C = 5Q^2 + 20Q + 10$

$$\Rightarrow \quad MC = \frac{dC}{dQ} = 10Q + 20$$

$\because \quad P = 100 - 3Q$

$\therefore \quad TR = P.Q$

$$= (100 - 3Q)Q = 100Q - 3Q^2$$

$$\Rightarrow \quad MR = \frac{d(TR)}{dQ} = 100 - 6Q$$

अधिकतम लाभ के लिए MR = MC

$\therefore \quad 100 - 6Q = 10Q + 20$

$\Rightarrow \quad 80 = 16Q$

$Q = 5$

$\therefore \quad P = 100 - 3 \times 5 = 100 - 15 = 85.$

72. यहाँ, गुणांक का निर्धारण

$$r^2 = (0.7)^2 = 0.49 = 49\%$$

अतः Y का विचलन 49% X द्वारा व्याख्या की गई है।

74.
$$e_P = -\frac{dx}{dP} \cdot \frac{P}{x}$$

यहाँ, $P = 10 - 2x - 0.5x^2$

P के संबंध में विभेद रखने पर, हम पाते हैं

$$1 = (-2 - 1.0x)\frac{dx}{dP}$$

$$\Rightarrow \quad \frac{dx}{dP} = \frac{-1}{(2+x)}$$

$$\therefore \quad e_p = -\left(\frac{-1}{2+x}\right) \cdot \frac{(10-2x-0.5x^2)}{x}$$

$$= -\frac{-1}{4} \cdot \frac{4}{2} = \frac{1}{2} = 0.5.$$

75. अंश के लिए स्वतंत्र्य कोटि

= स्वतंत्र चरों की संख्या = 3

और हर के लिए स्वतंत्र्य कोटि

= अवलोकन की संख्या – स्वतंत्र चर – 1

= 20 – 3 – 1 = 16

इस प्रकार, D.F. = (3, 16).

पिछले प्रश्न-पत्र (हल सहित)

UGC-NET जूनियर रिसर्च फैलोशिप तथा सहायक प्राध्यापक परीक्षा

अर्थशास्त्र, जुलाई-2016*

प्रश्न-पत्र-II

नोटः *इस प्रश्नपत्र में* ***पचास*** *(50) बहु-विकल्पीय प्रश्न हैं। प्रत्येक प्रश्न के* ***दो*** *(2) अंक हैं।* ***सभी*** *प्रश्न अनिवार्य हैं।*

1. दिए गए मानक आरेख में उपभोक्ता अधिशेष की माप है :

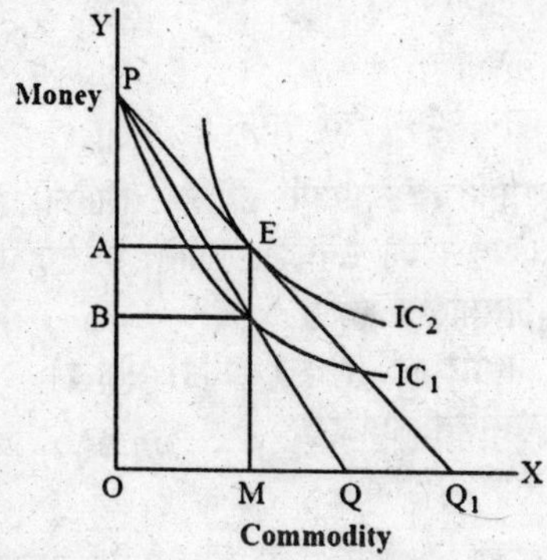

A. PA B. OB
C. AO D. AB

2. उत्पादक-संघ (कार्टेल) का उद्देश्य किसे अधिकतम करना है?

A. व्यक्तिगत लाभ
B. उद्योग का लाभ
C. सदस्यों के उत्पादन का हिस्सा
D. सदस्यों की ख्याति

3. "किसी को बदतर बनाए बिना किसी को बेहतर नहीं बनाया जा सकता है" यह कथन निम्नांकित में किसका वर्णन करता है?

A. पेरेटो इष्टतम
B. नैश संतुलन
C. निम्न स्तरीय संतुलन जाल
D. कूर्नो संतुलन

4. स्लटूस्की समीकरण व्याख्या करता है

A. टिकाऊ वस्तुओं की माँग की
B. टिकाऊ वस्तुओं की आपूर्ति की
C. मूल्य, आय तथा प्रतिस्थापना प्रभावों के बीच विभाजन की
D. विरल अथवा अपुनर्उत्पादनीय वस्तुओं की माँग की

5. L आकार का औसत लागत वक्र बड़े फर्मों में देखा जाता है क्योंकि

A. केवल वृद्धिशील प्रतिफल का नियम कार्य करता है।
B. पैमाने के प्रति स्थिर प्रतिफल का नियम कार्य करता है।
C. केवल स्थिर प्रतिफल का नियम कार्य करता है।
D. ह्रासमान प्रतिफल के नियम की क्रियाशीलता सतत रूप से स्थगित होती रहती है।

6. एकाधिकारिक बाजार में दीर्घावधिक संतुलन के संबंध में निम्नांकित कथनों पर विचार करें :

I. फर्म 'न लाभ न हानि' की स्थिति में हैं।
II. फर्मों का प्रवेश अथवा निकास नहीं है।

उक्त कथनों में कौन सही हैं? नीचे दिए गए कूट से उत्तर दें :

कूट :

A. केवल I सही है।
B. केवल II सही है।
C. I और II दोनों सही हैं।
D. I और II में कोई भी सही नहीं है।

7. निम्नांकित में से कौन बीमा बाजार की समस्या नहीं है?

A. प्रतिकूल चयन
B. नैतिक संकट
C. असममितीय सूचना
D. मुख्यकर्ता-अभिकर्ता समस्या

* *Exam held on 10-07-2016.*

8. उपभोग में निकृष्ट वस्तुओं में होता है

A. ऋणात्मक आय प्रभाव
B. धनात्मक आय प्रभाव
C. शून्य आय प्रभाव
D. असीमित आय प्रभाव

9. निम्नांकित कथनों पर विचार करें :

I. मुद्रास्फीति कर्जदारों के लिए लाभदायक है।
II. मुद्रास्फीति बांडधारकों के लिए लाभदायक है।

उपर्युक्त दिए गए कथनों में कौन सही है/हैं?

कूट :

A. केवल I
B. केवल II
C. I और II दोनों
D. I और II में कोई भी नहीं

10. 'निकट मुद्रा' की सही परिभाषा है

A. परिसंपत्ति जिसमें 100% तरलता है।
B. परिसंपत्ति जिसमें मूल्य संचय कार्य नहीं है।
C. परिसंपत्ति जो विनिमय का माध्यम है।
D. परिसंपत्ति जो मूल्य संचय का कार्य पूरा करता है तथा जिसे अल्प सूचना पर विनिमय के साधन में रूपांतरित किया जा सकता है।

11. निम्नांकित को सुमेलित करें :

सूची-I	**सूची-II**
(*a*) MPC = 0.2	(*i*) K = 2
(*b*) MPS = 0.5	(*ii*) K = 1.66
(*c*) MPS = 0.75	(*iii*) K = 1.33
(*d*) MPC = 0.4	(*iv*) K = 1.25

निम्नलिखित कूटों में से सही उत्तर का चुनाव करें :

कूट :

	(*a*)	(*b*)	(*c*)	(*d*)
A.	(*i*)	(*ii*)	(*iii*)	(*iv*)
B.	(*ii*)	(*iv*)	(*i*)	(*iii*)
C.	(*iv*)	(*i*)	(*iii*)	(*ii*)
D.	(*iii*)	(*i*)	(*iv*)	(*ii*)

12. सोलो मॉडल में सतत संवृद्धि की स्थिति के संदर्भ में समयोपरि उत्पादन वृद्धि दर होगी

A. वर्धमान
B. ह्रासमान
C. स्थिर
D. उतार-चढ़ाव वाली

13. निम्नांकित में किन अर्थशास्त्रियों ने अर्थव्यवस्था में द्वैतवाद की परिकल्पना की?

I. रेनी एवं फे
II. डी. रिकार्डो
III. राबर्ट सोलो
IV. आर. हैरोड

नीचे दिए गए कूट से उत्तर दें :

कूट :

A. उपर्युक्त चारों
B. केवल I और II
C. केवल IV
D. I, II और III

14. निम्नांकित में किसने मूल रूप से 'टर्नपाइक प्रमेय' का प्रतिपादन किया?

A. डार्फमैन, सैम्युएलसन एवं सोलो
B. रैडनर
C. कूपमान्स
D. वान न्यूमैन एवं मार्गेन्स्टर्न

15. पश्चगामी एवं अग्रगामी संयोजन (लिंकेज) निम्नांकित में किस प्रकार की संवृद्धि रणनीति के लिए प्रासंगिक हैं?

A. असंतुलित संवृद्धि
B. अधोरिसाव (ट्रिकल डाउन) संवृद्धि
C. संतुलित संवृद्धि
D. साम्य संवृद्धि

16. 'श्रम की आरक्षित सेना' का उपयोग निम्नांकित में से किस अर्थशास्त्री द्वारा किया गया है?

A. जे. शुम्पीटर
B. जे.आर. हिक्स
C. कार्ल मार्क्स
D. टी.आर. माल्थस

17. निम्नांकित में से किस उत्पादन फलन में हैरोड-तटस्थ तथा हिक्स-तटस्थ दोनों तकनीकी प्रगति को स्वीकार किया गया है?

A. कॉब-डगलस
B. सी.ई.एस.
C. वी.ई.एस.
D. उपर्युक्त में से कोई नहीं

18. निम्नांकित को सुमेलित करें :

सूची-I (योजना मॉडल)	**सूची-II (योजना प्रस्तावकर्ता)**
(*a*) बॉम्बे प्लान	(*i*) श्रीमन नारायण
(*b*) गांधीयन प्लान	(*ii*) एम.एन. राय
(*c*) पीपुल्स प्लान	(*iii*) जय प्रकाश नारायण
(*d*) सर्वोदय उपागम	(*iv*) बिरला एवं टाटा ग्रुप

कूट :

	(a)	(b)	(c)	(d)
A.	(iv)	(i)	(ii)	(iii)
B.	(i)	(ii)	(iii)	(iv)
C.	(iii)	(ii)	(iv)	(i)
D.	(i)	(iv)	(ii)	(iii)

19. निम्नांकित में से कौन 'विशेष श्रेणी का राज्य' घोषित किए जाने के लिए मानदंड नहीं है?

A. अधिक जनसंख्या B. खराब अवसंरचना
C. पहाड़ी एवं दुर्गम क्षेत्र D. अव्यवहार्य राज्य वित्त

20. किसी नियोजन परियोजना की संगतता एवं व्यवहार्यता की जाँच के लिए निम्नांकित में से किस मूल्य का उपयोग किया जाता है?

A. बाजार मूल्य B. छाया मूल्य
C. प्रशासित मूल्य D. नियंत्रित मूल्य

21. निम्नांकित में किस पंचवर्षीय योजना में भारत में पहली बार व्यापक आगत-निर्गत मॉडल का उपयोग किया गया था?

A. प्रथम योजना B. द्वितीय योजना
C. तृतीय योजना D. सातवीं योजना

22. निम्नांकित में से किस अर्थशास्त्री ने पुनर्निवेश कसौटी को विकसित किया?

A. वॉल्टर गैलेन्सन एवं हार्वे लेबन्स्टिन
B. ए.के. सेन
C. मौरिस डॉब
D. उपर्युक्त में से कोई नहीं

23. निम्नांकित में किसने भारत में विकेंद्रीकृत योजना के लिए 'क्षेत्र उपागम' की वकालत की?

A. डी.आर. गाडगिल B. के.एन. राज
C. राज कृष्ण D. प्रणव मुखर्जी

24. भुगतान संतुलन के पूँजी खाते में निम्नलिखित में किनको शामिल किया जाता है?

I. विदेशी ऋण II. विदेशी प्रत्यक्ष निवेश
III. निजी प्रेषण

नीचे दिए गए कूट से सही उत्तर का चयन करें :

कूट :

A. उपर्युक्त सभी B. I और III
C. II और III D. I और II

25. 'उकसाने वाले ऋण' (टीजर लोन) के बारे में निम्नांकित में से कौन-सा विकल्प सही है?

A. यह ब्याज की शुरुआती दर होती है।
B. यह दर स्थायी प्रकृति की होती है।
C. (A) और (B) दोनों सही हैं
D. (A) और (B) दोनों में से कोई भी सही नहीं है।

26. निम्नांकित में से किन उद्योगों में मुक्त अंतर्राष्ट्रीय व्यापार के फलस्वरूप अल्पावधिक बेरोजगारी के सृजन की सर्वाधिक संभावना है?

A. उद्योग जिनमें न तो आयात और न ही निर्यात होता है।
B. आयात प्रतिस्पर्धी उद्योग।
C. वे उद्योग जो घरेलू तथा विदेशी क्रेताओं को बिक्री करते हैं।
D. वे उद्योग जो केवल विदेशी क्रेताओं को बिक्री करते हैं।

27. निम्नांकित में किसे गैर-प्रशुल्क अवरोध के रूप में वर्गीकृत किया जाएगा?

I. 'फाइटो सैनिटरी' उपाय
II. आयात एवं निर्यात लाइसेंसिंग
III. प्रतितुल्यकारी शुल्क
IV. पर्यावरणीय मानक

नीचे दिए गए कूट से उत्तर का चयन करें :

कूट :

A. उपर्युक्त चारों B. I और II
C. I और IV D. III और IV

28. निम्नांकित में किसने व्यापार सिद्धांत के विश्लेषण में व्यापार तटस्थता वक्रों के उपयोग को विकसित किया?

A. जे.ई. मीड B. ए. मार्शल
C. ए.पी. लर्नर D. बी. ओहलिन

29. निम्नलिखित में से कौन एक बेसल III मानकों का मुख्य कार्यक्षेत्र नहीं है?

A. जोखिम आच्छादन
B. बैंक शाखा विस्तार
C. पर्याप्त पूँजी प्रबंधन
D. पर्याप्त तरलता

30. निम्नांकित में से कौन विदेशी मुद्रा का सर्वाधिक उतार-चढ़ाव वाला प्रवाह है?

A. विदेशी प्रत्यक्ष निवेश

B. विदेशी वाणिज्यिक उधार

C. विदेशी पोर्टफोलियो निवेश

D. आई.एम.एफ. तथा विश्व बैंक द्वारा विदेशी सहायता

31. भारत में राज्य सरकारें अपने सकल वित्तीय घाटे का वित्तीयन करती हैं :

I. केन्द्र सरकार से ऋण लेकर

II. बाज़ार से ऋण लेकर

III. बाह्य स्रोतों से ऋण लेकर

सही उत्तर का चुनाव निम्नलिखित कूटों से करें :

कूट :

A. I एवं II B. II एवं III

C. केवल II D. केवल I

32. भारत को वैश्विक विनिर्माण केंद्र बनाने के लिए उद्योगपतियों को आकृष्ट करने के उद्देश्य से 'मेक इन इंडिया' अभियान को किस तिथि को आरम्भ किया गया?

A. 25 सितम्बर, 2014

B. 20 मार्च, 2015

C. 25 फरवरी, 2016

D. 30 दिसम्बर, 2015

33. भारत में दूसरी हरित क्रांति की आवश्यकता किस कारण से है?

I. कृषि की उत्पादकता स्थिरता में है।

II. कृषि के विविधीकरण में अधिक प्रगति नहीं हुई है।

III. कृषि वस्तुओं के निर्यातों में कमी आई है।

नीचे दिए गए कूटों से सही उत्तर का चयन करें :

कूट :

A. I और II B. II और III

C. I और III D. केवल I

34. निम्नांकित में से कौन लघु बचत योजना में शामिल नहीं है?

A. यूनिट ट्रस्ट ऑफ इंडिया

B. राष्ट्रीय बचत प्रमाण-पत्र

C. किसान विकास पत्र

D. सुकन्या समृद्धि खाता योजना

35. निम्नांकित में किस वर्ष से केन्द्र की सभी कर आय केंद्र तथा राज्यों के बीच विभाजनीय हो गयी है।

A. 2000 ए.डी. B. 2003 ए.डी.

C. 2007 ए.डी. D. 1998 ए.डी.

36. निम्नलिखित में से कौन-सी अवस्था सही जनांकिकीय परिवर्तन को प्रदर्शित करती है जिसका संबंध सामान्यतौर पर आर्थिक विकास से जुड़ा हुआ है?

I. उच्च मृत्यु दर के साथ उच्च जन्म दर

II. निम्न मृत्यु दर के साथ उच्च जन्म दर

III. निम्न मृत्यु दर के साथ निम्न जन्म दर

नीचे दिए गए कूओं से सही उत्तर का चयन करें :

कूट :

A. I, II और III B. II, I और III

C. III, II और I D. I, III और II

37. यदि आय में वृद्धि के साथ कर के रूप में संग्रहीत आय का प्रतिशत स्थिर रहता है, तो कर क्या कहलाएगा?

A. प्रतिगामी B. प्रगामी

C. आनुपातिक D. तटस्थ

38. निम्नलिखित तरल परिसंपत्तियों पर विचार करें :

I. बैंकों में माँग जमा

II. बैंकों में सावधि जमा

III. बैंकों में बचत जमा

IV. मुद्रा

तरलता के आधार पर इनका सही आरोही क्रम क्या है?

कूट :

A. IV, III, II, I B. I, IV, III, II

C. II, III, I, IV D. IV, I, III, II

39. बजट के प्राचलों जिनमें सार्वजनिक व्यय सम्मिलित है के स्थिर रहने पर कर के रोपण करने पर यदि आय के वितरण की संरचना में परिवर्तन होता है, तो ऐसे कर के करापात को कहा जाएगा :

A. प्रभावी करापात B. मौद्रिक करापात

C. सापेक्ष करापात D. विशिष्ट कर करापात

40. **अभिकथन (A) :** नीलामी के माध्यम से टी-बिलों की बिक्री की जाती है।

कारण (R) : इस तरीके से मूल्य जानने में सहायता मिलती है।

निम्न कूटों में से सही उत्तर का चयन करें :

कूटः

A. (A) सत्य है, परन्तु (R) असत्य है।

B. (A) और (R) दोनों सत्य हैं।

C. (A) असत्य है, परन्तु (R) सत्य है।

D. (A) और (R) दोनों असत्य हैं।

41. निम्नलिखित में से किस मामले में निर्माता हेतु सामाजिक लागत वक्र निजी लागत वक्र से ऊपर रहता है?

A. सकारात्मक बाह्यता

B. नकारात्मक बाह्यता

C. सार्वजनिक संपत्ति

D. निकट-सार्वजनिक वस्तुएँ

42. निम्नांकित में से कौन निष्पादन एवं कार्यक्रम बजटिंग प्रणाली के मामले में सही है?

A. इसमें केवल परिणाम पर जोर दिया जाता है।

B. इसमें परिणाम पर अधिक तथा व्यय आबंटन पर कम जोर दिया जाता है।

C. इसमें केवल व्यय आबंटन पर जोर दिया जाता है।

D. इसमें व्यय आबंटन पर अधिक और परिणाम पर कम जोर दिया जाता है।

43. निम्नांकित में से किसने कर के 'प्रभावी करापात' सिद्धांत को विकसित किया?

A. उर्सला के. हिक्स B. जे.आर. हिक्स

C. एच. डाल्टन D. ए.सी. पीगू

44. किसी सार्वजनिक वस्तु के दक्ष मात्रा के निर्माण में चुनाव असफल होता है क्योंकि :

A. लोगों के मत में बदलाव हेतु 'लॉबिंग ग्रुप' घूस देते हैं।

B. उपभोग से सार्वजनिक वस्तुओं का ह्रास नहीं होता है।

C. सार्वजनिक वस्तुओं को उपभोग से नहीं रोका जा सकता।

D. मतदान सार्वजनिक वस्तुओं के लाभ की महत्ता को सही ढंग से नहीं दर्शाता है।

45. निम्नलिखित में से व्यय की कौन-सी मद योजना व्यय का हिस्सा नहीं है?

A. कृषि B. सेना

C. उद्योग D. समाज सेवाएँ

46. उत्पादन की समय शृंखला निम्नलिखित उपनति समीकरण बनाती है :

$Y = 136\, e^{0.021\,T}$

जहाँ Y = उत्पादन, T = समय

इस समीकरण से Y की वृद्धिदर की प्रतिशत कितनी होगी?

A. 0.021 B. 2.1

C. 21 D. 0.21

47. निम्नलिखित में से कौन-सा एक प्रतिदर्शी बंटन नहीं है?

A. स्टूडेन्ट t बंटन B. फिशर का F बंटन

C. प्वांसों बंटन D. χ^2 (chi square) बंटन

48. सहसंबंध का गुणांक निम्न में से किसमें स्वतंत्र होता है?

A. केवल मूलबिंदु में बदलाव

B. केवल अनुमाप में बदलाव

C. मूलबिंदु और अनुमाप में बदलाव

D. इनमें से कोई नहीं

49. A और B दो घटनाओं की स्वतंत्रता हेतु निम्न में से कौन-सा कथन संतुष्ट नहीं होता है?

A. $P(A/B) = P(A)$

B. $P(B/A) = P(B)$

C. $P(A, B) = P(A)\, P(B)$

D. $P(A, B) = P(A) + P(B)$

50. सूची-I की मदों का सुमिलान सूची-II से करें और नीचे दिए गए कूट से उत्तर दें :

सूची-I	सूची-II
(*a*) मानक विचलन	(*i*) धनात्मक विषमता युक्त बंटन
(*b*) स्तरित यादृच्छिक प्रतिचयन	(*ii*) गुण विश्लेषण
(*c*) एसोसिएशन का गुणांक	(*iii*) अपकिरण माप
(*d*) माध्य > बहुलक	(*iv*) प्रायिकता आधारित प्रतिचयन

कूट :

	(*a*)	(*b*)	(*c*)	(*d*)
A.	(*iv*)	(*ii*)	(*iii*)	(*i*)
B.	(*i*)	(*ii*)	(*iii*)	(*iv*)
C.	(*iv*)	(*iii*)	(*ii*)	(*i*)
D.	(*iii*)	(*iv*)	(*ii*)	(*i*)

उत्तरमाला

1	2	3	4	5	6	7	8	9	10
D	B	A	C	D	C	D	A	A	D
11	**12**	**13**	**14**	**15**	**16**	**17**	**18**	**19**	**20**
C	C	B	A	A	C	A	A	A	B
21	**22**	**23**	**24**	**25**	**26**	**27**	**28**	**29**	**30**
C	A	A	D	A	B	C	A	B	C
31	**32**	**33**	**34**	**35**	**36**	**37**	**38**	**39**	**40**
A	A	A	A	A	A	C	C	D	B
41	**42**	**43**	**44**	**45**	**46**	**47**	**48**	**49**	**50**
B	B	A	D	B	B	C	C	D	D

व्याख्यात्मक उत्तर

1.

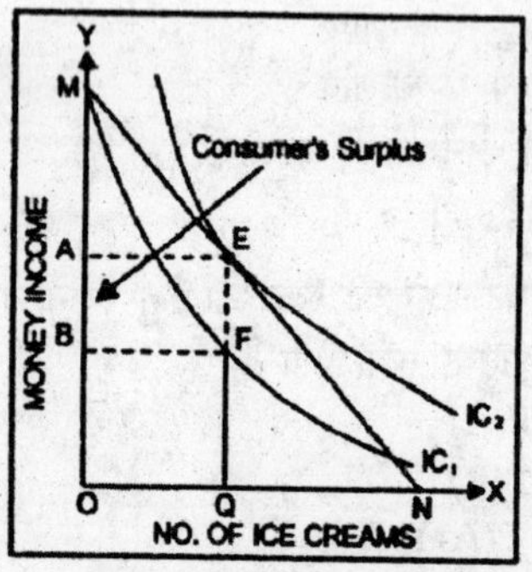

Fig. : *Consumer Surplus*

2. कार्टेल उन फर्मों के समूह को संदर्भित करता है जो उनके द्वारा अपनाई गई समान मूल्य-आउटपुट नीतियों से संबंधित समझौते में शामिल होता है। फर्म संयुक्त रूप से लगने वाले मूल्यों और बाजार में बेचे जाने वाले आउटपुट को तय करता है। चूंकि इस समूह के सभी फर्म संयुक्त निर्णय को लागू करते हैं, इसलिए कार्टेल को एक अभिसंधि का आदर्श रूप माना जाता है। कार्टेल के दो विशिष्ट प्रकार हैं :

- संयुक्त लाभ को अधिकतम लक्ष्यांकित करने वाला कार्टेल, अर्थात् उद्योग के मुनाफों को अधिकतम करना।
- बाजारों का बँटवारा लक्ष्यांकित करने वाला कार्टेल।

3. पेरेटो इष्टतम को इस रूप में परिभाषित किया गया है कि यह एक लेन-देन की इस प्रकार की अवस्था है कि कम से कम एक बदतर हुए बिना किसी को भी बेहतर नहीं बनाया जा सकता है। अर्थात् जब किसी समूह में एक व्यक्ति गलत करता है तभी अन्य किसी को सही ठहराया जा सकता है। संसाधनों या माल के आवंटन में परिवर्तन पेरेटो सुधार का गठन कहा जाता है कि कम से कम एक बदतर हुए बिना किसी को भी बेहतर नहीं बनाया जा सकता है। इस प्रकार, पेरेटो इष्टतम एक स्थिति है जिससे कोई पेरेटो सुधार संभव नहीं है। पेरेटो के अनुसार, एक नीति को आर्थिक कल्याण में सुधार तभी कहा जाता है जब यह पेरेटो सुधार में परिणत हो जाता है। अर्थात् दूसरे को बिना बदतर बनाए कम से कम एक व्यक्ति को बेहतर बनाया जाता है। पेरेटो के शर्तों के आधार पर आर्थिक कल्याण का अध्ययन पेरिटीयन कल्याणकारी अर्थशास्त्र के रूप में जाना जाता है।

4. प्रो. स्लटूस्की ने मूल्य प्रभावों के बीच के संबंध का प्रतिपादन किया, प्रतिस्थापन प्रभाव (प्रत्यक्ष कीमत प्रभाव) और एक समीकरण में आय प्रभाव को स्लटूस्की समीकरण कहा जाता है। समीकरण निम्नलिखित तरीके से लिखा जा सकता है :

$$\frac{\partial X}{\partial P_X} = \left(\frac{\partial X}{\partial P_X}\right)_u = \text{नियतांक} + X\left(\frac{\partial X}{\partial I}\right)\frac{P_X}{P_Y} = \text{नियतांक}$$

↓ कुल मूल्य प्रभाव　↓ प्रतिस्थापन प्रभाव　↓ आय प्रभाव

5. लागत वक्र का आधुनिक सिद्धांत स्टिगलर, एंड्रयूज, सार्जेन्ट फ्लोरेंस और फ्राइडमैन इत्यादि जैसे अर्थशास्त्रियों द्वारा प्रतिपादित किया गया है। लागत वक्र के पारंपरिक सिद्धांत के अनुसार लम्बे समय तक चलने वाली लागत वक्र यू के आकार की होती है। लेकिन आधुनिक सिद्धांत के अनुसार, वास्तविक जीवन में लम्बे समय तक चलने वाली लागत वक्र एल के आकार की होती है। एल आकार की लागत वक्र का तात्पर्य है कि उत्पादन में वृद्धि के साथ उत्पादन लागत निरंतर रूप से गिरती है। आधुनिक सिद्धांत के अनुसार लम्बे समय तक चलने वाली लागतें मुख्यतः दो प्रकार की होती हैं : (1) उत्पादन लागत और (2) प्रबंधकीय लागत। उत्पादन में वृद्धि के कारण, उत्पादन लागत निरंतर गिरने लगती हैं। इसका कारण तकनीकी अर्थव्यवस्थाओं का पैमाना है।

इसके विपरीत, ज्यों ही उत्पादन का स्तर बढ़ता है, प्रबंधकीय लागत भी बढ़ जाती है। चूंकि उत्पादन लागत में गिरावट प्रबंधकीय लागत की तुलना में अधिक है, लम्बे समय तक चलने वाली औसत लागत वक्र आसानी से गिर जाती है अथवा उत्पादन के बड़े पैमाने पर नियत होती है।

8. एक निकृष्ट वस्तु वह वस्तु है जिसका आय प्रभाव ऋणात्मक होता है और प्रतिस्थापन प्रभाव भी नकारात्मक होता है। ऋणात्मक आय प्रभाव का अर्थ है एक वस्तु की कीमत में गिरावट जो वास्तविक आय में बढ़ोत्तरी की ओर उन्मुख होता है और परिणामतः मांग की गई मात्रा में गिरावट होती है। चूंकि उपभोक्ताओं द्वारा कम से कम निकृष्ट वस्तुओं की मांग की जाती है ताकि आय में वृद्धि हो सके। इस प्रकार, ऋणात्मक प्रतिस्थापन प्रभाव का तात्पर्य है मूल्य परिणाम में गिरावट, मांग की गई मात्रा में वृद्धि जबकि मूल्य में परितर्तन के ऋणात्मक आय प्रभाव का तात्पर्य है कि मूल्य में गिरावट के परिणामस्वरूप मांग की गई मात्रा में गिरावट। ऋणात्मक प्रतिस्थापन प्रभाव और ऋणात्मक आय प्रभाव विपरीत दिशा में कार्य करते हैं। इस प्रकार, जब ऋणात्मक प्रतिस्थापन प्रभाव मांग की गई मात्रा में वृद्धि की ओर उन्मुख होती है, ऋणात्मक आय प्रभाव मांग की गई मात्रा में कमी की ओर उन्मुख होता है। हालांकि निकृष्ट वस्तुओं का ऋणात्मक आय प्रभाव, ऋणात्मक प्रतिस्थापन प्रभाव की तरह शक्तिशाली नहीं हो सकता है। ऐसे मामलों में, ऋणात्मक प्रतिस्थापन प्रभाव प्रभावी होगा और आय प्रभाव में ग्रहण लगेगा। तदनुसार मांग की गई मात्रा मूल्य में गिरावट के साथ बढ़नी चाहिए और मूल्य में वृद्धि के साथ घटनी चाहिए। यहाँ तक कि जब वस्तु निकृष्ट होने लगती है।

9. बांडधारक पैसे की एक निश्चित रकम ब्याज के रूप में प्राप्त करते हैं और यह ब्याज मुद्रास्फीति से असंबंधित है और इसकी घोषणा बांड जारी होने के समय की जाती है। एक 8% बांड से तात्पर्य ₹ 8 प्रतिवर्ष ब्याज के रूप में है। यदि मुद्रास्फीति होती है तो ₹ 8 का मूल्य गिरेगा—बांडधारक ₹ 8 से पहले की तुलना में कम सामान खरीद सकते हैं, इसलिए कि वास्तविक मूल्य/क्रय शक्ति को कम कर दिया जाता है। यह बांडधारकों को आहत करता है क्योंकि वे इच्छानुसार/अनुमानित ₹ 8 का उपयोग जो बांड खरीदने के समय था, के अनुसार उपयोग करने में असमर्थ होते हैं। उन पर मुद्रास्फीति द्वारा नकारात्मक चोट होती है।

10. 'निकट मुद्रा' शब्द उन परिसंपत्तियों को संदर्भित करता है जो मुद्रा के कुछ कार्यों को संपूर्ण करता है लेकिन उनके सभी को नहीं। विशेष रूप से, निकट मुद्रा कोई ऐसी चीज है जो मूल्य संचय कार्य को संपूर्ण करता है और आसानी से विनिमय के माध्यम में परिवर्तनीय है, लेकिन यह स्वयं विनिमय का माध्यम नहीं है। निकट मुद्राएं अत्यधिक हैं लेकिन पूरी तरह से तरल वित्तीय परिसंपत्तियाँ नहीं हैं।

11. $K = \frac{1}{1 - MPC} = \frac{1}{MPS}$

$\Rightarrow$ यदि $MPC = 0.2$

तब $K = \frac{1}{1 - 0.2}$

$= \frac{1}{0.8} = 1.25$

$\Rightarrow$ यदि $MPS = 0.5$

तब $K = \frac{1}{MPS}$

$= \frac{1}{0.5} = 2$

⇒ यदि $MPS = 0.75$

तब $K = \frac{1}{0.75} = 1.33$

⇒ यदि $MPC = 0.4$

तब $K = \frac{1}{1-0.4}$

$= \frac{1}{0.6} = 1.66.$

12. सोलो मॉडल अर्थव्यवस्था में सतत संवृद्धि की स्थिति के संदर्भ में समयोपरि उत्पादन वृद्धि दर स्थिर होगी (और प्रति व्यक्ति उत्पादन स्तर स्थिर है)। सर्वप्रथम ध्यान दें कि उत्पादन वृद्धि में सभी परिवर्तन, पूंजी निवेश की वृद्धि दर में बदलाव के कारण होता है।

$$\frac{\dot{Y}(t)}{Y(t)} = \alpha\left(\frac{\dot{K}(t)}{K(t)}\right) + (1-\alpha)n$$

इसलिए, उत्पादन वृद्धि स्थिर होने के लिए, पूंजी वृद्धि को भी स्थिर होना चाहिए। यह है, पूंजी के लिए वृद्धि दर और उत्पादन निश्चय ही समान होना चाहिए और पूंजी उत्पादन अनुपात स्थिर वृद्धि के साथ स्थिर होती है।

14. टर्नपाइक प्रमेय : विकास के सिद्धांत में प्रस्तावों की श्रेणी उच्चतम दर पर वृद्धि को संतुलित करने के लिए इष्टतम वृद्धि पथों की निकटता से संबंधित है। आर. डॉर्फमैन, पी. सैम्युएलसन और आर. सोलो द्वारा 'टर्नपाइक प्रमेय' का नाम दिया गया है। इसका वर्णन 'लिनियर प्रोग्रामिंग एंड इकोनोमिक एनालायसिस' (मैकग्रॉ हिल, 1958) में है।

16. श्रम की आरक्षित सेना : कार्ल मार्क्स की राजनीतिक अर्थव्यवस्था की आलोचना में श्रम की आरक्षित सेना एक अवधारणा है। यह पूंजीवादी समाज में बेरोजगारों और रोजगारों के अधीन को संदर्भित करता है। यह 'औद्योगिक आरक्षित सेना', अथवा 'आपेक्षिक अधिशेष आबादी' का पर्याय बन गया है सिवाय इसके कि बेरोजगार वास्तव में काम की तलाश में उन लोगों के रूप में परिभाषित किया जा सकता है और आपेक्षिक अधिशेष आबादी उन लोगों को भी शामिल करता है जो काम करने में असमर्थ हैं।

17. कॉब-डगलस उत्पादन फलन में हैरोड-तटस्थ तकनीकी परिवर्तन का इस समीकरण द्वारा वर्णन किया जाता है :

$$X = AK^{\alpha}((1+\hat{\gamma})^{t}N)^{1-\alpha}$$

कॉब-डगलस के मामले में, हैरोड-तटस्थ तकनीकी परिवर्तन हिक्स-तटस्थ है। हमलोग इस प्रकार देख सकते हैं :

$$X = AK^{\alpha}((1+\hat{\gamma})^{t}N)^{1-\alpha}$$

$$= \left((1+\hat{\gamma})^{1-\alpha}\right)^{t}(AK^{\alpha}N^{1-\alpha})$$

हिक्स और हैरोड के बीच की तुल्यता केवल कॉब-डगलस परिवार के उत्पादन फलन को तटस्थता के साथ पकड़ता है।

18. जनवरी, 1944 में एक व्यापक स्वत्वाधिकारी दस्तावेज, "ए प्लान ऑफ इकोनॉमिक डेवलपमेंट फॉर इंडिया" प्रकाशित किया गया था। यह प्रकाशन पाँच विख्यात उद्योगपतियों और तीन टेक्नोक्रेट्स के हस्ताक्षर के अधीन किया गया है। उद्योगपति थे–जे.आर.डी. टाटा; जी.डी. बिड़ला; कस्तुरभाई लालभाई; अहमदाबाद से कपड़ा मिल के मालिक; बम्बई से सर पुरुषोत्तमदास और दिल्ली से श्रीराम। सभी टेक्नोक्रेट्स टाटा से थे–सर आर्देशिर दलाल; ए.डी. श्रॉफ; डॉ. जॉन मथाई। इस योजना को 'बम्बई प्लान' या 'टाटा बिड़ला प्लान' के रूप में जाना जाता है। इसके बाद, उसी वर्ष श्री मन्नारागन द्वारा 'गांधीयन प्लान', वर्ष 1945 में श्रमिक नेता एम.एन. राय द्वारा 'पिपुल्स प्लान' और वर्ष 1950 में जय प्रकाश नारायण द्वारा 'सर्वोदय प्लान' उपस्थापित किया गया।

19. एक विशेष श्रेणी राज्य की अवधारणा पहली बार 1969 में प्रस्तुत की गई जब 5वें वित्त आयोग ने कुछ निश्चित वांछित राज्यों को केन्द्रीय सहायता और कर नहीं देने की अवधि के रूप में उपलब्ध कराने की मांग की। आरंभ में तीन राज्यों असम, नागालैंड और जम्मू-कश्मीर को विशेष दर्जा प्रदान करने की स्वीकृति दी गई लेकिन तब से आठ और राज्यों को शामिल किया गया–अरुणाचल प्रदेश, हिमाचल प्रदेश, मणिपुर, मेघालय, मिजोरम और सिक्किम, त्रिपुरा और उत्तराखंड।

विशेष राज्य का दर्जा देने के पीछे तर्क यह है कि ये राज्य प्राकृतिक विशेषताओं से सुशोभित हैं किन्तु इनके पास संसाधन का स्रोत निम्न है।

विशेष राज्य का दर्जा प्राप्त करने के लिए कुछ अनिवार्य विशेषताएँ निम्नलिखित हैं :

(*i*) पहाड़ी और दुर्गम क्षेत्र;

(*ii*) कम घनत्व वाली जनसंख्या अथवा आदिवासी आबादी का बड़ा हिस्सा;

(*iii*) पड़ोसी देशों के साथ सीमा पर सामरिक स्थल;

(*iv*) आर्थिक और ढांचागत पिछड़ापन, और

(*v*) राज्य वित्त की अलाभकारी प्रकृति।

21. विभिन्न प्रकार के आगत-निर्गत मॉडल मूलतः लिओनटिफ समूह से संबद्ध होते हैं। इनका भारत के पंचवर्षीय योजनाओं में तीसरी योजना के बाद इनका बढ़ता उपयोग दृष्टिगोचर हुआ है। ये मॉडल मुख्य रूप से माँग की ओर से अनुमान लगाती है जो उत्पादन लक्ष्य के निर्माण में अंतर-क्षेत्रीय सामंजस्य स्थापित करती है। इसका उद्देश्य उत्पादन लक्ष्य निर्माण है। पूर्व के मॉडलों में आपूर्ति पक्ष उपेक्षित किया गया था। यह इस अर्थ में कि कोई सेक्टोरियल आपूर्ति बाधाएं सूत्रबद्ध नहीं की गई थीं। हालाँकि, उन्हें 'बंद' करते हुए मॉडलों को बढ़ाते हुए व्यक्त किया गया। छठी योजना (भारत सरकार, योजना आयोग, 1980) का प्रयास हैरोड-डोमर और आगत-निर्गत दृष्टिकोण को मांग-पूर्ति के ढाँचे में एकीकृत करना था।

22. वाल्टर गैलेन्सन एवं हार्वे लेबन्स्टिन ने 'प्रति व्यक्ति सीमांत पुनर्निवेश लब्धि' कसौटी का सुझाव दिया। उन्होंने भविष्य के लिए प्रति व्यक्ति उत्पादन क्षमता को अधिकतम करने का लक्ष्य रखा।

इस कसौटी के अनुसार, संसाधनों के आवंटन इष्टतम होंगे जब पूंजी का प्रति व्यक्ति सीमांत पुनर्निवेश लब्धि अपने विभिन्न वैकल्पिक उपयोगों में समान हो जाता है। निम्नलिखित बुनियादी कारकों द्वारा प्रति व्यक्ति सीमांत पुनर्निवेश लब्धि का निर्धारण होता है :

1. प्रति कार्मिक सकल उत्पादकता
2. प्रति कार्मिक खपत की गई माल की 'मजदूरी'
3. पूंजी का प्रतिस्थापन और मरम्मत
4. नवाचारों के उपयोग से गैर-पूँजी के रूप में उत्पादन में वृद्धि, जैसे कि कौशल, स्वास्थ्य, ऊर्जा, अनुशासन में सुधार तथा श्रम शक्ति बढ़ाने की योग्यता
5. मृत्युदर में गिरावट
6. प्रजनन क्षमता में गिरावट
7. निवेश की दिशा

पहले छह कारक उपलब्ध प्रति व्यक्ति निवेश काल को निर्धारित करता है और सातवां कारक आवंटन से संबंधित है।

25. उकसाने वाले दर : ऋण, क्रेडिट कार्ड या जमा खाते के विज्ञापन के लिए वह निम्न, समायोज्य परिचयात्मक ब्याज दर उकसाने वाला दर है जो सेवा प्राप्ति के लिए संभावित ग्राहकों को आकर्षित करता है। उकसाने वाले दर सामान्यतः दीर्घ अवधि के लिए अच्छा नहीं होता है और सेवा के लिए सामान्य वास्तविक दर से काफी नीचे है। प्रतिस्पर्धा वाले बाजार में कई कंपनियाँ एक-दूसरे के साथ न्यूनतम उकसाने वाले दर के लिए प्रतिस्पर्धा करेंगे।

27. व्यापार की भाषा में, "गैर-प्रशुल्क अवरोध" (NTBs) सीमा की एक विस्तृत श्रृंखला को संदर्भित करता है और सीमा के पीछे से मापन करता है जो व्यापार को धीमा अथवा बाधित करता है। अंकटाड सेक्रेटेरियट (UNCTAD, 2005) ने NTBs के लिए वर्गीकरण योजना उत्पन्न किया जो निम्नलिखित श्रेणियों को परिभाषित करता है :

- व्यापार में सरकार की भागीदारी और सरकार द्वारा सहनीय प्रतिबंधात्मक प्रथाएं
- सीमा शुल्क और प्रशासनिक प्रवेश प्रक्रिया
- व्यापार के लिए तकनीकी बाधाएं
- स्वच्छता एवं पादप स्वच्छता के उपाय
- विशिष्ट सीमाएं (जैसे—मात्रात्मक प्रतिबंध के रूप में)
- आयात पर प्रभाव (टैरिफ के अलावा अन्य, जैसे—अधिभार या पोर्ट टैक्स)

बहुत सारी गैर टैरिफ बाधाएं, जैसे—सार्वजनिक स्वास्थ्य और सुरक्षा से संबंधित नियम अनिवार्य रूप से व्यापार-नीति समुदाय द्वारा मान्यता प्राप्त हैं। अन्य बाधाएं जैसे ज्यादा नौकरशाही सीमा शुल्क और प्रशासनिक प्रवेश प्रक्रियाओं के कारण सीमा शुल्क के निपटान में लम्बी देरी होती है। ये आमतौर पर व्यवस्थित बनाने के लायक माने जाते हैं।

28. व्यापार तटस्थता वक्रों का व्यापक रूप से उपयोग व्यापार से लाभ का ज्यामितीय विश्लेषण करने में होता है। यह उपयोग इस विचार को ध्यान में रख कर किया जाता है कि व्यापार में एकाधिकार की सत्ता के अधीन इष्टतम टैरिफ और इससे संबंधित चर्चाएं हों।

30. पोर्टफोलियो प्रवाह, प्रत्यक्ष निवेश प्रवाह से ज्यादा उतार-चढ़ाव वाला प्रवाह है। इनका स्वभाव अल्पकालिक होता है जिसके कारण असमान विस्तार और घरेलू तरलता में संकुचन पैदा होता है जिसके फलस्वरूप शेयर बाजारों पर इसका व्यापक प्रभाव पड़ता है और मुद्रा आपूर्ति एवं घरेलू ऋण का विस्तार होता है। दूसरी तरफ प्रत्यक्ष निवेश प्रवाह की प्रकृति दीर्घकालीन है और इसी कारण कम उतार-चढ़ाव वाले होते हैं। संयंत्र और उपकरणों के निवेश में प्रत्यक्षतः सन्निहित होने के कारण।

32. भारत को वैश्विक विनिर्माण हब बनाने के लिए 25 सितंबर, 2014 को प्रधानमंत्री नरेन्द्र मोदी ने एनडीए सरकार की 'मेक इन इंडिया' अभियान का शुभारंभ उद्योगपतियों को आकर्षित करने के लिए किया। इसका उद्देश्य रोजगार के अतिरिक्त अवसर उत्पन्न करना तथा देश में आर्थिक विकास को बढ़ावा देना था। इस अभियान के पीछे मूल दर्शन भारत में घरेलू तथा विदेशी कंपनियों के लिए विनिर्माण केन्द्र स्थापित करना है। इस अभियान को आगे बढ़ाने के लिए प्रधानमंत्री ने 'व्यापार के अनुकूल वातावरण' सुनिश्चित करने का वायदा किया। इसके अलावा, प्रधानमंत्री ने विदेशी निवेशकों का देश में आगमन से लेकर प्रस्थान तक सहायता प्रदान करने हेतु निवेशक सरलीकरण सेल प्रदान किया। हरे और उन्नत विनिर्माण तथा इन कंपनियों की मदद करने के लिए वैश्विक मूल्य शृंखला का एक महत्वपूर्ण हिस्सा बनने हेतु ध्यान देने के साथ इस अभियान का उद्देश्य स्पष्ट किया गया।

'मेक इन इंडिया' के पीछे सामरिक घटक हैं—

- कौशल विकास पर ध्यान
- विश्व स्तरीय ढांचागत सुविधाओं का विकास करना
- घरेलू व विदेशी कंपनियों के लिए भारत को विनिर्माण हब बनाना
- आयात पर निर्भरता कम करना और निर्यात को बढ़ावा देना
- देश में युवाओं के लिए और अधिक रोजगार का सृजन
- व्यक्ति की आय में बढ़ोत्तरी और लोगों के हाथों में क्रय शक्ति

33. कृषि के क्षेत्र में मौजूदा संकट उत्पादकता में आभासी ठहराव है, कृषि के अधीन संकुचित क्षेत्र खाद्य सुरक्षा से संबंधित चिंता उत्पन्न करता है। प्रारंभिक कृषि रणनीति का प्रतिकूल प्रभाव जिसने हरित क्रांति के अनुवर्ती उत्थान की आवश्यक आवश्यकता प्रदान की, 60 के दशकों में से एक के समान है, ने गेहूँ और चावल उत्पादन का अचानक मार्ग प्रशस्त किया। यह भारत की 'दूसरी हरित क्रांति' के रूप में जाना जाएगा। यह खाद्य सुरक्षा और पोषक आहार के दोहरे लक्ष्य का पीछा करेंगे। दूसरी क्रांति के बिना, आपूर्ति पक्ष की ओर से खाद्यान्न के लिए बढ़ती माँग मूल्य वृद्धि की ओर उन्मुख होगा। खाद्य सुरक्षा और पोषक आहार के उद्देश्यों की प्राप्ति अपनी बढ़ती आबादी के लिए 15 वर्षों से अधिक दिनों तक अथवा दूसरी हरित क्रांति में कृषि क्षेत्र में 5-6 प्रतिशत की वृद्धि दर को बरकरार रखना होगा। यह भी सुझाव दिया गया है कि यदि पहली हरित क्रांति की बढ़त को मजबूत किया जाता है, तो दूसरी हरित क्रांति शुरू की जाएगी।

34. लघु बचत योजनाओं को इस प्रकार डिजाइन किया गया है कि वे सुरक्षित और आकर्षक निवेश विकल्प प्रदान करें। वे उन लोगों को तय रिटर्न प्रदान करें जो पूंजी बाजार की अनिश्चितताओं से दूर रहना चाहते हैं। ये योजनाएं देश भर के डाकघरों और सार्वजनिक क्षेत्र के बैंकों द्वारा संचालित होते हैं और बहुत से लोगों के लिए बचत का एक साधन बना।

लघु बचत योजना के अधीन कर बचत और निवेश साधन उपलब्ध हैं :

- पब्लिक प्रोविडेंट फंड तथा राष्ट्रीय बचत प्रमाणपत्र
- किसान विकास पत्र (दिसंबर 2011 से बंद)
- राष्ट्रीय बचत योजना, 1992/इंदिरा विकास पत्र (अब बंद)
- रिलीफ बांड्स
- डाकघर मासिक आय योजना

- डाकघर सावधि जमाएं
- सुकन्या समृद्धि खाता योजना

36. जनांकिकीय परिवर्तन : जनांकिकीय परिवर्तन जनसंख्या वृद्धि के तीन चरणों को समाहित करता है, वे हैं :
(*a*) उच्च जन्म दर और उच्च मृत्यु दर;
(*b*) उच्च जन्म दर और निम्न मृत्यु दर; और
(*c*) निम्न जन्म दर और निम्न मृत्यु दर।
पहला और तीसरा चरण जनसंख्या की समस्या का सामना नहीं करते हैं, जमा और मृत्यु दरें दोनों या तो उच्च या फिर निम्न होंगी। जनसंख्या में बढ़ती परिणामी संतुलित है। दूसरी अवस्था में उच्च जन्म दर और निम्न जन्म दर के कारण जनसंख्या असंतुलित हो जाती है। इस तरह का असंतुलन जनसंख्या विस्फोट का कारण बनता है।

37. कर की समीक्षा यह इंगित करती है कि वास्तव में किस पर कर का बोझ पड़ता है। कर की समीक्षा का मूल्यांकन करने का एक तरीका आय के प्रतिशत के रूप में कर का मापन है। आनुपातिक कराधान के तहत, सभी आय के स्तरों पर करदाता कर के मद में अपनी आय का वही प्रतिशत भुगतान करता है। एक आनुपातिक आयकर को फ्लैट कर भी कहा जा सकता है। क्योंकि कर आय के प्रतिशत के रूप में स्थिर रहता है, या फ्लैट रहता है, ज्योंही आय में वृद्धि होती है।

39. विशिष्ट कर करापात : सार्वजनिक व्यय नियत होता है, कर लागू होने पर परिवर्तित या रूपांतरित हो सकता है। उदाहरण के लिए आयकर दर बढ़ या घट सकती है। वितरण में परिणामी परिवर्तन विशिष्ट कर करापात कहलाता है। उदाहरण के लिए, यदि आयकर दर घट जाती हैं, तो यह लोगों की आय

43. श्रीमती उर्सला के. हिक्स की करापात अवधारणा
1940 में श्रीमती उर्सला हिक्स ने करों के करापात की दो अवधारणाएं व्यक्त कीं : 1. औपचारिक करापात, 2. प्रभावी करापात

1. औपचारिक करापात : श्रीमती हिक्स के अनुसार किसी कर के औपचारिक करापात का अर्थ है कर का मुद्रा भार अथवा इसका मुद्रा करापात। औपचारिक करापात करदाता की आय के अनुपात को संदर्भित करता है जो कि सरकार को भुगतान किया गया है। सरकार द्वारा यह राशि सामूहिक माल उपलब्ध कराने हेतु वास्तविक करदाता को बिना प्रत्यक्ष लाभ के उपयोग में लाई जाती है। धारणात्मक रूप से, एक वित्तीय वर्ष में विभिन्न आय समूहों के बीच वास्तविक कर भार के वितरण के मोड की सांख्यिकीय माप को औपचारिक करापात संदर्भित करता है। किसी कर का औपचारिक करापात उस कर की राशि के बराबर है जो कर सरकार द्वारा ली जाती है और समग्र रूप में कर प्रणाली का औपचारिक करापात प्राधिकार के कुल राजस्व कर के बराबर है।

2. प्रभावी करापात : प्रभावी करापात अर्थशास्त्र पर कराधान के प्रभाव को दर्शाता है। इसमें सभी लाभ और हानि सम्मिलित हैं जिसे अर्थव्यवस्था किसी कर प्रणाली से प्राप्त करती है। यह ध्यान देने योग्य है कि कराधान का प्रभावी करापात की माप सांख्यिकीय रूप से नहीं की जा सकती है।

45. 1987-88 के बजट में भारत सरकार ने एक नया वर्गीकरण अपनाया जिसके अधीन सार्वजनिक व्यय वर्गीकृत किया गया। यह वर्गीकरण योजना व्यय और गैर-योजना व्यय के रूप में वर्गीकृत हुआ। योजना व्यय में शामिल व्यय हैं–(*a*) केन्द्रीय योजनाएँ जैसे–कृषि विकास, ग्रामीण विकास, सिंचाई और बाढ़ नियंत्रण, ऊर्जा, उद्योग एवं खनिज, परिवहन, संचार, विज्ञान और प्रौद्योगिकी, पर्यावरण, सामाजिक सेवाएं और अन्य तथा (*b*) केंद्रीय सहायता–राज्य और केंद्रशासित प्रदेशों की योजना हेतु। गैर-योजना व्यय में शामिल हैं :
(*i*) राजस्व लेखा पर व्यय
(*ii*) पूंजी लेखा पर व्यय।

49. स्वतंत्रता : यह दिखाने के लिए कि A और B स्वतंत्र हैं, निम्न में से एक को साबित करना पर्याप्त है :

$$P(A/B) = P(A),$$
$$P(B/A) = P(B),$$
$$P(A \cap B) = P(A)\,P(B),$$

जहाँ A, Ac द्वारा बदला जा सकता है और B, Bc द्वारा बदला जा सकता है, या दोनों। यदि इन कथनों से पता चलता है कि सभी सत्य हैं। यदि दो घटनाएँ स्वतंत्र नहीं हैं, तो उन्हें निर्भर कहा जाता है।

प्रश्न-पत्र-III

नोटः *इस प्रश्नपत्र में* ***पचहत्तर*** *(75) बहु-विकल्पीय प्रश्न हैं। प्रत्येक प्रश्न के* ***दो*** *(2) अंक हैं।* ***सभी*** *प्रश्न अनिवार्य हैं।*

1. पूर्ण जनसांख्यिकीय लाभांश तब प्राप्त होता है जब सरकार निम्न में से किसे बढ़ावा देती है?

A. अधिक सामाजिक सुरक्षा

B. अधिक गहन वृद्धि

C. अधिक कौशल विकास

D. अधिक पूँजी बाजार

2. सामान्य प्रजननता दर के लिए निम्न में से कौन-सा सत्य है?

A. यह प्रजननता का एक वास्तविक माप है।

B. यह प्रजननता का एक संभाव्य माप है।

C. यह स्त्री जनसंख्या की संरचना का एक वास्तविक माप है।

D. यह परिकल्पित आयु विशिष्ट जन्म दर नमूने पर आधारित है।

3. निम्नलिखित में किस वक्र का इस्तेमाल जनसंख्या विकास की दीर्घकालीन वृद्धि को प्रदर्शित करने के लिए किया जाता है?

A. प्रसामान्य वक्र B. लॉजिस्टिक वक्र

C. घातांकीय वक्र D. संचयी आवर्ती वक्र

4. भारत में उच्च जन्म दर हेतु जिम्मेवार सामाजिक आर्थिक कारकों में से हम किन्हें शामिल कर सकते हैं?

(*i*) अधिक गरीबी

(*ii*) गरीब अभिभावकों के बच्चों की उच्च मृत्यु दर

(*iii*) अल्प आयु विवाह की मौजूदगी

(*iv*) विषम लिंग अनुपात

A. (*i*) और (*ii*) B. (*i*), (*ii*) और (*iv*)

C. (*i*), (*iii*) और (*iv*) D. (*i*), (*ii*) और (*iii*)

5. सूची-I को सूची-II के साथ सुमेलित करें और नीचे दिए गए कूट में से उत्तर दें :

सूची-I (गतिविधि)	सूची-II (तिथि)
(*a*) विश्व पर्यावरण दिवस	(*i*) 11 जुलाई
(*b*) विश्व वन्य जीव दिवस	(*ii*) 5 जून
(*c*) विश्व जल दिवस	(*iii*) 3 मार्च
(*d*) विश्व जनसंख्या दिवस	(*iv*) 22 मार्च

सही उत्तर नीचे लिखे कूट से दीजिए :

कूट :

	(*a*)	(*b*)	(*c*)	(*d*)
A.	(*i*)	(*ii*)	(*iii*)	(*iv*)
B.	(*iii*)	(*i*)	(*iv*)	(*ii*)
C.	(*iv*)	(*iii*)	(*ii*)	(*i*)
D.	(*ii*)	(*iii*)	(*iv*)	(*i*)

6. कोज़् प्रमेय यह सुझाता है कि निजी समझौते से बाजार असफलता उस समय कम हो जाती है जब

(*i*) केवल कुछ लोग इसमें शामिल होते हैं।

(*ii*) संपत्ति के अधिकार की सही पहचान हो जाती है।

(*iii*) समझौता लागत कम होती है।

(*iv*) लोगों के पास असममित सूचना होती है।

नीचे दिए गए कूटों में सही उत्तर का चयन करें :

कूट :

A. (*i*), (*ii*) और (*iii*) को आवश्यक रूप से सत्य माना जाए।

B. (*i*) और (*iv*) को आवश्यक रूप से सत्य माना जाए।

C. (*i*), (*ii*) और (*iv*) को आवश्यक रूप से सत्य माना जाए।

D. (*iv*) और (*iii*) को आवश्यक रूप से सत्य माना जाए।

7. संरचना उपकर किस पर एक प्रशुल्क/कर है?

A. बिल्डर B. रेल

C. मोटरगाड़ियाँ D. सार्वजनिक परिवहन

8. SLR को किस प्रकार परिभाषित किया गया है :

A. $SLR = \frac{ER + I - CB}{L}$

B. $SLR = \frac{ER - IS + CAB}{L}$

C. $SLR = \frac{ER + IS + CAB}{L}$

D. $SLR = \frac{L + CB + ER}{IS}$

जहाँ ER = रिजर्व (आरक्षित) आधिक्य; IS = सरकारी और अन्य मान्यता प्राप्त प्रतिभूतियों में निवेश, CAB = चालू खाता शेष, L = कुल माँग और सावधि जमा, CB = चालू शेष, I = निवेश, SLR = वैधानिक तरलता अनुपात

9. निम्न में से किस उपाय का परिणाम यह निकलता है कि अर्थव्यवस्था में मुद्रा आपूर्ति में बढ़ोत्तरी होती है?

I. केन्द्रीय बैंक द्वारा सरकारी प्रतिभूतियों की लोगों से खरीदारी।

II. लोगों द्वारा वाणिज्यिक बैंकों में मुद्रा को जमा करना।

III. सरकार द्वारा केन्द्रीय बैंक से उधार लेना।

IV. केन्द्रीय सरकार द्वारा सरकारी प्रतिभूतियों को लोगों को बेचना।

कूट में से सही उत्तर का चयन करें :

कूट :

A. केवल I B. II और IV

C. I और III D. II, III और IV

10. वे बैंक जो स्वयं सहायता समूहों (एस.एच.जी.) से संबंधित लघु वित्तीय कार्यक्रमों को क्रियान्वित कर रहे हैं, वे हैं

A. केवल वाणिज्यिक बैंक और को-ऑपरेटिव बैंक

B. केवल क्षेत्रीय ग्रामीण बैंक और वाणिज्यिक बैंक

C. केवल को-ऑपरेटिव बैंक और क्षेत्रीय ग्रामीण बैंक

D. वाणिज्यिक बैंक, ग्रामीण बैंक और को-ऑपरेटिव बैंक

11. निम्न में से किसे आमतौर पर मुद्रा आपूर्ति का सकल मौद्रिक माप कहा जाता है?

A. M_4 B. M_1

C. M_2 D. M_3

12. निम्न में से किसके माध्यम से व्यापारी गुद्रा उच्चावचन ह्रास के जोखिम को कम करते हैं?

A. सट्टेबाजी

B. विवाचन

C. हैजिंग (Hedging)

D. उपरोक्त में से कोई नहीं

13. भारत में वर्ष 2015 में उच्च मुद्रास्फीति दर के जिम्मेवार कारकों में से निम्न में से कौन-सा/कौन-से सत्य हैं?

(*i*) पेट्रोलियम उत्पादों के मूल्य में वृद्धि

(*ii*) खाद्य मूल्य में वृद्धि

(*iii*) घरेलू उपभोग की माँग में वृद्धि

(*iv*) वर्ष 2015-16 में भारतीय निर्यात में वृद्धि

नीचे दिए गए कूट में से उत्तर का चयन करें :

कूट :

A. (*i*), (*ii*) और (*iv*) B. (*i*), (*ii*) और (*iii*)

C. (*iii*) और (*iv*) D. (*ii*) और (*iii*)

14. भारत में निर्धारित वैधानिक तरलता अनुपात की अधिकतम और न्यूनतम सीमा प्रारंभ में क्या थी?

A. 40 प्रतिशत और 20 प्रतिशत

B. 40 प्रतिशत और 25 प्रतिशत

C. 30 प्रतिशत और 25 प्रतिशत

D. 30 प्रतिशत और 20 प्रतिशत

15. निम्नलिखित, में से कौन उर्जित पटेल कमिटी की मौद्रिक नीति संबंधी सिफारिश सही हैं?

I. राजकोषीय घाटे को सीमित करना

II. स्फीति आधारक को 4 प्रतिशत पर रखना

III. मुद्रा एवं पूँजी बाजार में पर्याप्त तरलता की व्यवस्था

IV. भारतीय रुपयों के विनिमय मूल्य क्रो अपरिवर्तित रखना

नीचे लिखे कूट से उत्तर दीजिए :

कूट :

A. I, II व III B. II व IV

C. III व IV D. I, II व IV

16. **अभिकथन (A) :** मुद्रावादी, फिलिप्स वक्र विश्लेषण से असहमत थे।

कारण (R) : प्रतिशत बेरोजगारी दर के साथ प्रतिशत मुद्रा स्फीति दर का कोई अद्वितीय तदअनुरूप मान नहीं है।

नीचे दिए गए कूट से उत्तर दें :

कूट :

A. (A) और (R) दोनों सत्य हैं और (R), (A) का सही स्पष्टीकरण है।

B. (A) और (R) दोनों सत्य हैं और (R), (A) का सही स्पष्टीकरण नहीं है।

C. (A) सत्य है, और (R) गलत है।

D. (A) गलत है, और (R) सत्य है।

17. निम्नलिखित में से किस अर्थशास्त्री ने मुद्रा हेतु लेन-देन की माँग को प्रभावित करने के लिए ब्याज दर का कारण माना है?

A. पी. सैम्युअलसन B. डब्ल्यू.जे. बॉमल
C. केन्स D. आई. फिशर

18. भारत में बैंकों के बढ़ते हुए गैर-निष्पादनीय आस्तियों के बारे में निम्न कथनों पर ध्यान दें :

I. बढ़ते हुए गैर-निष्पादनीय आस्तियाँ विश्व अर्थव्यवस्था के शिथिल होने का परिणाम है।
II. भारत में निजी बैंकों की, सार्वजनिक बैंकों के मुकाबले, गैर-निष्पादनीय आस्तियाँ कम है।
III. बढ़ते हुए गैर-निष्पादनीय आस्ति भारत में सूखे की समस्या का परिणाम है।

इनमें से कौन-से कथन सही हैं? नीचे लिखे कूट से उत्तर दें।

कूट :

A. केवल I B. I व III
C. I व II D. I, II व III

19. अन्य बातों के साथ-साथ दीपक पारेख समिति के गठन हेतु निम्न में से क्या उद्देश्य था?

A. अल्पसंख्यक समुदायों के सामाजिक-आर्थिक दशा के अध्ययन हेतु।
B. संरचना विकास को वित्तीय सहायता प्रदान करने वाले उपायों का सुझाव देने हेतु।
C. अनुवांशिक रूप से संवर्धित बीजों हेतु नीति बनाना।
D. केन्द्रीय बजट में राजकोषीय घाटे को कम करने वाले उपायों को बताने हेतु।

20. निम्न कथनों पर विचार करें :

I. किसी रुग्ण कम्पनी को परिभाषित करने के लिए पिछले चार वित्तीय वर्षों में एकत्रित घाटा उसकी 50 प्रतिशत औसत निवल आस्तियों के बराबर या उससे अधिक होता है।
II. सरकार ने 1987 में औद्योगिक और वित्तीय विनिर्माण बोर्ड की स्थापना की।

उपरोक्त में से कौन-से/सा कथन सही है?

कूट :

A. केवल I B. केवल II
C. I और II D. न तो I और न ही II

21. निम्नलिखित करों पर विचार करें :

(*i*) निगम कर
(*ii*) आय कर
(*iii*) सेवा कर
(*iv*) संघ उत्पाद शुल्क

निम्नलिखित में कौन-सा विकल्प सही ढंग से केन्द्र सरकार के सकल कर राजस्व में महत्ता के हिसाब से अवरोही क्रम में योगदान को वर्णित करता है?

A. (*i*), (*ii*), (*iv*), (*iii*) B. (*ii*), (*i*), (*iii*), (*iv*)
C. (*iii*), (*ii*), (*i*), (*iv*) D. (*iv*), (*i*), (*ii*), (*iii*)

22. वन आच्छादित क्षेत्र को किस वित्त आयोग ने भारत में संसाधनों का क्षैतिज आबंटन की एक कसौटी माना है?

A. 10वाँ वित्त आयोग B. 12वाँ वित्त आयोग
C. 13वाँ वित्त आयोग D. 14वाँ वित्त आयोग

23. निम्नलिखित पर विचार करें :

अभिकथन (A) : पीकॉक-वाइसमैन के सिद्धांत के अनुसार लोक व्यय स्टेप बाई स्टेप बढ़ता है।

कारण (R) : यह सिद्धांत विस्थापन प्रभाव, संकेन्द्रण प्रभाव और निरीक्षण प्रभाव पर आधारित है।

नीचे दिए गए कूटों में से सही उत्तर का चयन करें :

A. (A) सही है, परन्तु (R) गलत है।
B. (A) गलत है, और (R) सही है।
C. (A) और (R) दोनों सही हैं परन्तु (R), (A) का सही स्पष्टीकरण नहीं है।
D. (A) और (R) दोनों सही हैं परन्तु (R), (A) का सही स्पष्टीकरण है।

24. भारत के संदर्भ में गरीबी का अध्ययन किसके द्वारा किया गया?

(*i*) दान्डेकर और रथ
(*ii*) पी.के. बर्धन
(*iii*) बी.एस. मिन्हास
(*iv*) आई.जे. अहलुवालिया

नीचे दिए गए कूटों में से सही उत्तर का चयन करें :

कूट :

A. (*i*) और (*ii*) B. (*ii*) और (*iii*)
C. (*i*), (*ii*) और (*iii*) D. (*i*), (*ii*), (*iii*) और (*iv*)

25. निम्न में से कौन अनुकूलतम करारोपण (ऑप्टिमल टैक्सेशन) के सिद्धांत से संबंधित है?

A. एच. डाल्टन B. आर.ए. मसग्रेव
C. यू.के. हिक्स D. जी. मैनक्यू

26. आर्थिक रूप से कुशल उत्पादन स्तर प्राप्त करने के लिए ऋणात्मक बाह्यता का सृजन करने वाली किसी फर्म पर लगाए जाने वाले उत्पाद कर का आकार होना चाहिए :

A. फर्म की सीमांत लागत
B. सामाजिक सीमांत लागत
C. सामाजिक सीमांत लागत तथा फर्म की सीमांत लागत के बीच अंतर
D. सामाजिक सीमांत लागत तथा फर्म की सीमांत लागत का योग

27. निम्नांकित में से कौन सोलो के संवृद्धि मॉडल द्वारा प्रदर्शित सम्मिलन (कन्वर्जेन्स) का कारण है

A. स्थिर पूँजी-श्रम अनुपात
B. पूँजी की घटती हुई सीमांत उत्पादकता
C. तटस्थ तकनीकी प्रगति
D. जनसंख्या वृद्धि की स्थिर दर

28. निम्नांकित में से कौन अर्थशास्त्री अधिशेष श्रम की समस्या से संबंधित नहीं था?

A. डब्ल्यू.ए. लेविस
B. गुस्टाव रेनिस एंड फे
C. आर. नर्क्से
D. जे.एस. मिल

29. निम्नांकित सूची को सुमेलित करें :

सूची-I	सूची-II
(*a*) समग्र माँग	(*i*) –a + by
(*b*) उपभोग फलन	(*ii*) C + I
(*c*) समग्र पूर्ति	(*iii*) a + by
(*d*) बचत फलन	(*iv*) C + S

नीचे दिए गए कूटों में से सही उत्तर का चयन करें :

कूट :

	(*a*)	(*b*)	(*c*)	(*d*)
A.	(*ii*)	(*i*)	(*iii*)	(*iv*)
B.	(*ii*)	(*iv*)	(*iii*)	(*i*)
C.	(*ii*)	(*iv*)	(*i*)	(*iii*)
D.	(*ii*)	(*iii*)	(*iv*)	(*i*)

30. निम्नांकित में से कौन "कैपिटल इन द ट्वेन्टी फर्स्ट सेंचुरी" पुस्तक के लेखक हैं?

A. थॉमस पिकेटी B. जोसेफ स्टिगलिज
C. ए.के. सेन D. जगदीश भगवती

31. सूची-I को सूची-II के साथ सुमेलित करें :

सूची-I (आर्थिक विचार)	सूची-II (अर्थशास्त्री)
(*a*) जीवन चक्र प्राकल्पना	(*i*) कार्ल मार्क्स
(*b*) टैबलू एकोनोमिक	(*ii*) अल्फ्रेड मार्शल
(*c*) नकदी शेष उपागम	(*iii*) फैंकोई कुने
(*d*) पूँजी की जैविक संरचना	(*iv*) एफ. मोदीग्लियानी

नीचे लिखे कूट से उत्तर दें :

कूट :

	(*a*)	(*b*)	(*c*)	(*d*)
A.	(*i*)	(*ii*)	(*iii*)	(*iv*)
B.	(*iv*)	(*iii*)	(*ii*)	(*i*)
C.	(*iv*)	(*iii*)	(*i*)	(*ii*)
D.	(*ii*)	(*iv*)	(*i*)	(*iii*)

32. हिक्स व्यापार चक्र सिद्धान्त की व्याख्या करने के लिए दिए गए मानक आरेख में यदि एम.पी.सी. तथा त्वरक का वास्तविक मूल्य क्षेत्र C में पड़ता है, तो निम्नांकित में कौन-सा सही होगा?

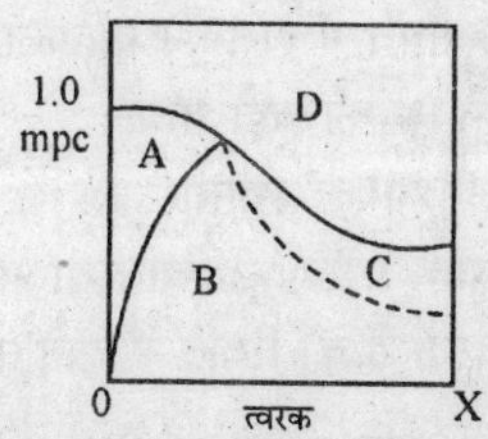

A. घट-बढ़ होगा (चक्रीय उतार-चढ़ाव)
B. स्फोटी उर्ध्वगामी संचलन होगा।
C. सतत वृद्धि होगी।
D. (B) और (C) दोनों संभव हैं।

33. संवृद्धि के हैरोड मॉडल में निम्नांकित में से कौन उत्पादन फलन मॉडल की मान्यताओं के सर्वाधिक अनुरूप है?

A. लियॉनटीफ उत्पादन फलन
B. समांगी उत्पादन फलन
C. सी.ई.एस. उत्पादन फलन
D. सुआचरणित उत्पादन फलन

34. निम्नांकित कॉब-डगलस उत्पादन फलन में $Q = AL^{\alpha} K^{\beta}$, यदि $\alpha + \beta > 1$, तो श्रम का हिस्सा होगा :

A. α

B. $\frac{\beta}{\alpha+\beta}$

C. $\frac{\alpha}{\alpha+\beta}$

D. $\frac{\alpha-\beta}{\alpha+\beta}$

35. नवीन केन्सवादी अर्थशास्त्र आर्थिक एजेंटों द्वारा नीति परिवर्तन की पूर्ण अनुकूलनता के संबंध में निम्नांकित में किस विचारधारा को चुनौती देता है?

A. नवीन क्लासिकीय अर्थशास्त्र

B. नव केन्सवादी

C. मुद्रावादी

D. उपर्युक्त (A) और (B) दोनों

36. निम्नांकित में से किसने योजना के 'मजदूरी-वस्तु मॉडल' का प्रतिपादन किया?

A. ए.के. सेन

B. पी.सी. महलनोबिस

C. आर. नर्क्से

D. सी.एन. वकील एवं पी.आर. ब्रह्मानंद

37. ए.के. मॉडल की एक महत्वपूर्ण विशेषता है

A. पूँजी के संबंध में ह्रासमान प्रतिफल की अनुपस्थिति

B. स्वतः निवेश की बड़ी मात्रा

C. नियंत्रित आर्थिक प्रणाली

D. अपेक्षाकृत गरीब अर्थव्यवस्थाओं की विकसित अर्थव्यवस्थाओं की स्थिति में आने की उच्च संभावना

38. संवृद्धि के पैसिनैटि मॉडल में किन चरों की अंतःक्रिया महत्वपूर्ण है?

A. लाभ दर, आर्थिक संवृद्धि, बचत

B. लाभ दर, आय का वितरण और आर्थिक संवृद्धि

C. लाभ दर, स्वतः निवेश तथा आर्थिक संवृद्धि

D. बचत, निवेश और प्रौद्योगिकी

39. लाभ दर के कार्ल मार्क्स के सिद्धांत के संबंध में निम्नांकित कथनों पर विचार करें :

I. लाभ दर पूँजी की जैविक संरचना के मूल्य पर प्रत्यक्षतः निर्भर करती है।

II. लाभ दर शोषण की दर के मूल्य पर प्रत्यक्षतः निर्भर करती है।

उपरोक्त में से कौन-से कथन सही हैं? नीचे दिए गए कूटों से सही उत्तर का चयन करें :

कूट :

A. I और II दोनों सही हैं।

B. I और II में से कोई भी सही नहीं है।

C. केवल I सही है।

D. केवल II सही है।

40. निम्नांकित में से कौन सही सुमेलित नहीं है?

	अर्थशास्त्री		**विषय**
A.	एडम स्मिथ	–	बाजार का आकार
B.	जे.बी. से	–	पूर्ति और माँग में संतुलन
C.	टी.आर. माल्थस	–	अति उत्पादन की स्थिति
D.	डी. रिकार्डो	–	कृषि का आधुनिकीकरण

41. त्रिभुज (ट्राइंगल) मॉडल के संबंध में निम्नलिखित में से कौन-से कथन सही हैं?

I. यह नवीन केंसवादी अर्थशास्त्रियों द्वारा विकसित मॉडल है।

II. इस विश्लेषण में 'अन्तः निहित मुद्रास्फीति' को शामिल किया जाता है।

उपर्युक्त में से कौन-से कथन सही हैं? नीचे दिए गए कूट से उत्तर दें :

कूट :

A. I और II

B. कोई नहीं

C. केवल I

D. केवल II

42. एशियाई विकास बैंक के संदर्भ में निम्नांकित कथनों पर विचार करें :

I. मतदान प्रणाली के लिए अमेरिका के पास अधिकतम हिस्सा है।

II. मतदान प्रणाली के लिए चीन और भारत के पास शेयरों का प्रतिशत समान है।

उपर्युक्त कथनों में कौन सही हैं?

कूट :

A. केवल I

B. केवल II

C. I और II दोनों

D. I और II में से कोई भी नहीं

43. निम्नांकित में से कौन विदेशी प्रत्यक्ष निवेश होगा?

A. लक्ष्यांकित देश में किसी कंपनी को खरीदना

B. उस देश में विद्यमान व्यवसाय के कार्यों का विस्तार

C. पूँजी बाजार में कंपनियों के शेयरों तथा स्टॉकों में निवेश करना

D. (A) और (B) दोनों

44. विकासशील देशों में अंतर्राष्ट्रीय विकास अभिकरण द्वारा नीचे दिए गए किन क्षेत्रों में मुख्यतया निधिपोषण किया जाता है?

I. अवसंरचना

II. शिक्षा

III. पर्यावरण अनुकूल परियोजनाएँ

IV. स्वास्थ्य परिचर्या

नीचे दिए गए कूटों का उपयोग कर सही उत्तर का चयन करें :

कूट :

A. I, II और IV　　B. I, II और III

C. I, III और IV　　D. उपर्युक्त सभी

45. जब दो अथवा अधिक देश अपने मध्य व्यापार को बढ़ावा देने के लिए आयात अभ्यांश (कोटा) तथा प्रशुल्क समाप्त करने के लिए समझौता करते हैं, तो इस प्रकार के देशों के समूह के गठन को कहा जाता है

A. मुक्त व्यापार क्षेत्र　　B. सीमाशुल्क संघ

C. साझा बाजार　　D. B और C दोनों

46. निम्नांकित में से कौन किसी देश की मुद्रा के वास्तविक प्रभावी विनिमय दर के बारे में सही है?

A. यह लेनदेन वाली मुद्राओं के मूल्य का भारित औसत है।

B. यह कीमतों की मुद्रास्फीति दर के लिए समायोजित होता है।

C. यह कीमतों की मुद्रास्फीति के लिए समायोजित नहीं होता है।

D. (A) और (B) दोनों सही हैं।

47. वर्ष 2015 के दौरान कच्चे तेल की कीमतों में लगातार गिरावट के दौरान निम्नांकित में से कौन ओपेक देशों द्वारा मूल्य निर्धारण रणनीति की सर्वोत्तम व्याख्या करता है?

A. अंतरण मूल्य निर्धारण

B. आक्रामक (प्रिडेटरी) मूल्य निर्धारण

C. रक्षात्मक मूल्य निर्धारण

D. लाभ अधिकतम करने वाला मूल्य

48. व्यापार की व्याख्या करने के लिए गुरुत्वाकर्षण मॉडल के संबंध में निम्नांकित में से कौन-से कथन सही हैं?

I. इसका उपयोग द्विपक्षीय संदर्भ में किया जाता है?

II. इसे जैन टिंबरजन द्वारा 1962 में विकसित किया गया था।

III. यह व्यापार करने वाले देशों के बीच दूरी को शामिल करता है।

नीचे दिए गए कूटों से सही उत्तर का चयन करें :

कूट :

A. II और III सही हैं।

B. केवल I और III सही हैं।

C. केवल II सही है।

D. उपर्युक्त सभी कथन सही हैं।

49. यदि व्यापार करने वाले देशों के प्रस्ताव वक्र स्थिर ढाल वाले हैं, तो उनके बीच व्यापार की शर्तें होंगी :

A. स्थिर　　B. घटती हुई

C. बढ़ती हुई　　D. अनिश्चित

50. भारतीय अर्थव्यवस्था के संदर्भ में निम्नांकित में से कौन-सा विकल्प विदेशी मुद्रा भंडार की संरचना की सही व्याख्या करता है?

A. विदेशी मुद्रा + विश्व बैंक से ऋण + एस.डी.आर. + भारतीय रिजर्व बैंक की स्वर्ण धारिता

B. विदेशी मुद्रा आस्तियाँ + भारतीय रिजर्व बैंक की स्वर्ण धारिता + विदेशी प्रत्यक्ष निवेश

C. एस.डी.आर. + भारतीय रिजर्व बैंक की स्वर्ण धारिता + विदेशी मुद्रा आस्तियाँ

D. अनिवासी भारतीयों द्वारा प्रेषण + किसी वर्ष में निर्यात अर्जन + अंतर्राष्ट्रीय मुद्रा कोष से ऋण

51. निम्नांकित में कौन किसी व्यक्ति के माँग आधिक्य फलन के लिए सही है?

A. सभी कीमतों में शून्य कोटि समांग

B. ये वालरा के नियम का अनुपालन करते हैं।

C. (A) और (B) दोनों सही हैं।

D. (A) और (B) में कोई भी सही नहीं है।

52. निम्नांकित में से कौन एकाधिकार की मात्रा की माप करता है? नीचे दिए गए संकेताक्षरों के अर्थ सामान्य है।

A. $\dfrac{AR - MR}{AR}$

B. $\dfrac{AR}{AR - MR}$

C. $\dfrac{MR}{AR - MR}$

D. $\dfrac{AR - MR}{MR}$

53. कोई फर्म इष्टतम आकार की होगी जबकि

A. सीमांत लागत न्यूनतम है।

B. औसत लागत न्यूनतम है।

C. सीमांत लागत सीमांत राजस्व के बराबर है।

D. फर्म द्वारा अपने उत्पादन को अधिकतम किया जाता है।

54. ब्याज का समय अधिमान सिद्धांत किसके द्वारा विकसित किया गया?

A. विक्सेल B. बॉम बॉवर्क

C. इरविंग फिशर D. जे.एम. केन्स

55. सामान्य संतुलन के ऐरो-डेब्रू मॉडल के बारे में निम्नांकित में कौन-से कथन सही हैं?

A. वस्तुओं की पहचान वहाँ की जाती है जहाँ उन्हें दिया जाना है।

B. वस्तुओं की पहचान उस समय की जाती है जब उन्हें दिया जाना होता है।

C. (A) और (B) दोनों

D. उपर्युक्त में से कोई नहीं

56. यदि किसी वस्तु पर बिक्री कर में वृद्धि की जाती है, किंतु इसकी बिक्री से प्राप्त होने वाले राजस्व में तेजी से कमी आती है, तो इस वस्तु की प्रकृति के बारे में निम्नांकित में से कौन-सा कथन सही है?

A. इसके लिए माँग की मूल्य लोच इकाई के बराबर होती है।

B. यह एक आवश्यक वस्तु होगी।

C. इसके लिए माँग की मूल्य लोच उच्च है।

D. इसके लिए माँग की मूल्य लोच निम्न है।

57.

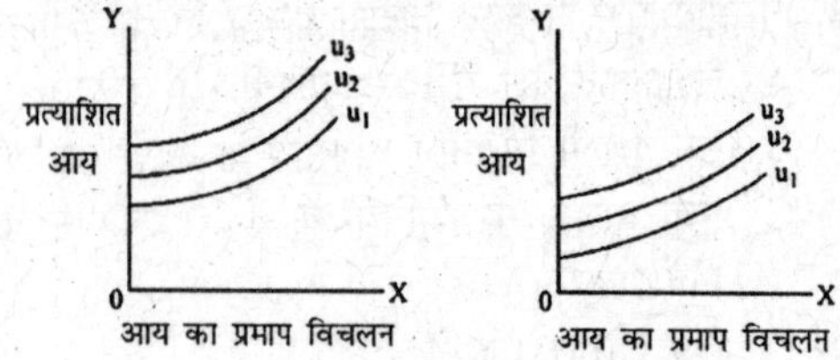

A B

उपर्युक्त आरेख में दो व्यक्तियों का जोखिम विमुख व्यवहार को अनधिमान वक्र की सहायता से दिखाया गया है। तब आरेखों का अध्ययन कर सही उत्तर लिखें :

A. A अधिक जोखिम विमुख है।

B. B अधिक जोखिम विमुख है।

C. A और B दोनों समान जोखिम विमुख हैं।

D. इनके मध्य जोखिम विमुखता अनिर्धारित है।

58. एकाधिकारी प्रतियोगिता की आवश्यक शर्तों में से एक निम्नांकित है :

A. समरूप उत्पाद

B. उत्पाद विभिन्नता

C. मूल्य विभेद

D. अनेक क्रेता किंतु एक विक्रेता

59. कूर्नो मॉडल का तार्किक विस्तार है

A. बर्टेण्ड मॉडल

B. स्टैकलबर्ग मॉडल

C. स्वीजी मॉडल

D. उपर्युक्त में से कोई नहीं

60. कृषि वस्तुओं के लिए न्यूनतम समर्थन मूल्यों का निर्धारण किस निकाय की सिफारिशों को ध्यान में रखते हुए किया जाता है?

A. कृषि मंत्रालय

B. खाद्य प्रसंस्करण मंत्रालय

C. नीति आयोग

D. कृषि मूल्य एवं लागत आयोग (सीएसीपी)

61. कृषि के विविधीकरण से आशय है :

A. फसल सघनता में वृद्धि।

B. कृषि से श्रमिकों को अन्य क्षेत्रों में विस्थापित करना।

C. कुटीर एवं ग्रामीण उद्योगों को बढ़ावा देना।

D. फसल पैटर्न को उद्यान कृषि तथा पुष्पकृषि फसलों के पक्ष में बदलना।

62. निम्नांकित में से कौन योजना राष्ट्रीय कृषि विकास योजना (आर.के.वी.वाई.) में शामिल नहीं है?

A. राष्ट्रीय प्रोटीन संपूरण मिशन

B. केसर कृषि मिशन

C. त्वरित चारा विकास कार्यक्रम

D. उपर्युक्त सभी

63. अभिकथन (A) : भारत में कृषि उत्पादकता काफी कम है।

कारण (R) : भारत में जनसंख्या वृद्धि की दर उच्च है।

नीचे दिए गए कूटों से सही उत्तर का चयन करें :

कूट :

A. (A) और (R) दोनों सही हैं और (R), (A) की सही व्याख्या है।

B. (A) और (R) दोनों सही हैं, परन्तु (R), (A) की सही व्याख्या नहीं है।

C. (A) सही है, किंतु (R) गलत है।

D. (A) गलत है, किंतु (R) सही है।

64. निम्नांकित में किस अंतराल में कृषि संगणना की जाती है?

A. प्रति वर्ष

B. 3 वर्षों में एक बार

C. 5 वर्षों में एक बार

D. 10 वर्षों में एक बार

65. भारत में (1987-88) में शहरी उपभोक्ताओं एवं ग्रामीण उपभोक्ताओं के लिए कुल व्यय में खाद्य व्यय का हिस्सा क्रमशः 56% तथा 64% था जो (2009-10) में घटकर क्रमशः 41% तथा 54% हो गया। निम्नांकित में किसके द्वारा इसकी उपयुक्त रूप से व्याख्या हो सकती है?

A. खाद्य उत्पादन में कमी।

B. उपभोक्ताओं की क्रय शक्ति में कमी।

C. एंजेल के नियम का लागू होना।

D. ह्रासमान सीमांत उपयोगिताा के नियम का लागू होना।

66. माँग फलन $P = 15 - 2X - X^2$ के लिए $X = 2$ पर उपभोक्ता अधिशेष क्या है?

A. 6   B. 28/3

C. 7/4   D. 11/3

67. सी.ई.एस. उत्पादन फलन $y = \left[a_1 x_1^{\rho} + a_2 x_2^{\rho}\right]^{\frac{1}{\rho}}$ दिया गया है, तो कारकों के-बीच प्रतिस्थापन की लोच होगी :

A. 1   B. ρ

C. $\frac{1}{\rho}$ D. $\frac{1}{1-\rho}$

68.

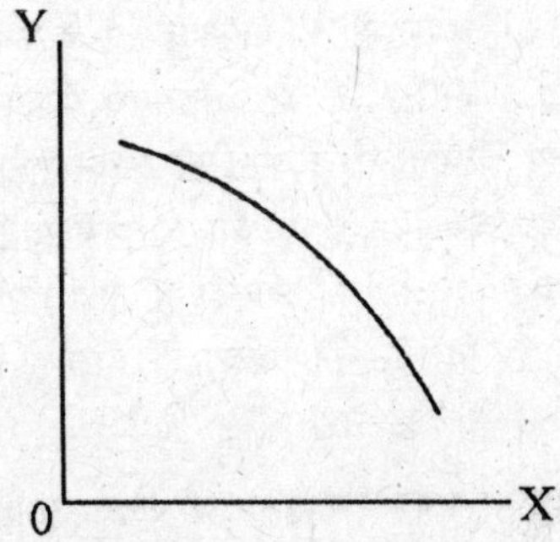

दिए गए आरेख के लिए निम्नांकित में से कौन अवकलनों के पदों में सही वर्णन है?

A. $\frac{dy}{dx} > 0; \frac{d^2y}{dx^2} < 0$

B. $\frac{dy}{dx} < 0; \frac{d^2y}{dx^2} < 0$

C. $\frac{dy}{dx} > 0; \frac{d^2y}{dx^2} > 0$

D. $\frac{dy}{dx} < 0; \frac{d^2y}{dx^2} > 0$

69. किसी रैखिक प्रोग्रामन समस्या के इष्टतम समाधान के लिए निम्नांकित में कौन सही है?

A. अशून्य मूल्य वाले न्यूनतापूरक चरों की संख्या बाध्यताओं की संख्या के बराबर है।

B. अशून्य मूल्य वाले चरों (न्यूनतापूरक सहित) की संख्या बाध्यताओं की संख्या के बिल्कुल समान होती है।

C. अशून्य मूल्य वाले न्यूनतापूरक चरों की संख्या बद्ध बाध्यताओं के बराबर होती है।

D. अशून्य मूल्य वाले चरों की संख्या अबद्ध बाध्यताओं के बराबर होती है।

70. यदि किसी अर्थव्यवस्था के लिए लक्ष्यों को अंतिम माँग सदिश F के रूप में निश्चित किया जाता है, तब आगत-निर्गत विश्लेषण के रूप में निर्गत सदिश X का अनुरूपी स्तर निम्नांकित में किसके अनुसार निर्धारित किया जाएगा?

A. $A + F = X$ B. $AX - F = X$
C. $(I - A)^{-1} F = X$ D. $(1 - A) F = X$

71. किसी द्विचर समाश्रयण में Y आश्रित चर है और X स्वतंत्र चर है। Y और X के बीच सहसंबंध गुणांक 0.8 है। इसके लिए निम्नांकित में कौन-सा कथन सही है?

A. Y में 8% विचलन की व्याख्या X द्वारा होती है।
B. Y में 64% विचलन की व्याख्या X द्वारा होती है।
C. Y में 0.8% विचलन की व्याख्या X द्वारा होती है।
D. उपर्युक्त में से कोई नहीं

72. यदि किसी युगपत समीकरण समूह के प्रत्येक समीकरण के लिए ओ.एल.एस. का प्रयोग पृथक् रूप से प्रत्येक समीकरण के लिए किया जाता है, तो प्राक्कलक प्राप्त होंगे :

A. अनभिनत और संगत B. अभिनत और संगत
C. अभिनत और असंगत D. अनभिनत और असंगत

73. सामान्य रैखिक मॉडल में प्राचलों के प्राक्कलन के लिए सामान्यीकृत न्यूनतम वर्ग विधि किस समस्या का समाधान करने के लिए है?

(*i*) मापन त्रुटि
(*ii*) स्वः सहसंबंध त्रुटियाँ
(*iii*) बहुसरेखता
(*iv*) विषमविसारिता

नीचे दिए गए कूटों से सही उत्तर का चयन करें :

A. (*i*), (*ii*), (*iii*), (*iv*) B. (*i*), (*iii*), (*iv*)
C. (*ii*), (*iv*) D. (*i*), (*iii*)

74. निम्नांकित को सुमेलित करें तथा नीचे दिए गए कूटों से सही उत्तर का चयन करें :

सूची-I	सूची-II
(*a*) गोल्डफेल्ड-क्वान्ट परीक्षण	(*i*) चरों में त्रुटि
(*b*) डरबिन-वाटसन परीक्षण	(*ii*) विषमसारिता
(*c*) फैरर-ग्लोबर परीक्षण	(*iii*) स्वः सहसंबंध
(*d*) वाल्ड-बार्टलेट विधि	(*iv*) बहुसरेखता

कूट :

	(*a*)	(*b*)	(*c*)	(*d*)
A.	(*iv*)	(*ii*)	(*iii*)	(*i*)
B.	(*iii*)	(*i*)	(*ii*)	(*iv*)
C.	(*i*)	(*iii*)	(*iv*)	(*ii*)
D.	(*ii*)	(*iii*)	(*iv*)	(*i*)

75. मानक निरूपण का उपयोग करते हुए समीकरणों की निम्नांकित प्रणाली पर विचार करें :

$$Y_1 = \alpha_0 + \alpha_1 Y_2 + \alpha_3 Y_3 + \alpha_4 X_1 + \alpha_5 X_2 + u_1$$
$$Y_2 = \beta_0 + \beta_1 Y_3 + \beta_2 Y_1 + \beta_3 X_2 + u_2$$
$$Y_3 = \gamma_0 + \gamma_1 X_1 + \gamma_2 X_2 + \gamma_3 X_3 + u_3$$

क्रम शर्तों के अनुसार दूसरा समीकरण है :

A. अ-अभिनिर्धारित
B. सही अभिनिर्धारित
C. अति अभिनिर्धारित
D. अपूर्ण सूचना के कारण अभिनिर्धारण का अनुमान करना संभव नहीं है।

उत्तरमाला

1	2	3	4	5	6	7	8	9	10
C	B	B	D	D	A	C	C	C	D
11	**12**	**13**	**14**	**15**	**16**	**17**	**18**	**19**	**20**
D	C	D	B	A	A	B	C	B	C
21	**22**	**23**	**24**	**25**	**26**	**27**	**28**	**29**	**30**
A	D	D	C	D	C	B	D	D	A
31	**32**	**33**	**34**	**35**	**36**	**37**	**38**	**39**	**40**
B	A	A	C	A	D	A	B	D	D

41	42	43	44	45	46	47	48	49	50
A	D	D	A	A	D	C	D	D	C
51	52	53	54	55	56	57	58	59	60
C	A	B	C	C	C	A	B	B	D
61	62	63	64	65	66	67	68	69	70
D	*	B	C	C	B	D	B	B	C
71	72	73	74	75					
B	C	C	D	B					

व्याख्यात्मक उत्तर

1. जनसांख्यिकीय लाभांश की अवधारणा मूल रूप से आर्थिक वृद्धि में लाभ का संकेत देता है जो जनसंख्या में बच्चों और उम्रदराजों की तुलना में कामकाजी उम्र के लोगों की हिस्सेदारी में वृद्धि जिन्हें गैर-कामकाजी आबादी का एक हिस्सा माना जाता है, का परिणाम होता है। ऐसी स्थिति तब उभरती है जब एक देश को प्रजनन क्षमता में तेजी से गिरावट का अनुभव होता है और परिणामस्वरूप बच्चों की जनसंख्या में गिरावट का मार्ग प्रशस्त होता है। सीधे शब्दों में कहें, तो जनसांख्यिकीय लाभांश तब उत्पन्न होता है जब गिरता हुआ जन्म दर उम्र वितरण को परावर्तित कर देता है, ताकि रोजगार और संसाधनों के द्वारा सबसे कम उम्र की आयु समूहों को प्राप्त करता है जो आर्थिक विकास में निवेश और परिवार कल्याण के लिए मुक्त किया जाता है। प्रजनन क्षमता में गिरावट इंगित करती है कि देश जनसांख्यिकीय लाभांश का सामना कर रहा है। भारत के पास विश्व का सबसे युवा कार्यबल मौजूद है जो जनसांख्यिकीय लाभांश से जोड़ता है। इस प्रकार, भारत में जनसांख्यिकीय लाभांश न केवल उत्पादन संभावना सीमा का विस्तार करने के लिए बल्कि भारत और विश्व के कुशल जनशक्ति की आवश्यकताओं को पूरा करने के लिए उपयोग किया जाना चाहिए।

2. सामान्य प्रजनन दर प्रजनन उम्र के प्रति 1000 महिलाओं की जन्म संख्या है। जन्म दर की गणना के लिए कुल आबादी के बजाय महिलाओं की प्रसव उम्र की संख्या को आधार के रूप में लिया जाता है। यह विधि सीबीआर पर एक सुधार है, क्योंकि यह लेखा में प्रजनन आयु समूह में केवल जनसंख्या लेता है अर्थात् केवल 15-19 आयुवर्ग की महिलाएँ, अतः ये केवल वे महिलाएँ हैं जो बच्चे पैदा कर सकती हैं। बॉग (1969) ने सामान्य प्रजनन दर को इस रूप में परिभाषित किया है कि 'प्रजनन करने वाली प्रति 1000 महिलाओं द्वारा एक वर्ष में जन्मों की संख्या।'

बर्कले के अनुसार, सामान्य प्रजनन दर अथवा सामान्य प्रजनन अनुपात कुल वार्षिक पंजीकृत जन्मों का वह अनुपात है जो प्रजनन उम्र की महिलाओं की जनसंख्या से संबद्ध है।

6. कोज प्रमेय : कोज का तर्क है कि बाहरी कारकों की समस्याओं का निजी समाधान को संभव बनाने हेतु कोज प्रमेय में अभिव्यक्त किया गया है। यदि लेन-देन की लागत कम है, तो बाहरी कारकों की समस्या का दक्ष समाधान निजी सौदेबाजी का परिणाम हे। कम लेन-देन की लागत के अलावा, बाहरी कारकों का निजी समाधान तभी उत्पन्न होगा यदि बाहरी कारकों से संबंधित लागत और लाभ के बारे में सूचना करार करने वाले सभी पक्षकारों को हो और सभी पक्षकार एक उचित सगझौते को स्वीकार करने के लिए तैयार हों। उदाहरण के लिए, यदि वे जो प्रदूषण के प्रभाव से त्रस्त हैं, उन्हें प्रदूषण को कम करने की लागत से संबंधित जानकारी नहीं है। यह असंभाव्य है कि पक्षकार समझौते पर पहुँच सके। अनुचित माँग भी एक समझौते को बाधा पहुँचा सकते हैं।

11. M_3 मुद्रा आपूर्ति की व्यापक अवधारणा है। इसमें मुद्रा आपूर्ति के अलावा बैंक का शुद्ध सावधि जमा शामिल है, M_1.

$M_3 = M_1 + TD$ (शुद्ध)

जहाँ, TD = बैंक में सावधि जमा

यह सावधि जमाओं के उपयोग का मापन है यद्यपि चेक के माध्यम से सावधि जमा को निकाला नहीं जा सकता है लेकिन बैंकों से आसानीपूर्वक इन जमाओं के एवज में ऋण लिया जा सकता है। इसके अलावा इन्हें किसी भी समय पूर्ववर्ती कुछ ब्याज जो उन पर लगाए गए हों, के द्वारा निकाला जा सकता है। मुद्रा आपूर्ति की लोकप्रिय माप M_3 बन चुकी है। इसे 'समाज के समग्र आर्थिक संसाधनों' के रूप में जाना जाता है।

12. हेज एक अनुबंध है जो विदेशी विनिमय दरों में बदलाव से नुकसान के जोखिम के खिलाफ सुरक्षा प्रदान करता है।

14. **वैधानिक तरलता अनुपात :** SLR (वैधानिक तरलता अनुपात) बैंक की शुद्ध माँग और देयताओं (NDTL) का अनुपात है जिसे कतिपय निर्दिष्ट परिसंपत्तियों में निवेश के रूप में बनाए रखने के लिए किया गया है। ये परिसंपत्तियाँ नकद, कीमती धातु और सरकार द्वारा स्वीकृत प्रतिभूतियाँ जैसे बॉन्ड्स हैं। SLR बैंकिंग विनियम अधिनियम की धारा 24 के प्रावधानों द्वारा शासित होता है। SLR पर कोई न्यूनतम शर्त नहीं है (पूर्व में SLR का 25% न्यूनतम शर्त के रूप में प्रचलन में था लेकिन बैंकिंग विनियमन अधिनियम में संशोधन कर सन् 2007 में इसे हटा दिया गया) हालांकि, SLR, 40% से अधिक नहीं हो सकता।

15. आर.बी.आई. गवर्नर डॉ. रघुराम राजन ने 12 सितम्बर, 2013 को आर.बी.आई. के डिप्टी गवर्नर डॉ. ऊर्जित पटेल की अध्यक्षता में एक कमिटी गठित की। अपने सुझाव में समिति ने सिफारिश की कि एक नया उपभोक्ता मूल्य सूचकांक (सी.पी.आई.) भारतीय रिजर्व बैंक (आर.बी.आई.) द्वारा अपनाया जाना चाहिए। जिसका उद्देश्य सेंट्रल बैंक द्वारा निर्धारित विशेषज्ञ पैनल द्वारा 21 जनवरी, 2014 को अनुशंसित मौद्रिक नीति को आश्रय दिया जा सके। समिति ने मुद्रास्फीति लक्ष्य 2 प्रतिशत प्लस/माइनस बंधन के साथ 4 प्रतिशत रखा। समिति ने अपनी अनुशंसा में यह सुझाव भी दिया कि मौद्रिक नीति से संबंधित निर्णय मौद्रिक नीति समिति (एम.पी.सी.) के हाथ में रहेंगे जिसकी अध्यक्षता गवर्नर करेंगे।

19. इंफ्रास्ट्रक्चर बॉटूलनेक्स भारतीय अर्थव्यवस्था में वास्तविक संभावित वृद्धि को साकार करने में बाधा उत्पन्न करता है। यह बात कई बार अलग-अलग समय पर विशेषज्ञों द्वारा कही गईं और सरकारों द्वारा भी महसूस की गईं। वर्तमान समय तथा भविष्य के लिए इंफ्रास्ट्रक्चर के विकास में सहायता की आवश्यकता हेतु भारी निवेश एक अत्यंत कठिन कार्य रहा है। इंफ्रास्ट्रक्चर हेतु वित्त पोषण की आवश्यकता को ध्यान में रखते हुए, दिसम्बर 2006 में वित्त मंत्रालय ने एक समिति दीपक पारेख की अध्यक्षता में गठित की जिसका उद्देश्य इंफ्रास्ट्रक्चर के वित्तपोषण के लिए पहचान करना और सुझाव देना था। समिति ने अपना प्रतिवेदन मई 2007 में सौंपा। समिति की प्रमुख सिफारिशें इस प्रकार हैं :

(*i*) घरेलू बचत की वित्तीय मध्यस्थता में इंफ्रास्ट्रक्चर निवेश (जैसे–जोखिम, अवधि और पैमाना के रूप में) में सुधार।

(*ii*) विदेशी बचत को लक्षित उपयोग की सुविधा।

20. **औद्योगिक और वित्तीय विनिर्माण बोर्ड :** जनवरी 1987 में इस बोर्ड (BIFR) का गठन रुग्ण औद्योगिक कंपनियाँ (विशेष प्रावधान) कानून, 1985 के अधीन किया गया। 15 मई, 1987 से यह बोर्ड चालू हो गया। बोर्ड में 7 सदस्य थे। 1991 के अंत में, इसके दायरे में सार्वजनिक क्षेत्र के उद्यमों को लाया गया। प्रबंधन के हिस्से के रूप में यह अनिवार्य है कि एक रुग्ण इकाई को रुग्णता के विषय में सूचना दे। तब बोर्ड इसकी जाँच करेगा। अगर रुग्ण पाया गया तो वह–

(*a*) प्रबंधन अथवा विक्रय या पट्टे का एक भाग अथवा पूरी इकाई को बदलेगी।

(*b*) विलय या एकीकरण ध्वनि इकाई के साथ माप लेगी।

(*c*) रुग्ण इकाई को खुद समस्याओं से उबरने के लिए समय देगी।

22. 14वें वित्त आयोग ने पारिस्थितिकी के संतुलित प्रबंधन की आवश्यकता, पर्यावरण और चिरस्थाई आर्थिक विकास के साथ सुसंगत जलवायु परिवर्तन पर उचित ध्यान दिया है। इस प्रकार, वन आच्छादन एक कारक के रूप में शामिल किया गया है जिसका कार्य क्षैतिज स्थानांतरण का निर्णय करना है।

24. भारत में गरीबी की सीमा को मापने के लिए विभिन्न अर्थशास्त्रियों और संस्थानों द्वारा अनेक अध्ययन व आकलन किया गया। प्रारंभिक आकलन पी.डी. ओझा, एम.एस. अहलुवालिया, बी.एस. मिन्हास, पी.के. वर्धन, दांडेकर और रथ आदि द्वारा किया गया।

ये आकलन अलग-अलग समय में 1956-57 से 1973-74 की अवधि में किए गए। भारत में गरीबों का प्रतिशत अलग-अलग आकलन में अलग-अलग होता है। बी.एस. मिन्हास ने 1956-57 और 1964-65 के दौरान आकलन प्रदर्शित किया जिसमें MS की तुलना में गरीबों की उच्च प्रतिशत दिखाया गया। अहलुवालिया ने उसी अवधि के लिए आकलन किया था। यह अलग कार्य प्रणाली और अलग आकलन में प्रयोग सैम्पल की वजह से है।

27. सोलो (1956) का प्रतिष्ठित नवक्लासकीय संवृद्धि मॉडल धनी और गरीब देशों के सम्मिलन का केन्द्र है जिसमें पूँजी की सीमांत रिटर्न का गिरना केन्द्रीय तंत्र है। सोलो के संवृद्धि मॉडल का तंत्र पुनरुत्पादनीय पूंजी का ह्रासमान रिटर्न है। एक गरीब देश की पहचान कम पूंजी/श्रम अनुपात के रूप में की जाती है जिसके पास उच्च पूंजी की उच्च सीमांत उत्पादकता होती है और इस तरह एक उच्च तीव्रता और पूंजी की कम सीमांत उत्पादकता के साथ अमीर देशों की तुलना में उच्च दर के साथ बढ़ती है। इसके अलावा पूंजी की अमीर से गरीब की ओर स्थानांतरित होने की प्रवृत्ति होती है और जिससे अभिसरण की प्रक्रिया में तेजी आती है।

30. फ्रांसीसी अर्थशास्त्री थॉमस पिकेटी की पुस्तक 'कैपिटल इन द ट्वेन्टी फर्स्ट सेंचुरी' है। यह पुस्तक 18वीं शताब्दी के दौरान यूरोप और संयुक्त राज्य अमेरिका में धन और आय असमानता से संबद्ध है। यह प्रारंभ में अगस्त, 2013 को फ्रेंच में प्रकाशित किया गया। तदोपरांत आर्थर गोल्डहैमर द्वारा अप्रैल 2014 में अंग्रेजी रूपांतरण किया गया।

पुस्तक का केन्द्रीय शोध है—दीर्घकालीन स्थिति में आर्थिक विकास की दर (g) से पूंजी पर रिटर्न की दर (r) बड़ी होती है। धन और धन का असमान वितरण के कारण सामाजिक और आर्थिक अस्थिरता इसका परिणाम है। पिकेटी ने प्रगतिशील धनकरों के एक वैश्विक प्रणाली का प्रस्ताव दिया है। जिसका उद्देश्य असमानता को घटाना और एक छोटे अल्पसंख्यक के अधीन आने वाले विपुल धन की अनदेखी करना है।

33. सन् 1939 में रॉय एफ. हैरोड (1900-1978) और 1946 में इवसे डोमर (1914-1997) ने निवेश, रोजगार और विकास के संबंधों के विश्लेषण करने का प्रयास किया। उन्होंने गतिशील प्रभाव को मान्यता प्रदान किया कि एक उच्च रोजगार दर आय और बचत के माध्यम से पूंजी पर है और विकसित मॉडल जहाँ ये गतिकी उत्पादन के संसाधनों का न्यूनतम उपयोग की ओर उन्मुख होते हैं। हैरोड और मॉडल हैं : लियॉनटीफ कुल उत्पादन फलन, कोई तकनीकी प्रगति नहीं, और एक निरंतर बचत दर।

34. कॉब-डगलस उत्पादन फलन में, α और β मानदंड कुल उत्पादन में श्रम और पूंजी के हिस्से को मापता है, यदि सीमांत उत्पादकता की शर्तें लागू होती हैं।

37. **ए.के. मॉडल :** अंतर्जात-विकास मॉडल के इस वर्ग की कुंजी संपत्ति पूंजी के संबंध में ह्रासमान प्रतिफल की अनुपस्थिति है। बिना रिटर्न ह्रासमान के उत्पादन फलन का सरलतम संस्करण AK फलन है :

$$Y = AK$$

जहाँ A एक सकारात्मक नियतांक है जो प्रौद्योगिकी के स्तर को दर्शाता है। ह्रासमान प्रतिफल की वैश्विक अनुपस्थिति अवास्तविक दिखती है, लेकिन अवधारणा अधिक प्रशंसकीय बन जाती है यदि हम व्यापक अर्थ में K के बारे में मानव पूंजी के विषय में सोचते हैं।

38. संवृद्धि और वितरण के सिद्धांत के विशेषज्ञ पैसिनेटि ने केल्डोर के मॉडल में यह दिखाते हुए सुधार और सामान्यीकरण किया कि यहां तक कि कार्मिकों द्वारा बचत की अनुपस्थिति में, अर्थव्यवस्था में लाभ की दर केवल संवृद्धि दर पर और पूंजीपतियों की 'बचाने की प्रवृत्ति' (1962) पर निर्भर करता है : पैसिनेटि प्रमेय के रूप में क्या वर्णन किया गया अथवा नया कैम्ब्रिज समीकरण के विषय में क्या वर्णित था। इस प्रकार, पैसिनेटि ने पूंजी संचय, लाभ की दर और आय वितरण

के बीच कड़ाई से लिंक का सूत्रीकरण किया, क्लासिक्स द्वारा प्रकाश में लाया गया। बाद के कार्यों में, उसने (अर्थव्यवस्था (1981) के) संरचनात्मक परिवर्तन के अध्ययन के साथ संयोजन के द्वारा अपने संवृद्धि के विश्लेषण को विस्तृत किया। इस तरह के ऊर्ध्वाधर एकीकरण (1973) के रूप में यह कार्य करने के क्रम में उसने विश्लेषण की नई तकनीक विकसित की।

39. कार्ल मार्क्स के अनुसार, लाभ दर (ROP)

$$\text{ROP} = \frac{\frac{s}{v}}{\frac{c}{v}+1}$$

जहाँ c = नियत पूंजी, s/v = शोषण की दर (अधिशेष-मूल्य की दर), c/v = पूंजी की जैविक संरचना।

इस सूत्र से पता चलता है कि लाभ दर निर्भर करता है (*a*) अधिशेष-मूल्य की दर पर, जिसे मार्क्स ने भी शोषण का दर कहा है क्योंकि यह अवैतनिक और वैतनिक श्रमिकों के संबंध का वर्णन करता है, और (*b*) पूंजी की जैविक संरचना, जो मृत और जीवित श्रमिकों के संबंध को प्रदर्शित करता है, साथ ही स्थिर और चर पूंजी, तथा मशीनरी/संसाधनों एवं श्रम शक्ति को भी प्रदर्शित करता है। लाभ दर सीधे तौर पर अधिशेष मूल्य की दर का आनुपातिक है और पूंजी के जैविक संरचना का व्युत्क्रमानुपाती है।

43. विदेशी प्रत्यक्ष निवेश या तो लक्ष्य देश में एक कंपनी को खरीदने के द्वारा या फिर उस देश में एक मौजूदा व्यवसाय के संचालन के विस्तार के लिए किसी दूसरे देश में स्थित एक कंपनी द्वारा एक देश में उत्पादन में सीधा निवेश है। कई कारणों से विदेशी प्रत्यक्ष निवेश किया जाता है, इनमें शामिल हैं—देश में उपलब्ध सस्ती मजदूरी दर का लाभ उठाने हेतु, विशेष निवेश विशेषाधिकार जैसे कि देश द्वारा दी गई कर छूट इन्सेनटिव के रूप में ताकि क्षेत्र अथवा देश के बाजारों में टैरिफ मुक्त पहुँच हासिल की जा सके। पोर्टफोलियो निवेश के विपरीत विदेशी प्रत्यक्ष निवेश एक निष्क्रिय निवेश है जो अन्य देश के स्टॉक और बॉण्ड के रूप में प्रतिभूति है।

45. मुक्त व्यापार समझौता/मुक्त व्यापार क्षेत्र (FTA) : जब कभी कुछ देश अपने मध्य व्यापार को बढ़ावा देने के लिए आयात अभ्यांश (कोटा) तथा प्रशुल्क समाप्त करने के लिए समझौता करते हैं, तो इस प्रकार के देशों के समूह के गठन को मुक्त व्यापार समझौता/मुक्त व्यापार क्षेत्र कहा जाता है।

- एक मुक्त व्यापार क्षेत्र का उद्देश्य आदान-प्रदान के लिए बाधाओं को कम करना है ताकि व्यापार में वृद्धि हो सके। यह वृद्धि विशेषज्ञता, श्रम विभाजन और सबसे महत्वपूर्ण तुलनात्मक लाभ का परिणाम है।
- एक मुक्त व्यापार समझौता दो देशों के बीच (द्विपक्षीय) अथवा अनेक देशों (बहुपक्षीय) के बीच का समझौता हो सकता है। उदाहरण के लिए, कनाडा-अमेरिका मुक्त व्यापार समझौता अमेरिका और कनाडा के बीच वर्ष 1988 में हस्ताक्षरित हुआ।

46. सांकेतिक और वास्तविक प्रभावी विनिमय दर अनुभवजन्य विश्लेषण की तुलना में द्विपक्षीय विनिमय दर के लिए अधिक सार्थक है।

सांकेतिक वास्तविक प्रभावी विनिमय दर प्रमुख मुद्राओं की तुलना में एक देश की विनिमय दरों का भारित औसत है। न सिर्फ विनिमय दर के कारण अंतर्राष्ट्रीय प्रतिस्पर्धा प्रभावित होती है बल्कि घरेलू और विदेशी मूल्यों के उतार-चढ़ाव के कारण भी।

इस प्रकार, सांकेतिक वास्तविक प्रभावी विनिमय दर का समायोजन मुद्रास्फीति की दर में अंतरों में किया जाता है। इस प्रकार का सूचक वास्तविक प्रभावी विनिमय दर कहलाता है।

50. सामान्यतः विदेशी विनिमय भंडार का निर्माण तीन मदों से होता है : स्वर्ण, SDRs और विदेशी मुद्रा परिसंपत्तियाँ।

51. माँग आधिक्य फलन निम्नलिखित गुणों को दर्शाता है :

1. यह शून्य डिग्री का सजातीय है। $1 > 0$
2. यह निरंतर है।
3. यह वालरा के नियम को पूर्ण करता है।

53. **इष्टतम फर्म :** फर्म का वह आकार जिसमें शुद्ध अर्थव्यवस्था अधिकतम होती है, यही उसका इष्टतम आकार कहलाता है। यदि दी गई परिस्थिति में संगठन की प्रौद्योगिकी और इसके उत्पाद के लिए विपणन न्यूनतम औसत लागत पर अपना माल का उत्पादन कर सकते हैं, तो इसने अधिकतम अर्थव्यवस्था अर्जित किया है जो कि इष्टतम आकार है। एक उद्योग से दूसरे उद्योग के लिए समय-समय पर इष्टतम आकार अलग-अलग होता है।

इष्टतम बिन्दु प्रौद्योगिकी विकास और प्रबंधन विज्ञान में उन्नति के साथ विकसित होने के लिए मार्ग प्रशस्त करता है।

54. ब्याज का समय अधिमान सिद्धांत इरविंग फिशर से संबद्ध है जिसने ब्याज को इस रूप में परिभाषित किया, "भविष्य की आय के एक डॉलर के ऊपर वर्तमान का एक डॉलर के लिए समुदाय की प्राथमिकता का सूचकांक।" इस प्रकार समय वरीयता वह वरीयता है जिसमें आज की एक निश्चित राशि के बजाय भविष्य में समय के एक बिंदु पर होने की वरीयता है।

इस प्रकार, ब्याज वर्तमान में भविष्य की आय का आनंद लेने के लिए की गई भुगतान की कीमत है। इसका निर्धारण "सीमांत समय अधिमान" और "लागत पर सीमांत वापसी" की दरों से होता है। सीमांत समय अधिमान की दर को इच्छा की दर के रूप में भी जाना जाता है जो उधार लेने की इच्छा को दर्शाता है। यदि इच्छा की दर, ब्याज की दर से अधिक है, तो व्यक्ति को उधार लेना होगा और यदि यह ब्याज की दर से कम है, तो व्यक्ति उधार देगा।

लागत पर रिटर्न की दर, छूट की दर है जिस पर वैकल्पिक निवेश के अवसरों के शुद्ध वर्तमान मूल्य बराबर होते हैं।

यदि किसी निवेश के अवसर के लिए लागत पर रिटर्न की दर से ब्याज का बाजार मूल्य अधिक होता है, तो व्यक्ति बाजार दर पर ब्याज देने की तुलना में निवेश करना पसंद करेगा। विपरीत स्थिति में, जब लागत पर रिटर्न की दर बाजार दर के ब्याज से कम है, तो व्यक्ति कम वापसी निवेश करने के बजाय ब्याज के लिए उधार देना पसंद करेंगे।

57.

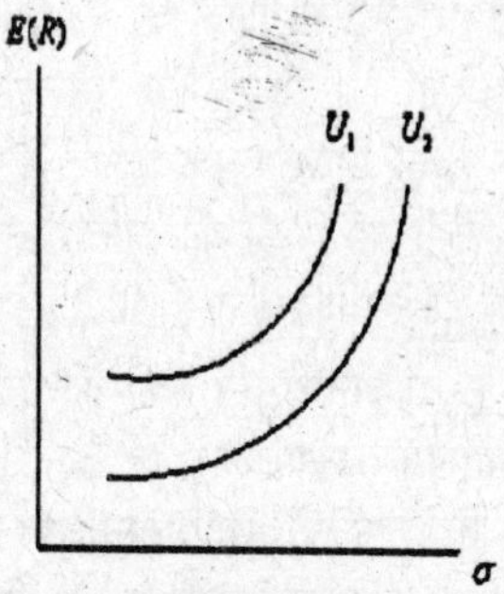

Fig. A : *Risk-Averse Investor*

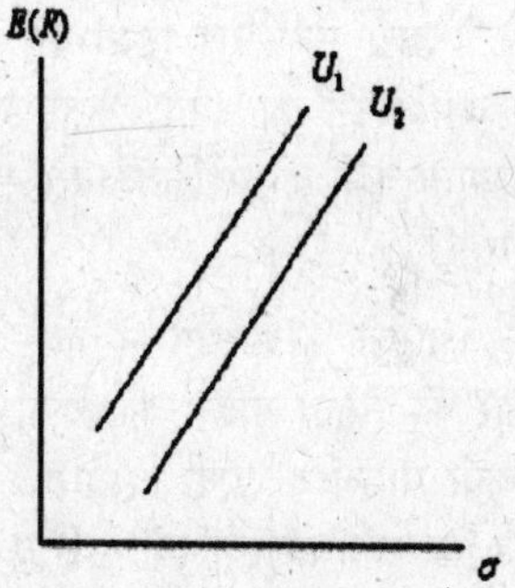

Fig. B : *Risk-Neutral Investor*

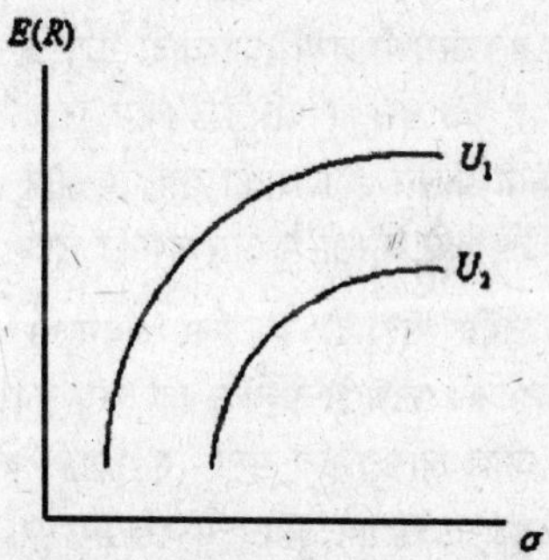

Fig. C : *Risk-Seeking Investor*

विभिन्न प्रकार के निवेशकों के अनधिमान वक्र चित्र में प्रदर्शित किए गए हैं। संतुष्टि के उसी स्तर पर, जोखिम-विमुख निवेशक को जोखिम की पिछली एक इकाई में वृद्धि के लिए उसके द्वारा मांगी गई रिटर्न की तुलना में जोखिम की अतिरिक्त इकाई के लिए अधिक रिटर्न की आवश्यकता होती है। इसलिए, अनधिमान वक्र उत्तल है। चित्र A दो अनधिमान वक्रों को प्रदर्शित करता है जो जोखिम-विमुख और $U_1 > U_2$ (उच्च रिटर्न और कम जोखिम) हैं।

जोखिम-तटस्थ निवेशक के लिए, अनधिमान वक्र एक सीधी रेखा है। संतुष्टि के उसी स्तर पर, निवेशक को जोखिम की पिछली एक इकाई में वृद्धि के लिए उसके द्वारा मांगी गई रिटर्न की अतिरिक्त इकाई के लिए उसी रिटर्न की आवश्यकता होती है।

चित्र B दो अनधिमान वक्रों को प्रदर्शित किए गए हैं, वे हैं–जोखिम-तटस्थ और $U_1 > U_2$। जोखिम की मांग वाले निवेशक के लिए अनधिमान वक्र एक अवतल क्रिया का संपादन करता है। संतुष्टि के उसी स्तर पर, निवेशक को जोखिम की पिछली एक इकाई में वृद्धि के लिए उसके द्वारा मांगी गई रिटर्न की अतिरिक्त इकाई के लिए कम रिटर्न की आवश्यकता हाती है। चित्र C दो अनधिमान वक्रों को प्रदर्शित करता है जो जोखिम की माँग और $U_1 > U_2$ हैं।

59. जर्मन अर्थशास्त्री स्टैकलबर्ग ने वर्ष 1930 में अपने द्वयधिकार की नेतृत्व मॉडल का विकास किया। उनका मॉडल कूर्नो मॉडल का एक विस्तार है। स्टैकलबर्ग का मानना है कि द्वयाधिकारवादियों में से एक (कहें, फर्म A) नेतृत्व की भूमिका अदा करने के लिए अत्यंत परिष्कृत है और दूसरा (कहें, फर्म B) अनुयायी के रूप में कार्य करता है। अग्रणी द्वयधिकारवादी फर्म A मान्यता प्रदान करता है कि इसका प्रतिद्वंद्वी फर्म B के पास निश्चित प्रतिक्रिया फलन है जिसका उपयोग फर्म A अपने लाभ फलन के लिए करता है और इसका लाभ अधिकतम है।

60. प्रमुख कृषि उत्पादों के लिए न्यूनतम समर्थन मूल्यों (MSP) की घोषणा प्रत्येक वर्ष तय की जाती है। यह क्रिया कृषि लागत एवं मूल्य (CACP) के लिए आयोग की अनुशंसाओं को ध्यान में रखकर पूरी की जाती है। 24 महत्वपूर्ण फसलों के लिए CACP, MSPs की अनुशंसा करती है। इसके अलावा उत्पादन की लागत को ध्यान में रखते हुए, CACP ने अन्य कारकों जैसे कि मांग-पूर्ति अंतर, मूल्य स्थिति, वैश्विक उपलब्धता, कृषि और गैर-कृषि क्षेत्र के बीच व्यापार संबंधी शर्तों पर विचार किया है।

61. कृषि विविधीकरण का निर्धारण अभिन्न अंग के रूप में फसल पैटर्न में परिवर्तन के द्वारा होता है। कृषि विविधीकरण की प्रक्रिया जोखिम को कम करता है और खेतों के लिए रिटर्न बढ़ जाती है।

64. प्रत्येक पाँच वर्षों के उपरांत कृषि संगणना कराई जाती है–देश में पहली कृषि संगणना संदर्भित वर्ष 1970-71 में कराई गई। कृषि संगणना केन्द्रीय क्षेत्र की योजना है जिसके तहत 100 फीसदी वित्तीय सहायता राज्यों/केन्द्रशासित प्रदेशों को दी जाती है। कृषि संगणना का संचालन तीन चरणों में किया जाता है।

पहले चरण में, सूचीबद्ध अनुसूची की सहायता से सभी जोतों के क्षेत्र, लिंग और स्वामी के सामाजिक समूह के डेटा के साथ तैयार की जाती है।

दूसरे चरण में, किरायेदारी, भूमि उपयोग, सिंचाई की स्थिति, विभिन्न फसलों के अधीन क्षेत्र (सिंचित एवं असिंचित) को अनुसूची में शामिल किया गया है।

तीसरे चरण में, जिसे इनपुट सर्वे कहा जाता है, कृषि ऋण, औजार और मशीनरी, पशुधन और बीज के अलावा इनपुट के डेटा का संग्रहण जिसका उपयोग विभिन्न फसलों, राज्यों और जोत के आकार समूहों के लिए किया जाता है, शामिल हैं।

66. दिया गया माँग फलन

$$P = 15 - 2X - X^2$$

जब, $X = 2$

तब, $P = 15 - 2 \times 2 - 2^2$

$= 15 - 4 - 4$

$= 7$

$$\therefore \quad CS = \int_0^2 (15 - 2x - x^2)dx - 14$$

$$\int_0^2 15dx - \int_0^2 2xdx - \int_0^2 x^2 dx - 14$$

$$= \int_0^2 15x - \int_0^2 \frac{2x^2}{2} - \int_0^2 \frac{x^3}{3} - 14$$

$$= 30 - 4 - \frac{8}{3} - 14$$

$$= \frac{90 - 12 - 8}{3} - 14$$

$$= \frac{70}{3} - 14$$

$$= \frac{70-42}{3}$$

$$= \frac{28}{3}.$$

71. सहसंबंध के गुणांक के वर्ग के रूप में गुणांक का निर्धारण परिभाषित किया जाता है। इसे r^2 द्वारा निरूपित किया जाता है। सहसंबंध का गुणांक स्थायी चर λ में प्रतिशत भिन्नता की व्याख्या करता है जिसकी व्याख्या स्वतंत्र चर X के संदर्भ में की जा सकती है। यदि सहसंबंध गुणांक (r) 0.8% है, तो निर्धारण का गुणांक (r^2) 0.64% होगा जो संकेत देता है कि आश्रित चर (λ) में कुल भिन्नताओं का 64% स्वतंत्र चर (X) के कारण होता है। शेष 36% भिन्नताएँ बाहर या बाहरी कारकों के कारण होती हैं।

72. यदि किसी युगपत समीकरण समूह के प्रत्येक समीकरण के लिए ओ.एल.एस. का प्रयोग पृथक रूप से प्रत्येक समीकरण के लिए किया जाता है तो प्राक्कलक अभिनत और असंगत प्राप्त होंगे। यह प्रदर्शित करने में काफी आसान है चूंकि यह धारणा E[X'u] = 0 का युगपत समीकरण के संदर्भ में उल्लंघन किया गया है। OLS (ओ.एल.एस.) अभिनत गुणांक प्राक्कलन की ओर उन्मुख होगा। हालांकि, इस अभिनत में कुछ भी सुधार नहीं होगा। ज्योंही नमूने के आकार में वृद्धि होती है ओ.एल.एस. अभिनत गुणांक प्राक्कलन की ओर उन्मुख होगा। हालांकि, इस अभिनत में कुछ भी सुधार नहीं होगा ज्योंही नमूने के आकार में वृद्धि होती है और इसलिए ओ.एल.एस. प्राक्कलक असंगत होगा। साथ ही इसके असंगत को साबित करने पर यह बीजगणित के रूप में अधिक जटिल होगा। बेशक, ओ.एल.एस. का प्रत्येक समीकरण में इस अर्थ में उपयोग किया जा सकता है कि यह प्रणाली कुछ आकलनों की ओर उन्मुख होगी। यह केवल इतना है कि ओ.एल.एस. सप्रमाण लागू नहीं किया जा सकता।

75. इस प्रणाली में 3 समीकरण हैं, अतः समीकरण में सही अभिनिर्धारित होने के लिए दिए गए समीकरण से 2 चर के अनुपस्थित रहने की आवश्यकता है। यदि दिए गए समीकरण से 2 से अधिक चर अनुपस्थित हों, तो इसे अति अभिनिर्धारित की श्रेणी में रखा जाएगा जबकि 2 से कम चर अनुपस्थित होने पर, यह अभिनिर्धारित के अधीन होगा। इस प्रणाली में कुल चर हैं Y_1, Y_2, Y_3, X_1, X_2, और X_3.

पिछले प्रश्न-पत्र (हल सहित)

UGC (NET/JRF) जूनियर रिसर्च फैलोशिप तथा सहायक प्राध्यापक परीक्षा

अर्थशास्त्र, दिसम्बर-2015

प्रश्न-पत्र-II

नोटः *इस प्रश्न-पत्र में* ***पचास (50)*** *बहु-विकल्पीय प्रश्न हैं। प्रत्येक प्रश्न के* ***दो (2)*** *अंक हैं।* ***सभी*** *प्रश्न अनिवार्य हैं।*

1. निम्नांकित कथनों पर विचार करें :

I. केंस के अनुसार, आय बढ़ने के साथ, आय का अल्प अनुपात उपभोग पर व्यय किया जाता है।

II. कुजनेट्स के अनुसार, आय बढ़ने के साथ, बचत की औसत प्रवृत्ति स्थिर और सतत बनी रहती हैं।

उपरोक्त में से कौन-से कथन **सही** हैं?

A. I और II दोनों सही हैं

B. न तो I और न ही II सही है

C. सिर्फ I सही है

D. सिर्फ II सही है

2. यदि आय (Y) के सभी स्तरों पर उपयोग की सीमांत प्रवृत्ति (MPC) उपभोग की औसत प्रवृत्ति (APC) के बराबर हो, तो सही तत्संबंधी उपभोग (C) फलन होगा :

A. $C = a + bY$ B. $C = a + \frac{b}{Y}$

C. $C = bY$ D. $C = bY^2$

3. सरकार द्वारा अंतरण भुगतान, निवल घरेलू उत्पाद में शामिल नहीं किया जाता क्योंकि :

A. ये लाभार्थियों को सरकार द्वारा प्रदत्त उपहार होते हैं

B. वस्तुओं के रूप में इनकी गणना नहीं की जाती

C. उक्त भुगतानों की बराबरी करने के लिए वस्तुओं और सेवाओं का कोई तत्संबंधी उत्पादन नहीं हुआ है

D. उक्त भुगतानों में निःसरण संभव है

4. फिलिप्स वक्र निम्नांकित में से किसके मध्य संबंध स्थापित करता है?

A. कर और मुद्रास्फीति

B. मुद्रास्फीति और बेरोजगारी

C. मुद्रा आपूर्ति और कुल मांग

D. उत्पादन का मूल्य और लागत

5. यदि अर्थव्यवस्था सम्भावित जी.डी.पी. पर प्रचालित हो रही है, तो मुद्रा आपूर्ति में बढ़ोतरी का परिणाम होगा :

A. अवसादी स्फीति B. संरचनात्मक मुद्रा स्फीति

C. मांगजन्य मुद्रा स्फीति D. लागतजन्य मुद्रा स्फीति

6. दीर्घ अवधि में, अस्थायी उपभोग :

A. अनंत होगा

B. अपरिवर्तित होगा

C. उसमें गिरावट होगी मगर वह धनात्मक बना रहेगा

D. शून्य होगा

7. केंस के अनुसार निवेश मांग निम्नांकित में से किन दो कारकों पर निर्भर करती है?

1. ब्याज दर
2. उपभोक्ता की आय
3. पूँजी की सीमांत कुशलता
4. उपभोग की सीमांत प्रवृत्ति

निम्नांकित कूटों में से उत्तर दें :

कूटः

A. 1 और 4 B. 2 और 4

C. 1 और 3 D. 3 और 4

8. मांग फलन $D = P(p)$ और आपूर्ति फलन $S = S(p)$ के लिए मांग आधिक्य निम्न में से किस दशा में बाज़ार संतुलन सुनिश्चित करता है?

A. $\frac{d\,E(p)}{dp} > 0$ B. $\frac{d\,E(p)}{dp} < 0$

C. $\frac{d\,E(p)}{dp} = 0$ D. $\frac{d\,E(p)}{dp} = \infty$

9. निम्नांकित कथनों पर विचार कीजिए :

1. एक उत्पादक द्वारा लाभ महत्तमीकरण
2. कूर्नो का द्वैताधिकार साम्य

इनमें से कौन नैश साम्य का उपयुक्त उदाहरण है? नीचे दिए गए कूटों में से सही उत्तर चुनें :

A. सिर्फ 1 B. सिर्फ 2
C. 1 और 2 दोनों D. न तो 1 और न ही 2

10. निम्नांकित में से किस बाज़ार स्थितियों/स्वरूपों में फर्में अपने लाभ का महत्तमीकरण कर पाते हैं?

A. मूल्य नेतृत्व B. कार्टेल (Cartel)
C. विकुंचन बिंदु D. एकाधिकारवादी प्रतिस्पर्धा

11. मजदूरी के निर्धारण में निम्नांकित कारकों पर विचार करें :

A. श्रम की मांग और आपूर्ति
B. श्रम की एम.आर.पी. = सीमांत मजदूरी
C. श्रम की एम.आर.पी. = श्रम की औसत उत्पादकता
D. एम.आर.पी. = औसत मजदूरी

उपरोक्त में से कौन सत्य है? नीचे दिए गए कूटों में से उत्तर दें :

A. 1 और 2 B. 3 और 4
C. 1 और 3 D. 1 और 4

12. दोनों अक्षों को स्पर्श कर रहे एक सीधी रेखा वाले मांग वक्र के संदर्भ में निम्नांकित में से कौन सत्य है? मांग लोचदार है।

A. मध्य बिंदु के नीचे
B. मध्य बिंदु के ऊपर
C. वक्र के मध्य बिंदु पर
D. संपूर्ण मांग वक्र की लंबाई पर

13. स्लटस्की समीकरण का संबंध निम्न में से किसके अपघटन से संबंधित है?

A. मूल्य प्रभाव को प्रतिस्थापन और आय प्रभावों में
B. वस्तुओं को उत्कृष्ट और निकृष्ट वस्तुओं में
C. वस्तुओं को आवश्यकताओं और विलासिता में
D. उपभोक्ता और उत्पादन अधिशेष

14. एक विभेदात्मक एकाधिकारवादी बाजार में उच्चतर मूल्य आरोपित करेगा जिसमें :

A. मांग की मूल्य लोच ज्यादा होगी
B. आपूर्ति की मूल्य लोच कम होगी
C. आपूर्ति की मूल्य लोच ज्यादा होगी
D. मांग की मूल्य लोच कम होगी

15. समावेशी विकास का लक्ष्य प्रथम बार भारत की किस योजना में दिया गया है?

A. नवीं पंचवर्षीय योजना
B. दसवीं पंचवर्षीय योजना
C. ग्यारहवीं पंचवर्षीय योजना
D. बारहवीं पंचवर्षीय योजना

16. सूची-I को सूची-II से सुमेलित करें और नीचे दिए गए कूटों में से सही उत्तर का चयन करें :

सूची-I	सूची-II
(*a*) पृष्ठगामी और अग्रगामी शृंखलाएं	1. वॉन न्यूमॉन मॉडल
(*b*) टर्नपाइक प्रमेय	2. असंतुलित विकास
(*c*) पूंजी की जैविक संरचना	3. मार्क्सवादी मॉडल
(*d*) ए.के. उत्पादन फलन	4. अंतर्जात संवृद्धि मॉडल

कूटः

	(*a*)	(*b*)	(*c*)	(*d*)
A.	1	2	3	4
B.	3	4	2	1
C.	2	1	3	4
D.	2	4	3	1

17. भारत के मानव विकास सूचकांक के गठन में निम्न में से किन परिवर्तियों/कारकों का उपयोग किया जाता है?

1. जन्म के समय जीवन प्रत्याशा
2. वास्तविक प्रति व्यक्ति सकल घरेलू उत्पाद (GDP)
3. रोगग्रस्तता

नीचे दिए गए कूटों में से सही उत्तर चुनें :

A. उपरोक्त तीनों B. 1 और 2
C. 2 और 3 D. 1 और 3

18. भारत में आर्थिक संवृद्धि के एल.पी.जी. मॉडल के प्रवर्तन का श्रेय निम्न में से किसे दिया जाता है?

A. डॉ. सी. रंगराजन
B. डॉ. मोंटेक सिंह अहलूवालिया
C. डॉ. अमर्त्य सेन
D. डॉ. मनमोहन सिंह

19. बढ़ती शहरी रोजगार के परिप्रेक्ष्य में ग्रामीण-शहरी पलायन से संबंधित विरोधाभास की निम्न में से कौन-सा मॉडल व्याख्या करता है?

A. सोलो मॉडल

B. लेविस मॉडल

C. वकील और ब्रह्मानंद मॉडल

D. टोडरो मॉडल

20. संवृद्धि के हैरोड मॉडल में यदि वांछित संवृद्धि दर संवृद्धि की प्राकृतिक दर से नीचे हो, तो निम्न में से किस प्रकार से स्थिर अवस्था संवृद्धि को बरकरार रखा जा सकता है?

A. सतत बढ़ती हुई बेरोजगारी

B. बेरोजगारी की स्थिर दर

C. सतत घटती हुई बेरोजगारी

D. उपरोक्त में से कोई नहीं

21. राजकोषीय उत्तरदायित्व और बजट प्रबंधन अधिनियम के क्रियान्वयन के लिए केलकर समिति की अध्यक्षता में गठित कार्य बल की रिपोर्ट में कुछ निम्नांकित सुझाव दिए गए हैं :

I. राजकोषीय घाटा 2008-09 तक खत्म किया जाएगा।

II. राजस्व घाटा जी.डी.पी. का 3 प्रतिशत होना चाहिए।

उपरोक्त में से कौन-सा कथन **सत्य** है?

A. सिर्फ I   B. सिर्फ II

C. I और II दोनों   D. न तो I और न ही II

22. टोबिन कर निम्न में से किस पर लगाया जाने वाला कर है?

A. शेयर बाजार के सौदे

B. मुद्रा बाजार के सौदे

C. सामग्री बाजार के सौदे

D. विदेशी मुद्रा बाजार के सौदे

23. बजट प्रभाव से आशय है :

A. आय के वितरण पर सरकारी व्यय और कर नीतियों का प्रभाव

B. संसाधनों के आवंटन पर सरकारी व्यय का प्रभाव

C. निजी क्षेत्र की आय और संपत्ति के वितरण पर कर नीतियों का प्रभाव

D. उपरोक्त में से कोई नहीं

24. घाटे के बजट की स्थिति में, जब घाटा की भरपाई करों से की जाती है, वह बजट कहलाता है :

A. असंतुलित बजट

B. अधिशेष बजट

C. संतुलित बजट

D. उपरोक्त में से कोई नहीं

25. निम्नांकित को सुमेलित करें :

सूची-I	**सूची-II**
(*a*) राजकोषीय घाटा	1. राजस्व व्यय को घटाकर राजस्व और ब्याज प्राप्ति
(*b*) राजस्व घाटा	2. कुल व्यय और कुल उधारियों को घटाकर राजस्व प्राप्तियां और ऋणों की वसूली व अन्य प्राप्तियां
(*c*) घाटे का बजट	3. पूंजी लेखा में संवितरण को घटाकर प्राप्तियां
(*d*) पूंजी घाटा	4. कुल प्राप्तियां और कुल संवितरण

कूटः

	(*a*)	(*b*)	(*c*)	(*d*)
A.	1	2	3	4
B.	2	1	4	3
C.	3	2	4	1
D.	4	3	1	2

26. दक्षता यह अपेक्षा रखती है कि पूर्णतया सार्वजनिक वस्तुओं का उत्पादन ऐसे बिन्दु पर हो जहाँ :

A. सीमांत निजी लाभ का योग उत्पादन की सीमांत सामाजिक लागत के समान हो

B. सीमांत निजी लाभ, उत्पादन की सीमांत सामाजिक लागत के समान हो

C. सीमांत सामाजिक लागत, सीमांत निजी लाभ के योग से अधिक हो

D. उपरोक्त में से कोई नहीं

27. निम्नलिखित में से कौन-सा युग्म सुमेलित **नहीं** है?

A. रेखी समिति : निर्यात और आयात प्रक्रियाओं का सरलीकरण

B. नान्जुनडप्पा समिति : रेल भाड़ा

C. रंगराजन समिति : भुगतान शेष

D. गोईपोरिया समिति : बैंकिंग सेवा सुधार

28. निम्नलिखित कथनों पर विचार करें :

I. रेपो रेट वह दर है जिस पर अन्य बैंक भारतीय रिजर्व बैंक से उधार लेते हैं।

II. किसी राष्ट्र में गिनि गुणांक के लिए 1 के मूल्य का निहितार्थ यह है कि आय वितरण में पूर्णतया समानता है।

उपरोक्त में से कौन-सा **सही** है?

A. केवल II B. केवल I
C. I और II दोनों D. न तो I और न ही II

29. खुदरा बैंकिंग निम्नलिखित में से किसको बैंकिंग सुविधाएं मुहैया कराती है?

A. समेकित ढंग से केवल एकल उपभोक्ताओं को
B. पूर्णतया कृषि क्षेत्र को ही
C. केवल स्वं-सहायता समूहों को उनकी उत्तरजीविता के लिए
D. उपरोक्त में से कोई नहीं

30. श्रम बाजार सुधार का लक्ष्य है :

A. रोजगार की सुरक्षा
B. न्यूनतम पारिश्रमिक
C. श्रम बाजार का लचीलापन
D. रोजगार बीमा

31. जन धन योजना निम्नलिखित में से किससे संबंधित है?

A. ऋण B. कर भुगतान
C. बैंक जमा D. बीमा प्रीमियम

32. निम्नलिखित में से कौन-सा समुच्चय भारतीय श्रम बाजार की विशेषताओं को नहीं दर्शाता है?

A. प्रच्छन्न बेरोजगारी, कौशल का अभाव, गतिशीलता की कमी
B. प्रच्छन्न बेरोजगारी, पूर्ण गतिशीलता, कौशल का अभाव
C. प्रच्छन्न बेरोजगारी, प्रवासी श्रम, पूर्ण गतिशीलता
D. गरीबी, निरक्षरता, एकरूपता

33. चार संख्याओं 2, X, 16, 32 का ज्यामितीय माध्य 8 है। X का मूल्य क्या है?

A. 2 B. 4
C. 6 D. 8

34. यदि माध्य = 28 तथा बहुलक = 25, तो माध्यिका का मूल्य होगा :

A. 27 B. 29
C. 24 D. 25

35. यदि A द्वारा किसी सांख्यकीय प्रश्न को हल करने की प्रायिकता $\frac{1}{4}$ तथा $\frac{1}{3}$ है, तो यह प्रश्न यदि दोनों को हल करने के लिए दिया जाता है, तो [illegible]ाते की प्रायिकता क्या है कि प्रश्न हल हो जाएगा?

A. $\frac{1}{2}$ B. $\frac{7}{12}$
C. $\frac{1}{12}$ D. $\frac{2}{3}$

36. टाईप-I त्रुटि को निम्नलिखित में से किस रूप में परिभाषित किया गया है?

A. अस्वीकार शून्य-परिकल्पना जब यह गलत है
B. अस्वीकार शून्य-परिकल्पना जब यह सही है
C. स्वीकार शून्य-परिकल्पना जब यह सही है
D. स्वीकार शून्य-परिकल्पना जब यह गलत है

37. यदि $\sqrt{xy} = 0.6, \sigma_Y = 50, \sigma_X = 10, \overline{X} = 30$ तथा $\overline{Y} = 140$; तो X पर Y का सही समाश्रयण निम्नलिखित में से कौन-सा होगा?

A. Y = 50 + 3X B. Y = 110 + 0.6X
C. Y = 140 + 3X D. Y = 140 – 3X

38. निम्नलिखित में से कौन-सा निदर्शन का तरीका नहीं है?

A. व्यवस्थित निदर्शन B. कोटा निदर्शन
C. स्नोबॉल निदर्शन D. बृहत् निदर्शन

39. भारत में सॉफ्टवेयर उद्योग में वृद्धि को निम्नलिखित में से किसके द्वारा श्रेष्ठ ढंग से वर्णित किया जा सकता है?

A. पोर्टर का दृष्टिकोण
B. रिकार्डो का दृष्टिकोण
C. वरनोन का दृष्टिकोण
D. बेला बैलसा का दृष्टिकोण

40. बहु-उत्पाद व्यापार की शर्तों के रूप में निम्नलिखित में से किससे सर्वाधिक निकट हैं?

A. लेसपीयर का सूचकांक B. पाशे का सूचकांक
C. एजवर्थ-मार्शल सूचकांक D. फिशर का सूचकांक

41. यदि विदेशी प्रस्ताव वक्र में ऐकिक लोच है, तो ईष्टतम प्रशुल्क होगा :

A. इकाई (एक) B. अनन्त
C. शून्य D. –1

42. विदेशी मुद्रा विनिमय बाजार में अधिमूल्यांकित भारतीय रुपये का निम्नलिखित में से कौन-सा प्रभाव होगा?
A. आयात सस्ता होगा, निर्यात महंगा हो जाएगा
B. आयात महंगा होगा, निर्यात सस्ता हो जाएगा
C. घरेलू उद्योग को विदेशी प्रतिस्पर्धा से संरक्षण मिलेगा
D. भुगतान संतुलन में सुधार होगा

43. उरुग्वे शिखर सम्मेलन में निम्नलिखित में से कौन-से मुद्दे का समाधान नहीं किया गया?
A. प्रव्रजन B. बौद्धिक संपदा अधिकार
C. सेवाएं D. प्रशुल्क

44. व्यापार की शर्तों का आशय निम्नलिखित में से किससे है?
A. निर्यात आय से निर्यात व्यय का आधिक्य
B. दो राष्ट्रों के बीच व्यापार करार
C. निर्यात और आयात कीमतों के बीच अनुपात
D. वे शर्तें और दशाएं जिन पर किसी राष्ट्र को भुगतान संतुलन की कठिनाई की स्थिति में ऋण दिया जाता है

45. भारतीय नियोजन में "योजना अवकाश" किस अवधि में रहा है?
A. 1966-69 B. 1979-81
C. 1985-87 D. 1991-93

निर्देश (प्र. सं. 46 से 50) : अभिकथन (A) और **कारण (R)** के रूप में दो कथन दिए गए हैं। दोनों कथनों के संदर्भ में निम्नलिखित में से कौन-सा सही है?
A. (A) और (R) दोनों सही हैं तथा (R), (A) का सही स्पष्टीकरण है।
B. (A) और (R) दोनों सही हैं तथा (R), (A) का सही स्पष्टीकरण नहीं है
C. (A) सही है, (R) गलत है।
D. (R) सही है, (A) गलत है।

46. **अभिकथन (A):** लोगों के कल्याण स्तर को मापने के लिए केवल परेटो की अनुकूलता कसौटी का ही उपयोग नहीं किया जा सकता है।
कारण (R): परेटो अनुकूलता का प्रत्यय, बाह्यताओं, सार्वजनिक वस्तुएं और लुप्त बाजारों के मामले में सफल नहीं हो पाता।

47. **अभिकथन (A):** औसत उपभोग प्रवृत्ति कभी भी शून्य नहीं हो सकती जब कि यह 1 से अधिक हो सकती है।
कारण (R): उपभोग व्यय हमेशा धनात्मक रहता है भले ही आय शून्य हो।

48. **अभिकथन (A):** अंतर्जात संवृद्धि सिद्धान्त उत्पादन फलन का परीक्षण करता है जो कि बढ़ते हुए प्रतिफलन को दर्शाता है।
कारण (R): ज्ञान पूंजी में विशेषज्ञता और निवेश होता है।

49. **अभिकथन (A):** घंटाकार वक्र में माध्य, माध्यिका और बहुलक सदृश होंगे।
कारण (R): इस प्रकार के वक्र में विषमता नहीं होती।

50. **अभिकथन (A):** 2002 का प्रतिस्पर्धा अधिनियम प्रभावी हुआ और एम.आर.टी.पी. अधिनियम प्रतिस्थापित हुआ था।
कारण (R): एम.आर.टी.पी. अधिनियम अत्यधिक विनियामक था और इससे बाजार में समुचित प्रतिस्पर्धा में कमी आई।

उत्तरमाला

1	2	3	4	5	6	7	8	9	10
A	C	C	B	C	D	C	B	B	D
11	**12**	**13**	**14**	**15**	**16**	**17**	**18**	**19**	**20**
A	B	A	D	C	C	B	D	D	A
21	**22**	**23**	**24**	**25**	**26**	**27**	**28**	**29**	**30**
C	D	A	C	B	A	A	C	A	C
31	**32**	**33**	**34**	**35**	**36**	**37**	**38**	**39**	**40**
C	A	B	A	A	B	A	D	A	A
41	**42**	**43**	**44**	**45**	**46**	**47**	**48**	**49**	**50**
C	A	A	C	A	B	A	A	B	A

व्याख्यात्मक उत्तर

1. केंस के अनुसार, उपभोक्ताओं की रुझान उनके प्रयोज्य आय के एक छोटा प्रतिशत खर्च करने हेतु होती है, जब इस प्रयोज्य आय में वृद्धि होती है। दूसरे शब्दों में, केंस प्रस्थापित करता है कि ज्यों ही आय में वृद्धि होती है mpc में गिरावट आती है। गणितीय रूप से, $1 > dc/dy > 0$। निम्न चित्र के माध्यम से केंसियन उपभोग क्रिया का वर्णन किया जा सकता है।

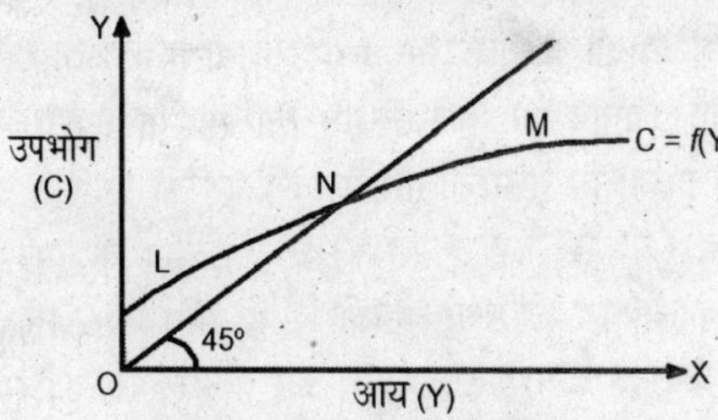

चित्रः केंसियन उपभोग क्रिया

द्वितीय विश्व युद्ध (1945) की अवधि के बाद एकत्रित एवं जाँच पड़ताल किया गया आंकड़ा केंसियन उपभोग क्रिया की पुष्टि करता है। लम्बी अवधि के दौरान समयबद्ध आंकड़ों ने प्रदर्शित किया कि आय और उपभोग का संबंध उस क्रॉस-सेक्सन डाटा द्वारा उद्घाटित से भिन्न था। कुछ समय बाद ही आय और उपभोग में गैर-आनुपातिक संबंध हो गया लेकिन आगे चलकर आनुपातिक संबंध में परिणत हो गया।

वर्ष 1869 से उपभोग और आय से संबंधित नए कुल आंकड़े बनाते हुए तथा उनका परीक्षण करते हुए साइमन कुजनेट्स ने यह खोज की कि दशकों तक उपभोग और आय का अनुपात आय में बड़ी वृद्धि होने के बावजूद बिल्कुल स्थिर होती है। जैसा कि उन्होंने कई दशकों का अध्ययन कर कहा था। विरोधाभासी केंस का अनुमान था कि उपभोग करने के लिए औसत प्रवृत्ति आय में वृद्धि करेगी। कुजनेट्स का शोध इंगित करता है कि लम्बी अवधि के बाद भी APC बिल्कुल नियत है।

2. अल्प अवधि में, जब $C = CO + bY$ औसत प्रवृत्ति उपभोग करने के लिए गिरता चला जाता है लेकिन उपभोग की सीमांत प्रवृत्ति नियत रहती है ताकि अल्प अवधि में APC, MPC अथवा APC > MPC से अधिक हो जाए। दीर्घ अवधि में, जब $C = bY$ तो दोनों उपभोग की औसत प्रवृत्ति और उपभोग की सीमांत प्रवृत्ति नियत होते हैं और उपभोग की औसत प्रवृत्ति, उपभोग की सीमांत प्रवृत्ति के बराबर होती है। (APC = MPC)

3. सरकार के व्यय के लिए लेखांकन संबंधी एक महत्वपूर्ण अपवाद है। सरकार उसके लिए भी पैसे खर्च कर सकती है जिसके बदले उसे वस्तु या सेवा प्राप्त नहीं होती है। अंतरण भुगतान, जैसे—सामाजिक सुरक्षा लाभ, बेरोजगारी मुआवजा और विभिन्न कल्याणकारी लाभ को सकल घरेलू उत्पाद के लेखांकन में सरकारी खर्चे से बाहर रखा गया है क्योंकि वे मद उत्पादक गतिविधि को प्रतिबिंबित नहीं करते हैं। इसी तरह राष्ट्रीय ऋण पर ब्याज भुगतान की गणना सरकारी खर्चे में सकल घरेलू उत्पाद के लेखा-जोखा में नहीं की जाती है। दूसरे शब्दों में अंतरण भुगतान वह भुगतान है जिनके बदले में कोई वस्तु अथवा सेवा प्रदान नहीं की जाती है। अंतरण भुगतान को सकल घरेलू उत्पाद से बाहर रखा गया है।

4. वर्ष 1958 में, फिलिप्स ने मजदूरी मुद्रास्फीति और यूके में सन् 1861 से 1957 के बीच बेरोजगारी के बीच सांख्यिकीय संबंध दर्शाया। उर्ध्वाधर अक्ष पर मजदूरी मुद्रास्फीति (ω) क्षैतिज अक्ष पर और बेरोजगारी दर (U) बिखरे हुए बिन्दू प्राप्त हुए। प्रत्येक बिन्दु एक विशेष वर्ष का अवलोकन प्रदर्शित करता है। वक्र जो बिखराव में फिट बैठता है, 'फिलिप्स वक्र' के रूप में जाना जाता है। इसका सचित्र वर्णन किया गया है और मुद्रास्फीति और बेरोजगारी के बीच प्रतिलोम संबंध प्रदर्शित करता है।

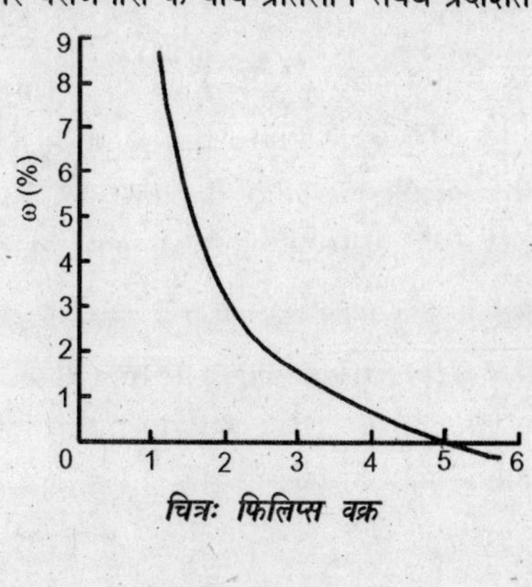

चित्रः फिलिप्स वक्र

वक्र का अक्सर उपयोग कुल मांग में परिवर्तन के प्रभावों को सोदाहरण स्पष्ट करने के लिए होता है। जब कुल मांग (संभावित उत्पादन के सापेक्ष) बढ़ती है तो मुद्रास्फीति बढ़ती है एवं बेरोजगारी गिरती है। यह वक्र के साथ उर्ध्वगामी गति है। जब कुल मांग गिरती है तो वक्र के साथ नीचे जाने वाली गति है।

6. स्थायी आय परिकल्पना कहती है कि दीर्घ काल में अस्थायी घटक (लाभ और हानि) एक-दूसरे को रद्द करने की आशा रखते हैं।

7. केंसियन जगत में आय और रोजगार का निर्धारण मुख्यतः दो कारकों के आधार पर किया जाता है–उपभोग और निवेश। निवेश से केंस का अभिप्राय नए निवेश से है। जब शेयरों, पूँजी, स्टॉकों इत्यादि बढ़ रहे हों तो मूल निवेश एक उच्च मौद्रिक मूल्य दिखा सकता है–इसे अतिरिक्त निवेश के रूप में नहीं लिया जा सकता। प्रतिष्ठित अर्थशास्त्री के लिए निवेश दो कारकों द्वारा निर्धारित होता है। पूंजी की सीमांत उत्पादकता (MPC) और ब्याज दर। MPC निवेश की वास्तविक सीमांत उपज है लेकिन केंस का दृष्टिकोण सही है कि निवेश की वास्तविक उपज तभी होती है जब निवेश किया जाता है और यह उत्पादकता उपज आरंभ कर देती है। अतः MPC निवेश का निर्धारक कारक नहीं हो सकता है। निवेश का निर्णय न सिर्फ निवेश की वास्तविक उपज पर आश्रित होता है बल्कि अनुमानित उपज और ब्याज का बाजार मूल्य पर भी निर्भर करता है। केंस अपने दृष्टिकोण में आरंभ से ही सही है कि निवेश के निर्णय के मामले में अपेक्षा की महत्वपूर्ण भूमिका होती है। अपेक्षा पर आधारित उत्कृष्ट अवधारणा में उसने सुधार किया जो निवेश की मांग को तय करता है। MPC के स्थान पर, पूंजी की सीमांत दक्षता (MEC) का स्थानापन्न किया। अनुमानित उपज का अनुपात MEC है अथवा इस पूँजी परिसंपत्ति की आपूर्ति कीमत या प्रतिस्थापन लागत के लिए आय उपज पूंजी परिसंपत्ति से वापस आती है।

9. अर्थशास्त्र में नैश साम्य तब आता है जब दो कम्पनियाँ द्वैताधिकार में एक-दूसरे के उत्पादन पर तब तक प्रतिक्रियाएँ देती हैं जब तक कि उनके मूल्य साम्यावस्था तक नहीं पहुँच जाते। अमेरिकन गणितज्ञ जॉन नैश के नाम पर इस शब्द की उत्पत्ति हुई। सन् 1994 में नैश को अर्थशास्त्र में नोबेल पुरस्कार प्रदान किया गया।

11. फर्म उस बिन्दु तक ही श्रमिकों की नियुक्ति करती है जहाँ इसकी सीमांत राजस्व उत्पादकता (MRP), सीमांत मजदूरी (MW) दर के बराबर होती है। चूंकि बाजार में मजदूरी दर का निर्धारण श्रमिकों की मांग और आपूर्ति द्वारा होता है, एक खास नियोक्ता इस मजदूरी को स्वीकार करता हैं और श्रम की MRP, सीमांत मजदूरी दर के साथ बराबर होने की तलाश करता है। जैसा कि श्रम बाजार में पूर्ण प्रतियोगिता होने पर उद्योग द्वारा मजदूरी दर तय की जाती है, नियुक्त करने वाली फर्म एक क्षैतिज श्रम आपूर्ति वक्र की स्थिति का सामना करती है जो दोनों औसत तथा सीमांत मजदूरी दर को प्रदर्शित करता है। (अर्थात् AW = MW) यदि उत्पाद के बाजार में एकाधिकार की स्थिति होती है, तो फर्म का MR, AR (मूल्य) से कम होता है और इस प्रकार श्रम का सीमांत राजस्व उत्पाद (MRP), श्रम के औसत राजस्व उत्पाद (ARP) से कम होता है और दोनों वक्र नीचे की ओर झुके होते हैं।

12.

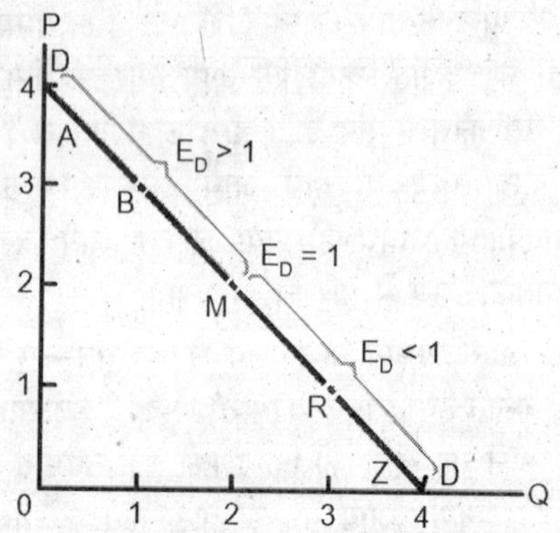

चित्रः सीधी रेखा की लोच

सीधी रेखा पर सभी बिन्दुओं से निर्मित मांग वक्र की ढलान समान होती है लेकिन मध्य बिन्दु से ऊपर, मांग लोचदार होती है। इसके नीचे मांग अलोचदार होती है, मध्य बिन्दु पर मांग इकाई लोचदार है। मध्य बिन्दु M के ऊपर किसी भी सीधी रेखा ED > 1 के साथ मांग लोचदार होती है। मध्य बिन्दु पर ED = 1 के साथ मांग इकाई लोचदार है। मध्य बिन्दु के नीचे ED < 1 के साथ मांग अलोचदार है।

13. मूल्य प्रभाव का प्रतिस्थापन और आय प्रभावों में अपघटन सामान्यतः निम्नलिखित गणितीय संबंध के माध्यम से व्यक्त किया जाता है :

$$\frac{\partial q_1}{\partial p_1} = \left[\frac{\partial q_1}{\partial p_1}\right]_{u=u^0} + (-)\left[q_1 \frac{\partial q_1}{\partial y}\right]$$

मूल्य प्रभाव = प्रतिस्थापन प्रभाव + आय प्रभाव

साहित्य में इसे स्लटस्की समीकरण के रूप में जाना जाता है। यह संबंध मांग लोच के बीच के संबंधों के अध्ययन के लिए अत्यंत उपयोगी है।

14. विभेदात्मक मूल्य तभी संभव है जब मांग की लोच अलग-अलग बाजारों में अलग-अलग हों। एकाधिकारवादी बाजार में प्रति इकाई अधिक मूल्य निर्धारित करते हैं जहाँ मांग लोचरहित होती है और मांग वहाँ लोचपूर्ण होती है जहाँ बाजार में प्रति इकाई मूल्य न्यूनतम होती है।

17. मानव विकास सूचकांक का मूल्यांकन तीन सूचकांकों के साधारण औसत को लेकर किया जाता है।

मानव विकास सूचकांक (HDI)

$$= \frac{\text{जीवन प्रत्याशा सूचकांक + शिक्षा प्राप्ति सूचकांक + प्रति व्यक्ति वास्तविक सकल घरेलू उत्पाद सूचकांक}}{3}$$

18. विकास का एलपीजी मॉडल : उदारीकरण, निजीकरण और वैश्वीकरण पर जोर देने हेतु वर्ष 1991 में उस समय के वित्तमंत्री डॉ. मनमोहन सिंह ने विकास का एलपीजी मॉडल शुरू किया।

19. टोडरो (1969) विकासशील देशों में बढ़ती हुई शहरी बेरोजगारी के संबंध में ग्रामीण-शहरी पलायन के विरोधाभास संबंधों की व्याख्या करता है। वह स्वयंसिद्ध मान लेता है कि वास्तविक आय से अधिक की आशा में ग्रामीण-शहरी मतभेदों की प्रतिक्रियास्वरूप पलायन होता है। उन महत्वपूर्ण कारकों की पहचान करना इसलिए भी आवश्यक है क्योंकि वे कारक ही ग्रामीण क्षेत्रों से शहरी क्षेत्रों की ओर पलायन करने वाले लोगों के लिए जिम्मेदार हैं। लोग गाँवों से शहरों की ओर कई कारकों के कारण पलायन करते हैं। इन कारकों को सामान्यतः 'पुश' और 'पुल' कारकों के रूप में वर्गीकृत किया जाता है। पुश फैक्टर्स वे कारक हैं जो लोगों को अपने स्थान छोड़ने के लिए मजबूर करते हैं। ग्रामीण क्षेत्रों में गरीबी और बेरोजगारी की प्रचंडता, मूलभूत सुविधाओं का अभाव, विकास परियोजनाओं के कारण विस्थापन, प्राकृतिक आपदाएँ, सामाजिक एवं धार्मिक संघर्ष मुख्य पुश फैक्टर्स हो सकते हैं। इसी तरह बेहतर आय और रोजगार के अवसर, बेहतर स्वास्थ्य एवं शिक्षा सुविधाएँ, बेहतर बुनियादी संरचना और शहरी क्षेत्रों में सुविधाएँ ग्रामीण-शहरी पलायन के मुख्य पुल फैक्टर्स हैं।

20. यदि संवृद्धि की प्राकृतिक दर, वांछित संवृद्धि दर से ज्यादा है–

$$G_n > G_w$$

और अर्थव्यवस्था वांछित दर से बढ़ रही है

$$G_w = G$$

यह वृद्धि दर सभी को रोजगार प्रदान करने में असफल होगी। अतः अर्थव्यवस्था में बेरोजगारी होगी। इस तरह की स्थिति में पूँजी निर्माण की दर जनसंख्या वृद्धि दर से कम हो जाएगा। सभी के लिए रोजगार पैदा करने के लिए पूँजी अपर्याप्त हो जाएगी। परिणामतः बेरोजगारी जन्म लेगी।

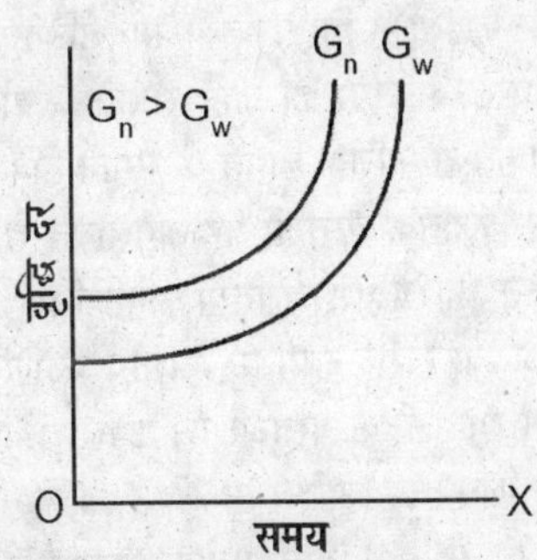

चित्र असंतुलन की स्थिति को प्रदर्शित करता है। चित्र में G_w और G_n वक्र क्रमशः वांछित संवृद्धि दर और संवृद्धि की प्राकृतिक दर को प्रदर्शित करता है। G_w वक्र से G_n वक्र ऊपर है जो इंगित करता है कि संवृद्धि की प्राकृतिक दर, वांछित संवृद्धि दर से ऊँचा है। इस प्रकार, पूँजी की वृद्धि दर से श्रम आपूर्ति की वृद्धि दर ऊँची है। असंतुलन और बेरोजगारी शुद्ध परिणाम हैं।

22. वर्ष 1978 के पूर्व विदेशी मुद्रा की सौदेबाजी के लिए कराधान काल्पनिक विनिमय दर की गतिविधियों को

रोकने के लिए प्रस्तावित था। पहली बार इसको जेम्स टोबिन (1978) ने सूत्रबद्ध किया था और अब इसे टोबिन कर के रूप में संदर्भित किया जाता है।

23. बजट प्रभाव सरकारी खर्च और निजी क्षेत्र में आय के वितरण पर कर नीतियों का मूल्यांकन करता है।

24. सरकारी बजट के प्रकार

- **अधिशेष बजट :** वह स्थिति जिसमें सरकारी की अनुमानित प्राप्तियाँ इनके अनुमानित खर्च से बढ़ जाती है, अधिशेष बजट के रूप में जाना जाता है। यह अस्तित्वहीन है।
- **संतुलित बजट :** वह स्थिति जिसमें सरकार की अनुमानित व्यय, अनुमानित राजस्व के बराबर होता है, संतुलित बजट के रूप में जाना जाता है। व्यवहारिक तौर पर यह भी अस्तित्वहीन है।
- **घाटे का बजट :** वह स्थिति जिसमें अनुमानित व्यय, अनुमानित राजस्व से अधिक होती है, घाटे के बजट के रूप में जाना जाता है। यह व्यावहारिक रूप से विद्यमान है।

26. पूर्णतया सार्वजनिक वस्तुओं का कुशल उत्पादन : दक्षता यह अपेक्षा रखती है कि पूर्णतया सार्वजनिक वस्तुओं का उत्पादन ऐसे बिन्दु पर हो जहाँ सीमांत सामाजिक लाभ अपनी सीमांत सामाजिक लागत के समान हो। यह सिद्धांत पूर्णतया सार्वजनिक वस्तुओं पर अवलंबित है। माना कि एक व्यक्ति का प्रयास पूर्णतया सार्वजनिक वस्तुओं के उत्पादन अथवा खरीद स्वयं के उपभोग के लिए होता है। समुदाय में सार्वजनिक वस्तुओं की उपलब्धता हेतु यूनिट बनाने के लिए यह व्यक्ति न सिर्फ अपने लिए बल्कि उस समुदाय में रहने वाले प्रत्येक सदस्य के लिए वह लाभ का सृजन करता है। इस वस्तु की सीमांत सामाजिक लाभ, क्रेता के अतिरिक्त लाभ की तुलना में अधिक होगी। प्रत्येक व्यक्ति के लिए अतिरिक्त लाभ अर्जित करेगा जो उपलब्ध प्रत्येक यूनिट एक साथ आनंद लेते हैं। समुदाय के सभी लोगों के सभी लाभों का संग्रहण सीमांत सामाजिक लाभ प्रदान करता है जो प्रत्येक इकाई उत्पादन के लिए है।

किसी भी पूर्णतया सार्वजनिक वस्तुओं की दी गई मात्रा का सीमांत सामाजिक लाभ, सभी उपभोक्ताओं द्वारा प्राप्त व्यक्तिगत सीमांत लाभ का कुल योग है। एक पूर्णतः सार्वजनिक वस्तु की समय अवधि के प्रति दक्ष मात्रा उस बिन्दु के अनुकूल होता है जिस पर उत्पादन वृद्धि होती है ताकि उपभोक्ताओं के सीमांत लाभों का योग वस्तु की सीमांत सामाजिक लागत के बराबर हो सके। पूर्णतया सार्वजनिक वस्तुओं के लिए दक्षता की शर्तें निम्न हैं–

$$MSB = \Sigma MB = MSC.$$

27. वर्ष 1992 में के.एल. रेखी समिति का गठन अप्रत्यक्ष कराधान (सीमा शुल्क और उत्पाद शुल्क) पर समान नियमों के सुझाव हेतु हुआ था।

29. खुदरा बैंकिंग एकल उपभोक्ताओं और संयुक्त एकलों को थोक बैंकिंग के विरुद्ध बैंकिंग सेवा प्रदान करने के बारे में है जो उद्योग और संस्थागत ग्राहकों पर ध्यान केंद्रित करता है। बैंकों के लिए खुदरा बैंकिंग की अवधारणा कोई नई नहीं है। आजकल खुदरा बैंकिंग को आकर्षक बाजार क्षेत्र के रूप में देखा जाता है जो लाभ के साथ वृद्धि का अवसर प्रदान करता है। यह आधुनिक समय ही है जब इसने बैंकों को उनके कुछ तात्कालिक समस्याओं के समाधान हेतु विशेष रूप से आकर्षित किया है। खुदरा बैंकिंग का सार व्यक्तिगत ग्राहकों में निहित है। हालांकि खुदरा बैंकिंग सभी प्रकार के एकल ग्राहकों को सम्मिलित करता है। अक्सर बैंक एकलों के उच्च निवल मूल्य पर ध्यान केंद्रित करता है। खुदरा बैंकिंग पोर्टफोलियो जमा और संपत्ति से जुड़े उत्पादों साथ ही अन्य वित्तीय सेवाओं जो व्यक्तियों को व्यक्तिगत उपभोग के लिए प्रदान करता है, को शामिल करता है।

31. विश्व में पहल की गई सबसे बड़ी वित्तीय समावेशन है–प्रधानमंत्री जन धन योजना (PMJDY)। इसकी घोषणा 15 अगस्त, 2014 को प्रधानमंत्री नरेन्द्र मोदी द्वारा की गई और पूरे देश में 28 अगस्त, 2014 को इसका भव्य शुभारंभ किया गया। इस योजना का लक्ष्य इस रूप में निर्धारित किया गया कि 'बुनियादी बचत बैंक खाता' के साथ बैंकिंग सुविधाओं के लिए सार्वभौमिक पहुँच प्रदान किया जा सके। साथ ही छः माह तक खाता का संचालन संतोषजनक ढंग से होने पर ₹ 5000 के ओवरड्राफ्ट की सुविधा एवं रुपे डेबिट कार्ड प्रदान किया जाता है, जिसमें इनबिल्ट दुर्घटना बीमा एक लाख रुपये का भी प्रावधान

है। साथ ही सामाजिक सुरक्षा योजनाओं जैसे—प्रधानमंत्री सुरक्षा बीमा योजना (PMSBY), प्रधानमंत्री जीवन ज्योति बीमा योजना (PMJJBY) और अटल पेंशन योजना (APY) शामिल हैं।

33. $$8 = \sqrt[4]{2 \times x \times 16 \times 32} = \sqrt[4]{1024.x}$$

$$\Rightarrow \quad 8^4 = 1024 \times x \Rightarrow x = \frac{4096}{1024} = 4$$

34. $\because$ बहुलक = 3 माध्यिका – 2 माध्य

$\Rightarrow$ 25 = 3 माध्यिका – 2 × 28

$\Rightarrow$ 3 माध्यिका = 25 + 56

$\Rightarrow$ माध्यिका = $\frac{81}{3} = 27$

35. प्रायिकता है कि A प्रश्न को हल करेगा

$$= P(A) = \frac{1}{4}$$

प्रायिकता है कि B प्रश्न को हल करेगा

$$= P(B) = \frac{1}{3}$$

$\therefore$ प्रायिकता है कि A प्रश्न को हल नहीं करेगा

$$= P(\overline{A})$$

$$= 1 - \frac{1}{4} = \frac{3}{4}$$

और, प्रायिकता है कि B प्रश्न को हल नहीं करेगा

$$= P(\overline{B})$$

$$= 1 - \frac{1}{3} = \frac{2}{3}$$

चूंकि सारी घटनाएं स्वतंत्र हैं, अतः

$$= P(\overline{A}).P(\overline{B})$$

$$= \frac{3}{4} \times \frac{2}{3}$$

$$= \frac{1}{2}$$

$\therefore$ P (प्रश्न जिसका हल हो जाएगा)

= 1 – P (हल नहीं होगा)

$$= 1 - \frac{1}{2} = \frac{1}{2}$$

36. टाईप-I त्रुटि : यदि शून्य-परिकल्पना सही है लेकिन नमूना माध्य इस प्रकार है कि शून्य-परिकल्पना को अस्वीकार किया जाता है, तो टाइप-I त्रुटि घटित होती है। इस तरह की त्रुटि होने की प्रायिकता को *a*-जोखिम के रूप में संदर्भित किया जाता है।

टाईप-II त्रुटि : यदि शून्य-परिकल्पना गलत है लेकिन नमूना माध्य इस प्रकार है कि शन्यू-परिकल्पना को अस्वीकार नहीं किया जा सकता है, तो टाईप-II त्रुटि घटित होती है। इस तरह की त्रुटि होने की प्रायिकता को *b*-जोखिम के रूप में संदर्भित किया जाता है।

37. X पर Y की समाश्रयण रेखा है

$$Y - \overline{Y} = r\frac{\sigma_Y}{\sigma_X}(X - \overline{X})$$

$$Y - 140 = 0.6 \times \frac{50}{10}(X - 30)$$

$$Y - 140 = \frac{6 \times 50}{10 \times 10}(X - 30)$$

$$\Rightarrow \quad Y - 140 = 3X - 90$$

$$\Rightarrow \quad Y = 3X - 90 + 140$$

$$Y = 50 + 3X$$

38. जानी-मानी प्रायिकता निदर्शन तकनीकें निम्नलिखित हैं :

1. सामान्य यादृच्छिक निदर्शन
2. स्तरीकृत यादृच्छिक निदर्शन
3. कलस्टर निदर्शन

अप्रायिकता अथवा सोद्देश्य निदर्शन के सामान्य प्रकार निम्नलिखित हैं :

1. आकस्मिक निदर्शन
2. गहन निदर्शन
3. आलोचनात्मक निदर्शन
4. कोटा निदर्शन
5. संतृप्त निदर्शन

6. स्नोबॉल निदर्शन
7. व्यवस्थित निदर्शन

40. बहु-उत्पाद बहु-देशीय प्रतिदर्श

अत्यंत यथार्थवादी मामलों में कई उत्पादों का कई देशों के बीच आदान-प्रदान होता है। व्यापार के पदों की लेसपीयर सूचकांक का प्रयोग करते हुए गणना की जाती है। इस मामले में, एक राष्ट्र के व्यापार का पद निर्यात का लेसपीयर सूचकांक और आयात का लेसपीयर मूल्य सूचकांक का अनुपात होता है। लेसपीयर का निर्यात सूचकांक निर्यात की आधार अवधि का वर्तमान मूल्य है जिसे निर्यात की आधार अवधि के आधार अवधि मूल्य द्वारा विभाजित किया जाता है।

उसी प्रकार, लेसपीयर का आयात सूचकांक आयात की आधार अवधि का वर्तमान मूल्य है जिसे आयात की आधार अवधि के आधार अवधि मूल्य द्वारा विभाजित किया जाता है।

41. देश I के लिए ईष्टतम प्रशुल्क, I के प्रस्ताव वक्र के प्रतिच्छेदन को II के वक्र का लोचदार भाग में देश के प्रस्ताव वक्र के साथ अन्तर्ग्रस्त करता है। यदि I का प्रस्ताव वक्र, विदेशी प्रस्ताव वक्र के अलोचदार भाग में प्रतिच्छेदित प्रशुल्क के साथ होता है तो I के लिए प्रशुल्क दर ईष्टतम नहीं हो सकता क्योंकि यहाँ तक कि उच्च प्रशुल्क देश I के व्यापार के पद में सुधार करेगा और I की आयात की मात्रा में वृद्धि करेगा। (याद रखें कि देश II का प्रस्ताव वक्र अलोचदार भाग में नीचे की ओर झुक रहा है।) यदि II के वक्र का यूनिट लोच भाग में प्रतिच्छेदित प्रशुल्क के साथ देश I का प्रस्ताव वक्र है तो प्रशुल्क दर भी ईष्टतम नहीं हो सकता क्योंकि यहाँ तक कि उच्च प्रशुल्क I के व्यापार के पद में सुधार लाएगा और I के आयात के समान उत्पादन करेगा। (याद रखें कि II का प्रस्ताव वक्र की इकाई लोच का भाग क्षैतिज होगा।)

44. व्यापार की शर्तें उस दर को इंगित करती हैं जिस पर एक देश का माल दूसरे देश के माल से विनिमय करती हैं। इसके आयात के संबंध में यह एक मापदंड है जो एक देश की निर्यात की क्रय शक्ति से संबद्ध है और यह माल के निर्यात मूल्यों और आयात मूल्यों के बीच संबंध को उजागर करता है।

जब किसी देश का निर्यात मूल्य, आयात मूल्यों की अपेक्षा बढ़ जाता है तो व्यापार के शब्दों में कहा जाता है कि सुधार हुआ है। दूसरी ओर जब इसका आयात मूल्य, निर्यात मूल्यों की तुलना में बढ़ जाता है तो व्यापार के शब्दों में कहा जाता है कि मामला ह्रासित हुआ है। यदि किसी देश के लिए व्यापार की शर्तें बिगड़ती हैं, उसका व्यापार से लाभ कम हो जाता है क्योंकि अब इसके पास आयात पूर्व की तुलना में दी गई निर्यात की मात्रा विनिमय के लिए कम है। जब व्यापार दो खुली अर्थव्यवस्थाओं के बीच जगह लेता है, दोनों देशों द्वारा बिक्री के लिए माल प्रस्तुत किए जाते हैं। चूँकि कई वस्तुएं दोनों पक्षों की ओर से एक साथ आयात और निर्यात किए जाते हैं। हमलोग भौतिक मात्राओं का उपयोग कर सकते हैं (जैसे कि गेहूँ के लिए किलोग्राम या कपड़े के लिए मीटर)। व्यापार की शर्तों को निर्धारित करने के बजाय हमलोग को निर्यात मूल्यों का सूचकांक और आयात मूल्यों का सूचकांक प्राप्त करना चाहिए तथा निम्नलिखित समीकरण का उपयोग करते हुए व्यापार की शर्तों का मूल्यांकन करना चाहिए–

$$T = \frac{P_x}{P_m} \times 100$$

$$\text{व्यापार की शर्त} = \frac{\text{निर्यात मूल्यों का सूचकांक}}{\text{आयात मूल्यों का सूचकांक}} \times 100$$

45. भारत सरकार द्वारा 'योजना अवकाश' की घोषणा तीन वर्षों की अवधि (1966 से 1969) के लिए की गई। योजना की प्रक्रिया को निरंतरता से बनाए रखने के लिए योजना आयोग ने 'वार्षिक योजना' को अपनाया जिसने 1 अप्रैल, 1966 से 31 मार्च, 1969 की अवधि को कवच प्रदान किया। इस तरह की स्थिति सन् 1962 में चीन और 1965 में पाकिस्तान के साथ युद्ध के कारण हुई। इस स्थिति के पीछे और भी कारण थे, जैसे–विदेशी सहायता का अस्थायी रूप से निलंबन, 1966 में भारतीय रुपये का अवमूल्यन और मानसून की विफलताएं।

प्रश्न-पत्र–III

नोटः *इस प्रश्न-पत्र में* **पचहत्तर** *(75) बहु-विकल्पीय प्रश्न हैं। प्रत्येक प्रश्न के* **दो (2)** *अंक हैं।* ***सभी*** *प्रश्न अनिवार्य हैं।*

1. एक रेखीय मांग वक्र के लिए निम्नांकित में से कौन सही है?

A. मांग की लोच सभी बिंदुओं पर इकाई होती है।
B. मांग की लोच सभी बिंदुओं पर स्थिर रहती है।
C. मांग वक्र पर नीचे की ओर जाने पर लोच बढ़ती है।
D. मांग वक्र पर नीचे की ओर जाने पर लोच घटती है।

2. एक भेदभावपूर्ण एकाधिकारवादी उस बाजार में कम मूल्य आरोपित करेगा जिसमें मूल्य लोच :

A. मांग की ज्यादा है B. आपूर्ति की कम है
C. मांग की कम है D. आपूर्ति की ज्यादा है

3. एक पब्लिक लिमिटेड कंपनी क्या होती है?

A. सरकार के स्वामित्व वाली
B. शेयर धारकों के स्वामित्व वाली
C. वित्तीय संस्थानों के स्वामित्व वाली
D. एम.एन.सी.ज. के स्वामित्व वाली

4. किसी संस्थान के लिए दो स्थितियों, लाभ महत्तमीकरण और विक्रय आय महत्तमीकरण के मध्य विक्रय आय महत्तमीकारक की अपेक्षा लाभ महत्तमीकारक के लिए साम्य में निम्न में से क्या घटित होता है?

A. उच्चतर उत्पाद और निम्नतर मूल्य
B. निम्नतर उत्पाद और उच्चतर मूल्य
C. निम्नतर उत्पाद और निम्नतर मूल्य
D. उच्चतर उत्पाद और उच्चतर मूल्य

5. नव-क्लासिकीय उत्पादन फलन की निम्न में से क्या विशेषताएँ हैं?

(*a*) साधनों की धनात्मक और घटती हुई सीमांत उत्पादकताएँ
(*b*) पैमाने के स्थिर प्रतिफल
(*c*) इनाडा शर्तों को संतुष्ट करती है

दिए गए निम्नांकित कूटों में से सही उत्तर का चयन करें:

A. (*a*) और (*b*) B. (*a*) और (*c*)
C. (*b*) और (*c*) D. (*a*), (*b*) और (*c*)

6. दिए गए आरेख में निम्न में से कौन घटक एक उत्पादक के आपूर्ति वक्र को सही ढंग से प्रदर्शित करता है?

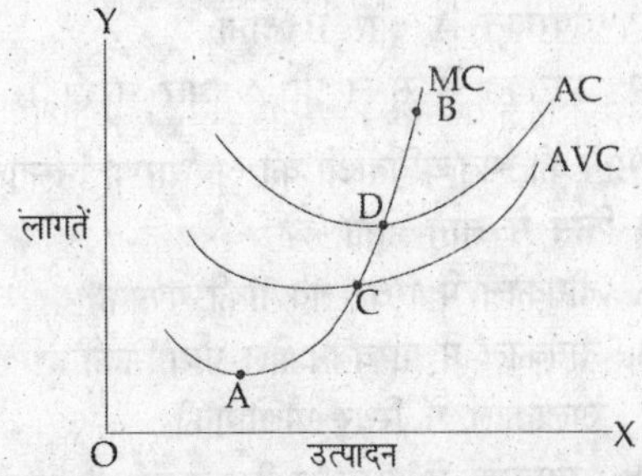

A. DE B. CB
C. AB D. DB

7. निम्नांकित में से किस बाजार स्वरूप के समूहों पर वस्तु विभेद लागू होता है?

A. एकाधिकार, एकाधिकारी प्रतियोगिता, अल्पाधिकार
B. पूर्ण प्रतियोगिता, एकाधिकार, अल्पाधिकार
C. एकाधिकारी प्रतियोगिता, अल्पाधिकार, अल्पक्रेताधिकार
D. पूर्ण प्रतियोगिता, एकाधिकार और द्विपक्षीय एकाधिकार

8. अपूर्ण साधन और उत्पाद बाजारों में, श्रम शोषण का निम्न में से क्या प्रतिनिधित्व करता है?

(*a*) जब औसत आगम उत्पादकता > औसत मजदूरी
(*b*) जब औसत आगम उत्पादकता > सीमांत मजदूरी
(*c*) जब औसत आगम उत्पादकता < एम.आर.पी.
(*d*) जब औसत आगम उत्पादकता < सीमांत मजदूरी

निम्नांकित दिए गए कूटों में से **सही** उत्तर चुनें :

A. (*a*), (*d*) B. (*a*), (*c*)
C. (*a*), (*b*) D. (*d*), (*c*)

9. निम्न में से किस अर्थशास्त्री ने संवृद्धि की व्याख्या में गैर-आर्थिक साधनों की भूमिका पर बल दिया?

A. आर.एम. सोलो B. रॉय हैरोड
C. एन. केल्डर D. ई. डोमर

10. एक सुव्यवहारित उत्पादन फलन के लिए निम्न में से कौन एक हिरोफुमी उजावा अवस्था नहीं है?

A. सतत अवकलनीय
B. जब $x = 0, f(x) = 0$

C. फलन का द्वितीय अवकलज ऋणात्मक है

D. फलन अवतल है

11. कॉब-डगलस उत्पादन के घातांक दर्शाते हैं :

A. घटकों का उत्पाद लोच

B. कुल आय में घटक आय का हिस्सा

C. उपरोक्त A और B दोनों

D. उपरोक्त में से न तो A और न ही B

12. पैमाने की मितव्ययिताओं की अवधारणा निम्नलिखित में से किस में लागू होती है?

A. दीर्घकाल में स्थिर तकनीकी गुणांक

B. दीर्घकाल में परिवर्तनशील प्रौद्योगिकी

C. अल्पकाल में स्थिर प्रौद्योगिकी

D. अल्पकाल में परिवर्तनशील तकनीकी गुणांक

13. दो आगतों-पूंजी और श्रम के साथ कॉब-डगलस उत्पादन फलन के प्रकार वाली अर्थव्यवस्था पर विचार करें। कुल उत्पादन में पूंजी और श्रम का हिस्सा क्रमशः $\frac{1}{4}$ और $\frac{3}{4}$ हैं। पूंजी और श्रम की वृद्धि की दर क्रमशः 8% और 4% प्रतिवर्ष है। 3% प्रतिवर्ष की दर से तटस्थ तकनीकी प्रगति होती है। ऐसी अर्थव्यवस्था में प्रतिवर्ष उत्पादन की वृद्धि दर क्या होगी?

A. 5% B. 7%

C. 9% D. 8%

14. नवीन क्लासिकीय आर्थिक परिदृश्य में निम्नलिखित में से ऋणी को किसमें लाभ होने की संभावना सर्वाधिक है?

A. प्रत्याशित अपस्फीति B. प्रत्याशित मुद्रास्फीति

C. अप्रत्याशित अपस्फीति D. अप्रत्याशित मुद्रास्फीति

15. कौन-सा सिद्धान्त यह मानता है कि धन के स्टॉक में होने वाली वृद्धि प्रत्यक्ष रूप से वस्तुओं पर खर्च होती है?

A. धन का मात्रा सिद्धान्त

B. आई-एस.-एल.एम. (IS-LM वक्र) सिद्धान्त

C. केन्स

D. उपरोक्त में से कोई नहीं

16. हैरोड़ के आर्थिक वृद्धि प्रारूप में यदि अपेक्षित दर वृद्धि की प्राकृतिक दर से कम है तो निम्न में से किसके साथ वांछित दर पर वृद्धि की निरंतर स्थिर दर को बनाए रखना संभव है?

A. निरंतर बढ़ती बेरोजगारी

B. बेरोजगारी की स्थिर दर

C. निरंतर घटती बेरोजगारी

D. उपरोक्त में से कोई नहीं

17. मजदूरी का निर्धारण किया जाता है जहाँ :

(*a*) श्रम की मांग = श्रम की आपूर्ति

(*b*) श्रम की सीमांत आगम उत्पादकता = सीमांत पारिश्रमिक

(*c*) श्रम की सीमांत आगम उत्पादकता = औसत आगम उत्पादकता

(*d*) श्रम की सीमांत आगम उत्पादकता = औसत पारिश्रमिक

उपरोक्त में से **सही** संयोजन को चुनें :

A. (*a*) और (*b*) B. (*c*) और (*d*)

C. (*a*) और (*c*) D. (*a*) और (*d*)

18. हैरोड के अनुसार तटस्थ तकनीकी प्रगति को कहा जाता है :

A. पूंजी संवर्धन वाली

B. श्रम संवर्धन वाली

C. दोनों श्रम और पूंजी संवर्धन वाली

D. उत्पादकता बढ़ाने संबंधी

19. संवृद्धि सिद्धान्त में निवेश के क्षमता सृजन पहलू को किसके द्वारा विस्तार से बताया गया है?

A. आर.एफ. हैरोड B. ई.डी. डोमर

C. आर.एम. सोलो D. पी.ए. सैमुअलसन

20. जिस दर पर बैंक भा.रि.बै. को उधार देते हैं वह कहलाती हैं :

A. बैंक दर B. रेपो दर

C. विलोम रेपो दर D. ब्याज दर

21. **अभिकथन (A)** : ए.के. (AK) मॉडल अन्तर्व्याप्त मॉडल है।

कारण (R) : ऐसा पूंजी के पैमाने के प्रतिफल की गिरती दर की अनुपस्थिति के कारण होता है।

निम्नलिखित में से कौन-सा विकल्प **सही** है?

A. (A) और (R) दोनों सही हैं और (R), (A) का सही स्पष्टीकरण है।

B. (A) और (R) दोनों सही हैं लेकिन (R), (A) का सही स्पष्टीकरण नहीं है।

C. (A) सही है परंतु (R) गलत है।

D. (A) गलत है परंतु (R) सही है।

22. **अभिकथन (A) :** मार्क्स के अनुसार पूंजीवादी समाज में पूंजी की जैविक संरचना समय के साथ बढ़ती है।

कारण (R) : प्रौद्योगिकीय प्रगति निरन्तर लेकिन अधिक पूँजी सघन होती रहती है।

नीचे दिए गए कूटों में से **सही** उत्तर का चयन करें :

कूट :

A. (A) और (R) दोनों सही हैं और (R), (A) का सही स्पष्टीकरण है।

B. (A) और (R) दोनों सही हैं लेकिन (R), (A) का सही स्पष्टीकरण नहीं है।

C. (A) सही है परंतु (R) गलत है।

D. (A) गलत है परंतु (R) सही है।

23. कम लोचदार आई.एस. (IS) वक्र का आशय है कि :

A. मौद्रिक नीति अधिक प्रभावी है

B. मौद्रिक नीति कम प्रभावी है

C. राजकोषीय नीति कम प्रभावी है

D. A और C दोनों सही हैं

24. निम्नलिखित पर विचार करें :

(*a*) मौद्रिक सकल घरेलू उत्पाद

(*b*) कीमत स्तर

(*c*) ब्याज की दर

मुद्रावाद में मुद्रा की आपूर्ति उपरोक्त में से किसका निर्धारण करती है? नीचे दिए गए कूटों से उत्तर चुनें :

कूट :

A. उपरोक्त सभी B. केनल (*c*)

C. (*a*) और (*b*) D. (*b*) और (*c*)

25. केनसियन ढाँचे में पूर्ण रोजगार की स्थिति में निम्नलिखित में से कौन-सा/से सही है/हैं?

(*a*) आपूर्ति वक्र अल्पावधि में लचीला नहीं होता।

(*b*) मुद्रा की मात्रा में वृद्धि से आपूर्ति प्रभावित होती है।

नीचे दिए गए कूट से **सही** उत्तर चुनें :

कूट :

A. (*a*) और (*b*) दोनों सही हैं।

B. न तो (*a*) और न ही (*b*) सही है।

C. केवल (*a*) सही है।

D. केवल (*b*) सही है।

26. निम्नलिखित में से किस अर्थशास्त्री ने मुद्रा के लिए मांग के पोर्टफोलियो दृष्टिकोण पर विचार किया?

(*a*) जे.एम. केन्स

(*b*) एम. फ्रिडमन

(*c*) जेम्स टोबिन

नीचे दिए गए कूटों से **सही** उत्तर चुनें :

कूट :

A. उपरोक्त सभी B. केवल (*b*) और (*c*)

C. केवल (*b*) D. केवल (*a*)

27. जब एल.एम. (LM) वक्र ऊर्ध्वाधर होता है, तो ऐसी स्थिति में निम्नलिखित में से कौन-सा सही है? मुद्रा आपूर्ति में वृद्धि से होता है :

A. ब्याज दर में कमी

B. आय के स्तर में गिरावट

C. ब्याज दर में वृद्धि

D. आय के स्तर में कोई परिवर्तन नहीं

28. निम्नलिखित में से कौन यह मानता है कि मुद्रा का वेग स्थिर है?

A. क्लासिकीय B. केनसियन्स

C. मोनीटेरिस्ट (मुद्रावादी) D. A और C दोनों

29. निम्नलिखित में से कौन-सा सही सुमेलित **नहीं** है?

A. दीर्घावधि उपभोग फलन : स्थायी आय परिकल्पना

B. रखे जाने हेतु मुद्रा कोष की मांग : फिशर का समीकरण

C. वास्तविक शेष प्रभाव : टोबिन का पोर्टफोलियो सिद्धान्त

D. मूल्य का श्रम सिद्धान्त : रिकार्डो का वितरण सिद्धान्त

30. मुद्रा के लिए केनसियन मांग हेतु निम्नलिखित में से कौन-सा **सही** है? धन को लोग किस रूप में रखना चाहते हैं?

A. नकद

B. बांड्स

C. नकद और बांड्स दोनों

D. न तो नकद और न ही बांड्स

31. अर्थव्यवस्था में क्राऊडिंग आउट की स्थिति उत्पन्न हो जाएगी, यदि :

A. सरकारी व्यय बढ़ता रहे

B. घाटे का वित्तपोषण नियंत्रण में हो

C. A और B दोनों संगत हैं

D. न तो A और न ही B संगत है

32. सामान्य Y = AK मॉडल के लिए निम्नलिखित में से कौन-सा/से सही नहीं है/हैं?

(*a*) स्थिर बाह्यनिर्धारित बचत दर

(*b*) पैमाने के गिरते प्रतिफल का सक्रिय न होना

(*c*) स्थिर अन्तर्निर्धारित बचत दर

नीचे दिए गए कूटों से उत्तर चुनें :

कूट :

A. (*a*) और (*b*) दोनों सही हैं।

B. (*b*) और (*c*) दोनों सही हैं।

C. केवल (*c*) सही है।

D. केवल (*b*) सही है।

33. 'मेक इन इंडिया' कार्यक्रम के संबंध में निम्नलिखित कथनों पर विचार करें :

(*a*) इसमें 25 उद्योगों/क्षेत्रों पर अधिक ध्यान दिया गया है।

(*b*) रेल अवसंरचना परियोजनाओं में 100% प्रत्यक्ष विदेशी निवेश की अनुमति दी गई है।

उपरोक्त में से कौन-सा/से **सही** है/हैं? नीचे दिए गए कूटों से उत्तर दें :

कूट :

A. (*a*) और (*b*) दोनों सही हैं

B. न तो (*a*) और न ही (*b*) सही है

C. केवल (*a*) सही है

D. केवल (*b*) सही है

34. जनसंख्या प्रतिस्थापन की कुल प्रजननता दर है :

A. 2.1 B. 1.0

C. 2.5 D. 4.0

35. प्रतिछाया बैंकिंग के संबंध में निम्नलिखित पर विचार करें :

(*a*) एन.बी.एफ.सी. वैश्विक वित्तीय प्रणाली में जुड़े संस्थानों को ऋण की सुविधा मुहैया कराता है।

(*b*) ये संस्थान केन्द्रीय बैंकों के पर्यावेक्षी नियंत्रण के अध्याधीन हैं।

उपरोक्त में से कौन-सा/से **सही** है/हैं? नीचे दिए गए कूटों में से उत्तर दें :

कूट :

A. (*a*) और (*b*) दोनों सही हैं

B. न तो (*a*) और न ही (*b*) सही है

C. केवल (*a*) सही है

D. केवल (*b*) सही है

36. निम्नलिखित कथनों पर विचार करें :

(*a*) एशिया में भारत ऐसा पहला राष्ट्र है जिसने निर्यात प्रसंस्करण जोन की प्रभावशीलता को मान्यता प्रदान की है।

(*b*) एशिया का पहला निर्यात प्रसंस्करण जोन कांडला, भारत में 1965 में स्थापित हुआ था।

ऊपर दिए गए कथनों में से कौन-सा/से कथन **सही** है/हैं?

A. केवल (*a*)

B. केवल (*b*)

C. (*a*) और (*b*) दोनों

D. न तो (*a*) और न ही (*b*)

37. सीमांत उत्पाद का मूल्य (VMP) है :

A. एम.पी.पी. × एम.आर.

B. एम.पी.पी. × ए.आर.

C. ए.पी.पी. × एम.आर.

D. ए.पी.पी. × ए.आर.

38. निम्नलिखित में से कौन-सा भारत निर्माण का भाग नहीं है?

A. ग्रामीण आवास B. कृषि आधारित उद्योग

C. ग्रामीण विद्युतीकरण D. ग्रामीण टेलीफोनी

39. बाल लिंग-अनुपात की गणना के लिए संगत आयु समूह है :

A. 0-1 वर्ष B. 0-4 वर्ष

C. 0-6 वर्ष D. 0-7 वर्ष

40. किस समिति ने आय कर अधिनियम की धारा 88 के अन्तर्गत कर-राहत के उन्मूलन की सिफारिश की थी?

A. चेल्लैय्या समिति

B. केलकर समिति

C. शोम समिति

D. उपरोक्त में से कोई नहीं

41. संयुक्त राष्ट्र के पावर्टी एंड इनवारनमेन्ट पर कन्वेनंशन रिपोर्ट के अनुसार निम्नलिखित में से क्या एक असत्य है?

A. प्राकृतिक आपदाएं हमेशा गरीब वर्ग को अधिक प्रभावित करती हैं।

B. गरीबी में तीव्र वृद्धि से पर्यावरण क्षरण होता है।

C. पर्यावरण क्षरण जीवन निर्वाह को विपरीत प्रभावित करता है।

D. पर्यावरण क्षरण गरीबी को कम करता है।

42. निम्नलिखित में से कौन-सा 'महिला सशक्तिकरण' से संबंधित नहीं है?

A. जेंडर विकास सूचकांक

B. जेंडर सशक्तिकरण उपाय

C. जेंडर बजटिंग

D. जेंडर भेदभाव

43. किसी राष्ट्र की 'जनांककीय लाभांश' की घटना किससे संबंधित है?

A. कुल जनसंख्या में तेज गिरावट

B. शिशु मृत्यु दर में गिरावट

C. लिंग अनुपात में वृद्धि

D. कार्यशील आयु समूह में जनसंख्या वृद्धि

44. कृषि संबंधी जनगणना निम्नलिखित में से किस अंतराल पर की जाती है?

A. प्रति वर्ष B. तीन वर्षों में एक बार

C. पाँच वर्षों में एक बार D. दस वर्षों में एक बार

45. अर्थशास्त्र में नोबल पुरस्कार, 2015, एन्जस डेटन को निम्नलिखित में से किस क्षेत्र में कार्य के लिए दिया गया?

A. उपभोग, गरीबी और कल्याण

B. जनसंख्या, गरीबी और विकास

C. उपभोग, बचत और कल्याण

D. उपभोग, मानव विकास और शिक्षा

46. कर को उत्प्लावक कहा जाता है यदि कर राजस्व अनुपाततः हो :

A. उत्पादन में परिवर्तनों के प्रति अधिक संवेदनशील

B. उत्पादन में परिवर्तनों के प्रति कम संवेदनशील

C. कर आधार में परिवर्तनों के प्रति समान रूप से संवेदनशील

D. कर आधार में परिवर्तनों के प्रति कम संवेदनशील

47. वित्तीय जवाबदेही और बजट प्रबंधन अधिनियम के कार्यान्वयन पर केलकर की अध्यक्षता वाले कार्य बल द्वारा कुछ सुझाव दिए गए हैं :

(*a*) प्राथमिक घाटा 2008-09 तक समाप्त किया जाए।

(*b*) वित्तीय घाटा जी.डी.पी. के 3% तक कम किया जाना चाहिए।

उपर्युक्त कथनों में से कौन-सा/से सही है/हैं? नीचे दिए गए कूट से चयन करें :

कूटः

A. केवल (*a*)

B. केवल (*b*)

C. (*a*) और (*b*) दोनों

D. न तो (*a*) और न ही (*b*)

48. गरीबी नापने के लिए 2013 में गठित उच्चाधिकार समिति के अध्यक्ष कौन थे?

A. सुरेश तेंदुलकर B. सी. रंगराजन

C. डी.टी. लकडावाला D. वाई.के. अलघ

49. विभाजित श्रम बाजार का अर्थ है :

A. श्रम भेद-भाव

B. श्रम को एम.आर.पी. से कम मजदूरी का भुगतान।

C. बाजार निष्कर्ष निर्धारित करने में मजदूरी के एम.पी. सिद्धान्त का विफल होना।

D. विभिन्न प्रकार के श्रमों की मजदूरी में एकसमानता।

उपर्युक्त में से कौन-सा गलत है?

50. भारत में उन किसानों को 'सीमांत किसान' कहा जाता है जिनके पास भूमि हो :

A. 1 हैक्टेयर तक B. 2 हैक्टेयरों तक

C. 3 हैक्टेयरों तक D. 4 हैक्टेयरों तक

51. **अभिकथन (A) :** भारतीय विकास कार्यक्रम सामाजिक न्याय के साथ विकास उन्मुख हैं।

कारण (R) : भारतीय अर्थव्यवस्था गरीबी और आय असमानताओं से संतृस्त है।

कूट :

A. (A) और (R) दोनों सही हैं और (R), (A) का सही स्पष्टीकरण है।

B. (A) और (R) दोनों सही हैं और (R), (A) का सही स्पष्टीकरण नहीं है।

C. (A) सही है परंतु (R) गलत है।

D. (A) गलत है परंतु (R) सही है।

52. यदि भुगतान संतुलन में घाटा हो तो परिवर्तनीय विनिमय दर प्रणाली में :

A. मुद्रा की बाह्य कीमत कम हो जाएगी।

B. मुद्रा की बाह्य कीमत बढ़ जाएगी।

C. व्यापार से अंतःक्षेप आहरणों से अधिक हैं।

D. कुल माँग बढ़ रही है।

53. अवमूल्यन से भुगतान संतुलन घाटे में सुधार होगा, यदि अवमूल्यन करने वाले देश की निर्यात लोच और आयात लोच का जोड़ है :

A. एक से अधिक B. एक से कम

C. शून्य के समकक्ष D. नकारात्मक

54. आर्थिक एकीकरण के उदाहरण हैं :

(*a*) मुक्त व्यापार क्षेत्र (*b*) सीमाशुल्क यूनियन

(*c*) साझा बाजार (*d*) उत्पादक संघ (Cartel)

नीचे दिए गए कूटों से सही उत्तर का चयन करें।

A. (*a*) और (*b*) B. (*b*) और (*c*)

C. (*a*), (*b*) और (*d*) D. (*a*), (*b*) और (*c*)

55. निम्नलिखित कथनों पर विचार करें :

(*a*) भारत की व्यापार नीति समीक्षा (टी.पी.आर.) प्रत्येक चार वर्षों में की जाती है।

(*b*) विश्व व्यापार संगठन के पास सदस्य देशों की व्यापार नीतियों की नियमित समीक्षा के लिए एक तंत्र है।

उपर्युक्त में से कौन-सा/से कथन सही है/हैं?

A. केवल (*a*)

B. केवल (*b*)

C. (*a*) और (*b*) दोनों

D. (*a*) और (*b*) में कोई नहीं

56. निम्नलिखित में से कौन-सा देश वर्ष 2013-14 के दौरान भारत का सबसे बड़ा व्यापार भागीदार था?

A. संयुक्त अरब अमीरात B. चीन

C. संयुक्त राज्य अमेरिका D. जापान

57. नई व्यापार नीति 2015-20 में एक नई स्कीम शुरू की गई है, जिसे कहा जाता है :

A. मर्चेन्डाइज एक्सपोर्ट फ्रॉम इंडिया स्कीम

B. एक्सपोर्ट फ्रॉम इंडिया स्कीम

C. मर्चेन्डाइज ट्रेड फ्रॉम इंडिया स्कीम

D. ट्रेड फ्रॉम इंडिया स्कीम

58. कीमत कैंची (प्राइस सीजर्स) निम्नलिखित में किसकी ओर संकेत करता है?

A. मार्शल द्वारा मांग और पूर्ति की ताकतों का उदाहरण।

B. एक सह-देश से दो रणनीतिक कच्चे मालों का निर्यात।

C. एक प्रमुख आयात की कीमत में तीव्र वृद्धि के द्वारा रणनीतिक निर्यात मद की कीमत में तीव्र गिरावट।

D. प्रतिस्पर्धात्मक स्थानीय विनिर्माताओं की निर्यात टोकरी (एक्सपोर्ट बास्केट)।

59. विदेशी विनिमय बाजार में हेजिंग निम्नलिखित में किसकी ओर संकेत करती है?

A. अवमूल्यन का एक कृत्य

B. भविष्य में विदेशी विनिमय की जोखिम को शामिल न करना।

C. भविष्य में विदेशी विनिमय की जोखिम को शामिल करना।

D. उपर्युक्त में से कोई नहीं

60. वास्तविक प्रभावी विनिमय दर के लिए निम्नलिखित कथनों पर विचार करें और निम्नलिखित कूट में से **सही** उत्तर चुनें :

(*a*) यह प्रमुख देशों की मुद्राओं के बास्केट के मूल्य सूचकांक की तुलना में किसी देश की मुद्रा के औसत मूल्य की ओर संकेत करता है।

(*b*) यह मुद्राओं की बास्केट के औसत मूल्य और किसी देश की मुद्रा के मौद्रिक मूल्य के अंकित अनुपात की ओर संकेत करता है।

कूट :

A. केवल (*a*) सही है

B. केवल (*b*) सही है

C. (*a*) और (*b*) दोनों सही हैं

D. (*a*) और (*b*) दोनों सही नहीं हैं

61. निम्नलिखित कथनों पर विचार करें :

(*a*) क्लासिकल मॉडल के संदर्भ में ऋण द्वारा वित्तीयन, भावी पीढ़ियों पर भार के अंतरण का एक साधन है।

(*b*) विदेशी ऋण वर्तमान पीढ़ी पर बिना कोई भार डाले, सार्वजनिक कार्यक्रमों के लिए वित्तपोषण को सम्भव करता है।

(*c*) विदेशी ऋण भावी पीढ़ियों के लिए भारस्वरूप नहीं होता यदि निधियों का प्रयोग अनुत्पादक रूप से भी क्यों न किया गया हो।

उपर्युक्त कथनों में से कौन-सा/से कथन **सही** है/हैं?

A. केवल (*a*) सही है

B. (*a*) और (*b*) सही है

C. (*b*) और (*c*) सही हैं

D. (*a*) और (*c*) सही हैं

62. करापात निम्नलिखित में से किसकी ओर संकेत करता है?

A. क्या कोई कर प्रगामी, अनुपातिक या प्रतिगामी है।

B. कोई कर कितनी बार एकत्र किया जाता है।

C. व्यक्ति या समूह जो अंततः कर का भुगतान करता है।

D. कोई कर कैसे एकत्र किया जाता है।

63. **अभिकथन (A) :** प्रगतिशील आय कर समान सीमांत त्याग पर आधारित है।

कारण (R) : आय जितनी अधिक होगी करदाताओं को मुद्रा की सीमांत उपयोगिता उतनी ही कम होगी।

कूट :

A. (A) और (R) दोनों सही हैं और (R), (A) का सही स्पष्टीकरण है।

B. (A) और (R) दोनों सही हैं लेकिन (R), (A) का सही स्पष्टीकरण नहीं है।

C. (A) सही है परंतु (R) गलत है।

D. (A) गलत है परंतु (R) सही है।

64. निम्नलिखित करों में से कौन-सा एक राज्य सरकारों के क्षेत्राधिकार में आता है जैसा भारतीय संविधान की सूची-II में सूचीबद्ध किया गया है?

A. स्टॉक एक्सचेंजों और वायदा बाजारों में लेन-देन हेतु स्टांप ड्यूटी से अतिरिक्त कर।

B. रेलवे मालभाड़ा और भाड़ा पर कर।

C. संसद द्वारा अधिरोपित किसी सीमा के अधीन खनिज अधिकारों पर कर।

D. कुछ वित्तीय दस्तावेजों के मामले में स्टांप ड्यूटी की दर।

65.

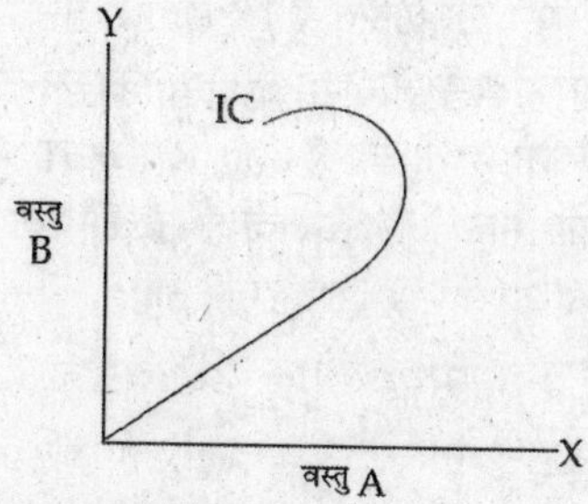

उपर्युक्त आरेख में, यदि IC वक्र आय-उपभोग वक्र प्रदर्शित करता है तो इसका अर्थ है कि :

A. केवल (A) निकृष्ट वस्तु है।

B. केवल (B) निकृष्ट वस्तु है।

C. (A) और (B) दोनों निकृष्ट वस्तु है।

D. (A) सामान्य वस्तु है।

66.

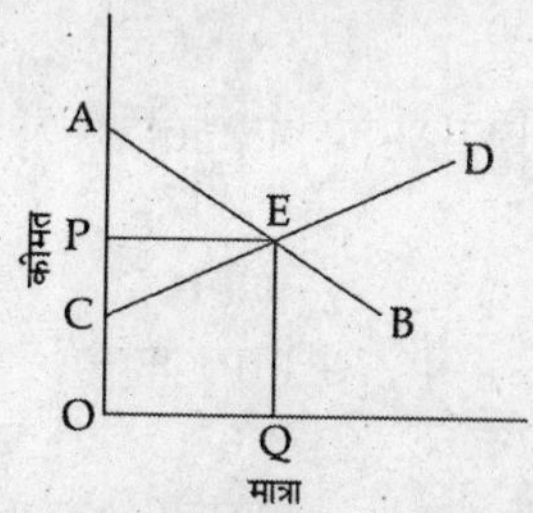

उपर्युक्त आरेख में उपभोक्ता अधिशेष को किस क्षेत्र द्वारा दर्शाया गया है?

A. Δ PCE

B. Δ APE

C. Δ ACE

D. चतुर्भुज OPEQ

67. साईमन-हॉकिन्स की दशाएँ निम्नलिखित में से किससे संबंधित हैं?

(*a*) लियोनटिफ का स्थैतिक मॉडल।

(*b*) लियोनटिफ का गत्यात्मक मॉडल।

(*c*) ये मॉडल के हल के लिए आवश्यक और पर्याप्त दशाएँ हैं।

नीचे दिए गए कूटों से **सही** उत्तर चुनें :

A. (*a*) और (*b*)

B. (*b*) और (*c*)

C. (*a*), (*b*) और (*c*)

D. (*a*) और (*c*)

68. दिए गए उत्पादन फलन $Q = 2.K^{1/3}.L^{2/3}$, में उत्पादन स्तर बताएँ, जबकि पूंजी की 8 इकाइयों और श्रमिकों की 27 इकाइयों का उपयोग हुआ है :

A. 36

B. 54

C. 18

D. 24

69. जब किसी वस्तु की कीमत ₹ 15 होती है तो उपभोक्ता ₹ 240 खर्च करता है और जब उस वस्तु की कीमत बढ़कर ₹ 20 हो जाती है तो वह ₹ 300 खर्च करता है। मांग की लोच का मान निम्नलिखित में से कौन-सा है?

A. $\frac{2}{3}$ B. 1

C. $\frac{3}{20}$ D. $\frac{1}{30}$

70. निम्नलिखित समाश्रयण मॉडल के लिए

$Y = \beta_0 + \beta_1 X_1 + \beta_2 X_2 + ... + \beta_* X_k + u,$

'n' प्रेक्षणों के साथ $|t|$ सांख्यिकी परीक्षण हेतु स्वातंत्र्य कोटि है :

A. $n - k$ B. $n - k + 1$

C. $n - k - 1$ D. $n + k + 1$

71. निम्नांकित को सुमेलित कीजिए और नीचे दिए गए कूटों में से उत्तर चुनिए :

सूची-I	सूची-II
(*a*) वाल्ट टेस्ट	1. स्थिर अवस्था
(*b*) यूनिट रूट टेस्ट	2. चरों में त्रुटि मॉडल
(*c*) स्टूडेन्टस 'टी' टेस्ट	3. कारणता
(*d*) ग्रैंजर टेस्ट	4. समाश्रयण गुणांकों की सार्थकता

कूट :

	(*a*)	(*b*)	(*c*)	(*d*)
A.	2	1	4	3
B.	1	2	4	3
C.	3	4	1	2
D.	4	3	2	1

72. निम्नलिखित मॉडल/लों में यदि आवश्यक हो तो रूपान्तरण कर किसको सामान्य न्यूनतम वर्ग विधि से आकलित किया जा सकता है? नोट करें कि (*e*) घातीयचर को संकेतित करता है।

(*a*) $Y_t = \alpha + \beta X_t + ut$

(*b*) $Y_t = \alpha + \beta e^{X_t} + ut$

(*c*) $Y_t = \alpha + \beta \ln(X_t) + ut$

(*d*) $Y_t = \alpha + \beta X_t^2 + ut$

कूट :

A. केवल (*a*)

B. केवल (*b*) और (*c*)

C. केवल (*a*), (*c*) और (*d*)

D. (*a*), (*b*), (*c*) और (*d*)

73. यदि एक सह-निर्भर युगपतीय प्रणाली की प्रत्येक समीकरण के आकलन हेतु सामान्य न्यूनतम वर्ग विधि (OLS) का उपयोग किया जाता है, तो प्राप्त आकलक होंगे :

A. निष्पक्ष और सुसंगत

B. पक्षपातपूर्ण और सुसंगत

C. पक्षपातपूर्ण और असंगत

D. जो समीकरण एक युगपतीय प्रणाली के अंग हैं, उनका आकलन, सामान्य न्यूनतम वर्ग विधि (OLS) द्वारा असम्भव है।

74. निम्नलिखित में से कौन बहु-समरेखिकता का औचित्यपरक उपाय नहीं है?

A. प्रिंसिपल कम्पोनेन्टस विश्लेषण का प्रयोग

B. किसी एक समरेखिक चर को हटाना

C. दीर्घकालिक आंकड़ों का प्रयोग

D. प्रत्येक चर के लघुगणकीय रूपांतरण को लेना

75. दो समाश्रयण मॉडलों पर विचार कीजिए :

मॉडल 1 : $Y_t = \beta_1 + \beta_2 X_{2t} + u_t$

मॉडल 2 : $Y_t = \alpha_1 + \alpha_2 X_{2t} + \alpha_3 X_{3t} + u_t$

निम्नलिखित कथनों में से कौन-से सही हैं?

(*a*) मॉडल 2 में R^2 का मान कम से कम मॉडल 1 से अधिक होना चाहिए।

(*b*) मॉडल 2 में समायोजित R^2 का मान कम से कम मॉडल 1 के मान के समकक्ष होना चाहिए।

(*c*) मॉडल 1 और 2 में R^2 का मान समान होना चाहिए यदि α_3 का आकलित समाश्रयण गुणांक शून्य है।

(*d*) मॉडल 1 और 2 में, समायोजित R^2 का मान समान होना चाहिए यदि α_3 का आकलित समाश्रयण गुणांक शून्य है।

कूट :

A. केवल (*a*) और (*d*)

B. केवल (*a*) और (*c*)

C. केवल (*a*), (*b*) और (*c*)

D. (*a*), (*b*), (*c*) और (*d*)

उत्तरमाला

1	2	3	4	5	6	7	8	9	10
D	A	B	B	D	B	C	C	C	D
11	**12**	**13**	**14**	**15**	**16**	**17**	**18**	**19**	**20**
C	A	D	D	A	A	A	B	B	C
21	**22**	**23**	**24**	**25**	**26**	**27**	**28**	**29**	**30**
A	A	B	C	C	B	A	D	B	D
31	**32**	**33**	**34**	**35**	**36**	**37**	**38**	**39**	**40**
A	B	A	A	C	C	B	B	C	B
41	**42**	**43**	**44**	**45**	**46**	**47**	**48**	**49**	**50**
D	D	D	C	A	A	C	B	D	A
51	**52**	**53**	**54**	**55**	**56**	**57**	**58**	**59**	**60**
A	A	A	D	C	B	A	C	C	A
61	**62**	**63**	**64**	**65**	**66**	**67**	**68**	**69**	**70**
B	C	A	C	A	B	D	A	*	C
71	**72**	**73**	**74**	**75**					
A	D	C	D	B					

व्याख्यात्मक उत्तर

1. कुछ अन्य चरों में परिवर्तन के लिए लोच मात्रा की अनुक्रियाशीलता की माप करती है। मांग की कीमत लोच को मांग मात्रा में परिवर्तन का प्रतिशत और मूल्य में परिवर्तन का प्रतिशत के अनुपात के रूप में परिभाषित किया गया है। यह दिया गया है–

$$\eta = \left|\frac{\Delta Q/Q}{\Delta P/P}\right| = \left|\frac{\Delta Q}{\Delta P}.\frac{P}{Q}\right| = \left|\frac{1}{\text{slope}}.\frac{P}{Q}\right|$$

लोच बिन्दु मांग वक्र पर दी गई एक बिन्दु की लोच की अथवा समतुल्य दिए गए मूल्य की माप करती है। मांग वक्र पर दो बिन्दुओं की लोचता का अनुमानित औसत आर्क लोच है। एक रेखीय मांग वक्र के लिए ढाल नियत है और चूंकि ज्यों ही हम नीचे की ओर मांग वक्र की ओर जाते हैं। P/Q नीचे जाता है। मूल्य की लोचता में गिरावट आती है जब हम नीचे की ओर मांग वक्र की ओर जाते हैं।

2. मूल्य में भेदभाव संभव है जब विभिन्न बाजारों में मांग की लोच अलग-अलग हो जाएगी। एकाधिकारवादी बाजार में प्रति इकाई उच्च कीमत तय करेगा जहाँ मांग अलोचदार हो और जहाँ मांग लोचदार हो वहाँ बाजार में प्रति इकाई मूल्य न्यूनतम होगा। इस प्रकार, अकेले ही वह अपने कुल राजस्व में वृद्धि कर सकता है। मांग में बदलाव का कोई भय नहीं होता है। यदि विभिन्न बाजारों में मांग की लोच समान हो तो मूल्य में भेदभाव संभव नहीं है।

3. भारतीय कंपनी अधिनियम 1956 दो प्रकार की कंपनियों को मान्यता प्रदान करती है–प्राइवेट लिमिटेड कंपनी और पब्लिक लिमिटेड कंपनी। इन दोनों के बीच अंतर है :

(*i*) प्रांइवेट लिमिटेड कंपनी के गठन के लिए कम से कम दो शेयरधारकों की आवश्यकता होती है जबकि पब्लिक लिमिटेड कंपनी के गठन के लिए कम से कम सात शेयरधारकों की आवश्यकता होती है।

(*ii*) पब्लिक लिमिटेड कंपनी के शेयरधारकों के अधिकार उनके शेयरों के हस्तांतरण के संबंध में प्रतिबंधित हैं जबकि प्राइवेट लिमिटेड के शेयरधारकों के अधिकार उनके शेयर के हस्तांतरण के संबंध में प्रतिबंधित नहीं है।

(*iii*) प्राइवेट लिमिटेड कंपनी में शेयरधारकों की अधिकतम संख्या पचास से ज्यादा नहीं हो सकती जबकि पब्लिक लिमिटेड कंपनी में शेयरधारकों की अधिकतम संख्या के विषय में कोई प्रतिबंध नहीं लगाया गया है।

पब्लिक लिमिटेड कंपनी में कंपनी के मालिक उनसे अलग होते हैं जो फर्म को चलाते हैं। पब्लिक लिमिटेड कंपनी के मालिक शेयरधारक कहलाते हैं। एक शेयरधारक की देयता शेयर के मूल्य तक सीमित है, जो उनके पास है। प्रबंधन पब्लिक लिमिटेड कंपनी द्वारा किए गए करारों के लिए जिम्मेदार है।

5. नव-क्लासिकीय उत्पादन फलन : उत्पादन कार्य निम्नलिखित तीन गुणों को संतुष्ट करता है (समय संकेतन दबा दिया जाता है) :

1. सकारात्मक और सीमांत उत्पादों के ह्रासमान

$$\frac{\partial F}{\partial K} > 0 \quad \frac{\partial^2 F}{\partial K^2} < 0$$

$$\frac{\partial F}{\partial L} > 0 \quad \frac{\partial^2 F}{\partial L^2} < 0$$

2. पैमाने के स्थिर प्रतिफल (CRS)

$$F(cK, cL) = cF(K, L), \text{ सभी के लिए } c \geq 0$$

3. इनाडा शर्तें

$$\lim_{K \to 0} F_K = \lim_{L \to 0} F_L = \infty$$

$$\lim_{K \to \infty} F_K = \lim_{L \to \infty} F_L = 0$$

जहाँ, $F_K = \frac{\partial F}{\partial K}$ और $F_L = \frac{\partial F}{\partial L}$

6. उत्पाद की मात्रा बढ़ाकर एक प्रतिस्पर्धी फर्म लाभ को अधिकतम कर देता है जो सीमांत राजस्व एवं सीमांत लागत के समान है। इसमें मूल्य सीमांत राजस्व के लिए बराबर होता है। यह सीमांत राजस्व एक पूर्णतया प्रतिस्पर्धी फर्म के लिए है, मूल्य भी सीमांत लागत के बराबर है। दूसरे शब्दों में, फर्म सीमांत लागत वक्र के साथ ऊपर-नीचे कर उत्पन्न करता है। इस प्रकार पूर्णतया प्रतिस्पर्धी फर्म का सीमांत लागत वक्र, आपूर्ति वक्र है। चूंकि सीमांत रिटर्न ह्रासमान नियम के कारण सीमांत लागत वक्र सकारात्मक रूप से झुक जाता है। अतः यह भी फर्म की आपूर्ति वक्र है।

8. साधन का शोषण एक स्थिति को संदर्भित करता है जिसमें सीमांत उत्पादकता की तुलना में कम कीमत पर कार्यरत है। शोषण की सीमा सीमांत मजदूरी अथवा सीमांत राजस्व उत्पादकता और औसत मजदूरी अथवा साधन मूल्य के बीच अंतर पर निर्भर करता है। इसे रेखाचित्र के माध्यम से चित्र में समझाया गया है। इस चित्र में OX-अक्ष दर श्रम की इकाइयों को प्रदर्शित किया गया है और मजदूरी दर/उत्पादकता OY-अक्ष पर दिखलाया गया है। MW एक सीमांत मजदूरी (MFC) वक्र और AW औसत मजदूरी (AFC) वक्र है। MRP सीमांत राजस्व उत्पादकता वक्र को प्रदर्शित करता है।

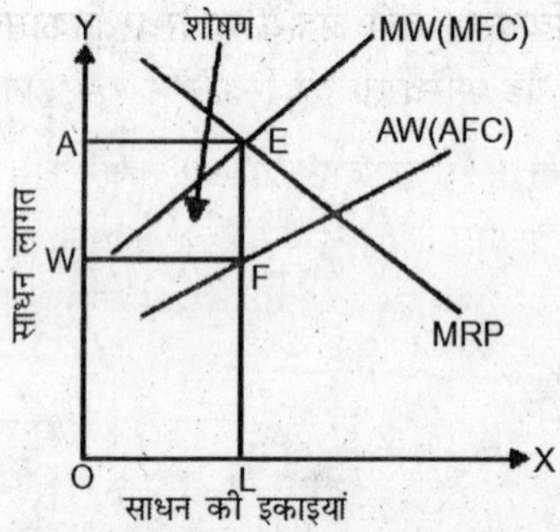

एक क्रेता एकाधिकार फर्म मजदूरों की संख्या, जिस पर उनकी सीमांत मजदूरी (MW) अपने सीमांत राजस्व उत्पादकता (MRP) के बराबर है, काम करेंगे। इस चित्र में, फर्म बिन्दु E पर साम्यावस्था में है जहाँ MW = MRP। परिणामतः फर्म श्रम की OL इकाइयों को रोजगार देगा। OW मजदूरी दर पर श्रमिकों का भुगतान किया जाएगा जैसा कि AW वक्र पर बिन्दु F द्वारा इंगित किया गया है। यह इसलिए क्योंकि FL अनुरूप औसत मजदूरी (AW), EL सीमांत मजदूरी (MW) का है। यह श्रम की सीमांत राजस्व उत्पादकता (MRP = OA) से कम है। क्रेता एकाधिकार फर्म इस प्रकार श्रम की प्रति इकाई AW लाभ अर्जित करेगा। फर्म का यह लाभ श्रमिकों के शोषण के कारण होता है। कुल लाभ क्षेत्र AWFE के बराबर होगा।

संक्षेप में, पूर्ण प्रतियोगिता के अधीन उत्पादन के साधन का मूल्य, सीमांत राजस्व उत्पादकता (MRP) के बराबर होगा लेकिन अपूर्ण प्रतियोगिता के अधीन यह सीमांत राजस्व उत्पादकता से कम होगा। तदनुसार, अपूर्ण प्रतियोगिता के अधीन साधन का शोषण होगा।

9. वर्ष 1960 में, विख्यात अर्थशास्त्री निकोलस केल्डर ने अपनी पुस्तक 'एसेज ऑन इकोनॉमिक स्टैबिलिटी एंड ग्रोथ' में विकास का एक प्रतिदर्श प्रस्तुत किया। इसके पूर्व, उन्होंने अपने लेख 'अल्टरनेटिव थ्योरिज़ ऑफ डिस्ट्रीब्युशन' में 'इनकम डिस्ट्रीब्युशन प्रतिदर्श' प्रकाशित करवाया। केल्डर के विकास मॉडल का मुख्य उद्देश्य उन गैर आर्थिक साधनों की प्रवृत्ति का विश्लेषण करता है जो दीर्घकालीन साम्य वृद्धि की दर निर्धारित करता है। इस मॉडल में विकास प्रक्रिया की व्याख्या हेतु केल्डर पूंजी संचय के तकनीकी प्रगति को लक्षित करता है। केल्डर मॉडल बताता है कि बढ़ती हुई आबादी की अवस्था में भी अर्थव्यवस्था लंबी अवधि का स्थिर विकास दे सकता है और यह अस्थिरता की स्थिति में नहीं होना चाहिए।

11. कॉब-डगलस ने उत्पादन कार्य को साधन श्रम (L) और पूंजी (Z) द्वारा उपलब्ध कराई गई सेवाओं के प्रवाह के संदर्भ में परिभाषित किया है। औपचारिक रूप से $Y = AL^{\alpha}Z^{\beta}$

जहाँ, Y उत्पादन है, और A, TFP है। जहाँ उत्पादन के साधन को ठीक तरह से मापा गया है। A उत्पादन के साधनों के उपयोग में दक्षता का स्तर सहित तकनीकी प्रगति प्रदर्शित करता है। एक प्रतिस्पर्धी संतुलन में प्रतिपादक α और β क्रमशः श्रम सेवाओं की उत्पादकता में लोच और पूंजी सेवाओं के उत्पादन को प्रदर्शित करते हैं। विशेष स्थिति में, जहाँ $\alpha + \beta = L$, उत्पादन कार्य पैमाने पर नियत रिटर्न प्रदर्शित करता है। यह प्रदर्शन α और β (जो क्रमशः श्रमिकों के इनकम शेयर और पूंजी सेवाओं को प्रदर्शित करता है) के साथ होता है।

13. उत्पादन की वृद्धि दर $= 3\% + \frac{1}{4} \times 8\% + \frac{3}{4} \times 4\%$

$$= 3\% + 2\% + 3\% = 8\%$$

14. अप्रत्याशित मुद्रास्फीति वह मुद्रास्फीति की दर है जिसका जनता द्वारा सही ढंग से पूर्वानुमान नहीं लगाया जाता है। जबकि प्रत्याशित मुद्रास्फीति वह मुद्रास्फीति की दर है जिसका जनता द्वारा सही ढंग से अनुमान लगाया जाता है।

15. **धन की मात्रा सिद्धांत :** अर्थवाद की नींव का पत्थर है। सिद्धांत कहता है कि अर्थव्यवस्था में उपलब्ध धन की मात्रा, धन का मूल्य निर्धारित करता है। मुद्रास्फीति का मुख्य कारण धन की आपूर्ति में वृद्धि है। इसी कारण मिल्टन फ्राइडमैन ने दावा किया, ''मुद्रास्फीति हमेशा और हर जगह एक मौद्रिक घटना है।'' यह सिद्धांत फिशर समीकरण पर आधारित है, MV = PT, इरविंग फिशर (1867-1947) के नाम पर इस सिद्धांत का नाम पड़ा। M धन का स्टॉक है, V संचलन वेग है, P औसत कीमत स्तर है तथा T अर्थव्यवस्था में लेन-देन की संख्या है। सामान्य रूप से और स्पष्टतः समीकरण कहता है कि खर्च की गई धन की मात्रा, उपयोग की गई धन की मात्रा के बराबर होता है। अपने शुद्धतम अवस्था में मात्रा का सिद्धांत मानता है कि कम से कम अपने अल्प अवधि में V और T दोनों नियत हैं। इस प्रकार M में किसी भी प्रकार का परिवर्तन सीधे तौर पर P में परिवर्तन होने का मार्ग प्रशस्त करता है। अन्य शब्दों में, पैसे की अपूर्ति बढ़ाएं और मुद्रास्फीति का उदय करें।

17. अधिकतम लाभ कमाने के उद्देश्य से, उस बिन्दु तक एक फर्म श्रमिकों की मांग करेगा जहाँ श्रमिकों की सीमांत उत्पादकता उनकी मजदूरी दर के बराबर है। दूसरे शब्दों में, फर्म उस बिन्दु पर साम्यावस्था में होगी जहाँ सीमांत उत्पादकता (MRP), सीमांत मजदूरी (MW) के बराबर है, अर्थात् MRP = MW और साम्य बिन्दु पर सीमांत उत्पादकता वक्र (MRP Curve) को सीमांत मजदूरी वक्र (MW curve) से काटा जाना चाहिए।

18. हैरोड की तटस्थ तकनीकी प्रगति श्रम संवर्धन होने के कारण तकनीकी प्रगति को मान्यता प्रदान करती है। अर्थात् कालान्तर में किसी भी मजदूर की उत्पादकता बढ़ती है। इस मामले में उत्पादन कार्य को इस प्रकार लिखा जा सकता है–

$$y_t = F\left(K_t, e^{\lambda_1 t} L_t\right)$$

जहाँ λ_1 श्रम संवर्धन तकनीकी प्रगति की दर है।

19. डोमर निम्न प्रश्नों के इर्द-गिर्द अपना प्रतिदर्श तैयार करता है : चूंकि एक तरफ निवेश आय की उत्पत्ति करता है तो दूसरी तरफ उत्पादन क्षमता में वृद्धि करता है। किस दर पर निवेश में वृद्धि होना चाहिए ताकि आय में वृद्धि, उत्पादन क्षमता में वृद्धि के समान हो सके और पूर्ण रोजगार अनुरक्षित रहे।

21. ए.के. मॉडल : अन्तर्व्याप्त-वृद्धि मॉडल के इस वर्ग का मुख्य गुण है। पूंजी के लिए रिटर्न ह्रासमान का अभाव। बिना ह्रासमान रिटर्न के उत्पादन कार्य का सरलतम संस्करण ए.के. फलन : Y = AK

जहाँ A एक सकारात्मक नियतांक है जो तकनीक के स्तर को प्रदर्शित करता है। ह्रासमान रिटर्न की वैश्विक अनुपस्थिति अवास्तविक लगती है लेकिन अवधारणा स्वीकार्य लगती है। यदि व्यापक अर्थ में मानव पूंजी को शामिल कर हम K के बारे में सोचते हैं। मानव पूंजी को समाविष्ट करने के लिए सोचते हैं। प्रति व्यक्ति उत्पादकता है Y = AK और औसत एवं पूंजी का सीमांत उत्पादन A > 0 स्तर पर नियतांक हैं।

23. मौद्रिक नीति कम प्रभावी है जब जैसा कि केंस का दावा है, मौद्रिक नीति अप्रभावी हो जाएगी जब या तो IS वक्र स्टीप (कम लचीला) हो या फिर तरलता का जाल हो। मौद्रिक नीति स्टीपर या IS से कम प्रभावी है। IS वक्र स्टीपर है और निवेश कम लोचदार है। जब IS वक्र स्टीप है, तो ढीली मौद्रिक नीति दायीं ओर LM पर शिफ्ट कर जाती है। ब्याज की दर गिरती है लेकिन निवेश थोड़ा बढ़ता है। कुछ हद तक आय ताकि आय कुछ हद तक बढ़ सके।

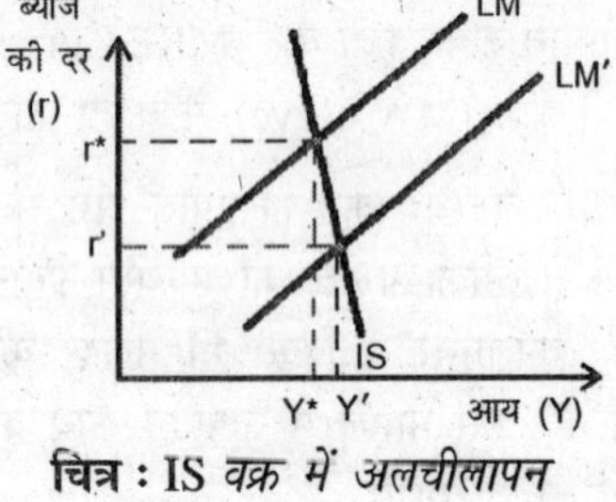

चित्र : IS *वक्र में अलचीलापन*

24. मुद्रावाद अर्थशास्त्र में वह विचारधारा है जो नाममात्र मुद्रा की आपूर्ति में परिवर्तनों के महत्व जो कीमतों में उतार-चढ़ाव, रोजगार और उत्पाद के कारण होता है, पर बल देता है। अग्रणी मुद्रावादी में सम्मलित हैं–मिल्टन फ्राइडमैन (1976 में अर्थशास्त्र में नोबेल पुरस्कार विजेता), कार्ल ब्रूनर और एलन मेल्टजर। सामान्यतः विनिमय के समीकरण से मुद्रा की भूमिका का मौद्रिक विश्लेषण शुरू होता है, जिसे इस रूप में लिखा जाता है :

$$M \times V = GDP = P \times Y$$

इस समीकरण की वास्तव में एक पहचान है–वह है, यह परिभाषा से सत्य है। यह कहता है कि राष्ट्र का सांकेतिक GDP (कुल मूल्य स्तर, P, उत्पाद के वास्तविक स्तर Y से गुणा किया जाता है) मुद्रा आपूर्ति के बराबर है। M को वेग V से गुणा किया जाता है, जो कितनी बार मुद्रा आपूर्ति हुई, की गणना करता है। यह मुद्रा आपूर्ति एक वर्ष के दौरान 'टर्न ओवर' से GDP सहित सामानों और सेवाओं की 'मध्यस्थता' करता है।

26. जेम्स टोबिन (1958) और मिल्टन फ्राइडमैन (1956) ने मुद्रा के लिए मांग के पोर्टफोलियो दृष्टिकोण का प्रतिपादन किया। उनके अनुसार मुद्रा उन संपत्तियों में से एक है जिसे लोग संपत्तियों के पोर्टफोलियो के रूप में पकड़ सकते हैं। इस पोर्टफोलियो का आकार लोगों के धन पर सकारात्मक रूप से निर्भर करता है। जिसके पास जितना अधिक धन होगा वह उतना ही बचत कर सकेगा और उसके पोर्टफोलियो की आकृति का यही बड़ा संचय होगा। इस प्रकार मुद्रा की मांग के कार्य में धन एक सकारात्मक कारक है। यद्यपि आय में धन से आय भी शामिल है। यह अक्सर व्यक्तियों की संपत्ति धारण शक्ति का एक 'स्थानापन्न' उपाय के रूप में लिया जाता है। इसके अलावा, यदि धन का उपयोग किसी कार्य में आय के साथ किया जाए तो कार्य के आकलन में एक आर्थिक समस्या हो सकती है, जिसे मल्टीकोलिनरेटी कहा जाता है। इन कारकों के कारण, मुद्रा आपूर्ति कार्य में संपत्ति अक्सर निर्धारक के रूप में नजरअंदाज कर दिया जाता है।

27. जब एल.एम. (LM) वक्र ऊर्ध्वाधर होता है तो मुद्रा आपूर्ति में वृद्धि, आय में वृद्धि करती है और ब्याज की दर को कम करती है।

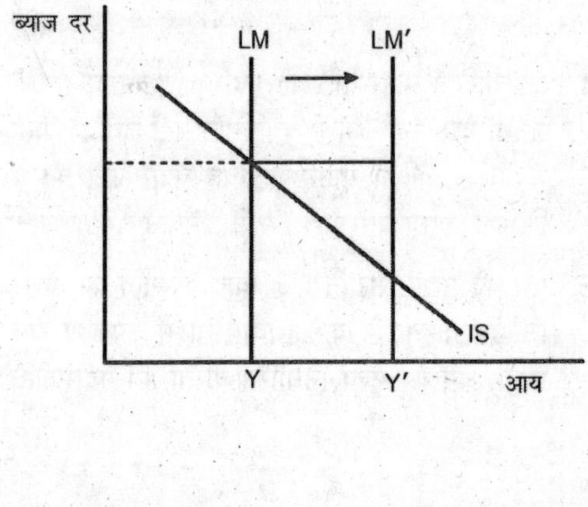

28. अर्थशास्त्रियों के 'मुद्रा के वेग' पर अलग-अलग विचार हैं। क्लासिकीय अर्थशास्त्रियों का मत है कि वेग नियत है। मुद्रावादियों का मानना है कि यह नियत नहीं है बल्कि स्थिर और पूर्वानुमेय है जबकि केंसियनों के विचारानुसार यह न तो नियत है, स्थिर है न ही पूर्वानुमेय है।

30. केंस ने अपने सामान्य सिद्धांत में एक नए शब्द 'तरलता वरीयता' का उपयोग किया है। यह शब्द मुद्रा की मांग के लिए प्रयुक्त हुआ है। केंस ने अर्थव्यवस्था में मुद्रा की मांग के लिए तीन मंशाओं का सुझाव दिया है : (*i*) लेन-देन की मांग, (*ii*) ऐहतिहाती मांग और (*iii*) काल्पनिक मांग।

31. जब सरकार घाटा व्यय (सरकारी खर्च, कर राजस्व से अधिक) में संलग्न रहती है, तो धन के लिए मांग बढ़ती है, जिससे ब्याज दर ऊपर चला जाता है। फलतः क्राउडिंग आउट का प्रभाव बढ़ जाता है। यह उपभोक्ता के टिकाऊ वस्तुओं और व्यापार निवेश के खर्च को कम कर सकता है। घाटा व्यय का अर्थव्यवस्था पर विस्तारवादी प्रभाव पड़ता है, लेकिन इस प्रभाव को कम किया जा सकता है। ऐसा इस प्रकार संभव है कि निजी खर्च में कटौती की भरपाई के द्वारा अर्थव्यवस्था पूर्ण रोजगार प्राप्त कर ले।

33. कंपनियों को भारत में अपने उत्पाद निर्माण के लिए प्रोत्साहित करने के लिए प्रधानमंत्री नरेन्द्र मोदी ने 25 सितम्बर, 2014 को 'मेक इन इंडिया' का शुभारंभ किया। उन्होंने अपने महत्वाकांक्षी अभियान की शुरूआत देश को एक वैश्विक विनिर्माण केन्द्र के रूप में बदलने के उद्देश्य से किया। मोदी द्वारा मेक इन इंडिया शुरू करने के बाद FDI दर में हो रहे परिवर्तन और FDI दर में वृद्धि के कारण हुए विकास पर अध्ययन केंद्रित रहा है। अगस्त 2014 में, भारत की कैबिनेट ने प्रत्यक्ष विदेशी निवेश में 49% की स्वीकृति रक्षा क्षेत्र के लिए और 100% रेलवे के बुनियादी ढाँचे में निवेश की स्वीकृति प्रदान की। 'मेक इन इंडिया' की पहल 25 प्रमुख क्षेत्रों में की गई और यह चार स्तंभों पर आश्रित है जिसकी पहचान भारत में उद्यमिता को बढ़ावा देने के लिए की गई है। ये पहचान न सिर्फ निर्माण में बल्कि अन्य क्षेत्रों में भी की गई है।

34. **प्रजननता का प्रतिस्थापन-स्तर :** प्रजननता का वह स्तर जिस पर जनसंख्या वास्तव में अपने-आप को एक पीढ़ी से अगली पीढ़ी में प्रतिस्थापित करता है। वर्तमान में प्रति महिला 2.1 जन्म की संख्या है (2 से थोड़ा अधिक क्योंकि सभी महिला बच्चे अपने प्रजनन काल तक पहुँचने के लिए जीवित नहीं रहेंगे)।

37. एक कारक की सीमांत उत्पादकता मूल्य (VMP), एक कारक की सीमांत भौतिक उत्पादकता (MPP) से उत्पाद के मूल्य (AR) को गुणा कर प्राप्त की जाती है। प्रो. फर्ग्यूसन के अनुसार, ''एक चर कारक के सीमांत उत्पादकता का मूल्य इसके सीमांत उत्पाद को वस्तु के बाजार मूल्य से गुणा करने पर समान होता है।''
इसलिए,

$$VMP = MPP \times AR$$

38. भारत निर्माण ग्रामीण बुनियादी ढांचे में कार्रवाई के लिए एक समयबद्ध व्यापार की एक योजना है। भारत निर्माण के तहत सिंचाई, ग्रामीण आवास, ग्रामीण जल आपूर्ति, ग्रामीण विद्युतीकरण और ग्रामीण दूरसंचार कनेक्टिविटी के क्षेत्रों में क्रियान्वयन हेतु प्रस्तावित है।

39. बाल लिंग अनुपात, प्रति 1000 पुरुष बच्चों पर महिला बच्चों की संख्या की माप करता है। भारत में यह सामान्यतः 0-6 वर्ष आयु समूह की गणना कर की जाती है। भारत की जनगणना कर आंकड़ों का प्रकाशन किया जाता है।

40. केलकर समिति ने सिफारिश की है कि आयकर अधिनियम की धारा 88, धारा 80L, धारा 10(15)(*i*), धारा 10(15)(*ii*)(*b*), धारा 10(15)(*ii*)(*c*), धारा 10(15)(*ii*)(*d*), धारा 10(15)(*iv*)(*h*) और धारा 10(15)(*iv*)(*i*) के तहत बचत के लिए कर इन्सेन्टिव का उन्मूलन किया जाना चाहिए। तत्कालीन प्रभाव से इन सुविधाओं को वापस ले लेना चाहिए न कि सनसेट क्लाउज के माध्यम से वापस लेना चाहिए।

43. जनांककीय लाभांश संबद्ध है आश्रित जनसंख्या की तुलना में श्रम बल आबादी का तीव्र गति से बढ़ना। इस प्रकार आबादी का बहुमत कामगार आयु वर्ग के अधीन आता है। यह आर्थिक विकास को आगे बढ़ाता है।

45. अर्थशास्त्र में नोबेल पुरस्कार, 2015 प्रिंसटन विश्वविद्यालय के एन्जस डेटन को 'उपभोग, गरीबी और कल्याण' के

विश्लेषण के लिए दिया गया। 69 वर्षीय डेटन का जन्म 1945 में एडिनबर्ग, स्कॉटलैंड में हुआ था। उन्हें अमेरिकी और ब्रिटिश दोनों नागरिकता प्राप्त है।

46. करों को उत्प्लावक कहा जाता है यदि राजस्व कर, राष्ट्रीय आय या उत्पादन में वृद्धि की तुलना में अनुपातिक रूप से अधिक बढ़ता है।

48. रंगराजन समिति की स्थापना 2013 में तेंदुलकर समिति द्वारा गरीबी का आकलन और देश में गरीबों की संख्या की अस्पष्टता स्पष्ट करने के लिए अपनाई गई क्रियाविधि की समीक्षा करने के लिए की गई। रंगराजन समिति ने अपना प्रतिवेदन योजना राज्यमंत्री राव इंद्रजीत को सौंपी। रंगराजन समिति ने अनुमान लगाया कि भारत की एक-तिहाई जनसंख्या गरीबी रेखा से नीचे है, अर्थात 10 लोगों में से 3 लोग भारत में गरीब हैं। रंगराजन समिति के अनुमान के मुताबिक, वर्ष 2009-10 में 38.2 प्रतिशत गरीब थे और वर्ष 2011-12 में घटकर उनकी संख्या 29.5 प्रतिशत हो गई। यह तेंदुलकर की क्रियाविधि से अलग था जिसके तहत वर्ष 2009-10 में गरीबी 29.8% आकलित हुई और वर्ष 2011-12 में घटकर 21.9% हुई। गरीबी के आकलन संबंधी तेंदुलकर समिति की रिपोर्ट को खारिज करते हुए रंगराजन समिति की रिपोर्ट ने दावा किया कि भारत में गरीबों की संख्या और अधिक है। तेंदुलकर के अनुसार प्रति व्यक्ति खपत में वृद्धि होने के कारण गरीबी में कमी आई थी।

49. एक श्रम बाजार को विभाजित देखा जाता है यदि यह "विभिन्न उप-समूहों में थोड़ा अथवा बदलाव की प्रक्रिया की क्षमता से निर्मित हो" विभाजन का विभिन्न समूहों पर प्रभाव पड़ सकता है। उदाहरण के लिए पुरुष और महिलाएँ अलग-अलग मजदूरी प्राप्त करते हैं।

50. भारत सरकार ने विभिन्न प्रकार के भूमि धारणों को वर्गीकृत किया है :

बड़ा	10 हेक्टेयर और अधिक
मध्यम	4 से 10 हेक्टेयर
अर्द्ध-मध्यम	2 से 4 हेक्टेयर
छोटा	1 से 2 हेक्टेयर
सीमांत	1 हेक्टेयर से कम

52. लचीली विनिमय दर प्रणाली के तहत् भुगतान संतुलन में घाटा या अधिशेष की ओर किसी भी रूझान का पहला प्रभाव विनिमय दर है। भुगतान संतुलन में अधिशेष देश की मुद्रा की अधिक मांग उत्पन्न करेगी और विनिमय दर बढ़ने लगेगा। दूसरी तरफ, भुगतान संतुलन में घाटा से देश की मुद्रा की अतिरिक्त आपूर्ति की मात्रा बढ़ जाएगी और इस प्रकार विनिमय दर गिरने लगेगा।

53. निम्नलिखित स्थितियों पर अवमूल्यन अथवा विनिमय मूल्यह्रास निर्भर करता हैः

(*i*) इस संबंध में अत्यंत महत्वपूर्ण स्थिति मार्शल लर्नर स्थिति है। मार्शल-लर्नर स्थिति कहती है कि अवमूल्यन भुगतान संतुलन में सुधार लाएगा। बशर्ते आयात के लिए देश की मांग और निर्यात के लिए विदेशी मांग की लोचों का योग इकाई से अधिक हो। यदि इकाई से लोचों का योग कम हो, तो भुगतान संतुलन में अवमूल्यन के बजाय पुनर्मूल्यांकन के माध्यम से सुधार होगा।

(*ii*) अवमूल्यन तभी सफल हो सकता है जब प्रभावित देश प्रतिशोधपूर्ण ढंग से अपनी मुद्राओं का अवमूल्यन न करें।

(*iii*) आयात के पक्ष में लागत मूल्य संरचना को अवमूल्यन बिल्कुल न बदले।

(*iv*) सरकार यह सुनिश्चित करती है कि मुद्रास्फीति जो अवमूल्यन का परिणाम हो सकती है, को नियंत्रण में रखा गया है ताकि अवमूल्यन का प्रभावी मुद्रास्फीति के प्रभाव द्वारा प्रतिभार न हो।

54. आर्थिक एकीकरण का अर्थ है कि दो या दो से अधिक राष्ट्र व्यापार प्रतिबंधों को कम करते हुए मुक्त व्यापार की सुविधाओं को प्राप्त करें। आर्थिक एकीकरण के कई स्तर अथवा चरण हैं : मुक्त व्यापार क्षेत्र, कस्टम यूनियन और कॉमन बाजार। एक मुक्त व्यापार क्षेत्र में, सदस्य देशों द्वारा व्यापार की सारी बाधाओं को समाप्त कर दिया जाता है ताकि वे स्वच्छंद होकर सदस्य देशों के बीच सामानों और सेवाओं का व्यापार कर सकें। सीमा शुल्क संघ आर्थिक एकीकरण का अगला उच्च स्तर है। यहाँ, सदस्य अपने बीच व्यापार बाधाओं को ध्वस्त कर देते हैं जबकि गैर सदस्यों के लिए सार्वजनिक व्यापार

नीति स्थापित करते हैं। एक सार्वजनिक बाजार में सदस्यों के बीच व्यापार करने के लिए किसी भी प्रकार की बाधा नहीं है और सार्वजनिक विदेश व्यापार नीति लागू है।

55. पारदर्शिता को बढ़ावा देने के लिए और व्यापार नीतियों एवं इनके सदस्यों के तरीकों को बेहतर ढंग से समझने के लिए, विश्व व्यापार संगठन (WTO) के पास व्यापार नीतियों की नियमित समीक्षा के लिए एक तंत्र है। विश्व व्यापार में अपनी हिस्सेदारी के आधार पर, प्रत्येक सदस्य की व्यापार नीति की WTO द्वारा आवधिक अंतराल पर समीक्षा की जाती है। भारत की TPR हर चार वर्षों में की जाती है। TPR अन्य WTO के सदस्यों को यह अवसर प्रदान करती है कि वह नीतियों के विभिन्न पहलुओं और देश की क्रियाकलापों, जो समीक्षा के अधीन है, पर प्रश्न पूछे और अपनी चिंताओं को प्रकट करे।

57. नई विदेश व्यापार नीति : भारत सरकार ने 1 अप्रैल, 2015 को नई विदेश व्यापार नीति 2015-20 की घोषणा की। नई पंचवर्षीय विदेश व्यापार नीति 2015-20 मेक इन इंडिया को ध्यान में रखते हुए माल और सेवाओं के निर्यात साथ ही साथ रोजगार सृजन में वृद्धि तथा देश में मूल्य संवर्धन में वृद्धि की रूपरेखा प्रदान करता है। नई नीति का ध्यान निर्माण और सेवा दोनों को सहायता पहुँचाने में केंद्रित है। इसे 'कारोबार करना आसान' बनाने हेतु विशेष बल प्रदान कर लिया गया। FTP 2015-20 के निम्न विशेष विशेषताएं हैं :

दो नई योजनाओं को शुरू किया गया, यथा—

(*i*) निर्दिष्ट बाजारों में निर्दिष्ट वस्तुओं के निर्यात के लिए भारत योजना से माल का निर्यात (MEIS)।

(*iv*) अधिसूचित सेवाओं के निर्यात में वृद्धि के लिए सर्विस एक्सपोर्ट्स फ्रॉम इंडिया स्कीम (SEIS)। इसका क्रियान्वयन पूर्व के बहुतायत योजनाओं जिनमें पात्रता और उपयोग के लिए अलग-अलग शर्तें निर्धारित थीं, के स्थान पर किया गया।

58. कीमत कैंची एक आर्थिक घटना है। जब एक खास समूह या उत्पादक जनसंख्या के क्षेत्र के लिए इस समूह के बाहर बिक्री के लिए अपने उत्पादन से समग्र मूल्यांकन उचित संतुलन अवधि के बाद समूह के बाहर उत्पादित माल के लिए इस समूह की मांग के मूल्यांकन के नीचे चला जाता है। एक विशेष उदाहरण है कि जब बदलती दुनिया के मूल्य का स्तर किसी देश के निर्यात का मूल्य में बोझ का कारण बनता है जबकि इसके आयात का मूल्यांकन अपेक्षाकृत स्थिर बनी रहती है।

59. हेजिंग विदेशी विनिमय की जोखिम को ढकने अथवा उपेक्षा करने के कार्य को संदर्भित करता है। हेजिंग के उठाने की आवश्यकता इसलिए है क्योंकि विनिमय दरें (स्थान) लगातार घटती-बढ़ती है। परिणामतः वे लोग जो भविष्य में विदेशी मुद्रा के रूप में भुगतान पाने की आशा रखते हैं, उन्हें अधिक जोखिम लेना पड़ता है अथवा देशी मुद्रा के रूप में जितनी उनकी अपेक्षाएं थीं, कम प्राप्त करते हैं। विदेशी विनिमय के सट्टेबाज जो वास्तव में विदेशी विनिमय के जोखिम को ग्रहण करते हैं, को छोड़कर प्रत्येक व्यक्ति भविष्य में चाहे वे विदेशी विनिमय के भुगतानी हों या प्राप्तकर्ता, इन्हें भी विदेशी विनिमय जोखिम से दूर रहना चाहिए।

62. कर बोझ को इस रूप में परिभाषित किया जाता है कि "दी गई अवधि में कुल आय का कुल कर भुगतान एक अनुपात कर बोझ कहलाता है।" इस प्रकार सरकार द्वारा किसी कर का अधिरोपण करदाताओं अथवा उन लोगों जिन पर ये वैधानिक रूप से उगाही योग्य है पर सरकार कुछ कर बोझ डालती है। कर का बोझ एक व्यक्ति जो कर भुगतान के लिए कानूनी रूप से उत्तरदायी हो, से दूसरे पर स्थानांतरित किया जा सकता है, जो कानूनी रूप से कर के अधीन नहीं है। करापात उस व्यक्ति की ओर इंगित करता है जो वास्तव में कर बोझ वहन करता है। व्यक्ति जो अंततः कर का भुगतान करता है, वह व्यक्ति जो करापात सहन करता है, बाजार स्थल द्वारा निर्धारित किया जाता है, विशेषकर मांग और आपूर्ति की लोच द्वारा। आपूर्ति और मांग की लोचों के मूल्यों के आधार पर कर बोझ विक्रेताओं द्वारा (कम अनुवर्ती-कर मूल्यों के रूप में) या क्रेता द्वारा (उच्च अनुवर्ती-कर मूल्यों के रूप में) अवशोषित किया जाता है। यदि कर बोझ की आपूर्ति की लोच उच्च (कम), थोड़ा (ज्यादा) विक्रेताओं अथवा आपूर्तिकर्ताओं द्वारा वहन किया जाता है। इसके विपरीत यदि कर बोझ की मांग उच्च (कम), थोड़ा (ज्यादा) उपभोक्ताओं द्वारा वहन किया जाता है।

63. समान सीमांत त्याग अथवा न्यूनतम सफल त्याग का सिद्धांत प्रगतिशील कर द्वारा प्राप्त किया जाता है। प्रगतिशील कर के महत्वपूर्ण लाभ निम्नलिखित हैं :

1. **प्रगतिशील कर सिद्धांत के भुगतान करने की क्षमता पर आधारित है :** एक अत्यंत मजबूत स्थिति भुगतान करने की योग्यता और सदृश त्याग जिसमें कराधान शामिल है, के रूप में प्रगतिशील कर अवस्थित है। यह तर्क उस धारणा पर आधारित है जिसमें ज्यों ही आय बढ़ती है, आय की सीमांत उपयोगिता गिरती है। चूंकि भुगतान करने की योग्यता आय वृद्धि के सीधे अनुपात में बढ़ती है, कर की दर आय के प्रत्येक स्तर की वृद्धि के साथ बढ़ती है।
2. **आय और धन की समानता को प्रगतिशील कर प्रोत्साहित करता है :** प्रगतिशील कराधान के अधीन समाज में आय और धन का वितरण और ज्यादा समान बनाया जा सकता है। क्योंकि गरीब लोगों की तुलना में अमीर लोगों को उच्च दर पर कर के भुगतान करने की आवश्यकता है।

66. निम्नलिखित शब्दों के माध्यम से उपभोक्ता अधिशेष को मार्शल परिभाषित करता है, "अधिक कीमत जिसे एक उपभोक्ता भुगतान करना चाहता है, के बजाय वह जो वास्तव में भुगतान करता है, यही इस अधिशेष संतुष्टि की आर्थिक माप है...इसे उपभोक्ता अधिशेष कहा जा सकता है।"

किसी सामान के लिए मुद्रा की वह राशि जिसका एक व्यक्ति भुगतान करना चाहता है, उपयोगिता की राशि को इंगित करता है जिसे उसने उस सामान से प्राप्त किया है। जितनी अधिक राशि का वह भुगतान करना चाहता है उतनी ही अधिक उपयोगिता वह प्राप्त करेगा। इसलिए किसी सामान की इकाई की सीमांत उपयोगिता यह निर्धारित करती है कि उस यूनिट के लिए उपभोक्ता भुगतान करने के लिए तैयार होगा। कुल उपयोगिता जिसे एक व्यक्ति एक सामान से प्राप्त करेगा, खरीदे गए सामान की यूनिटों के कुल सीमांत उपयोगिताओं (SMI) द्वारा दिया जाएगा और कुल कीमत जिसका वह वास्तव में भुगतान करता है, सामान की प्रति यूनिट कीमत X खरीदे गए यूनिटों की संख्या के बराबर है। इस प्रकार उपभोक्ता का अधिशेष = उपभोक्ता कितना भुगतान करना चाहता है – वास्तव में वह कितना भुगतान करता है।

= Σ सीमांत उपयोगिता – (कीमत X खरीदी गई वस्तुओं के यूनिटों की संख्या)

67. साईमन-हॉकिन्स की दशाएँ यह सुनिश्चित करने के लिए विकसित की जा रही हैं कि इनपुट-आउटपुट मॉडल के समाधान में नकारात्मक आउटपुट शामिल नहीं है। नकारात्मक आउटपुट का अर्थ है कि ज्यादा मात्रा इनपुट के रूप में उपयोग में लाई गई जिसे आउटपुट के रूप में पाया गया था। उदाहरण के लिए–यदि एक क्विंटल गेहूँ की पैदावार के लिए एक क्विंटल से अधिक बीज की आवश्यकता है, तो हम नकारात्मक आउटपुट प्राप्त करते हैं और स्पष्टतः इस तरह की स्थिति आर्थिक रूप से अलाभकारी है।

हॉकिन्स-साईमन की दशाएँ यह सुनिश्चित करने के लिए विकसित की गई हैं कि प्रणाली आर्थिक रूप से लाभकारी हो। प्रणाली को लाभकारी बनाने के लिए हॉकिन्स-साईमन दो प्रकार की दशाओं का निर्धारण करते हैं। ये हैं–

(*i*) $(l - A)$ के निर्धारक अर्थात् $|l - A|$ सकारात्मक है, और

(*ii*) $[l - A]$ मैट्रिक्स का विकर्ण तत्व सकारात्मक होना चाहिए, अर्थात् $(1 - a_{11}) > 0, (1 - a_{22}) > 0, ...$ $(1 - a_{nn}) > 0$. जब इसका अनुवाद प्रौद्योगिकी मैट्रिक्स के रूप में होगा, इसका अर्थ है $a_{11} < 1$, $a_{22} < 1, ..., a_{nn} < 1$. यह संकेत देता है कि किसी भी क्षेत्र के उत्पादन की 1 यूनिट आउटपुट का उपयोग अपने आउटपुट, इनपुट के रूप में 1 यूनिट से ज्यादा नहीं किया जाना चाहिए। (आर्थिक लाभ की दशा)

68.
$$Q = 2 \times 8^{\frac{1}{3}} \times 27^{\frac{2}{3}}$$
$$= 2 \times (2^3)^{\frac{1}{3}} \times (3^3)^{\frac{2}{3}}$$
$$= 2 \times 2 \times 3^2$$
$$= 4 \times 9 = 36$$

70. बहुखंडीय समाश्रयण मॉडल में त्रुटि के लिए स्वतंत्रता के स्तर हैं :

$$n - (k + 1)$$

72. वास्तव में सभी मॉडल (a) to (d) का आकलन उपयुक्त परिवर्तनों के बाद जहाँ आवश्यक हो OLS का उपयोग करते हुए किया जा सकता है। स्पष्टतः (a) सामान्यतः मानक प्रतिदर्श है। (b) के लिए एक नया चर (Z कहें) सृजित किया जाता है, यहाँ Z = eX एक नियतांक और Z पर Y के समाश्रयण के रूप में मानक प्रतिदर्श दे सकता है। (*c*) में, प्रतिस्थापन Y = (*y*) और X में = एक नियतांक पर (x) और Y समाश्रयण में और X पुनः मानक प्रतिदर्श देगा। अंत में (d) के आकलन के लिए, सेट $Z = x^2$ और एक नियतांक पर समाश्रयित *y* और *z*।

73. वास्तव में, यदि OLS प्रत्येक समीकरण में अलग-अलग लागू होता है जो कि युगपत प्रणाली का एक हिस्सा है तो परिणामी आकलन पक्षपातपूर्ण और असंगत दोनों होगा। यह दिखलाने में काफी आसान है कि चूंकि धारणा E [X' u] = 0 का युगपत समीकरण के संदर्भ में उल्लंघन किया गया है। OLS पक्षापाती गुणांक के आकलन को बढ़ावा देगा। हालांकि, इस पक्षपात में कुछ भी बेहतर नहीं होगा क्योंकि नमूने के आधार में वृद्धि होती है और इसलिए OLS आकलनकर्ता असंगत और साथ ही अपनी विसंगति साबित करता है जिससे बीजगणितीय रूप से और अधिक जटिल होगा। बेशक OLS का उपयोग प्रत्येक समीकरण में अलग-अलग इस अर्थ में किया जा सकता है कि यह विधि कुछ आकलनों की ओर उन्मुख होगी, सिर्फ इतना है कि OLS सप्रमाण लागू नहीं किया जा सकता।

74. प्रिंसिपल कम्पोनेन्टस एनेलाइसिस (PCA) एक औचित्यपरक प्रत्युत्तर है। इसका ध्येय निकट के बहु-समरेखिकता की खोज करना है। यह तकनीक मूल व्याख्यात्मक चर को व्याख्यात्मक चर के एक नए सेट में बदलते हुए कार्य करता है, जिसका निर्माण एक-दूसरे का आर्थोगोनल (आयतीय) होता है। प्रतिगमन एक नियतांक पर y में से एक का है और नए व्याख्यात्मक चरों का है। अन्य संभावित दृष्टिकोण समरेख चरों में से एक को गिराना होगा जो स्पष्ट रूप से बहु-समरेखिकता की समस्या को हल करेगा, हालांकि ऐसा करने के लिए अन्य आपत्तियां हो सकती हैं। अन्य दृष्टिकोण लम्बे आंकड़े को शामिल कर सकता है। इस तरह का दृष्टिकोण नमूने की आकृति को बढ़ाने में शामिल हो सकता है जो अधिक जानकारी मापदंड के आकलन जो आधार से जुड़ा है, का संकेत देगा और इसलिए गुणांक मानक त्रुटियों में कमी है। इस प्रकार बहु-समरेखिकता के प्रभाव का प्रतिकार करता है। अंत में, चरों का लघुगुणक लेना निकट के किसी बहु-समरेखिकता को नहीं हटाएगा।

75. यह सच है कि मॉडल 2 के पास अवश्य ही R^2 है। यह कम से कम इतना ऊँचा है जैसा कि मॉडल 1, चूंकि पहले वाला में अतिरिक्त चर मौजूद है और R^2 कभी नहीं गिर सकता है जब अतिरिक्त चर जोड़ा जाता है। समायोजित R^2 का मूल्य हालांकि बढ़ भी सकता है और घट भी सकता है। यदि अतिरिक्त चर X_3 के पास *y* के लिए महत्वपूर्ण व्याख्यात्मक शक्ति नहीं है, समायोजित R^2 गिर जाएगा। चूंकि समायोजित R^2 को कम करने के लिए एक के द्वारा *k* में वृद्धि और R^2 में वृद्धि के लिए ऑफसेट से अधिक होगा। समायोजित R^2 एक दंड वाले शब्द को सम्मिलित करता है जो महत्वपूर्ण चरों के साथ बड़े मॉडलों को दंडित करता है। यदि α_3 का आकलन मूल्य ठीक शून्य हो, यह ऐसा होगा मानो चर x_3 दूसरे मॉडल में शामिल नहीं किया गया था। इसलिए, उस मामले में, R^2 के दो मूल्य समान होंगे। ऊपर की तरह वही तर्क लागू करने पर, यदि α_3 का आकलन मूल्य ठीक शून्य था, यहाँ तक कि दो मॉडलों के लिए R^2 का मूल्य समान था, समायोजित R^2 मॉडल 2 के लिए निम्न होगा। चूंकि व्याख्यात्मक चरों की संख्या फिर भी एक से ज्यादा बढ़ेगी।

पिछले प्रश्न-पत्र (हल सहित)

UGC-NET जूनियर रिसर्च फैलोशिप तथा सहायक प्राध्यापक परीक्षा

अर्थशास्त्र, जून-2015

प्रश्न-पत्र-II

निर्देश : *इस प्रश्न-पत्र में* ***पचास (50)*** *बहु-विकल्पीय प्रश्न हैं। प्रत्येक प्रश्न के* ***दो (2)*** *अंक हैं।* ***सभी*** *प्रश्न अनिवार्य हैं।*

1. निम्नलिखित बाजार स्थितियों में से किस एक में फर्में उत्पादन और कीमत निर्धारण निर्णयों में पारस्परिक रूप से निर्भर होती हैं?

A. अल्पाधिकार B. क्रेता-अधिकार
C. एकाधिकार D. एकाधिकारी प्रतिस्पर्धा

2. निम्नलिखित में से किस अर्थशास्त्री ने "वैल्यू एंड कैपिटल" शीर्षक की पुस्तक लिखी है?

A. हानसन B. फिलिप्स
C. उरसुला D. जे.आर. हिक्स

3. गिफन विरोधाभास तब होता है, जब आय का प्रभाव :

A. प्रतिस्थापन प्रभाव की तुलना में अधिक होता है
B. प्रतिस्थापन प्रभाव के समान होता है
C. प्रतिस्थापन प्रभाव से कम होता है
D. नकारात्मक और प्रतिस्थापन प्रभाव से अधिक होता है

4. निम्नलिखित में से कौन-सा एक वक्र श्रम के आपूर्ति वक्र की अनुक्रिया करेगा?

A. श्रम का सीमांत उत्पाद वक्र
B. श्रम का सीमांत आय उत्पाद वक्र
C. श्रम के सीमांत उत्पाद का मूल्य वक्र
D. श्रम का औसत उत्पाद वक्र

5. परिसीमन कीमत का तात्पर्य है :

A. वह कीमत, जो फर्म का मुनाफा अधिकतम बढ़ाती है।
B. वह कीमत, जो नई फर्मों का प्रवेश रोकती है
C. वह क्रीमत, जिस पर फर्म लागत से अधिक आय का उपार्जन शुरू कर देती है
D. वह अधिकतम कीमत, जिसे वसूलने की फर्म को अनुमति दी जाती है

6. पैरेटो संबंधी सामान्य इष्टतमता वहाँ पाई जाती है, जहाँ पर :

A. $MRTS\frac{X}{LX} = MRTS\frac{Y}{LK}$

B. $MRT_{XY} = MRS\frac{A}{XY} = MRS\frac{B}{XY}$

C. $MRTS\frac{L}{XY} = MRTS\frac{K}{XY}$

D. $\frac{MP_L}{MP_K} = \frac{P_L}{P_K}$

7. निम्नलिखित बाजारों में से किसमें विज्ञापन आम बात होती है?

(*i*) अल्पाधिकार (*ii*) पूर्ण प्रतिस्पर्धा
(*iii*) एकाधिकारी प्रतिस्पर्धा (*iv*) एकाधिकार

निम्नलिखित कूट में से चुनें :

कूट :

A. (*i*) और (*iii*) B. (*ii*) और (*iii*)
C. केवल (*i*) D. केवल (*iii*)

8. किसके द्वारा बौद्धिक संपदा अधिकार व्यवस्था का प्रबंधन किया जाता है?

A. आई.एम.एफ. B. डब्ल्यू.टी.ओ.
C. यूरोपियन यूनियन D. सार्क

9. यूरो-मुद्रा बाजार के बारे में निम्नलिखित में से कौन-सा कथन सही है? निम्नलिखित कूट में से उत्तर दें :

(*i*) इसका अस्तित्व मौद्रिक नीति के प्रभावोत्पादक संचालन को प्रभावित करता है।

(*ii*) यह एक अत्यंत विनियमित बाजार है।

कूट :

A. (*i*) और (*ii*) दोनों सही हैं

B. (*i*) और (*ii*) में से कोई भी सही नहीं है

C. केवल (*i*) सही है

D. केवल (*ii*) सही है

10. हेक्शर-ओहलिन प्रमेय के अनुसार कोई भी देश किसी वस्तु का निर्यात करेगा :

A. जिसमें अपेक्षाकृत प्रचुर साधन के प्रयोग की तीव्रता है

B. जिसमें अपेक्षाकृत सस्ते साधन के प्रयोग की तीव्रता है

C. दोनों A और B आवश्यक हैं

D. A और B दोनों में से कोई भी आवश्यक नहीं है

11. तटकर संघ सदैव किसका मार्ग प्रशस्त करता है?

A. केवल व्यापार विपथन प्रभाव

B. केवल व्यापार सृजन प्रभाव

C. व्यापार सृजन और व्यापार विपथन दोनों प्रभाव

D. व्यापार विपथन और व्यापार सृजन प्रभाव में से कोई भी नहीं

12. निम्नलिखित धारणाओं में से कौन-सी धारणा अंतर्राष्ट्रीय व्यापार की हेक्शर-ओहलिन प्रमेय में सर्वाधिक महत्वपूर्ण है?

A. दो-कारक मॉडल B. दो वस्तुएँ

C. कोई प्रशुल्क नहीं D. निरंतर प्रशुल्क

13. द्वय अंतराल मॉडल में दो अंतरालों का तात्पर्य है :

A. मुद्रास्फीतिकारी अंतराल और निवेश अंतराल

B. बचत अंतराल और अपस्फीतिकारी अंतराल

C. बचत बाध्यता और विदेशी मुद्रा बाध्यता

D. निवेश अंतराल और बचत अंतराल

14. आय की समग्र समानता द्वारा वर्णित किसी आय के बंटन के गिनी गुणांक का मान क्या है?

A. शून्य B. 0.5

C. 1 D. ∞ (अनन्तता)

15. ग्लोबल वार्मिंग के निम्नलिखित दूरगामी परिणामों में से किस एक बड़े दूरगामी परिणाम की पहचान नहीं की गई है?

A. कृषि उपज में गिरावट

B. बीमारी का फैलना

C. परमाणु ऊर्जा का उपयोग

D. समुद्री जल स्तर में वृद्धि

16. अभिकथन (A): अनेक अल्प-विकसित देशों की विशेषताओं में से एक यह है कि उनमें अल्प बचत दर और अल्प पूंजी निर्माण होता है।

कारण (R) : अल्प विकसित देशों में यह मुख्य रूप से उपभोग के उच्च स्तर के कारण होता है।

कूट :

A. (A) और (R) दोनों सही हैं, तथा (R), (A) की सही व्याख्या है।

B. (A) और (R) दोनों सही हैं, परंतु (R), (A) की सही व्याख्या नहीं है।

C. (A) सही है, परन्तु (R) गलत है।

D. (A) गलत है, परन्तु (R) सही है।

17. निम्नलिखित में से किस अर्थशास्त्री द्वारा 'अधिशेष मूल्य' की अवधारणा विकसित की गई?

A. जे. शूम्पीटर B. कार्ल मार्क्स

C. जे.आर. हिक्स D. आर.ए. फिशर

18. मौद्रिक नीति सर्वाधिक प्रभावोत्पादक होती है, जब निवेश व्यय :

A. ब्याज-लोचदार और मुद्रा की मांग में भी ब्याज-लोचदार होता है।

B. ब्याज-बेलोचदार और मुद्रा की मांग में भी ब्याज-बेलोचदार होता है

C. ब्याज-बेलोचदार और मुद्रा की मांग में ब्याज-लोचदार होता है

D. ब्याज-लोचदार और मुद्रा की मांग में ब्याज-बेलोचदार होता है।

19. एल.एम. वक्र का ढाल निम्नलिखित में से किस पर निर्भर करता है?

A. निवेश की ब्याज-लोच

B. आय की ब्याज-लोच

C. मुद्रा की मांग की ब्याज-लोच

D. उपरोक्त में से कोई भी नहीं

20. किसी बंद अर्थव्यवस्था और त्रिक्षेत्रीय मॉडल में निम्नलिखित में से कौन-सा सही है?

A. पारिवारिक बचतें = निवल निवेश

B. पारिवारिक बचतें = सकल निवेश

C. पारिवारिक बचतें + मूल्य ह्रास = सकल निवेश + सरकारी व्यय

D. पारिवारिक बचतें + कर + मूल्यह्रास = सकल निवेश + सरकारी व्यय

21. कीन्स के अनुसार पूँजी की सीमांत कुशलता है प्रत्याशित :

A. वित्तीय परिसम्पत्तियों पर प्रतिफल दर

B. वास्तविक निवेश से मुनाफा

C. वित्तीय निवेश से मुनाफा

D. वास्तविक निवेश पर प्रतिफल दर

22. परम्परागत समष्टि प्रणाली में मुद्रा निर्धारित करती है :

A. रोजगार

B. वास्तविक उत्पादन

C. A और B दोनों

D. A और B में से कोई भी नहीं

23.

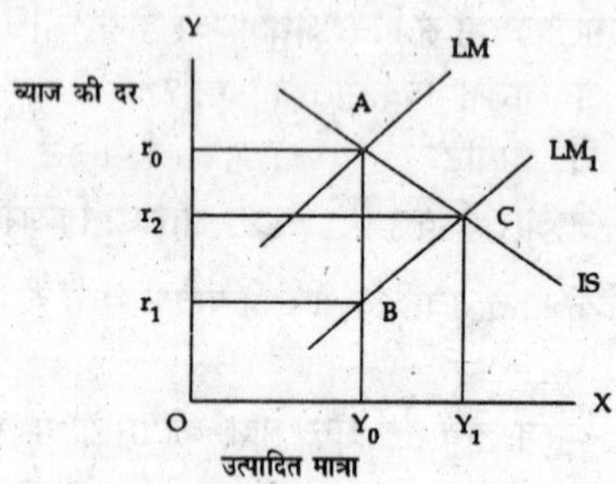

परम्परागत IS-LM आरेख में LM वक्र LM_1 की ओर चला जाता है तो निम्नलिखित में से कौन-सा कथन सही है?

A. तरलता प्रभाव है—$r_0\ r_1$

B. तरलता प्रभाव है—$r_0\ r_2$

C. तरलता प्रभाव है—$r_2\ r_1$

D. उपरोक्त में से कोई भी नहीं

24. फिलिप्स वक्र के बारे में निम्नलिखित वक्तव्यों पर विचार करें :

(*i*) मुद्रा स्फीति की दर और बेरोजगारी की दर के बीच विलोम संबंध होता है।

(*ii*) आर्थिक व्यवहार मौद्रिक प्रतिफल का फलन होता है।

(*iii*) आर्थिक व्यवहार वास्तविक प्रतिफल का फलन होता है।

उपरोक्त कथनों में से कौन-से कथन मुद्रावादियों के विचार की दृष्टि से सही हैं?

A. उपरोक्त सभी कथन सही हैं

B. केवल (*i*) और (*ii*) सही हैं

C. केवल (*ii*) सही है

D. केवल (*iii*) सही है

25. ब्याज दर जोखिम का तात्पर्य है :

A. जब उधारकर्ता ऋण संविदा की शर्तें पूरी करने में असफल रहते हैं

B. ब्याज दर में वृद्धि का तात्पर्य यह है कि द्वितीयक बाजार में वित्तीय प्रतिभूतियों के मूल्य में गिरावट होगी

C. ब्याज दर में वृद्धि द्वितीयक बाजार में वित्तीय प्रतिभूतियों के मूल्य में वृद्धि करेगी

D. जब अनभिप्रेत मुद्रास्फीति बढ़ती है

26. क्लासिकीय समष्टि निकाय में मुद्रा द्वारा क्या निर्धारित किया जाता है?

A. उत्पादन एवं कीमतें B. रोजगार एवं कीमतें

C. रोजगार एवं उत्पादन D. कीमतें

27. जब मौद्रिक सकल घरेलू उत्पाद ₹ 11,000 करोड़ और वास्तविक सकल घरेलू उत्पाद ₹ 10,000 करोड़ है, तब सकल घरेलू उत्पाद अपस्फीतिकारक है :

A. 9.09 B. 90.91

C. 1.11 D. 110

28. **अभिकथन (A) :** भारत में जनांकिकी लाभांश की व्यापक संभावना है।

कारण (R) : भारत की जनसंख्या वृद्धि दर में कमी आ रही है।

कूट :

A. (A) और (R) दोनों सत्य हैं और (R), (A) की सही व्याख्या है।

B. (A) सत्य है, परन्तु (R) असत्य है।

C. (A) और (R) दोनों सत्य हैं, परन्तु (R), (A) की सही व्याख्या नहीं है।

D. (R) सत्य है, परन्तु (A) असत्य है।

29. हाल ही में भारत में सकल घरेलू उत्पाद की गणना करने के लिए आधार वर्ष को निम्नानुसार परिवर्तित किया गया है :

A. 2009-10 B. 2011-12

C. 2014-15 D. 2004-05

30. निम्नलिखित में से किस राज्य की भारत में कुल खाद्यान्न उत्पादन में सबसे अधिक हिस्सेदारी है?

A. पंजाब
B. उत्तर प्रदेश
C. हरियाणा
D. मध्य प्रदेश

31. "जे.ए.एम." त्रयी से क्या तात्पर्य है?

A. जनधन खाता धन
B. जन, आवास, धन
C. जनधन योजना, आधार, मोबाइल नम्बर
D. ज्योति, आधार, मोबाइल

32. 'बुद्धवादी अर्थशास्त्र' के जन्मदाता कौन हैं?

A. ली कुआं यू
B. दलाई लामा
C. ई.एफ. शुमाकर
D. शिंजो एबे

33. निम्नलिखित में से कौन-सा एक साख रेटिंग निर्धारण अभिकरण नहीं है?

A. मूडी
B. स्टैंडर्ड एंड पूअर
C. फिच
D. नास्देक

34. निम्नलिखित में से किसका उपयोग मुद्रास्फीति के मापने में नहीं किया जाता है?

A. थोक मूल्य सूचकांक
B. उपभोक्ता मूल्य सूचकांक
C. क्रय-शक्ति समता मूल्य
D. सकल घरेलू उत्पाद अपस्फीतिकारक

35. निम्नलिखित में से कौन-सा एक जोड़ा सही सुमेलित नहीं है?

A. एक संवर्गीय व्यक्तियों पर एकसमान कर लगाया जाना चाहिए – समस्तरीय साम्या
B. ब्याज भुगतान की कटौती राजकोषीय घाटे से की जाती है – प्राथमिक घाटा
C. विभाज्य वस्तुएँ और बहिष्करण के सिद्धांत पूर्णतः लागू होते हैं – शुद्ध निजी वस्तुएँ
D. वस्तुओं एवं सेवाओं पर कर उनके मूल्य के अनुसार लगाया जाता है – राज्य उत्पाद शुल्क

36. वर्ष 2012-13 के दौरान निम्नलिखित में से कौन-सा एक केन्द्र सरकार के व्यय का सबसे बड़ा मद था?

A. प्रमुख राजसहायता
B. रक्षा व्यय
C. ब्याज अदायगी
D. पूंजीगत व्यय

37. चौदहवें वित्त आयोग ने निम्नलिखित में से किस रूप में निधियों की सिफारिश की थी?

A. राज्यों को केन्द्रीय सहायता (सी.ए.एस.)
B. राज्य विकास निधि
C. बिक्री कर में राज्यों की हिस्सेदारी
D. केन्द्र को राज्यों का योगदान

38. एफ.आर.बी.एम. अधिनियम, 2012 ने सकल घरेलू उत्पाद की राजकोषीय घाटा की उच्चतम सीमा निर्धारित की है :

A. 6 प्रतिशत
B. 5 प्रतिशत
C. 4 प्रतिशत
D. 3 प्रतिशत

39. रोस्टोव, आर्थिक विकास के पाँच विभिन्न अवस्थाओं को निम्न प्रकार श्रेणीबद्ध करते हैं :

(*i*) उड़ान भरने की पूर्व दशाएं
(*ii*) परिपक्वता की ओर अग्रसर
(*iii*) उच्च जन उपभोग का स्तर
(*iv*) परम्परागत समाज
(*v*) उड़ान भरना

निम्नलिखित में से कौन-सा एक विकास के चरणों का सही क्रम है?

A. (*i*), (*ii*), (*iii*), (*iv*), (*v*)
B. (*ii*), (*i*), (*iii*), (*iv*), (*v*)
C. (*iv*), (*i*), (*ii*), (*iii*), (*v*)
D. (*iv*), (*i*), (*v*), (*ii*), (*iii*)

40. कैम्ब्रिज विकास मॉडल को रेखांकित करने वाला बचत फलन है :

A. आनुपातिक बचत फलन
B. क्लासिकीय बचत फलन
C. विभेदात्मक बचत फलन
D. निरपेक्ष बचत फलन

41. कीन्सवादियों के अनुसार, रेंगती हुई मुद्रास्फीति सहायक होगी :

A. बेरोजगारी को कम करने में
B. वास्तविक उत्पादन को बढ़ाने में
C. उपर्युक्त A अथवा B में से कोई नहीं
D. उपर्युक्त A और B दोनों

42. प्रसिद्ध समीकरण M = P K Y में K निम्नलिखित में से किसके लिए है?

A. लेनदेन के लिए किए गए वास्तविक उत्पादन का भाग

B. व्यक्तियों द्वारा किए गए मुद्रा आपूर्ति का भाग

C. जनता द्वारा किए गए उत्पादन (लेनदेन) के मौद्रिक मूल्य का भाग

D. उपर्युक्त में से कोई नहीं

43. 2, 6 और x का ज्यामितीय माध्य 6 के समान है। x का मान क्या है?

A. 2 B. 18

C. 9 D. 3

44. जनसंख्या के आकार के एक बड़े नमूने n की मानक त्रुटि (S.E.) जिसका विचरण σ^2 है, वह है :

A. $SE = \frac{\sigma^2}{n}$ B. $SE = \frac{\sigma}{n}$

C. $SE = \frac{\sigma^2}{\sqrt{n}}$ D. $SE = \frac{\sigma}{\sqrt{n}}$

45. दो पाँसों के एक बार फेंकने पर 8 आने की कुल प्रायिकता क्या है?

A. $\frac{1}{8}$ B. $\frac{2}{9}$

C. $\frac{5}{36}$ D. $\frac{3}{36}$

46. प्राक्कलित प्रतिगमन रेखाएं निम्नानुसार दी गई हैं :

Y = 10 + 0.4 X

X = –4 + 1.6 Y

तब, X और Y के बीच सहसम्बन्ध का गुणांक है :

A. 0.64 B. 0.40

C. 0.20 D. 0.80

47. किसी बंटन के लिए, माध्य = 26, माध्यिका = 14 और बहुलक = 7 है, तब बंटन होगा :

A. धनात्मक रूप से विषम

B. ऋणात्मक रूप से विषम

C. सममित

D. उपर्युक्त में से कोई नहीं

48. प्रसामान्य बंटन के संबंध में निम्नलिखित कथनों पर विचार कीजिए :

(*i*) इसमें नति परिवर्तन के दो बिन्दु होते हैं।

(*ii*) इन नति परिवर्तन बिन्दुओं की शून्य माध्य से दूरी $\pm \sigma$ है।

नीचे दिए गए कूटों से उत्तर दीजिए :

कूट :

A. (*i*) और (*ii*) दोनों सही हैं

B. (*i*) और (*ii*) में से कोई सही नहीं है

C. केवल (*i*) सही है

D. केवल (*ii*) सही है

49. सूची-I को सूची-II के साथ सुमेलित कीजिए तथा दिए गए कूटों के आधार पर उत्तर दीजिए :

सूची-I	सूची-II
(*a*) सरल यादृच्छिक प्रतिदर्श	1. अप्रायिकता प्रतिदर्श
(*b*) क्रमबद्ध प्रतिदर्श	2. प्रत्येक स्तर के सभी मदों का यादृच्छिक विकल्प
(*c*) कोटा प्रतिदर्श	3. प्रथम का यादृच्छिक चयन और शेष का क्रमबद्ध चयन
(*d*) स्तरित यादृच्छिक प्रतिदर्श	4. सभी परीक्षणों में प्रत्येक मद की समान प्रायिकता

कूट :

	(*a*)	(*b*)	(*c*)	(*d*)
A.	1	2	3	4
B.	2	4	1	3
C.	4	3	1	2
D.	3	1	2	4

50. यदि किसी गाँव में सभी किसानों को तीन वर्गों—सीमांत, छोटे एवं बड़े किसानों में विभाजित किए जाते हैं, और तत्पश्चात् प्रत्येक वर्ग से 20 किसानों को एक प्रतिदर्श यादृच्छिक रूप से लिया जाता है, तो इसे कहा जा सकता है :

A. व्यवस्थित प्रतिचयन

B. स्तरित प्रतिचयन

C. समूह (कलस्टर) प्रतिचयन

D. बहुचरण प्रतिचयन

उत्तरमाला

1	2	3	4	5	6	7	8	9	10
A	D	D	B	B	B	A	B	C	C
11	**12**	**13**	**14**	**15**	**16**	**17**	**18**	**19**	**20**
C	C	C	A	C	B	B	D	C	D
21	**22**	**23**	**24**	**25**	**26**	**27**	**28**	**29**	**30**
D	D	A	D	B	D	D	C	B	B
31	**32**	**33**	**34**	**35**	**36**	**37**	**38**	**39**	**40**
C	C	D	C	D	C	A	D	D	C
41	**42**	**43**	**44**	**45**	**46**	**47**	**48**	**49**	**50**
D	C	B	D	C	D	A	A	C	B

कुछ चुने हुए प्रश्नों के व्याख्यात्मक उत्तर

1. अल्पाधिकार की एक अत्यंत महत्वपूर्ण विशेषता फर्मों की पारस्परिक रूप से निर्भरता है। पारस्परिक रूप से निर्भरता का अर्थ है कि फर्म अर्थपूर्णता के साथ एक-दूसरे की कीमत और उत्पादन निर्णयों से प्रभावित होते हैं। एकाधिकार और प्रतिस्पर्धा में, फर्म बिना विचार किए कि कैसे ये अन्य फर्मों को प्रभावित करेंगे, अन्य फर्मों की प्रतिक्रियाएं उन्हें बदले में कैसे प्रभावित करेंगे, स्वतंत्र निर्णय लेते हैं। लेकिन एक अल्पाधिकारी फर्म स्वतंत्र निर्णय नहीं ले सकते। चूंकि अल्पाधिकार में एक छोटी फर्म एक-दूसरे के साथ पूर्ण होते हैं। एक फर्म का विक्रय फर्म की कीमत और अन्य फर्मों द्वारा आरोपित मूल्य पर निर्भर करता है। यदि एक फर्म कीमत को कम करती है, उसके स्वयं की बिक्री बढ़ेगी, लेकिन उद्योग में अन्य फर्मों का विक्रय घटेगा। इस तरह की परिस्थिति में, अन्य फर्में भी अपनी कीमतों को कम करेगी। तब अन्य फर्मों की कीमत में कटौती पहले वाले फर्म के मुनाफे को कम करेगी। अतः इसके मूल्यों की कटौती का निर्णय लेने से पहले, पहले वाले फर्म द्वारा अनुमान लगाने की कोशिश की जाती है कि कैसे अन्य फर्म प्रतिक्रिया देंगी और अपने स्वयं के लाभ पर उनकी प्रतिक्रियाओं के प्रभाव की गणना का प्रयास करते हैं।

अल्पाधिकार में, अल्पाधिकारी फर्मों के उत्पादों के बीच क्रॉस इलेस्टिसीटी ऑफ डिमाण्ड बहुत ऊँची होती है, क्योंकि उत्पादों के करीबी विकल्प हैं। संक्षेप में, अल्पाधिकार फर्म को मूल्य निर्धारित करते समय और उत्पादन नीतियों को बनाते समय उसके प्रतिद्वंद्वियों की क्रियाओं एवं प्रतिक्रियाओं का ध्यान रखना पड़ता है। फर्मों की यह परस्पर निर्भरता अल्पाधिकारी बाजारों से अल्पाधिकार, पूर्णतया प्रतिस्पर्धी और अल्पाधिकारी प्रतिस्पर्धी बाजारों की पहचान करती है।

3. गिफन माल के मामले में आय और प्रतिस्थापन प्रभाव : प्रतिस्थापन प्रभाव सभी वस्तुओं–सामान्य माल, हीन अथवा घटिया माल और गिफन माल के मामले में हमेशा नकारात्मक होल है। नकारात्मक प्रभाव का तात्पर्य है कि Y के बदले X को अत्यधिक खरीदा जाना चाहिए जब X सस्ता हो जाता है या X, Y के लिए प्रतिस्थापित हो। घटिया माल के मामले में, आय प्रभाव नकारात्मक होता है। नकारात्मक आय प्रभाव का तात्पर्य है कि वस्तु की कीमतों में गिरावट के कारण जब एक वस्तु की मांग की मात्रा कम हो जाती है तो उपभोक्ता की वास्तविक आय बढ़ जाती है। वास्तविक आय में बढ़ोत्तरी उपभोक्ताओं को बेहतरीन विकल्पों की खपत की ओर प्रेरित करती है। हालांकि, घटिया माल के मामले में आय प्रभाव नकारात्मक होता है। अनिवार्यतः इसे प्रतिस्थापन प्रभाव की तुलना में मजबूत होने की आवश्यकता नहीं है, ताकि शुद्ध प्रभाव या मूल्य प्रभाव (प्रतिस्थापन प्रभाव–आय

प्रभाव) प्रतिस्थापन प्रभाव द्वारा लगातार प्रभावी होता है। इस तरह के मामले में, मांग के कानून का उल्लंघन नहीं होता है। इस तथ्य के बावजूद कि आय प्रभाव नकारात्मक है, इसकी माल पर पकड़ जारी रहती है।

हालांकि, गिफन-माल के मामले में:

(*a*) आय प्रभाव नकारात्मक है और (*b*) प्रतिस्थापन प्रभाव से नकारात्मक आय प्रभाव मजबूत है। ताकि शुद्ध प्रभाव (प्रतिस्थापन प्रभाव – आय प्रभाव) नकारात्मक आय प्रभाव द्वारा प्रभावी है जो वस्तु की कीमत और इसकी मात्रा की मांग के बीच सकारात्मक संबंध का संकेत करता है। यह तभी होता है जब शुद्ध प्रभाव, नकारात्मक आय प्रभाव द्वारा प्रभावी होता है (नकारात्मक आय प्रभाव, प्रतिस्थापन प्रभाव से मजबूत होता है) जिसे मांग का कानून तोड़ता है।

4. श्रमिकों की मांग एक व्युत्पन्न मांग है क्योंकि यह माल और सेवाओं के लिए उपभोक्ताओं की मांग पर निर्भर करता है। अन्य कामगार को काम पर रखने के परिणामस्वरूप एक फर्म द्वारा अतिरिक्त उत्पादन उत्पादित होता है। इसे श्रम का सीमांत उत्पाद कहा जाता है। एक और कामगार के नियोजन से वह मात्रा जिसके द्वारा फर्म का राजस्व बढ़ेगा, श्रम का सीमांत राजस्व उत्पाद कहलाता है। एक फर्म के श्रम का सीमांत आय उत्पाद वक्र उसका श्रम का मांग वक्र है। कामगारों को भाड़े पर उस बिन्दु पर रखकर फर्म अपने लाभ को अधिकतर करता है जहाँ श्रम का सीमांत आय उत्पाद के बराबर श्रम है। श्रम के लिए विपणन मांग वक्र का निर्धारण श्रम के मांग की मात्रा को प्रत्येक फर्म प्रत्येक श्रम के ऊपर जोड़ते हुए, अन्य सभी चरों को नियतांक रखते हुए जो फर्म की इच्छाओं को भाड़े पर कामगार रखने के कारण प्रभावित कर सकती है। सर्वाधिक महत्वपूर्ण चरों का श्रम मांग वक्र में स्थानांतरण के कारण मानव पूंजी, तकनीक, उत्पाद का मूल्य, अन्य निवेशित वस्तुओं की मात्रा और बाजार में फर्मों की संख्या में परिवर्तन होता है।

5. जब एक फर्म या कई फर्म कंपनियों के प्रवेश को रोकने के क्रम में मुनाफा वसूली के अधिकतम स्तर से नीचे मूल्य निर्धारण का चयन करता है तब परिसीमन कीमत घटित होती है। परिसीमन कीमत एक उच्चतम कीमत है जिसे मौजूदा फर्म प्रवेश की अनुमति के बिना प्राप्त कर सकती है।

7. पूर्ण प्रतियोगिता के तहत् उपभोक्तागण संभावित न्यूनतम मूल्य पर उत्पाद की खरीद करते हैं; कोई विज्ञापन नहीं होता, कोई अतिरिक्त ओवरहेड नहीं होता, और कोई आश्वासन अथवा गारन्टी नहीं होती। एकाधिकार के तहत् लोग एकल उत्पाद खरीदते हैं और विज्ञापन वास्तव में अस्तित्वहीन होते हैं। एकाधिकार प्रतिस्पर्धा और अल्पाधिकार के साथ विज्ञापन सामान्यतः एक महत्वपूर्ण भूमिका निभाती है।

10. हेक्शर-ओहलिन या कारक-विन्यास (फैक्टर एंडोमेंट) सिद्धांत को दो प्रमेयों के रूप में अभिव्यक्त किया जा सकता है। हेक्शर-ओहलिन (H–O) प्रमेय के अनुसार, एक राष्ट्र अपने अपेक्षाकृत विपुल और सस्ते साधन सहित गहन वस्तु का निर्यात और अपने अपेक्षाकृत दुर्लभ तथा कीमती साधन सहित गहन वस्तु का आयात करेगा। साधन मूल्य समीकरण (H–O–S) प्रमेय के अनुसार, अंतरराष्ट्रीय व्यापार देश भर में सजातीय साधनों के लिए सापेक्ष और निरपेक्ष वापसी माल लाएगा। यदि कुछ साधन विशिष्ट हैं (यानी केवल कुछ उद्योगों में उपयोग में लाया जा सकता है), विशिष्ट-साधन प्रारूप स्वयं सिद्ध होती है कि राष्ट्र के चलंत साधनों पर व्यापार का अस्पष्ट प्रभाव होगाः यह चलंत साधनों को लाभ पहुँचाएगा जो राष्ट्र के निर्यातित वस्तुओं का व्यावसायिक क्षेत्रों के लिए विशिष्ट हैं और उन चलंत साधनों को हानि पहुँचाएगा जो राष्ट्र को आयात-प्रतिस्पर्धी वस्तुओं या व्यावसायिक क्षेत्रों के लिए विशिष्ट हैं।

11. तटकर संघ के अधीन मुक्त व्यापार की ओर आंदोलन दो विरोधी मायनों में विश्व कल्याण को प्रभावित करता हैः बढ़ते कल्याणकारी व्यापार का सृजन प्रभाव और घटते कल्याणकारी व्यापार विपथन प्रभाव। अपने सदस्यों के कल्याण पर साथ ही साथ संपूर्ण विश्व पर तटकर संघ का समस्त परिणाम इन दो विरोधी बलों की अपेक्षाकृत शक्तियों पर निर्भर करता है। व्यापार सृजन तब गठित होता है जब एक तटकर संघ का घरेलू उत्पादन दूसरे सदस्य के कम लागत के आयत द्वारा प्रतिस्थापित होता है। व्यापार सृजन द्वारा सदस्य देशों का कल्याण बढ़ा है

क्योंकि तुलनात्मक लाभ के सिद्धांत के अनुसार यह उत्पादन विशेषज्ञता में वृद्धि की अगुआई करता है। व्यापार सृजन प्रभाव में खपत प्रभाव और उत्पादन प्रभाव शामिल होते हैं। यद्यपि एक तटकर संघ विश्व कल्याण को व्यापार सृजन के द्वारा जोड़ सकता है। इसका व्यापार विपथन प्रभाव सामान्यतः इसके कल्याणकारी क्षति की ओर संकेत करता है। व्यापार विपथन तब घटित होता है जब संघ के बाहर कम लागत वाला आपूर्तिकर्ता से आयातित होता है, को संघ के अंदर उच्च लागत वाला आपूर्तिकर्ता से प्रतिस्थापित कर दिया जाता है।

13. चेनरी और ब्रुनो (1962) ने एक द्वय अंतराल (बचत/निवेश और विदेश विनिमय) प्रारूप को विकसित किया है जिसमें वे बाह्य पूंजी प्रवाह की स्वीकृति विकासशील देशों को घरेलू बचत से ज्यादा निवेश करने के लिए देने के रूप में आर्थिक वृद्धि को निवेश हेतु आवश्यक संसाधन के साथ जोड़ते हैं। द्वय अंतराल प्रारूप के अनुसार, विकासशील देशों के दूरगामी आर्थिक वृद्धि दर के निर्धारण हेतु दो विषयों ''बचत बाधा'' और ''विदेशी मुद्रा बाधा'' के बीच एक परस्पर क्रिया है। आर्थिक विकास और विकासशील देशों के निवेश सामान्यतः आयातित मध्यवर्ती वस्तुओं पर निर्भर करता है। इन शर्तों के अधीन, यद्यपि बचत और निवेश के बीच कोई अंतराल नहीं है, अपर्याप्त विदेशी मुद्रा देश के लिए बाधा हो सकती है।

14. गिनी गुणांक को 0 और 1 (या 0% से 100%) के रेंज के साथ अनुपात के रूप में परिभाषित किया जा सकता है। एक निम्न गिनी गुणांक अत्यधिक समान आय या धन वितरण की ओर इस आशय से इंगित करता है कि परिपूर्ण समानता के लिए तद्विषयक शून्य के साथ जबकि उच्च गिनी गुणांक सर्वाधिक असमान वितरण, पूर्णतः असमानता के लिए 1 के साथ सूचित करता है।

17. मार्क्सवादी सिद्धांत में अधिशेष मूल्य वह मूल्य है जो व्यक्तिगत श्रम द्वारा सृजित होता है। कामगार की लागत का भुगतान नियोक्ता द्वारा करने के बाद जो बांकी है, अथवा उत्पादित उत्पादो या सेवाओं में पूर्ववत् रहा है। अधिशेष मूल्य एक अतिरिक्त मूल्य या अधिशेष मूल्य है जिसे कामगार पैदा करता है लेकिन इसके लिए उसे भुगतान नहीं किया जाता, पूंजीपतियों को अपनी पूंजी विस्तार के लिए स्वीकृति प्रदान करती है।

18. मौद्रिक नीति सर्वाधिक प्रभावोत्पादक होती है, जबः

- निवेश ब्याज-लोचदार हैः आई.एस. वक्र फ्लैटर है क्योंकि ब्याज परिवर्तन में कोई बदलाव निवेश में अत्यधिक अनुपातिक परिवर्तन उत्पन्न करता है।
- मुद्रा की मांग ब्याज-लोचदार है। इसका अर्थ है कि एल एम वक्र निमज्जक है। यहाँ मुद्रा आपूर्ति में कोई बदलाव संतुलन ब्याज दरों में काफी प्रभाव डालता है। अर्थात् मुद्रा आपूर्ति में परिवर्तन एल.एम. में एक बड़ा लम्बवत् परिवर्तन उत्पन्न करता है।
- जितना अधिक गुणक होता है, आई.एस. वक्र उतना ही फ्लैटर होता है। यह संकेत देता है कि निवेश में किसी भी परिवर्तन के लिए उत्पादन की अनुक्रिया ब्याज दरों में परिवर्तन से प्रेरित हो जाएगा।

21. पूंजी की सीमांत कुशलताः यह छूट की दर को दर्शाता है जो एक पूंजी परिसंपत्ति की आपूर्ति के मूल्य को इसके क्रमिक उत्पादन के समान बनाता है। इसे एक नए परिकल्पित निवेश परियोजना पर अनुमानित प्रतिफल दर भी कहा जाता है।

पूंजी की सीमांत कुशलता के निर्धारक तत्वः (*i*) प्रत्याशित उत्पादन (*ii*) पूंजी परिसंपत्तियों की आपूर्ति कीमत।

27. निम्नलिखित विधि द्वारा सकल घरेलू उत्पाद (GDP) अपस्फीतिकारक की गणना की जा सकती हैः

सकल घरेलू उत्पाद अपस्फीतिकारक

$$= \frac{\text{मौद्रिक सकल घरेलू उत्पाद}}{\text{वास्तविक सकल घरेलू उत्पाद}} \times 100$$

चूंकि मौद्रिक सकल घरेलू उत्पाद और वास्तविक सकल घरेलू उत्पाद आधार वर्ष में समान होना चाहिए, सकल घरेलू उत्पाद अपस्फीतिकारक आधार वर्ष के लिए हमेशा 100 के बराबर होता है।

बाद के वर्षों के लिए सकल घरेलू उत्पाद अपस्फीतिकारक मौद्रिक सकल घरेलू उत्पाद में आधार वर्ष से परिवर्तन की माप करता है जो वास्तविक सकल घरेलू उत्पाद में परिवर्तन के कारण नहीं हो सकता है।

सकल घरेलू उत्पाद अपस्फीतिकारक आधार वर्ष में कीमतों के स्तर के सापेक्ष कीमतों के वर्तमान स्तर को मापता है।

सकल घरेलू उत्पाद अपस्फीतिकारक

$$= \frac{\text{मौद्रिक सकल घरेलू उत्पाद}}{\text{वास्तविक सकल घरेलू उत्पाद}} \times 100$$

$$= \frac{11000}{10000} \times 100 = 110.$$

29. सांख्यिकी एवं कार्यक्रम कार्यान्वियन मंत्रालय (द मिनिस्ट्री ऑफ स्टेटिसटिक्स एंड प्रोग्राम इम्प्लीमेंटेशन) ने राष्ट्रीय गणना की नई श्रृंखला को जारी किया है। इस नयी श्रृंखला में दो महत्वपूर्ण बदलावों को चिह्नित किया गयाः

- आधार वर्ष को 2004-05 से 2011-12 के लिए संशोधित किया गया है।
- श्रृंखला बाजार मूल्यों पर सकल घरेलू कीमत को संदर्भित करता है; उपादान लागत पर पूर्व के सकल घरेलू उत्पाद के उपयोग पर विचार किया जाएगा।
- सकल घरेलू उत्पाद (बाजार मूल्य) = सकल घरेलू उत्पाद (उपादान लागत) + अप्रत्यक्ष करें – सब्सिडी
- सकल घरेलू उत्पाद (बाजार मूल्य) की गणना उपभोक्ता के अंत में के बजाय निर्माता के अंत में सकल घरेलू उत्पाद की गणना की गई। दोनों के बीच में उत्पन्न विभिन्नता का कारण है कि बहुत सारे सामानों और सेवाओं के लिए उपभोक्ताओं द्वारा अदा की गई राशि, निर्माता से प्राप्त की गई बिक्री राजस्व की तुलना में एकसमान नहीं होती है। उपभोक्ताओं द्वारा अदा किया गया अप्रत्यक्ष कर जिसकी गणना की गई; उत्पादकों की दी गई उत्पादन के उपादान से संबद्ध सब्सिडी की स्वीकृति, कम कर दी गई है।

31. एक नया शब्दजाल–जे.ए.एम. त्रयी नरेन्द्र मोदी सरकार में मूलमंत्र बन गया है। मुख्य आथिक सलाहकार अरविन्द सुब्रमण्यन द्वारा गढ़ा गया शब्दजाल का पहली बार प्रयोग आर्थिक सर्वेक्षण 2014-15 में किया गया। वर्ष 2014-15 का आर्थिक सर्वेक्षण कहता है कि जे.ए.एम. संख्या त्रयी– जन धन योजना, आधार और मोबाइल नम्बर– लक्षित और कम विकृत तरीके से गरीब परिवारों की मदद की पेशकश के लिए राज्य को स्वीकृति प्रदान करता है।

32. बुद्धवादी अर्थशास्त्र खपत को कम करते हुए अधिकतम कल्याण का अध्ययन है। बुद्धवादी अर्थशास्त्र का यह उद्देश्य आधुनिक पश्चिमी अर्थशास्त्र का विरोधात्मक है, जहाँ मानव कल्याण में सुधार के लिए खपत में वृद्धि को समरूप समझा जाता है।

जर्मनी में जन्मे ब्रिटिश अर्थशास्त्री ई.एफ. शुमाकर ने 1970 के दशक में बुद्धवादी अर्थशास्त्र को लोकप्रिय बनाया। अपनी उत्कृष्ट पुस्तक 'स्माल इज ब्युटीफुल : इकोनॉमिक्स एज इफ पिपुल मैटर्ड' (1973) में शुमाकर ने श्रम, खपत, तकनीक, शांति और वातावरण के संबंध में आधुनिक आर्थिक प्रणालियों की मान्यताओं को चुनौती दिया।

33. **साख रेटिंग अवधारणा की उत्पत्तिः** इस अवधारणा की उत्पत्ति 1909 ई. में अमेरिका में हुई थी जब मूडी इन्वेस्टर सर्विस के संस्थापक जॉन मूडी ने यू.एस. रेल रोड बॉन्ड्स का निर्धारण किया। हालांकि, इस अवधारणा की प्रासंगिकता विश्वव्यापी मंदी के बाद समझ में आई जब निवेशकों ने अपने सारे पैसे खो दिए। सममित जानकारी की कमी और जानकारी एकत्र करने में लगी उच्च लागत के कारण साख रेटिंग निर्धारण अभिकरणों की लोकप्रियता बढ़ी। विश्व की सबसे बड़ी एजेन्सियों में मूडी की इन्वेस्टर सर्विस और स्टैण्डर्ड एण्ड पूअर्स (एस एंड पी) हैं। वे कई दशकों से रेटिंग कारोबार में संलिप्त हैं। मूडी की और एस एंड पी दोनों 1916 से बांड्स की रेटिंग करते आ रहे हैं और एक बड़े हिस्से पर कब्जा कर रखा है। मूडी और एस एंड पी की निकटतम प्रतिस्पर्धी फिच इन्वेस्टर्स सर्विस है जो कभी भी कारोबार का पाँचवां हिस्सा शेयर नहीं करता है।

प्रतिभूति और विनिमय आयोग (SEC) द्वारा इन तीनों निर्धारण अभिकरणों को आधिकारिक मान्यता प्रदान की गई है। ये अभिकरण इतने शक्तिशाली हो चुके हैं कि यहाँ तक कि संप्रभु सरकारें उनसे निम्न रेटिंग प्राप्त करने से चौकन्न हैं। एक बार पत्रकार थॉमस फ्रीडमैन ने कहा, "आज विश्व में दो महाशक्तियाँ हैं।" संयुक्त राज्य अमेरिका और मूडी की बांड रेटिंग सर्विस। अमेरिका बमबारी कर आपको बर्बाद कर सकता है और मूडी की रेटिंग सर्विस आपके बांड्स को पदावनति कर बर्बाद कर सकती है।

34. क्रय-शक्ति समता (PPP) एक सिद्धांत हे जो यह कहता है कि मुद्राओं के बीच विनिमय दरों में संतुलन तब होता है जब उनकी क्रय शक्ति दो देशों में समान हों। इसका

अर्थ है कि दो देशों के बीच विनिमय दर को माल और सेवाओं की एक निश्चित टोकरी से दोनों देशों के मूल्य स्तर का अनुपात बराबर होना चाहिए। जब एक देश का घरेलू मूल्य स्तर बढ़ता है (अर्थात् एक देश मुद्रास्फीति से गुजर रहा है) तो उस देश की विनिमय दर PPP को लौटाने के क्रय में मूल्य को घटाना होगा।

39. डब्ल्यू.डब्ल्यू. रोस्टोव ने अपने आर्थिक वृद्धि की अवस्थाओं (1960) में पहला महत्वपूर्ण आर्थिक इतिहास का व्यवस्थित सैद्धांतीकरण प्रस्तुत किया। उनका 'अवस्थाओं का सिद्धांत' संकेत करता है कि पाँच अवस्थाओं पर विकास की प्रक्रिया आधारित है जिसपर प्रत्येक देश पूर्ण आर्थिक विकास प्राप्त करने के पहले चला है। पाँच अवस्थाएं परंपरागत समाज की थीं, अनुकरण करने के लिए विकास की पूर्व शर्तें, अनुकरणशीलता, परिपक्वता के लिए अभियान और अंत में बड़े पैमाने पर उपभोग का युग।

41. कई वर्षों से रेंगती हुई मुद्रास्फीति मूल्यों में एक धीमी गति से ऊपर उठने की स्थिति है। रेंगती हुई मुद्रास्फीति को सामान्यतः इस रूप में परिभाषित किया जाता है कि प्रत्येक वर्ष सामान्य मूल्य स्तर में वृद्धि 1%, 2% या 3% है। रेंगती हुई मुद्रास्फीति आमतौर पर विकास और पूर्ण रोजगार से जुड़ी है। बहुत से अर्थशास्त्री रेंगती हुई मुद्रास्फीति को बेरोजगारी और आर्थिक विकास में कमी के साथ मूल्य स्थिरता को पसंद करते हैं।

43. $$\text{GM} = \sqrt[3]{2 \times 6 \times x}$$

$$\Rightarrow \quad 6 = \sqrt[3]{12x}$$

$$\Rightarrow \quad (6)^3 = 12x$$

$$\Rightarrow \quad 12x = 216$$

$$\Rightarrow \quad x = \frac{216}{12} = 18.$$

44. मानक त्रुटि (SE) की गणना n के वर्गमूल द्वारा मानक विचलन/विचलनों को विभाजित कर की जाती है।

$$\bar{x} \text{ का SE} = \frac{\sigma}{\sqrt{n}}$$

45. दो पासों को फेंकने में, $6 \times 6 = 36$ संभावित परिणाम निम्नानुसार होते हैं:

(1, 1)	(1, 2)	(1, 3)	(1, 4)	(1, 5)	(1, 6)
(2, 1)	(2, 2)	(2, 3)	(2, 4)	(2, 5)	(2, 6)
(3, 1)	(3, 2)	(3, 3)	(3, 4)	(3, 5)	(3, 6)
(4, 1)	(4, 2)	(4, 3)	(4, 4)	(4, 5)	(4, 6)
(5, 1)	(5, 2)	(5, 3)	(5, 4)	(5, 5)	(5, 6)
(6, 1)	(6, 2)	(6, 3)	(6, 4)	(6, 5)	(6, 6)

$$6 \times 6 = 36$$

निम्नलिखित पाँच तरीकों से कुल योग 8 आ सकता है।
(6, 2) (5, 3) (4, 4) (3, 5) (2, 6)

∴ 8 के कुल योग होने की संभावना है

$$P(A) = \frac{5}{36}.$$

46. $b_{YX} = 0.4, b_{XY} = 1.6$

$$\text{सहसंबंध गुणांक} = \sqrt{b_{YX} \cdot b_{XY}}$$

$$= \sqrt{0.4 \times 1.6}$$

$$= \sqrt{0.64} = 0.80.$$

47. धनात्मक विषम बंटन के लिए माध्य हमेशा केन्द्रीय प्रवृत्ति का उच्चतम आकलन होगा और बहुलक हमेशा केन्द्रीय प्रवृत्ति का न्यूनतम आकलन होगा।

अर्थात् धनात्मक रूप से विषम के लिए

माध्य > माध्यिका > बहुलक

यहाँ, माध्य (26) > माध्यिका (14) > बहुलक (7)

प्रश्न-पत्र-III

निर्देश : *इस प्रश्न-पत्र में **पचहत्तर (75)** बहु-विकल्पीय प्रश्न हैं। प्रत्येक प्रश्न के **दो (2)** अंक हैं। **सभी** प्रश्न अनिवार्य हैं।*

1. अवसादी-अंतराल निम्न में से किसे मापता है?

A. पूर्ण रोजगार प्राप्त करने हेतु व्यय परिमाण से स्वतंत्र व्यय कितना कम रहा।

B. पूर्ण रोजगार को प्राप्त करने हेतु व्यय से सकल व्यय कितना अधिक रहा।

C. क्लासिकीय मॉडल में वास्तविक उत्पादन तथा केन्स्कीय मंदी मॉडल में वास्तविक उत्पाद में अंतर।

D. मितव्ययता में विरोधाभास की माप।

2. यूरोपियन यूनियन के अब कितने सदस्य हैं?

A. 25 B. 28
C. 26 D. 15

3. उन कारकों को इंगित कीजिए जो भारत की बाह्य आर्थिक स्थिति के लिए जोखिम का कार्य कर सकते हैं :

(*a*) यू.एस. फेडरल रिजर्व द्वारा इस वर्ष (2015) के उत्तरार्ध में मौद्रिक कसाव की संभावना

(*b*) ग्रीक के यूरोजोन से बाहर निकलने पर यूरोजोन की व्यवहार्यता

(*c*) तेल कीमतों में उछाल

(*d*) विश्वनिर्यात में भारतीय निर्यात के हिस्से में वृद्धि

इनमें सही संयोग को नीचे लिखे कूट से बताइए :

कूट :

A. (*a*) तथा (*b*) B. (*a*), (*b*) तथा (*c*)
C. (*b*), (*c*) तथा (*d*) D. (*a*) तथा (*d*)

4. भारत में मौद्रिक नीति का लक्ष्य अब है :

A. मुद्रा पूर्ति की वृद्धि
B. उपभोक्ता कीमत मुद्रास्फीति
C. न तो A और न B
D. A तथा B दोनों

5. सूची-I को सूची-II से व्यापार चक्र तथा लाभ की स्थिति को सुमेलित कर नीचे लिखे कूट से उत्तर दीजिए :

सूची-I	**सूची-II**
(*a*) अवसाद	1. निम्न
(*b*) उत्कर्ष	2. धनात्मक
(*c*) पुनरुत्थान	3. सर्वोच्च स्तर
(*d*) मंदी	4. ऋणात्मक (निगेटिव)

कूट :

	(*a*)	(*b*)	(*c*)	(*d*)
A.	3	4	1	2
B.	1	3	2	4
C.	4	3	2	1
D.	1	2	3	4

6. सापेक्ष आय परिकल्पना में उपभोग आधारित होता है :

A. सर्वोच्च विगत उपभोग
B. समकक्ष समूह के वर्तमान उपभोग का माध्यिका मान
C. न तो A और न ही B
D. A तथा B दोनों

7. तरलता जाल से निकलने में मौद्रिक विस्तार तब भी सहायक हो सकता है जब वह जोड़ा जाये :

A. बैंक ऋणों पर प्रतिबंधों से
B. बढ़े हुए करों से
C. संकुचनशील राजकोषीय नीति
D. विस्तार युक्त राजकोषीय नीति

8. रैखिक उपभोग फलन मूल बिंदु से गुजरेगा जब :

A. ए पी सी > एम पी सी
B. ए पी सी < एम पी सी
C. ए पी सी = एम पी सी
D. ए पी सी = एम पी सी = 0

9. केन्स के अनुसार अवसाद में सकल पूर्ति वक्र हो सकता है :

A. क्षैतिज
B. ऊर्ध्व
C. दाईं ओर को झुकता हुआ
D. बाईं ओर को चढ़ता हुआ

10. नीचे लिखे कूट में हस्तांतरित आय को चिह्नित कर उत्तर दें :

(*a*) वेतन में वार्षिक वृद्धि
(*b*) कामगारों को बोनस भुगतान
(*c*) सार्वजनिक ऋण पर ब्याज
(*d*) पेंशन भुगतान

कूट :

A. (*c*) तथा (*d*) B. (*b*), (*c*) तथा (*d*)
C. (*a*) तथा (*b*) D. (*a*) तथा (*c*)

11. तकनीकी प्रगति को हिक्स पूंजी प्रधान कहा जाएगा, जब स्थिर पूंजी श्रम अनुपात पर श्रम की पूंजी के प्रति प्रतिस्थापन दर हो :

A. अचर
B. घट जाए
C. बढ़ जाए
D. A, B तथा C में कोई प्रासंगिक नहीं है।

12. निवेश निर्णय के सिद्धांत में सबसे उपयुक्त प्रतिफल दर वह है जो बनाती है :

A. निवल वर्तमान आय को अधिकतम
B. सकल वर्तमान आय को अधिकतम

C. निवल वर्तमान मूल्य को शून्य
D. सकल वर्तमान मूल्य को शून्य

13. काब-वेब मॉडल का सही निरूपण निम्नलिखित में कौन है :
A. $S_t = a_0 + b_0p_t$; $D_t = -c_0 - d_0p_t$
B. $S_t = a_0 + b_0p_{t-1}$; $D_t = c_0 - d_0p_t$
C. $S_t = a_0 - b_0p_{t-1}$; $D_t = c_0 + d_0p_t$
D. $S_t = a_0 - b_0p_{t-1}$; $D_t = c_0 - d_0p_{t-1}$

14. 'प्रतिकूल चयन' उत्पन्न होता है जब :
A. सूचना का अभाव हो
B. गलत सूचना
C. असममित सूचना उपलब्ध हो
D. भविष्य अनिश्चित हो

15. प्रतिछाया कीमतों को कहा जा सकता है :
A. आरोपित लागत
B. अवसर लागत
C. A और B दोनों
D. A और B में से कोई भी नहीं

16. वालरा के सामान्य संतुलन मॉडल में किसका उपयोग किया जाता है?
A. समीकरण प्रणाली
B. युगपत् रेखीय समीकरण प्रणाली
C. युगपत् समीकरण प्रणाली
D. रेखीय समीकरण प्रणाली

17. निम्नलिखित में से कौन-सी एक निकृष्ट वस्तु है?
A. केरोसिन B. रसोई गैस
C. बिजली D. रासायनिक उर्वरक

18. निम्नलिखित में से किसमें उत्पादन में पैरेटो की इष्टतमता प्राप्त की जाती है?
A. $MRTS^{X}_{LK} - MRTS^{Y}_{LK}$
B. $MRS^{A}_{XY} = MRS^{B}_{XY}$
C. $MRS^{K}_{XY} = MRT^{L}_{XY}$
D. $\frac{MP_L}{P_L} = \frac{MP_K}{P_K}$

19. सूची-I (उपभोक्ता व्यवहार अभिगम) का सूची-II (अर्थशास्त्रियों, जिनके साथ यह संबद्ध है) के साथ मिलान करें और नीचे दिए गए कूटों का उपयोग करते हुए सही उत्तर चुनें।

सूची-I	**सूची-II**
(*a*) मापनीय उपागम	1. वॉन न्यूमैन मोरजेन्स्टेन
(*b*) अनधिमान वक्र	2. अल्फ्रेड मार्शल
(*c*) प्रकटित अधिमान सिद्धांत	3. जे.के. हिक्स
(*d*) जोखिमयुक्त चयन का नव-उपयोगिता सिद्धांत	4. पी.ए. सैमुअल्सन

कूट :

	(*a*)	(*b*)	(*c*)	(*d*)
A.	2	3	1	4
B.	3	2	1	4
C.	2	3	4	1
D.	3	2	4	1

20. निम्नलिखित में से प्राकृतिक बेरोजगारी दर की कौन-सी अवधारणा सही है?
A. घर्षणात्मक रूप से और संरचनात्मक रूप से बेरोजगार
B. घर्षणात्मक रूप से और चक्रीय रूप से बेरोजगार
C. संरचनात्मक रूप से और चक्रीय रूप से बेरोजगार
D. घर्षणात्मक, चक्रीय और संरचनात्मक रूप से बेरोजगार

21. निम्नलिखित कथनों पर विचार करें :
(*a*) IS वक्र के बाईं तरफ के बिंदु वस्तुओं की अत्यधिक आपूर्ति को इंगित करते हैं
(*b*) LM वक्र के दाईं तरफ के बिंदु मुद्रा की अत्यधिक मांग को इंगित करते हैं
(*c*) IS वक्र के दाईं तरफ के बिंदु मुद्रा की अत्यधिक आपूर्ति को इंगित करते हैं
(*d*) IS वक्र के दाईं तरफ के बिंदु वस्तुओं की अत्यधिक आपूर्ति को इंगित करते है।

इन कथनों में से :
A. (*b*) और (*d*) सही हैं
B. (*a*) और (*c*) सही हैं
C. (*b*) और (*c*) सही हैं
D. (*c*) और (*d*) सही हैं

22. सूची-I का सूची-II के साथ मिलान करें और नीचे दिए गए कूटों में से उत्तर दें :

सूची-I	सूची-II
(*a*) $C = 40 + 0.7y$	1. LM फलन
(*b*) $I = 90 - 6\,i$	2. IS फलन
(*c*) $0.3y - 20i - 160 = 0$	3. उपभोग फलन
(*d*) $0.3y + 20i - 150 = 0$	4. निवेश फलन

कूट :

	(*a*)	(*b*)	(*c*)	(*d*)
A.	3	4	1	2
B.	4	3	2	1
C.	4	1	2	3
D.	3	4	2	1

23. रेखीय प्रोग्रामिंग समस्या में एक इष्टतम समाधान होगा :
A. मूल समाधानों में से एक
B. साध्य समाधानों में से एक
C. मूल साध्य समाधानों में से एक
D. गैर-मूल समाधानों में से एक

24. मानव पूंजी निर्माण में तेजी लाई जा सकती है :
A. कौशल विकास कार्यक्रमों को प्रोत्साहन देकर
B. ग्रामीण और शहरी दोनों क्षेत्रों में चिकित्सीय और स्वास्थ्य सुविधाएं प्रदान कर
C. हार्डवेयर और सॉफ्टवेयर उद्योग को मजबूत बनाकर
D. उपरोक्त A और B

25. कार्ल मार्क्स के अनुसार समाज के विकास का सही क्रम क्या है?
(*a*) समाजवाद (*b*) दासता
(*c*) सामंतवाद (*d*) पूंजीवाद
कूट :
A. (*a*), (*b*), (*c*) और (*d*)
B. (*d*), (*c*), (*b*) और (*a*)
C. (*b*), (*c*), (*d*) और (*a*)
D. (*c*), (*d*), (*b*) और (*a*)

26. असंतुलित संवृद्धि रणनीति आधारित है :
A. बाह्य और आंतरिक मितव्यताओं पर
B. विस्तार और पश्चगामी प्रभाव पर
C. बढ़ते हुए और स्थिर पैमाने के प्रतिफल पर
D. पश्चगामी और अग्रगामी अनुबंधन पर

27. वित्तीय द्वैतवाद सिद्धांत किसके द्वारा विकसित किया गया :
A. बी. हिग्गिन्स B. एच. माइन्ट
C. डब्ल्यू.ए. लेवीज D. आर. नर्क्स

28. निम्नलिखित में से कौन-सा उत्पादन फलन, हिक्स और हेरोड दोनों की तटस्थ तकनीकी प्रगति प्रदर्शित करेगा :
A. लिओन्टिफ उत्पादन फलन
B. कॉब-डगलस उत्पादन फलन
C. ए.सी.एम.एस. उत्पादन फलन
D. उपरोक्त में से कोई भी नहीं

29. एक्स-दक्षता की अवधारणा किसके द्वारा विकसित की गई :
A. एच. सिंगर B. एच. लीबेन्स्टेन
C. आर. रोडन D. सी. किंडलबर्जर

30. निम्नलिखित मदों में से किसका 2013-15 के दौरान भारत के निर्यात में विशालतम मूल्य रहा है :
A. इंजीनियरिंग वस्तुओं का निर्यात
B. परिधान (गारमेंट्स) का निर्यात
C. रत्न और आभूषणों का निर्यात
D. कृषि-प्रसंस्कृत उत्पादों का निर्यात

31. निम्नलिखित में से किसका मिलान सही नहीं है?
A. स्वर्ण युग : श्रीमती जॉन रॉबिन्सन
B. संचयन का स्वर्णिम नियम : एडमंड फैल्प्स
C. सहज अवस्था में संवृद्धि : राबर्ट सोलो
D. न्यून आय संतुलन जाल : टी.आर. माल्थस

32. निम्नलिखित में से कौन-सा अर्थशास्त्री 'निर्भरता सिद्धांत' से संबद्ध नहीं है?
A. एस. अमीन B. पी. बेरन
C. रॉल प्रिबिश D. ए.जी. फ्रैंक

33. निम्नलिखित में से कौन-सी नव-क्लासिकल अर्थशास्त्र की विशेषता नहीं है?
A. लचीली मजदूरी और ब्याज दर
B. भौतिक और वित्तीय रूप में पूंजी
C. पूर्ण प्रतियोगिता
D. मुद्रा की तटस्थता

34. महिलाओं के दृष्टिकोण से बढ़ती जनसंख्या के नियंत्रण पर नवीन तरीके से अत्यधिक ध्यान देना जरूरी है क्योंकि :
A. महिलाओं के प्रजननीय स्वास्थ्य अधिकार को ध्यान में रखते हुए परिवार नियोजन कार्यक्रमों को नई दिशा देना आवश्यक है।

B. महिलाओं को गुणवत्तायुक्त सेवाएं प्रदान करने के लिए बजट में वृद्धि आवश्यक है।
C. स्वास्थ्य और युवा-हितैषी सेवाओं के लिए महिला परामर्शदाताओं की संख्या में वृद्धि आवश्यक है।
D. उपरोक्त सभी

35. सूची-I को सूची-II से सुमेलित करें और सही उत्तर का चयन करें :

सूची-I	**सूची-II**
(*a*) अंतर्राष्ट्रीय व्यापार का आपूर्ति पक्ष	1. डेविड रिकॉर्डो
(*b*) अंतर्राष्ट्रीय व्यापार का मांग पक्ष	2. बास्टेबल एवं अल्फ्रेड मार्शल
(*c*) अंतर्राष्ट्रीय व्यापार की अवसर लागत	3. जी. हैबरलर
(*d*) अंतर्राष्ट्रीय व्यापार का वास्तविक लागत सिद्धांत	4. अल्फ्रेड मार्शल एवं एजवर्थ

कूट :

	(*a*)	(*b*)	(*c*)	(*d*)
A.	1	4	2	3
B.	1	4	3	2
C.	4	1	2	3
D.	4	1	3	2

36. कराधान में न्याय निम्नलिखित में से किस सिद्धांत के अनुप्रयोग द्वारा सर्वाधिक सुनिश्चित होता है?
A. समान सीमांत त्याग B. समान आनुपातिक त्याग
C. समान समग्र त्याग D. उपर्युक्त में से कोई नहीं

37. सरकार से संबद्ध सभी निधियां किसमें जाती हैं :
A. लोक लेखा B. समेकित निधि
C. आकस्मिकता निधि D. राजस्व लेखा

38. 2004 और 2013 की अवधि के दौरान वैश्विक निर्यात में भारत की हिस्सेदारी निम्नलिखित रूप में बढ़ी है :
A. 0.8 प्रतिशत से 1.7 प्रतिशत
B. 1.0 प्रतिशत से 2.5 प्रतिशत
C. 1.0 प्रतिशत से 1.5 प्रतिशत
D. 1.2 प्रतिशत से 2.1 प्रतिशत

39. 'जेंडर बजटिंग' से तात्पर्य है :
A. महिलाओं के लिए एक पृथक बजट
B. महिला सशक्तीकरण के लिए एक उपकरण
C. महिलाओं के प्रति भेदभाव के लिए एक उपकरण
D. पुरुषों एवं महिलाओं के लिए पृथक बजट

40. विकास के कॉलिन क्लार्क क्रम को तोड़कर भारत में किस क्षेत्र का विकास हुआ है?
A. निर्यात क्षेत्र B. प्राथमिक क्षेत्र
C. द्वितीयक क्षेत्र D. सेवा क्षेत्र

41. नीचे दिए गए कूटों में से सही कूटों का चयन करते हुए सूची-I को सूची-II से सुमेलित करें :

सूची-I	**सूची-II**
(*a*) तरलता जाल	1. एम. फ्रीडमैन
(*b*) प्रदर्शन प्रभाव	2. ए.सी. पिगू
(*c*) स्थायी आय परिकल्पना	3. जे. ड्यूजेनबेरी
(*d*) सम्पदा प्रभाव	4. जे.एम. कीन्स

कूट :

	(*a*)	(*b*)	(*c*)	(*d*)
A.	4	3	1	2
B.	1	2	4	3
C.	4	2	1	3
D.	1	3	4	2

42. अधिमूल्यित मुद्रा का निम्नलिखित में से कौन-सा प्रभाव होगा :
A. निर्यात और आयात समान रूप से महंगा होना
B. निर्यात और आयात समान रूप से सस्ता होना
C. आयात को सापेक्षिक रूप से महंगा होना
D. आयात को सापेक्षिक रूप से सस्ता होना

43. प्रिबिश-सिंगर शोध के अनुसार निम्नलिखित में से कौन सही है?
(*a*) अंतर्राष्ट्रीय व्यापार ने अंतर्राष्ट्रीय असमानता को बढ़ाया है और विकासशील देशों के विकास को अवरुद्ध किया है।
(*b*) आयात प्रतिस्थापन की कार्यनीति के परिणामस्वरूप विकासशील देश में त्रुटिपूर्ण आवंटन हुआ है।

कूट :
A. (*a*) और (*b*) दोनों सही हैं
B. केवल (*a*) सही है
C. केवल (*b*) सही है
D. (*a*) और (*b*) दोनों सही नहीं हैं

44. अभिकथन (A) : यदि अवमूल्यन को सफल होना है तो मार्शल-लर्नर शर्त पूरी होनी चाहिए।

कारण (R) : अवमूल्यन निर्यात को महंगा और आयात को सस्ता करता है।

कूट :

A. (A) और (R) दोनों सही हैं

B. (A) और (R) दोनों सही नहीं हैं

C. (A) सही है परन्तु (R), (A) की सही व्याख्या नहीं है

D. (A) सही है और (R), (A) की सही व्याख्या है

45. घरेलू निर्यात उद्योग में उत्पादकता परिवर्तन व्यापार की किन शर्तों में समाविष्ट होते हैं?

A. आय की व्यापार शर्तें

B. एकल साधन व्यापार शर्तें

C. सकल वस्तु-विनिमय व्यापार शर्तें

D. उपर्युक्त में से कोई नहीं

46. प्रस्तावित जी.एस.टी. विधेयक में शामिल होगा :

A. मनोरंजन कर B. मूल्यवर्धित कर

C. केन्द्रीय उत्पाद शुल्क D. उपर्युक्त में से सभी

47. अर्थशास्त्रियों के उस युग्म का चयन करें जिन्होंने पहली बार कराधान एवं सार्वजनिक व्यय के नियमों ('केनन') का प्रतिपादन किया :

A. आर.एन. भार्गव एवं आर.ए. मसग्रेव

B. एडम स्मिथ एवं फिन्डले शिराज

C. ए.सी. पिगू एवं डेविड रिकार्डो

D. ए.आर. प्रेस्ट एवं उर्शुला के. हिक्स

48. निम्नलिखित में से कुछ भारत में समानान्तर अर्थव्यवस्था के प्रभाव हैं।

(*a*) सरकार को राजस्व का घाटा

(*b*) ईमानदार करदाताओं पर अधिक बोझ

(*c*) सम्पत्ति और आय के समान वितरण

(*d*) प्रदर्शन उपभोग की अनावश्यक मदों को प्रोत्साहन

दिए गए कूट से सही युग्म का पता करें :

A. (*a*), (*b*) और (*c*) B. (*a*), (*b*) और (*d*)

C. (*b*), (*c*) और (*d*) D. (*a*) और (*d*)

49. भारत में नवजात शिशु मृत्यु-दर की संदर्भ अवधि क्या है?

A. जन्म के बाद तीन महीने

B. जन्म के बाद एक महीना

C. जन्म के बाद 28 दिन

D. उपर्युक्त में से कोई नहीं

50. हाल में आरंभ किया गया 'इंद्रधनुष' कार्यक्रम निम्नलिखित में से किससे संबंधित है :

A. औषधियों का उत्पादन

B. घातक बीमारियों से बचाव के लिए टीकाकरण

C. किशोरियों के लिए बहु व्यावसायिक प्रशिक्षण

D. उपर्युक्त में से कोई नहीं

51. निम्नलिखित में से किसने भारत सरकार को व्यय कर को आरंभ करने का सुझाव किया?

A. एन. काल्डर B. जे.आर. हिक्स

C. बी. हैन्सन D. उर्शुला हिक्स

52. निम्नलिखित में से कौन-सी नयी वित्तपोषण एजेंसी सूक्ष्म एवं लघु व्यापार के लिए वित्त मुहैया कराती है :

A. सिडबी

B. मुद्रा

C. नाबार्ड

D. किसान क्रेडिट कार्ड (के.सी.सी.)

53. किसने कहा "मुद्रास्फीति अन्यायपूर्ण है और विस्फीति अहितकर है"?

A. ए.के. सेन B. जे.आर. हिक्स

C. ए.सी. पिगू D. जे.एम. कीन्स

54. भारत में औसत जोत के आकार में निरंतर गिरावट के निम्नलिखित कारणों पर विचार करें। नीचे दिए कूटों में से उत्तर दें।

(*a*) उत्तराधिकार कानून

(*b*) समेकन

(*c*) खेती का मशीनीकरण

(*d*) भूमि स्वामित्व की इच्छा

कूट :

A. (*a*) और (*b*)

B. (*a*) और (*d*)

C. (*a*), (*b*), (*c*) और (*d*)

D. (*a*), (*c*) और (*d*)

55. केन्द्र सरकार की राजकोषीय स्थिति के खराब रहने की सम्भावना किन कारणों से है :

A. सातवें केन्द्रीय वेतन आयोग की सिफारिशों का कार्यान्वयन

B. चौदहवें वित्त आयोग की सिफारिशों के कारण राज्यों को ज्यादा आबंटन

C. वस्तु और सेवा कर (जीएसटी) के कार्यान्वयन के कारण राज्यों को क्षतिपूर्ति

D. उपर्युक्त सभी

56. कौन-सा कर केवल भारत सरकार द्वारा लगाया जाता है?

A. बिक्री कर B. उत्पाद कर

C. सीमा शुल्क D. चुंगी

57. भारत में वस्तु और सेवा कर (जीएसटी) की निम्नलिखित में से क्या विशेषताएं हैं?

नीचे दिए गए कूटों में से सही उत्तर का चयन करें :

(*a*) केन्द्र और राज्यों की दोहरी जीएसटी व्यवस्था होगी।

(*b*) उदगम् आधारित कर के विरुद्ध यह गंतव्य आधारित कर होगा।

(*c*) यह मानव उपभोग के लिए अल्कोहल को छोड़कर सभी वस्तुओं और सेवाओं पर लागू होगा।

कूट :

A. उपर्युक्त सभी सत्य हैं।

B. केवल (*a*) सत्य है।

C. (*a*) और (*b*) दोनों सत्य हैं।

D. केवल (*b*) और (*c*) सत्य हैं।

58. निम्नलिखित पर विचार करें :

(*a*) बाँड पर ब्याज दर (*b*) मुद्रास्फीति की दर

(*c*) बचत-निवेश अनुपात

फ्रीडमैन के अनुसार मुद्रा वेग किन उपर्युक्त तथ्यों पर निर्भर करता है? सही उत्तर के लिए कूटों का चयन करें।

कूट :

A. (*a*), (*b*) और (*c*) B. (*b*) और (*c*)

C. (*a*) और (*b*) D. केवल (*c*)

59. किस देश ने विश्व में सर्वप्रथम कागजी मुद्रा का प्रचलन आरम्भ किया?

A. इंग्लैंड B. सं.रा.अ.

C. भारत D. स्वीडन

60. वर्ष 2014 में अर्थशास्त्र का नोबेल पुरस्कार किसे प्रदान किया गया था?

A. लार्स पीटर हैन्सेन B. ज्यां ट्राउले

C. एल्वीन ई. रोथ D. पॉल क्रुगमैन

61. पर्यावरणीय अर्थशास्त्र में हरमन डेली ने प्रतिपादित किया है :

A. स्टेपअप उपागम B. स्थान प्रयोग उपागम

C. पारिस्थितिकी उपागम D. सतत्-अवस्था उपागम

62. सरकार ने सार्वजनिक क्षेत्र के बैंकों के गैर-कार्यकारी अध्यक्ष के चयन के लिए किसकी अध्यक्षता में उच्चाधिकार पैनल गठित की है :

A. सी. रंगराजन B. रघुराम राजन

C. विमल जालान D. वाई.वी. रेड्डी

63. **अभिकथन (A) :** निर्णय लेने की प्रक्रिया में महिलाओं की हिस्सेदारी धीरे-धीरे बढ़ रही है।

कारण (R) : महिलाओं के ज्यादा शामिल होने का तात्पर्य लिंगाधारित बजट की सामान्य बजट में ज्यादा हिस्सेदारी है।

उपर्युक्त कथनों में से क्या सही है :

A. (A) और (R) दोनों सही हैं और (R), (A) की सही व्याख्या है।

B. (A) और (R) दोनों सही हैं और (R), (A) की सही व्याख्या नहीं करता है।

C. (A) सत्य है लेकिन (R) असत्य है।

D. (R) सत्य है लेकिन (A) असत्य है।

64. भारत के 'ग्रीन एक्शन्स' को प्रभावकारी बनाया जा सकता है :

A. पेट्रोल और डीजल पर उत्पाद शुल्क में वृद्धि कर

B. कोयला उपकर को 'कार्बन कर' में परिवर्तित कर

C. ऊर्जा के नवीकरणीय स्रोतों को प्रोत्साहित कर

D. उपर्युक्त सभी

65. निम्नलिखित में से क्या लियोन्टिफ की स्थैतिक मॉडल की आर्थिक व्यवहार्यता और प्रौद्योगिकीय साध्यता की शर्तें हैं?

A. कुन-टुकर शर्तें B. हॉकिन्स-साइमन शर्तें

C. क्लीन-रूबिन शर्तें D. वॉन न्यूमैन-मोगेन्टर्न शर्तें

66. दिया गया मांग फलन है $p = \frac{1}{4}q^{-1/2}$, $q = 25$ पर उपभोक्ता के अधिशेष है :

A. 1.12 B. 1.25

C. 1 D. 0.5

67. मांग फलन के $p = 20 - 2q$ के दिए होने पर $q = 3$ पर औसत और सीमान्त आगम का मान क्रमशः होगा :

A. 6 और 12 B. 7 और 12
C. 8 और 14 D. 11 और 15

68. दो चर रैखीय समाश्रयण मॉडल के लिए परिकल्पना के सांख्यिकी परीक्षण के संदर्भ में निम्नलिखित में से क्या सही है?

A. $t^2 > F$ B. $t^2 < F$
C. $t^2 = F$ D. $t = F$

69. डिकी-फूलर परीक्षण के माध्यम से कालश्रेणी की स्थिरता को जांचने के लिए कौन-सा मॉडल सही है?

A. $Y_t = \lambda Y_{t-1} + \mu_t$ B. $Y_t = Y_{t-1} + \lambda\mu_t$
C. $Y_t = \lambda_{t+1} + \mu_t$ D. $\Delta Y_t = \lambda Y_{t-1} + \mu_t$

70. रैखीय निष्पक्ष आकलक (बी.एल.यू.ई.) में 'सर्वोत्तम' पद का तात्पर्य है :

A. आकलक का अधिकतम विचरण
B. आकलक का न्यूनतम विचरण
C. आकलक का औसत विचरण
D. आकलक का निष्पक्ष विचरण

71. निम्नलिखित को सुमेलित करें और नीचे दिए गए कूटों से सही उत्तर का चयन करें :

सूची-I	सूची-II
(*a*) डार्विन का एच परीक्षण	1. विषम विचालिका
(*b*) गोल्डफेल्ड–क्वेन्डट परीक्षण	2. प्रतिगमन की समग्र सार्थकता
(*c*) एफ-परीक्षण	3. श्रेणी की स्थिरता
(*d*) डिकी फूलर परीक्षण	4. स्वतः प्रतिगामी मॉडल में स्वतः सहसंबंध

कूट :

	(*a*)	(*b*)	(*c*)	(*d*)
A.	1	3	4	2
B.	2	4	1	3
C.	4	1	2	3
D.	3	4	2	1

72. एक युगपत् समीकरण निकाय में किसी अति-निर्धारित समीकरण के आकलन की उचित विधि है :

A. साधारण न्यूनतम वर्ग पद्धति
B. अप्रत्यक्ष न्यूनतम वर्ग पद्धति
C. द्वि-चरणीय न्यूनतम वर्ग पद्धति
D. सीमित सूचना अधिकतम सम्भाव्यता पद्धति

73. रिकर्सिव प्रणाली के संबंध में निम्नलिखित में से कौन-से कथन सही हैं?

(*a*) प्रत्येक समीकरण के लिए न्यूनतम वर्ग को पृथक अनुप्रयोग करते हुए प्राचलों को वैधता से आकलित किया जा सकता है।
(*b*) स्वतंत्र चर अन्य समीकरणों में त्रुटि पद के साथ सहसंबंधित हो सकता है।
(*c*) 2SLS के अनुप्रयोग से निष्पक्ष लेकिन अकुशल प्राचलों का आकलन होगा।
(*d*) स्वतंत्र चरों की उन समीकरणों में जिसमें वे स्वतंत्र चर के रूप में प्रकट होते हैं त्रुटि पद के साथ सहसंबंधित किये जा सकते हैं।

A. केवल (*b*) और (*d*)
B. केवल (*a*) और (*c*)
C. केवल (*a*), (*b*) और (*c*)
D. (*a*), (*b*), (*c*) तथा (*d*)

74. बहु चर प्रतिगमन में प्रतिगमन गुणांकों का परीक्षण किया जाना है। किस परीक्षण का प्रयोग होगा?

A. F परीक्षण B. χ^2 (काई वर्ग) परीक्षण
C. *d* परीक्षण D. *t* परीक्षण

75. सी.ई.एस. उत्पादन फलन में :

$$Q = A\left[\alpha X_1^{-\rho} + (1-\alpha)X_2^{-\rho}\right]^{-\frac{\mu}{\rho}}$$

जहां Q उत्पादन और X_1 और X_2 श्रम और पूंजी हैं। नीचे दिए गए कूटों से सही विकल्प का चयन करें।

(*a*) दक्षता प्राचल	1. μ
(*b*) वितरण प्राचल	2. ρ
(*c*) प्रतिस्थापन प्राचल	3. α
(*d*) पैमाने के प्रतिफल का प्राचल	4. A

कूट :

	(*a*)	(*b*)	(*c*)	(*d*)
A.	1	2	4	3
B.	1	3	2	4
C.	4	3	2	1
D.	2	3	4	1

उत्तरमाला

1	2	3	4	5	6	7	8	9	10
A	B	B	B	B	D	D	C	A	A
11	**12**	**13**	**14**	**15**	**16**	**17**	**18**	**19**	**20**
B	C	B	C	C	B	A	A	C	A
21	**22**	**23**	**24**	**25**	**26**	**27**	**28**	**29**	**30**
A	A	C	D	C	D	B	B	B	A
31	**32**	**33**	**34**	**35**	**36**	**37**	**38**	**39**	**40**
D	C	B	D	B	A	B	A	B	D
41	**42**	**43**	**44**	**45**	**46**	**47**	**48**	**49**	**50**
A	D	B	C	B	D	B	B	C	B
51	**52**	**53**	**54**	**55**	**56**	**57**	**58**	**59**	**60**
A	B	D	B	D	C	A	C	D	B
61	**62**	**63**	**64**	**65**	**66**	**67**	**68**	**69**	**70**
D	B	A	D	B	B	C	C	A	B
71	**72**	**73**	**74**	**75**					
C	C	C	D	C					

कुछ चुने हुए प्रश्नों के व्याख्यात्मक उत्तर

1. अवसादी-अंतराल तभी होता है जब राष्ट्रीय आय का संतुलन-स्तर, पूर्ण रोजगार स्तर के नीचे रहता है। पूर्ण रोजगार स्तर की प्राप्ति के लिए वह रकम जिससे कुल व्यय में अवश्य वृद्धि हो, उसे अवसादी-अंतराल कहते हैं। मुद्रास्फीति-अंतराल तब अस्तित्व में आता है जब राष्ट्रीय आय का संतुलन-स्तर पूर्ण रोजगार स्तर के ऊपर रहता है। पूर्ण रोजगार स्तर की प्राप्ति के लिए वह रकम जिससे कुल व्यय में अवश्य ह्रास होता हो, उसे मुद्रास्फीति अंतराल कहते हैं। अवसादी-अंतराल को सरकारी खर्च से बंद किया जा सकता है। जब सरकार खर्च करती है, राष्ट्रीय आय में बहु विस्तार दिखाई पड़ता है। बिना समस्या के सरकारी खर्च नहीं होता है। यह घाटा बढ़ा सकता है।

5. व्यापार चक्र संगठित समुदायों के आर्थिक गतिविधियों में उतार-चढ़ाव की एक प्रजाति है। इसकी रचना अच्छे व्यापार के काल, जिन्हें मूल्य वृद्धि और कम बेरोजगारी के रूप में चिह्नित किया गया है और खराब व्यापार के काल, जिन्हें मूल्य में कमी और अधिक बेरोजगारी के रूप में चिह्नित किया गया है, से हुई है। प्रत्येक व्यापार-चक्र की पाँच अलग-अलग उपअवस्थाए हैं—मंदी, उगाही, पूर्ण रोजगार, उत्थान (उछाल) और व्यापारिक मंदी।

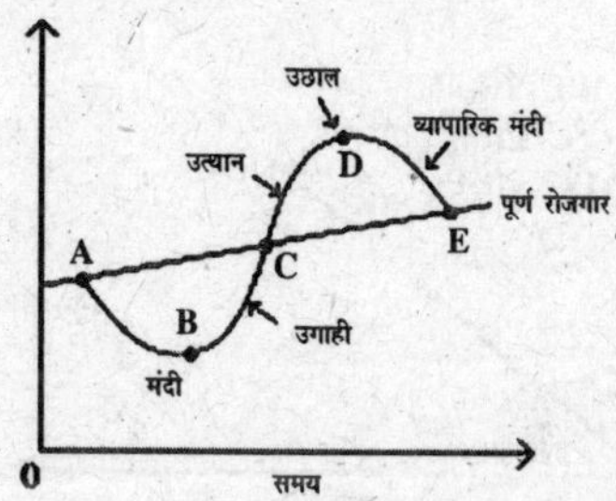

6. दो प्रकार के सापेक्ष आय उपभोग व्यय पर प्रभाव डालते हैं:

- पिछला सर्वोच्च आय वर्तमान आय की तुलना में
- पड़ोसी/राष्ट्र में खुद की आय औसत आय की तुलना में

उपभोग जीने का स्तर निर्धारित करता है और आदतन लोग अपने स्तर को बढ़ाने या ऊँचा उठाने में आनंद का अनुभव करते हैं लेकिन नीचे की ओर जाने में नापसंद करते हैं। यह उपभोक्ताओं के असममित व्यवहार की ओर कुछ हद तक संकेत देते हैं। जब उनकी आय में वृद्धि होती है, वे अपने उपभोग को बढ़ा देते हैं लेकिन आय में ह्रास होने पर अपने उपभोग को घटाने से मना कर देते हैं। यह व्यवहार संकेत देता है कि परिवार द्वारा पूर्व में अर्जित सर्वोच्च आय और वर्तमान आय का अनुपात इसकी वर्तमान खपत का एक अतिरिक्त कारक के रूप

में कार्य करता है। यदि अनुपात में कमी आती है, वर्तमान खपत बढ़ जाती है और विलोमतः।

8. जब रैखिक उपभोग फलन अधोलम्ब अक्ष को एक्सेस के मूल बिन्दु के नीचे एक-दूसरे को काटती है यद्यपि ए.पी.सी., एम.पी.सी. नियतांक से कम होगी लेकिन वह एम.पी.सी. के मूल्य के करीब पहुँचेगी। जब उपभोग का कार्य एक्सेस के मूल बिन्दु के माध्यम से गुजरता है, ए.पी.सी., एम.पी.सी. के बराबर होता है। इससे यह अनुगमन करता है कि उपभोग के फलन की रैखिकता हमेशा नियत एम.पी.सी. देती है क्योंकि इस तरह के फलन की प्रवणता हमेशा नियत होती है लेकिन इसका हमेशा यह अर्थ नहीं होता है कि एक ए.पी.सी. नियतांक है। सिर्फ आनुपातिक आय-उपभोग संबंध जो रैखिक उपभोग फलन की विशेष स्थिति में एक्सेस के मूल बिन्दु से होकर गुजरता है, एक नियत ए.पी.सी. देता है।

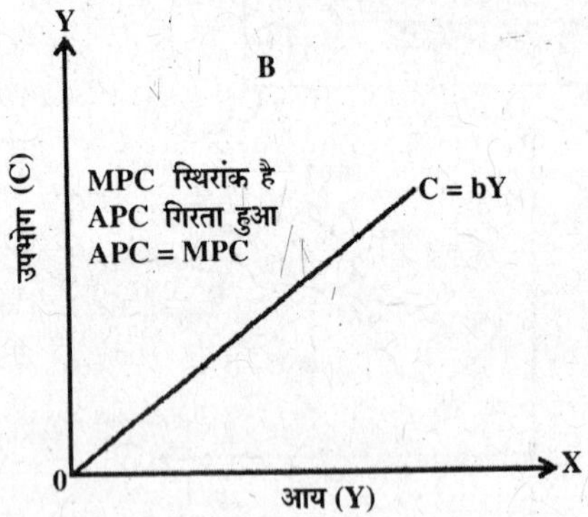

11. तकनीकी प्रगति पूंजी को मजबूत बनाने के लिए एक नियत K/L अनुपात है तो $MRTS_{LK}$ का पतन होता है। यह प्रदर्शित करता है कि साम्यावस्था पर w/r अनुपात का पतन होता है। अर्थात् r, w के सापेक्ष बढ़ता है जबकि K/L हमेशा नियत रहता है।

परिणामतः कारक शेयर के अनुपात में गिरावट आईः

$$\left(\begin{array}{c}\text{नया}\\ \text{कारक शेयर}\\ \text{अनुपात}\end{array}\right) = \frac{(w/r)}{(K/L)} < \left(\begin{array}{c}\text{आरंभिक}\\ \text{कारक शेयर}\\ \text{अनुपात}\end{array}\right)$$

यह कहा जा सकता है कि श्रम के अंश में कमी आती है और पूंजी के अंश में वृद्धि होती है।

12. NPV निवेश की लाभप्रदता की माप करता है। एक धनात्मक NPV इंगित करता है कि निवेश फर्म की परिसंपत्ति को बढ़ाता है। NPV विधि का उपयोग करने पर, वांछित प्रतिफल दर अवश्य परिभाषित होती है। वांछित प्रतिफल दर, न्यूनतम स्वीकार्य प्रतिफल दर है। इसे छूट की दर, बाधा दर, और पूंजी की लागत के रूप में भी जाना जाता है। सिद्धांत रूप में, यदि भविष्य में पूंजी प्रवाह निश्चितता के साथ जाना जाता है तब सही प्रतिफल दर, फर्म की पूंजी की लागत है। व्यवहारस्वरूप, यदि भविष्य में पूंजी प्रवाह अनिश्चित होता है, और प्रबंधक अक्सर छूट की दर को ऊँचा रखता है तब पूंजी की लागत को अनिश्चितता का सामना करना पड़ता है।

यद्यपि चयनित दर बहुत ज्यादा हो, यह छोटी अवधि के निवेशों से संबंधित चयन प्रक्रिया को पूर्वाग्रह से ग्रसित कर लेगा। चूंकि बहुत ज्यादा रूढ़िवादी होने की जोखिम के कारण, यह बेहतर हो सकता है कि पूंजी की लागत को छूट की दर के रूप में उपयोग किया जाए और अनिश्चितता से निपटने के लिए अन्य तरीकों का पता लगाया जाय। एक बार जब एक परियोजना के लिए NPV की गणना की जाती है, इसका उपयोग यह निर्धारित करने के लिए किया जा सकता है कि निवेश किया जाए अथवा नहींः

- यदि NPV शून्य से ज्यादा बड़ा हो तो निवेश लाभप्रद है और, इसलिए स्वीकार योग्य है। एक धनात्मक NPV इंगित करता है कि (1) आरंभिक निवेश की उगाही की जा चुकी है, (2) वांछित प्रतिफल दर की उगाही हो चुकी है, और (3) अधिक मात्रा में (1) और (2) की वापसी प्राप्त की जा चुकी है।
- यदि NPV शून्य के बराबर हो, तो निर्णयकर्त्ता समान रूप से पाते हैं कि निवेश को स्वीकार करें अथवा अस्वीकार।
- यदि NPV शून्य से कम हो, तो निवेश को अस्वीकृत कर देना चाहिए। इस स्थिति में, यह प्रतिफल दर से कम अर्जन है।

14. प्रतिकूल चयन तब दिखता है जब क्रेता और विक्रेता के पास अलग-अलग सूचनाएँ होती हैं जिसे असममित सूचना कहते हैं। जब असममित सूचना अस्तित्व में आती है, तो बाजार कुशलता के सामानों का बंटन नहीं कर सकता है और उच्च मूल्य की सेवाओं का उपयोग किया जाता है।

15. प्रतिछाया कीमतें कारकों अथवा उत्पादों के लिए अंतर्भूत अथवा सही मूल्यों को प्रदर्शित करती हैं। जे. टिनबर्गन में उन्हें पहली बार सन् 1954 में इन शब्दों में परिभाषित

किया : ''प्रतिछाया कीमतें वे कीमतें हैं जो संतुलन मूल्यों के अर्थ में किसी कारक अथवा उत्पाद के अंतर्भूत अथवा सही मूल्यों के रूप में इंगित करती हैं। ये कीमतें विभिन्न समयावधियों के साथ ही भौगोलिक रूप से अलग क्षेत्रों और विविध व्यवसायों के लिए अलग-अलग हो सकती हैं। वे बाजार की कीमतों से अलग हो सकती हैं।'' सन् 1958 में, टिनबर्गन ने बताया कि प्रतिछाया कीमतें अंतर्भूत मूल्यों के अनुरूप है और वे प्रचलित होंगे यदि : ''(*i*) चर्चा के तहत् निवेश पद्धति को वास्तव में अंजाम दिया गया, और (*ii*) बाजार में संतुलन आ गया जिसका उल्लेख अभी किया गया (श्रम, पूंजी, विदेशी मुद्रा विपणन में)।'' संयुक्त राष्ट्र की रपट प्रतिछाया कीमतों को परिभाषित करती है। यह परिभाषा साधन या उत्पाद की लागत से संबंधित अवसर के संदर्भ में है। उत्पादन की प्रतिछाया कीमत जैसे कि पूंजी, श्रम या विदेशी मुद्रा इसकी ''अवसर लागत'' या अर्थव्यवस्था की हानि को प्रदर्शित करती है जो एक इकाई द्वारा इसकी आपूर्ति में कमी का परिणाम होगा।

16. लिओन वालरा (1834-1910) पहले अर्थशास्त्री थे जिन्होंने औपचारिक सामान्य संतुलन स्थापित करने के लिए नवशास्त्रीय सिद्धांत का उसमें समावेश किया। वालरा ने यह प्रदर्शित करने की कोशिश की कि अनेक वस्तुओं के साथ अर्थव्यवस्था कैसे साथ-साथ सही बैठती है और संतुलन की स्थिति में पहुँचती है। इस उद्देश्य के लिए वालरा (1896) ने एक आर्थिक संतुलन मॉडल का वर्णन करने के लिए एक साथ रेखीय समीकरण की एक प्रणाली का निर्माण किया। वालरा ने प्रदर्शित किया कि पूर्ण व्यवस्था समाधेय है क्योंकि समीकरणों की संख्या, अज्ञातों की संख्या को बराबर करता है।

20. प्राकृतिक बेरोजगारी : घर्षणात्मक बेरोजगारी दर और संरचनात्मक बेरोजगारी दर को मिलाने पर प्राकृतिक बेरोजगारी दर प्राप्त होती है, जिसे बेरोजगारी की प्राकृतिक दर भी कहते हैं। प्राकृतिक बेरोजगारी दर को नामित करने के लिए हम लोग U_N चिह्न का प्रयोग करते हैं। वर्तमान में, अधिकांश अर्थशास्त्री प्राकृतिक बेरोजगारी दर का अनुमान 4 और 6.5 फीसदी के बीच लगाते हैं।

प्राकृतिक बेरोजगारी दर (U_N) = घर्षणात्मक बेरोजगारी दर (U_F) + संरचनात्मक बेरोजगारी दर (U_S)।

21. IS वक्र के विषय में, कोई भी आय और ब्याज का संयोजन जो IS वक्र पर अवस्थित है, एक वस्तु विपणन संतुलन को प्रदर्शित करता है। हालांकि, अन्य सभी बिन्दुओं पर वस्तु विपणन असंतुलन मौजूद होता है।

(*i*) आय और ब्याज के सभी संयोजन जो ऊपर और IS वक्र के दायीं ओर होते हैं, एक परिस्थिति को इंगित करते हैं, जहाँ $Y > C + I$ अथवा सुनियोजित निवेश से बचत बड़ी होती है। अतः आय के स्तर में गिरावट आएगी।

(*ii*) आय और ब्याज के सभी संयोजन जो नीचे और IS वक्र के बायीं ओर होते हैं, एक परिस्थिति को इंगित करते हैं, जहाँ $Y < C + I$ अथवा सुनियोजित निवेश से बचत कम होती है। अतः आय के स्तर में बढ़ोत्तरी होगी।

LM वक्र के विषय में, कोई भी आय और ब्याज का संयोजन जो LM वक्र पर अवस्थित है, एक वस्तु विपणन संतुलन को प्रदर्शित करता है। हालांकि, अन्य सभी बिन्दुओं पर वस्तु विपणन असंतुलन मौजूद है।

(*i*) आय और ब्याज के सभी संयोजन जो नीचे और LM वक्र के दायीं ओर होते हैं, एक परिस्थिति को इंगित करते हैं, जहाँ मुद्रा की माँग, मुद्रा की आपूर्ति से ज्यादा होती है अथवा मुद्रा की अत्यधिक माँग होती है, अतः ब्याज की दर बढ़ेगी।

(*ii*) आय और ब्याज के सभी संयोज़न जो ऊपर और LM वक्र के बायीं ओर होते हैं, एक परिस्थिति को इंगित करते हैं, जहाँ मुद्रा की माँग, मुद्रा की आपूर्ति से कम होती है अथवा मुद्रा की अत्यधिक आपूर्ति होती है। अतः ब्याज की दर घटेगी।

23. मूल साध्य समाधान : एक LP समस्या के लिए साध्य समाधान जो मूल समाधान भी है ''मूल साध्य समाधान'' कहलाता है। अर्थात् सभी मूल चरों को गैर-नकारात्मक मूल्य माना जाता है।

मूल साध्य समाधान दो प्रकार के होते हैं :

(*a*) अपकृष्ट : मूल साध्य समाधान को अपकृष्ट तब कहा जाता है जब कम से कम एक मूल चर का मान 0 होता है।

(*b*) गैर-अपकृष्ट : मूल साध्य समाधान को गैर-अपकृष्ट तब कहा जाता है जब सभी m मूल चरों का मान गैर-शून्य और धनात्मक होता है।

इष्टतम मूल साध्य समाधान : एक मूल साध्य समाधान जो दी गई LP समस्या के वस्तुनिष्ठ कार्य मूल्य को इष्टतम

(अधिकतम या न्यूनतम) करता है, ''इष्टतम मूल साध्य समाधान'' कहलाता है।

26. कुछ अर्थशास्त्रियों ने असंतुलित संवृद्धि की वकालत की है जैसा कि अल्बर्ट ओ हर्शमान ने 1958 में अपनी पुस्तक 'द स्ट्रटिजी ऑफ इकॉनोमिक डेवलपमेंट' में किया है। उसने अपनी पुस्तक में असंतुलित संवृद्धि के फायदे गिनवाए हैं। यदि एक या एक से अधिक अग्रणी क्षेत्र में संवृद्धि होती है, तब ये क्षेत्र अर्थशास्त्र में दोनों पश्चवर्ती और अग्रवर्ती सहलग्नताएं सृजित करेंगे।
जब एक उद्योग अन्य उद्योगों से उत्पादक सामग्री खरीदता है, तो पश्चवर्ती सहलग्नता अस्तित्व में आ जाती है। एक अग्रवर्ती सहलग्नता तब अस्तित्व में आती है जब किसी उद्योग का उत्पाद अन्य उद्योगों द्वारा खरीदा जाता है। ये दोनों प्रक्रियाएँ अंतिम उपभोक्ता के अलावा हैं।
खरीदी गई उत्पादक सामग्री के प्रतिशत द्वारा दोनों सहलग्नताओं की माप की जा सकती है। उदाहरण के लिए, कम्प्यूटर के लिए फ्लैट स्क्रीन के विनिर्माण में, एक पश्चवर्ती सहलग्नता डिस्पले पैनल की खरीद होगी, और एक अग्रवर्ती सहलग्नता लैपटॉप के पुर्जों को एकत्रित करने वाली कंपनी को परिष्कृत स्क्रीन की बिक्री होगी (जो अंततः खुदरा ग्राहकों को लैपटॉप बेचता है)।

27. विकासशील देशों की मुद्रा बाजार की महत्वपूर्ण विशेषता को एच माइन्ट (1971) ने ''वित्तीय द्वैतवाद का सिद्धांत'' कहा। यह संगठित एवं असंगठित मुद्रा बाजार में विषम ब्याज दरों के साथ-साथ सहअस्तित्व की ओर संकेत करता है। पूर्व बाजार काफी जटिल है और कोई भी उम्मीद करता है कि ब्याज दरों के साथ भिन्नता स्थापित करने के लिए मुद्रा की प्रत्याशित मांग हो। बाद में, असंगठित बाजार (सामान्यतः दुकानदारों, साहूकारों, जमींदारों, व्यापारियों या उनमें से कुछ जो अंततः एकाधिकार स्थिति पैदा करता है), वास्तविक संपत्ति पर जोखिम और रिटर्न के साथ ब्याज दरों में भी परिवर्तन की आशा की जाती है। ऐसी परिस्थितियों में, मुद्रा की आपूर्ति ब्याज की दर को महत्वपूर्ण रूप से प्रभावित नहीं कर सकती है। इसलिए विकासशील देशों में केन्सियन सिद्धांत बहुत हद तक लागू नहीं हो सकता।

28. **कॉब-डगलस उत्पादन फलन :** तकनीकी प्रगति के लिए हिक्स-तटस्थ और हेरोल्ड-तटस्थ दोनों होना संभव है। यह तभी हो सकता है जब यदि प्रतिस्थापन की लोच पूँजी और श्रम के बीच हो। इस विशेषता के साथ उत्पादन फलन को कॉब-डगलस उत्पादन फलन कहा जाता है।

29. सन् 1966 में, हार्वे लीबेन्स्टीन ने *अमेरिकन इकनॉमिक रिव्यू* में ''एलोकेटिव इफिशिएन्सी Vs X-इफिशिएन्सी'' शीर्षक के अंतर्गत एक लेख प्रकाशित किया। इस लेख में, उसने अत्यंत सरल लेकिन प्रतिध्वनित अवधारणा का विकास किया। लीबेन्स्टीन के अनुसार, पारंपरिक सूक्ष्म आर्थिक सिद्धांत आवंटन दक्षता पर बल देता है (अर्थात् संसाधनों में आवंटन में दक्षता)। इसका कारण दक्षता के अन्य स्रोतों का निर्धारण करना है जिसे वह अत्यंत महत्वपूर्ण मानता है और जिसमें अभिप्रेरण और प्रोत्साहन एक मुख्य स्थान पर स्थित होता है। एक्स-दक्षता प्रबंधकीय गुणवत्ता (अच्छा या बुरा) का एक प्रतिबिंब है। प्रबंधक, आखिरकार, न सिर्फ अपनी उत्पादिता निधारित करते हैं बल्कि उस उत्पादन इकाइयों की भी जिसके लिए वे उत्तरदायी होते हैं, जो एक नवशास्त्रीय सिद्धांत में एक पूर्वगामी चर है, एक्स-दक्षता सिद्धांत में स्वनिर्णयगत चर बन जाता है। लीबेन्स्टीन अनेक उदाहरणों को प्रस्तुत करता है जो एक्स-दक्षता के अस्तित्व का पुरजोर समर्थन करते हैं।

32. लैटिन अमेरिकी देशों की आर्थिक और राजनीतिक पिछड़ेपन और खासकर इन देशों के अमेरिकी साम्राज्यवाद के अधीन संबंध की व्याख्या निर्भरता सिद्धांत करती है, जिसकी उत्पत्ति 1960 के दशक में लैटिन अमेरिका में हुई। निर्भरता सिद्धांत के कुछ संस्थापक सिद्धांतकार हैं—आंद्रे जी. फ्रेंक, डिपेन्डेन्ट एक्युमुलेशन एण्ड अंडरडेवलपमेंट (न्यूयार्क : मंथली रिव्यू प्रेस, 1979), और समीर अमीन, एक्युमुलेशन ऑन अ वर्ल्ड स्केल : ए क्रिटिक ऑफ द थ्योरी ऑफ अंडरडेवलपमेंट (न्यूयार्क : मंथली रिव्यू प्रेस, 1974)।

36. **समान सीमांत त्याग :** इस सिद्धांत के अनुसार, सभी करदाताओं द्वारा किया गया त्याग समान होना चाहिए। जब सीमांत त्याग सभी करदाताओं के लिए समान है, कुल त्याग अधिकतम होगा। अतः इस सिद्धांत को कराधान का न्यूनतम सकल त्याग सिद्धांत के रूप में भी जाना जाता है। इसे एडवर्थ और पीगु द्वारा समर्थन किया गया।
एडवर्थ और पीगु ने निरपेक्ष और आनुपातिक त्याग

मानदंड का यह विचार करते हुए परित्याग किया कि इन दोनों के बीच कोई तार्किक अथवा सहज ज्ञान संबंधी विकल्प नहीं है। उन्होंने कराधान में समान सीमांत त्याग के सिद्धांत की वकालत इस रूप में की कि यह कल्याण के लक्ष्य को न्यूनतम सकल त्याग द्वारा संतुष्ट करता है। कर संरचना के आपेक्षिक कर दायित्व और आपेक्षिक प्रगतिशीलता के अधीन विभिन्न त्याग सिद्धांतों को तालिका में संक्षेपित किया गया है।

तालिका : *विभिन्न त्याग सिद्धांतों के अधीन कर दायित्व और संरचना*

त्याग का मानदंड	आपेक्षिक कर दायित्व		कर संरचना की प्रकृति
	अमीर	गरीब	
1. समान निरपेक्ष त्याग	न्यूनतम	ज्यादा	न्यूनतम प्रगतिशीलता (आनुपातिक कराधान)
2. समान आनुपातिक त्याग	ज्यादा	कम	यथोचित प्रगतिशील कराधान
3. समान सीमांत त्याग	अधिकतम	न्यूनतम	तीव्र प्रगतिशील कराधान

तीन संस्करणों, समान कुल त्याग, समान आनुपातिक त्याग और समान सीमांत त्याग में अंतिम को कराधान का सर्वोत्तम और सर्वमान्य मौलिक सिद्धांत आधुनिक अर्थशास्त्रियों द्वारा माना जाता है।

39. 'जेंडर बजटिंग' की अवधारणा दिनोंदिन और ज्यादा लोकप्रिय हो गई है। संघीय देश ऑस्ट्रेलिया पहला देश है जिसने वर्ष 1984 में जेंडर संवेदनशील बजट पेश किया। 'जेंडर बजटिंग' शब्द सरकार के विभिन्न पहलों का विस्तृत वर्णन करने वाला शब्द बन गया है जो सार्वजनिक व्यय और नीति के ज्ञान में जेंडर मुद्दों की खोज करता है। 'जेंडर संवेदनशील बजट', 'जेंडर बजट' और 'महिलाओं का बजट' विभिन्न प्रक्रिया और साधनों को लक्षित करते हैं, जिनका उद्देश्य सरकारी बजटों के जेंडर के प्रभावों के आकलन को सुगम बनाना है। ''जेंडर बजट के पहलों द्वारा विश्लेषण किया जाता है कि सरकारें कैसे सार्वजनिक पैसों को वसूलती हैं और उन्हें खर्च करती हैं। इसका उद्देश्य सार्वजनिक संसाधनों के आवंटन के विषय में निर्णय-निर्माण में जेंडर समानता हासिल करती है, और सरकारी बजटों के प्रभाव का जेंडर समानता में वितरण, दोनों उनके लाभ और उनकी जिम्मेदारियों में। महिलाओं के सबसे वंचित समूहों पर सरकार के बजट का प्रभाव विशेष ध्यान का एक केन्द्र-बिन्दु है।'' (आई.डी.आर.सी., 2001)।

40. कॉलिन क्लार्क ने तीन व्यावसायिक चरणों के माध्यम से आर्थिक विकास का अवलोकन किया। राष्ट्र की शुरुआत आरंभिक प्राथमिक माल उत्पादकों (कृषि और मत्स्य पालन) के रूप में उच्च स्तरीय विकास की ओर विनिर्मित वस्तुओं के उत्पादन के साथ अग्रसर होता है। ज्ञान और दक्षता की उन्नति के द्वारा द्वितीय चरण का पदार्पण होता है। सहवर्ती सामग्री संचय के साथ, राष्ट्र संस्कृति एवं श्रम के उच्चतर रूपों के माध्यम से अधिक कल्याण चाहते हैं, और सेवा उन्मुखीकरण से माल उन्मुखीकरण की ओर अग्रसर होता है। तीसरे चरण के प्रतिनिधि परिवहन, वितरण और लोकप्रशासन के क्षेत्र हैं। गैर सामग्री उत्पादन के माध्यम से आय के उच्चतम स्तर प्राप्त किए जाते हैं।

43. राउल प्रिबिश और एच. सिंगर द्वारा प्रतिपादित शोध कहता है कि अन्ततः व्यापार-स्थिति प्राथमिक उत्पादक देशों के विरुद्ध संचालित होता है। यह शोध केन्द्र और परिधि के बीच व्यापार-स्थिति के धर्मनिरपेक्ष गिरावट की भविष्यवाणी करता है। यह एक मुख्य कारक है जो LDCs के विकास को अवरुद्ध करता है। उनके अनुसार, 'व्यापार' शब्द DCs के पक्ष में चला जाता है। प्रिबिश ने सामान्यीकृत किया कि LDCs की व्यापार-स्थिति में लम्बी अवधि के बाद गिरावट केन्द्र और उसकी परिधि के बीच व्यापार और वृद्धि का परिणाम है, जो अवश्यंभाती है। वर्ष 1950 में एच. सिंगर ने अपने शोध का प्रतिपादन किया जिसमें उन्होंने कहा कि व्यापार के लिए LDCs की शुरुआत और निवेश उनके विकास को बाधित करने की प्रवृत्ति है। राउल प्रिबिश को शोध वर्ष 1950 और पुनः 1959 में प्रकाशित हुए। राउल प्रिबिश और सिंगर के विचार लगभग समान हैं : उनके महत्वपूर्ण निष्कर्ष और प्रतिफल भी समान हैं। यही कारण है कि इस शोध को संयुक्त नामों प्रिबिश और सिंगर से प्रस्तावित किया गया।

46. जी.एस.टी. केंद्रीय करों जैसे–उत्पाद शुल्क और सेवा कर तथा राज्य करारोपण जैसे–बिक्री, मूल्यवर्धित, मनोरंजन और खरीद करों की जगह लेगा। सभी प्रवेश करों जैसे–चुंगी भी जी.एस.टी. के अंतर्गत शामिल होगा। विधेयक राजस्व और स्वायत्तता के नुकसान पर राज्य की चिंताओं को संतुलित करने की कोशिश करता है और कर संरचना की आवश्यकता को पूरा करता है जो राज्यों की बाधाओं को दूर करेगा और पूरे देश के अंदर माल और सेवाओं के निर्बाध प्रवाह को सुनिश्चित करेगा।

49. **नवजात शिशु मृत्यु-दर :** नवजात शिशु मृत्यु दर दिए गए वर्ष में 28 दिन (0-27 दिन) से कम आयु के नवजात शिशु की मृत्यु की संभावना की गणना करता है। सूत्र निम्नानुसार है :

नवजात शिशु मृत्यु दर =

$$\frac{\text{28 दिनों की उम्र के अंतर्गत शिशु की मृत्यु की संख्या}}{\text{जीवित शिशुओं की संख्या}} \times$$

1000 जीवित शिशुओं की संख्या (एक वर्ष के दौरान)

उत्तर-नवजात शिशु मृत्यु दर : एक आंकड़ा जो नवजात शिशु मृत्यु दर से संबंधित है, उत्तर-नवजात शिशु मृत्यु-दर कहलाता है। उत्तर-नवजात शिशु मृत्यु-दर दिए गए वर्ष में बड़े शिशु की मृत्यु की संभावना की गणना करता है।

उत्तर-नवजात शिशु मृत्यु-दर =

$$\frac{\text{जन्म के बाद 28 दिनों से 365 दिनों तक शिशु की मृत्यु की संख्या}}{\text{जीवित शिशुओं की संख्या} - \text{नवजातों की मृत्यु}} \times$$

1000 जीवित शिशु

50. 'इन्द्रधनुष मिशन' सरकार द्वारा शुरू किया गया वह मिशन है जो उन बच्चों के लिए है जिनका आंशिक रूप से टीकाकरण किया गया है या जिनका टीकाकरण नहीं किया गया है।

मिशन इन्द्रधनुष, इन्द्रधनुष के 7 रंगों को चित्रित करता है जिसका उद्देश्य वर्ष 2020 तक उपरोक्त कथित सभी बच्चों तक पहुँचना है। यह ज्यादातर 200 जिलों के आस-पास पर ध्यान केंद्रित करेगा। मिशन इन्द्रधनुष सात जानलेवा रोगों जैसे–(डिप्थीरिया, काली खांसी, टिटनेस, पोलियो, टी.बी., खसरा और हेपेटाइटिस-बी), के विरुद्ध सुरक्षा प्रदान करेगा। इसके अलावा, देश के चयनित जिलों में जापानी इंसेफेलाइटिस और हिमोफिलस इन्फ्लुएंजा टाइप-बी के विरुद्ध टीकाकरण भी मुहैया कराया जाएगा। गर्भवती महिलाओं को टिटनेस के विरुद्ध टीकाकरण मुहैया कराया जाएगा। इस मिशन का मुख्य उद्देश्य प्रतिवर्ष टीकाकरण का दायरा बढ़ाना और देश के अधिकांश बच्चों को कवर करने के लिए इसकी पहुँच का विस्तार करना है।

52. 8 अप्रैल, 2015 को प्रधानमंत्री नरेन्द्र मोदी ने माइक्रो यूनिट्स डेवलपमेंट एंड रिफाइनेन्स एजेंसी लिमिटेड (मुद्रा) बैंक का शुभारंभ छोटे उद्यमियों को फंड प्रदान करने के लिए किया। बैंक महत्वाकांक्षी प्रधानमंत्री जन-धन योजना (PMIDY) के अधीन शुरू किया गया। छोटे उद्यमियों को बैंक 10 लाख रुपये तक की ऋण सुविधा प्रदान करेगी और माइक्रो फाइनेंस संस्थानों (MFIs) के लिए एक नियामक के रूप में कार्य करेगा।

53. कीन्स की तरह कुछ अर्थशास्त्रियों ने विस्फीति को मुद्रास्फीति से ज्यादा घातक बताया है। कीन्स के शब्दों में, "मुद्रास्फीति अन्यायपूर्ण है और विस्फीति अहितकर है, इन दोनों में शायद विस्फीति और भी बुरा है।"

59. पहला यूरोपीय बैंक जिसने सर्वप्रथम कागजी मुद्रा का प्रचलन आरंभ किया वह स्टॉकहोम बैंक, स्वीडन था। वर्ष 1661 में उसने ऐसा किया था।

60. 13 अक्टूबर, 2014 को फ्रांस के अर्थशास्त्री ज्यां ट्राउले ने अर्थशास्त्र के लिए 2014 का नोबेल पुरस्कार जीता। ज्यां ट्राउले को यह पुरस्कार उनके विपणन शक्ति और विनियमन के विश्लेषण पर मिला था।

61. अधिकांश प्रतिष्ठित अर्थशास्त्रियों (उदाहरण के लिए, एडम स्मिथ, थॉमस माल्थस और जॉन स्टुअर्ट मिल) और कुछ महत्वपूर्ण समकालीन अर्थशास्त्रियों (उदाहरण के लिए जॉन मेनार्ड कीन्स और जोसेफ शुम्पीटर) द्वारा स्थायी अथवा अथवा सतत्-अवस्था में अर्थव्यवस्था संबंधी विषय पर चर्चा की गई।

मिल, कीन्स और शुम्पर के लिए सतत्-अवस्था कुछ वांछनीय जैसी थी जबकि अन्य जैसे स्मिथ के लिए यह एक अनिवार्य त्रासदी थी।

प्रतिष्ठित अर्थशास्त्रियों के बाद, हरमन डेली ने 1970 के दशक की (डेली, 1977, 1973) वृद्धि अर्थव्यवस्था के विकल्प के रूप में 'सतत् अवस्था की अर्थव्यवस्था' की अवधारणा का विस्तार से वर्णन किया।

डेली ने अर्थव्यवस्था की सतत् अवस्था (SSE) को इस रूप में परिभाषित किया: "एक निम्न दर की प्रवाह क्षमता द्वारा नियत जनसंख्या और नियत पूँजी स्टॉक के साथ अर्थव्यवस्था को संधारित किया गया जो पारिस्थितिकी तंत्र के पुनर्योजी सदृश्यकरण क्षमता के भीतर है...... वैकल्पिक रूप से, और अधिक सक्रियता के साथ, हमलोग एक स्थायी (न्यूनतम) स्तर पर प्रवाह क्षमता के निरंतर प्रवाह के मामले में SSE को परिभाषित कर सकते हैं। रिक्तिकरण के साथ शुरू होते और प्रदूषण के साथ समाप्त होते नियत प्रवाह क्षमता द्वारा जनसंख्या और स्टॉक पूंजी स्वतंत्र हैं कि उनका आकार कितना निर्धारित हो।"

64. भारत ने कई ग्रीन एक्शन्स लिए हैं जिसमें शामिल हैं पेट्रोलियम पदार्थों पर महत्वपूर्ण उच्च कराधान लगाना और नवीकरणीय ऊर्जा क्षेत्र को सक्रिय करना। कुछ देशों के विपरीत, पेट्रोलियम सब्सिडी को समाप्त करने के लिए पर्याप्त कदम इसने (भारत) उठाया है और इन उत्पादों पर पर्याप्त करों को लागू करने से ऊपर चला गया है। ये कार्यवाही भारत ने एक कार्बन-सब्सिडी व्यवस्था से महत्वपूर्ण कार्बन कराधान व्यवस्था—एक नकारात्मक मूल्य से कार्बन उत्सर्जन पर अंतर्निहित सकारात्मक मूल्य तक ली है।

66. मांग फलन, $p = \frac{1}{4}q^{-\frac{1}{2}}$

जब $q = 25,\; p = \frac{1}{4}(25)^{-\frac{1}{2}} = \frac{1}{4}(5)^{-1} = \frac{1}{4\times 5}$

$= 0.05.$

$$\text{C.S.} = \int_0^q p\cdot dq - 0.05\times q = \int_0^{25}\frac{1}{4}(q)^{-\frac{1}{2}}\cdot dq - 0.05q$$

$$= \frac{2}{4}\left[q^{\frac{1}{2}}\right]_0^{25} - 0.05\times 25 = \frac{1}{2}\times 5 - 1.25$$

$$= 2.5 - 1.25 = 1.25.$$

67. मांग फलन $p = 20 - 2q = 20 - 2\times 3 = 14$

कुल राजस्व $= p.q = 14\times 3 = 42$

सीमांत राजस्व $= \frac{42}{3} = 14$

औसत राजस्व $= \frac{d(\text{T.R.})}{dq} = \frac{d}{dq}(20q - 2q^2)$

$= 20 - 4q = 20 - 4\times 3$

$= 20 - 12 = 8.$

67. ज्ञातव्य है कि परिमित और अपरिमित जनसंख्याओं के मामले में सैम्पल मीन जनसंख्या का एक निष्पक्ष अनुमान है। इसके अलावा सैम्पल मीन एक रैखिक फलन है सैम्पल मूल्य का $a_1x_1 + a_2x_2 + ... + a_nx_n$,

$x_1, x_2, ..., x_n$ स्थिति का विषय है

$\Sigma a_i = 1, i = 1, 2, ..., n.$ के लिए।

सैम्पल मूल्यों के रैखिक फलन ज्ञात a_i को $\Sigma a_i x_i$ के रूप में प्रदर्शित करता है। इस तरह $\Sigma a_i = 1$ को निष्पक्ष रैखीय आकलक कहा जाता है। ऐसे ही आकलकों के समूह के बीच से यदि एक का चयन करना है तो वह निष्पक्ष रैखीय आकलक है जिन पर कुछ मानदंड तय किया जाना है। सभी उपलब्ध रैखीय निष्पक्ष आकलकों में से एक रैखीय निष्पक्ष आकलक का चयन करने के लिए व्यापक रूप से स्वीकृत मानदंड को अपनाया जाता है। इस तरह के रैखीय आकलक को रैखीय निष्पक्ष आकलक का न्यूनतम विचरण कहा जाता है। सामान्यतः इसे सर्वश्रेष्ठ रैखीय निष्पक्ष आकलक (BLUE) कहा जाता है। विशेषण 'सर्वश्रेष्ठ' न्यूनतम विचरण को इंगित करता है। यदि न्यूनतम विचरण σ^2 का एक निष्पक्ष द्विघात आकलक और इसके पास निष्पक्ष द्विघात आकलकों के समूह में से न्यूनतम विचरण है तो यह न्यूनतम विचरण द्विघात आकलक कहलाता है।

72. सामान्यतः पहचान मौलिक रूप से आकलन के लिए उपयोग में लायी जाने वाली अर्थमितीय विधि के चयन को निर्धारित करती है।

पहले स्थान में, जब एक समीकरण निर्धारण के अधीन है, इसका आकलन नहीं किया जा सकता और इसलिए उपयुक्त आकलन तकनीक के चयन का सवाल ही नहीं उठता है। दूसरी ओर यदि समीकरण को ठीक से निर्धारित कर दिया गया, ILS (अप्रत्यक्ष न्यूनतम वर्ग) बिल्कुल उपयुक्त है। अति-निर्धारित समीकरणों के मामले में, 2SLS का लोकप्रिय ढंग से आकलन के लिए उपयोग किया जाता है।

पिछले प्रश्न-पत्र (हल सहित)

UGC (NET/JRF) जूनियर रिसर्च फैलोशिप तथा सहायक प्राध्यापक परीक्षा, अर्थशास्त्र, दिसम्बर-2014

प्रश्न-पत्र-II

नोटः *इस प्रश्नपत्र में* ***पचास*** *(50) बहु-विकल्पीय प्रश्न हैं। प्रत्येक प्रश्न के* ***दो*** *(2) अंक हैं।* ***सभी*** *प्रश्न अनिवार्य हैं।*

1. गॉसेन का द्वितीय नियम किसे कहा जाता है?

A. सम-सीमांत उपयोगिता का नियम

B. ह्रासमान सीमांत उपयोगिता का नियम

C. प्रकटित अधिमानता सिद्धांत

D. तटस्थता वक्र अभिगम

2. जब कोई उपभोक्ता साम्यावस्था में है, MRS_{XY} 2.5 होता है। अगर वस्तु Y का मूल्य 16 है, तो वस्तु X का मूल्य क्या होगा?

A. 40 B. 6.4

C. 23.2 D. 24

3. एकाधिकार वाली प्रतिस्पर्धा में निम्नांकित में से कौन-सी शर्त दीर्घकालीन साम्य का समर्थन करती है?

A. MR = MC, AR = AC

B. P = MC, AR = AC

C. MR = MC = AR = AC

D. AR = MC = AC

4. पहली बार मूल्य निर्धारण में समय कारकों के महत्व को किसने स्पष्ट किया?

A. चैम्बरलिन

B. स्टिगलर

C. मिसेज जॉन राबिन्सन

D. मार्शल

5. ह्रासमान प्रतिलाभ का नियम तब लागू होता है जबः

A. कुल उत्पाद में वृद्धि शुरू हो जाती है

B. कुल उत्पाद में गिरावट आने लगती है

C. सीमांत उत्पाद में वृद्धि होने लगती है

D. सीमांत उत्पाद में गिरावट आने लगती है

6. एजवर्थ ड्यूयोपॉली मॉडल के संबंध में निम्नांकित कथनों पर विचार करें:

I. इसमें प्रतिस्पर्धी का उत्पाद निर्णय दिया गया माना जाता है।

II. इसमें प्रतिस्पर्धी के मूल्य निर्णय को दिया गया माना जाता है।

III. यह मूल्य कठोरता की व्याख्या है।

निम्नांकित में से कौन-सा उत्तर सही है?

A. केवल कथन I सही है

B. I और II दोनों सही हैं

C. II और III दोनों सही हैं

D. केवल III सही है

7. सार्वजनिक वस्तु की विशेषता होती है

1. सामूहिक उपभोग
2. विभाज्यता
3. बहिर्वेशन नहीं किया जाता
4. प्रतिस्पर्धी उपभोग

नीचे दिए गए कूट में सही उत्तर का चयन करें:

कूटः

A. 1 और 2 सही हैं B. 1 और 3 सही हैं

C. 1 और 4 सही हैं D. 2 और 4 सही हैं

8. निम्नांकित में कौन बाजार विफलता का कारण है?

1. बाह्यता
2. सूचना की असममितता
3. पूर्ण प्रतिस्पर्धा

नीचे दिए गए कूट से सही उत्तर का चयन करें:

कूटः

A. 1, 2 और 3 सही हैं

B. केवल 1 सही है

C. 1 और 2 सही हैं
D. 2 और 3 सही हैं

9. परम्परावादी अर्थशास्त्रियों ने मजदूरी-मूल्य लोचशीलता को मानते हुए इस बात पर बल दिया है कि मुद्रा मजदूरी और मूल्य में गिरावट से निम्न स्थिति पैदा होती है
A. बेरोजगारी
B. अवस्फीति
C. रोजगार और उत्पादन का उच्च स्तर
D. बेरोजगारी और उत्पादन में गिरावट

10. ब्याज अभिधारणा का परम्परावादी सिद्धांत है कि बचत और निवेश दोनों निम्नलिखित में से एक के फलन हैं:
A. राष्ट्रीय आय का स्तर
B. रोजगार और उत्पादन का स्तर
C. मौद्रिक और राजकोषीय नीति
D. ब्याज दर

11. ड्यूसेनबेरी की सापेक्ष आय अवधारणा यह बताती है कि जैसे-जैसे आय बढ़ती है वैसे-वैसे उपयोग प्रकार्य वक्र ऊपर की ओर बढ़ता जाता है और इसलिए
A. औसत उपभोग प्रवृत्ति बढ़ती है
B. औसत उपभोग प्रवृति घटती है
C. औसत उपभोग प्रवृति स्थिर रहती है
D. औसत उपभोग प्रवृति 1 के बराबर रहती है

12. निम्नलिखित में से किसने कहा था कि "मुद्रास्फीति हर जगह होती है और यह हमेशा ही एक मौद्रिक घटना है"?
A. जेम्स टोबिन B. जोन एम. कीन्स
C. मिल्टन फ्रीडमैन D. अन्ना जे. श्वार्ज

13. त्वरित्र का निम्नलिखित में से किससे निकट संबंध है?
A. ब्याज दर B. रहतिया
C. बेकार पड़ी क्षमता D. प्रेरित निवेश

14. सूची-I और सूची-II को सुमेलित करें और नीचे दिए गए कूटों में से सही उत्तर चुनें:

सूची-I *अवधारणा*	**सूची-II** *अर्थशास्त्री*
(*a*) तरलता जाल	1. मिल्टन फ्रीडमैन
(*b*) प्रदर्शन प्रभाव	2. ए.सी. पीगू
(*c*) स्थायी आय परिकल्पना	3. जे. ड्यूसेनबेरी
(*d*) सम्पदा प्रभाव	4. जे.एम. कीन्स

कूटः

	(*a*)	(*b*)	(*c*)	(*d*)
A.	4	3	1	2
B.	1	2	4	3
C.	4	2	1	3
D.	1	3	4	2

15. मौद्रिक नीति की प्रभावशीलता के संबंध में कीन्स के विचार से निम्नलिखित में से कौन-सा कथन मेल नहीं खाता है?
A. मुद्रा वेग तुलनात्मक रूप से स्थिर है
B. मुद्रा की मांग अस्थिर है
C. मुद्रा की मांग ब्याज संवेदी है
D. निवेश की मांग अस्थिर है

16. निम्नलिखित में से कौन-सा कथन सही है?
A. छुट-पुट अल्प मूल्य विक्रय, वस्तुओं के स्टॉक को हटाने के लिए विदेशी बाजार में उनको कम कीमत पर बेचना है
B. आक्रामक अल्प मूल्य विक्रय, शुरुआत में घाटे में बेचकर प्रतिस्पर्धियों को बर्बाद करना और उन्हें हटाने के पश्चात् उत्पादों को उच्च मूल्य पर बेचना है
C. सतत् अल्प मूल्य विक्रय, घरेलू बाजार और विदेशी बाजार में मांग की लोच में अंतर के कारण वस्तुओं को विदेशी बाजारों में कम मूल्य पर बेचना है
D. उपर्युक्त सभी

17. तुलनात्मक लाभ सिद्धांत के अनुसार निम्नलिखित स्थिति में अंतर्राष्ट्रीय व्यापार नहीं होगा
A. कोई देश दोनों ही उत्पादों के उत्पादन में दक्ष है
B. कोई देश दोनों ही उत्पादों के उत्पादन में अदक्ष है
C. दोनों देशों में दोनों ही उत्पादों की अवसर लागत समान है
D. उपर्युक्त में से कोई नहीं

18. प्रशुल्क के अधिरोपण से निम्नलिखित में क्या होगा?
A. व्यापार शर्तों में ह्रास होगा
B. व्यापार शर्तों में सुधार होगा

C. व्यापार शर्तों में कोई सुधार नहीं होगा

D. उपर्युक्त में कोई नहीं

19. मुक्त विनिमय दर प्रणाली के अंतर्गत किसी राष्ट्र के भुगतान संतुलन खाते में कमी निम्न द्वारा स्वतः ही पूरी हो जाती है

A. उसकी मुद्रा के मूल्यह्रास से

B. उसकी मुद्रा के मूल्यवृद्धि से

C. घरेलू मुद्रास्फीति से

D. अवस्फीति और राष्ट्रीय आय में वृद्धि से

20. मैस्ट्रिच संधि से निम्न में से किसका सृजन हुआ?

A. यूरोपीय संसद का

B. यूरो का

C. यूरोपीय न्यायालय का

D. यूरोपीय संघ का

21. **अभिकथन (A):** मुन्डेल के अनुसार, "साधनों की इकाई लागत में शुरुआती अंतर के कारण भुगतान संतुलन में असंतुलन आता है।"

तर्क (R): वस्तुओं की निर्बाध आवाजाही से दो देशों के भुगतान संतुलन में होने वाला असंतुलन सही होगा।

दोनों कथनों के संदर्भ में निम्नलिखित में से कौन सही है?

कूटः

A. (A) और (R) दोनों सही हैं और (R), (A) की सही व्याख्या है

B. (A) और (R) दोनों सही हैं और (R), (A) की सही व्याख्या नहीं है

C. (A) सही है, किंतु (R) गलत है

D. (A) गलत है, किंतु (R) सही है

22. स्टोलपर सेम्यूलसन प्रमेय के अनुसार राष्ट्र द्वारा अध्यारोपित प्रशुल्क द्वारा देश की वास्तविक आय में निम्नलिखित में क्या होता है?

A. प्रचुर साधन की आय बढ़ती है

B. दुर्लभ साधन की आय बढ़ती है

C. दुर्लभ साधन की आय घटती है

D. उपर्युक्त A तथा B दोनों संभव हैं

23. संदर्भी योजना क्या है?

A. योजना का समग्र मूल्यांकन

B. विभिन्न क्षेत्रों में योजना की समीक्षा

C. विगत अनुभवों का अवलोकन और उस आलोक में भविष्य की समीक्षा

D. देश में विकास की दीर्घावधि जरूरतों को पूरा करने हेतु भविष्य की योजना तैयार करना

24. वर्ष 1944 में भारत के लिए 'जनता योजना' किसने तैयार की थी?

A. जे.एल. नेहरू B. एम.एन. राय

C. सुभाष चन्द्र बोस D. महात्मा गांधी

25. "ट्रिकल डाउन" रणनीति लागू होती है

A. बढ़ते हुए सकल राष्ट्रीय उत्पाद के द्वारा निर्धनता निवारण

B. सुविचारित पुनर्वितरण के माध्यम से उच्च वर्ग की आय घटाना

C. सकल राष्ट्रीय उत्पाद में वृद्धि करने के स्थान पर बेहतर पोषण, स्वास्थ्य, शिक्षा आदि में प्रत्यक्षतः उपलब्धि हासिल करना

D. अर्थव्यवस्था के विशेष क्षेत्र को सुलाभ हेतु लक्ष्यांकित करना

26. विकास के निम्नलिखित दृष्टिकोणों का उनके आविर्भाव के कालक्रमानुसार सही क्रम क्या है?

1. मूलभूत आवश्यकता दृष्टिकोण
2. प्रति व्यक्ति आय दृष्टिकोण
3. मानव विकास सूचकांक दृष्टिकोण

निम्नांकित दिये कूटों में से सही उत्तर चुनें:

कूटः

A. 1, 2, 3 B. 2, 1, 3

C. 2, 3, 1 D. 1, 3, 2

27. आर्थिक विकास के लिए सही वक्तव्य का चयन करें और नीचे दिए गए कूट से सही उत्तर चुनें:

वक्तव्यः I. सतत प्रक्रिया

II. अल्पावधि प्रक्रिया

III. दीर्घावधि प्रक्रिया

कूटः

A. सिर्फ II B. I और III

C. सिर्फ III D. I और II

28. निम्नलिखित में से कौन अर्थशास्त्री विकास के डिपेन्डेंसी सिद्धांत के प्रतिपादक हैं?

नीचे दिए गए कूट से चयन करें:

I. रैगनर नर्क्स

II. आन्द्रे गुंथर फ्रैंक

III. रॉल प्रैबिस

IV. जॉन केनेथ गालब्रेथ

कूटः

A. I, II और III सही हैं

B. II और III सही हैं

C. II, III और IV सही हैं

D. III और IV सही हैं

29. नियो-क्लासिकल विकास मॉडलों के बारे में क्या सही है?

I. ब्याज दर तथा लाभ लोचशील है।

II. पूँजी असमांगी है।

III. पूर्ण प्रतिस्पर्धा होती है।

IV. पूँजी तथा श्रम प्रतिस्थापित किए जा सकते हैं।

निम्नांकित दिये कूटों में से सही उत्तर का चयन कीजिए:

कूटः

A. केवल I, II और III सही हैं

B. केवल II और III सही हैं

C. केवल I, III और IV सही हैं

D. उपर्युक्त सभी सही हैं।

30. वर्ष 2013-14 में भारत के तीन शीर्ष व्यापार भागीदार कौन थे?

I. संयुक्त अरब अमीरात (यू.ए.ई.)

II. कोरिया

III. चीन

IV. संयुक्त राज्य अमेरिका

सही कूट का चयन करें:

कूटः

A. I, II, III B. II, III, IV

C. I, III, IV D. II, I, IV

31. निम्नांकित में से कौन-सा घाटा युग्म भारतीय अर्थव्यवस्था के लिए सर्वाधिक महत्वपूर्ण है?

A. राजकोषीय घाटा और राजस्व घाटा

B. राजस्व घाटा और प्राथमिक घाटा

C. बजट घाटा और राजकोषीय घाटा

D. चालू खाता घाटा और राजकोषीय घाटा

32. वर्ष 2013-14 के दौरान निम्नांकित में किस क्षेत्र में सर्वाधिक वृद्धि दर दर्ज की गई?

A. कृषि, वानिकी और मत्स्ययन

B. खनन और खदान

C. विनिर्माण

D. निर्माण

33. निम्नांकित में किसने हमारे देश के लिए पी.यू.आर.ए. (ग्रामीण क्षेत्रों में शहरी सुविधाएँ प्रदान किया जाना) की अवधारणा की वकालत की?

A. ए.पी.जे. अब्दुल कलाम

B. मनमोहन सिंह

C. चरण सिंह

D. उपर्युक्त में कोई नहीं

34. इकोमार्क लेबल किससे संबंधित है?

A. निर्यात वस्तुओं

B. आयात वस्तुओं

C. पर्यावरण के लिए सुरक्षित वस्तुओं

D. सर्वोत्तम गुणवत्ता वाली वस्तुओं

35. निम्नांकित देशों को उनके मानव-विकास सूचकांक (एच. डी.आई.) स्थान के अनुसार घटते हुए क्रम में व्यवस्थित करें (मानव विकास संबंधी यू.एन.डी.पी. रिपोर्ट, 2013 के आधार पर):

1. वियतनाम 2. चीन

3. भारत 4. श्रीलंका

निम्नांकित दिये कूटों में से सही उत्तर का चुनाब करें:

कूटः

A. 4, 2, 1, 3 B. 2, 1, 4, 3

C. 2, 4, 3, 1 D. 1, 2, 3, 4

36. वर्ष 2013-14 के लिए भारत से निम्नांकित निर्यात समूहों पर विचार करें:

1. कृषि एवं सम्बद्ध उत्पाद

2. इंजीनियरिंग वस्तुएँ

3. रत्न और आभूषण

4. वस्त्र एवं सिले सिलाए कपड़े

इन्हें कुल निर्यात के प्रतिशत के रूप में इनकी घटती मात्रा के अनुसार व्यवस्थित करें:

A. 2, 1, 4, 3 B. 2, 1, 3, 4
C. 4, 2, 1, 3 D. 3, 4, 2, 1

37. सकारात्मक बाह्य प्रभावों का सृजन करने वाले उत्पादन तथा उपभोग को प्रोत्साहित करने के लिए उपयोग की जाने वाली तकनीकों को कहा जाता है

A. कर प्रोत्साहन तथा वाउचर्स
B. शुल्क तथा दंड
C. कर तथा प्रभार
D. विशेष आकलन

38. एडम स्मिथ द्वारा कराधान के किन नियमों का प्रतिपादन किया गया है?

A. मितव्ययिता, लोचशीलता, सरलता तथा पर्याप्तता
B. समता, निश्चितता, सुविधा तथा मितव्ययिता
C. निश्चितता, सुविधा, मितव्ययिता तथा लोचशीलता
D. मितव्ययिता, समन्वय, सुविधा तथा आवश्यकता

39. पीकॉक-वाइजमैन अवधारणा में वर्णित विस्थापन प्रभाव का अर्थ है

A. उच्च आर्थिक वृद्धि के अनुसार लोक व्यय का उर्ध्वगामी प्रतिस्थापन
B. लोक व्यय तथा कराधान के पुराने रुझान से नए तथा उच्चतर स्तर की ओर गमन
C. लोक व्यय में स्थिर दर से वृद्धि होती है तथा यह उच्चतर स्तर पर पहुँचता है
D. सरकार अधिकाधिक नए कार्यकलाप शुरू करती है तथा इस प्रकार लोक व्यय में तेजी से वृद्धि होती है।

40. किसी परिसंघ की सर्वाधिक महत्वपूर्ण विशेषता है

A. केंद्र तथा राज्य सरकारों के कार्यों तथा संसाधनों के बीच पूर्ण मिलान
B. केंद्र तथा राज्य सरकारों के कार्यों तथा संसाधनों के बीच तदनुरूपता नहीं होना
C. राज्यों पर केंद्र की सर्वोच्चता
D. उपर्युक्त में कोई नहीं

41. केंद्र में वित्तीय समेकन किया जा सकता है

A. केवल प्रमुख सब्सिडियों को युक्तिसंगत बनाकर
B. रक्षा व्यय में कटौती कर
C. कर-सकल घरेलू उत्पाद अनुपात में वृद्धि कर तथा सब्सिडियों को युक्तिसंगत बनाकर
D. राज्य को केंद्रीय सहायता न्यूनतम करके

42. निम्नांकित रिपोर्टों को कालक्रमानुसार व्यवस्थित करें:

I. प्रत्यक्ष कर जाँच समिति, अंतिम रिपोर्ट
II. कर संरचना को युक्तिसंगत तथा सरल बनाए जाने संबंधी अंतिम रिपोर्ट
III. भारतीय कर सुधार–सर्वेक्षण की रिपोर्ट
IV. कर जाँच आयोग

निम्नांकित दिए कूटों में से सही उत्तर चुनें:

कूटः

A. IV, III, II, I
B. I, II, III, IV
C. III, I, IV, II
D. II, III, I, IV

43. भारतीय संविधान में राज्य सूची (सूची-II) में करों की सही पहचान करें:

I. खनिज अधिकार पर कर
II. विलासिता वस्तुओं पर कर
III. विनिमय बिलों, चेकों और प्रॉमिसरी नोट्स के संदर्भ में स्टाम्प शुल्क की दर
IV. तम्बाकू पर उत्पाद शुल्क

निम्नांकित दिये गये कूटों में से सही उत्तर चुनें:

कूटः

A. I और III सही हैं
B. I और II सही हैं
C. I, III और IV सही हैं
D. II, III और IV सही हैं

44. एकमुश्त अनुदान का तात्पर्य है:

A. ऐसा अनुदान जिसकी राशि व्यय को पूरा करने के लिए पर्याप्त है
B. एक तुल्य तथा सशर्त अनुदान
C. एक विशेष उद्देश्य हेतु प्रदत्त अनुदान जिसे मात्र उसी उद्देश्य के लिए व्यय किया जा सकता हो
D. ऐसा अनुदान जिसकी राशि प्राप्तकर्ताओं के तुल्य प्रयास पर निर्भर नहीं हो

45. लैस्पेर और पाशे के सूचकांकों का गुणोत्तर माध्य प्रदान करता है:
A. मार्शल-एजवर्थ सूचकांक
B. बाउले का सूचकांक
C. फिशर का सूचकांक
D. केली का सूचकांक

46. **अभिकथन (A):** चल औसत पद्धति का प्रयोग समय शृंखला में प्रवृत्ति का आकलन करने हेतु किया जा सकता है।

तर्क (R): चल औसत समय शृंखला में उतार-चढ़ाव को निष्कोणित बनाने का एक साधन है।

निम्नांकित दिये गये कूटों में से सही कूट का चयन कीजिए:

कूट:
A. (A) और (R) दोनों सही हैं और (R), (A) की सही व्याख्या है
B. (A) और (R) दोनों सही हैं, परन्तु (R), (A) की सही व्याख्या नहीं है
C. (A) सही है, परन्तु (R) सही नहीं है
D. (R) सही है, परन्तु (A) सही नहीं है

47. निम्नलिखित में से कौन परीक्षण की शक्ति को इंगित करता है? [α प्रकार I त्रुटि की संभाव्यता है और β प्रकार II त्रुटि की संभाव्यता है]
A. α B. β
C. $1 - \alpha$ D. $1 - \beta$

48. एक आवृत्ति वितरण में जिसका प्रमाप विचलन 15.8 है, जिसकी माध्यिका उसके माध्य से 4 अधिक है, तो इसका विषमता गुणांक कितना होगा?
A. -0.76 B. $+0.76$
C. -0.86 D. $+0.86$

49. तीन सिक्कों को एक साथ उछाला जाता है। इन सिक्कों के 2 चित्त और 1 पट होने की क्या प्रायिकता होगी?
A. $\frac{1}{2}$ B. $\frac{1}{4}$
C. $\frac{3}{4}$ D. $\frac{3}{8}$

50. आवृत्ति बंटन में यदि प्रत्येक मद को 5 से गुणा किया जाता है तो विचलन गुणांक
A. अपरिवर्तित रहेगा
B. 5 द्वारा गुणित होगा
C. 25 द्वारा गुणित होगा
D. 1/5 द्वारा गुणित होगा

उत्तरमाला

1	2	3	4	5	6	7	8	9	10
A	A	A	D	D	A	B	C	C	D
11	**12**	**13**	**14**	**15**	**16**	**17**	**18**	**19**	**20**
C	C	D	A	A	D	C	B	A	D
21	**22**	**23**	**24**	**25**	**26**	**27**	**28**	**29**	**30**
C	B	D	B	A	B	B	B	C	C
31	**32**	**33**	**34**	**35**	**36**	**37**	**38**	**39**	**40**
D	A	A	C	A	B	A	B	B	B
41	**42**	**43**	**44**	**45**	**46**	**47**	**48**	**49**	**50**
C	A	B	D	C	A	D	A	D	A

कुछ चुने हुए प्रश्नों के व्याख्यात्मक उत्तर

1. ह्रासमान सीमांत उपयोगिता का नियम : ह्रासमान सीमांत उपयोगिता का नियम उपभोग के मौलिक नियमों में से एक अति महत्वपूर्ण नियम है। इसे गॉसेन का प्रथम उपभोग नियम के रूप में भी जाना जाता है। यह नियम ऑस्ट्रियन अर्थशास्त्री गॉसेन के नाम पर पड़ा जिन्होंने इसका प्रतिपादन किया।

सम-सीमांत उपयोगिता का नियम : जर्मनी के एच.एच. गॉसेन (1810-1858) द्वारा पहली बार सम-सीमांत उपयोगिता के नियम संबंधी अवधारणा को उल्लिखित किया गया। इसलिए इसे गॉसेन का दूसरा उपभोग नियम कहा जाता है। अपने 'प्रिंसिपल्स ऑफ इकोनोमिक्स' में अल्फ्रेड मार्शल ने इस नियम में सार्थक परिमार्जन किया।

इस नियम के अनुसार जब बाजार में विकल्प मौजूद हों तो उपभोक्ता अपनी संतुष्टि को उच्चतम सीमा तक बढ़ा देगा। अतः वह एक वस्तु को बदल कर दूसरी वस्तु ले आएगा। यह इस प्रकार कि उसकी सीमांत उपयोगिता मूल्य का अनुपातिक हो। सम-सीमांत उपयोगिता का नियम एक उपभोक्ता के व्यवहार की व्याख्या करता है जब वह एक से अधिक वस्तु की खपत करता है। इच्छाएं असीमित हैं लेकिन अपनी इच्छाओं की पूर्ति के लिए उपभोक्ता के पास सीमित आय है। यह नियम व्याख्या करता है कि कैसे विभिन्न वस्तुओं पर अत्यधिक संतुष्टि प्राप्त करने के लिए उपभोक्ता अपनी सीमित आय को खर्च करता है।

2. $\because \quad MRS_{xy} = \dfrac{P_x}{P_y}$

यहाँ, $MRS_{xy} = 2.5$

$P_y = 16$

$\Rightarrow \quad 2.5 = \dfrac{P_x}{P_y}$

$\Rightarrow \quad P_x = 2.5 \times 16 = 40.$

3. दीर्घकाल में, प्रत्येक फर्म एकाधिकार वाली प्रतिस्पर्धा में केवल सामान्य मुनाफा अर्जित करेगा जो कारोबार में बने रहने के लिए पर्याप्त है। यह ध्यान देने योग्य है कि सामान्य मुनाफा औसत लागत का हिस्सा है। दीर्घकाल में, एकाधिकार प्रतिस्पर्धा में साम्यावस्था की स्थिति प्राप्त करने के लिए फर्म को निम्नलिखित दो शर्तें पूरी करनी होंगी :

(*a*) MR = MC (*b*) AR = AC

इस प्रकार, फर्म को दोहरी साम्यावस्था वाली शर्तों को पूरा करना होगा जैसा कि उपरोक्त वर्णित है लेकिन जब एक पूर्ण प्रतिस्पर्धी फर्म के दीर्घकालीन साम्यावस्था की स्थिति की तुलना की जाती है, यहां तक कि AR = AC हालांकि, AC उत्पादन के संतुलन के स्तर पर इसकी न्यूनतम बिंदु पर नहीं होगा। MR भी या तो AC या फिर AR के बराबर नहीं है। एकाधिकार वाली प्रतिस्पर्धी फर्म के संबंध में MR, AR से काफी नीचे है।

4. मार्शल ने मूल्य निर्धारण में समय कारक की भूमिका की व्याख्या की क्योंकि आपूर्ति की स्थिति विचाराधीन अवधि की लम्बाई के साथ बदलती है। अतिरिक्त आपूर्ति की अनुक्रिया के आधार पर मांग में स्थायी रूप से परिवर्तन हो जाता है। मार्शल ने तीन समय की अवधियों का सुझाव दिया, यथा—बाजार अवधि, लघु अवधि और दीर्घ अवधि।

5. ह्रासमान प्रतिलाभ का नियम कहता है कि कुछ बिंदुओं पर जैसा कि फर्म अधिक परिवर्तनीय निवेश (Variable Input) किराये पर लेता है जबकि अन्य निवेश में कोई परिवर्तन नहीं होता है। परिवर्तनीय निवेश (Variable Input) का सीमांत उत्पाद इस तरह गिरना शुरू हो जाता है कि पिछली इकाइयों की तुलना में क्रमिक इकाइयां उत्पाद में कम जोड़ती हैं। सीमांत उत्पाद के लिए सीमांत प्रतिलाभ एक पुराना शब्द है। यह नियम केवल अल्पावधि में लागू होता है जबकि कुछ निवेश अपरिवर्तित रहते हैं। इसे दीर्घकाल में लागू करने की आवश्यकता नहीं है।

7. एक शुद्ध सार्वजनिक वस्तु को इस रूप में परिभाषित किया जाता है कि यह वस्तु ज्यों ही उत्पादित होती है, इसके लाभ का उपभोग एक समुदाय के सभी

सदस्यों या एक सदस्य द्वारा किया जाता है। अधिक उपयुक्त परिभाषा इस प्रकार हो सकती है—एक शुद्ध सार्वजनिक वस्तु भले ही किसी एक व्यक्ति द्वारा उत्पादित हो, समाज के सभी सदस्यों द्वारा संयुक्त रूप से इसका उपभोग किया जाता है, किसी को भी छोड़ा नहीं जा सकता यद्यपि किसी ने उसकी कीमत अदा न की हो। एक शुद्ध सार्वजनिक वस्तु बाहरी लाभ और लागत उत्पन्न करता है जो समाज के सभी सदस्यों को जाता है चाहे उसका इरादा है या नहीं। शुद्ध सार्वजनिक वस्तु के उत्कृष्ट उदाहरण राष्ट्रीय रक्षा, विधि और आदेश प्रणाली, बाढ़ नियंत्रण, महामारी पर नियंत्रण और प्रदूषण रहित वातावरण हैं।

सार्वजनिक वस्तुओं की तीन आधारभूत विशेषताएं हैं, यथा (*i*) सामूहिक खपत (*ii*) गैर-प्रतिस्पर्धी खपत और (*iii*) गैर अपवर्जन। शुद्ध सार्वजनिक वस्तुओं की अन्य विशेषताओं से ये तीन विशेषताएं निकली हैं, जो हैं उनके संयुक्त खपत को अपनी अविभाज्यता के लिए बाध्य करना।

8. बाजार विफलता का अर्थ कुछ निश्चित वस्तुओं की आपूर्ति में या तो पूरी तरह से या अत्यंत वांछनीय अथवा सर्वोत्कृष्ट स्तर पर तंत्र की असमर्थता है। सामान्यतः चार मुख्य कारणों से बाजार की विफलता होती है : पहला, बाजार की अपूर्णता, जिसका अर्थ उत्पाद और बाजार के कारकों में पूर्ण प्रतियोगिता के लिए आवश्यक शर्तों से विचलन है। इस प्रकार, यदि जिस बाजार में एकाधिकार शक्ति या यदि श्रम बाजार में श्रमिक संगठित हैं, तो परिणाम बाजार की विफलता है। बाजार की विफलता का दूसरा कारण सूचना की असममितता है जिसका अर्थ है कि बाजार में लेन-देन संबंधी पार्टियों के पास प्राप्त जानकारियों में अंतर। तीसरा है उत्पादन में बाह्यता दुष्प्रभाव जो हानिकारक (बाहरी लागत या बाहरी अलाभकारी स्थिति के रूप में जाना जाता है) या समाज के सदस्यों के प्रति लाभदायक (बाह्य लाभ या बाह्य अर्थव्यवस्था के रूप में जाना जाता है)। वस्तुओं और सेवाओं के अधिक उत्पादन या अल्प उत्पादन की ओर बाह्यता उन्मुख होती है और परिणाम आर्थिक क्षति तथा बाजार की विफलता है।

9. परम्परावादी अर्थशास्त्रियों का खुले बाजार में विश्वास था। उनका मानना था कि अर्थव्यवस्था मांग और आपूर्ति की ताकत के जरिए हमेशा पूर्ण रोजगार प्राप्त करेगा। इसलिए उपलब्ध नौकरियों की तुलना में रोजगार प्राप्त करने के आकांक्षियों की संख्या अधिक होगी। वेतन की राशि तब तक न्यूनतम रहेगी जब तक सभी आकांक्षियों को रोजगार प्राप्त न हो जाए। इस प्रकार बाजार रोजगार की पूरी गारंटी देता था। रोजगार के पूर्ण रोजगार स्तर का परिणाम एक निश्चित कुल उत्पादन/आय में होता था। अर्थव्यवस्था में मुद्रा की आपूर्ति द्वारा मूल्य स्तर (और इस प्रकार महंगाई दर) निर्धारित किया जाता था। चूंकि उत्पादन स्तर स्थिर था, मुद्रा आपूर्ति में 10% की वृद्धि मूल्य स्तर में 10% की वृद्धि करेगा—बहुत सारे डॉलर कुछ माल का पीछा करेंगे। वास्तविक ब्याज दर भी बाजार में रकम के लिए जो ऋण के रूप में लिया जा सकता था, की मांग और पूर्ति की सामर्थ्य पर निर्धारित किया जाता था। वास्तविक ब्याज दर और प्रचलित मुद्रास्फीति की दर का योग उस समय नाममात्र का ब्याज दर था। परंपरावादी अर्थशास्त्रियों को खुद को समायोजित करने हेतु बाजार तंत्र में अटूट विश्वास था। हालांकि, बाजार तंत्र की कार्यप्रणाली के लिए यह महत्वपूर्ण था कि बाजार में पूर्ण प्रतियोगिता हो, और मजदूरी और कीमतें पूर्णतया लचीली हों।

10. ब्याज अभिधारणा का परंपरावादी सिद्धांत अर्थशास्त्री जे.एस. मिल, वालरस, मार्शल, पिगोउ इत्यादि द्वारा प्रतिपादित किया गया। इस सिद्धांत के अनुसार कुछ वास्तविक तत्वों जैसे—उत्पादकता, मितव्ययिता, परिवर्जन इत्यादि के कारण ब्याज बढ़ता है। इस तरह, परंपरावादी सिद्धांत के संबंध में ब्याज एक वास्तविक तथ्य है। इस सिद्धांत के अनुसार, पूंजी की आपूर्ति (बचत) और पूंजी की मांग (निवेश) के द्वारा ब्याज की दर निर्धारित की जाती है।

11. **सापेक्ष आय अवधारणा :** सर्वप्रथम यह अवधारणा डोरोथी ब्रैडी और रोज फ्राइडमैन द्वारा रखी गई। बाद में, सन 1952 में इसका विकास जेम्स ड्यूसेनबेरी द्वारा किया गया। ड्यूसेनबेरी का सिद्धांत सापेक्ष आय

अवधारणा के रूप में जाना जाता है और उनके सिद्धांत प्रकृति में आर्थिक से ज्यादा मनोवैज्ञानिक लगते हैं।

ड्यूसेनबेरी के सिद्धांत के अनुसार

(*i*) एक व्यक्ति की खपत अन्य लोगों की खपत पर निर्भर है (प्रदर्शन प्रभाव) और

(*ii*) खपत के संबंध समय के साथ अपरिवर्तनीय हैं (रैचेट प्रभाव)

इस सिद्धांत के अनुसार, यदि वर्तमान और अधिकतम आय साथ-साथ बढ़ती है तो खपत हमेशा आय में परिवर्तन के आनुपातिक है। इस स्थिति में, उपभोग करने के लिए औसत प्रवृत्ति (APC) सदैव नियत रहती है। उपरोक्त दोनों प्रभावों की सहायता से ड्यूसेनबेरी ने खपत कार्य को निम्नानुसार पुनः निरूपित किया :

$$C = f(Y_c, Y_{pp})$$

जहाँ, Y_c = वर्तमान आय

Y_{pp} = पिछली अधिकतम आय

(*i*) यदि $Y_c > Y_{pp}$ समुदाय के तहत् खपत की एक सापेक्ष आय से संबंधित है (प्रदर्शन प्रभाव)

(*ii*) यदि $Y_c < Y_{pp}$ खपत पिछली अधिकतम आय से संबंधित है (रैचेट प्रभाव)

12. मिल्टन फ्रीडमैन ने कहा, "मुद्रास्फीति हर जगह होती है और यह हमेशा ही एक मौद्रिक घटना है।" इसका सही अर्थ क्या है? इसके अनिवार्य रूप का अर्थ है प्रणाली में बहुत ज्यादा पैसे के कारण मुद्रास्फीति का होना। दूसरे शब्दों में, किसी देश में मुद्रास्फीति इसलिए होती है क्योंकि पैसे की आपूर्ति इसकी मांग से बहुत ज्यादा होती है। यद्यपि प्रो. फ्रीडमैन ने बाद में संशोधन किया–"पर्याप्त मुद्रास्फीति हमेशा और हर जगह एक मौद्रिक घटना है।" इसका अर्थ है कि अति मुद्रास्फीति (मासिक मुद्रास्फीति की दर 50 प्रतिशत या उससे अधिक) प्रणाली में अत्यधिक पैसे के कारण होती है और यह सामान्यतः केन्द्रीय बैंक द्वारा सरकारी कार्य के वित्तपोषण के लिए अत्यधिक पैसे की छपाई का परिणाम है।

13. प्रसिद्ध अर्थशास्त्री जे. आर. हिक्स ने अपनी पुस्तक "कंट्रीब्युशन टू दि थ्योरी ऑफ ट्रेड साइकिल्स" में व्यापार चक्र के महत्वपूर्ण सिद्धांत को सूत्रबद्ध किया। इस सिद्धांत के अनुसार, निवेश में परिवर्तन के कारण गुणक और त्वरक के बीच आदान-प्रदान होता है जिसका परिणाम चक्रीय उतार-चढ़ाव है।

प्रो. हिक्स के अनुसार, माना कि अर्थव्यवस्था में साम्यावस्था है। इस अर्थव्यवस्था में स्वायत्त निवेश किया जा रहा है। निवेश दो प्रकार के हैं–पहला स्वायत्त निवेश और दूसरा प्रेरित निवेश। आय का उत्पादन में परिवर्तन से स्वायत्त निवेश संबद्ध नहीं है। इसके विपरीत, प्रेरित निवेश आय अथवा उत्पाद में परिवर्तन का प्रत्युतर देता है। स्वायत्त निवेश एक गुणक का मूल है जबकि प्रेरित निवेश त्वरण के सिद्धांत का आधार है।

17. तुलनात्मक लाभ सिद्धांत के अनुसार यदि उत्पादन की तुलनात्मक लागत भिन्न हों तो देशों को व्यापार करने में पारस्परिक रूप से लाभ होगा। यदि तुलनात्मक लागत समान हों तो व्यापार से कोई लाभ नहीं होगा। सारणी, दो देशों के अधिकतम उत्पादन X और Y को प्रदर्शित करती है। सारणी के अनुसार, देश A या तो वस्तु X का 20 यूनिट उत्पादन करती है या वस्तु Y का 40 यूनिट या फिर दोनों का मिला-जुला। दोनों देशों में उत्पादन का तुलनात्मक लागत अथवा वैकल्पिक लागत समान है : X के एक यूनिट की लागत Y के दो यूनिट की लागत है। अतः व्यापार से कोई लाभ नहीं हो सकता है।

सारणी

	उत्पादन		
	वस्तु X		वस्तु Y
देश A	20	या	40
देश B	50	या	100

18. एक बड़े राष्ट्र द्वारा प्रशुल्क का अधिरोपण व्यापार की शर्तों को बेहतर बनाता है, व्यापार के परिमाण को कम कर देता है और राष्ट्र के कल्याण को बेहतर भी बना सकता है। चूंकि राष्ट्र की स्थिति में बेहतरी व्यापार के साझेदार के खर्च पर आती है, इसलिए व्यापार साझेदार प्रतिकार करता

है और अंत में दोनों देश घाटे में चले जाते हैं। इन प्रभावों को ऑफर कर्व (curve) की सहायता से अच्छी तरह विश्लेषित किया जाता है।

19. किसी राष्ट्र के भुगतान संतुलन खाते में कमी का अर्थ है कि विदेशी मुद्रा की दी गई विनिमय दर में कुछ कमी (आपूर्ति की गई मात्रा में ज्यादा की मांग) है। यदि विनिमय दर स्वतंत्र रूप से लचीला या अस्थिर है, तो विनिमय दर तब तक बढ़ेगी जब तक कि विदेशी मुद्रा की मात्रा की मांग, आपूर्ति की मात्रा के बराबर होती है, और घाटा पूर्णतया दूर हो जाता है। विनिमय दर में वृद्धि का अर्थ है कि घरेलू मुद्रा का सापेक्ष मूल्य गिर रहा है या अवमूल्यन हो रहा है। इसके ठीक उलट तब घटित होता है जब अधिशेष हो और राष्ट्रीय मुद्रा का सापेक्ष मूल्य बढ़ता है।

20. **मैस्ट्रिच संधि (फरवरी 1992 में हस्ताक्षर, नवम्बर 1993 में लागू) :** यूरोपीय संघ का सृजन किया जो तीन स्तंभों से बना था। पहला स्तंभ (यूरोपीय समुदाय) में निहित था यूरोपीय समुदाय की संधियों में संशोधन : इसने EP की शक्तियों का विस्तार किया और QMV ने अधिकांश क्षेत्रों में सामान्य नीतियों का विस्तार किया और एकल मुद्रा प्रणाली का सृजन किया। अन्य दो स्तंभों ने विदेश और सुरक्षा नीतियों में सहयोग और न्याय तथा गृह मंत्रालय संस्थापित किया।

23. **संदर्भी योजना :** यह मौजूदा और अल्प अवधि की आर्थिक स्थितियों और आवश्यकताओं पर आधारित दीर्घकालीन योजना को इंगित करती है। भविष्य की आर्थिक स्थितियों और आवश्यकताओं को ध्यान में रखकर संदर्भी योजना का मसौदा तैयार किया जाता है। लम्बी अवधि के लक्ष्यों और कार्यक्रमों को अल्प अवधि के कार्यक्रमों में विभवत कर दिया जाता है और उनके विवरणों का हल निकाला जाता है। ये विवरण अल्प अवधि में इस प्रकार व्यवस्थित होते हैं कि प्रत्येक छोटी अवधि की योजना दीर्घकालीन लक्ष्यों की पृष्ठभूमि तैयार करती हैं। जे. तिनबर्जन के शब्दों में, ''संदर्भी योजना का मुख्य उद्देश्य अल्प अवधीय योजनाओं के लिए पृष्ठभूमि तैयार करना है, ताकि समस्याएं जो काफी लम्बी अवधि के बाद हल की जानी है, अल्प अवधि में ही योजना बनाने के क्रम में हल हो जाएं।'' प्रो. महालनोबिस का विचार है कि संदर्भी योजना अनिवार्य रूप से एक सतत प्रक्रिया है।

24. **जनता योजना–1944 :** भारतीय श्रमिक संघ के युद्धोत्तर पुनर्निर्माण समिति द्वारा अप्रैल 1944 में जनता योजना का प्रारूप तैयार किया गया और भारतीय श्रमिक संघ के महासचिव एम.एन. राय द्वारा जारी किया गया। इस योजना का उद्देश्य 10 वर्ष की अवधि के भीतर भारतीय लोगों की तात्कालिक बुनियादी आवश्यकताओं जैसे–भोजन, वस्त्र, आवास, स्वास्थ्य और शिक्षा प्रदान करना था।

25. 'ट्रिकल डाउन' एक राजनीतिक-आर्थिक शब्द है जिसका प्रयोग कुछ निश्चित आर्थिक सिद्धांतों और नीतियों की व्याख्या करने के लिए होता है। इसका तात्पर्य है कि नीतियां जो समृद्धों को सीधे तौर पर मदद करेंगी वहीं मध्यम, निम्न की और गरीबों पर भी मूल उदारता के साथ सकारात्मक प्रभाव डालेंगी।

27. आर्थिक विकास एक शुद्ध राष्ट्रीय आय में निरंतर वृद्धि है। यदि अल्पावधि के लिए राष्ट्रीय आय बढ़ती है, इसे आर्थिक विकास नहीं कहा जा सकता है। उदाहरण के लिए, यदि दिए गए वर्ष में भरपूर पैदावार और परिणामस्वरूप राष्ट्रीय आय बढ़ती है तो राष्ट्रीय आय में इस क्षणिक वृद्धि को आर्थिक विकास नहीं माना जाएगा। आर्थिक विकास उस अवस्था को कहते हैं जिसमें राष्ट्रीय आय में लगातार कम-से-कम 25 वर्षों के लिए वृद्धि होती रहती है।

28. द्वितीय विश्व युद्ध के बाद से ''डिपेन्डेंसी सिद्धांत'' प्रमुख परिणामों में से एक महत्वपूर्ण परिणाम है जिसे बड़े पैमाने पर नव-मार्क्सवादी सोच या अतिवादी राजनीतिक अर्थव्यवस्था का नाम दिया गया। इसमें से बहुत की लैटिन अमेरिका में उत्पत्ति हुई, और डिपेन्डेंसी विचारधारा संबद्ध है लैटिन अमेरिका के लिए संयुक्त राष्ट्र आर्थिक आयोग से, और उन अर्थशास्त्रियों के नाम जिन्होंने लैटिन अमेरिका के बारे में लिखा है : राउल प्रेबिस्च, ओस्वाल्डो सुनकेल, फरनेन्डो कार्डोसो, सेल्सो फुरटेडो, आंद्रे गुन्थर फ्रैंक। यद्यपि यह विचारधारा

किसी भी तरह से लैटिन अमेरिका तक सीमित नहीं रहा बल्कि अफ्रीकनों को भी शामिल किया जैसे—समीर अमिन और यूरोपियन जैसे—जोहान गेलटंग, स्टुअर्ट हॉलैण्ड और फ्रांसेस सोन्डर्स। अन्य सिद्धांतों की तरह ही डिपेन्डेंसी सिद्धांत सामान्य रूप से अविकसित से संबंधित है, सामाजिक समूहों के बीच गरीबी और असमानताओं से जुड़ा है। इसका लगातार उपयोग क्षेत्रीय अंतर की तुलना में राष्ट्रों के बीच भेदों के लिए किया गया; लेकिन अन्य सिद्धांतों की तरह यह भी क्षेत्रीय असमानताओं की व्याख्या तक फैला है।

29. प्रो. रॉबर्ट एम. सोलो एक विख्यात नव-शास्त्रीय विकास अर्थशास्त्री हैं। यह नामचीन एम.आई.टी. प्रोफेसर ने अर्थशास्त्र की त्रैमासिक पत्रिका, LXX (फरवरी 1956) में वर्णित दीर्घकालीन आर्थिक वृद्धि के प्रारूप में योगदान दिया है। उनका प्रारूप हैरॉड-डोमर विकास प्रारूप का विकल्प है। उन्होंने अपने प्रारूप में कारक प्रतिस्थापन और कारक का ह्रासमान प्रतिगम की संभावनाओं को लागू किया। प्रो. सोलो के अनुसार, "हैरॉड-डोमर प्रारूप अवास्तविक धारणाएं जैसे—तय समानुपात और निरंतर पूंजी उत्पादन अनुपात पर आधारित है।"

सोलो प्रारूप के अनुसार, अर्थव्यवस्थाएं शर्तानुसार एक ही स्तर की आय के लिए एकाग्र होगा, माना कि, उनके पास बचत, मूल्यह्रास, श्रम शक्ति वृद्धि और उत्पादकता वृद्धि का एक ही दर है। इस प्रकार, सोलो प्रारूप देशों में अभिसरण के अध्ययन के लिए बुनियादी ढांचा है।

मान्यताएं : रॉबर्ट सोलो का विकास प्रारूप निम्नलिखित मान्यताओं पर आधारित है :

1. केवल एक समग्र वस्तु यानी राष्ट्रीय उत्पाद का उत्पादन है।
2. उत्पादन के केवल दो कारक हैं—श्रम और पूंजी।
3. अर्थव्यवस्था में पूर्ण रोजगार की अवस्था पायी जाती है।
4. श्रम आपूर्ति बहिर्जात रूप से तय की जाती है और श्रम निरंतर तेज गति से बढ़ता है ताकि,

   $L(t) = L_0e^{nt}$.
5. श्रम और पूंजी एक-दूसरे के लिए स्थानापन्न किया जा सकता है।
6. यह मान्यता है कि ह्रासमान प्रतिलाभ अलग से श्रम और पूंजी के लिए लागू होता है।
7. नियत प्रतिलाभ उत्पादन के पैमाने पर होता है। उत्पादन कार्य पहली डिग्री की एक रेखीय सजातीय उत्पादन कार्य है।
8. बचत के लिए प्रवृति स्थिर है और सभी बचत निवेश में परिवर्तित हो जाती है। कोई जमाखोरी नहीं है।
9. उत्पादन, शुद्ध उत्पादन को संदर्भित करता है। यह सकल उत्पादन (आउटपुट) और मूल्यह्रास के बीच अंतर है।
10. कीमतें और मजदूरी लचीली होती हैं।
11. अर्थव्यवस्था में पर्याप्त प्रतिस्पर्धा है।
12. प्रौद्योगिकी विकास तटस्थ है।

33. फरवरी 2004 के खाद्य सुरक्षा सम्मेलन को संबोधित करते हुए, राष्ट्रपति डा. ए.पी.जे. अब्दुल कलाम ने गांवों के आर्थिक उत्थान के अग्रदूत के रूप में (ग्रामीण क्षेत्रों में शहरी सुविधाएं उपलब्ध कराने हेतु) पुरा (PURA) की अवधारणा को रेखांकित किया। निम्नलिखित पाँच क्षेत्रों में प्रारूप ने एकीकृत कार्रवाई की वकालत की :

(*i*) देश को वर्ष 2020 तक 360 मिलियन टन खाद्य एवं कृषि उत्पाद के उत्पादन का लक्ष्य रखना चाहिए। ग्रामीण लोगों के लिए समृद्धि लाने और आर्थिक विकास में तेजी लाने हेतु कृषि और खाद्य प्रसंस्करण संबंधित गतिविधियों पर ध्यान दिया जाना चाहिए।

(*ii*) देश के सभी भागों में विश्वसनीय विद्युत आपूर्ति की जानी चाहिए।

(*iii*) सभी के लिए शिक्षा और स्वास्थ्य सेवा सुनिश्चित की जानी चाहिए।

(*iv*) शिक्षा को बढ़ावा देने और राष्ट्रीय आय अर्जित करने के लिए सूचना एवं प्रसारण तकनीक का विस्तार ग्रामीण क्षेत्रों तक किया जाना चाहिए।

(*v*) परमाणु ऊर्जा, अंतरिक्ष प्रौद्योगिकी और रक्षा प्रौद्योगिकी के क्षेत्र में विकास के लिए और अधिक ध्यान दिया जाना चाहिए।

34. पर्यावरण अनुकूल उत्पादों के निर्माण के लिए भारत सरकार ने एक योजना की शुरुआत फरवरी 1991 में की, जिसे 'इकोमार्क' (Ecomark) के नाम से जाना जाता है। योजना भारतीय मानक ब्यूरो (बीआईएस) द्वारा प्रबंधित है। यह योजना घरेलू और अन्य उपभोक्ता उत्पादों के लिए लेबलिंग प्रदान करता है जो कुछ विशिष्ट पर्यावरण मानदंडों तथा निर्धारित गुणवत्ताओं, जो भारतीय मानकों में प्रासंगिक है, को पूरा करते हैं। कोई भी उत्पाद इकोमार्क के लिए तभी पात्र हो सकता है जब वह संबंधित भारतीय मानकों का पालन करता हो साथ ही उत्पाद में पर्यावरण के अनुकूल प्रकृति सुनिश्चित करने के लिए अतिरिक्त आवश्यकता शामिल हो। यह मार्क भारतीय मानक ब्यूरो का प्रमाणित चिह्न (आईएसआई) और पर्यावरण के लोगो (logo) का संयोजन है।

37. कर प्रोत्साहन (टैक्स इनसेनटिव्स) (कटौती, बहिष्करण या क्रेडिट, सामान्यतः आयकर पर) और वाउचर्स दो तकनीक हैं जो सकारात्मक बाह्य प्रभावों का सृजन करने वाले उत्पादन तथा उपभोग को प्रोत्साहित करने के लिए अमल में लाए जाते हैं। दोनों स्थितियों में, ये लेखपत्र सीमांत सामाजिक लाभ के मूल्य का मोटे तौर पर अनुमान लगाते हैं। ऐसा करने के पीछे उद्देश्य होता है इस तरह के वांछनीय उपभोग वाली वस्तुओं और सेवाओं जैसे शिक्षा, सौंदर्यीकरण, ऊर्जा कुशल आवास, और निजी सामाजिक कल्याण एजेंसियों (धर्मार्थ कटौती के माध्यम से) को बढ़ाना। कुछ विशिष्ट प्रकार वे उत्पादन या खपत को बढ़ावा देने के क्रम में राजस्व कर के मूल्य को माफ करना, कर व्यय के रूप में जाना जाता है। वाउचर्स (खासकर घर, शिक्षा या स्वास्थ्य सुरक्षा सेवाएं) व्यक्ति को उन वस्तुओं या सेवाओं को निःशुल्क या कम कीमत पर खरीदने की अनुमति प्रदान करती हैं। सेवा प्रदाता उन वाउचर्स पर ग्राहकों को छूट प्रदान करते हैं और इसका भुगतान सरकार द्वारा किया जाता है।

38. एडम स्मिथ आधुनिक अर्थशास्त्र के जनक, ने एक अच्छे कराधान प्रणाली के नियमों का प्रतिपादन किया जिसे एडम स्मिथ का कराधान के नियम के रूप में जाना जाता है।

कराधान के नियम : एडम स्मिथ द्वारा प्रतिपादित कराधान के चार नियमों का वर्णन इस प्रकार है :

1. **समता :** देय कर का भुगतान करने की क्षमता या कर देने योग्य क्षमता के साथ सहमति होनी चाहिए।
2. **निश्चितता :** करदाता को यह ज्ञात होना चाहिए कि क्या कर लगाया जा रहा है, उन्हें कितना भुगतान करना होगा और कैसे और कब उन्हें इसका भुगतान करना होगा। कहने का अर्थ है कि प्रावधान स्पष्ट और संदेह रहित होना चाहिए और इसके बारे में कर अधिकारियों की व्याख्या आसानी से उपलब्ध होनी चाहिए।
3. **सुविधा :** कर इस तरीके से देय होना चाहिए कि करदाता सुविधाजनक समय में दे सके।
4. **मितव्ययिता :** प्रवर्तन और संग्रह की लागत प्राप्तियों को उचित अनुपात में होना चाहिए। इस अवधारणा को प्रशासनिक दक्षता के रूप में भी उल्लिखित किया गया है।

39. वाइजमैन और पीकॉक के अनुसार, सार्वजनिक व्यय सुचारू और निरंतर रूप में नहीं बढ़ता है। समय के साथ बढ़ता सार्वजनिक व्यय चरणबद्ध तरीके से बढ़ता है। उन्होंने यूनाइटेड किंगडम के धर्मनिरपेक्ष काल (1890-1955) के अनुभवों का अध्ययन किया। सार्वजनिक व्यय के रुझान का अध्ययन करने के बजाय, उन लोगों ने समय के साथ सरकार के व्यय में उतार-चढ़ाव का अध्ययन किया। परिकल्पना का सामान्य दृष्टिकोण तीन संबंधित अवधारणाओं को संदर्भित करता है :

1. विस्थापन प्रभाव
2. निरीक्षण प्रभाव
3. एकाग्रता प्रभाव

पुराने स्तर पर होने वाले खर्च और कराधान से नए स्तर की ओर झुकाव विस्थापन प्रभाव कहलाता है। युद्ध और अन्य सामाजिक बाधाएं जनता और सरकार को महत्वपूर्ण समस्याओं के सुझाव को हल करने के लिए बाध्य करता है, जो पूर्व में उपेक्षित रहा था।

इसे निरीक्षण प्रभाव कहा जाता है जो ऋण ब्याज में वृद्धि और युद्ध पेंशन आदि के रूप में राज्य पर नए दायित्वों को अधिरोपित करता है। एकाग्रता प्रभाव कुल सार्वजनिक क्षेत्र की आर्थिक गतिविधियों का बढ़ता अनुपात बनने के लिए केन्द्र सरकार की आर्थिक गतिविधियों के लिए स्पष्ट प्रवृत्ति को दर्शाता है जब समाज आर्थिक विकास भोग रहा होता है।

40. रॉबर्ट गैरान के अनुसार, ''एक परिसंघ सरकार का एक प्रकार है जिसमें संप्रभुता अथवा राजनीतिक शक्ति केन्द्र और स्थानीय सरकारों के बीच बाँटी जाती है ताकि प्रत्येक सरकार अपने क्षेत्र में एक दूसरे से स्वतंत्र हों।'' इस प्रकार, परिसंघ में केन्द्र और राज्य सरकारों के बीच शक्तियों, कार्यों और संसाधनों का सवैधानिक विभाजन होता है। आर.एन. भार्गव के शब्दों में, ''परिसंघ वित्त व्यवस्था शब्द परिसंघ के वित्त के साथ ही साथ राज्य सरकारों और उन दोनों के संबंधों को निरूपित करता है।'' परिसंघीय सरकार जैसे—अमेरिका, कनाडा, ऑस्ट्रेलिया और स्विट्ज़रलैंड पुराने परिसंघ हैं जबकि भारत, पाकिस्तान, मलेशिया और नाइजीरिया के परिसंघीय सरकार अपने वातावरण की उपयुक्तता के अनुसार कुछ अलग प्रकार के हैं।

42.
- कर जाँच आयोग (1953-54)
- भारतीय कर सुधार—सर्वेक्षण की रिपोर्ट (1956)
- कर संरचना को युक्तिसंगत तथा सरल बनाए जाने संबंधी अंतिम रिपोर्ट (1967)
- प्रत्यक्ष कर जाँच समिति, अंतिम रिपोर्ट (1971)

44. एक विशेष कार्यक्रम के लिए निर्धारित अनुदान संघ और राज्य सरकारों द्वारा की गई पेशकश का सबसे प्रचलित प्रकार है। प्रमुख राज्य सुनिश्चित कार्यक्रम के अधीन स्थानीय शिक्षा के लिए अनुदान प्रदान करता है। विभिन्न प्रकार के सुनिश्चित अनुदान होते हैं। अनुदान एकमुश्त या गैर-मिलान है यदि राशि में परिवर्तन नहीं होता है जबकि प्रापक सरकार अपने करों या खर्चों में परिवर्तन करता है। इसके विपरीत मिलान अनुदानों को प्रापक सरकार की अनुक्रिया पर निर्भर अनुदान के आकार के साथ प्रापक सरकार के करों या खर्चों की आवश्यकता होती है। आमतौर पर, एक विशिष्ट मिलान अनुदान प्रत्येक प्रापक कर का प्रत्येक डॉलर से मिलान करने की पेशकश करता है या लक्षित सेवा पर खर्च (उदाहरणस्वरूप, शिक्षा) सहित उस सेवा पर R डॉलर अनुदान भी खर्च किया जाता है। R अनुदान का मिलान दर है। सामान्यतः, अनुदान M द्वारा वित्तपोषित अंश है $M = R/(1 + R)$ और स्थानीय सीमांत कर की कीमत (P) का सेवाका अतिरिक्त डॉलर है $P = 1 - M = 1 - [R/(1 + R)] = 1/(1 + R)$.

दोनों मिलान और गैर-मिलान सुनिश्चित अनुदानों को या तो सूत्र द्वारा या परियोजना के आधार पर विभाजित किया जा सकता है और या तो खुला (यानी अनुदान राशि पर कोई सीमा निर्धारित नहीं) या फिर बंद (यानी सीमित अनुदान राशि)। सूत्र अनुदानों की तुलना में परियोजनागत सुनिश्चित अनुदान ज्यादा प्रचलित हैं, जबकि खुले सुनिश्चित अनुदान अपेक्षाकृत दुष्प्राप्य हैं।

45. फिशर की सूचकांक संख्या लैस्पेर और पाशे के सूचकांकों का गुणोत्तर माध्य है। इस सूत्र का प्रयोग कर फिशर के सूचकांक की गणना की जा सकती है :

$$P_{01} = \sqrt{L \times P}$$

$$= \sqrt{\frac{\Sigma P_1 Q_0}{\Sigma P_0 Q_0} \times \frac{\Sigma P_1 Q_1}{\Sigma P_0 Q_1}} \times 100$$

इसे आदर्श सूचकांक माना जा सकता है क्योंकि :
- सैद्धांतिक तौर पर, गुणोत्तर माध्य को सूचकांक के निर्माण का सर्वश्रेष्ठ औसत माना जाता है और फिशर का सूचकांक, गुणोत्तर माध्य का उपयोग करता है।
- यह पूर्वाग्रह से मुक्त है जैसा कि लैस्पेर का सूचकांक उर्ध्वगामी रूप से और पाशे का सूचकांक नीचे की ओर से पूर्वाग्रसित है फिर भी काफी हद तक संतुलित है।
- इस सूत्र में दोनों आधार अवधि तथा वर्तमान अवधि के परिमाणों पर विचार किया जाता है।

47. एक असत्य शून्य परिकल्पना को अस्वीकार करने की संभावना को परीक्षण की शक्ति कहा जाता है। इसलिए, शक्ति एक सही निष्कर्ष निकालने की परीक्षण

द्वारा संभावना है, जब शून्य परिकल्पना असत्य हो। मानदंड के एक निश्चित मूल्य के लिए वैकल्पिक परिकल्पना सुसंगत है।

शक्ति = 1 – टाइप II त्रुटि की संभावना

यदि शक्ति को सभी निर्दिष्ट विकल्पों के विरुद्ध रेखांकन द्वारा स्थापित किया जाता है, प्राप्त वक्र को शक्ति वक्र के रूप में जाना जाता है। परीक्षण की शक्ति यह निर्धारित करती है कि एक परीक्षण सत्य और असत्य शून्य परिकल्पना के बीच किस हद तक अंतर मालूम कर सकती है। $1-\alpha$ का परिमाण, परीक्षण के विश्वास स्तर के रूप में जाना जाता है और $1-\beta$ को परीक्षण की शक्ति कहा जाता है। परीक्षण की शक्ति एक असत्य परिकल्पना को अस्वीकार करने के लिए परीक्षण आँकड़ों की क्षमता को दर्शाता है।

49. एक सिक्के के चित (Heads) गिरने की प्रायिकता p या $\frac{1}{2}$ है और इसके पट (Tails) गिरने की संभावना भी q या $\frac{1}{2}$ है। 3 सिक्कों में से ठीक दो चित और एक पट होने की प्रायिकता होगी।

प्रायिकता का अर्थ और परिभाषा,

$$= {}^3C_2 p^2 q = 3 \times \frac{1}{2} \times \frac{1}{2} \times \frac{1}{2} = \frac{3}{8}.$$

48. कार्ल पियरसन का विषमता गुणांक : कार्ल पियरसन की विषमता की सापेक्ष माप दिए गए माध्य और माध्यिका के अंतर पर आधारित है

$$\text{विषमता गुणांक } (Sk_p) = \frac{\text{माध्यिका} - \text{माध्य}}{\text{प्रमाप विचलन}}$$

यह एक शुद्ध संख्या है। इस सूत्र का तब तक प्रयोग नहीं किया जा सकता है जब तक माध्य ठीक से परिभाषित न हो। इस तरह की स्थिति में माध्यिका का प्रयोग होता है चूंकि एक सामान्य विषम वितरण उनके निम्नलिखित संबंधों में अवस्थित होता है :

माध्यिका – माध्य = 3 (माध्यिका – माध्य)

इस प्रकार, सूत्र बनता है

$$\text{विषमता गुणांक } (SK_p) = \frac{3(\text{माध्यिका} - \text{माध्य})}{\text{प्रमाप विचलन}}$$

प्रमाप विचलन = 15.8

और (माध्यिका – माध्य) = –4

$$\therefore \quad \text{विषमता गुणांक} = \frac{3 \times (-4)}{15.8}$$

$$= \frac{-12}{15.8} = -0.76.$$

प्रश्न-पत्र–III

नोटः *इस प्रश्नपत्र में* ***पचहत्तर (75)*** *बहु-विकल्पीय प्रश्न हैं। प्रत्येक प्रश्न के* ***दो (2)*** *अंक हैं।* ***सभी*** *प्रश्न अनिवार्य हैं।*

1. प्रकटित अधिमान सिद्धांत के संबंध में निम्नलिखित में से कौन-सा वक्तव्य सही है? नीचे दिए गए कूटों में से सही उत्तर चुनेंः

वक्तव्यः

I. माँग की आय लोच धनात्मक होनी चाहिए।

II. उपभोक्ता अधिमान प्रबल क्रमांकन को तुष्ट करता है।

कूटः

A. दोनों सही हैं

B. कोई भी सही नहीं है

C. सिर्फ I सही है

D. सिर्फ II सही है

2. खाद्य-वस्तुओं की माँग आय बेलोच होती है। निम्नलिखित में से किसके द्वारा इस सिद्धांत का प्रतिपादन किया गया है?

A. गिफेन विरोधाभास

B. एन्जिल्स नियम

C. गॉसेन नियम

D. रिकार्डो नियम

3. निम्नलिखित कारकों पर विचार करेंः

I. स्वतंत्र प्रवेश

II. विज्ञापन

III. संतोषजनक लाभ का लक्ष्य

इनमें से कौन चैम्बरलिन के एकाधिकारी प्रतियोगिता का भाग है?

कूटः

A. उपर्युक्त तीनों

B. सिर्फ I और II

C. सिर्फ II और III

D. सिर्फ III

4. असममित जोखिम का अभिप्राय है

A. वह जोखिम जिसे विविधीकरण के माध्यम से समाप्त किया जा सकता है

B. वह जोखिम जिसे विविधीकरण के माध्यम से समाप्त नहीं किया जा सकता है

C. वह जोखिम जिसे विविधीकरण के बगैर समाप्त किया जा सकता है

D. वह जोखिम जिसे समाप्त नहीं किया जा सकता

5. निम्नलिखित में से किस अर्थशास्त्री ने फर्मो के 'प्रवेश में बाधाएँ' अवधारणा विकसित की?

A. जे.एस. बेन

B. डब्ल्यू.जे. बॉमोल

C. अल्फ्रेड मार्शल

D. डब्ल्यू.एस. जेवन्स

6. स्थिर औसत लागत में गिरावट के चलते औसत परिवर्ती लागत बढ़ने लगती है क्योंकि

A. साधनों का प्रतिफल ह्रासमान होने लगता है

B. साधनों का प्रतिफल बढ़ने लगता है

C. लागत मूल्य बढ़ने लगते हैं

D. उत्पादक का बजट संकुचित होने लगता है

7. निम्नलिखित वक्तव्यों पर विचार करेंः

I. दीर्घावधि औसत लागत वक्र का न्यूनतम बिन्दु न्यूनतम सुदक्ष पैमाना के रूप में जाना जाता है।

II. यह वह निर्गत होता है जहाँ पर दीर्घावधि औसत लागत वक्र का नीचे आना रुक जाता है।

नीचे दिए गए कूटों में से सही विकल्प चयन करेंः

कूटः

A. I और II दोनों सही हैं

B. दोनों गलत हैं

C. सिर्फ I सही है

D. सिर्फ II सही है

8. निम्नलिखित में से कौन अपूर्ण प्रतिस्पर्धा की एक विशेषता नहीं है?

A. पूर्ण ज्ञान

B. निःशुल्क परिवहन

C. फर्मों का मुक्त प्रवेश

D. देशी उत्पाद

9. इष्टतम पूँजी संचय हेतु एडमंड फेल्प्स के संचय संबंधी स्वर्णिम नियम के लिए निम्नलिखित में से कौन-सी शर्त सही है? निम्न कूट से चयन करें:

I. बचत दर अद्वितीय होती है।

II. पूँजी की सीमांत उत्पादकता पूँजी मूल्यह्रास के समान हो।

कूटः

A. दोनों सही हैं

B. इन दोनों में से कोई सही नहीं है

C. केवल I सही है

D. केवल II सही है

10. रोजगार संबंधी केन्ज के सिद्धांत द्वारा निम्नलिखित में से कौन-सा उपेक्षित था?

A. अपेक्षाओं की भूमिका

B. पूंजी स्टॉक की भूमिका

C. उपभोग की भूमिका

D. सरकार की भूमिका

11. ड्यूसेनबेरी की भूतकाल की आय संबंधी अवधारणा के कौन से कथन सही हैं? निम्न कूट से चयन कीजिए:

कथनः

I. वर्तमान उपभोग न सिर्फ वर्तमान आय बल्कि पूर्व आय का फलन है।

II. संकुचन और विस्तार के दौरान आय और उपभोग के बीच असममित संबंध होता है।

III. उपभोग-आय संबंध अपरिवर्तनीय होता है।

IV. दबाव के दौरान आय की अपेक्षा उपभोग में थोड़ी कमी आती है किंतु विस्तार के दौरान उपभोग में अधिक वृद्धि होती है।

कूटः

A. I और III

B. I, II और III

C. I, II और IV

D. उपर्युक्त सभी कथन सही हैं

12. परम्परावादी समष्टि प्रणाली में धन की प्रमात्रा में वृद्धि के परिणामस्वरूप क्या परिवर्तन होगा?

I. मूल्य स्तर में वृद्धि

II. मूल्य स्तर में कोई बदलाव नहीं

III. उत्पादन स्तर में कोई बदलाव नहीं और रोजगार में कोई बदलाव नहीं

IV. रोजगार और उत्पादन में वृद्धि

निम्न कूट से सही उत्तर चुनिए:

कूटः

A. II और IV

B. I और II

C. I और IV

D. केवल I और III

13. नीचे सुप्रसिद्ध एल.एम. वक्र दिया गया है और इसके परास को तीन भागों में चिह्नित किया गया है। चिह्नित परास के किस भाग में केन्ज प्रभाव लागू नहीं होता है?

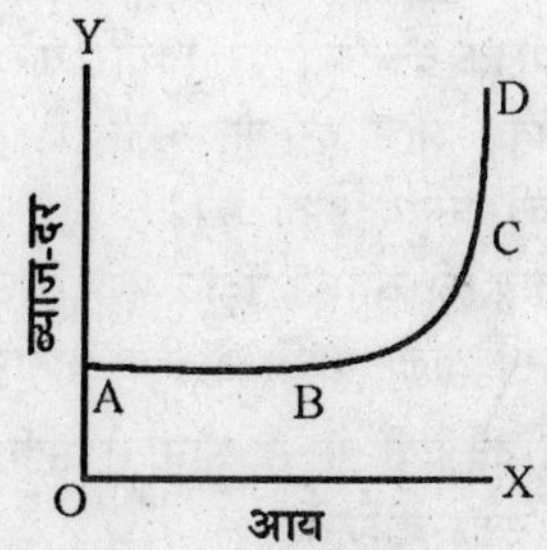

A. AB परास में

B. BC परास में

C. CD परास में

D. AB और BC परास में

14. मुद्रा वेग के स्थायित्व की सैद्धांतिक धारणा हाल की शोध से कमजोर पड़ रही है। यह निम्न में से किसकी स्थिति के कमजोर होने का संकेत है?

A. केन्सियन्स

B. मुद्रावादी

C. नए परंपरावादी

D. आदर्शवादी

15. लेविस के द्विक्षेत्रीय मॉडल में निम्नलिखित में से कौन-सी मान्यता सही है?

A. शहरी क्षेत्र में उच्च बेरोजगारी

B. बढ़ती वास्तविक मजदूरी

C. ग्रामीण क्षेत्र में उच्च सीमांत उत्पादकता

D. ग्रामीण क्षेत्र में श्रम आधिक्य

16. निम्नलिखित में से कौन रोजेंस्टीन विकास मॉडल की एक बड़ी अविभाज्यता है?

A. सेवाएँ B. कृषि

C. अवसंरचना D. आपूर्ति

17. निम्नलिखित वक्तव्यों में से कौन विकास के मार्क्सवादी मॉडल के लिए सही है?

A. उत्पादन-रीति में परिवर्तन तथा 'उत्पादन में संबंध' साथ-साथ घटित होते हैं।

B. उत्पादन-रीति में परिवर्तन 'उत्पादन में संबंधों' में परिवर्तन का अनुगमन करता है।

C. उत्पादन-रीति में परिवर्तन 'उत्पादन में संबंधों' में परिवर्तन से पहले घटित होता है।

D. 'उत्पादन में संबंध' महत्वपूर्ण नहीं है।

18. काल्डर के आर्थिक विकास के मॉडल के संबंध में के निम्नलिखित वक्तव्यों पर विचार करें:

I. निवेश लाभ दर का फलन है।

II. पूँजी समांग होती है।

III. बचत की सीमांत प्रवृति मजदूरों और लाभ अर्जित करने वालों दोनों के लिए समान होती है।

उपर्युक्त वक्तव्यों में से कौन से सही हैं? नीचे लिखे कूट से उत्तर दीजियेः

कूटः

A. उपर्युक्त तीनों वक्तव्य सही हैं

B. II और III सही हैं

C. सिर्फ I सही है

D. I और III सहीं हैं

19. प्रच्छन्न बेरोजगारी के संबंध में निम्नलिखित में से कौन सही है?

A. इसके पास बचत क्षमता होती है

B. इसके पास निवेश क्षमता होती है

C. यह उत्पादन का विस्तार करने का स्रोत है

D. यह सामाजिक असंतोष का स्रोत है

20. सोलो के संवृद्धि मॉडल के अंतर्गत सहज संवृद्धि अवस्था परिस्थिति में विकास की ऊपरी सीमा निम्नलिखित में से किसकी वृद्धि दर से निर्धारित होगी?

A. जनसंख्या (श्रम आपूर्ति)

B. पूँजी

C. उत्पादन

D. पूँजी और उत्पादन

21. निम्नलिखित में से कौन-सा युग्म सुमेलित नहीं है?

अवधारणा	***अर्थशास्त्री***
(*a*) करो और सीखो	I. बी.एस. मिन्हाज्
(*b*) सर्वव्यापी तकनीकी प्रगति	II. जॉन रॉबिन्सन
(*c*) स्वर्णिम युग	III. केनिथ एरो
(*d*) सी.ई.एस. उत्पादन फलन	IV. आर.एम. सोलो

कूटः

	(*a*)	(*b*)	(*c*)	(*d*)
A.	I	II	III	IV
B.	IV	I	II	III
C.	II	III	I	II
D.	III	IV	II	I

22. किसी कर को तब प्रगामी कहा जाता है, जब कर की सीमांत दर

A. औसत दर से अधिक हो

B. औसत दर से कम हो

C. औसत दर के बराबर हो

D. सीमांत त्याग के बराबर हो

23. **अभिकथन (A):** सापेक्षित रूप से कुछ निजी वस्तुएँ पूर्णतः प्रतिस्पर्धी और निकालने योग्य होती हैं।

तर्क (R): अधिकांश उपभोग (और उत्पादन) में से कम कुछ साझे पहलू होते हैं।

कूटः

A. (A) और (R) दोनों सही हैं

B. (A) और (R) दोनों गलत हैं

C. (A) सही है, परन्तु (R), (A) का सही कारण नहीं है

D. (A) सही है और (R), (A) का सही कारण है

24. ऋण-प्रतिदान की पद्धतियों में शामिल है:

A. पूँजी लेवी B. शोधन निधि

C. ऋण इनकार D. उपर्युक्त सभी

25. **अभिकथन (A):** राजकोषीय अनुशासन के लिए व्यय सीमा अति वांछनीय है।

तर्क (R): बढ़ता हुआ राजकोषीय घाटा केन्द्र सरकार के वित्त को प्रतिकूलतः प्रभावित करता है।

कूटः

A. (A) और (R) दोनों सही हैं, परन्तु (R), (A) की सही व्याख्या नहीं है

B. (A) और (R) दोनों सही हैं और (R), (A) की सही व्याख्या है

C. (A) सही है, परन्तु (R) गलत है

D. (R) सही है, परन्तु (A) गलत है

26. **अभिकथन (A):** राज्य सरकारों के ऋण – सकल घरेलू उत्पाद अनुपात में वर्ष 2004 में उसके शीर्ष स्तर पर पहुँचने के बाद से गिरावट देखी गई है।

तर्क (R): 'ऋण अदल-बदल' योजना लागू की गई और ब्याज दरें घटायी गईं।

कूटः

A. (A) और (R) दोनों सही हैं और (R), (A) की सही व्याख्या है

B. (A) सही है, परन्तु (R), (A) की सही व्याख्या नहीं है

C. (A) गलत है, परन्तु (R) सही है

D. (R) सही है, परन्तु (A) गलत है

27. भारत के संविधान के अनुसार, केन्द्र सरकार की सूची-I में शामिल कर हैं:

I. बिजली के उपभोग और बिक्री पर लगने वाला कर

II. समाचारपत्रों की खरीद या बिक्री और उनमें प्रकाशित विज्ञापनों पर लगने वाला कर

III. परिसम्पत्तियों के पूँजी-मूल्य पर लगने वाला कर

IV. सम्पत्ति के उत्तराधिकार के संबंध में लगने वाले शुल्क

कूटः

A. I, II और IV सही हैं

B. I, II और III सही हैं

C. II, III और IV सही हैं

D. II और III सही हैं

28. **अभिकथन (A):** जब उत्पादन मात्रा में बदलाव होता है तब शुद्ध कर आय में स्वतः परिवर्तन होता है।

कारण (R): स्वचालित स्थायित्व कारक तेजी और मंदी में समग्र व्यय को परिवीक्षित करते हैं।

कूटः

A. (A) तथा (R) दोनों सही हैं तथा (R), (A) की सही व्याख्या करता है

B. (A) तथा (R) दोनों सही हैं, पर (R), (A) की सही व्याख्या नहीं करता है

C. (A) सही है, पर (R) गलत है

D. (A) गलत है, पर (R) सही है

29. निम्नलिखित का मिलान करें:

सूची-I	**सूची-II**
(*a*) आयात और निर्यात की माँग तथा कीमत लोच का योग एक से अधिक होता है।	1. J-वक्र प्रभाव
(*b*) भुगतान संतुलन राष्ट्रीय आय और व्यय के बीच का अंतर है।	2. आयात कोटा प्रणाली
(*c*) अनुभवाश्रित साक्ष्य के अनुसार निर्यात और आयात की कीमत लोचों का अल्पकालीन का कम मान	3. मार्शल-लर्नर प्रणाली
(*d*) आयात को कम करने के तरीके	4. अवशोषण दृष्टिकोण

सही कूट का चयन करें:

कूटः

	(*a*)	(*b*)	(*c*)	(*d*)
A.	4	3	1	2
B.	4	1	3	2
C.	3	1	4	2
D.	3	4	1	2

30. निम्नलिखित में से कौन इष्टतम मुद्रा क्षेत्र से संबंधित है?

A. एकल मुद्रा के लिए इष्टतम भौगोलिक क्षेत्र

B. कई मुद्राएँ जिनका विनिमय दर सापेक्ष रूप से निश्चित है, के लिए इष्टतम भौगोलिक क्षेत्र

C. एकल मुद्रा या निश्चित दर वाली मुद्राओं में अन्य मुद्राओं की तुलना में साझा रूप से उतार-चढ़ाव आता है

D. उपर्युक्त सभी

31. निम्नलिखित में से कौन डब्ल्यू.टी.ओ. विनियमों में सम्मिलित नहीं है?

A. औद्योगिक लाइसेंसों को समाप्त करना

B. आयात प्रशुल्क को समाप्त करना

C. विदेशी पोर्टफोलियों निवेश को समाप्त करना

D. कीमत नियंत्रण को समाप्त करना

32. निम्नलिखित में से कौन-सा कथन सही है?

A. सामान्यतः ऐसा माना जाता है कि "थाई ब्हाट" के अवमूल्यन के साथ 2 जुलाई, 1997 को एशियाई वित्तीय संकट शुरू हुआ

B. सामान्यतः ऐसा माना जाता है कि रूसी संकट के साथ 2 अगस्त, 1998 को एशियाई वित्तीय संकट शुरू हुआ

C. सामान्यतः ऐसा माना जाता है कि ब्राजील के 1999 का संकट एशियाई वित्तीय संकट का मुख्य कारण है

D. उपर्युक्त सभी सही हैं

33. निम्नलिखित का मिलान करें:

	सूची-I	**सूची-II**
(*a*)	बैंक जो यूरो मुद्रा के लिए बाजार में ट्रेडिंग करते हैं	1. यूरो मुद्राएँ
(*b*)	यू.एस.ए. के बाहर बैंकों में डॉलर तथा अन्य विदेशी मुद्राओं में मूल्यांकित और भुगतान योग्य जमा	2. एस.डी.आर.
(*c*)	यू.एस. से बाहर स्थित बैंकों में जमा डॉलर	3. यूरो बैंक
(*d*)	आई.एम.एफ. के सदस्य देशों की पाँच मुद्राओं से बना मुद्रा बास्केट	4. यूरो डॉलर

कूटः

	(*a*)	(*b*)	(*c*)	(*d*)
A.	3	4	1	2
B.	3	1	4	2
C.	3	4	2	1
D.	1	3	4	2

34. यूरोपीय संघ के संदर्भ में निम्नलिखित में से क्या सही है?

A. सभी सदस्य देशों की यूरो मुद्रा है

B. सभी सदस्य देशों की एक समान रक्षा नीति है

C. सदस्य देशों के बीच कोई प्रशुल्क नहीं है

D. सभी सदस्य देशों की समान कराधान नीति है।

35. जब कोई देश आयात प्रशुल्क लगाता है तो देश का प्रस्ताव वक्र

A. निर्यात मापने वाली धुरी से अलग हटेगा

B. निर्यात मापने वाली धुरी से निकट आएगा

C. कोई बदलाव नहीं आएगा

D. उपर्युक्त में से कोई नहीं

36. ऐसा बाजार जिसमें लेनदेन भविष्य में किसी खास समय पर सम्पन्न होगा को कहा जाता है

A. हाजिर बाजार   B. चालू बाजार

C. पूँजी बाजार   D. वायदा बाजार

37. भारत में सभी वाणिज्यिक बैंकों का पूँजी पर्याप्तता अनुपात

A. 9% की वांछित दर से नीचे है

B. 9% की वांछित दर के समान है

C. 9% की वांछित दर से काफी अधिक है

D. 9% की वांछित दर से काफी कम है

38. निम्नलिखित में से कौन वाणिज्यिक बैंकों की देयताएँ हैं?

I. पूँजी और आरक्षित निधि

II. नकद तथा भारतीय रिजर्व बैंक के पास अवशेष

III. निवेश

IV. उधारी

कूटः

A. I और III

B. I और IV

C. I, II और III

D. II, III और IV

39. **अभिकथन (A):** 1969 में 14 वाणिज्यिक बैंकों के राष्ट्रीयकरण के बाद वाणिज्यिक बैंकों के जमा संग्रहण में बहुत तेजी आयी थी।

तर्क (R): शाखाओं की संख्या में भारी विस्तार हुआ ब्याज दर में वृद्धि हुई तथा कई नवोन्मेषी बचत योजनाएँ शुरू हुईं।

नीचे दिए गये कूट से सही उत्तर का चयन करें:

कूट:

A. (A) सही है, किन्तु (R) सही नहीं है

B. (A) और (R) दोनों सही नहीं हैं

C. (A) और (R) दोनों सही हैं, किन्तु (R) सही व्याख्या नहीं है

D. (A) और (R) दोनों सही हैं और (R), (A) की सही व्याख्या है

40. भारत में निम्नलिखित की स्थापना के आधार पर कालक्रमानुसार सजाएँ:

I. भारतीय औद्योगिक निवेश बैंक

II. विकास वित्तीय संस्थाओं संबंधी आर.बी.आई. कार्य दल

III. भारतीय लघु औद्योगिक विकास बैंक

IV. बीमा विनियामक और विकास प्राधिकरण (आई. आर.डी.ए.)

A. I, IV, III, II

B. III, I, IV, II

C. III, IV, I, II

D. IV, I, III, II

41. भारत में निम्नलिखित में से कौन-सी सावधि ऋणदाता संस्थाएँ हैं?

I. भारतीय औद्योगिक विकास बैंक

II. एक्जिम बैंक

III. भारतीय लघु औद्योगिक विकास बैंक

IV. नाबार्ड

कूट:

A. I और III

B. I, III और IV

C. I और II

D. I, II और III

42. भारत में निम्नलिखित में से कौन विस्तृत मुद्रा (M_3) में शामिल किए जाते हैं?

1. जनता के पास मुद्रा
2. बैंक के पास माँग जमा
3. बैंक के पास सावधि जमा
4. आर.बी.आई. के पास 'अन्य जमा'

कूट:

A. 1, 2 और 3 B. 1 और 2

C. 3 और 4 D. 1, 2, 3 और 4

43. **अभिकथन (A):** वह न्यूनतम दर जिस पर केन्द्रीय बैंक ऋण देने को तैयार हो, उसे बैंक दर कहते हैं।

तर्क (R): बैंक दर मुद्रा की माँग और आपूर्ति पर निर्भर करता है।

कूट:

A. (A) और (R) दोनों अलग-अलग सही हैं और (R), (A) की सही व्याख्या है

B. (A) और (R) दोनों अलग-अलग सही हैं और (R), (A) की सही व्याख्या नहीं है

C. (A) सही है, किन्तु (R) गलत है

D. (A) गलत है, किन्तु (R) सही है

44. **अभिकथन (A):** दिल्ली में जनसंख्या का घनत्व बहुत अधिक है।

तर्क (R): ग्रामीण क्षेत्रों से लोग दिल्ली पलायन कर रहे हैं।

नीचे दिए गए कूट में से सही उत्तर का चयन करें:

कूट:

A. (A) और (R) दोनों गलत हैं

B. (A) और (R) सही हैं और (R), (A) का सही कारण है

C. (A) सही है, किन्तु (R) गलत है

D. (A) और (R) दोनों सही हैं, किन्तु (R), (A) के लिए पर्याप्त कारण नहीं है

45. स्थिर जनसंख्या की निम्न विशेषता होती है

A. स्थिर जन्म-दर

B. अपरिवर्तनशील आयु ढांचा

C. उपर्युक्त में से कोई सही नहीं है

D. उपर्युक्त दोनों सही हैं

46. निवल पुनर्प्रजनन दर के संबंध में निम्न में कौन सही है?

A. यह किसी महिला से उत्पन्न हुई पुत्रियों की औसत संख्या से संबंधित है

B. यह किसी महिला की जीवन अवधि से संबंधित है

C. A और B दोनों सही हैं

D. A और B में से कोई सही नहीं है

47. प्रदर्शित होने वाले जनांकिकीय लाभांश के संदर्भ में कौन-सा विकल्प सही है?

A. 0-7 वर्ष के आयु वर्ग वाले बच्चों की जनसंख्या में वृद्धि होने की संभावना है

B. 8-15 वर्ष के आयु वर्ग वाले बच्चों की जनसंख्या में वृद्धि होने की संभावना है

C. 15-64 वर्ष के आयु वर्ग के लोगों की जनसंख्या में वृद्धि होने की संभावना है

D. 65 वर्ष से अधिक आयु वर्ग के लोगों की जनसंख्या में वृद्धि होने की संभावना है

48. स्वतंत्रता पश्चात भारत में क्षेत्र विकास का सही क्रम निम्नलिखित में से क्या है?

A. कृषि, उद्योग, सेवा

B. सेवा, कृषि, उद्योग

C. उद्योग, कृषि, सेवा

D. कृषि, सेवा, उद्योग

49. नई कृषि रणनीति में एच.वाय.वी.पी. निम्नलिखित में से किसका संक्षिप्त रूप है?

A. हाई यील्डिंग वैराइटी पेस्टिसाइड्स

B. हाई यील्डिंग वॉल्यूम प्रोडक्शन

C. हाई यील्डिंग वैराइटीस प्रोग्राम

D. हाई यील्डिंग वॉल्यूम प्रोग्राम

50. यदि किसी नियत भूखंड पर अधिकाधिक पूँजी और श्रम का प्रयोग किया जाता है, तो कृषि की इस पद्धति को कहा जाता है

A. गहन कृषि

B. विस्तृत कृषि

C. सहकारी कृषि

D. द्विफसली कृषि

51. फसल का नाम बताएँ जिनके संदर्भ में हरित क्रांति सर्वाधिक सफल रही है।

A. चाय और कॉफी

B. गेहूँ और चावल

C. गेहूँ और दलहन

D. ज्वार और तिलहन

52. निम्नलिखित में से कौन-सा श्रम का सामाजिक सुरक्षा मद नहीं है?

A. मजदूरी

B. मातृत्व लाभ

C. पेंशन

D. औद्योगिक चोट प्रतिपूर्ति

53. निम्नलिखित में से कौन-सा पर्यावरणीय अर्थशास्त्र में उपयोग में लाए जाने वाले आकस्मिक मूल्यांकन प्रणाली (सी.वी.एम.) के बारे में सही है?

A. इसका प्रयोग केवल प्रदूषणकारी के लिए किया जाता है

B. इसका प्रयोग केवल सकारात्मक उपयोगिता की मदों के लिए किया जाता है

C. इसका प्रयोग बाजार विफलता की मदों के लिए किया जाता है

D. इसका प्रयोग केवल प्राकृतिक संसाधनों के लिए किया जाता है

54. निम्नलिखित में से कौन-सा भारत में औद्योगिक इकाइयों की रुग्णता का कारण नहीं है?

A. पुरातन प्रौद्योगिकी

B. पूंजी लेखा परिवर्तनीयता का अभाव

C. श्रमिक समस्याएँ

D. त्रुटिपूर्ण कार्यस्थल

55. **अभिकथन (A):** भारत में आधुनिक लघु उद्योग की तुलना में परंपरागत लघु उद्योगों की रोजगार उपलब्ध कराने की क्षमता अधिक है।

तर्क (R): परंपरागत लघु उद्योग में प्रति श्रमिक पूंजी का मूल्य, आधुनिक लघु उद्योग में प्रति श्रमिक पूंजी के मूल्य की तुलना में कम होता है।

कूटः

A. (A) और (R) दोनों सही हैं और (R), (A) की सही व्याख्या है

B. (A) और (R) दोनों सही हैं, किन्तु (R), (A) की सही व्याख्या नहीं है

C. (A) सही है, किन्तु (R) गलत है

D. (A) गलत है, किन्तु (R) सही है

56. निम्नलिखित राज्यों में से किस राज्य द्वारा वर्ष 2012-13 के दौरान गेहूँ का सर्वाधिक प्रापण हुआ?

A. पंजाब और उत्तर प्रदेश

B. उत्तर प्रदेश और मध्य प्रदेश

C. उत्तर प्रदेश और हरियाणा

D. पंजाब और हरियाणा

57. वर्ष 2013-14 के लिए निम्नलिखित करों को सकल घरेलू उत्पाद के प्रतिशत योगदान के आधार पर अवरोही क्रम से सजाएँ:

1. आय कर
2. सेवा कर
3. निगम कर
4. उत्पाद शुल्क

कूट:

A. 4, 2, 3, 1 B. 3, 1, 4, 2

C. 2, 3, 1, 4 D. 1, 2, 3, 4

58. भारतीय प्रतिस्पर्धा आयोग के संबंध में निम्नलिखित तथ्यों में से कौन-सा सही है?

I. इसकी स्थापना वर्ष 2003 में हुई थी।

II. इसकी स्थापना राघवन समिति की सिफारिशों पर हुई थी।

कूट:

A. I और II दोनों सही हैं

B. I और II दोनों सही नहीं हैं

C. केवल I सही है

D. केवल II सही है

59. नवसृजित अखिल भारतीय उपभोक्ता मूल्य सूंचकांक, – ग्रामीण सी.पी.आई. तथा शहरी सी.पी.आई. के लिए आधार वर्ष है

A. 2004 – 05 B. 2006 – 07

C. 2009 – 10 D. 2010

60. 'व्यवसाय करने में सुगमता' के 10 मानदण्डों के आधार पर विश्व बैंक के हाल की रिपोर्ट के अनुसार जुलाई 2013 से मई 2014 की अवधि के दौरान भारत अब किस स्थान पर आ गया है?

A. 138 B. 142

C. 144 D. 146

61. निम्नलिखित में से कौन गलत है?

A. दसवीं पंचवर्षीय योजना की अवधि 2002-2007 थी

B. भारतीय भूमि प्रणाली में रैयतवाड़ी कालावधि मध्यवर्ती रही है

C. जमींदारी प्रणाली का आरंभ लॉर्ड डलहौजी द्वारा किया गया था

D. महलवाड़ी भूमि कालावधि प्रणाली आगरा और अवध में शुरू की गयी थी।

62. वित्तीय क्षेत्र विधायी सुधार आयोग, 2013 ने निम्नलिखित पहलुओं पर अपनी सिफारिशें प्रस्तुत कीः

I. विधायी

II. गैर-विधायी

III. विपणन

IV. विज्ञापन

कूट:

A. I, II, IV B. I, II, III

C. II, III, IV D. I, II

63. वर्ष 2013-14 के दौरान "मनरेगा" कार्यक्रम के अन्तर्गत निम्नलिखित में से किन राज्यों में महिला रोजगार का प्रतिशत सबसे कम था?

A. उत्तर प्रदेश और राजस्थान

B. ओडिशा और मध्य प्रदेश

C. उत्तर प्रदेश और ओडिशा

D. राजस्थान और पश्चिम बंगाल

64. नीचे दिए गए विकास मॉडल में:

$S_t = \alpha Y_t \qquad 0 < \alpha < 1$

$I_t = \beta[Y_t - Y_{t-1}] \qquad \beta > 0$

$S_t \equiv I_t$

विकास के लिए निम्न कौन-सी शर्त अपेक्षित है?

A. $\frac{\beta}{\beta - \alpha} > 0$ B. $\frac{\beta}{\beta - \alpha} < 0$

C. $\frac{\alpha}{\beta - \alpha} > 0$ D. $\frac{\alpha}{\beta - \alpha} < 0$

65. दिया गया कुल लागत कार्य $C = 5Q^2 + 20Q + 5$, यदि कीमत = ₹ 5, तो सीमांत लागत निम्न में से क्या होगी?

A. 100 B. 200

C. 85 D. 70

66. समग्र प्रतिगमन की सार्थकता के परीक्षण हेतु निम्नलिखित में से किस परीक्षण का प्रयोग किया जाएगा?

A. *t* परीक्षण B. F परीक्षण
C. χ^2 परीक्षण D. *d* परीक्षण

67. प्रतिफलन समीकरण के दायीं तरफ आश्रित चर के संगत पश्च मूल्य जोड़ दिये जाएँ तो निम्नलिखित में से कौन-सी स्थिति आएगी?

A. अभिनत किन्तु संगत गुणांकों का आकलन
B. अभिनत और असंगत गुणांकों का आकलन
C. अनभिनत और असंगत गुणांकों का आकलन
D. अनभिनत और संगत गुणांकों का आकलन

68. उत्पादन कार्य में $Q = AL^aK^b$, निम्नलिखित को सुमेलित करें:

सूची-I	सूची-II
(*a*) $a + b = 1$	(*i*) *a*
(*b*) प्रतिस्थापन की लोच	(*ii*) *b*
(*c*) उत्पादन की श्रम लोच	(*iii*) पैमाने का स्थिर प्रतिफल
(*d*) उत्पादन की पूँजी लोच	(*iv*) एक

कूटः

	(*a*)	(*b*)	(*c*)	(*d*)
A.	(*i*)	(*ii*)	(*iii*)	(*iv*)
B.	(*i*)	(*iii*)	(*ii*)	(*iv*)
C.	(*iii*)	(*iv*)	(*i*)	(*ii*)
D.	(*ii*)	(*iii*)	(*iv*)	(*i*)

69. निम्नलिखित को सुमेलित कीजिए:

सूची-I	सूची-II
(*a*) बॉक्स-जेनकिंस	(*i*) आपात विधि
(*b*) इकाई-मूल परीक्षण	(*ii*) पूर्वानुमान
(*c*) डर्बिन-वाटसन '*d*' सांख्यिकी	(*iii*) स्थैतिकता
(*d*) ग्रेंजर परीक्षण	(*iv*) स्वतः सहसंबंध

कूटः

	(*a*)	(*b*)	(*c*)	(*d*)
A.	(*iii*)	(*i*)	(*ii*)	(*iv*)
B.	(*ii*)	(*iii*)	(*iv*)	(*i*)
C.	(*i*)	(*ii*)	(*iii*)	(*iv*)
D.	(*iv*)	(*i*)	(*ii*)	(*iii*)

70. स्वतः सहसंबंध की उपस्थिति में यदि OLS का प्रयोग किया जाता है, तो निम्नलिखित में से कौन-सा संभावित परिणाम होगा?

(*i*) गुणांक प्राक्कलन भ्रामक हो सकते हैं।
(*ii*) परिकल्पना परीक्षण गलत निष्कर्ष पर पहुँच सकता है।
(*iii*) मॉडल के आधार पर किया गया पूर्वानुमान अभिनतयुक्त हो सकता है।
(*iv*) मानक त्रुटियाँ अनुपयुक्त हो सकती हैं।

A. सिर्फ (*ii*) और (*iv*)
B. सिर्फ (*i*) और (*iii*)
C. सिर्फ (*i*), (*ii*) और (*iii*)
D. (*i*), (*ii*), (*iii*) और (*iv*)

71. युगपद समीकरणयुक्त अर्थमितीय मॉडलों के संदर्भ में निम्नलिखित कथनों पर विचार करें:

(*i*) आकलन से पूर्व तादाम्यता की समस्या से निपटना होता है।
(*ii*) क्रम शर्त आवश्यक है किन्तु पहचान के लिए पर्याप्त नहीं है।
(*iii*) आकलन की द्विस्तरीय न्यून वर्ग विधि संगत आकलक देगी यदि समीकरण अल्पभिज्ञ हो।
(*iv*) अप्रत्यक्ष न्यून वर्ग विधि के अंतर्गत न्यून वर्ग विधि लगायी जाती है, यदि समीकरणों का ह्रासित प्रारूप हो।

निम्नलिखित में से कौन-सा सही है?

A. (*i*) और (*ii*)
B. (*i*), (*ii*), (*iii*) और (*iv*)
C. (*i*), (*ii*) और (*iii*)
D. (*i*), (*ii*) और (*iv*)

72. निम्नलिखित में से किसकी समस्या का समाधान करने के लिए 'सिम्पलेक्स' प्रणाली का प्रयोग किया जाता है?

A. रैखिक प्रोग्रामन
B. लागत उत्पादन विश्लेषण
C. प्रतिगमन
D. सहसंबंध

73. निम्नलिखित में से कौन-सा वक्तव्य गलत है?

A. *t*-बंटन का प्रतिपादन डब्ल्यू. गॉसेट द्वारा किया गया।

B. टिपेट तालिका का प्रयोग यादृच्छिक प्रतिचयन हेतु किया जाता है

C. द्विपदीय बंटन सममिति होता है, यदि $p = q$ हो

D. x पर y का प्रतिगमन गुणांक $r\frac{\sigma_x}{\sigma_y}$ के बराबर होता है

74. दिया है कि LM फलन है $Y = 100 + 10i$ तथा IS फलन है $Y = 160 - 20i$, तो संतुलन में आय व ब्याज दर ज्ञात कीजिये। उत्तर निम्न कूट से चुनियेः

A. 120 व 2
B. 90 व 3
C. 150 व 2
D. 120 व 3

75. दो उद्योगों के प्रसंग में साइमन-हाकिन्स सार्थकता शर्त के लिए निम्नलिखित में कौन-सा कथन सत्य है? (a_{ij}; $i = 1, 2$ और $j = 1, 2$)

A. $\begin{bmatrix} 1-a_{11} & -a_{12} \\ -a_{21} & 1-a_{22} \end{bmatrix} < 0$

B. $\begin{bmatrix} 1-a_{11} & -a_{12} \\ -a_{21} & 1-a_{22} \end{bmatrix} > 0$

C. $\begin{bmatrix} a_{11} & -a_{12} \\ -a_{21} & a_{22} \end{bmatrix} > 0$

D. $(1 - a_{11})(1 - a_{22}) - a_{12}.a_{21} < 0$

उत्तरमाला

1	2	3	4	5	6	7	8	9	10
A	B	B	A	A	A	A	A	A	B
11	**12**	**13**	**14**	**15**	**16**	**17**	**18**	**19**	**20**
D	D	A	B	D	D	C	C	A	A
21	**22**	**23**	**24**	**25**	**26**	**27**	**28**	**29**	**30**
D	A	A	D	A	A	C	A	D	D
31	**32**	**33**	**34**	**35**	**36**	**37**	**38**	**39**	**40**
C	A	B	C	B	D	C	B	D	B
41	**42**	**43**	**44**	**45**	**46**	**47**	**48**	**49**	**50**
C	D	C	A	D	A	C	D	C	A
51	**52**	**53**	**54**	**55**	**56**	**57**	**58**	**59**	**60**
B	A	C	B	A	D	B	A	D	B
61	**62**	**63**	**64**	**65**	**66**	**67**	**68**	**69**	**70**
C	D	C	A	D	B	A	C	B	A
71	**72**	**73**	**74**	**75**					
D	A	D	A	B					

कुछ चुने हुए प्रश्नों के व्याख्यात्मक उत्तर

2. 19वीं सदी के जर्मन सांख्यिकीविद् एन्जिल ने घरेलू आय का स्तर और खाद्य-पदार्थों पर किया गया खर्च की आय का अनुपात का प्रतिलोम संबंध को स्थापित किया। यह अंतर्निहित है कि खाद्य-वस्तुओं की मांग आय बेलोच थी, ताकि कुल औद्योगिक उत्पादन में खाद्य उत्पादन के अंश गिर जाएंगे, औसतन आय ऊपर उठेगा।

5. एक अर्थशास्त्र एवं बाजार का शब्द 'प्रवेश में बाधाएँ' है जो प्रतिस्पर्धा के सिद्धांत पर आधारित है जिसमें बाजार में प्रतियोगियों की प्रवृत्ति प्रतियोगिता/प्रतिस्पर्धा को सीमित करने की है ताकि मुनाफे को अधिकतम स्तर पर बढ़ाया जा सके। प्रकृति और प्रवेश के लिए बाधाओं की हद तक का गहन अध्ययन जोय एस बैन

द्वारा 1956 में अपनी पुस्तक ''नई प्रतिस्पर्धा में बाधाएं'' में संकलित किया गया, जिसमें उन्होंने प्रवेश बाधाओं को तकनीकों के एक समूह या उत्पादन की स्थितियों के रूप में परिभाषित किया जो अवलम्बी फर्मों को आर्थिक लाभ कमाने की लंबे समय में स्वीकृति प्रदान करता है।

बैन ने शर्तों के तीन समुच्चयों की पहचान की है जिसमें प्रवेश में बाधाएं सुस्पष्ट हैं : अर्थव्यवस्थाओं के पैमाने, उत्पाद में भेद-भाव, और निरपेक्ष लागत लाभ।

6. कुल औसत लागत वक्र U-आकृति का होता है क्योंकि उत्पादन के निम्न स्तर पर, कुल औसत लागत अधिक होती है। इसका कारण उच्च औसत निर्धारित लागत है। ज्यों ही उत्पादन में वृद्धि होती है, कुल औसत लागत गिरती है क्योंकि उत्पादन की अतिरिक्त इकाइयों में निर्धारित लागत मिले हुए हैं। यद्यपि, कुछ बिन्दुओं पर, लाभ ह्रासमान, औसत परिवर्ती लागत में वृद्धि का कारण बनता है। जो बारी-बारी से औसत लागत में वृद्धि की शुरुआत करता है। उत्पादन की मात्रा फर्म का कुशल पैमाना है जो कुल औसत लागत को कम करता है। जब कभी कुल औसत लागत से सीमांत लागत कम होती है, कुल औसत लागत गिरने लगती है। जब कभी कुल औसत लागत से सीमांत लागत अधिक होती है, कुल औसत लागत बढ़ने लगती है। इसलिए, कुल औसत लागत वक्र को कुशल पैमाने पर सीमांत लागत वक्र पार करती है।

9. 'स्वर्णिम नियम' शब्द की उत्पत्ति सन् 1961 में फेल्प्स द्वारा हुई। यह शब्द नवपारंपरिक विकास सिद्धांत से व्युत्पन्न हुई है जहाँ इसका प्रयोग इष्टतम विकास के मार्ग का वर्णन के लिए होता है जो प्रति व्यक्ति खपत के अधिकतम स्तर को प्रदान करता है।

12. परम्परावादी प्रणाली में, धन की प्रमात्रा, मूल्य स्तर और दी गई वास्तविक आय, नाम मात्र आय के स्तर को भी निर्धारित करती है। इस अर्थ में, परंपरावादी अर्थशास्त्रियों के लिए मौद्रिक नीति अत्यंत महत्वपूर्ण है। स्थिर कीमत के लिए स्थिर मुद्रा की आवश्यकता होती है। दूसरे अर्थ में, मुद्रा महत्वपूर्ण नहीं है। प्रणाली में, धन की प्रमात्रा वास्तविक परिवर्ती के साम्य मूल्यों को प्रभावित नहीं करते हैं : उत्पादन, रोजगार और ब्याज दर। परम्परावादी अर्थशास्त्रियों के लिए धन एक आवरण है जो नाममात्र मूल्यों को निर्धारित करता है जिसमें हम इस तरह के परिवर्ती की माप आर्थिक गतिविधि के स्तर पर कर सकते हैं।

15. प्रवास के लिए प्रारंभिक आर्थिक मॉडल को लेविस (1954) द्वारा विकसित मॉडल के रूप में जाना जाता है जो बाद में फी और रेनिल (1961) द्वारा संशोधित एवं समृद्ध किया गया और फिर हैरिस और टोडेरो (1970) द्वारा संशोधित किया गया। लेविस के ग्रामीण एवं शहरी प्रवास के मॉडल में अर्थव्यवस्था दो क्षेत्रों में मिलकर बने हैं : एक पारंपरिक, बेहद कम सीमांत श्रम उत्पाद वाला ग्रामीण निर्वाह क्षेत्र और दूसरा उच्च सीमांत श्रम उत्पाद वाला आधुनिक शहरी औद्योगिक क्षेत्र। लोग निर्वाह क्षेत्र से औद्योगिक क्षेत्र में चले जाते हैं। पूंजीवादी औद्योगिक क्षेत्र के विस्तार के कारण स्थानान्तरण होता है, और कमाई में दो क्षेत्रों के बीच अंतराल होता है। प्रक्रिया तब तक जारी रहती है जब तक कि उद्योग के लिए निर्वाह क्षेत्र के अधिशेष श्रम का पुनः आबंटन पूरा न हो जाए।

16. रोजेंस्टीन रोडान अविभाज्यता के तीन प्रकारों की पहचान की, जिसे विकासशील देशों के विकास में मुख्य अवरोध माना जा सकता है। वे हैं :

- सामाजिक बंधे खर्च की पूंजी की आपूर्ति में अविभाज्यता (पूंजी का जमाव)
- मांग की अविभाज्यता (मांग की पूरकता) और
- बचत की आपूर्ति में अविभाज्यता।

18. प्रसिद्ध अर्थशास्त्री निकोलस काल्डर ने सन् 1960 में अपनी पुस्तक ''Essays on Economic Stability and Growth'' में विकास का मॉडल दिया। इसके पूर्व वे एक लेख 'वितरण के वैकल्पिक सिद्धांत' में आय वितरण मॉडल प्रकाशित कर चुके थे। काल्डर के विकास मॉडल का मुख्य उद्देश्य उन गैर आर्थिक कारकों की प्रवृत्ति का विश्लेषण करना है जो संतुलन विकास की दीर्घकालीन दर निर्धारित करते हैं।

इस मॉडल में, काल्डर ने विकास की प्रक्रिया को समझने के क्रम में पूंजी संचय को तकनीकी प्रगति से जोड़ने का प्रयास किया। काल्डर का मॉडल कहता है कि यहाँ तक कि बढ़ती हुई आबादी की स्थिति में भी अर्थव्यवस्था लम्बे समय तक स्थिर रूप से विकास की अवस्था में हो सकता है और इसे अस्थिरता की अवस्था में होने की आवश्यकता नहीं है।

मान्यताएं : काल्डर के विकास का मॉडल संबंधी मुख्य मान्यताएं निम्नलिखित हैं :

1. अर्थव्यवस्था में पूर्ण रोजगार है।
2. पारिश्रमिक और लाभ के रूप में आय वितरित होती है।
3. मजदूरों और लाभ-अर्जकों, दोनों बचत को प्रभावित करते हैं लेकिन मजदूरों की तुलना में लाभ-अर्जकों की बचत क्षमता अधिक है। व्यवसायियों का निवेश संबंधी निर्णय दो कारकों पर निर्भर करता है (a) लाभ की दर (b) गत वर्ष उत्पादन का स्तर।
4. मुद्रा नीति निष्क्रिय है या निवेश के निर्धारण में ब्याज की दर की कोई भूमिका नहीं है।
5. प्रत्येक वर्ष मूल्यह्रास के रूप में कुल पूंजी का एक निश्चित अनुपात बर्बाद होता है।

22. जब औसत दर से सीमांत कर दर अधिक होती है तो कराधान उन्नतिशील है। कहने का तात्पर्य है कि आय के अनुपात में कर का भुगतान बढ़ जाता है। कर प्रतिगामी है जब कर भुगतान की राशि आय के अनुपात में कम बढ़ती हैं।

24. ऋण-प्रतिदान : सार्वजनिक ऋण का पुनर्भुगतान। ऋण पुनर्भुगतान राष्ट्रीय साख को बनाए रखता है और उसे सशक्तता प्रदान करता है। साथ ही व्यापार और उद्योग के लिए मुद्रा आपूर्ति करता है। ऋण-प्रतिदान की निम्नलिखित कुछ विधियां हैं :

- ऋण इनकार (यानी मूलधन के साथ-साथ ब्याज का भुगतान करने से मना करना)।
- ऋणों का रूपांतरण (यानी पुराने ऋण को नए ऋण में रूपांतरित करना)।
- क्रमिक ऋण-पत्र प्रतिदान (यानी ऋण-पत्र जो पूर्व में जारी किया गया, के एक निश्चित भाग का प्रत्येक वर्ष भुगतान करना)।
- ऋण की खरीददारी (यानी बाजार से सरकारी बंध-पत्र खरीदने पर पैसे खर्च करना जहाँ वे खरीदे और बेचे जाते हैं)।
- शोधन निधि (यानी ऋण की अदायगी के लिए एक पर्याप्त कोष का सृजन और क्रमिक संचय)
- पूँजी उगाहना (यानी एक बार सभी करों के लिए)।

34. द्वितीय विश्व युद्ध (1939–45) के उपरांत, यूरोपीय देशों ने तय किया कि वे अपने महाद्वीप को युद्धों से और अधिक विखंडित होता नहीं देख सकते, इसलिए यूरोपीय परिषद का गठन हुआ था। इसने 1951 में मानव अधिकारों के कन्वेंशन को खुद के लिए प्रतिबद्ध किया और 1950 के दशक के अंत में छः देशों ने मिलकर साझा बाजार का निर्माण किया, जिसमें इंग्लैंड भी 1971 ई. में शामिल हो गया। अब यह यूरोपियन संघ है। यूरोपीय संघ एक मजबूत व्यापार गुट है जिसमें सदस्य देशों के बीच कोई शुल्क-दर का संचालन नहीं होता है, साथ ही इनके पास सशक्त सामाजिक और राजनीतिक उद्देश्य हैं।

37. पूंजी पर्याप्तता प्रतिमान : प्रदत्त पूंजी और आरक्षित निधि (सदोष ऋण को हटाने के बाद) का अनुपात, पूंजी पर्याप्तता अनुपात है जो बैंकों की परिसंपत्तियों के प्रतिशत के रूप में है। सर्वप्रथम निर्धारित जोखिम के आधार पर विभिन्न मदों को वरीयता दी जाती है और फिर पूंजी पर्याप्तता अनुपात की गणना की जाती है।

बासेल समिति और नरसिम्हन समिति के प्रतिवेदनों के आधार पर भारतीय रिजर्व बैंक ने बैंकों के लिए जोखिम भारित अनुपात प्रणाली आरंभ किया। यह बैंकों की पूंजी के आधार को सशक्तता प्रदान करने के लिए किया गया। भारत में संचालित विदेशी बैंकों पर भी ये प्रावधान लागू होंगे।

38. वाणिज्यिक बैंक की देयताएं : इसमें वे सभी मद शामिल हैं जो बैंक दूसरों के लिए देनदार है। यह विभिन्न स्रोतों को प्रदर्शित करता है जिसके माध्यम से बैंक अपने व्यवसाय के लिए निधि को बढ़ाता है। उन्हें इन रूपों में वर्गीकृत किया जा सकता है :

1. चुकता पूंजी
2. आरक्षित निधि और अधिशेष

3. जमा राशि
4. उधार राशियां
5. **अन्य देयताएं :** कारोबार की कार्यप्रणाली के दौरान बैंक द्वारा ये व्यय किए जाते हैं। इसमें शामिल हैं देय हुंडी जैसे–ड्राफ्ट, यात्री चेक, पे-स्लिप्स, बैंकर चेक आदि। वे आयकर के लिए भी प्रावधान शामिल करते हैं।

वाणिज्यिक बैंक की परिसंपत्तियां :

1. रोकड़ शेष
2. मांग और अल्प सूचना पर प्रतिदेय राशि
3. निवेश
4. ऋण और अग्रिम
5. अन्य परिसंपत्तियां।

43. बैंक दर वह न्यूनतम दर है जिस पर वाणिज्यिक बैंकों को केन्द्रीय बैंक ऋण मुहैय्या कराता है। इसे रियायती दर भी कहा जाता है। आमतौर पर, बैंक दर में वृद्धि का परिणाम यह होता है कि वाणिज्यिक बैंकों द्वारा भी अपने ऋण दरों को महंगा कर देते हैं। बैंक दरों में परिवर्तन बैंकों के साख निर्माण पर प्रभाव डालता है। यह प्रभाव ऋण की लागत में फेरबदल के माध्यम से दिखाई देती है।

45. जनसंख्या जो कि अपरिवर्तनीय प्रजनन और मृत्यु दर की अनुसूची एक लम्बी व्यवस्था द्वारा स्थापित किया जाता है, स्थिर आबादी कहलाता है। एक निश्चित उम्र संयोजन, नियत जन्म और मृत्यु दरों और वृद्धि का एक स्थिर दर द्वारा यह चित्रित है।

46. कुल वैवाहिक प्रजनन दर : प्रजनन आयु समूह में प्रति विवाहित महिला द्वारा जन्म लिए बच्चों की औसत संख्या।

सकल प्रजनन दर : एक महिला द्वारा जन्म लिए बेटियों की संख्या जो प्रजनन आयु के माध्यम से बचती है और वर्तमान प्रजनन दर पर पैदा होती है।

निवल पुनर्प्रजनन दर : बेटियों की औसत संख्या जो एक महिला से जन्म लेंगी यदि अपने समूचे प्रजनन काल (15–44 वर्ष) के दौरान वह वर्तमान प्रजनन और मृत्युदर का अनुभव लेती है।

49. नई कृषि नीति (NAS) सन् 1966 में प्रारंभ की गई थी। इसके तहत, IADP और IAAP योजनाओं के अधीन सभी जिलों में फसलों की उच्च पैदावार वाली किस्मों को बढ़ावा देने एवं उपयोग करने के लिए नीतियां तैयार की गई। सन् 1966 के खरीफ सत्र में NAS पहली बार लागू किया गया। इसे उच्च पैदावार वाली किस्मों के कार्यक्रम (HYVP) के रूप में भी जाना गया।

50. गहन कृषि : इसे श्रम प्रधान खेती भी कहा जाता है। वास्तव में यह वह प्रणाली है जिसके अधीन छोटे-छोटे खेतों का उपयोग शारीरिक श्रम, खाद्य एवं उर्वरक इत्यादि के सहयोग के साथ प्रचुरता से किया जाता है। यह प्रणाली चूंकि श्रमिकों की बड़ी संख्या को लिए होता है इसलिए इस प्रकार की खेती वहाँ की जाती है जहाँ आबादी का घनत्व अधिक है। प्रति हेक्टेयर उत्पादन में वृद्धि पर जोर दिया जाता है और जहाँ भी संभव हो एक वर्ष में एक से अधिक फसलों की उपज को लक्ष्य बनाया जाता है।

विस्तृत कृषि : इसे भूमि प्रधान खेती भी कहा जाता है। गहन कृषि के ठीक विपरीत इस प्रकार की खेती बड़े खेतों में मशीन और क्षेत्र के प्रति यूनिट में श्रमिकों की संख्या कम होती है। इस प्रकार की खेती पूंजी प्रधान और कम आबादी वाले क्षेत्रों में प्रचलित है। उत्पादन वृद्धि पर जोर दिया जाता है, न कि प्रति हेक्टेयर उत्पादन पर। इस तरह की खेती की मुख्य विशेषताओं में से एक फसल विशेषज्ञता है।

52. भारत के औद्योगिक क्षेत्रों में सामाजिक सुरक्षा कानून में निम्नलिखित अधिनियम हैं :

1. कामगार क्षतिपूर्ति अधिनियम, 1923;
2. कर्मचारी राज्य बीमा अधिनियम, 1948;
3. कोयला खदानों भविष्य निधि और विविध अधिनियम, 1948;
4. कर्मचारी भविष्य निधि और प्रकीर्ण उपबंध, 1952 अधिनियम, और कर्मचारी पेंशन योजना, 1995 और कर्मचारी जमा लिंक्ड बीमा योजना, 1976;
5. मातृत्व लाभ अधिनियम, 1961; और
6. ग्रेच्युटी भुगतान अधिनियम, 1972.

58. भारतीय प्रतिस्पर्धा आयोग भारत सरकार का एक निकाय है जो प्रतिस्पर्धा अधिनियम, 2002 को समूचे भारत में लागू करने के लिए जिम्मेवार है और उन क्रियाकलापों को रोकना जिनका भारत में प्रतिस्पर्धा पर प्रतिकूल प्रभाव पड़ता है। इसकी स्थापना 14 अक्टूबर 2003 को हुई। यह मई 2009 में पूर्ण रूप से कार्यशील हुआ।

59. CSO ने संपूर्ण आबादी के लिए CPIs की एक नई शृंखलाओं का संकलन किया, यानी CPI–ग्रामीण, CPI–शहरी और CPI–संयुक्त (ग्रामीण + क्षेत्रीय) वर्ष 2010 को आधार वर्ष मानकर जनवरी 2011 से।

62. वित्तीय क्षेत्र विधायी सुधार आयोग (FSLRC) का गठन मार्च 2011 में वित्तीय क्षेत्र के कानूनों को नए सिरे से लिखने के लिए किया गया ताकि उन्हें वर्तमान आवश्यकताओं के साथ समन्वय स्थापित किया जा सके। FSLRC ने मार्च 22, 2013 को अपना प्रतिवेदन सरकार को सौंपा। इसने एक गैर-क्षेत्रीय, सिद्धांत पर आधारित, विधायी नियामक की अनुशंसा वित्तीय क्षेत्र के लिए मौजूदा नियामक एजेंसियों के उन्नयन या पुनर्गठन और बेहतर शासन एवं जवाबदेही जहाँ भी आवश्यक हो, की।

66. बहु प्रतिगमन में, *t* जाँच और F जाँच का अलग-अलग उद्देश्य है।

1. F जाँच का उपयोग यह तय करने के लिए किया जाता है कि क्या निर्भर चर और सभी स्वतंत्र चरों के समूह के बीच महत्वपूर्ण संबंध मौजूद है।
2. यदि F जाँच समग्र महत्व प्रदर्शित करता है, *t* जाँच का उपयोग यह तय करने के लिए किया जाता है कि क्या प्रत्येक व्यक्ति का स्वतंत्र चर महत्वपूर्ण है। एक अलग *t* जाँच प्रारूप में प्रत्येक स्वतंत्र चर के लिए आयोजित किया जाता है।

70. स्वतः सहसंबंध के परिणाम विषमविसारिता के परिणाम के सदृश होते हैं। इस प्रकार, सहसंबंध प्राक्कलन अभी भी ठीक रहेगा (यानी वे सुसंगत और निष्पक्ष प्राक्कलित हो जाएंगे) बशर्ते पारंपरिक रेखीय प्रतिगम प्रारूप की अन्य मान्यताएं वैध हों। स्वतः सहसंबंध की उपस्थिति में OLS प्राक्कलन अप्रभावी होगा, जिसका तात्पर्य है कि मानक त्रुटियां उपअनुकूलित हो जाएंगी। चूंकि मानक त्रुटियां स्वतः सहसंबंध की अनुपस्थिति में अनुपयुक्त हो सकती है, इसलिए यह सत्य है कि वह परिकल्पना परीक्षण गलत निष्कर्ष पर पहुँच जाए। *t*-परीक्षण अपने में सहसंबंध की मानक त्रुटियां समाविष्ट करता है। जैसा कि प्राक्कलन का मापदंड अभी भी सही होना चाहिए, प्रारूप से प्राप्त पूर्वानुमान सिर्फ सहसंबंध का उपयोग करेगा, मानक त्रुटियों का नहीं, इस प्रकार पूर्वानुमान को पूर्वाग्रह से ग्रसित नहीं होना चाहिए। इसलिए, (*ii*) और (*iv*) के परिणाम समान होंगे। अतएव विकल्प (A) सही है।

72. सभी रैखिक प्रोग्रामन संबंधी समस्याएं उच्चतम (या न्यूनतम) रैखिक कार्य से संबंधित हैं जो रैखिक बाध्यताओं के समूह का विषय है। रैखिक बाध्यताएं समस्या का नियंत्रण करते हुए इस रूप में हो सकती है $\leq$, = या $\geq$.

सन् 1947 में प्रो. जी.बी. दांतजिग (G.B. Dantzig) ने रैखिक प्रोग्रामन की 'सिम्पलेक्स' प्रणाली को विकसित किया था। उस समय वह अमेरिकी वायुसेना में कार्यरत थे। उन्होंने प्रदर्शित किया कि कैसे एक रैखिक समस्या का अनेक संभव हलों में से इष्टतम हल का पता वस्तुगत कार्य का उपयोग करके लगाया जा सकता है।

74. साम्यावस्था में,

LM और IS एक दूसरे का ब्याज, इसलिए

$$100 + 10i = 160 - 20i$$

$$30i = 60 \Rightarrow i = 2$$

यदि $i = 2$,

$$y = 100 + 10 \times 2 = 120.$$

पिछले प्रश्न-पत्र (हल सहित)

UGC–NET अर्थशास्त्र, जून-2014

प्रश्न-पत्र-II

नोटः *इस प्रश्नपत्र में* ***पचास*** *(50) बहु-विकल्पीय प्रश्न हैं। प्रत्येक प्रश्न के* ***दो*** *(2) अंक हैं।* ***सभी*** *प्रश्न अनिवार्य हैं।*

1. निम्नलिखित में से किसने उपयोग मूल्य और विनिमय मूल्य के बीच भेद किया है और हीरे और जल का प्रसिद्ध उदाहरण पेश किया?

A. एडम स्मिथ B. डेविड रिकार्डो

C. अल्फ्रेड मार्शल D. कार्ल मार्क्स

2. दो उपभोक्ता A और B और दो वस्तु X और Y की अर्थव्यवस्था में, उत्पादन और विनिमय का सामान्य संतुलन तब होगा जब:

A. $MRT_{XY} = \left(\frac{P_X}{P_Y}\right)$

B. MRS_{XY} A और B के लिए $= \left(\frac{P_X}{P_Y}\right)$

C. $MRS^A_{XY} = MRS^B_{XY}$

D. $MRT_{XY} = MRS^A_{XY} = MRS^B_{XY}$

3. जब आय प्रभाव प्रतिस्थापन प्रभाव से ज्यादा शक्तिशाली बन जाता है, तो श्रम आपूर्ति वक्र

A. धनात्मक रूप से ढलवाँ होगी।

B. ऋणात्मक रूप से ढलवाँ होगी।

C. पीछे की ओर मुड़ेगी।

D. ऊपर की ओर चढ़ेगी।

4. अभिकथन (A) : एकाधिकारी के लिये आपूर्ति वक्र की अवधारणा कोई अर्थ नहीं रखती है।

कारण (R) : एकाधिकारी गण मूल्य निर्धारक होते हैं, और विभिन्न कीमतों पर वे क्या उत्पादन करेंगे यह पूछना कोई मायने नहीं रखता है।

कूट :

A. (A) और (R) दोनों सही हैं और (R), (A) की सही व्याख्या है।

B. (A) सही है, परंतु (R) सही नहीं है।

C. (A) और (R) दोनों सही हैं, परंतु (R), (A) की सही व्याख्या नहीं है।

D. (R) सही है, परन्तु (A) गलत है।

5. कीमत निर्धारण की स्वार्थचालित नीति किसलिये बनाई जाती है?

A. प्रतियोगियों को कारोबार से बाहर निकालने के लिये

B. लाभ अधिकतम करने के लिये

C. प्रवेशियों को बाजार में प्रवेश हेतु प्रोत्साहित करने के लिए

D. न्यूनतम लागत पर उत्पादन प्राप्त करने के लिए

6. सूची-I में दी मदों को सूची-II में दी मदों के साथ सुमेलित करें और नीचे दिए गए कूटों से सही उत्तर का चयन करें :

सूची-I	सूची-II
(*a*) पृथक्करण (Screening) परिकल्पना	1. जॉर्ज ए. अकरलॉफ
(*b*) कार्य बाजार (जॉब मार्किट) संकेतन	2. के.जे. एरो
(*c*) चिकित्सा बीमा की स्थिति में नैतिक संकट की समस्या	3. एम. स्पेंसर
(*d*) नींबूओं का बाजार	4. पॉल डब्ल्यू. मिल्लर तथा पॉल ए. वॉलकर

कूट :

	(*a*)	(*b*)	(*c*)	(*d*)
A.	3	2	4	1
B.	2	3	4	1
C.	4	3	2	1
D.	2	4	3	1

7. जिस उद्योग की दीर्घकालिक आपूर्ति वक्र क्षैतिज होती है वो क्या कहलाता है?

A. स्थिर लागत उद्योग B. वर्धमान लागत उद्योग

C. ह्रासमान लागत उद्योग D. कार्यकुशल / दक्ष उद्योग

8. प्रत्येक उपभोक्ता से संरक्षित कीमत (रिज़र्वेशन प्राइस) लेने की प्रथा क्या है?

A. चरम भार कीमत निर्धारण

B. अंतःकालिक कीमत विभेदीकरण

C. प्रथम कोटि का कीमत विभेदीकरण

D. तृतीय कोटि का कीमत विभेदीकरण

9. संघर्षजनित या अस्थायी बेरोजगारी निम्नलिखित में से किस नाम से जानी जाती है?

A. प्रच्छन्न बेरोजगारी

B. पण्यावर्त (टर्नओवर) बेरोजगारी

C. चक्रीय बेरोजगारी

D. संरचनात्मक बेरोजगारी

10. निम्नलिखित उपभोग परिकल्पनाएँ जिस क्रम में अर्थशास्त्र के साहित्य में दिखाई पड़ती हैं उन्हें आरोही कालानुक्रमिक क्रम में व्यवस्थित करें:

1. निरपेक्ष आय परिकल्पना
2. स्थायी आय परिकल्पना
3. जीवन-चक्र परिकल्पना
4. सापेक्ष आय परिकल्पना

कूटः

A. 1, 3, 4, 2 B. 1, 2, 4, 3

C. 1, 4, 3, 2 B. 1, 3, 2, 4

11. निम्नलिखित प्रकार के आय निर्धारण मॉडल की कल्पना करें:

$C = a + b \cdot Y^d$

$Y^d = Y - T$

$T = T_0 + t_1 \cdot Y$

$I = \overline{I}$

$G = \overline{G}$

$Y = C + I + G$

जहाँ C = उपभोग व्यय; Y = आय; Y^d = प्रयोज्य आय; T = कर; T_0 = Tan, जहाँ Y = 0 है; t_1 = सीमान्त कर दर; I = निवेश व्यय; G = सरकारी व्यय; और चर पर श्लाका सूचित करती है कि यह स्वचालित चर हैं। तो फिर T_0 के सापेक्ष कर गुणक है

A. $\dfrac{1}{1-b+bt_1}$ B. $\dfrac{-b}{1-b+bt_1}$

C. $\dfrac{1-b}{1-b-bt_1}$ D. $\dfrac{1}{1-b-bt_1}$

12. समग्र माँग के निम्नलिखित अवयवों में से कौन-सा स्व-विरामी तथा स्व-वित्तपोषणीय है?

A. निवेश व्यय

B. टिकाऊ उपभोग व्यय

C. गैर-टिकाऊ उपभोग व्यय

D. सरकारी व्यय

13. मुद्रा आपूर्ति की समस्त चार अवधारणाओं M_1, M_2, M_3 और M_4 को उनकी तरलता के सम्बन्ध में आरोही क्रम में व्यवस्थित करें:

A. M_3, M_2, M_1 और M_4

B. M_1, M_2, M_3 और M_4

C. M_4, M_2, M_3 और M_1

D. M_4, M_3, M_2 और M_1

14. मुद्रा की माँग को पोर्टफोलियो थ्योरी उपागम के रूप में निम्नलिखित में से किस अर्थशास्त्री ने प्रस्तुत किया?

1. जे.एम. कीन्स 2. बामोल

3. जेम्स टोबिन 4. मिल्टन फ्रीडमैन

कूटः

A. 1, 2 B. 3, 4

C. 1, 2, 3 B. 2, 3, 4

15. फिलिप्स वक्र की विशेषता निम्नलिखित में से कौन-सी नहीं है?

A. कीमत प्रत्याशाएँ अनुकूली होती हैं।

B. जब मौद्रिक मजदूरी स्थिर होती है, तो बेरोजगारी की दर 5½ प्रतिशत होती है।

C. कीमत प्रत्याशाएँ स्थिर होती हैं।

D. फिलिप्स वक्र के इर्द-गिर्द फन्दा होता है।

16. 'क्राऊडिंग आऊट इफेक्ट' शून्य हो जाता है जब

A. तरलता जाल की स्थिति है, या निवेश पूर्णतया ब्याज बेलोचदार है।

B. मौद्रिक माँग पूर्णतया ब्याज बेलोचदार है, या निवेश पूर्णतया ब्याज लोचदार है।

C. आई.एस. वक्र गिर रही है और एल.एम. वक्र ऊपर की ओर बढ़ रही है।

D. उपर्युक्त में से कोई नहीं

17. भावी पीढ़ी की आवश्यकताओं को संकट में डाले बगैर वर्तमान पीढ़ी की आवश्यकताओं को पूरा करना क्या है?

A. आर्थिक विकास B. सामाजिक विकास

C. धारणीय विकास D. आर्थिक संवृद्धि

18. हैरोड-डोमर मॉडल में पूर्ण क्षमता (या समर्थता) संवृद्धि दर को निम्नलिखित नाम से भी जाना जाता है:

A. वास्तविक संवृद्धि दर

B. समर्थित या अभीष्ट संवृद्धि दर

C. प्राकृतिक संवृद्धि दर

D. अपेक्षित संवृद्धि दर

19. एच.डी.आई. (H.D.I.) के आविष्कारक हैं:

I. हेरिस-टुडैरो II. मेघनाद देसाई

III. रॉबर्ट सोलो IV. अमर्त्य सेन

कूट :

A. I और II सही हैं। B. I और III सही हैं।

C. III और IV सही हैं। D. II और IV सही हैं।

20. पी.क्यू.एल.आई. (PQLI) के संघटक हैं :

I. रुग्णता

II. शिशु मृत्यु

III. एक वर्ष की आयु पर जीवन प्रत्याशा

IV. 15 वर्ष की आयु पर मौलिक साक्षरता

कूट :

A. I, III और IV सही हैं।

B. III, II और IV सही हैं।

C. I, II और III सही हैं।

D. IV, I और II सही हैं।

21. अभिकथन (A) : सभी आर्थिक घटनाएँ, समाज में भिन्न वर्गों और समूहों के बीच अनवरत आर्थिक संघर्ष का परिणाम होती हैं।

कारण (R) : इस संघर्ष का मुख्य कारण 'उत्पादन के तरीके' और 'उत्पादन के सम्बन्धों' के बीच संघर्ष है।

कूट :

A. (A) सही है, परन्तु (R) गलत है।

B. (A) गलत है, परन्तु (R) सही है।

C. (A) और (R) दोनों गलत हैं।

D. (A) और (R) दोनों सही हैं।

22. सूची-I में दी मदों को सूची-II में दी मदों के साथ सुमेलित करें :

सूची-I	सूची-II
(*a*) झुण्ड समान गुच्छ	1. ब्रंटलैण्ड रिपोर्ट
(*b*) पूँजी का जैव संयोजन	2. रेगनर नर्स्के
(*c*) धारणीय विकास	3. शुम्पीटर
(*d*) गरीबी का दुष्चक्र	4. कार्ल मार्क्स

कूट :

	(*a*)	(*b*)	(*c*)	(*d*)
A.	4	2	3	1
B.	3	4	1	2
C.	1	3	2	4
D.	2	1	4	3

23. सूची-I का सूची-II के साथ मिलान करें :

सूची-I	सूची-II
(*a*) निम्न स्तरीय संतुलन फन्दा	1. साइमन कुज़नेट
(*b*) औंधी 'V' आकार की आय वितरण परिकल्पना	2. नेल्सन
(*c*) अन्तर्जात संवृद्धि सिद्धांत	3. आर्थर लेविस
(*d*) श्रम की असीमित आपूर्ति	4. रॉबर्ट सोलो

कूट :

	(*a*)	(*b*)	(*c*)	(*d*)
A.	2	1	4	3
B.	3	2	1	4
C.	4	3	2	1
D.	1	4	3	2

24. हिन्दुओं की संवृद्धि दर के बारे में निम्नलिखित में से क्या सही है?

A. यह हिन्दुओं की जनसंख्या की आर्थिक संवृद्धि दर के बारे में है।

B. भारत में भिन्न सामाजिक समूहों के बीच आर्थिक विषमताओं को दर्शाता है।

C. भारतीय अर्थव्यवस्था की 1950-80 के दौरान निम्न संवृद्धि निष्पन्नता प्रकट करता है।

D. भारत में 1980 से त्वरित संवृद्धि का संकेत करता है।

25. भारत में आर्थिक सुधारों की सफलता के बारे में गलत कथन ज्ञात करें।

A. जनांकिकीय लाभांश के फायदे

B. सकल घरेलू बचतों में कॉरपोरेट क्षेत्र का वर्धित हिस्सा

C. चालू खाते के घाटे का संकुचित होना

D. जनसंख्या वृद्धि दर का धीमा होना

26. भारतीय औद्योगिक उत्पादन सूचकांक में न सम्मिलित की जाने वाली गतिविधि बताएँ।

A. विनिर्माण B. निर्माण

C. खदान D. विद्युत

27. किस उद्योग का अधिक विकास भविष्य में औद्योगिक विकास के लिए धनात्मक संकेत देता है?

A. पूँजीगत वस्तुओं के उद्योग

B. मूलभूत वस्तुओं के उद्योग

C. टिकाऊ उपभोक्ता वस्तुओं के उद्योग

D. मध्यवर्ती वस्तुओं के उद्योग

28. वह पद्धति कौन-सी है जो भारत में एन.एस.एस.ओ. द्वारा बेरोजगारी के आकलन के लिये उपयोग नहीं की जा रही है?

A. चालू मासिक प्रास्थिति

B. चालू दैनिक प्रास्थिति

C. चालू साप्ताहिक प्रास्थिति

D. प्रायिक प्रधान एवं गौण प्रास्थिति

29. प्रत्येक वित्तीय वर्ष में व्यय की प्रत्येक मद के पुनर्मूल्यांकन करने के पश्चात् बजट बनाने की प्रक्रिया को कहते हैं

A. निष्पन्नता बजटन

B. नव बजटन

C. डेबिट (नामे) बजटन

D. शून्य आधार बजटन

30. भारत मानव विकास रिपोर्ट 2011 के अनुसार आरोही मानव विकास सूचकांक के सम्बन्ध में राज्यों की श्रेणी निर्धारित करें:

I. बिहार II. गुजरात

III. ओडीसा IV. तमिलनाडु

कूटः

A. I, II, III, IV B. III, I, II, IV

C. I, III, IV, II D. III, II, I, IV

31. दो राष्ट्रों के बीच वस्तु की सापेक्ष कीमतों में अन्तर को निम्नलिखित में अन्तर पर आधारित किया जा सकता है:

A. साधन उपलब्धता B. प्रौद्योगिकी

C. रुचि D. उपर्युक्त सभी

32. किस प्रकार के व्यापार की व्याख्या हैक्सचर-ओहलिन मॉडल द्वारा नहीं की गई है?

A. बड़े पैमाने की किफायतों पर आधारित व्यापार

B. अंतरा उद्योग व्यापार

C. अनुकरणात्मक अंतराल तथा उत्पाद चक्र आधारित व्यापार

D. उपर्युक्त सभी

33. यूरो करेन्सी का उदाहरण है

A. यू.एस. के बाहर डॉलर निक्षेप

B. यू.के. के अन्दर पौंड स्टर्लिंग निक्षेप

C. जर्मनी के पास मार्क निक्षेप

D. उपर्युक्त सभी

34. भारत के भुगतान संतुलन में घाटे या अतिरेक को निम्नलिखित के निवल संतुलन द्वारा मापा जाता है:

A. चालू खाता

B. पूँजीगत खाता

C. एस.डी.आर्स का आबंटन और सांख्यिकीय विसंगति

D. उपर्युक्त सभी

35. यदि घरेलू उपभोक्ताओं की माँग असीम मात्रा में लोचदार है और विदेशी उत्पादक की आपूर्ति पूर्णतया बेलोचदार है, तो पूरा का पूरा शुल्क

A. घरेलू उपभोक्ताओं द्वारा दिया जाएगा।

B. विदेशी उत्पादक द्वारा दिया जाएगा।

C. घरेलू उपभोक्ताओं और विदेशी उत्पादक द्वारा बराबर-बराबर दिया जाएगा।

D. दोनों में से किसी को भी न तो आय और न सुरक्षा की प्राप्ति होगी।

36. भारतीय रिज़र्व बैंक ने किस वर्ष में भारतीय रुपये को वस्तुओं और सेवाओं के सम्बन्ध में चालू खाता लेनदेन में पूर्णतया परिवर्तनीय किया?

A. 1985 B. 2002

C. 1994 D. 2011

37. मौद्रिक उपागम के अनुसार, राष्ट्र की करेन्सी का पुनर्मूल्यांकन
A. मुद्रा के लिए राष्ट्र की माँग में वृद्धि करता है।
B. राष्ट्र की मुद्रा आपूर्ति में वृद्धि करता है।
C. मुद्रा के लिये राष्ट्र की माँग कम करता है।
D. राष्ट्र की मुद्रा आपूर्ति कम करता है।

38. निम्नलिखित को कालानुक्रमिक क्रम में व्यवस्थित करें:
I. सरकार एवार्ड
II. नीमीयर एवार्ड
III. देशमुख एवार्ड
IV. मेस्टन एवार्ड

कूट :
A. II, IV, III, I
B. IV, III, II, I
C. III, II, IV, I
D. IV, II, I, III

39. निम्नलिखित में से किसमें शून्य आधारित बजटन प्रारम्भ करना कठिन है?
I. स्थापना खर्च
II. लोक निर्माण कार्य
III. सिंचाई परियोजनाएँ
IV. फेडरल राजकोषीय अंतरण

कूट :
A. I, III और IV सही हैं।
B. II, III और IV सही हैं।
C. I और IV सही हैं।
D. II और III सही हैं।

40. सूची-I में दी मदों को सूची-II में दी गई मदों के साथ सुमेलित करें :

सूची-I	**सूची-II**
(*a*) क्लब का सिद्धांत	1. एंथनी डाऊनूस
(*b*) प्रमेय की असंभाविता	2. चार्ल्स टिबूट
(*c*) राजनीतिक निर्णयन का मॉडल	3. जेम्स बुचानन
(*d*) स्थानीय लोक वस्तुओं की इष्टतम व्यवस्था	4. कैनेथ एरो

कूट :

	(*a*)	(*b*)	(*c*)	(*d*)
A.	3	1	2	4
B.	3	4	2	1
C.	2	3	4	1
D.	3	4	1	2

41. निम्नलिखित में से किस कर का 'घोषणात्मक प्रभाव' होता है?
A. आय कर
B. सम्पत्ति कर
C. उत्पाद शुल्क
D. पूँजीगत लाभ कराधान

42. निम्नलिखित में से कौन-सा कर भारतीय संविधान की अनुसूची-VII की सूची-I के अनुसार संघीय या केन्द्रीय सरकार के सीमा क्षेत्र में पड़ता है?
A. विद्युत के उपभोग और बिक्री पर कर
B. सड़क मार्ग से जाने वाले यात्रियों तथा वस्तुओं पर कर
C. मनोरंजन समेत विलासिताओं पर कर
D. समाचारपत्रों की बिक्री एवं खरीद तथा उसमें विज्ञापन पर कर

43. वस्तु के वजन, आकार या नाप के अनुसार लगाया गया कर क्या कहलाता है?
A. यथामूल्य कर
B. परिमाणपरक कर
C. एकल कर
D. दोहरा कराधान

44. कर भार पर मसग्रेव का विचार निम्नलिखित में से कौन-सा है?
A. अन्तिम कर दाता पर कर निर्धारण
B. औपचारिक तथा प्रभावपूर्ण कर भार
C. बजट नीति में परिवर्तनों के कारण निजी उपयोग हेतु आय के वितरण में परिवर्तन
D. कर का अन्तिम प्रत्यक्ष मौद्रिक भार

45. गणितीय माध्य = 45, बहुलक = 48, दिए गए होने पर माध्यिका होगी
A. 46
B. 45
C. 48
D. 49

46. यदि दो घटनाएँ A और B पारस्परिक रूप से अपवर्जक (या एकान्तिक) हैं, तो P (A या B) है
A. $P(A) + P(B) - P(AB)$
B. $P(A) + P(B) + P(AB)$
C. $P(A) + P(B)$
D. $P(A) P(B)$

47. प्रसरण का विश्लेषण निम्नलिखित का उपयोग करके किया जाता है:

A. t-परीक्षण
B. Z-परीक्षण
C. χ^2-परीक्षण
D. F-परीक्षण

48. व्यवस्थित प्रतिचयन का तात्पर्य है कि पहली मद का यादृच्छिक रूप से चयन किया जाता है और

A. अन्य मदों का लॉटरी पद्धति द्वारा चयन किया जाता है।
B. अन्य मदों को आनुपातिक रूप से चयनित किया जाता है।
C. फिर प्रत्येक *k*वीं मद का चयन किया जाता है।
D. अन्य मदों का अनुसंधानकर्त्ता की इच्छा के अनुसार चयन किया जाता है।

49. सूची-I को सूची-II के साथ सुमेलित करें :

सूची-I	**सूची-II**
(*a*) H_0 को अस्वीकार करना, यदि वह सत्य है	1. β त्रुटि
(*b*) H_0 को स्वीकार करना, यदि वह मिथ्या है	2. मानक त्रुटि
(*c*) जब H_0 मिथ्या है उसे अस्वीकार करने की संभाविता	3. α त्रुटि
(*d*) यादृच्छिक बल के कारण प्रतिचयन परिवर्तिता का मापन	4. $1-\beta$ त्रुटि

कूट :

	(*a*)	(*b*)	(*c*)	(*d*)
A.	3	1	2	4
B.	2	1	4	3
C.	2	4	1	3
D.	3	1	4	2

50. अभिकथन (A) : सूचकांक निर्मित करने के लिए ज्यामितीय माध्य को सैद्धांतिक रूप से श्रेष्ठ औसत समझा जाता है।

कारण (R) : यदि प्रेक्षणों की परास (या सीमा) काफी बड़ी है तो ज्यामितीय माध्य का उपयोग किया जाता है।

कूट :

A. (A) और (R) दोनों सत्य हैं, और (R), (A) की सही व्याख्या है।
B. (A) और (R) दोनों सत्य हैं, परन्तु (R), (A) की सही व्याख्या नहीं है।
C. (A) सत्य है, परंतु (R) मिथ्या है।
D. (A) मिथ्या है, परन्तु (R) सत्य है।

उत्तरमाला

1	2	3	4	5	6	7	8	9	10
A	D	C	A	A	C	A	C	B	C
11	**12**	**13**	**14**	**15**	**16**	**17**	**18**	**19**	**20**
B	B	D	B	A	A	C	C	*	B
21	**22**	**23**	**24**	**25**	**26**	**27**	**28**	**29**	**30**
D	B	A	C	D	B	A	A	D	B
31	**32**	**33**	**34**	**35**	**36**	**37**	**38**	**39**	**40**
D	D	A	D	B	C	C	D	C	D
41	**42**	**43**	**44**	**45**	**46**	**47**	**48**	**49**	**50**
C	D	B	C	A	*	D	C	D	A

कुछ चुने हुए प्रश्नों के व्याख्यात्मक उत्तर

1. 'उपयोगिता' शब्द ब्रिटिश दार्शनिक जेरेमी बेन्थम (1748-1832) के साथ जुड़ा है। हालांकि न तो वे और न ही उनके समय के अर्थशास्त्रियों ने ही माल की कीमत और उपभोग से प्राप्त उपयोगिता के संबंध को समझा। एडम स्मिथ (1723-1790) ने उपयोग मूल्य और विनिमय मूल्य के बीच अंतर स्थापित किया तथा हीरे और पानी का प्रसिद्ध उदाहरण दिया। हीरे का मूल्य (विनिमय मूल्य) उच्च होता है लेकिन वे जीवन के लिए अनावश्यक हैं। पानी की कीमत (विनिमय मूल्य) कम होती है लेकिन जीवन के लिए आवश्यक है (उपयोग में उच्च मूल्य)।

2. **विनिमय का सामान्य संतुलन :** उस स्थिति में जब प्रतिस्थापन की सीमांत दर (एम.आर.एस.) दो मालों की खपत के लिए दो व्यक्तियों में समान होती है।

उत्पादन का सामान्य संतुलन : उस स्थिति में जब तकनीकी प्रतिस्थापन (एम.आर.टी.एस.) की सीमांत दर एक कारक अथवा अन्य कारक के लिए दोनों मालों के उत्पादन में समान होती है।

उत्पादन का सामान्य संतुलन और विनिमय : वह स्थिति जब दो वस्तुओं के बीच सीमांत दर का परिवर्तन, प्रत्येक व्यक्ति के दोनों वस्तुओं की खपत के बीच प्रतिस्थापन के बराबर होता है।

4. एकाधिकार के तहत्, विभिन्न लागत वक्रों की आकृति पूर्ण प्रतियोगिता के अधीन वक्रों के समान होती है। स्थिर लागत (एफ.सी.) वक्र OX-अक्ष के समान्तर है और औसत स्थिर लागत (ए.एफ.सी.) वक्र आयताकार अतिपरवलय है। औसत चर लागत (एबीसी) वक्र, सीमांत लागत (एम.सी.) वक्र और औसत लागत (ए.सी.) वक्र U-आकार के हैं। जबकि पूर्ण प्रतियोगिता के तहत सीमांत लागत वक्र फर्म का आपूर्ति वक्र है और पूर्ण प्रतियोगिता के अधीन सीमांत लागत आगे चलकर मूल्य (औसत राजस्व) के समान हो जाता है। लेकिन सीमांत एकाधिकार के अधीन लागत वक्र आपूर्ति वक्र नहीं है और मूल्य (औसत राजस्व) सीमांत लागत से ऊँचा होता है। यह भी ध्यान देने योग्य बात है कि एक एकाधिकारी वस्तु को निर्धारित मूल्य पर बेचने के लिए बाध्य नहीं है। यदि वह मूल्य तय करता है, तब यह खरीदारों के निर्णय पर निर्भर करता है कि उस मूल्य पर वह कितने सामान की आपूर्ति करेगा। यदि खरीददारों द्वारा अधिक मांग होती है, उसे अधिक आपूर्ति करनी होगी। यदि खरीददारों द्वारा कम मांग होती है, उसे कम आपूर्ति करनी होगी। तदनुसार एकाधिकार के तहत, आपूर्ति वक्र की अवधारणा अर्थहीन हो जाती है।

5. स्वार्थचालित मूल्य निर्धारण तब होता है जब एक प्रतिभाशाली उद्यम किसी प्रतियोगी को बाजार से निष्कासित करने के लिए लम्बे समय तक कम मूल्य लेता है या किसी को बाजार में प्रवेश करने से रोकता है और तब अपने घाटे को पूरा करने के लिए मूल्य में वृद्धि कर देता है। उद्यम की गतिविधियों का विविधीकरण बाजार और उत्पाद के संबंध में और अधिक से अधिक वित्तीय संसाधन, स्वार्थचालित प्रवृत्तियों को बढ़ाने में सहायक होते हैं।

8. इसको पूर्ण कीमत विभेदीकरण (Perfect Price discrimination) भी कहा जाता है। इस प्रकार का कीमत विभेदीकरण तब होता है जब कोई एकाधिकारी किसी वस्तु की प्रत्येक इकाई को भिन्न-भिन्न कीमतों पर बेचता है। पूर्ण कीमत विभेदीकरण के अन्तर्गत वस्तु की प्रत्येक इकाई के लिए उतनी कीमत वसूल की जाती है जिससे उपभोक्ता को कुछ भी उपभोक्ता की बचत (consumer surplus) प्राप्त न हो।

प्रथम कोटि के अथवा पूर्ण कीमत विभेदीकरण के विषय में ध्यान देने योग्य महत्त्वपूर्ण बात यह है कि इसके अन्तर्गत वस्तु की कीमत और सीमान्त आय (MR) परस्पर बराबर होते हैं। फलस्वरूप पूर्ण विभेदीकरण (Perfect Price discrimination) में एकाधिकारी के वस्तु का मांग वक्र (demand curve) उसका सीमान्त आय (marginal revenue) वक्र भी होता है।

9. प्रतिरोधात्मक बेरोजगारी उन लोगों के संदर्भ में है जो अन्य संभावनाओं की तलाश में अपनी नौकरियों को छोड़ देते हैं। कभी-कभी बेरोजगारी से मुक्ति के रूप में भी इंगित करता है।

10. परम वृद्धि परिकल्पना – 1935
स्थायी वृद्धि परिकल्पना – 1975
जीवन चक्र परिकल्पना – 1963
परस्पर संबंधित वृद्धि परिकल्पना – 1949

13. भारत में, मुद्रा आपूर्ति की चार बैकल्पिक माप हैं–M_1, M_2, M_3 और M_4

$M_1 = CC + OD + DD$

$M_2 = M_1$ + डाकघर की बचत राशियां

$M_3 = M_1$ + बैंक में आवर्त जमा

$M_4 = M_3$ + कुल डाकघर जमा

मुद्रा आपूर्ति की ये चार अवधारणाएं तरलता के स्तरों को प्रमाणित करने वाली हैं।

M_1 सबसे अधिक तरल है। तरलता के परिप्रेक्ष्य में M_2, M_3, M_4 नीचे के क्रम से इसका अनुसरण करते हैं।

14. जेम्स टोबिन (1958) और मिल्टन फ्राइडमैन (1956) ने मौद्रिक मांग एक पोर्टफोलियो थ्योरी एपरोच का प्रतिपादन किया। उनके अनुसार, पैसा संपत्तियों में से एक है।

16. ह्रासकारी शून्य होता है जब :

(*a*) तरलता जाल (एल.एम. वक्र क्षैतिज है), या

(*b*) निवेश पूर्णतया अलचीला ब्याज है (आई.एस. वक्र लम्बवत् है)

ह्रासकारी भरा है (= सरकारी खर्चे में बढ़ोत्तरी) जबः

(*c*) पैसे की मांग पूर्णतया अलचीला ब्याज है (आई.एस. वक्र लम्बवत् है)

(*d*) निवेश पूर्णतया लचीला ब्याज है (आई.एस. वक्र क्षैतिज है) इसके अधीन ह्रासकारी सिर्फ आंशिक है।

(*e*) मध्यवर्ती अलचीली स्थितियां (जब आई.एस. वक्र गिर रहा है और एल.एम. वक्र ऊपर चढ़ रहा है)।

21. कार्ल मार्क्स (1818-1883) ने आर्थिक विकास का व्यापक सिद्धांत विकसित किया जो 'इतिहास की भौतिकवादी व्याख्या' पर आधारित था। कार्ल मार्क्स ने विकास के विभिन्न चरणों का विश्लेषण करते हुए यह दिखाने का प्रयास किया कि विभिन्न समूहों के बीच निरंतर संघर्ष के परिणामस्वरूप सभी ऐतिहासिक घटनाएं निर्मित होती हैं। इसका खुद का संघर्ष उत्पादन के साधन और उत्पादन के संबंधों के बीच द्वंद्व के कारण होता है। उत्पादन के साधन समाज में उत्पादन की व्यवस्थाओं के प्रकारों को प्रदर्शित करती है जो निर्धारित करती है कि इसके सामाजिक, राजनीतिक और धार्मिक परिप्रेक्ष्य में जीने का ढंग कैसे बदला जाए। उत्पादन के साधन के प्रयोग के लिए, जो निरंतर बदलाव लाता है, लोग आपसी संबंधों का सृजन करते हैं। दूसरी ओर, उत्पादन संबंध सामाजिक वर्ग संरचना को निरूपित करते हैं।

24. 1970 के दशक के दौरान रामकृष्ण ने इस कहावत ''हिन्दू विकास दर' को लोकप्रिय बनाया। यह वही काल था जिसको बढ़ते नियन्त्रण तथा धीमी विकास दर द्वारा चिह्नित किया गया।

25. एन.एस.ओ. द्वारा बेरोजगारी के संबंध में चार परिभाषाएं दी गई हैं–1. सामान्य प्रिंसिपल गतिविधि की स्थिति, 2. सामान्य प्रिंसिपल और सहायक स्थिति (ps + ss), 3. वर्तमान साप्ताहिक स्थिति, 4. चालू दैनिक स्थिति। चारों परिभाषाओं के मध्य भारतीय स्थिति के परिप्रेक्ष्य में सामान्य प्रिंसिपल और सहायक स्थिति की परिभाषाएं रोजगार की अनौपचारिक प्रकृति के कारण सबसे ज्यादा उपयुक्त हैं। इस परिभाषा में सभी कार्मिकों को शामिल किया गया। जैसे–वे कार्मिक जो अपेक्षाकृत लम्बे समय तक सर्वेक्षण की तिथि से ठीक 365 दिन पूर्व और वे जो एक वर्ष की संदर्भ अवधि के दौरान कम से कम 30 दिनों तक कार्य करते हैं। क्षेत्रीय एवं राष्ट्रीय रोजगार की स्थिति के समग्र स्थिति को पाने के लिए यह परिभाषा अनुकूल है।

29. शून्य आधारित बजट का अर्थ होता है कि एक संगठन वर्तमान वित्तीय वर्ष का बजट बनाते समय पहले के वर्षों के खर्च को समाहित न करे बल्कि उसे नए सिरे से आरंभ करना चाहिए। पारस्परिक बजट 'वृद्धिशील बजट' पर आधारित होता है। उदाहरणस्वरूप स्थिर रूप में यह वर्तमान व्यय स्तर लेता है और वांछित वृद्धि का स्थिर बिन्दु से मूल्यांकन करता है। और यह कुल बजट के सिर्फ एक अंश की परख करता है। लेकिन शून्य आधारित बजट में मौजूदा कार्यक्रमों और गतिविधियों की जाँच उसके तरीके से की जाती है जैसे कि नए प्रस्ताव की जाती है। पुराने कार्यक्रम जिन्होंने अपनी उपयोगिता खो दी और प्रभावहीन हो गए, नए कार्यक्रम द्वारा प्रतिस्थापित किए जाते हैं।

38. सरकार पुरस्कार — 1948
नेयमियर पुरस्कार — 1936
देशमुख पुरस्कार — 1950
मेस्टन पुरस्कार — 1920

43. **विशिष्ट कर :** जब किसी वस्तु पर उसके वजन, आकार या माप के आधार पर कर लगाया जाता है, तो उसे विशिष्ट कर कहते हैं। उदाहरण के लिए जब चीनी पर उसके वजन के अनुसार उत्पाद कर लगाया जाता है या कपड़े पर उसकी लम्बाई के अनुसार कर लगाया जाता है या तस्वीर पर उसके आकार के अनुसार लेवी कर लगाया जाता है, इसे ही विशिष्ट कर कहा जाता है। विशिष्ट कर का मुख्य लाभ यह है कि यह लेवी के लिए आसान है और संग्रहित करने में सरल है क्योंकि इसका संग्रहण या तो वस्तु के वजन के अनुसार या इकाई वस्तु के आकार के अनुसार होता है। इस कर का मुख्य नुकसान यह है कि धनवान लोगों की तुलना में गरीबों के ऊपर यह एक बड़ा बोझ डालता है। कारण यह है कि गरीब लोगों की तुलना में धनवान लोगों के लिए सीमांत उपयोगिता कम है।

44. मसग्रेव के अनुसार कर-निर्धारण का सम्बन्ध निजी उपयोग के लिए उपलब्ध आय के वितरण में बदलाव से है। ये परिवर्तन बजट में परिवर्तन के कारण होता है जिसमें संसाधन हस्तांतरण शामिल है। मसग्रेव का विचार है कि वितरणात्मक परिवर्तन या तो कर नीति में परिवर्तन के कारण या फिर व्यय नीति या दोनों के कारण होता है। उन्होंने पाँच प्रकार के घटना संबंधी विभिन्न परिवर्तनों का उल्लेख किया है :

1. विशिष्ट कर घटना
2. विभेदक कर घटना
3. विशिष्ट व्यय घटना
4. विभेदक व्यय घटना
5. संतुलित बजट घटना

45. $$\text{मोड} = 3\ \text{माध्य} - 2\ \text{मीन}$$

प्रश्नानुसार,

$$48 = 3\ \text{माध्य} - 2 \times 45$$

$$\Rightarrow \quad 3\ \text{माध्य} = 90 + 45 = 138$$

$$\therefore \quad \text{माध्य} = \frac{138}{3} = 46.$$

47. भिन्नताओं के दो स्वतंत्र नमूने की तुलना के लिए F वितरण के उपयोग कर परिचय कराया गया है। F जाँच का सामान्य उपयोग भिन्नताओं (एनोवा) की समीक्षा करना है।

48. व्यवस्थित नमूने में, नमूने के तत्वों का चयन निश्चित अंतराल पर समय, क्रम, या स्थान के आधार पर जनसंख्या से किया जाता है। व्यवस्थित नमूने में, नमूने पाने के लिए सर्वप्रथम एक नमूने के अंश की गणना की जाती है। उदाहरण के लिए, एक शोधकर्ता आबादी के 900 आकार में से आकार 30 का नमूना लेना चाहता है और वह इस उद्देश्य के लिए व्यवस्थित नमूना का उपयोग करना निश्चित करता है।

प्रथम चरण में, उसे अंश K की गणना करनी होगी। जो $\frac{N}{n}$ के समान है, जहाँ N जनसंख्या में इकाईयों की कुल संख्या है और n नमूने का आकार है।

अतः इस स्थिति में, नमूने का अंश होगा $\frac{900}{30} = 30$

नमूना प्राप्त करने के लिए, पहले सदस्य को यादृच्छ ढंग से चुना जा सकता है और उसके बाद जनसंख्या का प्रत्येक 30वां सदस्य नमूने में शामिल किया जाता है। कल्पना कीजिए कि पहला तत्व 3 यादृच्छ ढंग से चुना जाता है और इसके बाद, प्रत्येक 30वां तत्व जैसे कि 33वां, 63वां..... ....30 के आकार के नमूने इसमें शामिल किए गए हैं। नमूना प्रक्रिया के आरंभिक बिन्दु को प्राप्त करने के लिए यादृच्छिक संख्या तालिका का भी उपयोग किया जा सकता है। हमारे उदाहरण में, $k = 30$, अतः एक शोधकर्ता 1 और 30 के बीच प्रथम तत्व को प्राप्त करने के लिए यादृच्छिक संख्या तालिका का उपयोग किया जा सकता है।

प्रश्न-पत्र–III

नोटः *इस प्रश्नपत्र में* ***पचहत्तर*** *(75) बहु-विकल्पीय प्रश्न हैं। प्रत्येक प्रश्न के* ***दो*** *(2) अंक हैं।* ***सभी*** *प्रश्न अनिवार्य हैं।*

1. गणनात्मक उपयोगिता सिद्धांत की मूलभूत मान्यताएँ क्या हैं?

I. उपयोगिता मापनीय तथा परिमाणनीय सत्व है।

II. मुद्रा की सीमान्त उपयोगिता वास्तविक आय में परिवर्तनों के साथ परिवर्तित होती है।

III. विभिन्न वस्तुओं से व्युत्पन्न उपयोगिताएँ अंतरनिर्भर होती हैं।

IV. सीमान्त उपयोगिता के व्यवहार को समझने में अंतःनिरीक्षणात्मक पद्धति का उपयोग।

कूटः

A. I और II सही हैं। B. I और III सही हैं।

C. I और IV सही हैं। D. I, III और IV सही हैं।

2. एंजिल वक्र क्या संकेत करता है?

A. वस्तु की विभिन्न मात्राएँ जो कि उपभोक्ता विभिन्न कीमत स्तरों पर खरीदने का इच्छुक होगा।

B. वस्तु की विभिन्न मात्राएँ जो कि उपभोक्ता आय के विभिन्न स्तरों पर खरीदने का इच्छुक होगा।

C. वस्तु की खरीदी गई विभिन्न मात्राएँ जब उसकी स्थानापन्न वस्तुओं की कीमत बढ़ने लगती है।

D. आय प्रभाव तथा प्रतिस्थापन प्रभाव के बीच सम्बन्ध।

3. उत्पादक अतिरिक्त क्षमता के साथ कार्य कर रहा होता है जब

A. वह न्यूनतम औसत कुल लागत द्वारा दिये उत्पादन से अधिक उत्पादन करता है।

B. वह अधिकतम औसत कुल लागत पर दिये गये उत्पादन से अधिक उत्पादन करता है।

C. वह न्यूनतम औसत कुल लागत पर दिये उत्पादन के बराबर उत्पादन करता हैं।

D. वह न्यूनतम औसत कुल लागत पर दिये गये उत्पादन से कम उत्पादन करता है।

4. अभिकथन (A) : हार्वे लीबिन्स्टीन ने दृढ़तापूर्वक कहा कि आर्थिक क्षमता के लिए अपेक्षित सीमान्त स्थितियाँ सामान्यतया व्यवहार में संतुष्ट नहीं होती हैं।

कारण (R): लोग अधिकतमीकरण अथवा न्यूनतमीकरण की दिशा में पूर्णतया अभिप्रेरित नहीं होते हैं।

कूटः

A. (A) और (R) दोनों सही हैं, और (R), (A) की सही व्याख्या है।

B. (A) सही है, परन्तु (R) सही नहीं है।

C. (A) और (R) दोनों सही हैं, परन्तु (R), (A) की गलत व्याख्या है।

D. (R) सही है, परन्तु (A) गलत है।

5. वो रेखाचित्र, जिसका उपयोग कुशलता की स्थितियों का वर्णन करता है और यह प्रदर्शित करता है कि किस प्रकार कुछ वस्तुओं तथा संसाधनों का आवंटन विनिमय के माध्यम से सुधारा जा सकता है, क्या कहलाता है?

A. उत्पादन संभाविता वक्र

B. सामाजिक उदासीनता वक्र

C. एजवर्थ बॉक्स रेखाचित्र

D. फिलिप्स वक्र

6. निम्नलिखित का मिलान करें:

	सूची-I	**सूची-II**
(*a*)	दोहरा कल्डोर-हिक्स परीक्षण	1. ए. बर्गसन
(*b*)	क्षतिपूर्ति सिद्धांत	2. के.जें. ऐरो
(*c*)	सामाजिक कल्याण कार्य	3. टी. सीटोव्स्की
(*d*)	असंभाविता प्रमेय	4. कल्डोर-हिक्स

कूटः

	(*a*)	(*b*)	(*c*)	(*d*)
A.	4	1	3	2
B.	3	4	1	2
C.	3	4	2	1
D.	4	3	2	1

7. अल्पाधिकार मॉडल जिसमें व्यवसायी कल्पना करता है कि उसके प्रतिस्पर्धियों का उत्पादन स्थिर है और फिर निर्णय करता है कि कितना उत्पादन करे, क्या है?

A. कूरनो का अल्पाधिकार मॉडल

B. स्टेकबर्ग का अल्पाधिकार मॉडल

C. चैम्बरलिन का अल्पाधिकार मॉडल

D. बर्ट्रेंड का अल्पाधिकार मॉडल

8. गेम थ्योरी के अनुसार, यदि विज्ञापन में वृद्धिं लागतों को आय से ज्यादा बढ़ा देती है और दोनों फर्मों के लाभ कम हो जाते हैं, तो यह कौन-सा खेल कहलाता है?

A. धनात्मक-योग खेल
B. गैर शून्य-योग खेल
C. शून्य-योग खेल
D. ऋणात्मक-योग खेल

9. ऐरो के असंभाव्यता प्रमेय का तात्पर्य है

A. किसी भी सामाजिक निर्णय नियम को बुद्धिसंगत विकल्प की अपेक्षाओं का उल्लंघन नहीं करना चाहिए।
B. किसी भी सामाजिक निर्णय नियम को बुद्धिसंगत विकल्प की कम-से-कम एक अपेक्षा का उल्लंघन करना चाहिए।
C. किसी भी सामाजिक निर्णय नियम को बुद्धिसंगत विकल्प की सभी अपेक्षाओं का उल्लंघन करना चाहिए।
D. सामाजिक निर्णय नियमों का उल्लंघन करना असम्भव है।

10. बैण्डवैगन इफेक्ट/'अनुरूपता प्रभाव' किसमें पाया जाता है?

A. सापेक्षिक आय परिकल्पना
B. स्थायी आय परिकल्पना
C. जीवन-चक्र परिकल्पना
D. निरपेक्ष आय परिकल्पना

11. मान लें कि जीवन-चक्र परिकल्पना में उपभोगः फलन निम्नलिखित $C = \left(\frac{w}{w+e}\right)\overline{y}$ है।

जहाँ $e =$ सेवानिवृत्ति उत्तरोत्तर वर्षों की संख्या

$\overline{y} =$ कार्यकाल के दौरान औसत वार्षिक आय

तो उपभोग की सीमान्त प्रवृत्ति (MPC) किस समीकरण द्वारा बताई जा सकती है?

A. $\frac{1}{w+e}(\Sigma y)$

B. $\left(\frac{w}{w+e}\right)\left(\frac{\partial\overline{y}}{\partial y}\right)$

C. $\left(\frac{w}{w+e}\right)\left(\frac{\overline{y}}{y}\right)$

D. उपर्युक्त में से कोई नहीं

12. सूची-I में दिए गए कथनों को सूची-II में दिये गए कथनों के साथ सुमेलित करके पूर्ण करें:

सूची-I	सूची-II
(*a*) में निवेश खर्च के साथ आय का तुरन्त समायोजन होता है	1. MPC कम है
(*b*) में उपभोग एक अवधि आय के पीछे रहता है	2. निवेश खर्च में वृद्धि हमेशा के लिये हो जाती है
(*c*) निवेश गुणांक का मूल्य शून्य होता है जब	3. स्थैतिक गुणांक
(*d*) गुणांक का बड़ा भाग कम अवधि में चरितार्थ होता है जब	4. गत्यात्मक गुणांक

कूटः

	(*a*)	(*b*)	(*c*)	(*d*)
A.	3	4	1	2
B.	3	4	2	1
C.	4	3	1	2
D.	2	3	1	4

13. **अभिकथन (A):** मुद्रा की वैयक्तिक काल्पनिक माँग असतत् होती है।

कारण (R): क्योंकि मुद्रा फलन की समग्र सट्टा माँग अत्यन्त निम्न ब्याज दरों पर तरलता फन्दे के साथ निर्बाध अधोमुखी ढलवाँ होती है।

कूटः

A. (A) और (R) दोनों सही हैं, और (R), (A) की सही व्याख्या है।
B. (A) और (R) दोनों सही हैं, परन्तु (R), (A) की सही व्याख्या नहीं है।
C. (A) सही है, परन्तु (R) गलत है।
D. (A) गलत है, परन्तु (R) सही है।

14. लेनदेन लागत को निम्नलिखित भी कहते हैं:

A. शू लैदर लागत
B. मेनू लागत
C. नकद रखने की अवसर लागत
D. उपर्युक्त सभी

15. यदि उपभोग फलन $C = 0.8Y$ है और निवेश फलन $I = 102 - 0.2i$ है, तो IS वक्र क्या होगा?

A. $Y = 500 - 10i$ B. $Y = 450 - i$

C. $Y = 510 - i$ D. $Y = 505 - 2i$

16. सूची-I में दी गई धारणाओं को सूची-II में दी मदों के साथ सुमेलित करें:

सूची-I	सूची-II
(*a*) कीमत प्रत्याशाएँ स्थैतिक होती हैं।	1. ओकुन का नियम
(*b*) कीमत प्रत्याशाएँ अनुकूली होती हैं।	2. फिलिप्स वक्र
(*c*) लोग योजनाबद्ध तरीके से त्रुटियाँ नहीं करते हैं।	3. बेरोजगारी परिकल्पना की प्राकृतिक दर
(*d*) चालू उत्पादन का प्राकृतिक दर से व्यतिक्रम बेरोजगारी के प्राकृतिक दर से उसके विचलन के साथ प्रतिलोमतः सम्बन्धित है।	4. युक्तिसंगत प्रत्याशा परिकल्पना

कूटः

	(*a*)	(*b*)	(*c*)	(*d*)
A.	2	3	4	1
B.	4	3	2	1
C.	1	3	4	2
D.	4	2	1	3

17. यदि प्रति समय इकाई *t* समग्र माँग में वृद्धि (Y) समीकरणः $\left[\frac{\partial Y}{\partial t}\right]_d = \frac{1}{1-MPC}\left[\frac{\partial I}{\partial t}\right]$ द्वारा प्रस्तुत है और उत्पादन की आपूर्ति में वृद्धि समीकरण $\left[\frac{\partial Y}{\partial t}\right]_s = \sigma\frac{\partial k}{\partial t}$ द्वारा प्रस्तुत की गई है। जहाँ MPC = उपभोग की सीमान्त प्रवृत्ति है, $\frac{\partial I}{\partial t}$ और $\frac{\partial k}{\partial t}$ प्रति समय इकाई निवेश और पूँजी स्टॉक में क्रमशः परिवर्तन है, तो वस्तु बाजार संतुलन होने पर, निवेश का क्षमता सृजनकारी प्रभाव या डोमर प्रभाव किसके बराबर होगा?

A. $\sigma(1-MPC)$ B. $\sigma\left(\frac{1}{1-MPC}\right)$

C. $\frac{1}{\sigma}(1-MPC)$ D. $\frac{1}{\sigma}\cdot\frac{1}{1-MPC}$

18. जब समग्र आपूर्ति अनुसूची धनात्मक रूप से ढलवाँ है, यदि अन्य सब बातें पूर्ववत रहती हैं, तो नाममात्र मुद्रा आपूर्ति में सतत् वृद्धि का परिणाम क्या होता है?

A. कीमत स्तर में कोई परिवर्तन नहीं और वास्तविक उत्पादन में आनुपातिक वृद्धि

B. वास्तविक उत्पादन में कोई परिवर्तन नहीं और कीमत स्तर में आनुपातिक वृद्धि

C. कीमत स्तर और वास्तविक उत्पादन में वृद्धि

D. कीमत स्तर में वृद्धि और वास्तविक उत्पादन में कमी

19. श्रीमती जॉन रोबिन्सन के अनुसार "स्वर्णिम युग" होता है (जहाँ $\frac{\Delta N}{N}$ जनसंख्या की वृद्धि दर है और $\frac{\Delta K}{K}$ पूँजी की वृद्धि दर है)

A. $\frac{\Delta N}{N} = \frac{\Delta K}{K}$ B. $\frac{\Delta N}{N} > \frac{\Delta K}{K}$

C. $\frac{\Delta N}{N} < \frac{\Delta K}{K}$ D. उपर्युक्त में से कोई नहीं

20. यदि $\frac{MP_K}{MP_L}$ स्थिर $\frac{K}{L}$ अनुपात पर अपरिवर्तित रहता है, तो तकनीकी परिवर्तन तटस्थ रहता है

A. हैरोड B. हिक्स

C. सोलो D. कल्डोर

21. अमूर्त (डिसएमबॉडीड) तकनीकी परिवर्तन की अवधारणा किससे सम्बन्धित है?

I. इब्रामोविट्ज़ II. कल्डोर

III. कैंड्रिक IV. सोलो

कूट :

A. I और II B. III और IV

C. I, III और IV D. II, III और IV

22. जॉन रोबिन्सन के संवृद्धि मॉडल का सम्बन्ध किससे है?

I. इच्छित संवृद्धि दर II. संभावित संवृद्धि दर

III. प्राकृतिक संवृद्धि दर IV. अभीष्ट संवृद्धि दर

कूट :

A. I और III B. II और IV

C. I और II D. III और IV

23. **अभिकथन (A) :** मार्क्स के अनुसार अतिरेक श्रम ही पूँजी संचय करता है।

कारण (R) : वास्तविक श्रम और निर्वाह के लिये किए श्रम, जिसके लिये मजदूर को कुछ नहीं मिलता है, के बीच अन्तर ही अतिरेक श्रम है।

कूट :

A. (A) सही है, परन्तु (R), (A) का सही कारण नहीं है।

B. (A) सही है और (R) गलत है।

C. (A) और (R) दोनों सही हैं।

D. (A) और (R) दोनों गलत हैं।

24. "संरचनात्मक विकास प्रक्रियाओं" को अनुवर्ती क्रम में व्यवस्थित करें:

I. संसाधन आवंटन प्रक्रिया

II. संचय प्रक्रिया

III. वितरणात्मक प्रक्रिया

IV. जनांकिकीय प्रक्रिया

कूट :

A. I, IV, II, III B. II, I, IV, III

C. III, II, I, IV D. IV, III, I, II

25. सूची-I के मदों को सूची-II के मदों के साथ सुमेलित करें:

सूची-I	**सूची-II**
(*a*) अति आबादी वाली अर्थव्यवस्थाओं में MP_L शून्य होता है।	1. गुन्नार मिर्डाल
(*b*) दो अंतराल का मॉडल	2. जे.ई. मीड
(*c*) क्रान्तिक संवृद्धि दर	3. ऑर्थर लुईस
(*d*) प्रतिवाही प्रभाव	4. होलिस चेनरी एवं अन्य

कूट :

	(*a*)	(*b*)	(*c*)	(*d*)
A.	1	3	4	2
B.	3	4	2	1
C.	2	1	3	4
D.	4	2	1	3

26. सूची-I में प्रदत्त मदों को सूची-II के मदों के साथ सुमेलित करें:

सूची-I	**सूची-II**
(*a*) कार्य करते हुए सीखना	1. कल्डोर
(*b*) अभिनत या एकतरफी तकनीकी प्रगति	2. कार्ल सैक्स
(*c*) आय वितरण की संवेदनशीलता का गुणांक	3. कैनेथ जे. ऐरो
(*d*) जनांकिकीय संक्रमण का सिद्धांतः जनसंख्या वृद्धि की चार अवस्थाएँ	4. जॉन रोबिन्सन

कूट :

	(*a*)	(*b*)	(*c*)	(*d*)
A.	3	4	1	2
B.	1	3	2	4
C.	2	1	4	3
D.	4	2	3	1

27. **अभिकथन (A) :** सोलो मॉडल, हैरोड-डोमर मॉडल की तुलना में काफी उन्नत है।

कारण (R) : सोलो ने उत्पादन में स्थिर अनुपात की मान्यता के बगैर दीर्घकालिक संवृद्धि मॉडल की रचना की।

कूट :

A. (A) सही है, परन्तु (R), (A) का सही कारण नहीं है।

B. (A) सही नहीं है, परन्तु (R) सही है।

C. (A) और (R) दोनों सही हैं।

D. (A) और (R) दोनों सही नहीं हैं।

28. पीकॉक-वाइज़मैन परिकल्पना में व्याख्यायित संकेन्द्रण प्रभाव का तात्पर्य है

A. लोक व्यय निर्बाध तथा सतत ढंग से नहीं बढ़ता है।

B. लोक व्यय अधिक राजस्व की आवश्यकता को बढ़ाता है।

C. उप-राष्ट्रीय सरकारों की तुलना में केन्द्रीय सरकार की आर्थिक गतिविधि ज्यादा तेजी से बढ़ती है।

D. लोक व्यय का निरपेक्ष स्तर बढ़ता है।

29. एकाधिकार में अर्जित लाभों पर लगाया कर

A. आगे खिसकाया जा सकता है।

B. पीछे की ओर खिसकाया जा सकता है।

C. आगे तथा पीछे दोनों तरफ खिसकाया जा सकता है।

D. खिसकाया नहीं जा सकता है।

30. संघीय सरकार के राजस्व खाते में योजना व्यय में समाविष्ट है :

I. आर्थिक सेवाएँ

II. सामाजिक तथा सामुदायिक सेवाएँ

III. राज्यों तथा केन्द्रशासित प्रदेशों को सहायता-अनुदान
IV. लोक उद्यमों के वित्तपोषण हेतु ऋण और अग्रिम राशि

कूट :

A. I और II सही हैं।
B. I, II और III सही हैं।
C. I, II और IV सही हैं।
D. I, II, III और IV सही हैं।

31. भारत की सरकार के ऋण दायित्व (सरकारी देयताएँ)

I. राज्य भविष्य निधि
II. लघु बचतें
III. प्रारक्षित निधियाँ तथा जमा राशियाँ
IV. भारत की समेकित निधि

कूट :

A. II और III सही हैं।
B. I, II और III सही हैं।
C. II, III और IV सही हैं।
D. I, III और IV सही हैं।

32. भारत में कर सुधारों से सम्बन्धित निम्नलिखित समितियों का कालानुक्रम बताइये:

I. कृषि आय तथा सम्पदा कर पर समिति
II. भारत में कर सुधार के लिये कल्डोर का प्रस्ताव
III. प्रत्यक्ष तथा अप्रत्यक्ष करों पर कार्य बल
IV. प्रत्यक्ष कर प्रशासन जाँच समिति

कूट :

A. II, I, IV, III　　B. II, IV, I, III
C. II, III, I, IV　　D. I, III, IV, II

33. निम्न में से भारत में वित्त आयोग की भूमिका क्या हैं?

I. कर से प्राप्तियों का केन्द्र और राज्यों के बीच वितरण पर अनुशंसाएँ करना।
II. कर लगाने, समाप्त करने अथवा पुनःसंरचना पर अनुशंसाएँ करना।
III. संविधान के अनुच्छेद 275 के अंतर्गत सहायता-अनुदान की अनुशंसा करना।
IV. संविधान के अनुच्छेद 282 के अंतर्गत योजना एवं अन्य अनुदान की अनुशंसा करना।

कूट :

A. I और II सही हैं।　　B. I और III सही हैं।
C. I, III और IV सही हैं।　　D. सभी सही हैं।

34. प्रबन्धित अनिविष्ट विनिमय दर प्रणाली के अंतर्गत, राष्ट्र के मौद्रिक प्राधिकारी किस उद्देश्य से विदेशी विनिमय बाजारों में हस्तक्षेप करते हैं?

A. विनिमय दरों में अल्पकालिक तथा दीर्घकालिक उतार-चढ़ावों को समाप्त करने के लिए
B. राष्ट्रों के समूह में विनिमय दरों को स्थिर रखने के लिए
C. विनिमय दरों में अल्पकालिक उतार-चढ़ावों को समाप्त करने के लिए
D. विनिमय दरों को लचीला रखने के लिए

35. यूरो करेन्सी बाजार ज्यादा बड़े वैश्विक बाज़ार जिसे यूरो डॉलर बाजार कहा जाता है, का हिस्सा है।

A. उपर्युक्त कथन सही है।
B. उपर्युक्त कथन सही नहीं है।
C. उपर्युक्त कथन आंशिक रूप से सही है।
D. उपर्युक्त कथन आंशिक रूप से गलत है।

36. सूची-I का सूची-II के साथ मिलान करें:

सूची-I	सूची-II
(*a*) डब्ल्यू.टी.ओ.	1. भुगतान संतुलन में असंतुलन को ठीक करने के लिये वित्त प्रदान करना।
(*b*) आई.एम.एफ.	2. सामान्यतया व्यापार में मात्रात्मक प्रतिबंधों के उपयोग को निषिद्ध करता है।
(*c*) सार्क	3. नम्य ऋणों की स्वीकृति
(*d*) आई.डी.ए.	4. दक्षिण एशियाई देशों के बीच व्यापार को बढ़ावा देता है।

कूट :

	(*a*)	(*b*)	(*c*)	(*d*)
A.	1	2	3	4
B.	2	3	4	1
C.	2	1	4	3
D.	3	2	4	1

37. आयात शुल्कों से स्वतन्त्र व्यापार की दिशा में अकस्मात् परिवर्तन निम्नलिखित में अल्पकालीन बेरोजगारी उत्पन्न कर सकता है:

A. आयात प्रतिस्पर्धाकारी उद्योग।
B. वे उद्योग जो सिर्फ निर्यातकर्त्ता हैं।

C. वे उद्योग जो देशी बाजार में बेचते हैं और निर्यात भी करते हैं।

D. वे उद्योग जो न तो आयात करते हैं और न निर्यात करते हैं।

38. ब्रेट्नवुड्स प्रणाली के अचानक विफल हो जाने का तात्कालिक कारण था

A. यह प्रत्याशा कि यू.एस.ए. जल्दी ही डॉलर का अवमूल्यन करने को बाध्य हो जाएगा

B. तरल या चल पूँजी का भारी मात्रा में यू.एस.ए. से बहिर्गमन

C. तीन छोटे यूरोपियन केन्द्रीय बैंकों का अपने धारित डॉलर के कुछ हिस्से को फेडरल रिज़र्व बैंक में स्वर्ण में परिवर्तित करने का प्रयास

D. उपर्युक्त सभी

39. अंतर्राष्ट्रीय व्यापार का साध्य (या व्यवहार्य) प्रभाव यह है कि

A. देशी बाजार का एकाधिकार विश्व बाजार में अल्पाधिकार बन जाता है।

B. देशी बाजार का अल्पाधिकार विश्व बाजार में एकाधिकार बन जाता है।

C. देशी बाजार में शुद्ध प्रतिस्पर्धात्मक फर्म विश्व बाजार में अल्पाधिकारी बन जाती है।

D. देशी बाजार में शुद्ध प्रतियोगी फर्म एकाधिकारी बन जाती है।

40. यूरोपियन संघ ने निम्नलिखित को छोड़कर सबकुछ प्राप्त कर लिया है:

A. सदस्य राष्ट्रों के लिये सर्वसामान्य राजकोषीय नीति को अपनाया है।

B. कृषि कीमत सहायता की सर्वसामान्य प्रणाली स्थापित की।

C. अपने सदस्य राष्ट्रों के बीच प्रशुल्कों को समाप्त किया।

D. गैर-सदस्यों से आयातित उत्पादों पर सर्वसामान्य प्रशुल्क लगाए।

41. विदेशी व्यापार अंचल (एफ.टी.जैड.) क्या है?

A. प्रादेशिक क्षेत्र जिसमें विदेशी राष्ट्रों के साथ व्यापार की अनुमति है।

B. कई राष्ट्रों के बीच स्वतन्त्र व्यापार समझौता

C. मध्यवर्ती आगतों (इनपुट्स) पर आयात शुल्कों को आस्थगित और यदि अन्तिम उत्पाद देशी बाजार में बेचने के बजाय पुनः निर्यात किया जाता है, तो ऐसे आयात शुल्क टाल कर, निर्यातों को बढ़ावा देने हेतु बनाया गया।

D. अंचल के अन्दर बनाई वस्तुओं पर आयात कर लगाकर विनिर्मित वस्तुओं के निर्यात को सीमित करने के लिये बनाया गया।

42. निम्नलिखित के बीच सही सम्बन्ध दर्शाने वाला सूत्र बताइये:

I. उच्च शक्ति मुद्रा की आपूर्ति (H)

II. करेन्सी (C)

III. मुद्रा आपूर्ति (M)

IV. अपेक्षित आरक्षितियाँ (RR)

V. अतिरिक्त आरक्षितियाँ (ER)

VI. माँग निक्षेप (D)

कूट :

A. $\frac{M}{H} = \frac{D+C}{C+RR+ER}$

B. $\frac{H}{M} = \frac{D+C}{C+RR+ER}$

C. $\frac{M}{D+C} = \frac{C+RR+ER}{H}$

D. $\frac{H}{M} = \frac{C+RR+ER}{D}$

43. 'मध्यवर्ती आश्रय के ऋणदाता' के रूप में निम्नलिखित में से कौन कार्रवाई करेगा?

A. आर.बी.आई.
B. नाबार्ड
C. एस.बी.आई.
D. उपर्युक्त में से कोई नहीं

44. गुरले एवं शॉ के अनुसार, करेन्सी के विभिन्न स्थानापन्नों और वाणिज्यिक बैंक माँग निक्षेपों को निम्नलिखित में से किसके अनुसार भिन्न भार निर्दिष्ट करने चाहिए?

A. प्रतिस्थापन की उनकी कोटि

B. उनकी प्रतिस्थापिता की कोटि

C. मुद्रा बाजार में उनका हिस्सा

D. मुद्रा आपूर्ति में उनका हिस्सा

45. **अभिकथन (A) :** प्राथमिक वित्तीय बाजार नूतन वित्तीय दावों में लेनदेन करते हैं।

कारण (R) : यह बचतों को गतिशील करते हैं और व्यावसायिक इकाइयों को नई पूँजी की आपूर्ति करते हैं।

कूट :

A. (A) तथा (R) दोनों सही हैं और (R), (A) की सही व्याख्या है।

B. (A) तथा (R) दोनों सही हैं और (R), (A) की सही व्याख्या नहीं है।

C. (A) सत्य है, परन्तु (R) मिथ्या है।

D. (A) मिथ्या है, परन्तु (R) सत्य है।

46. उपान्तिक आवश्यकता (मार्जिन रिक्वायरमेंट) का मौद्रिक नीति के किस लिखत के अंतर्गत ब्यौरा दिया गया है?

A. परिवर्तनीय रिजर्व आवश्यकता

B. सांविधिक चलनिधि आवश्यकता

C. चयनात्मक ऋण नियन्त्रण

D. खुला बाजार कार्रवाईयाँ

47. सूक्ष्म, लघु और मध्यम उद्यम विकास अधिनियम, 2006 के अनुसार, कितनी निवेश राशि वाले उद्यमों को मध्यम उद्यमों के रूप में परिभाषित किया जाता है?

A. < 25 लाख | B. 25 लाख से 5 करोड़

C. 5 करोड़ से 10 करोड़ | D. > 10 करोड़

48. औद्योगिक अवस्थिति का सिद्धांत किसके नाम के साथ सम्बन्धित है?

I. लॉश | II. वेबर

III. क्रिस्टॉलर | IV. लर्नर

कूट :

A. I और II | B. केवल I

C. I, II और III | D. I, II, III और IV

49. औद्योगिक लाइसेन्सिंग नीति से सम्बन्धित समितियाँ हैं

I. अर्जुन सेनगुप्ता समिति | II. डी.जी. कर्वे समिति

III. सुबिमल दत्त समिति | IV. आर.के. हज़ारी समिति

कूट :

A. I और II | B. II और III

C. III और IV | D. I, II और III

50. किस औद्योगिक नीति प्रस्ताव ने सार्वजनिक क्षेत्र को भारतीय अर्थव्यवस्था में सामरिक महत्त्व की भूमिका दी है?

A. 1948 के | B. 1956 के

C. 1977 के | D. 1980 के

51. दसवीं योजना अवधि के दौरान औसत औद्योगिक संवृद्धि दर थी

A. 5.3% | B. 8.8%

C. 10.2% | D. 15.3%

52. पर्यावरणीय अर्थशास्त्र की प्रकृति के बारे में सही विकल्पों का सुझाव दें:

I. लोक वित्त के अंतर्गत लोक वस्तुओं के जैसी ही बाजार असफलता की प्रकृति होती है।

II. भुगतान की इच्छाशक्ति नकारात्मक हो सकती है।

III. यह उन मदों से सम्बन्ध रखता है, जिनका उपयोग नहीं किया जाता है।

IV. यह उन मदों से सम्बन्ध रखता है, जिनका उपयोग किया जाता है।

कूट :

A. I, II, III और IV | B. I, II और III

C. II, III और IV | D. II और IV

53. प्रदूषण या अच्छे वातावरण जैसे कि पार्क और दृश्यात्मक सौन्दर्य के कारण घर (मकान) की कीमत में परिवर्तन का आकलन करने हेतु निम्नलिखित में से किस पद्धति का उपयोग किया जायेगा?

A. सुखवाद पद्धति

B. आपात्तिक मूल्यांकन पद्धति

C. बाह्यीकरण प्रभाव

D. उपर्युक्त सभी

54. जीवन सारिणी में निम्नलिखित में से कौन-सा उपयुक्त नहीं बैठेगा?

A. जीवन सारिणी में आठ स्तम्भ होते हैं।

B. यह आयु-विशिष्ट मृत्यु दर बताती है।

C. आयु-विशिष्ट जन्म दर जीवन सारिणी से निकाली जा सकती है।

D. आयु-विशिष्ट जीवन प्रत्याशा का आकलन किया जा सकता है।

55. जनसंख्या का इष्टतम सिद्धांत निम्नलिखित में से किसके बीच सम्बन्ध बतलाता है?

A. जनसंख्या और खाद्य आपूर्ति

B. जनसंख्या और सम्पूर्ण संसाधन

C. आश्रित जनसंख्या और कार्यशील जनसंख्या

D. वर्तमान जनसंख्या और जनसंख्या की वृद्धि दर

56. 'जनसंख्या तटस्थतावाद' का क्या अभिप्राय है?

A. आर्थिक संवृद्धि पर जनसंख्या वृद्धि का प्रभाव नगण्य होता है।

B. जनसंख्या की वृद्धि की दर स्थिर जनसंख्या के आगे-पीछे रहती है।

C. खाद्य आपूर्ति पर जनसंख्या में वृद्धि का असर निष्प्रभावी रहता है।

D. जनसंख्या वृद्धि के कारण, आयु संरचना में परिवर्तन लगभग तटस्थ रहता है।

57. भारतीय अर्थव्यवस्था के संदर्भ में, प्रो. पी.आर. ब्रह्मानंद द्वारा व्याख्यायित मजदूरी-वस्तु मॉडल का सार क्या है?

A. यह कृषि में निम्न मजदूरी दर के बारे में बताता है।

B. यह अर्थव्यवस्था में श्रम के लिये निम्न मजदूरी दर के बारे में कहता है।

C. यह कृषि से उद्योग में श्रम के जाने की बात कहता है।

D. यह मजदूरी की दर और अर्थव्यवस्था की संवृद्धि दर पर खाद्य पदार्थों की कमी के प्रभाव के बारे में बताता है।

58. सूची-I में दिये उच्चतम फसल पैदावार वाले राज्यों को सूची-II के साथ सुमेलित करें:

सूची-I (राज्य)	**सूची-II (उच्चतम फसल पैदावार)**
(*a*) पश्चिम बंगाल	1. कुल मोटा अनाज
(*b*) उत्तर प्रदेश	2. धान
(*c*) महाराष्ट्र	3. आलू
(*d*) गुजरात	4. मूँगफली

कूट :

	(*a*)	(*b*)	(*c*)	(*d*)
A.	2	3	1	4
B.	3	2	1	4
C.	4	2	3	1
D.	1	3	4	2

59. न्यूनतम समर्थन कीमत के बारे में, सही संयोजन ज्ञात करें:

I. यदि बाजार मूल्य ज्यादा है, तो किसान सरकार को बेचेंगे।

II. यह किसानों की पैदावार के लिये न्यूनतम निश्चित कीमत सुनिश्चित करती है।

III. यह खाद्य सुरक्षा लक्ष्य में सहायता करती है।

IV. यह किसानों के लिये अत्यन्त लाभदायक है क्योंकि वे अपनी पैदावार पर बड़ा लाभ कमाते हैं।

कूट :

A. I, II और IV B. II, III और IV
C. II और III D. II और IV

60. भारत में हरित क्रांति कार्यक्रम प्रारम्भ करने के बाद धान तथा गेहूँ के उत्पादन में वृद्धि के लिये निम्नलिखित में से क्या महत्त्वपूर्ण रहा है?

I. फसल संरचना में परिवर्तन

II. उन्नत उत्पादकता

III. फसल का बीमा

IV. फसलों के अंतर्गत क्षेत्रफल में वृद्धि

कूट :

A. II, III और IV B. I, II और IV
C. I, II और III D. I, III और IV

61. 'हरित खेती' अंतर्ग्रस्त करती है

A. जैविक खेती और बागवानी पर जोर

B. बागवानी तथा पुष्पकृषि पर ध्यान केन्द्रित करते समय कीटनाशकों और रासायनिक उर्वरकों से बचना

C. एकीकृत कीट प्रबन्धन, एकीकृत पोषक पदार्थ आपूर्ति और एकीकृत प्राकृतिक संसाधन प्रबन्धन

D. खाद्य फसलों, बागवानी और पुष्पकृषि पर जोर

62. मान लो औसत लागत फलनः $AC = \frac{1}{3}x^2 - 10x + 9$ है। उत्पादन के किस स्तर पर औसत लागत सीमान्त लागत के बराबर होगी?

A. 18 B. 12
C. 15 D. 21

63. यदि माँग और आपूर्ति फलन क्रमशः $P_\alpha = 30 - 5x$ एवं $P_s = 3x - 10$ हैं, जहाँ x = मात्रा है। तो उपभोक्ता की बचत है:

A. 125 B. –62.5
C. 62.5 D. –125

64. यदि रेखीय प्रोग्रामन समस्या निम्नलिखित है:

Max : $Z = 3x_1 + 5x_2 + 10x_3$

बशर्ते : $x_1 + x_2 + x_3 \le 100$

$9x_1 + x_2 + 8x_3 \le 95$

$$x_1 + 8x_2 + 3x_3 \leq 60$$
$$2x_1 + 7x_2 + x_3 \leq 150$$

और $x_1 \geq 0$, $x_2 < 0$ और $x_3 > 0$ तो हल होगा

A. साध्य हल B. इष्टतम हल

C. बहु हल D. कोई हल नहीं

65. स्कूटर के टायर विनिर्मित करने वाली फर्म का अनुमानित समाश्रयण समीकरणः

$\ln y = -3.56 + 0.31 \ln X_1 - 0.05 \ln X_2 + 0.53 \ln X_3 + 0.37 \ln X_4$ है और $\bar{R}^2 = 0.89$ है (जहाँ Y = उत्पादन और X_1 से X_4 कारक आगतें हैं)

यह मानते हुए कि समस्त अनुमानित प्राचल शून्य से सांख्यिकीय रूप से सार्थक हैं, तो फर्म में

A. पैमाने के स्थिर प्रतिफल होंगे।

B. पैमाने के ह्रासमान प्रतिफल होंगे।

C. पैमाने के वर्द्धमान प्रतिफल होंगे।

D. पैमाने के तटस्थ प्रतिफल होंगे।

66. बहुचर निर्धारण का समायोजित गुणांक ($\bar{R}^2$) की सार्थकता का परीक्षण करने के लिए किस परीक्षण सांख्यिकी का उपयोग होता है?

A. t-परीक्षण B. Z-परीक्षण

C. χ^2-परीक्षण D. F-परीक्षण

67. यदि सी.इ.एस. उत्पादन फलन निम्नलिखित है:

$$Y = A[\alpha L^{-\beta} + (1-\alpha)K^{-\beta}]^{-\frac{\gamma}{\beta}}$$

तो इस संदर्भ में सूची-I को सूची-II के साथ सुमेलित करें और नीचे दिये कूटों से सही उत्तर का चयन करें।

सूची-I	सूची-II
(a) A	1. कारक गहनता
(b) α	2. प्रतिस्थापन की लोच
(c) β	3. कारक समरूपता
(d) γ	4. क्षमता प्राचल

कूट :

	(a)	(b)	(c)	(d)
A.	1	4	2	3
B.	2	4	1	3
C.	1	2	3	4
D.	1	4	3	2

68. युगपद समीकरणों की अति तदात्मीकृत प्रणाली का आकलन करने के लिये उपयोग की जाने वाली तकनीक है

A. साधारण न्यूनतम वर्ग

B. अधिकतम संभाविता

C. सीमित सूचना अधिकतम संभाविता

D. द्वि अवस्था न्यूनतम वर्ग

69. OLS आकलन की संगतता, अनभिनतता (निष्पक्षता) और क्षमता दर्शाने के लिये निम्नलिखित में से किन मान्यताओं की आवश्यकता है?

I. $E(v_t) = 0$

II. $Var(v_t) = \sigma^2$

III. $cov(v_t, v_{t-j}) = 0$ सभी मानों के लिए $j \neq 0$ है

IV. $v_t \sim N(0, \sigma^2)$

कूटः

A. केवल II और IV B. केवल I और III

C. केवल I, II और III D. उपर्युक्त सभी चारों

70. निम्नलिखित के बीच स्वतः सहसम्बन्ध के स्रोत हैं:

I. छूटे हुए व्याख्यात्मक चर

II. सांख्यिकीय प्रेक्षण में अन्तर्वेशन

III. यथार्थ यादृच्छिक पद v का त्रुटिपूर्ण लक्षण-निरूपण

IV. समायोपरि आर्थिक चरों का इकट्ठे चलना

कूट :

A. केवल I और II B. केवल I, II और III

C. केवल I, III और IV D. उपर्युक्त सभी

71. भारतीय अर्थव्यवस्था के सेवा क्षेत्र के निम्नलिखित उपक्षेत्रों को, हाल ही के वर्षों में जी.डी.पी. में उनके योगदान के आरोही क्रम में व्यवस्थित करें:

I. व्यापार, होटल एवं रेस्तराँ

II. परिवहन, भंडारण और संचार

III. वित्तपोषण, बीमा, स्थावर सम्पदा और कारोबार सम्बन्धी सेवाएँ

IV. सामुदायिक, सामाजिक और वैयक्तिक सेवाएँ

कूट :

A. I, II, III और IV B. II, IV, III और I

C. II, I, III और IV D. I, III, IV और II

72. निम्नलिखित में से किसे उससे सम्बन्धित किया जा सकता है जो भारत में काले धन का आकलन करने की विधि बताता है?

I. कल्डोर का उपागम
II. एन.आई.पी.एफ.पी. पद्धति
III. ओ.पी. चोपड़ा की पद्धति
IV. अर्जुन सेनगुप्ता

कूट :

A. I, II और III
B. II, III और IV
C. I, III और IV
D. I और II

73. राष्ट्रीय राजमार्ग की कुल लम्बाई में एकल मार्ग/मध्यवर्ती मार्ग का भाग क्या है?

A. 12 प्रतिशत   B. 15 प्रतिशत
C. 22 प्रतिशत   D. 29 प्रतिशत

74. भारतीय अर्थव्यवस्था में जन-क्षेत्र की सकल घरेलू बचतें किस वर्ष के दौरान ऋणात्मक हो गई थी?

I. 1990-91   II. 1995-96
III. 1999-2000   IV. 2002-2003

कूट :

A. I और II
B. II और III
C. III और IV
D. I और IV

75. भारत की ग्यारहवीं पंचवर्षीय योजना के लिये बुनियादी ढाँचे के विकास के लिए प्रक्षेपित निवेश अनुपात क्या रहा है?

A. 5.43 प्रतिशत   B. 6.53 प्रतिशत
C. 7.60 प्रतिशत   D. 9.34 प्रतिशत

उत्तरमाला

1	2	3	4	5	6	7	8	9	10
C	B	D	A	C	B	A	D	B	A
11	**12**	**13**	**14**	**15**	**16**	**17**	**18**	**19**	**20**
B	B	B	A	C	A	A	C	A	B
21	**22**	**23**	**24**	**25**	**26**	**27**	**28**	**29**	**30**
C	C	C	B	B	A	C	C	D	B
31	**32**	**33**	**34**	**35**	**36**	**37**	**38**	**39**	**40**
B	B	B	C	B	C	A	D	A	A
41	**42**	**43**	**44**	**45**	**46**	**47**	**48**	**49**	**50**
C	A	C	B	A	C	C	C	C	B
51	**52**	**53**	**54**	**55**	**56**	**57**	**58**	**59**	**60**
B	C	A	C	B	A	D	A	C	B
61	**62**	**63**	**64**	**65**	**66**	**67**	**68**	**69**	**70**
C	C	C	D	C	D	*	D	C	B
71	**72**	**73**	**74**	**75**					
B	A	C	C	C					

कुछ चुने हुए प्रश्नों के व्याख्यात्मक उत्तर

2. वक्र एंजिल का नाम 'पारिवारिक व्यय का नियम' के प्रतिपादक अर्नेस्ट एंजिल के नाप पर रखा गया है। यह वक्र किसी व्यक्ति की आय, स्वाद, प्राथमिकता, फैशन, उत्पाद मूल्य और अन्य सम्बन्धित वस्तुओं के मूल्य में वृद्धि के कारण वस्तु (X) के उपभोग में बदलाव को दर्शाता है।

3. वह उत्पादन जो न्यूनतम औसत लागत से सम्बन्धित है। उसे बहुधा अर्थशास्त्रियों और व्यापारियों द्वारा संयंत्र की क्षमता कहा जाता है। क्षमता अधिकतम संभावित उत्पादन नहीं है बल्कि इस परिभाषा के अनुसार, यह एक सबसे बड़ा उत्पादन है जो बिना उचित औसत या प्रति यूनिट

लागत को बढ़ाए, पैदा किया जा सकता है। एक उत्पादक ज़ो एक आउटपुट उत्पादित करता है जो न्यूनतम औसत कुल लागत से छोटा होता है। उसे अतिरिक्त क्षमता के साथ संचालन होना कहा जाता है। एक निर्माता जो भी आउटपुट उत्पादित करता है, न्यूनतम लागत के कुल औसत से बड़ा हो सकता है।

5. दक्ष स्थितियों का वर्णन करने के लिए एज़वर्थ बॉक्स डायग्राम एक ग्राफिक विधि है। इसकी चर्चा पिछले खंडों में हो चुकी है और प्रदर्शित किया गया है कि कुछ मालों का आवंटन और संसाधनों के विनिमय में कैसे सुधार लाया जाए। बॉक्स डायग्राम का नाम प्रसिद्ध ब्रिटिश अर्थशास्त्री फ्रांसिस वाई. एजवर्थ (1845-1926) के नाम पर रखा गया है। यद्यपि उनकी मृत्यु के पश्चात् नाम रखा गया। इस बॉक्स में एजवर्थ की लेखनी शामिल नहीं थी और पेरेटो द्वारा 1893 ई. में जाहिर तौर पर पहली बार उपयोग में लाई गई थी।

7. कॉरनॉट मॉडल (समकालीन संचय सेटिंग मॉडल)

मान्यताएं : वर्ष 1838 में इस प्रारूप का विकास किया गया। यह निम्नलिखित मान्यताओं पर आधारित है :

1. एक ही समय में सभी फर्म उत्पादन का निर्णय लेते हैं। कोई भी फर्म नेतृत्व प्रदान नहीं करता है और न ही कोई फर्म अनुयायी होता है। सभी फर्म एक ही स्तर पर होते हैं।
2. प्रत्येक फर्म अपने तय प्रतिस्पर्धी को देखकर उत्पादन स्तर निर्धारित करता है। फर्म अपनी मान्यता यह निर्णय लेकर तय करता है कि कितना उत्पादन करना है।

9. ऐरो की असंभाव्यता प्रमेय : कल्याणकारी अर्थशास्त्र में यह सबसे लोकप्रिय सिद्धान्त है। इसका नाम केनेथ ऐरो के नाम पर पड़ा जिसने रान् 1951 में यह योगदान दिया था। इसके अनुसार, कुछ निश्चित शर्त (निम्न वर्णित) दिए गए हैं, यह संभव नहीं है कि एक सामाजिक कल्याणकारी कार्य का चयन किया जाए जो समाज के कल्याण का अनुकूलन करेगा और वह स्पष्ट है। निम्नलिखित मापदंड हैं :

1. परेटो मानदंड को पूरा किया जाना चाहिए।
2. कोई तानाशाही नहीं होनी चाहिए।
3. अप्रासंगिक विकल्पों की स्वतंत्रता होनी चाहिए।
4. एक अप्रतिबंधित डोमेन होना चाहिए।

10. 'बैण्डवैगन इफेक्ट' के कारण किसी वस्तु के लिए मांग बढ़ सकती है। (उदाहरणस्वरूप, सिनेमा की मांग जिसके बारे में लोग चर्चा कर रहे हों) 'स्नॉब इफेक्ट' के अधीन, गिरता हुआ मूल्य एक अच्छी वजह के कथित मूल्य को एक स्थिति के प्रतीक के रूप में कम कर सकता है। यह सर्वविदित है कि एक व्यक्ति के पड़ोसी के पास कार है और उसके पास नहीं है, उसके बच्चे खरीदने के लिए मनाते हैं। इसे अर्थशास्त्र में बैण्डवैगन प्रभाव कहते हैं।

15. साम्यावस्था के लिए,

$$\because \quad Y = C + I$$

$$\therefore \quad Y = 0.8y + 102 - 0.2i$$

$$\Rightarrow \quad 0.2y = 102 - 0.2i$$

$$\Rightarrow \quad Y = \frac{102}{0.2} - i$$

$$\therefore \quad Y = 510 - i.$$

19. यदि वांछित (अनुबद्ध) और संभव (प्राकृतिक) विकास दरें समान हैं, श्रमिकों का पूर्ण रोजगार और पूंजी का पूर्ण उपयोग स्थिर साम्यावस्था द्वारा चिह्नित होता है। जॉन रॉबिन्सन के अनुसार, इस तरह की स्थिति को स्वर्ण युग कहा जाता है। दोनों के बीच का संतुलन निम्नलिखित रूप में व्यक्त किया जाता है :

$$\frac{\Delta K}{K} = \frac{\Delta N}{N}$$

जब श्रम और पूंजी की वृद्धि की दर एक-दूसरे के बराबर हैं। अनैच्छिक बेरोजगारी और शेयर पूंजी की अत्यधिक क्षमता की संभावना नहीं हैं।

21. अमूर्त तकनीकी परिवर्तन : अमूर्त तकनीकी परिवर्तन अधिक समय तक उत्पादन कार्य (उत्पादन फ्रंटियर) का शिफ्ट है। उत्पादन के विशेष तत्व में अमूर्त तकनीकी परिवर्तन लागू नहीं होता है।

सन्निहित तकनीकी परिवर्तन : नई पूंजीगत सामग्री के डिजाइन या गुणवत्ता में सुधार अमूर्त तकनीकी परिवर्तन को इंगित करता है।

28. वाइज़मैन-पीकॉक परिकल्पना : सन् 1880-1955 की अवधि के दौरान वाइजमैन और पीकॉक ने इंग्लैंड में जनता के खर्च का अध्ययन किया, जिसके अनुसार जनता का खर्च सरल एवं लगातार तरीके से नहीं बढ़ता है बल्कि झटके या कदम की तरह बढ़ता है। उस समय, कुछ सामाजिक या अन्य बाधा जन्म लेती है। इसका उद्देश्य बढ़ते हुए सार्वजनिक खर्च की आवश्यकता को सृजित करने के लिए जो मौजूदा सार्वजनिक राजस्व पूरा नहीं कर सकती है। जबकि पूर्व में, सार्वजनिक खर्च का अपर्याप्त दबाव के कारण राजस्व बाधा हावी था और राजस्व व्यय में विस्तार को अवरुद्ध करता था। अब बदलती हुई आवश्यकताओं के तहत इस तरह के अवरोध मार्ग प्रशस्त करते हैं। सार्वजनिक व्यय बढ़ता है और वर्तमान राजस्व की अपर्याप्तता प्रत्येक व्यक्ति को बिल्कुल स्पष्ट है।

व्यय के पुराने स्तर और कराधान से नई और उच्च स्तर की ओर बढ़ना विस्थापन प्रभाव है। इस वांछित सार्वजनिक खर्च की तुलना राजस्व की अपर्याप्तता से की जाती है जो इंसपेक्शन इफेक्ट कहलाती है। राजस्व स्थिति और महत्वपूर्ण समस्याओं के समाधान को प्राप्त करने की आवश्यकता जो सामने आती है और बढ़ते हुए व्यय की वित्तीय अवस्था को समायोजित करने की सहमति प्रदान करने हेतु सरकार और जनता पुनर्विचार करती है। उन्होंने कर वहन करने के नए स्तर को प्राप्त किया। वे लोग अब कर के भार को सहने के लिए तैयार हैं और परिणामतः व्यय एवं राजस्व का सामान्य स्तर ऊपर उठ गया है। सार्वजनिक व्यय और राजस्व वित्त में व्यय बढ़ोत्तरी के लिए वांछित समायोजन के लिए तैयार हो गए और परिणामतः इस तरह, सार्वजनिक व्यय और राजस्व एक नए स्तर पर स्थायी हो जाते हैं। जब तक दूसरी बाधा नहीं आती है, विस्थापन प्रभाव के कारण होता है। ***इस प्रकार कुल राष्ट्रीय आर्थिक गतिविधि का एक बड़ा हिस्सा मानते हुए प्रत्येक मुख्य अवरोध सरकार की ओर उन्मुख होती है।*** दूसरे शब्दों में, यह एक सकेंद्रण प्रभाव है। सकेंद्रण प्रभाव केंद्रीय सरकार के लिए स्पष्ट प्रवृत्ति है। यह आर्थिक गतिविधि को राज्य और स्थानीय स्तर की सरकारों की तुलना में ज्यादा तेज विकसित करता है।

29. परिभाषा के अनुरूप, एक एकाधिकारवादी अपने उत्पाद की वितरण राशि और उत्पादन को तय करता है ताकि अधिकतम संभव लाभ प्राप्त हो, जो दी गई स्थिति, जिसमें सीमांत लागत, सीमांत राजस्व के बराबर होता है।

$$(MC = MR)$$

अब, अगर एक कर एकाधिकार लाभ पर लगाया जाता है, तो एकाधिकारवादी वितरण और मूल्य के बेहतर स्थिति का चुनाव नहीं कर सकता है ताकि कर देने के लिए अपने लाभ बढ़ा सके। वास्तव में उसके बारे में मान लिया जाता है कि वह अधिकतम लाभ की स्थिति में है यद्यपि एकाधिकार लाभ पर कोई कर नहीं लगाया गया है। यह निष्कर्ष वैध रहता है चाहे एकाधिकार लाभ एकमुश्त है या फिर एक अनुपातिक कर है। हम लोग यह भी कह सकते हैं कि इस तरह का कर लगाना मांग और पूर्ति वक्र को विचलित नहीं करता है और इस प्रकार वस्तुओं के विक्रय मूल्य में परिवर्तन नहीं होता है।

31. व्यापार दो देशों के बीच के कारकों जैसे अक्षय संसाधनों, तकनीक और दोनों देशों की रुचि पर आधारित होता है। प्रत्येक देश के साधन सम्पन्नताओं अथवा तकनीक का अन्तर, विभिन्न उत्पादन वक्रों में परिणत होता है, जो कि इच्छाओं में अन्तर के द्वारा उदासीन हो जाता है, यह पारस्परिक रूप से फायदेमन्द व्यापार तथा माल के सापेक्ष मूल्य में अन्तर को पैदा करता है। यदि दो देश बढ़ती लागत का सामना कर रहे हैं तथा उनके उत्पादन वक्र एक समान है, परन्तु रुचियाँ भिन्न-भिन्न हैं तो उनके मालों के सापेक्ष मूल्यों तथा दोनों देशों के फायदेमन्द व्यापार के आधारों में भी अन्तर होगा। इस स्थिति में मालों के सापेक्ष मूल्यों में अन्तर दो देशों के मालों के निश्चित मूल्यों के अन्तर में परिवर्तित हो जाते हैं जो कि व्यापार का तात्कालिक प्रभाव होता है।

34. प्रबन्धित अनिविष्ट विनिमय दर प्रणाली : प्रबन्धित अनिविष्ट विनिमय दर प्रणालियों को मौद्रिक अधिकारों की आवश्यकता होती है। अभिप्राय विदेशी मुद्रा बाजार में हस्तक्षेप करना है। ताकि अल्पावधि उतार-चढ़ाव सुचारू रूप से चले और मुद्राओं को कथित मूलभूत मूल्य से बहुत दूर जाने से रोके। इस प्रणाली के तहत, राष्ट्रीय मुद्रा की प्रवृत्ति को मौद्रिक अधिकारीगण नियंत्रित करते हैं ताकि विक्रय द्वारा अवमूल्यन यह विदेशी मुद्रा भंडार परिमाण को बदलने के लिए खरीद सके। इस प्रणाली की व्यवहार्यता इस तथ्य पर निर्भर

करती है कि इसे मौद्रिक अधिकारों की जानकारी नहीं है ताकि विनिमय दर की आगे के समय में प्रवृत्ति जानी जा सके। हालांकि, विदेशी विनिमय बाजार में सरकारी हस्तक्षेप की प्रभावशीलता सीमित है क्योंकि अंतर्राष्ट्रीय पूंजी प्रवाह की तुलना में अधिकारिक विदेशी भंडार बहुत कम है।

37. इसका कारण यह है कि जब उत्पादन माल आयात से निर्यात की ओर जाता है, आयातित माल का उत्पादन करने वाले श्रमिक निश्चित रूप से उद्योग से बाहर हो जाते हैं। सामान्यतः यह लगता है कि वे संयोगवश अन्य उद्योगों में पुनःनियोजित हो जाएंगे लेकिन उन नौकरियों को पाने के लिए उन्हें नई तकनीक सीखनी होगी और इस क्रम में कुछ समय लग सकता है। कामगार प्रशिक्षण या अतिरिक्त बेरोजगार लाभों के द्वारा इस तरह के आदान-प्रदान की लागत को कम करने के लिए कई राष्ट्र 'व्यापार समायोजन' नीतियाँ प्रदान करते हैं।

42. जनता द्वारा संघटित मुद्रा आपूर्ति (M) में वाणिज्यिक बैंकों की जमा राशि (D) और मुद्रा (C) शामिल है। इस प्रकार, मुद्रा की आपूर्ति $M = D + C$ उच्च शक्ति मुद्रा (H) (या मौद्रिक आधार में जनता (C) द्वारा संघटित मुद्रा शामिल है। इसके अलावा आवश्यक भंडार (RR) और वाणिज्यिक बैंकों का अतिरिक्त भंडार। इस प्रकार उच्च शक्ति मुद्रा $H = C + RR + ER$. M और H के बीच के संबंध के रूप में M से H के अनुपात को अभिव्यक्त किया जा सकता है जैसा कि समीकरण M को H द्वारा विभाजित कर, जैसे M/H.

43. **मध्यवर्ती आश्रय के ऋणदाता :** बैंकों के बीच, भारतीय स्टेट बैंक अपने विकट तरल स्थिति के कारण हमेशा बाजार में ऋणदाताओं के पक्ष में रहता है। यह मध्यवर्ती आश्रय के ऋणदाता के रूप में उसी आशग से खर्च करता है कि आर.बी.आई. जाने से पूर्व बैंक एस.बी.आई. से आवास हेतु संपर्क कर सकता है जो अंतिम आश्रय का ऋणदाता है।

46. चयनात्मक ऋण नियंत्रण का उपयोग विशेष उद्देश्यों के लिए ऋण (केंद्रित) को नियमित करने के लिए होता है। ये नियंत्रण कुल ऋण के वितरण पर लागू होते हैं जो अर्थव्यवस्था कुछ निश्चित क्षेत्रों में प्रवाह को प्रोत्साहन देकर तथा अन्य दूसरे क्षेत्रों में प्रोत्साहन को रोकने व संचालन के फलस्वरूप पूर्ण होता है। प्रमुख चयनित ऋण नियंत्रण में क्रेडिट राशनिंग, बैंकों की त्रुटियों के संबंध में निर्देश, उपान्तिक आवश्यकता में परिवर्तन, ब्याज की दर में अंतर और नैतिक उत्तेजना शामिल है।

48. **केन्द्रीय स्थान सिद्धांत :** विपणन संवेदनशील क्रियाओं पर आधारित क्लासिकल सिद्धांत क्रिस्टॉलर (1966) और लॉस्च (1954) द्वारा तैयार सेंट्रल प्लेस थ्योरी है। सेंट्रल प्लेस थ्योरी, विपणन केन्द्रों का श्रेणीबद्ध तरीका है। बाजारों के आकार और वितरण उपभोक्ता सीमा और बाजार की प्रेसहोल्ड आवश्यकताएं हैं।

औद्योगिक स्थिति सिद्धांत : औद्योगिक स्थिति सिद्धांत इनपुट और आउटपुट उत्पाद की शिपिंग या परिवहन लागत पर केंद्रित है। इसे औद्योगिक स्थिति का 'क्लासिकल प्रारूप' भी कहा जाता है। पहली बार वेबर (1928) और बाद में होवर (1948), इसार्ड (1956) और मॉसेस (1958) द्वारा विकसित किया गया। यह मुख्य रूप से उत्पादन क्रियाओं पर लागू होती है। स्थान का चुनाव शिपिंग के इनपुट और आउटपुट की आपेक्षिक लागत पर निर्भर करता है। साथ ही साथ यह अर्थशास्त्र के उत्पादन के पैमाने पर भी निर्भर करता है।

49. सन् 1966 में औद्योगिक लाइसेंसिंग के कार्यों पर पुनर्विचार करने के लिए डॉ. आर.के. हजारी की नियुक्ति हुई जिन्होंने अपना प्रतिवेदन सन् 1967 में जमा किया और बड़े घरानों द्वारा की जा रही धांधलियों का सनसनीखेज खुलासा किया। हजारी प्रतिवेदन पर संसद में चर्चा के बाद भारत सरकार ने सन् 1967 में एक कमेटी का गठन किया, जिसे औद्योगिक लाइसेंसिंग नीति जाँच कमेटी के रूप में जाना गया। सुविमल दत्त की अध्यक्षता में विगत दस वर्षों की लाइसेसिंग पद्धति की क्रियाकलापों की जाँच हेतु इस कमेटी का गठन किया गया।

दत्त कमेटी प्रतिवेदन लाइसेसिंग पद्धति के क्रियाकलापों की ओर इंगित करता है। कमेटी ने अपना प्रतिवेदन जुलाई 1969 में जमा किया। दत्त कमेटी प्रतिवेदन लाइसेंसिंग पद्धति के कार्यों के संदर्भ में कुछ व्यापारिक घरानों के हाथ चल रही एकाधिकार पूंजी में वृद्धि और आर्थिक एकाग्रता की बात कही।

53. पर्यावरणीय मूल्यांकन तकनीकें–

मूल्यांकन पद्धति	*वातावरण मूल्यांकन के तरीके*	*प्रयोग*
• मुद्रा मूल्यांकन तकनीकें :		
1. बाजार मूल्य पद्धति (MPM)	आर्थिक लाभों तथा वातावरण के गुणों में परिवर्तन के कारण बढ़ी कीमतों से आर्थिक मूल्यों की गणना करते हैं।	इसका प्रयोग पारिस्थितिकीय उत्पादों के आर्थिक मूल्यांकन में अथवा वाणिज्यिक बाजार में खरीदी और बेचे जा सकने वाली सेवाओं के मूल्यांकन में किया जा सकता है।
2. सुखवाद मूल्यांकन पद्धति (HPM)	यह उन पारितन्त्र अथवा वातावरणीय सेवाओं का आर्थिक मूल्यांकन करती है जो सीधे-सीधे कुछ अन्य बाजारू उत्पादों के मूल्यों को प्रभावित करती है। सामान्यतः घरों की कीमतों में भिन्नताओं पर लागू किया जाता है जो स्थानीय वातावरणीय गुणों के मूल्यों का प्रद्रर्शित करती है।	इसे अधिकतर घरों के मूल्यों में भिन्नताओं पर लागू किया जाता है जो स्थानीय वातावरण के गुणों को दर्शाते है।
3. यात्रा लागत पद्धति (TCM)	यह पद्धति आर्थिक मूल्यों को यह मानकर मूल्यांकन करती हैं कि किसी पारितन्त्र अथवा मनोरंजक स्थल का मूल्य इस बात से तय होता है कि कितने लोग इस प्रकार के स्थल को देखने हेतु यात्रा पर खर्च करने हेतु इच्छा रखते हैं।	बहुधा इसको मनोरंजक स्थलों, जिनके लिए शून्य अथवा नाममात्र का प्रवेश शुल्क होता है पर लागू किया जाता है।
4. आपत्तिक मूल्यांकन पद्धति (CVM)	इसमें आर्थिक मूल्यों का आकलन लोगों से प्रत्यक्षतः काल्पनिक दृश्य में आधार पर विशिष्ट वातावरणीय सुविधाओं के लिए खर्च करने की इच्छा के आधार पर पूछकर किया जाता है।	इसको सभी प्रकार के पारितन्त्र तथा वातावरणीय सुविधाओं के मूल्यांकन के लिए प्रयोग किया जा सकता है तथा इसका उपयोग अनुपयोगी वस्तुओं के मूल्यांकन के लिए किया जाता है।
5. आपत्तिक रुचि पद्धति (CCM)	यह आर्थिक मूल्यों का आकलन पारिस्थितिकी तन्त्र, वातावरणीय सुविधाओं अथवा लक्षणों के मध्य संतुलन स्थापित करने के सम्बन्ध में लोगों से वार्तालाप करके करता है।	इसका उपयोग किसी वातावरणीय सुविधा अथवा पारितन्त्र का आभासी रूप से मूल्यांकन करने में किया जा सकता है।

55. इष्टतम जनसंख्या का सिद्धान्त : इस सिद्धान्त का प्रतिपादन सर्वप्रथम प्रो. सिडविक द्वारा किया गया और बाद में इसे प्रो. डॉल्टन और प्रो. कार सान्डर्स द्वारा विकसित किया गया। उन्होंने इष्टतम जनसंख्या सिद्धान्त को विकसित किया, उन्होंने बताया कि यह किसी समय पर किसी देश के लिए सर्वोत्तम जनसंख्या है। इष्टतम जनसंख्या के स्तर पर प्रति व्यक्ति आय सर्वाधिक होती है।

56. जनसंख्या वृद्धि का आर्थिक परिणाम हमेशा से बहस का मुद्दा रहा है। इस विषय पर सबसे पहले माल्थस ने अपने विचार प्रस्तुत किए। उन्होंने बताया कि जनसंख्या के अधिक होने से संसाधनों का अत्यधिक दोहन होता है और वे देर-सबेर समाप्त हो जाएंगे। 1960 में यह बताया गया कि जनसंख्या वृद्धि, बढ़ती तकनीक और संख्याओं के पुनरुद्धार और मानवीय बौद्धिकता की आपूर्ति को बढ़ाती है। 1960 के अन्त में नव-माल्थस सिद्धान्त आया जिसने दोबारा से जनसंख्या वृद्धि के खतरों को बताया। और सिद्धान्त विख्यात हो गया। भारत और चीन में जनसंख्या नियन्त्रण की नीतियाँ, हालाँकि एक-दूसरे से बहुत अलग हैं, फिर भी इनको इसके प्रकाश में देखा जा सकता है। जनसंख्या उदासीनिकरण एक माध्यमिक दृष्टिकोण, जो कि

जनसंख्या वृद्धि तथा आर्थिक प्रदर्शन के बीच लिंक के समानुपातिक विश्लेषण पर आधारित है। इस दृष्टिकोण ने दो दशकों को प्रभावित किया। इस दृष्टिकोण के अनुसार आर्थिक विकास पर जनसंख्या वृद्धि का प्रभाव नगण्य होता है।

61. **जैविक-कृषि :** बिना किसी रासायनिक खादों, अथवा कीटनाशकों के प्रयोग के फसल उगाना।

हरित खेती : एकीकृत कीट प्रबन्धन, एकीकृत पोषक तत्व प्रबन्धन और एकीकृत संसाधन प्रबन्धन के तहत खेती करना ही **हरित खेती** है।

पारिस्थितिकीय कृषि : जल, मिट्टी व जैव-विविधता संरक्षण पर आधारित तथा पारम्परिक ज्ञान का प्रयोग और पारिस्थितिकीय सावधानी।

ई-एम (EM) कृषि : प्रभावी सूक्ष्म जीवों का प्रयोग करके खेती करने का तरीका।

श्वेत कृषि : सूक्ष्मजीवों खास तौर पर कवक के पर्याप्त उपयोग पर आधारित कृषि व्यवस्था।

62. $\because \quad AC = \frac{1}{3}x^2 - 10x + 9$

$\therefore \quad TC = \frac{1}{3}x^3 - 10x^2 + 9x$

$\therefore \quad MC = \frac{d(TC)}{dx}$

$= \frac{d}{dx}\left(\frac{1}{3}x^3 - 10x^2 + 9x\right)$

$= x^2 - 20x + 9$

$AC = MC$

$\therefore \quad \frac{1}{3}x^2 - 10x + 9 = x^2 - 20x + 9$

$\Rightarrow \quad -10x + 20x = x^2 - \frac{1}{3}x^2$

$\Rightarrow \quad 10x = x^2\left(\frac{2}{3}\right)$

$\Rightarrow \quad \frac{2x}{3} = 10 \Rightarrow x = \frac{10 \times 3}{2} = 15.$

63. सामायवस्था के लिए

$P_\alpha = P_s$

$30 - 5x = 3x - 10$

$\Rightarrow \quad 8x = 40$

$\Rightarrow \quad x = 5$

$\because \quad P_\alpha = 30 - 5x$

$= 30 - 25 = 5$

$\therefore \quad P_\alpha = 5$

और $\quad P_\alpha x = 5 \times 5 = 25$

$\therefore$ अधिशेष का उपभोग करता है

$$= \int_0^5 f(x)dx - P_\alpha x$$

$$= \int_0^5 (30 - 5x)dx - 25$$

$$= \left[30x - \frac{5x^2}{2}\right]_0^5 - 25$$

$$= \left(30 \times 5 - \frac{5 \times 25}{2}\right) - 25$$

$$= \left(150 - \frac{125}{2}\right) - 25$$

$$= (150 - 62.5) - 25$$

$$= 87.5 - 25 = 62.5.$$

69. सभी मान्यताएं जो (*i*) से (*iii*) में सूचीबद्ध हैं, को प्रदर्शित करने की आवश्यकता है कि आकलनकर्ता OLS के पास वांछनीय नियतांक, निष्पक्षता और दक्षता का गुण है। हालांकि सामान्यतया ग्रहण करने के लिए यह आवश्यक नहीं है। (*iv*) गुणांक के द्वारा किए गए आकलन से परिणाम प्राप्त करने के लिए। परीक्षण के आंकड़े बनाने के क्रम में इस आवधारणा की आवश्यकता होती है जो मानक सांख्यिकीय वितरण का अनुपालन करती है–अन्य शब्दों में, यह केवल परिकल्पना परीक्षण के लिए आवश्यक है, गुणांक के आकलन के लिए नहीं।

72. **भारत में काले धन का आकलन :** द्वितीय निश्वयुद्ध से भारत में काले धन की मात्रा निकालने के लिए अनेक प्रयास किए जाते रहे हैं।

1. कालडोर की विधि पर आधारित काले धन का आकलन।
2. वांचू समिति का आकलन 1953
3. चोपड़ा का आकलन।
4. भारत में काले धन पर NIPFP का अध्ययन।
5. काले धन की मात्रा पर सूरज बी. गुप्ता का अध्ययन।

पिछले प्रश्न-पत्र (हल सहित)

यू.जी.सी.–NET/JRF परीक्षा, दिसम्बर–2013
अर्थशास्त्र

प्रश्न-पत्र–II

नोटः *इस प्रश्नपत्र में* ***पचास*** *(50) बहु-विकल्पीय प्रश्न हैं। प्रत्येक प्रश्न के* ***दो*** *(2) अंक हैं।* ***सभी*** *प्रश्न अनिवार्य हैं।*

1. एक फर्म द्वारा श्रम को भाड़े में रखने की लागत क्या कहलाती है?

A. सुस्पष्ट लागत B. अंतर्निहित लागत
C. सीमान्त लागत D. कुल लागत

2. उत्पादन तथा उपभोग में पेरेटो इष्टतमता का बिन्दुपथ किसके द्वारा दर्शाया जाता है?

A. समाज कल्याण फलन
B. उपयोगिता सम्भाव्यता वक्र
C. रूपान्तर वक्र
D. महा उपयोगिता संभाव्यता वक्र

3.

सूची-I	सूची-II
(*a*) चाय एवं कॉफी	1. वैबलन वस्तुएँ
(*b*) कार एवं पेट्रोल	2. वैकल्पिक वस्तुएँ
(*c*) स्वर्ण एवं हीरे	3. गिफिन वस्तुएँ
(*d*) रागी एवं बाजरा	4. पूरक वस्तुएँ

कूट :

	(*a*)	(*b*)	(*c*)	(*d*)
A.	2	1	3	4
B.	2	4	1	3
C.	4	1	2	3
D.	4	3	1	2

4. अभिकथन (A) : पूर्ण प्रतियोगिता के अन्तर्गत अल्पकाल में, बाजार माँग एवं बाजार आपूर्ति प्रदत्त होने पर उद्योग में उस कीमत पर संतुलन होता है जो बाजार में माँग एवं पूर्ति को बराबर करती हैं।

कारण (R) : दीर्घ काल में उद्योग में सभी फर्में लाभ कमाती हैं।

कूट :

A. (A) और (R) दोनों सत्य हैं और (R), (A) की सही व्याख्या है।
B. (A) और (R) दोनों सत्य हैं, परन्तु (R), (A) की सही व्याख्या नहीं है।
C. (A) सत्य है, परंतु (R) असत्य है।
D. (A) असत्य है, परंतु (R) सत्य है।

5. निम्नलिखित को विकास के आधार पर कालानुक्रमिक क्रम में रखें :

1. माँग का नियम
2. अभिव्यक्त अधिमान विश्लेषण
3. उदासीनता वक्र विश्लेषण
4. ह्रासमान सीमान्त उपयोगिता का नियम

A.	1	3	2	4
B.	1	4	3	2
C.	1	2	4	3
D.	1	3	4	2

6. यदि एक एकाधिकारी अल्पकाल में हानि उठाता है तो फिर दीर्घकाल में वह

(*a*) व्यवसाय खो बैठेगा।
(*b*) व्यवसाय में ही रहेगा।
(*c*) संतुलन स्तर रखेगा।
(*d*) उपर्युक्त में से कोई भी संभावित है।

A. (*a*) और (*b*) B. (*a*) और (*c*)
C. केवल (*a*) D. केवल (*d*)

7. पेरेटो इष्टतमता की स्थिति किसके अन्तर्गत सही रहती है?

A. पूर्ण प्रतियोगिता B. एकाधिकारी प्रतियोगिता
C. अल्पाधिकार D. एकाधिकार

8. अभिकथन (A) : व्यक्तिगत पूर्ति वक्र की तुलना में, समग्र पूर्ति वक्र ज्यादा लोचदार होता है।

कारण (R) : श्रम बल से बाहर होने तथा श्रम बल में होने के बीच आने-जाने की संभावना रहती है।

नीचे दिए गए कूटों में से सही उत्तर चुनिए :

कूट :

A. (A) सही है, परन्तु (R), (A) की सही व्याख्या नहीं है।
B. (A) सही है, परन्तु (R), (A) की सही व्याख्या है।
C. (A) सही है, परंतु (R) गलत है।
D. (A) गलत है, परंतु (R) सही है।

9. जीवन चक्र प्राक्कल्पना मानते हुए, मान लो एक व्यक्ति जब वह 20 वर्ष की आयु का होता है काम करना प्रारम्भ करता है, 60 वर्ष की आयु तक काम करता है और 70 वर्ष की आयु तक मरने की अपेक्षा करता है। यदि यह व्यक्ति, जब 20-30 वर्ष का होता है तो, मान लो, ₹ 1.50 लाख वार्षिक कमाता है, जब वह 30-45 वर्ष की आयु का है तो ₹ 2 लाख वार्षिक कमाता है, और जब वह 40-60 वर्ष का होता है तो ₹ 3 लाख वार्षिक कमाता है, तो उपभोग की उसकी जीवनकालिक औसत प्रवृत्ति क्या होगी?

A. 0.60
B. 0.70
C. 0.80
D. 0.90

10. मुद्रा की माँग के सम्बन्ध में, सूची-I को सूची-II के साथ सुमेलित करें :

सूची-I	**सूची-II**
(*a*) मुद्रा की माँग स्थिर है	1. जे.एम. कीन्स
(*b*) जोखिम के प्रति व्यवहार के रूप में तरलता वरीयता	2. डब्ल्यू. बॉमोल
(*c*) इवेन्ट्री (मालसूची) सैद्धान्तिक उपागम	3. जेम्स टॉबिन
(*d*) कोई पोर्टफोलियो विविधता नहीं	4. मिल्टन फ्रीडमैन

कूट :

	(*a*)	(*b*)	(*c*)	(*d*)
A.	4	3	1	2
B.	3	4	1	2
C.	2	1	3	4
D.	4	3	2	1

11. वास्तविक जी.डी.पी. और उसके प्रवृत्ति मूल्य के बीच अन्तराल, तथा वास्तविक बेरोजगारी दर और उसके संतुलन मूल्य के बीच जो अन्तर है उन दोनों के बीच ऋणात्मक सम्बन्ध क्या कहलाता है?

A. समग्र पूर्ति वक्र
B. फिलिप्स वक्र
C. बेरोजगारी की प्राकृतिक दर की प्राक्कल्पना
D. ओकन का नियम

12. यह प्रायः सत्य होता है कि जब अर्थव्यवस्था मंदी से बाहर निकलने लगती है, तो बेरोजगारी की दर बढ़ती है क्योंकि

A. जब अर्थव्यवस्था मंदी से प्रारम्भ में बाहर निकल आती है तो वस्तुओं एवं सेवाओं की माँग कम हो जाती है, इसलिए श्रमिकों की माँग कम हो जाती है।
B. जब अर्थव्यवस्था मंदी से बाहर निकलने लगती है, तो श्रमिक जो काम पाने के अपने अवसरों के बारे में निराश हो गए थे, अब फिर से काम के लिए प्रयास करने लगते हैं।
C. अर्थव्यवस्था, डेटा एकत्रित करने के तरीके में त्रुटियों के कारण, मंदी से बाहर निकलने लगती है।
D. जब अर्थव्यवस्था मंदी से शुरू में बाहर निकलती है, तो फर्म तुरन्त ही श्रमिकों की संख्या में वृद्धि नहीं करती हैं। फर्में ज्यादा व्यक्तियों को भाड़े पर काम में लगाने के लिए तब तक प्रतीक्षा करती हैं जब तक उन्हें अर्थव्यवस्था के सुदृढ़ होने का विश्वास नहीं हो जाता है।

13. जब अतिरिक्त सरकारी व्यय सरकारी प्रतिभूतियों के विक्रय के द्वारा वित्तपोषित होता है तो फिर सूची-II में दी गई स्थिति के सन्दर्भ में सूची-I में दिए गए क्राउडिंग आउट प्रभाव की प्रकृति क्या होगी?

सूची-I (क्राउडिंग आउट प्रभाव)	**सूची-II (स्थिति)**
(*a*) पूर्ण	1. कीन्सवादी विस्तृति
(*b*) आंशिक	2. क्लासिकल विस्तृति
(*c*) शून्य	3. मध्यवर्ती विस्तृति

कूट :

	(*a*)	(*b*)	(*c*)
A.	2	3	1
B.	3	1	2
C.	1	3	2
D.	1	2	3

14. सूची-I में दी गई मदों को सूची-II में दी मदों के साथ सुमेलित करें :

सूची-I	**सूची-II**
(*a*) विनिमय का समीकरण	1. जे.एम. कीन्स
(*b*) नकद शेष उपागम	2. इरविंग फिशर
(*c*) मुद्रा की माँग का प्रतिगामी प्रत्याशा मॉडल	3. डब्ल्यू. जे. बॉमोल
(*d*) मुद्रा की माँग का वर्गमूल फॉर्मूला	4. ए.सी. पीगू एवं अल्फ्रेड मार्शल

कूट :

	(*a*)	(*b*)	(*c*)	(*d*)
A.	2	4	1	3
B.	3	2	4	1
C.	4	3	1	2
D.	1	3	2	4

15. यह धारणा कि आर्थिक संवृद्धि का लाभ जनसंख्या के सभी वर्गों को पहुँचेगा क्या कहलाती है?

A. ट्रिकल अप प्रभाव

B. ट्रिकल डाउन प्रभाव

C. टेक-ऑफ प्रभाव

D. प्रति प्रभाव (बैकलैश प्रभाव)

16. किसके ग्रोथ मॉडल में, उद्यमी का महत्व निर्णायक या धुराग्रीय होता है?

A. कीन्स B. शुम्पीटर

C. हैरोड D. डोमर

17. आर्थिक विकास का क्लासिकल मॉडल किस पर जोर देता है?

A. अहस्तक्षेप नीति

B. पूँजी संचय

C. A और B दोनों

D. इनमें से कोई नहीं

18. निम्नलिखित में से कौन-सा युग्म सही मेलित नहीं है?

	लेखक		**पुस्तक**
A.	साइमन कुजनेट्स	:	एशियन ड्रामा
B.	जे. रोबिन्सन	:	असेस इन दी थ्योरी ऑफ इकोनोमिक ग्रोथ
C.	कार्ल मार्क्स	:	दास कैपीटल
D.	ए. डब्ल्यू. लेविस	:	थ्योरी ऑफ इकोनोमिक ग्रोथ

19. आर्थिक संवृद्धि में क्या परिवर्तित होता है?

A. अर्थव्यवस्था की संरचना B. लोगों की मानसिकता

C. राष्ट्रीय आय D. इनमें से कोई नहीं

20. भारत सरकार द्वारा तैयार की गई जेंडर विकास सूचकांक सूची, 2006 में कौन-से राज्यों/संघ क्षेत्रों को प्रथम तीन स्थानों पर रखा गया है?

A. केरल, चंडीगढ़, गोवा

B. केरल, गोवा, चंडीगढ़

C. चंडीगढ़, गोवा, केरल

D. गोवा, केरल, चंडीगढ़

21. अभिकथन (A) : लाभ अधिकतम करने वाले उत्पादक को सार्वजनिक वस्तुओं की आपूर्ति करने की कोई प्रेरणा नहीं होती है।

कारण (R) : यदि वह उनका उत्पादन करता है तो वह लोगों को उनका उपभोग करने से रोक नहीं पाता है और इसलिए वह कीमत वसूल नहीं कर सकता है।

कूट :

A. (A) सत्य है, परन्तु (R) असत्य है।

B. (A) और (R) दोनों असत्य है।

C. (A) सही नहीं है, परंतु (R) सही है।

D. (A) और (R) दोनों सही हैं और (R), (A) की सही व्याख्या है।

22. कर देने के भार के वितरण को क्या कहते हैं?

A. कर भार बाँटना B. कर विवर्तन

C. कर का प्रभाव D. कर पूँजीकरण

23. चालू आवश्यकताओं को पूरा करने वाला, अर्थात् बजट में अस्थायी अन्तराल को भरने का अल्पकालिक ऋण कौन-सा है?

A. निधिबद्ध ऋण B. अनिधिबद्ध ऋण

C. शोधनीय ऋण D. अशोधनीय ऋण

24. मौद्रिक घाटे का क्या अर्थ है

A. राजकोषीय घाटा-कम-ब्याज भुगतान

B. सरकारी व्यय जो तदर्थ राजकोष पत्रों (हुंडी) की बिक्री के जरिए वित्तपोषित होता है।

C. भारतीय रिजर्व बैंक द्वारा केन्द्रीय सरकार को ऋण में वृद्धि

D. राजकोषीय घाटा-कम-ऋण एवं अग्रिम राशियाँ

25. कराधान में आनुपातिक वृद्धि के कारण राजस्व में आनुपातिक वृद्धि क्या कहलाती है?

A. कर की लोचनीयता
B. कर की उत्प्लावकता
C. कर की तटस्थता
D. उपर्युक्त में से कोई नहीं

26. 'वेंट फॉर सरप्लस एप्रोच' किस पर प्रयुक्त हो सकता है?

A. धनी देश
B. अल्प विकसित देश
C. तेल निर्यातक देश
D. उपर्युक्त में से कोई नहीं

27. मौद्रिक दृष्टिकोण के अनुसार, राष्ट्र की करेन्सी का पुनर्मूल्यांकन

A. मुद्रा के लिए राष्ट्र की माँग बढ़ा देता है।
B. मुद्रा के लिए राष्ट्र की आपूर्ति में वृद्धि करता है।
C. मुद्रा के लिए राष्ट्र की माँग को कम करता है।
D. मुद्रा के लिए राष्ट्र की आपूर्ति घटा देता है।

28. ब्रेटन वुड्स व्यवस्था किस पर आधारित थी?

A. स्वर्णमान
B. लचीली विनिमय दर प्रणाली
C. स्वर्ण विनिमय मान
D. उपर्युक्त में से कोई नहीं

29. एक बड़े राष्ट्र द्वारा आयात प्रशुल्क का आरोपण

A. सामान्यतया राष्ट्र की व्यापार शर्तों को सुधारता है और व्यापार की मात्रा में वृद्धि करता है।
B. राष्ट्र की व्यापार शर्तों को बदतर कर देता है परन्तु व्यापार की मात्रा में वृद्धि करता है।
C. राष्ट्र की व्यापार शर्तों को बदतर कर देता है और व्यापार की मात्रा को कम कर देता है।
D. सामान्यतया राष्ट्र की व्यापार शर्तों को सुधारता है परन्तु व्यापार की मात्रा को कम करता है।

30. विदेशी व्यापार गुणक का मूल्य उच्च होगा जब

A. बचत की सीमान्त प्रवृत्ति उच्च है।
B. आयात की सीमान्त प्रवृत्ति उच्च है।
C. निर्यातों में वृद्धि होती है।
D. घरेलू वस्तुओं के उपभोग की सीमान्त प्रवृत्ति उच्च है।

31. सूची-I और सूची-II के बीच भिन्न उद्योग समूहों के भार को सुमेलित करें :

सूची-I	सूची-II
(*a*) मूलभूत वस्तुओं का उद्योग	1. 45.7
(*b*) पूँजीगत वस्तुओं का उद्योग	2. 8.8
(*c*) मध्यवर्ती वस्तुओं का उद्योग	3. 15.7
(*d*) उपभोक्ता वस्तु उद्योग	4. 29.8

कूट :

	(*a*)	(*b*)	(*c*)	(*d*)
A.	1	2	3	4
B.	2	4	3	1
C.	3	2	1	4
D.	1	3	4	2

32. भारत में हाल ही के वर्षों में थर्मल पावर स्टेशनों का प्लांट लोड फैक्टर लगभग कितना रहता है?

A. 50 प्रतिशत B. 60 प्रतिशत
C. 70 प्रतिशत D. 80 प्रतिशत

33. भारत में राष्ट्रीय टेलीकॉम नीति (NTP), 2012 का अंश निम्नलिखित में से क्या नहीं है?

A. भिन्न सेवाओं एवं सेवा क्षेत्रों में एक-राष्ट्र-एक लाइसेंस सृजित करने का प्रयास करना।
B. एक राष्ट्र–पूर्ण मोबाइल नंबर संवहनीयता प्राप्त करना।
C. ब्रॉडबैंड अधिकार के लिए कार्य करना।
D. टेलीकॉम को मूलभूत वस्तु उद्योग के रूप में मानना।

34. सम्पूर्ण विश्व में भारत के विनिर्माण उत्पादन का प्रतिशत हिस्सा अब कितना है?

A. 2.2 प्रतिशत B. 3.9 प्रतिशत
C. 6.2 प्रतिशत D. 7.5 प्रतिशत

35. व्यापार संतुलन में भारत का चालू लेखा घाटा मुख्य रूप से किस कारण से है?

(*a*) तेल एवं पेट्रोलियम के वर्द्धमान आयात
(*b*) स्वर्ण एवं चाँदी का वर्द्धमान आयात
(*c*) खाद्यान्नों का वर्द्धमान आयात
(*d*) लौह एवं स्टील का वर्द्धमान आयात

कूट :

A. (*a*), (*b*) एवं (*c*)
B. (*a*) एवं (*c*)
C. (*a*) एवं (*b*)
D. (*a*) एवं (*d*)

36. 1969 का एम.आर.टी.पी. (MRTP) अधिनियम

A. 2002 के प्रतिस्पर्धा अधिनियम द्वारा प्रतिस्थापित किया गया है।

B. 1978 के औद्योगिक नीति अधिनियम में विलयन कर दिया गया है।

C. मजदूर संघ (संशोधन) अधिनियम, 2001 द्वारा प्रतिस्थापित किया गया।

D. 1991 के औद्योगिक नीति अधिनियम में विलयन कर दिया गया।

37. कृषि सम्बन्धी विकास के संदर्भ में, ट्रिकल डाउन थ्योरी की व्याख्या क्या बताने के लिए की गई है?

(*a*) आमूलचूल सांस्थानिक सुधारों के बगैर कृषिक उत्पादन में संवृद्धि गरीबी का प्रभाव घटा देगी।

(*b*) आमूलचूल सांस्थानिक सुधारों के साथ कृषिक उत्पादन में संवृद्धि गरीबी का प्रभाव कम कर देगी।

(*c*) सिर्फ आमूल सांस्थानिक सुधार ही गरीबी का प्रभाव कम कर सकते हैं।

(*d*) सिर्फ कृषिक उत्पादन में संवृद्धि ही गरीबी का प्रभाव कम करेगी।

A. (*a*) और (*b*) दोनों　　B. (*a*) और (*c*) दोनों

C. केवल (*b*)　　D. केवल (*d*)

38. कृषि मन्त्रालय के नवीनतम आँकड़े के अनुसार प्रति व्यक्ति प्रति दिन खाद्यान्नों की उपलब्धता है

A. 280 ग्राम　　B. 440 ग्राम

C. 580 ग्राम　　D. 900 ग्राम

39. किसान क्रेडिट कार्ड की व्यवस्था किस वर्ष में प्रारम्भ की गई थी?

A. 1978　　B. 1998

C. 1988　　D. 2008

40. अभिकथन (A) : पी.एल.–480 अनुदानों को खाद्यान्नों के आयात के लिए उपयोग किया गया था।

कारण (R) : पी.एल.–480 अनुदान सुविधा जापान द्वारा दी गई थी।

कूट :

A. (A) और (R) दोनों सत्य हैं और (R), (A) की सही व्याख्या है।

B. (A) और (R) दोनों सत्य हैं और (R), (A) की सही व्याख्या नहीं है।

C. (A) सत्य है, परंतु (R) असत्य है।

D. (A) असत्य है, परंतु (R) सत्य है।

41. मूँगफली की उत्पादकता कहाँ उच्चतम है?

A. यू.एस.ए.　　B. मैक्सिको

C. भारत　　D. चीन

42. नाफेड क्या है?

A. कम्पनी　　B. गैर-सरकारी संगठन

C. सरकारी निकाय　　D. सहकारी संगठन

43. भारत में, वर्ष 2010 के लिए एस.आर.एस. डेटा के आधार पर निम्नलिखित में से कौन-सा गलत है?

A. TFR = 2.5　　B. CDR = 7.2

C. IMR = 48.9　　D. CBR = 24.2

44. भारत में, किस जनगणना तक समकालिक वास्तविक पद्धति (de facto) को अपनाया जाता था जिसमें देश भर में एकल रात्रि में जनगणना की गई थी?

A. 1901　　B. 1931

C. 1951　　D. 1971

45. निम्नलिखित को सुमेलित करें :

सूची-I	**सूची-II**
(*a*) टाइप-II त्रुटि	1. $P_{01} \times P_{10} = 1$
(*b*) माध्य > बहुलक	2. जब वह सत्य नहीं है, तो H_0 को अस्वीकार नहीं करने की प्रायिकता
(*c*) जनसंख्या समरूप है	3. धनात्मक रूप से विषम/ढलवाँ बटन
(*d*) समय विपर्यय परीक्षण	4. सरल यादृच्छिक प्रतिचयन

कूट :

	(*a*)	(*b*)	(*c*)	(*d*)
A.	2	3	4	1
B.	3	1	2	4
C.	4	2	3	1
D.	1	2	3	4

46. अभिकथन (A) : सामान्य बंटन के लिए माध्य = माध्यिका = बहुलक है।

कारण (R) : सामान्य बंटन मेसोकुर्तिक (मध्यम वक्रता मात्रा) है।

कूट :

A. (A) और (R) दोनों सही हैं और (R), (A) की सही व्याख्या है।

B. (A) और (R) दोनों सही हैं, परन्तु (R), (A) की सही व्याख्या नहीं है।

C. (A) सही है, परंतु (R) गलत है।

D. (A) गलत है, परंतु (R) सही है।

47. दिए गए डेटा से अनुमानित दो समाश्रयण रेखाएँ :

$Y = 4 + 0.4\,X$

$X = -2 + 0.9\,Y$

दी गई होने पर, X और Y के बीच सहसम्बन्ध गुणांक होगा।

A. 0.4 B. 0.5
C. 0.6 D. 0.8

48. निम्नलिखित में से कौन-सा समय विपर्यय परीक्षण को संतुष्ट करता है परन्तु कारक विपर्यय परीक्षण को संतुष्ट नहीं करता है?

A. लेसपेयरस सूचकांक B. फिशर सूचकांक
C. पाशे का सूचकांक D. मार्शल-एजवर्थ सूचकांक

49. 3×5 प्रासंगिकता तालिका में χ^2 का मूल्य 8.0 परिकलित किया गया है। शून्य साहचर्य की शून्य प्राक्कल्पना को 5% के सार्थकता स्तर पर परीक्षण किया जाएगा, यदि यह मूल्य निम्नलिखित स्वातन्त्र्य कोटि पर, तालिका में दिए χ^2 के मूल्य के बराबर या उससे कम है :

A. 8 B. 6
C. 4 D. 3

50. गैर-प्रायिकता आधारित प्रतिचयन पद्धति कौन-सी है?

A. व्यवस्थित प्रतिचयन

B. स्तरित यादृच्छिक प्रतिचयन

C. कोटा (नियतांश) प्रतिचयन

D. सरल यादृच्छिक प्रतिचयन

उत्तरमाला

1	2	3	4	5	6	7	8	9	10
A	B	B	C	B	D	A	B	C	D
11	**12**	**13**	**14**	**15**	**16**	**17**	**18**	**19**	**20**
D	B	A	A	B	B	C	A	C	A
21	**22**	**23**	**24**	**25**	**26**	**27**	**28**	**29**	**30**
D	C	B	C	B	B	C	C	D	C
31	**32**	**33**	**34**	**35**	**36**	**37**	**38**	**39**	**40**
A	C	D	A	C	A	C	A	B	B
41	**42**	**43**	**44**	**45**	**46**	**47**	**48**	**49**	**50**
A	D	D	B	A	B	C	D	A	C

कुछ चुने हुए प्रश्नों के व्याख्यात्मक उत्तर

1. विभिन्न साधनों को किराये पर लेने या खरीदने के लिए फर्म द्वारा किये जाने वाले प्रसंविदात्मक नकद भुगतान या लेखांकन लागतें स्पष्ट लागतें (explicit costs) भी कही जाती हैं।

4. पूर्ण प्रतियोगिता में फर्म संतुलन में तब होती है जब उसकी सीमान्त लागत दी हुई कीमत के समान हो। परन्तु फर्म के दीर्घकालीन सन्तुलन में होने के लिए सीमान्त लागत और कीमत के समान होने के अतिरिक्त अन्य भी एक शर्त है जो अवश्य पूरी होनी चाहिए। शर्त यह है कि फर्म के दीर्घकालीन संतुलन में होने के लिए वस्तु की कीमत औसत के बराबर होनी चाहिए क्योंकि यदि कीमत औसत लागत से अधिक अथवा कम है तो उद्योग में फर्मों के प्रवेश करने अथवा उसे छोड़ जाने की प्रवृत्ति होगी। यदि कीमत औसत लागत लागत से अधिक है तो फर्मों को सामान्य लाभ से अधिक लाभ प्राप्त होंगे। इन असामान्य लाभों से आकृष्ट होकर उस उद्योग में और फर्में प्रवेश करेंगी। उद्योग में नई

फर्मों के आ जाने से फर्मों की संख्या बढ़ जाएगी जिससे वस्तु के उत्पादन अथवा पूर्ति में वृद्धि होगी। वस्तु के उत्पादन अथवा पूर्ति के बढ़ जाने से वस्तु की कीमत गिर जाएगी। फर्मों के प्रवेश कर जाने से फर्म की लागत में भी वृद्धि होगी क्योंकि अब उत्पादन के विभिन्न साधनों के लिए प्रतियोगिता बढ़ जाने से उनकी कीमतें बढ़ जाएंगी। परिणामस्वरूप फर्म का औसत लागत वक्र कुछ ऊपर को सरक जाएगा। इस प्रकार हम देखते हैं कि नई फर्मों के उद्योग में आ जाने से एक ओर तो वस्तु की कीमत गिरेगी और दूसरी ओर वस्तु की लागत बढ़ेगी। इस प्रकार नई फर्में उस उद्योग में प्रवेश करती चली जाएँगी जब तक कि कीमत औसत लागत के बराबर नहीं हो जाती और असामान्य लाभ बिल्कुल समाप्त नहीं हो जाते।

7. वी. परेटो सर्वप्रथम अर्थशास्त्री थे जिन्होंने तुष्टिगुण (उपयोगिता) के क्रमवाचक विचार (ordinal concept of utility) के आधार पर कल्याणकारी अर्थशास्त्र का विचार प्रस्तुत किया। परेटो ने तुष्टिगुण की मापनीयता तथा उसकी अन्वैयक्तिक तुलना के विचार को गलत सिद्ध किया तथा स्पष्ट किया कि पूर्ण प्रतियोगिता समाज को अनुकूलतम कल्याण की स्थिति को प्राप्त करने में सहायक होती है। अतः परेटो ने सामाजिक अनुकूलतम (social optimum) का विचार प्रस्तुत किया।

9. Here, Working Life

$$WL = 60 - 20 = 40$$

Number of years of life

$$NL = 70 - 20 = 50$$

$$\therefore \quad \frac{WL}{NL} = APC$$

$$\Rightarrow \quad APC = \frac{40}{50} = 0.8.$$

15. कुजनेट्स विकास के साथ आय वितरण की असमानता में कमी के दो कारण देता है। **प्रथम** उच्चतर आय वर्गों की प्रति व्यक्ति आय में वृद्धि होती है क्योंकि उनका सम्पत्ति से प्राप्त आय का हिस्सा कम हो जाता है। **दूसरे** जब सरकार शिक्षा, स्वास्थ्य सेवाओं, उत्तराधिकारी और आय कराधान, सामाजिक सुरक्षा और आर्थिक सहायता से सम्बंधित व्यक्तियों अथवा समस्त वर्गों के लिए निर्णय लेती है, तो निम्न आय वर्गों की प्रतिव्यक्ति आय बढ़ती है। जैसे-जैसे विकास होता जाता है, वह औद्योगिक क्षेत्र में संचयी प्रसार की एक शृंखला चालू कर देता है, जिससे प्रति व्यक्ति आय में वृद्धि होती जाती है। ये आगे ग्रामीण क्षेत्रों की वस्तुओं तथा कृषि पदार्थों की मांग में वृद्धि करती है, जिससे इन क्षेत्रों के लोगों की प्रति व्यक्ति आय में वृद्धि होती है। इन्हें **हर्षमैन** विकास के नीचे की ओर रिसने वाले प्रभाव (trickling down effects) और **मिर्डल** प्रसरण प्रभाव (spread effects) कहते हैं।

16. जोसेफ एलोइ शूम्पीटर ने पहली बार 1911 में जर्मन भाषा में प्रकाशित The Theory of Economic Development में अपना सिद्धांत प्रस्तुत किया।

शूम्पीटर के अनुसार, विकास वृत्तीय प्रवाह की दिशाओं में आकस्मिक तथा अनिरंतर परिवर्तन है जो पहले की विद्यमान संतुलन की स्थिति को सदा के लिए परिवर्तित तथा विस्थापित कर देती है (Development is **spontaneous and discontinuous change** in the channels of the circular flow, disturbance of equilibrium, which for ever alters and displances the equilibrium state previously existing) आर्थिक जीवन में **'आकस्मिक तथा अनिरंतर'** परिवर्तन अर्थव्यवस्था पर बाहर से नहीं थोपे जाते बल्कि वे अर्थव्यवस्था के भीतर ही उत्पन्न होते हैं। विकास उन नए संयोगों को कार्यान्वित करने से होता है जिनकी सम्भावनाएं स्थिर अवस्था में मौजूद रहती हैं। शूम्पीटर के अनुसार नए संयोग नवप्रवर्तनों के रूप में प्रकट होते हैं। शूम्पीटर के अनुसार, एक नई वस्तु का प्रचलन करने तथा वर्तमान वस्तुओं में निरंतर सुधार करने से आर्थिक विकास होता है।

शूम्पीटर के अनुसार नवप्रवर्तन का कार्य **उद्यमी** (entrepreneur) करता है पूंजीपति नहीं। उद्यमी साधारण प्रबंधकीय योग्यता का व्यक्ति नहीं होता बल्कि ऐसा व्यक्ति होता है जो एकदम किसी नई चीज का प्रचलन करता है। शूम्पीटर के विश्लेषण में **उद्यमी** (entrepreneurs) ही प्रमुख व्यक्ति होता है। वे आकस्मिक तथा असतत ढंग से आर्थिक विकास करता है।

17. आर्थिक विकास के क्लासिकल सिद्धांत की व्याख्या इस प्रकार से की जा सकती है :

अबंध नीति (Laissez faire policy) : क्लासिकल अर्थशास्त्री पूर्ण प्रतियोगी और मुक्त तथा बिना किसी बाहरी हस्तक्षेप वाली अर्थव्यवस्था में विश्वास रखते थे।

पूंजी संचय आर्थिक विकास की कुंजी (Capital accumulation the key of Progress) : क्लासिकल सिद्धांत पूंजी संचय को आर्थिक विकास की कुंजी मानता है। इसके लिए वह अधिक बचत करने पर जोर देता है। केवल पूंजीपति तथा भूमिपति को ही बचत करने के योग्य समझा जाता है। श्रमिक वर्ग को बचत करने में असमर्थ समझा जाता है क्योंकि उसे निर्वाह-स्तर के बराबर ही मजदूरी मिलती है।

लाभ निवेश की प्रेरणा (Profit the incentive to investment) : क्लासिकल सिद्धांत के अनुसार लाभ निवेश को प्रेरित करता है। लाभ जितना ही अधिक होगा पूंजी संचय तथा निवेश उतना ही अधिक होगा।

19. आर्थिक वृद्धि का संबंध देश की राष्ट्रीय आय या उत्पादन में एक मात्रात्मक निरंतर वृद्धि से है जो कि उसकी श्रम शक्ति, उपभोग, पूंजी और व्यापार की मात्रा में प्रसार के साथ होती है। दूसरी ओर, आर्थिक विकास एक विस्तृत धारणा है। यह आर्थिक आवश्यकताओं, वस्तुओं, प्रेरणाओं और संस्थाओं में गुणात्मक परिवर्तनों से संबंधित है। यह प्रौद्योगिकी और संरचनात्मक परिवर्तनों जैसे वृद्धि के अंतर्निहित निर्धारकों का वर्णन करता है।

22. कर का विवर्तन उस प्रक्रिया की ओर संकेत करता है जिसके द्वारा किसी कर का द्रव्य भार (money burden) एक व्यक्ति से दूसरे व्यक्ति को स्थानान्तरित होता जाता है। कर का विवर्तन आगे की ओर को भी हो सकता है और पीछे की ओर को भी। एक उत्पादक (Producer) जिस पर कि कर लगाया गया है, उस कर को उपभोक्ता पर डाल सकता है अथवा एक विक्रेता अपने पर लगे कर को क्रेता पर डाल सकता है। इन उदाहरणों में उपभोक्ता तथा क्रेता पर कर का **आगे की ओर विवर्तन** (forward shifting) किया गया है। दूसरी ओर, कर पहली बार में (in the first instance) उपभोक्ता या क्रेता पर लगाया जा सकता है और उस कर को क्रमश: उत्पादक तथा विक्रेता की ओर अंतरित (shift) कर सकते हैं। इस स्थिति में कर का पीछे की ओर विवर्तन (backward shifting) किया गया है। कच्चे माल की पूर्ति तथा श्रमिकों पर लगाए गए कर पीछे की ओर विवर्तन अथवा प्रतिगामी विवर्तन (backward shifting) के उदाहरण माने जा सकते हैं।

24. केन्द्र सरकार के घाटों को निम्नलिखित रूपों में व्यक्त किया जा सकता है—

1. बजटीय घाटा (Budget Deficit)
2. राजस्व घाटा (Revenue Deficit)
3. मौद्रिकृत घाटा (Monetised Deficit)
4. राजकोषीय घाटा (Fiscal Deficit)
5. प्राथमिक घाटा (Primary Deficit)

1. **बजटीय घाटा:** यह घाटा राजस्व तथा पूंजीगत खातों के अंतर्गत दिखाई जाने वाली समस्त प्राप्तियों तथा समस्त व्यय का अन्तर होता है।
2. **राजस्व घाटा:** यह घाटा केवल राजस्व प्राप्तियों तथा राजस्व व्यय के मध्य अन्तर को प्रदर्शित करता है।
3. **मौद्रिकृत घाटा:** यह घाटा केन्द्र सरकार के लिए भारतीय रिजर्व बैंक की शुद्ध साख में होने वाली वृद्धि को बताता है। इसके अंतर्गत शामिल किया जाता है—
   (*a*) भारतीय रिजर्व बैंक के बकाया ट्रेजरी बिल की शुद्ध वृद्धि तथा
   (*b*) सरकार की बाजार उधार में RBI का योगदान
4. **राजकोषीय घाटा:** यह राजस्व प्राप्तियों, अनुदानों तथा गैर-ऋण पूंजीगत प्राप्तियों (Non-debt capital receipt) के ऊपर सरकार के कुल व्यय (राजस्व तथा पूंजीगत व्यय, जिसमें उधार दिए गए शुद्ध ऋणों की राशि भी सम्मिलित होती है) का अतिरेक होता है।
5. **प्राथमिक घाटा:** जब राजकोषीय घाटे में ब्याज अदायगियों को घटा दिया जाता है तो शेष राशि को प्राथमिक घाटा कहा जाता है।

25. कर आय की लोच तथा उत्प्लावकता (Elasticity and buoyancy): किसी भी कर प्रणाली में लचीलेपन का अर्थ यह होता है कि करों में आय लोच (income elasticity) काफी है। अन्य शब्दों में, जब राष्ट्रीय आय में वृद्धि से ही कर राजस्व में अनुपात से अधिक वृद्धि हो जाती है तो कर ढांचा लचीला माना जाता है। **करों की उत्प्लावकता** (buoyancy of taxes) की अवधारणा व्यापक है। जब करों की दरों में परिवर्तन, कराधान के आधार में विस्तार, अर्थात नए लोगों और नई वस्तुओं पर कराधान को भी ध्यान में रखकर आय के प्रति कर राजस्व की प्रतिक्रिया (responsiveness) की जांच की जाती है तो दरअसल हम करों की उत्प्लावकता मालूम करते हैं।

29. प्रशुल्क का व्यापार शर्त प्रभाव यह है कि जो देश प्रशुल्क लगाता है उसकी व्यापार शर्तें बेहतर हो जाती हैं। वह अपने आयात अपेक्षाकृत कम दामों पर प्राप्त कर सकता है क्योंकि विदेशी निर्यातकर्ता को शुल्क के कुछ भाग अथवा सम्पूर्ण शुल्क का भुगतान करना पड़ता है। परंतु प्रशुल्क लगाने वाले देश की व्यापार शर्तों में कितना सुधार होगा यह दूसरे देश के प्रस्ताव वक्र (offer curve) की लोच पर निर्भर करता है।

36. एस.वी.एस. राघवन की अध्यक्षता में गठित समिति द्वारा मई, 2000 में प्रस्तुत अपनी रिपोर्ट में यह सुझाव दिया कि MRTP अधिनियम, 1969 को निरस्त कर दिया जाए तथा उसके स्थान पर एक नया प्रतिस्पर्धा कानून (Competition Law) लाया जाए। समिति के सुझावों को मानते हुए सरकार ने संसद में प्रतिस्पर्धा बिल 2001 (Competition Bill, 2001) पेश किया जिसे दिसम्बर 2002 में पास कर दिया गया। इसे प्रतिस्पर्धा अधिनियम; 2002 (Competition Act, 2002) कहा जाता है।

39. किसान क्रेडिट कार्ड की व्यवस्था वर्ष 1998 में प्रारंभ की गयी थी।

42. NAFED अखिल भारतीय स्तर पर एक सहकारी विपणन संगठन है। इसकी स्थापना 1958 में हुई थी।

43. **अशोधित जन्म दर (Crude Birth Rate) :** उर्वरता दर को मापने की यह सरलतम विधि है। यह सापेक्ष गति का एक ऐसा सूचकांक है जो शिशु जन्म के रूप में जनसंख्या में होने वाली वृद्धि को दर्शाता है। इस विधि में जन्म-संख्याएं कुल जनसंख्या से संबंधित होती हैं। चूंकि जीवित-जन्म (live-births) ही सही अर्थों में विद्यमान जनसंख्या में होने वाली वृद्धि का प्रतीक है इसलिए उर्वरता मापन में केवल जीवित जन्म-संख्या का ही प्रयोग किया जाता है। इस प्रकार अशोधित जन्म-दर की माप करने के लिए कुल जीवित-जन्म संख्या को वर्ष के मध्य में पाए जाने वाली कुल जनसंख्या से विभाजित कर दिया जाता है। सूत्रानुसार—

$$\text{CBR} = \frac{\Sigma \text{B}}{\Sigma \text{P}} \times 1000$$

जहां CBR = अशोधित जन्म दर

ΣB = एक वर्ष में जन्मित जीवित शिशुओं की कुल संख्या

ΣP = मध्यावधि की कुल जनसंख्या

यह विधि सरल होने के बावजूद उपयुक्त नहीं है क्योंकि अंतर क्षेत्रीय तुलना के लिए इसका प्रयोग उचित नहीं समझा जाता। उदाहरण के तौर पर यदि दो क्षेत्रों की जनसंख्या का आयु वितरण तथा लिंगानुपात भिन्न है तो ऐसी दशा में उन क्षेत्रों की अशोधित जन्म दरों के आधार पर तुलना भ्रमात्मक सिद्ध होगी।

47.
$$b_{yx} = 0.4$$
$$b_{xy} = 0.9$$

Co-efficient of correlation

$$= \sqrt{b_{yx} \cdot b_{xy}} = \sqrt{0.4 \times 0.9}$$
$$= \sqrt{0.36} = 0.6.$$

48. **Marshall-Edgeworth Formula:** According to Marshall-Edgeworth Formula:

$$P_{01} = \frac{\Sigma p_1 q_0 + \Sigma p_1 q_1}{\Sigma p_0 q_0 + \Sigma p_0 q_1}$$

Interchanging 0 to 1 and 1 to 0

$$P_{10} = \frac{\Sigma p_0 q_1 + \Sigma p_0 q_0}{\Sigma p_1 q_1 + \Sigma p_1 q_0}$$

$$\therefore P_{01} \times P_{10} = \frac{\Sigma p_1 q_0 + \Sigma p_1 q_1}{\Sigma p_0 q_0 + \Sigma p_0 q_1} \times \frac{\Sigma p_0 q_1 + \Sigma p_0 q_0}{\Sigma p_1 q_1 + \Sigma p_1 q_0} = 1$$

Since $P_{01} \times P_{10} = 1$, Marshall-Edgeworth satisfies time reversal test.

Marshall-Edgeworth's formula does not satisfy factor reversal test. Factor reversal test is satisfied only by Fisher's Ideal formula. This is shown below:

Marshall-Edgeworth Formula: According to Marshall-Edgeworth Formula:

$$P_{01} = \frac{\Sigma p_1 q_0 + \Sigma p_1 q_1}{\Sigma p_0 q_0 + \Sigma p_0 q_1};$$

$$Q_{01} = \frac{\Sigma q_1 p_0 + \Sigma q_1 p_1}{\Sigma q_0 p_0 + \Sigma q_0 p_1}$$

$$\therefore P_{01} \times Q_{01} = \frac{\Sigma p_1 q_0 + \Sigma p_1 q_1}{\Sigma p_0 q_0 + \Sigma p_0 q_1} \times \frac{\Sigma q_1 p_0 + \Sigma q_1 p_1}{\Sigma q_0 p_0 + \Sigma q_0 p_1} \neq \frac{\Sigma p_1 q_1}{\Sigma p_0 q_0}$$

Since, $P_{01} \times Q_{01} \neq \frac{\Sigma p_1 q_1}{\Sigma p_0 q_0}$, the test is not satisfied by Marshall-Edgeworth formula.

50. Samples can be either probability samples or non-probability samples. With probability samples each element has a known probability of being included in the sample but the non-probability samples do not allow the researcher to determine this probability. Probability samples are those based on simple random sampling, systematic sampling, stratified sampling, cluster/area sampling whereas non-probability samples are those based on convenience sampling, judgement sampling and quota sampling techniques.

प्रश्न-पत्र–III

***नोटः** इस प्रश्नपत्र में **पचहत्तर** (75) बहु-विकल्पीय प्रश्न हैं। प्रत्येक प्रश्न के **दो** (2) अंक हैं। **सभी** प्रश्न अनिवार्य हैं।*

1. प्रबन्धकीय उद्यम का मॉडल किससे सम्बन्धित है?

A. आर.ए. गोर्डन B. आर. मॉरिस
C. बॉमोल D. साइटॉर्सकी

2. निम्नलिखित में रेखीय आयोजन की मान्यता कौन-सी नहीं है?

A. उत्पादन की स्थिर कीमतें
B. स्थिर आगत कीमतें
C. पैमाने के वर्द्धमान प्रतिफल
D. प्रौद्योगिकीय रूप से निर्धारित कारक अनुपात

3. अल्पाधिकार के पॉल स्वीजी मॉडल में, विकुंचित माँग वक्र में कुंचन का बिन्दु क्या प्रकट करता है?

A. मात्रा की अनम्यता
B. कीमत की अनम्यता
C. कीमत एवं मात्रा दोनों की अनम्यता
D. केवल कीमत की अनम्यता

4. सूची-I को सूची-II के साथ सुमेलित करें :

सूची-I	**सूची-II**
(*a*) देयता वक्र	1. सार्वजनिक राजस्व
(*b*) लाफर वक्र	2. वृढ़ कीमत
(*c*) लॉरेंज वक्र	3. अन्योन्य माँग
(*d*) विकुंचित माँग वक्र	4. असमानताएँ

कूट :

	(*a*)	(*b*)	(*c*)	(*d*)
A.	3	1	4	2
B.	1	3	2	4
C.	3	4	1	2
D.	4	1	2	3

5. सूची-I में मदों को सूची-II के साथ सुमेलित करें :

सूची-I	**सूची-II**
(*a*) तकनीकी एकाधिकार	1. स्वर्ण एवं चाँदी
(*b*) वैश्विक बाजार	2. उत्पादक संघ
(*c*) विधिक एकाधिकार	3. कोका कोला
(*d*) अल्पाधिकार	4. एकस्व (पेटेन्ट) एकाधिकार

कूट :

	(*a*)	(*b*)	(*c*)	(*d*)
A.	3	1	4	2
B.	3	2	1	4
C.	4	3	1	2
D.	4	1	2	3

6. **अभिकथन (A) :** उपभोक्ता अतिरेक, संभावित कीमत तथा वास्तविक कीमत के बीच का अन्तर है।

कारण (R) : कीमत और उपभोक्ता अतिरेक के बीच प्रतिलोमी सम्बन्ध होता है।

कूट :

A. (A) तथा (R) दोनों सत्य हैं और (R), (A) की सही व्याख्या है।
B. (A) तथा (R) दोनों सत्य हैं, परन्तु (R), (A) की सही व्याख्या नहीं है।
C. (A) सत्य है, परंतु (R) असत्य है।
D. (A) असत्य है, परंतु (R) सत्य है।

7. **अभिकथन (A) :** दीर्घकालिक लागत वक्र U आकार का होने के बजाय L आकार का होता है।

कारण (R) : दीर्घकाल में बड़े संयंत्रों के उत्पादन की नई तकनीक प्रति इकाई उत्पादन की कुल लागत कम करती है।

कूट :

A. (A) तथा (R) दोनों सत्य हैं और (R), (A) की सही व्याख्या है।

B. (A) तथा (R) दोनों सत्य हैं, परन्तु (R), (A) की सही व्याख्या नहीं है।

C. (A) असत्य है, परंतु (R) सत्य है।

D. (R) असत्य है, परंतु (A) सत्य है।

8. निम्नलिखित में से कौन-सा सत्य है?

(*a*) उदासीनता (तटस्थ) वक्र बाएँ से दाएँ ढलवाँ होता है।

(*b*) उदासीनता (तटस्थ) वक्र दाएँ से बाएँ ढलवाँ होता है।

(*c*) उदासीनता (तटस्थ) वक्र दोनों अक्षों के मूल बिन्दु पर उत्तल होता है।

(*d*) उदासीनता (तटस्थ) वक्र कभी एक-दूसरे को काटता नहीं है।

A. (*a*), (*b*) एवं (*c*) सत्य हैं।

B. (*b*), (*c*) एवं (*d*) सत्य हैं।

C. (*a*), (*c*) एवं (*d*) सत्य हैं।

D. (*a*) और (*d*) सत्य हैं।

9. गुणक प्रभाव का बड़ा हिस्सा बहुत कम अवधियों में प्राप्त होता है जब उपभोग की सीमान्त प्रवृत्ति होती है

A. इकाई B. अधिक

C. कम D. उपर्युक्त में से कोई नहीं

10. इष्टतम पूँजी स्टॉक तब प्राप्त होता है जब पूँजी की उपयोक्ता लागत निम्नलिखित के बराबर होती है

A. ब्याज की दर

B. मूल्य ह्रास की दर

C. पूँजी का सीमान्त उत्पाद

D. टॉबिन का Q

11. यदि अर्थव्यवस्था संभावित जी डी पी पर कार्य कर रही है तो मुद्रा आपूर्ति में वृद्धि निम्नलिखित की ओर अग्रसर करेगी।

A. निस्पंद स्फीति

B. संरचनात्मक मुद्रा स्फीति

C. माँग-पक्षीय मुद्रा स्फीति

D. आपूर्ति-पक्षीय मुद्रा स्फीति

12. रूढ़ीवादी (प्रारम्भिक) कीन्सवादियों के मामले में निम्नलिखित में से क्या सत्य है?

1. मुद्रा के लिए माँग की ब्याज लोच अत्यन्त उच्च होती है।
2. मुद्रा के लिए माँग की ब्याज लोच निम्न होती है।
3. मुद्रा की मात्रा में परिवर्तनों का आर्थिक गतिविधि के स्तर पर महत्वपूर्ण पूर्वानुमेय प्रभाव नहीं पड़ते हैं।
4. मुद्रा की माँग अस्थिर होती है।

कूट :

A. 1, 2, 3 B. 1, 3, 4

C. 1, 2, 4 D. 2, 3, 4

13. निम्नलिखित में से कौन-सा कथन मिथ्या है?

A. कीन्सवादी गुणक का मूल्य जितना कम होगा और निवेश की ब्याज संवेदनशीलता जितनी कम होगी, आई.एस. वक्र उतना सपाट होगा।

B. कीन्सवादी गुणक का मूल्य जितना कम होगा और निवेश की ब्याज संवेदनशीलता जितनी कम होगी, आई.एस. वक्र उतना ढलवाँ (या प्रपाती) होगा।

C. एल.एम. वक्र की स्थिति कीमत स्तर तथा आय में परिवर्तनों के प्रति मुद्रा की माँग की संवेदनशीलता पर ऋणात्मक रूप से निर्भर करती है।

D. मुद्रा की माँग की ब्याज संवेदनशीलता जितनी अधिक होगी और मुद्रा की माँग की आय संवेदनशीलता जितनी कम होगी, उतना ही एल.एम. वक्र सपाट होता है।

14. निम्नलिखित में से कौन-से कथन सत्य हैं?

1. सरकारी व्यय में वृद्धि समग्र व्यय को ज्यादा शीघ्रता से प्रभावित करती है बजाय मुद्रा पूर्ति में वृद्धि के।
2. जब समग्र पूर्ति ऊर्ध्वाकार होती है तो समग्र माँग में वृद्धि का वास्तविक उत्पादन पर कोई प्रभाव नहीं पड़ता है।
3. सरकारी व्यय में वृद्धि हमेशा निजी क्षेत्र के ब्याज संवेदनशील व्यय की समान मात्रा को 'क्राउड आउट' करती है।
4. मुद्रा आपूर्ति में वृद्धि के बजाय सरकारी व्यय में वृद्धि समग्र आपूर्ति को कम शीघ्रता से प्रभावित करती है।

कूट :

A. 1 और 2 B. 1 और 3

C. 1 और 4 D. 3 और 4

15. आर्थिक संवृद्धि के सिद्धान्त के संदर्भ में सूची-I में दिए सिद्धान्तों को सूची-II में दिए उनके प्रतिपादकों के साथ सुमेलित कीजिए :

सूची-I	**सूची-II**
(*a*) आर्थिक संवृद्धि के रूढ़िबद्ध कारक	1. आर.एम. सोलो
(*b*) बहिर्जात संवृद्धि सिद्धान्त	2. एन. काल्डर
(*c*) संचय का स्वर्णिम नियम	3. रेडनर एवं सैम्यूलसन
(*d*) इष्टतम संवृद्धि 'टर्नपाइकूस'	4. ई.एस. फेल्प्स

कूट :

	(*a*)	(*b*)	(*c*)	(*d*)
A.	2	1	3	4
B.	3	2	1	4
C.	2	1	4	3
D.	2	4	3	1

16. अंतर्जात संवृद्धि सिद्धान्त संवृद्धि के कौन-से निर्धारक की व्याख्या प्रदान करने की चेष्टा करता है जिसे कि सोलो मॉडल ने स्पष्ट नहीं किया है?

A. तकनीकी प्रगति
B. श्रम संवृद्धि
C. संवृद्धि को बढ़ावा देने में सरकार की भूमिका
D. उपर्युक्त सभी

17. 'बहु-आयामी निर्धनता सूचकांक' (MPI) नवीन सूचकांक है जिसे निम्नलिखित में समाविष्ट किया जाता है

A. विश्व मानव रिपोर्ट
B. मानव विकास रिपोर्ट
C. विश्व विकास रिपोर्ट
D. भारत का मानव विकास रिपोर्ट

18. कल्याण का बेहतर माप कौन-सा है?

A. राष्ट्रीय आय
B. प्रति व्यक्ति आय
C. प्रति व्यक्ति व्यय योग्य आय
D. सकल राष्ट्रीय उत्पाद

19. 11वीं पंचवर्षीय योजना के किस वर्ष में उच्चतम जीडीपी वृद्धि दर दर्ज की गई थी?

A. 2007-08 B. 2008-09
C. 2009-10 D. 2010-11

20. यू.एन.ई.पी. का मुख्य उद्देश्य क्या है?

A. समान विकास B. आर्थिक विकास
C. तापमान में कमी D. धारणीय विकास

21. भारत में खाद्यान्नों को निम्नलिखित में किसके द्वारा सरणीबद्ध (केनलाइज़) किया जाता है?

A. ONGC B. OIL
C. FCI D. MMTC

22. सी.एस.ओ. के द्वारा 2012-13 के प्रथम चतुर्थ के लिए जारी अनंतिम आँकड़ों के अनुसार, जीडीपी वृद्धि का क्या अनुमान लगाया गया है?

A. 5.1% B. 5.5%
C. 5.9% D. 6.2%

23. किसके आर्थिक सिद्धान्तों में माल्थस के सिद्धान्त मूल में रहते हैं?

A. एडम स्मिथ B. रिकार्डो
C. कीन्स D. रोबिन्स

24. व्यापार चक्र के चार चरण हैं। इन चरणों के घटित होने का सही अनुक्रम बताएँ :

A. वसूली, अवमंदन, विस्तार, मंदी
B. वसूली, विस्तार, मंदी, अवमंदन
C. मंदी, विस्तार, अवमंदन, वसूली
D. वसूली, विस्तार, अवमंदन, मंदी

25. भारत में 11वीं योजना के दौरान कृषि क्षेत्र में कुल कारक उत्पादकता (TEP)

A. बढ़ी थी।
B. कम हुई थी।
C. अपरिवर्तित रही।
D. कोई विशेष पैटर्न नहीं था।

26. विकसित देशों में खाद्य के लिए माँग की आय लोच किससे कम होती है?

A. शून्य B. 1
C. 2 D. 3

27. 'अपना खेत, अपना काम' की स्कीम 'मनरेगा (MNREGA)' के अन्तर्गत नवीन स्कीम है, यह किस राज्य में प्रारम्भ की गई थी?

A. पंजाब B. गुजरात
C. राजस्थान D. मध्य प्रदेश

28. 'कीमत कैंची' किससे सम्बन्धित है?

A. ईंधन एवं औद्योगिक वस्तुओं की तुलनात्मक कीमत।
B. कृषि वस्तुओं के सम्बन्ध में औद्योगिक वस्तुओं की तुलनात्मक कीमत।

C. निर्यातित वस्तुओं के सम्बन्ध में आयातित वस्तुओं की तुलनात्मक कीमत।

D. उपर्युक्त में से कोई नहीं।

29. **अभिकथन (A) :** पीली क्रान्ति से बीजों के उत्पादन में वृद्धि हुई है।

कारण (R) : श्वेत क्रान्ति ने दूध के उत्पादन में वृद्धि की है।

कूट :

A. (A) तथा (R) दोनों सत्य हैं और (R), (A) की सही व्याख्या है।

B. (A) तथा (R) दोनों सत्य हैं, परन्तु (R), (A) की सही व्याख्या नहीं है।

C. (A) सत्य है, परंतु (R) असत्य है।

D. (A) असत्य है, परंतु (R) सत्य है।

30. ब्रेटन वुड्स व्यवस्था के विध्वंस होने का तत्कालिक कारण क्या था?

A. यह प्रत्याशा कि यू.एस. शीघ्र ही डॉलर का अवमूल्यन करने के लिए विवश हो जाएगा।

B. यू.एस. से तरल पूँजी का भारी बाह्य प्रवाह।

C. तीन छोटे यूरोपियन सेन्ट्रल बैंकों द्वारा अपनी डॉलर जमापूँजी के कुछ भाग को फेडरल में स्वर्ण में बदलने का प्रयास।

D. उपर्युक्त सभी।

31. स्थिर विनिमय दर व्यवस्था के मामले में भुगतान संतुलन किसके जरिये होता है?

A. कीमत स्तर में परिवर्तन

B. विनिमय दर में परिवर्तन

C. ब्याज की दर में परिवर्तन

D. उपर्युक्त में से कोई नहीं

32. हाजिर (स्पॉट) विदेशी मुद्रा विनिमय किससे सम्बन्धित है?

A. दो व्यवसाय दिनों के अन्दर डिलीवरी के लिए विदेशी मुद्रा की खरीद या बिक्री।

B. डिलीवरी के लिए विदेशी मुद्रा का विक्रय।

C. डिलीवरी के लिए विदेशी मुद्रा की खरीद।

D. उपर्युक्त में से कोई नहीं।

33. एम.एफ.एन. (मोस्ट फेवर्ड नेशन) धारा के सम्बन्ध में सही कथन ज्ञात कीजिए।

A. यह संविदा करने वाले दलों को विशेष सुविधा की गारंटी देता है।

B. यह केवल समान व्यवहार की गारंटी देता है।

C. अप्रतिबन्धित एम.एफ.एन. धारा प्रतिबन्धित धारा की तुलना में ज्यादा न्यायसंगत या साम्यिक प्रतीत होती है।

D. प्रतिबन्धित एम.एफ.एन. धारा संविदा करने वाले दलों को महत्वपूर्ण अधिकार प्रदान करती है।

34. सूची-I को सूची-II के साथ सुमेलित करें :

सूची-I	**सूची-II**
(*a*) हेमिल्टन-लिस्ट	1. व्यापार सृजन एवं व्यापार विषयान्तर प्रभाव
(*b*) मार्शल-लर्नर	2. भारतीय उद्योग
(*c*) एफ.वाई. एजवर्थ	3. लोच का दृष्टिकोण
(*d*) जेकोब वाइनर	4. दरिद्रताजननीय संवृद्धि

कूट :

	(*a*)	(*b*)	(*c*)	(*d*)
A.	2	3	1	4
B.	2	3	4	1
C.	3	2	4	1
D.	3	2	1	4

35. संचालित तिरती विनिमय दर व्यवस्था के अन्तर्गत, राष्ट्र के मौद्रिक प्राधिकारी विदेशी विनिमय बाजारों में किसलिए हस्तक्षेप करते हैं?

A. विनिमय दरों में अल्पकालिक उतार-चढ़ावों को घटाने के लिए।

B. विनिमय दरों में दीर्घकालिक उतार-चढ़ावों को घटाने के लिए।

C. विनिमय दरों में अल्पकालिक एवं दीर्घकालिक उतार-चढ़ावों को घटाने के लिए।

D. राष्ट्रों के समूह के बीच विनिमय दरों को स्थिर रखने के लिए।

36. निम्नलिखित में से कौन-सा आदर्श करेन्सी क्षेत्र के साथ सम्बन्धित है?

A. एकल करेन्सी के लिए इष्टतम भौगोलिक क्षेत्र।

B. कई करेन्सियों के लिए, जिनकी विनिमय दरें तुलनात्मक रूप से कीलित कर दी गई हैं, इष्टतम भौगोलिक क्षेत्र।

C. एकल करेन्सी या कीलित करेन्सियाँ अन्य करेन्सियों की तुलना में संयुक्त रूप से बदलती हैं या घटती-बढ़ती हैं।

D. उपर्युक्त सभी।

37. भुगतान संतुलन के मौद्रिक उपागम के सम्बन्ध में निम्नलिखित में से क्या सत्य है?

A. भुगतान संतुलन में घाटा राष्ट्र में मुद्रा आपूर्ति के आधिक्य के परिणामस्वरूप होता है।

B. भुगतान संतुलन अतिरेक मुद्रा की अतिरिक्त माँग से होता है।

C. भुगतान संतुलन में असंतुलन दीर्घकाल में स्वतः ही ठीक हो जाता है।

D. उपर्युक्त सभी।

38. निम्नलिखित में से कौन-सा कर केन्द्रीय सरकार के क्षेत्राधिकार के अन्दर आता है जैसा कि भारत के संविधान की सातवीं अनुसूची की सूची-I में परिगणना की गई है?

A. संसद द्वारा आरोपित किसी भी सीमा के आधार पर खनिज अधिकारों पर कर।

B. बिजली के उपभोग एवं बिक्री पर कर।

C. समाचार पत्रों एवं उसमें विज्ञापनों की बिक्री एवं खरीद पर कर।

D. मानव उपभोग के लिए नशीली शराब, अफीम, भारतीय गांजा एवं अन्य स्वापकों पर उत्पाद शुल्क।

39. वित्त आयोग की सिफारिशों के अन्तर्गत केन्द्र से राज्यों के अनुदानों को क्या कहते हैं?

A. योजना अनुदान

B. विकास सहायता

C. वैधानिक अनुदान

D. विवेकाधारी अनुदान

40. सूची-I में दी मदों को सूची-II में दी मदों के साथ सुमेलित कीजिए :

सूची-I	**सूची-II**
(*a*) कृषिक सम्पदा एवं आय कराधान समिति, 1972	1. राजा जे. चेलैय्या
(*b*) प्रत्यक्ष कर जाँच समिति, 1970	2. एल.के. झा
(*c*) कर सुधार समिति, 1991	3. के.एन. वांछू
(*d*) अप्रत्यक्ष कर जाँच समिति, 1976	4. के.एन. राज

कूट :

	(*a*)	(*b*)	(*c*)	(*d*)
A.	4	1	2	3
B.	4	3	1	2
C.	3	2	1	4
D.	2	3	1	4

41. भारत सरकार की समयबद्ध प्रतिभूतियों का सबसे बड़ा धारक है

A. भारतीय रिजर्व बैंक

B. भारतीय जीवन बीमा निगम

C. कर्मचारी भविष्य निधि

D. वाणिज्यिक बैंक

42. भारत में निम्नलिखित करों को लागू करने के कालानुक्रमिक क्रम में व्यवस्थित कीजिए :

I. सेवा कर

II. आय कर

III. बैंकिंग रोकड़ लेनदेन कर

IV. उपहार कर

कूट :

A. II, IV, I, III

B. II, I, III, IV

C. II, III, I, IV

D. IV, II, I, III

43. भारत में काले धन का आकलन करने के लिए निम्नलिखित में से किसने काम नहीं किया है?

A. एन. काल्डर

B. डॉ. डी.के. रंगनेकर

C. ओ.पी. चोपड़ा

D. सुखमॅय चक्रवर्ती

44. भारत में पारिवारिक उपभोग व्यय की कौन-सी मदों के लिए, एन.एस.एस.ओ. संदर्भ अवधि को 365 दिनों के रूप में लेता है?

A. वस्त्र, जूते, बिस्तर, शिक्षा इत्यादि।

B. खाद्य तेल, मछली एवं माँस, अण्डा।

C. साग-सब्जी, फल, मसाले, पेय-पदार्थ एवं संसाधित खाद्य।

D. अन्य सभी खाद्य पदार्थ, ईंधन एवं प्रकाश, विविध वस्तुएँ एवं सेवाएँ।

45. वर्ष 2009-10 में ग्रामीण भारत के लिए औसत मासिक प्रति व्यक्ति व्यय (संशोधित मिश्रित अनुस्मरण काल) क्या है?

A. ₹ 845.54

B. ₹ 1053.64

C. ₹ 1322.25

D. ₹ 1984.46

46. 2013-14 के संघीय बजट के मध्यकालिक राजकोषीय नीति कथन के अनुसार वर्ष 2015-16 के अन्त में कुल बकाया देयताओं के लिए लक्ष्य क्या है (जी.डी.पी. का प्रतिशत)?
A. 42.3
B. 44.5
C. 41.1
D. 47.8

47. निम्नलिखित में से किन वर्षों में कृषि जी.डी.पी. की वृद्धि दर (स्थिर कीमतों पर) 5 प्रतिशत से ज्यादा दर्ज की गई?
I. 2006-07
II. 2007-08
III. 2010-11
IV. 2011-12

कूट :
A. I और III
B. I, II और III
C. II और III
D. I और IV

48. भारतीय अर्थव्यवस्था में हाल ही के वर्षों में निजी अन्तिम उपभोग व्यय की कौन-सी मदों का सबसे बड़ा हिस्सा (पी.एफ.सी.ई.) रहा है?
A. वस्त्र एवं जूते
B. सकल भाड़ा, ईंधन एवं ऊर्जा
C. परिवहन एवं संचार
D. फर्नीचर, साज-सामान इत्यादि

49. निम्नलिखित में से कौन-सा भारत के तेरहवें वित्त आयोग का विचारार्थ विषय नहीं रहा है?
A. करों की निवल प्राप्तियों का केन्द्र एवं राज्यों के बीच वितरण जिन्हें उनके बीच वितरित किया जाएगा या वितरित किया जा सकता है।
B. भारत की समेकित निधि से राज्यों के राजस्व के सहायता अनुदान को नियन्त्रित करने वाले सिद्धान्त।
C. राज्य में पंचायतों एवं नगरपालिकाओं के संसाधनों को पूरकता प्रदान करने हेतु राज्य की समेकित निधि को बढ़ाने के लिए आवश्यक उपाय।
D. राज्यों के बढ़ते हुए घाटों को देखते हुए उनके ऋण भारों को पुनर्नियोजित करने की पद्धति।

50. सूची-I में दिए गए भारत में कीमत सूचकांकों को सूची-II में उनके नवीनतम आधार वर्षों के साथ सुमेलित करें :

सूची-I	**सूची-II**
(*a*) थोक कीमत सूचकांक	1. 2001 = 100
(*b*) औद्योगिक मजदूर (सी.पी.आई.आई.डब्ल्यू.)	2. 2010 = 100
(*c*) उपभोक्ता कीमत सूचकांक (नवीन शृंखला)	3. 2004-05 = 100
(*d*) कृषिक मजदूर (सी.पी.आई.–ए.एल.)	4. 1986-87 = 100

कूट :

	(*a*)	(*b*)	(*c*)	(*d*)
A.	3	1	2	4
B.	3	2	4	1
C.	2	1	4	3
D.	2	4	1	3

51. केन्द्रीकरण एवं एकाधिकार शक्ति के डैमसेट्ज के विचार के बारे में क्या सही नहीं है?
A. उत्कृष्ट क्षमता वर्द्धित केन्द्रीकरण एवं ज्यादा लाभ दोनों उत्पन्न करती है।
B. केन्द्रीकरण से लाभकारिता तक कारणात्मक सम्बन्ध है।
C. दक्षता से केन्द्रीकरण तक कारणात्मक सम्बन्ध है।
D. दक्षता से लाभ तक कारणात्मक सम्बन्ध है।

52. $G = \frac{1}{N}\sum_{i=1}^{N}(N-2i+1)S_i$ सूत्र का उपयोग करते हुए निम्नलिखित उद्योग के लिए औद्योगिक केन्द्रीकरण का आकलन करने के लिए गिनी गुणांक का मूल्य ज्ञात कीजिए। (जहाँ सूत्र में N फर्मों की संख्या है और S_i उद्योग की बिक्री के सम्बन्ध में फर्म *i* का हिस्सा है)

फर्म-1	फर्म-2	फर्म-3	फर्म-4	उद्योग
70	10	10	10	100

A. 25
B. 35
C. 45
D. 65

53. मजदूरी सिद्धान्त के सम्बन्ध में सूची-I की मदों को सूची-II के साथ सुमेलित कीजिए :

सूची-I	सूची-II
(*a*) मजदूरी का लौह सिद्धान्त	1. जे.एस. मिल
(*b*) मजदूरी-निधि सिद्धान्त	2. जॉन आर. हिक्स
(*c*) अतिरेक मूल्य सिद्धान्त	3. डेविड रिकार्डो
(*d*) सीमान्त उत्पादकता सिद्धान्त	4. कार्ल मार्क्स

कूट :

	(*a*)	(*b*)	(*c*)	(*d*)
A.	1	3	4	2
B.	2	1	3	4
C.	3	4	2	1
D.	3	1	4	2

54. निम्नलिखित में से कौन-सी श्रम की सामाजिक सुरक्षा की मद नहीं है?

A. मजदूरी
B. मातृ प्रासुविधा
C. पेंशन
D. औद्योगिक चोट

55. संयुक्त राष्ट्र सांख्यिकीय आयोग (जुलाई, 1993) द्वारा अनुमोदित अनौपचारिक क्षेत्र की विशेषताएँ कौन-सी नहीं बताई गई हैं?

A. निजी अनिगमित उद्यम
B. कोई पूर्ण लेखा उपलब्ध नहीं हैं जो उद्यम की उत्पादन गतिविधियों का वित्तीग अलगाव होने देगा।
C. आकस्मिक काम या सीमित अल्प समयावधि के काम।
D. उद्यम का रोजगार आकार एक निश्चित अवसीमा से नीचे होता है।

56. निम्नलिखित में से कौन-सी तीन स्तरीय सहकारी ऋण ढाँचे में मध्यवर्ती कड़ी है?

A. राज्य सहकारी बैंक
B. केन्द्रीय सहकारी बैंक
C. प्राथमिक कृषि ऋण समितियाँ
D. नाबार्ड

57. उच्च क्षमता मुद्रा है

A. केन्द्रीय बैंक में बैंकों की प्रारक्षित राशि।
B. बैंकों के पास मुद्रा।
C. बैंकों के समस्त ऋण एवं अग्रिम।
D. जनता के पास करेन्सी एवं बैंकों के नकद रिजर्व।

58. **अभिकथन (A) :** भारत में निवेश कम्पनियाँ अधिक सार्वजनिक बचतें आकर्षित नहीं कर पाई हैं।

कारण (R) : निवेश कम्पनियाँ शुद्ध वित्तीय मध्यस्थ हैं और कॉरपोरेट प्रतिभूतियों में निवेश के लिए सार्वजनिक बचतों को जुटाने में विशेषज्ञता प्राप्त हैं।

कूट :

A. (A) सत्य है, परन्तु (R) असत्य है।
B. (A) और (R) दोनों सही हैं, परंतु (R), (A) की सही व्याख्या नहीं है।
C. (A) सही नहीं है, परंतु (R) सही है।
D. (A) और (R) दोनों सही हैं, परंतु (R), (A) की सही व्याख्या है।

59. नीचे दिए कूटों से सही उत्तर ज्ञात कीजिए :

क्षेत्रीय ग्रामीण बैंकों (आर.आर.बी.) की मुख्य विशेषताएँ हैं :

I. आर.आर.बी. सामान्यतः सार्वजनिक वाणिज्यिक बैंकों के रूप में 'प्रायोजित बैंक' द्वारा स्थापित किए गए।
II. आर.आर.बी. केवल लघु एवं सीमान्त किसानों, ग्रामीण शिल्पकारों और कृषि श्रमिकों को ऋण एवं अग्रिम सीधे देते हैं।
III. आर.आर.बी. का कार्य क्षेत्र, राज्य में एक या ज्यादा जिलों के निश्चित क्षेत्रों तक सीमित है।
IV. आर.आर.बी. के उधार देने की दरें सहकारी समितियों की प्रचलित उधार दरों से अधिक नहीं होती हैं।

कूट :

A. II और III सही हैं।
B. I और III सही हैं।
C. I, II और IV सही हैं।
D. I, II और III सही हैं।

60. नीचे दिए कूटों से सही उत्तर ज्ञात कीजिए :

भारतीय रिजर्व बैंक की चयनात्मक ऋण नियन्त्रण की तकनीक :

I. कुछ प्रतिभूतियों के आधार पर ऋणों के लिए अनिवार्य मार्जिन का निर्धारण।
II. अग्रिमों की अधिकतम राशि या अन्य वित्तीय समायोजन का निर्धारण।
III. कुछ प्रकार के अग्रिमों पर विवेकाधीन ब्याज दरों में परिवर्तन।
IV. वाणिज्यिक बैंकों की नकद रिजर्व आवश्यकताओं में परिवर्तन।

कूट :

A. I और II सही हैं।

B. I, II और III सही हैं।

C. I, II और IV सही हैं।

D. I और IV सही हैं।

61. दो चर के समाश्रयण में, Y आश्रित चर है और X स्वतन्त्र चर है। Y और X के बीच सहसम्बन्ध गुणांक 0.6 है। इसके लिए निम्नलिखित में से कौन-सा परिणाम सही है?

A. Y में 36% घट-बढ़ की X के द्वारा व्याख्या होती है।

B. Y में 60% घट-बढ़ की X के द्वारा व्याख्या होती है।

C. Y में 6% घट-बढ़ की X के द्वारा व्याख्या होती है।

D. उपर्युक्त में से कोई नहीं

62. तीन स्वतन्त्र चरों के साथ बहु-चरीय समाश्रयण में, समाश्रयण गुणांक का परीक्षण करना होता है। इसके लिए किस परीक्षण का उपयोग किया जाएगा?

A. Z परीक्षण

B. F परीक्षण

C. χ^2 परीक्षण

D. t परीक्षण

63. आगत-निर्गत तकनीक की खोज किसने की है?

A. गुन्नार मिरडाल

B. वासिली लियोनटीफ

C. होलिस बी. चेनेरी

D. रोबर्ट सोलो

64. रेखिक मकड़जाल मॉडल इस रूप में दिया जाता है :

आपूर्ति : $q_t = \alpha + \beta p_{t-1}$

माँग : $p_t = \gamma + \delta q_t$

जहाँ $q(0) = q_0$ प्रारम्भिक शर्त है।

इस मॉडल के लिए बाजार की स्थिरता इस शर्त की माँग करती है—

A. $|\delta| < |\beta|$

B. $|\delta| < |\frac{1}{\beta}|$

C. $|\delta| > |\beta|$

D. $|\delta| = |\frac{1}{\beta}|$

65. रैखिक कार्यक्रम, जिसके दो निर्णय चर हैं, के इष्टतम समाधान सम्बन्धी निम्नलिखित में से कौन-सा कथन सही है?

A. रैखिक कार्यक्रम का केवल एक समाधान है।

B. इष्टतम समाधान या तो उग्र बिन्दु है अथवा उस रेखा पर है जो उग्र बिन्दुओं को जोड़ता है।

C. एक इष्टतम समाधान द्वारा सभी स्रोतों का प्रयोग होना चाहिए।

D. उपरोक्त सभी

66. उत्पादन फलन $Q = AL^{\alpha} K^{\beta}$, $\alpha, \beta > 0$ दिए जाने पर, स्केल पर आरोही प्रतिफल की माँग है कि

A. $\alpha + \beta = 1$

B. $\alpha + \beta = 0$

C. $\alpha + \beta > 0$

D. $\alpha + \beta > 1$

67. माँग फलन के लिए $P = 10 - 3x - x^2$, $x = 3$ पर उपभोक्ता अतिरेक क्या होगा?

A. 16.25 B. 20.50

C. 07.50 D. 12.50

68. निम्नलिखित जीवन-तालिका से 4 वर्ष की आयु (e_4) पर जीवन-संभाविता का पता लगाइए :

आयु	q_x	l_x	d_x	L_x	T_x	e_x
4	0.000194	99208	19	99,199	?	?
5	0.000177	99189	18	?	7,246,663	73.1

A. 72.0 B. 73.0

C. 74.0 D. 75.0

69. परिकल्पित जनसंख्या प्रजनन अनुमानों के लिए सूची-I को सूची-II से सुमेलित कीजिए :

सूची-I	**सूची-II**
(*a*) कुल दम्पति प्रजनन दर	1. 4.0
(*b*) सामान्य प्रजनन दर	2. 1.3
(*c*) सकल पुनरोत्पादन दर	3. 39.1
(*d*) कुल प्रजनन दर	4. 0.7

कूट :

	(*a*)	(*b*)	(*c*)	(*d*)
A.	1	2	3	4
B.	4	2	3	1
C.	2	4	3	1
D.	1	3	4	2

70. वेरडून का नियम किसके बारे में है?

A. जनसंख्या की वृद्धि, रोजगार और उत्पादन का प्रति-व्यक्ति उत्पादन वृद्धि के बीच सकारात्मक सम्बन्ध है।

B. जनसंख्या की वृद्धि, रोजगार और उत्पादन का प्रतिव्यक्ति उत्पादन वृद्धि के बीच नकारात्मक सम्बन्ध है।

C. जनसंख्या की वृद्धि और रोजगार के बीच सकारात्मक सम्बन्ध है।

D. जनसंख्या की वृद्धि और रोजगार के बीच नकारात्मक सम्बन्ध है।

71. मानक समाश्रयण मॉडल सम्बन्धी निम्नलिखित कथनों में से कौन-सा कथन सही है?

A. Y में संभाव्यता वितरण है।

B. X में संभाव्यता वितरण है।

C. त्रुटि पद X से सहसम्बन्धित माने जाते हैं।

D. एक उपयुक्त मॉडल के लिए अवशेष ($\hat{u}$) सभी सैंपल डाटा बिन्दुओं के लिए शून्य होगा।

72. एक त्रिकोण अथवा पुनरावर्ती प्रणाली के सम्बन्ध में निम्नलिखित में से कौन-सा कथन सही है?

(*i*) प्रत्येक समीकरण के लिए ओ एल एस (OLS) के अलग अनुप्रयोग से पैरामीटरों का वैधता से अनुमान लगाया जा सकता है।

(*ii*) स्वतन्त्र चर अन्य समीकरणों में त्रुटि पदों से सहसम्बन्धित हो सकते हैं।

(*iii*) 2 SLS का अनुप्रयोग पक्षपातहीन परन्तु अप्रभावी पैरामीटर अनुमानों की ओर ले जाएगा।

(*iv*) स्वतन्त्र चर समीकरणों के त्रुटि पदों, जिनमें वे स्वतन्त्र चर लगते हैं, से सहसम्बन्धित हो।

A. केवल (*ii*) और (*iv*) सही हैं।

B. केवल (*i*) और (*iii*) सही हैं।

C. केवल (*i*), (*ii*) और (*iii*) सही हैं।

D. (*i*), (*ii*), (*iii*) और (*iv*) सही हैं।

73. OLS आकलक के क्या परिणाम होंगे यदि समाश्रयण मॉडल में विषम विसारिता हो पर जिसे नजर-अन्दाज कर दिया गया हो?

A. यह पक्षपातपूर्ण होगा।

B. यह असंगत होगा।

C. यह अक्षम होगा।

D. (A), (B) और (C) सभी सही होंगे।

74. निम्नलिखित को सुमेलित कीजिए :

सूची-I	**सूची-II**
(*a*) एकम् मूल परीक्षण	1. डरबिन-वाटसन परीक्षण
(*b*) आकस्मिक तालिका	2. विद्यार्थियों का टी-परीक्षण
(*c*) समाश्रयण गुणांक	3. स्थिरता
(*d*) स्वःसहसम्बन्ध	4. χ^2 परीक्षण

कूट :

	(*a*)	(*b*)	(*c*)	(*d*)
A.	2	3	1	4
B.	4	2	3	1
C.	3	4	2	1
D.	3	2	1	4

75. मानक संकेतन का प्रयोग करते हुए निम्नलिखित समीकरणों के सिस्टम पर विचार कीजिए :

$$Y_1 = \alpha_0 + \alpha_1 Y_2 + \alpha_3 Y_3 + \alpha_4 X_1 + \alpha_5 X_2 + u_1$$

$$Y_2 = \beta_0 + \beta_1 Y_3 + \beta_2 Y_1 + \beta_3 X_2 + u_2$$

$$Y_3 = \gamma_0 + \gamma_1 X_1 + \gamma_2 X_2 + \gamma_3 X_3 + u_3$$

क्रमानुसार प्रथम समीकरण है :

A. अनभिज्ञेय

B. अभी अभिज्ञेय

C. अति अभिज्ञेय

D. यह बताना संभव नहीं है कि समीकरण अभिज्ञेय है अथवा नहीं क्योंकि मॉडल का लघु रूप नहीं दिया गया है।

उत्तरमाला

1	2	3	4	5	6	7	8	9	10
B	C	C	A	A	A	A	C	C	C
11	**12**	**13**	**14**	**15**	**16**	**17**	**18**	**19**	**20**
C	B	A	A	C	D	B	C	A	D

21	22	23	24	25	26	27	28	29	30
C	B	C	D	A	B	C	B	B	D
31	32	33	34	35	36	37	38	39	40
A	A	B	B	A	D	D	C	C	B
41	42	43	44	45	46	47	48	49	50
D	A	D	A	B	A	A	C	D	A
51	52	53	54	55	56	57	58	59	60
B	C	D	A	C	B	D	B	D	B
61	62	63	64	65	66	67	68	69	70
A	D	B	B	B	D	C	C	D	A
71	72	73	74	75					
A	C	C	C	A					

कुछ चुने हुए प्रश्नों के व्याख्यात्मक उत्तर

1. हाल के वर्षों में फर्म के वे नए सिद्धान्त विकसित किए गए हैं जो अल्पाधिकार के अन्तर्गत कीमत तथा उत्पादन निर्धारण में प्रबन्धकों तथा उनके व्यवहार संबंधी ढाँचे की भूमिका पर बल देते हैं। यह बताया गया है कि प्रबन्धक लाभ अधिकतम करने का प्रयास नहीं करते बल्कि वे इसके बजाय अन्य लक्ष्यों को प्राप्त करना चाहते हैं।

फर्म के व्यवहारवादी सिद्धान्त के अतिरिक्त, हाल के वर्षों में विकसित किए गए फर्म के अन्य महत्त्वपूर्ण सिद्धान्त विलियमसन, मारिस तथा बॉमल के प्रबन्धकीय सिद्धान्त हैं। व्यवहारवादी सिद्धान्तों के समान प्रबन्धकीय सिद्धान्त भी व्यावसायिक फर्मों की कार्य-प्रणाली से संबंधित लाभ अधिकतम करने की परिकल्पना की वैधता को स्वीकार नहीं करते हैं। ये सभी प्रबन्धकीय सिद्धान्त निगमित फर्मों की कीमत, उत्पादन तथा बिक्री इत्यादि से संबंधित निर्णय करते समय प्रबन्धक तथा उसके स्वहित प्राप्त करने की भूमिका पर जोर देते हैं। चूंकि निगमित फर्मों के प्रबन्धक लाभ को अधिकतम करने की बजाय अन्य बातों से प्रेरित होते हैं, अतः कीमत, उत्पादन से संबंधित निर्णयों के लाभ को अधिकतम करने वाली फर्म के निर्णयों से भिन्न होने की सम्भावना होती है।

2. रेखीय प्रोग्रामिंग यद्यपि परम्परागत उत्पादन सिद्धान्त पर एक सुधार है किन्तु यह परिसीमाओं से स्वतंत्र नहीं है जिसके कारण इस तकनीक की आलोचनाएं की जाती हैं जो निम्न हैं—

रेखीय प्रोग्रामिंग विश्लेषण में अनेक युगपत् समीकरणों (simultaneous equations) को हल करने के लिए उच्च स्तर के गणित के ज्ञान की आवश्यकता होती है जो एक सामान्य व्यवसायी अथवा व्यक्ति को प्राप्त नहीं होता है। अतः इसका व्यावहारिक महत्त्व उस सीमा तक कम हो जाता है। रेखीय प्रोग्रामिंग की रेखीयता (linearity) की मान्यता भी अवास्तविक है। इस मान्यता का अर्थ साधन-अनुपात के स्थिर होने (fixed factor proportions) से होता है। इसके अतिरिक्त, साधन तथा उत्पादन तथा कुल लागत उत्पादन तथा कुल आय के संबंध को भी रेखीय माना गया है, जिसका अभिप्राय स्थिर पैमाने के प्रतिफल (Constant Returns to Scale) तथा वस्तु एवं साधन बाजार में पूर्ण प्रतियोगिता के पाए जाने से होता है जिसका व्यावहारिक महत्त्व बहुत ही कम है। इसके अतिरिक्त रेखीय प्रोग्रामिंग के अन्तर्गत एक ही प्रक्रिया से उत्पादन में वृद्धि के लिए सभी साधनों को एक निश्चित गुणांक से बढ़ाना आवश्यक है किन्तु अनेक वस्तुओं का उत्पादन एक अथवा दो साधनों की मात्रा में

ही वृद्धि करके कुछ सीमा तक बढ़ाया जा सकता है अर्थात् साधन अनुपात परिवर्तित करके भी कुछ सीमा तक उत्पादन में वृद्धि की जा सकती है।

3. एक अल्पाधिकारी; जो कि विकुंचित माँग वक्र का सामना करता है, में कीमत बढ़ाने अथवा कम करने की प्रेरणा का अभाव क्यों होता है। अल्पाधिकारी, चूँकि वर्तमान स्तर से कीमत घटाकर माँग में अधिक वृद्धि नहीं कर सकता और वर्तमान स्तर से कीमत बढ़ाने पर उसकी बिक्री बहुत कम हो जाने पर वह वर्तमान कीमत में परिवर्तन लाने का इच्छुक नहीं होता। अन्य शब्दों में; चूँकि वर्तमान कीमत को बदलने में कोई लाभ नहीं है, इसलिए अल्पाधिकारी वर्तमान कीमत पर ही अपने पदार्थ को बेचता रहेगा। इस प्रकार, अल्पाधिकार में दृढ़ कीमतों की विकुंचित माँग वक्र सिद्धांत की सहायता से व्याख्या की जा सकती है।

6. उपभोक्ता की बचत= एक उपभोक्ता कितना भुगतान करने के लिए तैयार है – वह वास्तव में कितना भुगतान करता है।

= सीमान्त उपयोगिता का योगफल – (वास्तविक कीमत × खरीदी गयी इकाइयों की संख्या)

= ΣMU – (Price × No. of units purchased)

7. आधुनिक अर्थशास्त्रियों द्वारा अनुभवसिद्ध प्रमाणों (Empirical evidence) से पता चला है कि दीर्घकालीन औसत लागत वक्र-U की आकृति का न होकर यह अंग्रेजी के अक्षर L की आकृति का होता है।

अनुभव-गम्य अध्ययन दीर्घकालीन औसत लागत वक्र की आकृति U के समान क्यों नहीं पाता, इसका एक कारण यह है कि जहाँ आर्थिक सिद्धान्त यह पहले से ही मान लेता है कि प्रौद्योगिकी (technology) अपरिवर्तित रहती है या कोई प्रौद्योगिकीय प्रगति नहीं होती है, परन्तु वास्तविक जगत् में दीर्घकाल में प्रौद्योगिकीय प्रगति तो होती रहती है। वास्तविक जगत् में प्रौद्योगिकीय प्रगति के परिणामस्वरूप दीर्घकालीन औसत लागत वक्र एक समय के बाद नीचे की ओर सरक जाता है। विभिन्न समयों में की जाने वाली अनुभवजन्य जाँच, प्रौद्योगिकीय प्रगति की विद्यमानता के कारण ही ऊपर की ओर उठता हुआ दीर्घकालीन औसत लागत वक्र नहीं पा सकती। अतः जैसा कि आर्थिक सिद्धान्त में माना गया है, जबकि अपरिवर्तित प्रौद्योगिकी की स्थिति में दीर्घकालीन औसत वक्र (LAC) की आकृति U के सदृश होती है, अनुभवगम्य अध्ययन जो भिन्न-भिन्न समयों में किया गया हो, जिनके बीच प्रौद्योगिकीय प्रगति हुई हो, औसत लागत को गिरता हुआ पाता है क्योंकि प्रौद्योगिकीय प्रगति के कारण उन्हें ऊपर की ओर बढ़ता औसत लागत वक्र मिल ही नहीं सकता।

13. IS वक्र (या फलन या अनुसूची) वस्तु बाजार के संतुलन को व्यक्त करता है। यह ब्याज दरों और आय स्तरों के उन संयोगों को दर्शाता है जहाँ बचत और निवेश की समानता होती है। इसे वास्तविक संतुलन भी कहते हैं। IS वक्र बाएं से दाएं नीचे की ओर ढालू होता है क्योंकि ब्याज दर के गिरने के साथ-साथ निवेश में वृद्धि होती है परिणामस्वरूप आय में भी वृद्धि होती है। IS वक्र की एक महत्त्वपूर्ण विशेषता यह है कि एक IS वक्र के दायीं ओर कोई भी बिन्दु वस्तु बाजार में अतिपूर्ति (excess supply) व्यक्त करता है और IS वक्र के बायीं ओर कोई भी बिन्दु अतिमांग (excess demand) को व्यक्त करता है।

21. 1965 में स्थापित भारतीय खाद्य निगम खाद्यान्नों व अन्य सामग्री की खरीदारी, भण्डारण व संग्रहण, स्थानान्तरण, वितरण तथा बिक्री का काम करता है। निगम एक ओर तो यह निश्चित करता है कि किसानों को उनके उत्पादन की उचित कीमत मिले (जो सरकार द्वारा निर्धारित वसूली/समर्थन कीमत से कम न हो) तथा दूसरी ओर यह निश्चित करता है कि उपभोक्ताओं को भण्डार से एक-सी कीमतों पर खाद्यान्न उपलब्ध हों (उपभोक्ताओं के लिए निर्धारित कीमत 'निर्गमन कीमत' या issue price कहलाती है जिसका निर्धारण भारत सरकार द्वारा किया जाता है)। निगम को यह भी जिम्मेदारी सौंपी गई है कि वह सरकार की ओर

से खाद्यान्नों के प्रतिरोधक भण्डार (buffer stocks) बना कर रखे।

28. The price scissors refers to the phenomenon that the price of industrial products is higher than their value while the price of agricultural products is lower than their value for a long period in the exchange of industrial products for agricultural products.

32. **तत्काल विनिमय दर (Spot exchange rate) :** तत्काल विनिमय दर वह दर है जिस पर एक देश की करेंसी का दूसरे देश की करेंसी से वर्तमान अवधि में विनिमय किया जाता है। तत्काल लेन-देनों के लिए प्रभावी विनिमय दर को **तत्काल दर** और ऐसे सौदों के लिए मार्केट को **तत्काल मार्केट** कहते हैं।

37. भुगतान शेष के समायोजन के तीन सिद्धांत हैं। **पहला,** लोच सिद्धांत जिसे मार्शल-लर्नर शर्त भी कहते हैं। **दूसरा,** अवशोषण सिद्धांत है जिसे आय सिद्धांत भी कहते हैं। **तीसरा,** मौद्रिक उपागम (Monetary approach) है जिसका विश्लेषण अब हम करेंगे।

मौद्रिक उपागम : भुगतान शेष का मौद्रिक उपागम मुद्रा की मांग और पूर्ति के रूप में भुगतान शेष में परिवर्तनों का विवेचन करता है। इस सिद्धांत के अनुसार, भुगतान शेष घाटा सदैव और सभी स्थानों पर एक मौद्रिक तत्त्व है। इसलिए यह केवल मौद्रिक उपायों से ही ठीक किया जा सकता है।

इसकी मान्यताएं (Its Assumptions)

भुगतान शेष का मौद्रिक सिद्धांत निम्न मान्यताओं पर आधारित है—

1. परिवहन लागतों को लेने के पश्चात विभिन्न देशों में बेची गई समान वस्तुओं के लिए "एक कीमत का नियम" लागू होता है। अन्य शब्दों में, व्यापार की जाने वाली वस्तुओं की कीमत और एक देश के उत्पादन का स्तर बहिर्जातीय (exogenously) मान लिए जाते हैं।
2. सभी देशों में पूर्ण रोजगार पाया जाता है। इसलिए एक देश में बढ़ी हुई मांग को घरेलू उत्पाद में वृद्धि से पूरा नहीं किया जा सकता है।
3. एक अर्थव्यवस्था में मुद्रा की मांग स्थिर फलन है—आय, धन और ब्याज दर जैसे समग्र आर्थिक चरों की। जब आय बढ़ती है तो मुद्रा की मांग (नकद शेषों) बढ़ती है और ब्याज दरें बढ़ती हैं तो मुद्रा की मांग गिरती है।

इन मान्यताओं के दिए होने पर, भुगतान शेष घाटा को इस प्रकार परिभाषित किया जा सकता है—भुगतान शेष घाटा बराबर है नकद शेषों के लिए बढ़ी हुई मांग पर आधारित अतिरिक्त मांगी गई मुद्रा के ऊपर घरेलू साख निर्माण द्वारा मुद्रा पूर्ति का आधिक्य। **इस प्रकार भुगतान शेष घाटा अर्थव्यवस्था में** अतिरिक्त मुद्रा पूर्ति को व्यक्त करता है। परिणामस्वरूप लोग अपने अतिरक्त मुद्रा धारणों को विदेशी वस्तुओं और प्रतिभूतियों के साथ बदलते हैं। स्थिर विनिमय दर प्रणाली के अंतर्गत, केन्द्रीय बैंक को विदेशी विनिमय आरक्षण बेचने पड़ेंगे और घरेलू करेंसी की अतिरिक्त पूर्ति को समाप्त करने के लिए घरेलू करेंसी खरीदनी पड़ेगी। इस प्रकार भुगतान शेष में संतुलन पुनः स्थापित हो जाएगा।

दूसरी ओर, दी हुई विनिमय दर पर यदि मुद्रा की पूर्ति वर्तमान मुद्रा की मांग से कम है तो भुगतान शेष में आधिक्य होगा। परिणामस्वरूप, लोग विदेशियों को वस्तुएं तथा प्रतिभूतियां (Securities) बेचकर घरेलू करेंसी प्राप्त करते हैं। वे अपने व्यय को अपनी आय की अपेक्षा कम करके अतिरिक्त मुद्रा शेषों को प्राप्त करने का भी प्रयत्न करेंगे। अपनी ओर से केन्द्रीय बैंक, घरेलू करेंसी की कमी को दूर करने के लिए अतिरिक्त विदेशी करेंसी को घरेलू करेंसी के बदले खरीदेगा।

39. वित्त आयोग की सिफारिशों के अन्तर्गत केन्द्र से राज्यों को दिये जाने वाले अनुदानों को वैधानिक अनुदान कहते हैं।

42.

सेवा कर	–	1994
आय कर	–	1860
बैकिंग रोकड़ लेन-देन कर	–	2005
उपहार कर	–	1958

49. वित्त आयोग की नियुक्ति संविधान की धारा 280 के अन्तर्गत की जाती है। वित्त आयोग मुख्य रूप से दो बातों में अपनी सिफारिशें देता है:

1. उन सिद्धांतों का प्रतिपादन करना जिनके आधार पर केन्द्र और राज्यों के विभाज्य करों का विभाजन हो। इस तरह वित्त आयोग सिफारिश करता है कि विभाज्य करों से प्राप्ति में केन्द्रीय और राज्य सरकारों का भाग कितना-कितना होगा।
2. उन सिद्धांतों के बारे में सिफारिश करना जिनके आधार पर केन्द्रीय सरकार राज्यों को अनुदान देगी। वित्त आयोग अनुदान की राशि के बारे में अपनी सिफारिशें करता है।

राष्ट्रपति स्वस्थ वित्तीय व्यवस्था के लिए वित्त आयोग को किसी भी सम्बन्धित मसले पर सिफारिश देने के लिए आग्रह कर सकते हैं।

52. $G = \frac{1}{4}[(4-2\times1+1)70+(4-2\times2+1)10$
$+(4-2\times3+1)10+(4-2\times4+1)10]$

$$= \frac{1}{4}[210+10+(-10)+(-30)]$$

$$= \frac{1}{4}[210+10-10-30]$$

$$= \frac{1}{4}\times180 = 45.$$

54. भारत में सामाजिक सुरक्षा की शुरुआत 1923 में हुई जब श्रमिक क्षतिपूर्ति अधिनियम, 1923 पास किया गया। इस अधिनियम का दायरा बहुत विस्तृत है और इसके अन्तर्गत कारखानों के अलावा खनन, परिवहन, बागान, बिजली उत्पादन, भवन निर्माण आदि सभी उद्योग आते हैं।

मातृत्व लाभ अधिनियम, 1961 (Maternity Benefit Act, 1961) महिला श्रमिकों को मातृत्व लाभ की व्यवस्था करता है। इस अधिनियम के अन्तर्गत महिला श्रमिकों को बच्चे के जन्म से 6 सप्ताह पहले और 6 सप्ताह बाद तक मजदूरी सहित छुट्टी पाने का अधिकार है। यह अधिनियम उन कारखानों, खानों, सर्कस, बागान, दुकानों व प्रतिष्ठानों पर लागू होता है जिनमें 10 या 10 से अधिक व्यक्ति काम करते हैं। सामाजिक सुरक्षा के क्षेत्र में सबसे महत्वपूर्ण कदम 1948 में उठाया गया जब कर्मचारी राज्य बीमा अधिनियम, 1948 (Employees' State Insurance Act, 1948) पास हुआ। इस अधिनियम के अन्तर्गत बिजली से चलने वाले वे गैर-मौसमी कारखानें (no-seasonal factories) आते हैं जिनमें 10 या 10 से अधिक श्रमिक काम करते हों और वे बिजली से न चलने वाले कारखाने हैं जिनमें 20 या 20 से अधिक श्रमिक काम करते हों।

कर्मचारी भविष्य-निधि तथा विविध धारा अधिनियम, 1952 (Employees' Provident Fund and Miscellaneous Provisions Act, 1952) के अन्तर्गत कर्मचारियों को भविष्य निधि, परिवार पेंशन तथा जमाओं से जुड़े बीमा (deposit linked insurance) के रूप में सेवानिवृत लाभ की व्यवस्था की गयी है। इस अधिनियम के दायरे में वे ही औद्योगिक इकाइयां आती हैं जिनमें 20 या उससे ज्यादा श्रमिक काम करते हैं।

सामाजिक सुरक्षा की अन्य महत्त्वपूर्ण योजनाएं हैं–
⇒ कर्मचारी जमा सम्बद्ध बीमा योजना, 1976
⇒ ग्रेच्युटी भुगतान अधिनियम, 1972
⇒ कर्मचारी पेंशन योजना, 1995

56. भारतीय सहकारी बैंकिंग ढांचे के दो मुख्य घटक हैं–शहरी सहकारी बैंक (Urban Co-operative Banks) और ग्रामीण सहकारी ऋण संस्थान (Rural co-operative credit Institutions)। जहाँ शहरी सहकारी बैंकों का ढांचा एक स्तरीय है, वहाँ ग्रामीण सहकारी समितियों का ढांचा जटिल है। ग्रामीण सहकारी ऋण संस्थानों के दो अंग हैं– अल्पावधि सहकारी ऋण ढांचा और दीर्घकालीन सहकारी ऋण ढांचा। अल्पावधि सहकारी ऋण ढांचे के अन्तर्गत ग्राम स्तर पर प्राथमिक कृषि ऋण समितियाँ (Primary Agriculture Credit Societies – PACs) कार्य करती है, जबकि जिला स्तर पर जिला सहकारी बैंक (District co-operative Banks) और राज्य स्तर पर राज्य सहकारी बैंक (State Co-operative Banks–SCBs) कार्य करते

हैं। अल्पावधि सहकारी ऋण समितियाँ मूलतः किसानों और ग्रामीण दस्तकारों को अल्पावधि के लिए अर्थात् 15 मास के लिए फसल एवं कार्यकारी पूंजी (Working capiral) के लिए ऋण देती हैं। ग्रामीण सहकारी समितियों का दीर्घाविधि ढांचा राज्य स्तर पर राज्य सहकारी कृषि एवं ग्राम विकास बैंक (State Co-operative Agriculture and Rural Development Banks – SCARDB) और जिला स्तर एवं ब्लाक स्तर पर प्राथमिक सहकारी कृषि एवं ग्रामीण विकास बैंकों (Primary Co-operative Agricultural and Rural Development Banks – PCARDBs) से बनता है। ये संस्थान मध्यावधि से दीर्घाविधि तक ऋण उपलब्ध कराने का प्रबन्ध करते हैं। मध्यावधि ऋण सामान्य 15 मास से 5 वर्ष की अवधि के लिए और दीर्घावधि ऋण 5 वर्ष से अधिक अवधि के लिए दिए जाते हैं।

57. प्रबल मुद्रा (High Powered Money): प्रबल मुद्रा वह राशि है जो कमर्शियल बैंकों के पास आरक्षितियों और जनता के पास करेन्सी (नोटों तथा सिक्कों) के रूप में विद्यमान रहती है। प्रबल मुद्रा को **उच्चस्तरीय मुद्रा** भी कहा जाता है। प्रबल मुद्रा बैंक जमाओं के विस्तार और मुद्रा-पूर्ति के निर्माण का आधार है। मुद्रा की पूर्ति मौद्रिक आधार में परिवर्तनों के साथ प्रत्यक्ष रूप से और करेन्सी तथा रिजर्व अनुपातों में परिवर्तनों के साथ उल्टे तौर से परिवर्तित होती है। प्रबल मुद्रा को इस प्रकार व्यक्त किया जा सकता है—

$$H = C + R$$

जहां H प्रबल मुद्रा तथा R कमर्शियल बैंकों के रिजर्व को व्यक्त करता है। **प्रबल मुद्रा को आधार मुद्रा (base money) भी कहा जाता है।**

59. क्षेत्रीय ग्रामीण बैंकों की स्थापना भारत सरकार, राज्य सरकारों और व्यापारिक बैंकों के संयुक्त प्रयास से हुई है। जहाँ भी संस्थागत कृषि साख की व्यवस्था अपर्याप्त है लेकिन कृषि विकास की सम्भावनाएं काफी हैं वहाँ क्षेत्रीय ग्रामीण बैंक खोले जाते हैं। इनकी विशेष जिम्मेदारी है कि ये समाज के कमजोर वर्गों (जैसे छोटे व सीमांत किसान, खेतिहर मजदूर, दस्तकार इत्यादि) को वित्त प्रदान करें। देश में पहली बार 1975 में इस तरह के 5 बैंक स्थापित किए गए थे। बाद में इनकी संख्या बढ़कर 196 हो गई। सितंबर 2005 में सरकार ने क्षेत्रीय ग्रामीण बैंकों के विलयन की प्रक्रिया शुरू की ताकि उन्हें मजबूत बनाया जा सके तथा उनके निष्पादन में सुधार किया जा सके।

66. काँब-डगलस उत्पादन फलन को निम्न प्रकार लिखा जा सकता है:

$$Q = AL^{\alpha} K^{\beta}$$

जहाँ Q = उत्पादन, L = श्रम, K = पूँजी तथा A, α β, स्थिरांक हैं। Exponents का जोड़ $\alpha + \beta$ एक के बराबर भी हो सकता है, उससे कम या अधिक भी। यदि $\alpha + \beta = 1$, तो पैमाने के प्रतिफल स्थिर रहते हैं। यदि $\alpha + \beta > 1$, तो पैमाने के वर्धमान प्रतिफल प्राप्त होते हैं। यदि $\alpha + \beta < 1$, तो पैमाने के ह्रासमान प्रतिफल प्राप्त होते हैं।

68. ***Parameter*** — ***Symbol***

- Probability of dying within age x to $x + 1$ — $[q(x)]$
- Number surviving to age x — $[l(x)]$
- Number dying between ages x to $x + l$ — $[d(x)]$
- Person years lived between ages x to $x + l$ — $[L(x)]$
- Total number of person years lived above age x — $[T(x)]$
- Expectation of life at age x — $[e(x)]$

The following formulas apply to the data:

- $d(x) = q(x) \times l(x)$
- $L(x) = l(x) - (d(x)/2)$
- $T(x) = \text{Sum } (L(x))$
- $e(x) = T(x)/L(x)$

Age	q_x	l_x	d_x	L_x	T_x	e_x
4	0.000194	99208	19	99,199	73,45,861	74.0
5	0.000177	99189	18	99,180	72,46,663	73.1

70. The empirical relation between productivity growth and output growth in manufacturing is known as Verdoorn's Law; following Verdoorn's (1949) paper published in Italian, entitled 'Fattori che Regolano lo Sviluppo della Produttivita del Lavoro'. Interestingly, at the time of publication, Verdoorn was working for Kaldor in the Research and Planning Division of the Economic Commission for Europe in Geneva, of which Kaldor was Director. It was Kaldor who revived Verdoorn's Law in 1966, and it is also known as Kaldor's second law; that is, there is a strong positive causal relation between the growth of manufacturing output and the growth of productivity in manufacturing.

72. (*i*), (*ii*) and (*iii*) are all correct. A triangular system is one where the causality between the 'endogenous variables' all goes in one direction. Thus, such a system is not a simultaneous system at all, and hence OLS can validly be applied separately to each equation in the system. It thus follows that if a systems technique such as 2SLS is used, this would have been done unnecessarily, and hence an efficiency loss would occur when the reduced-form fitted values are used instead of the actual values.

73. Under heteroscedasticity, provided that all of the other assumptions of the classical linear regression model are adhered to, the coefficient estimates will still be consistent and unbiased, but they will be inefficient. Thus (*c*) is correct. The upshot is that whilst this would not result in wrong coefficient estimates, our measure of the sampling variability of the coefficients, the standard errors, would probably be wrong. The stronger the degree of heteroscedasticity (*i.e.* the more the variance of the errors changed over the sample), the more inefficient the OLS estimator would be.

75. There are 3 equations in this system, so, for an equation to be just identified would require there to be 2 variables absent from a given equation. If there are more than 2 variables absent from a given equation, it would be classed as over-identified, while if less than 2 variables are absent, it would be under-identified. The variables in the system in total are Y_1, Y_2, Y_3, X_1, X_2, and X_3. The only variable missing from the first equation is X_3, so this equation is not identified (unidentified).

पिछले प्रश्न-पत्र (हल सहित)

यू.जी.सी.–NET/JRF परीक्षा, जून–2013

अर्थशास्त्र

प्रश्न–पत्र–II

नोटः *इस प्रश्नपत्र में* ***पचास*** *(50) बहु-विकल्पीय प्रश्न हैं। प्रत्येक प्रश्न के दो (2) अंक हैं।* ***सभी*** *प्रश्न अनिवार्य हैं।*

1. द्विअधिकार के कूर्नो मॉडल के अन्तर्गत, प्रत्येक द्विअधिकारी कितना उत्पादन करेगा?

A. उत्पादन का आधा

B. उत्पादन/आउटपुट का एक चौथाई

C. उत्पादन का $\frac{1}{6}$

D. कुल उत्पादन का एक तिहाई

2. जब तक प्रतिस्थापन प्रभाव आय प्रभाव पर छाया रहता है, श्रम आपूर्ति वक्र

A. नकारात्मक रूप से ढलवाँ होती है।

B. सकारात्मक रूप से ढलवाँ होती है।

C. पीछे की ओर मुड़ी होती है।

D. बाईं ओर खिसक जाती है।

3. एकाधिकारी प्रतिस्पर्धा की मुख्य विशेषता है :

I. उत्पाद विभेदीकरण

II. गैर कीमत प्रतिस्पर्धा

III. फर्मों की बड़ी संख्या और प्रवेश एवं बहिर्गमन की स्वतन्त्रता

IV. फर्में अंतःनिर्भर होती हैं।

कूट :

A. I और III सही हैं।
B. I, II और IV सही हैं।
C. I, II और III सही हैं।
D. I, III और IV सही हैं।

4. अभिकथन (A) : एकाधिकार पैरेटो अदक्ष या अप्रभावी होता है।

कारण (R) : कीमत में कमियों के बदले में वह जो आय का भाग देने को तैयार होगा उसे सम्भव बनाने के लिए संसाधनों के आवंटन को बदलना सम्भव होगा।

कूट :

A. (A) तथा (R) दोनों सही हैं और (R), (A) की सही व्याख्या है।

B. (A) सही है, परंतु (R) सही नहीं है।

C. (A) और (R) दोनों सही हैं, परंतु (R), (A) की गलत व्याख्या है।

D. (R) सही है, परंतु (A) गलत है।

5. यदि श्रम और पूँजी में किसी भी आनुपातिक परिवर्तन के साथ MP_L/MP_K नहीं बदलता है तो उत्पादन फलन निम्नलिखित होता है :

A. रेखीय
B. अरेखीय
C. एकरूप/समरूप
D. समस्थितिक

6. सूची-I में दी मदों को सूची-II में दी गई मदों के साथ सुमेलित करें और नीचे दिए कूटों से सही उत्तर का चयन करें :

	सूची-I	**सूची-II**
I.	फर्म की एजेन्सी थ्योरी (सिद्धान्त)	1. ओ.ई. विलियमसन
II.	X-अकुशलता	2. एम.सी. जेन्सन एवं डब्ल्यू.जे. मेकलिंग
III.	उपयोगिता अधिकतमीकरण मॉडल	3. विलफ्रेडो परेटो
IV.	एजवर्थ बॉक्स रेखाचित्र सर्वप्रथम किसने उपयोग किया?	4. हार्वे लीबेनस्टीन

कूट :

	I	II	III	IV
A.	3	2	1	4
B.	2	4	1	3
C.	2	3	4	1
D.	3	4	1	2

7. अल्पकालीन औसत कुल लागत और दीर्घकालिक औसत लागत के स्पर्श बिन्दु पर, अल्पकालिक सीमान्त लागत

A. दीर्घकालिक सीमान्त लागत से बृहद होती है।

B. दीर्घकालिक सीमान्त लागत से कम होती है।

C. दीर्घकालिक सीमान्त लागत से काफी अधिक होती है।

D. दीर्घकालिक सीमान्त लागत के बराबर होती है।

8. पैमाने के वर्धमान प्रतिफलों के साथ बाजार में संतुलन किस स्थिति में अधूरा है?

A. अपूर्णतया प्रतिस्पर्धात्मक बाजार

B. एकाधिकारी बाजार

C. पूर्णतया प्रतिस्पर्धात्मक बाजार

D. उपर्युक्त में से कोई नहीं

9. यदि 1 = अनैच्छिक बेरोजगारी; 2 = प्रच्छन्न बेरोजगारी; 3 = संघर्षजनित बेरोजगारी; और 4 = संरचनात्मक बेरोजगारी है, तो पूर्ण रोजगार निम्नलिखित से सामंजस्य रखता है :

A. 1 और 2 B. 2 और 3

C. 3 और 4 D. 1 और 4

10. कीन्स के निरपेक्ष आय प्राक्कल्पना के समीकरण, $C = \alpha_0 + by$ में, जहाँ C = उपभोग व्यय; α_0 = उपभोग व्यय जब आय (y) शून्य है; और b = उपभोग की सीमान्त प्रवृत्ति (MPC) है, तो निम्नलिखित में से कौन-सा कथन मिथ्या है?

A. MPC आय के स्तर से स्वतंत्र है।

B. MPC आय के स्तर पर आश्रित है।

C. आय के बढ़ने पर APC गिरता है।

D. APC > MPC

11. निम्नलिखित कथनों में से कौन-सा मिथ्या है?

A. जब कर एकमुश्त कर है, संतुलित बजट गुणक इकाई के बराबर होता है।

B. जब कर यथामूल्य कर है, संतुलित बजट गुणक इकाई से कम होता है।

C. कर गुणक सरकारी व्यय गुणक से कम होता है।

D. कर गुणक सरकारी व्यय गुणक से ज्यादा होता है।

12. सूची-II में दिए निवेश निर्धारण के मानदंड/सिद्धांत को सूची-I में दिए उनके प्रतिपादकों के साथ सुमेलित करें :

सूची-I	सूची-II
I. डेल जॉर्गनसन	1. Q-सिद्धांत
II. जे.एम. केन्स	2. नव-क्लासिकी सिद्धान्त
III. जेम्स कोहन	3. त्वरक सिद्धान्त
IV. जेम्स क्लार्क	4. वर्तमान मान/मूल्य मानदंड

कूट :

	I	II	III	IV
A.	1	4	2	3
B.	2	4	1	3
C.	3	4	1	2
D.	3	1	4	2

13. **अभिकथन (A) :** तरलता फंदे में, मुद्रा की माँग पूर्णतया ब्याज लोचनीय होती है।

कारण (R) : क्योंकि इस स्थिति में, सभी निवेशकर्ता अपेक्षा करते हैं कि ब्याज की बाजार दर ब्याज की प्राकृतिक दर की ओर बढ़ेगी।

कूट :

A. (A) तथा (R) दोनों सही हैं और (R), (A) की सही व्याख्या है।

B. (A) और (R) दोनों सही हैं, परंतु (R), (A) की सही व्याख्या नहीं है।

C. (A) सही है, परंतु (R) गलत है।

D. (R) और (A) दोनों गलत हैं।

14. कालावधि अनुसार निवल निवेश व्यय की दर निम्नलिखित की अधोमुखी ढलान की प्रवणता पर निर्भर करती है :

A. निवेश अनुसूची की सीमान्त क्षमता

B. पूँजी अनुसूची की सीमान्त क्षमता

C. LM-अनुसूची

D. IS-अनुसूची

15. मुद्रा की माँग के निर्धारक के रूप में किसका विशिष्ट रूप से उल्लेख नहीं किया गया है?

A. सम्पदा

B. वैकल्पिक परिसम्पत्तियों पर नाममात्र लब्धि

C. मुद्रास्फीति की दर

D. ब्याज की वास्तविक दर

16. व्यापार चक्रों की व्याख्या करने के लिए निम्नलिखित में से किस अर्थशास्त्री ने स्टॉक समायोजन सिद्धान्त का उपयोग किया है?

A. एन. कल्डोर B. जे.आर. हिक्स

C. पी. सैम्युलसन D. जे.एम. केन्स

17. गरीबी के दुष्चक्र की अवधारणा किससे सम्बन्धित है?

A. जे.एम. केन्स
B. रेगनर नर्कसे
C. कार्ल मार्क्स
D. जे.एस. मिल

18. औंधी 'U' आकारित (या आकार युक्त) आय वितरण परिकल्पना किससे सम्बन्धित है?

A. जे.बी. क्लार्क
B. डेविड रिकार्डो
C. साइमन कुजनेट्स
D. एडम स्मिथ

19. एच.डी.आई. (HDI) के संघटक हैं

I. दीर्घायु
II. शिशु मृत्युदर
III. शैक्षिक उपलब्धि
IV. मर्यादित जीवन स्तर

कूट :

A. I, II और III सही हैं।
B. II, III और IV सही हैं।
C. II, I और IV सही हैं।
D. I, III और IV सही हैं।

20. विकास के क्लासिकी सिद्धान्त के निम्नलिखित प्रतिपादकों को अनुवर्ती क्रम में व्यवस्थित करें :

I. डेविड रिकार्डो
II. एडम स्मिथ
III. जे.एस. मिल
IV. रॉबर्ट माल्थस

कूट :

A.	II	IV	III	I
B.	IV	III	I	II
C.	III	II	IV	I
D.	I	II	III	IV

21. **अभिकथन (A) :** मार्क्सवादी योजना में, $M \rightarrow C \rightarrow M'$ है, जहाँ $M' > M$ और $M' - M$ अतिरेक मूल्य है।

कारण (R) : इस अतिरेक मूल्य का मुख्य कारण कच्चा माल, मशीनें इत्यादि है।

कूट :

A. (A) गलत है, परन्तु (R) सही है।
B. (A) सही है, परन्तु (R) गलत है।
C. (A) और (R) दोनों सही हैं।
D. (A) और (R) दोनों गलत हैं।

22. सूची-I को सूची-II के साथ सुमेलित करें :

सूची-I	सूची-II
I. अल्पविकास का संरचनात्मक दृष्टिकोण	1. क्लासिकी अर्थशास्त्री
II. स्वतन्त्र व्यापार नीति	2. होलिस चिनेरी
III. विस्तारित पुनर्उत्पादन की विभागीय योजना	3. स्थायी राजकीय विकास
IV. संचय का स्वर्णिम युग	4. कार्ल मार्क्स

कूट :

	I	II	III	IV
A.	2	1	4	3
B.	4	2	3	1
C.	1	4	2	3
D.	3	4	1	2

23. सूची-I को सूची-II के साथ सुमेलित करें :

सूची-I	सूची-II
I. क्रान्तिक (Critical) न्यूनतम प्रयास सिद्धान्त	1. आर.एफ. क्हान
II. छुरी धार सन्तुलन	2. रोजनस्टीन रोडन
III. अमानक स्वर्णिम युग (बास्टार्ड गोल्डन ऐज)	3. लीबेनस्टीन
IV. प्रबल धक्का सिद्धान्त	4. हैरोड

कूट :

	I	II	III	IV
A.	3	4	1	2
B.	1	3	4	2
C.	2	1	3	4
D.	4	2	1	3

24. भारत में राष्ट्रीय आय की संवृद्धि की दर के सम्बन्ध में कौन-से वर्ष श्रेष्ठ और सबसे बुरे थे?

A. 2007-08 और 1997-98
B. 2006-07 और 1966-67
C. 1988-89 और 1979-80
D. 2003-04 और 1957-58

25. हाल ही के वर्षों में अशोधित जन्म दर के आरोही क्रम में राज्यों को श्रेणीगत करें :

I. आन्ध्र प्रदेश
II. कर्नाटक
III. मध्य प्रदेश

IV. उत्तर प्रदेश

कूट :

A. I, II, III, IV B. II, III, I, IV
C. I, II, IV, III D. II, I, IV, III

26. भारत की किस पंचवर्षीय योजना में संवृद्धि दर के सम्बन्ध में सेवा क्षेत्र तथा औद्योगिक क्षेत्र के बीच सबसे बड़ा अन्तराल दर्ज किया गया?

A. सातवीं योजना B. आठवीं योजना
C. नौवीं योजना D. दसवीं योजना

27. भारत की राष्ट्रीय विनिर्माणकारी नीति के अनुसार विनिर्माण क्षेत्र के मध्यकालिक अभीष्ट (डिजायर्ड) विकास लक्ष्य के बारे में सही उत्तर प्रदान करें:

A. 6–8 प्रतिशत B. 8–10 प्रतिशत
C. 10–12 प्रतिशत D. 12–14 प्रतिशत

28. एच.डी.आर. 2011 के अनुसार मानव विकास सूचकांक (HDI) निम्नलिखित में से किस देश का बेहतर है?

I. श्रीलंका
II. पाकिस्तान
III. केन्या
IV. मिस्र

कूट :

A. श्रीलंका और मिस्र B. श्रीलंका और केन्या
C. पाकिस्तान और श्रीलंका D. पाकिस्तान और केन्या

29. भारत की सरकार द्वारा वर्ष 2011-12 में MGNREGA (एम.जी.एन.आर.इ.जी.ए.) के अंतर्गत परिव्यय की राशि क्या थी?

A. ₹ 25,000 करोड़ B. ₹ 30,000 करोड़
C. ₹ 40,000 करोड़ D. ₹ 55,000 करोड़

30. वर्ष 2010 में विश्व व्यापारिक निर्यातों में भारत के हिस्से के बारे में सही उत्तर प्रदान करें :

A. 0.5 प्रतिशत B. 0.9 प्रतिशत
C. 1.1 प्रतिशत D. 1.5 प्रतिशत

31. यदि दो देशों के बीच वस्तु ले जाने की परिवहन लागत दो देशों के बीच वस्तुओं के पूर्व लेनदेन अन्तर से अधिक होती है, तो उस वस्तु में लेनदेन

A. संभावित है। B. असंभावित है।
C. प्रतिवर्ती है। D. कह नहीं सकता/ती।

32. रिबेजिन्सकी प्रमेय के अनुसार, स्थिर सापेक्ष वस्तु कीमतों पर सिर्फ एक कारक निम्नलिखित के उत्पादन में पूर्ण विस्तार की ओर प्रवृत्त करता है :

A. दोनों वस्तुएँ
B. वृद्धिकारी कारक को गहन रूप से उपयोग करने वाली वस्तु
C. गैर-वृद्धिकारी कारक को गहन रूप से उपयोग करने वाली वस्तु
D. उपर्युक्त में से कोई एक

33. बाजार के सभी भागों में विनिमय दर को किसके द्वारा एकसमान रखा जाता है?

A. विनिमय विवाचन
B. ब्याज विवाचन
C. हैजिंग
D. सट्टेबाजी

34. कारक कीमत सरकारी प्रमेय द्वारा किन शर्तों को प्रासंगिक माना गया है?

I. भिन्न उपादान एनडांउमेंट्स देशों की विशेषता है।
II. भिन्न उत्पादन फलन देशों की विशेषता है।
III. भिन्न साधन सघनताएँ उद्योगों की विशेषता है।
IV. प्रत्येक देश उसे वस्तु का निर्यात करेगा जो अपने प्रचुर साधन का तुलनात्मक रूप से गहनता से उपयोग करेगा।

कूट :

A. I, II, III, IV
B. I, III, IV
C. I, II, IV
D. I, III, II

35. भुगतान सन्तुलन के मौद्रिक उपागम के सम्बन्ध में निम्नलिखित में से कौन-सा सत्य है?

A. यह भुगतान सन्तुलन को अनिवार्यतः मौद्रिक घटना के रूप में देखता है।
B. भुगतान संतुलन में घाटा राष्ट्र में मुद्रा की अतिरिक्त माँग के फलस्वरूप होता है।
C. अतिरेक भुगतान संतुलन मुद्रा की अतिरिक्त आपूर्ति के कारण होता है।
D. भुगतान संतुलन में असंतुलन दीर्घकाल में स्वचालित रूप से ठीक नहीं होता है।

36. जब राष्ट्र आयात शुल्क लगाता है, तो राष्ट्र का देय वक्र कैसा होगा?

A. अक्ष जो निर्यात वस्तु का माप करता है, से दूर खिसक जाएगा।

B. अक्ष जो आयात वस्तु का माप करता है, से दूर खिसक जाएगा।

C. नहीं खिसकेगा।

D. उपर्युक्त में से कोई भी संभावित है।

37. यदि व्यापार की अंतर्राष्ट्रीय शर्तें उस स्तर पर तय होती हैं जो प्रत्येक देश की अवसर लागत के बीच पड़ता है तो

A. किसी भी देश के लिए लाभकारी व्यापार का कोई आधार नहीं है।

B. दोनों देशों को व्यापार से लाभ होता है।

C. केवल एक देश लाभ कमाता है।

D. एक देश को व्यापार से लाभ होता है और दूसरे देश को हानि।

38. निम्नलिखित को कालानुक्रमिक क्रम में व्यवस्थित करें:

I. अप्रत्यक्ष कर जाँच समिति (झा समिति)

II. कर सुधार समिति (चलैया समिति)

III. कराधान जाँच आयोग (माथुर आयोग)

IV. प्रत्यक्ष कर जाँच समिति (वांचू समिति)

कूट :

A. III, II, IV, I　　B. III, I, IV, II

C. II, III, I, IV　　D. III, IV, I, II

39. शून्य बजटन में निम्नलिखित में से कौन-सा प्रासंगिक है?

I. व्यय की प्रत्येक मद को पूर्व-बजट पुनरावलोकन में चुनौती दी जाती है।

II. व्यय के किसी भी न्यूनतम स्तर को प्रदत्त मान लेने की अनुमति नहीं है।

III. प्रत्येक मद के व्यय की हाशिये पर या सीमान्तिक वृद्धि की जाती है।

IV. जब अगले वर्ष का बजट तैयार किया जाता है तो व्यय की अधिकांश मदों को प्रदत्त मान लिया जाता है।

कूट :

A. I और III सही हैं।

B. I, II और IV सही हैं।

C. I और II सही हैं।

D. I, III और IV सही हैं।

40. सूची-I में दी मदों को सूची-II में मदों के साथ सुमेलित करें :

सूची-I	**सूची-II**
I. इष्टतम आय कर	1. चार्ल्स टिबो
II. राजनीति का आर्थिक सिद्धान्त	2. पीटर ए. पायर
III. स्थानीय लोक वस्तुएँ	3. एफ. रामसे
IV. शून्य आधार बजटन	4. एन्थनी डाऊनूस

कूट :

	I	II	III	IV
A.	3	1	4	2
B.	2	3	1	4
C.	3	2	1	4
D.	3	4	1	2

41. निम्नलिखित में से कौन-सा कराधान की अनुपस्थिति के तुल्य है?

A. कर का विचलन　　B. कर का रूपान्तरण

C. कर अपवंचन　　D. कर का पूंजीकरण

42. निम्नलिखित में से कौन-सा कर राज्यों के क्षेत्राधिकारों में पड़ता है जैसा कि भारतीय संविधान की अनुसूची VII की सूची-II में वर्णित है?

A. रेलवे माल भाड़े और सवारी भाड़े पर कर

B. समाचार-पत्रों की बिक्री एवं खरीद और उसमें विज्ञापनों पर कर

C. कुछ वित्तीय दस्तावेजों के सम्बन्ध में स्टाम्प शुल्क की दर

D. मनोरंजन, बाजी (लगाने) और जुआ खेलने समेत विलासिताओं पर कर

43. कोहेन क्लार्क ने दावा किया कि विश्व के अधिकांश देशों के लिए कराधान की सुरक्षित उच्चतम सीमा है

A. राष्ट्रीय आय का 40 प्रतिशत

B. राष्ट्रीय आय का 30 प्रतिशत

C. राष्ट्रीय आय का 25 प्रतिशत

D. राष्ट्रीय आय का 20 प्रतिशत

44. निम्नलिखित में से कौन-सा कर आसानी से स्थानांतरित किया जा सकता है?

A. एकाधिकारी पर लगाया गया एकमुश्त कर

B. आवासीय मकान पर लगाया कर

C. बिक्री योग्य पूंजीगत वस्तुएँ

D. उत्तराधिकारी सम्बन्धी शुल्क

45. द्विपदीय बंटन में, माध्य और प्रसरण का योग 15 है और माध्य और प्रसरण का गुणनफल 54 है, तो प्रेक्षणों की संख्या (n) कितनी होगी?

A. 27 B. 30

C. 24 D. 33

46. यदि 'r' सहसम्बन्ध गुणांक है और byx और bxy प्रतिश्रयण रेखाओं x पर y और y पर x क्रमशः प्रतिश्रयण गुणांक हैं, तो r बराबर है :

A. $bxy \times byx$ B. $\sqrt{bxy/byx}$

C. $\sqrt{1-bxy\ byx}$ D. $\sqrt{bxy\ byx}$

47. χ^2 (काई स्क्वैयर) परीक्षण का क्या परीक्षण करने के लिए उपयोग किया जाता है?

A. प्रसरण का विश्लेषण

B. गुणात्मक चरों के बीच साहचर्य

C. एक ही समग्र से लिए गए दो बंटन समूहों के माध्यों के बीच अन्तर

D. भिन्न समग्र से लिए गए दो बंटन समूहों के माध्यों के बीच अन्तर

48. यादृच्छिक प्रतिचयन का अभिप्राय है :

A. प्रेक्षणों का चयन उद्देश्य के साथ किया गया है।

B. प्रेक्षणों को व्यवस्थित ढंग से चयनित किया है।

C. प्रेक्षणों का चयन मनमाने ढंग से किया जाता है।

D. प्रेक्षणों को गुच्छों में चयनित किया है।

49. सूची-I को सूची-II के साथ सुमेलित करें :

	सूची-I	**सूची-II**
I.	विचरण का गुणांक	1. μ_4/σ^4
II.	सहसम्बन्ध का गुणांक	2. μ_3/σ^3
III.	विषमता का गुणांक	3. $\sigma/\bar{x}$
IV.	कुर्टोसिस (वक्रता-मात्रा) का गुणांक	4. $\Sigma xy/\sigma_x\sigma_y$

कूट :

	I	II	III	IV
A.	1	2	3	4
B.	3	2	4	1
C.	3	4	2	1
D.	3	4	1	2

50. **अभिकथन (A) :** फिशर का अभिसूचक आदर्श अभिसूचक है।

कारण (R) : फिशर का अभिसूचक समय विपर्यास तथा उपादान विपर्यास परीक्षणों को संतुष्ट करता है।

कूट :

A. (A) और (R) दोनों सत्य हैं और (R), (A) की सही व्याख्या है।

B. (A) और (R) दोनों सत्य हैं, परन्तु (R), (A) की सही व्याख्या नहीं है।

C. (A) सत्य है, परंतु (R) असत्य है।

D. (A) असत्य है, परन्तु (R) सत्य है।

उत्तरमाला

1	2	3	4	5	6	7	8	9	10
D	B	C	A	D	B	D	C	C	B
11	**12**	**13**	**14**	**15**	**16**	**17**	**18**	**19**	**20**
D	*	A	A	D	A	B	C	D	A
21	**22**	**23**	**24**	**25**	**26**	**27**	**28**	**29**	**30**
B	A	A	C	A	C	D	A	C	D
31	**32**	**33**	**34**	**35**	**36**	**37**	**38**	**39**	**40**
B	B	A	B	A	A	B	D	C	D
41	**42**	**43**	**44**	**45**	**46**	**47**	**48**	**49**	**50**
C	D	C	C	A	D	B	B	C	A

कुछ चुने हुए प्रश्नों के व्याख्यात्मक उत्तरमाला

1. कूर्नो के द्वि-अधिकार मॉडल में स्थायी सन्तुलन (stable equilibrium) तब प्राप्त होता है जबकि दोनों उत्पादकों (फर्मों) का उत्पादन, कुल उत्पादन का $\frac{2}{3}$ है और प्रत्येक उत्पादक कुल उत्पादन का $\frac{1}{3}$ भाग उत्पादन कर रहा होता है।

2. मजदूरी दर में वृद्धि के प्रतिस्थापन प्रभाव तथा आय प्रभाव विपरीत दिशाओं में कार्य करते हैं; जबकि प्रतिस्थापन प्रभाव के कारण श्रम-क्रिया में वृद्धि की प्रवृत्ति होती है, आय प्रभाव श्रम-क्रिया को कम कर देता है। इन दोनों की क्रियाशीलता का **शुद्ध प्रभाव** (net effect) इन दोनों की सापेक्ष प्रबलता पर निर्भर करेगा। यदि मजदूरी दर में वृद्धि का प्रतिस्थापन प्रभाव इसके आय प्रभाव से प्रबल हो, तो शुद्ध प्रभाव श्रम-कार्य की मात्रा में वृद्धि का होगा, अर्थात् जब मजदूरी दर में वृद्धि होगी तो अधिक घण्टे काम किया जाएगा।

3. अपूर्ण प्रतियोगिता एक महत्त्वपूर्ण बाजार श्रेणी है जिसमें फर्में व्यक्तिगत रूप में कम या अधिक अंश तक कीमत पर नियन्त्रण रखती हैं जो किसी स्थिति में विद्यमान अपूर्णता के अंश पर निर्भर करता है। किसी फर्म द्वारा पदार्थ की कीमत पर नियन्त्रण तथा उसके परिणामस्वरूप अपूर्ण प्रतियोगिता का अस्तित्व फर्मों की न्यूनता अथवा पदार्थ विभेदीकरण के कारण हो सकता है। अतः अपूर्ण प्रतियोगिता के अन्तर्गत अनेक उप-श्रेणियाँ होती हैं। अपूर्ण प्रतियोगिता की प्रथम महत्त्वपूर्ण उपश्रेणी **एकाधिकारिक प्रतियोगिता** (Monopolistic Competition) है जिस पर प्रो. ई. एच. चैम्बरलिन ने अपने मौलिक विचारों को उत्तेजित करने वाले कार्य '*The Theory of Monopolistic Competition*' में अधिक बल दिया। जैसा कि अब समझा जाता है कि एकाधिकारिक प्रतियोगिता के फर्मों की अधिक संख्या तथा पदार्थ विभेदीकरण के लक्षण पाये जाते हैं अर्थात् एकाधिकारिक प्रतियोगिता में बड़ी संख्या में फर्में विभेदीकृत पदार्थों का उत्पादन करती हैं जो एक-दूसरे के निकट के स्थानापन्न होते हैं। इनके परिणामस्वरूप एकाधिकारिक प्रतियोगिता के अन्तर्गत एक फर्म का मांग वक्र अधिक लोचदार होता है जो यह संकेत करता है कि इसमें फर्म कीमत पर कुछ नियन्त्रण रखती है।

7. दीर्घकालीन सीमान्त लागत वक्र दीर्घकालीन कुल लागत वक्र से सीधे तौर पर प्राप्त किया जा सकता है क्योंकि किसी उत्पादन मात्रा पर दीर्घकालीन सीमान्त लागत उत्पादन की उस मात्रा पर कुल लागत वक्र की ढाल (slope) के बराबर होती है। इसके अतिरिक्त, दीर्घकालीन सीमान्त लागत वक्र दीर्घकालीन औसत लागत वक्र से भी प्राप्त किया जा सकता है क्योंकि दीर्घकालीन सीमान्त लागत वक्र का दीर्घकालीन औसत लागत वक्र से वही सम्बन्ध होता है जोकि अल्पकालीन सीमान्त लागत वक्र का अल्पकालीन औसत लागत वक्र से होता है। रेखाचित्र में यह दर्शाया गया है कि दीर्घकालीन सीमान्त लागत वक्र दीर्घकालीन औसत लागत वक्र से किस प्रकार प्राप्त किया जाता है। इस रेखाचित्र में एक दीर्घकालीन औसत लागत वक्र LAC खींचा गया है जोकि कई अल्पकालीन औसत और सीमान्त लागत वक्रों को घेरे हुए है। यदि फर्म को दीर्घकाल में वस्तु की OA मात्रा उत्पादित करनी है तो वह दीर्घकालीन औसत लागत वक्र LAC के बिन्दु H पर काम करेगी जोकि अल्पकालीन औसत लागत वक्र SAC_1 से स्पर्श करता है। इस प्रकार जब फर्म को वस्तु की OA मात्रा उत्पादित करनी है तो वह अल्पकालीन औसत लागत वक्र SAC_1 के संयंत्र से की जाएगी जिसका अल्पकालीन सीमान्त लागत वक्र

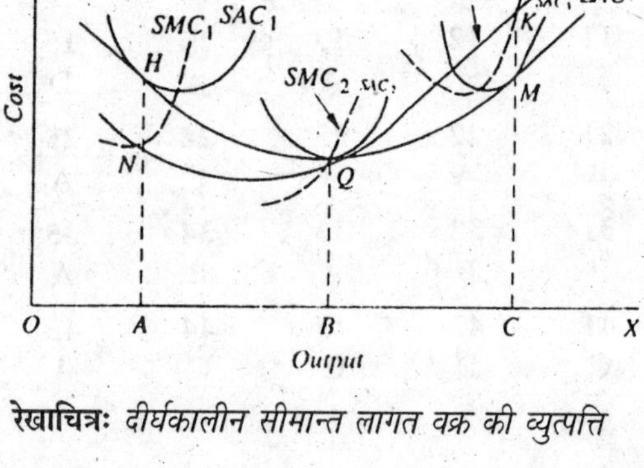

रेखाचित्रः *दीर्घकालीन सीमान्त लागत वक्र की व्युत्पत्ति*

SMC_1 है। अल्पकालीन औसत लागत वक्र SAC_1 और दीर्घकालीन औसत लागत वक्र LAC के बीच स्पर्श बिन्दु H के अनुसार अल्पकालीन सीमान्त लागत वक्र SMC_1 का बिन्दु N है। इसका अर्थ यह है कि दीर्घकाल में वस्तु की OA मात्रा को उत्पादित करने की सीमान्त लागत AN है। इसलिए बिन्दु N उत्पादन की OA मात्रा के अनुसार दीर्घकालीन सीमान्त लागत वक्र का बिन्दु निश्चित होता है।

यदि दीर्घकाल में वस्तु की OB मात्रा उत्पादित करनी है तो उसे दीर्घकालीन औसत लागत वक्र LAC के बिन्दु Q पर काम करके उत्पादित किया जाएगा और यह Q बिन्दु दीर्घकालीन औसत लागत वक्र LAC और अल्पकालीन औसत लागत वक्र SAC_2 के बीच स्पर्श बिन्दु है। बिन्दु Q अल्पकालीन सीमान्त लागत वक्र SMC_2 पर उत्पादन मात्रा OB के अनुसार बिन्दु भी है।

10. सीमान्त उपभोग प्रवृत्ति (MPC) का आशय आय में परिर्वतन के परिणामस्वरूप उपभोग में होने वाले परिवर्तन के अनुपात से है। सीमान्त उपभोग प्रवृत्ति को निम्न प्रकार से ज्ञात किया जा सकता है।

$$MPC = \frac{\Delta C}{\Delta Y}$$

जहाँ ΔC उपभोग में परिवर्तन तथा ΔY आय में परिवर्तन है।

13. ब्याज की बहुत नीची दर पर मुद्रा की सट्टा मांग पूर्णतया लोचदार (Perfectly Elastic) बन जाता है। मुद्रा की सट्टा मांग (Demand of Money for Speculative Motive) वक्र का यह भाग तरलता जाल कहलाता है।

इतनी नीची ब्याज दर पर लोग बांडों में निवेश करने के बजाय मुद्रा को नकदी में रखने को अधिमान (Preference) देते हैं, क्योंकि बांडों को खरीदने का मतलब होगा निश्चित हानि। लोग उस समय तक बांड नहीं खरीदेंगे जब तक ब्याज दर इस निम्न स्तर पर रहती है। केन्ज के अनुसार जब ब्याज दर शून्य के निकट आती है तो बांड रखने में हानि का जोखिम बढ़ जाता है। अत: ब्याज दर जितनी ही कम होगी नकदी रखने की मांग उतनी ही अधिक होगी। परिणामस्वरूप, मांग वक्र पूर्णतया लोचदार बन जाएगा।

तरलता जाल की स्थिति से कई महत्त्वपूर्ण बातें सम्बन्धित हैं। **पहली,** सस्ती मुद्रा नीति का अनुसरण करके भी मुद्रा प्राधिकारी ब्याज की दर को प्रभावित नहीं कर सकती। **दूसरी,** ब्याज की दर गिरकर **शून्य** पर नहीं आ सकती। **अन्तिम,** पूर्ण लोचदार मांग वक्र के सामने एक सामान्य मजदूरी कटौती की नीति भी प्रभावकारी नहीं हो सकती।

14. निवेश की सीमान्त उत्पादकता (MEI) प्रतिफल की वह प्रत्याशित दर है जो किसी पूंजी परिसम्पत्ति पर दिए हुए निवेश से, ब्याज की दर को छोड़कर सभी लागतें पूरी करने के बाद प्राप्त होती है (The MEI is the rate of return expected from a given investment on a capital asset after covering all its costs, except the rate of interest.)। किसी परिसम्पत्ति पर किया जाने वाला निवेश इस बात पर निर्भर करेगा कि बाजार से निधियों की प्राप्ति के लिए ब्याज की दर कितनी है। यदि ब्याज की दर अधिक होगी, तो निवेश का स्तर कम रहेगा। निवेश अधिक होगा यदि ब्याज की दर कम होगी। **इस प्रकार MEI निवेश को ब्याज की दर से सम्बद्ध करता है।** MEI वक्र यह दिखाता है कि ब्याज की विविध दरों पर निवेश की मांग की मात्रा कितनी अधिक होगी। यही कारण है कि इसे निवेश मांग अनुसूची या वक्र कहा जाता है। MEI वक्र की ढाल ऋणात्मक होती है जैसा कि रेखाचित्र में दिखाया गया है।

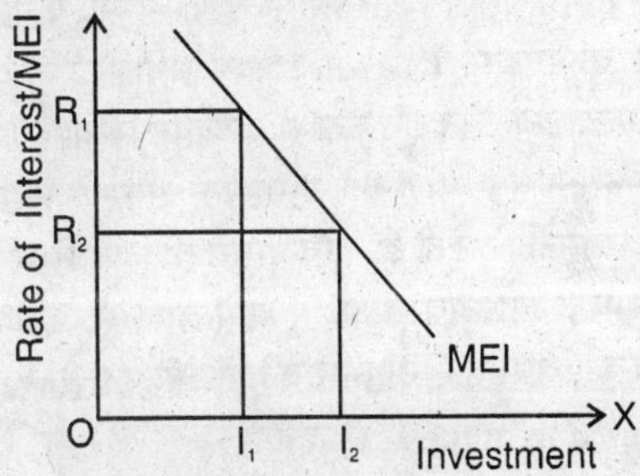

रेखाचित्र : *MEI वक्र*

ऊपर के रेखाचित्र में ब्याज की OR_1 दर पर निवेश की मात्रा OI_1 है। जब ब्याज की दर गिरकर OR_2 हो जाती है, तो निवेश बढ़कर OI_2 हो जाता है। ब्याज की दर में कमी होने से निवेश में किस सीमा तक बढ़ोत्तरी होगी यह MEI वक्र की लोच पर निर्भर करता है। MEI वक्र जितना ही कम लोचदार होगा, ब्याज की दर गिरने के परिणामस्वरूप निवेश में वृद्धि भी उतनी ही कम होगी और विलोमशः भी।

15. **फ्रीडमैन** द्वारा प्रतिपादित मुद्रा के मांग सिद्धान्त को **मुद्रा का आधुनिक सिद्धान्त** (Modern Theory of Money)

भी कहा जाता है। फ्रीडमैन के अनुसार मुद्रा की मांग तीन कारकों पर निर्भर करती है—(*a*) विभिन्न प्रकार की परिसम्पत्तियों के रूप में रखी गई कुल सम्पत्ति (*b*) विभिन्न प्रकार की सम्पत्ति की सम्बन्धित कीमतें या उनके सापेक्षिक प्रतिफल (*c*) सम्पत्तियों के स्वामियों की रुचियां एवं अधिमान।

17. अल्प विकसित देश गरीबी के दुश्चक्रों में पड़े हुए रहते हैं। **नर्क्से** (Nurkse) ने गरीबी के दुश्चक्रों को इन शब्दों में व्यक्त किया है, ''इसका तात्पर्य ऐसी शक्तियों का वृतीय समूह है जो एक-दूसरी पर इस तरह क्रिया और प्रतिक्रिया करती है कि वे एक गरीब देश को गरीबी की अवस्था में ही रखती हैं। उदाहरणार्थ, हो सकता है कि एक गरीब आदमी के पास खाने को काफी न हो; कम खाने के कारण उसकी सेहत कमजोर हो सकती है; शारीरिक दुर्बलता के कारण उसकी कार्य करने की क्षमता कम होगी, जिसका मतलब है कि वह दरिद्र ही रहेगा, जिसका फिर यह मतलब होगा कि उसे काफी खुराक नहीं मिलेगी, और इस प्रकार यह क्रम चलता रहेगा।'' पूरे देश से संबंध रखने वाली इस प्रकार की स्थिति को **नर्क्से** इस कथन द्वारा व्यक्त करता है, **''एक देश इसलिए गरीब है कि वह गरीब है'' (A country is poor because it is poor)**।

18. क्या आर्थिक वृद्धि आय वितरण को कम करती है या बढ़ाती है, इस विषय पर अर्थशास्त्रियों में बहुत मतभेद पाया जाता है। **प्रो. कुजनेट्स** (Kuznets) प्रथम अर्थशास्त्री है जिसने इस समस्या का आनुभविकता से अध्ययन किया है। उसने पाया कि आर्थिक वृद्धि की प्रारम्भिक अवस्था में सापेक्ष आय असमानता बढ़ती है, कुछ समय के लिए स्थिर होती है और बाद की अवस्थाओं में कम होती है। इसे आय वितरण की **विपरीत U आकार की परिकल्पना** (inverted U-shaped hypothesis) कहते हैं।

19. मानव विकास सूचक (HDI) : 1990 से संयुक्त राष्ट्र संघ विकास कार्यक्रम (UNDP) अपनी वार्षिक मानव विकास रिपोर्ट में मानव विकास सूचक (HDI) के रूप में मानव विकास के माप को प्रस्तुत कर रहा है। किसी देश के HDI का मूल्य निकालने के लिए तीन सूचकों को लिया जाता है:

i. **दीर्घायु :** जिसे जन्म के समय जीवन की संभाव्यता द्वारा मापा जाता है।

ii. **शैक्षिक योग्यताओं की प्राप्ति :** जिसे वयस्क शिक्षा (दो-तिहाई भार) तथा प्राथमिक, माध्यमिक व क्षेत्रीय विद्यालयों में उपस्थित अनुपातों (एक तिहाई भार) के मिश्रण के रूप में मापा जाता है।

iii. **जीवन स्तर:** जिसे डालर की क्रय शक्ति समता (Purchasing Power Parity) पर आधारित वास्तविक प्रति व्यक्ति GDP द्वारा मापा जाता है।

HDI जीवन की संभाव्यता सूचक, शैक्षिक प्राप्तियां सूचक तथा समायोजित वास्तविक प्रतिव्यक्ति GDP सूचक का सरल औसत सूचक है (HDI is a simple average of life expectancy index, educational attainment index and the adjusted real GDP per capita index.) इसकी गणना इन तीनों संकेतकों के योग को 3 (तीन) से विभाजित कर निकाली जाती है।

32. रिब्जिन्स्की ने अपने 1955 में प्रकाशित एक लेख में यह बताया कि एक साधन को स्थिर रखकर दूसरे साधन में परिवर्तन करने से अंतर्राष्ट्रीय व्यापार में भाग लेने वाली दो वस्तुओं के उत्पादनों पर क्या प्रभाव पड़ेगा। यह **रिब्जिन्स्की प्रमेय** के नाम से प्रचलित है। यह सिद्धांत कहता है कि दो-साधन दो-वस्तु अर्थव्यवस्था में यदि एक की पूर्ति बढ़ा दी जाए और दूसरे साधन की पूर्ति स्थिर रखी जाए तो परिणाम यह होगा कि उस वस्तु का उत्पादन बढ़ जाएगा जो बढ़ाए गए साधन को गहनता से प्रयोग करती है और दूसरी वस्तु का उत्पादन घट जाएगा। उदाहरणार्थ, यदि श्रम की पूर्ति बढ़ती है तो श्रम गहन वस्तु का उत्पादन बढ़ता है और पूंजी-गहन वस्तु का उत्पादन घट जाता है। इसके विपरीत, यदि पूंजी की पूर्ति बढ़ती है, तो पूंजी-गहन वस्तु का उत्पादन बढ़ जाता है।

33. आर्बिट्रेज (Arbitrage): आर्बिट्रेज शब्द का प्रयोग विदेशी विनिमय के संदर्भ में किया जाता है। स्वतंत्र विदेशी बाजारों में किसी स्थान पर कोई मुद्रा कम मूल्य पर क्रय करके तुरंत ही किसी अन्य स्थान पर ऊँचे मूल्य पर बेचने की प्रक्रिया को आर्बिट्रेज कहा जाता है।

35. भुगतान शेष के समायोजन के तीन सिद्धांत हैं। **पहला,** लोच सिद्धांत जिसे मार्शल-लर्नर शर्त भी कहते हैं। **दूसरा,** अवशोषण सिद्धांत है जिसे आय सिद्धांत भी कहते हैं। इन दोनों सिद्धांतों की व्याख्या पहले की जा चुकी है। **तीसरा,** मौद्रिक उपागम (Monetary approach) है जिसका विश्लेषण अब हम करेंगे।

मौद्रिक उपागम : भुगतान शेष का मौद्रिक उपागम मुद्रा की मांग और पूर्ति के रूप में भुगतान शेष में परिवर्तनों का विवेचन करता है। इस सिद्धांत के अनुसार, भुगतान शेष घाटा सदैव और सभी स्थानों पर एक मौद्रिक तत्त्व है। इसलिए यह केवल मौद्रिक उपायों से ही ठीक किया जा सकता है।

36. प्रशुल्क का व्यापार शर्त प्रभाव यह है कि जो देश प्रशुल्क लगाता हैं उसकी व्यापार शर्तें बेहतर हो जाती हैं। वह अपने आयात अपेक्षाकृत कम दामों पर प्राप्त कर सकता है क्योंकि विदेशी निर्यातकर्ता को शुल्क के कुछ भाग अथवा सम्पूर्ण शुल्क का भुगतान करना पड़ता है। परंतु प्रशुल्क लगाने वाले देश की व्यापार शर्तों में कितना सुधार होगा यह दूसरे देश के प्रस्ताव वक्र (offer curve) की लोच पर निर्भर करता है।

38. करों से संबंधित महत्त्वपूर्ण समितियां

नाम	*कार्य/संबंध*
1. श्री एल.के. झा समिति	अप्रत्यक्ष कर प्रणाली में सुधार से संबंधित
2. वांचू समिति	प्रत्यक्ष करों के वंचन (evasion) एवं परिहार (Avoidance) की जांच से संबंधित
3. श्री के.एन. राज समिति	कृषि आय पर कर से संबंधित
4. राजा जे. चल्लैया समिति	प्रत्यक्ष एवं अप्रत्यक्ष करों में सुधार से संबंधित

45. माध्य (Mean) $\mu = np$

प्रसरण (Variance) $\sigma^2 = npq$

According to the question,

$$np + npq = 15 \quad ...(i)$$

and $$np \times npq = 54 \quad ...(ii)$$

From equation (*i*) and (*ii*)

$$(np - npq)^2 = (np + npq)^2 - 4n^2p^2q$$
$$= (15)^2 - 4 \times 54$$
$$= 225 - 216$$
$$= 9$$

$$\therefore \quad np - npq = 3 \quad (iii)$$

{As mean > variance, so –3 is neglected}

Now, from (*i*) and (*iii*), we get

$$np = 9 \text{ and } npq = 6$$

$$q = \frac{6}{9} = \frac{2}{3},$$

$$p = 1 - q = 1 - \frac{2}{3} = \frac{1}{3}$$

from $$np = 9$$

$$n \times \frac{1}{3} = 9$$

$$n = 27.$$

46. दो समाश्रयण गुणांकों का **गुणोत्तर माध्य,** सह-संबंध गुणांक के बराबर होता है। सूत्रानुसार—

$$r = \sqrt{b_{xy} \times b_{yx}}$$

48. दैव प्रतिदर्श (Random Sampling or Chance Selection)

प्रतिदर्श चयन की यह सर्वश्रेष्ठ विधि है क्योंकि इसमें अनुसंधानकर्ता के पक्षपात की कोई सम्भावना नहीं होती। प्रतिदर्श का चयन अनुसंधानकर्ता की '**इच्छा**' के बजाय '**अवसर**' (Chance) पर निर्भर करता है। समग्र की प्रत्येक इकाई को इस बात का समान अवसर मिलता है कि वह प्रतिदर्श रूप में चुनी जा सके। चूंकि इस प्रणाली के अन्तर्गत प्रतिदर्श-चयन की प्रक्रिया पूरी तरह से दैव या अवसर पर छोड़ दी जाती है। इसलिए प्राय: कहा जाता है कि **''एक अच्छा प्रतिदर्श दैव प्रतिचयन पर आधारित होना चाहिए''** (A good sample must be based on random selection.)

दैव प्रतिदर्श की रीतियां (Methods of Random Sampling)—दैव प्रतिदर्श के अनुसार प्रतिदर्श चुनने की निम्न विधियाँ हैं—

(*a*) लाटरी विधि (Lottery Method)

(*b*) ढोल घुमाकर (By Rotating the Drum)

(*c*) सुव्यवस्थित क्रम (Systematic Arrangement)

प्रश्न-पत्र–III

नोटः *इस प्रश्नपत्र में* ***पचहत्तर*** *(75) बहु-विकल्पीय प्रश्न हैं। प्रत्येक प्रश्न के* ***दो*** *(2) अंक हैं।* ***सभी*** *प्रश्न अनिवार्य हैं।*

1. ऑस्ट्रियन स्कूल के सुप्रसिद्ध संस्थापक कौन हैं?

A. डब्ल्यू.एस. जेवन्स B. लिओ वालरस
C. नट विकसल D. कार्ल मेन्जर

2. स्थानापन्नों के लिए माँग की आड़ी लोच होती है

A. धनात्मक B. ऋणात्मक
C. शून्य D. हमेशा एक से कम

3. आरक्षित मजदूरी का अर्थ है?

A. उचित मजदूरी जिस पर मजदूर काम करने को इच्छुक है।
B. निर्वाह मजदूरी जिस पर व्यक्ति कार्य करने को तैयार है।
C. न्यूनतम मजदूरी जिस पर व्यक्ति कार्य करने को इच्छुक है।
D. अधिकतम मजदूरी जिस पर व्यक्ति कार्य करने को तैयार है।

4. उत्पादन के आर्थिक क्षेत्र में शामिल है

A. सभी सम-उत्पाद वक्रों के धनात्मक रूप से ढलवाँ भाग
B. सभी सम-उत्पाद वक्रों के ऋणात्मक रूप से ढलवाँ भाग
C. सभी सम-उत्पाद वक्रों के मध्य भाग
D. सभी सम-उत्पाद वक्रों के उच्चतम बिन्दु

5. प्रतिस्थापन्न की लोच है

A. महँगे आगतों के लिए सस्ते आगतों का प्रतिस्थापन
B. जिस दर पर आगतें (श्रम एवं पूँजी) प्रतिस्थापित की जाती हैं।
C. आगत-कीमत अनुपात में परिवर्तन के प्रति आगत अनुपात की प्रतिक्रियाशीलता का माप
D. आगत कीमतों और सस्ते आगतों के प्रतिस्थापन की प्रतिक्रियाशीलता का माप

6. गेम थ्योरी मॉडल के सामरिक नीतियों में शामिल हैं :

I. कीमत बदलने के सम्भाव्य विकल्प
II. नूतन अथवा विभेदित उत्पाद को विकसित करना
III. नूतन या भिन्न विज्ञापन अभियान को आरम्भ करना
IV. अतिरिक्त क्षमता निर्मित करना

कूट :

A. II और III सही हैं। B. I और II सही हैं।
C. I, II और III सही हैं। D. सभी सही हैं।

7. पेरेटो इष्टतम का तात्पर्य है

A. संसाधन आवंटन जिसके लिए पेरेटो सुधार सम्भव है।
B. संसाधन आवंटन जिसमें सामाजिक सुधार सम्भव है।
C. संसाधन आवंटन जिसके लिए कम से कम एक बेहतर है और कोई भी बदतर नहीं है।
D. संसाधन आवंटन जिसके लिए कोई पेरेटो सुधार नहीं है।

8. अल्पाधिकार का मॉडल जिसमें एक व्यवसाय दूसरे व्यवसाय द्वारा उत्पादन करने से पहले अपना उत्पादन निर्धारित करता है।

A. कूर्नो का अल्पाधिकार मॉडल
B. बर्ट्रेन्ड का अल्पाधिकार मॉडल
C. स्टेकलबर्ग का अल्पाधिकार मॉडल
D. चैम्बरलिन का अल्पाधिकार मॉडल

9. अभिकथन (A) : निमग्न लागतें आर्थिक निर्णयों के लिए प्रासंगिक नहीं हैं।

कारण (R) : ऐसे संसाधनों की अवसर लागत शून्य होती है।

कूट :

A. (A) तथा (R) दोनों सही हैं और (R), (A) की सही व्याख्या है।
B. (A) सही है, परन्तु (R) सही नहीं है।
C. (A) तथा (R) दोनों सही हैं परन्तु (R), (A) की सही व्याख्या नहीं है।
D. (R) सही है, परंतु (A) गलत है।

10. सूची-I में दिए कथनों को सूची-II में दिए नामों के साथ सुमेलित करें और नीचे दिए कूटों से सही उत्तर का चयन करें :

सूची-I	सूची-II
I. किसके अनुसार, रोजगार और उत्पादन श्रम बाजार के आपूर्ति पक्ष में परिचालित कारकों द्वारा ही निर्धारित होते हैं?	1. कार्ल मार्क्स
II. 'क्लासिकल' पदबंध किसने प्रतिपादित किया?	2. परम्परावादी अर्थशास्त्री

III.	समग्र आपूर्ति फलन निकालने के लिए परम्परावादी उत्पादन फलन का उपयोग किसने किया?	3. जे.एम. केन्स
IV.	रेखीय समग्र उपभोग फलन का उपयोग किसने किया?	4. केन्सवादी अर्थशास्त्री

निम्नलिखित में से सही उत्तर के लिए सही कूट का चयन कीजिए :

कूट :

	I	II	III	IV
A.	2	3	1	4
B.	4	1	2	3
C.	1	3	4	2
D.	2	1	3	4

11. स्थायी आय परिकल्पना अनुप्रस्थ काट और समय सारिणी आँकड़ों के अनुरूप होती है क्योंकि

A. उच्च-आय वर्गीय परिवार बचतकर्ता होते हैं, क्योंकि उनकी चालू आय में धनात्मक क्षणिक संघटक शामिल होता है।

B. उच्च-आय वर्गीय परिवार बचतकर्ता होते हैं, क्योंकि उनकी चाल आय में ऋणात्मक क्षणिक या अस्थायी संघटक होते हैं।

C. निम्न-आय वर्गीय परिवार बचतकर्ता होते हैं, क्योंकि उनकी चालू आय में ऋणात्मक क्षणिक या अस्थायी संघटक होते हैं।

D. निम्न-आय वर्गीय परिवार बचतकर्ता हैं, क्योंकि उनकी चालू आय में धनात्मक क्षणिक/अस्थायी संघटक होते हैं।

12. निम्नलिखित में से कौन-सा कथन सत्य है?

A. जब प्रतिस्थापन निवेश समयोपरि स्थिर रहता है तो निवल निवेश सकल निवेश की तुलना में ज्यादा स्थिर होता है।

B. जब प्रतिस्थापन निवेश समयोपरि स्थिर रहता है तो सकल निवेश निवल निवेश की तुलना में ज्यादा स्थिर होता है।

C. प्रतिस्थापन निवेश उत्पादन में अपेक्षित वृद्धि $(\nu - \Delta_y)$ गुना पूंजी-उत्पादन अनुपात के बराबर होता है।

D. जब पूँजी-उत्पादन अनुपात (ν) घटता है तो निवल निवेश $\nu - \Delta_y$ से अधिक होता है।

13. सूची-I में दिए गए मुद्रा माँग उपागम को सूची-II में दिए गए उनके प्रतिपादकों के साथ सुमेलित करें तथा सही कूट का चयन करें :

	सूची-I	**सूची-II**
I.	इन्वेंट्री थ्योरेटिक एप्रोच या उपागम	1. मिल्टन फ्रीडमैन
II.	नकद शेष उपागम	2. जेम्स कोहन
III.	पोर्टफोलियो इष्टतमीकरण उपागम	3. डब्ल्यू. जे. बॉमोल
IV.	मुद्रा परिमाणात्मक सिद्धान्त	4. कैम्ब्रिज अर्थशास्त्री

कूट :

	I	II	III	IV
A.	4	2	3	1
B.	4	1	3	2
C.	3	4	2	1
D.	2	4	3	1

14. अभिकथन (A) : केन्स के अनुसार, व्यक्ति या तो नकद या समस्त बॉन्ड रखते हैं।

कारण (R) : क्योंकि उनके अनुसार, मुद्रा की सट्टा माँग अनिश्चितता के साथ सम्बन्धित है।

कूट :

A. (A) और (R) दोनों सही हैं और (R), (A) की सही व्याख्या है।

B. (A) तथा (R) दोनों सही हैं, परन्तु (R), (A) की सही व्याख्या नहीं है।

C. (A) सही है, परन्तु (R) सही नहीं है।

D. (A) और (R) दोनों सही नहीं हैं।

15. संचय के स्वर्णिम नियम की सही व्याख्या निम्नलिखित में से कौन-सी नहीं है?

यह कि प्रति व्यक्ति पूँजी जहाँ पर

A. प्रति व्यक्ति बचत और प्रति व्यक्ति निवेश अधिकतम हैं।

B. पूँजी की सीमान्त उत्पादकता जनसंख्या की वृद्धि की दर के बराबर है।

C. पूँजी की सीमान्त उत्पादकता बचत अनुपात के बराबर है।

D. पूँजी के सापेक्ष उत्पादन की लोच बचत अनुपात के बराबर है।

16. विशेषतया उपभोग की सीमान्त प्रवृत्ति और त्वरक गुणांक के उच्च मूल्य पर, विस्फोटक गैर-दोलनी चक्र किसके द्वारा प्रतिपादित व्यापार चक्रों के मॉडल में पाए जाते हैं?

A. पॉल ए. सैम्युलसन B. जे.आर. हिक्स
C. निकोलस कल्डोर D. उपर्युक्त सभी

17. IS-LM रूपरेखा के संदर्भ में, निम्नलिखित में से कौन-सा कथन मिथ्या है?

A. केन्सवादी गुणांक का मूल्य जितना निम्न है और निवेश माँग की ब्याज संवेदनशीलता जितनी निम्न है, IS वक्र उतनी अतिप्रवण होगी।
B. जब मुद्रा माँग पूर्णतया ब्याज बेलोचदार है और निवेश पूर्णतया ब्याज लोचदार है, तो 'क्राउड आउट' प्रभावपूर्ण होगा।
C. जब मुद्रा माँग की ब्याज संवेदनशीलता उच्च है और निवेश माँग की ब्याज संवेदनशीलता निम्न है, तो राजकोषीय नीति कम से कम प्रभावी होती है और मौद्रिक नीति सर्वाधिक प्रभावी होती है।
D. पीगू प्रभाव, तरलता जाल के अन्दर भी मौद्रिक नीति की प्रभावपूर्णता वापस ले आता है।

18. **अभिकथन (A) :** राजकोषीय नीति बन्द अर्थव्यवस्था की अपेक्षा खुली अर्थव्यवस्था में कम प्रभावी होती है।

कारण (R) : क्योंकि खुली अर्थव्यवस्था में गुणक का मूल्य बंद अर्थव्यवस्था की अपेक्षा कम होता है।

कूट :

A. (A) और (R) दोनों सही हैं और (R), (A) की सही व्याख्या है।
B. (A) और (R) दोनों सही हैं, परन्तु (R), (A) की सही व्याख्या नहीं है।
C. (A) सही है, परन्तु (R) गलत है।
D. (A) और (R) दोनों गलत हैं।

19. सम्मिलित (इमबोडिड) तकनीकी परिवर्तन मॉडल किस उत्पादन फलन पर आधारित है?

A. सी इ एस B. कॉब डूगुलस
C. ट्रान्स-लॉग D. वी इ एस

20. "यदि लाभ या ब्याज की स्थिर दर पर पूँजी-उत्पादन अनुपात भी स्थिर रहता है, तो तकनीकी परिवर्तन तटस्थ रहता है।" इस अवधारणा को किसने प्रतिपादित किया?

A. कल्डोर B. हिक्स
C. सोलो D. हैरोड

21. अंतर्जात संवृद्धि मॉडल किसके द्वारा विकसित किए गए हैं?

I. कैनेथ जे. ऐरो
II. पॉल एम. रोमर
III. रॉबर्ट इ. लुकास
IV. आर.एम. सोलो

कूट :

A. I और II
B. III और IV
C. I, II और III
D. II, III और IV

22. कल्डोर का संवृद्धि मॉडल निम्नलिखित मान्यताओं पर आधारित है :

I. उत्पादन में सिर्फ मजदूरी और लाभ पाए जाते हैं।
II. निवेश उत्पादन अनुपात एक स्वतंत्र चर है।
III. MP_S और MP_C स्थिरांक है।
IV. यह पूर्ण रोजगार से कम होते हैं।

कूट :

A. I और IV B. II और III
C. III और IV D. I और II

23. **अभिकथन (A) :** किसी क्षेत्र में नवप्रवर्तन या नवीकरण विरले ही सम्बन्धित क्षेत्रों में नवप्रवर्तनों को प्रोत्साहित करते हैं।

कारण (R) : एक बार नवप्रवर्तन लाभकारी बन जाता है तो अन्य उद्यमी 'झुण्ड नुमा गुच्छों' में उसके पीछे-पीछे चलते हैं।

कूट :

A. (A) सही नहीं है और (R) सही है।
B. (A) सही है और (R) सही नहीं है।
C. (A) और (R) दोनों सही नहीं हैं।
D. (A) और (R) दोनों सही हैं।

24. अंतर्जात संवृद्धि मॉडल की अवधारणाओं को आनुक्रमिक क्रम में व्यवस्थित करें :

I. शोध द्वारा विचारों की उत्पत्ति
II. कार्य करते हुए सीखना
III. निवेश द्वारा सीखना
IV. देख कर सीखना

कूट :

A. III, I, II, IV B. IV, III, I, II
C. I, II, IV, III D. II, IV, III, I

25. सूची-I में दी मदों को सूची-II में दी गई मदों के साथ सुमेलित करें :

सूची-I	सूची-II
I. शिक्षा पर अधिक परिव्यय तीव्र आर्थिक संवृद्धि की ओर अग्रसर करता है।	1. सी.पी. ब्लैकर
II. प्रभावों का प्रसार करता है।	2. कल्डोर
III. जनांकिकीय संक्रमण का सिद्धान्त : जनसंख्या वृद्धि की पाँच अवस्थाएँ	3. टी. डब्ल्यू. शुल्ज एवं अन्य
IV. विधवाओं का श्राप	4. गुनार मिर्डाल

कूट :

	I	II	III	IV
A.	1	2	4	3
B.	2	1	3	4
C.	4	3	2	1
D.	3	4	1	2

26. सूची-I में दी मदों को सूची-II में दी गई मदों के साथ सुमेलित करें :

सूची-I	सूची-II
I. खेल के पूँजीवादी नियम	1. कार्ल मार्क्स
II. सम्मिलित (इम्बोडिड) तकनीकी परिवर्तन	2. यू.एन.डी.पी.
III. औद्योगिक रिजर्व सेना	3. रॉबर्ट सोलो
IV. मानव विकास रिपोर्ट	4. जॉन रोबिन्सन

कूट :

	I	II	III	IV
A.	3	4	2	1
B.	1	2	4	3
C.	2	1	3	4
D.	4	3	1	2

27. अभिकथन (A) : कम विकसित देशों की विकसित देशों पर निर्भरता उनके अल्प विकास का मुख्य कारण है।

कारण (R) : "यह धनी-गरीब देशों के सम्बन्धों की अत्यधिक असमान अंतर्राष्ट्रीय पूँजीवादी व्यवस्था के ऐतिहासिक उद्विकास के कारण हुआ है।"

कूट :

A. (A) सही है और (R), (A) का सही कारण है।

B. (A) गलत है, परन्तु (R) सही है।

C. (A) और (R) दोनों गलत हैं।

D. (A) और (R) दोनों सही हैं।

28. वैगनर के वर्द्धमान राजकीय क्रियाओं के नियम के लिए निम्नलिखित में से क्या प्रासंगिक है?

A. सार्वजनिक व्यय निर्बाध एवं सतत ढंग से नहीं बढ़ता है।

B. सार्वजनिक व्यय सीढ़ीनुमा तरीके से बढ़ता है।

C. सरकार की गतिविधियों की अंतर्जात प्रवृत्ति होती है कि वे गहन रूप से तथा विस्तारित रूप से बढ़ती है।

D. सरकारी क्षेत्र की अपेक्षा अर्थव्यवस्था ज्यादा तेजी से बढ़ती है।

29. विक्रेता कर का ज्यादा भार वहन करेगा

A. यदि वस्तु की माँग कम लोचनीय है।

B. यदि वस्तु की माँग बेलोचदार है।

C. यदि वस्तु की माँग की लोच अधिक है।

D. यदि वस्तु की आपूर्ति की लोच अधिक है।

30. केन्द्रीय सरकार के राजस्व खाते में गैर-योजना राजस्व व्यय में शामिल है :

I. ब्याज भुगतान

II. उपदान

III. सहायता अनुदान

IV. सार्वजनिक उद्यमों का ऋण

कूट :

A. I और II सही हैं।

B. I, II और III सही हैं।

C. I, II और IV सही हैं।

D. I, II, III और IV सही हैं।

31. भारत का संविधान केन्द्र से राज्यों को संसाधनों का हस्तान्तरण किस रूप में करने की व्यवस्था करता है?

I. कर का बँटवारा

II. ऋण

III. सहायता-अनुदान

IV. पंचवर्षीय योजना क्रियान्वित करने के लिए अनुदान

कूट :

A. I, II और III सही हैं।

B. I और III सही हैं।

C. I, III और IV सही हैं।

D. सभी सही हैं।

32. भारत में निम्नलिखित करों के क्रियान्वयन का सही कालानुक्रम बताइए :

I. सेवा कर
II. अनुषंगी लाभ कर
III. व्यक्तिगत आय कर
IV. व्यय कर

कूट :

A. III, I, II, IV
B. III, II, I, IV
C. III, IV, I, II
D. IV, III, II, I

33. कर वंचन को रोकने के लिए वर्ष 1956 में भारत के लिए कल्डोर ने आयकर के पूरक के रूप में किन करों का प्रस्ताव रखा?

I. पूँजी लाभ कर
II. सम्पदा पर वार्षिक कर
III. व्यक्तिगत व्यय कर
IV. उपहार कर

कूट :

A. II और III सही हैं।
B. I, II और III सही हैं।
C. II, III और IV सही हैं।
D. सभी सही हैं।

34. डम्पिंग (पाटना) की लागत आधारित परिभाषा के अनुसार, डम्पिंग उस समय की जाती है जब फर्म उत्पाद को विदेश में निम्नलिखित से कम कीमत पर बेचती है:

A. औसत कुल लागत
B. औसत परिवर्ती लागत
C. सीमान्त लागत
D. औसत स्थिर लागत

35. निम्नलिखित में से सही कथन का चयन करें:

A. बहुपक्षीय व्यापार समझौते सदस्य देशों के बीच व्यापार प्रशुल्कों में वृद्धि करने की प्रक्रिया है।
B. बहुपक्षीय व्यापार समझौते व्यापार के गैर-प्रशुल्क अवरोधों को बढ़ाने की प्रक्रिया है।
C. बहुपक्षीय व्यापार समझौते प्रशुल्कों को बढ़ाने परन्तु व्यापार के गैर-प्रशुल्क अवरोधों को घटाने की प्रक्रिया है।
D. बहुपक्षीय व्यापार समझौते गेट (जी.ए.टी.टी.) अथवा डब्ल्यू.टी.ओ. के सदस्य देशों के बीच व्यापार प्रशुल्क और गैर-प्रशुल्क अवरोधों को कम करने की प्रक्रिया है।

36. निम्नलिखित कथनों पर विचार करें :

व्यापार सम्बन्धित निवेश उपायों (टी.आर.आई.एम.) के अनुसार

I. विदेशी पूँजी कम्पनियों पर समस्त प्रतिबन्धों को हटा देना है।
II. निवेश के किसी भी क्षेत्र पर कोई प्रतिबन्ध नहीं लगाया जाएगा।
III. कच्चे माल को आयात करने की खुली छूट देनी चाहिए।
IV. उत्पादन का आंशिक निर्यात अनिवार्य होगा।

उपर्युक्त में से कौन-सा कथन सही है?

कूट :

A. I, III और IV
B. I, II और III
C. I, II और IV
D. II, III और IV

37. ब्रेटनवुड्स व्यवस्था के नाश होने का मूलभूत कारण था:

A. तरलता की समस्या
B. समायोजन की समस्या
C. विश्वास की समस्या
D. उपर्युक्त सभी

38. सूची-I को सूची-II के साथ सुमेलित करें और नीचे दिए कूटों से सही उत्तर का चयन करें :

सूची-I	सूची-II
I. अग्रिम विनिमय	1. विदेशी मुद्रा की कीमत वृद्धि के विरुद्ध विनिमय जोखिम से रक्षा करने की युक्ति
II. हैजिंग	2. विदेशी मुद्रा को अभी तय की गई कीमत पर भविष्य में किसी स्थिर दर पर अन्य मुद्रा के बदले खरीदने एवं बेचने की संविदा
III. विवाचन	3. एक से दूसरे देश स्वर्ण ले जाने की लागत द्वारा निर्धारित दो सीमाओं के बीच विनिमय दर का संचलन
IV. धातु बिंदु	4. वो क्रियाविधि जो भौतिक रूप से दो पृथक बाजारों को आर्थिक रूप से एकल बाजार बनाती है।

कूट :

	I	II	III	IV
A.	4	3	2	1
B.	2	1	4	3
C.	4	1	2	3
D.	2	3	4	1

39. डब्ल्यू.टी.ओ. के मन्त्री समूह को कालानुक्रमिक क्रम में व्यवस्थित करें:

I. सीटल
II. कैनकन
III. सिंगापुर
IV. हांगकांग

कूट :

A. III, IV, I, II
B. III, I, II, IV
C. II, III, IV, I
D. II, IV, I, III

40. यदि हांगकांग और ताइवान की उत्पादन सम्भाव्यता वक्र एकसमान हैं, जो बढ़ती अवसर लागतों के अनुसार बदलती हैं, तो

A. व्यापार मांग की स्थितियों में अन्तर पर निर्भर करेगा।
B. व्यापार बड़े पैमाने के उत्पादन की मितव्ययिताओं पर निर्भर करेगा।
C. व्यापार भिन्न करेन्सियों के उपयोग पर निर्भर करेगा।
D. अर्जक व्यापार के लिए कोई आधार न होगा।

41. व्यापार विक्षेप का अभिप्राय निर्यातों का उस देश को मुड़ जाना है जो स्वतन्त्र व्यापार क्षेत्र में स्थित है जहाँ निम्नलिखित है

A. वस्तु पर उच्च प्रशुल्क
B. निर्यातों पर उच्च प्रशुल्क
C. वस्तु पर कम प्रशुल्क
D. उपर्युक्त में से कोई नहीं

42. निम्नलिखित के बीच सही सम्बन्ध दर्शाने वाला सूत्र क्या है?

I. कुल माँग एवं समय देयताएँ (L)
II. अतिरिक्त रिजर्व (ER)
III. अन्य बैंकों के पास चालू खाता शेष (CB)
IV. अनभारग्रस्त सरकारी तथा अन्य स्वीकृत प्रतिभूतियों में निवेश (I*)
V. सांविधिक तरलता अनुपात (SLR)

कूट :

A. $SLR = \frac{ER + I^* - CB}{L}$

B. $SLR = \frac{ER + I^*}{L + CB}$

C. $SLR = \frac{L + CB + ER}{I^*}$

D. $SLR = \frac{ER + I^* + CB}{L}$

43. निम्नलिखित पर विचार करें :

I. आर.बी.आई.
II. एस.बी.आई.
III. नाबार्ड
IV. एल.आई.सी.

उपर्युक्त में वित्तीय मध्यस्थ है :

कूट :

A. उपर्युक्त सभी
B. II, III, IV
C. II, III
D. II, IV

44. वास्तविक शेष प्रभाव किससे सम्बन्धित है?

A. जनता के पास असल नकद शेषों के मूल्य में परिवर्तन से अर्थव्यवस्था में उत्पन्न प्रभाव
B. वाणिज्यिक बैंकों के पास असल मकद शेषों के मूल्य में परिवर्तन के फलस्वरूप अर्थव्यवस्था में उत्पन्न प्रभाव
C. बहु-राष्ट्रीय बैंकों के पास असल नकद शेषों के मूल्य में परिवर्तन से अर्थव्यवस्था में उत्पन्न प्रभाव
D. एन.बी.एफ.आई. के पास असल नकद शेषों के मूल्य में परिवर्तन के फलस्वरूप अर्थव्यवस्था में उत्पन्न प्रभाव

45. **अभिकथन (A) :** भारतीय रिजर्व बैंक मुद्रा बाजार में प्रतिभूतियों की खरीद के जरिये मुद्रा की आपूर्ति में वृद्धि करता है।

कारण (R) : मुद्रा आपूर्ति में वृद्धि का परिणाम निवेश तथा रोजगार में विस्तार का हो सकता है।

कूट :

A. (A) तथा (R) दोनों सही हैं और (R), (A) की सही व्याख्या है।
B. (A) तथा (R) दोनों सही हैं, परंतु (R), (A) की सही व्याख्या नहीं है।
C. (A) और (R) दोनों गलत हैं।
D. (A) सही है, परंतु (R) गलत है।

46. सूची-I की मदों को सूची-II की मदों के साथ सुमेलित करें और नीचे दिए कूटों से सही उत्तर का चयन करें :

	सूची-I		सूची-II
I.	साधारण जमा प्रणाली	1.	धात्वीय रिजर्व की 100% प्रत्याभूति
II.	अधिकतम न्यासीय या विश्वास्य प्रणाली	2.	कुल नोटों का कुछ प्रतिशत विशेष रिजर्वों में रखा जाता है।
III.	प्रतिशत जमा प्रणाली	3.	अधिकतम नोट जारी करना सांविधिक रूप से निश्चित होता है।
IV.	बोनस जमा प्रणाली	4.	आई.ओ.यू. के रिजर्व और अल्पकालिक ऋण

कूट :

	I	II	III	IV
A.	3	4	2	1
B.	1	2	3	4
C.	2	1	4	3
D.	1	3	2	4

47. सूक्ष्म, लघु और मध्यम उद्यम विकास अधिनियम, 2006 के अनुसार, सूक्ष्म उद्यम वह हैं जिनकी निवेश राशि होती हैं:

A. < ₹ 25 लाख

B. ₹ 25 लाख से ₹ 5 करोड़

C. ₹ 5 करोड़ से ₹ 10 लाख

D. > ₹ 10 करोड़

48. सूची-I की मदों को सूची-II की मदों के साथ सुमेलित करें:

	सूची-I		सूची-II
I.	रंगाराजन समिति	1.	लघु उद्योग पर रिपोर्ट
II.	कर्वे कमेटी	2.	पी.एस.ई. में अंशों का विनिवेश
III.	डॉ. आर.के. हजारी कमेटी	3.	लोक उद्यम नीति का पुनरावलोकन
IV.	अर्जुन सेनगुप्ता कमेटी	4.	औद्योगिक लाइसेन्सिंग

कूट :

	I	II	III	IV
A.	1	3	4	2
B.	3	2	4	1
C.	2	1	4	3
D.	2	4	1	3

49. ग्यारहवीं पंचवर्षीय योजना का लक्ष्य कितने कार्य अवसर सृजन करना था?

A. 15 मिलियन कार्य अवसर

B. 35 मिलियन कार्य अवसर

C. 58 मिलियन कार्य अवसर

D. 100 मिलियन कार्य अवसर

50. असंगठित कामगार सामाजिक सुरक्षा अधिनियम किस वर्ष में बना?

A. 2001

B. 2005

C. 2008

D. 2012

51. वर्ष 2006-07 में भारत के जी.डी.पी. में उद्योग के हिस्से का क्या अनुमान लगाया गया था?

A. 20%

B. 15%

C. 45%

D. 26%

52. निःशेषनीय प्राकृतिक संसाधनों के बारे में होटलिंग नियम के अनुसार, निःशेषनीय प्राकृतिक संसाधनों के कीमत परिवर्तन के लिए निम्नलिखित में से किसका उपयोग किया गया?

A. ब्याज की दर

B. श्रम लागत

C. खदानों का किराया एवं स्वत्व शुल्क

D. उत्पादन लागत और खदानों का स्वत्व शुल्क

53. 'पीगू कर' के बारे में सही उत्तर बताइए:

I. क्रिया की कुल लागतों का बाजार में आंतरीकरण करने के लिए समाधान प्रदान करता है।

II. सार्वजनिक नीति के जरिए प्रदूषकों के उत्पादन को कम करने का हल प्रदान करता है।

III. वास्तविक क्षेत्र में कारक की उत्पादकता को बढ़ाने में सहायता करता है।

IV. यह निष्कर्षण कर की तरह कार्य करता है।

कूट :

A. I और II

B. III और IV

C. I, II और IV

D. I, II, III और IV

54. पर्यावरण अर्थशास्त्र में उपयोग किए जाने वाली प्रासंगिक मूल्यांकन प्रणाली (CVM) के बारे में निम्नलिखित में से क्या सही है?

A. यह केवल प्रदूषकों के लिए उपयोग किया जाता है।

B. यह सिर्फ धनात्मक उपयोगिताओं युक्त मदों के लिए उपयोग किया जाता है।

C. यह बाजार विफलताओं के अंतर्गत मदों के लिए उपयोग किया जाता है।

D. यह सिर्फ प्राकृतिक संसाधनों के लिए उपयोग किया जाता है।

55. जनसंख्या की प्राकृतिक वृद्धि किसका परिणाम है?

I. अशोधित जन्मदर

II. अशोधित मृत्युदर

III. प्रवास

IV. विवाह

कूट :

A. सिर्फ I B. सिर्फ III

C. II और IV D. I और II

56. कुल प्रजनन दर और सकल पुनरुत्पादन दर के बीच सम्बन्ध के बारे में सही कथन बताइए:

A. TFR > GRR सम्भव है।

B. TFR = GRR सम्भव है।

C. TFR < GRR सम्भव है।

D. उपर्युक्त सभी सम्भव है।

57. जब राष्ट्रीय अर्थव्यवस्था तेजी से विकसित हो रही होती है तो विकासशील अर्थव्यवस्थाओं में कृषि का हिस्सा क्यों कम होता है?

I. खाद्य निकृष्ट वस्तु सम बन जाते हैं।

II. कृषि का विकास बहुत तेज नहीं हो सकता है।

III. औद्योगिक क्षेत्र तेजी से विकास करता है।

IV. कृषि क्षेत्र पर सार्वजनिक व्यय पर्याप्त नहीं होता है।

कूट :

A. I, II, III और IV B. II, III और IV

C. II और III D. I, II और IV

58. भारत में जी.डी.पी. में मत्स्य पालन का हिस्सा हाल ही के वर्षों में लगभग कितना रहा?

A. 0.8 प्रतिशत B. 1.2 प्रतिशत

C. 1.7 प्रतिशत D. 2.1 प्रतिशत

59. भारत के खाद्य निगम के लिए खाद्यान्नों की आर्थिक लागत क्या है?

A. न्यूनतम समर्थन कीमत और किसानों को दिया गया बोनस + परिवहन लागतें

B. न्यूनतम समर्थन कीमत + बोनस + ब्याज की लागत

C. न्यूनतम समर्थन कीमत + बोनस + प्रापण आकस्मिकताएँ + गोदामों का प्रभार

D. न्यूनतम समर्थन कीमत (बोनस समेत यदि कुछ है) + प्रापण आकस्मिकताएँ + वितरण लागत

60. कृषि यांत्रिकीकरण का क्या अभिप्राय है?

A. खेती के कार्यों के लिए सिर्फ मशीनों का उपयोग करना।

B. खेती के कार्यों के लिए ऊर्जा के यांत्रिक स्रोतों द्वारा ऊर्जा के जैविक स्रोतों का प्रतिस्थापन।

C. कृषि उत्पादन के लिए मशीनों, ट्रैक्टरों, ट्यूबवैलों इत्यादि का उपयोग करना।

D. कृषि उत्पादन के लिए मृदा परीक्षण और सत्यापन किए गए बीजों के उपयोग के अलावा मशीनों, ट्रैक्टरों, ट्यूबवैल, उर्वरकों का उपयोग।

61. अर्थव्यवस्था में अंतरक्षेत्रीय व्यापार शर्तों का सम्बन्ध किससे है?

A. किसानों द्वारा दी गई और प्राप्त कीमतों का अनुपात।

B. कृषि वस्तुओं की घरेलू तथा अंतर्राष्ट्रीय कीमत का अनुपात

C. वो शर्तें जिन पर सरकार कृषि उत्पादन खरीदती है।

D. विदेशी बाजारों में औद्योगिक उत्पादों का व्यापार।

62. यदि उपयोगिता फलन $U = f(x, y)$ है और कुल उपयोगिता U है और x और y दो उपभोग वस्तुएँ हैं। यदि बजट निरोध $C = p_x x + p_y y$ है, जहाँ p_x और p_y क्रमशः 'x' और 'y' की कीमतें हैं, तो उपयोगिता के अधिकतमीकरण की स्थिति क्या होगी?

A. $\frac{\partial f}{\partial x} / \frac{\partial f}{\partial y} = \frac{p_y}{p_x}$ B. $\frac{\partial f}{\partial x} / \frac{\partial f}{\partial y} = \frac{p_x}{p_y}$

C. $\frac{\partial f}{\partial x} = \frac{\partial f}{\partial y} = \frac{p_x}{p_y}$ D. $\frac{\partial f}{\partial x} = \frac{\partial f}{\partial y} = \frac{p_y}{p_x}$

63. यदि प्रतियोगी फर्म के कुल लागत फलन और बाजार माँग फलन क्रमशः $C = \frac{1}{3}x^3 - 10x^2 + 9x + 1000$ और $x = (12 - p)/9$ है। बताइए कौन से लाभ पर उत्पादन का स्तर अधिकतम होगा?

A. 1 B. 2
C. 3 D. 4

64. जिस आगत-निर्गत (इनपुट-आउटपुट) मॉडल में अंतर्जात अन्तिम मांग सदिश होता है, वह क्या कहलाता है?

A. खुला आगत-निर्गत मॉडल
B. बंद आगत-निर्गत मॉडल
C. स्थैतिक आगत-निर्गत मॉडल
D. गत्यात्मक आगत-निर्गत मॉडल

65. मान लीजिए दो समाश्रयण रेखाएँ क्रमशः $3x = 10 + 5y$ और $4y = 5 + 15x$ है। तो फिर x और y के बीच समाश्रयण गुणांक होगा

A. −0.40
B. 0.40
C. 0.89
D. ± 1.05

66. मान लो कि $y = \alpha_0 + \alpha_1 x_1 + \alpha_2 x_2 + e$ स्वरूप का समीकरण $y = -6.79 + 1.79(x_1) + 0.97\,x_2$ है और SE $(\alpha_0) = 1.32$ है, SE $(\alpha_1) = 0.41$ है और SE $(\alpha_2) = 0.53$ है। $H_0 : \alpha 1 \neq 0$ का परीक्षण करने के लिए, परीक्षण सांख्यिकी। t। किसके बराबर होगा?

A. 5.144 B. 4.366
C. 1.830 D. 3.377

67. मान लें कि कॉब डुगलस उत्पादन फलन निम्नलिखित है:

$y = AL^{\alpha} K^{\beta}, \alpha, \beta > 0$

तो इस संदर्भ सूची-I के मदों को सूची-II के मदों के साथ सुमेलित करें और नीचे दिए कूटों से सही उत्तर का चयन करें:

सूची-I	सूची-II
I. पैमाने के वर्द्धमान प्रतिफल	1. $\alpha + \beta = 1$
II. पैमाने के ह्रासमान प्रतिफल	2. $\alpha + \beta > 1$
III. पैमाने के स्थिर प्रतिफल	3. $\alpha + \beta < 1$
IV. कारकों के ह्रासमान प्रतिफल	4. $\alpha, \beta < 1$

कूट :

	I	II	III	IV
A.	1	2	3	4
B.	1	3	4	2
C.	2	3	1	4
D.	4	2	3	1

68. विषमविसारिता की उपस्थिति में, सर्वोत्तम रेखीय अनभिनत या निष्पक्ष आकलक किस विधि द्वारा प्रदान होते हैं?

A. साधारण न्यूनतम वर्ग B. अप्रत्यक्ष न्यूनतम वर्ग
C. भारित न्यूनतम वर्ग D. साधक चर

69. समय सारिणी विश्लेषण में सारिणी की अचलता/अचरता का परीक्षण करने के लिए कौन-से परीक्षण का उपयोग किया जाएगा?

A. मात्रक मूल परीक्षण
B. यादृच्छिक पगडंडी परीक्षण
C. कॉकरिन आरकट पुनरावृत्तीय कार्यविधि परीक्षण
D. डरबिन-वॉटसन सांख्यिकी परीक्षण

70. सूची-I में दी गई मदों को सूची-II में दी गई मदों के साथ सुमेलित करें और नीचे दिए कूटों से सही उत्तर का चयन करें :

सूची-I	सूची-II
I. कॉयक का पश्चगामी (लैगूड) मॉडल	1. समायोजन समीकरण
II. अलमॉन्स का पश्चगामी मॉडल	2. ज्यामितीय आरोहण
III. नरलोव का मॉडल	3. अनुकूली प्रत्याशा
IV. कॉगेन का मॉडल	4. सन्निकट बहुपदी

कूट :

	I	II	III	IV
A.	4	1	2	3
B.	2	3	4	1
C.	2	4	1	3
D.	4	1	3	2

71. जब वास्तविक संवृद्धि प्राप्ति, संवृद्धि लक्ष्य से अधिक थी तो पंचवर्षीय योजनाएँ कौन-सी थी?

I. पाँचवीं योजना
II. सातवीं योजना
III. नौवीं योजना
IV. दसवीं योजना

कूट :

A. I, II और III B. II, II और IV

C. I और II D. III और IV

72. निम्नलिखित में से कौन-सा विकास कार्यक्रम भारतीय सरकार से केन्द्रीय प्रवर्तित योजना के रूप में 100 प्रतिशत निधिकरण प्राप्त कर रहा है?

I. त्वरित विद्युत विकास एवं सुधार कार्यक्रम (APDRM)

II. राष्ट्रीय कृषि विकास योजना

III. राष्ट्रीय सामाजिक सहायता कार्यक्रम (एन.एस.ए.पी.)

IV. महिला एवं बाल विकास कार्यक्रम

कूट :

A. I, II, III और IV B. I और II

C. III और IV D. I, II और III

73. निम्नलिखित राज्यों को, हाल ही के वर्षों में चालू कीमतों पर राजकीय घरेलू उत्पादों के आकार के अवरोही क्रम में, श्रेणीगत करें :

I. कर्नाटक

II. महाराष्ट्र

III. उत्तर प्रदेश

IV. तमिलनाडु

कूट :

A. I, IV, III और II B. III, IV, I और II

C. II, IV, I और III D. II, III, IV और I

74. भारत में निजी अन्तिम उपभोग व्यय में 'खाद्य, पेय पदार्थ तथा तम्बाकू' का हाल ही के वर्षों में क्या हिस्सा रहा है?

A. 25 प्रतिशत B. 33 प्रतिशत

C. 45 प्रतिशत D. 56 प्रतिशत

75. निम्नलिखित कथनों में से गलत कथन ज्ञात करें :

I. बचतें, ऋण और बीमा सूक्ष्म वित्त के भाग हैं।

II. भारत में, हाल ही में, जी.डी.पी. में कृषि का हिस्सा 11 प्रतिशत से कम हो गया है।

III. सी.एस.ओ. ने उपभोक्ता कीमत सूचकांक शृंखला को नए आधार 2011 = 100 पर संशोधित किया है।

IV. भारत में गरीबी का मूल्यांकन एन.एस.एस.ओ. आँकड़ें के आधार पर किया जाता है।

कूट :

A. I और IV B. I और II

C. I और III D. II और III

उत्तरमाला

1	2	3	4	5	6	7	8	9	10
D	A	C	B	C	D	D	C	A	D
11	**12**	**13**	**14**	**15**	**16**	**17**	**18**	**19**	**20**
A	B	*	C	A	A	C	B	B	D
21	**22**	**23**	**24**	**25**	**26**	**27**	**28**	**29**	**30**
C	D	A	D	D	D	C	C	C	B
31	**32**	**33**	**34**	**35**	**36**	**37**	**38**	**39**	**40**
A	C	D	A	D	B	D	B	B	A
41	**42**	**43**	**44**	**45**	**46**	**47**	**48**	**49**	**50**
C	D	D	A	B	D	A	C	C	C
51	**52**	**53**	**54**	**55**	**56**	**57**	**58**	**59**	**60**
D	A	C	C	D	A	A	A	D	B
61	**62**	**63**	**64**	**65**	**66**	**67**	**68**	**69**	**70**
A	A	C	B	B	B	C	C	A	C
71	**72**	**73**	**74**	**75**					
C	D	D	B	D					

कुछ चुने हुए प्रश्नों के व्याख्यात्मक उत्तरमाला

2. जब दो वस्तुएं एक-दूसरे की स्थापनापन्न (substitutes) होती हैं तो एक वस्तु की कीमत के बढ़ने पर अन्य वस्तु की मांग में वृद्धि होती है। इसी प्रकार जब दो स्थानापन्न वस्तुओं में से एक की कीमत घटती है तो अन्य वस्तु की मांग कम हो जायेगी। अतएव **दो स्थानापन्न वस्तुओं के बीच मांग की प्रतिलोच (cross elasticity of demand) धनात्मक (positive) होती है।** इसके विपरीत, जब दो वस्तुएँ एक-दूसरे की पूरक वस्तुएँ (complementary goods) हैं जैसा कि रोटी और मक्खन, चाय और दूध आदि तो एक वस्तु की कीमत बढ़ने पर दूसरी वस्तु की मांग में कमी हो जायेगी तथा एक की कीमत घट जाने पर दूसरी वस्तु की मांग में वृद्धि हो जायेगी। अतएव **दो पूरक पदार्थों के मध्य मांग की प्रतिलोच ऋणात्मक (negative) होती है। अतः मांग की प्रति-लोच पर आधारित वर्गीकरण के अनुसार दो वस्तुएँ स्थानापन्न होती हैं जब उनके मध्य प्रतिलोच धनात्मक होती है और वे पूरक होती हैं यदि उनमें प्रति-लोच ऋणात्मक होती है।**

5. यदि K पूँजी की मात्रा, L श्रम की मात्रा तथा E_s प्रतिस्थापन लोच प्रदर्शित करता है तो पूंजी की श्रम के लिये प्रतिस्थापन लोच को निम्न प्रकार व्यक्त किया जा सकता है।

$$E_s = \frac{\text{प्रयुक्त साधनों (K तथा L) के अनुपात में आनुपातिक परिवर्तन}}{\text{L का K के लिए तकनीकी प्रतिस्थापन की सीमान्त दर में आनुपातिक परिवर्तन}}$$

$$= \frac{\text{K / L में आनुपातिक परिवर्तन}}{MRTS_{LK} \text{ में आनुपातिक परिवर्तन}}$$

$$= \frac{\dfrac{\Delta(K/L)}{K/L}}{\dfrac{\Delta(MRTS_{LK})}{MRTS_{LK}}}$$

$$= \frac{\Delta(K/L)}{K/L} \cdot \frac{MRTS_{LK}}{\Delta(MRTS_{LK})}$$

$$= \frac{\Delta(K/L)}{\Delta(MRTS_{LK})} \cdot \frac{MRTS_{LK}}{K/L}$$

प्रतिस्थापन लोच की मात्रा समोत्पाद वक्रों की वक्राकृति पर निर्भर करती है। समोत्पाद वक्रों की उन्नतोदरता जितनी अधिक होगी प्रतिस्थापन लोच उतनी ही कम होगी तथा विपरीत क्रम से। चरम दशा में यदि दो साधन पूर्ण पूरक हैं तथा उनके समोत्पाद वक्र समकोणित (right-angled) हैं, तो उनके मध्य प्रतिस्थापन लोच शून्य होती है। दूसरी चरम सीमा पर जब दो साधन पूर्ण स्थानापन्न हैं तथा उनके मध्य समोत्पाद वक्र सरल रेखाएँ हैं तो उनके मध्य प्रतिस्थापन लोच अनन्त होती है। साधनों के मध्य प्रतिस्थापन क्षमता (substitutability) बढ़ते के साथ प्रतिस्थापन लोच प्रत्यक्ष रूप से बढ़ती है। इसके अतिरिक्त, चूंकि तकनीकी प्रतिस्थापन की सीमान्त दर तथा साधन-अनुपात में विपरीत सम्बन्ध पाया जाता है (जैसे-जैसे साधन अनुपात बढ़ता है तकनीकी प्रतिस्थापन की सीमान्त दर गिरती है)। **अतः प्रतिस्थापन लोच सदैव ऋणात्मक होती है।** (Elasticity of substitution is always negative)

6. प्रो. वॉन न्यूमन (Von Neumann) तथा मॉरगनस्टर्न (Morgenstern) ने अपनी पुस्तक "*The Theory of Games and Economic Behaviour*" जो कि 1944 में प्रकाशित हुई, में **परस्पर विरोधी** (conflicting) **स्थितियों वाली विभिन्न समस्याओं के प्रति एक नया दृष्टिकोण प्रदान किया** (Provided a new approach to many problems involving conflicting situations)। खेल सिद्धान्त का प्रयोग केवल अल्पाधिकारी समस्याओं पर ही नहीं किया गया है, बल्कि अन्य आर्थिक समस्याओं, जैसे अनिश्चितता की दशा में माँग, पर भी लागू किया गया है। इसके अतिरिक्त, खेल सिद्धांत का प्रयोग अर्थशास्त्र के अतिरिक्त अन्य विषयों, जैसे व्यापार, प्रशासन, समाजशास्त्र, मनोविज्ञान, राजनीति विज्ञान, सेना नियोजन आदि की समस्याओं पर भी लागू किया गया है। मूल्य रूप से, खेल सिद्धांत यह बताने का प्रयत्न करता है कि उस व्यक्ति के लिए कार्य करने की युक्तियुक्त अथवा विवेकशील विधि कौन-सी है, जिसके सामने ऐसी स्थिति हो जिसका समाधान केवल उसकी अपनी क्रियाओं पर नहीं बल्कि दूसरों की क्रियाओं पर भी निर्भर है और दूसरों के सामने भी कार्य

करने की ऐसी विवेकशील (rational) विधि चुनने की समस्या है। प्रो. न्यूमन तथा मारगनस्टर्न के अनुसार, एक अल्पाधिकार बाजार स्थिति में, व्यक्तिगत अल्पाधिकारी के सामने कार्य करने की युक्तियुक्त तरीके को चुनने की समस्या होती है। इस चयन को करते समय उसको ध्यान रखना होता है कि उसके प्रतिद्वन्द्वियों की सम्भावित प्रतिक्रिया क्या होगी, जिसकी प्रतिक्रियाएं, बदले में, उसको प्रभावित करेंगी। उसके सामने उसी प्रकार की समस्याएँ आती हैं, जो किसी भी खेल के एक खिलाड़ी के सम्मुख आती हैं।

सरल रूप में, खेल सिद्धान्त में, खिलाड़ी को विभिन्न सम्भावित कार्य करने के तरीकों में से, जिनको प्रविधियां अथवा रणनीतियाँ (Strategies) कहा जाता है एक को चुनना होता है। एक प्रविधि इस प्रकार, कार्य करने का तरीका, अथवा नीति है जिसको कोई एक खिलाड़ी खेल के दौरान अपनाता है। एक व्यक्ति के सामने बहुत-सी सम्भावित प्रविधियाँ होती हैं जिनमें से उसको, एक समय में, एक को चुनना होता है। अल्पाधिकार की स्थिति में, विभिन्न वैकल्पिक प्रविधियाँ, (alternative strategies) जो कि प्रासंगिक हैं ये हैं: (1) कीमत में परिवर्तन करना, (2) उत्पादन मात्रा में परिवर्तन करना, (3) विज्ञापन व्यय को बढ़ाना, (4) उत्पादन में विभिन्नता लाना। इसके अतिरिक्त, विज्ञापन बढ़ाने को विभिन्न प्रविधियों में विभाजित किया जा सकता है जो कि विभिन्न प्रकार के विज्ञापन देने के तरीकों पर निर्भर होंगी। उदाहरण के लिए, विज्ञापन कई माध्यमों से किया जा सकता है जैसे रेडियो द्वारा, परचे बाँटकर, पोस्टर से आदि, आदि। इसी प्रकार से, उत्पादन में विभिन्नता लाने से सम्बन्धित कई प्रविधियाँ हो सकती हैं जो कि इस बात पर निर्भर करेंगी कि किस प्रकार से पदार्थ का चयन किया जाय, जैसे कि पैकेट के रंग, पैकेट के प्रकार, पदार्थ की किस्म में से किसमें परिवर्तन किया जाय।

जब खेल में भाग लेने वाला प्रत्येक सहभागी, यहाँ हमारे उदाहरण में प्रत्येक अल्पाधिकारी, एक प्रविधि को चुन लेता है तो समस्त सहभागियों की प्रविधियों की पारस्परिक क्रिया पर ही खेल का निर्णय निर्भर करता है। अल्पाधिकार के संदर्भ में खेल के परिणाम का अर्थ है कि बाजार (market) तथा लाभ में विभिन्न अल्पाधिकारियों का भाग (share) कितना-कितना होगा।

7. वी. परेटो सर्वप्रथम अर्थशास्त्री थे जिन्होंने तुष्टिगुण (उपयोगिता) के क्रमवाचक विचार (ordinal concept of utility) के आधार पर कल्याणकारी अर्थशास्त्र का विचार प्रस्तुत किया। परेटो ने तुष्टिगुण की मापनीयता तथा उसकी अन्तर्वैयक्तिक तुलना के विचार को गलत सिद्ध किया तथा स्पष्ट किया कि पूर्ण प्रतियोगिता समाज को अनुकूलतम कल्याण की स्थिति को प्राप्त करने में सहायक होती है। अतः परेटो ने सामाजिक अनुकूलतम (social optimum) का विचार प्रस्तुत किया। **परेटो की सामाजिक अनुकूलतम वह स्थिति है जिसके अन्तर्गत साधनों (inputs) अथवा उत्पादनों (outputs) के पुनरावंटन (re-allocation) द्वारा बिना किसी व्यक्ति को हीनतर (worse off) किये हुए किसी अन्य व्यक्ति को श्रेष्ठतर (better off) करना सम्भव नहीं होता है।** जैसा कि परेटो ने स्वयं स्पष्ट रूप में लिखा है, "हम लोग अधिकतम सन्तुष्टि या कल्याण की स्थिति को परिभाषित करते हैं जिसके अन्तर्गत किसी प्रकार का ऐसा सूक्ष्म परिवर्तन करना असम्भव होता है जिससे कि स्थिर रहने वाली संतुष्टियों को छोड़कर, सभी व्यक्तियों की सन्तुष्टियाँ बढ़ जाएँ अथवा घट जाएँ। इस प्रकार परेटो अनुकूलतम की दशा में संसाधनों के पुनर्गठन द्वारा बिना किसी अन्य व्यक्ति के कल्याण (अर्थात् सन्तुष्टि) को कम किए किसी अन्य व्यक्ति के कल्याण में वृद्धि करना असंभव होता है। अतः यदि किसी स्थिति में समाज से वस्तुओं तथा सेवाओं अथवा उत्पादन के साधनों के विभिन्न प्रयोगों में पुनर्वितरण द्वारा कल्याण में वृद्धि सम्भव है, तो वह अनुकूलतम दशा नहीं होगी।

11. **स्थायी आय की परिकल्पना:** इस परिकल्पना का प्रतिपादन **फ्रीडमैन** (Friedman) ने किया था। फ्रीडमैन ने इस मत को अस्वीकार किया कि "**चालू आय**" उपभोग व्यय को निर्धारित करती है। उसके अनुसार केवल **स्थायी आय** में होने वाले परिवर्तन ही उपभोग को व्यवस्थित रूप से प्रभावित करते हैं।

14. केन्ज के अनुसार मुद्रा की सट्टा मांग इस उद्देश्य के लिए होती है कि "भविष्य के सम्बन्ध में मार्किट की तुलना में अधिक जानकारी द्वारा लाभ कमाए जा सकें। सट्टा उद्देश्य के लिए रखी गई मुद्रा मूल्य का एक तरल संचय है

जो उपयुक्त अवसर पर बांडों या प्रतिभूतियों में निवेश की जा सकती हैं।''

केन्ज के अनुसार मुद्रा की सट्टा मांग ब्याज दर का घटता हुआ फलन है। ब्याज की दर जितनी ऊंची होगी, मुद्रा की सट्टा मांग उतनी ही कम होगी तथा ब्याज दर जितनी कम होगी मुद्रा की सट्टा मांग उतनी ही अधिक होगी। इसको इस प्रकार व्यक्त किया जा सकता है—

$$L_s = f(r)$$

जहाँ L_s मुद्रा की सट्टा मांग है और r ब्याज की दर है। रेखाचित्र की सहायता से मुद्रा की सट्ट्रा मांग को नीचे दर्शाया गया है।

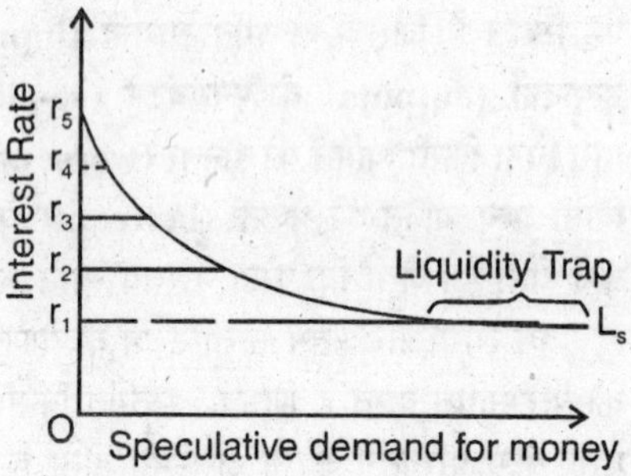

रेखाचित्र : *मुद्रा की सट्टा मांग*

उपरोक्त रेखाचित्र से स्पष्ट है कि ब्याज की बहुत ऊँची दर r_5 पर मुद्रा की सट्टा मांग शून्य है क्योंकि व्यापारी अपने समस्त नकदी को बांडों में निवेश कर देते हैं क्योंकि उन्हें विश्वास होता है कि ब्याज दर में और वृद्धि नहीं हो सकती परिणामस्वरूप बांडों की कीमत अब और नहीं घटेगी बल्कि अब बढ़ेगी ही। जैसे-जैसे ब्याज की दर घटेगी मुद्रा की सट्टा मांग बढ़ेगी। अत: L_s वक्र का आकार यह दिखाता है कि जब ब्याज दर बढ़ती है, तो मुद्रा की सट्टा मांग गिरती है तथा ब्याज दर में कमी से यह बढ़ती है।

17. मौद्रिक और राजकोषीय नीतियों की सापेक्ष प्रभाविता अर्थशास्त्रियों में वाद-विवाद का विषय रही है। आर्थिक स्थिरीकरण के लिए मुद्रावादी मौद्रिक नीति को राजकोषीय नीति की अपेक्षा अधिक प्रभावशाली मानते हैं। दूसरी ओर, केन्जवादी इसके विपरीत मत रखते हैं। इन दोनों के बीच, समन्वयवादी मध्य मार्ग का समर्थन करते हैं। आधुनिक अर्थशास्त्री इन तीनों मतों को IS-LM वक्रों की लोचों द्वारा समझाते हैं। IS वक्र राजकोषीय नीति तथा LM वक्र मौद्रिक नीति को व्यक्त करते हैं। इस प्रकार IS-LM तकनीक मौद्रिक और राजकोषीय नीतियों की प्रभाविता की व्याख्या करती है।

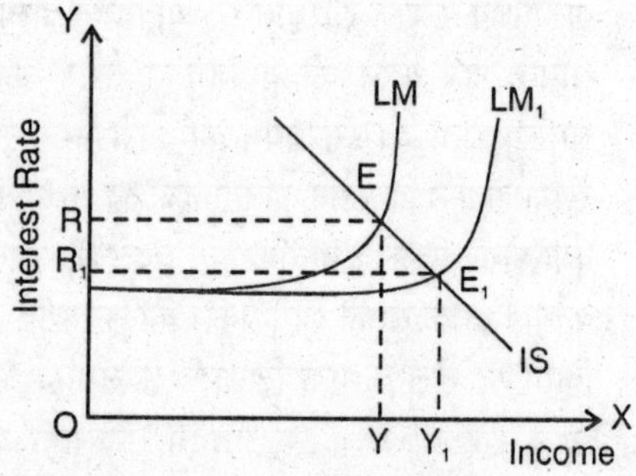

रेखाचित्र : *LM फलन में स्थानान्तरण का संतुलन पर प्रभाव*

LM वक्र दायीं ओर ऊपर को ढाल वाला होता है और इसके तीन भाग होते हैं, जैसा कि रेखाचित्र में दर्शाया गया है। बायीं ओर से प्रारंभ करने पर यह पूर्णतया लोचदार है। इस भाग को **'केन्जीय-रेंज' (Keynesian Range)** कहते हैं। दायीं ओर वक्र के अन्तिम भाग में LM वक्र पूर्णतया बेलोच है। वक्र का यह भाग **'क्लासीकी रेंज'** (Classical Range) कहलाता है। वक्र के इन दोनों भागों के बीच में **'मध्यवर्ती रेंज'** (Intermediate Range) है। केन्ज़ीय रेंज **राजकोषीय मत** को व्यक्त करता है और क्लासिकी रेंज **मुद्रावादी मत** तथा मध्यवर्ती रेंज समन्वयवादी मत।

20. हैरड ने अपनी पुस्तक 'Towards a Dynamic Economics' में तटस्थ तकनीकी प्रगति की वैकल्पिक परिभाषा दी है। उसके अनुसार तकनीकी प्रगति **तटस्थ** तब होगी जब **लाभ की एक स्थिर दर** (अथवा ब्याज दर) पर पूंजी उत्पाद अनुपात भी स्थिर हो। यदि एक स्थिर लाभ दर पर तकनीकी परिवर्तन के कारण पूंजी उत्पाद अनुपात बढ़ जाता है तब तकनीकी परिवर्तन **श्रम बचतकारी** होता है। दूसरी ओर, यदि एक स्थिर लाभ दर पर तकनीकी परिवर्तन के कारण पूंजी उत्पाद अनुपात घट जाता है, तो तकनीकी परिवर्तन पूंजी बचतकारी होता है।

22. कालडर मॉडल **'क्लासिकी बचत फलन'** पर आधारित है जिसका अभिप्राय यह है कि बचत, लाभ (P) और राष्ट्रीय आय (Y) के अनुपात के बराबर होती है।

प्रो. कालडर का मॉडल निम्नलिखित मान्यताओं पर आधारित है—

1. राष्ट्रीय आय में केवल मजदूरी (W) तथा लाभ (P) शामिल होते हैं। मजदूरी में शारीरिक श्रम और वेतन

दोनों आते हैं जबकि लाभ में सम्पत्ति स्वामियों और उद्यमियों की आय को शामिल किया जाता है।

2. मजदूरों की सीमान्त उपभोग प्रवृत्ति (MPC) पूंजीपतियों की अपेक्षा अधिक होती है। जिसके परिणामस्वरूप मजदूरों की सीमान्त बचत प्रवृत्ति (MPS), पूंजीपतियों की अपेक्षा बहुत कम होती है।
3. पूर्ण रोजगार की स्थिति पाई जाती है जिसमें कुल आय (Y) दी हुई है।
4. अपूर्ण प्रतियोगिता अथवा एकाधिकार शक्ति के तत्त्व पाए जाते हैं।

28. जर्मनी के अर्थशास्त्री एडोल्फ वागनर के अनुसार, जैसे-जैसे देश का आर्थिक विकास होता जाता है वैसे-वैसे सरकार के कार्यों में वृद्धि होती जाती है। अर्थात GNP में वृद्धि होने पर लोक व्यय अनुपात (Ratio of public consumption expenditure to GNP) में तीव्र गति से वृद्धि होती जाती है।

29. जब पूर्ति की लोच, मांग की लोच से कम होती है अर्थात् $e_s < e_d$ तो कर का भार क्रेताओं के मुकाबले विक्रेताओं पर अधिक अनुपात में पड़ता है क्योंकि कीमतों में जो वृद्धि होती है वह प्रति इकाई कर की मात्रा के आधी से कम होती है।

रेखाचित्र द्वारा इसे और भी स्पष्ट किया जा सकता है।

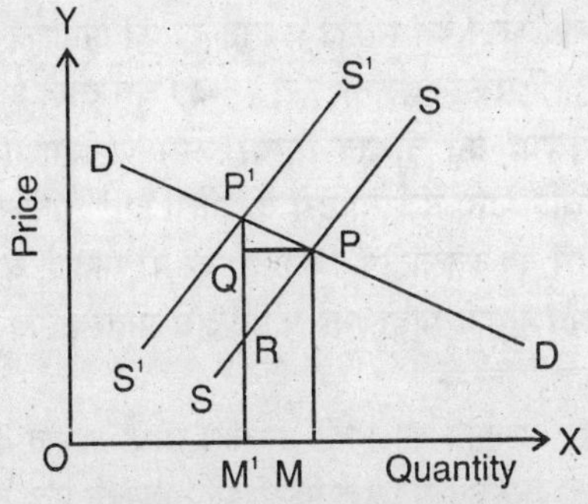

रेखाचित्र : *कर का भार जब $e_d > e_s$*

रेखाचित्र से स्पष्ट है कि पूर्ति अपेक्षाकृत बेलोचदार है और मांग लोचदार है। कर लगने से पूर्व की कीमत PM है और कर लगने के बाद की कीमत P'M' है। P'R कर की राशि है।

यहाँ $P'R = P'Q + QR$

लेकिन $QR > P'Q$

34. Dumping is selling exports at a price that is too low—less than normal value (or "fair market value," as it is often called in the United States). There are two legal definitions of *normal value:* The long-standing definition of *normal value* is the price charged to comparable domestic buyers in the home market (or to comparable buyers in other markets). Under this traditional definition, dumping is international price discrimination favoring buyers of experts. The second definition of *normal value* arose in the 1970s. It is cost-based—the average cost of producing the product, including overhead costs and profit. Under this second standard, dumping is selling exports at a price that is less than the full average cost of the product.

42. सांविधिक तरलता अनुपात (SLR): 1949 के बैंकिंग रेग्यूलेशन एक्ट के तहत बैंकों को अपने पास कुल जमाओं (Deposits) का कुछ अनुपात तरल रूप में (नकद मुद्रा, स्वर्ण अथवा अनुमोदित प्रतिभूतियाँ–मुख्यतः सरकारी प्रतिभूतियों के रूप में) रखना जरूरी होता है। यह अनुपात ही सांविधिक तरलता अनुपात (SLR) कहलाता है।

The Banks in India are required statutorily to maintain a prescribed minimum proportion of their total demand and time liabilities (L) in the form of liquid assets. These liquid assets consists of excess reserves (ER), unencumbered government and other approved securities (I) and other current account balances with other banks (CB)

$$\text{Thus, SLR} = \frac{ER + I + CB}{L}$$

SLR operates as an instrument of monetary control by affecting the freedom of the banks to sell government securities and borrow against these from RBI.

47. 2006 में माइक्रो, लघु तथा मध्यम उद्यम विकास अधिनियम (Micro, Small and Medium Enterprises Development Act) पारित होने के बाद लघु और मध्यम क्षेत्र को 2 अक्टूबर, 2006 से पुनः परिभाषित किया गया है (अधिनियम में मध्यम क्षेत्र को पहली बार परिभाषित किया गया है)। इनके अतिरिक्त विनिर्माण (Manufacturing)

तथा सेवा (Services) उद्यमों के लिए अलग-अलग निवेश सीमाएं निर्धारित की गयी हैं। सभी परिभाषा निम्नलिखित हैं–

A. विनिर्माण क्षेत्र के उद्यम (Manufacturing Enterprises) :

(*i*) माइक्रो उद्यम जिसमें प्लांट व मशीनरी में अधिकतम 25 लाख रुपए तक का निवेश हो;

(*ii*) लघु उद्यम जिसमें प्लांट व मशीनरी में 25 लाख रुपए से अधिक परन्तु 5 करोड़ रुपए से कम निवेश हो; तथा

(*iii*) मध्यम उद्यम जिसमें प्लांट व मशीनरी में 5 करोड़ रुपए से अधिक परन्तु 10 करोड़ रुपए से कम निवेश हो।

B. सेवा क्षेत्र के उद्यम (Service Enterprises):

(*i*) माइक्रो उद्यम जिसमें उपकरणों (equipments) में अधिकतम 10 लाख रुपए तक का निवेश हो;

(*ii*) लघु उद्यम जिसमें उपकरणों में निवेश 10 लाख रुपए से अधिक परन्तु 2 करोड़ रुपए से कम हो; तथा

(*iii*) मध्यम उद्यम जिसमें उपकरणों में निवेश 2 करोड़ रुपए से अधिक परन्तु 5 करोड़ रुपए से कम हो।

54. प्रासंगिक मूल्यांकन प्रणाली (Contingent Valuation Method)

The Contingent Valuation Method (CVM) is a survey-based technique for the valuation of non-market resources. The method involves surveying to assess how much people would be willing to pay for specific environmental services (willingness to pay—WTP). In other cases, people are asked for the amount of compensation they would be wining to accept in order to give up specific environmental services (willingness to accept—WTA). It is caned "contingent" valuation, because people are asked to state their willingness to pay, *contingent* on a particular hypothetical scenario and description of the environmental service.

The CVM is an important valuation tool and has been widely applied by resources economists, following a great deal of empirical and theoretical refinements in the 1970s and 1980s. The contingent valuation survey was originally proposed by Ciriacy-Wantrup (1947) as a method of eliciting market values of non-market goods. It was first applied by Davis in 1963 to estimate the place of value hunters, and tourists in a specific wilderness area (Davis 1963). Since then, the CVM has been widely applied in various fields, such as air quality, biodiversity and recreation, wildlife, forest and wilderness areas, ecosystem services, sewerage and waste management.

56. कुल उर्वरता दर (Total Fertility Rate) : किसी स्थान की विभिन्न आयु वर्गानुसार विशिष्ट उर्वरता दरों के योग को कुल उर्वरता दर कहते हैं अर्थात यह विभिन्न आयु विशिष्ट उर्वरता दरों का जोड़ है। कुल उर्वरता दर, वास्तव में, यह बतलाती है कि यदि प्रजनन योग्य आयु में किसी स्त्री की मृत्यु न हो तो उस काल में से गुजरने वाली 1000 स्त्रियों द्वारा जन्मित शिशुओं की कुल प्रत्याशित संख्या कितनी होगी।

सकल प्रजनन दर (Gross Reproduction Rate) : आज की नवजात कन्याएं भविष्य की माताएं होती हैं और जनसंख्या की वृद्धि सही अर्थों में कन्याओं की संख्या पर ही निर्भर करती है। इसलिए जनसंख्या पुनरुत्पादन का सही माप करने हेतु सकल प्रजनन दर का आगणन किया जाता है। **''सकल प्रजनन दर, 15-49 वर्ष वाले आयु वर्ग की स्त्रियों की केवल कन्या जन्म पर आधारित, आयु विशिष्टता उर्वरता दरों का योग है।''** सकल प्रजनन दर हमें यह बतलाती है कि किस दर पर माताएं, कन्याओं द्वारा और पुरानी पीढ़ी, नई पीढ़ी द्वारा प्रतिस्थापित की जाएगी बशर्ते कि—

I. प्रजनन काल की उच्चतम सीमा अर्थात 49 वर्ष तक पहुँचने से पहले किसी भी माता की मृत्यु न हो अथवा वह परदेशगमन न करें और,

II. प्रजनन काल में चालू उर्वरता दरें यथास्थिर बनी रहें।

63. लागत फलन (Cost function)

$$C = \frac{x^3}{3} - 10x^2 + 9x + 1000$$

मांग फलन (Demand function) $x = \frac{(12-p)}{9}$

$\because$ कुल आय (Total revenue) = $p \times (x)$

$\therefore$ $$\text{T.R.} = \frac{p(12-p)}{9}$$

Total cost function in terms of p

$$\text{T.C.} = \frac{1}{3}\left(\frac{12-p}{9}\right)^3 - 10\left(\frac{12-p}{9}\right)^2 + 9\left(\frac{12-p}{9}\right) + 1000$$

लाभ π = T.R. – T.C.

$$= \frac{p(12-p)}{9} - \frac{1}{3}\left(\frac{12-p}{9}\right)^3 + 10\left(\frac{12-p}{9}\right)^2 - 12 + p - 1000$$

अधिकतम लाभ के लिए $\frac{d\pi}{dp} = 0$

$$\frac{d\pi}{dp} = \frac{12-2p}{9} + \frac{1}{9}\left(\frac{12-p}{9}\right)^2 - \frac{20}{9}\left(\frac{12-p}{9}\right) + 1$$

$$= \frac{(12-p)^2 - 180(12-p) + 81(12-2p) + 729}{729}$$

$$= \frac{144 + p^2 - 24p - 2160 + 180p + 972 - 162p + 729}{729}$$

$$= \frac{p^2 - 6p - 315}{729}$$

जब $\frac{d\pi}{dp} = 0$

$$p^2 - 6p - 315 = 0$$
$$p^2 - 21p + 15p - 315 = 0$$
$$(p - 21)(p + 15) = 0$$

$\therefore$ either $p = 21$ or -15

at $p = 21$, $x = \frac{12-21}{9} = -1$

which is not a permissible value.

at $p = -15$

$$x = \frac{12-(-15)}{9} = 3$$

which is the required level of output.

64. आगत-निर्गत आयोजन की एक नयी तकनीक है जिसका आविष्कार प्रोफेसर वैसिली डब्ल्यू लियोनतिफ (Professor Wassily W. Leontief) ने 1951 में किया। अर्थव्यवस्था की परस्पर-निर्भरताओं तथा जटिलताओं को समझने के लिए अन्त: उद्योग (inter-industry) के सम्बंधों का विश्लेषण करने के लिए इसका प्रयोग किया जाता है और इस विश्लेषण से, इस प्रकार पूर्ति और मांग में संतुलन बनाए रखने की स्थितियों को समझा जा सकता है। इसे ''अन्त: उद्योग विश्लेषण'' भी कहते हैं।

आगत-निर्गत विधि का विश्लेषण करने से पहले 'आगत' तथा 'निर्गत' शब्दों का अर्थ समझ लेना जरूरी है। प्रो. जे.आर. हिक्स के अनुसार, आगत ''वह वस्तु है जिसे किसी फर्म के लिए खरीदा जाता है'' और निर्गत वह है ''जिसे फर्म बेचता है।'' आगतों के मुद्रा मूल्यों का जोड़ एक फर्म की कुल लागत होती है और निर्गतों के मुद्रा मूल्यों का जोड़ फर्म का कुल आगम (revenue) होता है।

आगत-निर्गत विश्लेषण यह बताता है कि समस्त आर्थिक व्यवस्था में औद्योगिक अन्त: संबंध और अन्तर्निर्भरताएं होती हैं। एक उद्योग की आगत दूसरे उद्योग की निर्गत होती है और विलोमत: भी, जिससे अन्त में उनके आपसी संबंधों के कारण समस्त अर्थव्यवस्था में पूर्ति और मांग का संतुलन स्थापित हो जाता है। 'इस्पात उद्योग' के लिए कोयला आगत है और कोयला उद्योग के लिए इस्पात आगत है, वैसे ये अपने-अपने उद्योग की निर्गतें हैं। अन्य शब्दों में, आगत-निर्गत विश्लेषण का अर्थ है कि संतुलन की स्थिति में, समस्त अर्थव्यवस्था के कुल उत्पादन का मुद्रा मूल्य अन्त: उद्योग आगतों के मुद्रा मूल्य की राशि तथा अन्त: उद्योग निर्गतों के मुद्रा मूल्यों की राशि के जोड़ के बराबर होना जरूरी है।

65. $\sigma_{xy} = \frac{5}{3}$ and $\sigma_{yx} = \frac{15}{4}$

समाश्रयण गुणांक (Correlation coefficient)

$$= \frac{1}{\sqrt{\sigma_{xy} \cdot \sigma_{yx}}}$$

$$= \frac{1}{\sqrt{\frac{5}{3} \times \frac{15}{4}}} = \frac{1}{\sqrt{\frac{25}{4}}}$$

$$= \frac{2}{5} = 0.4.$$

66. Test on individual Regression co-efficient (t test)

$$T_0 = \frac{\hat{\alpha}_j}{SE(\alpha_j)}$$

$$= \frac{1.79}{0.41}$$

$$= 4.3658 = 4.366.$$

67. कॉब-डगलस उत्पादन फलन को निम्न प्रकार लिखा जा सकता है:

$$Q = AL^a K^b$$

जहाँ Q = उत्पादन, L = श्रम, K = पूँजी तथा A, a b, स्थिरांक हैं। Exponents का जोड़ $a + b$ एक के बराबर भी हो सकता है, उससे कम या अधिक भी। Exponents के जोड़ $a + b$ तथा पैमाने के प्रतिफल में परस्पर सम्बन्ध स्पष्ट करने के लिए हम प्रत्येक साधन (L तथा K) को स्थिरांक g से गुणा करते हैं। अत:

$$Q' = A(gL)^a (gK)^b$$
$$= g^a g^b (AL^a K^b)$$
$$= g^{a+b} (AL^a K^b)$$

क्योंकि $AL^a K^b = Q$

अतएव $Q' = g^{a+b} Q$ ...(1)

इसका यह अर्थ हुआ कि जब उत्पादन फलन के प्रत्येक साधन को g से गुणा करते हैं तो उत्पादन Q में g^{a+b} के समान वृद्धि होती है।

यदि $a + b = 1$ तो समीकरण (1) से हमें प्राप्त होता है:

$$Q' = g^1 Q \text{ अथवा } Q' = gQ$$

अर्थात् जब exponents का जोड़ $a + b$ एक के समान होता है तो प्रत्येक साधन को स्थिरांक g से गुणा करने पर उत्पादन भी g गुणा बढ़ेगा। इसका अर्थ है उत्पादन फलन **प्रथम श्रेणी का समघात उत्पादन फलन** (homogeneous of first degree) होगा अथवा **पैमाने के प्रतिफल स्थिर (Constant returns to scale)** प्रात होंगे। जब $a + b > 1$, माना कि यह 2 है, तो उत्पादन फलन में हम निम्नलिखित नयी उत्पादन मात्रा प्राप्त करते हैं:

$$Q' = g^{a+b} (AL^a K^b) = g^2 Q$$

अत: प्रत्येक साधन L तथा K को स्थिरांक g से गुणा करने पर उत्पादन में g^2 गुणा वृद्धि होती है। अर्थात् g से अधिक। अतएव **जब कॉब-डगलस उत्पादन फलन में $a + b > 1$, जो हमें पैमाने के वर्धमान प्रतिफल प्राप्त (Increasing Returns Scale) होते हैं।**

जब कॉब-डगलस उत्पादन फलन में $a + b < 1$, माना कि यह 0.8 है तो प्रत्येक साधन को स्थिरांक g से गुणा करने पर हमें निम्न उत्पादन मात्रा प्राप्त होती है:

$$Q' = g^{a+b} AL^a K^b = g^{0.8}$$

अत: प्रत्येक साधन को स्थिरांक g द्वारा गुणा करने पर उत्पादन $g^{0.8}$ गुणा बढ़ता है अर्थात् g से कम। अतएव जब **कॉब-डगलस उत्पादन फलन में $a + b < 1$, होता है तो हमें पैमाने के ह्रासमान प्रतिफल प्राप्त होते हैं।**

उपर्युक्त व्याख्या से स्पष्ट है कि कॉब-डगलस उत्पादन फलन में exponents, a तथा b का जोड़ पैमाने के प्रतिफल को मापता है।

यदि $a + b = 1$, तो पैमाने के प्रतिफल स्थिर रहते हैं। यदि $a + b > 1$, तो पैमाने के वर्धमान प्रतिफल प्राप्त होते हैं। यदि $a + b < 1$, तो पैमाने के ह्रासमान प्रतिफल प्राप्त होते हैं।

पिछले प्रश्न-पत्र (हल सहित)

यू.जी.सी. NET अर्थशास्त्र, दिसम्बर–2012

प्रश्न-पत्र–II

नोट: *इस प्रश्न-पत्र में* ***पचास (50)*** *बहु-विकल्पीय प्रश्न हैं। प्रत्येक प्रश्न के* ***दो (2)*** *अंक हैं।* ***सभी*** *प्रश्नों के उत्तर दें।*

निर्देश (प्र.सं. 1 से 10): *निम्नांकित प्रश्नों को पढ़िए और उनके नीचे दिए गए विकल्पों में से सही उत्तर का चयन कीजिए।*

1. सम-उत्पाद पर अधोमुखी गति के लिए, पूँजी ($MRTS_{L, K}$) प्रति इकाई श्रम की MRTS निम्नलिखित के द्वारा दर्शाई जाती है:

A. –dK/dL B. dK/dL
C. dL/dK D. –dL/dK

2. भिन्न बाजारों में भिन्न कीमत वसूल करना क्या कहलाता है?

A. कीमत विभेदीकरण
B. द्वितीय श्रेणी का कीमत विभेदीकरण
C. तृतीय श्रेणी का कीमत विभेदीकरण
D. पूर्ण कीमत विभेदीकरण

3. स्थिरीकरण नीति में निम्नलिखित में से सर्वाधिक महत्त्वपूर्ण क्या है?

A. निजी निवेश B. इनवेंट्री निवेश
C. स्वायत्त निवेश D. लोक निवेश

4. निर्धनता के दुश्चक्र की अवधारणा किससे सम्बन्धित है?

A. किंडलबर्गर B. शुम्पीटर
C. रेगनर फ्रिश D. गुन्नर मिर्डाल

5. सोलो ने अपना मॉडल किसके विकल्प के रूप में निर्मित किया?

A. काल्डॅर का विकास मॉडल
B. रेनिश-फी का विकास मॉडल
C. हेरोड-डोमर का विकास मॉडल
D. मीड का विकास मॉडल

6. यदि कुल राजकोषीय घाटे में से ब्याज अदायगियों को घटा दिया जाए, तो शेष रहेगा :

A. राजस्व घाटा B. सकल प्राथमिक घाटा
C. पूँजीगत घाटा D. बजटीय घाटा

7. यदि आँकड़े दरों, समानुपातों तथा अनुपातों से सम्बन्धित हैं तो केन्द्रीय प्रवृत्ति के कौन-से माप का उपयोग करना सर्वाधिक उपयुक्त होगा?

A. गणितीय माध्य B. माध्यिका
C. हरात्मक माध्य D. ज्यामितीय माध्य

8. तुलनात्मक लागत लाभ सिद्धांत का अवसर लागत रूप किसने प्रतिपादित किया था?

A. जे.एम. कीन्स B. किंडलबर्गर
C. हैबरलर D. कार्ल मार्क्स

9. धारणीय विकास की सर्वाधिक लोकप्रिय परिभाषा किसने दी है?

A. विश्व विकास रिपोर्ट
B. यू.एन.डी.पी. रिपोर्ट
C. ब्रंड्टलैंड
D. अंतर्राष्ट्रीय मुद्रा कोष रिपोर्ट

10. नियोजन अवधि के दौरान, सर्वोच्च विकास दर कब प्राप्त की गई?

A. आठवीं योजना के दौरान
B. दसवीं योजना के दौरान
C. नौवीं योजना काल में
D. सातवीं योजना काल में

निर्देश (प्र.सं. 11 से 20): *निम्नांकित प्रश्नों को पढ़िए और नीचे दिए कूटों से सही उत्तर का चयन कीजिए:*

11. श्रम मूल्य सिद्धांत निम्नलिखित ने प्रतिपादित किया था:

(a) एडम स्मिथ
(b) डेविड रिकार्डो
(c) रेगनर नर्क्से, गुन्नर मिर्डाल, आर.एम. सोलो
(d) फी-रानी, रेगनर नर्क्से

कूटः

A. (a) और (b) B. (a) और (c)

C. (a), (b), (c) D. (a), (b), (c), (d)

12. क्लासिकी व्यवस्था की विशेषताएँ हैं:

(a) उत्पादन तथा रोजगार को मौद्रिक कारक निर्धारित करते हैं।

(b) अर्थव्यवस्था का स्व-समायोजन तन्त्र

(c) प्रत्यक्ष विकास के लिए राजकीय कार्रवाई

(c) राजकीय नियन्त्रण की अनुपस्थिति में बाजार के माध्यम से इष्टतमीकरण

कूटः

A. (a) और (b) B. (a), (b), (c)

C. (b) और (d) D. (a), (b), (d)

13. लोक व्यय में विस्थापन तथा सकेन्द्रण प्रभाव की अवधारणाओं का श्रेय किसको दिया जाता है?

(a) ए.सी. पीगू तथा जे.के. मेहता

(b) अलेन टी. पीकॉक एवं जैक वाइज़मैन

(c) कैनेथ एरो एवं पॉल ए. सैम्युलसन

(d) ए.आर. प्रेस्ट एवं आई.एम.डी. लिट्टल

कूटः

A. (a) और (b) B. सिर्फ (b)

C. (a), (b), (c) D. (a), (b), (c), (d)

14. मानव विकास सूचक (एचडीआइ) का निर्माण किस संदर्भ में किया जाता है?

(a) जन्म के समय आयु संभाविता, वास्तविक जी.डी.पी. प्रति व्यक्ति, कुल प्रवेश अनुपात, प्रौढ़ साक्षरता दर

(b) जन्म के समय आयु संभाविता, वास्तविक जी.डी.पी. प्रति व्यक्ति, संयुक्त कुल प्रवेश अनुपात, प्रौढ़ साक्षरता दर

(c) आयु संभाविता, जी.डी.पी. प्रति व्यक्ति, शिशु मृत्यु दर, साक्षरता दर

(d) जी.डी.पी. प्रति व्यक्ति, शिशु मृत्यु दर, साक्षरता दर

कूटः

A. (a) और (b) B. (a) और (c)

C. सिर्फ (c) D. (a), (b), (d)

15. असन्तुलित विकास मॉडल सर्वप्रथम किसने प्रतिपादित किया था?

(a) अलबर्ट ओ. हर्षमैन

(b) एच.एस. सिंगर और रॉल प्रेबिश

(c) किंडलबर्गर तथा रेगनर नर्क्से

(d) डब्ल्यू.डब्ल्यू. रोस्टो एवं पॉल स्ट्रीटन

कूटः

A. (a) और (b) B. (a) और (c)

C. (a) और (d) D. सिर्फ (a)

16. संवृद्धि का हैरोड-डोमर मॉडल अवधारणाओं तथा उनकी समानता पर आधारित है:

(a) जनसंख्या तथा उत्पादकता विकास

(b) निवेश तथा आय की औसत वृद्धि दर

(c) वास्तविक, अभिष्ट तथा प्राकृतिक विकास दर

(d) उत्पादकता संवृद्धि तथा निवेश संवृद्धि

कूटः

A. (a) और (c) B. (a) और (d)

C. सिर्फ (c) D. (a), (b), (c)

17. फैक्टर एण्डाउमेंट सिद्धांत को इस नाम से भी जाना जाता है:

(a) अंतर्राष्ट्रीय व्यापार का आधुनिक सिद्धांत

(b) अंतर्राष्ट्रीय व्यापार का क्लासिकी सिद्धांत

(c) परस्पर माँग सिद्धांत

(d) अंतर्राष्ट्रीय व्यापार का कारक अनुपात सिद्धांत

कूटः

A. (a) और (b) B. (b) और (c)

C. (a) और (d) D. (c) और (d)

18. बढ़ते सरकारी खर्चों के सर्वाधिक महत्त्वपूर्ण सिद्धांत निम्नलिखित से सम्बन्धित हैं:

(a) अडोल्फ वैगनर के प्राक्कल्पना

(b) क्रांतिक सीमा प्राक्कल्पना

(c) प्रशासनात्मक कुशलता प्राक्कल्पना

(d) आय की स्थिरता प्राक्कल्पना

कूटः

A. (a) और (b) B. (a) और (c)

C. सिर्फ (a) D. (c) और (d)

19. ब्रेटनवुड सिस्टम के अंतर्गत दीर्घकाली विकास सहायता किसके द्वारा दी जानी थी?

(a) इंटरनेशन बैंक ऑफ रिकंस्ट्रक्शन एण्ड डिवेलपमेंट (आई बी आर डी)

(b) अंतर्राष्ट्रीय विकास एजेंसी (आई डी ए)

(c) अंतर्राष्ट्रीय मुद्रा कोष (आई एम एफ)

(d) उपर्युक्त सभी

कूटः

A. (a) और (b) B. (a), (b), (c)

C. (b) और (c) D. सिर्फ (d)

20. भारत के योजना आयोग ने हाल ही में गरीबी रेखा इस प्रकार घोषित की हैः

(a) शहरी क्षेत्र के लिए ₹ 42 प्रतिदिन प्रति व्यक्ति

(b) ग्रामीण क्षेत्र के लिए ₹ 26 प्रतिदिन प्रति व्यक्ति

(c) शहरी क्षेत्र के लिए ₹ 32 प्रतिदिन प्रति व्यक्ति

(d) ग्रामीण क्षेत्र के लिए ₹ 32 प्रतिदिन प्रति व्यक्ति

कूटः

A. (a) और (b) B. (a) और (c)

C. (b) और (c) D. (c) और (d)

निर्देश (प्र.सं. 21 से 30): *निम्नांकित प्रश्नों को पढ़िए और अभिकथन (A) एवं तर्क (R) का सही संयोजन नीचे दिए गए कूट की सहायता से चुनिएः*

21. अभिकथन (A): अल्पाधिकार में षड्यन्त्र रचना की प्राकृतिक प्रवृत्ति रहती है।

तर्क (R): अल्पाधिकार बाजार में फर्मों की पारस्परिक निर्भरता रहती है।

कूटः

A. (A) और (R) दोनों सही हैं, परन्तु (A) का (R) सही स्पष्टीकरण नहीं है।

B. (A) और (R) दोनों सही हैं, और (A) का (R) सही स्पष्टीकरण है।

C. (A) सही है, परन्तु (R) गलत है।

D. (A) गलत है, परन्तु (R) सही है।

22. अभिकथन (A): अल्प काल में, उत्पाद की सीमान्त लागत उत्पादन में उपयोग किए गए अतिरिक्त श्रम तथा सामग्री की लागत होती है।

तर्क (R): उत्पादन में लगाए गए श्रम तथा सामग्री ही अल्प काल में घटते-बढ़ते हैं।

कूटः

A. (A) सही है, और (R) गलत है।

B. (A) गलत है, परन्तु (R) सही है।

C. (A) और (R) दोनों सही हैं, और (R) (A) की सही व्याख्या है।

D. (A) और (R) दोनों गलत हैं।

23. अभिकथन (A): व्यापार नीति के उदारीकरण के बाद हुए सुधारों ने भारत की उन्नति को उद्दीप्त किया है।

तर्क (R): निजी उद्यमों को भारत के उत्पादन उद्यमों की उन्नति में योगदान करने का अवसर प्राप्त हुआ।

कूटः

A. (A) और (R) दोनों सही हैं, और (A) का (R) सही स्पष्टीकरण है।

B. (A) और (R) दोनों सही हैं, परन्तु (A) का (R) सही स्पष्टीकरण नहीं है।

C. (A) और (R) दोनों गलत हैं।

D. (A) गलत है, परन्तु (R) सही है।

24. अभिकथन (A): किसी व्यक्ति को जिन वस्तुओं और सेवाओं से वंचित किया जा सकता है वे पूर्णतया निजी वस्तुएँ होती हैं।

तर्क (R): राज्य द्वारा ऐसी वस्तुएँ और सेवाएँ निःशुल्क उपलब्ध नहीं कराई जाती हैं।

कूटः

A. (A) और (R) दोनों सही हैं, और (A) का (R) सही स्पष्टीकरण है।

B. (A) और (R) दोनों सही हैं, परन्तु (A) का (R) सही स्पष्टीकरण नहीं है।

C. (A) सही है, परन्तु (R) गलत है।

D. (A) गलत है, परन्तु (R) सही है।

25. अभिकथन (A): 'एक देश निर्धन है क्योंकि वो निर्धन है'।

तर्क (R): निर्धन देश की आय न्यून होती है, इसलिए उसकी बचत और निवेश कम होते हैं। कम निवेश उसकी उत्पादन क्षमता को सीमित करता है जिससे न्यून उत्पादन और आय का परिणाम निकलता है।

कूटः

A. (A) और (R) दोनों सही हैं, परन्तु (A) का (R) सही स्पष्टीकरण नहीं है।

B. (A) और (R) दोनों सही हैं, और (A) का (R) सही स्पष्टीकरण है।

C. (A) सही है, परन्तु (R) गलत है।
D. (A) गलत है, परन्तु (R) सही है।

26. **अभिकथन (A):** समस्त ऐतिहासिक घटनाएँ किसी समाज के विभिन्न समूहों और श्रेणियों के बीच के निरन्तर आर्थिक संघर्ष का परिणाम होती हैं।

तर्क (R): यह संघर्ष उत्पादन की विधि और उत्पादन के एजेंटों की भूमिका को दिए जाने वाले मान के बीच द्वंद्व के कारण होता है।

कूटः

A. (A) और (R) दोनों सही हैं, परन्तु (A) का (R) सही स्पष्टीकरण नहीं है।
B. (A) और (R) दोनों सही हैं, और (A) का (R) सही स्पष्टीकरण है।
C. (A) सही है, परन्तु (R) गलत है।
D. (A) गलत है, परन्तु (R) सही है।

27. **अभिकथन (A):** के./एल. समयान्तर के पश्चात् अनुपात के संतुलित मूल्य की दिशा में समायोजित होता है।

तर्क (R): क्योंकि उत्पादन में तकनीकी गुणांक स्थिर होते हैं।

कूटः

A. (A) और (R) दोनों सही हैं, परन्तु (A) का (R) सही स्पष्टीकरण नहीं है।
B. (A) और (R) दोनों सही हैं, और (A) का (R) सही स्पष्टीकरण है।
C. (A) सही है, परन्तु (R) गलत है।
D. (A) गलत है, परन्तु (R) सही है।

28. **अभिकथन (A):** निवेश में माँग प्रभाव होता है।

तर्क (R): क्योंकि निवेश अर्थव्यवस्था में उत्पादकता तथा आय बढ़ाता है।

कूटः

A. (A) और (R) दोनों सही हैं, और (A) का (R) सही स्पष्टीकरण है।
B. (A) और (R) दोनों सही हैं, परन्तु (A) का (R) सही स्पष्टीकरण नहीं है।
C. (A) सही है, परन्तु (R) गलत है।
D. (A) गलत है, परन्तु (R) सही है।

29. **अभिकथन (A):** भारतवासियों की आजीविका का मुख्य स्रोत कृषि है।

तर्क (R): कृषि क्षेत्र के विकास को बढ़ावा देने के लिए आवश्यक उपायों को अपनाया जाना चाहिए।

कूटः

A. (A) और (R) दोनों सही हैं, और (A) का (R) सही स्पष्टीकरण है।
B. (A) और (R) दोनों सही हैं, परन्तु (A) का (R) सही स्पष्टीकरण नहीं है।
C. (A) सही है, परन्तु (R) गलत है।
D. (A) गलत है, परन्तु (R) सही है।

30. **अभिकथन (A):** निम्नलिखित समाश्रयण समीकरण में $Y = a + bX$, 'a', Y का स्वायत्त मूल्य दर्शाता है।

तर्क (R): यदि $X = 0$, $Y = a$ रहता है। अतः a, Y का न्यूनतम मूल्य है जो कि Y पर X के किसी प्रभाव से स्वतन्त्र है।

कूटः

A. (A) और (R) दोनों सही हैं, और (R) (A) की सही व्याख्या है।
B. (A) सही है, परन्तु (R), (A) की सही व्याख्या नहीं है।
C. (A) सही है, परन्तु (R) सही नहीं है।
D. (A) गलत है, परन्तु (R) सही है।

निर्देश (प्र.सं. 31 से 40): *निम्नांकित प्रश्नों को पढ़िए और नीचे दिए गए कूट की सहायता से सही क्रम का चयन कीजिए:*

31. माँग सिद्धांत के क्रमिक विकास के क्रम की शिनाख्त कीजिए:

(a) मार्शल का माँग सिद्धांत
(b) अनधिमान वक्र रेखा
(c) स्वप्रकाशित अधिमान सिद्धांत
(d) माँग का मंद अधिमान क्रम सिद्धांत

कूटः

A. (a), (c), (d), (b) B. (d), (b), (a), (c)
C. (a), (c), (b), (d) D. (a), (b), (c), (d)

32. निम्नलिखित सिद्धांतों के सही कालक्रमिक क्रम को पहचानिए:

(a) मुद्रा का सिद्धांत का कैम्बरिज रूप
(b) परिमाण सिद्धांत का फिशर रूप
(c) मुद्रा की माँग का टोबिन सिद्धांत
(d) बॉमोल का इनवेंट्री माँग सिद्धांत

कूटः

A. (c), (d), (a), (b) B. (b), (a), (d), (c)
C. (d), (a), (b), (c) D. (a), (b), (c), (d)

33. निम्नलिखित के सही काल क्रमबद्ध की पहचान कीजिए:
(a) केंस उपभोक्ता कार्य
(b) आयु चक्र प्राक्कल्पना
(c) सापेक्ष आय प्राक्कल्पना
(d) फ्रीडमैन की स्थायी आय परिकल्पना

कूटः

A. (d), (b), (a), (c) B. (b), (a), (c), (d)
C. (a), (c), (d), (b) D. (c), (d), (b), (a)

34. मार्क्स के आर्थिक विकास मॉडल के कालक्रमबद्ध चरणों की पहचान कीजिए:
(a) पूँजीवादी संकट
(b) पूँजी संचयन
(c) अतिरेक मूल्य
(d) इतिहास का पदार्थवादी विश्लेषण

कूटः

A. (b), (a), (c), (d) B. (c), (d), (b), (a)
C. (d), (c), (b), (a) D. (c), (b), (a), (d)

35. हैरोड विकास मॉडल की क्रमिक प्रक्रिया है:
(a) सामान्य वृद्धि दर (b) अभीष्ट वृद्धि दर
(c) वास्तविक वृद्धि दर (d) अपसारिता

कूटः

A. (d), (c), (b), (a) B. (c), (b), (a), (d)
C. (b), (a), (d), (c) D. (a), (d), (c), (b)

36. सार्क (एसएएआरसी) सदस्यों के शिखर सम्मेलनों को जिस क्रम में आयोजित हुए उस क्रम में दर्शाइए।
(a) नई दिल्ली (b) बेंगलुरू
(c) इस्लामाबाद (d) काठमांडू

कूट :

A. (a), (c), (d), (b) B. (a), (b), (c), (d)
C. (b), (d), (c), (a) D. (c), (b), (a), (d)

37. अदायगी लेखा के बकाया संरचना में निम्न मदों को उनकी सम्मिलितता के अनुसार क्रमबद्ध कीजिए:
(a) पूँजी लेखा (b) भूल और त्रुटियाँ
(c) चालू लेखा (d) कार्यालय निपटान लेखा

कूटः

A. (a), (b), (c), (d) B. (c), (a), (d), (b)
C. (d), (c), (b), (a) D. (c), (d), (a), (b)

38. निम्नलिखित के वित्त आयोग के चेयरमैन के रूप में नियुक्ति की क्रमबद्धता को बताइए:
(a) के.सी. नियोगी (b) के. ब्रह्मानन्द रेड्डी
(c) एन.के.पी. साल्वे (d) ए.के. चन्दा

कूटः

A. (a), (c), (b), (d) B. (a), (d), (b), (c)
C. (a), (c), (d), (b) D. (a), (b), (d), (c)

39. निम्नलिखित को उनके लागू होने के कालानुसार क्रमबद्ध कीजिए:
(a) आयकर (b) व्यय कर
(c) मूल्य वर्धित कर (वैट) (d) अनुषंगी लाभ कर

कूटः

A. (a), (c), (b), (d) B. (a), (b), (c), (d)
C. (b), (c), (d), (a) D. (c), (d), (a), (b)

40. निम्नलिखित को उनके विकसित होने के क्रम में लगाइए:
(a) दो निदर्शनों से अधिक के माध्यों के बीच अंतर का फिशर का F सार्थकता परीक्षण
(b) दो निदर्शनों के माध्यों के बीच अंतर का गॉसेट का t परीक्षण
(c) पियरसन का सहसंबंध गुणांक
(d) स्पियरमैन का कोटि सहसंबंध गुणांक

कूटः

A. (a), (b), (c), (d) B. (b), (a), (c), (d)
C. (c), (b), (a), (d) D. (d), (a), (b), (c)

निर्देश (प्र.सं. 41 से 50): *निम्नांकित प्रश्नों को पढ़िए और सूची-I तथा सूची-II से मदों का मिलान कीजिए। उत्तर के लिए नीचे दिए गए कूट का प्रयोग करें।*

41.

सूची-I	सूची-II
(a) कुंचित माँग वक्र परिकल्पना	1. विलियम बॉमोल
(b) अल्पाधिकार का विक्रय अधिकतमीकरण मॉडल	2. पॉल स्वीज़ी
(c) समाज कल्याण मानदण्ड	3. एडम स्मिथ
(d) अदृश्य शक्ति नियम	4. बर्गसन

कूटः

	(a)	(b)	(c)	(d)
A.	4	3	1	2
B.	2	1	4	3
C.	2	3	1	4
D.	1	4	3	2

42. सूची-I | सूची-II

(a) उपभोग का मनोवैज्ञानिक नियम — 1. इरविंग फिशर

(b) ब्याज का समय अधिमान सिद्धांत — 2. जे.एम. किन्स

(c) लोक विकल्प दृष्टिकोण — 3. मुन्डेल एवं फ्लेमिंग

(d) खुली अर्थव्यवस्था का IS-LM मॉडल — 4. गॉर्डन टुल्लोक

कूटः

	(a)	(b)	(c)	(d)
A.	3	2	4	1
B.	4	1	3	2
C.	2	1	4	3
D.	1	3	4	2

43. सूची-I | सूची-II

(a) मध्याह्न भोजन स्कीम — 1. 2006

(b) M-NREGA का क्रियान्वयन — 2. 1995

(c) नकदी रिज़र्व अनुपात — 3. वित्त आयोग

(d) विभाज्य कर — 4. भारतीय रिज़र्व बैंक

कूटः

	(a)	(b)	(c)	(d)
A.	1	2	3	4
B.	2	1	4	3
C.	4	2	3	1
D.	3	4	1	2

44. सूची-I | सूची-II

(a) मौद्रिक नीति — 1. कर की दर

(b) व्यापार नीति — 2. मार्जिन मनी (सीमान्त मुद्रा)

(c) साख नीति — 3. आयात तथा निर्यात

(d) राजकोषीय नीति — 4. बैंक दर

कूटः

	(a)	(b)	(c)	(d)
A.	4	3	2	1
B.	4	2	3	1
C.	3	2	1	4
D.	2	1	4	3

45. सूची-I | सूची-II

(a) जे.एम. बुकानन — 1. लोक व्यय के नियम

(b) फिंडले शिरास — 2. कार्यात्मक वित्त

(c) आर.एन. भार्गव — 3. लोक-विकल्प सिद्धांत

(d) ए.पी. लर्नर — 4. संघीय वित्त

कूटः

	(a)	(b)	(c)	(d)
A.	3	2	1	4
B.	3	1	4	2
C.	2	3	1	4
D.	1	4	3	2

46. सूची-I | सूची-II

(a) पूँजी की जैव रचना — 1. हर्षमैन

(b) प्राकृतिक नियम का सिद्धांत — 2. शुम्पीटर

(c) नवीनीकरण — 3. मार्क्स

(d) असन्तुलित विकास का सिद्धांत — 4. एडम स्मिथ

कूटः

	(a)	(b)	(c)	(d)
A.	3	4	2	1
B.	4	3	1	2
C.	2	1	3	4
D.	1	2	4	3

47. सूची-I | सूची-II

(a) निम्न आय सन्तुलन फन्दा — 1. कार्ल मार्क्स

(b) दरिद्रता माप — 2. एडम स्मिथ

(c) अबंधता (मुक्त व्यापार) — 3. नेल्सन

(d) औद्योगिक रिज़र्व सेना — 4. सुरेश तेंदुलकर

कूटः

	(a)	(b)	(c)	(d)
A.	1	2	4	3
B.	3	4	2	1
C.	4	3	1	2
D.	2	1	3	4

48. सूची-I | सूची-II

(a) निरपेक्ष लागत लाभ नियम — 1. हैबरलर

(b) तुलनात्मक लागत लाभ का सिद्धांत — 2. हैक्सर ओहलिन

(c) अंतर्राष्ट्रीय व्यापार का आधुनिक सिद्धांत — 3. एडम स्मिथ

(d) अवसर लागत सिद्धांत — 4. रिकार्डो

कूटः

	(a)	(b)	(c)	(d)
A.	4	2	1	3
B.	3	4	2	1

कीमत प्राप्त करता है जितना उस वर्ग का सीमांत क्रेता देने को तैयार होता है।

(*iii*) **तृतीय कोटि का कीमत विभेदीकरणः** इस प्रकार का कीमत विभेदीकरण वास्तविक आर्थिक जगत में बहुत पाया जाता है। इसके अंतर्गत् वस्तु के उपभोक्ताओं अथवा क्रेताओं को एकाधिकारी दो वर्गों में विभाजित करता है और इन विभिन्न बाजारों के उपभोक्ताओं से भिन्न कीमतें प्राप्त करता है। **उदाहरणार्थ–** एक बिजली आपूर्ति कंपनी द्वारा घरों में प्रकाश के लिए तथा औद्योगिक उपयोग के लिए बिजली का भिन्न-भिन्न शुल्क प्राप्त करना।

कीमत विभेदीकरण कब संभव होता है?

कीमत विभेदीकरण निम्नलिखित परिस्थितियों में संभव होता है–

(*i*) वस्तु अथवा सेवा की प्रकृति ऐसी होनी चाहिए जिससे उसको एक बाजार से दूसरे बाजार तक हस्तांतरण करना संभव न हो।

(*ii*) कीमत विभेदीकरण तब भी होता है जबकि विभिन्न बाजार अधिक दूरी पर स्थित हों।

(*iii*) कई हालातों में कीमत विभेदीकरण कानूनी आधार (Legal Sanction) पर किया जाता है। **उदाहरणार्थ–** एक विद्युत कंपनी अपने विद्युत को औद्योगिक प्रयोजनों के लिए अधिक कीमत पर बेच सकती है और घरों में प्रकाश के लिए कम कीमत पर।

(*iv*) कीमत विभेदीकरण तब भी संभव होता है जब विभिन्न क्रेता किसी सेवा को विभिन्न प्रकार के प्रयोजनों के लिए चाहते हों। **उदाहरणार्थ–** रेलवे रूई और कोयले के परिवहन के लिए भिन्न-भिन्न दरें प्राप्त करती हैं।

4. निर्धनता के दुश्चक्र (Vicious circle of poverty) की अवधारणा घनिष्ठ रूप से नकर्से (Nurkse) के विचार से जुड़ी हुई है। नकर्से के अनुसार, निर्धनता का दुश्चक्र ऐसी शक्तियों का वृत्तीय समूह है जो एक-दूसरे पर इस तरह क्रिया और प्रतिक्रिया करती है कि वे एक गरीब देश को गरीबी की अवस्था में ही रखती हैं। **उदाहरणार्थ–** हो सकता है कि एक गरीब आदमी के पास खाने को काफी न हो; कम खाने के कारण उसकी सेहत कमजोर हो सकती है; शारीरिक दुर्बलता के कारण उसकी कार्य करने की क्षमता कम होगी, जिसका मतलब है कि वह दरिद्र ही रहेगा, जिसका फिर मतलब होगा कि उसे काफी खुराक नहीं मिलेगी और इस प्रकार यह क्रम चलता रहेगा। पूरे देश से संबंध रखने वाली इस प्रकार की स्थिति को नकर्से इस कथन द्वारा व्यक्त करता है, "एक देश इसलिए गरीब है कि वह गरीब है" (A country is poor because it is poor)।

5. हैरोड-डोमर (Harod-Domar) का आर्थिक संवृद्धि का मॉडल विकसित देशों के अनुभव पर आधारित है। यह मॉडल आर्थिक वृद्धि की प्रक्रिया में निवेश को काफी महत्त्व देते हैं। परंतु वे निवेश की द्वैत (Dual) प्रकृति पर बल देते हैं।

पहलाः निवेश आय का सृजन करता है।

दूसराः निवेश अर्थव्यवस्था के पूंजी-स्टॉक में वृद्धि कर उसकी क्षमता में वृद्धि करता है।

हैरोड-डोमर मॉडल की मान्यताएं

हैरोड-डोमर का विकास मॉडल निम्न मान्यताओं पर आधारित है–

(*i*) बिना सरकारी हस्तक्षेप के मुक्त अर्थव्यवस्था पाई जाती है।

(*ii*) निवेश तथा उत्पादन क्षमता निर्माण के बीच कोई समय अंतराल नहीं होता है।

(*iii*) अर्थव्यवस्था बंद (Closed Economy) होती है जिनमें विदेशी व्यापार नहीं होता है।

(*iv*) औसत बचत प्रवृत्ति (APS), सीमांत बचत प्रवृत्ति (MPS) के बराबर होती है।

(*v*) सीमांत बचत प्रवृत्ति स्थिर रहती है।

(*vi*) कोई मूल्यह्रास नहीं होता क्योंकि पूंजी वस्तुओं को अनन्तजीवी मान लिया जाता है।

(*vii*) सामान्य कीमत स्तर स्थिर रहता है। अन्य शब्दों में, मौद्रिक आय तथा बचत वास्तविक आय समान होती है।

(*viii*) बचत तथा निवेश उसी वर्ष की आय से संबंध रखते हैं।

(*ix*) ब्याज दरों में कोई परिवर्तन नहीं होता है।

(*x*) पूंजी तथा श्रम का अनुपात उत्पादन प्रक्रिया में स्थिर होता है।

8. रिकार्डो के तुलनात्मक लागत सिद्धांत (Ricardo's theory of Comparative Cost) की इस बात के लिए बहुत कटु आलोचना की गई है कि यह श्रम के मूल्य सिद्धांत पर आधारित है। श्रम का मूल्य सिद्धांत कहता है कि किसी वस्तु के उत्पादन में जितना श्रम लगता है उसके बराबर उस वस्तु का मूल्य होता है। इसका अर्थ यह है कि श्रम

C.	2	3	4	1
D.	1	4	3	2

49. सूची-I — सूची-II

(a) मौद्रिकवाद — 1. आर.एफ. काह्न

(b) रोजगार गुणक — 2. टी. हैवलमो

(c) संतुलित बजट का गुणक प्रभाव — 3. जॉन मुथ

(d) तार्किक प्रत्याशा प्राक्कल्पना — 4. मिल्टन फ्रीडमैन

कूटः

	(a)	(b)	(c)	(d)
A.	2	4	3	1
B.	4	1	2	3
C.	1	3	4	2
D.	3	2	1	4

50. सूची-I — सूची-II

(a) संभाव्यता सिद्धांत — 1. वितरण को निरूपित करने वाला एकल मान

(b) माध्य — 2. अनिश्चित घटनाएँ

(c) सामान्य वितरण — 3. जनसंख्या का लघु प्रतिरूप

(d) प्रतिदर्श (सैंपल) — 4. M (माध्य) ± 30 (sigma) के अन्दर लगभग कुल क्षेत्र के प्रति सममित

कूटः

	(a)	(b)	(c)	(d)
A.	1	2	3	4
B.	4	3	2	1
C.	2	1	4	3
D.	4	1	2	3

उत्तरमाला

1	2	3	4	5	6	7	8	9	10
A	A	C,D	D	C	B	D	C	C	B
11	**12**	**13**	**14**	**15**	**16**	**17**	**18**	**19**	**20**
A	C	B	C	A	C	C	C	A	C
21	**22**	**23**	**24**	**25**	**26**	**27**	**28**	**29**	**30**
B	C	A	A	B	B	B	A	A	A
31	**32**	**33**	**34**	**35**	**36**	**37**	**38**	**39**	**40**
D	B	C	D	B	C	B	B	D	C
41	**42**	**43**	**44**	**45**	**46**	**47**	**48**	**49**	**50**
B	C	B	A	B	A	B	B	B	C

कुछ चुने हुए प्रश्नों के व्याख्यात्मक उत्तर

2. जब एक विक्रेता एक वस्तु को विभिन्न उपभोक्ताओं अथवा क्रेताओं को भिन्न-भिन्न कीमतों पर बेचता है तो इसे कीमत विभेदीकरण (Price Discrimination) कहा जाता है। प्रो. स्टिगलर के अनुसार– "कीमत विभेदीकरण का अर्थ है कि तकनीकी दृष्टि से समरूप पदार्थों को इतनी भिन्न कीमत पर बेचना जो उनकी सीमांत लागतों के अनुपात से कहीं अधिक है।

कीमत विभेदीकरण की मात्रा

(Degree of Price Discrimination)

प्रो. ए.सी. पीगू (A.C. Pigou) ने कीमत विभेदीकरण की मात्रा विषयक तीन किस्में बताई है–

(i) **प्रथम कोटि का कीमत विभेदीकरणः** इसको पूर्ण कीमत विभेदीकरण भी कहा जाता है। इस प्रकार का कीमत विभेदीकरण तब होता है जब कोई एकाधिकारी किसी वस्तु की प्रत्येक इकाई को भिन्न-भिन्न कीमतों पर बेचता है। पूर्ण कीमत विभेदीकरण के अंतर्गत वस्तु की प्रत्येक इकाई के लिए उतनी कीमत वसूल की जाती है जिससे उपभोक्ता को कुछ भी उपभोक्ता की बचत (Consumer Surplus) प्राप्त न हो।

(ii) **द्वितीय कोटि का कीमत विभेदीकरणः** इसके अंतर्गत् एकाधिकारी अपने क्रेताओं अथवा उपभोक्ताओं को भिन्न वर्गों में बांटता है तथा प्रत्येक वर्ग से उतनी

ही उत्पादन का एकमात्र साधन है, श्रम समरूप होता है और सब वस्तुओं के उत्पादन में श्रम का उपयोग एक से स्थिर अनुपातों में किया जाता है। परंतु ये सब मान्यताएं अवास्तविक है क्योंकि–

(*i*) श्रम ही उत्पादन का एकमात्र साधन नहीं है क्योंकि वस्तुओं का उत्पादन अन्य साधनों जैसे भूमि, पूंजी एवं अन्य संसाधनों के संयोग से होता है।

(*ii*) श्रम समरूप नहीं बल्कि विभिन्न रूपीय होता है।

(*iii*) विभिन्न वस्तुओं के उत्पादन में श्रम अलग-अलग अनुपातों में काम में लाया जाता है और श्रम को पूंजी के बदले और पूंजी को श्रम के बदले स्थानापन्न किया जा सकता है।

हैबरलर का अवसर लागत सिद्धांत इन कमियों को पूरा करता है और जिस रूप में यह तुलनात्मक लागतों के सिद्धांत की व्याख्या करता है उसे उसने **'स्थानापन्नता वक्र'** कहा है। इस स्थानापन्नता वक्र को सैम्यूलसन ने **'उत्पादन संभावना वक्र'** अथवा **'रूपान्तरण वक्र'** और लर्नर (Lerner) ने इसे **'उत्पादन उदासीनता वक्र'** अथवा उत्पादन सीमा नाम दिया है।

अवसर लागत सिद्धांत कहता है कि यदि कोई देश वस्तु X अथवा वस्तु Y का उत्पादन कर सकता है तो X वस्तु की अवसर लागत दूसरी वस्तु Y की उस मात्रा के बराबर होगी जो उसे उस वस्तु X की एक अतिरिक्त इकाई प्राप्त करने के लिए छोड़नी पड़ेगी। इस प्रकार, दोनों वस्तुओं की परस्पर विनिमय दर उनकी अवसर लागतों के रूप में व्यक्त की जाती है।

मान्यताएं (Assumptions)

हैबरलर का सिद्धांत निम्नलिखित मान्यताओं पर आधारित है :

1. केवल दो देश हैं।
2. प्रत्येक देश के पास उत्पादन के दो साधन हैं–श्रम तथा पूंजी।
3. प्रत्येक देश दो वस्तुओं X तथा Y का उत्पादन कर सकता है।
4. साधन तथा वस्तु बाजार दोनों में ही पूर्ण प्रतियोगिता है।
5. प्रत्येक वस्तु की कीमत उसकी सीमान्त मुद्रा लागतों के बराबर है।
6. प्रत्येक साधन की पूर्ति स्थिर है।
7. प्रत्येक देश में पूर्ण रोजगार है।
8. प्रौद्योगिकी में कोई परिवर्तन नहीं होता है।
9. दोनों देशों के बीच उत्पादन के साधन अगतिशील हैं।
10. देशों के भीतर साधन पूर्णरूप से गतिशील हैं।
11. दोनों देशों के बीच व्यापार पूर्णरूप से स्वतंत्र और अबाधित है।

10. प्रश्न में दिए गए विभिन्न योजनाओं के तहत विकास दर निम्न प्रकार से रहे हैं:

सातवीं योजना (1985-90) – 5.6%
आठवीं योजना (1992-97) – 6.6%
नौवीं योजना (1997-02) – 5.7%
दसवीं योजना (2002-07) – 7.6%

नोटः अभी तक भारत में लागू सभी पंचवर्षीय योजनाओं में 11वीं योजना (2007-12) की विकास दर सर्वाधिक (7.9%) रही है। दिए गए प्रश्न में सर्वाधिक विकास दर 10वीं योजना में रही है।

14. मानव विकास सूचकांक (HDI) के माध्यम से एक देश में बुनियादी मानवीय योग्यता की औसत प्राप्ति को मापा जाता है। इसका आकलन संबंधित देश के जीवन प्रत्याशा, शिक्षा के स्तर तथा वास्तविक आय के आधार पर किया जाता है।

अंतर्राष्ट्रीय स्तर पर 1990 से संयुक्त राष्ट्र विकास कार्यक्रम (UNDP) मानव विकास सूचकांक को प्रतिवर्ष जारी करता है। जबकि कुछ देश भी स्वयं का मानव विकास सूचकांक जारी करते हैं।

15. अलबर्ट ओ. हर्षमैन ने 'असंतुलित विकास' (Unbalanced Growth) के सिद्धांत का प्रतिपादन किया है। उनके अनुसार किसी अल्पविकसित देश में आर्थिक वृद्धि लाने का श्रेष्ठतम मार्ग यह है कि पहले से बनाई गई कूटनीति के अनुसार जान बूझकर असंतुलन लाया जाए।

हर्षमैन के अनुसार, अर्थव्यवस्था के कुशलतापूर्वक चुने गए उद्योगों अथवा क्षेत्रों में किए गए निवेश नए निवेशों के अवसर प्रदान करेंगे और इस प्रकार और अधिक विकास का मार्ग खोल देंगे। हर्षमैन का मानना है कि विकास **''असंतुलन की शृंखला''** (Chain of disequilibria) है जो असंतुलनों को समाप्त करने की बजाय जीवित रखें, जिनके लाभ तथा हानियां प्रतियोगी अर्थव्यवस्था के लक्षण हैं।

असंतुलित वृद्धि का सिद्धांत संतुलित वृद्धि के सिद्धांत के ठीक विपरीत है। असंतुलित वृद्धि के सिद्धांत के अनुसार

अर्थव्यवस्था के सभी क्षेत्रों में एक साथ निवेश न करके केवल कुछ क्षेत्रों में ही सर्वप्रथम निवेश करना चाहिए। अल्पविकसित देशों के पास साधन और पूंजी इतने नहीं होते कि सभी क्षेत्रों में निवेश एक साथ किया जा सके। इस कारण इन देशों में कुछ चुने हुए प्रमुख क्षेत्रों या उद्योगों में निवेश करके उनमें विकास की गति तीव्र की जाती है और उनसे उत्पन्न होने वाली मितव्ययिताओं में वृद्धि होने से अन्य क्षेत्रों का भी विकास होता है। इस प्रकार, धीरे-धीरे अर्थव्यवस्था असंतुलित वृद्धि से संतुलित वृद्धि की ओर बढ़ती है।

हर्षमैन के अनुसार किसी भी निवेश के अग्रानुबंधन प्रभाव (Forward Linkage Effects-FLE) और पश्चानुबंधन प्रभाव (Backward Linkage Effects-BLE) दोनों हो सकते हैं। FLE उत्पादन की आगामी अवस्थाओं में निवेश को प्रोत्साहित करते हैं, और BLE उत्पादन की प्रारंभिक अवस्थाओं में। विकास की नीति यह होनी चाहिए कि वह अधिकतम कुल प्रभाव (Total linkage effect) वाली परियोजनाओं का पता लगाए। ऐसी परियोजनाएं समय तथा देश के साथ बदलती रहती है। हर्षमैन का मानना है कि अधिकतम संयुक्त अनुबंधन प्राप्तांक (Combined linkage score) वाला उद्योग लोहा तथा इस्पात है।

18. जर्मन अर्थशास्त्री वैगनर का विचार था कि आर्थिक विकास के कारण सार्वजनिक व्यय में वृद्धि होना आवश्यक है। वैगनर के मतानुसार सरकारी सेवाओं के लिए आय की लोच इकाई से अधिक होती है।

सार्वजनिक व्यय का सिद्धांत
(Principle of Public Expenditure)

सार्वजनिक व्यय का सिद्धांत अधिकतम सामाजिक लाभ (Maximum social advantage) के सिद्धांत पर आधारित है। **पहला,** यह सिद्धांत सरकारी खर्च को ऐसे बिन्दु तक जारी रखने की अनुमति देता है जहां कि सरकार द्वारा खर्च किए गए अन्तिम रुपए से प्राप्त होने वाला सीमान्त सामाजिक लाभ उस सीमान्त त्याग (Marginal sacrifice) के बराबर हो जो कराधान द्वारा वसूल किए जाने वाले अन्तिम रुपए के कारण करदाता को करना पड़ता है। **दूसरा,** इस सिद्धांत के अनुसार सरकार को विभिन्न मदों के बीच अपने साधनों का वितरण इस प्रकार करना चाहिए जिससे कि प्रत्येक मद से प्राप्त होने वाला सीमान्त उपयोगिता बराबर हो। इस प्रकार स्पष्ट है कि अपने साधनों का विभिन्न मदों के बीच बंटवारा करते समय यदि सरकार द्वारा इस सिद्धांत को ध्यान में रखा जाए तो अधिकतम सामाजिक कल्याण की प्राप्ति की जा सकती है।

38. **भारत के वित्त आयोग**

क्रमांक	गठन का वर्ष	अध्यक्ष का नाम	क्रियान्वयन वर्ष
पहला	1951	के.सी. नियोगी	1952-57
दूसरा	1956	के. सन्थानम	1957-62
तीसरा	1960	ए.के. चन्दा	1962-66
चौथा	1964	डॉ. पी.वी. राजामन्नार	1966-69
पाँचवाँ	1968	महावीर त्यागी	1969-74
छठा	1972	ब्रह्मानन्द रेड्डी	1974-79
सातवाँ	1977	जे.एम. शेलेट	1979-84
आठवाँ	1983	वाई.बी. चह्वाण	1984-89
नवाँ	1987	एन.के.पी. साल्वे	1989-95
दसवाँ	1992	के.सी. पन्त	1995-20
ग्यारहवाँ	1998	ए.एम. खुसरा	2000-05
बारहवाँ	1 नवम्बर, 2002	सी. रंगराजन	2005-10
तेरहवाँ	नवम्बर, 2007	विजय एल. केलकर	2010-15
चौदहवां	2012	डॉ. वाई.वी. रेड्डी	2015-20

प्रश्न-पत्र–III

नोटः *इस प्रश्न-पत्र में* **पचहत्तर** *(75) बहु-विकल्पीय प्रश्न हैं। प्रत्येक प्रश्न के* **दो** *(2) अंक हैं।* **सभी** *प्रश्न अनिवार्य हैं।*

1. माँग वक्र, जो क्षैतिज अक्ष के समानांतर है और मात्रा दर्शाती है, की कीमत लोच निम्नलिखित के बराबर होती है:

A. शून्य B. अनन्त

C. एक से कम D. एक

2. यद्यपि एकाधिकारी जो चाहे कीमत ले सकता है लेकिन वह सन्तुलन स्तर की कीमत से अधिक कीमत नहीं लेते क्योंकिः

A. अधिक कीमत का अर्थ है कुल राजस्व कम हो जाना।

B. फर्म के माँग वक्र (कर्व) के बेलोच खंड में अधिक कीमत होती है अर्थात सीमान्त राजस्व नकारात्मक होगा।

C. एकाधिकार के अंतर्गत उच्च कीमत लाभ अधिकतमीकरण के लक्ष्यों के असंगत होती है।

D. उत्पादन की प्रासंगिक सीमा पर सीमान्त लागतें नकारात्मक होंगी।

3. निम्नलिखित में से कौन-सी स्थिति न्यूनतम लागत आउटपुट संयोजन बताती है?

A. $P_L/P_k = MRTS$ B. $P_L/P_k = MP_L/MP_k$

C. $MP_k/MP_L = dL/dK$ D. उपर्युक्त सभी

4. 'स्वीजी के ऑलिगोपोली मॉडल' की स्थिति में निम्नलिखित में से कौन-सा संगत नहीं है?

A. एक फर्म द्वारा कीमत में कटौती का प्रतिस्पर्धी फर्म द्वारा अपनाया जाना।

B. कीमत में बढ़ोतरी को प्रतिस्पर्धी फर्म द्वारा न अपनाना।

C. इनमें से किसी एक द्वारा किए गए कीमत परिवर्तन पर फर्मों की प्रतिक्रिया न होना।

D. प्रतिस्पर्धी द्वारा सभी प्रकार के कीमत परिवर्तनों का फर्मों पर असर होना।

5. आभासी लगान उत्पादन के कारक के लिए प्रतिफल है जो कि होता है:

A. अल्प-अवधि में आर्थिक लगान लेकिन दीर्घ अवधि में अंतरण आय।

B. अल्प-अवधि में अंतरण आय।

C. अल्प तथा दीर्घ दोनों ही अवधियों में अंतरण आय।

D. अल्प तथा दीर्घ दोनों अवधियों में आर्थिक लगान।

6. ऋण देय निधि सिद्धान्त (Loanable Funds Theory) के अनुसार ब्याज पर निम्नलिखित में से किसका फलन है?

A. निवेश B. धन संग्रह की इच्छा

C. धन की मात्रा D. उपर्युक्त सभी

7. वितरण के सीमान्त उत्पादकता सिद्धान्त का विश्लेषण करते समय, क्लार्क ने निम्नलिखित में से किस पर अधिक ज़ोर दिया?

A. श्रम के लिए माँग पर

B. श्रम आपूर्ति पर

C. श्रम की आपूर्ति तथा माँग दोनों पर

D. लाभ अधिकतमीकरण पर

8. सामान्य सन्तुलन से अभिप्राय उस स्थिति से है जिसमें सभी आर्थिक इकाइयाँ अपने-अपने वस्तुपरक कार्यों को अधिकतम करती हैं और साथ-साथ ही सभी कीमतें भी संतुलन में रहती हैं और सभी बाजारों में संतुलन हो जाता है। यह कथनः

A. सही है।

B. सही नहीं है।

C. पूर्ण रूप से सही है।

D. उपर्युक्त में से कोई नहीं।

9. मुंडेल के अनुसार इष्टतम मुद्रा क्षेत्र में आन्तरिक और बाह्य संतुलन की उपलब्धि निम्नलिखित के ज़रिए सम्भावित हैं:

A. पूँजी प्रवाह

B. बाहर से निधियों का अन्तर्वाह

C. सरकारी विकास सहायता

D. कारकों की गतिशीलता

10. मुक्त व्यापार क्षेत्र बनाए रखने और सामान्य बाह्य टैरिफ, पूँजी और श्रम की निर्बाध गतिशीलता और सरकारी नीतियों तथा मुद्रा नीति में कुछ सीमा तक एकीकरण बनाए रखने के लिए दो देशों के बीच होने वाले करार को कहा जाता है:

A. कॉमन मार्केट B. मुक्त व्यापार क्षेत्र

C. आर्थिक संघ D. सीमा-शुल्क संघ

11. बहुपक्षीय व्यापार पद्धति के मूल सिद्धान्त हैं:

I. अभेदीकरण II. पारस्परिकता

III. संरक्षणवाद IV. घरेलू सुरक्षा उपाय

नीचे दी गई सूची से सही कूट चुनिए:

A. I, II और IV सही हैं।

B. II और III सही हैं।

C. II, III और IV सही हैं।

D. I और II सही हैं।

12. **अभिकथन (A):** बहुत से विकासशील देशों का यह तर्क है कि श्रम मानक मुक्त व्यापार में बाधा बनते हैं।

कारण (R): उसका प्रतियोगी लाभ वैश्विक अर्थव्यवस्था में सस्ता श्रम है।

A. (A) और (R) दोनों सत्य हैं, और (R), (A) की सही व्याख्या नहीं है।

B. (A) और (R) दोनों सत्य हैं, और (R), (A) की सही व्याख्या है।

C. (A) असत्य है, किन्तु (R) सत्य है।

D. (A) सत्य है, किन्तु (R) असत्य है।

13. विश्व व्यापार संगठन मन्त्रियों की बैठकों को क्रम में व्यवस्थित करें:

I. जेनेवा II. दोहा

III. हाँग काँग IV. सीटेल

A. II, IV, III, I B. III, IV, I, II

C. IV, II, III, I D. I, IV, II, III

14. हेजिंग का तात्पर्य है:

A. विदेशी विनिमय जोखिम की स्वीकार्यता

B. विदेशी विनिमय जोखिम की कवरिंग

C. विदेशी विनिमय परिकल्पना

D. विदेशी विनिमय विवाचन (आरबिटरेज)

15. एस.डी.आर. की यूनिट को मूल रूप से किस रूप में नामित किया गया था?

A. यू.एस. डॉलर का विश्व बाजार मूल्य

B. एक यू.एस. डॉलर के समतुल्य स्वर्ण-मूल्य

C. पौंड-स्टर्लिंग

D. जर्मन मार्क

16. निम्नलिखित में से किसका यूरो मुद्रा बाजार पर प्रतिकूल प्रभाव पड़ता है?

A. अन्तर्राष्ट्रीय पूँजी बाजार

B. विश्व की अंकित मुद्रा आपूर्ति में कमी

C. अन्तर्राष्ट्रीय पूँजी बाजारों का एकीकरण

D. बी.ओ.पी. घाटे को पूरा करना

17. रोजगार गारन्टी योजना सर्वप्रथम कहाँ आरम्भ की गई?

A. गुजरात B. मध्य प्रदेश

C. महाराष्ट्र D. तमिलनाडु

18. वेबर थ्योरी ऑफ लोकेशन के अनुसार लोकेशन पर असर डालने वाले महत्त्वपूर्ण कारक हैं:

1. परिवहन लागत 2. भूमि लागत

3. श्रम लागत 4. नवीकरण लागत

कूट:

A. 1 और 2 B. 2 और 3

C. 1 और 3 D. 1 और 4

19. नीचे दो कथन दिए गए हैं। एक को अभिकथन (A) और अन्य को कारण (R) का नाम दिया गया है:

अभिकथन (A): भारत के पब्लिक सेक्टर ने स्वस्थ औद्योगिक आधार के विकास में सहयोग दिया।

कारण (R): पब्लिक सेक्टर राज्य के नियंत्रणाधीन है। समुचित नीति तैयार करने और वित्तीय तथा अन्य सहयोग देने में राज्य की भूमिका से पब्लिक सेक्टर को बहुत मदद मिली है।

A. (A) सही है पर (R) गलत है।

B. दोनों (A) और (R) सही हैं।

C. (A) गलत है, किन्तु (R) सही है।

D. (A) और (R) दोनों गलत हैं।

20. 'श्रमशक्ति' का निम्नलिखित में से उपयुक्त मद से मिलान करें:

A. कार्य बल

B. सभी शिक्षित

C. रोजगार प्राप्त और बेरोजगार

D. सभी ग्रामीण कार्यकर्त्ता

21. व्यापार चक्र के चार चरण हैं। इन चरणों के घटित होने का सही अनुक्रम बताएँ:

A. वसूली, अवमंदन, विस्तार, मंदी

B. वसूली, विस्तार, मंदी, अवमंदन

C. मंदी, विस्तार, अवमंदन, वसूली

D. वसूली, विस्तार, अवमंदन, मंदी

22. आजादी के बाद से भारत में 'तैयार स्टील' का उत्पादन कितना बढ़ा है?

A. 10 गुना
B. 20 गुना
C. 30 गुना
D. 50 गुना

23. संघ बजट में 'प्रभावी राजस्व घाटा' प्रत्यय का प्रयोग सर्वप्रथम किस वर्ष किया गया?

A. 2009–10 में
B. 2010–11 में
C. 2011–12 में
D. 2008–09 में

24. वर्ष 2011–12 में केन्द्र सरकार के राजस्व में किस कर से सर्वाधिक आय संभावित है?

A. केन्द्रीय उत्पादन शुल्क
B. सीमा शुल्क
C. आयकर
D. निगम कर/कॉरपोरेट कर

25. राज्य सरकारों का सकल राजकोषीय घाटा वित्तपोषित किया जाता है:

I. बाजार ऋण के द्वारा
II. करेन्सी के मुद्रण द्वारा
III. केन्द्र सरकार से ऋण के द्वारा
IV. विदेशी ऋण द्वारा

निम्नलिखित कूट में से सही उत्तर चुनिए:

कूटः

A. I, II व III सही हैं।
B. II, III व IV सही हैं।
C. I व III सही हैं।
D. II व IV सही हैं।

26. सूची-I में दिए गए मदों को सूची-II में मदों के साथ मिलान कीजिए:

सूची-I	सूची-II
(a) कराधान के नियम	1. यू.के. हिक्स
(b) सार्वजनिक व्यय के नियम	2. एडम स्मिथ
(c) प्रभावी कराभार	3. फिण्ड्ले शिराज
(d) सार्वजनिक व्यय का लाभ प्राप्ति उपागम	4. एरिक लिन्ड़ाल

कूटः

	(a)	(b)	(c)	(d)
A.	2	3	1	4
B.	1	2	3	4
C.	2	3	4	1
D.	4	1	2	3

27. **अभिकथन (A):** वित्तीय वर्ष 2011–12 में, केन्द्र सरकार विनिवेश की नीति द्वारा ₹ 40,000 करोड़ के लक्ष्य को प्राप्त करने में सक्षम नहीं दिखती है।

कारण (R): राजकोषीय अन्तराल को पूरा करने के लिए सार्वजनिक ऋण की बढ़ोत्तरी की नीति को न्यायोचित माना जाता है।

उपरोक्त दोनों कथनों के संदर्भ में, निम्नलिखित कूट में से कौन-सा सही है?

कूटः

A. (A) व (R) दोनों सही हैं, व (R), (A) का सही कारण है।
B. (A) व (R) दोनों सही हैं, किन्तु (R), (A) का सही कारण नहीं है।
C. (A) सही है, लेकिन (R) सही नहीं है।
D. (R) सही है, किन्तु (A) सही नहीं है।

28. निम्नलिखित प्रतिवेदनों को कालानुक्रमिक में व्यवस्थित करें:

I. प्रत्यक्ष कर जाँच समिति अन्तिम रिपोर्ट।
II. कर संरचना के औचित्य स्थापन और सरलीकरण पर अन्तिम रिपोर्ट।
III. भारतीय कर सुधार-सर्वेक्षण की रिपोर्ट।
IV. कराधान जाँच आयोग।

कूटः

A. IV, III, II, I
B. I, II, III, IV
C. III, I, IV, II
D. II, III, I, IV

29. किसी संघ की सर्वप्रमुख विशेषता है:

A. राज्यों के ऊपर केन्द्र की सर्वोच्चता।
B. केन्द्र व राज्य सरकारों के कार्यों एवं संसाधनों में असंवादिता।
C. केन्द्र एवं राज्य सरकारों के कार्यों एवं संसाधनों में पूर्ण सामंजस्य।
D. उपरोक्त में से कोई नहीं

30. समीकरण $C = C_0 + C_1 Y_d$, में, जहाँ C योजनाबद्ध उपभोग व्यय, Y_d प्रयोज्य आय, C_0 अन्तर्रोधन या स्वायत्त उपभोग (जब $Y_d = 0$ हो तब C का मूल्य), और C_1 = सीमान्त उपभोग की प्रवृत्ति है। निम्नलिखित में से अंतर्जात चर कौन-सा है?

A. C_0
B. C_1
C. C_1Y_d
D. उपर्युक्त में से कोई नहीं

31. निम्नलिखित में से कौन-सा अभिकथन असत्य है?
A. गतिक गुणक में उपभोग और प्रयोज्य आय में पश्चयिव संबंध होता है।
B. गतिक गुणक प्रक्रिया को आगे आने वाली अवधि में आय में परिवर्तन की घटती ज्यामितीय शृंखला के रूप में प्रदर्शित किया जा सकता है।
C. गुणक के प्रभाव के अधिक भाग को कम अवधियों में प्राप्त किया जा सकता है। जब सीमान्त उपभोग प्रवृत्ति ज्यादा अल्प हो।
D. गुणक प्रभाव के अधिक भाग को उन कम अवधियों में प्राप्त किया जा सकता है जब सीमान्त उपभोग प्रवृत्ति ज्यादा हो।

32. किस परिकल्पना के अनुसार उपभोग अप्रत्यावर्तनीय है?
A. निरपेक्ष आय परिकल्पना
B. सापेक्ष आय परिकल्पना
C. स्थायी आय परिकल्पना
D. जीवन चक्र परिकल्पना

33. निम्नलिखित में से व्यापार चक्र का कौन-सा मॉडल 'व्यवरूद्ध चक्रों' को उत्पन्न करता है?
A. सैम्युलसन मॉडल B. हिक्स मॉडल
C. काल्डर मॉडल D. उपर्युक्त सभी

34. निम्नलिखित में से कौन-सी हैरोड (Harod) के "समृद्धि प्रारूप" की मान्यता नहीं है?
A. वांछित पूँजी उत्पाद अनुपात स्थिर है।
B. अर्थव्यवस्था में बचत वास्तविक आय का स्थिर अनुपात है।
C. श्रम बल का विकास उसी बहिर्जात निर्धारित स्थिर एक्सपोनेंशियल (घातीय) दर पर होता है।
D. घटक मूल्य दीर्घकाल में नम्य होते हैं।

35. सूची-I में दिए गए अभिकथनों का सूची-II में दिए गए उनके प्रतिपादकों से मिलान करें:

सूची-I (अभिकथन)	**सूची-II (प्रतिपादक)**
(a) मुद्रा वेग इसके निर्धारकों का स्थिर फलन है।	1. कीन्सवादी
(b) मुद्रा वेग इसके निर्धारकों का अस्थिर फलन है।	2. मौद्रिकवादी
(c) मुद्रा वेग स्थायी फलन होता है और यह आय या ब्याज की दरों पर निर्भर नहीं करता है।	3. क्लासिकल्स

सही कूट चुनिए:

कूटः

	(a)	(b)	(c)
A.	2	3	1
B.	1	2	3
C.	2	1	3
D.	3	2	1

36. 'ए.डब्ल्यू. फिलिप्स' का मजदूरी स्फीति बेरोजगारी ट्रेड ऑफ निम्नलिखित में से किस पर आधारित है?
A. स्थैतिक अपेक्षाएँ परिकल्पना
B. अनुकूली अपेक्षाएँ परिकल्पना
C. बहिर्वेशित अपेक्षा परिकल्पना
D. तर्कसंगत अपेक्षा परिकल्पना

37. मान लीजिए कि मुद्रा पूर्ति और कीमत स्तर स्थिर है, और मुद्रा की माँग आय और ब्याज दर का फलन है। जब आय का स्तर बढ़ता है तो निम्नलिखित में से क्या होता है?
A. मुद्रा की माँग की मात्रा में वृद्धि और ब्याज दर में वृद्धि।
B. मुद्रा की माँग की मात्रा में वृद्धि और ब्याज दर में कमी।
C. मुद्रा की माँग की मात्रा में कमी और ब्याज की दर में कमी।
D. मुद्रा की माँग की मात्रा में कमी और ब्याज दर में वृद्धि।

38. भारत में राजकोषीय सुधार उपायों में शामिल हैं:
I. कर-जी.डी.पी. अनुपात बढ़ाना
II. व्यय प्रबन्धन
III. राजस्व घाटे और राजकोषीय घाटे को व्यवस्थित करना
IV. अर्थव्यवस्था में तरलता में वृद्धि

नीचे दिए गए कूट में से सही संयोजन बताएँ:
A. I, II और III सही हैं।
B. I और IV सही हैं।
C. II, III और IV सही हैं।
D. III और IV सही हैं।

39. दसवीं पंचवर्षीय योजना के दौरान निम्नलिखित कुछ बातें अनुभव की गईः

I. सेवा क्षेत्र में अधिकतम वृद्धि दर देखी गई है।

II. कृषि में न्यूनतम वृद्धि दर अनुभव की गई है।

III. औद्योगिक क्षेत्र में वृद्धि दर ऋणात्मक रही।

उपर्युक्त में से कौन-सा अभिकथन सत्य है?

A. I, II और III सही हैं। B. I और II सही हैं।
C. I और III सही हैं। D. II और III सही हैं।

40. **अभिकथन (A):** संगठित क्षेत्रक में रोजगार वृद्धि (सरकारी और निजी दोनों में मिलाकर) वर्ष 1994–2008 के दौरान बढ़ी है।

कारण (R): निजी क्षेत्र में अपेक्षाकृत अधिक रोजगार वृद्धि हुई है।

कूटः

A. (A) और (R) दोनों सही हैं, और (R), (A) की सही व्याख्या है।

B. (A) और (R) दोनों सही हैं, किन्तु (R), (A) की सही व्याख्या नहीं है।

C. (A) सही है, किन्तु (R) गलत है।

D. (A) गलत है, किन्तु (R) सही है।

41. वर्ष 2011 के अनन्तिम आँकड़ों के अनुसार निम्नलिखित में से कौन-से राज्य के ग्रामीण और शहरी क्षेत्र दोनों में न्यूनतम बाल लिंग अनुपात निम्नतम था?

A. उत्तर प्रदेश B. केरल
C. जम्मू और कश्मीर D. हरियाणा

42. भारत में निम्नलिखित में से किस क्षेत्रक में वर्ष 2009–10 के दौरान 2004–05 की कीमतों पर अधिकतम वृद्धि दर देखने में आई है?

A. व्यापार, होटल, परिवहन और संचार व्यवस्था

B. विनिर्माण, निर्माण, बिजली, गैस और जल आपूर्ति

C. वित्त पोषण, बीमा, रियल एस्टेट और व्यवसाय सेवाएँ

D. कृषि, वानिकी, मत्स्य पालन, खनन और उत्खनन

43. निम्नलिखित में से किन वर्षों में जी.डी.पी. की प्रतिशत के रूप में सकल घरेलू बचत अधिकतम थी?

A. 2009–10 B. 2008–09
C. 2007–08 D. 2006–07

44. उस वृद्धि प्रक्रिया को क्या कहा गया है जिसके कारण व्यापक लाभ और समान अवसर उपलब्ध हुए?

A. तेजी से वृद्धि

B. समावेशी वृद्धि

C. असमावेशी वृद्धि

D. टिकाऊ या धारणीय वृद्धि

45. निम्नलिखित में से किस योजना में उच्चतम वृद्धि दर देखने में आई है?

A. नवीं योजना B. आठवीं योजना
C. दसवीं योजना D. सातवीं योजना

46. चर X और Y के किसी भी युग्म के लिए दो प्रतिगमन समीकरण एक X पर Y का प्रतिगमन और दूसरा Y पर X का प्रतिगमन विद्यमान रहता है क्योंकिः

I. दो प्रतिगमन समीकरणों के कोण का स्पर्शी सहसम्बन्ध का गुणांक निर्धारित करता है।

II. प्रतिगमन मॉडल समीकरण के आश्रित और स्वतंत्र चरों की पहचान करने में सहायक नहीं होता है।

III. प्रतिगमन और सहसम्बन्ध गुणांक दो चरों के सहपरिवर्तन का प्रतिनिधित्व करता है।

IV. प्रतिगमन समीकरण दोनों X और Y से संबंधित मानों का प्रतिनिधित्व करता है।

निम्नलिखित में से सही कूट का चयन करें:

कूटः

A. I और II सही हैं। B. I और III सही हैं।
C. I और IV सही हैं। D. III और IV सही हैं।

47. निम्नलिखित में से कौन-सा लिऑन्टिफ के स्थैतिक (स्टेटिक) प्रतिरूप (मॉडल) से संबंधित नहीं है?

I. अन्तिम माँग संभावित आधारित (स्टोकेस्टिक) वेक्टर होती है।

II. पैरोन फ्रोबिनियस का मूल का विलोम अधिकतम वृद्धि दर देता है।

III. आदा/इनपुट गुणांक प्रविधि प्राचलों द्वारा निश्चित होते हैं।

IV. $(I - A - RB)^{-1}\, WL = P$

निम्नलिखित में से सही कूट का चयन करें:

कूटः

A. I, II, III B. I, III, IV
C. I, III D. I, II, IV

48. यदि $X_1 = f(P_1, P_2)$ और $X_2 = \phi(P_1, P_2)$, है तो दो वस्तुएँ एक-दूसरे की प्रतिस्थापन्न होती हैं, यदिः

A. $(\delta X_1/\delta P_2) < 0, (\delta X_2/\delta P_1) > 0$

B. $(\delta X_1/\delta P_2) > 0, (\delta X_2/\delta P_1) < 0$

C. $(\delta X_1/\delta P_2) > 0, (\delta X_2/\delta P_1) > 0$

D. $(\delta X_1/\delta P_2) < 0, (\delta X_2/\delta P_1) < 0$

49. सहकालिक समीकरण अर्थमिति (इकोमेट्रिक) मॉडलों के सन्दर्भ में निम्नलिखित अभिकथनों पर विचार करेंः

I. अभिज्ञान समस्या है जिसे आकलन से पहले मालूम किया जाना चाहिए।

II. अभिज्ञान के लिए क्रमबद्धता की शर्त आवश्यक है पर इसके लिए पर्याप्त नहीं है।

III. आकलन की द्विचरण न्यूनतम वर्ग प्रणाली संगत आकलक प्रदान करती है यदि समीकरण का पूर्ण अभिज्ञान नहीं हुआ हो।

IV. अप्रत्यक्ष न्यूनतम वर्ग प्रणाली पद्धति के अंतर्गत न्यूनतम वर्ग प्रणाली पद्धति लघुकृत समीकरणों पर लागू होती है।

निम्नलिखित में से कौन-सा सही है?

A. I और II सही हैं, किन्तु III और IV सही नहीं हैं।

B. I, II, III और IV सही हैं।

C. I, II और III सही हैं, लेकिन IV सही नहीं है।

D. I, II और IV सही हैं, लेकिन III सही नहीं है।

50. यदि $r_{xy} = 0.3$ तो सूची-I और सूची-II की मदों का समायोजन कीजिए:

सूची-I	सूची-II
(a) –1 से +1	1. 0.3
(b) –X और Y के बीच सहसम्बन्ध गुणांक	2. सहसम्बन्ध गुणांक की सीमाएँ
(c) सहसम्बन्ध गुणांक का वर्ग (स्क्वेयर)	3. –0.3
(d) –X और –Y के बीच सहसम्बन्ध का गुणांक	4. निर्धारण का गुणांक

कूटः

	(a)	(b)	(c)	(d)
A.	1	2	3	4
B.	2	3	4	1
C.	3	1	2	4
D.	4	1	2	3

51. निम्नलिखित का मिलान करेंः

सूची-I	सूची-II
(a) डरबिन-वाटसन '*d*' स्टेटिक्स	1. स्टेशनैरिटी
(b) R^2	2. गुणात्मक प्रभाव
(c) डिकी-फुलर टेस्ट	3. सीरियल सहसंबंध
(d) डमी-मूकचर	4. प्रतिगमन फलन की सुमानकता

कूटः

	(a)	(b)	(c)	(d)
A.	1	2	4	3
B.	2	1	3	4
C.	4	3	2	1
D.	3	4	1	2

52. सी ई एस उत्पादन फलन में:

$$Q = M[\alpha X^{-p} + (1-\alpha)X_2^{-p}]^{-\frac{1}{p}}$$

Q = प्रदा (आउटपुट) X_1 तथा X_2 श्रम एवं पूँजी हैं प्रतिस्थापन लोच निम्नांकित के द्वारा दी हैः

A. $-p$

B. $-\frac{1}{p}$

C. $\frac{1}{(1+p)}$

D. M

53. दो चर के रेखित प्रोग्रामन समस्या में निम्नलिखित में से कोई एक व्यवरोध स्थिति होने पर बहुविध इष्टतम समाधान प्राप्त किए जाते हैं:

A. वस्तुपरक फलन उस अवरोध के समानांतर होना चाहिए जो साध्य क्षेत्र की सीमा बनाता है।

B. वस्तुपरक फलन उस अवरोध के लम्ब होना चाहिए जो साध्य क्षेत्र की सीमा बनाता है।

C. A और B दोनों में से कोई नहीं।

D. कोई भी दो अवरोध, एक-दूसरे के समानांतर होने चाहिए।

54. इनपुट-आउटपुट विश्लेषण के खुली अर्थव्यवस्था मॉडल में, यदि A आदा गुणांक मैट्रिक्स है और (I – A) प्रौद्योगिकी मैट्रिक्स है तो निम्नलिखित व्यवहार्य शर्त है जिसे पूरा किया जाना चाहिएः

A. $|I - A| \neq 0$

B. $|I - A| > 0$

C. $|I-A|<0$

D. मैट्रिक्स (I – A) के सभी प्रधान माइनूर्स पॉजिटिव होने चाहिए।

55. कॉब डगूलस का उत्पादन फलनः
$Q = A L^{\alpha} K^{1-\alpha}$ में, प्रतिस्थापना लोच निम्नांकित होगीः

A. शून्य B. अनन्त
C. एक D. A

56. प्रतिगमन मॉडल निर्धारण के गुणांकः

1. आश्रित चर के मानों में, कुल परिवर्तन के अनुपात की व्याख्या करता है।
2. आश्रित चर Y के परिवर्तनों पर दैविक घटकों के प्रभाव का आकलन किया जा सकता है।
3. स्वतंत्र और आश्रित चर के बीच अन्तःसंबंध की दिशा।
4. आश्रित चर पर अन्तःखण्ड के प्रभाव की व्याख्या करता है।

निम्नलिखित में से सही कूट का चयन करेंः

A. 1 2 3 4
B. 1 2
C. 2 4 3
D. 4 1

57. निम्नलिखित में से किस मैट्रिक्स के इनपुट गुणांक/तत्त्व की व्याख्या प्रति इकाई अन्तिम माँग के लिए प्रत्यक्ष या अप्रत्यक्ष रूप से अपेक्षित इनपुट के रूप में की जाती है?

A. A B. (I – A)
C. $(I-A)^{-1}$ D. उपर्युक्त सभी

58. वर्ष 2010–11 के लिए कुल खाद्यान्न उत्पादन का लक्ष्य क्या रखा गया है?

A. 250 मिलियन टन B. 240 मिलियन टन
C. 244 मिलियन टन D. 234 मिलियन टन

59. राष्ट्रीय खाद्य सुरक्षा अभियान (NFSM) आरम्भ करने के वर्ष को इंगित कीजिएः

A. 2001–02 B. 2004–05
C. 2010–11 D. 2007–08

60. नीचे दिए गए कूट में से भारत में कृषि ऋण के स्रोतों को स्पष्ट कीजिएः

1. वाणिज्यिक बैंक
2. साहूकार
3. क्षेत्रीय ग्रामीण बैंक
4. भारतीय लघु उद्योग विकास बैंक

कूटः

A. 1, 2 और 3 B. 2, 3 और 4
C. 3, 4 और 1 D. 1, 2, 3 और 4

61. भारत में कृषि में कम उत्पादकता के लिए कारण हैः

A. अपर्याप्त सिंचाई सुविधाएँ
B. मानसून पर अत्यधिक निर्भर रहना
C. नई प्रौद्योगिकी का अभाव
D. उपर्युक्त सभी

62. खाद्य आर्थिक सहायता की मात्रा अधिकतम थीः

A. 2009–10 में B. 2008–09 में
C. 2004–05 में D. 2001–02 में

63. भारतीय कृषि उत्पादकता को निम्नलिखित द्वारा बढ़ाया जा सकता हैः

1. बढ़ा हुआ लोक निवेश
2. बढ़ी हुई सिंचाई सुविधाएँ
3. कृषकों की उच्चतर सहायक कीमतें
4. कर्मियों को उद्योग से कृषि की ओर भेजकर

दिए गए कूट में से सही उत्तर का चयन करेंः

A. 1, 2 और 4 B. 1, 2 और 3
C. 2, 3 और 4 D. 3, 4 और 1

64. सशक्त मुद्रा में निहित हैः

A. जनता के पास करेन्सी + बैंक के नकद रिजर्व
B. जनता के पास करेन्सी मुद्रा + माँग और मियादी जमा + बैंक के नकद रिजर्व
C. जनता के पास करेन्सी + बैंकों के नकद रिजर्व + रिजर्व बैंक ऑफ इंडिया के अन्य निक्षेप
D. जनता के पास करेंसी मुद्रा + रिजर्व बैंक ऑफ इंडिया के अन्य निक्षेप

65. बेसल-I फ्रेमवर्क के अन्तर्गत भारत में सभी अनुसूचित वाणिज्यिक बैंकों के जोखिम भारित परिसम्पत्ति अनुपात के लिए न्यूनतम पूँजी क्या निर्धारित की गई है?

A. 7% B. 9%
C. 12% D. 14%

66. मुद्रा बाजार में निम्नलिखित में से कौन-से वित्तीय संस्थान प्रचालन में हैं?

1. गैर बैंकिंग वित्तीय संस्थान
2. स्वीकृति गृह
3. सेन्ट्रल बैंक
4. स्टॉक एक्सचेंज

दिए गए कूट में से सही उत्तर का चयन करें:

कूट:

A. 2 और 3 B. 1 और 3
C. 1, 2 और 4 D. 1, 2 और 3

67. **अभिकथन (A):** क्षेत्रीय ग्रामीण बैंकों (आर.आर.बी.) का पूँजी आधार कमजोर पाया गया है।

कारण (R): आर.आर.बी. की जमा गतिशीलता अपर्याप्त है।

उपर्युक्त दो अभिकथनों में से नीचे दिए गए कूट में से सही उत्तर का चयन करें:

कूट:

A. (A) और (R) दोनों सही हैं और (R), (A) की सही व्याख्या है।
B. (A) और (R) दोनों सही हैं, लेकिन (R), (A) की सही व्याख्या नहीं है।
C. (A) असत्य है, लेकिन (R) सत्य है।
D. (A) सत्य है, लेकिन (R) असत्य है।

68. भारत में निम्नलिखित में से कौन-सी विस्तृत मुद्रा (M_3) है?

A. जनता के पास करेन्सी + बैंकों में माँग निक्षेप
B. करेन्सी + माँग जमा + रिजर्व बैंक के पास अन्य निक्षेप
C. मुद्रा + माँग जमा + मियादी जमा
D. करेन्सी + माँग जमा + मियादी जमा + आर.बी.आई. के पास अन्य जमा

69. भारतीय अर्थव्यवस्था में 2010–11 में स्फीति दबाव में निम्नलिखित में से किसका महत्त्वपूर्ण रूप से योगदान नहीं है?

A. खाद्य मूल्य
B. विनिर्मित उत्पादों के मूल्य
C. ईंधन मूल्य
D. धातु तथा खनिज मूल्य

70. जॉन रोबिन्सन के ग्रोथ मॉडल में पूँजी संचय किस पर निर्भर करता है?

A. बचत-आय अनुपात
B. लाभ-मजदूरी सम्बन्ध और श्रम उत्पादकता
C. लाभ-आय अनुपात तथा पूँजी उत्पादकता
D. बचत-निवेश अनुपात

71. हिक्स तटस्थ तकनीकी प्रगति में, तकनीकी प्रगति है:

A. पूँजी को बढ़ाना
B. श्रम को बढ़ाना
C. श्रम तथा पूँजी दोनों को बढ़ाना
D. श्रम की क्षमता तथा उत्पादकता में परिवर्तन

72. द्वि अंतराल मॉडल में, अंतराल को निम्नलिखित के द्वारा भरा जा सकता है:

A. बचत का स्तर उठाना B. निर्यात को बढ़ावा देना
C. संवृद्धि की स्थायी दर D. विदेशी आर्थिक सहायता

73. 'क्रिया द्वारा अधिगम' की अवधारणा किसने दी है?

A. जे.आर. हिक्स B. कैनेथ ऐरो
C. जॉन रोबिन्सन D. निकोलस काल्डर

74. निम्नलिखित में से क्या मानव पूँजी की अवधारणा को निरूपित करता है?

A. कुल मानव संसाधन
B. कुल जनसंख्या
C. उत्पादक गतिविधियों में लाभकारी ढंग से नियुक्त मानव संसाधन
D. उपर्युक्त सभी

75. विकासशील देशों के अंतर्राष्ट्रीय व्यापार के लिए अलाभकारी क्या है?

A. संरक्षण
B. स्वतन्त्र व्यापार
C. प्राथमिक वस्तुओं का निर्यात तथा विनिर्मित वस्तुओं का आयात
D. उपर्युक्त में से कोई नहीं

उत्तरमाला

1	2	3	4	5	6	7	8	9	10
B	A	D	D	A	D	A	A,C	D	C
11	**12**	**13**	**14**	**15**	**16**	**17**	**18**	**19**	**20**
A	B	D	B	A	B	C	C	B	C

21	22	23	24	25	26	27	28	29	30
D	D	C	D	C	A	A	A	B	C
31	32	33	34	35	36	37	38	39	40
C	B	B	D	C	A	A	A	B	A
41	42	43	44	45	46	47	48	49	50
D	A	C	B	C	A	D	C	D	B
51	52	53	54	55	56	57	58	59	60
D	C	A	D	C	B	C	C	D	A
61	62	63	64	65	66	67	68	69	70
D	A	B	C	B	D	B	D	B	B
71	72	73	74	75					
C	D	B	C	C					

कुछ चुने हुए प्रश्नों के व्याख्यात्मक उत्तर

1. मांग की लोच (Elasticity of Demand)

आर्थिक सिद्धान्त में लोच की धारणा को सर्वप्रथम **मार्शल** ने प्रस्तुत किया। हम मांग के नियम में यह स्पष्ट कर चुके हैं कि कीमत परिवर्तन का प्रभाव वस्तु की मांग पर पड़ता है। लेकिन कीमत परिवर्तन का प्रभाव सभी वस्तुओं की मांग पर एक समान नहीं पड़ता। कार की कीमत में कमी होने पर इसकी मांग बहुत अधिक मात्रा में बढ़ सकती है, चीनी की कीमत में कमी इसकी मांग में थोड़ी-सी वृद्धि ला सकती है, जबकि नमक की कीमत में कमी इसकी मांग में बिल्कुल भी वृद्धि नहीं लाती। कीमत में परिवर्तन होने पर किसी वस्तु की मांग में आनुपातिक परिवर्तन या **प्रतिक्रियात्मक (responsiveness)** को ही मांग की लोच कहते हैं।

मांग की लोच के प्रकार

(Types of Elasticity of Demand)

1. मांग की कीमत लोच (Price elasticity of demand)
2. मांग की आड़ी लोच (Cross elasticity of demand)
3. मांग की आय लोच (Income elasticity of demand)

मांग की कीमत लोच

(Price Elasticity of Demand)

वस्तु की कीमत में होने वाले प्रतिशत परिवर्तन के कारण उसकी मांगी गई मात्रा में प्रतिशत परिवर्तन के अनुपात को ही मांग की कीमत कहते हैं। अतएव—

$$\text{कीमत लोच} = \frac{\text{मांगी गई मात्रा में प्रतिशत परिवर्तन}}{\text{कीमत में प्रतिशत परिवर्तन}}$$

$$e_P = \frac{\text{मांगी गई मात्रा में परिवर्तन/प्रारम्भिक मांग}}{\text{कीमत में परिवर्तन/प्रारम्भिक कीमत}}$$

$$= \frac{\Delta q/q}{\Delta P/P} = \frac{\Delta q}{q} \div \frac{\Delta P}{P}$$

$$= \frac{\Delta q}{q} \times \frac{P}{\Delta P} = \frac{\Delta q}{\Delta P} \times \frac{P}{q}$$

जहां e_P मांग की कीमत लोच को दर्शाता है।

Δq मांगी गई मात्रा में परिवर्तन को दर्शाता है।

q प्रारम्भिक मांग मात्रा।

ΔP वस्तु की कीमत में परिवर्तन है।

P वस्तु की प्रारम्भिक कीमत है।

गणित की दृष्टि से कीमत लोच **ऋणात्मक** होती है क्योंकि कीमत और मांगी गई मात्रा में परिवर्तन विपरीत दिशा में होता है। किन्तु कीमत में परिवर्तन के फलस्वरूप उसकी मांग-मात्रा में परिवर्तन का परिमाण (magnitude) अथवा सीमा (degree) जानने के लिए हमें कीमत लोच के ऋणात्मक चिन्ह (Sign) को ध्यान में नहीं लेना चाहिए।

मांग की कीमत लोच के प्रकार

(Kinds of Price Elasticity)

मांग में होने वाले परिवर्तनों के अनुपात के अनुसार मांग की कीमत लोच को निम्न श्रेणियों में बांटा जा सकता है—

1. **पूर्णतया बेलोच मांग (Perfectly Inelastic Demand) :** यदि एक वस्तु की कीमत में परिवर्तन

होने पर वस्तु की मांगी गई मात्रा में कोई परिवर्तन नहीं होते तो इसे पूर्णतया बेलोच मांग कहते हैं। यदि पूर्णतया बेलोचदार मांग को रेखाचित्र की सहायता से प्रदर्शित किया जाए तो मांग वक्र एक सरल उदग्र रेखा (Vertical straight line) होगी। जो Y-अक्ष के समानान्तर होगी जैसा कि रेखाचित्र में दिखाया गया है।

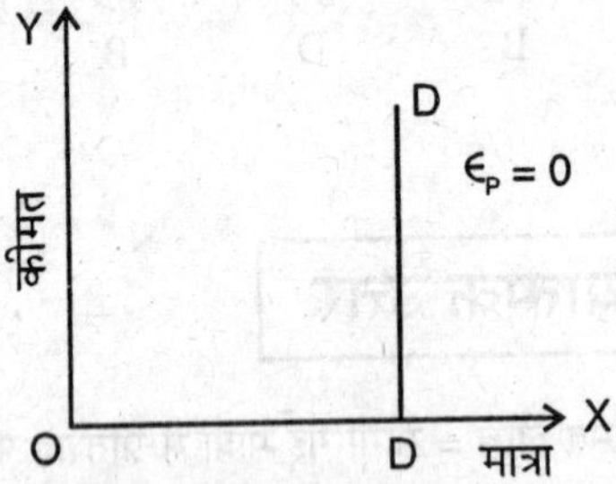

रेखाचित्र : *पूर्ण बेलोचदार मांग ($e_P = 0$)*

2. **बेलोचदार मांग अथवा इकाई से कम मांग लोच (Inelastic demand or less than unit elastic demand):** मांग उस दशा में बेलोच (अथवा इकाई से कम लोचदार) कहलाती है, जबकि कीमत में होने वाले प्रतिशत परिवर्तन की तुलना में मांग में होने वाले प्रतिशत परिवर्तन कम होते हैं। यदि बेलोच मांग को चित्र की सहायता से प्रदर्शित किया जाए तो मांग वक्र का ढाल (slope) तीव्र होगा जैसा कि रेखाचित्र में दर्शाया गया है।

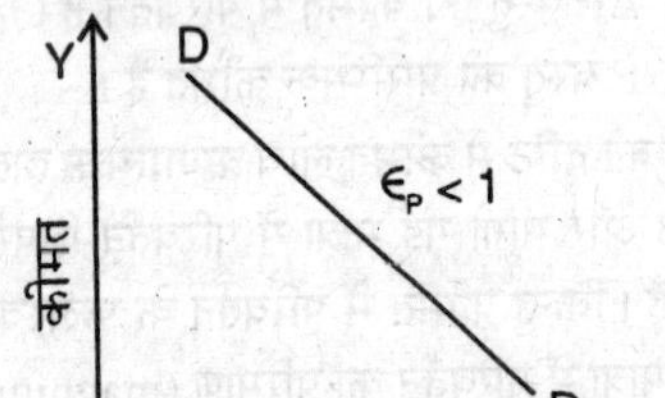

रेखाचित्र : *बेलोचदार मांग ($e_P < 1$)*

3. **इकाई के बराबर लोचदार मांग अथवा समलोचदार मांग (Unitary elastic demand) :** जब किसी वस्तु की कीमत में किसी प्रतिशत परिवर्तन के फलस्वरूप उसकी मांग की मात्रा में भी उसी प्रतिशत से परिवर्तन होता है तो मांग की कीमत लोच इकाई के बराबर होती है। एक **सरल रेखीय मांग वक्र** के **मध्य बिन्दु** (middle point) पर मूल्य लोच इकाई के बराबर होती है। एक मांग वक्र के सभी बिन्दुओं पर भी मूल्य लोच इकाई के समान हो सकता है। ऐसा इकाई के समान कीमत लोच वाला मांग वक्र रेखाचित्र में दिखाया गया है। ऐसे मांग वक्र जिसके प्रत्येक बिन्दु अर्थात् कीमत पर कीमत लोच (Price elasticity) इकाई के बराबर होती है, को गणित में **आयताकार अतिपरवलय** (rectangular hyperbola) कहा जाता है। आयताकार अतिपरवलय के विषय में एक स्मरणीय बात यह है कि यह अक्षों की ओर बढ़ता तो है परन्तु उन्हें स्पर्श नहीं करता।

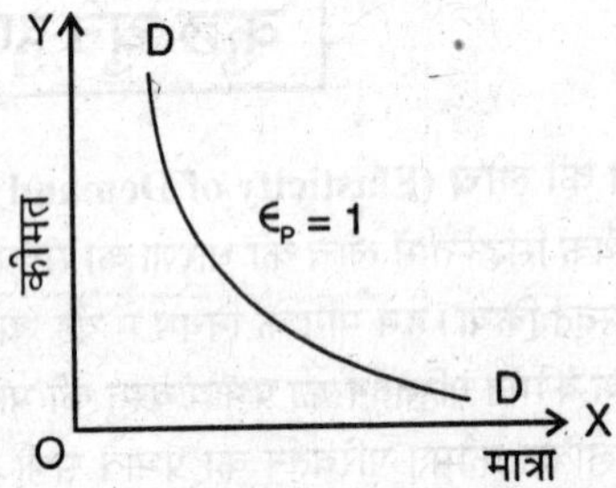

रेखाचित्र : *इकाई के समान कीमत लोच वाला मांग वक्र ($e_P = 1$) (आयताकार अतिपरवलय)*

4. **लोचदार अथवा इकाई से अधिक लोचदार मांग (Elastic or more than unit elastic demand) :** एक वस्तु की मांग उस समय लोचदार कही जाती है जबकि कीमत में परिवर्तन की तुलना में मांग में अधिक अनुपात में परिवर्तन होते हैं। यदि लोचदार मांग को चित्र की सहायता से प्रदर्शित किया जाए तो मांग वक्र एक साधारण ढाल वाला वक्र होगा जैसा कि रेखाचित्र में दिखाया गया है।

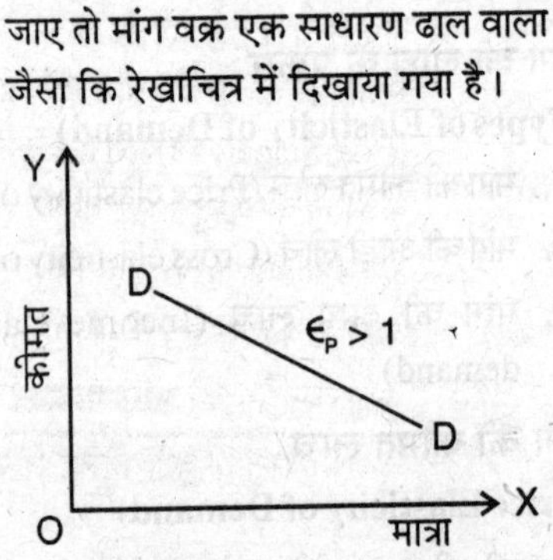

रेखाचित्र : *लोचदार मांग ($e_P > 1$)*

5. **पूर्णतया लोचदार मांग (Perfectly Elastic Demand) :** जब वस्तु की कीमत में कोई परिवर्तन

न होने पर या बहुत सूक्ष्म परिवर्तन होने पर किसी वस्तु की मांग बहुत अधिक बढ़ जाती है या घट कर शून्य रह जाती है, तो इसे पूर्णतया लोचदार मांग कहते हैं। यदि पूर्णतया लोचदार मांग को एक रेखाचित्र की सहायता से दिखाया जाए तो मांग वक्र एक क्षैतिज (Horizontal) सरल रेखा होगी, जो कि X-अक्ष के समानान्तर है जैसा कि रेखाचित्र में प्रदर्शित किया गया है।

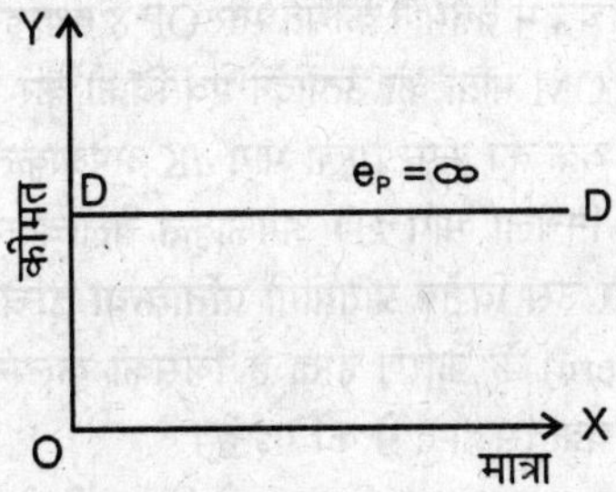

रेखाचित्र : *पूर्ण लोचदार मांग ($e_P = \infty$)*

मांग की आड़ी लोच
(Cross Elasticity of Demand)

विभिन्न वस्तुओं की मांग प्राय: एक-दूसरे से सम्बन्धित होती है जिसके फलस्वरूप जब एक वस्तु की कीमत में परिवर्तन होता है तो अन्य वस्तु की मांग भी बदल जाती है जबकि उसकी अपनी मांग स्थिर रहती है। एक वस्तु की कीमत परिवर्तन से अन्य वस्तु की मांग मात्रा में परिवर्तन मांग की प्रति-लोच का द्योतक है। जब वस्तु Y की कीमत के घटने से वस्तु X की मांग मात्रा बढ़ती है तो मांग की प्रति-लोच के गुणांक (Coefficient) को वस्तु X की मांग मात्रा में आनुपातिक परिवर्तन को वस्तु Y की कीमत में आनुपातिक परिवर्तन से विभाजित करके ज्ञात किया जा सकता है।

$$\text{वस्तु X की वस्तु Y के लिए प्रति-लोच} = \frac{\text{वस्तु X की मांग मात्रा में आनुपातिक परिवर्तन}}{\text{वस्तु Y की कीमत में आनुपातिक परिवर्तन}}$$

अथवा,

$$e_c = \frac{\frac{\Delta Q_x}{Q_x}}{\frac{\Delta P_y}{P_y}}$$

$$= \frac{\Delta Q_x}{Q_x} \div \frac{\Delta P_y}{P_y}$$

$$= \frac{\Delta Q_x}{\Delta P_y} \times \frac{P_y}{Q_x}$$

जहां e_c वस्तु X की वस्तु Y के लिए मांग की प्रति-लोच को दर्शाता है।

Q_x वस्तु X की आरम्भिक मांग-मात्रा को दर्शाता है।

ΔQ_x वस्तु X की मांग मात्रा में परिवर्तन को दर्शाता है।

P_x वस्तु Y की आरम्भिक कीमत को दर्शाता है।

ΔP_x वस्तु Y की कीमत में परिवर्तन को दर्शाता है।

मांग की आय-लोच
(Income Elasticity of Demand)

वस्तु की मांग केवल कीमत पर ही निर्भर नहीं करती, यह आय पर भी निर्भर करती है। मांग की आय लोच हमें यह बताती है कि किसी की आय में एक निश्चित प्रतिशत परिवर्तन के फलस्वरूप उसकी किसी वस्तु के लिए मांग में कितना प्रतिशत परिवर्तन होता है। मांग की आय लोच को निम्न प्रकार से व्यक्त किया जा सकता है—

$$\text{आय लोच} = \frac{\text{मांग में प्रतिशत परिवर्तन}}{\text{आय में प्रतिशत परिवर्तन}}$$

$$= \frac{\frac{\text{मांग में परिवर्तन}}{\text{आरम्भिक मांग की मात्रा}} \times 100}{\frac{\text{आय में परिवर्तन}}{\text{आरम्भिक आय}} \times 100}$$

यदि M = आरम्भिक आय

ΔM = आय में परिवर्तन

Q = आरम्भिक मांग की मात्रा

ΔQ = मांग-मात्रा में परिवर्तन

e_i = आय लोच

तो,

$$e_i = \frac{\frac{\Delta Q}{Q} \times 100}{\frac{M}{\Delta M} \times 100} = \frac{\Delta Q}{Q} \times \frac{M}{\Delta M}$$

$$= \frac{\Delta Q}{\Delta M} \times \frac{M}{Q}$$

2. एकाधिकार तब होता है जब किसी वस्तु का, जिसका कोई निकट के स्थानापन्न उपलब्ध न हों, केवल एक ही उत्पादक फर्म अथवा विक्रेता हो (Monopoly is said to exist when there is only one producer or seller of a product which has no close substitutes)। एकाधिकार की इस परिभाषा से स्पष्ट है कि एकाधिकार के होने के लिए तीन शर्तों की पूर्ति होना आवश्यक है–

1. एक वस्तु का एक ही उत्पादक अथवा विक्रेता हो।
2. उस वस्तु के निकट के स्थानापन्न (Close substitutes) उपलब्ध न हों।
3. उस उद्योग में प्रवेश के लिए बड़ी रुकावटें हों।

4. कीमत दृढ़ता (Price-rigidity) अल्पाधिकारी की एक महत्त्वपूर्ण विशेषता है। अल्पाधिकार के अन्तर्गत कीमत निर्धारण की कोई भी विधि क्यों न अपनाई जाए, कीमत में दृढ़ता की प्रवृत्ति निश्चय ही कार्यशील होगी। अन्य शब्दों में, अल्पाधिकार के अधीन उद्योग से सम्बन्धित मांग एवं लागत दशाओं में परिवर्तन के बावजूद कीमत स्थिरता की प्रवृत्ति पाई जाती है। अल्पाधिकार के अन्तर्गत जब एक बार कीमत निर्धारित हो जाती है तो कई महीनों, यहां तक कि कई वर्षों तक, वही कीमत चालू रहती है। मांग एवं लागत में परिवर्तनों के बावजूद उस कीमत में तनिक भी परिवर्तन नहीं होता है। अल्पाधिकार की स्थिति में कीमत-स्थिरता के सम्बन्ध में बहुत सी व्याख्याएं प्रस्तुत की गई हैं परन्तु सबसे लोकप्रिय व्याख्या विकुंचित (Kinked) मांग वक्र सिद्धान्त की है।

विकुंचित मांग वक्र सिद्धान्त का प्रतिपादन पॉल एम. स्वीजी (Paul M. Sweezy) द्वारा किया गया था।

विकुंचित मांग वक्र सिद्धान्त अल्पाधिकार में कीमत निर्धारण की व्याख्या नहीं करता। यह केवल इतना बताता है कि जब एक बार अल्पाधिकार में कीमत निर्धारित हो जाती है तो यह अपरिवर्तित अथवा स्थिर क्यों रहती है। इस सिद्धान्त के अनुसार, अल्पाधिकारी जिस मांग वक्र का सामना करता है, उसमें वर्तमान कीमत के स्तर पर विकुंचन (Kink) होता है। मांग वक्र में विकुंचन वर्तमान कीमत-स्तर पर इसलिए होता है क्योंकि मांग वक्र का वह भाग जो वर्तमान कीमत से ऊपर है अत्यन्त लोचदार (more-elastic) होता है और वर्तमान कीमत से मांग वक्र का नीचे का भाग बेलोचदार (Inelastic) होता है। रेखाचित्र में विकुंचित मांग वक्र *d*D को दिखाया गया है।

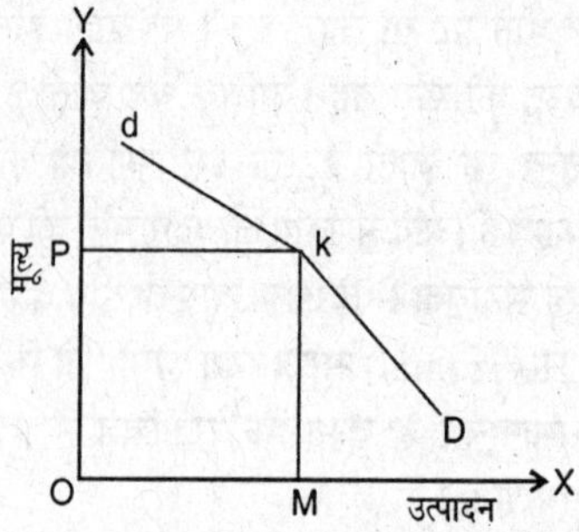

रेखाचित्र में वर्तमान कीमत स्तर OP है तथा इस कीमत पर फर्म OM मात्रा का उत्पादन एवं बिक्री कर रही है। *d*D मांग वक्र का ऊपर वाला भाग *d*K अपेक्षाकृत लोचदार है तथा निचला भाग *k*D अपेक्षाकृत बेलोचदार। लोचों में अन्तर उस विशेष प्रतियोगी **प्रतिक्रिया ढांचे** (reaction pattern) के कारण होता है जिसकी कल्पना विकुंचित मांग वक्र सिद्धान्त में की गई है।

विकुंचित मांग वक्र सिद्धान्त में जिस प्रतियोगी प्रतिक्रिया की कल्पना की गई है वह यह है : प्रत्येक अल्पाधिकारी यह विश्वास करता है कि यदि वह अपनी कीमत को वर्तमान स्तर से कम कर देता है तो उसके प्रतिद्वन्द्वी भी ऐसा ही करेंगे और अपनी-अपनी कीमतों को कम कर देंगे, परन्तु यदि वह कीमत को वर्तमान स्तर से बढ़ा देता है तो उसके प्रतिद्वन्द्वी इसका अनुसरण नहीं करेंगे अर्थात् अपनी-अपनी कीमतों में वृद्धि नहीं करेंगे।

5. अर्ध-लगान की धारणा को सर्वप्रथम **मार्शल** ने प्रतिपादित किया था। डॉ. मार्शल ने 'आभास-लगान' अथवा अर्ध-लगान शब्द का प्रयोग विशेषकर उस आय के लिए किया था जो अल्पकाल में मशीनों एवं अन्य मनुष्य-कृत यन्त्रों से प्राप्त होती है। अतः आभास-लगान की धारणा अल्पकालीन धारणा है।

'आभास-लगान' विशुद्ध लगान से भिन्न होता है। विशुद्ध लगान तो उत्पादन के उन साधनों को प्राप्त होता है जिनकी पूर्ति अल्पकाल एवं दीर्घकाल दोनों में ही स्थिर रहती है। इसके विपरीत, आभास-लगान उन साधनों को प्राप्त होता है जिनकी पूर्ति यद्यपि अल्पकाल में तो स्थिर होती है, लेकिन दीर्घकाल में बढ़ायी जा सकती है।

डॉ. मार्शल ने एक अन्य सन्दर्भ में भी आभास-लगान की धारणा का प्रयोग किया है। उनके अनुसार, अल्पकाल में किसी वस्तु की उत्पादन लागत को दो शीर्षकों के अन्तर्गत

विभाजित किया जा सकता है—*(i)* स्थिर लागत (fixed costs) *(ii)* परिवर्तनशील लागत (variable costs)। अल्पकाल में जब तक कीमत, परिवर्तनशील लागत के बराबर रहती है, फर्म अपना उत्पादन कार्य जारी रखती है। डॉ. मार्शल के अनुसार, यदि अल्पकाल में वस्तु की कीमत परिवर्तनशील लागत से बढ़ जाती है तो उस फर्म को आभास-लगान प्राप्त होगा। इस प्रकार आभास लगान अल्पकाल में कुल परिवर्तनशील लागतों के अतिरिक्त आय है। अत:

आभास लगान = कुल आय – कुल परिवर्तनशील लागतें

या,

Quasi Rent = Total Revenue – Total variable costs

लाभ का सिद्धान्त (Theory of Profits)

विभिन्न अर्थशास्त्रियों ने लाभ को अलग-अलग ढंग से परिभाषित किया है। शुम्पीटर (Schumpeter) के अनुसार, लाभ उद्यमकर्ता को नवप्रवर्तन (innovations) लाने के एवज में प्राप्त होता है। प्रसिद्ध अर्थशास्त्री **एफ.एच. नाईट** (F.H. Knight) के अनुसार, लाभ अर्थव्यवस्था में निहित अनिंश्चितता के कारण उत्पन्न होते हैं।

इसके अतिरिक्त, कुछ अर्थशास्त्री लाभ को गैरकार्यात्मक आय (non-functional income) मानते हैं। प्रसिद्ध अर्थशास्त्री **केन्ज** ने यह विचार प्रस्तुत किया कि लाभ सामान्य कीमत-स्तर में अनुकूल परिवर्तन के कारण उत्पन्न होते हैं। श्रीमती जॉन रॉबिन्सन, प्रोफेसर चैम्बरलिन और कलेस्की (Kalecki) लाभ को अपूर्ण प्रतियोगिता तथा एकाधिकार के कारण उत्पन्न होना मानते हैं। उनके अनुसार अपूर्णता की मात्रा (degree of imprefection) जितनी ही अधिक होगी अर्थात् एक उद्यमकर्ता की एकाधिकारी शक्ति (monopoly power) जितनी अधिक होगी उसको उतना ही अधिक लाभ प्राप्त होंगे।

- जे.बी. क्लार्क (J.B. Clark) ने सर्वप्रथम यह विचार प्रस्तुत किया कि लाभ एक गत्यात्मक आधिक्य (Dynamic Surplus) है। उनके अनुसार लाभ एक गत्यात्मक अर्थव्यवस्था अर्थात् ऐसी अर्थव्यवस्था जिसमें लगातार परिवर्तन हो रहे हों, उत्पन्न होते हैं।
- **प्रो. नाइट** के अनुसार, लाभ, उद्यमी को जोखिम वहन करने के प्रतिफल के रूप में प्राप्त होता है।
- मार्क्स के अनुसार लाभ एक अतिरेक मूल्य है। मार्क्स के अनुसार सम्पत्ति के स्वामियों द्वारा, जो कि अनुत्पादक वर्ग है, उत्पादक श्रमिकों के शोषण द्वारा ही लाभ की उत्पत्ति होती है।

6. नव-क्लासीकल या ऋण योग्य निधि सिद्धान्त ऋण योग्य निधियों या साख की मांग और पूर्ति के रूप में ब्याज निर्धारण की व्याख्या करता है। इस सिद्धान्त को विकसित करने वाले अर्थशास्त्रियों में प्रमुख अर्थशास्त्री **विकसेल, बर्टिल ओहलिन, रॉबर्टसन, लिंडहल, वाइनर** आदि हैं। इस सिद्धान्त के अनुसार वास्तविक शक्तियां (real forces) जैसे कि बचत करने की भावना, प्रतीक्षा, समय अधिमान्यता (time preferences) तथा पूंजी की उत्पादकता ही केवल ब्याज दर को निर्धारित नहीं करते बल्कि मुद्रा का संचय तथा असंचय करना (hoarding and dishoarding of money), बैंकों द्वारा मुद्रा का सृजन, उपभोग के लिए मुद्रा-ऋण की मांग भी ब्याज दर के निर्धारण में भाग लेते हैं। इस प्रकार ऋण-योग्य निधि के सिद्धान्त के समर्थकों ने ब्याज का निर्धारण मौद्रिक (monetary) तथा गैर-मौद्रिक (non-monetary) दोनों प्रकार की शक्तियों द्वारा होना माना है। अतएव ऋण योग्य राशियों का सिद्धान्त वास्तव में ब्याज का मौद्रिक सिद्धान्त है यद्यपि यह केवल अपूर्ण रूप से ही मौद्रिक है क्योंकि इसमें ब्याज दर के निर्धारण में बचत तथा पूंजी की उत्पादकता जैसी वास्तविक शक्तियों के महत्त्व को भी स्वीकार किया गया है। इस सिद्धान्त के अनुसार ब्याज दर ऋण योग्य राशियों की मांग तथा उनकी पूर्ति द्वारा निर्धारित होती है।

ऋण योग्य निधियों की मांग (Demand for Loanable Funds)—ऋण योग्य निधियों के लिए मांग के प्रमुख रूप से तीन स्रोत हैं : सरकार, व्यापारी और उपभोक्ता, जिन्हें निवेश, संग्रह (hoarding) और उपभोग के लिए उनकी जरूरत होती है। सरकार सार्वजनिक निर्माण कार्यों के लिए या युद्ध की तैयारियों के लिए निधियां उधार लेती है। व्यापारी पूंजी वस्तुओं को खरीदने और निवेश प्रोजेक्ट प्रारम्भ करने के लिए उधार लेते हैं। इस प्रकार के उधार ब्याज लोच (interest elastic) होते हैं। उपभोक्ताओं की ओर से ऋण योग्य निधियों की मांग स्कूटर, मकान आदि जैसी टिकाऊ उपभोक्ता वस्तुओं को खरीदने के लिए होती है। व्यक्तिगत ऋण भी ब्याज लोच होते हैं। ब्याज की ऊंची दर की अपेक्षा

नीची दर पर उधार लेने की प्रवृत्ति अधिक होती है। उपभोग के लिए ऋण की मांग (जिसे dissavings भी कहते हैं) का वक्र बायें से दायें नीचे की ओर झुका हुआ होता है जिसे रेखाचित्र में D_s वक्र द्वारा दिखाया गया है। सरकार और व्यापारी दोनों के लिए निवेश निधियों की मांग वक्र को I से दिखाया गया है। इसका ढाल नीचे की ओर है जो यह प्रकट करता है कि ब्याज की ऊंची दर पर कम और नीची दर पर अधिक निधियां उधार ली जाती हैं। अन्त में, नकदी या तरल रूप में संग्रह करने के लिए भी निधियों की मांग की जाती है। वे भी ब्याज लोच होते हैं और उन्हें H (hoarding) वक्र के रूप में रेखाचित्र में दर्शाया गया है। इन I, D_s तथा H का **पार्श्व योग** (lateral summation) हमें ऋण-योग्य निधियों का कुल मांग वक्र DL देता है।

ऋण-योग्य निधियों की पूर्ति (Supply of Loanable Funds)—ऋण-योग्य निधियों की पूर्ति बचतों, विसंग्रह (dishoarding) तथा बैंक उधार (bank credit) से होती है। बचत के प्रमुख स्रोत व्यक्तिगत और फर्मों की बचतें होती हैं। यद्यपि व्यक्तिगत बचतें आय स्तर पर निर्भर करती हैं, फिर भी, आय के स्तर को दिया हुआ मान लेने पर वे **ब्याज लोच** मानी जाती हैं। फर्मों की बचतें फर्मों के अवितरित लाभ हैं। फर्मों की बचत भी ब्याज की दर पर निर्भर करती हैं। ऊंची ब्याज दर पर फर्म मार्किट से ऋण लेने के बजाय अपनी बचत में वृद्धि करेगी। व्यक्तिगत बचतों (personal savings) और फर्मों की बचत को जोड़कर हमें कुल बचत वक्र S प्राप्त होता है। ऋण योग्य निधियों की पूर्ति का दूसरा स्रोत है–विसंग्रह (dishoarding)। ऐसी निधियां ब्याज की दर से सीधा सम्बन्ध रखती हैं। ब्याज की दर जितनी अधिक ऊंची होगी विसंग्रह से उतनी ही अधिक निधियां बाहर आएंगी और विलोमशः भी। इसलिए विसंग्रह का वक्र बायें से दायें ऊपर को चढ़ता हुआ होता है। रेखाचित्र में D_H विसंग्रह का वक्र है। अन्तिम, ऋण योग्य निधियों की पूर्ति का एक महत्त्वपूर्ण स्रोत **बैंक साख** (bank credit) है। बैंक साख की पूर्ति भी ब्याज की दर पर निर्भर होती है। साधारणतया बैंक ऊंची ब्याज की दर पर अधिक मात्रा में ऋण देने को प्रेरित होते हैं। इसलिए बैंक साख की पूर्ति का वक्र भी बाएं से दाएं ऊपर को चढ़ता है। रेखाचित्र में बैंक साख वक्र को B_M से दिखाया गया है। यदि इन S, D_H तथा B_M वक्रों का **पार्श्व योग** कर दिया जाए तो हमें ऋण योग्य निधियों की कुल पूर्ति वक्र S_L प्राप्त होता है।

मांग और पूर्ति में सन्तुलन—हमने ऊपर ऋण योग्य राशियों की मांग (demand for loanable funds) और उनकी पूर्ति (supply of loanable funds) के पक्षों की व्याख्या की है। इन मांग और पूर्ति की शक्तियों के सन्तुलन द्वारा ब्याज की दर निर्धारित होती है। ब्याज की दर उस स्तर पर संतुलन में होगी जहां ऋण योग्य निधियों की मांग की मात्रा व उनकी पूर्ति की मात्रा बराबर होगी।

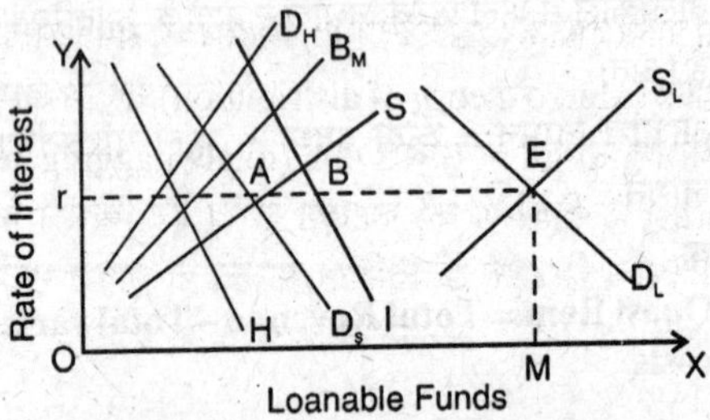

रेखाचित्र : *ब्याज का नव क्लासीकल सिद्धान्त*

ऊपर के रेखाचित्र में S_L और D_L एक-दूसरे को E बिन्दु पर काटते हैं और ब्याज की O*r* दर निश्चित करते हैं। इस पर निधियों की M मात्रा उधार ली और दी जाती हैं।

7. साधन कीमत का विश्लेषण हम वितरण के सिद्धान्त (Theory of distribution) के अन्तर्गत करते हैं। अतएव वितरण के सिद्धान्त के अन्तर्गत हम भूमि का किराया (rent), श्रम की मजदूरी (wages), पूंजी पर ब्याज (Interest) तथा उद्यमी के लाभ (Profits) का विश्लेषण करते हैं। यहां ध्यान देने योग्य बात यह है कि वितरण के सिद्धान्त (Theory of distribution) में वैयक्तिक वितरण (Personal distribution) की व्याख्या नहीं करते बल्कि कार्यानुसार वितरण (functional distribution) की व्याख्या करते हैं। विभिन्न साधनों की सेवाओं की कीमतों के निर्धारण की विवेचना कार्यानुसार वितरण में की जाती है। इसके अन्तर्गत इस बात की विवेचना नहीं की जाती कि समाज के विभिन्न व्यक्तियों में आय का वितरण किस प्रकार होता है। विभिन्न व्यक्तियों में आय का वितरण (अर्थात् वैयक्तिक वितरण) न केवल व्यक्तियों के साधनों की कीमतों पर निर्भर करता है बल्कि इस पर भी निर्भर करता है कि वे साधनों की कितनी मात्रा के स्वामी हैं।

वितरण के व्यष्टिपरक तथा समष्टिपरक सिद्धान्त (Micro and Macro-theories of distribution)

कार्यानुसार वितरण (functional distribution) का अध्ययन दो दृष्टिकोणों से किया जाता है। ये हैं व्यष्टिपरक

तथा समष्टिपरक दृष्टिकोण। वितरण का व्यष्टिपरक सिद्धान्त (Micro theory of distribution) इस बात की व्याख्या करता है कि उत्पादन के विभिन्न साधनों के पुरस्कार अथवा पारिश्रमिक की दरें (rate of reward) किस प्रकार निर्धारित होती हैं। अन्य शब्दों में, उत्पादन-साधनों की सापेक्ष कीमतें (relative prices) जैसे कि श्रमिकों की मजदूरी की दर, भूमि पर लगान की दर, पूंजी पर ब्याज की दर का निर्धारण किस प्रकार होता है। इसके विपरीत, वितरण का समष्टिपरक सिद्धान्त (Macro theory of distribution) राष्ट्रीय आय में विभिन्न साधनों के समस्त भागों (total or aggregate shares) के निर्धारण की व्याख्या करता है। वितरण के समष्टिपरक सिद्धान्त के विभिन्न साधनों के सापेक्ष भागों (relative shares) की व्याख्या करने के कारण, इसे वितरणात्मक भागों का सिद्धान्त (theory of distributive shares) भी कहा जाता है। इस प्रकार वितरण का समष्टिपरक सिद्धान्त यह बताता है कि राष्ट्रीय आय में श्रमिकों की समस्त आय, देश के सभी उद्यमकर्ताओं को राष्ट्रीय आय से प्राप्त कुल लाभ इत्यादि किस प्रकार निर्धारित होते हैं।

वितरण का सीमान्त उत्पादकता सिद्धान्त (Marginal Productivity Theory of Distribution)

साधनों की कीमतों के निर्धारण के सम्बन्ध में महत्त्वपूर्ण व्याख्या वितरण के सीमान्त उत्पादकता सिद्धान्त द्वारा की जाती है। इस सिद्धान्त के अनुसार उत्पादन के साधनों की कीमतें उनकी सीमान्त उत्पादकताओं (marginal productivities) द्वारा निर्धारित होती है अर्थात् प्रत्येक साधन को उसके उपयोग के लिए उतना पुरस्कार (reward) मिलता है जितना उसका सीमान्त उत्पादन होता है (factors are paid rewards equal to their marginal products)। सर्वप्रथम सीमान्त उत्पादकता सिद्धान्त मजदूरी के निर्धारण की व्याख्या के लिए प्रस्तुत किया गया परन्तु बाद में अन्य साधनों, भूमि, पूंजी आदि की कीमतों के निर्धारण की व्याख्या इससे की गयी।

सीमान्त आय उत्पादन (MRP) तथा सीमान्त उत्पादन का मूल्य (VMP) (Marginal Revenue Product and Value of Marginal Product)

साधनों की कीमत निर्धारण के सिद्धान्त को भली-भांति समझने के लिए सीमान्त उत्पादन की दो महत्त्वपूर्ण धारणाओं को समझना आवश्यक है। साधनों की कीमत न केवल उनकी सीमान्त भौतिक उत्पादकता (Marginal Physical Productivity) पर निर्भर करती है बल्कि इस बात पर भी कि उसके द्वारा उत्पादित वस्तु मार्केट में विक्रय करने पर उत्पादक को कितनी आय प्रदान करता है। इस सम्बन्ध में निम्न दो प्रकार की धारणाओं (concepts) का प्रयोग किया जाता है—

1. **सीमान्त आय उत्पादन**
   (Marginal Revenue Product)
2. **सीमान्त उत्पादन का मूल्य**
   (Value of Marginal Product)

सीमान्त आय उत्पादन (Marginal Revenue Product or MRP)

उत्पादन के किसी साधन का सीमान्त आय उत्पादन उस साधन की एक अतिरिक्त इकाई के उपयोग करने पर उत्पादनकर्ता की कुल आय (total revenue) में वृद्धि को कहते हैं जबकि अन्य साधनों पर किया गया कुल व्यय स्थिर रहता है। इस प्रकार श्रम की एक अतिरिक्त इकाई के उपयोग करने से नियोजक (employer) की आय में हुए वृद्धि को श्रम का सीमान्त आय उत्पादन (MRP) कहा जाता है।

साधन का सीमान्त आय उत्पादन को ज्ञात करने की विधि में पहले साधन की सीमान्त भौतिक उत्पादन (Marginal Physical Product) को मापा जाता है और फिर उसे वस्तु की सीमान्त आय (Marginal Revenue or MR) से गुणा किया जाता है। अत:

सीमान्त आय उत्पादन (MRP) = MPP × MR

जहां MPP साधन के सीमान्त भौतिक उत्पाद को व्यक्त करता है। किसी साधन का MPP उस साधन की एक अतिरिक्त इकाई के उपयोग करने से कुल भौतिक उत्पादन में हुई वृद्धि को व्यक्त करता है।

सीमान्त उत्पादन का मूल्य (Value of Marginal Product or VMP)

साधन के सीमान्त उत्पादन का मूल्य (VMP) भी एक महत्त्वपूर्ण धारणा है। यह साधन के सीमान्त भौतिक उत्पादन (MPP) को वस्तु की कीमत से गुणा करके प्राप्त किया जाता है। अत:

VMP = MPP × उत्पादित वस्तु की कीमत

चूंकि वस्तु मार्केट में पूर्ण प्रतियोगिता पाए जाने की स्थिति में एक फर्म के लिए वस्तु की कीमत स्थिर रहती है तथा

फर्म का सीमान्त आय (MR) उत्पादित वस्तु की कीमत के समान होती है (under perfect competition in the product market, MR = price of the product)। इससे सिद्ध होता है कि वस्तु मार्केट में पूर्ण प्रतियोगिता के अन्तर्गत साधन का सीमान्त उत्पादन मूल्य (VMP), साधन के सीमान्त आय उत्पादन (MR) के बराबर होगा।

अत: वस्तु मार्केट में पूर्ण प्रतियोगिता के अन्तर्गत—

VMP = MRP

13. WTO के मंत्रिस्तरीय सम्मेलन

सम्मेलन	वर्ष	स्थान
पहला	9—13 दिसम्बर, 1996	सिंगापुर
दूसरा	18—20 मई, 1998	जेनेवा
तीसरा	30 नवम्बर— 3 दिसम्बर, 1999	सिएटल
चौथा	9—14 नवम्बर, 2001	दोहा (कतर)
पाँचवाँ	10—14 सितम्बर, 2003	कैनकुन (मेक्सिको)
छठवाँ	13—18 दिसम्बर, 2005	हांगकांग (चीन)
सातवाँ	30 नवम्बर— 2 दिसम्बर, 2009	जेनेवा
आठवां	15—17 दिसम्बर, 2011	जेनेवा
नौवां	दिसम्बर 2013 (संभावित)	बाली

15. 1970 के आरम्भ में, IMF ने विशेष आहरण अधिकार (SDRs) के निर्माण और जारी करने की एक स्कीम चलाई। SDRs को **कागजी सोना** भी कहते हैं। SDRs विश्व रिजर्वों के स्तर को प्रभावित करने के लिए शर्तरहित रिजर्व परिसम्पत्तियों के रूप मे निर्मित किए गए थे ताकि अंतर्राष्ट्रीय तरलता की समस्या हल की जा सके। यह भाग लेने वाले सदस्यों को उनके कोष कोटों के अनुपात में आवंटित किए जाते हैं। आरम्भ में SDR का मूल्य 16 करेंसियों के समूह के आधार पर आकलित किया जाता था। लेकिन 1981 से SDR का मूल्य **पांच करेंसियों** के समूह के आधार पर आकलित किया जाता है। इन करेंसियों में अमेरिकी डॉलर, जर्मन मार्क, अंग्रेजी पाउण्ड, फ्रांसीसी फ्रैंक और जापानी येन आते हैं।

SDR लेखा की अंतर्राष्ट्रीय इकाई है जो ''कोष विशेष लेखा'' में रखी जाती है। ''कोष सामान्य लेखा'' में सभी करेंसियों के कोटों का मूल्य निर्धारण SDR में किया जाता है। अंतर्राष्ट्रीय मौद्रिक परिसम्पत्ति के रूप में, SDR केन्द्रीय बैंकों और सरकारों के अंतर्राष्ट्रीय रिजर्वों में रखे जाते हैं ताकि वे अपने भुगतान शेषों की कमियों या अतिरेकों के लिए वित्त की व्यवस्था कर सकें। IMF द्वारा कर्जों और पुनर्भुगतान के रूप में किए गए सभी लेन-देनों को SDR के रूप में व्यक्त किया जाता है।

IMF विशेष आहरण लेखा में रखे गए SDRs के समस्त धारणों पर ब्याज देता है और भागीदारों को किए गए सब आवंटनों पर उसी दर से ब्याज वसूल करता है। इस प्रकार जिन भागीदारों के धारण उनके आवंटनों से बढ़ जाते हैं वे चालू ब्याज दर पर निवल (net) ब्याज कमाते हैं और जिनके धारण आवंटनों से कम होते हैं वे चालू ब्याज दर पर निवल भुगतान करते हैं।

17. 1972-73 में महाराष्ट्र सरकार ने रोजगार गारंटी योजना (Employment Guarantee Scheme) चालू की। यह अपनी प्रकार की पहली योजना थी जिसमें संविधान में दिए गए 'काम के अधिकार' (Right to work) को स्वीकार किया गया। इसके आधीन यदि कोई व्यक्ति काम करने की मांग करता है तो, राज्य सरकार का दायित्व है कि उसे काम उपलब्ध कराए। इस योजना के मुख्य उद्देश्य निम्नवत् हैं—

(*i*) किसी को स्वीकृत ग्राम परियोजनाओं में जो अर्थव्यवस्था की उत्पादिता बढ़ाने वाली हो, लाभकारी एवं उत्पादक रोजगार उपलब्ध कराना।

(*ii*) इन परियोजनाओं द्वारा क्षेत्र में चिरस्थायी सामुदायिक परिसम्पत्ति कायम करनी चाहिए।

(*iii*) श्रम-प्रधान उत्पादक परियोजनाओं अर्थात् छोटी सिंचाई, जल एवं भू-संरक्षण, नालों पर बांध बनाना, नहरें खोदना, भूमि-विकास, वन-रोपण को क्रियान्वित करना चाहिए।

(*iv*) इन योजनाओं को ठेकेदारों की अपेक्षा विभागों द्वारा लागू करना चाहिए ताकि इनका कम-से-कम 60 प्रतिशत व्यय मजदूरी पर और 40 प्रतिशत सामग्री, पूंजी उपकरणों, पर्यवेक्षण एवं प्रशासनिक सेवाओं के लिए खर्च हो।

यह योजना ग्रामों के बालिग पुरुषों एवं स्त्रियों जिनकी आयु 18 वर्ष से अधिक हो के लिए तैयार की गई। इस योजना का उद्देश्य ग्राम-समाज के आर्थिक दृष्टि से कमजोर वर्गों, विशेषकर भूमिहीन मजदूरों और सामान्य किसानों की सहायता करना है।

32. सापेक्ष आय परिकल्पना (The Relative Income Hypothesis) का प्रतिपादन **'जेम्स डूसनबरी'** (James Dussenberry) ने किया था। यह परिकल्पना इस मान्यता पर आधारित है कि—

1. प्रत्येक व्यक्ति का उपभोग व्यवहार स्वतंत्र नहीं होता बल्कि अन्य व्यक्तियों के व्यवहार पर निर्भर होता है।
2. उपभोग सम्बन्ध कालान्तर में अपरिवर्तनीय होते हैं।

उपभोग फलन विषयक अपने इस सिद्धान्त की व्याख्या करते हुए डूसनबरी लिखता है कि यदि हम उपभोक्ता व्यवहार की समस्या को वास्तव में समझाना चाहते हैं तो हमें पहले उपभोग ढांचों की समाजिक प्रकृति की मान्यता देनी होगी। उपभोग ढांचों की सामाजिक प्रकृति से उसका तात्पर्य है कि मानवों की प्रवृत्ति न केवल अपने धनी पड़ोसियों के समकक्ष तक पहुंचने की होती है बल्कि उनसे भी आगे बढ़ जाने की होती है। इस प्रकार उपभोक्ताओं के व्यवहार एक-दूसरे पर निर्भर करते हैं।

डूसनबरी के सिद्धान्त का दूसरा भाग है—**'आय की गत चोटी'** (Past Peak of income) परिकल्पना, जो उपभोग फलन में अल्पकालीन उतार-चढ़ावों की व्याख्या करती है और केन्ज की इस मान्यता का प्रतिकार करती है कि उपभोग सम्बन्ध परिवर्तनीय हैं। इस परिकल्पना के अनुसार समृद्धि के समय उपभोग स्तर बढ़ेगा और धीरे-धीरे अपने आपको अधिक ऊंचे स्तर पर समायोजित कर लेगा। जब एक बार लोग आय के एक विशेष उच्चतम स्तर पर पहुंच जाते हैं और इस जीवन स्तर के आदी हो जाते हैं तो मंदी के दौरान भी वे अपने उपभोग ढांचों को छोड़ने को तैयार नहीं होते। डूसनबरी के शब्दों में, ''किसी परिवार के लिए शुरू में अधिक खर्चों को रोकने की अपेक्षा ऊंचे स्तर से खर्चे घटाना अधिक कठिन होता है।'' इस प्रकार जैसे-जैसे आय गिरती है वैसे-वैसे उपभोग भी गिरता है परन्तु आय में वृद्धि की अपेक्षा कम अनुपात में दूसरी ओर, जब **समुत्थान** (recovery) की अवधि के दौरान आय बढ़ती है तो बचत में तीव्र वृद्धि के साथ उपभोग भी तेजी से बढ़ता है।

इस नियम की आलोचना

1. यह सिद्धान्त इस मान्यता पर आधारित है कि आय तथा उपभोग में समानुपाती (Proportional) वृद्धि होती है। परन्तु पूर्ण रोजगार स्तर पर होने वाली आय की वृद्धियों से उपभोग में हमेशा समानुपाती वृद्धियां नहीं होतीं।
2. डूसनबरी का सिद्धान्त इस मान्यता पर आधारित है कि समस्त आय के स्तर में परिवर्तन होने पर भी आय का वितरण लगभग अपरिवर्तित रहता है। यदि आय में वृद्धि होने पर आय का अधिक समानता की दिशा में पुनर्वितरण होता है तो यह सिद्धान्त अप्रभावी होगा।
3. यह सिद्धान्त मानकर चलता है कि उपभोक्ता के व्यय में होने वाले परिवर्तन उसके पिछले उच्चतम आय स्तर से सम्बद्ध रहते हैं। लेकिन यह सिद्धान्त उपभोक्ता व्यवहार को प्रभावित करने वाले अन्य कारकों की जैसे कि परिसम्पत्ति धारणों, शहरीकरण, आयु संरचना में परिवर्तनों, नई उपभोक्ता वस्तुओं के आगमन इत्यादि की उपेक्षा करता है।
4. इस सिद्धान्त की एक और अवास्तविक मान्यता यह है कि उपभोक्ता का व्यवहार दूसरों पर निर्भर होता है जिसके परिणामस्वरूप किसी उपभोक्ता का व्यय उसके धनी पड़ोसी के उपभोग ढांचों से सम्बन्ध रखता है। परन्तु आलोचकों का कहना है कि व्यवहार में हमेशा ऐसा नहीं होता है।

34. हैरोड (Harod) का 'समृद्धि-प्रारूप' (Model of Growth) विकसित देशों के अनुभव पर आधारित है। यह मॉडल आर्थिक वृद्धि की प्रक्रिया में निवेश को काफी महत्त्व देता है। हैरोड का समृद्धि-प्रारूप निवेश की द्वैत (Dual) प्रकृति पर बल देता है, जो इस प्रकार है–

(*i*) निवेश आय का सृजन करता है।
(*ii*) निवेश अर्थव्यवस्था के पूंजी-स्टॉक में वृद्धि कर उसकी उत्पादन क्षमता में वृद्धि करता है।

प्रो. हैरोड अपने मॉडल द्वारा यह बताने का प्रयास करता है कि किस प्रकार अर्थव्यवस्था में सतत वृद्धि पाई जा सकती है। जब एक बार इस सतत वृद्धि दर में बाधा पड़ जाती है और अर्थव्यवस्था असंतुलन में हो जाती है तो संचयी शक्तियां इस विचलन को बनाए रखने में लगी रहती हैं, जिससे दीर्घकालीन अवस्फीति (deflation) या स्फीति (inflation) हो सकती है।

हैरोड का मॉडल वृद्धि की तीन भिन्न दरों पर आधारित है। **पहला,** G द्वारा व्यक्त **वास्तविक वृद्धि दर** (Actual growth rate) है, जिसे बचत अनुपात तथा पूंजी उत्पाद अनुपात निर्धारित करते हैं। यह वृद्धि दर की अल्पकालीन चक्रीय परिवर्तनों (short run cyclical variations) को

प्रकट करती है। **दूसरा,** Gw द्वारा व्यक्त **अभीष्ट वृद्धि दर** (warranted rate of growth) है, जो किसी अर्थव्यवस्था की पूर्ण क्षमता उपयोग की वृद्धि दर होती है। **तीसरा,** Gn द्वारा व्यक्त **प्राकृतिक दर** (natural growth rate) है जिसे हैरोड **'इष्टतम कल्याण'** (welfare optimum) मानता है। इसे पूर्ण रोजगार वृद्धि दर भी कहा जाता है। यह बढ़ती हुई जनसंख्या तथा प्रौद्योगिकीय प्रगति द्वारा निर्धारित पूर्ण रोजगार उत्पादन में वृद्धि की दर है।

पूर्ण रोजगार संतुलन के लिए वास्तविक वृद्धि की दर (G) और अभीष्ट वृद्धि दर (Gw) अवश्य बराबर होनी चाहिए। यदि G और Gw बराबर नहीं है तो अर्थव्यवस्था असंतुलन में रहेगी। उदाहरणस्वरूप, यदि Gw से G अधिक हो जाए तो ऐसी स्थिति में दीर्घकालीन स्फीति (Secular inflation) आती है क्योंकि आय में वृद्धि की दर उत्पादकीय क्षमता में वृद्धि की दर से अधिक होती है। आगे इससे पूंजी वस्तुओं की भी कमी हो जाएगी क्योंकि पूंजी वस्तुओं की वास्तविक मात्रा आवश्यक पूंजी वस्तुओं से कम है। इन परिस्थितियों में इच्छित निवेश (desired investment) बचत की अपेक्षा अधिक होगा और कुल उत्पादन कुल मांग से कम रह जाएगा। इस प्रकार दीर्घकालीन स्फीति होगी।

दूसरी ओर, यदि Gw से G कम है तो ऐसी स्थिति में **दीर्घकालीन मंदी** (secular depression) आती है क्योंकि आय अर्थव्यवस्था के उत्पादकीय क्षमता की अपेक्षा धीरे-धीरे बढ़ती है। परिणामस्वरूप पूंजी वस्तुओं की अधिकता हो जाती है। जिसका तात्पर्य यह है कि इच्छित निवेश बचत से कम है और कुल मांग कुल पूर्ति से कम है। इसका परिणाम होता है उत्पादन, रोजगार और आय में कमी। हैरोड का मानना है कि जब एक बार Gw से G अलग हो जाता है तो यह संतुलन से दूर होता चला जाएगा। अत: G और Gw में संतुलन **छुरी धार संतुलन** (Knife-edge equilibrium) है क्योंकि जब यह एक बार भंग हो जाता है तो स्वयं संतुलन में नहीं आ जाता।

G, Gw तथा Gn का विचलन (Divergence of G, Gw and Gn) : यदि वृद्धि की प्राकृतिक, वास्तविक तथा अभीष्ट दरों में कोई विचलन होता है तो अर्थव्यवस्था में दीर्घकालीन स्थिरता (Secular stagnation) अथवा स्फीति की परिस्थितियां उत्पन्न हो जाती हैं। हैरोड के अनुसार यदि Gn से Gw अधिक हो जाती है तो **दीर्घकालीन गतिहीनता** (Secular stagnation) उत्पन्न हो जाती है। ऐसी स्थिति में G से Gw अधिक होती है तथा श्रम की कमी एवं पूंजी पदार्थों का आधिक्य होता है। मशीनें बेकार हो जाती हैं तथा अर्थव्यवस्था में अतिरिक्त क्षमता (excess capacity) पायी जाती है। इसे निवेश, उत्पादन, रोजगार एवं आय और कम हो जाते हैं। इस प्रकार अर्थव्यवस्था मंदी के शिकंजे में जकड़ जाएगी। ऐसे हालात में बचत एक बुराई है।

यदि Gw से Gn अधिक होती है तो ऐसी स्थिति में अर्थव्यवस्था में दीर्घकालीन स्फीति उत्पन्न होने की प्रवृत्ति पाई जाती है। क्योंकि जब Gn से Gw कम होती है तो श्रम की अधिकता तथा पूंजी पदार्थों की कमी पाई जाती है। लाभ अधिक होते हैं क्योंकि वास्तविक निवेश से अनुमानित निवेश अधिक होता है और व्यापारी वर्ग में अपने पूंजी भंडार को बढ़ाने की प्रवृत्ति पाई जाती है। इससे दीर्घकालीन स्फीति उत्पन्न हो जाती है। ऐसी परिस्थिति में बचत एक गुण होता है क्योंकि यह अभीष्ट दर (Gw) को बढ़ाने में सहायक होती है।

हैरोड मॉडल में इस अस्थिरता का कारण उसकी आधारभूत मान्यताओं की दृढ़ता हैं। ये मान्यताएं हैं—एक स्थिर उत्पादन फलन, एक स्थिर बचत अनुपात तथा श्रम शक्ति की एक स्थिर वृद्धि दर। हैरोड के वृद्धि मॉडल का नीति संकेत (Policy implications) है कि बचत स्फीति अन्तराल अर्थव्यवस्था (inflationary gap economy) में गुण है लेकिन अवस्फीति अन्तराल अर्थव्यवस्था (deflationary gap economy) में दोष। इस प्रकार विकसित अर्थव्यवस्था में स्थिति की मांग के अनुसार बचत को घटाना या बढ़ाना पड़ता है।

46. दो श्रेणियों के बीच पाये जाने वाले पारस्परिक संबंध की विवेचना 'सह-संबंध' (Correlation) के आधार पर की जा सकती है। लेकिन एक श्रेणी के चर-मूल्य के आधार पर दूसरी आश्रित श्रेणी के तत्संवादी (Corresponding) चर-मूल्य का सर्वोपयुक्त अनुमान लगाना सह-संबंध की सहायता से संभव नहीं हो पाता है। अत: सर्वोपयुक्त अनुमान एवं भावी अनुमानों की मीमांसा करने के लिए ही 'समाश्रयण विश्लेषण' (regression analysis) का अध्ययन आवश्यक समझा जाता है।

सांख्यिकीय विश्लेषण में समाश्रयण के सिद्धांत को प्रतिपादित करने का श्रेय **सर फ्रान्सिस गाल्टन** (Sir Francis Galton) को है।

समाश्रयण तथा सह-सम्बन्ध में अन्तर

1. सह-संबंध की सहायता से दो या अधिक चरों में पाये जाने वाले परस्पर औसत-संबंध की केवल "**मात्रा**" (Degree) का पता चलता है जबकि समाश्रयण इस संबंध की 'प्रकृति' (nature) पर भी प्रकाश डालता है।
2. सह-संबंध की अपेक्षा समाश्रयण विश्लेषण 'कारण-परिणाम' संबंध की व्याख्या अधिक स्पष्ट ढंग से करता है। सह-संबंध तो केवल दो चरों में परस्पर संबंध की '**मात्रा**' को बताता है। इसलिए हमारे लिये यह कहना कठिन है कि कौन-सा चर **कारण** तथा कौन-सा चर परिणाम है। इसके विपरीत समाश्रयण विश्लेषण के अन्तर्गत कारण-परिणाम संबंध की व्याख्या अधिक स्पष्ट रूप से हो पाती है क्योंकि जहां एक चर स्वतंत्र चर के रूप में लिया जाता है वहीं दूसरी चर आश्रित चर का काम करता है।

55. एक महत्त्वपूर्ण वास्तवकि उत्पादन फलन जिसे सांख्यिकीय तरीकों के प्रयोग से प्राप्त किया गया है **कॉब-डगलस उत्पादन फलन** (Cobb-Douglas Production Function) के नाम से प्रसिद्ध है। चूंकि इस उत्पादन फलन को कॉब और डगलस नाम के दो अर्थशास्त्रियों ने प्रतिपादित किया था, इसलिए यह फलन उनके नाम से प्रसिद्ध है। आरम्भ में कॉब-डगलस उत्पादन फलन दो व्यक्तिगत फर्म में साधन-उत्पादन सम्बन्ध के बजाय समस्त विनिर्माण उद्योग (manufacturing industry) की दशा में प्राप्त किया गया था। कॉब-डगलस उत्पादन फलन में दो साधन—श्रम और पूंजी—को लिया जाता है और इसको निम्नलिखित गणितीय रूप में लिखा जाता है—

$$Q = AL^{a} k^{1-a}$$

जहां पर

Q, विनिर्माण उद्योग की उत्पादन मात्रा का द्योतक है।

L, श्रम की प्रयोग की गई मात्रा को व्यक्त करता है।

k, पूंजी की उपयोग की गई मात्रा का सूचक है, तथा

A, स्थिर तत्त्व (Positive constants) हैं।

जबकि 'a' उत्पादन में श्रम का भाग (Share) तथा $(1-a)$ पूंजी का भाग है।

कॉब-डगलस उत्पादन फलन की महत्त्वपूर्ण विशेषताएं (Important Features of Cobb-Douglas Production Function)

कॉब-डगलस उत्पादन फलन जो कि **रेखीय समरूप उत्पादन फलन** (linearly homogeneous production function) का एक रूप है, की अनेक महत्त्वपूर्ण विशेषताएं हैं।

प्रथम, इस उत्पादन फलन के अनुसार वस्तु का उत्पादन करने के लिए दोनों साधनों—श्रम व पूंजी का प्रयोग होना आवश्यक है। यदि इनमें से किसी एक साधन का प्रयोग नहीं होता तो वस्तु उत्पादन शून्य होगा।

दूसरा, कॉब-डगलस उत्पादन फलन के अनुसार यदि एक साधन स्थिर रहने पर दूसरे साधन की मात्रा बढ़ाई जाती है तो परिवर्तनशील साधन की सीमान्त उत्पादकता घटती है (marginal product of the variable factor diminishes)।

तीसरा, कॉब-डगलस उत्पादन फलन के अनुसार **पैमाने के प्रतिफल (returns to scale) स्थिर (constant)** प्राप्त होते हैं अर्थात् श्रम तथा पूंजी की किसी अनुपात में बढ़ाने से वस्तु का उत्पादन भी उसी अनुपात से बढ़ता है।

चौथा, कॉब-डगलस उत्पादन फलन के अनुसार **तकनीकी प्रतिस्थापन की लोच (Elasticity of technical substitution) इकाई (unity)** के बराबर होती है।

64. प्रबल मुद्रा (High Powered Money) वह राशि है जो कमर्शियल बैंकों के पास आरक्षितियों और जनता के पास करेन्सी (नोटों तथा सिक्कों) के रूप में विद्यमान रहती है। प्रबल मुद्रा को **उच्चस्तरीय मुद्रा** भी कहा जाता है। प्रबल मुद्रा बैंक जमाओं के विस्तार और मुद्रा-पूर्ति के निर्माण का आधार है। मुद्रा की पूर्ति मौद्रिक आधार में परिवर्तनों के साथ प्रत्यक्ष रूप से और करेन्सी तथा रिजर्व अनुपातों में परिवर्तनों के साथ उलटे तौर से परिवर्तित होती है। प्रबल मुद्रा को इस प्रकार व्यक्त किया जा सकता है—

$$H = C + R$$

जहां H प्रबल मुद्रा तथा R कमर्शियल बैंकों के रिजर्व को व्यक्त करता है। प्रबल मुद्रा को आधार मुद्रा (base money) भी कहा जाता है।

मुद्रा की पूर्ति तथा प्रबल मुद्रा के बीच सम्बन्ध को निम्नलिखित रूप में व्यक्त किया जा सकता है। चूंकि मुद्रा की पूर्ति (M) के अन्तर्गत कमर्शियल बैंकों की **मांग जमा**

(DD) और जनता द्वारा धारित करेन्सी (C) सम्मिलित होती है। इसलिए मुद्रा की पूर्ति—

$$M = C + DD \quad (1)$$

प्रबल मुद्रा (H) के अन्तर्गत जनता द्वारा धारित करेन्सी (C) तथा कमर्शियल बैंकों के रिजर्व (cash reserves of banks) R सम्मिलित होते हैं। इस प्रकार प्रबल मुद्रा—

$$H = C + R \quad (2)$$

M तथा H के बीच सम्बन्ध को H से M के अनुपात के रूप में व्यक्त किया जा सकता है। इसलिए समीकरण (1) को समीकरण (2) से विभक्त करने पर—

$$\frac{M}{H} = \frac{DD+C}{C+R} \quad (3)$$

समीकरण (3) के दायीं ओर के अंश तथा हर को DD से विभाजित करने पर—

$$\frac{M}{H} = \frac{\frac{DD}{DD}+\frac{C}{DD}}{\frac{C}{DD}+\frac{R}{DD}}$$

$$\frac{M}{H} = \frac{1+\frac{C}{DD}}{\frac{C}{DD}+\frac{R}{DD}} \quad (4)$$

C/DD के स्थान पर c तथा R/DD के स्थान पर r को समीकरण (4) में रखने पर—

$$\frac{M}{H} = \frac{1+c}{c+r} \quad (5)$$

जहां c करेंसी जमा अनुपात (currency-deposit ratio) तथा r रिजर्व जमा अनुपात (reserve deposit ratio) को व्यक्त करता है।

$$M = \frac{1+c}{c+r} H \quad (6)$$

जहां पर $\frac{1+c}{c+r}$ को **मुद्रा गुणक** कहा जाता है।

समीकरण (6) से स्पष्ट है कि मुद्रा की पूर्ति को प्रबल मुद्रा (H) तथा मुद्रा गुणक $\left(\frac{1+c}{c+r}\right)$ निर्धारित करते हैं। मुद्रा गुणक के परिणाम को जनता का करेन्सी अनुपात (c) तथा रिजर्व अनुपात (r) निर्धारित करते हैं। ये दोनों अनुपात जितने कम होंगे, **मुद्रा गुणक** उतना ही अधिक होगा।

70. श्रीमती जॉन रॉबिन्सन ने अपनी पुस्तक **The Accumulation of capital** में खेल के पूंजीवादी नियमों पर आधारित आर्थिक वृद्धि के मॉडल का निर्माण किया है।

मान्यताएं (Assumptions)

रॉबिन्सन का मॉडल निम्नलिखित मान्यताओं पर आधारित हैं—

1. अर्थव्यवस्था बिना किसी सरकारी हस्तक्षेप के तथा बंद अर्थव्यवस्था (close economy) है।
2. केवल पूंजी एवं श्रम ही ऐसी अर्थव्यवस्था में उत्पादकीय साधन हैं।
3. पूंजी तथा श्रम स्थिर अनुपातों में प्रयोग किए जाते हैं।
4. तकनीकी प्रगति तटस्थ होती है।
5. उद्यमी जितना चाहे श्रम को रोजगार पर लगा सकते हैं।
6. श्रमिक तथा उद्यमी केवल दो ही वर्ग होते हैं जिनके बीच आय का वितरण किया जाता है।
7. श्रमिकों द्वारा कोई बचत नहीं की जाती तथा वे अपनी समस्त मजदूरी आय को उपभोग पर व्यय कर देते हैं।
8. कीमत स्तर अपरिवर्तित रहता है।
9. बचत करने और लाभों से प्राप्त अपनी समूची आय को पूंजी निर्माण के लिए निवेश करने के सिवाय उद्यमी कुछ भी उपभोग नहीं करते।

रॉबिन्सन मॉडल में शुद्ध राष्ट्रीय आय (Net National Income) कुल मजदूरी तथा कुल लाभों का जोड़ होता है। जिसे इस प्रकार व्यक्त किया जा सकता है—

$$Y = pK + wN$$

जहां Y शुद्ध राष्ट्रीय आय है, w वास्तविक मजदूरी दर, N रोजगार पर लगे श्रमिकों की संख्या, p लाभ की दर तथा K पूंजी की मात्रा है; चूंकि रॉबिन्सन मॉडल में लाभ-दर महत्त्वपूर्ण है, इसलिए उपरोक्त समीकरण को इस प्रकार व्यक्ति किया जा सकता है—

$$Y - wN = pK$$

या

$$p = \frac{Y - wN}{K}$$

बाएं पक्ष को N से विभाजित करने से

$$p = \frac{\frac{Y}{N} - w}{K/N}$$

ऊपर के समीकरण में $\frac{Y}{N} = lp$ तथा $\frac{K}{N} = r$ को प्रतिस्थापित करने से $p = \frac{lp - w}{r}$

जहां पर p = लाभ की दर, lp श्रम की उत्पादकता, w वास्तविक मजदूरी दर, तथा r पूंजी-श्रम अनुपात है। यदि आय स्थिर रहती है तो मजदूरी दर कम होगी लेकिन यदि आय बढ़ती है तो मजदूरी दर स्थिर रहेगी। जिससे लाभ की दर बढ़ जाएगी। लाभ की दर तब भी बढ़ सकती है जब पूंजी-श्रम अनुपात (r) कम हो जाए। इस तरह उद्यमी अपने लाभ को अधिकतम करते हैं।

राष्ट्रीय आय के व्यय पक्ष में राष्ट्रीय आय उपभोग व्यय तथा निवेश व्यय के कुल योग के बराबर होती है। अत:

$Y = C + I$

रॉबिन्सन के अनुसार मजदूरी आय में से बचत का भाग शून्य होता है लेकिन उद्यमी निवेश केवल लाभ के उद्देश्य से करते हैं, अत: $I = S$, निवेश $I = \Delta K$, जहां ΔK वास्तविक पूंजी में वृद्धि को व्यक्त करता है, जबकि—

$$S = pK$$

अत: $$pK = \Delta k \qquad (\because S = I)$$

या, $$p = \frac{\Delta K}{K}$$

उपरोक्त समीकरण से स्पष्ट है कि लाभ की दर, पूंजी में वृद्धि की दर के बराबर होती है।

पिछले प्रश्न-पत्र (हल सहित)

यू.जी.सी. NET अर्थशास्त्र, जून–2012

प्रश्न-पत्र–II

नोट: *इस प्रश्न-पत्र में* **पचास (50)** *बहु-विकल्पीय प्रश्न हैं। प्रत्येक प्रश्न के* **दो (2)** *अंक हैं।* **सभी** *प्रश्नों के उत्तर दें।*

निर्देश (प्र. 1-10): *निम्नांकित प्रश्नों को पढ़िये और उनके नीचे दिए गए प्रश्नों के उत्तर चुनिये:*

1. एकाधिकारिक फर्म की सीमान्त आय कीमत से कम होती है। क्योंकि:

A. माँग वक्र का ढलान सकारात्मक होता है।

B. माँग वक्र का ढलान नकारात्मक होता है।

C. एकाधिकारी को हानि होती है।

D. एकाधिकारी संतुलन में है।

2. एक घटिया वस्तु के लिए आय-उपयोग वक्र एवं ऐंजल्स वक्र रेखाएँ होती हैं:

A. सकारात्मक रूप से ढलान लिए हुए।

B. नकारात्मक रूप से ढलान लिए हुए।

C. दोनों समान हैं।

D. आय उपभोग वक्र रेखा सकारात्मक ढलान लिए और ऐंजल्स वक्र रेखा नकारात्मक ढलान लिए रहती हैं।

3. परम्परावादी अर्थशास्त्रियों ने मुद्रा की निम्न भूमिका पर केंद्रित किया:

A. विनिमय का माध्यम

B. वितरण का माध्यम

C. धन-सम्पत्ति

D. वर्तमान एवं भविष्य के बीच की कड़ी

4. यदि मुद्रा की माँग पूर्णतया ब्याज लोच निरपेक्ष है तो तरलता-मुद्रा (एल एम) वक्र–

A. ऊपर की ओर ढलान लिए हुए होगा।

B. नीचे की ओर ढलान लिए हुए होगा।

C. समस्तरीय रेखा होगी।

D. खड़ी रेखा होगी।

5. हैरड-डोमर का आर्थिक विकास मॉडल निम्न के सन्तुलन पर आधारित है:

A. आय सृजन और उत्पादन क्षमता निर्माण।

B. आय और उपभोग सन्तुलन।

C. निवेश एवं बचत सन्तुलन।

D. उपरोक्त में से कोई नहीं

6. किसी कर की उत्प्लाविता का गणन करने हेतु हम विचार करते हैं:

A. केवल विवेकाधीन परिवर्तनों पर

B. केवल स्वः परिवर्तनों पर

C. A और B दोनों पर

D. न तो A और न B पर

7. निम्नलिखित केंद्रीय प्रवृत्ति मापों में से कौन-सा माप ऐसी खोज-सामग्री के लिए श्रेष्ठतम होगा जिसमें चरों के मूल्यों का आकलन करना हो?

A. गणितीय-माध्य B. बहुलक

C. मध्यमा D. कुर्टोसिस

8. रिकार्डो के अन्तर्राष्ट्रीय व्यापार सिद्धान्त में तुलनात्मक लागत-लाभ इस कारण से होला है:

A. मजदूरी लागत में अन्तर

B. कारक इंडाऊमेंट में अन्तर

C. कारक मूल्य पर परिभाषित कारक प्रचुरता

D. उपरोक्त सभी

9. भारत में 2004-05 में निर्धनता-रेखा से नीचे के व्यक्तियों की संख्या किस राज्य में अधिकतम थी?

A. बिहार B. उत्तर प्रदेश

C. मध्य प्रदेश D. राजस्थान

10. निम्नलिखित में से कौन-सा 'भारत-निर्माण' का घटक नहीं है?

A. ग्रामीण आवास B. ग्रामीण विद्युतीकरण

C. कृषि आधारित उद्योग D. ग्रामीण टेलीफोन सेवा

निर्देश (प्र. 11-20): *निम्नांकित प्रश्नों को पढ़िये और दिए हुए कूटों के अनुसार सही उत्तर चुनिए।*

11. विकुंचित माँग वक्र रेखा में विकुंचित बिन्दु दर्शाता है:

I. अनम्य कीमत II. अनम्य मात्रा

III. नम्य कीमत IV. मात्रा नम्यता

कूट :

A. I और II सही हैं। B. II और III सही हैं।

C. III और IV सही हैं। D. I और IV सही हैं।

12. अदायगी-घाटा बकाया में निम्न प्रकार से सुधार किया जा सकता है:

I. आयात नियन्त्रण

II. निर्यात वृद्धि

III. विदेशी विनिमय नियन्त्रण

IV. अवमूल्यन

कूट :

A. I और II सही हैं।

B. I, II, III और IV सही हैं।

C. II और III सही हैं।

D. I, II और III सही हैं।

13. लोक ऋण के भार सम्बन्धी समस्या पर किसने विचार किया है?

I. ए. पी. लर्नर II. ई. डी. डोमर

III. ए. सी. पीगू IV. ए. एच. हेन्सन

कूट :

A. I और II सही हैं। B. II और III सही हैं।

C. I और IV सही हैं। D. II और III सही हैं।

14. राजकोषीय नीति का सम्बन्ध सरकारी निर्णय से निम्न से सम्बन्धित है:

I. कराधान II. राजकीय व्यय

III. राजकीय ऋण IV. सरकारी कर्ज

कूट :

A. III और IV सही हैं। B. II, III और IV सही हैं।

C. I और II सही हैं। D. उपरोक्त सभी सही हैं

15. एच. डी. आई. के निर्माण का सम्बन्ध होता है:

I. जन्म के समय आयु संभाविता

II. वास्तविक जीडीपी प्रति व्यक्ति

III. शिशु मृत्यु दर

IV. अस्वस्थता

कूट :

A. I और II सही हैं। B. II और III सही हैं।

C. III और IV सही हैं। D. उपरोक्त सभी सही हैं

16. असन्तुलित विकास सिद्धान्त का प्रतिपादन किसने किया?

I. हर्षमेन II. रॉबर्ट सोलो

III. सिंगर IV. रागनर नर्कसे

कूट :

A. I और II सही हैं। B. II और III सही हैं।

C. III और IV सही हैं। D. I और III सही हैं।

17. आर्थिक विकास का हैरोड-डोमर मॉडल आधारित है :

I. वांछनीय वृद्धि दर II. निवेश वृद्धि दर

III. उत्पादकता वृद्धि दर IV. प्राकृतिक वृद्धि दर

कूट :

A. I और II सही हैं। B. II और III सही हैं।

C. III और IV सही हैं। D. I और IV सही हैं।

18. केन्स के सिद्धान्त में मुद्रा की परिकल्पनात्मक मांग पैदा होती है, क्योंकि:

I. भविष्यकालीन ब्याज दरों सम्बन्धी अनिश्चितता

II. अन-अपेक्षित खर्चे

III. आय एवं वास्तविक खर्च के बीच पुल का निर्माण

IV. ब्याज दर के परिवर्तन और बांड कीमतों के बीच का सम्बन्ध

कूट :

A. I और III सही हैं। B. I और IV सही हैं।

C. II और III सही हैं। D. III और IV सही हैं।

19. मिल्टन फ्राइडमैन के सिद्धान्त के अनुसार उपभोक्ता खर्च का स्थायी घटक किस पर आधारित होता है?

I. केवल अस्थायी आय

II. अस्थायी एवं स्थायी आय

III. केवल स्थायी आय

IV. अप्रत्याशित लाभ

कूट :

A. I और II सही हैं। B. I और III सही हैं।

C. II और IV सही हैं। D. केवल III सही है।

20. भारत के योजना आयोग ने हाल ही में निर्धन रेखा सम्बन्धी घोषणा की है:

I. नगरीय क्षेत्रों में प्रति व्यक्ति ₹ 42 प्रतिदिन

II. ग्रामीण क्षेत्रों में प्रति व्यक्ति ₹ 26 प्रतिदिन

III. नगरीय क्षेत्रों में प्रति व्यक्ति ₹ 32 प्रतिदिन

IV. ग्रामीण क्षेत्रों में प्रति व्यक्ति ₹ 32 प्रतिदिन

कूट :

A. I और II सही हैं।　B. I और III सही हैं।

C. II और III सही हैं।　D. III और IV सही हैं।

निर्देश (प्र. 21-30): *निम्नांकित प्रश्नों के कथन और उनके उत्तर के कारण का कूट के अनुसार सही उत्तर का चयन कीजिए:*

21. अभिकथन (A) : गिफ्फन का विरोधाभास वास्तविक संसार में कम घटित होता है।

तर्क (R) : जिन वस्तुओं के उचित प्रतिस्थापन उपलब्ध रहते हैं, उन घटिया वस्तुओं को कम परिभाषित किया जाता है।

कूट :

A. (A) और (R) दोनों सही हैं, और (A) का (R) सही स्पष्टीकरण है।

B. (A) और (R) दोनों सही हैं, परन्तु (A) का (R) सही स्पष्टीकरण नहीं है।

C. (A) सही है, परन्तु (R) गलत है।

D. (A) गलत है, परन्तु (R) सही है।

22. अभिकथन (A) : उपभोग के जीवन चक्र सिद्धान्त के अनुसार, किसी व्यक्ति के उपभोग का स्तर उसकी मौजूदा आय पर ही नहीं वरन् उसकी दीर्घकालिक अपेक्षित आय पर भी निर्भर करता है।

तर्क (R) : व्यक्ति से यह उम्मीद की जाती है कि वह अपने जीवनकाल में प्रत्याशित आय के आधार पर ही अपने खर्च के नमूने (पैटर्न) की योजना बनाएगा।

कूट :

A. (A) सही है, परन्तु (R) गलत है।

B. (A) और (R) दोनों गलत हैं।

C. (A) गलत है, परन्तु (R) सही है।

D. (A) और (R) दोनों सही हैं और (A) का (R) सही स्पष्टीकरण है।

23. अभिकथन (A) : प्रभावी माँग को सम्पत्ति के अधिक समान वितरण द्वारा बढ़ाया जा सकता है।

तर्क (R) : तीस अथवा चालीस इकाइयों, जिनकी आय औसतन एक लाख और पाँच लाख के बीच हो, द्वारा उस एक व्यक्ति की तुलना में जिसकी आय 10 लाख प्रति वर्ष है कहीं अधिक प्रभावी माँग पैदा होगी।

कूट :

A. (A) और (R) दोनों सही हैं, परन्तु (A) का (R) सही स्पष्टीकरण नहीं है।

B. (A) और (R) दोनों सही हैं, और (A) का (R) सही स्पष्टीकरण है।

C. (A) सही है, परन्तु (R) गलत है।

D. (A) गलत है, परन्तु (R) सही है।

24. अभिकथन (A) : 2004-05 से 2007-08 के दौरान भारत में वित्तीय एकाग्रता प्रक्रिया दिखाई दी।

तर्क (R) : इस अवधि में कर राजस्व में उछाल आया।

कूट :

A. (A) और (R) दोनों सही हैं, और (A) का (R) सही स्पष्टीकरण है।

B. (A) और (R) दोनों सही हैं, परन्तु (A) का (R) सही स्पष्टीकरण नहीं है।

C. (A) सही है, परन्तु (R) गलत है।

D. (A) गलत है, परन्तु (R) सही है।

25. अभिकथन (A) : K/L अनुपात समय पाकर सन्तुलित अनुपात की दिशा में समायोजन बैठा लेगा।

तर्क (R) : क्योंकि उत्पादन के तकनीकी गुणांक परिवर्तनशील होते हैं।

कूट :

A. (A) और (R) दोनों सही हैं, परन्तु (A) का (R) सही स्पष्टीकरण नहीं है।

B. (A) और (R) दोनों सही हैं, और (A) का (R) सही स्पष्टीकरण है।

C. (A) सही है, परन्तु (R) गलत है।

D. (A) गलत है, परन्तु (R) सही है।

26. अभिकथन (A) : देश में समाज के कमजोर वर्ग की सहायता हेतु वित्तीय समावेश अपेक्षित है।

तर्क (R) : आम आदमी तक विकास के लाभों को पहुँचाने के लिए निवेश क्रियाओं को बढ़ाने की आवश्यकता है।

कूट :

A. (A) और (R) दोनों सही हैं, परन्तु (A) का (R) सही स्पष्टीकरण नहीं है।

B. (A) और (R) दोनों सही हैं, और (A) का (R) सही स्पष्टीकरण है।

C. (A) गलत है, परन्तु (R) सही है।
D. (A) सही है, परन्तु (R) गलत है।

27. **अभिकथन (A) :** स्थिरता की स्थिति पूँजी निर्माण की प्रक्रिया का अन्त है।

तर्क (R) : प्राकृतिक साधनों एवं पूँजी की कमी किसी अर्थव्यवस्था को गतिहीनता की दशा में लाती हैं।

कूट :

A. (A) और (R) दोनों सही हैं, परन्तु (A) का (R) सही स्पष्टीकरण नहीं है।
B. (A) और (R) दोनों सही हैं, और (A) का (R) सही स्पष्टीकरण है।
C. (A) सही है, परन्तु (R) गलत है।
D. (A) गलत है, परन्तु (R) सही है।

28. **अभिकथन (A) :** विनियोग में पूर्ति प्रभाव निहित हैं।

तर्क (R) : क्योंकि यह उत्पादन क्षमता को बढ़ाता है।

कूट :

A. (A) और (R) दोनों सही हैं, परन्तु (A) का (R) सही स्पष्टीकरण नहीं है।
B. (A) और (R) दोनों सही हैं, और (A) का (R) सही स्पष्टीकरण है।
C. (A) सही है, परन्तु (R) गलत है।
D. (A) गलत है, परन्तु (R) सही है।

28. **अभिकथन (A) :** स्वर्णमान अन्ततः द्वितीय विश्व युद्ध के उपरान्त छोड़ दिया गया।

तर्क (R) : देशों में स्फीति-दर भिन्न-भिन्न थी।

कूट :

A. (A) और (R) दोनों सही हैं, और (A) का (R) सही स्पष्टीकरण है।
B. (A) और (R) दोनों सही हैं, परन्तु (A) का (R) सही स्पष्टीकरण नहीं है।
C. (A) सही है, परन्तु (R) गलत है।
D. (A) गलत है, परन्तु (R) सही है।

30. **अभिकथन (A) :** भारतीय कृषि में छद्म बेरोजगारी विद्यमान है।

तर्क (R) : कृषि की सीमांत उत्पादकता लगभग शून्य है।

कूट :

A. (A) और (R) दोनों सही हैं, और (A) का (R) सही स्पष्टीकरण है।
B. (A) और (R) दोनों सही हैं, परन्तु (A) का (R) सही स्पष्टीकरण नहीं है।
C. (A) सही है, परन्तु (R) ग़लत है।
D. (A) गलत है, परन्तु (R) सही है।

निर्देश (प्र. 31-40): *निम्नांकित प्रश्नों को पढ़िए एवं कूट के अनुसार सही क्रम का चुनाव कीजिए।*

31. निम्नलिखित को कालक्रमानुसार रखिए:
I. सी ई एस उत्पादन फलन
II. कोब्ब-डोगलस उत्पादन फलन
III. ट्राँसलौग उत्पादन फलन
IV. परिवर्तनशील अनुपातों का नियम

कूट :

A. III, I, IV, II
B. I, IV, II, III
C. IV, II, I, III
D. II, III, I, IV

32. निम्नलिखित योजनाओं पर विचार कीजिए:
I. ई ए एस
II. ट्राईसेम
III. जे आर वाई
IV. आर एल ई जी पी

इन योजनाओं को लागू करने के सही कालक्रम को चुनिए:

कूट :

A. II, IV, I, III
B. IV, II, III, I
C. IV, III, I, II
D. II, IV, III, I

33. मुद्रा के उदगम को कालक्रम में रखिए:
I. चैक
II. धातु मुद्रा
III. वस्तु मुद्रा
IV. कागज मुद्रा

सही उत्तर का चयन कीजिए:

कूट :

A. IV, I, III, II
B. I, III, II, IV
C. III, II, IV, I
D. II, IV, I, III

34. निम्नलिखित सिद्धान्तों को कालक्रमानुसार रखिए:
I. परिमाण सिद्धान्त का पुनर्कथन
II. आय सिद्धान्त
III. परिमाण सिद्धान्त
IV. नगद शेष उपागम

प्रदत्त कूटों से सही उत्तर का चयन कीजिए:

कूट :

A. I, II, IV, III
B. III, I, II, IV
C. IV, III, I, II
D. III, IV, II, I

35. पारम्परिक अर्थशास्त्रियों के सही कालक्रम की पहचान कीजिए:

A. एडम स्मिथ, माल्थस, रिकार्डो, जे.एस. मिल
B. एडम स्मिथ, रिकार्डो, माल्थस, जे.एस. मिल

C. एडम स्मिथ, जे.एस. मिल, रिकार्डो, माल्थस
D. एडम स्मिथ, माल्थस, जे.एस. मिल, रिकार्डो

36. शुम्पीटर विकास मॉडल की क्रमिक प्रक्रिया है:
A. मधुमक्खी समान झुंड, नवप्रवर्तन, बैंक साख, वर्तुल प्रवाह भंग करना
B. वर्तुल प्रवाह भंग करना, नवप्रवर्तन, बैंक साख, मधुमक्खी समान झुंड
C. नवप्रवर्तन, बैंक साख, वर्तुल प्रवाह भंग करना, मधुमक्खी समान झुंड
D. बैंक, साख, नवप्रवर्तन, मधुमक्खी समान झुंड, वर्तुल प्रवाह भंग करना

37. निम्नलिखित सिद्धान्तों को उनके प्रतिपादन के कालानुसार क्रमबद्ध कीजिए और प्रदत्त कूट से सही उत्तर का चयन कीजिए:
I. तुलनात्मक लागत लाभ सिद्धान्त
II. निरपेक्ष लागत लाभ सिद्धान्त
III. लियोनटिफ विरोधाभास
IV. संसाधन प्रचुरता सिद्धान्त

कूट :
A. I, III, II, IV B. II, III, IV, I
C. II, I, IV, III D. I, IV, II, III

38. आर्थिक विकास के विभिन्न सोपानों के सही क्रम का चयन कीजिए:
I. उच्च जनसामान्य उपभोगता काल
II. पारम्परिक समाज
III. टेक ऑफ सोपान
IV. परिपक्वता की ओर अग्रसर

कूट :
A. I, III, IV, II B. II, IV, I, III
C. III, I, II, IV D. II, III, IV, I

39. निम्नलिखित को उनके लागू होने के समय को ध्यान में रखते हुए सही क्रम में कीजिए। प्रदत्त कूट से सही उत्तर का चयन कीजिए:
I. भूमि राजस्व II. बिक्री कर
III. मोडवेट IV. सेवा कर

कूट :
A. I, II, III, IV B. II, IV, I, III
C. III, II, IV, I D. IV, II, I, III

40. सही कालक्रम निर्धारित कीजिए:
I. तीन या तीन से अधिक नमूनों के माध्यमों के बीच अंतरों के महत्त्व का फिशर का एक-परीक्षण
II. केंडल का आंशिक रैंक सहसंबंध
III. दो नमूनों के माध्यों के बीच अंतरों के महत्त्व के गोसेट का टी परीक्षण
IV. नमूने के मूल्यों का वक्र की उपयुक्तता और यादृच्छिक की उपयुक्तता के अच्छाई का χ^2 परीक्षण

कूट :
A. III, I, II, IV B. I, II, III, IV
C. IV, III, II, I D. I, II, IV, III

निर्देश (प्र. 41-50): *निम्नांकित प्रश्नों में सूची-I को सूची-II से सुमेलित कीजिए और नीचे दिये गये कूटों के अनुसार सही उत्तर दीजिए:*

41.

सूची-I	सूची-II
I. फर्म का व्यवहार सिद्धांत	1. जे.बी. क्लार्क
II. वितरण का सीमांत उत्पादकता सिद्धांत	2. साइर्ट और मार्क
III. कल्याण का दोहरा मापदंड	3. केनेथ एरो
IV. असंभवता का सिद्धांत	4. सिटोवोस्की

कूट :

	I	II	III	IV
A.	2	1	4	3
B.	3	2	4	1
C.	1	4	3	2
D.	2	1	3	4

42.

सूची-I	सूची-II
I. नया क्लासकीय अर्थशास्त्र	1. टी. एच. हवाल्मो
II. स्थायी आय की कल्पना	2. रॉबर्ट लुकास
III. संतुलित बजट का बहु प्रभाव	3. एन ग्रेगोरी मानकिव
IV. नया केन्सिस अर्थशास्त्र	4. मिल्टन फ्रीडमैन

कूट :

	I	II	III	IV
A.	3	4	1	2
B.	4	3	2	1
C.	2	4	1	3
D.	1	2	4	3

43.

सूची-I	सूची-II
I. अदृश्य हस्त	1. कार्ल मार्क्स
II. वारियर नाइट	2. एडम स्मिथ
III. पी क्यू एल आई	3. शुम्पीटर
IV. मूल्य आधिक्य	4. मोरिस डी मोरिस

कूट:

	I	II	III	IV
A.	1	4	2	3
B.	2	3	4	1
C.	1	2	3	4
D.	4	3	2	1

44. **सूची-I** **सूची-II**

I. चार क्षेत्रीय प्रतिरूप — 1. रोसेस्टेइन रोडन

II. आवश्यक न्यूनतम प्रयास का सिद्धान्त — 2. आर्थर लुइस

III. बिग पुश सिद्धान्त — 3. महालनोबिस

IV. श्रमिकों की असीमित पूर्ति का सिद्धान्त — 4. लेवेस्टिन

कूट :

	I	II	III	IV
A.	4	3	2	1
B.	3	4	1	2
C.	4	1	3	2
D.	1	2	4	3

45. **सूची-I** **सूची-II**

I. खाद्यान्न उत्पादन — 1. औद्योगिक क्षेत्र

II. कीमत स्तर — 2. राजस्व घाटा

III. औद्योगिक संवृद्धि — 3. कृषि क्षेत्र

IV. राजकोषीय सूचक संकेत — 4. थोक मूल्य सूचकांक

कूट :

	I	II	III	IV
A.	4	2	1	3
B.	3	4	2	1
C.	3	4	1	2
D.	2	3	4	1

46. **सूची-I** **सूची-II**

I. राष्ट्रीय कृषि नीति — 1. 2004

II. समुद्रीय मत्स्य नीति — 2. 1978

III. नवीन विदेशी व्यापार नीति — 3. 2000

IV. सातवां वित्तीय आयोग — 4. 2004

कूट :

	I	II	III	IV
A.	2	1	3	4
B.	4	3	1	2
C.	1	4	2	3
D.	3	1	4	2

47. **सूची-I** **सूची-II**

I. जी.ए.टी.टी. — 1. भुगतान शेष प्रबन्धन

II. आई एम एफ — 2. विकास वित्त

III. आई बी आर डी — 3. मुक्त व्यापार

IV. यू एन ओ — 4. राष्ट्रों के बीच शान्ति बनाये रखना

कूट :

	I	II	III	IV
A.	2	1	4	3
B.	3	1	2	4
C.	2	3	1	4
D.	4	1	3	2

48. **सूची-I** **सूची-II**

I. एडम स्मिथ — 1. उपलब्धता सिद्धान्त

II. डेविड रिकार्डो — 2. संसाधन विपुलता

III. ओहलिन — 3. निरपेक्ष लाभ

IV. आई.बी. क्राविस — 4. तुलनात्मक लाभ

कूट :

	I	II	III	IV
A.	1	2	3	4
B.	3	4	2	1
C.	2	4	3	1
D.	4	3	1	2

49. **सूची-I** **सूची-II**

I. साधारण यादृच्छिक नमूना — 1. एक परीक्षण के सभी मदों के चयन की समान सम्भाव्यता

II. यादृच्छिक नमूना — 2. सभी परीक्षणों में प्रत्येक मद की समान संभाव्यता

III. स्तरित यादृच्छिक नमूना — 3. प्रथम का यादृच्छिक चयन से तथा अन्य सभी का प्रदत्त मापदण्ड के अनुसार

IV. स्तरित सुव्यवस्थित यादृच्छिक नमूना — 4. प्रत्येक स्तर से सभी मदों का यादृच्छिक चयन

कूट :

	I	II	III	IV
A.	1	2	3	4
B.	3	1	4	2
C.	4	3	1	2
D.	2	1	4	3

50. **सूची-I** **सूची-II**

I. आई एस-एल एम सिद्धान्त — 1. फ्रेंको मोदिग्लियानी और रिचर्ड ब्रमबर्ग

II. उपभोक्ता रैचिट — 2. ल्यूकास और सार्जेंट

III. जीवन-चक्र प्रकल्पना — 3. हिक्स और हेंसन

IV. केन्स अर्थशास्त्र के आलोचक — 4. जेम्स डियूसनबर्ग

कूट :

	I	II	III	IV
A.	3	4	1	2
B.	3	2	1	4
C.	4	3	1	2
D.	1	3	4	2

उत्तरमाला

1	2	3	4	5	6	7	8	9	10
B	B	A	D	C	C	C	A	B	C
11	**12**	**13**	**14**	**15**	**16**	**17**	**18**	**19**	**20**
A	B	C	D	A	D	D	B	D	C
21	**22**	**23**	**24**	**25**	**26**	**27**	**28**	**29**	**30**
C	D	B	A	B	B	B	B	B	A
31	**32**	**33**	**34**	**35**	**36**	**37**	**38**	**39**	**40**
C	A	C	D	B	B	C	D	A	A
41	**42**	**43**	**44**	**45**	**46**	**47**	**48**	**49**	**50**
A	C	B	B	C	D	B	B	D	A

प्रश्न-पत्र–III

निर्देश: *इस प्रश्न-पत्र में* **पचहत्तर** *(75) बहु-विकल्पीय प्रश्न हैं। प्रत्येक प्रश्न के* **दो** *(2) अंक हैं।* **सभी** *प्रश्न अनिवार्य हैं।*

1. वालरेसियन सामान्य संतुलन का हल विद्यमान होगा यदि और केवल यदि:

A. स्थिर बिन्दु प्रमेय की शर्तें संतुष्ट हो गई हैं।

B. इष्टतमता की पैरेटो शर्त संतुष्ट हो गई है।

C. हिक्स की स्थिरता स्थितियाँ संतुष्ट हो गई हैं।

D. आय वितरण के पैरेटो नियम की शर्त संतुष्ट है।

2. परिवर्धन (ऐडिंग अप) प्रमेय से सम्बन्धित सही कथन का चयन करें:

A. यदि दी गई समयावधि के दौरान दिए गए उत्पादन (आउटपुट) द्वारा सृजित आय समस्त कारकों की औसत उत्पादकता के अनुसार वितरित की जाती है, तो कुल आय निःशेष हो जायेगी।

B. आउटपुट से व्युत्पन्न कुल आय निःशेष हो जायेगी यदि सभी कारकों को उनकी सीमान्त उत्पादकता के अनुसार भुगतान किया जाता है।

C. कुल आय आउटपुट से व्युत्पन्न होती है बशर्ते कि समस्त कारकों को एक ही दर पर भुगतान किया जाता है।

D. यदि समस्त कारकों का पारितोषिक वस्तु कीमत का, आनुपातिक है तो कुल आय निःशेष हो जायेगी।

3. उत्पादक पूँजी को श्रम से तब तक प्रतिस्थापित करेगा जब तक वो समोत्पाद वक्र के उस बिन्दु पर नहीं पहुँचता है जहाँ:

A. उसके द्वारा उत्पादित वस्तु की कीमत मजदूरी की दर के बराबर है।

B. तकनीकी प्रतिस्थापन की सीमान्त दर ब्याज दर के बराबर है।

C. प्रतिस्थापन की तकनीकी दर की सीमान्त दर सीमान्त आय के बराबर है।

D. प्रतिस्थापन की सीमान्त तकनीकी दर श्रम एवं पूँजी की सीमान्त उत्पादकता के अनुपात के बराबर है।

4. सूची-I में मदों को सूची-II में मदों के साथ सुमेलित करें :

सूची-I	**सूची-II**
I. फर्म के उद्देश्य के रूप में बिक्री का अधिकतमीकरण	1. मॉरिस
II. फर्म के उद्देश्य के रूप में संवृद्धि का अधिकतमीकरण	2. बॉमोल
III. फर्म के उद्देश्य के रूप में प्रबन्धकीय उपयोगिता प्रकार्य का अधिकतमीकरण	3. विलियमसन
IV. फर्म के उद्देश्य के रूप में बिक्री, लाभ तथा संवद्धि अधिकतमीकरण	4. काल्डॉर

निम्नलिखित कूटों से सही उत्तर का चयन करें:

कूट :

	I	II	III	IV
A.	2	1	3	4
B.	1	2	3	4
C.	2	1	4	3
D.	4	3	2	1

5. सूची-I में मदों को सूची-II में मदों के साथ सुमेलित करें :

सूची-I	सूची-II
I. माँग का गणनवाची उपयोगिता सिद्धान्त	1. हिक्स
II. माँग का प्रकट वरीयता सिद्धान्त	2. अल्फ्रेड मार्शल
III. माँग तटस्थता वरीयता सिद्धान्त	3. जॉन वोन न्युमैन तथा मॉर्गस्टर्न
IV. अनिश्चितता के अंतर्गत उपयोगिता सूचकांक सिद्धान्त	4. सैम्युलसन

निम्नांकित कूटों से सही उत्तर का चयन करें:

कूट :

	I	II	III	IV
A.	1	2	3	4
B.	4	3	2	1
C.	2	4	1	3
D.	4	1	3	2

6. उपादान प्रतिफल के सीमान्त उत्पादकता सिद्धान्त के प्रतिपादकों को कालानुक्रमिक क्रम में व्यवस्थित करें:

1. जे.बी. क्लार्क　　2. मार्शल
3. वालरस　　4. जेवॉन्स

सही उत्तर के लिए सही कूट का चयन करें:

कूट :

A.	1	4	2	3
B.	4	3	1	2
C.	1	3	4	2
D.	2	1	4	3

7. अभिकथन (A) : चेम्बरलिन का नान-कॉल्युसिव/दुरभि सन्धि मॉडल दावा करता है कि स्थाई संतुलन तभी प्राप्त किया जा सकता है जब प्रत्येक फर्म एकाधिकारी कीमत लगाती है और अपने उत्पादों के लिए बाजार माँग को समतुल्य रूप से बाँटती है।

कारण (R) : फर्म लाभ अधिकतमीकरण के उद्देश्य के साथ कीमत सम्बन्धी निर्णय से जुड़ी क्रिया तथा प्रतिक्रिया के सम्बन्ध में पारस्परिक अंतःनिर्भरता को पहचानती है। यह तभी प्राप्त की जा सकेगी जब कीमत उस स्तर पर निर्धारित होती है जो सीमान्त लागत को साम्य करती है।

कूट :

A. (A) और (R) दोनों सही हैं और (R), (A) की सही व्याख्या है।
B. (A) सही है, परन्तु (R) सही नहीं है।
C. (A) और (R) दोनों सही हैं, परन्तु (R), (A) की सही व्याख्या नहीं है।
D. (R) सही है, परन्तु (A) सही नहीं है।

8. उदासीनता वक्र की व्युत्पत्ति का प्रकट वरीयता उपागमः

A. अवलोकित व्यक्ति की पसन्दों की समयोपरि स्थिरता की कल्पना करता है।
B. कल्पना करता है कि समस्त व्यक्तियों की एक समान पसन्द होती है।
C. एकल व्यक्ति के बाजार व्यवहार के पुनरावृत्त अवलोकनों पर आश्रित है।
D. A और C द्वारा सही व्याख्या की गई है।

9. कीन्सवादी अर्थशास्त्र के सम्बन्ध में निम्नलिखित में से कौन-सा कथन सत्य नहीं है?

A. मुद्रा का वेग उसके निर्धारकों का अस्थिर फलन है।
B. श्रम, मुद्रा भ्रान्ति से प्रभावित होता है।
C. समग्र आपूर्ति फलन पूर्ण रोजगार के नीचे के उत्पादन (आउटपुट) के स्तरों पर सपाट होने लगता है और पूर्ण क्षमता की स्थिति आने पर अतिप्रवण हो जाता है।
D. समग्र आपूर्ति अनुसूची ऊर्ध्वाकार होती है, और उत्पादन (आउटपुट) तथा रोजगार पूर्णतया आपूर्ति से निर्धारित हैं।

10. टॉबिन का निवेश का क्यु-सिद्धान्त इंगित करता है कि फर्में पूँजी के अपने स्टॉक में योग करती हैं जब :

A. उनकी वास्तविक परिसम्पत्तियों का प्रतिस्थापन मूल्य उनकी वित्तीय परिसम्पत्तियों के बाजार मूल्य से अधिक होता है।
B. उनकी वित्तीय परिसम्पत्तियों का, बाजार मूल्य उनकी वास्तविक परिसम्पत्तियों के प्रतिस्थापन मूल्य से अधिक होता है।
C. उनकी वास्तविक परिसम्पत्तियों का बाजार मूल्य उनकी वित्तीय परिसम्पत्तियों के अंकित मूल्य से अधिक होता है।
D. उनकी वित्तीय परिसम्पत्तियों का बाजार मूल्य उनकी वास्तविक परिसम्पत्तियों के अंकित मूल्य से अधिक होता है।

11. जब वर्तमान आय में नकारात्मक क्षणिक (अल्पकालिक) घटक समाविष्ट हैं, तो वर्तमान आय से सम्बन्धित उपभोग निम्नलिखित को उत्पन्न करेंगे:

A. उपभोग करने की औसत प्रवृत्ति (या प्रवणता) जो उपभोग करने की दीर्घकालिक औसत प्रवृत्ति (या प्रवणता) से कम है।
B. उपभोग करने की औसत प्रवृत्ति जो उपभोग करने की औसत दीर्घकालिक प्रवृत्ति से उच्चतर है।
C. उपभोग करने की औसत प्रवृत्ति (या प्रवणता) जो उपभोग करने की दीर्घकालिक औसत प्रवणता के बराबर है।
D. उपर्युक्त में से कोई नहीं

12. तरलता जाल वो स्थिति है जबः
A. समस्त संभावित निवेशकर्ता भविष्य में ब्याज की दर के बढ़ने की अपेक्षा करते हैं।
B. समस्त संभावित निवेशकर्ता भविष्य में ब्याज की दर के गिरने की अपेक्षा करते हैं।
C. ब्याज की प्राकृतिक दर ब्याज की क्रान्तिक दर के ऊपर स्थित है।
D. अनुमानिक उद्देश्य के लिए मुद्रा की माँग ब्याज-बेलोचदार होती है।

13. आर्थिक संवृद्धि के हैरोड मॉडल में, यदि संवृद्धि की समाश्वित दर संवृद्धि की प्राकृतिक दर से नीचे है तो फिर किसके साथ समाश्वित दर पर संवृद्धि की नियमित स्थिति कायम रखना सम्भव होता है?
A. निरन्तर बढ़ती बेरोजगारी
B. बेरोजगारी की स्थायी दर
C. निरन्तर गिरती बेरोजगारी
D. उपर्युक्त में से कोई नहीं

14. ए.डब्लू. फिलिप्स मुद्रा स्फीति-बेरोजगारी 'ट्रेड-ऑफ' सम्बन्ध की विशेषता क्या नहीं है?
A. बेरोजगारी की दर तथा मजदूरी की दर में परिवर्तन की दर के बीच अरैखिक प्रतिलोम सम्बन्ध।
B. फिलिप्स वक्र के चारों ओर प्रति दक्षिणावर्त फंदा होता है।
C. मजदूरी स्फीति-बेरोजगारी सम्बन्ध पूर्वानुमेय होता है।
D. जब मुद्रा स्फीति की प्रत्याशित दर स्थान बदलती है फिलिप्स वक्र भी स्थान बदलता है।

15. मान लीजिये कि पूर्ण रोजगार की स्थिति है और ऊर्ध्वाकार समग्र आपूर्ति अनुसूची है, तो अंकित मुद्रा आपूर्ति में वृद्धिः
A. ब्याज की दर को घटा देती है और उत्पादन का स्वरूप परिवर्तित करती है।
B. वास्तविक उत्पादन (आउटपुट) में आनुपातिक वृद्धि लाता है।
C. वास्तविक मुद्रा आपूर्ति या उत्पादन के स्वरूप पर कोई प्रभाव नहीं डालती है।
D. वास्तविक मुद्रा आपूर्ति को बढ़ाती है जो कि आउटपुट के स्वरूप में परिवर्तन लाती है।

16. खुली अर्थव्यवस्था के मुन्डेल-फ्लेमिंग मॉडल के संदर्भ में, निम्नलिखित चरों पर विचार करें जो कि आई.एस.फलन का स्थान बदल देता है :
1. विनिमय की दर में वृद्धि
2. विदेशों की आय में वृद्धि
3. करों में कटौती
4. व्यापार की दर में गिरावट

इन कारकों के निम्नलिखित संयोजनों में से कौन-सा आई.एस.फलन को ऊपर दाईं ओर खिसकाता है?
A. 1, 2, 4 B. 2, 3, 4
C. 1, 2, 3 D. 3, 4, 1

17. भारतीय रिजर्व बैंक ने मार्च 2010 से रेपो दर में कितनी बार वृद्धि की है?
A. ग्यारह बार B. तेरह बार
C. दस बार D. बारह बार

18. भारत में नगरीय क्षेत्रों में बी.पी.एल. परिवारों की पहचान के लिए निम्नलिखित में से कौन-सी समिति स्थापित की गई है?
A. तेंदुलकर समिति B. सक्सेना समिति
C. लकड़वाला समिति D. हाशिम समिति

19. 'स्वाभिमान' नाम का वृहद फाइनेंशियल इन्क्लूसन इनिशिएटिव औपचारिक रूप से कब प्रारम्भ किया गया था?
A. फरवरी, 2010 B. फरवरी, 2011
C. फरवरी, 2009 D. फरवरी, 2008

20. किस पंचवर्षीय योजना ने 'ज्यादा तेज धारणीय तथा समावेशी संवृद्धि' पर जोर दिया है?
A. ग्यारहवीं पंचवर्षीय योजना
B. बारहवीं पंचवर्षीय योजना
C. दसवीं पंचवर्षीय योजना
D. नौवीं पंचवर्षीय योजना

21. औद्योगिक उत्पादन के संशोधित सूचकांक शृंखला के अंतर्गत, 2004-05 को आधारवर्ष मानते हुए, समाविष्ट मदों की कुल संख्या 538 से कहाँ तक बढ़ी है?

A. 682　　B. 662
C. 652　　D. 642

22. निम्नलिखित में से किस राज्य में 2009-10 में अधिकतम प्रतिव्यक्ति आय थी?
A. पंजाब　　B. हरियाणा
C. मध्य प्रदेश　　D. दिल्ली

23. निम्नलिखित में से किस राज्य में वर्ष 2010 में क्षेत्रीय ग्रामीण बैंकों की शाखाओं की उच्चतम संख्या थी?
A. बिहार　　B. हरियाणा
C. मध्य प्रदेश　　D. पंजाब

24. नव आर्थिक नीति को अपनाने के उपरान्त भारतीय कृषि का विकास धीमा हो गया है क्योंकिः
1. फसल की लब्धि में निम्न वृद्धि
2. निम्न लोक निवेश या एकदम नहीं
3. स्थिर हरित क्रान्ति प्रौद्योगिकी
4. कृषि उत्पादों की निम्न फुटकर बाजार कीमतें
सही संयोजन का चयन करके सही उत्तर देंः
कूट :
A. 1, 2, 3, 4　　B. 2, 3
C. 1, 2, 3　　D. 1, 4

25. मौद्रिकवादियों के अनुसार, मुद्रा आपूर्ति निम्नलिखित से बनती हैः
A. करेन्सी तथा मांग निक्षेप
B. करेन्सी + मांग निक्षेप तथा सावधिक निक्षेप
C. करेन्सी + मांग निक्षेप + सावधिक निक्षेप + ईक्विटी शेयर
D. करेन्सी + सभी प्रकार के बैंक निक्षेप + अन्य संस्थानों के पास निक्षेप + उधार

26. निम्नलिखित में कौन-सा मुद्रा बाजार का विशेषीकृत उप बाजार नहीं है?
A. संपार्श्विक ऋण बाजार　B. बट्टा बाजार
C. बॉण्ड (बंधपत्र) बाजार　D. स्वीकृति बाजार

27. निम्नलिखित कमेटियों को नीचे दिए कूटों की सहायता से कालानुक्रमिक क्रम में व्यवस्थित करेंः
I. खुसरो कमेटी　　II. दंतवाला कमेटी
III. नरसिंहा कमेटी　　IV. केलकर कमेटी
कूट :
A. I, II, III, IV　　B. II, IV, I, III
C. II, I, IV, III　　D. II, III, I, IV

28. **अभिकथन (A) :** क्षेत्रीय ग्रामीण बैंकों की कार्य प्रक्रिया दर्शाती है कि उन्होंने अपना पूँजी आधार नष्ट/क्षय कर डाला है।
कारण (R) : बहुत से क्षेत्रीय ग्रामीण बैंक अ-व्यवहार्य हैं और उनकी परिचालन लागत अत्यधिक है।
उपर्युक्त दोनों कथनों का, नीचे दिये कूटों की सहायता से सही उत्तर देंः
कूट :
A. (A) और (R) दोनों सही हैं, और (R), (A) की सही व्याख्या है।
B. (A) और (R) दोनों सही हैं, परन्तु (R), (A) की सही व्याख्या नहीं है।
C. (A) सत्य है, परन्तु (R) असत्य है।
D. (A) असत्य है, परन्तु (R) सत्य है।

29. निम्नलिखित में से कौन-सा संस्थान भारतीय रिजर्व बैंक द्वारा विनियमित होता है जैसा कि सभी भारतीय वित्तीय संस्थान होते हैं?
I. भारतीय निर्यात आयात बैंक
II. राष्ट्रीय आवासगृह बैंक
III. भारतीय स्टेट बैंक
IV. भारतीय लघु उद्योग विकास बैंक
नीचे दिए कूटों से सही उत्तर का चयन करेंः
कूट :
A. I, II, IV　　B. II, III, IV
C. I और II　　D. III और IV

30. सारभाग मुद्रा स्फीति किस मुद्रा स्फीति का माप है?
A. जो केवल खाद्य पदार्थ तथा ऊर्जा कीमतों पर आधारित है।
B. जो उन मदों को समाविष्ट करता है जिनकी अस्थिर कीमतों की स्थिति रहती है। विशेष रूप से खाद्य पदार्थ तथा ऊर्जा की कीमतें।
C. जो उन मदों को वर्जित करता है जो कि अस्थिर कीमत स्थितियों का सामना करती है, विशेष रूप से खाद्य पदार्थ तथा ऊर्जा की।
D. उपर्युक्त में से कोई नहीं

31. प्रथम हरित क्रान्ति निम्नलिखित के उत्पादन तथा उत्पादक से मुख्यतः सम्बन्धित थीः
A. दालें　　B. तिलहन
C. गेहूँ　　D. फल एवं सब्जी

32. 2001-05 से 2010-11 तक की अवधि के दौरान कृषि क्षेत्र में जी डी पी के साथ-साथः

A. संपूर्ण जी डी पी की तुलना में उच्चतर संवृद्धि की दर थी।

B. संपूर्ण जी डी पी की तुलना में निम्न संवृद्धि दर थी।

C. संपूर्ण जी डी पी की तुलना में स्थिर संवृद्धि दर थी।

D. संपूर्ण जी डी पी की दर के समान संवृद्धि दर थी।

33. खाद्य पदार्थ प्रबन्धन के मुख्य उद्देश्य हैं:

A. किसानों से लाभकारी कीमतों पर खाद्यान्न उपलब्ध करना।

B. उपभोक्ताओं को समर्थनकारी कीमतों पर खाद्यान्नों का वितरण।

C. खाद्य पदार्थों की सुरक्षा तथा कीमत स्थायित्व के लिए खाद्य बफरस को बनाए रखना।

D. उपर्युक्त सभी

34. निम्नलिखित में से किस राज्य ने वर्ष 2009-10 में दालों के उत्पादन में अधिकतम योगदान दिया?

A. उत्तर प्रदेश B. मध्य प्रदेश
C. राजस्थान D. पंजाब

35. किसान क्रैडिट कार्ड (KCC) की योजना किस वर्ष लागू की गई?

A. 2001 B. 2005
C. 1998 D. 1999

36. कृषि उत्पादन तथा उत्पादकता में वृद्धि किसके लिए पूर्व शर्त हैं?

A. जी डी पी में कृषि का हिस्सा बढ़ाने के लिए

B. राष्ट्रीय खाद्य सुरक्षा सुनिश्चित करने के लिए

C. जीवनयापन तथा पोषणिक सुरक्षा प्रदान करने के लिए

D. उपर्युक्त सभी

37. उस वर्ष को चुनिए जिसमें केन्द्र सरकार का सकल कुल घाटा, राजकोषीय घाटा तथा प्राथमिक घाटा घरेलू सकल उत्पाद के प्रतिशत के रूप में अधिकतम था:

A. 2008-09 B. 2006-07
C. 2007-08 D. 2005-06

38. वर्ष 2011-12 में निम्नलिखित मदों में से केन्द्र सरकार के व्यय का सबसे महत्वपूर्ण संभावित मद है:

A. आर्थिक सहायता

B. रक्षा

C. ब्याज

D. राज्यों का केन्द्र करों में हिस्सा

39. राज्य सरकारों के सामाजिक क्षेत्र के व्यय के मदों में सम्मिलित होता है:

I. शिक्षा एवं खेल

II. ऊर्जा एवं परिवहन

III. चिकित्सा एवं सार्वजनिक स्वास्थ्य

IV. जल पूर्ति एवं स्वच्छता

दिए गए कूट में से सही उत्तर बताइए:

कूट :

A. I, II व IV सही हैं।

B. I, III व IV सही हैं।

C. II, III और IV सही हैं।

D. I व III सही हैं।

40. सूची-I में दी मदों को सूची-II में दी मदों के साथ सुमेलित करें और नीचे दिए गए कूटों से सही उत्तर का चयन करें:

सूची-I	सूची-II
I. राज्य की बढ़ती हुई क्रियाओं का नियम	1. आर.एन. भार्गव
II. विस्थापन प्रभाव	2. एडोल्फ वैगनर
III. संघीय वित्त	3. वाइज़मैन व पिकॉक
IV. क्रियात्मक वित्त	4. ए.पी. लर्नर

कूट :

	I	II	III	IV
A.	1	2	3	4
B.	2	3	1	4
C.	3	4	2	1
D.	4	1	3	2

41. **अभिकथन (A) :** संघ बजट, 2010-11 में प्रोत्साहन उपायों के आंशिक हटाने के साथ राजकोषीय सुदृढ़ता की प्रक्रिया शुरू हुई।

कारण (R) : अर्थव्यवस्था में आर्थिक पुनर्लाभ की स्थिति का स्पष्ट प्रमाण था।

उपरोक्त दोनों कथनों के संबंध में, दिए गए कूट में से कौन सही है?

A. (A) और (R) दोनों सही हैं और (R), (A) कथन का सही कारण है।

B. (A) व (R) दोनों सही हैं, किन्तु (R), (A) का सही कारण नहीं है।

C. (A) सही है, लेकिन (R) सही नहीं है।

D. (R) सही है, किन्तु (A) सही नहीं है।

42. निम्नलिखित प्रतिवेदनों को कालानुक्रमिक क्रम में नीचे दिए गए कूटों की सहायता से व्यवस्थित करें:

I. कृषि सम्पदा और आय के कराधान पर समिति

II. प्रत्यक्ष करों पर टास्क फोर्स की रिपोर्ट

III. 13वाँ वित्त आयोग : 2010-15

IV. भारतीय कर सुधार-सर्वेक्षण की रिपोर्ट

कूट :

A. III, II, IV, I B. IV, I, II, III

C. I, III, I, IV D. I, IV, III, II

43. प्रतिस्पर्धात्मक बाजार में, मजदूरी पर लगाया गया कर पूर्णतः श्रम पर पड़ता है यदि:

A. श्रम पूर्ति बेलोच है।

B. श्रम पूर्ति लोचदार है।

C. श्रम पूर्ति अत्यधिक लोचदार है।

D. उत्पादों की माँग की अनन्त लोच है।

44. भारत में छोटे तथा लघु उद्योगों के विकास के लिए उत्तरदायी शीर्ष वित्तीय संस्थाएँ हैं:

A. आई.डी.बी.आई. B. एस.आई.डी.बी.आई.

C. नाबार्ड D. उपर्युक्त में से कोई नहीं

45. भारत में औद्योगिक विवादों का हल करने के लिए उपयोग की गई सामान्य पद्धतियाँ हैं:

1. सामूहिक सौदेबाजी 2. अनिवार्य विवाचन

3. अधिनिर्णय 4. मजदूर संघों के निर्णय

कूट :

A. 1 तथा 2 B. 2 तथा 3

C. 2 तथा 4 D. 1 तथा 3

46. नीचे दो कथन दिये गये हैं, एक को अभिकथन (A) और दूसरे को कारण (R) का नाम दिया गया है:

अभिकथन (A) : सूचना प्रौद्योगिकी उद्योग 'उच्च ज्ञान' आधारित उद्योग है जो भारत में मुख्यतः अपने खुद की योग्यताओं के आधार पर तीव्रता से विकसित हुआ है।

कारण (R) : 'उच्च ज्ञान' पर आधारित उद्योग को सरकार से किसी महत्वपूर्ण सहायता की जरूरत नहीं है न ही बाह्य हस्तक्षेप के लिए ज्यादा गुंजाइश होती है।

सही उत्तर का चयन करें:

कूट :

A. (A) सही है, परन्तु (R) गलत है।

B. (A) और (R) दोनों सही हैं।

C. (A) गलत है, परन्तु (R) सही है।

D. (A) और (R) दोनों गलत हैं।

47. SEBI (एस.ई.बी.आई.) को निम्नलिखित में से उपयुक्त मद के साथ सुमेलित करें:

A. मुद्रा बाजार का विनियमन

B. पूँजी बाजार का विनियमन

C. वस्तु बाजार का विनियमन

D. उपर्युक्त सभी

48. औद्योगिक विकास के सोपानों के विभिन्न संयोजन नीचे दिए गए हैं। सही आनुक्रमिक संयोजन का चयन करें:

A. मौद्रिक विस्तार/प्रसार, औद्योगिक विकास, ब्याज में गिरावट, निवेश उत्प्रेरित

B. औद्योगिक विकास, ब्याज में गिरावट, मौद्रिक प्रसार, निवेश उत्प्रेरित

C. मौद्रिक प्रसार, ब्याज में गिरावट, निवेश उत्प्रेरित, औद्योगिक विकास

D. औद्योगिक विकास, ब्याज में गिरावट, मौद्रिक प्रसार, निवेश उत्प्रेरित

49. 1991 आर्थिक नीतियों के उत्तरोत्तर काल के अंतर्गत भारतीय सरकार निम्नलिखित की सहायता करती है:

A. निजी विनिर्माण क्षेत्र B. निर्यात उद्योग

C. छोटे (या लघु) उद्योग D. उपर्युक्त सभी

50. निम्नलिखित में से कौन-सी आर्थिक व्यवहार्यता और लिओंटिक स्थैतिक मॉडल की प्रौद्योगिकीय साध्यता की स्थिति हैं?

A. पैरोन् फ्रोबिनस मूल

B. मूल के वस्तुपरक फलन का मान, मूल के द्वय के वस्तुपरक फलन के मान के बराबर होना चाहिए

C. कुह्न-टक्कर स्थितियाँ

D. हॉकिन्स-साइमन स्थिति

51. निम्नलिखित उत्पादन फलन : $Y = A L^{\beta} K^{\alpha}$ $\alpha, \beta > 0$ पर विचार करें और सूची-I और सूची-II में दी मदों को सुमेलित करें:

सूची-I	सूची-II
I. पैमाने के ह्रासमान प्रतिफल	1. $\alpha + \beta > 1$
II. पैमाने के वर्द्धमान प्रतिफल	2. α

III. L के सम्बन्ध में आउटपुट लोच 3. $\alpha + \beta < 1$

IV. K के सम्बन्ध में आउटपुट लोच 4. β

कूट :

	I	II	III	IV
A.	3	1	2	4
B.	1	2	4	3
C.	4	1	3	2
D.	2	3	4	1

52. निम्नलिखित को सुमेलित करें :

सूची-I	सूची-II
I. बॉक्स-जैंकिन्स पद्धति	1. कार्यकारण भाव (या कारणता)
II. इकाई-मूल परीक्षण	2. पूर्वानुमान
III. डरबिन-वाटसन का 'डी' सांख्यिकीय (स्टैटिस्टिक)	3. अप्रगामिता
IV. ग्रेंजर परीक्षण	4. स्वतः सहसम्बन्ध

कूट :

	I	II	III	IV
A.	3	1	2	4
B.	2	3	4	1
C.	1	2	3	4
D.	4	1	2	3

53. निम्नलिखित परिकल्पनाओं में से कौन-सी प्रतिगमन फलन द्वारा परीक्षण की गई है?

A. दो या ज्यादा चरों के बीच अंतःसम्बन्ध आवश्यक रूप से शून्य से भिन्न है।

B. दो एवं ज्यादा चरों के बीच अंतःसम्बन्ध की कोटि तथा दिशा शून्य नहीं है और प्रतिगमन फलन की सुमानकता संतोषजनक है।

C. व्यवस्थित व्याख्यात्मक कारकों द्वारा कारित प्रभाव की कोटि यादृच्छिक कारकों द्वारा कारित प्रभाव के बराबर या अधिक (कम) होती है।

D. उपर्युक्त सभी

54. विषमविसारिता की उपस्थिति में कौन-सा कथन सही नहीं है?

A. विषमविसारिता OLS (ओ.एल.एस.) आकलकों के अनपूर्वाग्रह तथा संगतता गुणधर्म को बदलता नहीं है।

B. OLS आकलक न्यूनतम विसंगति (या दक्षता) के होते हैं।

C. BLUE आकलक भारित न्यूनतम वर्गों की विधि द्वारा प्रदान किये जाते हैं।

D. क्लासीकल रैखिक प्रतिगमन मॉडल की मानक मान्यताओं पर आधारित 't' तथा 'F' परीक्षण विश्वसनीय नहीं हो सकते हैं।

55. X और Y के बीच सहसम्बन्ध गुणांक 0.3 है और P तथा Q के बीच सहसम्बन्ध गुणांक 0.6 है, तो फिर P और Q के बीच सहसम्बन्ध की घात X और Y के बीच सहसम्बन्ध से कितनी बार ज्यादा होगी?

A. दो बार B. तीन बार

C. चार बार D. पाँच बार

56. दो वस्तु की स्थिति में, जहाँ U = उपयोगिता और P_1, P_2 दो वस्तुओं की कीमतें हैं, तो निम्नलिखित में से कौन-सी उपभोक्ता संतुलन की स्थितियाँ हैं?

A. $\delta U/\delta X = 0$ B. $\delta U_1/\delta U_2 = 0$

C. $\delta^2 U/\delta X^2 < 0$क D. उपर्युक्त में से कोई नहीं

57. उत्पादन फलन $Q = A[\beta K^{-a} + \propto L^{-a}]^{1/a}$ कितनी कोटि का सजातीय है?

A. शून्य B. एक

C. अनन्तता D. a

58. कुल उत्पादन फलन : $C = 7Q^2 + 26Q + 5$, दिया गया होने पर Q = ₹ 5 पर MC है :

A. ₹ 100 B. ₹ 200

C. ₹ 85 D. ₹ 96

59. निम्नलिखित का मिलान करें:

सूची-I	सूची-II
I. जब H_0 मिथ्या है उसकी स्वीकृति	1. सरल यादृच्छिक प्रतिचयन
II. माध्यम स्वतन्त्रता की कोटि के बराबर है	2. टाईप II त्रुटि
III. जनसंख्या सजातीय है	3. धनात्मक रूप से विषम बंटन
IV. माध्य > बहुलक	4. χ^2 बंटन

कूट :

	I	II	III	IV
A.	2	4	3	1
B.	1	2	3	4
C.	2	4	1	3
D.	4	1	2	3

60. प्रतिगमन मॉडल के लिए:

$Y = \beta_0 + \beta_1 X + U$

$Y = 20 + 2X$

SE : 0.46

$H_0 : \beta_1 = 2.1$ के विरुद्ध $H_1 : \beta_1 \neq 2.1$

का परीक्षण करने के लिए परीक्षण स्टैटिस्टिक | t | निम्नलिखित के बराबर है:

A. 4.609 B. 0.217

C. 4.34 D. 0.33

61. प्रतिगमन मॉडल के लिए:

$Y = \beta_0 + \beta_1 X_1 + \beta_2 X_2 + ...\beta_k X_k + e$

n ऑब्जरवेशनों के सम्बन्ध में परीक्षण सांख्यिकी/स्टैटिस्टिक 't' की स्वतन्त्रता की कोटि है :

A. n – k B. n – k + 1

C. n – k – 1 D. n + k – 1

62. बाजार में करेन्सी की खरीद और साथ ही साथ दूसरे बाजार में उसकी बिक्री करना क्या कहलाता है?

A. सट्टा

B. हाजिर विनिमय (स्पॉटिंग)

C. वायदा विनिमय (या अग्रेषण)

D. विवाचन

63. अंतर्राष्ट्रीय रूप से लेन-देन की गई समस्त सेवाएँ किस डब्लु.टी.ओ. समझौते के अंतर्गत शामिल है?

A. गेट्स (जी ए टी एस)

B. ट्रिप्स (टी आर आई पी एस)

C. ट्रिम्स (टी आर आई एम एस)

D. पी.टी.ए.

64. ब्रेट्टनवुड्स व्यवस्था:

A. राष्ट्रों के लिए अंतर्राष्ट्रीय व्यापार का आचरण निभाने के लिए नियम संहिता निर्धारित करती है।

B. राष्ट्रों की भुगतान संतुलन सम्बन्धित अस्थायी समस्याओं के लिए ऋण सुविधाओं की व्यवस्था करती है।

C. वर्ष बीतने के साथ कई महत्वपूर्ण ढंग से उद्विकसित हुई है।

D. उपर्युक्त सभी

65. पूर्ण रोजगार तथा भुगतान संतुलन का साम्य इष्टतम करेन्सी क्षेत्र में स्वचालित रूप से उपलब्ध हो जाएगा:

A. यदि विनिमय दरें लचीली हैं।

B. यदि विदेशी पूँजी देश में आती है।

C. यदि श्रम तथा पूँजी स्वतन्त्र रूप से गतिमान है।

D. यदि व्यापार उदारीकृत हो गया है।

66. आर्थिक एकीकरण के उदाहरण हैं:

I. स्वतन्त्र व्यापार क्षेत्र

II. सीमा शुल्क संघ

III. साझा बाजार

IV. कार्टेल (उत्पादक संघ)

A. I और II सही हैं। B. II और III सही हैं।

C. I, II और IV सही हैं। D. I, II और III सही हैं।

67. विश्व व्यापार संगठन की मंत्री सभाओं या बैठकों के क्रम को व्यवस्थित करें:

I. सीटल II. कानकुन

III. सिंगापुर IV. दोहा

A. II, I, III, IV B. III, II, I, IV

C. III, I, IV, II D. II, III, I, IV

68. कृषि पर विश्व व्यापार संगठन समझौते के अंतर्गत भारत खाद्य तेल से शुल्क की किस अधिकतम दर की उगाही कर सकता है?

A. 100% B. 150%

C. 200% D. 300%

69. कृषि पर विश्व व्यापार संगठन समझौता समाविष्ट करता है:

I. घरेलू सहायता/सपोर्ट

II. निर्यात अर्थ साहाय्य

III. बाजार पहुँच

IV. आगत (इनपुट) सम्बन्धी आर्थिक सहायता

A. I तथा IV सही हैं। B. II और IV सही हैं।

C. I, II और III सही हैं। D. I, II और IV सही हैं।

70. हैरोड ग्रोथ मॉडल में तटस्थ तकनीकी प्रगति में तकनीकी प्रगति का अभिप्राय :

A. पूँजी को बढ़ाने से है।

B. श्रम को बढ़ाने से है।

C. श्रम और पूँजी दोनों को बढ़ाने से है।

D. उत्पादकता में वृद्धि करने से है।

71. ग्रोथ (संवृद्धि) के दो अंतराल मॉडल में आर्थिक प्रणालियों की संवृद्धि प्रक्रिया को प्रभावित करने वाले दो अंतराल (रिक्तियाँ) क्या हैं?

A. बचत अंतराल तथा निवेश अंतराल
B. आय अंतराल तथा उपभोग अंतराल
C. विदेशी विनिमय अंतराल तथा घरेलू बचत अंतराल
D. निर्यात अंतराल तथा आयात अंतराल

72. **अभिकथन (A) :** नव अंतर्जात संवृद्धि सिद्धान्त उस उत्पादन फलन की जाँच करता है जो वर्द्धमान प्रतिफल दर्शाता है।

कारण (R) : ज्ञान की पूँजी में विशिष्टीकरण तथा निवेश के कारण।

A. (A) सत्य है, परन्तु (R) असत्य है।
B. (R) सत्य है, परन्तु (A) असत्य है।
C. (A) और (R) दोनों सत्य हैं, परन्तु (R), (A) की सही व्याख्या नहीं है।
D. (A) और (R) दोनों सत्य हैं, और (R), (A) की सही व्याख्या है।

73. 'स्वर्णिम युग' मॉडल किसने प्रतिपादित किया है?
A. निकोलस काल्डर B. जॉन रोबिन्सन
C. जे.आर. हिक्स D. आर.एफ. हैरोड

74. विकासशील देशों की व्यापार शर्तें प्रतिकूल होती हैं क्योंकि जब भी विकसित देशों में आय में वृद्धि होती है प्राथमिक वस्तुओं के लिए माँग बढ़ जाती है क्योंकि:
A. प्राथमिक वस्तुओं के लिए माँग की आय लोच अधिक होती है।
B. प्राथमिक वस्तुओं के लिए माँग की आय लोच कम होती है।
C. प्राथमिक वस्तुओं के लिए माँग की आय लोच तटस्थ होती है।
D. उपर्युक्त में से कोई नहीं।

75. टी.डब्लू. शुल्जे ने आर्थिक संवृद्धि के लिए शिक्षा के सम्बन्ध में निम्नलिखित अनुपात दिए हैं:
A. शिक्षा, पूँजी तथा श्रम अनुपात
B. शिक्षा-श्रम अनुपात
C. शिक्षा-आय अनुपात
D. शिक्षा-श्रम अनुपात, शिक्षा-आय अनुपात तथा शिक्षा–निवेश अनुपात

उत्तरमाला

1	2	3	4	5	6	7	8	9	10
B	B	D	A	C	×	A	D	D	B
11	**12**	**13**	**14**	**15**	**16**	**17**	**18**	**19**	**20**
B	A	A	D	C	C	B	D	B	B
21	**22**	**23**	**24**	**25**	**26**	**27**	**28**	**29**	**30**
A	D	A	C	B	C	B	B	A	C
31	**32**	**33**	**34**	**35**	**36**	**37**	**38**	**39**	**40**
C	B	D	B	C	D	A	C	B	B
41	**42**	**43**	**44**	**45**	**46**	**47**	**48**	**49**	**50**
A	B	A	B	D	B	B	C	D	D
51	**52**	**53**	**54**	**55**	**56**	**57**	**58**	**59**	**60**
A	B	D	B	C	D	B	D	C	B
61	**62**	**63**	**64**	**65**	**66**	**67**	**68**	**69**	**70**
C	D	A	D	C	D	C	D	C	B
71	**72**	**73**	**74**	**75**					
C	D	B	B	D					

× Wrong Question.